国家出版基金资助项目

11

秦岭昆虫志

膜翅目

总 主 编　杨星科
本卷主编　陈学新
副 主 编　魏美才　唐　璞

世界图书出版公司
西安 北京 上海 广州

图书在版编目（CIP）数据

秦岭昆虫志. 11，膜翅目／杨星科，陈学新主编.—西安：世界图书出版西安有限公司，2018.1

ISBN 978－7－5192－4036－3

Ⅰ.①秦… Ⅱ.①杨… ②陈… Ⅲ.①秦岭—昆虫志 ②膜翅目—昆虫志—秦岭 Ⅳ.①Q968.224.1

中国版本图书馆 CIP 数据核字（2018）第 051973 号

书　　名	秦岭昆虫志　膜翅目
总 主 编	杨星科
本卷主编	陈学新
责任编辑	冀彩霞　王哲　赵亚强
装帧设计	诗风文化
出版发行	世界图书出版西安有限公司
地　　址	西安市北大街 85 号
邮　　编	710003
电　　话	029－87214941　87233647（市场营销部） 029－87234767（总编室）
网　　址	http://www.wpcxa.com
邮　　箱	xast@wpcxa.com
经　　销	新华书店
印　　刷	陕西博文印务有限责任公司
开　　本	787mm×1092mm　1/16
印　　张	63.25
插　　页	116
字　　数	1250 千字
版　　次	2018 年 1 月第 1 版　2018 年 1 月第 1 次印刷
国际书号	ISBN 978－7－5192－4036－3
定　　价	560.00 元

内容简介

本志是《秦岭昆虫志》第十一卷。膜翅目是昆虫纲中进化程度最高的类群，也是一个十分多样化的类群，与人类生活关系密切。包括重要的农林害虫、捕食性和寄生性天敌，以及植物的传粉昆虫。本志是国内膜翅目同行专家对陕西地区膜翅目昆虫进行系统而深入研究的最新成果，记述了膜翅目 39 科 353 属 988 种，其中包括 1 新属 2 新种 195 陕西新纪录种。编写了分科、亚科、属、种的检索表；各属和种均有文献出处、模式种、鉴别特征、分布等，重要属、种还列举其生态习性等；各种均有鉴别特征、国内外（省内外）的分布及重要种类的生态、寄主、经济意义等。目或总科（科）后附有参考文献。

本志可为从事昆虫学、生物多样性研究及植物保护、森林保护等工作的人员提供参考。

前言

《秦岭昆虫志》编委会

《秦岭昆虫志·膜翅目》编委会

主　编　陈学新

副主编　魏美才　唐　璞

编　委　（按姓氏笔画排序）

马　丽　马丽滨　王　娟　王义平　王师君　王春红　牛泽清
牛耕耘　毛　宁　毛　娟　毛沙江洋　田红伟　朱　巽　朱朝东
刘　珍　江　鑫　许升全　许再福　李　扬　李　强　李泽建
肖　炜　肖　晖　何俊华　陆海霞　陈华燕　陈学新　周善义
赵可心　郝倩男　钟义海　洪纯丹　郭　瑞　唐　璞　涂彬彬
曹焕喜　谭江丽　魏纳森　魏美才

《秦岭昆虫志·膜翅目》编辑出版委员会

主　任　薛春民

委　员　（按姓氏笔画排序）

马可为　王　冰　王　勇　任卫军　李文杰　李志刚　赵亚强
侯长庆　郭　茹　薛春民　冀彩霞

责任校对（按姓氏笔画排序）

王　哲　王　娟　王　骞　王晓宇　孙　蓉　李晓静　李迎新
吴天方　张弓鸣　陈成梅　易丹丹　周娟鸽　赵　芝　赵小丽

序

秦岭是我国最古老的山脉之一，在我国生物地理上占据着重要地位。它是我国南北气候的分水岭，环境的复杂性成就了生物的多样性，因此受到了世界的高度关注。关于秦岭的生物资源、区系组成、分布格局等，植物和大型动物都有较为系统的研究和显著的成果，《秦岭植物志》《秦岭动物志》陆续问世，而无脊椎动物研究却一直属于空白。

杨星科研究员长期从事昆虫区系的研究，先后组织开展过多次大型科学考察，并且都有很好的成果以专著、考察报告等形式展现给大家，为我国的昆虫多样性研究做出了实质性的贡献。2013 年，他利用在中国科学院西安分院、陕西省科学院工作的机会，积极争取项目支持，团结全国同行，全面开展秦岭地区昆虫资源的考察。通过 3 年的野外工作，在大家的共同努力下，完成了《秦岭昆虫志》这部 12 卷册的巨著。《秦岭昆虫志》所包括的种类是原已知种类的 2 倍，编写完全按照志书的规则，不同阶元都有鉴别特征及检索表，属、种都有科学引证，在保证种类准确性的同时，为大家提供了更为广泛的信息，文后附有详细的参考文献，有力地保证了《秦岭昆虫志》的质量和水平，使这套志书具有很高的科学价值和应用价值，我相信这套志书的出版必定会对我国乃至世界昆虫多样性研究产生深远的影响。

生物多样性研究，直接关系到生物资源的合理开发与科学利用，关系到生态系统的平衡与可持续发展，关系到友好型生态环境的建设。我国地域广阔，地形复杂多样，生物多样性极为丰富。但是，我国昆虫资源家底远不清楚，昆虫多样性研究与国际相比相差甚远。如何改变这种现状，在需要国家政策支持的同时，更需要我们同行的共同努力。《秦岭昆虫志》的完成与问世，为我们大家起到了很好的示范与引领作用。

随着全球化的发展态势，世界各国、不同地域之间的各种交流、来往、贸易、物流等出现新的模式和高频次现象，这也给我们带来巨大的挑战。首先是生物安全问题，随着贸易往来、物流循环、人员交流的不断增长，外来入侵生物的入侵形势严峻，农林生产及生态环境的安全威胁加大；其次是生物产业作为未来战略新兴产业，对生物资源的挖掘与开发日趋强化，生物资源的研究与保护已不仅仅是一个科学问题。这些都关系到我们国家的经济与社会发展战略。昆虫是生物界最大的家族，蕴藏着巨大的资源，摸清昆虫资源家底，不但可以有效应对外来生物入侵，破解生物安全的威胁，同时也可以对我国生物资源的保护和利用做出实质性的贡献，这是我们科技工作者义不容辞的责任和义务。我衷心希望我国昆虫界的同仁们，在国家建设科技强国战略的指引下，大家齐心协力，共同努力，把我国昆虫多样性研究推向一个新的水平，真正服务于国家战略需求！

这或许是《秦岭昆虫志》带给我们的启迪吧！

是为序！

中国科学院院士

中国科学院上海植物生理生态研究所研究员 尹文英

2016 年 11 月于上海

出版前言

秦岭自西向东横贯我国中部，是长江、黄河两大水系的分水岭，西起甘肃临洮，东抵河南鲁山，东西长达500km，南北宽140～200km，地处北纬32°5′～34°45′，东经104°30′～115°52′。秦岭西部比较陡峭，海拔较高，一般在2000～3000m；东部比较舒缓，海拔较低，一般在2000m以下。它是古北区和东洋区的分界线，同时为亚热带、暖温带的分界线，亚热带常绿阔叶林的分布北线。该地区具有从一种自然地理条件向另一种自然过渡、从一种地质构造单元向另一种构造单元过渡的特性。同时，秦岭作为我国大陆青藏高原以东的最高山地，具有自己独特的垂直景观带谱。正因为秦岭山地地理位置的特殊性，使得其物种多样性非常丰富且具较强的区域特异性，一直是生物分类学和生物地理学研究的热点区域。然而，之前对该地区昆虫区系研究多较为零散，缺乏系统的专著。

1997年，中国科学院生命科学院生物技术局设立“关键地区生物资源综合考察及其评价”重大项目，并于1998～1999年由项目主持单位组织考察秦岭西段和甘肃南部地区。在此研究基础上，形成了2005年出版的《秦岭西段及甘南地区昆虫》这一专著。该书对于秦岭西部地区的昆虫类群的系统研究有着重要意义，推动了对该区生物多样性的研究，也让更多的人认识到了秦岭地区的重要性。然而，由于其工作多集中在秦岭西部地区，对秦岭中、东部地区的调查较少，未能反映整个秦岭地区昆虫的全貌。为了全面系统地评价和利用秦岭昆虫资源，我们在陕西省财政厅科技专项经费的支持下，在陕西省科学院的大力帮助下，从2012年开始，再次进行了为期3年的野外调查工作，在借鉴秦岭西段研究结果的基础上，重点加强了秦岭中、东部地区的调查工作。参加野外工作的包括陕西省动物研究所、西北农林科技大学、陕西师范大学、中国科学院动物研究所、南开大学、浙江大学、河北大学、中国农业大学、中南科技大学等十多家单位，计120多人次，共获得昆虫标本50余万号，进一步完善了秦岭地区昆虫多样性资料，为编写《秦岭昆虫志》奠定了良好基础。

《秦岭昆虫志》按照《中国动物志》的编写体例进行编写，顺序上参照六足动物的系统关系；各目按照系统发育关系，以科为单元进行编写，科下各属按照系统关系排序，属内各种以种名的首字母顺序编排，各阶元都有鉴别特征和检索表，属、种都有科学引证，文后附参考文献。为了准确体现各位专家的劳动，除了《秦岭昆虫志》编委会外，各卷都有本卷的编委会，各科作者署名紧跟其后。

《秦岭昆虫志》共分为十二卷：第一卷由廉振民教授主编，包括无翅昆虫、蜉蝣目、蜻蜓目、襀翅目、蜚蠊目、等翅目、螳螂目、革翅目、直翅目、竹节虫目；第二卷由卜文俊教授主编，包括半翅目异翅亚目；第三卷由张雅林教授主编，包括半翅目同翅亚目；第四卷由花保祯教授主编，包括蛄目、缨翅目、广翅目、蛇蛉目、脉翅目、毛翅目、长翅目；第五卷鞘翅目（一）由杨星科、葛斯琴研究员主编，包括步甲科、龙虱科、牙甲总科、隐翅虫总科、金龟总科、花甲总科、丸甲总科、长蠹总科、吉丁甲总科、叩甲总科、郭公甲总科、扁甲总科、拟步甲总科等；第六卷鞘翅目（二）由林美英博士主编，包括暗天牛科、瘦天牛科和天牛科；第七卷鞘翅目（三）由杨星科、张润志研究员主编，主要包括叶甲总科（除去天牛类）、象甲总科；第八卷鳞翅目由薛大勇研究员、韩红香和姜楠博士主编，包括大蛾类；第九卷鳞翅目（二）由房丽君研究员主编，包括蝶类；第十卷由杨定教授、王孟卿副研究员和董慧博士主编，包括双翅目；第十一卷由陈学新教授主编，包括膜翅目。十一卷共记述了秦岭地区六足类4纲27目334科3325属7496种，其中包括1个新属、27个新种、12个中国新纪录属、34个新纪录种、42个陕西新纪录属、260个陕西新纪录种。需要说明的是：鳞翅目小蛾类已由南开大学李后魂教授主编先期出版，我们这次没有组织重新编写；另有部分目、科因为国内没有专家研究，因此没有办法编写。为了弥补缺憾，系统总结陕西秦岭地区已知昆虫种类，同时也便于读者使用，由唐周怀研究员、杨美霞博士主编，完成了《陕西昆虫名录》，作为本志的第十二卷。

目前，《秦岭昆虫志》即将付梓。该项目成果的获得，是全国广大同行通力合作、共同努力的结果，凝聚了昆虫分类学者忠诚于神圣事业的集体智慧。项目主持单位、《秦岭昆虫志》编委会对各卷主编的辛勤劳动和各位专家的全力支持、无私奉献表示衷心的感谢！对大家的科学精神表示敬佩！

在项目立项初期，白明博士在项目建议书的起草、成稿等方面做了大量工作；张雅林、廉振民等多位教授提出了许多宝贵意见；陕西省财政厅教科文处在项目申请和审批方面给予了诸多指导和帮助。在项目执行过程中，陕西省动物研究所领导给予了全力的支持，唐周怀研究员对野外工作给予了多方面的协调和帮助。

在本志编写过程中，尹文英院士、印象初院士、康乐院士分别给予了不同程度的鼓励、支持、指导和帮助，特别是尹文英院士在大病初愈的情况下欣然为本志写序，让我们深受鼓舞和激励！

在本志的统稿过程中，杨美霞博士付出了巨大的劳动，崔俊芝女士和郭明霞同学在文字整理、格式修改、学名审核等方面做了大量的工作。本书的出版，得到了世界图书出版有限公司的鼎力支持，特别是薛春民先生的全力支持与帮助，责任编辑同志亦付出了的艰辛的努力和辛勤的劳动，终使本志得以顺利出版。

我们谨借此对以上相关单位和个人，以及在项目执行和出版过程中提供帮助和做出贡献的同志表示衷心的感谢！

由于我们的水平所限，本志的错误和缺憾在所难免，诚望大家不吝赐教！

《秦岭昆虫志》编委会

2017 年 10 月于古城西安

Preface

Through the middle China from the West to the East, the Qinling Mountains provide a natural boundary between the Yangtze River and the Yellow River, the two major river systems in China. Located around the latitude 32°5′ – 34°45′N and the longitude 104°30′ – 115°52′E, they stretch from Lintao, Gansu Province in the west to Lushan, Henan Province in the east, with the length of 500km from west to east and the breadth of 140 – 200km from north to south. The west part of the Qinling Mountains is considerably steep, with higher elevations of 2000 – 3000m, while the east part is comparatively gentle, with lower elevation generally below 2000m. The Qinling Mountains are generally accepted as the boundary between Palaearctic and Oriental Regions, subtropical and warm temperate zones, as well as the north line of distribution of subtropical evergreen broad-leaved forests. This region is characterized by transition from one natural geographical condition to another and one geological structure unit to another. Furthermore, the Qinling Mountains, as the highest mountain in the east of the Qinghai-Tibet Plateau, have their own unique vertical landscape spectrum. Because of the special geographical location of the Qinling Mountains Range, it is rich in species diversity and has strong regional endemism, which constantly makes it research hotspot both for taxonomy and biogeography. However, the study of insect fauna in this area is fragmented and still lacks systematic monographs.

In 1997, the Biotechnology Bureau of the Chinese Academy of Sciences established a major Project of "Comprehensive Survey and Evaluation of Biological Resources in Key Regions". In 1998 – 1999, the presider of this project investigated the western part of Qinling range and southern Gansu. On the basis of these expeditions, a monograph entitled *Insect Fauna of Mid-West Qinling Range and Southern Gansu* was published in 2005. This book is of great significance for the systematic study of insects in the western Qinling region. It has promoted the study of biodiversity in this region and made more people realize the importance of Qinling region. However, since its work is mainly concentrated on the west part of Qinling, there are little surveys in the mid-east part, which hardly reflects the true state of the insect fauna of the entire Qinling Mountains. In order to comprehensively and systematically evaluate and utilize the insect resources of the Qinling Mountains, funded by special expenses of Science and Technology Project from the Financial Department of Shaanxi Province, as well as the help from Shaanxi Academy of Sciences, we have carried out a three-year field survey since 2012. Based on the expedition results of the western region, we have paid more attention to the eastern part of the Qinling Mountains during the investigations. More than 120 researchers from over 10 institutions participated in the field work, including Shaanxi Institute of Zoology, Northwest A & F University, Shaanxi Normal University, Institute of Zoology, Chinese Academy of Sciences, Nankai University, Zhejiang University, Hebei University, China Agricultural University, Central South University of Forestry and Technology etc. Over half million insect specimens were collected, which would greatly improve the biodiversity data of insect fauna in the Qinling region and lay a good foundation for the compiling of the monograph *Insect Fauna of the Qinling Mountains*.

The compiling style of *Insect Fauna of the Qinling Mountains* is mainly in accordance with *Fauna Sinica*, and the sequence is based on the systematic relationship of the hexapod system. The compiling of each order is according to the phylogenetic relationship and one family is taken as a unit. Below the family, the sequence of each genus is also according to the phylogenetic relationship, while below the genus, the arrangement of species is in alphabetical order. Each species is sorted according to the first letter. Each category is accompanied by identification feature and identification key, and each genus, as well as each species has scientific citation. At the end, references are attached. In order to accurately reflect the work of every specialist, apart from the Editorial Board of *Insect Fauna of the Qinling Mountains*, the Editorial Board for each volume is also provided, and the authors for each family immediately follow the family name.

There are totally 12 volumes for *Insect Fauna of the Qinling Mountains*. Volume Ⅰ is edited by Professor Lian Zhenmin, and includes apterygot insects, Ephemeroptera, Odonata, Plecoptera, Blattodea, Isoptera, Mantodea, Dermaptera, Orthoptera and Phasmatodea. Volume Ⅱ is edited by Professor Bu Wenjun, and includes Hemiptera-Heteroptera. Volume Ⅲ is edited by Professor Zhang Yalin, and includes Hemiptera-Homoptera. Volume Ⅳ is edited by Professor Hua Baozhen, and includes Psocoptera, Thysanoptera, Megaloptera, Raphidioptera, Neuroptera, Trichoptera and Mecoptera. Volume Ⅴ (Coleoptera Ⅰ) is jointly edited by Professor Yang Xingke and Ge Siqin, and includes Carabidae, Dytiscidae, Hydrophiloidea, Staphylinoidea, Scarabaeoidea, Dascilloidea, Byrrhoidea, Dryopoidea, Buprestoidea, Elateroidea, Cleroidea, Cujoidea and Tenebrionoidea. Volume Ⅵ (ColeopteraⅡ) is edited by Dr. Lin Meiying, and includes

Vesperidae, Disteniidae and Cerambycidae. Volume Ⅶ (Coleoptera Ⅲ) is jointly edited by Professor Yang Xingke and Zhang Runzhi, and includes Chrysomeloidea (except Cerambycid-beetles) and Curculionoidea. Volume Ⅷ (Lepidoptera Ⅰ) is jointly edited by Professor Xue Dayong, Dr. Han Hongxiang and Jiang Nan, and includes large moths. Volume Ⅸ (Lepidoptera Ⅱ) is edited by Professor Fang Lijun, and includes exclusively butterflies. Volume Ⅹ is edited by Professor Yang Ding, Associate Prof. Wang Mengqing and Dr. Dong Hui, and includes Diptera. Volume Ⅺ is edited by Professor Chen Xuexin, and includes Hymenoptera. There are totally 4 classes, 27 orders, 334 families, 3325 genera and 7496 species of Hexapoda recorded in the 11 volumes of this series, including one new genus and 27 new species. For the new record, there are 12 genera and 34 species from China, as well as 42 genera and 260 species from Shaanxi Province. It should be noted that the contents of Microlepidoptera have been published previously by Professor Li Houhun, Nankai University, therefore, we haven't rewritten the same context. Besides, due to the unavailability of suitable specialists, some insect groups unavoidably are not covered in this series. In order to make up for this defect and systematically summarize the known species of insects, as well as make convenience for the readers, the book *Insect Fauna of Shaanxi Province*, was jointly compiled by Prof. Tang Zhouhuai and Dr. Yang Meixia, which will be the twelfth volume of this series.

Currently, 12 volumes have been completed and are ready for publication. The achievements should be addressed to the cooperation and collective intelligence of numerous entomologists throughout China. The project presiding institution and the editorial board are highly appreciated with all specialists' hard work, full support and unselfish dedication!

During the initial stage of the program, Dr. Bai Ming had contributed a lot to the drafting of the research proposal. Prof. Zhang Yalin and Prof. Lian Zhenmin had proposed many valuable comments. The Financial Department of Shaanxi Province had given a lot of guidance and helps during the application process and final approval of the program. During the conduction of the program, the authority of Shaanxi Institute of Zoology had given a full support to the research. Prof. Tang Zhouhuai had made a lot of coordination and assistances in the fieldwork.

In the preparation of this series of books, Academicians Yin Wenying, Yin Xiangchu and Kang Le had provided various degrees of encouragement, supports, guidance and help! In particular, Prof. Yin Wenying readily consented to write the preface even though she had just recovered from a severe illness, which really made us encouraged and inspired!

In the process of drafting preparation, Dr. Yang Meixia had paid a great labor. Mrs. Cui Junzhi and Miss Guo Mingxia had done a lot of work in word polishing, format adjustment, and terms checking. While, the publication of this series have obtained great support from World Publishing Corporation, especially Mr. Xue Chunmin. The executive editors have also made a lot of hard work.

We would like to express our heartfelt gratitude to the above-mentioned institutes and individuals, as well as those not mentioned above but provided various assistances in the implementation period of the program, drafting preparation and publication.

Due to the limitations of our expertise, there are inevitable mistakes and shortcomings in this series. We sincerely expect you to enlighten us with your instruction!

Editorial Board of *Insect Fauna of the Qinling Mountains*

前　言

秦岭地处我国亚热带的北缘，西起甘肃南部，东至河南西部，主段横贯陕西南部，属地槽型褶皱断层山地，褶皱紧密，山体庞大。东西绵延400～500km，南北宽120～180km，一般海拔500～3000m，主脉分布在山体的北部，主峰太白山海拔3736m。秦岭山体北仰南俯、东低西高，北坡陡、南坡缓。秦岭为陕西省南北坡气候的自然分界线，也是我国南北方的分水岭。该区域在地理、气候、自然等各方面差异明显，动植物资源极为丰富。在动物地理区划上，该区域是古北区与东洋区的分界线。

秦岭地区位置和生态功能特殊，使得该地区成为我国生物多样性的关键区域。秦岭生物资源的考察与研究历来受到学者们的重视，但学科间的发展并不均衡。《秦岭脊椎动物志》与《秦岭植物志》均已完成，而秦岭昆虫的研究则非常滞后。秦岭的独特魅力也吸引了全球关注的目光。近30年来，超过50万号秦岭昆虫标本流失海外，仅鞘翅目已发表秦岭的新种600余种，而未发表和待研究的标本数量则不可估计。

由杨星科研究员牵头组织的《秦岭昆虫志》的编写是在过去已有的野外考察成果的基础上，又组织国内同行进行了3年的补点考察，大大丰富了《秦岭昆虫志》的编写资料，为更好地完成《秦岭昆虫志》打下了坚实基础。

膜翅目昆虫是昆虫纲中进化程度最高的类群，全世界广布，已知10万多种，我国尚未见确切统计，估计已超过万种。该目是一个十分多样化的类群，是昆虫纲中的四大类群之一，其形态结构和生物学较昆虫其他目变化更多，但却是人们研究最为薄弱的昆虫类群之一。膜翅目广泛分布于世界各地，以热带和亚热带地区种类最多。本卷是对我国秦岭地区膜翅目昆虫资源种类和结构的调查，对填补和完善秦岭地区膜翅目昆虫研究资料库具有重要的科学意义和现实意义。

陕西秦岭地区有关膜翅目种类的记述非常少，资料记载零散且缺乏系统性，仅有少量关于分布和种类描述的零星报道。魏琮等（2001）统计秦岭山脉中段主峰太白山发现的蚁科共计43种，属于4亚科、18属，以广布种所占比例最大，古北种所占比例等同于东洋种。蚁亚科以广布种占优势，古北种次之；切叶蚁亚科以东洋种占优势，古北种次之。另外，在陕西太白山、佛坪、宝鸡、凤县、杨凌、武功、丹凤、华阴、宁陕、周至等秦岭山脉范围内也有少量关于膜翅目类群分布的文献记载（柴艺秀、娄慎修、牛世芳，1995；曹秀文、马存世、朱高红，1995；陈乃中，2000；郭树嘉、刘玉、刘炳德，1994；姜吉刚，2004；李孟楼、唐章友、宋荫群，1994；武星煜、辛恒，2006；党心德、杨忠岐，1989）。

朱巽（2012）鉴定发现，陕西秦岭地区叶蜂类群新纪录属2个，新种28个，新纪录种179个。赵利敏等（2000）调查了秦巴山区的蜜蜂资源。陕西秦岭地区具有丰富的蜜蜂科昆虫资源，现已发现10个属近40种，其中熊蜂属种类最多，在该地区有着广泛的分布。该地区蜜蜂科昆虫数东洋区种类最多，兼有很多东洋区和古北区共有的种类。该区与华北区和西南区关系最为密切。东方蜜蜂中华亚种为该地区本土蜂种，在该地区存在一定数量的种群。西方蜜蜂意大利亚种为引进蜂种，现已广布于该地区。

杨星科主编出版的一部关于秦岭地区昆虫的专著《秦岭西段及甘南地区昆虫》对秦岭地区的昆虫种类做了初步研究。此书邀请了国内部分专家学者对秦岭地区的膜翅目昆虫进行了部分研究，全书共记录4总科8科91种，这对我们了解秦岭地区膜翅目的概况提供了一定的帮助。但这些数据仅反映了陕西秦岭部分地区或是膜翅目部分类群的分布情况，与鞘翅目昆虫相比（仅鞘翅目已发表秦岭的新种600余种），显然不能反映秦岭地区膜翅目的全貌。

经过多年的积累、准备和此次对秦岭地区深入并广泛的针对性采集，在全面掌握了国内外研究资料的基础上，国内膜翅目同行专家对该地区膜翅目昆虫进行了系统而深入的研究，查清了秦岭地区膜翅目生物资源，而且还有许多新的科学发现，记述膜翅目 39 科 353 属 988 种，其中包括 1 新属 2 新种 195 陕西新纪录种。这些种类记述大大增加了秦岭地区膜翅目昆虫的丰富度，为我国乃至世界昆虫区系起源和演化的研究提供了重要内容，对生物多样性形成和发展提供了理论依据，对生物资源合理开发与持续利用提供了有力保障。

本志各分类阶元均有文献引证、形态鉴别特征、在陕西秦岭的采集记录和分布，并列有检索表和具有代表性的特征图；文后有参考文献，全书列有中名及学名索引，便于读者检索。

本志是国内同行共同努力的科研成果，大家齐心协力，积极承担任务，加强沟通交流，在规定时间内完成了编写任务。作为主编，在此对大家表示衷心的感谢。由于类群多，编写任务重，时间紧，故我们对资料、标本掌握难免有缺失，再加上我们的水平所限，文中错误在所难免，诚望各位同行专家和读者不吝指教！

陈学新

2017 年 7 月于杭州

目 录

膜翅目：广腰亚目 Symphyta

魏美才[1]　牛耕耘[2]　李泽建[3]　钟义海[4]　肖炜[2]　朱巽[2]

（1. 江西师范大学生命科学与技术学院，江西南昌 330027；
2. 中南林业科技大学，湖南长沙 410004；3. 丽水林业科学研究院，
浙江丽水 323000；4. 中国热带作物学院环 境和植物保护研究所，海口 571101）

鉴别特征：广腰亚目与膜翅目其余类群的区别主要是，腹部第1、2节间不缢缩，第1节不与后胸合并，前翅通常至少具1个封闭的臀室（尾蜂科除外），后翅至少具3个闭室，通常具5个以上的闭室，常具翅斑（stigmata），除茎蜂科以外均具淡膜区。

生物学：成虫生活期短暂，不取食或仅取食植物花粉和汁液，对植物不造成危害，相反还有助于植物传粉。部分种类成虫不取食，产卵后即死去。许多种类成虫需要补充营养，须取食水分、花蜜和花粉等。成虫如有访花习性，其访花范围一般显著宽于幼虫的寄主植物范围，访花时偶有捕食小型蜘蛛的行为。少数成虫有同类相残习性、假死习性和护卵行为。成虫孤雌生殖现象比较常见。除尾蜂科外幼虫均为植食性，幼虫食性通常比较专化。

分类：广腰亚目现生种类分为15科，其中七节叶蜂科 Heptameliidae 是新近从叶蜂科中独立出来的（Malm & Nyman，2014）。除裂蜂科 Anaxyelidae 和筒腹叶蜂科 Pergidae 外的13科中国均有分布。迄今世界上已描述广腰亚目昆虫近10000种，隶属于900余属。

秦岭地区目前共发现广义叶蜂类昆虫13科145属560余种，本志记述13科137属501种，其中29种是尚未发表的新种，文内暂只给出拉丁属名；同时，建立了1个新属 *Allantoides* Wei et Niu，包括2个新组合种：白唇十脉叶蜂 *Allantoides nigrocaeruleus*（F. Smith，1874），comb. nov. 和黑唇十脉叶蜂 *Allantoides luctifer*（F. Smith，1874），comb. nov.；还建立了另外2个新组合：*Neodiprion wilsonae*（Li *et* Guo，1999），comb. nov.（原放在 *Gilpinia* 属内）和 *Arge tricincta*（Wen *et* Wei，2001），comb. nov.；此外，有4个中国新纪录种已另文报道，还有175种是陕西新纪录种。

各种引证部分依 Taeger *et al.*（2010）格式，仅引用相关种类的原始发表名称，略去名称组合变化，以节省篇幅。文内相关数据除注明文献外，均来自作者统计数据。

分科检索表

1.　前翅 Rs 脉具2条分支；触角鞭节由1个多节愈合成的长棒和多节的端丝组成；前气门后片发达并与侧板愈合；阳茎瓣侧突接近阳茎瓣柄的基端；头型开式，上颚具磨区（**棒蜂总科 Xyeloidea**）……

…………………………………………………………………………………… **棒蜂科 Xyelidae**

前翅 Rs 脉不分支；触角鞭节不同上述；前气门后片大型并与侧板分离，或很小甚至缺如；上颚无磨区 …………………………………………………………………………………… 2

2. 雄性生殖器扭转 180°；胸部无腹前桥；头型开式；前胸背板中部狭窄，后缘深凹；腹部不缢缩；前胸背板后缘具折叶，前气门后片发达并与侧板分离；前翅中室(1M)无背柄，如具短柄，则触角 9 节；阳茎瓣侧突中位(**叶蜂总科 Tenthredinoidea**) …………………………… 3

雄性生殖器不扭转；胸部具腹前桥；头型闭式，如否，则阳茎瓣侧突接近柄部基端；前翅中室具柄式；触角非 9 节 …………………………………………………………………………… 8

3. 具中胸侧腹板沟；胫节常具亚端距；前翅 2r 脉缺；后胸侧板与腹部第 1 背板愈合；腹部筒形；无边缘纵脊；雄性外生殖器无副阳茎 …………………………………………………… 4

无中胸侧腹板沟；胫节无亚端距；前翅 2r 脉常有，如缺则前后翅臀室完整；雄性外生殖器具副阳茎 …………………………………………………………………………………… 5

4. 触角 3 节，第 3 节长棒状或音叉形；前翅具封闭臀室，后翅臀室发达，通常封闭，具 3A 脉 ………
…………………………………………………………………………… **三节叶蜂科 Argidae**

触角多于或等于 6 节，第 3 节细短，非长棒状或音叉状；前后翅臀室均不完整，3A 脉缺 ……
…………………………………………………………………………… **筒腹叶蜂科 Pergidae** *

5. 前胸侧板腹面与腹板愈合，具基前桥；后胸侧板大，与第 1 腹节背板愈合；腹部背板具侧缘纵脊，第 1 腹节背板无中缝(南美 *Brasilabria* 例外)；无额唇基缝；触角窝高位，远离唇基；前翅具 2r 脉；中胸小盾片无附片；触角 5～7 节，第 3 节细长柄状，端部鞭分节显著膨大 ………
…………………………………………………………………………… **锤角叶蜂科 Cimbicidae**

前胸腹板游离，不与侧板愈合，无基前桥；后胸侧板小型，不与第 1 腹节背板愈合；腹部背板无侧缘纵脊，第 1 腹节背板通常具明显中缝；具额唇基缝；触角窝低位，靠近唇基；触角 9～23 节，极少 7～8 节，则第 3 节短小 ………………………………………………………… 6

6. 中胸小盾片的附片发达；触角非双栉齿状，通常 7～9 节，各鞭分节不十分短小；前翅通常具 2r 脉 ……………………………………………………………………………………… 7

中胸小盾片无附片；触角多于 13 节，鞭节栉齿状，各节主干均十分短小；前翅无 2r 脉；中胸后上侧片微弱倾斜，几乎平直 ……………………………………… **松叶蜂科 Diprionidae**

7. 触角 7～8 节，如为 8 节，则前翅 Sc 脉阙如 ………………………… **七节叶蜂科 Heptamelidae**

触角 9 节或更多节，极少 8 节；前翅 Sc 脉存在 ……………………… **叶蜂科 Tenthredinidae**

8. 触角 3～4 节，第 3 节长棒状，第 4 节微小或缺；前胸背板中部狭窄，后缘深凹；前气门后片发达并与侧板分离；前翅中室梨形，翅脉端部远离翅缘；头型开式；阳茎瓣侧突接近柄部基端；幼虫蛀食蕨类茎秆(**茸蜂总科 Blasticotomoidea**) ……………………… **茸蜂科 Blasticotomidae**

触角非 4 节，长丝状；翅脉端部十分接近或伸抵翅缘；前翅中室非梨形；前胸背板中部宽大，后缘平直或浅凹 (Xiphydriidae 少数种类前胸背板中部较窄，该科具明显颈部，前胸侧板长且平置)；前气门后片小并与侧板合并；头型闭式；阳茎瓣侧突中位，远离柄部基端；幼虫不取食蕨类 ……… 9

9. 腹部第 1、2 节间显著缢缩，第 1 节与后胸多少愈合；后胸无淡膜区；无前气门后片(**茎蜂总科 Cephoidea**) ……………………………………………………………… **茎蜂科 Cephidae**

腹部第 1、2 节间不缢缩，第 1 节不与后胸愈合；后胸具淡膜区；具前气门后片 …………… 10

10. 头型四孔式，具独立的上颚孔；体型十分扁平；上颚强烈延长；前翅 Sc 脉完全游离，不与 R 脉愈合，或触角鞭分节背侧具叶片(**广蜂总科 Megalodontesoidea**) ……………………………… 11

头型双孔式，无独立的上颚孔；体型不明显扁平；上颚粗短，不显著延长；前翅 Sc 脉与 R 脉愈

合，仅末端游离；触角简单丝状，无背突 ………………………………………………………… 12

11. 中胸小盾片附片发达；前后翅的 Sc 脉均游离，不与 R 脉愈合；前翅 M 脉与中室背柄不成直线连接，中室背柄很短；触角长丝状；腹部第 2 背板中央具中缝；后翅前缘具 2 丛翅钩 ………………………………………………………………………………… **扁蜂科 Pamphiliidae**

    中胸小盾片无附片；前后翅 Sc 脉均与 R 脉愈合；前翅 M 脉与中室背柄直线状相连，中室背柄几乎与 M 脉等长；触角鞭分节背侧具叶片状突；腹部第 2 背板不分裂；后翅前缘具 1 丛翅钩 ……………………………………………………………………… **广蜂科 Megalodontesidae**

12. 触角着生于唇基上侧，5～6 节或多于 12 节，雌性触角亚端节不明显膨大；前翅臀室完整，具 2r 脉，2M 室封闭；后翅臀室闭式，2A 脉完全；产卵器外露；幼虫植食性……………………… 13

    触角着生于唇基腹侧，10～11 节，雌虫触角亚端节明显膨大；翅脉退化，前翅臀室具柄式，端臀室开放，2A＋3A 脉、2r 和 2m-cu 脉均缺如；后翅 2A 脉缺，臀室开放；产卵器内置，长丝状环绕；幼虫寄生性（**尾蜂总科 Orussoidea**） ………………………………… **尾蜂科 Orussidae**

13. 前胸侧板显著延长，近水平方向前伸，头部后缘远离前胸背板；前胸背板中部较狭窄，侧叶发达；中胸背板具直横缝；腹部末背板无刺突和凹盘；产卵器短小，明显短于腹部 2/3 长；前翅 1M 脉与中室背柄（Rs 脉第 1 段）成近似直角状弯曲；腹部背板两侧缘具纵脊；胸部盾侧凹发达，显著凹入（**项蜂总科 Xiphydrioidea**）……………………………… **项蜂科 Xiphydriidae**

    前胸侧板不显著延长，伸向前上方，头部与前胸背板接触；前胸背板中部宽，与侧缘等长或稍短，无发达后延侧叶；中胸背板无横缝；产卵器长大，长于腹部 2/3 长（**树蜂总科 Siricoidea**）………… 14

14. 下颚须 1 节；中胸前侧片无纵向深裂缝；雌虫腹部末背板具刺突和凹盘；中胸背板无盾侧凹，具三角片；前翅 1M 脉与 Rs 脉第 1 段连成直线…………………………………… **树蜂科 Siricidae**

    下颚须 6 节；中胸前侧片具纵向深裂缝；雌虫腹部末背板无刺突和凹盘；中胸背板具盾侧凹，无三角片；前翅 1M 脉与 Rs 脉第 1 段近似直角形相交 ……………… **裂蜂科 Anaxyelidae** *

注：* 为本文未记录的类种。

一、棒蜂科 Xyelidae

鉴别特征：体通常小型，3.80mm 长（体长测量不含产卵器和触角，下同），较柔软，少数种类体型中等，长 8～15mm。头部无口后桥，上颚保留磨区。触角第 1 节棒状，不短于第 2 节的 2.50 倍，第 3 节由多节愈合成长棒状，具有模糊分节痕迹，棒状节后具多节的短细端丝。前胸背板较长，后缘接近平直，侧叶不显著膨大；中胸背板前叶小形，小盾片发达，无附片，盾侧凹显著；胸腹侧片大形且分离，腹前桥宽大；后胸具发达淡膜区。前翅 Sc 脉大部与 R 脉愈合或完全独立，Rs 脉总是二叉，1M 室具长背柄，臀室具中位外侧横脉，翅痣短宽或稍窄长；后翅前缘具 2 丛翅钩列，M 脉与 Cu 脉基部分离，具 8 个闭室，Rs 室和 M 室长大。前足胫节端距 1 对，发达；中后足胫节均具端前距。腹部无侧缘纵脊。雌虫产卵器发达，刀片状或剑状，明显伸出腹端；雄性外生殖器扭转或不扭转，阳茎瓣侧突接近阳茎瓣柄部基端。幼虫多足型，腹部 1～9 节每节具 1 对腹足，触角 6～7 节；主要取食针叶树花粉。本科触角鞭节基部数节愈合为1个具有模糊分节痕迹的长棒节；前翅 Rs 脉分叉，后翅 Cu 和 M 脉在基部分离，与现存广腰类膜翅目其他科昆虫均不同。

分类：本科仅分布于全北区，大部分种类分布于北美和东亚。通常分为2个亚科，长节蜂亚科 Xyelinae 和大长节蜂亚科 Macroxyelinae。世界已知5属约80种，中国已记载3属10种。陕西秦岭地区发现2属5种，本文记述2属2种。

分属检索表

前翅 Sc 脉主干与 R 脉主干合并，翅痣宽于 2r 脉长度；翅膜端部具不规则皱纹，翅膜边缘无毛；触角棒状节由8个原节组成，约等长于头部宽，短于触角端丝长；雄性外生殖器扭转180°。体长短于4mm ······ **棒蜂属 *Xyela***

前翅 Sc 脉主干独立，不与 R 脉主干合并，翅痣不宽于 2r 脉长度；翅膜端部无不规则皱纹，边缘具毛；触角棒状节由16个以上的原节组成，约1.25倍于头部宽，3倍于触角端丝长；雄性外生殖器不扭转；体长长于8mm ······ **巨棒蜂属 *Megaxyela***

1. 巨棒蜂属 *Megaxyela* Ashmead, 1898

Megaxyela Ashmead in Dyar, 1898: 214. **Type species**: *Xyela major* Cresson, 1880.

Odontophyes Konow, 1899: 41. **Type species**: *Pleuroneura aviingrata* Dyar, 1898.

Megaloxyela Schulz, 1906: 88 (new name for *Megaxyela* Ashmead, 1898).

Paraxyela MacGillivray, 1912: 294. **Type species**: *Xyela tricolor* Norton, 1862.

属征：体大型，长于8mm。唇基前缘中部强烈突出；复眼间距明显宽于复眼长径，颚眼距约等于或稍宽于单眼直径，显著短于触角窝间距。头部背侧具密集刻纹。触角长，第1节棒状，3～4倍于第2节长；第3节由16～17个原节组成，长度约1.25倍于头部宽，3倍于触角端丝长；触角端丝6～11节，总长约为第3节的1/3。前翅翅痣较窄长，最宽处明显短于2r脉长；Sc 脉主干独立，不与 R 脉主干合并；翅膜端部无不规则皱纹，边缘具毛；后翅臀室具柄式，端部宽钝。后足基跗节稍膨大，爪具内齿。雌虫产卵器较短，中基部宽大，端部突然变尖，侧面观锯鞘宽大。

分布：东亚，北美洲。世界已知14种，其中2个化石种。现生种类中北美洲分布5种，东亚分布7种，其中中国分布4种，秦岭地区发现1种。

(1) 黑背巨棒蜂 *Megaxyela pulchra* Blank, Shinohara & Sundukov, 2017 (图版1: A)

Megaxyela pulchra Blank, Shinohara & Sundukov, 2017: 26.

鉴别特征：体长11～13mm。头部黄褐色，额区和附近具大型黑褐斑，触角黑色。胸部黄褐色具黑斑，小盾片两侧具褐斑。腹部背侧黑色，2～3背板两侧边缘白色部分约为背板宽的1/10。前中足黄褐色，后足黑色；锯鞘褐色，末端偶尔黑褐色。雄虫下生殖板红褐色；翅痣褐色，基部和前缘较暗；颚眼距、上部眼眶具细密刻纹，表面暗淡无光。腹部背面刻纹致密，无光泽；触角端丝9～11节；颚眼距0.60～0.70倍于触角窝间距；爪齿中裂式，内外齿几乎等长。雄虫生殖节红褐色，阳茎瓣具长端突。

采集记录：1♀，佛坪大古坪，1320m，2006.Ⅳ.28，何末军采。

分布：陕西（佛坪）、吉林、辽宁、湖北、西藏；俄罗斯。

2. 棒蜂属 *Xyela* Dalman, 1819

Xyela Dalman, 1819: 122-123, pl. 6. **Type species**: *Xyela pusilla* Dalman, 1819.

属征：体型微小，体长短于4mm。唇基前缘中部弱弧形突出，中部不尖；下颚须第3节显著粗大；复眼较小，间距显著宽于复眼长径；颚眼距明显宽于单眼直径，通常稍窄于触角窝间距。头部背侧刻纹微弱或不明显。触角第1节棒状，3～4倍于第2节长；第3节由8个原节组成，约等长于头部宽，明显短于触角端丝长，触角端丝9节。前翅翅痣十分短宽，最宽处明显长于2r脉长；Sc脉主干与R脉主干合并，仅端部游离；翅膜端部具不规则皱纹，边缘无毛；后翅臀室具长柄。后足基跗节不膨大，爪内齿微小或阙如。雌虫产卵器较长，剑状，中基部不明显宽大，端部不急尖。

生物学：本属除北美1种在松树嫩枝上做瘿外，其余已报道种类均取食松树花粉。

分布：全北区。世界已知现生种类约53种，化石种类约10种。中国目前仅报道5种，在秦岭地区叶蜂区系调查中，发现3个新种和1个中国新纪录种，已另文报道。

（2）褐鞘棒蜂 *Xyela julii* (Brébisson, 1818)

Pinicola Julii [sic!] Brébisson, 1818: 117.
Xyela pusilla Dalman, 1819: 28, pl. iii.
Xyela Henschii [sic!] Mocsáry, 1912: 131.

鉴别特征：体长约4mm。头部黑褐色，单眼后区侧沟外侧窄条斑、上眶外侧窄条斑、内眶大部、中窝两侧、唇基上区、唇基和上唇暗黄褐色，触角暗褐色。胸部背侧大部黑褐色，中胸背板侧叶具淡色条斑，小盾片具淡斑；中胸侧板上部大部淡色，背缘、后缘和腹缘暗褐色。腹部背侧褐色，端部腹板部分淡色，锯鞘浅褐色，锯鞘端基部膜区白色。雄虫头部黄斑更鲜亮。OOL∶POL＝1.40～1.65。爪无内齿。锯鞘长1.90～2.40mm，锯鞘端长6.50～8.00倍于基部宽，1.90～2.15倍于锯鞘基长；锯鞘端显著侧扁，背缘弱弧形下弯，腹缘较直，端部窄圆，不尖锐。

采集记录：1♀，眉县太白山板寺新村，3285m，2014. Ⅵ.08，魏美才采。

分布：陕西(眉县)；蒙古，俄罗斯，欧洲。

二、茸蜂科 Blasticotomidae

鉴别特征：体小型，长6～10mm。头部无口后桥，上颚无磨区。触角第1节短小，第3节由多节愈合成长棒状，但无分痕迹，棒状节后有时具1极小的第4节。前胸背板中部较短，后缘显著凹弧形，侧叶显著膨大；中胸背板前叶较大，小盾片发达，无附片，盾侧凹显著；无显著胸腹侧片，腹前桥较短；后胸具发达淡膜区。翅脉不伸达翅膜外侧边缘；前翅翅痣短宽，Sc脉大部与R脉愈合，Rs脉不分叉，1M室背缘弧形弯曲，具短小的背柄，臀室具中位外侧横脉；后翅具7个封闭翅室，前缘具1丛翅钩列，M脉与Cu脉基部不分离。前足胫节端距1对；中后足胫节无端前距。腹部具侧缘纵脊。雌虫产卵器短小，刀片状，稍伸出腹端；雄性外生殖器不扭转，阳茎瓣侧突较接近阳茎瓣柄部基端；幼虫寡足型，腹部无腹足，腹部8～9节各具1对侧突，腹端节具1对亚臀肢；触角6节。

生物学：幼虫蛀食真蕨目Filicales植物的茎，蛀孔外具明显的球形泡沫。幼虫在寄主茎中化蛹，不结茧。

分类：分布于东亚和欧洲。世界已知化石种类1属1种、现生种类2属17种，中国已知2属11种，陕西秦岭地区发现2属6种，本文记述2属3种。

讨论：本科头部无口后桥，前胸背板后缘显著凹入，侧叶较大，一般放在叶蜂总科内。但本科雄性外生殖器不扭转，阳茎瓣侧突低位，幼虫寡足型，蛀食蕨类植物茎，与叶蜂总科类群不同(魏美才，聂海燕，1997)。分子系统学研究显示本科是叶蜂总科的姊妹群(Malm & Nyman，2014)。

分属检索表

触角4节，第4节微小；爪具明显内齿；阳茎瓣具短小端突；腹部第2背板中部微弱前突；锯鞘长于中足胫节和跗节之和，侧面观长高比约等于2；中胸侧腹板沟痕状，明显弱化；锯腹片基部4锯刃与5、6锯刃向腹侧强烈收敛；侧面观第9背板强烈延长；上颚内齿端部钝截形 ………………………………………………………………………… **茸蜂属 *Blasticotoma***

触角3节，第3节末端无茸节；爪简单，无内齿；阳茎瓣具细长端丝；腹部第2背板中部强烈前突；锯鞘明显短于中足胫节和跗节之和，侧面观长高比约等于1；中胸侧腹板沟显著；锯腹片基部4锯刃与其余锯刃不向腹侧明显收敛；侧面观第9背板正常，不强烈延长；上颚内齿端部尖 ………………………………………………………………………… **三节茸蜂属 *Runaria***

3. 三节茸蜂属 *Runaria* Malaise, 1931

Runaria Malaise, 1931: 212. **Type species**: *Runaria reducta* Malaise, 1931.

Bohea Maa, 1944: 58. **Type species**: *Bohea abrupta* Maa, 1944.

属征: 体长6～8mm。上颚内齿端部尖；复眼较小，间距明显宽于复眼长径；触角窝间距显著窄于内眶；颚眼距约等于单眼直径；触角3节，第3节长棒状，末端无茸节；中胸侧腹板沟显著；前翅cu-a脉位于1M室下缘中部偏外侧；后翅臀室具柄式，臀室柄短于cu-a脉；爪简单，无内齿；腹部第2背板中部强烈前突，侧面观第9背板正常，不强烈延长；锯鞘明显短于中足胫节和跗节之和，侧面观长高比约等于1，背面观锯鞘微弱突出；锯腹片基部4锯刃与其余锯刃不向腹侧明显收敛；阳茎瓣具细长端丝。

分布: 东亚。秦岭地区发现2种。

分种检索表

各足胫节黄褐色或浅褐色；触角第3节长于复眼内缘间距；中胸侧板刻点稀疏，浅弱；腹部6～9背板刻点细小；阳茎瓣端丝约等于阳茎瓣总长的1/2 ……………… **陕西三节茸蜂 *R. shaanxinica***

后足胫节黑褐色；触角第3节短于复眼内缘间距；中胸侧板刻点粗大，较密集；腹部各节背板刻点粗大并杂以细小刻点；阳茎瓣端丝短于阳茎瓣总长的1/2 ……… **刻盾三节茸蜂 *R. punctata***

(3) 刻盾三节茸蜂 *Runaria punctata* Wei, 1999

Runaria punctata Wei in Wei *et* Nie, 1999a: 52.

鉴别特征: 体长7mm。体黑色，前中足股节前侧和端部、前中足胫节和跗节浅褐色，后足胫节黑褐色，后足基跗节背侧黑褐色，腹侧浅褐色；翅透明，翅痣黑褐色。唇基端缘具浅弧形缺口，颚眼距等长于触角窝间距；复眼内缘在触角窝以下部分向下分歧；内眼眶刻点较粗密，额区刻点显著，间隙光滑；上眶中部和单眼后区中部隆起，光滑无刻点；颚眼距完整；单眼后沟中部显著前弯；触角较细，第3节短于复眼内缘间距。前胸背板和后胸背板刻点密集，中胸背板和腹板光泽强，中胸背板前叶两侧、侧叶中部和外侧、小盾片刻点细小；中胸前侧片具粗大刻点，刻点间隙光滑，显著。后足基跗节明显长于其后3个跗分节之和。腹部各节背板刻点粗大，较密集，刻点间隙表面光滑；腹部腹板刻点密集。锯腹片具5大2小共7个锯刃。雄虫阳茎瓣端丝短于阳茎瓣总长的1/2；抱器较窄长，长于生殖茎节的2/3。

采集记录: 1♀，眉县太白山开天关，1852m，2014. Ⅵ.07，魏美才采；2只幼虫，留坝桑园砖头坝，1158m，2014. Ⅵ.15，魏美才采；佛坪三官庙，1529m，2014. Ⅵ.20，祁立威、康玮楠采；1♀，佛坪三官庙，1529m，2014. Ⅵ.19，魏美才采。

分布：陕西（眉县、留坝、佛坪）、河南、浙江。

(4) 陕西三节茸蜂 *Runaria shaanxinica* Wei, 1999

Runaria shaanxinica Wei in Wei *et* Nie, 1999a: 52.

鉴别特征：体长7mm。体黑色，前中足股节端半部、各足胫节和跗节黄褐色；翅透明，端半部淡烟灰色，翅痣黑褐色。唇基光滑，具细小刻点，前缘具弧形浅缺口；颚眼距稍短于单眼直径；复眼内缘向下收敛，内眶刻点粗密，额区光亮，具零散刻点；上眶中部和单眼后区中部隆起，光滑无刻点；后颊脊完整，显著。触角第3节长于复眼内缘间距。前胸背板和后胸背板刻点较密，中胸背板和腹板光亮，具少数零散大刻点，中胸小盾片刻点细小；中胸前侧片表面较光滑，刻点浅弱，稀疏分散；腹部背板光亮，1～5背板具较多粗大刻点并杂以细小刻点，6～9背板刻点细小。雄虫抱器外缘明显向内凹入，阳茎瓣端丝约等于阳茎瓣总长的1/2。

采集记录：1♀，佛坪岳坝，1085m，2006. Ⅳ.29，朱巽采；1♂，镇巴，1957. Ⅳ. 27。

分布：陕西（佛坪、镇巴）。

4. 茸蜂属 *Blasticotoma* Klug, 1834

Blasticotoma Klug, 1834: 251. **Type species**: *Blasticotoma filiceti* Klug, 1834.

属征：体长7～10mm。上颚内齿端部钝截形；复眼较小，间距明显宽于复眼长径；触角窝间距显著窄于内眶；颚眼距约等于单眼直径；触角4节，第3节长棒状，端部具微小的茸节；中胸侧腹板沟浅弱模糊；前翅cu-a脉位于1M室下缘中部远外侧；后翅臀室具柄式，臀室柄短于cu-a脉；爪具明显内齿；腹部第2背板中部微弱前突；侧面观第9背板强烈延长；锯鞘明显长于中足胫节和跗节之和，侧面观长高比约等于2，背面观锯鞘明显突出；锯腹片基部4锯刃与其余锯刃向腹侧明显收敛；阳茎瓣通常无细长端丝，具短小端突。

分布：东亚，欧洲。世界已知10种，中国分布6种，秦岭地区发现4种，本文记述1种。

(5) 黄褐茸蜂 *Blasticotoma* sp.（图版1：B）

鉴别特征：体长7.50mm。体黄褐色，头部和触角、前胸侧板和腹板黑色，锯鞘基基半部黑褐色，锯鞘端大部暗褐色，末端黄褐色；足黄褐色，基节、转节和股节大部黑褐色。翅均匀深烟褐色，前翅基部和后翅烟色稍浅，前缘脉大部浅褐色，翅痣黑褐色。内眶中下部刻点较粗大密集，额区刻点粗大且稀疏，单眼后区后缘和后颊脊前侧具粗大刻点列；中胸前侧片上半部具十分稀疏浅弱的大刻点，间隙3～4倍于刻点直径；腹部第1背板具较细密刻纹，其余背板背侧光滑。颚眼距1.80倍于触角窝间距；额区中部具明显的长中纵沟，单眼后沟深直。触角约等长于头部宽，第3节约等长于复眼背缘间距，第4节短小，近似三角形，长和基部宽均约0.30倍于第3节中部宽。后足胫节等长于跗节；爪内齿大，中位，0.70倍于端齿长。前翅翅痣宽大，2r脉0.40倍于翅痣中部宽，cu-a脉交于1M室下缘外侧0.17；后翅臀室柄短于cu-a脉长。产卵器1.80倍于后足胫节长，锯鞘基1.80倍于锯鞘端长；背面观锯鞘基部宽，端部迅速变窄，末端圆钝。

采集记录：1♀，[China，Shaanxi] Kaitianguan，2000m，Mt. Taibaishan，Qinling Mts.，05.Ⅵ.2007，A. Shinohara（CSCS）；2♀，[China，Shaanxi] Kaitianguan，2000m，Mt. Taibaishan，Qinling Mts.，05.Ⅵ.2007，A. Shinohara（NMNS）。

分布：陕西（眉县）、河北。

三、锤角叶蜂科 Cimbicidae

鉴别特征：体中大型，长7～30mm。后头孔开式，无口后桥；上颚刀片状，端部交叉；复眼较大；触角5～8节，通常7节，基部2节十分短小，宽大于长，第3节细长，3～5倍于基部2节之和，端部2～3节显著膨大成棒槌状；前胸背板中部极短，两侧宽大，后缘强烈凹入；前胸腹板与侧板愈合，具基前桥；中后胸盾侧凹宽大且很深，中胸背板前叶发达，小盾片无附片；后胸背板具淡膜区，后胸侧板与腹部第1背板愈合；各足胫节无亚端距，前足胫节具1对端距；前翅翅脉伸达翅外缘，无Sc脉，R+M脉段长，具2r脉，前缘室狭窄，1M室无背柄，cu-a脉与1M脉基部顶接或几乎顶接，臀室完整；后翅具7～8个封闭的翅室，前缘具1簇翅钩；腹部背板具锐利的侧缘纵脊，第1背板无中缝；雄性外生殖器扭茎形；雌虫锯鞘短小，但产卵器极长，显著弯曲，锯刃小而多；幼虫具腹足，触角2节，暴露生活。本科触角棒状，腹部具侧缘纵脊，胸部具基前桥，可与其他叶蜂类群鉴别。

分类：世界已知约4亚科22属228种，中国已记载55种。陕西秦岭地区共发现3属9种，本书记载2属8种，其中2个新种另文发表。

分属检索表

前翅臀室哑铃形，中部强烈收缩，具长中柄，基臀室和端臀室互相远离；复眼大，背侧互相靠近或几乎接触，复眼内缘向下强烈分歧；唇基较小，端缘截形，具额唇基沟；上唇短小，近似半圆形，端部显著收窄；虫体具显著金属光泽……………………………………… **丽锤角叶蜂属 *Abia***

前翅臀室非哑铃形，中部不收缩，无中柄，基臀室和端臀室互相接触；复眼中等大，背侧互相远离，复眼内缘向下互相平行；唇基很大，端缘具显著宽大缺口，无额唇基沟；上唇宽扇形，端部逐渐加宽；体无显著金属光泽 ……………………………………… **细锤角叶蜂属 *Leptocimbex***

5. 丽锤角叶蜂属 *Abia* Leach, 1817

Abia Leach, 1817: 102. **Type species**: *Tenthredo sericea* Linné, 1767.

Abia (*Parabia*) Semenov, 1891: 174. **Type species**: *Abia jakowlewi* Semenov, 1891.

Abia (*Aenoabia*) Kangas, 1946: 88. **Type species**: *Abia mutica* Thomson, 1871.

Procimbex Hong, 1984: 7. **Type species**: *Procimbex shanwangensis* Hong, 1984.

属征：多数种类体中型，长9～15mm，极少数种类体长达20mm左右。头胸腹部均具显著金属光泽。头部较小，背面观显著窄于胸部，头部在复眼后不明显加宽；复眼较大，背侧互相靠近（雌虫）或几乎接触（雄虫），复眼内缘向下强烈分歧；颚眼距约等于或窄于单眼直径；后眶窄小，不宽于复眼横径，无后颊脊；唇基小，窄于复眼下缘间距，基部稍隆起，前缘截形或几乎截形，具额唇基沟；上唇较小，端部圆钝，显著收窄；上颚较短小；触角6～7节，通常7节，端部2～3节棒状膨大；前翅臀室哑铃形，中部强烈收缩，具很长的中柄，基臀室和端臀室互相远离；后翅具7个封闭翅室，轭区无横脉；后足基节互相靠近；各足胫节端距端部圆钝，膜质化，不尖锐；爪齿近似中裂式，互相靠近，内齿短于外齿；腹部第1背板较长，中部微短于两侧，后缘膜区微小；雄虫腹部4～7节背板中部常具明显的毛垫。

分布：古北区，东洋区北缘，新北区。世界已知约40种，中国记载10种，秦岭地区发现3种，均为陕西新纪录。

分种检索表

1. 前翅前缘从基部到顶角（包括R室全部或大部分）具明显烟褐色宽纵斑；唇基前缘具浅弱弧形凹陷；两性腹部金属光泽偏紫红色 …………………………………………………… 2

   前翅大部透明，前缘无完整纵向烟斑，翅痣下方具不规则三角形烟褐斑，R室全部或大部分近透明，1M室部分透明，部分烟褐色；唇基前缘完全平截；两性腹部金属光泽偏铜绿色 ………………………………………………………… **绿宝丽锤角叶蜂 *A. berezowskii***

2. 触角几乎全部黑色；各足胫节黄白色，基部不足1/5棕褐色；触角第3节强烈侧扁；雄性复眼在头顶的间距小于触角第3节最窄处宽度；腹部第4～7背板中部压陷毛垫块窄小，长约等于宽 ……………………………………………………………… **牛氏丽锤角叶蜂 *A. niui***

   触角暗红棕色，基部2节浅褐色；各足胫节基部近1/2黄白色，其余棕色；触角第3节不强烈侧扁；雄性复眼在头顶的间距约等于触角第3节最窄处宽度；腹部第4～7背板中部压陷毛垫块宽大，宽约2倍于长 ……………………………… **紫宝丽锤角叶蜂 *A. formosa***

(6) 绿宝丽锤角叶蜂 *Abia berezowskii* Semenov, 1896 陕西新纪录

Abia berezowskii Semenov, 1896: 171.

鉴别特征: 雌虫体长13~15mm, 雄虫体长11~13mm。体铜绿色, 上唇褐色; 触角基部2节褐色, 其余棕黑色; 腹部第9背板和腹板黄褐色; 锯鞘棕黑色。翅淡黄色透明, 翅痣褐色; 翅痣下方具三角形烟褐色斑, 翅顶角具烟褐色斑。足黄色, 基节、转节和股节基部约1/2黑色。体具密集刻点, 腹部腹板无明显刻点, 具油质光泽。唇基前缘平截; 颚眼距稍大于中单眼直径; 额区盆圆形; 单眼后区具细中沟。触角7节, 锤状部显著。中胸侧板和腹板强烈隆凸; 小盾片前缘直, 前部缓隆, 后部陡降; 后小盾片顶部观浅弧形, 不增厚。前翅臀室中部收缩中柄长。胫节端距较尖; 爪中裂式。腹部第1~8背板隆起, 每节后缘明显压陷; 第1背板具明显细中脊。雄虫复眼在头顶间距明显大于触角第3节的端部宽, 约等于触角第3节长的1/3; 腹部第4~7背板中部具红褐色大型横宽绒毛垫。

采集记录: 1♀, 太白山, 1580m, 2007. Ⅶ. 12, 朱巽采。

分布: 陕西(眉县)、山西、河南、甘肃、浙江、湖北、湖南、广西、重庆、四川、贵州、云南; 俄罗斯, 朝鲜, 日本。

(7) 紫宝丽锤角叶蜂 *Abia formosa* Takeuchi, 1927 陕西新纪录

Abia formosa Takeuchi, 1927: 201.

鉴别特征: 体长10~13mm。体黑色, 上唇褐色; 触角暗红棕色, 基部2节浅褐色; 翅透明, 翅痣黄褐色; 前翅前缘从基部到外顶角具烟褐色宽带斑, 完全覆盖R室。足股节红棕色, 胫节基部1/3黄色, 其余黄褐色或浅褐色, 中足、后足股节前侧黑色。体具细密刻点和较强铜紫色光泽; 腹部第1背板后部和第2~3背板无刻点或具极稀疏浅小刻点, 具强光泽; 第4~8背板大部分具细密刻点, 光泽较弱。唇基前缘稍弧形凹陷; 颚眼距稍大于中单眼直径; 复眼在头顶的间距约等于触角第3节的1/2长; 额区盆圆形; 额脊呈弧形并缓隆, 两额脊在下端近愈合; 单眼后区中沟仅端半部较明显。触角7节, 锤状部显著, 第7节长于并粗于第6节。中胸侧板前片和腹板强烈隆凸; 小盾片前缘直, 前部缓隆, 后部陡降; 后小盾片顶部观弧形, 不增厚。前翅臀室中部具很长收缩中柄。爪中裂式。腹部第1~7背板隆起, 每节后缘明显压陷; 第1背板具明显细中脊。

采集记录: 1♀, 佛坪, 1000~1450m, 2005. Ⅴ. 17, 刘守柱采。

分布: 陕西(佛坪)、吉林、安徽、湖南、福建、台湾、广东。

(8) 牛氏丽锤角叶蜂 *Abia niui* Wei *et* Deng, 1999 陕西新纪录(图版 1:C)

Abia niui Wei *et* Deng, 1999: 182.

鉴别特征: 雄虫体长 10~11mm, 雌虫体长 12~15mm。体黑色, 各足胫节大部分黄色, 跗节黄褐色; 雄虫绒毛垫块暗黑色; 触角黑色; 翅淡黄色且透明, 前翅至少从 R 室基部 1/3 到顶角具烟褐色宽纵斑; 翅痣红褐色。体具密细刻点, 胸部刻点明显, 腹板具较强紫铜色光泽; 腹部背板具较强紫铜色光泽, 腹板具强油状光泽。唇基前缘具宽浅弧形凹陷; 颚眼距稍小于中单眼的直径; 雄虫复眼在头顶近乎接触, 显著小于触角第 3 节最细处的横径, 雌虫复眼背缘间距宽大; 额区盆圆形; 额脊弧形, 两额脊分别在触角窝侧上方强烈圆弧形尖突起。触角 7 节, 锤状部显著, 第 7 节长于并粗于第 6 节。中胸侧板前片和腹板强烈隆起, 小盾片前缘直, 后小盾片背面观均匀浅弧形, 不增厚。前翅臀室中部收缩, 具很长中柄。爪中裂式, 内齿小。腹部第 1 背板具明显细中纵脊和侧纵脊, 第 1~7 背板隆起, 各背板后缘明显压陷。

采集记录: 1♀, 长安区鸡窝子, 1765m, 2008. Ⅵ. 27, 朱巽采; 1♀, 留坝桑园林场, 1080m, 2007. Ⅴ. 19, 朱巽采。

分布: 陕西(长安、留坝)、山西、河南、宁夏、甘肃、湖北、四川、贵州。

6. 细锤角叶蜂属 *Leptocimbex* Semenov, 1896

Leptocimbex Semenov, 1896: 95. **Type species**: *Leptocimbex potanini* Semenov, 1896.

Euclavellaria Enslin, 1911: 93. **Type species**: *Clavellaria formosana* Enslin, 1911.

Cimbicisoma Rohwer, 1915: 215. **Type species**: *Cimbicisoma dendrobii* Rohwer, 1915.

Okamotonius Sato, 1928: 188. **Type species**: *Okamotonius kurisuei* Sato, 1928.

属征: 体中大型, 长 12~25mm。体通常无金属光泽, 少数种类头胸部局部具较弱金属光泽。头部较大, 背面观几乎不窄于胸部, 头部在复眼后多少加宽; 复眼中等大, 背侧互相远离, 复眼内缘向下互相平行; 颚眼距稍宽于单眼直径, 短于单眼直径 2 倍; 后眶宽大, 显著宽于复眼横径, 具后颊脊; 唇基十分宽大, 明显宽于复眼下缘间距, 基部十分平坦, 绝不隆起, 前缘两侧截形, 中部 2/3 左右具较浅但明显的缺口, 缺口底部平直, 无额唇基沟; 上唇宽大, 并向端部逐渐加宽, 端部圆钝, 侧缘具钝脊; 上颚发达; 触角通常 7 节, 偶尔 8 节, 端部 3 节棒状膨大; 前翅臀室中部不收缩, 无中柄, 基臀室和端臀室互相接触; 后翅具 7 个封闭翅室, 轭区无横脉; 后足基节互相远离; 各足胫节端距端部圆钝, 膜质化, 不尖锐; 爪齿中裂式, 互相贴近, 内齿明显短于外齿; 腹部第 1 背板较短, 后缘膜区宽大; 雄虫腹部背板无毛垫; 侧面观雌虫锯鞘宽度短, 端部近似截形; 锯腹片十分窄长, 锯刃小而多。

分布: 东亚。世界已知 29 种, 中国已记载 22 种。秦岭地区发现 7 种, 其中 2 新种，4陕西新纪录种。本文记述其中5种，新种另文发表。

分种检索表

1. 腹部背板黑色，第1、5背板具黄白色横带斑，2~4背板全部黑色，6~9背板黑色或后缘具狭窄淡斑 …… **双环细锤角叶蜂 *L. bicinctatus***
   腹部背板大部黑色或大部黄褐色、锈褐色，第1背板有时部分黄白色，第5背板无黄白色横带 …… 2
2. 腹部第1背板全部红棕色；头胸部包括触角全部棕褐色，无明显黑斑，腹部2~10节黑色，无黄斑，端部数节背板后缘有时浅褐色或灰白色 …… **红黑细锤角叶蜂 *L. rufoniger***
   腹部第1背板基部黑色，端部黄白色；头胸部非全部棕褐色；腹部4~10背板至少具显著黄褐色斑纹或大部黄褐色 …… 3
3. 头部背侧黑色，刻点粗密，刻纹密集，无明显光泽或光泽微弱，偶尔后眶后部淡色，则头部背侧刻点清晰；腹部2~7背板黑色，第4、5背板后缘淡色横带中部不中断，中部无黑斑；腹部第1背板侧纵脊完整，伸达背板后缘 …… 4
   头部背侧黄褐色或棕褐色，额区、单眼后区和上眶具黑斑，后眶淡斑向上延伸到上眶后缘；头部背侧刻纹和刻点十分细弱，表面具油质光泽；腹部第1节背板侧缘纵脊不完整，后部2/5~1/2低钝或阙如；腹部3~8背板黄褐色，至少3~5背板中部具小型黑斑，将背板黄斑分成左右两半 …… **格氏细锤角叶蜂 *L. grahami***
4. 触角窝上突显著隆起，后端突然中断，不与额脊连接；两性腹部6~8节背板大部黄白色；后小盾片中部明显突出 …… **断突细锤角叶蜂 *L. tuberculatus***
   触角窝上突前部明显隆起，后部渐低，不中断，与额脊平缓连接；两性腹部6~8节背板通常无大黄白斑；后小盾片中部不明显突出 …… **连突细锤角叶蜂 *L. potanini***

（9）双环细锤角叶蜂 *Leptocimbex bicinctatus* Wei，2002 陕西新纪录

Leptocimbex bicinctatus Wei in Wei *et* Deng，2002：46.

鉴别特征：体长14mm。体黑色，头胸部和各足基节、转节、股节具暗紫红色光泽，唇基和上唇、前胸背板后缘浅黄褐色，触角、上颚大部、翅基片外侧、各足股节端部、胫节全部、腹部6~8节背板后缘、各节背板缘折的后缘、第9背板大部、各节腹板后缘、尾须和锯鞘暗红褐色，腹部第1背板后半部和第5背板后部3/5黄白色，各足跗节浅褐色。前翅前半部分和臀区浓烟褐色，其余部分透明。体具致密细小的刻点，光泽弱；唇基、上唇、腹部第1背板大部几乎光滑，仅具微弱刻纹，具较强光泽。上唇平坦，无中脊；颚眼距约等长于触角第6节；额脊模糊；触角窝上突钝弱，宽于单眼直径；单眼后区宽几乎2倍于长，无中沟，侧沟向后分歧；眼后头部稍膨大。触角7节，锤状部明显，最大宽度为第4节端宽的2倍。中胸侧板平坦，无明显皱纹，下缘无横脊；后小盾片中部向后上方明显尖突。前翅臀室具短点状的中位收缩柄，无横脉。腹部第1背板侧纵脊很高，纵贯全长；中纵脊十分低钝，且端部1/4

消失。

采集记录：1♀，佛坪，832m，2006.Ⅳ.30，何末军采；1♀，[China：Shaanxi] Kaitianguan，2000m，Mt. Taibaishan，Qinling Mts.，25.Ⅴ.2005，A. Shinohara。

分布：陕西（太白、佛坪）、河南、甘肃。

（10）格氏细锤角叶蜂 *Leptocimbex grahami* Malaise，1939 陕西新纪录

Leptocimbex grahami Malaise，1939：6.

鉴别特征：雌虫体长20～22mm，雄虫体长16～23mm。头部和腹部黄褐色，胸部黑色，触角窝以下淡黄色，触角窝上方具3个小黑点，单眼区具倒三角形黑斑；触角基部黄褐色，端部棕褐色；翅基片、前胸背板上缘和上侧片黄褐色；中胸背板中叶侧上角和下方具3个红褐色斑；小盾片黄褐色，中间具棕黑色斑；腹部第1背板除基部小部分和中脊为黑色外，其余柠檬黄色；第2背板全部黑色，第3～8背板中间具窄黑色纵带，各背板两侧具三角形黑斑；前翅前缘从基部到顶角具烟褐色纵带；足黄褐色，前足基节和股节基部2/3外侧具黑色纵带，中后足的基节、转节和股节黑色。头和腹部刻点不明显，中胸侧板刻点较粗，皱纹状，具蓝色弱光泽；腹部第1背板无明显刻点，光泽较强。触角窝上突明显，向后急降低；中胸侧板下缘具明显横脊；腹部第1背板侧纵脊基半部明显，后半部不明显。

采集记录：2♀3♂，潼关桐峪镇，1052m，2006.Ⅴ.30，朱巽采；1♀，留坝桑园林场，1080m，2007.Ⅴ.19，朱巽采。

分布：陕西（潼关、留坝）、河南、浙江、湖北、湖南、四川、贵州。

（11）连突细锤角叶蜂 *Leptocimbex potanini* Semenov，1896 陕西新纪录

Leptocimbex potanini Semenov，1896：100.

Clavellaria (*Euclavellaria*) *marginata* R. E. Turner，1920：84.

Leptocimbex potanini var. *sinobirmanica* [sic!] Malaise，1939：7.

鉴别特征：体长13～18mm。体大部黑色，触角窝以下黄色或棕褐色；眼后区红褐色斑纹伸达上眶；触角基部棕红色，锤状部棕黑色；前胸背板、翅基片黄褐色或棕红色；中胸小盾片部分或全部棕色。前翅前缘从基部到顶角有烟褐斑带。足黄褐色，基节和股节具黑色纵带；腹部第1背板大部黄白色，第3～5背板后缘具黄褐色或红棕色窄横带，第8背板常具黄褐色斑。头部背侧刻点粗密，腹部第1背板有稀疏刻点。颚眼距明显大于触角基部2节之和；触角窝上突显著，后端不中断，与额脊连接；额区中部浅凹陷；单眼后区长大于宽。触角棒状部最宽处约为第4节端宽的3倍。中胸侧板具明显皱纹，下缘横脊显著隆起。前翅臀室具明显横脉。腹部第1背

板侧纵脊完整，中纵脊前部强烈隆起，向后逐渐降低。雄虫上唇端部具中脊。

采集记录：1♂，长安终南山，1292m，2006. Ⅴ.28，杨青采；1♂，佛坪，832m，2006. Ⅳ.30，何末军采；11♂，丹凤寺坪镇，900～1200m，2005. Ⅴ.21，刘守柱采。

分布：陕西（长安、太白、佛坪、丹凤）、辽宁、甘肃、湖北、广东、广西、四川、云南、西藏；俄罗斯，越南，缅甸。

（12）红黑细锤角叶蜂 *Leptocimbex rufoniger* Malaise，1939

Leptocimbex rufoniger Malaise，1939：8.

鉴别特征：体长16～23mm。头胸部底色包括触角全部以及腹部第1背板棕褐色，唇基、上唇、唇基上区柠檬黄色，中胸腹板大部黑色，中胸背板通常具3个黑斑；足红褐色，中后足基节前侧和后侧具黑色纵带斑，转节基部黑色，中足股节前侧基部1/4弱、后足股节前侧大部分棕黑色，各足跗节黄色；腹部2～10节黑色，5～9节背板后缘有时灰白色或浅褐色。前翅前半侧具深烟褐色纵斑，从基部伸达翅外缘，后半侧大部透明；头胸部背侧具密集微细刻点，表面具油质光泽；上唇无中纵脊；触角通常7节，偶尔8节，端部棒状节宽约2倍于第4节端部；胸部侧板无皱刻纹，下部无明显斜脊；腹部第1背板大部光滑，后缘具细小刻点，侧缘纵脊完整；腹部背板刻纹细密，光泽微弱；中窝较浅，触角窝上突低弱，额脊低钝；单眼后区长稍大于宽，侧沟向后稍分歧。

采集记录：1♂，佛坪，1000～1450m，2005. Ⅴ.17，朱巽采；3♂，安康，1200m，2003. Ⅶ.06，于海丽采。

分布：陕西（佛坪、安康）、湖北、湖南、福建、重庆、四川。

（13）断突细锤角叶蜂 *Leptocimbex tuberculatus* Malaise，1939 陕西新纪录（图版1：D）

Leptocimbex tuberculata Malaise，1939：6.

鉴别特征：体长15～20mm。体大部黑色，触角窝以下黄色或棕褐色；眼后区红褐色斑纹伸达单眼后区；触角黄褐色或基部棕红色，锤状部棕黑色；前胸背板、翅基片黄褐色或棕红色；中胸小盾片部分或全部棕色。前翅前缘从基部到顶角有烟褐斑带。足黄褐色，前足基节和股节上侧具黑色纵带，中后足基节和股节黑色或上方具黑色纵带；腹部第1背板大部黄白色，第3～5背板后缘具黄褐色或红棕色窄横带，从第6背板到最后背板各具1个大圆形黄褐色斑。头部背侧刻点粗密，腹部第1背板有稀疏刻点。上唇无中纵脊；颚眼距明显大于触角基部2节之和；触角窝上突显著，后端陡峭，与额脊分开；额区中部浅凹陷；单眼后区长大于宽。触角棒状部最宽处约为第4节端宽的3倍。中胸侧板具明显皱纹，下缘横脊显著隆起。前翅臀室具明显横脉。腹部第 1 背板侧纵脊完整，中纵脊前部强烈隆起，向后逐渐降低。雄虫上唇端部具中脊。

采集记录：1♀，长安区鸡窝子，1720m，1765m，2008. Ⅴ.18，24，朱巽采；3♂，太白县青峰峡，1473m，2008. Ⅶ.03，朱巽、蒋晓宇采；1♂，太白山，1600～1800m，2005. Ⅶ.07，杨青采；1♂，太白山，1000m，1981. Ⅵ.27；2♀，凤县嘉陵江源头，1570m，2007. Ⅴ.26，朱巽采；2♂，凤县秦岭车站，1994. Ⅶ.28，吕楠采；1♀，留坝大坝沟，1320m，2007. Ⅴ.20，朱巽采。

分布：陕西（长安、太白、凤县、留坝）、吉林、辽宁、山西、甘肃、安徽、湖北、江西、湖南、福建、广东、四川。

四、三节叶蜂科 Argidae

鉴别特征：触角 3 节，第 1、2 节十分短小，第 3 节发达，长棒状或音叉状；后头孔开式，无口后桥；前胸背板后缘深凹，侧叶发达；中胸十分发达，中胸小盾片无附片，中后胸盾侧凹发达；中胸腹板无基前桥，具侧沟，中后胸后上侧片强烈鼓凸；后胸淡膜区发达，淡膜区间距小于淡膜区宽；前足胫节具 1 对端距，中后足胫节有时具亚端距；爪通常简单；前后翅均无 2r 脉，翅痣较窄长；前翅前缘室宽大，1M 室无背柄或背柄极短小，cu-a 脉中位或外侧位，臀室具很长的中柄，基臀室很小，有时开放；后翅通常具 7～8 个封闭翅室；腹部筒形，两侧无纵缘脊，第 1 背板与后胸后侧片愈合；背面观锯鞘较短，稍伸出腹部末端，形态变化大；雄性外生殖器扭转，副阳茎微小或阙如。幼虫多足型，腹部具 6～8 对足，常具侧缘瘤突，触角 1 节。幼虫通常裸露食叶，少数潜叶或蛀食嫩茎，均为植食性，有些种类的幼虫取食时腹端翘起并弯曲，容易识别。幼虫在植物上结茧化蛹，成虫行动迟缓。

分类：世界已知 58 属，约 950 种，中国已记载 16 属近 200 种。陕西秦岭地区发现 5 属 57 种，其中包括尚未报道的 16 新种。本文记述 5 属 42 种，其中有 1 个新组合。

分属检索表

1. 前后翅 R_1 室端部均宽阔开放；前翅 Sc 脉游离段消失；雄虫触角音叉形 ······················· 2
   前后翅 R_1 室端部封闭；前翅 Sc 脉游离段显著；雄虫触角鞭节简单，不分叉 ················· 3
2. 后翅臀室端部封闭，具柄式；前翅基臀室通常封闭；颚眼距短于单眼直径 2 倍，通常约等于单眼直径；触角窝间区域强烈隆起，纵脊状；前翅 R + M 脉段很长，几乎 2 倍于 Rs 脉第 1 段长；幼虫危害蔷薇科植物 ·· **脊颜三节叶蜂属 *Sterictiphora***
   后翅臀室端部宽阔开放，无柄式；前翅基臀室开放；颚眼距 2 倍于单眼直径；触角窝间区域稍隆起，不呈纵脊状；前翅 R + M 脉段短点状，短于 Rs 脉第 1 段长；幼虫危害榆科植物……………………………………………………………………………………… 近脉三节叶蜂属 *Aproceros*

3. 头部很小，背面观几乎等于胸部 1/2 宽；唇基横方形，端部钝截形，额唇基沟深，唇基和唇基上区具明显夹角；各足胫节均无亚端距 ……………………………… 小头三节叶蜂属 *Pampsilota*

头部正常大小，背面观稍窄于胸部宽；唇基近似弓形，非横方形，端部多少具缺口，额唇基沟浅弱模糊，中部消失；唇基和唇基上区在 1 个延长平面上，之间无明显夹角；除少数种类外，后足胫节具亚端距 ……………………………………………………………………………………… 4

4. 雄虫腹部第 5 背板具发达性沟和中位刺突 ………………………… 刺背三节叶蜂属 *Spinarge*

雄虫腹部第 5 背板正常，无性沟和中位刺突 ………………………………… 三节叶蜂属 *Arge*

7. 三节叶蜂属 *Arge* Schrank, 1802

Cryptus Jurine in Panzer, 1801: 163. **Type species**: *Cryptus segmentarius* Panzer, 1803 [= *Arge rustica* (Linné, 1758)]. Not available. Suppressed by Opinion 135 (ICZN 1939).

Arge Schrank, 1802: 226-230. **Type species**: *Tenthredo enodis* Linné, 1767.

Hylotoma Latreille, 1803: 302. **Type species**: *Tenthredo ochropus* Gmelin, 1790.

Corynia Labram *et* Imhoff, 1836: pl. 23, & 1 page text. **Type species**: *Corynia rosarum* (Klug, 1814) [= *Arge ochropus* (Gmelin, 1790)].

Acanthoptenos Ashmead, 1898: 212. **Type species**: *Acanthoptenos weithii* Ashmead, 1898 [= *Arge macleayi* (Leach, 1817)].

Bathyblepta Konow, 1906: 123. **Type species**: *Bathyblepta procer* Konow, 1906 [= *Arge albocincta* (Cameron, 1876)].

Didocha Konow, 1907: 306. **Type species**: *Didocha braunsi* Konow, 1907 [= *Arge hansi* Forsius, 1930].

Miocephala Konow, 1907: 162. **Type species**: *Miocephala chalybea* Konow, 1907 [= *Arge chalybea* (Konow, 1907)].

Alloscenia Enderlein, 1919: 115. **Type species**: *Alloscenia maculitarsis* Enderlein, 1919 [= *Arge massajae* (Gribodo, 1879)].

Rhopalospiria Enderlein, 1919: 116. **Type species**: *Tenthredo rubiginosa* Palisot de Beauvois, 1809 [= *Arge coccinea* (Fabricius, 1804)].

属征：中小型叶蜂，体长 5.15mm。头部宽度稍短于胸部宽；触角窝上位，位于复眼中部或中上位水平，触角窝间区域平坦或低钝隆起，常具两条明显纵脊；唇基上区显著隆起，额唇基沟浅弱模糊；唇基平坦，前缘通常具明显缺口；颚眼距 0.50 ~ 2.00倍于单眼直径；无后颊脊；额区小型，额脊低钝或阙如；雄虫触角多少侧扁，几乎不向端部加粗，通常具明显立毛；雌虫触角第 3 节向亚端部或多或少加粗，无显著立毛。前翅和后翅的 R_1 室均封闭，并在其端部具 1 个明显小翅室，前翅 $1R_1$、1Rs、2Rs 室分离，1M 脉与 Sc 脉的相交点和 Rs + M 脉的起源点相距较近或在 1 个点上，cu-a 脉位于 1M 室下缘中位外侧，臀室具长收缩中柄，基臀室通常封闭；后翅 Rs 室和 M 室封闭；臀室通常封闭，少数端部开放；中足和后足胫节各具 1 个端前距，后足胫节和跗节不明显侧扁；爪简单，无内齿和基片；腹部第5背板无性沟和刺突。

分布：世界性分布。世界已知约350种，中国已记载约120种，秦岭地区已发现48种，本文记述33种。

分种检索表

1. 腹部至少部分腹节全部黄褐色，或腹板全部黄褐色 ………… 2
   腹部全部黑色或蓝黑色 ………… 14
2. 头胸部黑色，仅腹部具黄褐色环节或全部黄褐色 ………… 3
   胸部和腹部均黄褐色，胸部有时具少量黑斑或蓝黑色斑 ………… 8
3. 体黑色，仅腹部2～4节黄白色；触角鞭节红褐色；前翅基臀室开放 ………… **三环环腹三节叶蜂 *A. tricincta***
   腹部大部或全部黄褐色，第1背板和锯鞘有时黑色；雄虫有时腹部背侧黑斑较大 ………… 4
4. 前翅2Rs室上缘约1.50倍于下缘长，2r-m脉下部向内侧强烈倾斜；锯鞘长于后足股节，腹缘直；背面观锯鞘小，侧缘直，向端部近似直线收窄；锯腹片具粗大叶状节缝刺毛；阳茎瓣近似"T"形，具显著的背缘后突 ………… 5
   前翅2Rs室上缘1.00～1.20倍于下缘长，2r-m脉下部向内侧微弱倾斜或不倾斜；锯鞘短于后足股节，腹缘亚基部显著弯折；背面观锯鞘大，侧缘弧形，向端部圆钝收窄；锯腹片无粗大叶状节缝刺毛；阳茎瓣倾斜，无背缘后突 ………… 6
5. 头胸部黑色，具显著的蓝色光泽；锯腹片第3～10节缝均具粗长叶状节缝刺毛列，第2节缝无粗刺毛 ………… **无斑黄腹三节叶蜂 *A. geei***
   头胸部黑色，蓝色金属光泽微弱或缺；锯腹片第2～10节缝均具粗长叶状节缝刺毛列，第2节缝刺毛较短 ………… **暗蓝黄腹三节叶蜂 *A. pagana***
6. 雌虫腹部末端和锯鞘黑色，雄虫腹部背板具大型黑斑；前翅基部烟色明显暗于端部，翅痣下侧具烟褐色横带 ………… **百山祖黄腹三节叶蜂 *A. baishanzua***
   雌虫腹部末端和锯鞘黄褐色，雄虫腹部背板无大型黑斑 ………… 7
7. 前翅端部1/3近透明，基部2/3显著烟褐色，界限鲜明；雌虫锯刃狭窄，强烈突出，无亚基齿 ………… **震旦黄腹三节叶蜂 *Arge* sp.**
   前翅基部烟色微弱暗于端部，之间无明显界限；雌虫锯腹片锯刃低平，显著倾斜，具多个细小亚基齿 ………… **短角黄腹三节叶蜂 *A. przhevalskii***
8. 前翅2Rs室上缘1.25～1.50倍于下缘长，2r-m脉下部向内侧强烈倾斜；锯鞘长于后足股节，腹缘直；背面观锯鞘小，侧缘直，向端部近似直线收窄；锯腹片具粗大叶状节缝刺毛；阳茎瓣近似"T"形，具显著的背缘后突；颜面无中纵脊 ………… 9
   前翅2Rs室上缘1.00～1.20倍于下缘长，2r-m脉下部向内侧微弱倾斜或不倾斜；锯鞘短于后足股节，腹缘亚基部显著弯折；背面观锯鞘大，侧缘弧形，向端部圆钝收窄；锯腹片无粗大叶状节缝刺毛；阳茎瓣倾斜，无背缘后突；颜面具中纵脊 ………… 12
9. 前胸背板和翅基片大部或全部黑色；颚眼距等长于单眼直径 ………… 10
   前胸背板和翅基片黄褐色；颚眼距明显短于单眼直径 ………… 11
10. 后足股节大部黄褐色；前翅2Rs室上缘1.50～1.80倍于下缘长 ………… **黑肩黑头三节叶蜂 *A. nigrocollinia***

后足股节黑色；前翅 2Rs 室上缘约 1.30 倍于下缘长 …………… **关氏黑头三节叶蜂 *A. guani***

11. 中足股节大部黄褐色 …………………………………… **陈氏黑头三节叶蜂 *A. chenshuchuni***

中足股节全部黑色 ………………………………………… **华中黑头三节叶蜂 *A. huazhongia***

12. 头胸部青蓝色，金属光泽十分显著 ……………………… **蓝光黑头三节叶蜂 *A. cinnabarina***

头胸部黑色，完全无金属光泽 …………………………………………………………………… 13

13. 中后足基节黄褐色；背面观后头两侧互相平行 …………… **黑基黑头三节叶蜂 *A. melanocoxa***

中后足基节黑色；背面观后头两侧明显膨大 ……………………… **何氏黑头三节叶蜂 *A. hei***

14. 胸部大部红褐色，雄虫有时几乎全部黑色，淡中胸两侧多少具红褐色斑纹 ………………… 15

两性胸部黑色，有时具蓝色光泽 ……………………………………………………………… 17

15. 颜面具锐利中纵脊和较密集刻点，触角窝间侧纵脊向下显著收敛，下端汇合；前翅 2r-m 脉上部向外侧倾斜；阳茎瓣端部具横向侧突 ………………………… **脊颜红胸三节叶蜂 *A. vulnerata***

颜面无中纵脊，刻点不明显或十分细弱，触角窝间侧纵脊短低，向下微弱收敛，下端不汇合；前翅 2r-m 脉几乎垂直；阳茎瓣长三角形，端部渐尖，无横向侧突 ……………………………… 16

16. 颚眼距线状；单眼很大，显著突出 ……………………………… **突眼红胸三节叶蜂 *A. macrops***

颚眼距等长于单眼直径；单眼正常，不突出 ……………………… **榆红胸三节叶蜂 *A. captiva***

17. 体毛黑色；翅显著深烟褐色，端部有时微淡；前缘脉总是黑褐色；足全部黑色；翅无烟色横带 ………………………………………………………………………………………………… 18

体毛银色；翅浅烟褐色或透明，端部有时稍暗，绝不比基部更淡；后足胫节至少部分淡色，如果全部黑色，则前翅透明，翅痣下方具完整烟褐色横带斑 ……………………………………… 21

18. 雌虫产卵器长大，端部环形弯曲；腹部背板具细密刻纹，雄虫尤甚 ………………………………………………………………………………………… **圆环钳三节叶蜂 *A. simillima***

雌虫产卵器正常，背面观蘑菇形，不成环形弯曲；腹部背板无明显刻纹 …………………… 19

19. 颜面宽大隆起，无中纵脊；背面观后头两侧强烈膨大，不短于复眼；触角粗短，显著短于胸部 ………………………………………………………………………… **小眼黑毛三节叶蜂 *A. pullata***

颜面屋脊状隆起，具顿中脊；背面观后头两侧不膨大，明显短于复眼；触角狭长，约等长于胸部 ………………………………………………………………………………………………… 20

20. 单眼后沟显著；触角鞭节细，端部微弱膨大；颜面下部和唇基具明显刻点；锯腹片锯刃一半接近透明，一半深褐色；阳茎瓣狭窄"Z"形 ……………………… **半刃黑毛三节叶蜂 *A. compar***

无单眼后沟；触角鞭节端部明显膨大；颜面下部和唇基光亮，无明显刻点；锯腹片锯刃颜色一致；阳茎瓣粗壮"Z"形 ………………………………………… **杜鹃黑毛三节叶蜂 *Arge similis***

21. 足黑色，无白斑；翅透明，具完整烟褐色横带斑 ………………… **完带淡毛三节叶蜂 *A. entirea***

后足胫节部分黄白色或浅褐色；前翅烟褐色横带斑通常不完整 ………………………………… 22

22. 后足股节基部具显著的白环，如果白环很短，则后足胫节外侧具黑色条斑 …………………… 23

后足股节全部黑色，基部无白环；后足胫节基半部黄白色或浅褐色，无黑色条斑 ………… 27

23. 后足股节基部 1/5 以上白色；后足胫节外侧无黑色条斑 ……………………………………… 24

后足股节基部白色部分很短；后足胫节外侧具黑色条斑 ……… **线斑淡毛三节叶蜂 *A. lineotibialis***

24. 体黑色，无蓝色光泽；颜面中脊微弱或缺如，如果颜面具低弱中纵脊，则颚眼距 1.50 倍于单眼直径；后足股节基部 1/3 白色 ………………………………………………………………… 25

体黑色，具弱蓝色光泽；颜面具明显中纵脊；颚眼距等长于单眼直径；后足股节基部仅 1/4 至 1/5 白色 ……………………………………………………………………………………… 26

25. 颚眼距 1.50 倍于单眼直径；背面观后头两侧稍收缩；颜面具微弱中纵脊；锯鞘端部具明显小

瘤突 …………………………………………………………… **瘤鞘淡毛三节叶蜂 *A. tuberculotheca***

颚眼距1.10倍于单眼直径；背面观后头两侧稍膨大；颜面无中纵脊；锯鞘端部无明显小瘤突 ……………………………………………………………………… **杨氏淡毛三节叶蜂 *A. yangi***

26\. 前翅2Rs室明显短于1Rs室；中窝上端封闭，不向额区开放；触角第3节长于胸部 ……………………………………………………………………… **横脊淡毛三节叶蜂 *A. transcarinata***

前翅2Rs室明显长于1Rs室；中窝上端不封闭，向额区开放；触角第3节等长于胸部 ……………………………………………………………………… **秦岭淡毛三节叶蜂 *A. qinlingia***

27\. 后足胫节和跗节全部黄白色；头胸部具弱铜色光泽，腹部具强铜色金属光泽；唇基前缘缺口深弧形，中部具切口；前翅缘脉黄褐色 ……………………… **小凹铜腹三节叶蜂 *A. minitincisita***

后足胫节端部和跗节黑褐色或黑色；体黑色，头胸腹部无明显铜色光泽，有时具蓝色光泽；唇基前缘缺口中部无切口；前缘脉浅褐色或褐色 ……………………………………………… 28

28\. 前翅翅痣外侧具长大烟斑伸达前翅外顶角，覆盖R室全部和Rs室前缘；颚眼距明显长于单眼直径；颜面无中纵脊 ………………………………………… **长斑淡毛三节叶蜂 *A. radialis***

前翅翅痣外侧无长大烟斑伸达翅顶角，翅痣下方有时具烟褐色横带斑；颚眼距不长于单眼直径；颜面具中纵脊 ……………………………………………………………………… 29

29\. 体黑色，无蓝色光泽；各足胫节均大部白色；阳茎瓣头部横形，端缘具明显的长刺毛；锯腹片中端部锯节显著集中，与间距较宽的基部锯节明显不同；前翅2Rs室约等长于1Rs室 ……………………………………………………………………… **毛瓣淡毛三节叶蜂 *A. pilopenis***

体具蓝色光泽；前中足胫节通常背侧全部黑蓝色；阳茎瓣头部端缘无明显长刺毛；锯腹片中端部节缝不明显集中 ……………………………………………………………………… 30

30\. 后翅Rs室2倍于M室长；颜面中纵脊细、锐利；颚眼距稍短于单眼直径 ……………………………………………………………………… **小室淡毛三节叶蜂 *A. cellella***

后翅Rs室稍长于M室；颚眼距等长于单眼直径 ……………………………………………… 31

31\. 前翅2Rs室长于1Rs室；阳茎瓣头叶非三角形，中部无明显的小齿区；触角鞭节不长于胸部 ……………………………………………………………………… 32

前翅2Rs室短于1Rs室；阳茎瓣头叶三角形，端部尖中部具显著的小齿区；触角鞭节长于胸部 ……………………………………………………………… **齿瓣淡毛三节叶蜂 *A. dentipenis***

32\. 前翅2Rs室明显长于1Rs室，Rs第4段长度仅为第3段1/3弱；触角黑色；颜面中脊较钝；后足跗节黑褐色 ……………………………………………… **横带淡毛三节叶蜂 *A. potanini***

前翅2Rs室稍长于1Rs室，Rs第4段长度约等长于第3段；触角端半部褐色；颜面中脊较锐利；后足跗节暗褐色 …………………………………… **短脊淡毛三节叶蜂 *A. subtilis***

（14）三环环腹三节叶蜂 *Arge tricincta*（Wen *et* Wei, 2001），comb. nov.

Alloscenia tricincta Wen *et* Wei, 2001: 75-77.

Pseudoarge tricincta: Taeger *et al.*, 2010: 144.

鉴别特征：体长8～9mm。体黑色，触角鞭节红褐色，腹部2～4节黄褐色，黑色部分具蓝色光泽；足黑色，前足胫节和跗节、中足胫节除端部外、后足胫节基部3/4黄白色，中足跗节褐色。翅浅烟灰色透明，前缘脉浅褐色，翅痣黑褐色，翅痣下具小型烟斑；体毛淡色。颜面具低弱中脊，颚眼距微大于侧单眼直径；触角鞭节等长于胸部；颜面具细小刻点，头部背侧、胸部背板和侧板、腹部背侧光滑，无明显刻纹。前翅 R + M 脉段短点状，2Rs 室上下缘近等长，臀室端部开放；后翅臀室封闭，臀室柄 2.20 倍于 cu-a 脉长。产卵器短，亚基部明显折曲，不长于后足股节，侧面观端部圆钝；背面观锯鞘各叶近三角形，长稍小于宽，端部稍尖。锯腹片简单，无叶状节缝粗刺。

采集记录：1♀，长安区鸡窝子，1765m，2008. Ⅵ. 27，朱巽采；1♀，宝鸡天台山，802m，2006. Ⅴ. 23，朱巽采；1♀，凤县嘉陵江源头，1570m，2007. Ⅴ. 26，朱巽采；1♀，佛坪，1000 ~ 1450m，2005. Ⅴ. 17，刘守柱采。

分布：陕西（长安、宝鸡、凤县、佛坪、甘泉）、宁夏、甘肃、湖北、四川。

（15）陈氏黑头三节叶蜂 *Arge chenshuchuni* Wei, 1999 陕西新纪录

Arge chenshuchuni Wei in Wei, Wen *et* Deng, 1999: 25.

鉴别特征：体长 7mm。体暗黄褐色，头部黑色，触角黑褐色；足黑色，具蓝色光泽，中足基节、中足股节除基缘和端部 1/5 以外、后足股节除端缘外等黄褐色。翅烟褐色，翅痣和脉黑色。头部背侧和小盾片细毛、触角毛和翅面毛黑褐色，其他体毛淡褐色。头部具细小微弱刻点。体毛约等长于单眼直径。触角第 3 节细，等长于胸部，端部不膨大。唇基缺口浅圆，颚眼距明显小于单眼直径；颜面隆起，无中纵脊；单眼后区短且强烈下倾，显著低于单眼平面；背面观后头短于复眼 1/2 长，两侧显著收缩。前翅 R + M 脉段显著，短于 Sc 脉游离段，2Rs 室微长于 1Rs 室，上缘 1.50 倍长于下缘；后翅臀室显著长于臀柄。第 7 节腹板不显著延长，端缘呈弧形。锯鞘长直，长于后足股节，锯腹片具叶状节缝刺毛。

采集记录：1♀，周至楼观台，899m，2006. Ⅴ. 25，蒋晓宇采；1♀，眉县营头蒿坪，1162m，2008. Ⅶ. 01，张少冰采；1♀，镇安，1300 ~ 1600m，2005. Ⅶ. 10，杨青采。

分布：陕西（周至、眉县、镇安）、河南。

（16）蓝光黑头三节叶蜂 *Arge cinnabarina* Gussakovskij, 1935 陕西新纪录

Arge cinnabarina Gussakovskij, 1935: 247.

鉴别特征：体长 8 ~ 9mm。两性头部全部青蓝色，金属光泽十分显著；前中胸背板无黑斑，胸部小盾片和腹部全部黄褐色或橘褐色，无黑斑；翅淡烟褐色，无明显翅斑，前缘室透明；锯腹片第 2 节缝光裸，无叶状刺突列。雌虫锯鞘长于后足股节，侧面观腹缘平直，背面观端部钝截，侧缘不鼓；锯腹片具节缝扁长刺列；雄虫阳茎瓣头叶倾斜横形，与阳茎瓣柄部近似垂直，具近似水平向的前端尖锐的前端突和后端圆

钝的后端突。

采集记录：1♀，华山，1962. Ⅷ.05，杨集昆采；1♀，镇巴，1200m，1983. Ⅶ，李法圣采。

分布：陕西（华阴、镇巴）、甘肃、四川、贵州。

（17）关氏黑头三节叶蜂 *Arge guani* Wei, 1997 陕西新纪录

Arge guani Wei in Wei *et* Wen, 1997: 31.

鉴别特征：体长8mm。体黄褐色，头部、触角和足黑色，具弱金属蓝色光泽，前胸背板后缘和翅基片外缘黑紫色；中后足基节黄褐色。翅烟褐色，端部稍淡，翅痣和翅脉黑色。头部背侧细毛黑色，胸腹部细毛黄褐色，短于单眼直径。颜面具小刻点，虫体其余部分光滑。颚眼距等长于单眼直径；颜面隆起，无中纵脊；背面观后头两侧近平行。触角细，等长于胸部。前翅 R + M 脉段点状，2Rs 室明显长于 1Rs 室，背缘稍长于下缘；后翅臀室柄稍短于臀室。第7腹板后缘中部稍突出。锯鞘长，侧面观腹缘直，长于后足股节；背面观鞘毛较长，锯腹片具叶状节缝刺毛。

采集记录：1♀，佛坪，1000～1450m，2005. Ⅴ.17，刘守柱采。

分布：陕西（佛坪、榆林）、内蒙古。

（18）何氏黑头三节叶蜂 *Arge hei* Wei, 1999

Arge hei Wei in Wei *et* Nie, 1999f: 177.

鉴别特征：体长7.50～8.50mm。体暗黄褐色，头部、触角、各足全部、前胸侧板前部3/4、中胸腹板以及锯鞘内侧边缘黑色，无金属蓝色光泽；前足胫节腹侧和后胸背板部分黑褐色。翅烟褐色半透明，端部烟色稍淡；翅脉、翅痣黑色。触角毛、头部背侧细毛黑褐色，体毛褐黄色。头部颜面和内眶具细小刻点，虫体其余部分光滑。触角稍长于胸部，第3节亚端部微膨大。颚眼距1.30倍长于单眼直径，颜面具明显的中纵脊，中窝底部具瘤突，后头两侧显著膨大，单眼后沟微弱，单眼后区不隆起。前翅 R + M 脉段显著，短于 Sc 脉；2Rs 室约等长于 1Rs 室，上缘1.20～1.30倍长于下缘。后翅臀室1.20倍长于臀柄。锯鞘腹缘稍弯曲，短于后足股节；锯腹片简单，无节缝粗刺，中部锯刃弧形突出。

采集记录：1♀，潼关桐峪镇，1052m，2006. Ⅴ.30，朱巽采；1♀，佛坪，1000～1450m，2005. Ⅴ.17，刘守柱采。

分布：陕西（潼关、佛坪、甘泉）、吉林、辽宁、北京、河北、河南、湖北。

(19) 华中黑头三节叶蜂 *Arge huazhongia* Wei, 1998

Arge huazhongia Wei in Wen *et* Wei, 1998: 100.

鉴别特征: 体长8mm。体暗黄褐色，头部及触角、前足全部、中足转节及以下部分、后足股节末端以远黑色。翅烟黑色，翅痣和脉黑色。虫体及触角毛均淡色，仅翅面毛黑褐色。体较光滑，体毛约等于单眼直径。触角第3节细，等长于胸部。颚眼距明显小于单眼直径；颜面隆起，无中纵脊；单眼后区不隆起，显著低于单眼平面；后头两侧微弱膨大。前翅R+M脉段点状，2Rs室显著长于1Rs室，上缘1.50倍长于下缘。后翅臀室稍长于臀柄。第7节腹板不显著延长，端缘呈弧形。锯鞘长直，长于后足股节；锯腹片具叶状节缝刺毛。

采集记录: 1♀，长安终南山，1292m，2006.Ⅴ.28，杨青采。

分布: 陕西(长安)、河北、河南、甘肃、四川。

(20) 黑基黑头三节叶蜂 *Arge melanocoxa* Wei, 1998 陕西新纪录

Arge melanocoxa Wei in Wen *et* Wei, 1998: 101.

鉴别特征: 体长8mm。体暗黄褐色，头部、触角、各足除基节以外以及锯鞘内侧边缘黑色，具光泽，无金属蓝色光泽；前足基节黑褐色。翅烟黑色半透明，翅脉、翅痣黑色。触角毛、体毛褐黄色。头部具细弱刻点。触角第3节粗细均匀，稍长于头胸部之和。颚眼距稍长于单眼直径；颜面具明显锐利的中纵脊；额区狭小平坦，显著低于单眼平面；后头两侧亚平行，无单眼后沟，单眼后区不隆起。前翅R+M脉段显著，但短于Sc脉，2Rs室显著长于1Rs室，上缘1.30倍长于下缘；cu-a脉交M室于外侧2/5处。后翅臀室1.30倍长于臀柄，臀柄3倍于cu-a脉长。锯鞘腹缘稍弯曲，约与后足股节等长。锯腹片简单，无叶状节缝刺毛。

采集记录: 2♂，长安终南山，1292m，2006.Ⅴ.28，杨青、朱巽采；1♀，周至厚畛子，1309m，2006.Ⅶ.09，朱巽采；1♂，潼关桐峪镇，1052m，2006.Ⅴ.30，朱巽采。

分布: 陕西(长安、周至、潼关)、河南、甘肃、湖北。

(21) 黑肩黑头三节叶蜂 *Arge nigrocollinia* Wei, 1997 陕西新纪录

Arge nigrocollinia Wei in Wei *et* Wen, 1997: 30.

鉴别特征: 雌虫体长8.00~8.50mm，雄虫体长6.00~6.50mm。体黄褐色，头部和足黑色，具较弱蓝色光泽，触角黑色；前胸背板后缘、翅基片大部或全部、腹部第1背板黑色，具紫色光泽；中后足基节、后足转节、后足股节除端部外黄褐色。翅显

著烟褐色，翅痣和翅脉黑褐色。头胸部背侧细毛黑褐色，胸腹部其余部分细毛淡色，不长于单眼直径。体光滑，仅颜面具少许刻点。颚眼距等长于单眼直径；颜面圆钝隆起，无中纵脊，背面观后头两侧微弱收敛，中窝上缘开放。触角细，等长于胸部。前翅 R + M 脉点状，2Rs 室稍长于 1Rs 室，背缘 1.50 ~ 1.80 倍于下缘长；后翅臀室柄稍短于臀室。锯鞘长于后足股节，腹缘直，锯腹片 3 ~ 10 节缝具叶状节缝刺毛。

采集记录：2♀，留坝桑园林场，1250m，2007. Ⅴ.18，朱巽采。

分布：陕西（留坝）、山西、河南、甘肃、湖北、贵州、云南。

（22）百山祖黄腹三节叶蜂 *Arge baishanzua* Wei, 1995

Arge baishanzua Wei, 1995: 544.

鉴别特征：体长 5 ~ 7mm。体黑色，具显著金属蓝色光泽，腹部 2 ~ 6 节黄褐色，触角和跗节黑褐色，胫节大部暗黄褐色。翅亚透明，痣下具 1 个不明显的斑纹，翅痣黑色，前缘脉黄褐色。额区，颜面及唇基具细密刻点；唇基上区具发达纵脊，后眶及上眶散布细小刻点；背面观后头两侧收缩；腹部背板光滑。前翅 R + M 脉短，1Rs 室长于 2Rs 室，2Rs 室上下缘近等长。锯鞘粗短，短于后足股节，亚基部显著弯折，锯腹片无叶状节缝刺毛。阳茎瓣尾叶发达，具侧突，顶突接近水平向。

采集记录：1♀，周至厚畛子，1309m，2006. Ⅶ.09，朱巽采。

分布：陕西（周至）、河南、江苏、安徽、浙江、湖北、湖南。

（23）无斑黄腹三节叶蜂 *Arge geei* Rohwer, 1912 陕西新纪录

Arge geei Rohwer, 1912: 206.

鉴别特征：雌虫体长 7.00 ~ 8.50mm，雄虫体长 6 ~ 7mm。体黑色，头胸部和足具较强的蓝黑色光泽；触角无光泽；腹部黄褐色，第 1 节背板黑色。体毛银色。翅烟褐色，翅痣与翅脉均黑色。体光滑。唇基缺口浅圆；颚眼距长于单眼直径；颜面隆起，中脊低钝；中窝明显，侧脊锐利隆起，强烈向下收敛，下端结合；单眼后沟缺，单眼后区平坦；后头两侧亚平行或稍收缩。触角第 3 节微短于胸部，端部稍膨大。前翅 R + M脉微长于 Sc 脉，1r-m 脉较直，3r-m 脉在上缘 1/3 处弧形外鼓，3Rs 室上缘显著长于下缘。锯鞘腹缘直，长于后足股节；背面观锯鞘短小，端部亚截形。锯腹片第 3 ~ 10节具发达叶状缝刺。雄虫阳茎瓣头叶窄长并倾斜。

采集记录：1♀，宝鸡天台山，802m，2006. Ⅴ.23，朱巽采；2♀，潼关桐峪镇，1052m，2006. Ⅴ.30，朱巽采；1♀，周至楼观台，801m，2006. Ⅶ.06，朱巽采；1♀，佛坪，1000 ~ 1450m，2005. Ⅴ.17，刘守柱采；1♀，镇安，1300 ~ 1600m，2005. Ⅶ. 10，朱巽采；1♀，留坝桑园林场，1080m，2007. Ⅴ.19，朱巽采；1♂，丹凤寺坪镇，

900～1200m，2005. Ⅴ.21，刘守柱采。

分布：陕西(周至、凤县、潼关、留坝、佛坪、镇安、丹凤)、内蒙古、北京、河北、山东、河南、甘肃、江苏、浙江、湖北、江西、湖南、福建、四川、贵州。

(24) 震旦黄腹三节叶蜂 *Arge* sp.（图版 1：E）

鉴别特征：体长 6～7mm。头胸部和足黑色，具强烈蓝色金属光泽；腹部黄褐色。翅基部 2/3 左右深烟褐色，端部 1/3 亚透明，之间界限清晰；翅痣黑色，痣下无明显烟斑。触角第 3 节等长于头胸部之和，向端部逐渐膨大，最宽处为第 2 节端部 1.50 倍。唇基缺口三角形，约为唇基宽的 1/3；颚眼距微长于单眼直径；无单眼中沟和单眼后沟，单眼后区平坦；后头两侧明显收缩；颜面中纵脊发达，侧脊锐利，强烈向下收敛，下端汇合。前翅 R＋M 脉等长于 Sc 脉；1Rs 室和 2Rs 室约等长；3r-m 脉中部弧形外鼓。锯鞘背面观亚三角形，端部稍尖出；侧面观锯鞘短于后足股节，腹缘弯曲。锯腹片简单，无叶状粗刺，锯刃狭窄，强烈突出，刃间距狭窄。

采集记录：1♀，宝鸡天台山，802m，2006. Ⅴ.23，朱巽采；3♀，潼关桐峪镇，1052m，2006. Ⅴ.30，朱巽采；1♀，留坝桑园林场，1250m，2007. Ⅴ.18，朱巽采；1♀，佛坪，1000～1450m，2005. Ⅴ.17，朱巽采；1♀，1200m，安康镇坪，1200m，2003. Ⅶ.06；1♀，镇安，1300～1600m，2005. Ⅶ.10，朱巽采；1♀，丹凤寺坪镇，900～1200m，2005. Ⅴ.21，刘守柱采。

分布：陕西(宝鸡、凤县、潼关、留坝、佛坪、安康、镇安、丹凤)、内蒙古、河北、山西、河南、江苏、上海、安徽、浙江、湖北、江西、湖南、福建、广东、广西、四川、贵州；俄罗斯，朝鲜，日本。

讨论：本种是国内最常见、分布最广泛的叶蜂种类之一。国内一直鉴定为日本黄腹三节叶蜂 *Arge nipponensis* Rohwer, 1910，作者核对模式标本后确定国内该种记录属于错误鉴定。日本黄腹三节叶蜂目前已确认分布记录是日本、韩国、俄罗斯远东岛屿。

(25) 暗蓝黄腹三节叶蜂 *Arge pagana*（Panzer, 1798）

Tenthredo pagana Panzer, 1798: 49: 16. Nomen protectum. See Blank *et al.*, 2009.

Tenthredo tricolor Gmelin, 1790: 2657. Nomen oblitum.

Tenthredo nigripennis Panzer, 1804: 168.

Hylotoma flaviventris Fallén, 1807: 202.

Hylotoma assimilis Radoszkowsky, 1889: 232(nec Fallén, 1807).

鉴别特征：雌虫体长 7～9mm，雄虫体长 6～7mm。体黑色，头胸部和足具微弱的蓝黑色光泽或无蓝色光泽；触角无光泽；腹部黄褐色，第 1 节背板黑色。体毛银色。翅烟褐色，翅痣与翅脉均黑色。体光滑。唇基缺口浅圆；颚眼距稍长于单眼直径；颜面隆起，中脊低钝；中窝明显，侧脊锐利隆起，强烈向下收敛，下端结合；单眼后沟缺，单眼后区平坦；后头两侧稍膨大。触角第 3 节微短于胸部，端部稍膨大。前翅R + M脉微长于 Sc 脉，1r-m 脉较直，3r-m 脉在上缘 1/3 处弧形外鼓，3Rs 室上缘显著长于下缘。锯鞘腹缘直，长于后足股节；背面观锯鞘短小，端部亚截形。锯腹片第 2 ~ 10节具发达叶状缝刺。雄虫阳茎瓣头叶窄长并倾斜。

采集记录：1♀，佛坪，832m，2006. Ⅳ. 30，朱巽采。

分布：陕西（佛坪）、河北，中国北部；蒙古，俄罗斯，韩国，欧洲。

（26）短角黄腹三节叶蜂 *Arge przhevalskii* Gussakovskij, 1935

Arge przhevalskii Gussakovskij, 1935: 244.

鉴别特征：体长 6.00 ~ 7.50mm。头胸部黑色，具显著蓝色光泽，腹部第 1 节背板黑色，其余部分包括锯鞘全部黄褐色，无黑斑；足黑色。翅烟褐色，端部不显著变淡，翅痣和翅脉褐色，前缘脉暗褐色。颜面刻点浅弱稀疏，中纵脊锐利，中窝上沿完全开放，贯通前单眼；触角短于胸部。锯鞘粗短，短于后足股节，亚基部弯折；背面观端部较尖，各叶宽等于长，外缘直；锯腹片无叶状节缝刺毛。阳茎瓣具倾斜的顶侧突。

采集记录：1♀，周至厚畛子，1309m，2006. Ⅶ. 09，朱巽采。

分布：陕西（周至）、内蒙古、河北、山西、河南、宁夏、甘肃、浙江、湖北、湖南、四川、贵州。

（27）榆红胸三节叶蜂 *Arge captiva* (Smith, 1874)（图版 1：F）

Hylotoma captiva F. Smith, 1874: 376.

Hylotoma flavicollis Cameron, 1876: 460.

Arge sanguinolenta Mocsáry, 1909: 4.

Arge kolthoffi Forsius, 1927: 3.

Arge captiva rufoscutellata Takeuchi, 1927: 381.

鉴别特征：雌虫体长 10 ~ 11mm，雄虫体长 7 ~ 8mm。体和足黑色，具较弱但明显的蓝色金属光泽，触角黑褐色，前中胸部背板和中胸侧板上半部红褐色，小盾片后端有时黑色。翅烟褐色，具弱蓝紫色光泽，翅脉和翅痣黑色，痣下具小型烟色斑块。体毛银褐色，触角、锯鞘和翅面细毛黑褐色。体粗壮。头部前侧和背侧前部具细小刻点，虫体其余部分无刻点。颚眼距约等于单眼直径；颜面强烈隆起，无中纵脊；中窝宽长，后端封闭；侧脊较锐利，向下几乎不收敛，不愈合；单眼后沟显著；背面观后头两侧明显膨大。触角等长于胸部，第3节亚端部显著膨大。前翅R+M脉短小，2Rs室长于1Rs室，下缘微长于上缘。后翅臀室2倍长于臀柄。

采集记录：1♂，长安终南山，1555m，2006. Ⅴ.27，朱巽采；1♀，宁陕旬阳坝，1400m，2009. Ⅵ.18，于海丽采。

分布：陕西(长安、宁陕)、吉林、辽宁、内蒙古、北京、河北、山东、河南、宁夏、上海、浙江、湖北、湖南、福建、广东、贵州；韩国，日本。

(28) 突眼红胸三节叶蜂 *Arge macrops* Shinohara, Hara *et* Kim, 2009

Arge macrops Shinohara, Hara *et* Kim, 2009: 252.

鉴别特征：雌虫体长11.00~12.50mm，雄虫体长9~11mm。体和足黑色，具较弱但明显的蓝色金属光泽，触角黑褐色，前中胸部背板和中胸侧板上半部红褐色，小盾片后端有时黑色。翅烟褐色，具弱蓝紫色光泽，翅脉和翅痣黑色，痣下具小型烟色斑块。触角、锯鞘和翅面细毛黑褐色。体粗壮。头部前侧和背侧前部具细小刻点，虫体其余部分无刻点。两性颚眼距均狭线状；颜面强烈隆起，无中纵脊；中窝宽长，后端封闭；侧脊较锐利，向下几乎不收敛，不愈合；单眼后沟显著；背面观后头两侧明显膨大，单眼大，分突出。触角等长于胸部，第3节亚端部显著膨大。前翅R+M脉短小，2Rs室长于1Rs室，下缘微长于上缘。后翅臀室2倍长于臀柄。锯腹片宽大，锯刃突出。阳茎瓣头叶不规则三角形，端部渐狭窄。

采集记录：1♂，周至，1994. Ⅷ. 07；1♂，眉县太白山开天观，1852m，2014. Ⅵ. 07，刘萌萌、刘婷采；1♀，眉县太白山开天观，2007. Ⅵ. 02，A. Shinohara。

分布：陕西(周至、眉县)、黑龙江、吉林、辽宁、河北、河南、甘肃；俄罗斯，韩国。

(29) 脊颜红胸三节叶蜂 *Arge vulnerata* Mocsáry, 1909

Arge vulnerata Mocsáry, 1909: 4.

鉴别特征：体长6.50~9.50mm。触角黑色；头部、腹部、足、口须、胸部腹板黑色，具较强烈蓝黑色金属光泽；胸部背板、侧板黄褐色。翅烟黑色半透明，具微弱的蓝紫色金属光泽；翅脉、翅痣黑色，痣下无明显烟斑。体较粗壮，头部具显著刻点。触角第3节明显弯曲，向端部明显膨大。颚眼距稍长于单眼直径；唇基缺口深三角形；颜面具锐利的中纵脊；侧脊较锐利，强烈向下收敛愈合；后头两侧平行或稍膨大；无单眼中沟和后沟。前翅R+M脉等长于Sc脉。锯鞘短，端部不尖；侧面观短于后足股节，腹缘弯曲。锯腹片简单。雄虫触角第3节粗细均匀，触角毛长；阳茎瓣头叶端部强烈横向尖出。

采集记录：1♀1♂，佛坪，1000～1450m，2005. Ⅴ.17，朱巽采。

分布：陕西（佛坪）、吉林、河南、安徽、浙江、湖北、江西、湖南、福建、台湾、广东、广西、四川、贵州；越南。

（30）半刃黑毛三节叶蜂 *Arge compar* Konow，1900

Arge compar Konow，1900：59.

Arge szechuanica Malaise，1934：37.

鉴别特征：雌虫体长7～8mm，雄虫体长6.50～7.00mm。体黑色，具强烈蓝色光泽；前翅暗褐色，无翅斑；后翅浅褐色。体毛短，黑褐色。头部具细小刻点。触角与胸部等长，第3节由基部向端部明显膨大。唇基缺口深度约为唇基的1/2长；中窝浅宽；侧脊较锐利，向下收敛，下端不明显愈合；颜面中纵脊低但明显；颚眼距明显小于单眼直径；后头两侧稍收缩；单眼后沟明显，单眼后区明显隆起，具较深的中沟。前翅R+M长点状，1r-m脉直，3r-m脉浅弧形外鼓。锯鞘短于后足股节，背面观端部尖出；侧面观腹缘弯曲；锯腹片简单。阳茎瓣头叶中部窄于端部和基部。

采集记录：1♂，丹凤寺坪镇，900～1200m，2005. Ⅴ.21，刘守柱采

分布：陕西（丹凤）、山东、河南、甘肃、江苏、安徽、浙江、湖北、江西、湖南、福建、四川、贵州。

（31）小眼黑毛三节叶蜂 *Arge pullata*（Zaddach，1859）陕西新纪录

Hylotoma pullata Zaddach，1859：5.

Hylotoma ventriosa Zaddach，1864：93.

Arge nyemitawa Rohwer，1925：3.

鉴别特征：体长9～14mm。体和足全部黑色，无金属光泽；翅黑烟色，端部微淡，翅痣和翅脉黑褐色。体毛黑色。体型粗壮；唇基缺口浅弱，颚眼距明显长于单眼直径；复眼较小，间距明显宽于复眼长径；颜面明显隆起，顶部较钝，无中纵脊；背面观后头明显膨大，几乎不短于复眼；触角窝间侧脊较低；单眼后区后部明显隆起，单眼后沟和侧沟显著；触角粗短，明显短于胸部，第3节棒状，端部稍膨大。前翅R+M脉段明显，2Rs室上下缘近似等长。腹部背板光滑，无明显刻纹。锯鞘粗短，短于后足股节，亚基部显著弯折；锯腹片简单，无叶状节缝刺毛。

采集记录：1♀，太白山，1600～1800m，2005. Ⅶ.07，杨青采；1♀，佛坪，1000～1450m，2005. Ⅴ.17，朱巽采。

分布：陕西（眉县、佛坪）、河南、青海、湖北；俄罗斯，欧洲。

(32) 杜鹃黑毛三节叶蜂 *Arge similis* (Snellen van Vollenhoven, 1860) (图版 1: G)

Hylotoma similis Snellen van Vollenhoven, 1860: 128.
Hylotoma imperator F. Smith, 1874: 374.

鉴别特征: 体长 7 ~ 10mm。体黑色，具很强的蓝色光泽，触角黑色。体毛黑褐色。翅深烟色，$1r_1$ 脉附近具小型黑色点斑，翅痣与翅脉黑色。体光滑，颜面具明显的细小刻点，唇基十分光滑。唇基端部缺口深窄；颚眼距等长于前单眼直径；颜面具明显的中脊；中窝上端向额区完全开放；无单眼后沟，后头背面观两侧平行或微膨大。触角约等长于头胸部之和或稍短，第 3 节端部 1/3 左右稍侧扁膨大，最宽处约 1.50 倍宽于基部，纵脊锐利。前翅 R + M 脉较短，2Rs 室约等长于 1Rs 室，上缘 1.20 倍长于下缘。锯鞘背面观宽短，端部不尖；侧面观锯鞘短于后足股节，腹缘弯曲；锯腹片简单，无长叶状节缝刺突。雄虫触角第 3 节均匀侧扁，端部尖，最宽处明显宽于第 2 节端部。

采集记录: 1♀，长安区鸡窝子，1765m，2008. Ⅵ. 27，朱巽采；1♀，周至厚畛子，1309m，2006. Ⅶ. 09，朱巽采；1♀，眉县太白山开天观，1852m，2014. Ⅵ. 07，刘萌萌、刘婷采；1♂，留坝营盘乡，1390m，2007. Ⅴ. 21，朱巽采；1♀，佛坪，1000 ~ 1450m，2005. Ⅴ. 17，刘守柱采。

分布: 陕西(长安、周至、眉县、留坝、佛坪)、山东、河南、安徽、浙江、湖北、江西、湖南、福建、台湾、广东、广西、重庆、四川、贵州；日本，缅甸，印度。

(33) 圆环钳三节叶蜂 *Arge simillima* (Smith, 1874) 陕西新纪录 (图版 1: H)

Hylotoma simillima F. Smith, 1874: 375.
Arge forficula Jakowlew, 1891: 17.
Arge coriacea Jakowlew, 1891: 21.
Arge simillima var. *asahi* Takeuchi, 1932: 34.

鉴别特征: 雌虫体长 10 ~ 14mm，雄虫体长 9 ~ 11mm。体和足全部黑色，无金属光泽；体毛黑色；翅深烟褐色，翅痣和翅脉黑色。中胸背板和侧板表面光滑，无明显刻纹，光泽强；腹部背板具细密刻纹，光泽弱。唇基前缘缺口宽浅，宽度显著大于唇基宽度的 1/2，深度浅于唇基长的 1/2；中窝后缘多少隆起，与额区间具隆起界限；触角窝间区域不显著隆起，侧面观与单眼面持平；颜面中纵脊较钝，具明显与中纵脊平行的垂直刻纹或刻点列；颜面多少具中纵脊。后翅臀室与臀室柄长度之比为 1.25 ~ 1.60。尾须短小，长宽比约等于 3。锯腹片锯刃长直，几乎完全不隆起。抱器端部两侧近似均匀收窄，内外侧无肩状部；阳茎瓣头叶尾突较大，长于阳茎瓣头叶宽度的 1/2。

采集记录: 1♂，长安区鸡窝子，1765m，2008. Ⅵ. 27，朱巽采。

分布: 陕西(长安)、河北、山西、甘肃、宁夏、青海、浙江、四川；俄罗斯。

(34) 小室淡毛三节叶蜂 *Arge cellella* Wei, 2002 陕西新纪录

Arge cellella Wei in Wen *et* Wei, 2002: 58.

鉴别特征: 体长8mm。体黑色,具较弱的蓝色光泽;后足胫节基半部白色,基端黑色。体毛银色,短密。翅透明,端半部浅烟灰色,翅脉和翅痣大部黑褐色,痣下具边界模糊且窄于翅痣的烟色横带,2M室烟斑稍淡,但不消失。颜面和唇基刻点不清晰,具微细刻纹,额区和上眶光滑。颚眼距稍窄于单眼直径;颜面隆起,中纵脊细锐;单眼后区不隆起,单眼后沟模糊;背面观后头两侧稍收缩。触角稍短于胸部,第3节端部2/3处膨大,不侧扁。前翅R+M脉点状,2Rs室显著长于1Rs室,上缘微长于下缘;后翅臀室封闭,与臀柄长度之比为35:26。腹部第7腹板横方形,后端仅中部具分离的短舌状中突。锯鞘短于后足股节,侧面观显著短于后足股节,腹缘明显弯曲。锯腹片简单,无叶状节缝刺突。

采集记录: 1♀,长安区鸡窝子,1765m,2008.Ⅵ.27,朱巽采。

分布: 陕西(长安)、河南。

(35) 齿瓣淡毛三节叶蜂 *Arge dentipenis* Wei, 1998

Arge dentipenis Wei in Wen *et* Wei, 1998: 107.

鉴别特征: 体长6.50~8.50mm。体黑色,具弱蓝色光泽;后足胫节基部1/2至2/3白色。前翅浅烟褐色,翅脉、翅痣黑褐色,痣下具宽而界限不明显的烟褐色横带,一直延伸到翅的下缘。体毛短,银白色。触角第3节稍短于头胸部之和,亚端部渐膨大。颜面中纵脊明显但不锐利;颚眼距1.20倍于单眼直径;单眼后沟细而明显,单眼后区稍隆起,低于单眼平面。前翅R+M脉点状,2Rs室上下缘约等长;后翅臀室1.60倍长于臀柄。锯鞘短于后足股节,锯腹片叶状无节缝刺毛。雄虫颚眼距不大于单眼直径,颜面具较锐利的中纵脊;阳茎瓣端部尖出,尾叶短宽。

采集记录: 1♂(副模),宁陕火地塘,1500m,1994.Ⅷ.14。

分布: 陕西(宁陕)、河北、河南、安徽、湖北、江西、湖南、福建、广东、贵州、云南。

(36) 完带淡毛三节叶蜂 *Arge entirea* Wei, 2002 陕西新纪录

Arge entirea Wei in Wei *et* Wen, 2002: 51.

鉴别特征: 体长10mm。体和足黑蓝色,具强烈金属光泽。翅透明,前后翅C室基部和前翅后缘烟褐色,翅痣下具1条边界确定的黑色横带,在2M室内不变淡;翅

脉和翅痣黑褐色，前缘脉黑褐色。体毛银色。体光滑；唇基和颜面具密集细小的刻点，额区具稀疏刻点。头部背侧细毛不长于单眼直径。颚眼距等于单眼半径；颜面隆起，顶部圆钝，无中纵脊；额区中部显著凹入，额脊发达；POL 稍小于 OOL，单眼后沟显著；后头两侧微弱收敛。触角细短，等长于胸部，第 3 节亚端部不膨大或侧扁。前翅 R + M 脉段点状；2Rs 室明显长于 1Rs 室，上缘 1.30 倍长于下缘。后翅臀室与臀柄长度之比为 35∶19。第 7 腹板很短，端缘几乎平直。锯鞘背面观较短钝，端部不尖，侧面观显著短于后足股节，腹缘稍弯曲。锯腹片简单，无叶状节缝刺突。

采集记录：1♀，长安终南山，1555m，2006. Ⅴ.27，朱巽采。

分布：陕西(长安)、河南、甘肃。

(37) 线斑淡毛三节叶蜂 *Arge lineotibialis* Wei，1998 陕西新纪录

Arge lineotibialis Wei in Wen *et* Wei，1998：102，109.

鉴别特征：体长 9.30mm。体黑色，具显著蓝色光泽，中胸侧板具淡紫色光泽；触角黑色，基部 1/3 左右为暗黄褐色；足蓝黑色，前足股节前侧端部 1/3、前中足胫节、前足跗节腹缘、中足基跗节腹缘黄褐色至白色，前中足胫跗节背侧暗褐色至黑褐色，后足股节基缘和后胫节基部 2/3 白色，后胫节基部 2/3 外侧具黑褐色条斑。前翅透明，痣下具 1 个边界确定的三角形黑斑，2M 室完全透明，痣除前缘外黑褐色；后翅透明。体毛银色，不长于单眼直径。颚眼距微短于单眼直径；颜面中纵脊锐利，单眼后沟显著，单眼后区稍隆起，后头两侧稍收缩。触角第 3 节约等长于胸部。胸腹部光滑无刻纹，胸部侧板细毛稍长于单眼直径。前翅 R + M 脉段约为 Rs 第 1 段 1/2 长；2Rs 室显著长于 1Rs 室，上缘稍长于下缘。后翅臀室与臀柄等长。下生殖板中部突出，长于两侧。锯鞘背面观狭长，端部尖，侧缘稍弯曲；侧面观腹缘直且平伸，背缘直而下斜。锯腹片简单，无叶状刺。

采集记录：1♀，周至楼观台，899m，2006. Ⅴ.25，朱巽采。

分布：陕西(周至)、河南、湖南。

(38) 毛瓣淡毛三节叶蜂 *Arge pilopenis* Wei，2002 陕西新纪录

Arge pilopenis Wei in Wen *et* Wei，2002：59.

鉴别特征：体长 7～8mm。体黑色，无蓝色光泽；各足胫节基部 2/3 白色。前翅浅烟褐色，翅脉、翅痣暗褐色，痣下具宽而界限不明显的烟褐色斑纹，前缘脉浅褐色。体毛银褐色。颜面具模糊刻纹。唇基缺口深弧形；颜面隆起，中纵脊锐利；中窝较浅宽，上缘半封闭，底部具深窝；额区开阔，中部凹入，额脊宽钝；颚眼距约等宽于单眼直径；后头两侧亚平行或微弱收缩；单眼后沟模糊，单眼后区下沉，显著低于

单眼平面。触角第3节稍短于中胸背板，亚端部渐膨大。前翅 R + M 脉段约等长于 Sc 脉游离段；2Rs 室稍短于 1Rs 室，上缘 1.30 倍长于下缘。后翅臀室与臀柄的长度比为 35:25。第7腹板后缘平直。锯鞘侧面观显著短于后足股节，腹缘明显弯曲。阳茎瓣头部“Z”形，背缘具多数长刺毛。

采集记录： 1♂，长安终南山，1555m，2006. Ⅴ.27，杨青采。

分布： 陕西(长安)、黑龙江、吉林、辽宁、内蒙古、北京、河北、山西、山东、河南。

(39) 横带淡毛三节叶蜂 *Arge potanini* (Jakovlev, 1891) 陕西新纪录

Arge Potanini [sic!] Jakovlev, 1891: 18.

Hylotoma zonalis Matsumura, 1911: 87.

鉴别特征： 体长 8mm。体黑色，具弱蓝色光泽；足蓝黑色，后足胫节大部白色，基跗节全部黑褐色；触角黑褐色，鞭节端部 3/5 浅褐色。翅透明，无烟黄色光泽；前缘脉浅褐色，翅痣下具较弱但可分辨的烟色横带。胸腹部光滑，无显著刻点或刻纹。唇基缺口浅宽；颚眼距约等于单眼直径；颜面具钝中纵脊，侧脊间区域具1个深窝；颜面刻点显著；背面观后头不膨大；触角等长于胸部，鞭节等长于中胸背板。前翅 Rs 第4段仅为第3段 1/3 弱。下生殖板中部显著弧形向后延伸；锯鞘背面观小，较窄长，外侧直，端部尖，锯腹片简单，无叶状节缝刺毛。

采集记录： 1♀，丹凤寺坪镇，900 ~ 1200m，2005. Ⅴ.21，朱巽采。

分布： 陕西(丹凤)、河北、山东、河南、甘肃。

(40) 秦岭淡毛三节叶蜂 *Arge qinlingia* Wei, 1998

Arge qinlingia Wei in Wen *et* Wei, 1998: 104, 110.

鉴别特征： 体长 8.50mm。体黑色，具较弱的蓝色光泽；后足基节端半、后足转节、后足股节基部 1/5 和胫节基半白色，前足胫节浅褐色。前翅基半浅烟色透明，翅端缘近透明，余部烟褐色，翅痣下具显著且完整的烟黑色横带，翅痣黑褐色。体毛淡色。触角第3节亚端部微膨大，与胸部等长。颚眼距等于或微大于单眼直径；颜侧沟浅宽，颜面具明显的中纵脊；具较明显的单眼后沟，单眼后区稍隆起；额区较宽长，明显下凹，显著低于单眼平面；后头两侧稍膨大。前翅 R + M 脉呈点状；2Rs 室长于 1Rs 室，2Rs 室上下缘等长。后翅臀室 1.30 倍长于臀柄，臀柄 2.80 倍长于 cu-a 脉。第7腹板不明显延长。锯鞘约与后足股节等长。锯腹片背缘刺毛连续，无叶状节缝刺毛，锯刃刃齿不显著，刃间段短小。

采集记录： 1♀，华山，1962. Ⅷ.12，李法圣采。

分布：陕西(华阴)、辽宁、河南、甘肃。

(41) 长斑淡毛三节叶蜂 *Arge radialis* Gussakovskij, 1935

Arge radialis Gussakovskij, 1935: 276.

鉴别特征：体长8mm。体和触角黑色，无明显蓝色光泽；足黑色，胫节大部白色，跗节黑褐色。翅透明，前翅翅痣下具1个长大烟斑，起自痣基部，延伸到翅顶角，$2R_1$室完全烟褐色，翅痣和翅脉黑褐色。体毛短于单眼直径。体型较粗短；颚眼距长于单眼直径；颜面明显隆起，无中纵脊；触角短于胸部长；锯鞘短于后足股节，亚基部明显弯折；锯腹片简单，无叶状节缝刺毛。

采集记录：1♀，佛坪，1000~1450m，2005.Ⅴ.17，刘守柱采。

分布：陕西(佛坪)、河南、广西、重庆、四川、贵州、云南。

(42) 短脊淡毛三节叶蜂 *Arge subtilis* Jakovlev, 1891

Arge subtilis Jakovlev, 1891: 19.

鉴别特征：雄虫体长7~8mm。体和足黑色，体光泽较强，稍带弱蓝色；胫节大部白色，端部暗褐色。触角黑色，鞭节暗褐色，后侧明显淡于前侧；体毛淡色。翅透明，无明显烟斑，翅痣暗褐色。头部中窝上缘平坦，不向额区沟状开放；额区表面完全平坦；颜面中纵脊长约0.55倍于侧脊长；侧面观侧脊上端不高于额区；背面观后头稍膨大；单眼三角扁平，前角大于120°，前单眼位于后单眼连线上或位于稍前侧；雌虫前翅外缘具明显伸出翅缘的细毛，1M室无背柄，R+M脉段显著。锯鞘较小，腹面观长几乎2倍于宽，向端部明显变窄；背面观锯鞘端部圆钝。雄虫未知。

采集记录：1♂，留坝营盘乡，1390m，2007.Ⅴ.21，朱巽采。

分布：陕西(留坝)、甘肃、四川。

(43) 横脊淡毛三节叶蜂 *Arge transcarinata* Wei, 1999 陕西新纪录

Arge transcarinata Wei in Wei *et* Nie, 1999f: 175.

鉴别特征：体长8.50~9.00mm。体黑色，具弱蓝色光泽，触角黑色，基部背侧1/3左右为暗棕褐色；足蓝黑色，前足股节端部、前中足胫节基部、前足胫节端部和跗节腹缘、中足基跗节腹缘、后足股节基部1/4、后胫节基部1/2白色或淡黄褐色。前翅基半部透明，端半部微弱褐色，痣下具1条边界不确定的黑色横带，翅痣和翅脉大部黑褐色。体毛银色。头部背侧细毛不长于单眼直径。颚眼距等长于单眼直径；

颜面中纵脊锐利，中窝下端尖锐，上端具横脊，向额区不开放，单眼后沟显著，单眼后区稍隆起；后头两侧稍收缩。触角第3节弯曲，明显长于胸部。胸部侧板细毛稍长于单眼直径。前翅R+M脉段点状，2Rs室明显短于1Rs室，上缘不长于下缘。后翅臀室与臀柄长度之比为42∶35。下生殖板中叶稍突出。锯鞘背面观较宽短，端部不尖，侧面观腹缘稍弯曲。锯腹片简单，无叶状刺。雄虫触角暗红褐色。

采集记录： 1♀，佛坪，1000~1450m，2005. Ⅴ.17，刘守柱采。

分布： 陕西（佛坪）、河南、福建。

（44）瘤鞘淡毛三节叶蜂 *Arge tuberculotheca* Wei，1998 陕西新纪录

Arge tuberculotheca Wei in Wen *et* Wei，1998：105.

鉴别特征： 体长7.00~8.50mm。体黑色，无明显的蓝色光泽；触角第3节基部暗棕褐色；后足股节基部1/3、中足胫节基部4/5、后足胫节基部3/5白色。翅透明，翅痣黑褐色，痣下具窄烟色横带，横带在2M室内稍变淡。体毛银色。触角与胸部等长。颚眼距1.50倍于单眼直径；颜面较强烈隆起，中纵脊十分低弱或缺失；后头两侧稍微收缩；单眼后沟模糊；单眼后区稍隆起，明显低于单眼平面。前翅R+M脉等于Sc脉1/2长；2Rs室长于1Rs室，上缘稍长于下缘。后翅臀室1.20倍长于臀柄。锯鞘短于后足股节，末端具尖突。锯腹片刃间段宽，刃齿显著，无叶状节缝刺毛。阳茎瓣头端圆钝，尾叶突窄长，侧突稍细于尾突。

采集记录： 1♀，长安区鸡窝子，2077m，2008. Ⅵ.28，朱巽采；1♂，潼关桐峪镇，1052m，2006. Ⅴ.30，朱巽采。

分布： 陕西（长安、潼关、佛坪）、河北、河南。

（45）杨氏淡毛三节叶蜂 *Arge yangi* Wei，1999

Arge yangi Wei in Wei *et* Wen，1999：131.

鉴别特征： 体长7~9mm。体黑色，光泽不强；头部具可分辨的红铜色光泽，胸腹部无金属色泽；中足胫节基部1/3、后足股节基部1/3和后足胫节基部2/3白色至黄褐色。体毛银褐色。翅浅烟灰色，翅痣以外的前翅面烟褐色，痣下具宽的黑褐色横带，翅痣黑色，前缘脉和Sc浅褐色。颚眼距微长于前单眼直径；颜面隆起，无明显中纵脊；单眼后区隆起，约与单眼面持平，宽长比大于2.50；背面观后头两侧稍膨大，微短于复眼长。颜面和唇基均匀散布小刻点。触角约与胸部等长，第3节最宽处稍侧扁。前翅Sc脉位于R+M脉基端附近，R+M脉微长于Sc脉，2Rs室明显长于1Rs室，但短于$1Rs+1R_1$之和，2Rs脉上、下缘等长；基臀室封闭。后翅臀室与臀室柄长度之比为9∶8，臀柄3倍长于cu-a脉。腹部1~4背板光滑，其余背板稍具刻纹；

第7腹板后缘中部稍凸出。锯鞘粗短，锯腹片简单，锯刃低平。雄虫触角暗褐色，后足股节基部具白斑。

采集记录： 1♀1♂，华山，1000～1600m，2005. Ⅶ. 12，朱巽采；1♀1♂，甘泉清泉沟，1971. Ⅷ. 14-16，杨集昆采。

分布： 陕西（华阴、甘泉）、河南、甘肃、湖南。

（46）小凹铜腹三节叶蜂 *Arge minitincisita* Wei, 2002

Arge minitincisita Wei in Wei *et* Wen, 2002: 52.

Arge tuberculata Hara *et* Shinohara, 2008: 90.

鉴别特征： 体长9～10mm。体黑色，头胸部具微弱、腹部具显著的铜色光泽，触角黑色，各足胫跗节全部亮黄褐色。翅透明，微带烟黄色光泽；C脉全部、Sc＋R脉前半部、臀脉大部黄褐色，翅痣和其余翅脉大部黑褐色，翅痣下具1个边界不十分确定的褐斑，褐斑止于1Rs室。体毛大部银色。体光滑，颜面两侧具明显刻点；唇基前缘缺口深弧形，中部具明显的切口；颚眼距约等于单眼半径；颜面隆起，中纵脊模糊；单眼后沟稍发育，后头两侧微弱膨大或平行。触角约等长于胸部，第3节亚端部显著膨大。前翅R＋M脉段点状，2Rs室明显长于1Rs室，上缘微长于下缘。锯鞘背面观短钝，端部不尖；侧面观短于后足股节，腹缘弯曲。锯腹片无叶状节缝刺突列。

采集记录： 1♂（正模），眉县太白山开天观，2006. Ⅴ. 31，A. Shinohara；19♀6♂（副模），眉县太白山开天观，2004. Ⅴ. 31-Ⅵ. 02，A. Shinohara；2♀，眉县太白山开天观，2005. Ⅴ. 22-25，A. Shinohara；15♀3♂，眉县太白山开天观，2006. Ⅴ. 30-Ⅵ. 10，A. Shinohara；2♀，眉县太白山开天观，2007. Ⅵ. 10，A. Shinohara。

分布： 陕西（眉县）、河北、河南、贵州。

8. 刺背三节叶蜂属 *Spinarge* Wei, 1998

Spinarge Wei, 1998: 219. **Type species**: *Spinarge sichuanensis* Wei, 1998.

属征： 中小型叶蜂，体长7.14mm。头部宽度稍短于胸部宽；触角窝上位，位于复眼中部或中上位水平，触角窝间区域平坦或低钝隆起，具两条明显纵脊；唇基上区显著隆起，额唇基沟浅弱模糊；唇基平坦，前缘具明显缺口；颚眼距0.50～2.00倍于单眼直径；无后颊脊；额区小型，额脊低钝或阙如；雄虫触角侧扁，几乎不向端部加粗，具明显立毛；雌虫触角第3节向亚端部或多或少加粗，无显著立毛。前翅和后翅的R_1室均封闭，并在其端部具1个明显小翅室，前翅$1R_1$、1Rs、2Rs室分离，1M脉与Sc脉的相交点和Rs＋M脉的起源点相距较近或在1个点上，cu-a脉位于1M室下缘中位外侧，臀室具长收缩中柄，基臀室封闭；后翅Rs室和M室封闭；臀室封闭；

中足和后足胫节通常各具1个端前距，部分种类缺亚端距，后足胫节和跗节不明显侧扁；爪简单，无内齿和基片；雄虫腹部第5背板具发达性沟和中位刺突。

分布： 东亚。世界已知11种，中国已记载6种，秦岭地区发现2种，包括1个新种，将另发表。

分种检索表

触角鞭节红褐色，约等长于头宽；锯鞘端部钝；后足胫节具亚端距 ……………………………… **红角刺腹三节叶蜂 *S. fulvicornis***

触角鞭节黑色，明显长于头部宽；锯鞘端部尖；后足胫节无亚端距 ……………………………… **尖鞘刺腹三节叶蜂 *Spinarge* sp.**

(47) 尖鞘刺腹三节叶蜂 *Spinarge* sp.

鉴别特征： 体长10～11mm。体黑色，除触角鞭节外均具强金属蓝色光泽；体毛大部银色，头胸部背侧和锯鞘毛黑褐色。翅基部2/3显著烟褐色，端部1/3近透明，翅脉和翅痣全部黑褐色。唇基缺口窄深，底部圆；唇基上区明显隆起，无中纵脊；触角窝间侧脊十分短低，额区短小；颚眼距1.20倍于侧单眼直径；背面观后头两侧明显膨大，稍短于复眼；触角鞭节1.10倍于头部宽，亚基部明显弯曲，端部明显膨大。前翅R＋M脉段短于Sc脉游离段，2Rs室微长于1Rs室，上缘1.20倍于下缘长，2r-m脉明显弯曲，Rs脉第3段稍长于第4段，cu-a脉交于1M室下缘中部偏外侧；后翅臀室1.30倍于臀室柄长。腹部2～8背板具明显细中脊；后足胫节无亚端距；锯鞘粗短，端部钝尖。雄虫腹部第5背板具粗大中位刺突，阳茎瓣头叶“Z”形。

采集记录： 1♀，太白县青峰峡，1473m，2008.Ⅶ.03，蒋晓宇采；1♂，丹凤寺坪镇，900～1200m，2005.Ⅴ.21，朱巽采。

分布： 陕西（太白、丹凤）、甘肃。

(48) 红角刺腹三节叶蜂 *Spinarge fulvicornis* (Mocsáry, 1909) 陕西新纪录（图版1：I）

Arge fulvicornis Mocsáry, 1909: 5.

Spinarge fulvicornis: Hara & Shinohara, 2006: 79.

鉴别特征： 体长7～12mm。体黑色，头胸部具显著蓝色金属光泽，腹部具紫色光泽；触角鞭节红褐色；足黑色，各足胫节基部1/2以及基跗节基部白色；体毛银色。翅透明，翅痣黑色，前缘脉浅褐色，其余翅脉黑褐色，翅痣下具明显的烟褐色横带。体光滑，胸腹部无明显刻点和刻纹；唇基上区具中纵脊，颚眼距0.60～1.00倍于单眼直径，复眼间距1.00～1.20倍于复眼长径；背面观后头稍收缩；触角较短，长

1.20～1.60倍于头宽，鞭节端部不明显膨大。前翅 R+M 脉段短小，后翅臀室封闭。锯鞘端部较钝；锯腹片宽大，具23个锯刃，基部锯刃低矮三角形突出，节缝刺毛带狭窄，互相远离；阳茎瓣头叶宽平，端部钝截型，尾突上翘。

采集记录：1♀，华山，1300～1600m，2005.Ⅶ.12，杨青采。

分布：陕西(华阴)、河北、湖北、湖南；俄罗斯，日本。

9. 小头三节叶蜂属 *Pampsilota* Konow, 1899

Pampsilota Konow, 1899: 76. **Type species**: *Pampsilota afer* Konow, 1899.

属征：头部小型，背面观宽度约为胸部宽度的1/2。触角位于复眼间区域中部，基部2节短小，第3节细长，端部膨大，显著长于头宽；唇基上区几乎不隆起，无纵脊和浅沟；额唇基沟深，唇基上区和唇基平面具夹角；唇基横方形，端部近似截形；颚眼距不宽于单眼直径，后眶窄，无后颊脊；左上颚简单，右上颚基部具小齿；下颚须6节，基部2节短小，下唇须4节；复眼大型，内缘弯曲；内眶陡峭，后头两侧收缩。中胸显著膨大，后胸淡漠区宽大。前翅 Sc 脉发达，位于 M 脉内侧，R+M 脉段短，基臀室封闭，前后翅 R_1 室均封闭并具副室，后翅 Rs 室显著大于 M 室，臀室封闭，具长柄。各足胫节无亚端距，爪简单，无内齿和基片。腹部第1背板中部分裂。锯鞘粗短，横形，长度等于基部宽，端部钝，侧面观伸向后方，腹缘上弯，背缘不强烈下垂，顶角钝，近似直角形。锯腹片简单。副阳茎窄长，阳茎瓣形状简单，具端钩。

分布：热带非洲区，东亚南部。世界已记载6种，中国已知3种，秦岭地区发现2种，1种是新种(已经另文发表)，1种为陕西新纪录。

分种检索表

体黄褐色，仅两性头部和触角、足、前胸侧板、中胸前侧片下半部、雄虫后胸背板黑色，体无金属蓝色光泽；体毛黄褐色 …………………………………… **黄褐小头三节叶蜂 *P. pampsilota* sp.**

两性头胸部全部黑色，具金属蓝色光泽；雌虫腹部第1节和锯鞘黑色，雄虫腹部背板具多个黑色横带斑；体毛大部黑褐色 …………………………………… **隆盾小头三节叶蜂 *P. scutellis***

(49) 黄褐小头三节叶蜂 *Pampsilota* sp. (图版1：J)

鉴别特征：雌虫体长10mm，雄虫体长8mm。头部和触角、前胸侧板、中胸前侧片下半部、各足全部黑色，无明显蓝色光泽，胸部其余部分黄褐色；腹部黄褐色，锯鞘内缘黑褐色。翅深烟褐色，具弱虹彩光泽，翅痣和翅脉黑褐色。体毛和锯鞘毛大部黄褐色。虫体无明显刻点和刻纹，光泽强。上唇平坦，横方形，端缘截形；唇基平坦，端缘具浅弱弧型缺口；颚眼距1.10倍于前单眼直径；额区很小，中部明显凹入；OOL: POL: OCL = 7:5:5。触角鞭节等长于胸部，端部稍膨大；淡膜区间距与淡漠区宽之比等于0.30。前翅1M脉与M + Rs脉不共柄，R + M脉段点状，2Rs室约等长于1Rs室，上缘微长于下缘，3r-m脉弯曲，下端内弯；后翅臀室柄约2倍于cu-a脉长。第7节腹板后缘两侧宽短叶状凸出，中部缺口宽稍窄于侧叶宽度，后缘平直。锯腹片较窄长，5节缝较清晰，明显弯曲，基部锯刃稍突出，中基部锯刃两侧对称，具不规则的模糊细齿。雄虫后胸背板和中胸小盾片黑褐色；触角显著侧扁，具长立毛；下生殖板宽大于长，端部钝截形。

采集记录： 1♀，周至厚畛子，1309m，2006. Ⅶ.09，朱巽采。

分布： 陕西(周至)、河南。

(50) 隆盾小头三节叶蜂 *Pampsilota scutellis* Wei，1997 陕西新纪录

Pampsilota scutellis Wei，1997e：39.

鉴别特征： 雌虫体长10mm，雄虫体长8～9mm。体黑色，头胸部和足具蓝色光泽；腹部黄褐色，第1背板和锯鞘背侧黑色。翅黑褐色具虹彩光泽，痣和翅脉黑褐色。体毛黑褐色。体光滑，无刻点。唇基和上唇均具浅缺口，颚眼距稍短于前单眼直径，单眼后区短且后斜，宽长比为2。触角长于胸部，无脊面和具脊面均不明显扩大。小盾片强烈隆起，后端显著高出中胸盾板平面。后胸淡膜区小型，淡膜区间距与淡膜区宽之比等于1。前翅M脉与M + Rs脉不共柄，R + M脉段点状，2Rs室上缘约2倍长于下缘，1r-m脉弯曲，下端强烈内斜。锯刃突出，两侧对称，具不规则的细齿。雄虫腹部第2～8背板具蓝黑色横斑，下生殖板端部和尾须蓝黑色；触角侧扁，具短立毛，阳茎瓣颈部窄长，顶角尖出，端缘平截。

采集记录： 3♀1♂，长安终南山，1555m，2006. Ⅴ.27，朱巽、杨青采；1♀，周至楼观台，899m，2006. Ⅶ.06，朱巽采。

分布： 陕西(长安、周至、太白)、安徽、浙江、湖北、湖南、福建、广西、四川、贵州。

10. 脊颜三节叶蜂属 *Sterictiphora* Billberg，1820

Sterictiphora Billberg，1820：99. **Type species**：*Tenthredo furcata* Villers，1789.

Schizocerus Berthold，1827：441. **Type species**：*Tenthredo furcata* Villers，1789.

Schizocerus Lepeletier *et* Serville，1828：572（nec. Berthold，1827）. **Type species**：*Tenthredo furcata* Villers，1789.

Schyzocera Latreille，1829：273. **Type species**：*Tenthredo furcata* Villers，1789.

Schizocera Guérin，1834：pl. 64. **Type species**：*Tenthredo furcata* Villers，1789.

Cyphona Dahlbom，1835：3. **Type species**：*Tenthredo furcata* Villers，1789.

Schizoceros Konow, 1899: 402. Name for *Schizocerus* Lepeletier *et* Serville, 1828.

属征： 体小型，短胖，长 5~10mm。头部前面观宽不小于高的 1.50 倍；复眼较小，间距显著宽于复眼长径；唇基上区小，明显隆起；触角窝间区域狭窄，强烈隆起成纵脊状；唇基横宽，平坦，端部具缺口；右上颚具小型基齿；颚眼距约等于单眼直径；无后颊脊；触角窝中位，位于复眼间区域中部，触角窝间距窄于触角窝与唇基间距；下颚须 6 节，下唇须 4 节；雌虫触角较短，端部不明显侧扁扩大，雄虫触角鞭节双叉式，具长立毛；前后翅 R_1 室端部均宽阔开放；前翅 Sc 脉游离段消失，R + M 脉段显著长于 Rs 脉第 1 段，cu-a 脉中位外侧，臀室具长中柄，基臀室通常封闭；后翅臀室封闭，端部具柄；中后足无亚端距，爪无内齿和基片；腹部背板无性沟和刺突，锯鞘短，背面观呈贝壳形，锯腹片窄长；阳茎瓣具指状侧叶。

分布： 古北区，新北区，非洲区，东洋区。世界已知 41 种，中国已记载 11 种，秦岭地区发现 4 种，包括 1 新种和 3 个陕西新纪录，其中 1 新种将另文发表。

分种检索表

1. 体黑色，足股节大部或全部黑色，胫节部分或全部淡色；中胸前侧片具粗大刻点 ………… 2
   胸腹部大部或全部黄褐色，足黄褐色；中胸前侧片光滑，无明显刻点 ……………………… 3
2. 中胸前侧片中下部具发达的刺突；小盾片后部强烈侧扁、突出，顶端尖扁，刻点十分致密粗糙，无光滑间隙；翅基片黄白色 ………………………… **尖盾脊颜三节叶蜂 *Sterictiphora* sp.**
   中胸前侧片平坦，中下部无刺突；小盾片后部隆起，但不侧扁、不尖出，刻点稀疏，间隙宽大，表面光滑；翅基片黑色或黑褐色 ……………………………… **隆盾脊颜三节叶蜂 *S. elevata***
3. 头部黑色 ……………………………………………………………… **李氏脊颜三节叶蜂 *S. lii***
   头部黄褐色 ……………………………………………………… **长柄脊颜三节叶蜂 *S. pedicella***

(51) 隆盾脊颜三节叶蜂 *Sterictiphora elevata* Wei, 1998 陕西新纪录

Sterictiphora elevata Wei in Wen *et* Wei, 1998: 108.

鉴别特征： 体长 5.60~6.50mm。体黑色具光泽，仅各足胫跗节黄白色。翅浅烟色透明，翅痣黑褐色，翅痣下无明显烟斑，翅脉黑黄色。体毛银色。中胸侧板上半部和中胸小盾片两侧具粗大刻点，中胸背板散布细小刻点。唇基端缘缺口浅三角形；颚眼距约等于单眼半径；中窝小而深，侧脊短低，较尖锐，向下强烈收敛；OOL: POL = 2:1；单眼后区稍隆起，低于单眼平面，宽长比约为 3，侧沟比较明显，向后平行；背面观头部在复眼后明显收缩。中胸小盾片明显高出背板平面，后端强烈隆起。前翅 1r-m 脉直，3r-m 脉较直，上端稍内斜；1Rs 室显著长于 2Rs 室，2Rs 室上下缘几乎等长；Rs 第 2 段较明显于中部弧形下鼓，稍长于 Rs 第 3 段；2m-cu 脉与 1r-m 脉顶接；cu-a 脉位于 1M 室下缘外侧 1/3。后翅 cu-a 脉稍长于臀柄。雄虫下生殖板长大于宽，

端部圆钝。

采集记录：1♀，佛坪，1000～1450m，2005. Ⅴ.17，刘守柱采。

分布：陕西(佛坪)、河南。

(52) 尖盾脊颜三节叶蜂 *Sterictiphora* sp.

鉴别特征：体长7mm。体和足黑色，翅基片和各足胫跗节全部黄白色，各足转节浅褐色；翅透明，前翅翅痣下具淡烟色横带，翅痣黑褐色；体毛银褐色。中胸背板刻纹密集，盾纵沟底部无横脊列，具细小刻点；中胸小盾片后部强烈侧扁且突出，顶端尖扁，纵脊高度约为淡膜区长度的4/5，两侧和后缘刻点粗糙致密，无光滑刻点间隙；中胸前侧片上半部刻点细密，具密毛，单个刻点直径小于单眼直径1/3；中胸前侧片中下部较光滑，具2个尖锐刺突；翅痣宽短，长宽比约等于2；前翅2Rs室上缘稍长于下缘；后翅M室封闭，臀室具短柄；腹部第1背板中部微长于单眼直径，无中纵脊。

采集记录：1♀，长安区鸡窝子，1720m，2008. Ⅴ.18，24，于海丽采。

分布：陕西(长安)。

(53) 李氏脊颜三节叶蜂 *Sterictiphora lii* Wei，1998 陕西新纪录（图版1：K)

Sterictiphora lii Wei in Wen, Wei *et* Nie, 1998：62.

鉴别特征：体长6.50mm。头部和触角黑色，颜面及以下部分黄褐色；胸部、腹部和各足黄褐色。翅透明，稍带烟褐色，翅脉和翅痣黑褐色；体毛银色。体光滑，无明显刻点。触角第3节明显短于胸部，弯曲弧度较小，明显向端部膨大，最宽处约1.80倍于基部，1.30倍于第2节端部。颚眼距等于单眼直径；唇基边缘锐薄，缺口非常浅，弧形；中窝仅具1个凹点，约为单眼大小，其侧脊短钝；额区平坦，宽阔，在单眼前方微下凹，微低于单眼平面；后头两侧微膨大；OOL∶OCL∶POL＝1.5∶1.4∶1；单眼侧沟深，向后稍收敛，单眼后沟窄深，单眼后区强烈隆起，低于单眼平面，单眼后区宽长比约为1.8∶1；中胸背板前叶中沟细浅明。前翅1r-m脉较直，Rs第2段1.20倍于Rs第3段长，Rs第4段长等于或微大于Rs第3段与Rs第2段之和。

采集记录：1♀，太白县青峰峡，1473m，2008. Ⅶ.03，蒋晓宇采。

分布：陕西(太白、清泉)、河南、甘肃、湖北。

(54) 长柄脊颜三节叶蜂 *Sterictiphora pedicella* Wei，1998 陕西新纪录

Sterictiphora pedicella Wei in Wen, Wei *et* Nie, 1998：62.

鉴别特征：体长6.50mm。虫体、足和触角第1节黄褐色，触角第2、3节和后胸黑色；翅浅烟褐色透明，翅脉、痣黑褐色，翅痣下无明显的烟斑；体毛淡金黄色。体和刻纹不明显，胸部侧板无密毛。触角第3节微弯曲，显著小于头胸部之和，末端平截，最宽处1.20倍于基部；颚眼距微小于单眼直径；中窝浅小，坑状；背面观后头两侧近似平行；单眼后区强烈隆起，宽长比约为1.6∶1，最高处明显高于单眼平面；前翅Rs脉第3段稍长于Rs脉第2段，Rs脉第4段稍短于Rs脉第3段与第2段之和；cu-a脉交臀室于外侧1/4；后翅臀室柄等长于cu-a脉。

采集记录：1♀，佛坪，1000～1450m，2005. Ⅴ.17，刘守柱采。

分布：陕西(佛坪)、河南、甘肃、安徽。

11. 近脉三节叶蜂属 *Aproceros* Malaise, 1931

Aproceros Malaise, 1931: 152. **Type species**: *Aproceros umbricola* Malaise, 1931 [= *Aproceros pallidicornis* (Mocsáry, 1909)].

属征：体小型，长5～7mm。头部前面观宽约2倍于高，背面观后头两侧显著收缩；复眼较小，间距明显宽于复眼长径；雌虫触角约等长于头部宽，鞭节端部不明显侧扁扩大；雄虫触角鞭节双叉式，具明显立毛；触角窝偏下位，靠近唇基；唇基上区小，微弱隆起，触角窝间区域狭窄，微弱隆起，不呈纵脊状；口器正常，下颚须6节，下唇须4节，右上颚具小形基齿；颚眼距约2倍于单眼直径，后眶圆钝，无后颊脊；中后足胫节无亚端距，爪简单，无基片和内齿；前后翅R_1室端部均宽阔开放，无附室；前翅Sc脉游离段缺失，R+M脉段短点状，明显短于Rs脉第1段，2Rs室上缘显著长于下缘，cu-a脉位于1M室下缘中位外侧，基臀室开放，端臀室具长柄式；后翅臀室开放，无长柄。腹部背板无性沟和中位刺突，雌虫锯鞘短小。

分布：东亚。世界已知10种，中国已记载5种，秦岭地区发现1种。

(55) 淡足近脉三节叶蜂 *Aproceros leucopoda* Takeuchi, 1939（图版1：L）

Aproceros leucopoda Takeuchi, 1939: 415.

鉴别特征：体长6～7mm。体呈亮黑色，无金属光泽。前胸背板部分黄褐色，第1背板后部白色；触角深棕色或黑褐色；足白色，基节、转节和腿节或多或少呈现黄色调，基节基部黑色；翅淡烟褐色，翅脉和翅痣深棕色。体光滑，被有稀疏灰或黑色短柔毛，中胸盾侧沟、小盾片前沟和后缘具明显刻点，虫体其余部分无明显刻点和刻纹。后单眼距∶单复眼距∶单眼后头距＝10∶18∶9，颚眼距是柄节和梗节之长的和；触角大约等宽于头部。背板前叶中沟模糊，中胸小盾片宽稍大于长，前缘弧形。后足基跗节稍长于后面3节之和。

采集记录：1♀，佛坪大古坪，1320m，2006. Ⅳ. 28，朱巽采。

生物学：本种是榆树害虫，原产地在东亚北部，目前已被传播到欧洲东部和中部，成为重要引入害虫(Blank *et al.*, 2010；Blank *et al.*, 2014)。

分布：陕西(佛坪)、黑龙江、山西、甘肃；俄罗斯，日本，东欧。

五、松叶蜂科 Diprionidae

鉴别特征：体型短宽，长5~13mm。头部短宽，前后向压缩，无后颊脊；上颚短小，外观狭片状，具额唇基缝；触角窝中下位。触角短，14~32节，雄性双羽状，雌性短锯齿状，基部2节十分短小。后头孔开式，无口后桥；前胸背板后缘深凹，侧叶发达；前胸侧板腹面尖出，互相远离，腹板游离，无基前桥。胸部粗壮，中胸小盾片发达，无附片，盾侧凹深；后胸淡膜区发达，横宽，形状和大小变化大；中胸侧腹板沟缺如，无腹前桥，中胸后上侧片几乎横置；后胸侧板不与腹部第1背板愈合。各足胫节无端前距，前足胫节具两个端距，各足基跗节短小，跗垫发达。前翅C室宽大，R脉端部下垂，2r脉缺如，Rs脉基端消失，cu-a脉位于1M室下缘中部，臀室完整。后翅具6个闭室，R_1室端部开放。腹部第1背板具中缝，各节背板无侧缘纵脊。锯鞘和产卵器短小，几乎不伸出腹部末端，锯腹片节缝强烈骨化，具翼突列。雄虫外生殖器扭转。幼虫多足型，腹部具8对足，触角3节。成虫飞行慢。

分类：本科主要分布于北温带针叶林中，分为2个亚科：松叶蜂亚科 Diprioninae 和单栉松叶蜂亚科 Monocteninae。世界已知11属约85种，中国已记载7属32种，陕西秦岭地区目前仅记载2属2种，作者在秦岭地区外业调查中还发现吉松叶蜂属1种，该种尚需进一步研究，本文分属特检出该属，供读者参考。

分属检索表

1. 后翅臀室柄远远长于臀室最大宽度；腹部背板具致密横向刻纹；小盾片前端角钝；颚眼距2~3倍于触角第2节长 ………… **吉松叶蜂属 *Gilpinia***

   后翅臀室柄最多微长于臀室最大宽度；腹部背板光滑，具细弱刻纹，或者小盾片前端角尖锐 ………… 2

2. 后足胫节内端距与基跗节等长；颚眼距不长于触角第2节；两性触角均为双栉状，雌虫栉齿较短；小盾片前端角钝 ………… **黑松叶蜂属 *Nesodiprion***

   后足胫节内端距显著短于基跗节；颚眼距长于触角第2节；雄虫触角鞭节双栉齿状，雌虫触角锯齿状；小盾片前端角明显突出 ………… **新松叶蜂属 *Neodiprion***

12. 新松叶蜂属 *Neodiprion* Rohwer, 1918

Neodiprion Rohwer, 1918: 83. **Type species**: *Lophyrus lecontei* Fitch, 1858.

属征：颚眼距长于触角第2节；后翅臀室柄短，约等于或微长于臀室最大宽度；后足胫节内端距显著短于基跗节长；雄虫触角鞭节双栉齿状，雌虫触角锯齿状；小盾片前端角明显突出；翅面具稀疏的微毛，翅边缘无毛；前翅臀室无收缩中柄，具倾斜横脉；1m-cu脉几乎垂直；后胸淡膜区大型，淡膜区间距约等宽于淡膜区宽，后胸小盾片短于淡膜区宽度；爪具小型内齿；雌虫后足基跗节向端部显著膨大，长小于宽的2倍；腹部背板具细密刻纹，光泽弱。

分布：全北区，新热带区北部。世界已知53种，中国记载7种，秦岭地区目前只发现1种。

(56) 云杉新松叶蜂 *Neodiprion wilsonae* (Li *et* Guo, 1999) comb. nov.（图版2：A）

Gilpinia wilsonae Li *et* Guo, 1999: 304.

鉴别特征：雌虫体长9～10mm，雄虫体长7～8mm。体黑色，翅基片外侧、腹部2～7背板两侧宽缘、8～10背板全部、各节背板缘折、腹板全部黄褐色。足黄褐色，基节、转节、腿节大部黑色。雄虫腹部几乎全部黑色。翅浅烟褐色，翅痣边缘暗褐色，中部浅褐色。头胸部刻点粗密，光滑间隙狭窄，但无刻纹，光泽显著；腹部背板大部刻纹明显，但不致密，有明显光泽，背板侧缘和腹板全部光泽强，无刻纹，具刻点。颚眼距2.20倍于单眼直径；单眼后区宽约2倍于长，侧沟模糊；触角短于头宽，4～17节具短侧突；中胸小盾片前缘钝角形前突；淡膜区间距小于淡膜区长径，小盾片短于淡膜区长径；后胫节内端距简单，短于基跗节；爪内齿微小，远离外齿；后翅臀室柄稍短于臀室最大宽，约等长于cu-a脉；锯鞘端具明显的耳形侧突。

采集记录：1♀1♂（副模），周至秦岭梁，2300m，1995. Ⅵ. 02，采自幼虫羽化，李孟楼采。

分布：陕西（周至）。

13. 黑松叶蜂属 *Nesodiprion* Rohwer, 1910

Nesodiprion Rohwer, 1910: 104. **Type species**: *Lophyrus japonicus* Marlatt, 1898.

属征：颚眼距通常不长于触角第2节；两性触角均为双栉状，雌虫栉齿较短；后足胫节内端距与基跗节等长，长于外端距，爪具小型内齿；小盾片前端角钝角形；后胸淡膜区宽大，淡膜区间距约等宽于淡膜区宽，后胸小盾片短于淡膜区宽度；前翅臀室无收缩中柄，具倾斜横脉；1m-cu 脉几乎垂直；后翅臀室柄短，约等于或微长于臀室最大宽度；翅面具稀疏的微毛，翅边缘无毛；腹部背板光滑，光泽较强，有时具细弱刻纹；锯鞘具小耳形翼突。

分布：东亚。世界已知 12 种，中国记载 5 种，秦岭地区发现 1 种。

(57) 浙江黑松叶蜂 *Nesodiprion zhejiangensis* Zhou *et* Xiao, 1981

Nesodiprion zhejiangensis Zhou *et* Xiao, 1981: 247.

鉴别特征：体长 6～8mm。体黑色，触角基部 2 节浅褐色，前胸背板两侧、小盾片大斑(雄虫小盾片黑色)、腹部 7～8 节背板两侧椭圆形斑黄白色；足黑色，各足基节端部、转节、各足股节端部、前中足胫节全部、后足胫节除端部外、各足跗节全部黄白色。翅透明，翅痣和翅脉黑褐色。头部背侧刻点较粗大，间隙狭窄，上眶刻点较稀疏；雌虫小盾片刻点粗大，间隙显著；雄虫小盾片刻点密集；腹部第 1 背板中部具刻点；锯鞘耳突很小；锯腹片 10 环；阳茎瓣头叶端部钝截型。

采集记录：1♀，镇巴，1200m，1983. Ⅶ，李法圣采。

分布：陕西(镇巴)、辽宁、山东、河南、安徽、浙江、湖北、江西、湖南、福建、广东、广西、四川、贵州、云南。

六、七节叶蜂科 Heptamelidae

鉴别特征：体小型，长 3.50～10.00mm。头部短圆，后头不发达，后头孔开式，无口后桥；上颚对称端位三齿式，具额唇基缝；触角窝下位。触角短，7～8 节；前胸侧板腹面尖出，互相远离，腹板游离，无基前桥；中后胸盾侧凹发达，中胸小盾片具显著附片；后上侧片不强烈鼓凸；中胸侧腹板沟缺如；后胸侧板不与腹部第 1 背板愈合。前足胫节端距 1 对，内距分叉；各足胫节无端前距。前翅 C 室较狭窄，R 脉端部平直，2r 脉和 Rs 脉基端均存在，Rs + M 脉基部不向翅痣明显反曲，M 脉显著弓曲，与 1m-cu 强烈聚敛，臀室完整，具倾斜横脉，但 2A 和 3A 脉强烈弱化。后翅具 7 个闭室，臀室具长柄，柄部长于 cu-a。腹部第 1 背板具中缝，背板无侧缘脊。产卵器狭长，显著稍伸出腹端。阳茎瓣微弱倾斜，无背缘细齿。幼虫蛀食蕨类植物茎。

分类：本科最近从叶蜂科中独立出来，主要分布于亚洲，个别种类分布于欧洲。世界已知 2 属，约 50 种，陕西秦岭地区目前仅发现 1 种。

14. 七节叶蜂属 *Heptamelus* Haliday, 1855

Melicerta Stephens, 1835: 94 (nec. Schrank, 1803). **Type species**: *Melicerta ochroleuca* Stephens, 1835.

Heptamelus Haliday, 1855: 60. **Type species**: *Melicerta ochroleuca* Stephens, 1835.

Caenoneura Thomson, 1870: 270. **Type species**: *Caenoneura dahlbomi* Thomson, 1870.

属征：体较狭长。触角7节，第2节长于第1节，1、2节均2倍以上长于自宽，第3节长于第4节。头部光滑，无明显刻纹和刻点；唇基平坦，前缘缺口浅；颚眼距等于或短于单眼直径；后头显著收缩，无后颊脊；爪具发达基片，爪齿中裂式，内齿通常稍短于端齿，有时长于端齿。翅痣短宽，前翅1M脉和cu-a脉顶接或几乎顶接，后翅Rs室甚小，常小于M室的1/2，臀室柄不短于cu-a脉。

分布：印度—马来西亚亚区，欧洲。世界已知47种，中国已记载20种。秦岭地区目前只发现1种。

寄主：幼虫蛀食*Athyrium*, *Blechnum*和*Polypodium*等蕨类植物茎(Benson, 1952)。

(58) 秦岭七节叶蜂 *Heptamelus* sp.（图版2：B）

采集记录：1♀，佛坪大古坪，1320m，2006. Ⅳ. 28，朱巽采。

分布：陕西(佛坪)。

七、叶蜂科 Tenthredinidae

鉴别特征：小型至大型叶蜂，体长2.50~20.00mm。头部短，横宽，后头孔下侧开放，无口后桥；具额唇基缝；触角窝偏下位，无触角沟。触角短，通常9节，少数属种少至8节或多达30节，第1节短小，远短于第3节，鞭节通常无分支。前胸背板后缘深凹，侧叶发达；前胸腹板游离；无基前桥；中胸小盾片发达，具附片；中后胸盾侧凹深大；后上侧片不强烈鼓凸，中胸侧腹板沟缺如；后胸侧板不与腹部第1背板愈合。前足胫节端距1对，内距常分叉；各足胫节无端前距，基跗节发达，跗垫中小型。前翅C室较狭窄，R脉端部平直或下垂，2r脉常存在，少数缺如，Rs脉基端极少消失，1M室通常无背柄，至少具1个完整的端臀室。后翅通常具5~7个闭室。腹部无侧缘脊，第1背板常具中缝。产卵器短小，常稍伸出腹端。幼虫多足型，腹部具6~8对足，触角3~5节，潜叶和蛀干种类腹足有时部分退化。叶蜂幼虫通常在寄主体表自由取食，少数类群在寄主内部取食，包括蛀芽、蛀茎、潜叶和做瘿四类。

分类：叶蜂科是广腰亚目最大的科，包括18亚科，中国分布16亚科。世界已知430余属5500种以上，中国已记载260属1600余种，陕西秦岭地区目前共发现13亚科105属约440种，本文记述105属、405种。

分属检索表

1. 前翅基臀室端部开放，2A+3A脉端部游离或末端在臀室中部附近与1A脉靠近或汇合，端臀室具柄式 ······ 2
   前翅基臀室封闭，2A+3A脉不与1A脉在臀室中部附近接触或靠近，端臀室无柄 ······ 29
2. 后翅Rs室封闭 ······ 3
   后翅Rs室开放 ······ 13
3. 前翅2A+3A脉向上延伸，端部与1A脉在臀室中部前合并，臀室具显著收缩中柄；2r-m横脉交于2Rs室下缘 ······ 4
   前翅2A+3A脉平直，端部不与1A脉在臀室中部前合并，臀室无收缩中柄；2r-m横脉交于1Rs室下缘。**突瓣叶蜂亚科 Nematinae** ······ 8
4. 前翅具2r脉；触角粗短，不长于胸部，第1、2节长均显著大于宽。幼虫危害果实。**实叶蜂亚科 Hoplocampinae** ······ 5
   前翅无2r脉；触角细长，不短于头胸部之和，第1节长约等于宽，第2节宽明显大于长。**枝角叶蜂亚科 Cladiinae** ······ 7
5. 后翅M室开放 ······ 6
   后翅M室和臀室封闭；阳茎瓣头叶无粗刺突 ······ **实叶蜂属 *Hoplocampa***
6. 后翅臀室封闭；阳茎瓣具亚端位粗刺突 ······ **单室叶蜂属 *Monocellicampa***
   后翅臀室开放；阳茎瓣无亚端位粗刺突 ······ **臀实叶蜂属 *Analcellicampa***
7. 中胸前侧片前缘和上缘具连续的弧形隆脊，中胸前侧片具粗糙皱纹；前翅R+M脉段显著长于1m-cu脉；后翅臀室柄不长于cu-a脉 ······ **异实叶蜂属 *Anhoplocampa***
   中胸前侧片前缘和上缘平坦，无连续的弧形隆脊，中胸前侧片光滑，无皱纹；前翅R+M脉段显著短于1m-cu脉；后翅臀室柄显著长于cu-a脉 ······ **拟栉叶蜂属 *Priophorus***
8. 前翅具2r脉 ······ 9
   前翅无2r脉 ······ 10
9. 中胸前侧片前缘具显著隆脊，胸腹侧片缝深沟状，中胸前侧片上半部具粗糙皱纹；后翅臀室柄显著短于cu-a脉；体狭长，长于12mm ······ **狭脉叶蜂属 *Megadineura***
   中胸前侧片前缘无明显隆脊，胸腹侧片缝细浅沟状，中胸前侧片上半部无粗糙皱纹；后翅臀室柄显著长于cu-a脉；体粗短，短于10mm ······ **中脉叶蜂属 *Mesoneura***
10. 爪粗短，基片发达，端部尖，爪内齿长于外齿 ······ **扁角叶蜂属 *Stauronematus***
    爪狭长，无基片，内齿通常明显短于外齿，或无内齿 ······ 11
11. 后足基跗节强烈膨大且扁平 ······ **大跗叶蜂属 *Craesus***
    后足基跗节正常，细长柱形，不膨大侧扁 ······ 12
12. 前翅C脉端部明显膨大，Sc室在Rs脉起源处显著窄于该处C脉宽度的1/2；爪内齿通常微小，夹角宽钝，少数种类爪内齿较大 ······ **槌缘叶蜂属 *Pristiphora***

前翅 C 脉端部微弱膨大，Sc 室在 Rs 脉起源处约等宽或稍窄于该处 C 脉宽度；爪内齿较大，靠近端齿，夹角狭窄 ………………………………………………… **突瓣叶蜂属 *Nematus***

13. 触角 9 节；后胸后背板中部狭窄，明显倾斜。**蔺叶蜂亚科 Blennocampinae** ……………… 14
触角 10 节；后胸后背板中部宽大，平坦。**平背叶蜂亚科 Allantinae**（部分）……………………
…………………………………………………………………… **隙臀叶蜂属 *Blennallantus***

14. 爪具基片和 5～6 齿；翅烟黄色，端部具大黑斑 ………………………… **脊栉叶蜂属 *Neoclia***
爪齿 1～3 个；翅非烟黄色具大黑斑型 …………………………………………………………… 15

15. 触角第 3 节短于或等长于第 4 节，4～9 节长度互相接近，第 2 节宽大于长；阳茎瓣头叶无侧刺突；爪无基片或基片微弱；头部侧窝向前开放 ………………………………………………… 16
触角第 3 节显著长于第 4 节，4～9 节长度逐渐明显变短，如果变短程度较弱，则阳茎瓣具明显侧刺突或爪具显著基片，触角第 2 节长通常大于宽，极少等于宽 ……………………………… 19

16. 爪具 3 齿，第 3 齿基位，较小；虫体大部红褐色 ………………… **基齿叶蜂属 *Nesotomostethus***
爪 1～2 齿，无基位第 3 齿；虫体黑色，少数种类具黄白斑或部分黄褐色………………………… 17

17. 后翅无闭 M 室；后颊脊发达 ……………………………………… **近脉叶蜂属 *Phymatoceropsis***
后翅 M 室封闭；头部无后颊脊 ………………………………………………………………… 18

18. 前翅 2A＋3A 脉直，端部不分叉；唇基胸腹侧片前缘反翘形，无显著胸腹侧片沟；后眶平坦，无陷窝；体具金属光泽 ……………………………………………………… **聂氏叶蜂属 *Niea***
前翅 2A＋3A 脉端部明显分叉；胸腹侧片隆肩形，胸腹侧片缝沟状；后眶下部具与单眼等大的圆形陷窝；体黑色，无金属光泽 ……………………………………… **匀节叶蜂属 *Phymatocera***

19. 中胸前侧片具显著胸腹侧片和胸腹侧片缝；头部侧窝向前方开放 …………………………… 20
中胸前侧片前缘光滑平坦，无胸腹侧片和胸腹侧片缝 ……………………………………… 24

20. 前翅 2A＋3A 脉端部显著向上弯曲并延伸，接近 1A 脉 …………… **真片叶蜂属 *Eutomostethus***
前翅 2A＋3A 脉平直，端部不向上弯曲、延伸，远离 1A 脉…………………………………… 21

21. 爪简单，无基片，内齿微小或缺如 …………………………………… **直片叶蜂属 *Stethomostus***
爪具明显基片 ……………………………………………………………………………………… 22

22. 爪基片小，内齿中位，位于基片和端齿连线上；胸腹侧片缝狭细；后足基跗节显著短于其后 4 节之和；触角鞭节细长，第 5 节长宽比大于 2 ………………… **半片叶蜂属 *Nipponostethus***
爪基片较大，内齿侧位，与端齿贴近；胸腹侧片缝宽深；触角鞭节粗壮，第 5 节长宽比小于 2；后足基跗节等长于其后 4 节之和 ……………………………………………………………… .23

23. 后翅无封闭中室；后颊脊伸达上眶后缘；前胸侧板腹面短钝接触，背板具侧纵脊；触角鞭分节粗度近似 …………………………………………………… **珠片叶蜂属 *Onychostethomostus***
后翅具封闭的 M 室；后颊脊伸达后眶中上部；前胸侧板腹面尖，背板无侧纵脊；触角中基部鞭分节显著粗于端部鞭分节 ………………………………………… **巨片叶蜂属 *Megatomostethus***

24. 头部侧窝向前开放，触角窝侧沟宽深；前翅 2A＋3A 脉端部分叉；阳茎瓣具狭长端突，无侧刺和侧叶；爪基片十分宽大，内齿显著长于外齿 ……………………… **角瓣叶蜂属 *Senoclidea***
头部侧窝圆形封闭，不向前开放，触角窝侧沟短浅；前翅 2A＋3A 脉端部直或明显向上弯曲，不分叉；阳茎瓣无狭长端突，具显著侧刺突和侧叶，或具短指状横突；爪基片较小，内齿约等长于或短于外齿，或爪无基片 ………………………………………………………………… 25

25. 爪基片发达，端部锐利，内齿贴近端齿，接近等长或长于外齿 ………………………………… 26
爪小型；无基片，内齿微小或缺，远离端齿，显著短于端齿；后翅 M 室开放 ………………… 27

26. 后翅 M 室封闭；后胸侧板宽大，不弯曲；锯腹片锯刃末端具圆形突叶 ……………………

………………………………………………………………………… **叶刃叶蜂属** ***Monophadnoides***

后翅 M 室开放；后胸侧板狭窄、弯曲；锯刃无圆形突叶 ……………… **蔺叶蜂属** ***Blennocampa***

27. 前翅 2A + 3A 脉端部平直；阳茎瓣具指状端突，无侧刺突 …………………… **儒雅叶蜂属** ***Rya***

前翅 2A + 3A 脉端部向上弯曲；阳茎瓣具侧刺突，无指状端突 ……………………………… 28

28. 触角第 2 节长等于宽；后翅臀室柄约等长于 cu-a 脉；体粗短，头部宽长比不小于 2，窄于胸部，腹部约等长于头胸部之和；下生殖板宽大于长 …………………… **异李叶蜂属** ***Apareophora***

触角第 2 节长明显大于宽；后翅臀柄 2 倍长于 cu-a 脉；体细长，头部宽长比小于 2，宽于胸部，腹部长 2 倍于头胸部之和；下生殖板狭长 ………………………… **线蔺叶蜂属** ***Stenocampa***

29. 触角不少于 11 节，棒状，端部膨大；中胸侧板缝中部强烈"Z"形弯折，中胸后上侧片显著隆起。**残青叶蜂亚科 Athaliinae** ……………………………………………… **残青叶蜂属** ***Athalia***

触角 9 节，极少 10 节，则鞭节细长丝状，端部绝不膨大；中胸侧板缝直，中胸后上侧片平坦或下凹 ……………………………………………………………………………………… 30

30. 前翅 M 脉第 1 段与 1m-cu 脉互相平行或向翅痣方向稍分歧，前者约等长或稍长于后者；前翅 Rs + M 脉基部直，不向翅基部弯曲……………………………………………………………… 31

前翅 M 脉第 1 段与 1m-cu 脉向翅痣方向明显收敛，前者明显长于后者，如果 M 脉与 1m-cu 脉近似平行，则前翅 Rs + M 脉基部向翅基部明显弯曲 ……………………………………… 81

31. 中胸后侧片后缘中部不向后侧显著延伸，后胸气门外露；头部侧窝封闭，触角窝侧沟短小浅弱，不与额侧沟贯通；上唇对称；上颚对称 2 齿或 3 齿式，内齿简单；后眶圆，绝无后颊脊。**大基叶蜂亚科 Belesesinae** ……………………………………………………………… 32

中胸后侧片后缘中部明显向后延伸，完全覆盖后胸气门，或者上唇强烈倾斜，上颚非对称多齿式，内齿复杂；头部侧窝向前开放，触角窝侧沟宽深，与额侧沟贯通，或侧窝痕状，几乎消失 …… 36

32. 后足基节小型，后端最多伸抵腹部第 4 腹板前缘；后足股节不伸出腹端；后足基跗节等于其后 4 个跗分节之和；后胸侧板多少退化，反"C"形弯曲 ……………………………………… 33

后足基节大型，伸抵腹部第 5 腹节以远；后足股节端部显著伸出腹端，基跗节长于其后 4 个跗分节之和；后胸侧板宽大，不退化，不弯曲 ………………………………………………… 34

33. 触角简单丝状；唇基端部圆弧形突出 ………………………… **半基叶蜂属** ***Hemibeleses***

触角双栉齿状；唇基端部具显著缺口 ………………………… **张华叶蜂属** ***Zhanghuaus***

34. 中胸前侧片具显著胸腹侧片；后足基跗节侧扁，外侧具沟；后翅臀室具柄式；锯鞘基和锯鞘端愈合，中间无分界线 ……………………………………………… **畸距叶蜂属** ***Nesotaxonus***

中胸前侧片无胸腹侧片；后足基跗节不侧扁，外侧无沟；后翅臀室无柄式；锯鞘基和锯鞘端不愈合，中间分界线显……………………………………………………………………… 35

35. 后翅 M 室封闭，雄虫后翅具缘脉 ………………………………… **大基叶蜂属** ***Beleses***

后翅无封闭中室；雄虫后翅无缘脉 ………………………………… **异基叶蜂属** ***Abeleses***

36. 前翅 R 脉平直，长于 Sc 脉；R + M 脉段明显短于 R 脉（*Athlophorus* 属和 *Hemathlophorus* 属例外，这两属后翅无封闭中室，阳茎瓣具钩状顶侧突和腹缘细齿）……………………………… 37

前翅 R 脉短于 Sc 脉，端部显著下垂；R + M 脉段明显长于 R 脉，通常至少 2 倍于 R 脉长；阳茎瓣无骨化的钩状顶侧突，具背缘细齿。**叶蜂亚科 Tenthredininae** ………………………… 67

37. 阳茎瓣无骨化的钩状顶侧突；右上颚单齿，左上颚具 1 中位小齿；后胸后背板中部极狭窄并强烈倾斜；后胸淡膜区间距至少 3 倍于淡膜区长径；胸部具网状粗大密集刻点。**叶蜂亚科 Tenthredininae**（部分）……………………………………… **刻胸叶蜂属** ***Eriocampa***

阳茎瓣具骨化的钩状顶侧突；右上颚如单齿，则左上颚内齿大型且为基位；后胸后背板不强烈

倾斜；后胸淡膜区 0.50～2.00 倍于淡膜区长径。**平背叶蜂亚科 Allantinae** ……………… 38

38. 左右上颚均双齿式，完全对称或几乎对称；唇基缺口弧形；后胸后背板中部强烈收窄，多少倾斜；唇基上区平坦；唇基和上唇小型 ………………………………………………………… 39

右上颚单齿或 3 齿，左上颚 2 齿或 3 齿，完全不对称；唇基缺口通常近似半圆形，如果为弧形，则唇基上区明显隆起，或唇基和上唇很大，显著倾斜 ………………………………………… 44

39. 唇基具 3 齿，中齿较小但明显；腹部部分背板具成对膜斑…………………… **斑腹叶蜂属 *Empria***

唇基具 2 齿，前缘缺口底部弧形；腹部背板无成对膜斑 ……………………………………… 40

40. 后翅 M 室封闭；左上颚内齿小于右上颚内齿；头部无后颊脊 ……………… **狭蕨叶蜂属 *Ferna***

后翅 M 室开放；左右上颚内齿等大 ……………………………………………………………… 41

41. 前翅 $1R_1$ 和 1Rs 室分离；头部无后颊脊；爪无内齿 ………………………… **单齿叶蜂属 *Ungulia***

前翅 $1R_1$ 和 1Rs 室合并；头部具后颊脊或爪具内齿……………………………………………… 42

42. 头部无后颊脊；前翅 1M 室具背柄，R + M 脉段缺 ……………………… **直脉叶蜂属 *Hemocla***

头部具显著后颊脊；前翅 1M 室无背柄，R + M 脉段存在 …………………………………… 43

43. 前胸侧板腹侧接触面显著长于单眼直径；爪无内齿 …………………… **细曲叶蜂属 *Stenempria***

前胸侧板腹侧接触面短于单眼直径；爪具内齿 ……………………… **原曲叶蜂属 *Protemphytus***

44. 唇基侧齿狭长，端部尖，长宽比明显大于 2.50；后胸后背板中部狭窄，明显收缩，向后下方显著倾斜 ……………………………………………………………………………… **尖唇叶蜂属 *Dinax***

唇基侧齿短宽，端部圆钝，长宽比小于 2；后胸后背板中部宽，不明显收缩和倾斜 ……… 45

45. 背面观头部在复眼后部分短小，两侧显著收缩，约等于复眼 1/2 长；上颚短小，外缘弧形，均匀弯曲，不强烈弯折，端齿短 …………………………………………………………………… 46

背面观头部在复眼后部分长大，两侧近似平行或微弱收敛，约等长于或稍短于复眼；上颚长大，外缘中部强烈弯折，端齿长 ………………………………………………………………… 47

46. 具后颊脊；雌虫锯鞘正常，侧面观锯鞘端长高比小于 2 …………………… **小唇叶蜂属 *Clypea***

无后颊脊；雌虫锯鞘狭长，侧面观锯鞘端长高比大于 3 ……………… **长鞘叶蜂属 *Thecatiphyta***

47. 侧窝痕状，几乎消失；后胸后侧片中部后缘具明显缺口，后胸气门外露；左右上颚均 3 齿，完全不对称，左上颚基齿十分尖长；唇基十分短宽，不对称，缺口深弧形；上唇宽大，左右不对称；爪基片宽大 …………………………………………………………………………………… 48

侧窝纵沟状，较深；后胸后侧片中部后缘向后延伸，无缺口，后胸气门不外露；右上颚简单，无内齿；左上颚双齿，基齿宽大，不尖，端齿简单，或内侧中部具肩；唇基和上唇对称或几乎对称；爪具明显内齿，或无基片 ……………………………………………………………… 49

48. 后颊脊发达；爪无内齿；小盾片具显著纵脊…………………………… **纵脊叶蜂属 *Xenapatidea***

无后颊脊；爪具大型内齿；小盾片平坦，无纵脊 ……………………………… **斜唇叶蜂属 *Nepala***

49. 前翅 $1R_1$ 和 1Rs 室合并，臀横脉倾斜度小，与 2A + 3A 脉夹角大于 55° ……………………… 50

前翅 $1R_1$ 和 1Rs 室分离，臀横脉倾斜度大，与 2A + 3A 脉夹角通常小于 45° ……………… 61

50. 前翅 R + M 脉长于 R 脉，约 1.50～2.00 倍于 1r-m 脉长；后翅无封闭中室 …………………… 51

前翅 R + M 脉短于 R 脉和 1r-m 脉长；腹部亚基部通常不收缩 ………………………………… 52

51. 腹部 2～3 节常明显缢缩；中胸侧板具粗糙刻点；爪内齿短于外齿；前翅常具褐斑，2Rs 室约等长于 $1R_1$ + 1Rs 室之和……………………………………………………… **狭腹叶蜂属 *Athlophorus***

腹部细长，不缢缩；中胸侧板光滑；爪内齿长于外齿；前翅无褐斑，2Rs 室约等长于 $1R_1$ + 1Rs 室之和的 1/2 ……………………………………………………… **俏叶蜂属 *Hemathlophorus***

52. 后翅 M 室封闭 ……………………………………………………………………………………… 53

后翅 M 室开放 …………………………………………………………………… 55

53. 前足胫节内距端部分叉；唇基上区强烈隆起成脊状；触角明显侧扁；爪基片明显；后翅臀室具柄式 ……………………………………………… **大曲叶蜂属 *Macremphytus***

前足胫节内距简单，端部不分叉；唇基上区低弱隆起，不成脊状；触角不明显侧扁；爪基片小或缺 ……………………………………………………………… 54

54. 后臀室无柄式；爪基片小形，内齿发达 ……………… **后室叶蜂属 *Asiemphytus***

后臀室具较长柄部；爪简单，无基片和内齿 ……………… **细爪叶蜂属 *Filixungulia***

55. 后臀室无柄式 ……………………………………………………………… 56

后翅臀室具柄式 …………………………………………………………… 57

56. 后足胫距长大，长于外距或胫端宽的 2 倍以上；小盾片顶部角状隆起；触角第 3 节显著短于第 4 节；体大部黑色 ……………………………… **异距叶蜂属 *Mimathlophorus***

后足胫距稍长于外距和胫节端部宽；小盾片顶部平坦；触角第 3、4 节约等长；体主要黄色 ……… ……………………………………………………… **美叶蜂属 *Yushengliua***

57. 唇基和唇基上区平坦，唇基缺口宽深，侧叶窄长；头部和中胸前侧片高度光滑，无刻点或刻纹；后翅 R_1 室端部具显著副室 ……………………… **雅叶蜂属 *Stenemphytus***

唇基和唇基上区明显隆起，唇基缺口宽浅弧形，侧叶短钝；头部和中胸前侧片具明显粗刻点；后翅 R_1 室端部无明显副室 …………………………………………… 58

58. 触角长于头宽 2 倍；阳茎瓣头叶狭长 ……………………… **秋叶蜂属 *Apethymus***

触角短于头宽 2 倍；阳茎瓣体较宽 ………………………………………… 59

59. 前翅 cu-a 脉位于 1M 室内侧 1/3 处，2m-cu 脉远离 1r-m 脉；腹部两侧平行，第 2 节不细于第 1 节；阳茎瓣体无分离的端侧钩状突 ……………………… **曲叶蜂属 *Emphytus***

前翅 cu-a 脉位于 1M 室基部，与 1M 脉顶接或靠近；腹部第 1、2 节间明显收缩 ……… 60

60. 阳茎瓣具与阳茎瓣主体分离的顶侧钩；前翅 2m-cu 脉与 1r-m 脉顶接或在其内侧；唇基上区显著隆起，触角窝间距宽于内眶；锯鞘端不长于锯鞘基 ……………… **平背叶蜂属 *Allantus***

阳茎瓣无分离的顶侧钩；前翅 2m-cu 脉在 1r-m 脉外侧，与后者相距较远；唇基上区平坦，触角窝间距窄于内眶；锯鞘端显著长于锯鞘基 ……………… **十脉叶蜂属 *Allantoides* gen. nov.**

61. 前翅 cu-a 脉交于 1M 室下缘基部 1/3 ~ 1/6；后翅 M 室封闭，臀室具柄式 …………… 62

前翅 cu-a 脉交于 1M 室下缘中部或几乎交于中部；后翅 M 室开放，或臀室无柄式………… 64

62. 后翅 Rs 室封闭；唇基缺口浅于唇基 1/2 长；触角第 3 节长于第 4 节；前足胫节内距端部显著分叉；后足基跗节等长于其后 3 节之和 ……………………… **申氏叶蜂属 *Shenia***

后翅 Rs 室开放；唇基缺口深于唇基 1/2 长；后足基跗节长于其后 3 节之和 ……………… 63

63. 前翅 cu-a 脉交于 1M 室下缘基部 1/3；触角第 3 节短于第 4 节；后足跗节细长，基跗节等长于 2 ~ 5跗分节之和 ……………………………………………… **金叶蜂属 *Jinia***

前翅 cu-a 脉交于 1M 室下缘基部 1/6；触角第 3 节显著长于第 4 节；后足跗节粗短，基跗节显著长于 2 ~ 5 跗分节之和 ……………………………… **富槛叶蜂属 *Togashia***

64. 前足胫节内端距端部不分叉；唇基短宽，前缘缺口宽弧形；后翅 R_1 室端部具大型附室 …… …………………………………………………… **近曲叶蜂属 *Emphystegia***

前足胫节内端距端部分叉；唇基长，前缘缺口宽深，近似半圆形；后翅 R_1 室端部附室很小或缺如 ……………………………………………………………… 65

65. 颚眼距宽于单眼直径的 1.50 倍；触角第 2 节宽大于长，第 3 节短于第 4 节，鞭节多少侧扁，端部伸达腹部第 4 节以远 ……………………………………………… 66

颚眼距狭于单眼直径的1.50倍；触角第2节长不小于宽，第3节通常不短于第4节，鞭节至少基部数节不侧扁，末端至多伸达腹部第2节 ………………………… 元叶蜂属 *Taxonus*

66. 触角鞭节强烈侧扁，第5~6节长宽比小于4；后翅臀室无柄式；爪基片显著，内齿较宽大，稍短于且贴近端齿 ………………………………………………… 片角叶蜂属 *Indostegia*

触角鞭节稍侧扁，第5~6节长宽比大于6；后翅臀室具柄式；爪基片不明显，内齿短小，远离端齿………………………………………………………………… 绅元叶蜂属 *Taxoblenus*

67. 前翅臀室宽，无横脉，臀室最窄处宽度至少2倍于2A脉粗度，翅透明或烟黄色 ………… 68

前翅臀室具横脉，或亚中部收缩成哑铃形，如果无横脉则翅烟黑色，且臀室最窄处仅等宽于2A脉粗度 ……………………………………………………………………………… 69

68. 唇基具明显缺口；后翅臀室无柄式；后颊脊锐利，全缘式；阳茎瓣简单，头叶窄长，端部无侧突叶；上颚对称双齿式 ………………………………………………… 盔叶蜂属 *Corymbas*

唇基端缘截型或弱弧形突出，无缺口；后翅臀室具柄式；后颊脊缺失或仅后颊下部具模糊颊脊；阳茎瓣头叶具大侧突；上颚对称三齿式 ……………………… 镰瓣叶蜂属 *Neocolochelyna*

69. 前翅臀室具中位倾斜横脉；左右上颚不对称，右上颚1齿，左上颚2~3齿……………… 70

前翅臀室具亚基位短直横脉或具收缩的中柄，或无横脉，绝无中位倾斜横脉；基跗节不明显侧扁；上颚对称或基本对称，2~5齿 ……………………………………………………… 71

70. 前翅cu-a脉交于1M室下缘中部；后足跗节不侧扁；上颚窄长，左上颚3齿，基部2齿十分显著，端部尖 …………………………………………………………… 异颚叶蜂属 *Conaspidia*

前翅cu-a脉交于1M室下缘基部；后足跗节侧扁；上颚十分粗短，左上颚2~3齿，基部齿低钝模糊 ………………………………………………………………………… 侧跗叶蜂属 *Siobla*

71. 后足股节等长于胫节 ………………………………………………………………… 72

后足股节显著短于胫节 ……………………………………………………………… 73

72. 触角细长丝状，雄虫触角鞭节腹侧具明显的纵脊；内眶平坦，复眼内下角突出；前翅臀室中柄不短于cu-a脉 ………………………………………………… 方颜叶蜂属 *Pachyprotasis*

触角粗壮，亚端部多少膨大，雄虫触角鞭节腹侧无纵脊；内眶倾斜，复眼内下角不突出；前翅臀室中柄短于cu-a脉或缺如 ……………………………………… 钩瓣叶蜂属 *Macrophya*

73. 上颚对称二齿式；复眼内缘直，互相近似平行，或向下均匀弱度收敛 ……………………… 74

上颚对称3~4齿；复眼内缘显著弯曲，下部强烈收敛 ………………………………… 77

74. 唇基端部具明显缺口；后胸后背板宽长，平坦；中胸小盾片平台状强烈隆起 ………………
……………………………………………………………………………… 隐斑叶蜂属 *Lagidina*

唇基端部截型，无缺口；后胸后背板倾斜，较短；中胸小盾片平坦，几乎不隆起 ………… 75

75. 前翅烟黑色，臀室常无横脉，2Rs室长于$1R_1$+1Rs室之和，cu-a脉交于1M室下缘基部1/6以内，几乎与1M脉顶接；触角第3节长约2倍于第4节 ………………… 小臀叶蜂属 *Colochela*

前翅透明，有时具狭窄横斑，臀室总是具短直横脉，2Rs室不长于$1R_1$+1Rs室之和，cu-a脉交于1M室下缘基部1/3左右；触角第3节等于或稍长于第4节 ……………………………… 76

76. 后眶圆钝，无后颊脊 ……………………………………………… 合叶蜂属 *Tenthredopsis*

后眶边缘弯折，后颊脊显著 ……………………………………… 钝颊叶蜂属 *Aglaostigma*

77. 腹部第1背板完全愈合，无中缝 ……………………………………………………… 78

腹部第1背板不愈合，中缝显著 ……………………………………………………… 79

78. 体粗壮；头部背侧平坦，额区和内眶完全不分化，无触角窝上突；唇基端缘具浅宽缺口，缺口底部平直；爪内齿短于端齿……………………………………………… 壮并叶蜂属 *Jermakia*

体狭长；额区和内眶正常分化，触角窝上突狭高，与额脊连接；唇基缺口狭深；爪内齿不短于端齿 ………………………………………………………………… **狭并叶蜂属 *Propodea***

79. 前翅臀室具长收缩中柄，无横脉；左右上颚均具3个强骨化齿和1个小型弱骨化基齿 ……… ……………………………………………………………………… **任氏叶蜂属 *Renothredo***

前翅臀室具亚基位横脉，无显著的收缩中柄 ……………………………………………… 80

80. 左右上颚均具3个强骨化齿和1个小型弱骨化基齿；复眼下缘间距明显宽于唇基宽度 ……… ……………………………………………………………………… **齿唇叶蜂属 *Rhogogaster***

左右上颚均具4个强骨化齿；复眼下缘间距通常明显窄于唇基宽度 ……… **叶蜂属 *Tenthredo***

81. 中胸前侧片无胸腹侧片；锯腹片部显著短于锯节部；阳茎瓣无背缘细齿 ……………………… 82

中胸前侧片具胸腹侧片，如胸腹侧片痕状，则锯腹片柄部不短于锯节部，阳茎瓣具背缘细齿 … 87

82. 前翅 Rs + M 脉基部显著弯曲；1r-m 脉缺如；头胸部具粗糙刻点；后翅臀室柄短于 cu-a 脉长；后足基跗节短于2 ~ 4 跗分节之和；唇基宽长比不大于2；后翅 Rs 和 M 室均封闭。**麦叶蜂亚科 Dolerinae** ……………………………………………………………………… 83

前翅 Rs + M 脉基部不弯曲；1r-m 脉存在；头胸部无粗糙刻点；后足基跗节不短于2 ~ 4 跗分节之和 ……………………………………………………………………… 84

83. 复眼内缘直；后足基跗节短于2 ~ 3 跗分节之和 ……………………………… **麦叶蜂属 *Dolerus***

复眼内缘明显弧形凹入；后足基跗节长于2 ~ 3 跗分节之和 ……………… **凹眼叶蜂属 *Loderus***

84. 后翅 Rs 和 M 室均封闭；唇基宽长比大于3；后翅臀室柄显著长于 cu-a 脉。**短叶蜂亚科 Rocaliinae** ……………………………………………………………………… 85

后翅 Rs 和 M 室均开放；唇基宽长比小于3；后翅臀室柄短于或约等长于 cu-a 脉。**粘叶蜂亚科 Caliroinae**(部分) ……………………………………………………………………… 86

85. 额脊完全缺如，额区平滑；复眼大型，间距明显窄于复眼长径；中胸前侧片前缘具明显细缘脊；触角第2节长显著大于宽，第3节1.80倍于第4节长；雌虫产卵器十分短小，短于后足基跗节1/2长 ……………………………………………………………… **短唇叶蜂属 *Birmindia***

部额脊发育；复眼小型，间距显著宽于复眼长径；中胸前侧片前缘光滑，无缘脊；触角第2节长不大于宽，第3节约等长于第4节；雌虫产卵器正常，不短于后足基跗节 ………………… ……………………………………………………………………… **短叶蜂属 *Rocalia***

86. 触角鞭节各节约等长，第2节宽大于长；爪无基叶，具小形内齿；后翅臀室柄短于后 cu-a 脉 ……………………………………………………………………… **华波叶蜂属 *Sinopoppia***

触角鞭节不等长，第3节几乎2倍长于第4节，第2节长大于宽；爪具基叶，无内齿；后翅臀室柄长于 cu-a 脉 ……………………………………………………… **宽齿叶蜂属 *Arla***

87. 前翅 Rs + M 脉基部直；锯腹片柄部很短，显著短于锯腹片具锯节部分的1/2长。**粘叶蜂亚科 Caliroinae** ……………………………………………………………………… 88

前翅 Rs + M 脉基部显著弯曲；锯腹片柄部长，约等长或长于具锯节部分……………………… 89

88. 前翅 cu-a 脉中位，2A + 3A 收缩部角状弯曲；后足基跗节短于其后4节之和；爪具内齿，无基片；触角末端4节不显著收缩……………………………………… **异粘叶蜂属 *Endelomyia***

前翅 cu-a 脉位于1M 室中部内侧，2A + 3A 脉收缩部平缓；后足基跗节与其后4节之和等长；爪具大型基片，无内齿；触角端部4节明显短缩……………………………… **粘叶蜂属 *Caliroa***

89. 体狭长，腹部通常显著长于头胸部之和；中胸背板前叶长三角形，显著前突；中胸上后侧片明显下凹，具横脊；前翅2M 室长显著大于宽；后翅 M 室稍大于 Rs 室。**长背叶蜂亚科 Strongylogasterinae** ……………………………………………………………………… 90

体较粗短，腹部通常不明显长于头胸部之和；中胸背板前叶短三角形，不显著向前突伸；中胸后侧片无横脊，上后侧片鼓突；前翅 2M 室长等于或稍大于宽；后翅 M 室通常小于 Rs 室。**蕨叶蜂亚科 Selandriinae** ……………………………………………………………… 91

90. 中胸胸腹侧片平坦，胸腹侧片缝细浅或痕状；中胸后上侧片具明显膜窗；额脊锐利 …………………………………………………………………………… **窗胸叶蜂属 *Thrinax***

中胸胸腹侧片显著隆起，胸腹侧片缝宽沟状；中胸后上侧片无膜窗；额脊低钝 ……………………………………………………………………………… **长背叶蜂属 *Strongylogaster***

91. 胸腹侧片缝痕状，胸腹侧片十分平滑；后翅臀室具柄式；触角第 2 节细长；锯腹片粗短，端部具尖细刺突，无锯刃，具显著扁平瘤 …………………………………………………… 92

胸腹侧片稍隆起，显著；胸腹侧片缝沟状，如为痕状，则后翅臀室无柄式；锯腹片窄长，端部无尖细刺突，具锯刃，无明显扁平瘤 ……………………………………………………… 93

92. 头部额区无横沟，侧窝独立；阳茎瓣头叶尾部无钩突 ……………… **平缝叶蜂属 *Nesoselandria***

头部额区前部具横沟，左右侧窝互相贯通，具多条细横脊；阳茎瓣头叶尾部具明显的钩状突 …… ……………………………………………………………………………… **沟额叶蜂属 *Corrugia***

93. 头部侧窝开式，触角窝侧沟与侧窝连通；额脊高锐，颊脊发达，全缘式；触角基部 2 节长宽比不小于 2；后翅臀室具柄式 …………………………………………………………………… 94

头部侧窝闭式，触角窝侧沟不与侧窝连通；额脊通常低钝，颊脊缺或弱，稀少较长，非全缘式；触角基部 2 节长宽比小于 2；后翅臀室多为无柄式 ………………………………………… 97

94. 前翅臀室具横脉；爪具小形基片和较大内齿；触角约等长于腹部，第 3 节不短于第 4 节；中胸背板前叶后部不显著低平，无锐利中纵脊 ……………………………… **脉柄叶蜂属 *Busarbidea***

前翅臀室无横脉 ………………………………………………………………………………… 95

95. 中胸背板前叶后部 2/5 低平，具发达的中纵脊；前足胫节内距端部分叉 ………………………… 96

中胸背板前叶后部无低平区和中纵脊；前足胫节内距简单，端部不分叉；爪具大型基片，无内齿 …………………………………………………………………………… **斑柄叶蜂属 *Abusarbia***

96. 前翅 1M 脉与 1m-cu 脉平行；触角第 3 节长于第 4 节；上颚内齿亚端位；爪基片明显，内齿短小 ………………………………………………………………… **具柄叶蜂属 *Stromboceros***

前翅 1M 脉与 1m-cu 脉聚敛；触角第 3 节显著短于第 4 节；上颚内齿基位；爪无基片，内齿大…… ………………………………………………………………………… **敛柄叶蜂属 *Astrombocerina***

97. 后翅 Rs 室基背侧无柄，向 R 脉开放 ………………………… **长室叶蜂属 *Alphastromboceros***

后翅 Rs 室基背侧具明显柄部，不向 R 脉开放 ………………………………………………… 98

98. 各足爪具发达基片，内齿大，侧位，位于端齿和爪基片连线外侧；头部侧窝通常 1 对，互相靠近 ……………………………………………………………… **侧齿叶蜂属 *Neostromboceros***

各足爪无基片，或爪基片较小；爪内齿后位，位于端齿和爪基部连线上；头部侧窝每侧仅 1 个 ……………………………………………………………………………………………… 99

99. 头部后颊脊显著，如果仅后眶下部具后颊脊，则上颚粗壮，中部近似 90°强烈弯曲 ……… 100

头部无后颊脊；上颚短，外缘弧形弱度弯曲 …………………………………………………… 103

100. 爪具基片，内齿大，不短于端齿 1/2 长；触角第 2 节长大于宽；唇基端缘截型或缺口浅弱弧形 ……………………………………………………………………………………………… 101

爪无基片，内齿微小或缺；触角第 2 节宽大于长；唇基端缘缺口较深 ………………………… ……………………………………………………………………… **微齿叶蜂属 *Atoposelandria***

101. 唇基具弱横脊；后颊脊很短，位于后眶下部；上颚外缘中部近 90°弯折；触角狭长，端部 4 节不

明显短缩 ………………………………………………………………………… 拟齿角叶蜂属 ***Edenticornia***
唇基无横脊；后颊脊至少伸达后眶中部，通常伸达后眶上部 ……………………………… 102

102. 触角较粗短，末端4节显著短缩；中胸背板前叶后部无显著中纵脊；上颚外侧中部不强烈弯曲 ……………………………………………………………………………… 凹颚叶蜂属 ***Aneugmenus***
触角细长，末端4节不明显短缩；中胸背板前叶后部具显著中纵脊；上颚外侧中部强烈弯曲 ………………………………………………………………………………… 近颚叶蜂属 ***Paraneugmenus***

103. 额脊锐利、完整；触角第2节长大于宽；后翅臀室无柄式或具点状短柄；触角中基部粗壮，向端部显著变细尖；爪内齿基位，显著 ……………………………………………… 浅沟叶蜂属 ***Kulia***
额区平坦，额脊缺；触角第2节长等于宽；后翅臀室具柄式；触角细，中基部不粗壮，向端部不明显变细；爪内齿中位，微小，或无内齿 ……………………………… 柄臀叶蜂属 ***Birka***

（一）蕨叶蜂亚科 Selandriinae

15. 平缝叶蜂属 *Nesoselandria* Rohwer, 1910

Nesoselandria Rohwer, 1910: 657. **Type species**: *Paraselandria imitatrix* Ashmead, 1905.
Neobusarbia Takenchi, 1928: 94. **Type species**: *Neobusarbia flavipes* Takeuchi, 1928.
Melisandra Benson, 1939: 110. **Type species**: *Selandria morio* Fabricius, 1781.

属征：体小型。唇基平坦，端缘平截或具浅三角形缺口；上颚对称双齿式，无后颊脊；复眼大，内缘向下聚敛，间距明显小于复眼高，后头短且收缩；额区模糊，无额脊；触角细长，第2节长明显大于宽，第3节长于第4节，无触角器；胸腹侧片光滑，胸腹侧片缝痕状；中胸后上侧片隆起；后足基跗节等于或短于其后跗分节和；爪具基片，亚端齿通常仅稍短于端齿；前翅臀室完整，无臀横脉，1M脉与1m-cu脉向翅痣明显聚敛，R+M脉段明显；后翅臀室具柄式；锯腹片粗短，无锯刃，节缝明斑状或缺，具扁平瘤突；阳茎瓣头叶强烈，倾斜无尾钩。

分布：全北区，东洋区。世界已知80余种，中国已知50种，秦岭地区发现5种。

分种检索表

1. 腹部2~6腹板黄褐色；翅基片黑色 ……………………… 黑背平缝叶蜂 ***N. nigrodorsalis***
腹部腹板全部黑色 ………………………………………………………………………… 2
2. 各足股节和胫节全部黄褐色 …………………………………………………………… 3
前足股节、后足胫节端部和跗节黑褐色 …………………………… 汪氏平缝叶蜂 ***N. wangae***
3. 前胸背板和翅基片全部黑色；单眼后区中纵沟显著 ………………… 马氏平缝叶蜂 ***N. maliae***
翅基片黄褐色；单眼后区中纵沟不明显 ………………………………………………… 4
4. 颚眼距微窄于单眼直径；前胸背板黑色 …………………………… 张氏平缝叶蜂 ***N. zhangae***
颚眼距线状；前胸背板后角黑色 ………………………………… 中华平缝叶蜂 ***N. sinica***

(59) 马氏平缝叶蜂 *Nesoselandria maliae* Wei, 2002

Nesoselandria maliae Wei in Wei *et* Nie, 2002i: 429.

鉴别特征：体长4.00～4.50mm。体黑色；足黄褐色，前足基节大部和后足跗节大部黑褐色。体毛褐色，头部背侧细毛暗褐色。翅均匀烟褐色，翅痣和翅脉黑褐色。唇基端部具极浅的三角形缺口；颚眼距线状；中窝浅，横弧形，上缘封闭；侧窝深圆，大于中窝；额区稍发育，前部具1个明显的小凹，额脊低钝；单眼中沟细长，伸至单眼后区中部；单眼后区宽长比稍大于2；侧沟细长，不弯曲，向后显著分歧。触角细，第3节1.50倍长于第4节。体无刻点和刻纹，具强光泽。爪基片明显，内齿显著短于外齿，长于爪轴厚度。锯腹片无节缝，具较多扁平瘤，中部以外向端部强烈尖出，端突短小。雄虫下生殖板端部钝截形；抱器窄长，阳基腹铗尾显著分裂；阳茎瓣具亚端位刺突，尾角方形，下侧具刺突。

采集记录：1♀，佛坪，1000～1450m，2005. V.17，刘守柱采。

分布：陕西(佛坪)、宁夏、浙江、湖南、福建、广东、广西、重庆、四川、贵州。

(60) 黑背平缝叶蜂 *Nesoselandria nigrodorsalis* Wei, 2002 陕西新纪录

Nesoselandria nigrodorsalis Wei in Wei *et* Xiao, 2002: 69.

鉴别特征：体长3.50～5.00mm。体黑色；腹部2～6腹板全部和前足基节端半部、中后足基节大部、各足转节、前足股节基部和端部、中后足股节全部、各足胫节大部和前中足跗节大部黄褐色，前中足胫节端部1/3和后足胫节端部1/5左右、前中足跗节端部和后足跗节黑褐色。翅均匀黑褐色，翅痣和翅脉黑色。体背侧细毛黑褐色。唇基缺口浅三角形；颚眼距微短于单眼直径；单眼后区平坦，宽长比为2，具明显的中纵沟；侧沟较细直，伸达后头边缘，向后明显分歧。头部无刻点和刻纹，光滑。触角细丝状，第3节1.30倍长于第4节。爪内齿稍短于外齿。后翅臀室柄约等于cu-a脉的1/2～2/3长。锯腹片端突短，节缝十分显著，8个。雄虫触角鞭节较粗短，阳茎瓣简单。

采集记录：1♀，镇安，1300～1600m，2005. Ⅶ.10，朱巽、杨青采。

分布：陕西(镇安)、甘肃、安徽、湖南、广西、云南。

(61) 中华平缝叶蜂 *Nesoselandria sinica* Wei, 1997

Nesoselandria sinica Wei, 1997g: 1567.

鉴别特征：体长4.80～5.30mm。体黑色；口须、前胸背板后缘、翅基片及足黄

褐色，跗节端半部褐色。翅均匀烟色。唇基缺口浅三角形，颚眼距线状，复眼大，中窝横沟状，侧窝圆形，额区微隆起，额脊微可分辨；单眼后区宽长比为2∶1，侧沟深且宽，但不达后头边缘，长点状，向后强烈分歧；单眼中沟细深且较长。触角丝状，各节长度之比为9∶8∶22∶14∶13∶10∶9∶8∶8。爪具微小基片，内齿稍短于外齿。后翅臀室柄约等于后小脉的1/2长。锯鞘短三角形，锯腹片无节缝和尖突，背缘具膜。阳茎瓣具端位刺突，尾角尖出。

采集记录：1♀，镇安，1300～1600m，2005. Ⅶ. 11，朱巽采。

分布：陕西(汉中、镇巴)、甘肃、安徽、浙江、湖北、湖南、福建、广西、四川、贵州。

(62) 汪氏平缝叶蜂 *Nesoselandria wangae* Wei, 2002

Nesoselandria wangae Wei in Wei *et* Nie, 2002i: 431.

鉴别特征：体长3.50～4.50mm。体黑色；足黄褐色，前足基节外侧基部、前足股节大部、前中足胫节端部2/3、后足胫节端部5/6、跗节黑褐色。翅显著烟褐色。颚眼距微长于单眼半径；中窝横沟形，不开放；额区前部两侧具模糊额脊；单眼中沟和后沟缺如；单眼后区微隆起，宽长比微小于2；侧沟深长，微弱弯曲，向后稍分歧。头部光滑，额区具极微细的刻点，无刻纹。触角细，约等长于头胸部之和长，第3节与第4节的长度比为14∶9。爪内齿微短于端齿。后翅臀室柄稍长于cu-a脉1/2。锯腹片具7个节缝，1～5节缝显著骨化并翘起；锯腹片端突不很长，不骨化。雄虫颚眼距等于单眼直径的1/3，触角较粗短，下生殖板端部圆钝，阳基腹铗尾不裂，阳茎瓣无头叶刺突，尾叶窄长，端部钝。

采集记录：1♀，洋县，1985. Ⅶ. 18，李法圣采。

分布：陕西(洋县)、浙江、湖北、湖南、福建、广东、广西、重庆、贵州。

(63) 张氏平缝叶蜂 *Nesoselandria zhangae* Wei *et* Niu, 2007 陕西新纪录

Nesoselandria zhangae Wei *et* Niu, 2007: 775.

鉴别特征：体长4mm。体黑色，口须和翅基片黄褐色；足黄褐色，基节基部黑色。翅烟灰色透明，翅痣和脉黑褐色。体毛褐色。体无刻点，头胸部光泽强，后眶具弱刻纹，腹部背板刻纹明显，光泽弱。唇基具浅弧形缺口，复眼间距稍窄于复眼高；颚眼距0.70倍于单眼直径；侧窝弧形，两端前弯；额区隆起，前脊钝，无侧脊；单眼后区宽2.40倍于长，侧沟向后分歧，长1.50倍于单眼直径；触角细，第3节1.30倍于第4节长。后翅臀室0.40倍于cu-a脉长。爪内齿稍短于外齿。背面观锯鞘端部尖；锯腹片端突短，节缝不骨化，耳形突短小。

采集记录：1♀，太白山，1580m，2007. Ⅶ. 17，朱巽采。

分布：陕西（眉县）、河南、甘肃。

16. 沟额叶蜂属 *Corrugia* Malaise, 1944

Nesoselandria subgenus Corrugia Malaise, 1944: 13. **Type species**: *Nesoselandria* (*Corrugia*) *sulciceps* Malaise, 1944.

属征：体小型。唇基亚截形或截形，颚眼距不宽于单眼直径；复眼大型，内缘收敛，间距小于眼高；额区平坦，前缘具横沟，贯通侧窝，并常具细低的额脊，横贯于复眼之间；单眼后区扁宽，无后颊脊；触角细长，第2节长明显大于宽，第3节稍长于第4节；胸腹侧片平坦光滑，胸腹侧片痕状；爪具小形基片，亚端齿细长，稍短于端齿；前翅1M脉与1m-cu脉向翅痣聚敛，Rs脉第1段消失，R+M脉段短，约等长于第2r-m脉的1/2，臀室完整无横脉；后翅臀室具柄式；锯腹片粗短，端部刺突十分明显，节缝通常4~5个；阳茎瓣长形，倾斜，具尾钩，尾叶亚端部具1条长刺。

分布：东亚。世界已知20种，中国已记载15种，秦岭地区发现1种。

(64) 宽顶沟额叶蜂 *Corrugia* sp.

鉴别特征：雌虫体长4.50~5.00mm。体黑色，仅中后足转节和各足基跗节浅褐色。翅均匀烟褐色。唇基缺口浅平；颚眼距线状；中窝明显，横弧形；额区下缘横沟及横脊直，额区下部1/3具多数细横脊，稍模糊；单眼后区宽长比为2.50；侧沟长点状，亚平行，无单眼中沟。触角第3节与第4节长度之比为25:17。后翅臀室具短柄，柄长仅为后cu-a的1/3长。锯鞘短三角形，伸出腹端，锯腹片节缝十分清晰，4个，侧刺毛细长。雄虫体色及构造类似雌虫；阳茎瓣具尾勾。

采集记录：1♀，华山，1300~1600m，2005.Ⅶ.12，朱巽采。

分布：陕西（华阴）、北京、浙江、湖北、湖南、福建、广东、海南、广西、重庆、贵州。

17. 侧齿叶蜂属 *Neostromboceros* Rohwer, 1912

Stromboceros (*Neostromboceros*) Rohwer, 1912: 236. **Type species**: *Stromboceros* (*Neostromboceros*) *metallica* Rohwer, 1912.

Stypoza Enderlein, 1920: 367. **Type species**: *Stypoza cyanea* Enderlein, 1920.

属征：上颚对称双齿式，基叶背侧无凹窝；唇基平坦，端缘截型或具弧形缺口；后眶边缘明显弯折，具后颊脊，但发育程度不同；侧窝通常成对，有时单个或缺；触角第2节长大于宽，鞭节有时侧扁，或具触角器；胸腹侧片发达，胸腹侧片缝沟状；后胸淡膜区小，间距大于淡膜区宽；前足胫节内距端部分叉；后足基跗节等于或短于其余跗分节之和；爪具发达基片，亚端齿侧位，通常约与端齿等大；前翅臀室完整，无臀横脉，1M脉与1m-cu脉亚平行，Rs+M脉基部角状弯曲，有时具赘柄，1r-m脉不完全，cu-a脉中位或偏外侧；后翅臀室无柄式，Rs室较长，有时无基背柄；锯腹片狭长，常具缘齿和翼突，少数种类缺齿状突，具骨化节缝；雄虫腹部背板常具性沟；阳茎瓣头叶显著倾斜，顶侧叶和副阳茎顶叶均十分发达。

分布：东亚。世界已知约140种，中国已经记载59种，秦岭地区目前发现4种，秦岭地区记述3种。

分种检索表

1. 唇基白色；各足股节和胫节全部黄白色……………………………… **白唇侧齿叶蜂 *N. leucopoda***
   唇基黑色；各足股节黑色，后足胫节端部黑褐色 ……………………………………………… 2
2. 单眼后区长稍大于宽；额区具额侧沟 …………………………… **圆额侧齿叶蜂 *N. circulofrons***
   单眼后区宽大于长；额区无额侧沟 …………………………… **日本侧齿叶蜂 *N. nipponicus***

(65) 白唇侧齿叶蜂 *Neostromboceros leucopoda* Rohwer, 1916 陕西新纪录

Neostromboceros leucopoda Rohwer, 1916: 104.

Stromboceros tonkinensis Forsius, 1931: 35.

Neostromboceros yakushimensis Takenchi, 1941: 254.

鉴别特征：体长6.00~7.50mm。体黑色，上唇、唇基、前胸背板后缘、翅基片、中胸前上侧片及足白色，各足基节基部及跗节末端2节黑褐色。翅烟褐色，翅痣黑褐色。体光滑，无蓝色光泽；小盾片后缘具少许刻点。后颊脊低短，颚眼距几乎缺失；复眼内缘向下强烈收敛，间距小于眼高；中窝横沟形，微弯曲；侧窝斜椭圆形，单个；额区微隆起，窄"U"形，额脊显著，两侧和前缘均不中断，无额侧沟；单眼后区宽显著大于长；侧沟细长微弯，几乎伸抵头部后缘。触角丝状，稍短于头胸部之和，中部几乎不粗，无触角器，不侧扁；第3节1.20~1.30倍于第4节长。胸腹侧片缝浅沟状。爪基片锐利，爪亚端齿稍短于端齿。后翅臀室无柄式。锯鞘背面观和侧面观均为三角形，末端较尖。锯腹片具4个翼突和4个近腹缘距。雄虫腹部具性沟。

采集记录：1♀，佛坪，1000~1450m，2005. V. 17，刘守柱采。

分布：陕西（佛坪）、河南、甘肃、安徽、浙江、江西、湖南、福建、台湾、广东、广西、重庆、四川、贵州、云南；日本，越南。

(66) 日本侧齿叶蜂 *Neostromboceros nipponicus* Takeuchi, 1941 陕西新纪录（图版2：C）

Neostromboceros nipponicus Takeuchi, 1941: 257.

鉴别特征：体长 7～10mm。体黑色，上唇、前胸背板后缘、中胸前上侧片、各足基节端部与转节、前中足胫节外侧大部、后足胫节外侧基部 1/3～1/2 白色。小盾片后缘具稀疏大刻点，唇基刻点细小；颚眼距近线状，不长于单眼直径的 1/3；后颊脊较发达；复眼内缘亚平行；后头两侧稍收狭；中窝外观方形，底部马蹄形，侧窝成对，约等大；额脊低而显明，顶端狭细，侧面无沟；单眼后区宽大于长；侧沟中等深，不抵后缘，单眼中沟细浅；触角鞭节中部粗于两端，不侧扁，无触角器，第 3 节 1.25 倍于第 4 节长。爪亚端齿几乎与端齿等长。锯鞘背面观呈短三角形，末端尖，基部收缩；侧面观末端宽截形。雄虫腹部具性沟。

采集记录：1♀，镇安，1300～1600m，2005. Ⅶ. 10，朱巽采。

分布：陕西（秦岭）、河北、山东、河南、安徽、浙江、湖北、江西、湖南、福建、广东、广西、重庆、四川、贵州、云南；日本。

（67）圆额侧齿叶蜂 *Neostromboceros circulofrons* Wei, 2002 陕西新纪录

Neostromboceros circulofrons Wei in Wei *et* Nie, 2002i: 432.

鉴别特征：体长 9mm。体黑色，头部背侧微带青色光泽；上唇、前胸背板后缘、翅基片前端、中胸前上侧片、各足基节端半部、各足转节、前中胫节外侧大部、后足股节腹缘基半部、后足胫节基部 4/5 和腹部第 10 背板大部白色；前中足胫节腹侧和端部、前中足跗节暗褐色，后足胫节端部和跗节黑褐色。翅浅烟褐色，翅痣和翅脉黑褐色。体毛和足毛浅褐色。体光滑，小盾片后缘具 1 列小刻点，虫体其余部分无显著刻点和刻纹。颚眼距线状；中窝横弧形，侧窝 1 对，很小，互相分离；额区圆，额脊宽钝，前端不开放；单眼中沟显著，后沟模糊；具额侧沟；单眼后区长微大于宽；侧沟不伸抵头部后缘；后颊脊很短。触角稍短于腹部，鞭节显著侧扁，端部细尖，第 3 节稍长于第 4 节。爪基片锐利，内齿宽于但等长于外齿。后翅臀室无柄式。雄虫腹部具发达性沟。

采集记录：3♀，镇安，1300～1600m，2005. Ⅶ. 10，朱巽、杨青采。

分布：陕西（镇安）、浙江、湖北、湖南、福建、广东、广西、重庆、贵州。

18. 浅沟叶蜂属 *Kulia* Malaise, 1944

Kulia Malaise, 1944: 48. **Type species**: *Stromboceros sinensis* Forsius, 1927.

属征：唇基平坦，无横脊，前缘缺口浅弧形；上颚粗短，对称双齿式，端齿约 65°内折；复眼大，间距约等于复眼长径，颚眼距线状；额区卵形，额脊锐利、完整，侧窝封闭；后眶宽，后颊脊缺；触角粗丝状，中基部较粗，端部细尖，第 2 节长大于宽，第 3 节长于第 4 节，5～8 节下缘端部稍突出成齿状，长度不迅速缩减；胸腹侧片宽，胸

腹侧片缝狭沟状，侧面观倒“V”形，上端横沟细浅；后足基跗节稍短于其余跗分节之和；爪亚端齿较大且为中位，基片小型；前翅 cu-a 脉位于中室中部外侧，1M 脉与 1m-cu 脉平行，Rs + M 脉基部急弯；后翅臀室无柄式；雄虫腹部无性沟，阳茎瓣倾斜，具背缘细齿。

分布：东亚，欧洲。世界已知 4 种，秦岭地区发现 1 种。

(68) 中华浅沟叶蜂 *Kulia sinensis* (Forsius, 1927)（图版 2：D）

Stromboceros (*Eustromboceros*) *sinensis* Forsius, 1927: 8.

鉴别特征：雌虫体长 7 ~ 8mm。体黑色；前胸背板后缘、翅基片、各足膝部、各足胫节除端部以外均白色，腹部各节背板后缘有时具狭窄白色边缘。翅浓烟色。体光滑，被覆黑褐色细毛。唇基缺口浅，单眼后区侧沟深直，伸达头部后缘；额区及周围具稀疏毛瘤及细微皱纹。触角第 3 节几乎不长于第 4 节。中胸背板前叶鼓起，中沟深而显明，不愈合。前翅 Rs + M 脉基部急剧弯曲，常具小形赘柄。锯鞘小，背面观不伸出腹端。雄虫体长 6.50 ~ 7.00mm；翅基片、前胸背板后缘及后足胫节通常完全黑色，有时翅基片及后足胫节部分污白色。

采集记录：1♀1♂，佛坪大古坪，1190m，2006. Ⅳ. 27，朱巽、何末军采。

分布：陕西（佛坪）、辽宁、内蒙古、北京、河北、山东、河南、甘肃、江苏、安徽、浙江、湖北、江西、湖南、福建、广东、广西、重庆、四川、贵州、云南；韩国。

19. 微齿叶蜂属 *Atoposelandria* Enslin, 1913

Atoposelandria Enslin, 1913: 197. **Type species**: *Selandria furstenbergensis* Konow, 1885.

属征：唇基窄小，平坦或具弧形钝弱横脊，前缘中部具深缺口；复眼大，内缘向下强烈会聚；上颚对称双齿式，端齿接近 90°弯曲；颚眼距线状，短于单眼半径；额区稍隆起，额脊锐利，侧窝圆形，封闭；后眶狭窄，后颊脊发达，伸达头顶；单眼后区宽大于长，背面观后头两侧强烈收缩；触角较粗短，第 2 节宽大于长或约等于长，第 3 节明显长于第 4 节，端部 4 节稍短缩，无触角器；前胸侧板腹侧端部狭窄，无接触面；中胸背板前叶后部 1/3 不低洼，无中纵脊；胸腹侧片显著，平坦，胸腹侧片缝细浅或较深；淡膜区间距约等于淡膜区横宽；前足胫节内距端部分叉，后足胫节约等长于跗节，基跗节短于其余跗分节之和；爪无基片，亚端齿缺，或十分微小，远离端齿；前翅 R + M 脉段明显，Rs + M脉基部明显向内侧弧形弯曲，cu-a 脉位于中室中部外侧，1M 脉与 1m-cu 脉几乎平行；后翅 Rs 室具基背柄，臀室无柄式。锯鞘短小，锯腹片具节缝、节缝翼突和锯刃；雄虫后翅无缘脉，腹部有时具性沟，阳茎瓣具背缘细齿。

分布：古北区。世界已知 4 种。中国记载 3 种，秦岭地区发现 1 个新种，将另文发表。

(69) 黑鳞微齿叶蜂 *Atoposelandria* sp.

鉴别特征：体长5mm。体黑色，仅前胸背板后角具大白斑，白斑里具小黑斑。足黑色，前足股节前侧大部、中后足股节端部背侧、各足胫节大部、前中足基跗节黄白色。翅几乎透明，翅痣和翅脉黑褐色。体背侧细毛暗褐色，侧斑细毛浅褐色。唇基缺口弧形，深约等于唇基1/3长，颚眼距线状；复眼下缘间距显著窄于复眼长径；单眼后区宽长比约等于3，侧沟深，短点状；后颊脊较弱；背面观后头十分短小，约等长于复眼1/5长，强烈收缩；头部背侧毛瘤十分密集，光泽较弱；胸部背板具明显细浅刻点，小盾片后缘和两侧具粗大刻点，胸部侧板无明显刻点或刻纹；腹部第1背板光滑，2、3背板具细弱刻纹，其余背板具明显毛瘤。中胸胸腹侧片缝细弱。爪具微小中位内齿。前翅2r脉直，后翅臀室末端无赘柄。腹部无性沟。

采集记录：1♂，佛坪大古坪，1320m，2006.Ⅳ.28，朱巽采。

分布：陕西(佛坪)。

20. 凹颚叶蜂属 *Aneugmenus* Hartig, 1837

Emphytus (*Aneugmenus*) Hartig, 1837: 253. **Type species**: *Tenthredo* (*Emphytus*) *coronata* Klug, 1818.

Colposelandria Enslin, 1912: 110. **Type species**: *Colposelandria jacobsoni* Enslin, 1912.

Polyselandria MacGillivray, 1914: 104. **Type species**: *Selandria floridana* MacGillivray, 1895.

Selandria (*Selandropha*) Zirngiebl, 1956: 322. **Type species**: *Selandria stramineipes* (Klug, 1816) [= *Aneugmenus padi* (Linné, 1760)].

属征：体粗短。唇基平坦，端部截形或具浅平缺口；上颚对称双齿形，端部不急剧弯曲，基叶上侧具1个漏头形凹陷；后眶中部宽于单眼直径，颚眼距明显；后颊脊发达，通常伸达头顶；背面观后头收缩，复眼大，内缘向下聚敛，间距约等于眼高；额区稍隆起，额脊低钝，稀较显著，侧窝圆形，不向前开放；触角丝状，第2节长稍大于宽，第3节长于第4节，末端4节显著短缩；胸腹侧片发达，胸腹侧片缝细浅，线状，上部不弯曲；后足基跗节短于其余跗分节之和，后足胫节端距长于胫节端部宽；爪具明显基片，亚端齿发达，后位；前翅1M脉与1m-cu脉平行，cu-a脉位于中室端部1/3，臀室完整，无横脉；后翅具闭Rs和M室，臀室无柄式；雌虫产卵器柄部稍长于主体；雄虫有时具性沟，阳茎瓣头叶倾斜，具背缘细齿。

分布：全北区，新热带区，主要分布于东亚。世界已知27种，中国已记载12种，秦岭地区发现4种。

分种检索表

1. 体黑色；除第10节外，腹部无明显淡斑；唇基黑色 ………………………………………… 2

腹部具大型黄白斑；各足股节和胫节黄褐色；唇基黄白色 ………………………………… 3

2. 各足股节黑色；后颊脊发达，伸达后眶上部 ………………………… **小膜凹颚叶蜂 *A. cenchrus***

各足股节黄白色；后颊脊短，后眶上部无颊脊 ……………………… **圆颊凹颚叶蜂 *A. temporalis***

3. 腹部腹侧全部黄褐色；中胸侧板全部黑色；唇基具深三角形缺口；颚眼距线状 ………………………………………………………………………………… **日本凹颚叶蜂 *A. japonicus***

腹部腹板黑色，背板缘折黄白色；中胸侧板具黄白色横带；唇基缺口浅弧形；颚眼距长于单眼半径 …………………………………………………………………… **黄带凹颚叶蜂 *A. pteridii***

（70）黄带凹颚叶蜂 *Aneugmenus pteridii* Malaise, 1944

Aneugmenus pteridii Malaise, 1944: 6.

鉴别特征：体长6mm。体黑色；唇基、上唇、上颚基部、口须、翅肩片、前胸背板侧叶、中胸前侧片中央横斑、腹部背板缘折、末节背板及足白色至浅黄色；中胸小盾片中央具白斑；各足跗节部分黑褐色，基跗节通常大部黄褐色。翅均匀浅烟色，翅脉和翅痣黑褐色。体光滑，额脊附近稍具横皱，小盾片后部具少许刻点。唇基平坦，缺口很浅；颚眼距等于或大于1/2 单眼直径；后颊脊发达；额区稍隆起，额脊细低但明显，端部较模糊；单眼后区隆起，长宽比为1:2。触角细，稍长于胸部，短于头胸部之和，第3 节1.20倍长于第4 节，等长于末端 3 节之和，端部4 节几乎不长于第4 +5节之和。锯鞘突出于腹端，端部圆钝；锯腹片 6 刃，端部背缘膜突出；锯刃突出，无细齿。

采集记录：1♀，佛坪大古坪，1320m，2006. Ⅳ. 28，何末军采。

分布：陕西（佛坪）、河南、甘肃、安徽、浙江、湖北、江西、湖南、福建、广西、重庆、四川、贵州、云南；缅甸。

（71）小膜凹颚叶蜂 *Aneugmenus cenchrus* Wei, 1997 陕西新纪录

Aneugmenus cenchrus Wei, 1997g: 1573.

鉴别特征：体长5.50 ~7.50mm。体黑色；上唇、口须、前胸背板后缘、翅基片外缘、足基节端半、转节、股节端部、前中足胫节及其跗节的1 ~2 分节、后足胫节除末端外、后跗分节1 ~2 白色。翅几乎透明。体披黑褐色细毛。唇基亚截形，上颚几乎成直角状弯曲；颚眼距线状，侧窝与中窝等大但较深；额区稍隆起，额脊低钝；单眼后区宽稍大于长；侧沟细深，弯曲，伸达头部后缘；后颊脊伸至头顶。触角等长于前缘脉，第3 节细，短于末端 3 节之和。胸侧腹片缝细沟状。淡膜区小，近圆形，间距2 倍于淡膜区宽。锯鞘突出于腹端以外；锯腹片7 刃，刃稍突出，具细齿，节缝翅突5 个，中位。体光滑。雄虫后足胫节端部 1/3 及后基跗节黑色，性沟浅；抱器长等于宽，端缘近截形；阳茎瓣无端侧叶。

采集记录： 3♀，留坝大坝沟，1320m，2007. Ⅴ. 20，朱巽采；2♀，佛坪岳坝，1085m，2006. Ⅳ. 29，何末军采。

分布： 陕西（留坝、佛坪）、河南、甘肃、安徽、浙江、湖北、江西、湖南、广西、重庆、四川、贵州。

（72）日本凹颚叶蜂 *Aneugmenus japonicus* Rohwer, 1910

Aneugmenus japonicus Rohwer, 1910: 108.

Aneugmenus (*Aneugmenus*) *gratus* Zhelochovtsev, 1951: 139.

鉴别特征： 体长5.00～5.50mm。体黑色；唇基、上唇、上颚基半部、触角第1节大部或全部、第2节少部分、前胸背板侧叶大部、翅基片、中胸前上侧片、中胸后侧片后缘狭边、腹部腹面包括背板缘折和足淡黄色至白色，第7腹板部分黑褐色，后足第3～4跗分节暗褐色。翅浅烟色透明，基端浅褐色，翅痣和翅脉黑褐色。体背侧细毛褐色。体光滑，小盾片后缘具刻点。复眼间距明显窄于眼高；唇基平坦，缺口深弧形；颚眼距线状，后颊脊伸达复眼上部后侧；额区桶形，中部稍凹，额脊低钝，前端开放；单眼后区宽长比约等于2；侧沟向后分歧；触角细，约等长于头胸部之和，第3节等长于末端3节之和，1.30倍于第4节长。锯腹片端部尖，5刃，刃突出，几乎无细齿，节缝翅突4个，低位。雄虫腹部具浅性沟，后足胫节末端和跗节黑褐色。

采集记录： 1♀，佛坪大古坪，1320m，2006. Ⅳ. 28，何末军采。

分布： 陕西（佛坪）、河南、江苏、安徽、浙江、江西、湖南、福建、台湾、广东、广西、贵州；俄罗斯，日本。

（73）圆颊凹颚叶蜂 *Aneugmenus temporalis* (Thomson, 1871)

Selandria temporalis Thomson, 1871: 239.

鉴别特征： 体长6mm。体黑色，翅基片及足黄褐色，上唇和转节褐色，足基节黑色。体光滑，细毛褐色。翅均匀浅烟色，翅痣黑褐色。唇基平坦，前缘缺口浅三角形；颚眼距线状，后颊脊短，仅伸达复眼后缘中下部；侧窝深圆，小于中窝；额区稍显，额脊低平；单眼中沟、后沟、侧沟均细浅且短。触角短粗，第2节长微大于宽，第3节短于末端3节之和。后足基跗节短于其后附分节之和；爪亚端齿稍短于端齿。胸腹侧片缝浅弱；后胸淡膜区扁宽，稍宽于淡膜区间距。雄虫具性沟，下生殖板端部圆。前翅Rs脉第1段不完全，2Rs室外下角斜伸。抱器短，端部斜截，腹铗内叶短，尾端截形，阳茎瓣无端侧叶，具1中位侧齿。

采集记录： 1♂，镇巴，1980. Ⅳ. 27，向龙成采。

分布： 陕西（镇巴）、黑龙江、吉林、宁夏；俄罗斯，日本，欧洲。

21. 近颚叶蜂属 *Paraneugmenus* Wei *et* Nie, 1999

Paraneugmenus Wei *et* Nie, 1999b: 92. **Type species**: *Aneugmenus mandibularis* Wei, 1997.

属征：唇基平坦，无横脊，端缘缺口不明显；上颚中部强烈弯曲，但弯曲度大于90°；颚眼距短于单眼直径，后颊脊发达；侧窝发达，额区与内眶等宽，低于复眼面，额脊锐利；复眼下缘间距微狭于眼高，内缘向下收敛。触角细长，第2节长大于宽，第3节长于第4节，末端4节长度不短缩，第8节长宽比显著大于2。前胸背板具侧脊；中胸背板前叶后端具短中脊和小形凹区；淡膜区小，间距大于淡膜区宽。胸腹侧片大而平坦，胸腹侧片缝沟状；后胸后侧片宽大平坦。前足胫节内距端部分叉；后足基跗节显著短于其后4节之和；爪具微小基片，内齿大，短于外齿。前翅C脉端部稍膨大，R+M脉短于Rs脉第1段；1M脉与1m-cu亚平行，cu-a脉交于1M室下缘外侧1/3，2M室不延长，臀室无横脉。后翅Rs和M室封闭；臀室封闭，无臀柄。腹部第1节背板后缘平直。锯鞘短小；锯腹片柄部显著长于具锯节部，具近腹缘距和锯刃。阳茎瓣头叶倾斜，具背缘细齿。

分布：中国。目前仅知1种，秦岭地区有分布。

(74) 白足异颚叶蜂 *Paraneugmenus frontalis* (**Wei, 1997**)（图版2：E）

Aneugmenus frontalis Wei, 1997e: 39.

Aneugmenus mandibularis Wei, 1997e: 44.

Paraneugmenus frontalis: Niu & Wie, 2013: 262.

鉴别特征：体长7.00~8.50mm。头胸部黑色，腹部黑褐色；口须、前胸背板后缘、翅基片和足淡黄色，基节基半黑色，跗节末端褐色。翅均匀浅烟色，翅痣和翅脉黑褐色。上颚中部约成100°角弯曲；上唇近横方形，端缘中部显著低洼；颚眼距线状；后颊背伸抵上眶后缘；中窝大，圆形，中央具1个小陷窝；侧窝深圆，与中窝等大；额脊细，显著隆起，前缘开放；具单眼中沟；单眼后沟不显著；POL: OOL=1: 2.2；单眼后区显著隆起，宽长比为4: 3；侧沟宽深，亚平行。头部光滑，后眶后缘具少许细小刻点。触角细，第3节1.20倍长于第4节。中胸小盾片后部具少许刻点。胸腹侧片宽大并隆起。前翅Rs+M脉亚基部角状反曲，Rs基部存在；2Rs不短于1Rs室，外下角尖出。锯鞘腹缘微呈弧形，端缘圆钝；背面观锯鞘窄三角形，基部稍膨大，端部尖出。雄虫额区显著下沉。

采集记录：1♀，周至楼观台，801m，2006. Ⅶ. 06，朱巽采；1♀（正模），佛坪，1985. Ⅶ. 16，李法圣采；1♀，佛坪，1000~1450m，2005. Ⅴ. 17，朱巽采；1♂，佛坪大古坪，1320m，2006. Ⅳ. 28，何末军采；1♂，佛坪岳坝，1085m，2006. Ⅳ. 29，何末

军采；5♀，镇安，1300～1600m，2005. Ⅶ.10，杨青、朱巽采。

分布：陕西（周至、佛坪、镇安）、河南、甘肃。

22. 柄臀叶蜂属 *Birka* Malaise，1944

Birka Malaise，1944：4. **Type species**：*Tenthredo*（*Allantus*）*cinereipes* Klug，1816.

Birka（*Lineobirka*）Wei *et* Nie，1997c：50. **Type species**：*Birka*（*Lineobirka*）*lineata* Wei *et* Nie，1997.

Paraneugmenus frontalis：Niu & Wei，2013：262.

属征：唇基端部截形或亚截形，颚眼距不宽于单眼直径；后眶较宽，无后颊脊，背面观后头短，两侧缘稍收缩；额区稍隆起，无明显额脊；复眼大，内缘向下聚敛；触角短，第2节长宽相若，第3节长于第4节，鞭节端部数节长度不明显短缩，无触角器；胸腹侧片缝沟状，上部不弯曲；中胸后上侧片隆起；前足胫节内距端部分叉，后足胫节端距约等长于胫节端部宽，后足基跗节短于其余跗节之和；爪微小，无基片，亚端齿微小，中位，有时缺；前翅C脉端部膨大，1M脉与1m-cu脉近似平行，cu-a脉位于1M室下缘外侧1/3，臀室无横脉；后翅具双闭中室，臀室具柄；锯腹片无骨化节缝，具半透明横斑，具6～8个锯刃和5～9个翅突；雄虫无性沟，后翅无缘脉，阳茎瓣头叶明显倾斜，具横形中位侧叶和背缘细齿。

分布：古北区，新北区。世界已知17种，指名亚属5种，*Lineobirka* 亚属12种。中国记载12种，秦岭地区发现2种，本文记述1种，另1新种单独发表。

（75）卵鞘柄臀叶蜂 *Birka ootheca* Wei，1997

Birka（*Lineobirka*）*ootheca* Wei in Wei *et* Nie，1997c：55.

鉴别特征：体长6.20mm。体和足黑色，翅基片及前胸背板后角白色；股节端部、胫节和基跗节黄褐色，基跗节末端和其余跗分节黑褐色。翅烟褐色，前缘脉及痣黑褐色。唇基端部平截；颚眼距短于1/3单眼直径，中窝和侧窝均圆形；额区隆起，隆脊低钝；单眼后区强烈隆起，侧面观远高出单眼顶面，宽长比为1.50，侧沟细直，单眼后沟及中沟宽浅。触角长不足头宽1.30倍，各节长度比为8∶7∶21∶12∶11∶8∶6∶6∶6，第8节长宽比为1.30。爪具微小亚端齿。淡膜区间距小于淡膜区宽。前翅R+M脉和Rs+M脉明显，2Rs室短于1Rs室；后翅cu-a脉3倍于臀室柄长；第1背板膜区大；锯鞘背面观卵形，侧面观末端尖；锯腹片中部收缩，翅突5个，中部翅突大，刺毛带分离。

采集记录：1♀（正模），安康，1980. Ⅳ.16。

分布：陕西（安康）、福建、贵州。

23. 长室叶蜂属 *Alphastromboceros* Kuznetzov-Ugamskij, 1928

Alphastromboceros Kuznetzov-Ugamskij, 1928: 33. **Type species**: *Strongylogaster konowi* Jakowlew, 1891.

Parastromboceros Takeuchi, 1941: 250. **Type species**: *Stromboceros filicis* Malaise, 1931.

属征: 体细长。唇基前缘具浅三角形缺口, 颚眼距狭于单眼直径(雌性)或线状(雄性); 上颚粗短, 对称二齿式, 内齿端位, 端齿外侧弧形微弱弯曲; 额区稍隆起, 额脊圆钝; 后颊脊显著; 复眼内缘向下收敛, 触角窝距狭于复眼—触角窝距; 触角短, 第2节长等于或大于宽, 第3节长于第4节; 胸腹侧片发达; 后胸淡膜区间距等于或稍大于淡膜区宽; 前足胫节内端距端部分叉, 后足基跗节短于其后4节之和, 爪具发达的基片, 无亚端齿。前翅C脉端部微弱膨大, 翅痣狭长, 1M脉与1m-cu脉平行; 臀室无横脉, Rs+M脉基部弯曲度小。后翅Rs室和M室十分狭长, 长宽比不小于4, Rs室向径脉开放; 臀室无柄式。锯腹片无明显节缝, 具接近腹缘的翼突距和细小刃齿, 无亚中位翼突距。阳茎瓣头叶较宽大, 具背缘细齿, 阳茎腹铗内叶双尾形。

分布: 东亚。世界已知5种, 中国均有分布。秦岭地区发现1种。

(76) 黑距长室叶蜂 *Alphastromboceros nigrocalcus* Wei *et* Nie, 1999 陕西新纪录

Alphostromboceros [sic!] *nigrocalcus* Wei *et* Nie, 1999b: 93.

鉴别特征: 体长7.50mm。体黑色, 具光泽; 足黄褐色, 各足基节基半部黑色, 跗节端半部稍呈暗褐色, 中后足胫节距黑色。体毛短, 黑褐色。翅透明, 翅痣和翅脉黑色。头部背侧光滑, 在复眼后强烈收缩; 后颊脊伸达后眶中部; 单眼后区宽微大于长, 侧沟短深且直, 单眼后沟细浅, 中沟深; 额侧沟发达, 额区隆起, 额脊低钝但完整; 中窝深, 显著大于侧窝; 唇基平坦光滑, 无刻点, 前缘缺口弧形。触角第2节长大于宽, 第3节1.50倍于第4节长, 端部5~6节强烈侧扁, 端节背面观长为宽的3倍以上。前翅2r末端远离2r-m脉, 2Rs室下缘端角显著前伸, Rs+M脉基部弯曲度很弱。后足胫节距约为基跗节1/4长。锯腹片具7个锯刃, 第1锯刃不明显。

采集记录: 3♂, 长安终南山, 1555m, 2006. Ⅴ.27, 杨青、朱巽采; 1♂, 宝鸡天台山, 802m, 2006. Ⅴ.23, 杨青采; 1♀, 华山, 1300~1600m, 2005. Ⅶ.12, 朱巽采; 4♀8♂, 佛坪大古坪, 1320m, 2006. Ⅳ.28, 朱巽、何末军采; 1♀1♂, 佛坪大古坪, 1190m, 2006. Ⅳ.27, 朱巽、何末军采; 3♀6♂, 佛坪, 1000~1450m, 2005. Ⅴ.17, 刘守柱、朱巽采; 1♂, 镇安, 1300~1600m, 2005. Ⅶ.10, 杨青采。

分布: 陕西(长安、宝鸡、凤县、眉县、华阴、佛坪、镇安)、山西、河南、甘肃、浙江、湖南、广西、贵州。

24. 拟齿角叶蜂属 *Edenticornia* Malaise, 1944

Edenticornia Malaise, 1944: 53. **Type species**: *Edenticornia birmana* Malaise, 1944.

属征：唇基具微弱横脊，前缘锐薄；上颚几乎对称双齿形，端部90°弯曲；颚眼距线状，后颊脊伸达后眶中部，额脊低钝；触角丝状，第2节长大于宽，第3节明显长于第4节，鞭各节端部不扩展，外观不呈齿状；中胸背板前叶后部具钝中脊，胸腹侧片缝细深；淡膜区小，间距宽于淡膜区长径；前足胫节内距低位分叉，后足基跗节等长于其余跗分节之和；爪基片小，亚端齿稍短于端齿；前翅1M脉与1m-cu脉向翅痣稍聚敛，臀室完整，无横脉；后翅具双闭中室，Rs室具基背柄，臀室无柄式。锯腹片无骨化节缝，具翅突，锯刃6～7个。阳茎瓣头叶倾斜，具背缘细齿。

分布：东亚。世界已知5种，中国均有分布，秦岭地区发现1种。

(77) 大眼拟齿角叶蜂 *Edenticornia megaocula* Wei, 2005

Edenticornia megaocula Wei in Wei *et* Lin, 2005: 433.

鉴别特征：体长9mm。体黑色；唇基、上唇、前胸背板后缘宽边、中胸前上侧片、各足基节端部、转节全部、后足胫节基部4/5白色，翅基片外缘褐色，前足股节端部、前中足胫节外侧、前中足1～3跗分节、后足基跗节大部、第2跗分节部分黄褐色，唇基端缘狭边暗褐色。体光滑，仅小盾片后部具少许刻点。翅近透明。体披淡色细毛。颚眼距宽线状；复眼大，间距明显窄于眼高；背面观后头稍延长，两侧较直，向后明显收缩，稍短于复眼1/2长；单眼后区较平坦，前部稍隆起，长微大于宽；侧沟深，向后明显分歧，仅伸达单眼后区中部，远离头部后缘；无后颊脊，具短口后脊。锯腹片具7刃和6翅突，翅突背缘稍扩展，锯刃具细齿。

采集记录：1♀，镇安，1981. Ⅴ. 13，马宁采；1♂，镇安，1300～1600m，2005. Ⅶ. 10，朱巽采。

分布：陕西（镇安）、湖北、湖南、四川、贵州。

25. 脉柄叶蜂属 *Busarbidea* Rohwer, 1915

Busarbidea Rohwer, 1915: 46. **Type species**: *Busarbidea himalaiensis* Rohwer, 1915.

Canoniades Forsius, 1929: 59. **Type species**: *Canoniades jacobsoni* Forsius, 1929.

属征：体较狭长，光滑。上颚对称双齿式，中端部显著弯曲；唇基前缘具缺口，端缘薄；额脊十分锐利，在单眼之间不中断，侧窝内外均具锐脊；后头短，后颊脊十分发达，至少伸达上眶后部；颚眼距短于1/3单眼直径；复眼内缘向下明显收敛，额区与颜面之间不明显弯折；触角长丝状，短于头宽2倍，第1、2节细长，均不短于宽的2倍，具触角器。中胸背板前叶后部1/3圆钝，无明显中纵脊；胸腹侧片发达，胸腹侧片缝细深，中胸后侧片横脊低，后上侧片微鼓，前下角深陷。前足胫节内端距端部分叉，后足胫距长于胫端宽，后足基跗节约与其余跗分节之和等长；爪基片锐利，具亚端齿。前翅R+M脉段约与1r-m脉等长，1M脉与1m-cu脉明显向翅痣聚敛，臀室具近垂直的横脉，Rs+M脉基部弧形反曲，C脉末端稍膨大，cu-a脉中位；后翅具双闭中室，臀室具柄式。阳茎瓣近长方形，具背缘细齿。锯腹片无骨化节缝，具4~6个强刃和翅突。

分布：东亚。世界已知19种，中国记录12种，秦岭地区发现3种。

分种检索表

1. 两性单眼后区长等于宽；额区前缘脊完整且锐利；触角梗节黑色；雄虫下生殖板端部截型；触角第5节显著长于第6节，末端4节明显短缩 ……………… 2
   两性单眼后区宽显著大于长；额区前缘脊低，中央中断；触角梗节黄褐色；雄虫下生殖板端部圆突；触角第5节微长于第6节，末端4节不明显短缩 ……………… **刘氏脉柄叶蜂 *B. liui***
2. 单眼后区显著呈屋脊状隆起，中纵脊明显；侧沟很深且宽直；锯鞘腹缘直；中胸背板前叶后端具明显短纵脊 ……………… **宽沟脉柄叶蜂 *B. verticina***
   单眼后区低钝隆起，中纵脊仅前部较明显；侧沟较浅弱，明显弯曲；锯鞘腹缘弧形；中胸背板前叶后端无明显短纵脊 ……………… **秦岭脉柄叶蜂 *B. qinlingia***

(78) 宽沟脉柄叶蜂 *Busarbidea verticina* Wei, 2002 陕西新纪录

Busarbidea verticina Wei in Wei *et* Wang, 2002: 63.

鉴别特征：体长6mm。体黑色，上唇、唇基、口须、触角柄节、前胸背板后缘宽边和翅基片白色；足淡黄色，跗节端部褐色。翅浅烟色透明。上颚中部强烈弯曲；颚眼距稍窄于单眼半径；复眼内缘向下微弱收敛，间距稍宽于眼高；额区亚三角形，中部具纵沟；额脊锐利且完整，无任何中断；额区两侧的内眶稍凹入；POL∶OOL = 5∶11；从额脊后端向单眼后区伸出1支较长而细低的中纵脊，伸达单眼后区后部；单眼后区显著隆起，宽稍大于长；侧沟深长且直，向后稍分歧；头部背面无刻点。触角第3节稍长于第4节。前翅1M脉显著弯曲，R+M脉等长于Rs脉第1段，2Rs室长于1Rs室。后翅臀室柄稍长于cu-a脉的1/2。锯鞘侧面观腹缘直，端部钝截形。锯腹片具5个近腹缘距和5个翅突距。

采集记录：1♀，周至厚畛子，1309m，2006.Ⅶ.09，朱巽采；4♀，佛坪，1000~1450m，2005.Ⅴ.17，刘守柱采。

分布：陕西(周至、佛坪)、河南、贵州。

(79) 刘氏脉柄叶蜂 *Busarbidea liui* Wei, 1997 陕西新纪录

Busarbidea liui Wei in Wei *et* Nie, 1997d: 64.

鉴别特征: 雄虫体长 3.50mm, 雌虫体长 6mm。体黑色, 唇基、上唇、上颚基部、口须、触角基部 2 节、前胸背板后缘、翅基片、足除端跗节之外浅黄色。翅基半部透明, 端半部微呈浅烟色, 翅痣和翅脉黑褐色。上颚端半部弯曲度大, 颚眼距线状; 雄虫复眼大, 内缘向下强烈收敛, 间距不大于复眼高的 1/2; 雌虫复眼下缘间距约等于复眼长径, 内缘近似平行; 中窝大三角形, 中央具 1 个小圆陷坑; 额区扇形, 侧脊和前脊锐利; 中单眼前具长形凹窝, 额区前缘中部具 1 条短脊, 与前脊连接; POL: OOL = 2:1, 单眼后区宽长比等于 3:2, 前缘中央具短纵脊; 侧沟深直, 向后分歧; 头部无刻点, 在复眼后强烈收缩; 触角约等长于头胸部之和, 第 3 节稍长于第 4 节(7:6), 第 4 节明显长于第 5 节, 末端 4 节各节不侧扁, 不短缩, 仅微短于第 5 节; 中胸背板前叶前半部具模糊浅沟, 后半部具模糊纵脊; 小盾片后缘具 1 列刻点; 后足基跗节微长于其后 4 节之和。前翅R + M脉等长于 1r-m 脉, 2Rs 室微长于 1Rs 室; 后翅臀室柄稍长于 cu-a 脉的 1/2; 雄虫下生殖板端缘圆凸。

采集记录: 1♀, 华山, 1300 ~ 1600m, 2005. Ⅶ. 12, 朱巽采。

分布: 陕西(华阴)、湖南。

本种雌虫是首次报道和描述。

(80) 秦岭脉柄叶蜂 *Busarbidea qinlingia* Wei, 1997

Busarbidea qinlingia Wei in Wei *et* Nie, 1997d: 62.

鉴别特征: 雌虫体长 7mm, 雄虫体长 5mm。体黑色, 上唇、唇基、口须、触角柄节、前胸背板后缘宽边和翅基片白色; 足淡黄色, 后足跗节褐色。翅浅烟色透明, 翅痣和翅脉黑褐色。上颚中部强烈弯曲成直角形; 复眼内缘平行, 间距约等于眼高; 中窝大于侧窝, 倒梯形; 侧窝宽大, 下端开放, 上缘具横脊封闭; 额区亚三角形, 额脊锐利且完整, 无中断; 额区两侧的内眶稍凹入; POL: OOL = 1: 2. 5; 从额脊后端向单眼后区伸出 1 支较短且低的中纵脊, 伸达单眼后区前部 1/3, 然后消失; 单眼后沟中央中断; 单眼后区前部较隆起, 亚方形; 侧沟深长, 稍弯曲, 向后微弱分歧, 亚平行。触角第 3、4 节长度之比为 4: 3。小盾片后缘具少数大刻点。锯鞘背面观端部呈三角形尖出。雄虫复眼内缘向下明显收敛; 下生殖板端部钝截型。

采集记录: 1♀, 太白山太乙宫, 1956. Ⅵ. 26, 杨集昆采。

分布: 陕西(眉县)、湖北、湖南、福建、广西。

26. 斑柄叶蜂属 *Abusarbia* Malaise, 1944

Abusarbia Malaise, 1944: 25. **Type species**: *Abusarbia shanibia* Malaise, 1944.

属征: 体短小。复眼内缘直，互相平行或稍收敛，间距等于或稍宽于复眼长径；上颚对称二齿式，内齿端位，外观不强烈弯曲；颜面具白斑或完全白色，与额区间强烈弯曲，额脊锐利；后颊脊仅伸达上眶后部，单眼后区无缘脊，单眼后区宽大于长；触角长于头宽2倍，第2节长宽比约等于2，第3节稍短于或长于第4节，具触角器；中胸背板前叶后部无低平洼区和中纵脊；胸腹侧片宽大平坦；前翅臀室完整，无横脉；1M脉弯曲，与1m-cu脉向翅痣明显聚敛，R+M脉段等于或长于Rs脉第1段；前足胫节内端距端部尖细，不分叉；爪粗短，具锐利基片，无内齿；阳茎瓣稍呈肾形；两性中胸侧板均具横向白斑；锯腹片具4~5个大型缘齿和翅突距，锯腹片柄部显著长于锯腹片主体。阳茎瓣具背缘细齿。

分布: 东亚。世界已知6种，中国已记载4种，秦岭地区发现1种。

(81) 山地斑柄叶蜂 *Abusarbia alpina* Wei, 2006 陕西新纪录

Abusarbia alpina Wei, 2006: 599.

鉴别特征: 体长4~5mm。体黑色；唇基、上唇、唇基上区、内眶上半部条斑、中窝两侧、翅基片、前胸背板后角、前胸腹板、中胸背板前叶两侧前半部、中胸前上侧片、中胸前侧片宽阔横斑、中胸后侧片下端和后胸侧板下部和足全部淡黄色；腹部2~6腹板黄褐色，触角柄节腹侧浅褐色。翅透明，翅痣浅褐色。颚眼距窄于单眼半径；复眼内缘向下稍收敛，下缘间距等于眼高；单眼后区明显呈屋脊状隆起，宽2倍于长，中纵脊几乎伸达后缘；侧沟深直，向后明显分歧。触角约等长于腹部，第3节明长于第4节。体光滑，中胸小盾片后缘具显著刻点。锯鞘短小，侧面观端部近截形，腹缘微呈弧形；背面观端部尖。锯腹片具4个近腹缘距和4个翼突距。雄虫触角第1节全部、第2~3节背侧、颜面自额区前缘脊以下部分除中窝外全部白黄色，额区前缘脊和相连的上眶三角形斑黄色。

采集记录: 1♀，周至厚畛子，1309m，2006. Ⅶ. 09，朱巽采；1♀，佛坪，1000~1450m，2005. Ⅴ. 17，刘守柱采。

分布: 陕西(周至、佛坪)、山西、河南、安徽、湖北、湖南、贵州。

27. 敛柄叶蜂属 *Astrombocerina* Wei *et* Nie, 1998

Astrombocerina Wei *et* Nie, 1998j: 358. **Type species**: *Astrombocerina fulva* Wei *et* Nie, 1998.

属征：体窄长。唇基缺口浅弧形；上颚对称双齿式，内齿中位，外齿弱度弧形弯折；颚眼距约等于单眼直径，复眼内缘向下微弱收敛，复眼下缘间距稍宽于复眼长径；触角窝距宽于内眶，侧窝和中窝大形，侧窝前侧完全开放，颜面与额区间显著弯折，额脊和侧窝上缘横脊锐利；具后眶狭窄，具短后眶沟，后颊脊较低弱，全缘式；单眼后区横宽，后头短小，明显收缩；触角细，长于腹部，第1、2节长宽比大于2，第3节显著短于第4节，第4节长于第5节1.50倍，末端4节具触角器；中胸背板前叶后部1/3低平，具狭高中纵脊；胸腹侧片发达，胸腹侧片缝沟状；前翅1M脉与1m-cu脉向翅痣收敛，R+M脉段短于1r-m横脉长，cu-a脉中位偏外侧，臀室完整，无横脉；后翅臀室具短柄；前足胫节内距端部分叉，后足胫节微短于跗节，基跗节约等长于其余跗分节之和，爪无明显基片，内齿亚端位，稍短于端齿；产卵器明显短于后足基跗节长，锯腹片具大型中位翅突。阳茎瓣简单，无刺突，具背缘细齿。

分布：中国。本属目前仅报道1种，分布于中国南部，秦岭地区采集到1新种，该种在河南、四川也有分布，将另文发表。

(82) 黄腹敛柄叶蜂 *Astrombocerina* sp.（图版2：F）

鉴别特征：体长7mm。体黄绿色，触角、单眼区小斑、中胸背板侧叶长斑黑色，后足跗节黑褐色。翅透明，前缘脉和翅痣黄绿色，其余翅脉黑褐色。体毛银色。颚眼距微短于单眼直径；单眼后区宽长比约等于1.50，侧沟向后稍分歧。头部背侧和胸部侧板无明显刻点或刻纹，中胸背板前叶和侧叶黑斑内具明显皮质刻纹，腹部2~10背板具细弱横向刻纹。前翅2r脉交于2Rs室外侧2/5，后翅臀室柄长约0.40倍于cu-a脉长。锯鞘端等长于锯鞘基，侧面观端部斜截。

采集记录：1♀，凤县嘉陵江源头，1570m，2007.Ⅴ.26，朱巽采。

分布：陕西（凤县）、河南、四川。

28. 具柄叶蜂属 *Stromboceros* Konow, 1885

Stromboceros Konow, 1885: 19. **Type species**: *Tenthredo delicatulus* Fallén, 1808.

Strombocerina Malaise, 1942: 90 (new name for *Stromboceros* Konow, 1885).

属征：体狭长。唇基平坦，缺口浅；上颚对称双齿式，内齿亚端位，外缘弱度弯折；复眼较大，内缘近似平行；中窝大，钝方形；额脊完整，细高，额区与颜面之间不明显弯折；头部具显著后眶沟，后颊脊发达，不伸达后头；触角约等长于头宽的2倍，基部2节细长，第3节长于第4节，具触角器；前足胫节内端距端部分叉，后足基跗节微长于其余跗分节之和；爪基片微小，具显著亚端齿；前翅1脉与1m-cu脉互相平行，R+M脉段短于第1r-m脉长，臀室完整，无横脉；后翅臀室具柄式；阳茎瓣头叶亚三角形；虫体光滑，局部具刻纹；锯腹片具长柄，节缝刺毛呈带状，具大型近腹缘距和小型翅突距。阳茎瓣具背缘细齿。

分布：古北区。本属目前只有 1 个确定种类，在古北区北部广布，秦岭地区也有发现。

讨论：Taeger *et al.*（2010）在本属名下列出了 45 种。但其中只有 1 种属于本属成员，1 种是 *Arbusia* Malaise 的种类，其余 43 种均是南美种类，属于其他近缘类群。

（83）斑盾具柄叶蜂 *Stromboceros delicatulus*（Fallén, 1808）

Tenthredo delicatula Fallén, 1808: 122.

Tenthredo (*Allantus*) *eborina* Klug, 1817: 196.

Synairema alpina Bremi-Wolf, 1849: 93.

Selandria phthisica Snellen van Vollenhoven, 1869: 123.

Selandria virescens Rudow, 1871: 394.

Tenthredo seesana Rudow, 1871: 388.

Strongylogaster viridis Schmiedeknecht in André, 1881: 412.

Stromboceros delicatulus var. *albiceps* Takeuchi, 1941: 250.

鉴别特征：雌虫体长 7.00 ~ 7.50mm，雄虫体长 6.00 ~ 6.50mm。体黑色，唇基、上唇、口须上颚基部、触角第 1 节、前胸背板后缘、翅基片、中胸前侧片后缘中部、中胸背板前叶两侧前端、足和腹部腹板黄白色。翅透明，翅痣黑色。体毛银色。颚眼距大于 1/2 单眼直径；单眼后区横宽，具中纵脊，侧沟深直；触角第 3 节显著长于第 4 节。锯腹片具 5 个粗大缘齿和 5 个较小翅突，表面长刺毛多且均匀分布。雄虫腹部背板几乎全部黄褐色，仅两侧微暗；下生殖板端缘平钝。

采集记录：1♀，华山，1300 ~ 1600m，2005. Ⅶ. 12，朱巽采。

分布：陕西（华阴）、黑龙江、吉林、辽宁、内蒙古、河南、浙江、湖北、贵州；俄罗斯，朝鲜，韩国，日本，欧洲。

（二）长背叶蜂亚科 Strongylogasterinae

29. 窗胸叶蜂属 *Thrinax* Konow, 1885

Thrinax Konow, 1885: 19, 22. **Type species**: *Thrinax contigua* Konow, 1885.

Hemitaxonus Ashmead, 1898: 311. **Type species**: *Taxonus dubitatus* (Norton, 1862).

Epitaxonus MacGillivray, 1908: 365. **Type species**: *Taxonus albidopictus* Norton, 1868.

Sahlbergia Forsius, 1910: 49. **Type species**: *Sahlbergia struthiopteridis* Forsius, 1910.

属征: 体窄长。唇基前缘缺口浅弧形; 上颚粗短, 对称双齿形, 外齿微弱弯曲; 复眼较小, 间距常宽于复眼长径; 侧窝大, 向前开放, 额脊显著隆起; 后眶边缘圆钝, 具后颊脊, 背面观后头短, 两侧明显收缩; 触角细长, 稀少较粗, 第2节通常宽大于长, 第3节等于或短于第4节; 中胸背板明显延长; 胸腹侧片十分平坦, 胸腹侧片缝细浅, 或几乎消失; 中胸后上侧片具1个明显的膜质区(膜窗); 前足胫节内端距端部分叉, 后足胫节端距不长于胫节部宽, 后足基跗节明显或稍短于其余跗分节之和; 爪小型, 无基片, 亚端部具微小内齿, 或无内齿; 前翅1M脉与第1m-cu脉向翅痣稍微聚敛, cu-a脉中位或偏外侧, 臀室具横脉; 后翅具双闭中室, 臀室无柄式或具短柄; 锯鞘简单, 锯腹片端部无明显锯刃, 腹缘具多数不规则细齿, 无节缝和翅突; 阳茎瓣体长椭圆形, 具背缘细齿, 无侧突。

分布: 古北区, 新北区。世界已知25种, 中国已记载9种, 秦岭地区发现3种, 包括1个新种, 新种将另文发表。

分种检索表

1. 头部具显著分散的大刻点; 胸腹侧片缝显著; 颚眼距宽于单眼直径; 锯鞘等长于前足胫节; 后翅臀室无柄式 …………………………………………………… **长鞘窗胸叶蜂 *Th.* sp.**
   头部无分散的大刻点; 胸腹侧片缝极弱, 难以分辨; 颚眼距不宽于单眼直径; 锯鞘短于前足胫节; 后翅臀室柄显著 …………………………………………………………………… 2
2. 上颚大部、唇基上区和唇基红褐色, 后足胫节和基跗节黄白色, 前胸背板后缘淡边很窄; 前翅2r脉交于2Rs室上缘中部; 颚眼距等于单眼直径 …………… **黄唇窗胸叶蜂 *Th. rufoclypeus***
   上颚和唇基上区黑色, 唇基黄褐色, 基部黑色, 后足胫跗节部分黑色, 前胸背板后缘淡边很宽; 前翅2r脉交于2Rs上缘端部; 颚眼距短于单眼半径 ……………… **刘氏窗胸叶蜂 *Th. liui***

(84) 长鞘窗胸叶蜂 *Thrinax* sp. (图版2: G)

鉴别特征: 体长7~8mm。唇基和上唇大部白色, 前胸背板后缘宽斑、翅基片、腹部4~7背板大部和2~7腹板全部黄褐色; 足浅褐色, 基节基部、后足股节中基部、后足胫节端部2/3、后足基跗节端半部和其余跗分节黑褐色, 中足胫节端部2/3暗褐色。颚眼距宽于单眼直径; 前胸背板侧叶横脊十分低弱; 中胸胸腹侧片缝细沟状, 后胸后上侧片膜窝小于单眼; 后翅臀室具明显短柄; 爪无内齿; 锯鞘等长于前足胫节, 腹缘平直。头部背侧光滑, 上眶、单眼后区后缘和后眶具粗大刻点, 额脊具稀疏刻点, 唇基和内眶下部具细密小刻点; 前胸和中胸光滑, 小盾片侧缘具少数明显刻点; 腹部背板光滑, 无刻纹。雄虫腹部背板全部黑色, 后足胫节全部暗褐色。

采集记录: 6♀55♂, 佛坪, 1000~1450m, 2005. V. 17, 刘守柱、朱巽采; 1♀, 佛坪岳坝, 1085m, 2006. IV. 29, 何末军采。

分布: 陕西(佛坪)。

(85) 刘氏窗胸叶蜂 *Thrinax liui* (Wei, 2005) 陕西新纪录

Hemitaxonus liui Wei in Wei *et* Lin, 2005: 436.
Thrinax liui: Wei, Nie & Taeger, 2006: 549.

鉴别特征: 体长5~6mm。体黑色，唇基、上唇、上颚大部、前胸背板后缘狭边、翅基片和足深黄褐色，各足基节基部黑色，前中足股节基端、跗节端部暗褐色，腹部腹板部分或大部褐色。翅浅烟灰色透明，翅痣黑褐色。体光滑，唇基、颚眼距、后眶、小盾片后半部具明显刻纹，头胸部其余部分无明显刻点和刻纹，腹部背板具极微弱表皮刻纹。颚眼距1.20倍于侧单眼径；中窝近圆形，底部具三叉沟；单眼后区宽2倍大于长；触角第3节等长于第4节。中胸胸腹侧片缝痕状，下半较明显；中胸后上侧片具中等大的长膜窗。爪无内齿。后翅臀室柄等长于cu-a脉1/2~3/5长。雄虫唇基、唇基上区、前胸背板、各足基节大部、转节大部、前中足股节基半部、后足股节大部和腹部腹板黑褐色；触角第3节显著短于第4节。

采集记录: 1♀，潼关桐峪镇，1052m，2006. Ⅴ.30，朱巽采。

分布: 陕西(潼关)、河南、甘肃、浙江、湖北、湖南、四川、贵州。

(86) 黄唇窗胸叶蜂 *Thrinax rufoclypeus* (Wei, 1998)

Hemitaxonus rufoclypeus Wei in Nie *et* Wei, 1998: 126.

鉴别特征: 体长6~7mm。体黑色，光滑，无明显刻点；上颚大部、上唇、唇基上区和唇基红褐色或黄褐色，前胸背板后缘窄边、翅基片黄白色，腹部第5节大部、第6节两侧、5~6腹板全部红褐色；足黑色，基节大部、转节、股节端部、胫节基部1/3~2/5、后足基跗节基部1/3黄白色，股节除端部外黄褐色，后足胫节和基跗节黄褐色；翅透明，翅痣黑褐色。颚眼距约等于单眼直径；触角第3节等长于第4节。前翅2r脉交于2Rs室上缘中部；后翅臀室柄显著。

采集记录: 1♂，长安区鸡窝子，1720m，2008. Ⅴ.18，24，于海丽采；1♂，太白山，1983. Ⅴ.20。

分布: 陕西(长安、太白)、河南、甘肃、浙江、贵州。

30. 长背叶蜂属 *Strongylogaster* Dahlbom, 1835

Tenthredo (*Strongylogaster*) Dahlbom, 1835: 4. **Type species**: *Tenthredo multifasciata* Geoffroy, 1785.
Strongylogaster (*Pseudotaxonus*) Costa, 1894: 157. **Type species**: *Strongylogaster filicis* (Klug, 1817).
Polystichophagus Ashmead, 1898: 310. **Type species**: *Tenthredo* (*Allantus*) *filicis* Klug, 1817.
Prototaxonus Rohwer, 1910: 49. **Type species**: *Prototaxonus typicus* Rohwer, 1910.

属征： 体与翅长形。唇基窄，端缘具浅缺口；复眼较短小，间距通常宽于复眼长径；上颚粗短，对称2～3齿式，端齿弱度弯折；后眶圆，常具后颊脊；后头短，背面观两侧收窄；额区明显，常具明显额脊；颚眼距明显，最多稍长于单眼直径；触角粗丝状，第2节宽大于长，第3、4节近等长；胸腹侧片狭窄，显著隆起，明显高出中胸侧板平面，胸腹侧片缝宽沟形；中胸后上侧片横脊上部凹入；前足胫节内端距端部分叉，后足基跗节短于其后4个跗分节之和；爪无基片，内齿缺，或小形并远离端齿；前翅臀横脉常缺，少数种类具横脉；后翅具双闭中室，臀室无柄式或具短柄；锯鞘常具侧枝或侧叶，少数种类狭长；锯腹片具齿部长于柄部，常具稍规则的锯刃，少数种类锯刃不规则阳茎瓣头部长椭圆形，具背缘细齿。

分布： 古北区，新北区。世界已知44种，东亚分布30种，中国已记载17种，秦岭地区发现4种。

分种检索表

1. 后翅臀室无柄式；爪具内齿；股节至少基部1/3黑色；锯鞘耳状侧叶大 ……………………… 2
   后翅臀室具柄式；爪无内齿；股节全部黄色或黄褐色；锯鞘无耳状侧叶 ……………………… 3
2. 中胸背板十分粗糙，刻点密集，无光滑区；中胸前侧片刻点粗大密集；翅基片黄褐色，翅痣大部黄褐色；触角短于头宽2倍 ……………………………………… **斑角长背叶蜂 *S. xanthocera***
   中胸背板侧叶光滑；中胸前侧片刻点细小稀疏；翅肩片黑色，外缘白色；翅痣黑褐色；触角长3倍于头宽 …………………………………………………………………… **四川长背叶蜂 *S. sichuanica***
3. 腹部中部数节红褐色；中胸前侧片具显著刻纹；内眶皱纹弱，具光泽；颚眼距大于单眼直径 ……
   ……………………………………………………………………… **斑腹长背叶蜂 *S. macula***
   腹部各节黑色，后缘浅色；中胸前侧片光滑无刻纹；内眶具细密刻纹；颚眼距等于单眼直径 ……
   ……………………………………………………………………… **纹腹长背叶蜂 *S. takeuchii***

（87）斑腹长背叶蜂 *Strongylogaster macula*（Klug，1817）

Tenthredo（*Allantus*）*macula* Klug，1817：217.

Thrinax intermedia Konow，1885：23.

Strongylogaster macula：Benson，1952：59.

鉴别特征： 体长5～7mm。体黑色；唇基、上唇、前胸背板后半、翅基片和足黄褐色，腹部中部背板具形状不定的黄褐色斑，基部和端部背板黑色。翅透明，缘脉和痣黑褐色。头部、中胸背板前叶两侧、前胸背板、腹部背板、中胸后侧片和后胸侧板具细密刻纹，头部刻纹稍粗糙，但额区及其侧面具光泽，中胸前侧片具细小刻点，刻点间隙较光滑。颚眼距大于单眼直径；中窝大，圆形，侧窝上缘细脊高；单眼后区扁宽，侧沟深卵圆形；触角细长，稍短于3倍头宽，第3节短于第4、5节。爪无亚端齿。前翅无臀横脉，2r位于3r-m内侧；后翅臀室柄稍短于臀室宽。锯鞘较短，侧突枝状，向后端分歧；尾须伸抵鞘端。锯腹片刃低平。

采集记录：1♀，太白山，1983. Ⅵ. 13；1♀，佛坪，832m，2006. Ⅳ. 30，朱巽采；6♀，丹凤寺坪镇，900～1200m，2005. Ⅴ. 21，朱巽、刘守柱采。

分布：陕西（眉县、佛坪、丹凤）、安徽、浙江、湖北、湖南、广东、四川、贵州；日本，东北亚，欧洲，北美洲。

（88）纹腹长背叶蜂 *Strongylogaster takeuchii* Naito，1980

Strongylogaster takeuchii Naito，1980：393.

鉴别特征：体长6mm。体黑色，上唇、唇基、前胸背板后缘、翅基片、腹部各节背板后缘及两侧、腹部中央及后缘白色；足黄褐色，基节基半黑色，中足跗节背侧、后足胫节跗节 背侧黑褐色。翅透明，翅痣黑褐色。头部具细密刻纹，额区光滑；胸部光滑，前胸背板和中胸侧板后部、后胸侧板具细刻纹，小盾处后缘具少许刻点；腹部背板刻纹细密。中窝三角形，侧窝与中窝等大，卵圆形，背缘具细脊；额脊锐利，额区五角形；单眼后区侧沟深，卵形；颚眼距等长于单眼直径；触角等长于头宽的3倍，第3节明显短于第4节；爪无亚端齿；后翅臀室柄等长于臀室宽；锯鞘背面观与尾须等长，侧突枝状，近平行；锯刃稍突出。

采集记录：1♂，秦岭，1980. Ⅴ. 18，向龙成、马宁采。

分布：陕西（秦岭）、浙江；日本。

（89）四川长背叶蜂 *Strongylogaster sichuanica* Naito *et* Huang，1988 陕西新纪录

Strongylogaster sichuanica Naito *et* Huang，1988：44.

鉴别特征：雄虫体长10mm，雌虫未知。体黑色，前胸背板后半部、翅基片外侧、腹部各节背板后缘黄色；足黑色，基节末端、股节端部1/3、胫节、前中足基跗节、后足基跗节基半部黄色，后足胫节末端和其余跗分节暗褐色。翅透明，翅痣黑褐色。头部刻点密，不规则，上眶及单眼后区光滑；胸部光滑，前胸背板、中胸后上侧片细网状，中胸背板前叶前半和翅基片具小刻点，小盾片具大刻点；腹部背板具弱刻纹。唇基缺口浅宽；中窝点状，额脊两侧显明，前半模糊；颚眼距等于单眼半径；后颊脊甚短。触角长约3倍于头宽，第3节等长于第4节。前翅臀室无横脉，后翅臀室无柄。爪具微小内齿。

采集记录：1♂，佛坪岳坝，1085m，2006. Ⅳ. 29，何末军采。

分布：陕西（佛坪）、湖南、四川。

(90) 斑角长背叶蜂 *Strongylogaster xanthocera* (Stephens, 1835) 陕西新纪录
(图版2: H)

Tenthredo xanthocera Stephens, 1835: 81.
Strongylogaster geniculata Thomson, 1871: 243.
Strongylogaster Desbrochersi [sic!] Konow, 1892: 214.
Strongylogaster desbrochersi var. *Lepticus* [sic!] Konow, 1902: 390.

鉴别特征: 体长11~13mm。体黑色;上唇、触角基部2节和第3节大部、前胸背板后缘、翅基片、腹部2~10节后缘、股节末端、胫节基部1/3黄色,胫节其余部分、跗节、痣大部和前缘脉红褐色。翅透明,微带黄色。头胸部刻点和皱纹十分粗糙,单眼后区、上眶具少许光滑区域;小盾片后半、附片大部、中胸后侧片前缘光滑;腹部各节背板刻纹细密。唇基缺口狭"V"形,中窝模糊,侧窝沟状,无额脊,单眼中沟和后沟细浅,单眼后区宽2倍于长,侧沟细浅,颚眼距等于单眼直径;触角长不及头宽的2倍。爪亚端齿稍短于端齿。前翅无臀横脉,后翅臀室无柄。锯鞘具大形侧叶,锯腹片骨化强,锯刃突出。雄虫腹部黄褐色,仅1~2背板黑色。

采集记录: 1♀, 佛坪大古坪, 1320m, 2006. Ⅳ. 28, 何末军采。

分布: 陕西(佛坪)、安徽、浙江、湖南、福建;俄罗斯,欧洲。

(三)短叶蜂亚科 Rocaliinae

31. 短叶蜂属 *Rocalia* Takeuchi, 1952

Rocalia Takeuchi, 1952: 54. **Type species**: *Rocalia longipennis* Takeuchi, 1952.

属征: 体型短小。复眼大形,内缘向下收敛;唇基横宽,端部截型或稍呈弧形突出;上颚对称三齿形,端齿几乎不弯折;额区隆起,具额脊;单眼后区十分短宽,后缘具伪脊;后头及后眶极狭,几乎不宽于单眼直径,无后颊脊,紧靠复眼后侧有时具钝脊;颚眼距不长于单眼直径;触角丝状,第2节宽大于长,第3节稍长于第4节;足粗短,后足胫节明显长于跗节,基跗节短于其后4个跗分节之和;爪具基片和内齿。前胸背板具侧纵脊,小盾片附片较宽长,无胸腹侧片;前翅C脉端部稍膨大,稍狭于翅痣宽的1/2,翅痣短宽,约与2r脉等长;R+M脉段长,但短于1r-m脉的2倍;1M脉与1m-cu脉向翅痣弱聚敛,1M稍长于1m-cu;cu-a脉位于1M室下缘外侧1/3;臀室基部强烈收缩,但2A脉不与1A脉接触;后翅臀室具柄式,柄长约为臀室宽的1.20~2.00倍;腹部第1背板后缘缺口三角形;锯腹片和锯背片细长,具缘齿;

阳茎瓣简单长形，不弯曲。

分布：古北区。本属已知14种，除1种传入欧洲外，全部分布于东亚地区。中国已记载11种，秦岭地区发现1种。

（91）四川短叶蜂 *Rocalia sichuanensis* Naito *et* Huang，1992 陕西新纪录

Rocalia sichuanensis Naito *et* Huang，1992：98.

鉴别特征：体长4～5mm。体黑色，上唇、唇基、上颚大部、口须、翅基片、足及1～5腹板白色，唇基上区、触角、1～5背板、尾须及锯鞘褐色。翅浅烟色，翅痣和翅脉黑褐色。头部光滑，具细刻纹，内眶、后眶、唇基、上唇刻点不规则且稍密。中窝横形，背侧具模脊；额区扇形，额脊高锐且完整；单眼中沟深点状，后沟细浅；单眼后区宽5倍于长，侧沟深，外侧开放；颚眼距0.50倍于单眼直径；后眶脊全缘式；触角长为头宽的1.70倍，各节相对长度之比为8∶5∶22∶16∶14∶13∶11∶10∶14。前胸背板具细刻点；附片长2倍于单眼直径。后翅臀室柄长2倍于臀室宽。爪内齿约为端齿1/2长。腹部光滑。

采集记录：1♀1♂，长安区鸡窝子，1720m，2008. Ⅴ.23，于海丽采。

分布：陕西（长安）、四川。

32. 短唇叶蜂属 *Birmindia* Malaise，1947

Birmindia Malaise，1947：33. **Type species**：*Birmindia albipes* Malaise，1947 [= *Birmindia gracilis* (Forsius，1931)].

属征：体小，粗短。唇基甚短且横宽，端缘平截；上颚对称三齿形，端齿几乎不弯曲，2个内齿十分短小；颚眼距线状，后眶圆钝，后头狭窄，无后颊脊；复眼大，内缘向下聚敛，间距窄于复眼长径；额区平坦，稍具轮廓，无额脊；中窝和侧窝封闭；单眼后区宽显著大于长，侧沟宽短且很深；触角丝状，第1、2节等长，长宽比约等于2，第3节2倍于第4节长；前胸背板具侧纵脊，中胸无胸腹侧片，中胸前侧片前缘具细脊，中胸上后侧片凹入，后胸侧板宽大；附片不宽于小盾片，淡膜区间距约等于淡膜区横宽；前足胫节内距端部分叉，后足胫1.00～1.20倍于跗节长，胫节端距短于后足胫节端部宽；后足基跗节约等长于其余附分节之和，第1、2跗分节无跗垫，3、4跗分节具小型跗垫；爪基片显明，内齿中位，短于端齿；前翅C脉末端显著膨大，1M脉基部强烈弯曲，与1m-cu脉向翅痣强烈聚敛，1M脉显著长于1m-cu脉；R+M脉段约等长于1m-cu脉，cu-a脉外侧1/3位；臀室亚基部强烈收缩，具倾斜的外侧位横脉，2A+3A脉明显弱化；后翅具双闭中室，臀室具长柄，柄长接近2倍于cu-a脉长，大于臀室宽2倍，并与cu-a脉垂直；腹部第1背板膜区显著；体具强光泽，无刻点，

头胸部除口器外几乎光裸无毛；锯腹片十分短宽，无长柄，无锯刃及节缝；阳茎瓣扭曲，副阳茎极大，抱器狭窄。

分布：东亚。世界已知5种，中国记载3种。秦岭地区发现1个新种。

（92）**大顶短唇叶蜂 *Birmindia* sp.**（图版2：I）

鉴别特征：体长5.50mm。体黑色，足黄褐色；翅浅烟褐色，翅痣和翅脉黑褐色。头部中窝宽横沟状，低位；侧窝稍大，圆形；额区稍隆起，具宽深纵沟；单眼后区隆起，宽约为长的1.80倍；侧沟短宽且深，单眼后沟浅弱，单眼中沟较宽深；复眼下缘间距0.90倍于复眼长径。小盾片附片具明显中脊；腹部第1背板后缘具浅宽三角形缺口及膜区。前翅R+M脉段约1.50倍于Rs脉第1段，Rs脉第1段明显可辨，1M脉基部微弱弯曲；后翅臀室柄长约为臀室宽的2.20倍。后足胫节等长于跗节；爪内齿大，位于外齿和基片中间，稍短于外齿。侧面观锯鞘端短圆；锯腹片粗短，近三角形，无节缝及锯齿。

采集记录：1♀，镇安，1300～1600m，2005.Ⅶ.10，杨青采。

分布：陕西（镇安）。

（四）粘叶蜂亚科 Caliroinae

33. 华波叶蜂属 *Sinopoppia* Wei, 1997

Sinopoppia Wei, 1997f: 48. **Type species**: *Sinopoppia nigroflagella* Wei, 1997.

属征：雌雄异色；头短，横形；唇基端部亚截形；上唇小，端部圆；上颚对称双齿式，微弱弯曲；复眼很小，卵形，内缘亚平行，下缘间距1.50倍于复眼长径；颚眼距线状，无后颊脊，具后眶沟；单眼后区横宽；额区稍隆起，额脊低钝，侧窝不独立；触角短，第2节宽大于长，第3节稍长于第4节，5～9节约等长；前胸侧板腹面尖，互相不接触；中胸小盾片附片大，侧板无胸腹侧片；后胸淡膜区扁宽，间距窄；前足胫节内端距端部分叉，后足胫节长于跗节，后基跗节明显短于其后4个跗分节之和；爪无基片，内齿短于端齿；前翅Rs脉第1段完整，1Rs室长于2Rs室，R+M脉段短于R脉，1M脉与1m-cu脉向翅痣强烈聚敛，2m-cu脉与2r-m脉相接，cu-a脉近中位，臀横脉外侧位、强烈倾斜；后翅无封闭中室，臀室封闭，具柄式，臀柄短于垂直的cu-a脉；产卵器短小，锯腹片外侧刺毛带状，锯刃倾斜；副阳茎小形，抱器长大于宽；阳茎瓣粗短，头叶无顶侧突或侧突，具1列侧齿。

分布：中国。本属是中国特有属，目前仅发现1种，秦岭地区也有分布。

(93) 黑鞭华波叶蜂 *Sinopoppia nigroflagella* Wei, 1997 陕西新纪录（图版2：J）

Sinopoppia nigroflagella Wei, 1997f: 49.

鉴别特征：体长6.50～7.00mm。雌虫体橘黄色，触角鞭节、后胸背板、后足胫节末端、各足跗节、腹部第1背板和锯鞘黑色。翅浅烟灰色，翅痣和翅脉黑褐色。体光滑，无刻点。头部中窝大且深，前端开放；单眼后区宽长比为1.70，单眼后沟和中沟深，侧沟深长，向后分歧，OOL∶POL∶OCL＝17∶11∶11。触角等长于头胸部之和，6～9节各节长宽比小于3。后翅臀室柄稍短于后小脉。雄虫头部除唇基和口器之外黑色；胸部红褐色，前胸侧板、中胸侧板中下部、小盾片、后胸节、前中胸腹板及各足基节、转节和跗节黑色，腹部黑色；触角粗短，鞭节各节几乎等长，腹缘稍突出；体稍狭；副阳茎小三角形，阳茎瓣体腹缘列齿较大。

采集记录：1♀，佛坪，1000～1450m，2005. Ⅴ.17，刘守柱采。

分布：陕西(佛坪)、甘肃、江苏、浙江、湖南。

34. 宽齿叶蜂属 *Arla* Malaise, 1957

Arla Malaise, 1957: 18. **Type species**: *Arla carbonaria* Malaise, 1957.

Kihadaia Togashi, 1995: 91. **Type species**: *Kihadaia rufithorax* Togashi, 1995.

属征：体型粗短。上颚对称双齿式，端齿微弱弯曲；唇基端部截形，上唇小，端部圆，口须粗短；复眼中形，内缘向下稍收敛，间距大于眼高；颚眼距短于单眼直径，无后颊脊；背面观后头稍膨大，单眼后区横宽；额脊低钝，侧窝独立；触角短，丝状，短于头胸部之和，第2节长大于宽，第3节显著长于第4节；中胸无胸腹侧片；后胸淡膜区小，间距宽；前足胫节内距端部分叉，后足胫节和跗节等长，基跗短于其后4节之和；爪短，基片发达，无亚端齿；前翅1M脉与1m-cu脉向翅痣强烈聚敛，1M脉显著长于1m-cu脉，Rs第1段完整，cu-a脉中位，臀室完整，臀横脉斜长，外侧位；后翅无封闭中室，臀室完整，具柄式，柄部约等长于cu-a脉；产卵器短于后足胫节，锯鞘端与锯鞘基近等长，锯腹片粗壮，每节1个纹孔，锯刃倾斜。

分布：东亚。世界已知3种，中国记载2种，秦岭地区发现1种。

(94) 红胸宽齿叶蜂 *Arla rufithorax* (Togashi, 1995) 陕西新纪录（图版2：K）

Kihadaia rufithorax Togashi, 1995: 92.

鉴别特征：体长8mm。体黑色；前胸背板和侧板、中胸背板、前侧片前缘和上角红褐色。翅烟褐色，翅痣黑褐色；体毛淡色。头部具细小刻点，胸部和腹部光滑。头部中窝小形，单眼中沟和后沟细深；单眼后区宽长比稍小于1.50，侧沟细长，向后分歧；颚眼距稍狭于单眼直径；触角窝距显著狭于复眼—触角窝距；触角第3节等长于4+5节之和；后臀室柄稍长于cu-a脉，cu-a脉远离内中室。背面观锯鞘狭长；锯腹片20节，刃间段约等长于锯刃，锯刃稍突出，端部近平截，具1个内侧和4~5个外侧亚基齿。

采集记录：1♀，镇安，1300~1600m，2005.Ⅶ.10，朱巽采。

分布：陕西（镇安）、河南、湖南、福建、广西、四川、贵州；日本。

35. 粘叶蜂属 *Caliroa* O. Costa, 1859

Caliroa O. Costa, 1859: 59. **Type species**: *Caliroa sebetia* Costa, 1859 [= *C. cothurnata* (Serville, 1823)].

Eriocampoides Konow, 1890: 233, 239. **Type species**: *Tenthredo limacina* Retzius, 1783 [= *Caliroa cerasi* (Linné, 1758)].

Periclistoptera Ashmead, 1898: 255. **Type species**: *Monostegia alba* (Norton, 1867) [= *Caliroa obsoleta* (Norton, 1867)].

属征：唇基端缘常具浅缺口，稀少截型；复眼大形，内缘向下聚敛，间距窄于眼高，颚眼距通常线状；后眶圆钝，无后颊脊，无刻点列，下部具短低口后脊，背面观后头短，两侧强烈收缩；额脊低钝，少数隆起，侧窝独立，触角窝间距宽于复眼—触角窝距；单眼后区隆起，宽大于长；触角细丝状，第2节长大于宽，不短于第1节，第3节显著长于第4节，末端4节明显短缩，具触角器；中胸胸腹侧片狭窄，稍隆起，胸腹侧片缝沟状；前足胫节内距端部分叉，后足胫节约等长于跗节，端距等长，后足基跗节等于其后4节之和；爪具发达基片，无内齿，端齿强烈弯折；前翅1M脉与1m-cu脉向翅痣强烈聚合，R+M脉段明显；臀室完整，横脉强烈倾斜，外侧位，基臀室收缩部圆滑，2A脉无内侧附突，cu-a脉位于1M室中部内侧；后翅封闭中室0~2个，臀室封闭；锯腹片锯刃较突出；雄虫后翅有时具缘脉，阳茎瓣具端钩和小形侧齿。幼虫蛞蝓形，体表常覆盖1层黏液，在叶片反面暴露生活。

分布：古北区，新北区。世界已知58种。此外还发现3个化石种，中国已记载28种。秦岭地区发现3种。

分种检索表

1. 后足胫节部分白色；头胸部具弱金属蓝色光泽；前翅基半部透明，端半部烟褐色；2r脉明显交于2Rs室中部外侧 …………………………………………………… **双室粘叶蜂 *C. bicella***

   后足胫节全部黑色；头胸部黑色，无蓝色光泽；前翅均匀烟褐色或透明，基部部显著较端部透明；2r脉交于2Rs室中部内侧 ……………………………………………………………… 2

2. 翅透明；单眼后区宽2.50倍于长；前翅2Rs室短于1Rs室；后翅臀室无柄式，雌虫Rs和M室封闭，雄虫Rs和M室均开放 …………………………………………………… **刘氏粘叶蜂 *C. liui***
翅烟褐色；单眼后区宽2倍于长；前翅2Rs室长于$1R_1$和1Rs室之和；后翅臀室无柄式，两性Rs室开放，M室封闭 …………………………………………………… **狭瓣粘叶蜂 *C. parallela***

(95) 双室粘叶蜂 *Caliroa bicella* Wei, 1997

Caliroa bicella Wei in Wei *et* Nie, 1997e: 78.

鉴别特征：体长6mm。体黑色，头部具弱蓝色光泽，胸部具蓝绿色光泽，腹部具紫红色光泽；前中足胫跗节暗褐色，后足胫节基部1/6白色。翅基半部透明，端半部均匀烟褐色，翅痣黑色。唇基缺口深三角形，颚眼距狭线状；中窝长沟状；额区平坦，微隆起，额脊不明显，无额陷；无单眼中沟和后沟，POL: OOL = 5: 4；单眼后区宽长比等于2；侧沟宽深短直，互相平行。头部背侧刻点微细且稀疏。触角等长于头胸部之和，第3节明显短于第4+5节之和，微短于末端4节之和。前翅2Rs室短于$1R_1$与1Rs之和，2r脉长于痣宽，交于2Rs室外侧2/5，2Rs室外下角呈75°，2m-cu交2Rs室于基部1/5，cu-a交M室于基部2/5；后翅Rs和M室封闭，Rs室约2倍于M室长，臀室无柄。锯腹片具18个锯刃，锯刃低且倾斜，具3个内侧亚基齿和4~5个外侧亚基齿，亚基齿较大。

采集记录：1♀(正模)，华山，1956. Ⅵ. 13，杨集昆采；1♀，凤县嘉陵江源头，1570m，2007. Ⅴ. 26，朱巽采。

分布：陕西(华阴、凤县、眉县)、湖南。

(96) 刘氏粘叶蜂 *Caliroa liui* Wei, 1997 陕西新纪录

Caliroa liui Wei in Wei *et* Nie, 1997e: 80.

鉴别特征：体长5mm。体黑色，前足胫跗节暗褐色；翅近透明；翅痣和翅脉黑色。唇基缺口宽深弧形；颚眼距狭线状；中窝浅小，亚圆形，侧窝深大，侧窝与中窝间区域不明显隆起；额区平坦，额脊模糊，具环中单眼沟，无单眼中沟和单眼后沟；POL: OOL = 3: 2；单眼后区宽2.50倍于长，侧沟短直且深，微弱分歧；头部背面无明显刻点。触角显著短于头胸部之和，第3节等长于其后2节之和，显著长于末端4节之和。前翅R+M脉显著短于1r-m脉，2r短于翅痣宽度，交2Rs于内侧2/5；2Rs稍短于1Rs室，交2m-cu于其基部1/4；cu-a交M室于基部1/3；后翅Rs和M室封闭，臀室无柄式。锯腹片15刃。雄虫触角第3节长于第4+5节之和，后翅Rs和M室均开放；下生殖板长大于宽，端部突出。

采集记录：1♀，潼关桐峪镇，1052m，2006. Ⅴ. 30，朱巽采。

分布：陕西(潼关)、河南、甘肃、湖南、福建、广东、贵州。

(97) 狭瓣粘叶蜂 *Caliroa parallela* Wei *et* Nie, 1998 陕西新纪录

Caliroa parallela Wei *et* Nie, 1998j: 362.

鉴别特征: 体长4.50～5.00mm。体黑色，仅前足膝部及其胫跗节浅褐色。翅烟褐色，翅痣和翅脉黑色。体毛黑褐色。唇基缺口浅三角形，颚眼距等于单眼直径1/3；额区稍隆起，中窝三角形，两侧和上端开放，单眼中沟显著；单眼后区宽长比等于2，侧沟深直，互相平行，单眼后沟浅弱；触角短于胸部，第3节明显长于第4、5节之和，约等于末端4节之和。头部背侧刻点十分微细，腹部背板具微细但明显的横向刻纹。前翅R+M脉与1r-m脉等长，2r脉交于2Rs室中部偏内侧，cu-a脉位于M室内侧1/3，2Rs室等于$1R_1$室和1Rs室之和，上下缘亚平行；后翅具闭M室，Rs室开放，臀室具短柄；锯鞘尖长。雄虫单眼后区宽长比等于2.50。

采集记录: 1♀，长安终南山，1292m，2006.Ⅴ.28，朱巽采。

分布: 陕西(长安)、河南、安徽、浙江。

36. 异粘叶蜂属 *Endelomyia* Ashmead, 1898

Endelomyia Ashmead, 1898: 256. **Type species:** *Selandria rosae* T. W. Harris, 1841 [= *Endelomyia aethiops* (Gmelin, 1790)].

属征: 唇基端缘截型；复眼中等大，内缘向下稍聚敛，间距不窄于眼高，颚眼距约等于或窄于单眼直径；后眶圆钝，无后颊脊，无大刻点列，无后颊脊，背面观后头短，两侧强烈收缩；额区无额脊，侧窝独立，触角窝间距等于或宽于复眼—触角窝距；单眼后区宽大于长；触角细丝状，第2节长大于宽，第3节显著长于第4节，末端4节不明显短缩，具触角器；中胸胸腹侧片狭窄，稍隆起，胸腹侧片缝沟状；前足胫节内距端部分叉，后足胫节等长于跗节，后足基跗节等于其后4节之和；爪无基片，具内齿，端齿不强烈弯折；前翅1M脉与1m-cu脉向翅痣强烈聚合，R+M脉段长；臀室完整，横脉强烈倾斜，外侧位，基臀室收缩部具折角，2A脉具内侧附突，cu-a脉位于1M室中部；后翅臀室封闭，具柄；雄虫后翅有时具缘脉，阳茎瓣无端钩。

分布: 古北区，新北区。世界已知3种，其中1种传入美国；中国记载1种，分布于陕西南部和贵州，秦岭地区也有记录。

(98) 半缘异粘叶蜂 *Endelomyia marginata* Wei, 1998

Endelomyia marginata Wei, 1998c: 31.

鉴别特征：体长4.50～5.00mm。体黑色，前足胫节大部、中后足胫节基部2/3、各足基跗节大部白色。体背侧细毛黑褐色，腹侧细毛暗褐色。翅均匀烟褐色半透明，翅痣和翅脉黑褐色。体光滑，腹部背板具极微细的表皮刻纹。颚眼距等长于单眼半径；复眼间距稍宽于眼高；中窝宽浅，横宽，侧窝较小，圆形；额区显著呈台状隆起，无明显额脊；单眼后沟细浅；单眼后区宽2倍于长，侧沟向后稍分歧。触角微长于头胸部之和，第3节1.50倍于第4节长，第8节长宽比稍大于2。爪内齿小，亚基位。前翅2r脉交于2Rs室上缘内侧1/3，2Rs室几乎等长于$1R_1$+1Rs室之和；后翅Rs室封闭，臀室柄约等长于cu-a脉1/2长。腹片18锯刃，锯刃叶状凸出，内外侧各具3个小型亚基齿。雄虫后翅具不完整缘脉，Rs室外侧开放。

采集记录：1♂，太白山，2600m，1981.Ⅵ.28.

分布：陕西(太白山)、贵州。

(五)实叶蜂亚科 Hoplocampinae

37. 实叶蜂属 *Hoplocampa* Hartig, 1837

Tenthredo (*Hoplocampa*) Hartig, 1837: 276. **Type species**: *Tenthredo* (*Allantus*) brevis Klug, 1816.

Macgillivraya Ashmead, 1898: 257 (nec Forbes, 1852). **Type species**: *Macgillivraya oregonensis* Ashmead, 1898.

Macgillivrayella Ashmead, 1900: 606 (new name for *Macgillivraya* Ashmead, 1898).

属征：体小型，粗短。唇基宽大、平坦，端缘具缺口；复眼内缘向下收敛，间距宽于复眼长径，颚眼距约等长于单眼直径；左右上颚对称，具2枚齿，外观微弱弯曲，从基部向端部均匀收窄；后眶圆钝，无眶沟，无后颊脊；额区稍隆起，无额脊；单眼小，单眼后区横宽；背面观头部在复眼后较短且明显收窄；触角细，短于头胸部之和，基部2节长显著大于宽，鞭分节长度近似，各节长宽比不大于3；中胸前侧片圆鼓，胸腹侧片平坦，胸腹侧片缝微弱；前足胫节内距端部分叉，后足胫节等长于跗节，基跗节等长于其后3个跗分节之和，后胫端距短于胫节端部宽；爪小，无基片和内齿；前翅1M脉与1m-cu脉向翅痣强烈收敛，R+M脉段长于cu-a脉，Sc脉位于1M脉端部或外侧，Rs脉第1段完整，1Rs室短于2Rs室，2r脉和2m-cu脉均交于2Rs室内，cu-a脉中位，臀室中部内侧收缩，具长中柄，基臀室封闭；后翅R_1和Rs室封闭，M室开放，臀室完整，臀柄长。尾须短小；产卵器短于后足股节，锯鞘端等长于锯鞘基，无侧突；锯腹片和节缝骨化弱，无节缝栉齿列；阳茎瓣头叶简单，无背叶，无亚端位腹侧粗刺突，端缘有时具形态和数量各异的刺毛。

分布：古北区，新北区，东洋区北缘。世界已知约40种，另报道化石种2种；中国仅记载3种，秦岭地区发现1种。

(99) **中国梨实蜂 *Hoplocampa* sp.**（图版2：L）

鉴别特征： 体长4mm。体黑色，头部大部黄褐色，额区具黑斑，暗色个体头部至少唇基、上唇、颚眼距和上颚黄褐色；触角大部浅褐色，翅基片、锯鞘大部黄褐色。翅透明，无烟斑，翅痣和翅脉全部黄褐色。足黄褐色，基节大部、前中足股节基部、后足股节大部黑色。头胸部背侧具细密小刻点，中胸侧板具稀疏细浅刻点，腹部背板具细弱刻纹。唇基具弧形缺口，深约等于唇基1/3长，颚眼距约等宽于单眼直径；单眼后区宽长比约等于2.50；前翅R+M脉段约等长于cu-a脉；爪具微小中位内齿。锯鞘端狭长，端部窄圆。

分布： 陕西(秦岭)、山东、河南、江苏、安徽、浙江、湖北、江西、湖南、福建、广东、海南、广西、重庆、四川、贵州、云南。

讨论： 国内梨子产区几乎都有梨实蜂(*Hoplocampa pyricola* Rohwer)的危害记载，包括云南、海南、四川、甘肃、陕西、山西、河北、吉林以及东部各省区。根据作者掌握的标本，东北地区的梨实蜂应是朝鲜实蜂 *H. coreana* Takeuchi，其余地区的记载应为本种。*Hoplocampa pyricola* Rohwer 已知仅分布于日本，该种在中国的分布目前存疑。

38. 单室叶蜂属 *Monocellicampa* Wei，1998

Monocellicampa Wei, 1998b: 16. **Type species**: *Monocellicampa pruni* Wei, 1998.

属征： 体小型，粗短。唇基宽大且平坦，端缘具缺口；复眼较大，内缘向下收敛，间距宽于复眼长径，颚眼距约等长于单眼直径；左右上颚对称，均具3个齿，外观微弱弯曲，从基部向端部均匀收窄，基部小齿尖；后眶圆钝，无眶沟，无后颊脊；额区稍隆起，无额脊；单眼小，单眼后区横宽，宽长比约等于2；背面观头部在复眼后较短且明显收窄；触角细，短于头胸部之和，基部2节长显著大于宽，鞭分节长度近似，各节长宽比不大于3；中胸前侧片圆鼓，胸腹侧片平坦，胸腹侧片缝微弱；前足胫节内距端部分叉，后足胫节等长于跗节，基跗节等长于其后3个跗分节之和，后胫端距短于胫节端部宽；爪小，无基片和内齿；前翅1M脉与1m-cu脉向翅痣强烈收敛，R+M脉段长于cu-a脉，Sc脉位于1M脉端部或外侧，Rs脉第1段完整，1Rs室短于2Rs室，2r脉和2m-cu脉均交于2Rs室内，cu-a脉中位，臀室中部内侧收缩，具长中柄，基臀室封闭；后翅 R_1 和Rs室封闭，M室开放，臀室完整，臀柄长。尾须短小；产卵器短于后足股节，锯鞘端约等长于锯鞘基，无侧突；锯腹片和节缝骨化弱，无节缝栉齿列；生殖轴节极宽，背侧中部宽度约5倍于侧臂最窄处宽度；阳茎瓣头叶简单，无背叶，具刺突。

分布：中国。目前已知仅 1 种。

寄主：危害李树果实。

(100) 李实蜂(李单室叶蜂) *Monocellicampa pruni* Wei, 1998 陕西新纪录(图版 3：A)

Monocellicampa pruni Wei, 1998b: 16.

鉴别特征：体长 5mm。体黑色，前足浅褐色，触角和中后足暗褐色至黑褐色。翅透明，翅痣和翅脉褐色。体毛很短，银色。头胸部具较密的微细刻点，刻点间隙较光滑，刻纹不明显；腹部背侧具微细刻纹。唇基前缘缺口浅三角形；单眼后区宽 2 倍于长，后部稍隆起；侧沟短，椭圆形，单眼后沟宽浅，单眼中沟不明显。触角细，第 3 节 1.20 倍于第 4 节长，第 8 节长宽比约等于 3。后翅臀室柄 1.10 倍于 cu-a 脉长。锯鞘端稍长于锯鞘基，腹缘直，端缘斜截；锯腹片节缝清晰，锯刃倾斜，内侧角突出，亚基齿细小。幼虫蛀食李树果实。

采集记录：2♀，长安终南山，1555m，2006. Ⅴ. 27，杨青采。

分布：陕西(长安)、河南、甘肃、江苏。国内有不少其他省区记载有李实蜂分布，尚需要核实。

寄主：李树 *Prunus salicina* Lindl.

39. 臀实叶蜂属 *Analcellicampa* Wei *et al.*, 2017

Analcellicampa Wei *et al.*, 2017, in press. **Type species**: *Hoplocampa danfengensis* Xiao, 1994, by original designation.

属征：体小型，粗短。唇基宽大且平坦，端缘具缺口；复眼较大，内缘向下收敛，间距宽于复眼长径，颚眼距约等长于单眼直径；左右上颚对称，端齿外观微弱弯曲，从基部向端部均匀收窄，中齿较短，其下侧还具 1 个圆钝的肩部；后眶圆钝，无眶沟，无后颊脊；额区稍隆起，无额脊；单眼小，单眼后区极短宽，宽长比大于 4；背面观头部在复眼后较短且明显收窄；触角细，短于头胸部之和，基部 2 节长显著大于宽，鞭分节长度近似，各节长宽比不大于 3；中胸前侧片圆鼓，胸腹侧片平坦，胸腹侧片缝微弱；前足胫节内距端部分叉，后足胫节等长于跗节，基跗节等长于其后 3 个跗分节之和，后胫端距短于胫节端部宽；爪小，无基片和内齿；前翅 1M 脉与 1m-cu 脉向翅痣强烈收敛，R + M 脉段长于 cu-a 脉，Sc 脉位于 1M 脉端部或外侧，Rs 脉第 1 段完整，1Rs 室短于 2Rs 室，2r 脉和 2m-cu 脉均交于 2Rs 室内，cu-a 脉中位，臀室中部内侧收缩，具长中柄，基臀室封闭；后翅 R_1 和 Rs 室封闭，M 室开放，臀室不封闭，2A 脉短小。尾须短小；产卵器短于后足股节，锯鞘端约等长于锯鞘基，无侧突；锯腹片和节缝骨化弱，无节缝栉齿列；生殖轴节正常，背侧中部宽度约 2.50 倍于侧臂最窄处宽度；阳茎瓣头叶简单，具背叶，无刺突。

分布：中国。目前发现3种，均分布于中国中部。秦岭地区记载1种。

寄主：蔷薇科樱桃属 *Cerasus* spp. 植物。

(101) 丹凤臀实叶蜂 *Analcellicampa danfengensis* (Xiao, 1994)（图版3：B）

Hoplocampa danfengensis Xiao, 1994: 442.

Analcellicampa danfengensis: Wei *et al.*, 2017, in press.

鉴别特征：体长4.00～4.50mm。体黑色，触角黑褐色；足黑褐色，胫节和跗节基部浅褐色；雌虫腹部末端有时部分浅褐色，雄虫下生殖板黄褐色。翅透明，微带烟灰色，翅浅褐色，前后缘褐色。唇基前缘缺口弧形；中窝圆形，较小；额区微显，无额脊；单眼后沟和中沟浅弱，单眼后区稍隆起，宽长比约大于4.50。头部、中胸背板、中胸前侧片刻点细密，腹部背板、腹板具细密刻点及微细刻纹。触角第3节1.25倍于第4节长。头胸部细毛浅褐色，不长于单眼直径。锯鞘端约等长于锯鞘基；锯腹片具17～19个锯刃，锯刃倾斜突出，亚基齿不明显。阳茎瓣头叶端部北侧突叶狭窄，具密集小齿。

分布：陕西（丹凤）、湖南。

寄主：樱桃 *Cerasus pseudocerasus* (Lindl.)。

注：孙益知、姜保本(1994)报道了本种的生物学，采用的学名是 *Fenusa* sp.（潜叶蜂属，隶属于叶蜂科的潜叶蜂亚科），该学名由萧刚柔先生鉴定。同年，萧先生基于同一批送检标本，发表了本种，命名为樱桃实叶蜂 *Hoplocampa danfengensis* G. Xiao。

（六）枝角叶蜂亚科 Cladiinae

40. 异实叶蜂属 *Anhoplocampa* Wei, 1998

Anhoplocampa Wei, 1998b: 14. **Type species**: *Anhoplocampa fumosa* Wei, 1998.

属征：体中型。唇基鼓起，前缘具明显缺口；复眼小，间距宽于复眼长径，颚眼距等于单眼直径，无后颊脊；触角窝间区明显前伸，额区中部洼，额脊强壮；侧窝上侧具横脊；外面观左上颚狭长，基部明显膨大；背面观后头明显圆鼓，略膨大；触角细长，基部2节短小，宽大于长，第3节短于第4节，其余鞭分节长度近似；胸腹侧片前片显著，胸腹侧片显著隆起，弧脊状，胸腹侧片沟深，背侧显著向后弯折；前足胫节内距端部分叉，后足胫节长于跗节，外侧具纵沟，胫节端距短小，1.10～1.30倍于胫节端部宽，基跗节长于其后3节之和；爪无基片，内齿大，稍短于外齿；前翅具翅斑，R + M 脉长于 cu-a 脉，Sc 接近但位于 1M 端部内侧，无 2r 脉，1M 和 1m-cu 向翅痣显著收敛，2Rs 室约等长于 1Rs 室，cu-a 脉交于 1M 室下缘中部附近，臀室具显著收缩中柄，基臀室封闭；后翅 Rs、M 室和臀室均封闭，臀室具柄；尾须粗壮；锯鞘不长于后足胫节，锯鞘端具侧突；锯腹片节缝显著，有时具节缝栉突列，锯刃无细齿。

分布：中国。目前已知 3 种，秦岭地区发现 1 种。

（102）斑角异实叶蜂 *Anhoplocampa bicoloricornis* Wei *et* Niu, 2011 陕西新纪录（图版 3：C）

Anhoplocampa bicoloricornis Wei *et* Niu, 2011: 85.

鉴别特征：体长 9mm。头部和触角基半部黄褐色，触角端半部黑褐色；胸腹部黑色，胸部前端和腹部第 2 背板黄褐色；足黑色，前足胫跗节黄褐色。翅透明，翅痣黑褐色，下侧具烟褐色横带斑。头部背侧光滑；中胸前侧片光滑，无刻纹；复眼间距 1.20倍于复眼长径，唇基缺口 0.25 倍于唇基长，上眶圆鼓，单眼后区宽长比约等于 2；cu-a 交于 1M 基部 0.4；尾须长宽比大于 5，明显伸出锯鞘末端；锯腹片具 8 节缝、9 个锯刃，节缝具显著栉齿。

采集记录：1♀，太白山开天观，1600m，2014. Ⅵ. 07，魏美才采。

分布：陕西（眉县）、河南。

41. 拟栉叶蜂属 *Priophorus* Dahlbom, 1835

Nematus (*Priophorus*) Dahlbom, 1835: 4, 7. **Type species**: *Tenthredo compressicornis* Fabricius, 1804.

Stevenia Brullé, 1846: 667. **Type species**: *Pristiphora varipes* Lepeletier, 1823.

Prionophorus Agassiz, 1848: 888, 889 (new name for *Nematus* (*Priophorus*) Dahlbom, 1835).

属征：小型叶蜂。唇基宽，端部具弧形缺口；颚眼距宽于单眼直径；后眶圆钝，无后颊脊；触角窝间区域明显前突，额区稍隆起，额脊低钝模糊；单眼后区宽大于长；背面观后头两侧明显收缩；触角细长，基部 2 节宽大于长，第 3 节约等长于第 4 节，基部不明显弯曲，无指突，鞭分节长度相若，各节长宽比大于 4；雄虫触角鞭节稍侧扁；小盾片附片宽大，胸腹侧片平坦，胸腹侧片缝细浅；后足胫节长于跗节，基跗节显著短于其后 4 节之和；爪基片有或无，内齿显著；前翅无 2r 脉，R + M 脉段短，约等长于 R 脉，1M 脉与 1m-cu 脉向翅痣强烈收敛，cu-a 脉交于 1M 室下缘中部，2m-cu 脉交于 2Rs 室下缘，臀室哑铃形，具长收缩中柄，基臀室封闭；后翅 R_1、Rs、M 和臀室均封闭，臀室具长柄；锯腹片较宽短，8 ~ 9 节，节缝骨化，具发达栉齿列，锯刃强骨化，前后角突出，无细小亚基齿阳茎瓣具1个狭长端突、1个较短的背叶和1个长度各异的腹侧端突。

分布：古北区，新北区。世界已知约25种，中国记载12种。秦岭地区发现3种。

分种检索表

1. 锯鞘背面观较宽，端部近似三角形，基部明显收窄；锯腹片8锯节，第1、2节缝直，第1节缝垂直于锯腹片，1、2节缝明显向下收敛；阳茎瓣头叶具3个端突，腹侧无小齿 …………… 2
   锯鞘背面观较窄，端部圆钝，两侧缘平行，基部不收窄；锯腹片9锯节，第1、2节缝明显弯曲，向锯腹片腹缘明显倾斜，互相向腹侧微弱收敛；阳茎瓣头叶具2个端突，中部至腹角具明显的小齿簇 …………………………………………………………… **狭鞘拟栉叶蜂 *P. nigricans***
2. 前中足转节黑褐色；第1、2节缝距离显著宽于第2、3节缝距离；爪具小型基片；头部背侧毛瘤显著……………………………………………………………… **黑转拟栉叶蜂 *P. melanotus***
   各足转节白色；第1、2节缝距离不宽于第2、3节缝距离；爪无小型基片；头部背侧毛瘤不明显 ………………………………………………………………… **黑跗拟栉叶蜂 *P. nigrotarsalis***

(103) 黑跗拟栉叶蜂 *Priophorus nigrotarsalis* Wei, 1998 陕西新纪录

Priophorus nigrotarsalis Wei, in Nie and Wei, 1998a: 117.

鉴别特征：体长5.00～6.50mm。体黑色，基节端部、转节、胫节大部、前中足跗节大部浅黄褐色；翅浅烟灰色，翅痣黑褐色。体毛褐色，头部细毛黑褐色。体光滑，无明显刻点，头部背侧具不明显的毛瘤。颚眼距2倍于单眼直径，单眼后区宽2.80倍于长；触角第3节短于第4节，基部无突；中胸侧板毛被连续；前足基跗节长于其后3节之和；爪无基片，具大内齿；后翅臀室柄长2倍于cu-a脉；锯鞘背面观近三角形，基部显著收缩；锯腹片窄，具8节缝，基部2节缝较直，向下明显收敛，第1节缝具6～7齿，第2节缝具10～11齿。雄虫触角明显侧扁，第8背板完全覆盖第9背板；阳茎瓣具3个端突。

采集记录：1♀，太白山，1600～1800m，2005.Ⅶ.07，朱巽采。

分布：陕西(眉县)、河北、河南、甘肃、浙江、湖北、湖南。

(104) 黑转拟栉叶蜂 *Priophorus melanotus* Wei, 2002 陕西新纪录

Priophorus melanotus Wei, 2002: 71.

鉴别特征：体长7mm。体黑色，后足转节、前中足胫节和跗节浅褐色，后足胫节黄白色，末端黑褐色。体毛银褐色。翅近透明，翅痣和翅脉黑褐色。颜面、头部背

侧、前胸背板具明显的毛瘤。颚眼距微窄于触角窝间距；单眼后区宽长比等于3；触角第3节简单；前足胫节内距不分叉，基跗节显著长于其后3节之和；爪内齿发达，具较小的爪基片。中胸前侧片下后部具1小型的光滑无毛三角形区域，但无光裸的横带；后翅臀室柄2倍于cu-a脉长；锯鞘背面观中部明显膨大，向端部强烈尖出，侧角突出；锯腹片具8个锯节，第1节缝很长，垂直于锯腹片腹缘，具7~8个小齿；第2节缝长直，强烈倾斜，第1、2节缝向锯腹片腹缘明显收敛。阳茎瓣具3个端突。

采集记录：1♀，华山，1300~1600m，2005. Ⅶ. 12，朱巽采；1♂，宝鸡天台山，802m，2006. Ⅴ. 23，杨青采；1♀，佛坪大古坪，1320m，2006. Ⅳ. 28，何末军采；1♀，佛坪大古坪，1190m，2006. Ⅳ. 27，何末军采；1♀，佛坪岳坝，1085m，2006. Ⅳ. 29，何末军采；1♀，佛坪，1000~1450m，2005. Ⅴ. 17，刘守柱采。

分布：陕西（华阴、宝鸡、凤县、佛坪）、河南、甘肃、湖南、贵州。

（105）狭鞘拟栉叶蜂 *Priophorus nigricans*（Cameron, 1902）

Cladius nigricans Cameron, 1902: 448.
Priophorus nigricans: Konow, 1905: 48.
Priophorus hisakus Okutani, 1959: 36.

鉴别特征：体长4.00~5.50mm。体黑色，各足转节、胫节大部白色。头胸部背侧细毛黑褐色，侧板细毛浅褐色。翅均匀烟褐色，翅痣和翅脉暗褐色。体光滑，具强光泽，无明显刻点，头部无毛瘤。颚眼距约等于触角窝间距；单眼后区宽长比稍小于4。触角第3节不弯曲，基部无侧突，稍短于第4节。前足基跗节长于其后3节之和；爪无基片，内齿大。中胸前侧片细毛分布均匀，下部无裸带。锯鞘背面观较窄，中部不膨大，端部尖出，无侧角。锯腹片具9个锯节；第1节缝长且明显倾斜于锯腹片腹缘，具多数细齿；第2节缝显著倾斜并弯曲，与第1节缝向锯腹片腹缘稍收敛。雄虫触角鞭节强烈侧扁，第3节基部稍呈弧形突出；第8背板后缘直，第9背板出露；阳茎瓣头叶近长方形，内下角具齿突群，前端具1长1短2个端突。

采集记录：1♀，佛坪大古坪，1320m，2006. Ⅳ. 28，何末军、朱巽采。

分布：陕西（佛坪）、甘肃、上海、安徽、浙江、湖北、湖南、台湾、四川、贵州；日本，缅甸，印度北部。

（七）突瓣叶蜂亚科 Nematinae

42. 狭脉叶蜂属 *Megadineura* Malaise, 1931

Megadineura Malaise, 1931: 147. **Type species**: *Dineura grandis* Andre, 1882.

属征：体狭长。中胸前侧片上部具粗糙致密皱刻纹，腹部具致密刻纹；上颚外面观狭窄，基部突然加宽；颚眼距近线状，唇基具缺口；复眼内缘向下弱收敛，间距稍宽于眼高；触角窝距约等于内眶的1/2宽，触角窝间区弱度前突；中窝很深，颜面与额区之间具波状弯曲的横脊；单眼后区横宽，后眶窄，具细浅眶沟，无后颊脊；触角粗长丝状，第1、2节宽大于长，第3节显著短于第4节，鞭节端部不尖细；胸腹侧片低平，半隆肩形，胸腹侧片缝细沟状；中胸侧板前缘具细脊；前足胫节内距端部弱分叉形，具宽膜叶；后足胫节长于跗节，外侧具发达纵沟；后基跗节稍长于其后3节之和；爪中裂式，无基片，内齿稍短于外齿；前翅狭长，C脉端稍膨大，Sc脉远离M脉顶端，R + M脉段长，1M脉与1m-cu脉向翅痣微弱收敛；cu-a脉中位或偏外侧，1m-cu和2m-cu脉均交于1Rs室内，1Rs稍长于或约等长于2Rs室，2Rs室长宽比大于2，2M室长大于宽，基臀室开放，2A +3A脉直；后翅具双闭中室，后臀室柄明显短于cu-a脉；腹部第1气门位于背板前上角，第1背板膜区很小，第8背板无显著中脊，尾须细长；锯鞘简单，锯腹片无叶状节缝粗刺和齿突；阳茎瓣无侧刺，背叶不弯曲。

分布：东亚。世界已知3种，中国均有分布，秦岭地区发现2种。

分种检索表

头部黑色；触角柄节背侧、前胸背板外缘、翅基片、各足胫节基部4/5、跗节全部黄白色；前翅R + M脉长于1M脉 ························ **白跗狭脉叶蜂 *M. leucotarsis***

头部红褐色；触角柄节全部、前胸背板、翅基片、各足跗节黑色，各足胫节基部1/2 ~ 1/3白色；前翅R + M脉短于1M脉 ························ **红头狭脉叶蜂 *M. rufocephala***

(106) 红头狭脉叶蜂 *Megadineura rufocephala* Wei, 2002

Megadineura rufocephala Wei, 2002a: 69.

鉴别特征：体长13mm。体和触角黑色，头部红褐色，上唇和唇基、触角端部两节半、后足基节端部、后足转节、前中足胫节基部2/5、后足胫节基半部白色，中胸背板前叶两侧、腹部第4背板中央、第5腹板中央和锯鞘基暗红褐色，前足股节和前足胫节端部3/5暗褐色。翅透明，前后翅缘脉除末端之外浅红褐色，翅痣大部和其余翅脉黑褐色，翅痣端部和中央浅褐色。体毛浅褐色。头部光滑，无刻点刻纹；颚眼距约等于单眼直径的1/3；单眼后区宽长比等于3。触角稍长于腹部。与1m-cu脉几乎平行，cu-a脉位于1M室外侧2/5；后翅臀室柄长约为cu-a脉的1/2。锯鞘背面观三角形，端部尖，不伸出尾须端部；锯腹片节缝弱S形弯曲，稍倾斜，1 ~ 14节缝中上部具很短小的节缝刺突，锯基腹索踵后角方形。

采集记录：1♀，长安终南山，1555m，2006. Ⅴ. 27，杨青采；1♀，Shaanxi，Foping. x，Dadianzi，1650 ~ 1800m，26. Ⅵ. 1997，A. Nakanishi，leg。

分布：陕西(长安、佛坪)、河南、湖南。

(107) 白跗狭脉叶蜂 *Megadineura leucotarsis* Wei, 2008（图版3：D）

Megadineura leucotarsis Wei, 2008: 53.

鉴别特征：体长13mm。体黑色，上唇和唇基、唇基上区大部、触角柄节背侧大部和端部两节、前胸背板外缘宽边、翅基片、小盾片的附片两侧、后胸背板凹部黄白色；足黄白色，前中足基节大部、后足基节基部3/5、前足股节后侧、中足股节、后足股节除基端和背侧基半部外、后足胫节端部1/4和各足胫节端距黑色。翅透明，翅痣和翅脉黑褐色。体毛银褐色，锯鞘毛黑褐色。颚眼距约等于单眼直径的1/3；单眼后区宽长比等于3。触角粗扁，稍短于胸腹部之和。前翅M脉亚基部明显弯曲，与1m-cu脉几乎平行；后翅臀室柄长约为cu-a脉的3/5。锯鞘背面观窄长三角形；锯腹片基部节缝中部稍弯曲，其余节缝几乎不弯曲，1～17节缝中上部具很短小的节缝刺毛，基部锯刃具12～13枚亚基齿，中部锯刃锯6～8枚亚基齿。

采集记录：2♀，凤县红花铺镇，1080m，2007. Ⅴ. 25，朱巽采；2♀，留坝桑园林场，1250m，2007. Ⅴ. 18，蒋晓宇采；1♀，佛坪，1000～1450m，2005. Ⅴ. 17，刘守柱采。

分布：陕西（凤县、留坝、佛坪）、甘肃。

43. 中脉叶蜂属 *Mesoneura* Hartig, 1837

Dineura (*Mesoneura*) Hartig, 1837: 228-229. **Type species**: *Tenthredo opaca* Fabricius, 1775.

Selandria (*Pristis*) Brullé, 1846: 665. **Type species**: *Tenthredo punctigera* Lepeletier, 1823 [= *Mesoneura opaca* (Fabricius, 1775)].

Mesonevra: Agassiz, 1848: 667.

Lisconeura Rohwer, 1908: 529. **Type species**: *Scolioneura vexabilis* Brues, 1908.

属征：体粗短。上颚外面观窄长，基部突然膨大；颚眼距近线状，唇基具宽大缺口；复眼大，内缘弯曲，向下收敛，间距约等于眼高；触角窝距不狭于内眶的1/2宽，额区下端开放；后眶沟深；口须短，下颚须第5节约等长于触角第3节宽；触角粗短丝状，短于头宽2倍，第3节不长于第4节；中胸背板前叶长宽比约等于1，小盾前沟浅，淡膜区中形，CD大于1；胸腹侧片宽大平滑，中胸侧板前缘无细脊，后胸侧板较宽，前缘稍弯曲，后气门后片线状；前足胫节内距具膜叶，后足胫节稍长于跗节，第4跗分节短宽；爪无基片，内齿短于外齿；前翅C脉端强烈膨大，Sc脉远离M脉，R+M脉不短于1M脉，2m-cu脉交于2Rs室，1Rs室稍长于2Rs室，端臀室具柄式，2A+3A脉直；后翅臀室柄长于cu-a脉；腹部约等长于头胸部之和，第1背板膜区窄三角形，腹部具横向刻纹；锯鞘具侧叶，锯腹片亚三角形，端部尖，节缝较发达，锯刃无细齿；雄虫阳茎瓣具1个前指的刺突。

分布：古北区。世界已知 8 种，中国记载 2 种，秦岭地区发现 1 种。

(108) 钝鞘中脉叶蜂 *Mesoneura truncatatheca* Wei, 2013 (图版 3：E)

Mesoneura truncatatheca Wei, 2013: 237.

鉴别特征：体长 5.50 ~ 7.00mm。体黑色，上唇、唇基端半部、上颚基半部、前胸背板沟后区大部、翅基片、中胸背板前叶外前角三角形斑、腹部第 8 和 9 背板两侧斑、第 7 腹板大部黄褐色。足浅褐色，各足基节大部、股节腹侧条斑、后足胫节端部 1/3 黑褐色，股节大部偏黄褐色。翅痣大部浅褐色。体毛明显短于单眼直径。中胸侧板较光滑，刻点极细微；腹部各节背板均具横向细刻纹。颚眼距 0.30 倍于前单眼直径；单眼后区宽长比等于 3；后头两侧明显收缩。后翅臀室柄约 1.30 倍于 cu-a 脉长。下生殖板中突高三角形，基部宽度约为下生殖板宽度的 1/3，端部窄，具小型缺口；产卵器背面观两侧缘不膨大，端缘钝截型；尾须仅伸抵锯鞘端中部；锯刃倾斜突出，端部尖锐；节缝显著弯曲，伸过锯腹片中部。雄性体黑色，无明显淡斑；阳茎瓣粗刺突端部未伸达突叶端部。

采集记录：3♀，宁陕县秦岭东梁，1500 ~ 2000m，2012. Ⅳ. 29，邱见玥、许浩采。

分布：陕西（宁陕）、甘肃。

寄主：落叶松属和栎属植物。

44. 扁角叶蜂属 *Stauronematus* Benson, 1953

Stauronema Benson, 1948: 22 (nec Sollas, 1877). **Type species**: *Nematus platycerus* Hartig, 1840.

Stauronematus Benson, 1953: 153 (new name for *Stauronema* Benson, 1948).

属征：体小型。唇基极短，端部近似截型；下颚须长于下唇轴节和茎节之和，下唇须 2 倍于唇舌长；左上颚外面观窄长，基部突然加宽；颚眼距约等于触角窝间距 1/2，触角窝间区显著前突，脊状；触角基部 2 节短小，宽大于长，雌虫触角丝状，稍侧扁，约等长于前翅 C 脉和翅痣之和，雄虫触角等长于虫体，强烈侧扁，鞭分节腹端角突出；胸腹侧片平坦，胸腹侧片缝细弱；前翅 C 室末端狭窄，C 脉端部强烈膨大；2r 脉缺，Sc 位于 1M 脉端部内侧，2m-cu 脉交于 1Rs 室内，基臀室开放；后翅 R_1、Rs、M、臀室全部封闭，臀室柄显著长于 cu-a 脉；爪短，具显著基片，内齿长于外齿；尾须伸出锯鞘端部，长宽比约等于 5；锯鞘背面观端部圆，基部明显收缩；锯腹片具节缝细刺毛带，无栉齿列，锯刃倾斜突出；雄虫第 8 背板中突非脊状，不伸出具浅缺口的第 8 背板后缘；阳茎瓣头叶较直，粗刺突自腹瓣背侧伸出。幼虫腹部第 3 节第 1、2、4 环节具刺毛。

生物学：本属幼虫危害杨树叶片时，从叶片中部任意地方开始取食，成孔洞状，并在其取食地方附近分泌蜡丝，形成多个残桩。

分布：古北区。世界已知2种，中国报道1种，秦岭地区有分布。

（109）杨扁角叶蜂 *Stauronematus platycerus*（Hartig，1840）

Nematus platycerus Hartig，1840：27.

Stauronematus platycerus：2007：139.

Stauronematus compressicornis（Fabricius，1804）auct.，nec. *Tenthredo compressicornis* Fabricius，1804（now a species of *Cladius*）.

鉴别特征：体长5.20～6.50mm。体黑色，有光泽，被稀疏银色短绒毛；触角黑褐色，雄虫触角鞭节中基部有时较淡；前胸背板大部、翅基片黄褐色；足淡黄褐色，后足基节基半部、后足胫节端部和后足跗节端部暗褐色至黑褐色。翅透明，翅痣黑色，翅脉淡褐色。背面观头部在复眼后两侧缘微弱收敛；中胸前侧片上半部毛被稍密于下部，下部无明显光裸区域。锯腹片具19锯节，第1、2节缝完整，无刺毛列。阳茎瓣头叶腹瓣腹缘直，末端突出，腹瓣背侧刺突直。

采集记录：1♀，长安终南山，1555m，2006. Ⅴ.27，杨青采。

分布：陕西（长安）、北京、河南、甘肃、新疆、湖北；俄罗斯，欧洲，北美洲。

寄主：杨树（*Populus* spp.）。

45. 槌缘叶蜂属 *Pristiphora* Latreille，1810

Pristiphora Latreille，1810：294，435. **Type species**：*Pteronus testaceus* Jurine，1807.

Nematus（*Diphadnus*）Hartig，1837：225. **Type species**：*Nematus fuscicornis* Hartig，1837.

Neotomostethus MacGillivray，1908：290. **Type species**：*Neotomostethus hyalinus* MacGillivray，1908.

Pristiphora（*Sala*）Ross，1937：85. **Type species**：*Nematus chloreus* Norton，1867.

属征：体小型。唇基极短，端部近似截型；下颚须长于下唇轴节和茎节之和，下唇须2倍于唇舌长；左上颚外面观窄长，基部突然加宽；颚眼距0.20～1.50倍于单眼直径，触角窝间区显著前突，脊状；触角基部2节短小，宽大于长，触角丝状，不明显侧扁；胸腹侧片平坦，胸腹侧片缝细弱；前翅C室末端狭窄，C脉端部强烈膨大；2r脉缺，Sc通常位于1M脉端部内侧，2m-cu脉交于1Rs室内，基臀室开放；后翅 R_1、Rs、M、臀室全部封闭，臀室柄长于cu-a脉；爪小型，无基片，内齿通常明显短于并远离外齿，少数亚洲南部种类内齿较长；尾须长宽比小于5；锯鞘背面观端部通常三突形，少数截型，基部不收缩；锯腹片节缝细刺毛带有或无，无栉齿列，锯刃倾斜突出；雄虫第8背板中突非脊状，不伸出第8背板后缘；阳茎瓣头叶形态各异，粗刺突通常自腹瓣中部或腹侧伸出，有时向上弯折。幼虫腹部第3节第2、4环节具刺毛，第1环节裸。幼虫取食树叶时不留下丝质残桩。

分布：古北区，新北区，新热带区。世界已知超过220种，中国已记载34种，秦岭地区发现6种，本文记述5种。

分种检索表

1. 中胸前侧片具细密刻纹；腹部中部红褐色，两端黑色 …………… **红环槌缘叶蜂 *P. erichsonii***
   中胸前侧片光滑，无刻纹；腹部色斑不同上述 ……………………………………………… 2
2. 体长8.50～10.00mm；头部额脊明显，颚眼距窄于单眼直径；唇基黑色，腹部基部黑色，端部红褐色；翅烟黑色；阳茎瓣背瓣端部宽大，具卷折 ………………… **中华槌缘叶蜂 *P. sinensis***
   体长短于8mm；头部额脊不明显，颚眼距不窄于单眼直径；唇基大部或全部淡色，腹部色斑不同上述；翅透明或浅烟灰色；阳茎瓣背瓣端部不宽大，无卷折 ……………………………… 3
3. 锯鞘侧面观端部截形，背面观端部单尖形；中胸侧板大部、腹板全部黄褐色；锯腹片节缝刺毛列稀疏短小；阳茎瓣端突近直角形弯折 …………………………… **截鞘槌缘叶蜂 *P. wesmaeli***
   锯鞘侧面观端部非截形，背面观端部三尖形或向端部明显加宽；中胸侧板大部或全部黑色；锯腹片中部节缝刺毛列十分显著；阳茎瓣端突直 ……………………………………………… 4
4. 颚眼距窄于触角窝间距；腹部腹板全部黄褐色；头部背侧光滑，无毛瘤；锯腹片中部节缝刺毛多列，30枚以上。寄主：杨树 …………………………………… **北京槌缘叶蜂 *P. beijingensis***
   颚眼距1.60倍于触角窝间距；腹部腹板基部黑褐色或暗褐色；头部背侧具显著毛瘤；锯腹片中部节缝刺毛1列，8～12枚。寄主：落叶松 ……………………… **西北槌缘叶蜂 *P. xibei***

(110) 红环槌缘叶蜂 *Pristiphora erichsonii* (Hartig, 1837)（图版3：F）

Nematus Leachii [sic!] Dahlbom, 1835: 27. Suppressed. Opinion 906, ICZN 1970.
Nematus erichsonii Hartig, 1837: 187.
Nematus notabilis Cresson, 1880: 7.

鉴别特征：体长7～10mm。体黑色，上唇褐色，前胸背板后缘、翅基片黄褐色，腹部2～6节红褐色；足黄褐色，前中足基节大部、后足基节基部、后足股节端部、中后足胫节端部和跗节黑色。翅透明，翅痣黑褐色。颚眼距约等长于单眼直径；中胸前侧片上半部刻纹细密，表面无光泽。侧面观锯鞘宽大，端部钝截型；背面观锯鞘窄长，端部钝圆，无缺口，无侧突；尾须长宽比约等于4，末端仅伸抵锯鞘中部；锯腹片节缝明显倾斜，无明显节缝刺毛列；锯刃显著倾斜，亚基齿细小。阳茎瓣头叶较宽，背瓣宽大，端部圆；腹瓣背缘强烈下倾，刺突短小，稍伸向前上方。

采集记录：3♀，长安区鸡窝子，1720m，2008. Ⅴ.23-24，于海丽采；2♀，留坝营盘乡，1390m，2007. Ⅴ.21，朱巽采。

分布：陕西（长安、留坝）、黑龙江、吉林、辽宁、内蒙古、北京、河北、宁夏、甘肃；俄罗斯，欧洲，北美洲。

寄主：落叶松属（*Larix* sp.）植物。

(111) 截鞘槌缘叶蜂 *Pristiphora wesmaeli* (Tischbein, 1853)

Nematus Wesmaeli [sic!] Tischbein, 1853: 347.

Nematus solea Snellen van Vollenhoven, 1870: 59.

鉴别特征: 体长4.50~6.00mm。头部黄褐色，背侧具大黑斑；触角背侧黑褐色，腹侧浅褐色；胸腹部黑色，前胸背板、翅基片、中胸侧板中部、腹板大部、腹部末节背板黄褐色；足黄褐色，胫节端部和跗节稍暗。体毛银褐色。颚眼距稍宽于单眼直径，额区无脊。背面观后头两侧收缩；头部背侧和胸部侧板光滑，无明显刻纹和毛瘤。前翅透明，翅痣黄褐色。爪内齿小型。锯鞘背面观基部宽，向端部迅速收窄，末端尖，无侧突和中位缺口；侧面观锯鞘宽大，端部截型；锯腹片节缝刺毛列稀疏短小；阳茎瓣头叶明显向下弯折，端突短小，近直角形弯折。

采集记录: 1♀，留坝营盘乡，1390m，2007. Ⅴ.21，朱巽采。

分布: 陕西(留坝)、北京、宁夏、甘肃；蒙古，俄罗斯(东西伯利亚)，朝鲜，日本，欧洲中北部。

寄主: 落叶松属(*Larix* spp.)植物。

(112) 北京槌缘叶蜂 *Pristiphora beijingensis* Zhou *et* Zhang, 1993

Pristiphora beijingensis Zhou *et* Zhang, 1993: 57-59.

鉴别特征: 体长5.50~7.80mm。体黑色，唇基、上唇、上颚大部、唇基上区、前胸背板沟后部、翅基片、腹部背板缘折和腹板全部黄褐色，触角腹侧褐色；足黄褐色，基节、转节和胫节较淡，后足胫节端部1/5和后足跗节黑褐色。翅透明，翅痣暗褐色，翅痣下具模糊褐斑。唇基很短，端缘具浅弱弧形缺口；颚眼距1.10倍于单眼直径，0.80倍于触角窝间距；头部背侧无毛瘤，额区具明显刻纹，额脊低弱；单眼后区宽长比稍大于2，侧沟浅弱，向后显著分歧；单眼后沟显著；触角稍长于腹部，第3节稍长于第4节。小盾片光滑，附片具细密刻点；中胸侧板光滑，无刻点和刻纹；腹部背板具微弱刻纹。爪内齿短于外齿，内外齿间距狭窄；后翅臀室柄1.50倍于cu-a脉长。锯鞘端三突形，尾须锥形，端部尖。

采集记录: 1♀，眉县营头蒿坪，1162m，2008. Ⅶ.01，朱巽采。

分布: 陕西(眉县)、辽宁、北京、天津、河北、甘肃。

寄主: 杨树(*Populus* spp.)。

(113) 中华槌缘叶蜂 *Pristiphora sinensis* Wong, 1977

Pristiphora sinensis Wong, 1977: 101.

Pristiphora huangi Xiao, 1990: 550.

鉴别特征：体长 8～10mm。体黑色，翅基片前半部白色；腹部基部背腹板黑色，中端部背板和腹板红褐色；足黄褐色，各足基节大部、各足股节腹侧大部、股节背侧端部、后足胫节端部 1/4 和后足跗节黑色。体毛银褐色，头部背侧细毛暗褐色。翅深烟褐色，翅痣和翅脉黑褐色。体光滑，具较强光泽，头胸部无显著刻点和刻纹，头部背侧无毛瘤，腹部背板具微细刻纹。颚眼距稍窄于中单眼直径；额脊明显，单眼后区宽长比稍小于 2。爪内齿和外齿均很短小。后翅臀室柄稍长于 cu-a 脉。锯鞘背面观显著宽于后足胫节端部，侧突发达；尾须基部细，亚端部显著膨大，伸出锯鞘末端；锯腹片 23 节，4～16 节中部具不发达的栉刺毛列，锯刃倾斜突出。阳茎瓣背叶很宽大，具脊，腹瓣刺突短小，向上稍倾斜。

采集记录：1♀，长安区鸡窝子，1760m，2008. Ⅴ.23，于海丽采。

分布：陕西（长安）、内蒙古、北京、河北、山西、山东、河南、江苏、浙江、湖北、湖南、福建、广东、广西、贵州。

寄主：桃树（*Prunus persica*）。

（114）西北槌缘叶蜂 *Pristiphora xibei* Wei *et* Xia，2012 陕西新纪录（图版 3：G）

Pristiphora xibei Wei *et* Xia，2012：172.

鉴别特征：体长 6.50～7.00mm。体黑色，头部背侧和后侧黑色，上颚基部、上唇、唇基、唇基上区、颚眼距、内眶下半部、后眶大部、前胸背板沟后部和翅基片、腹部各节背板缘折大部、第 9 背板全部、各节腹板后半部左右、锯鞘基黄褐色；触角鞭节腹侧浅褐色，中胸前侧片中部具模糊褐斑。足大部黄褐色，前中足基节腹缘、后足基节大部、各足股节后侧和腹侧、后足胫节端部和后足跗节黑褐色至黑色。翅均匀微弱烟褐色，翅痣和翅脉黑褐色。胸部侧板光滑。颚眼距 1.50 倍于前单眼直径，1.60倍于触角窝间距；单眼后区明显隆起，宽长比约等于 3.20；触角第 3 节约等长于复眼长径。爪内齿微小，中位，远离端齿。背面观锯鞘端缘具微弱中突和侧突；锯腹片具 15 锯节，第 2～11 锯节节缝栉刺毛列明显。

采集记录：1♀，长安区鸡窝子，1760m，2008. Ⅴ.23，于海丽采。

分布：陕西（长安）、宁夏。

寄主：华北落叶松 *Larix gmelinii* var. *principisrupprechtii*（Mayr.）Pilger

46. 突瓣叶蜂属 *Nematus* Panzer，1801

Nematus Panzer，1801：82：10. **Type species**：*Tenthredo*（*Nematus*）*lucida* Panzer，1801.

Nematus Jurine in Panzer，1801，1542：163. **Type species**：no type species selected. Suppressed by Opinion 135（ICZN 1939）.

Nematus Jurine，1807：59. Homonym of *Nematus* Panzer，1801. **Type species**：no type species selected.

Hypolaepus W. F. Kirby, 1882: 324. **Type species**: *Hypolaepus abbotii* W. F. Kirby, 1882.
Holcocneme Konow, 1890: 233, 238. **Type species**: *Nematus vicinus* Serville, 1823.
Nematus (*Holcocnema*) Schulz, 1906: 80. Name for *Holcocneme* Konow, 1890.
Holcocnemis Konow, 1907: 331. Name for *Holcocneme* Konow, 1890.

属征：体小中型。唇基较长，端部具明显缺口；下颚须长于下唇轴节和茎节之和，下唇须2倍于唇舌长；左上颚外面观窄长，基部突然加宽；颚眼距0.20~3.00倍于单眼直径，触角窝间区显著前突，脊状；触角基部2节短小，宽大于长，触角丝状，不明显侧扁；胸腹侧片平坦，胸腹侧片缝细弱；前翅C室末端较宽，Rs+M脉处C室不窄于该处C脉宽，C脉端部微弱膨大或不膨大；2r脉缺，Sc位于1M脉端部内侧，2m-cu脉交于1Rs室内，基臀室开放；后翅R_1、Rs、M、臀室全部封闭；后足基跗节狭长圆柱形，不扁平扩展；爪小型，无基片，内齿通常较大，稍短于外齿，与外齿间夹角狭窄；尾须长宽比小于5；锯鞘背面观端部通常圆钝，少数钝截型，基部不收缩；锯腹片节缝细刺毛带有或无，无栉齿列，锯刃倾斜突出；雄虫第8背板中突非脊状，不伸出第8背板后缘；阳茎瓣头叶形态各异，粗刺突通常自腹瓣背侧伸出。

分布：古北区，新北区，新热带区。世界已知超过260种，中国本属尚未进行系统分类研究，目前已记载仅20种，秦岭地区发现5种，本文记述4种。

分种检索表

1. 体黄褐色或黄绿色，头胸腹部背侧具黑斑；翅痣黄褐色或黄绿色；后足股节和胫节全部黄褐色或黄绿色 ······ 2
   体大部黑色或黑褐色，头胸部具淡斑；翅痣黑褐色；后足股节或后足胫节大部黑色 ······ 3
2. 颚眼距几乎3倍宽于侧单眼直径，约2倍宽于触角窝间距；背面观锯鞘端部与尾须端部持平；胸部黄绿色，背侧具小型黑斑 ······ **绿柳突瓣叶蜂 *N. ruyanus***
   颚眼距短于侧单眼直径2倍，稍宽于触角窝间距；尾须很短，背面观仅伸达锯鞘中部；胸部背侧大部包括小盾片全部黑色 ······ **短须突瓣叶蜂 *N. papillosus***
3. 前中足股节全部、后足股节大部黄褐色，后足胫节黑色；颚眼距显著宽于中单眼直径；单眼后区宽长比稍大于2；腹部背板刻纹十分明显 ······ **邓氏突瓣叶蜂 *N. dengi***
   各足股节大部黑色，后足胫节基部1/3黄褐色；颚眼距稍宽于前单眼直径1/2；单眼后区宽长比等于3；腹部2~10背板无明显刻纹 ······ **申氏突瓣叶蜂 *N. sheni***

(115) 邓氏突瓣叶蜂 *Nematus dengi* Wei, 2003 陕西新纪录

Nematus dengi Wei in Wei *et* Nie, 2003: 54, 197.

鉴别特征：体长5~7mm。体黑色，翅基片、腹部2~7节背板两侧前缘、外缘和缘折以及2~7节腹板黄褐色；足黄褐色，基节外基角、后足股节末端背侧、后足胫节和后足跗节黑色。体毛和锯鞘毛灰褐色。翅浅烟褐色，前缘脉浅褐色，翅痣和其

余翅脉黑褐色。头部背侧具微弱毛瘤和明显的刻纹，中胸侧板光滑，腹部背板刻纹十分明显。上唇端部截形；复眼间距显著宽于眼高；颚眼距显著宽于中单眼直径；额区稍隆起，具低弱但明显的额脊；单眼后区宽长比稍大于2，无中纵沟；中胸侧板和腹板细毛连续分布，无光裸横带。爪内齿稍短于外齿。前翅2Rs室长明显大于宽。后翅臀室柄几乎2倍长于cu-a脉。锯鞘短于后足基跗节，背面观窄长，尾须细短；鞘端短于鞘基，末端稍上翘。锯腹片2~8节缝具长节缝栉刺毛。

采集记录： 2♀，长安区鸡窝子，1760m，2008. Ⅴ.23，于海丽采。

分布： 陕西(长安)、甘肃、安徽、浙江、湖北、湖南、福建、广西、贵州。

(116) 绿柳突瓣叶蜂 *Nematus ruyanus* Wei, 2002 陕西新纪录（图版3：H）

Nematus ruyanus Wei, 2002b: 77.

鉴别特征： 雌虫体长9mm。体和足黄绿色，头胸部背侧具少量黑斑；体毛银色。翅透明，前缘脉全部、翅痣全部黄褐色，其余翅脉大部黑褐色。唇基端缘具浅弧形缺口；颚眼距几乎3倍宽于侧单眼直径，约2倍宽于触角窝间距；复眼下缘间距几乎2倍宽于复眼高；单眼后区宽长比稍大于2，具中纵沟；头胸部背面光滑，无毛瘤。爪内齿几乎不短于外齿。后翅臀室柄1.20~1.30倍长于cu-a脉。腹部背板具十分微细的刻纹。锯鞘端与尾须端部持平。雄虫体长6mm，额区和单眼后区全部、胸部背板3个大斑、小盾片后部横斑、后胸背板大部、腹部第1背板大部、第2~8背板中部黑色。

采集记录： 2♀，佛坪大古坪，1190m，2006. Ⅳ.27，何末军采。

分布： 陕西(佛坪)、天津、河南、甘肃。

(117) 申氏突瓣叶蜂 *Nematus sheni* Wei, 1999

Nematus sheni Wei in Wei *et* Nie, 1999f: 169.

鉴别特征： 体长9mm。体黑色，上唇、前胸背板后角小斑、翅基片前缘、前中足基节端部、后足基节大部、各足转节、后足股节基部、前中足胫节腹侧大部和背侧基部1/4、后足胫节基部1/3黄褐色。体毛和锯鞘毛浅褐色。翅均匀浅灰色透明，前缘脉外侧、翅痣和其余翅脉黑褐色。颚眼距稍宽于前单眼直径1/2；复眼下缘间距明显宽于复眼高；额区扇形，边界明显，前部额脊发达，单眼后区宽长比等于3，无中纵沟。头部背面光滑，中窝和侧窝附近、侧单眼之前区域和后眶具毛瘤。爪无内齿稍短于外齿。前翅2Rs室长微大于宽，后翅臀室柄1.80倍于cu-a脉长。腹部光滑，第1背板具微细刻纹。下生殖板中突矛形；锯刃具不明显的内侧亚端齿。

采集记录： 1♀，留坝桑园林场，1250m，2007. Ⅴ.18，朱巽、蒋晓宇采。

分布： 陕西(留坝)、吉林、河南、甘肃。

(118) 短须突瓣叶蜂 *Nematus papillosus* (Retzius, 1783)

Tenthredo papillosa Retzius, 1783: 72.

Tenthredo fuscata Christ, 1791: 452.

Nematus melanaspis Hartig, 1840: 27.

Nematus lacteus Thomson, 1871: 155.

Nematus sulphureus Zaddach, 1876: pl. Ⅱ, 6, 14.

Nematus citreus André, 1880: 203, 204.

Nematus maculiger Cameron, 1882: 538.

Nematus brunnicornis Zaddach in Brischke, 1883: 136.

Pteronidea sveae Lindqvist, 1958: 99.

鉴别特征：体长8~10mm。头部黄褐色，额区、单眼区和单眼后区黑色；中胸背板包括小盾片黑色，胸部侧板和腹板大部黄褐色，腹部背板具显著黑斑；足黄褐色，后足胫跗节部分黑褐色；翅透明，翅痣浅褐色；唇基缺口较深，单眼后区宽长比等于2；触角稍长于前翅C脉与翅痣之和，第3节约等长于第4节；胸部背板具细密刻点，中胸前侧片光滑；背面观尾须很短，仅伸达锯鞘中部以内；前翅2Rs室长稍大于宽；爪内齿长于外齿；产卵器明显短于后足股节，背面观窄长，端部稍尖；锯腹片基部4节缝上端显著内倾，2~10节缝具刺毛列，节缝明显；锯刃十分平坦，亚基齿十分细小且多；雄虫第8背板后缘背突长约等于宽。

采集记录：1♀，凤县嘉陵江源头，1570m，2007. Ⅴ.26，蒋晓宇采。

分布：陕西(凤县)、甘肃；俄罗斯，日本，欧洲中北部。

寄主：柳(*Salix* spp.)、杨(*Populus* spp.)、桦(*Betula* spp.)。

47. 大跗叶蜂属 *Craesus* Leach, 1817

Craesus Leach, 1817: 129. **Type species**: *Nematus septentrionalis* (Linné, 1758).

属征：体小型。唇基较长，端部具明显缺口；下颚须长于下唇轴节和茎节之和，下唇须2倍于唇舌长；左上颚外面观窄长，基部突然加宽；颚眼距0.20~2.00倍于单眼直径，触角窝间区显著前突，脊状；触角基部2节短小，宽大于长，触角丝状，不明显侧扁；胸腹侧片平坦，胸腹侧片缝细弱；前翅C室末端较宽，Rs+M脉处C室不窄于该处C脉宽，C脉端部微弱膨大或不膨大；2r脉缺，Sc位于1M脉端部内侧，2m-cu脉交于1Rs室内，基臀室开放；后翅R_1、Rs、M、臀室全部封闭；后足基跗节强烈扁平并扩展，显著宽于胫节端部；爪小型，无基片，内齿通常较大，约等长于外齿，与外齿间夹角狭窄；尾须长宽比小于5；锯鞘背面观端部通常圆钝，基部不收缩；锯腹片节缝细刺毛带有或无，无栉齿列，锯刃倾斜突出；雄虫第8背板中突非脊状，不伸出第8背板后缘；阳茎瓣头叶腹瓣具粗刺突。

分布：古北区，新北区。世界已知22种，中国记载2种，秦岭地区发现1未记述种。

(119) 大跗叶蜂 *Craesus* sp.

鉴别特征：体长8mm。体黑色，唇基、上唇、尾须浅褐色；翅透明，无烟斑，翅痣暗褐色。足黑褐色，后足基节端半部、后足转节、各足胫节基部1/4左右黄白色，前中足胫节端部3/4褐色，前中足跗节浅褐色。唇基缺口三角形，颚眼距0.80倍于单眼直径；单眼后区宽长比约等于2，侧沟直，互相平行；额区平台状隆起，额脊明显；中窝深长，中单眼前具约与单眼直径等长的长卵形纵沟；触角约等长于虫体，第3、4节等长。小盾片具细纵脊；后足胫节端部稍膨大，侧面观最宽处约2.80倍于亚基部宽，后基跗节长宽比约等于3.10。头部背侧具显著刻纹和模糊刻点，小盾片刻点细小稀疏，中胸前侧片上部刻点不十分密集，有光滑间隙，腹部背板具较弱刻纹和模糊刻点，头胸腹部均具明显光泽。中胸前侧片腹侧具无毛裸带。

采集记录：1♀，镇安，1300～1600m，2005.Ⅶ.10，朱巽采。

分布：陕西(镇安)。

(八) 平背叶蜂亚科 Allantinae

48. 直脉叶蜂属 *Hemocla* Wei, 1995

Hemocla Wei, 1995: 547, 549. **Type species**: *Hemocla infumata* Wei, 1995.

属征：上颚对称双齿形，端部2/3强烈弯曲；唇基后部和唇基上区均匀隆起，唇基前缘缺口浅宽，底部平直；复眼中形，内缘向下收敛，间距宽于眼高，触角窝距狭于内眶宽，额唇基沟浅弱；颚眼距宽1.50倍于单眼直径；后眶边缘圆钝，后颊脊缺，具短小口后脊；背面观后头短缩，单眼后区横宽；额区隆起，高于复眼面。触角较粗短，第2节宽大于长，第3节稍长于第4节。前胸背板沟前部狭窄，无前缘细脊；前胸侧板腹侧钝截形接触，后胸后侧片大形，无缘片；后胸淡膜区小形，间距显著大于淡膜区宽。前足胫节内距端部不分叉，具高位膜叶；后足胫跗节等长，基跗节稍长于2～4跗分节之和；爪短小，内齿小形，无爪基片。前翅Rs脉第1段缺，R+M脉段点状，Rs与M脉显著共短柄，1M与1m-cu脉互相平行，cu-a脉中位；臀室完整，臀横脉外侧位，位于1M脉内侧，呈50°倾斜；后翅无封闭中室，R_1室端部圆，无赘柄，cu-a脉垂直于M脉和臀室柄。阳茎瓣具端侧钩突和腹缘细齿。

分布：亚洲。秦岭地区发现1种。

(120) 短柄直脉叶蜂 *Hemocla brevinervis* Wei, 1997 (图版3: I)

Hemocla brevinervis Wei, 1997g: 1580.

鉴别特征: 体长4.50~5.50mm。体黑色，前足胫节前缘污白色。翅烟褐色，端部稍淡。体光滑，无刻点。体毛极短，黑褐色。唇基缺口宽三角形；中窝显著，额区稍隆起，额脊低钝，前端向中窝开放；单眼后区宽明显大于长，具浅细单眼中沟和后沟；侧沟短深且直，向后微分歧，伸达单眼后区中部；背面观后头稍短于复眼的1/2长，两侧稍收缩；触角等长于头胸部之和，鞭节稍侧扁，末端4节约等长。胸部约与头部等宽；前胸侧板腹侧接触面长大于单眼径2倍。后翅臀室柄明显短于cu-a脉，约等于或稍短于臀室宽。雌虫锯鞘很短，端部钝尖成圆弧形；锯腹片13刃，锯刃稍突出，外侧亚基齿6~9个，内侧亚基齿3~5个。雄虫下生殖板端缘圆钝。

采集记录: 1♀，眉县营头蒿坪，1162m，2008.Ⅶ.01，朱巽采。

分布: 陕西(眉县)、甘肃、安徽、浙江、湖北、湖南、福建、广西、重庆、四川、贵州、云南。

49. 斑腹叶蜂属 *Empria* Lepeletier *et* Serville, 1828

Empria Lepeletier *et* Serville, 1828: 571. **Type species**: *Dolerus pallimacula* Lepeletier, 1823.

Tenthredo (*Poecilostoma*) Dahlbom, 1835: 5, 13 (nec Hübner, 1816). **Type species**: *Tenthredo guttata* Fallén, 1808.

Prosecris Gistel, 1848: x (new name for *Tenthredo* (*Poecilostoma*) Dahlbom, 1835).

Poecilosoma Thomson, 1870: 265, 287 (new name for *Tenthredo* (*Poecilostoma*) Dahlbom, 1835).

Poecilostomidea Ashmead, 1898: 256. **Type species**: *Empria maculata* (Norton, 1861).

Tetratneura Ashmead, 1898: 256. **Type species**: *Selandria ignota* Norton, 1867.

Parataxonus MacGillivray, 1908: 367. **Type species**: *Taxonus multicolor* (Norton, 1862).

Leucempria Enslin, 1913: 187. **Type species**: *Tenthredo candidata* Fallén, 1808.

Empria (*Triempria*) Enslin, 1914: 213. **Type species**: *Empria tridens* (Konow, 1896).

属征: 上颚对称双齿形，外齿弱度弯曲；唇基平坦，前缘缺口浅三角形，具明显中齿；颚眼距约等长于触角第2节；额唇基沟显著，后颊脊发达；背面观后头较短，通常两侧缘向后收缩；触角不长于腹部，第2节长稍大于宽，第3节稍长于第4节；前胸背板沟前部狭窄，无前缘细脊；前胸侧板腹侧较尖，互相不接触或微接触；后胸后背板中央强烈收缩；无胸腹侧片，中胸腹板前缘无细脊。后足基跗节短于2~5跗分节之和；爪简单，无基片，无内齿或或具较小内齿。前翅R+M脉段点状，1M室无背柄，Rs脉第1段通常存在，少数种类缺失，cu-a脉中位；臀室通常完整，臀横脉甚斜，外侧位；后翅Rs室开放，通常具闭M室，稀缺少闭M室，臀室具柄式，cu-a脉近垂直。雄虫后翅无缘脉。两性腹部背板通常具成对不透明白斑，偶尔缺失。阳茎瓣具腹缘细齿，通常具端侧钩，少数种类缺端侧钩。

分布：古北区，新北区。世界已知52种，中国已记载8种，秦岭地区采集到3种，本文记述1种，2个新种将另文记述。

（121）张氏斑腹叶蜂 *Empria zhangi* Wei *et* Yan，2009（图版3：J）

Empria zhangi Wei *et* Yan in Yan, Wei & He, 2009: 248.

鉴别特征：体长6.50～7.00mm。体黑色，前胸背板后侧角宽斑、翅基片、腹部各节背板和腹板的后缘狭边、2～3背板成对大膜斑、第4背板小膜斑黄白色；足黑色，前足股节端部1/3、中后足胫节基部3/4、后足基跗节基半部黄褐色。翅透明，翅痣和翅脉黑褐色。体毛浅褐色。中胸侧板无刻点和刻纹，前侧片下半部和后胸侧板中部光裸无毛；腹部背板具弱刻纹。颚眼距等长于单眼直径，复眼下缘间距1.30倍于复眼长径；单眼后区宽2.50倍于长，侧沟向后分歧；触角第8节长宽比等于2.80。爪内齿等于端齿的1/2长。前翅Rs脉第1段缺，后翅Rs室封闭。锯刃乳状突出，具1个内侧和4个外侧亚基齿。阳茎瓣头叶稍倾斜，端部圆钝，具小型顶侧突。

采集记录：1♀，佛坪大古坪，1190m，2006.Ⅳ.27，何末军采。

分布：陕西（佛坪）、湖南、广西。

50. 单齿叶蜂属 *Ungulia* Malaise，1961

Ungulia Malaise, 1961: 243. **Type species**: *Taxonus nigritarsis* Cameron, 1902.

属征：体小，狭细。上颚对称双齿形，内齿邻近端齿，外齿微弱弯曲；唇基平坦，前缘缺口浅弧形，额唇基沟明显；复眼大，内缘向下收敛；颚眼距约等长于触角第2节；后眶边缘圆，无后颊脊；触角细长丝状，约等长于腹部，第2节长大于宽，第3节等长于第4节，末端数节不侧扁；前胸背板沟前部短小，无前缘细脊；前胸侧板腹侧较尖，互相远离，无接触面；后胸后背板中央强烈收缩、倾斜；无胸腹侧片，中胸腹板前缘光滑，无细脊；前足胫节内距端部分叉，后足胫节和跗节等长，后足基跗节等于2～5跗分节之和；爪简单，无基片和内齿；前翅Rs脉第1段完整，1M脉与1m-cu脉平行；cu-a脉位于中室外侧1/3；臀室完整，臀横脉约85°倾斜，外侧位；后翅无封闭中室，臀室具柄式，cu-a脉倾斜；雄虫后翅无缘脉，阳茎瓣具端侧突和腹缘细齿；体光滑，刻点不明显。

分布：东亚。世界已知7种，中国已记载1种，秦岭地区有分布。

（122）斑腹单齿叶蜂 *Ungulia fasciativentris* Malaise，1961

Ungulia fasciativentris Malaise, 1961: 244.

鉴别特征：体长4～6mm。体黑色；口器、唇基、翅基片、前胸背板后缘、腹部腹面和足白色至淡黄色，中胸前侧片具白色横斑，腹部3～5背板中央具黄褐色中斑，各足膝部、后足胫节端部和各足跗节黑褐色。翅浅烟褐色透明，翅痣和翅脉黑褐色。体背侧细毛暗褐色。体纤细光滑，小盾片后部具少数刻点。颚眼距约等于单眼直径2倍；中窝大型，不与额区通连；额区显著隆起，中部稍凹；额脊宽钝，前部不开放；单眼中沟和后沟细浅；单眼后区平坦，宽长比稍小于2；侧沟较深，向后显著分歧；背面观后头约等于复眼1/3长。触角第3节几乎不长于第4节。前翅$1R_1$室稍短于第1Rs和2Rs室，后翅臀室柄约等于cu-a脉1/2长。雄虫触角较粗短，稍侧扁。

采集记录：1♀，佛坪，1000～1450m，2005. Ⅴ.17，刘守柱采；1♂，宁陕火地塘，1994. Ⅷ.13，吕楠采。

分布：陕西（佛坪、宁陕）、山西、河南、湖北、湖南、重庆、四川、贵州、云南；缅甸，印度，尼泊尔。

51. 细曲叶蜂属 *Stenempria* Wei, 1997

Stenempria Wei, 1997h: 123. **Type species**: *Stenempria elongata* Wei, 1997.

属征：体小，狭细。上颚对称双齿形，内齿邻近端齿，外齿微弱弯曲；唇基平坦，前缘截型；唇基上区隆起，额唇基沟明显且弯曲；复眼大，内缘向下微弱收敛，下缘间距约等于复眼长径，触角窝间距窄于内眶宽；颚眼距约等长于单眼直径；侧窝向前开放，额区鼓起，无脊；后眶边缘圆钝，后颊脊伸达后眶中部；背面观后头短，侧缘亚平行；触角短于腹部，第2节长等于宽，第3节约等长于第4节，末端数节不显著短缩；前胸背板沟前部短小，无前缘细脊；前胸侧板腹侧较尖；中胸背板明显延长，小盾片附片短小；后胸后背板中央不显著收缩、平坦，具三角形膜区；无胸腹侧片，中胸腹板前缘光滑，无细脊；淡膜区小，圆形，间距大于淡膜区宽；前足胫节内距端部分叉，后足胫节约2倍于后足股节长，后足基跗节等于2～5跗分节之和；爪简单，无基片和内齿；前翅R+M脉点状，Rs脉第1段完全缺失，1M脉与1m-cu脉平行，cu-a脉位于中室外侧2/5；$1R_1$ +1Rs室1. 50倍于2Rs室长，臀室完整，臀横脉50～70°倾斜，外侧位；后翅无封闭中室，臀室具柄式，cu-a脉倾斜；雄虫后翅无缘脉；体光滑，刻点不明显。腹部狭长，第1背板中部膜区不明显；锯腹片节缝刺毛带宽，锯刃低平；锯背片无节缝刺毛列；阳茎瓣具端侧突和腹缘细齿。

分布：中国，为中国特有属，分布于中国秦岭—大巴山一带。秦岭地区发现1未记述种类，将另文发表。

(123) 白唇细曲叶蜂 *Stenempria* sp.（图版 3：K）

鉴别特征：体长 6～7mm。体黑色，唇基、上唇、上颚大部、前胸背板后缘、翅基片白色，腹部 3～5 节背板背侧大部橘褐色，2～5 腹板浅黄褐色；各足基节、转节、后足股节基部、后足胫节基部 3/5 黄白色，前中足股节和胫跗节全部橘褐色，后足跗节褐色。翅透明，翅痣和翅脉黑褐色，翅痣基部稍淡。唇基缺口浅弧形，颚眼距 1.20 倍于单眼直径；后颊脊细低，伸至后眶上部；单眼后区宽明显大于长，侧沟短直，向后分歧；触角第 3 节明显短于第 4 节，约等长于第 5 节；后翅臀室柄短于 cu-a 脉 1/2 长。

采集记录：1♀，长安区鸡窝子，1760m，2008. Ⅴ. 23，于海丽采；4♂（副模），数据同正模；1♀1♂，[China：Shaanxi] nr. Ropeway，2700m，Kaitianguan，Tangyu，Mt. Taibaishan，Qinling Mts.，06. Ⅵ. 2007，A. Shinohara。

分布：陕西（长安、眉县）、宁夏。

52. 原曲叶蜂属 *Protemphytus* Rohwer, 1909

Protemphytus Rohwer, 1909：92. **Type species**：*Emphytus coloradensis* Weldon, 1907.

Ametastegia（*Emphytina*）Rohwer, 1911：399. **Type species**：*Emphytina pulchella* Rohwer, 1911.

Simplemphytus MacGillivray, 1914：363. **Type species**：*Simplemphytus pacificus* MacGillivray, 1914 [= *Ametastegia*（*Protemphytus*）*tenera*（Fallén, 1808）].

Ocla Malaise, 1957：13. **Type species**：*Ocla albinigripes* Malaise, 1957.

属征：体小，瘦长。上颚对称双齿形，外齿微弱弯曲；唇基平坦，前缘缺口浅弧形，额唇基沟明显；颚眼距 0.80～1.50 倍于单眼直径，后颊脊发达；额区隆起，额脊不明显；复眼大，间距约等长于复眼长径，背面观后头两侧收缩；触角丝状，约等长于头胸部之和，短于腹部，第 2 节长大于宽，第 3 节通常长于第 4 节；前胸背板沟前部短小，无前缘细脊；前胸侧板腹侧较圆钝，通常稍接触，少数不接触或接触面较宽；后胸后背板中央强烈收缩、倾斜；无胸腹侧片，中胸腹板前缘具明显细脊；前足胫节内距端部分叉，后足基跗节等于或稍短于 2～5 跗分节之和；爪无基片，具基位内齿，短于端齿；前翅 R＋M 脉点状，Rs 脉第 1 段完全缺失，1M 脉与 1m-cu 脉平行；cu-a 脉位于中室下缘中部；臀室完整，臀横脉约 85°倾斜，外侧位；后翅无封闭中室，臀室具柄式，cu-a 脉倾斜；雄虫后翅无缘脉；体光滑，无刻点，或局部具细小刻点或刻纹；阳茎瓣具端侧突和腹缘细齿。

分布：古北区，新北区，新热带区和东洋区北缘。世界已知 33 种，中国已记载 14 种，秦岭地区仅发现 1 种。

(124) 朝鲜原曲叶蜂 *Protemphytus coreanus* (Takeuchi, 1927) 陕西新纪录

Emphytina coreana Takeuchi, 1927: 387.

鉴别特征: 体长6mm。体黑色,上唇及触角末端3节褐色;足淡黄褐色,后足跗节稍暗。翅浅烟褐色透明,翅痣和翅脉黑褐色。体毛银色。唇基后半鼓凸,端部缺口浅宽;中窝小,额区隆起,高台状;单眼后区稍宽,侧沟深直,单眼后沟及中沟不明显;头部在后单眼之前密布毛瘤,后单眼之后十分光滑;触角较短,末端4节稍侧扁;胸部腹面光滑;侧面观锯鞘端末端圆宽,无背顶角;锯腹片15锯刃,锯刃平坦,全缘具细齿,内侧亚基齿1个,节缝刺毛带宽,刺毛稀疏,中部部分汇合。

采集记录: 1♀,太白山,1580m,2007.Ⅶ.17,朱巽采。

分布: 陕西(眉县)、山东、河南,中国东北;东北亚。

53. 隙臀叶蜂属 *Blennallantus* Wei, 1998

Blennallantus Wei, 1998a: 148. **Type species**: *Blennallantus compressicornis* Wei, 1998.

属征: 体小型,细长。上颚对称双齿形,内齿邻近端齿;唇基平坦,前缘具3齿;颚眼距约2倍于单眼直径长,后颊脊发达;复眼小,球形突出,下缘间距宽于复眼长径;额区稍隆起,侧窝开放;背面观后头短且强烈收缩;单眼后区极扁宽;触角10节,约等于体长,强烈侧扁,基部2节盘形,宽2倍大于长;3、4节近等长;前胸背板沟前部短小,无前缘细脊;前胸侧板腹侧尖,不接触;无胸腹侧片,中胸前侧片前缘具细脊;中胸小盾片平坦,后胸后背板平坦,稍倾斜,中部几乎不收缩;前足胫节内端距端部分叉,后足胫节长于腿节与转节之和;后基跗节短于其后跗分节之和;爪简单,无亚端齿及爪基片;前翅R+M脉段点状,Rs脉第1段完整,$1R_1$室和1Rs室分离,cu-a脉中位;臀室不完整,2A脉很长,近末端部分消失,基臀室端部开放,臀横脉外侧位,倾斜;后翅具封闭M室,无封闭Rs室,径室末端尖,无附室,臀室柄与cu-a脉约等长;腹部第1背板后缘缺口深大,背板各叶三角形;雄虫后翅无缘脉,阳茎瓣具端侧突和腹缘细齿。

分布: 中国。本属已知仅1种,秦岭地区是本属模式种的模式产地。

(125) 扁角隙臀叶蜂 *Blennallantus compressicornis* Wei, 1998

Blennallantus compressicornis Wei, 1998a: 149.

鉴别特征: 体长5.50~6.50mm。体黑色,具较强光泽,前胸背板后缘浅褐色;翅亚透明,翅痣和翅脉黑褐色;头胸部细毛银色。唇基具小型中齿和细小刻点;单眼

后区宽长比约等于4，侧沟深点状，无单眼后沟；额区稍隆起，无额脊；中窝深圆，侧窝细沟状；触角以上的头部具明显毛瘤。触角基部2节宽长比均为2，端节较细。胸腹部刻点不明显。抱器长大于宽，端部倾斜；阳茎瓣头叶倾斜，端部窄圆。

采集记录： 1♂，宁陕火地塘，1985. Ⅵ.21。

分布： 陕西（宁陕）、宁夏、四川。

54. 尖唇叶蜂属 *Dinax* Konow, 1897

Dinax Konow, 1897: 182 (nec Gistl, 1848). **Type species**: *Dinax jakowleffi* Konow, 1897.

Adamas Malaise, 1945: 97 (new name for *Dinax* Konow, 1897).

属征： 小型叶蜂，体粗短。上颚不对称，左上颚双齿，具端部尖锐的大型基齿，端齿长大，强烈弯曲，右上颚端齿尖长，基部具1枚小齿；唇基缺口较宽深，侧角十分尖长；复眼小，亚圆形，内缘向下明显收敛；间距宽于眼高1.50倍；触角窝间距明显窄于内眶最窄处；内眶平坦或鼓出；中窝封闭；侧窝纵沟状，向下开放；额区无脊；颚眼距宽于单眼直径；后颊脊发达，无后眶沟；单眼后区宽明显大于长；后头延长。触角短于头宽的2倍，第1、2节十分扁宽，盘状，第3节稍长于第4节，无触角器。前胸背板很短；前胸侧板腹面尖或稍接触；中胸小盾片前端尖锐；附片很小；中胸无胸腹侧片，侧板前缘具细脊；后胸后背板十分狭窄倾斜，中央强烈收缩；淡膜区间距1~2倍宽于淡膜区宽度；后胸侧板窄。前足胫节内端距端部分叉，后足胫节端距不长于胫节端部宽；基跗节短于其后3节之和；爪小型，无基片，内齿微小。前翅具4个肘室，1M平行于1m-cu脉，cu-a脉亚中位，R+M脉段约等长于1r-m脉，臀横脉短而倾斜，位于臀室端部1/3。后翅无封闭的中室，臀室具长柄，R_1室端部尖，无附室。腹部第1背板后缘膜区很小。体无粗大刻点。锯鞘显著长于后足基跗节，鞘端明显长于鞘基。锯腹片锯刃狭窄，强烈突出；雄虫后翅无缘脉，阳茎瓣具端侧突和腹缘细齿。

分布： 亚洲。世界已知6种，1种分布于西西伯利亚，5种分布于亚洲东部。中国记载5种。秦岭地区发现1种。

讨论： Blank *al.*（2009）认为Malaise（1945）为*Dinax* Konow提出的新名是没有必要的，因为鞘翅目的*Dinax* Gistl, 1848是裸名。

（126）黄尾尖唇叶蜂 *Dinax caudatus* (Nie *et* Wei, 2004)（图版3：L）

Adamas caudatus Nie *et* Wei, 2004b: 204.

鉴别特征： 体长6mm。体黑色，唇基端部2/3、前胸背板大部、翅基片、中胸背板前叶两侧和中胸前侧片大部橘褐色；腹部背板背侧黑色，2~4节后缘具狭窄白边，

5～6节端半部和7～10节几乎全部黄褐色；背板缘折及腹板黄褐色，中部具很窄的黑色横斑。足浅黄褐色，各足基节基半部、股节背侧、胫节外侧端部1/3及跗节背侧黑褐色。翅透明，翅痣端部3/4黑褐色，基部1/4黄白色。唇基侧齿三角形；单眼后区宽2倍于长，无中纵沟；侧沟短直，互相平行；颚眼距1.30倍于单眼直径。触角鞭节长1.80倍于头宽。头部具显著刻纹。前胸侧板腹面不接触。胸部背板和侧板光滑，无细刻纹。爪亚端齿微小。腹部背板刻纹较弱。锯腹片20刃，锯刃强烈倾斜突出，端部窄圆，中基部锯刃外侧具8～10个细小亚基齿，内侧亚基齿1个。

采集记录：1♀，凤县，1400m，1994.Ⅶ.28，卜文俊采。

分布：陕西(凤县)、甘肃。

55. 小唇叶蜂属 *Clypea* Malaise, 1961

Clypea Malaise, 1961: 246. **Type species**: *Clypea sinobirmana* Malaise, 1961.

属征：体小型，瘦长。上颚短小，外齿不强烈弯折，左上颚双齿，右上颚单齿；唇基稍隆起，前缘缺口较深，半圆形；颚眼距窄于单眼直径，后眶圆，无后颊脊；背面观后头长约为复眼长的1/2两侧不膨大；复眼大型，内缘向下显著聚敛，间距狭于复眼长径；触角短于腹部长，第2节长大于宽，第3节等于或稍长于第4节；前胸背板沟前部较短，最宽处约1.50倍于单眼直径；前胸侧板腹侧接触面稍长于或等于触角第2节长；无胸腹侧片，中胸前侧片前缘具细脊；小盾片和中胸侧板平坦，后胸后背板发达，中部不收缩；前足胫节内端距端部分叉，后足胫节约等长于股节与第2转节之和，后足基跗节约等长于跗节；爪无基片，内齿仅稍短于端齿，互相靠近；前翅Rs脉第1段完整，R+M脉点状，1M平行于1m-cu脉，cu-a脉位于中室基部1/3处；臀室完整，臀横脉45～60°倾斜；后翅无闭中室，R_1室无显著附室，臀室具柄式，柄长不短于cu-a脉，cu-a脉稍外斜，不与臀室柄垂直；虫体具强光泽，体除唇基外无刻点；雄虫后翅无缘脉，阳茎瓣具端侧突和腹缘细齿。

分布：东亚南部。世界已知7种，中国均有分布，秦岭地区发现4种。

分种检索表

1. 雌虫腹部1、2背板和端部3～4节黑色 ………………………………………… 2
   雌虫腹部第3～10节全部黄褐色，或腹部全部黑色，或腹部黑色，端部2～3节部分淡色 … 3
2. 唇基白色；翅基片外缘白色；后足胫节大部红褐色 ……………… **白唇小唇叶蜂 *C. alboclypea***
   唇基黑色，仅侧齿端部白色；后足胫节大部黑色，基部黄褐色 …… **黑尾小唇叶蜂 *C. shanica***
3. 两性腹部均黑色，末端2～3节有时部分浅褐色 ……………… **黑腹小唇叶蜂 *C. nigroventris***
   雌虫腹部1～2节黑色，3～10节黄褐色 ……………………………… **中华小唇叶蜂 *C. sinica***

(127) 白唇小唇叶蜂 *Clypea alboclypea* Wei, 2002

Clypea alboclypea Wei in Wei *et* Huang, 2002: 96.

鉴别特征: 体长11.00~11.50mm。体黑色，唇基全部、上唇、上颚基部、前胸背极狭窄的后缘和翅基片外缘白色，腹部中部3~5节红褐色；各足基节基部1/2左右、各足股节除基部外、后足胫节基部和端部以及后足跗节大部黑色，前中足胫节跗节褐色至暗褐色，后足胫节大部红褐色，各足基节端部、转节、股节基部1/4~1/5白色，胫节端距黄褐色。翅透明，翅痣和脉黑褐色。体毛银褐色。颚眼距线状；单眼后区宽几乎不大于长；后翅臀室柄稍长于cu-a脉；锯腹片15锯刃，锯刃端部圆钝，中部锯刃亚基齿内侧6~7个，外侧9~11个。阳茎瓣窄长，中部弯曲，向腹面鼓凸。

采集记录: 1♀，太白山，1580m，2007. Ⅶ. 17，朱巽采。

分布: 陕西(眉县)、河南、甘肃、浙江、湖北、湖南、四川。

(128) 中华小唇叶蜂 *Clypea sinica* Wei, 1997

Clypea sinica Wei, 1997g: 1582, 1608.

鉴别特征: 雌虫体长8.50~9.50mm，雄虫体长6.50mm。头胸部黑色，唇基侧角端部、上唇、上颚基部、前胸背板后缘和翅基片外缘白色；足黑褐色，各足基节大部、转节、前中足腿节基部、后足股节基部1/3白色，膝部、前中足胫节跗节前外侧、后足胫节基部2/3~1/2黄褐色，后足跗节暗褐色；腹部黄褐色，第1、2节背板和锯鞘黑色。翅透明，翅痣和脉黑褐色。体毛银褐色。颚眼距窄于单眼直径的1/2；单眼后区宽大于长；后翅臀室柄长于cu-a脉。雄虫翅基片和腹部通常完全黑色，各足胫跗节全部红褐色。

采集记录: 1♀，太白山，1580m，2007. Ⅶ. 17，朱巽采。

分布: 陕西(眉县)、河南、安徽、浙江、湖北、江西、湖南、福建、广西、重庆、四川、贵州、云南。

(129) 黑腹小唇叶蜂 *Clypea nigroventris* Wei, 1998

Clypea nigroventris Wei in Wei *et* Wen, 1998: 137, 141.

鉴别特征: 雌虫体长9mm，雄虫体长7.50mm。体黑色，唇基端部2/3、上唇、前胸背板后缘狭边、各足基节端部、转节、股节基缘白色，前足胫跗节、口须和腹部中部数节背板后缘暗褐色。体毛淡褐色。翅透明，翅痣和翅脉黑色。颚眼距线状；单眼后区宽稍大于长；第3、4节几乎等长，末端4节具不发达的触角器。后翅cu-a脉与臀室柄等长。锯腹片17刃。雄虫各足基节大部、前中足股节大部、后足股节基部1/3淡黄色，后足胫节除基部和端部外红褐色，翅基片外缘浅褐色，后翅cu-a脉短于臀室柄长，下生殖板端部圆钝。

采集记录： 1♂，凤县天台山，1700～2200m，李传仁采。

分布： 陕西(凤县)、河南。

(130) 黑尾小唇叶蜂 *Clypea shanica* Malaise, 1961 陕西新纪录（图版4：A）

Clypea shanica Malaise, 1961: 247.

鉴别特征： 体长7～9mm。体黑色，唇基侧齿、上唇、上颚基部、前胸背板后缘白色，翅基片褐色，前足基节基半和股节、中后足跗节黑褐色，各足转节、前足胫节和跗节、中后足转节端半部、中后足胫节、后足股节基部黄褐色；腹部腹板黄褐色，第3～6背板黄褐色，第3、6两节侧面各具1个小形黑斑。翅透明，翅痣黑褐色。单眼中沟锐深，无单眼后沟，中窝小，圆形；后足基跗节稍短于其后附分节之和；锯腹片17锯刃，锯刃端部尖，无平截面。雄虫后足跗节黄褐色，腹部仅第3～5背板和2～5腹板黄褐色。

采集记录： 1♂，周至楼观台，899m，2006.Ⅴ.25，朱巽采；1♀1♂，凤县红花铺镇，1080m，2007.Ⅴ.25，朱巽采；1♀3♂，潼关桐峪镇，1052m，2006.Ⅴ.30，朱巽采；3♂，佛坪大古坪，1190m，2006.Ⅳ.27，何末军采；1♂，镇安，1300～1600m，2005.Ⅶ.10，朱巽采。

分布： 陕西(周至、凤县、潼关、佛坪、镇安)、河南、甘肃、湖北、湖南；缅甸。

56. 长鞘叶蜂属 *Thecatiphyta* Wei, 2009

Sainia Wei, 1997g: 1583(nec Moore, 1882). **Type species**: *Sainia bella* Wei, 1997.

Thecatiphyta Wei in Blank *et al.*, 2009: 70(new name for *Sainia* Wei, 1997).

属征： 体细长。上颚较小，左右上颚不对称，外齿弱度弯折，右上颚双齿，左上颚单齿；唇基平坦，无横脊，前缘缺口浅圆，额唇基沟显著；颚眼距窄于单眼直径1/2；复眼大，后眶短于复眼长的1/2，复眼内缘向下明显收敛，间距窄于复眼长径；后颊脊发达，伸达复眼上后侧；触角稍长于头胸部之和，第3节稍长于或等于第4节；前胸背板沟前部狭窄，无前缘细脊；前胸侧腹板接触面圆钝，较窄；小盾片和中胸侧板平坦且光滑，无胸腹侧片，中胸前侧片前缘具细脊；后胸后背板宽大、平坦；前足胫节内端距端部不分叉，后足胫节不长于后股节与转节之和；后足基跗节等长于其后附分节之和；爪无基片，内齿稍短于外齿。前翅R+M脉点状，Rs脉第1段完整，1M脉平行于1m-cu脉，cu-a脉位于中室下缘基部1/3处；臀室完整，臀横外侧位，30°倾斜；后翅无封闭中室，R_1 室具短柄和小附室，臀室柄约等于 cu-a 脉长，cu-a脉倾斜；锯鞘十分细长，侧面观锯鞘端长宽比大于5；锯背片和锯腹片窄长，长为宽的18～20倍；虫体具强光泽，体无显著刻点；雄虫后翅无缘脉，阳茎瓣具1个宽长侧叶和1个扭曲的小形背钩，腹缘具细齿。

分布：中国。本属已知2种，均分布于中国中东部，秦岭地区发现1种。

（131）美丽长鞘叶蜂 *Thecatiphyta bella*（Wei，1997）陕西新纪录（图版4：B）

Sainia bella Wei，1997g：1583.

Thecatiphyta bella：Wei in Blank *et al.*，2009：70.

鉴别特征：雌虫体长6.50mm。体黑色，唇基和上唇淡黄色；足黄褐色，中后足股节黑褐色至黑色；腹部3～5背板暗黄褐色，每侧各具1个圆形黑斑，除第7腹板稍暗外，其余腹板均黄褐色；尾须黄褐色，锯鞘黑褐色。翅基部透明，端半部浅褐色。头部在复眼后强烈收缩，中窝大，圆形；触角第2节长约等于宽，第3节等长于第4节。体光滑，无显著刻点或刻纹。后胸淡膜区间距较窄，约为淡膜区宽1.50倍。后翅臀室柄稍长于cu-a脉1/2长。后足胫节距不长于后足基跗节1/3长。雄虫体长5.50～6.00mm；各足全部、中胸腹板、腹部中部数节及全部腹板黄褐色，抱器短宽。

采集记录：1♀，佛坪，1000～1450m，2005. Ⅴ. 17，朱巽采。

分布：陕西（佛坪）、四川、云南。

57. 狭蕨叶蜂属 *Ferna* Malaise，1961

Ferna Malaise，1961：257. **Type species**：*Ferna longiserra* Malaise，1961.

属征：体细狭。上颚亚对称双齿形，亚端齿小，端齿外侧弱度弯折；唇基平坦，缺口近半圆形；复眼内缘近似平行；颚眼距大于单眼直径，后眶圆钝，无后颊脊；触角细长，稍侧扁，基部2节长大于宽，第3、4节近等长；前胸背板沟前部窄于单眼直径1.50倍，无前缘脊；前胸侧板腹面较尖，稍接触；无胸腹侧片，中胸腹板前缘板具狭脊；小盾片平坦，后胸后背板中部收缩；前足胫节内端距端部分叉，后足胫跗节等长，后基跗节明显短于其后4节之和；爪无基片，内齿通常较短或甚小，中位，远离外齿；前翅1M脉平行于1m-cu脉，R+M脉段点状，Rs脉第1段完整，cu-a脉中位或稍偏外侧；臀室完整，臀横脉倾斜50～70°，位于臀室中部外侧；后翅具闭M室，Rs室开放，臀室具柄式，臀室柄通常不短于cu-a脉的1/2长，cu-a脉直，与臀室柄垂直或倾斜；R_1 室端部尖，无小附室；虫体光滑，无显著刻点；阳茎瓣体扁宽，具端侧突和腹缘细齿。

分布：东亚南部。世界已知29种，中国记载7种，秦岭地区发现1种。

(132) 鼓额狭蕨叶蜂 *Ferna bullifrons* Malaise, 1961 陕西新纪录

Ferna bullifrons Malaise, 1961: 260.

鉴别特征: 体长4.50~5.00mm。体黑色，口器、唇基、唇基上区中部、颚眼距、前胸背板后缘、翅基片部分、腹部腹面及足黄褐色，内眶上部和上眶中部具小型白斑，中胸前侧片具白色横斑。翅烟褐色，翅痣、翅脉黑褐色。足黄白色，后足2~5跗分节黑褐色。体毛银色，头胸部背侧细毛暗褐色。唇基缺口深弧形，侧角圆钝；颚眼距稍宽于触角第3节基部宽；中窝深，底部纵沟向上延伸至前单眼；额脊隆凹；单眼后区宽约为长的2倍，侧沟短直，向后强烈分歧；背面观头部在复眼后稍收敛，两侧圆钝。触角约等长于胸腹部之和，第3节稍短于第4节。爪内齿短小。前翅cu-a脉中位稍偏外侧；后翅臀室柄与cu-a脉等长，cu-a脉垂直。侧面观锯鞘端部渐窄，亚三角形，末端不尖。锯腹片11刃，无内侧亚基齿，外侧亚基齿较粗大，6个。

采集记录: 1♀，佛坪大古坪，1190m，2006.Ⅳ.27，何末军采。

分布: 陕西(佛坪)、贵州、云南；缅甸。

58. 申氏叶蜂属 *Shenia* Wei *et* Nie, 2005

Shenia Wei in Wei *et* Nie, 2005: 166. **Type species**: *Shenia rufocincta* Wei *et* Nie, 2005.

属征: 头胸部具显著刻点和皱刻纹；唇基平坦，前缘缺口弧形，浅于唇基1/3长，侧叶短钝；上唇小，横宽，唇根隐蔽；上颚短小，不对称，端部均匀弯折，左上颚具1个端齿和1个大型基片，右上颚简单，具1枚齿；唇基上区十分平坦，无脊；复眼较大，内缘近似平行，下缘间距宽于复眼长径；颚眼距明显宽于单眼直径；触角窝上突显著发育，后端与额脊汇合；触角窝间距显著窄于内眶，中窝深，两侧开放；额脊显著，较钝；背面观后头明显延长，两侧稍收敛；触角丝状，第2节长宽比大于2，鞭节微弱侧扁，第3节微长于第4节，无触角器；前胸背板沟前部微宽于单眼直径，前缘无脊；前胸侧板腹侧宽阔汇合，汇合面长于触角柄节；小盾片平坦，后胸后背板宽平，中部不收缩；淡膜区间距稍大于淡膜区长径；无胸腹侧片，中胸前侧片前缘具细脊；前足胫节内端距端部分叉，后足跗节显著长于胫节，后基跗节显著短于其后4节之和；爪具模糊短弱基片，内齿短于外齿；前翅1M脉平行于1m-cu脉，R+M脉段点状，Rs脉第1段完整，2Rs室短于$1R_1$和1Rs之和，cu-a脉交于1M室下缘基部1/4；臀室完整，臀横脉50°倾斜，位于臀室中部外侧、1M脉基部内侧；后翅M室和Rs室均封闭，臀室具柄式，臀室柄不短于cu-a脉，cu-a脉垂直于臀室柄；R_1室端部窄圆，无小附室；腹部第1背板具中缝和小型膜区；阳茎瓣无端侧突，腹缘细齿模糊。

分布: 中国。中国特有属，已知1种，秦岭地区首次发现分布。

(133) 红环申氏叶蜂 *Shenia rufocincta* Wei *et* Nie, 2005 陕西新纪录(图版4: C)

Shenia rufocincta Wei *et* Nie, 2005: 167.

鉴别特征: 体长9.50mm。头胸部黑色，腹部橘褐色；雌虫上唇、上颚基部、内眶窄条斑、翅基片白色；雄虫口器、唇基、唇基上区、颚眼距、内眶宽条斑、触角窝上突、额区前侧角、前胸背板后缘、翅基片黄褐色，触角浅褐色；两性腹部第1节背板大部、第2节背板前缘、6~10节背板大部黑褐色；足黄褐色，前中足基节基部、后足基节基半部、雌虫后足股节大部、雄虫后足股节端部黑色。体毛银褐色。前翅大部浅烟褐色，前缘室透明，基部和末端暗褐色，翅痣基部1/4浅褐色，端部3/4褐色。颚眼距约1.50倍于单眼直径；雌虫单眼后区两侧明显鼓出。头部额区和以前部分具密集皱刻纹和模糊刻点，中胸小盾片刻点细小密集，中胸前侧片上半部具密集皱刻纹，下半部刻点逐渐变细浅且稀疏，后胸前侧片刻点细密。

采集记录: 1♀，佛坪，1000~1450m，2005. Ⅴ. 17，朱巽采。

分布: 陕西(佛坪)、河南。

本种雌虫是首次报道。

59. 雅叶蜂属 *Stenemphytus* Wei *et* Nie, 1999

Stenemphytus Wei *et* Nie, 1999i: 15. **Type species**: *Stenemphytus superbus* Wei *et* Nie, 1999.

属征: 体狭长，光滑。上唇较小且平滑，唇根不出露；上颚不对称，端部强烈弯折，左上颚双齿形，基齿宽大，右上颚单齿形，无内齿；唇基稍隆起，无横脊，前缘缺口深，半圆形，侧角狭窄，端部尖锐；唇基上区平坦；复眼较大，内缘近似平行，下缘间距约等于复眼长径；颚眼距稍短于单眼直径；后眶宽大，后颊脊发达，向上延伸到单眼后区侧沟末端；后头长，背面观头部在复眼后部分约等于复眼长，侧缘近似平行或稍收缩；触角丝状，远长于头宽的2倍，第1节长大于宽2倍，第2节长稍大于宽，第3节与第4节约等长，稍长于第5节；前胸侧板在腹面宽阔接触；中胸小盾片平坦，侧板无胸腹侧片，前侧片前缘具细脊；后胸后背板发达，中部不收缩；前足胫节内端距端部分叉，后足胫节明显长于腿节与转节之和，后足基跗节等长于其后4跗分节之和；爪基片较小，端部尖锐，内齿与外齿约等长或稍短；前翅Rs脉第1段缺失，$1R_1+1Rs$合室长约2.50倍于2Rs室之长；R+M脉段点状，1M脉与1m-cu脉平行，cu-a脉位于中室下缘基部1/5；臀室完整，臀横脉40°倾斜，位于臀室中部外侧；后翅无封闭中室，R_1室端部钝截形，具发达的附室，臀室具柄式，柄长稍短于cu-a脉的1/2长；腹部第1背板后缘缺口极浅小；阳茎瓣具端侧突和腹缘细齿；雄虫后翅无缘脉。

分布: 亚洲。本属已知4种，中国分布3种，秦岭地区发现1种。

（134）闵雅叶蜂 *Stenemphytus minminae* Wei *et* Nie, 1999 陕西新纪录（图版4：D）

Stenemphytus minminae Wei *et* Nie, 1999i: 16.

鉴别特征：雌虫体长7.00～7.50mm。体亮黄色，触角内侧暗褐色或黑褐色，额区锚状斑、单眼后区后缘及两侧、前胸背板中部、中胸背板前叶和侧叶大斑、中胸小盾片后半部、中胸前侧片腹侧半部、后胸侧板、后胸后背板黑色，腹部第3、4、5、7背板各具1条黑色横带，第2背板中部具1个小型黑色点斑，第6和第8背板各具3个圆形黑色点斑，第9背板两侧和锯鞘黑色。足黄色，后足股节端部2/5、后足胫节端部黑色。翅透明，缘脉和翅痣基部黄色，翅痣其余部分和其他翅脉黑褐色。单眼后区长等于宽，侧沟细浅，单眼后沟模糊，单眼中沟显著；中窝浅且大，背面观头部在复眼后明显收缩。体无刻点，具强光泽。锯腹片具18个锯刃，锯刃具2个内侧亚基齿和5个外侧亚基齿，锯刃端部截形。

采集记录：1♀，佛坪大古坪，1190m，2006.Ⅳ.27，何末军采。

分布：陕西（佛坪）、宁夏、甘肃、重庆。

60. 曲叶蜂属 *Emphytus* Klug, 1815

Tenthredo (*Emphytus*) Klug, 1815: 124. **Type species**: *Tenthredo cincta* Linné, 1758.

属征：体型偏窄长。唇基具显著横脊，前缘缺口三角形或弧形，侧叶短钝；上唇根隐蔽；后眶宽，后颊脊发达，伸至上眶后缘；上颚不对称，端部显著弯折，左上颚双齿，右上颚简单，无内齿；侧窝向前开放；触角较粗短，短于头宽2倍，第2节长大于宽，第3节等于或稍长于第4节；背面观后头明显延长，两侧缘亚平行；前胸背板沟前部发达，明显长于单眼直径1.50倍，具亚前缘脊；前胸侧板腹侧宽，接触面长于单眼直径；中胸小盾片平坦，后胸后背板发达，中部平坦，不收缩；无胸腹侧片，中胸前侧片前缘具细脊；前足胫节内端距端部分叉，后足胫节端距近等长，不长于后足基跗节1/3长，后足基跗节约等长于其后4个跗分节之和；爪内齿稍短于外齿，爪基片较小，但明显，下端角近方形；前翅具3个肘室，Rs脉第1段完全缺失，$1R_1$室和1Rs室合并，其和长明显长于2Rs室；1M脉与1cu-a脉平行，R+M脉点状，cu-a脉位于中室下缘基部1/3处附近；臀室完整，臀横脉倾斜，位于臀室中部外侧和1M脉基部内侧；后翅无封闭中室，R_1室端部稍尖，无显著附室，臀室具短柄；雄虫后翅无缘脉；腹部正常，亚基部不明显收缩；阳茎瓣具端侧突和腹缘细齿，端部无分离的大钩形突。

分布：古北区，新北区。世界已知约32种，中国已记载9种，秦岭地区仅发现1种。

(135) 亚美曲叶蜂 *Emphytus nigritibialis* (Rohwer, 1911) 陕西新纪录

Allantus cinctus nigritibialis Rohwer, 1911: 407.

鉴别特征：体长8.50~9.50mm。体黑色，翅基片前半部分白色；后足基节端部1/3、前中足第2转节、后足转节全部、前足股节末端、胫跗节外侧、后足胫节基部1/4白色；腹部第5节背板白色，后部中央具黑斑。翅浅烟灰色透明，翅痣和翅脉黑褐色，翅痣基部具白斑。体毛银色。体光滑，中胸前侧片上部和中胸小盾片两侧具细小刻点和皱纹，光泽稍弱，附片刻纹密集，腹部背板具细小毛瘤。触角第3节等长于第4节。后足胫跗节等长，基跗节微长于其后附分节之和。前翅cu-a脉位于中室下缘基部1/4，2r位于第2Rs室上缘亚中部。锯腹片21锯刃，锯刃甚小，端部平截，具1枚长大的前位亚基齿，无后侧亚基齿，节缝刺毛带互相分离。

采集记录：1♀，周至楼观台，899m，2006. Ⅴ.25，杨青采；1♀，潼关桐峪镇，1052m，2006. Ⅴ.30，朱巽采；1♀，佛坪大古坪，1320m，2006. Ⅳ.28，朱巽采；1♀，佛坪大古坪，1190m，2006. Ⅳ.27，何末军采。

分布：陕西(周至、潼关、佛坪)、吉林、河北、山西、河南、宁夏、甘肃、江苏、安徽、浙江、湖南、福建、香港、四川、贵州；俄罗斯，韩国，日本，北美洲。

61. 平背叶蜂属 *Allantus* Panzer, 1801

Allantus Panzer, 1801: 82. **Type species**: *Tenthredo togata* Panzer, 1801.

Anemphytus Dovnar-Zapolskij, 1931b: 48 (new name for *Allantus* Panzer, 1801).

Emphytus (*Synemphytus*) Malaise, 1945: 93. **Type species**: *Emphytus togatus* (Panzer, 1801).

属征：体型粗短。唇基具显著横脊，前缘缺口弧形，侧叶短钝；上唇较大，唇根隐蔽；后眶宽，后颊脊发达，伸至上眶后缘；上颚不对称，端部显著弯折，左上颚双齿，右上颚简单，无内齿；侧窝向前开放；唇基上区显著隆起，触角窝间距大于内眶宽；复眼大，间距宽于复眼长径，颚眼距窄于单眼直径；触角较粗短，雌虫尤甚，通常短于头宽2倍，第2节长约等于宽，第3节等于或稍长于第4节，鞭节有时侧扁；背面观后头明显延长，两侧缘亚平行或膨大；前胸背板沟前部发达，明显长于单眼直径2倍，具亚前缘脊；前胸侧板腹侧宽，接触面长于单眼直径；中胸小盾片平坦，后胸后背板发达，中部平坦，不收缩；无胸腹侧片，中胸前侧片前缘具细脊；前足胫节内端距端部分叉，后足胫节端距近等长，不长于后足基跗节1/3长，后足基跗节约等长于其后4个跗分节之和；爪内齿稍短于外齿，爪基片较大，下端角近方形；前翅具3个肘室，Rs脉第1段完全缺失，$1R_1$室和1Rs室合并，其和长明显长于2Rs室；2m-cu脉与1r-m脉顶接，或位于其内侧；1M脉与1cu-a脉平行，R+M脉点状，cu-a脉位于中室下缘基部1/5处以内；臀室完整，臀横脉倾斜，位于臀室中部外侧和1M

脉基部内侧；后翅无封闭中室，R_1 室端部圆钝，具小型附室，臀室具柄；雄虫后翅常具缘脉；腹部亚基部多少收缩；阳茎瓣具腹缘细齿，端部具分离的大钩形突；锯鞘端长 0.80 ~ 1.00 倍于锯鞘基；前翅通常具明显的翅痣下烟斑。

分布：古北区，新北区。世界已知 9 种，中国已记载 6 种，秦岭地区发现 1 个新种，将另文发表。

(136) 吕氏平背叶蜂 *Allantus* sp.

鉴别特征：雌虫体长约 7mm。上唇大部、翅基片外侧、腹部第 1 背板横向大方斑、第 5 腹节后缘 1/3 左右黄白色；足黑色，各足转节、前中足胫跗节全部、后足胫节基半部、后足基跗节基部黄褐色。雄虫体长约 6mm；体黑色，仅翅基片外侧黄白色；足黑褐色，各足转节白色，前中足股节和胫跗节浅褐色。前翅翅痣下侧具近椭圆形烟褐色斑纹，翅痣和翅脉黑褐色，翅痣基部 1/5 左右较淡。颚眼距约 0.30 倍于单眼直径；背面观后头两侧显著收缩；触角第 3 节等长于第 4 节，雄虫鞭节稍侧扁；额脊具粗密刻点，中胸前侧片上半部刻点粗糙密集，小盾片后部刻点粗大，狭窄间隙光滑；前翅 cu-a 脉接近但不顶接于 1M 脉，2m-cu 脉与 1r-m 脉顶接。

采集记录：1♀，凤县秦岭车站，1400m，1994.Ⅶ.28，吕楠采。

分布：陕西(凤县)、甘肃。

62. 十脉叶蜂属，新属 *Allantoides* Wei *et* Niu，gen. nov.

模式种：*Macrophya luctifer* F. Smith，1874.

属征：体型匀称。唇基具显著中位横脊，前缘缺口深弧形，侧叶短钝；上唇较大，唇根隐蔽；后眶宽，后颊脊发达，伸至上眶后缘；上颚不对称，端部显著弯折，左上颚双齿，右上颚简单，无内齿；侧窝向前开放；唇基上区平坦，触角窝间距小于内眶宽；复眼大，间距宽于复眼长径，颚眼距窄于单眼直径；触角粗丝状，短于头宽 2 倍，第 2 节长约等于宽，第 3 节等于或稍长于第 4 节，雄虫鞭节微弱侧扁；背面观后头明显延长，两侧缘亚平行；前胸背板沟前部发达，长于单眼直径 2 倍，具亚前缘脊；前胸侧板腹侧宽，接触面长于单眼直径；中胸小盾片平坦，后胸后背板发达，中部平坦，不收缩；无胸腹侧片，中胸前侧片前缘具细脊；前足胫节内端距端部分叉，后足胫节端距近等长，不长于后足基跗节 1/3 长，后足基跗节约等长于其后 4 个跗分节之和；爪内齿稍短于外齿，爪基片较大，下端角近方形；前翅具 3 个肘室，Rs 脉第 1 段完全缺失，$1R_1$ 室和 1Rs 室合并，其和长明显长于 2Rs 室；2m-cu 脉不与 1r-m 脉顶接，明显位于其外侧；1M 脉与 1cu-a 脉平行，R + M 脉点状，cu-a 脉位于中室下缘基部 1/6 处以内；臀室完整，臀横脉倾斜，位于臀室中部外侧和 1M 脉基部内侧；后翅无封闭中室，R_1 室端部圆钝，无明显附室，臀室具柄；雄虫后翅无缘脉；腹部亚基部微弱收缩或不收缩；阳茎瓣具腹缘细齿和小型端侧突，端部无分离的大钩形突；锯鞘端长1.50倍于锯鞘基；前翅无明显的翅痣下烟斑。本属与 *Allantus* Panzer 近似，但下列特征不同：唇基上区平坦，触角窝间距窄于内眶；前翅无翅痣下烟斑，2m-cu 脉不与 1r-m 脉顶接，明显位于其外侧；锯鞘端 1.50 倍于锯鞘基长；阳茎瓣头叶简单，无独立的端部钩突。

分布：东亚。目前包括 2 种，秦岭地区均有分布。

分种检索表

各足转节全部、后足股节基部 2/5、上唇和唇基大部、中胸前侧片中部小斑、前胸背板后缘、翅基片外缘白色；雄虫腹部 3～5 节大部黄褐色，后足股节、胫跗节大部或全部暗红褐色 ……………… **白唇十脉叶蜂 *A. nigrocaeruleus***

前中足转节、后足股节、上唇和唇基、前胸背板和翅基片、中胸前侧片全部黑色；雄虫腹部 3～5 节黑色；雄虫后足黑色，胫节基部和基跗节基部稍淡 ………………… **黑唇十脉叶蜂 *A. luctifer***

(137) 白唇十脉叶蜂 *Allantoides nigrocaeruleus* (F. Smith, 1874), comb. nov.

Dolerus fuscipennis F. Smith, 1874: 383.

Dolerus nigro-caeruleus [sic!] F. Smith, 1874: 384.

Athlophorus leucocoxa Rohwer, 1916: 86.

Allantus nigrocaeruleus: Takeuchi, 1952: 41.

鉴别特征：雌虫体长 8.50～10.50mm。体黑色，光滑；唇基、上唇、上颚基部、前胸背板后缘、翅基片外缘、气门后片、各足基节和转节、前中足腿节基部、后足腿节基部2/5、前中足胫节前侧、后足胫节基部 1/2、腹部各节背腹板后缘白色；中胸前侧片后部具小型白斑。前翅端半部浅烟色，痣黑褐色，基部稍淡。后头稍收缩，略短于复眼；单眼后区长大于宽；侧沟细浅，颚眼距小于单眼直径 1/2。触角细，5～8 节稍粗，3、4 节长度比为4∶3。前翅 cu-a 位于中室基部 1/6 内侧。锯鞘较窄长，侧面观端部钝截。锯腹片具 20 个锯刃，亚基齿细小。雄虫体长 7.50～8.00mm；足和腹部 3～4节大部红褐色。

采集记录：1♀，长安区鸡窝子，1720m，2008. Ⅴ.23，于海丽采。

分布：陕西（长安）、吉林、北京、天津、山东、河南、江苏、安徽、浙江、湖北、江西、湖南、福建、台湾、广东、广西、重庆、贵州、云南；韩国，日本。

(138) 黑唇十脉叶蜂 *Allantoides luctifer* (F. Smith, 1874), comb. nov.（图版4：E）

Macrophya luctifera F. Smith, 1874: 380.

Athlophorus melanocoxa Rohwer, 1916: 85.

Emphytus sinensis Malaise, 1947: 25.

Allantus luctifer: Takeuchi, 1936: 90.

鉴别特征：体长7.00～9.50mm。体黑色，中后足基节外侧、后足转节、后足胫节基部外侧、翅基片前缘，腹部第1、2、4、5背板腹侧缘，9、10背板中央白色。翅浅烟褐色，端部稍浓；翅痣黑褐色，基部白色。体毛银色。体光滑，小盾片两侧具稀疏刻点，体其余部分无刻点和刻纹，光泽强。单眼后区稍隆起，长大于宽；侧沟细浅，中部稍外弯，后端收敛；背面观后头两侧平行。触角短于头胸部之和，端部数节稍呈锯齿状。前翅2Rs室显著短于$1R_1$+1Rs室，cu-a位于中室基部1/6内侧；锯鞘较窄长，微伸出腹端，端部圆尖；锯腹片20刃，锯刃末端双齿状；抱器与阳茎瓣均窄长。

采集记录：1♀，佛坪大古坪，1320m，2006.Ⅳ.28，何末军、朱巽采。

分布：陕西（佛坪、甘泉）、黑龙江、吉林、辽宁、内蒙古、北京、天津、河北、山西、山东、河南、宁夏、甘肃、江苏、上海、安徽、浙江、江西、湖南、福建、台湾、重庆、四川、贵州；俄罗斯，韩国，日本。

63. 秋叶蜂属 *Apethymus* Benson, 1939

Apethymus Benson, 1939: 112-113. **Type species**: *Dolerus* (*Emphytus*) *abdominalis* Lepeletier, 1823 [= *Apethymus filiformis* (Klug, 1818)].

Kjellia Malaise, 1947: 3. **Type species**: *Allantus kolthoffi* (Forsius, 1927).

属征：体型窄长。上唇宽大，唇根隐蔽；唇基具隆起的横脊，前锐薄，缺口浅弧形；上颚不对称，端齿强烈弯折，左上颚双齿形，右上颚单齿形或具1枚较钝的亚端齿；颚眼距不明显长于单眼直径，后眶宽大，后颊脊发达，伸达上眶后缘；唇基上区隆起，触角窝间距显著窄于内眶；背面观后头延长，约等长于复眼，侧缘近似平行；触角显著长于头宽的2倍，第3节与第4节约等长。头部背面，中胸侧板以及小盾片刻点粗糙稀疏，但决不光滑。前胸背板沟前部发达，长于单眼直径2倍，具前缘脊；前胸侧板腹侧宽，接触面长于单眼直径；中胸小盾片平坦，后胸后背板发达，中部平坦，不收缩；无胸腹侧片，中胸前侧片前缘具细脊；前足胫节内端距端部分叉，后足胫节等长于后足股节和转节之和；后足胫节1对端距近等长，不长于后足基跗节1/3长；后足基跗节约等长于其后4个跗分节之和；爪基片较短，但明显，内齿短于外齿。前翅Rs脉第1段完全缺失，$1R_1$室和1Rs室合并，其和长约等于或稍长于2Rs室；2m-cu脉不与1r-m脉顶接，明显位于其外侧；1M脉与1cu-a脉平行，R+M脉点状，cu-a脉位于中室下缘基部1/5处附近；臀室完整，臀横脉明显倾斜，位于臀室中部外侧和1M脉基部内侧；后翅无封闭中室，径室无小附室，臀室具柄式；雄虫后翅无缘脉。阳茎瓣具腹缘细齿和小型端侧突，端部无分离的大钩形突。

分布：古北区。世界已知22种，中国已记载7种，秦岭地区共发现4种。

分种检索表

1. 头部和腹部几乎全部黄褐色，黑斑不明显；胸部黄褐色或部分黑色 ………………………… 2
   体黑色，具少量淡斑 ……………………………………………………………………… 3
2. 后翅臀室无柄式；胸部大部黑色 ……………………………… **黄腹秋叶蜂 *A. silaceus***
   后翅臀室具柄式；胸部黄褐色 ……………………………… **平唇秋叶蜂 *A. flatoclypea***
3. 后足胫节基部具显著白环，翅基片白色；右上颚具明显的内齿；颚眼距线状；雄虫后足无红褐色 … ……………………………………………………………………… **右齿秋叶蜂 *A. kolthoffi***
   后足胫节全部黑色，或中部具不明显的褐色斑；翅基片黑色；右上颚无内齿；颚眼距等长于单眼直径；雄虫后足大部红褐色 ……………………………… **扁角秋叶蜂 *A. compressicornis***

（139）平唇秋叶蜂 *Apethymus flatoclypea* Zhu *et* Wei, 2008（图版4：F）

Apethymus flatoclypea Zhu *et* Wei, 2008b: 785.

鉴别特征：雄虫体长8mm，雌虫体长10mm。虫体大部和触角黄褐色，唇基、上唇、内眶、胸部侧板上部、各足基节和转节、前中足股节黄白色，单眼区3条带斑和腹部2～8节背板基部黑色；后足胫跗节暗黄褐色。翅烟黄色透明，翅痣和前缘脉黄褐色。体毛浅褐色。体光滑，光泽强，中胸小盾片中后部具较密集刻点，中胸前侧片上半部具模糊刻纹；腹部第1背板高度光滑，其余背板具微弱纹。唇基平坦，颚眼距雌虫0.60倍于单眼直径，雄虫0.20倍于单眼直径；背面观后头雌虫稍短于、雄虫显著短于复眼。阳茎瓣头叶亚三角形，顶侧突尖长，具侧脊。

采集记录：5♂，佛坪大古坪，1320m，2006. Ⅳ. 28，朱巽、何末军采。

分布：陕西（佛坪）、甘肃。

本种雌虫是首次报道。

（140）扁角秋叶蜂 *Apethymus compressicornis* Zhu *et* Wei, 2008

Apethymus compressicornis Zhu *et* Wei, 2008b: 786.

鉴别特征：雌虫体长13mm，雄虫体长10mm。体黑色，上唇、触角第6节端部、7～9节全部、腹部8～10背板中部小斑白色；腹部第2背板前后缘与两侧大斑、第2～3腹板大部和后足转节黄褐色；足黑色，后足胫节中部有时褐色。翅前烟褐色透明，翅痣黑褐色，基部具淡斑。雄虫足橘褐色，各足基节、前中足转节、后足股节端部黑色。唇基具钝横脊，颚眼距等长于单眼直径；单眼后区方形；背面观头部在复眼后两侧平行，约等长于复眼；后足胫节长于跗节，基跗节长于2～5跗分节之和；锯鞘十分短小，约等长于后足基跗节。中胸前侧片上部具粗大刻点并杂以细小刻点和刻纹；锯刃具1个较大的内侧亚基齿和5~7个较小的外侧亚基齿。

采集记录：2♀，佛坪，1000~1450m，2005. Ⅴ.17，朱巽采；1♀，宁陕旬阳坝，1600m，1994. Ⅷ.16，吕楠采。

分布：陕西(佛坪、宁陕)、安徽、浙江。

本种雄虫是首次报道。

(141) 右齿秋叶蜂 *Apethymus kolthoffi* (Forsius, 1927)

Allantus (*Emphytus*) *kolthoffi* Forsius, 1927: 10.

Apethymus proceratis Lee et Ryu, 1996: 23.

鉴别特征：雌虫体长9.00~10.50mm，雄虫体长7~9mm。体黑色，上唇、触角第6节端半部及第7和8两节、翅基片、小盾片中部、腹部第2背板两侧及后足胫节基部1/3~1/2、后足转节白色；触角第9节及前中足胫节褐色。翅透明，翅痣和翅脉黑褐色。颚眼距线状，右上颚具显明的内齿；头部额脊完整，明显隆起，单眼后区宽显著大于长；背面观头部在复眼后稍膨大，短于复眼；中胸前侧片上半部刻点稀疏，但具明显皱纹；后足胫节等长于跗节，后足基跗节约等于其后附分节之和。锯鞘明显长于后足基跗节，侧面观端部圆钝；锯腹片22锯刃，节缝显明，侧缝附近具密集的短刺列，锯刃较平缓，无内侧亚基齿，外侧亚基齿12~14个。

采集记录：1♀，佛坪，1000~1450m，2005. Ⅴ.17，刘守柱采。

分布：陕西(佛坪)、黑龙江、吉林、山西、河南、江苏、湖南；韩国。

(142) 黄腹秋叶蜂 *Apethymus silaceus* Koch, 1988

Apethymus silaceus Koch, 1988: 156.

鉴别特征：体长11.50mm。头部和腹部包括触角大部黄褐色，触角端部4节、上颚基部、上唇、唇基、内眶黄白色或淡黄色，额区和单眼区具大黑斑，腹部第1背板两侧和后足股节大部黑色；胸部大部黑色，前胸背板前缘和两侧、前胸侧板大部、中胸背板前叶两侧、侧叶中部、后小盾片、中胸侧板上部、翅基片黄褐色。头部在复眼后收缩，颚眼距等长于侧单眼直径，单眼后区宽稍大于长；触角2.80倍于头宽；翅痣暗褐色，基部淡；后翅臀室无柄式。头部背侧刻点细弱，小盾片两侧具刻点；中胸侧板具细小刻点，前侧片上部刻点较大；腹部第1背板光滑，具细弱刻点。锯鞘端部圆钝；锯腹片17锯刃，锯刃低平，稍倾斜，无内侧亚基齿，外侧亚基齿细小，14~16枚。

分布：陕西(长安)、宁夏、湖南。

64. 金叶蜂属 *Jinia* Wei *et* Nie, 1999

Jinia Wei *et* Nie, 1999g: 9. **Type species**: *Jinia fulvana* Wei *et* Nie, 1999.

属征：体型窄长。体黄褐色，具少量黑斑；上唇宽大，唇根隐蔽；唇基具低弱横脊，缺口浅弧形；唇基上区弱度隆起，额唇基沟深，触角窝间距窄于内眶；上颚不对称，端齿强烈弯折，左上颚双齿形，右上颚单齿形；复眼小，间距宽于复眼长径；颚眼距长于单眼直径，后眶宽大，后颊脊发达，伸达上眶后缘；背面观后头延长，约等长于复眼，侧缘近似平行或稍膨大，单眼后区宽不大于长；触角显著长于头宽的2倍，第2节长大于宽，第3节短于第4节，鞭节侧扁，具触角器。体光滑，局部具细弱刻点或刻纹。前胸背板沟前部发达，约等于单眼直径3倍，具前缘脊；前胸侧板腹侧宽，接触面长于单眼直径；中胸小盾片平坦，后胸后背板发达，中部平坦，不收缩；无胸腹侧片，中胸前侧片前缘具细脊；前足胫节内端距端部分叉；后足胫节等长于跗节，1对端距近等长，约等长于后足胫节端部宽，短于基跗节1/3长；后足基跗节约等长于其后4个跗分节之和；爪基片较短，但明显，内齿短于外齿。前翅Rs脉第1段完整，$1R_1$室和1Rs室分离，其和长约等于或稍短于2Rs室；2m-cu脉不与1r-m脉顶接，明显位于其外侧；1M脉与1cu-a脉平行，R+M脉点状，cu-a脉位于中室下缘基部1/4～1/5处；臀室完整，臀横脉明显倾斜，位于臀室中部外侧和1M脉基部内侧；后翅具封闭M室，Rs室开放，R_1室无小附室，臀室具柄式；雄虫后翅无缘脉。阳茎瓣具腹缘细齿和小型端侧突，端部无分离的大钩形突。锯刃内侧无肩状部。

分布：中国。本属已知4种，秦岭地区发现2种。

分种检索表

触角端部4节黄白色；后足股节黑色；翅痣全部黄褐色；单眼后区长等于宽；锯刃亚基齿多于10枚 …………………………………………………………………………… **黄角金叶蜂 *J. flavicornis***

触角端部4节黑色；后足股节黄褐色；翅痣基部黄褐色，端部黑褐色；单眼后区长大于宽；锯刃亚基齿少于5枚 ………………………………………………………………… **黑斑金叶蜂 *J. nigromacula***

（143）黄角金叶蜂 *Jinia flavicornis* Wei *et* Li, 2009（图版4：G）

Jinia flavicornis Wei *et* Li, in Li *et* Wei, 2009: 781.

鉴别特征：体长11mm。体黄褐色，单眼三角凹部、中胸背板前叶和侧叶顶部大斑、盾侧凹、胸部腹板黑色；触角橘褐色，端部4节黄白色，第3节明显短于第4节；后足股节全部黑褐色，各足基节、转节和后足跗节黄白色；翅痣全部黄褐色。颚眼距

1.50倍于单眼直径；单眼后区宽等于长，显著隆起，侧沟很深。翅浅烟灰色透明，无明显烟斑，前翅2Rs室稍长于$1R_1$+1Rs室之和。虫体光滑，头部背侧、小盾片后部和中胸前侧片具微细刻纹。后足基跗节稍短于其后4个跗分节之和，等长于产卵器；锯刃低平，具10枚以上亚基齿。

采集记录：1♀，长安区鸡窝子，1720m，2008.Ⅴ.23，于海丽采。

分布：陕西(长安)、河北、甘肃、湖北。

(144) 黑斑金叶蜂 *Jinia nigromacula* Wei *et* Nie, 2004

Jinia nigromacula Wei *et* Nie, 2004: 782.

鉴别特征：体长10~12mm。体黄褐色，触角端部5节、侧单眼内缘、前胸背板大部、前胸侧板上缘、中胸背板前叶大部、侧叶顶面、中胸腹板、中胸后侧片、后胸侧板大部黑褐色；颜面、内眶部分、后眶下部、小盾片、腹部第2背板两侧、腹部基部腹板、各足基节和转节浅黄褐色。翅透明，具均匀的淡烟黄色光泽，翅痣端部3/5黑褐色，基部2/5黄褐色。颚眼距约为单眼直径的1.30倍；单眼后区长明显大于宽。触角微长于腹部，第3节明显短于第4节。中胸前侧片上端部具轻微皱纹和模糊小刻点。后基跗节稍长于其后跗分节之和。前翅第2Rs室等长于1Rs+$1R_1$室之和。锯鞘约短于后足基跗节；锯腹片20锯刃，锯刃长度与刃间段深度之比大于2，第1锯刃无细齿；中部锯刃具1个小型内侧亚基齿和3~4个大型外侧亚基齿。

采集记录：1♀，华阴华阳，1600m，1978.Ⅷ.13，金根桃采。

分布：陕西(华阴)、河南、四川。

65. 美叶蜂属 *Yushengliua* Wei *et* Nie, 1999

Yushengliua Wei *et* Nie, 1999i: 10. **Type species**: *Yushengliua microcula* Wei *et* Nie, 1999.

属征：体型窄长。体黄褐色，具少量黑斑；上唇较小，唇根隐蔽；唇基具高横脊，缺口深弧形，侧叶窄；唇基上区隆起，额唇基沟深，触角窝间距窄于内眶；上颚不对称，端齿强烈弯折，左上颚双齿形，右上颚单齿形；复眼小，间距显著宽于复眼长径；颚眼距显著长于单眼直径，后眶宽大，后颊脊发达，伸达上眶后缘；背面观后头延长，约等长于复眼，侧缘膨大，单眼后区宽大于长；触角等长于头宽3倍，第2节长稍短于宽，第3节短于第4节，鞭节侧扁。体光滑，局部具细弱刻点或刻纹。前胸背板沟前部发达，约等于单眼直径3倍，具前缘脊；前胸侧板腹侧宽，接触面长于单眼直径；中胸小盾片平坦，后胸后背板发达，中部平坦，不收缩；无胸腹侧片，中胸前侧片前缘具细脊；前足胫节内端距端部分叉；后足胫节短于跗节，显著长于股节和转节之和，1对端距不等长，内距稍长于后足胫节端部宽，短于基跗节1/3长；后足基跗节约等长于其后 3 个跗分节之和；爪基片明显，内齿不短于外齿。前翅 Rs 脉第 1 段完全缺失，$1R_1$ 室和 1Rs 室合并，其和长长于 2Rs 室；1M 脉与 1cu-a 脉平行，R + M 脉点状，cu-a 脉位于中室下缘基部 1/5 处；臀室完整，臀横脉 60 ~ 80°倾斜，位于臀室中部外侧和 1M 脉基部内侧；后翅无封闭中室，R_1 室具小附室，臀室无柄式；雄虫后翅无缘脉。阳茎瓣具腹缘细齿和小型端侧突，端部无分离的大钩形突。锯刃斜三角形突出，内侧无肩状部。

分布：中国。世界已知 2 种。秦岭地区发现 1 个未记述种类。

（145）**大眼美叶蜂 *Yushengliua* sp.**（图版 4：H）

鉴别特征：体长 13.50mm。体和足黄褐色，头部触角窝以下部分、前胸背板后缘、翅基片、中胸背板前叶两侧缘、小盾片和附片、后小盾片、中胸前侧片上部大斑、腹部第 1 背板中部大斑、第 2 背板大部、3 ~ 7 背板两侧、腹板大部亮黄色，额区凹部、额脊两侧三角形斑、前胸大部、中胸背板前叶中带、中后胸背板凹部、后胸后背板、中胸侧板宽"U"形斑、后胸侧板大部、腹部第 1 背板基缘和两侧带斑、第 3 背板背侧模糊大斑、后足股节全部黑色；触角基部 5 节暗褐色，端部 4 节渐变黄褐色。翅淡烟褐色，翅痣基半部黄褐色，端半部黑褐色。复眼大，下缘间距微弱宽于复眼长径，侧面观后眶最宽处明显窄于复眼横径；颚眼距等长于单眼直径；唇基缺口约等深于唇基 1/2 长；背面观后头两侧稍收缩，明显短于复眼。触角第 3 节短于第 4 节，微弱短于复眼长径。爪内齿横扫短于外齿。

采集记录：1♀，周至，2009. Ⅷ. 05，王培新采。

分布：陕西（周至）。

66. 近曲叶蜂属 *Emphystegia* Malaise, 1961

Emphystegia Malaise, 1961: 249. **Type species**: *Emphystegia apicimacula* Malaise, 1961.

属征：体型窄长。体黑色，具少量淡斑；上唇较小，唇根隐蔽；唇基具低弱横脊，端缘薄，缺口浅弧形，侧叶短钝；唇基上区几乎不隆起，额唇基沟深，触角窝间距窄于内眶；上颚不对称，端齿强烈弯折，左上颚双齿形，右上颚单齿形；复眼较大，间距约等于复眼长径；颚眼距不长于单眼直径，后眶宽大，后颊脊发达，伸达上眶后缘；背面观后头延长，短于复眼，侧缘不明显膨大，单眼后区宽大于长；触角长于腹部，第 2 节长等于宽，第 3 节短于第 4 节，鞭节侧扁。体光滑，局部具细弱刻点或刻纹。前胸背板沟前部发达，大于单眼直径 2 倍，具前缘脊；前胸侧板腹侧宽，接触面长于单眼直径；中胸小盾片平坦，后胸后背板发达，中部平坦，不收缩；无胸腹侧片，中胸前侧片前缘具细脊；前足胫节内端距端部不分叉；后足胫节等长于跗节，稍长于股节和转节之和，1 对端距近似等长，短于基跗节 1/3 长；后足基跗节约等长于其后 4 个跗分节之和；爪基片明显，内齿短于外齿。前翅 Rs 脉第 1 段完整，$1R_1$ 室和 1Rs 室分离，其和长长于 2Rs 室；1M 脉与 1cu-a 脉平行，R + M 脉点状，cu-a 脉位于中室下缘中部；臀室完整，臀横脉显著倾斜，位于臀室中部外侧和 1M 脉基部内侧；后翅无封闭中室，R_1 室具较大附室，臀室无柄式；雄虫后翅无缘脉。阳茎瓣具腹缘细齿和小型端侧突，端部无分离的大钩形突。锯刃斜三角形突出，内侧无肩状部。

分布：东亚。世界已知 4 种，中国均有分布，秦岭地区发现 3 种。

分种检索表

1. 锯腹片具 19 个锯刃，各节 1 对纹孔互相接触；锯刃具 12 枚亚基齿；雄虫副阳茎瓣高明显大于宽 ……………… **邻孔近曲叶蜂 *E. paraporia***
   锯腹片具 22 ~ 24 个锯刃，各节 1 对纹孔互相远离；锯刃具 15 ~ 22 枚亚基齿；雄虫副阳茎高小于宽 ……………… 2
2. 后足胫节全部黑色；锯刃具约 22 枚亚基齿 ……………… **黑胫近曲叶蜂 *E. nigrotibia***
   后足胫节基半部红褐色；锯刃具 15 ~ 16 枚亚基齿 ……………… **短刃近曲叶蜂 *E. breviserra***

(146) 短刃近曲叶蜂 *Emphystegia breviserra* Wei, 1997

Emphystegia breviserra Wei, 1997g: 1588.

鉴别特征：体长 8.50 ~ 10.00mm。体黑色，唇基、上唇、上颚基部、前胸背板后缘、气门后片、小盾片中部、各足第 2 转节、2 ~ 6 腹板大部、第 2 背板四周缘白色；前足腿节、胫节和跗节、中足腿节端半部以及胫节和跗节、后足胫节基部 2/3 红褐色；翅基片黑褐色；触角基部 2 节红褐色。体光滑，无刻点。头部在复眼后不收缩，两侧缘平行；颚眼距等长于单眼直径；前翅 2Rs 室稍长于 1Rs 室。锯鞘侧面观宽，锯腹片 22 锯刃，纹孔互相远离，锯刃基端明显高于刃间膜平面，中部锯刃倾斜，具 15 ~ 16枚细小亚基齿。

采集记录：1♀，太白山，1850m，1981. V. 30。

分布：陕西（眉县、华阴）、河北、湖北、湖南、福建、广西、重庆、四川、贵州、云南。

(147) 黑胫近曲叶蜂 *Emphystegia nigrotibia* Wei, 1998

Emphystegia nigrotibia Wei *et* Nie, 1998j: 365.

鉴别特征：体长 10mm。体及足黑色，唇基、上唇、上颚基半白色；触角基部 2 节黄褐色，鞭节基部颜色微淡于中端部；前胸背板后缘、中胸小盾片中央、后小盾片中央、前中足第2转节、后足基节外侧条斑、后足转节和腹部第2节白色；腹部第2节背板具1个大方形黑斑，其余背板后缘具极狭窄的白边，第8和第10背板中央白色，第2~5节腹板淡黄色；前足股节基部黑色，其余部分及其胫跗节黄褐色，中足胫跗节棕褐色。翅痣黑褐色。体光滑，无刻点。单眼后区隆起，方形，侧沟深弧形，单眼后沟细浅但完整。前翅2Rs室微长于1Rs室，cu-a脉中位稍偏内侧。锯腹片24刃，纹孔互相远离；中部锯刃弧形突出，具20枚左右细小亚基齿。

采集记录：1♀，蓝田王顺山，1297m，2006. Ⅶ. 12，朱巽采；1♀，华山中峰，1979. Ⅷ. 02，采集人不详。

分布：陕西（蓝田、华阴）、河南、安徽、浙江。

（148）邻孔近曲叶蜂 *Emphystegia paraporia* Wei, 1998 陕西新纪录

Emphystegia paraporia Wei in Wei *et* Wen, 1998: 138, 141.

鉴别特征：体长7.00~8.50mm。体黑色，唇基、上唇、各足基节端部、转节、腹部2~5腹板、第2~5背板腹侧、第10背板白色；前足股节除基部之外、前足胫跗节、中足胫节黄褐色，翅基片、中胸小盾片、后胸小盾片和后足胫节基部3/4暗红褐色。翅透明，翅痣黑褐色。体光滑，仅中胸小盾片后部具少许刻点。颚眼距稍短于单眼直径；单眼后区隆起，宽稍大于长，单眼中沟和后沟显著，侧沟深长，前端细，向后部逐渐加宽深，向后稍分歧；背面观后头稍短于复眼，两侧稍收缩，后缘中部向前稍凹入。触角细长，第3节几乎不短于第4节。前翅2Rs室稍长于1Rs室。锯腹片19刃，各节2个纹孔互相贴近；雄虫后头明显收缩，下生殖板端部圆钝，副阳茎高大于宽，阳茎瓣尾叶圆钝。

采集记录：1♀，佛坪岳坝，1085m，2006. Ⅳ. 29，朱巽采。

分布：陕西（佛坪）、河南。

67. 细爪叶蜂属 *Filixungulia* Wei, 1997

Filixungulia Wei, 1997a: 112. **Type species**: *Filixungulia alboclypea* Wei, 1997.

属征：体型狭长。体黑色具少量淡斑；上唇宽大，唇根隐蔽；唇基具低弱横脊，端缘薄，缺口浅弧形，侧叶短钝；唇基上区微弱隆起，额唇基沟深，触角窝间距窄于内眶；上颚不对称，端齿强烈弯折，左上颚双齿形，右上颚单齿形；复眼大，明显突出，颜面和额区明显下沉，复眼间距窄于复眼长径；颚眼距短于单眼直径，后眶宽大，后颊脊发达，伸达上眶后缘；背面观后头延长，约等长于复眼，侧缘不膨大，单眼后区宽大于长；触角细，长于头胸部之和，第2节长不短于宽，第3节短于第4节，鞭节几乎不侧扁。体光滑，局部具刻点或刻纹。前胸背板沟前部发达，宽于单眼直

径2倍，具前缘脊；前胸侧板腹侧宽，接触面长于单眼直径；中胸小盾片平坦，后胸后背板发达，中部平坦，不收缩；无胸腹侧片，中胸前侧片前缘具细脊；前足胫节内端距端部不分叉；后足胫节约等长于跗节，长于股节和转节之和，1对端距近似等长，短于基跗节1/3长；后足基跗节约等长于或短于其后4个跗分节之和；爪细长，无基片，无内齿。前翅Rs脉第1段缺失，$1R_1$室和1Rs室合并，其和长长于2Rs室；1M脉与1cu-a脉平行，R+M脉点状，cu-a脉位于中室下缘基部，靠近1M脉；臀室完整，臀横脉显著倾斜，位于臀室中部外侧和1M脉基部内侧；后翅具封闭M室，R_1室附室不明显，臀室具柄式；雄虫后翅无缘脉。阳茎瓣具腹缘细齿和小型端侧突，端部无分离的大钩形突。锯刃斜三角形突出，内侧无肩状部。

分布：东亚。世界已知3种，中国均有分布，秦岭地区发现2种。

分种检索表

后足1~3跗分节明显膨大，具硬直刺毛；翅痣全部黑色 ………… **肿跗细爪叶蜂 *F. crassitarsata***
后足跗节细长，基部跗分节不膨大，具平伏软毛；翅痣基部1/4淡色，端部3/4黑色 ……………………………………………………………………………… **细跗细爪叶蜂 *F. cylindrica***

(149) 肿跗细爪叶蜂 *Filixungulia crassitarsata* Wei, 1997

Filixungulia crassitarsata Wei, 1997: 114.

鉴别特征：雄虫体长10mm。体黑色，上唇、触角末端4节、后足转节白色，前足股节、胫节和跗节基部3节、中足股节和胫节、后足胫节基部3/4红褐色，后足跗节第2节端半部背侧、第3和4节全部以及第5节基半部黄褐色；腹部腹板2~5黄褐色，背板2~4各具1个"T"形红褐色斑纹。翅透明，翅痣和翅脉均黑色。唇基缺口深，半圆形；颜面部强烈下沉，复眼突出，后头收缩。触角第2节长大于宽，第3节稍短于第4节。中胸背板和小盾片具稀疏细浅刻点，中胸侧板光滑。后足基跗节明显加粗，圆柱形，2~3跗分节稍加厚。腹部第1、2背板光滑。抱器端部宽钝，近似截形。雌虫未知。

采集记录：1♂（正模），武功，1980. Ⅴ，陈彤采。

分布：陕西（武功）。

(150) 细跗细爪叶蜂 *Filixungulia cylindrica* Wei, 2003 陕西新纪录（图版4：I）

Filixungulia cylindrica Wei, 2003: 730.

鉴别特征：雌虫体长14mm，雄虫体长10mm。体黑色，上唇边缘、触角端部3节半、后足基节端半部、后足转节和后足股节基部、后足第4跗分节、腹部第8背板后缘白色；前足股节端半部以远褐色，中后足胫节基半部红褐色。翅透明，翅痣基部1/4淡黄色，翅痣端部3/4黑褐色。唇基前缘缺口深约为唇基2/5长；颚眼距约等长于侧单眼直径1/3；单眼后区长约等于宽，侧沟深，互相近似平行。头部额区和颜面以及中胸小盾片具显著刻纹，中胸后侧片和后胸侧板具细弱刻纹。后足基跗节细，等长于其后跗分节之和。雄虫中足股节大部红褐色，后足基节黑色，腹部2～5腹板全部、3～5背板中部黄褐色，后足2～5跗分节大部白色，抱器端部较尖。

采集记录： 1♀，长安终南山，1555m，2006. Ⅴ.27，杨青采。

分布： 陕西（长安）、河北、山西、河南、安徽、湖南。

68. 后室叶蜂属 *Asiemphytus* Malaise, 1947

Asiemphytus Malaise, 1947: 30-31. **Type species**: *Macremphytus deutziae* Takeuchi, 1929.

属征： 体型狭长。上唇宽大，唇根隐蔽；唇基具低弱横脊，端缘薄，缺口浅弧形，侧叶短钝；唇基上区微弱隆起，额唇基沟深，触角窝间距窄于内眶；上颚不对称，端齿强烈弯折，左上颚双齿形，右上颚单齿形；复眼大，不显著突出，颜面和额区不下沉，复眼间距约等于复眼长径；颚眼距短于单眼直径，后眶宽大，后颊脊发达，伸达上眶后缘；背面观后头延长，约等长于复眼，侧缘不膨大，单眼后区宽大于长；触角细，长于头胸部之和，第3节短于第4节，鞭节几乎不侧扁。体光滑，局部具刻点或刻纹。前胸背板沟前部发达，宽于单眼直径2倍，具前缘脊；前胸侧板腹侧宽，接触面长于单眼直径；中胸小盾片平坦，后胸后背板发达，中部平坦，不收缩；无胸腹侧片，中胸前侧片前缘具细脊；前足胫节内端距端部不分叉；后足胫节约等长于跗节，长于股节和转节之和，1对端距近似等长，短于基跗节1/3长；后足基跗节长于其后4个跗分节之和；爪具小型基片，内齿明显短于外齿。前翅Rs脉第1段缺失，$1R_1$室和1Rs室合并，其和长约等长于2Rs室；1M脉与1cu-a脉平行，R＋M脉点状，cu-a脉位于中室下缘基部，靠近1M脉；臀室完整，臀横脉显著倾斜，位于臀室中部外侧和1M脉基部内侧；后翅具封闭M室，R_1室附室不明显，臀室无柄式；雄虫后翅无缘脉。阳茎瓣具腹缘细齿和小型端侧突，端部无分离的大钩形突。锯刃斜三角形突出，内侧无肩状部。

分布： 东亚。世界已知9种，中国已记载5种，秦岭地区发现2种。

寄主： 虎耳草科溲疏属 *Deutzia* 植物。

分种检索表

唇基白色；锯腹片第6锯刃等宽于刃间段，左右几乎对称，具3个内齿亚基齿，4个外侧亚基齿；锯腹片背侧长刺毛1～2列 ………………………………… **红头后室叶蜂 *A. rufocephalus***

唇基黑色；锯腹片第6锯刃显著宽于刃间段，左右不对称，具3个内齿亚基齿，8个外侧亚基齿；

锯腹片背侧长刺毛 2 ~ 3 列 ………………………………… 斑唇后室叶蜂 *A. maculoclypeatus*

(151) 红头后室叶蜂 *Asiemphytus rufocephalus* Wei, 1997

Asiemphytus rufocephalus Wei, 1997c: 23.

鉴别特征: 体长 11.50mm。体黑褐色，头部红褐色，触角窝周围黑色；触角黑色，端部 3 节白色；上唇、后足基节与转节、后足 2 ~ 4 跗分节、腹部腹板大部、第 1 背板两侧、第 2 背板周边白色，后足胫节基部 2/3 红棕色，前足胫节腹侧与跗节黄褐色。翅透明，翅痣浅褐色。右上颚基部具 1 枚显明的小齿；触角第 2 节长等于宽。头胸部光滑，无大刻点，中胸小盾片具浅平的小刻点，中胸前侧片上部具稀疏细小的毛瘤，无刻点，腹部各节背板均具细密的表皮刻纹。锯腹片 19 刃，锯刃具 2 ~ 3 枚内侧亚基齿与 4 个外侧亚基齿，锯腹片背侧刚毛稀疏，仅 1 至 2 列，靠近背缘。

采集记录: 8♀，周至，2009. Ⅵ. 09，王培新采；2♀，宁陕火地塘，1984. Ⅷ。

分布: 陕西(周至、宁陕)、河南、浙江、四川。

(152) 斑唇后室叶蜂 *Asiemphytus maculoclypeatus* Wei, 2002 陕西新纪录 (图版 4: J)

Asiemphytus maculoclypeatus Wei in Wei *et* Huang, 2002: 97.

鉴别特征: 雌虫体长 12 ~ 13mm，雄虫体长 10mm。体黑色，头部红褐色，唇基、触角窝周围和单眼区黑色，上唇、内眶下半部条斑、触角末端 3 节、腹部第 2 背板两侧、2 ~ 5 腹板中部、5 ~ 10 背板中部三角形斑、后足基节大部、股节基端背侧和第 2 ~ 5跗分节浅黄色，中胸背板前叶后部、侧叶小部分、小盾片、附片、后胸小盾片暗红褐色；前足股节端部和胫跗节浅褐色，中足胫跗节暗褐色，后足胫节大部红褐色，基部和端部黑色。翅透明，前缘脉和翅痣大部浅褐色。中胸前侧片上部具少数十分稀疏模糊的刻点痕迹，表面光滑；单眼后区长约等于宽；触角第 2 节宽大于长。锯腹片 19 ~ 20 刃，锯刃低平，中部锯刃具 3 个内侧亚基齿和 8 个外侧亚基齿，锯腹片背侧长刚毛2 ~ 3列。雄虫体暗黄褐色具黑斑。

采集记录: 1♀4♂，长安终南山，1555m，2006. Ⅴ. 27，杨青采；1♂，长安终南山，1292m，2006. Ⅴ. 28，杨青采；1♀1♂，宝鸡天台山，802m，2006. Ⅴ. 23，杨青采；1♂，凤县嘉陵江源头，1617m，2007. Ⅶ. 14，蒋晓宇采；1♀，华山，1300 ~ 1600m，2005. Ⅶ. 12，杨青采；1♂，佛坪岳坝，1085m，2006. Ⅳ. 29，朱巽采；1♀3♂，佛坪大古坪，1190m，2006. Ⅳ. 27，朱巽采。

分布: 陕西(长安、周至、宝鸡、凤县、华阴、佛坪)、天津、河北、山西、河南、甘肃、安徽、浙江、湖南、重庆、四川。

69. 大曲叶蜂属 *Macremphytus* MacGillivray, 1908

Macremphytus MacGillivray, 1908: 368. **Type species**: *Harpiphorus varianus* (Norton, 1861).

属征：体型粗壮。上唇宽大，唇根隐蔽；唇基具高横脊，端缘薄，缺口深弧形，侧角尖；唇基上区强隆起，额唇基沟浅，触角窝间距窄于内眶；上颚不对称，端齿强烈弯折，左上颚双齿形，右上颚单齿形；复眼大，不显著突出，颜面和额区不下沉，复眼间距约等于复眼长径；颚眼距稍短于单眼直径，后眶宽大，后颊脊发达，伸达上眶后缘；背面观后头延长，约等长于复眼，侧缘膨大，单眼后区宽约等于长；触角粗壮，长于头胸部之和，第2节长于等于宽，第3节稍短于第4节，鞭节显著侧扁。前胸背板沟前部发达，宽于单眼直径2倍，具前缘脊；前胸侧板腹侧宽，接触面长于单眼直径；中胸小盾片平坦，后胸后背板发达，中部平坦，不收缩；无胸腹侧片，中胸前侧片前缘具细脊；前足胫节内端距端部分叉；后足胫节约等长于跗节，长于股节和转节之和，1对端距近似等长，短于基跗节的1/3长；后足基跗节长于其后4个跗分节之和；爪具明显基片，内齿稍短于外齿。前翅Rs脉第1段缺失，$1R_1$室和1Rs室合并，其和长约等长于2Rs室；1M脉与1cu-a脉平行，R+M脉点状，cu-a脉位于中室下缘基部，靠近1M脉；臀室完整，臀横脉显著倾斜，位于臀室中部外侧和1M脉基部内侧；后翅具封闭M室，R_1室附室不明显，臀室具柄式；雄虫后翅无缘脉。阳茎瓣具腹缘细齿和小型端侧突，端部无分离的大钩形突。锯刃斜三角形突出，内侧无肩状部。

分布：东亚，新北区。世界已知7种，中国仅记载1种，秦岭地区也有分布。

(153) 粗角大曲叶峰 *Macremphytus crassicornis* Wei, 1997（图版4：K）

Macremphytus crassicornis Wei, 1997: 116.

鉴别特征：雌虫体长12~13mm，雄虫体长8~10mm。体和足黑色，前胸背板后角小斑、翅基片外缘、后胸小盾片全部、后足基节端部、后足转节和股节基部、腹部各节背腹板后缘狭边白色，前足股节前侧端部和后足基跗节基部褐色，触角鞭节基部1~2节有时红褐色。翅痣和翅脉大部黑褐色。体光滑，小盾片和额区具小刻点，中胸前侧片中上部大刻点密集网状，刻点间隙十分狭窄。背面观后头两侧稍微膨大，长约等于复眼。触角稍短于腹部。前翅2Rs室稍短于$1R_1$+1Rs室。

采集记录：1♀，佛坪，1000~1450m，2005. V.17，刘守柱采。

分布：陕西(佛坪)、河南、甘肃、安徽、浙江、湖南、广西、四川、贵州。

70. 俏叶蜂属 *Hemathlophorus* Malaise, 1945

Hemathlophorus Malaise, 1945: 96-97. **Type species**: *Athlophorus formosanus* Enslin, 1911.

属征: 体狭长。光滑，几乎无刻点；上唇较大，平坦；唇基微隆起，前缘缺口宽圆，侧角三角形，唇基上区几乎平坦；颚眼距约等于或窄于单眼直径；上颚不对称，右上颚单齿，具基叶，左上颚具发达的基位内齿，端齿强烈弯曲；复眼中等大，内缘向下稍收敛，间距稍宽于复眼长径；侧窝沟状，向前开放；单眼后区亚方形；头部在复眼后明显延长，两侧亚平行；后眶最宽处约等宽于复眼横径，后颊脊发达。触角细，不短于腹部，第2节长大于宽，第3节短于第4节。前胸背板沟前部宽大，最宽处3倍于单眼直径；前胸侧板腹侧接触面等长于前胸腹板，前胸腹板槌状，两侧不呈臂状延伸；小盾片圆钝隆起，无脊和顶点；附片平滑，无纵脊；中胸侧板下部不突出，无胸腹侧片，前侧片前缘具细脊；后胸后背板宽长，中部不收缩；腹部亚基部不收缩。足细长，前足胫节内端距端部分叉，后足股节与胫节长度之比为7:10，后胫节稍长于跗节，后胫端距等长，短于基跗节1/3长，后基跗节长于其后4个附分节之和；爪具锐利基片，内齿等于或长于外齿。前翅 $1R_1$ 室和 1Rs 室合并，2Rs 室约为第 $1R_1$ +1Rs合室的1/2；1M 脉强烈弓曲，与1m-cu 脉向翅痣稍分歧，R+M 脉段约等长于 cu-a 脉，后者位于中室下缘基部1/5；臀横脉稍倾斜，位于臀室中部外侧；2m-cu 脉与1r-m 脉几乎顶接或位于其内侧；后翅无封闭中室，臀室具短柄，R_1 室端部具小型附室；翅无斑纹、无缘脉。锯腹片锯刃叶片状或亚三角形突出；阳茎瓣宽大，腹缘具细齿，顶侧突大，钩状。

分布: 东亚南部。世界已知4种，中国记载3种，秦岭地区发现1种。

(154) 短颊俏叶蜂 *Hemathlophorus brevigenatus* Wei, 2005 (图版4: L)

Hemathlophorus brevigenatus Wei, 2005: 824.

鉴别特征: 体长10.50mm。体亮柠檬黄色，头部背侧具“士”字形黑斑，触角第1、2节腹侧具黑斑，鞭节黑色；中胸背板前叶和侧叶各具1个长椭圆形黑斑，附片黑褐色，前胸背板中部、中胸盾侧凹底部、中后胸后背板中部黑色；中胸腹板两侧、中胸前侧片前上角和后胸后侧片后下角各具1个黑斑；腹部第1背板基部两侧各具1个大三角形黑斑，第3~4、6~7节背板亚基部各具1条黑色横带，2、5、8节背板中部具圆形小黑斑；后足基节腹侧端半部、后足股节端部1/4、后足胫节端部、锯鞘端黑色。翅痣和其余翅脉黑褐色。颚眼距等长于单眼半径；锯腹片15锯刃，中部锯刃具4枚内侧、7枚外侧亚基齿。

采集记录: 1♀, Shaanxi, Foping. X, Xigou, 1340~1400m, 27. Ⅵ. 1997, T. Yagi leg.。

分布：陕西(佛坪)、湖南、福建、广西、重庆、贵州。

71. 异距叶蜂属 *Mimathlophorus* Malaise, 1947

Mimathlophorus Malaise, 1947: 3, 19. **Type species**: *Mimathlophorus alboterminalis* Malaise, 1947.

属征：体狭长。胸部侧板具粗密刻点；上唇较小，唇根隐蔽；唇基微隆起，前缘缺口宽弧形，侧角三角形，唇基上区微弱隆起；颚眼距约等于或窄于单眼直径；上颚不对称，右上颚单齿，具基叶，左上颚具发达的基位内齿，端齿强烈弯曲；复眼下缘间距宽于复眼长径；侧窝沟状，向前开放；单眼后区长大于宽；头部在复眼后明显延长，两侧亚平行；后眶最宽处约等宽于复眼横径，后颊脊发达。触角细，不短于腹部，第2节长大于宽，第3节短于第4节。前胸背板沟前部宽大，最宽处4倍于单眼直径；前胸侧板腹侧接触面等长于前胸腹板，前胸腹板槌状，两侧不呈臂状延伸；附片平滑，无纵脊；中胸侧板下部不突出，无胸腹侧片，前侧片前缘具细脊；后胸后背板宽长，中部不收缩；腹部亚基部不收缩。足细长，前足胫节内端距端部分叉，后足股节与胫节长度之比为7:10，后胫节约等长于跗节，后胫内端距粗壮，约2倍于外距长和胫节端部宽，明显长于基跗节1/3；后基跗节约等长于其后4个附分节之和；爪具小型锐利基片，内齿大。前翅$1R_1$室和1Rs室合并，2Rs室显著长于$1R_1$ + 1Rs合室的1/2；1M脉与1m-cu脉互相平行，R + M脉段点状，cu-a脉位于中室下缘基部1/5 ~ 1/7；臀横脉35 ~ 45°倾斜，位于臀室中部外侧；后翅无封闭中室，臀室无柄式或具点状柄，R_1室端部具小型附室；翅无斑纹、无缘脉。锯腹片锯刃长平，亚基齿细小；阳茎瓣腹缘具细齿和小型顶侧突。

分布：东亚。世界已知3种，中国记载2种，秦岭地区发现1种。

(155) 平盾异距叶蜂 *Mimathlophorus planoscutellis* Wei, 1997

Mimathlophorus planoscutellis Wei, 1997b: 130

鉴别特征：雄虫体长8.20mm。体黑色，上唇、触角端部4节、中胸小盾片中斑白色，腹部1 ~ 3背板后缘狭边、2 ~ 5腹板黄褐色；前中足黄褐色，基节和股节基部暗褐色；后足黑褐色，端部3跗分节白色。体毛银色。翅透明，翅痣暗褐色。中胸小盾片、附片、后小盾片具浅刻点和细皱纹，中胸前侧片上半部刻点粗密网状，光泽暗淡，下半部刻点细小稀疏；腹部背板具细刻纹。颚眼距线状；POL: OOL: OCL = 10: 23: 33。中胸小盾片平坦，无刺突。后足胫节内端距0.57倍于基跗节长，后基跗节稍短于2 ~ 5跗分节之和；爪内齿等长于外齿。前翅cu-a脉交于1M室基部1/7，2Rs室等长于$1R_1$ + 1Rs之和；阳茎瓣狭窄，端侧突短小。雌虫未知。

采集记录：1♂，Cheumen(宝鸡南)，06. V. 1919。

分布：陕西（宝鸡）。

72. 狭腹叶蜂属 *Athlophorus* Burmeister, 1847

Athlophorus Burmeister, 1847: 5-8. **Type species**: *Athlophorus klugii* Burmeister, 1847.

Emphytoides Konow, 1898: 274. **Type species**: *Emphytoides perplexus* Konow, 1898.

属征：体型拟态胡蜂。上颚不对称，左上颚具大型基齿，端齿内侧无肩状部，右上颚简单，基部有时具1枚小型尖齿；唇基具显著横脊，前缘缺口深，1/3圆形；上唇较大，平坦光滑，唇根隐藏；颚眼距不宽于单眼直径；复眼大，内缘互相平行，间距稍宽于复眼高；触角窝间距宽于触角窝与复眼间距；内眶不陡峭；侧窝浅沟状；无明显额脊；单眼后区长大于宽，侧沟细浅；头部在复眼后延长，背面观后头稍短于复眼，两侧平行或稍收缩；后颊脊发达，伸至头顶。触角较细，一般不长于腹部，第2节长大于宽，第3节不短于第4节，端部4节短缩，具触角器。前胸背板沟前部宽约4倍于单眼直径，具亚前缘细脊；中胸小盾片附片很小；后胸后背板长，中部不收缩；淡膜区小，间距2倍于淡膜区宽。前足胫节内端距端部分叉；后足胫节远长于股节，等长于跗节，胫节端距等长于胫节端部宽；后足基跗节等于或稍长于其后跗分节之和；爪基片小，端部尖，内齿稍短于外齿。前翅1M脉与1m-cu脉平行，Rs脉第1段缺失，2Rs室仅稍短于$1R_1$+1Rs之和，R+M脉段长于1r-m脉，cu-a脉与1M脉顶接或甚接近，臀室中部外侧具75~80°倾斜的横脉，翅痣附近通常具大形烟褐斑。后翅无封闭中室，R_1室具明显附室，臀室具短柄，无缘脉。腹部第2腹节总是狭于第1腹节，亚端部腹节明显膨大；头部、中胸侧板及小盾片常具粗糙刻点。阳茎瓣较宽大，具顶侧突和腹缘细齿。

分布：东亚南部。世界已知约46种，中国已记载18种，秦岭地区发现1种。

(156) 纤弱狭腹叶蜂 *Athlophorus placidus* (Konow, 1898)

Emphytoides placidus Konow, 1898: 275.

鉴别特征：体长8~9mm。虫体包括触角和足黑色，上唇和中后足胫节基部白色，腹部2~4节部分白色，翅基片内侧黑色，外侧约1/2淡色。头部大部光滑，额区刻点较密；中胸前侧片刻点粗大，间隙明显可辨。前翅翅痣黑褐色，翅痣外侧褐斑不延伸到翅痣基部之内。触角较粗短，约等长于头胸部之和，第3节短于唇基宽，微细于微弱侧扁的第6节；背面观后头两侧前部1/2不收缩，后部1/2明显收缩，微弱短于复眼；后足基跗节几乎不长于其后4个跗分节之和，爪内齿明显短于外齿；单眼后区长明显大于宽，侧沟细浅，向后互相平行。小盾片低钝隆起，无纵脊。锯鞘端部尖；锯腹片亚基齿细小，后侧亚基齿12~14个。

采集记录： 1♀，佛坪大古坪，1320m，2006.Ⅳ.28，何末军、朱巽采。

分布： 陕西（佛坪）、河南、浙江、湖北、湖南、福建、广东、广西、重庆、四川、贵州、云南；越南，缅甸，印度。

73. 片角叶蜂属 *Indostegia* Malaise, 1934

Indostegia Malaise, 1934: 468. **Type species:** *Indostegia apicicornis* Malaise, 1934.

属征： 上唇宽大平滑，唇根出露；唇基隆起，前缘缺口宽深，侧叶窄长；上颚不对称，左上颚3齿，基齿大，中齿端部方形，右上颚单齿；颚眼距为单眼直径的1～2倍；复眼中小型，内缘互相平行，下缘间距显著宽于眼高；内眶宽平，触角窝间距宽于触角窝—复眼间距；侧窝小，下缘开放；额区宽大，额脊低钝；单眼后区宽等于或小于长；头部背面观复眼后部分约等长于复眼；侧面观后眶等宽于复眼，后颊脊伸达头顶。触角等于或长于胸腹部之和，鞭节大部强烈侧扁，有时成叶片状，第2节长等于宽，第3节稍短于第4节。前胸背板具极细低的缘脊，沟前部最宽处3～4倍于单眼直径；前胸侧腹板接触面宽于腹板宽；中胸小盾片低平，附片小；后胸后背板长平，中部不收窄；淡膜区中大型，间距1.00～1.70倍于淡膜区宽；中胸前侧片刻点粗糙，具前缘细脊。前足胫节内端距端部分叉；后足胫节等长于跗节，基跗节短于或等于其后附分节之和；爪中裂式，内齿稍短于外齿，爪基片小，但明显。前翅具4个肘室，2Rs室显著短于 $1R_1$ + 1Rs 之和，1M脉与1m-cu脉平行，R + M脉段点状，cu-a脉中位，臀横脉约呈35～40°倾斜，外侧位；后翅无封闭中室，臀室无柄式，R_1 室无附室；雄虫后翅无缘脉。锯腹片节缝刺毛带狭窄，锯刃倾斜突出。阳茎瓣具顶侧突和腹缘细齿。

分布： 东亚。世界已知9种，中国记载5种，秦岭地区发现1种。

（157）黑股片角叶蜂 *Indostegia nigrofemorata* Nie *et* Wei, 2004 陕西新纪录

Indostegia nigrofemorata Nie *et* Wei, 2004a: 346.

鉴别特征： 体长9～10mm。头部暗红褐色，背侧大部和后颊脊后侧全部黑色，上唇白色，口须黄褐色；触角3色，基部3节红褐色，中部3节和端节黑色，7～8节白色；胸腹部黑色，前胸背板后缘黄褐色，翅基片红褐色，腹部2～4背板边缘和各节气门附近小斑淡褐色，锯鞘基部红褐色；足黑色，各足基节端部、转节全部白色，前中足腿节末端1/3以远、前中足胫节全部、后足胫节基部4/5、后足基跗节红褐色，后足跗节其余部分黄褐色。翅透明，翅痣和翅脉黑褐色，翅痣基部白色。颚眼距等于单眼直径1.30倍；触角约等长于胸腹部之和，第5节宽厚比大于2.50，长宽比稍大于3。锯腹片23锯刃，锯刃内侧亚基齿2～3个，外侧亚基齿5～6个。

采集记录：1♀，宝鸡天台山，802m，2006. Ⅴ.23，朱巽采；1♂，凤县嘉陵江源头，1617m，2007. Ⅶ.14，蒋晓宇采；5♀5♂，佛坪，1000～1450m，2005. Ⅴ.17，刘守柱采；1♂，佛坪大古坪，1190m，2006. Ⅳ.27，朱巽采；1♂，宁陕旬阳坝，1400m，2009. Ⅵ.18，于海丽采；1♂，镇安，1300～1600m，2005. Ⅶ.10，朱巽采。

分布：陕西（宝鸡、凤县、佛坪、宁陕、镇安）、湖北、贵州。

74. 绅元叶蜂属 *Taxoblenus* Wei *et* Nie, 1999

Taxoblenus Wei *et* Nie, 1999i: 9. **Type species**: *Taxoblenus longicornis* Wei *et* Nie, 1999.

属征：上唇宽大平滑，唇根出露；唇基隆起，前缘缺口宽深，侧叶窄长；上颚不对称，左上颚3齿，基齿大，中齿端部方形，右上颚单齿；颚眼距约为单眼直径2倍；复眼较小，内缘互相平行，下缘间距显著宽于眼高；内眶宽平，触角窝间距稍窄于触角窝—复眼间距；侧窝下缘开放；额区宽大，额脊低钝；单眼后区宽等于或大于长；头部背面观复眼后部分约等长于复眼；侧面观后眶等宽于复眼，后颊脊伸达头顶。触角等于或长于胸腹部之和，鞭节稍侧扁，第2节长短于宽，第3节短于第4节。前胸背板具极细低的缘脊，沟前部最宽处3～4倍于单眼直径；前胸侧腹板接触面宽于腹板宽；中胸小盾片低平；后胸后背板长平，中部不收窄；淡膜区小；中胸前侧片刻点粗糙，具前缘细脊。前足胫节内端距端部分叉；后足胫节稍短于跗节，基跗节等于其后附分节之和；爪细长，基片缺或微小，内齿短小，远离外齿。前翅具4个肘室，2Rs室显著短于$1R_1+1Rs$之和，1M脉与1m-cu脉平行，R+M脉段点状，cu-a脉中位或稍偏内侧，臀横脉约呈35°倾斜，外侧位；后翅无封闭中室，臀室无柄式，或具短柄，R_1室无附室；雄虫后翅无缘脉。锯腹片锯刃叶片状突出。阳茎瓣具顶侧突和腹缘细齿。

分布：东亚。世界已知13种，除1种分布在俄罗斯西伯利亚外，其余种类均分布于中国。秦岭地区发现2种，包括1个未记述种类。

分种检索表

触角和各足跗节黑色；唇基、上唇红褐色；腹部2～4节浅褐色，具黑斑；爪无基片，内齿微小 ………………………………………………………… **长角申元叶蜂 *T. longicornis***

触角6～7节、后足跗节大部、唇基、上唇白色；腹部3～5节橘褐色，第2节黑色；爪具小型基片，内齿较大，约等长于外齿1/2长 ……………………………… **白跗申元叶蜂 *Taxoblenus* sp.**

（158）长角申元叶蜂 *Taxoblenus longicornis* Wei *et* Nie, 1999

Taxoblenus longicornis Wei *et* Nie, 1999i: 9.

鉴别特征： 体长6.50mm。虫体包括触角和足黑色，唇基、上唇、翅基片、前中足股节端部、各足胫节红褐色，腹部2~4背板浅褐色，中部具黑斑。背面观后头明显短于复眼，侧缘向后收缩；触角侧扁，明显长于虫体；爪无基片，内齿微小；腹部第1背板后缘膜区宽大。头部、中胸小盾片后部、中胸前侧片刻点粗糙密集，暗淡无光泽；小盾片附片和后胸后背板光滑，无刻点。阳茎瓣头部倾斜截形，中侧突长大。

采集记录： 1♂，宁陕火地塘，1985. Ⅵ. 19，唐周怀采。

分布： 陕西（宁陕）。

（159）白跗申元叶蜂 *Taxoblenus* sp.

鉴别特征： 体长6mm。体黑色，唇基、上唇、上颚基部，触角第6、7节和前胸背板后缘白色；翅基片和腹部3~5节橘褐色；足橘褐色，各足基节大部黑色，基节端部、转节全部和后足跗节大部黄白色，前中足跗节黄褐色。翅透明，翅痣黑褐色。颚眼距1.30倍于单眼直径；单眼后区款显著大于长，背面观头部在复眼后部分短于复眼，两侧显著收缩；后翅臀室具柄式；爪具微小基片，内齿较明显，约等长于外齿1/2长。头部背侧、中胸前侧片具密集皱刻纹，刻点不明晰；小盾片后部较光滑，具稀疏刻点。

采集记录： 1♂，凤县嘉陵江源头，1617m，2007. Ⅶ. 14，蒋晓宇采。

分布： 陕西（凤县）。

75. 富槛叶蜂属 *Togashia* Wei, 1997

Togashia Wei, 1997b: 135. **Type species**: *Togashia brevitarsus* Wei, 1997.

属征： 体长型。上唇较大，唇根隐蔽；唇基显著隆起，前缘缺口较深，侧叶窄长；唇基上区隆起，触角窝间距窄于内眶；侧窝向前开放；上颚不对称，左上颚双齿，右上颚单齿；复眼突出，下缘间距宽于复眼长径；颚眼距宽于单眼直径，后眶宽大，后颊脊发达，伸达后侧沟；背面观后头约等于复眼长，两侧缘膨大，单眼后区长大于宽。触角粗丝状，稍长于头胸部之和，中部较粗，向末端逐渐尖细，第2节长大于宽，第3节长于第4节。前胸背板沟前部宽大，具前缘脊；前胸侧板接触面长于单眼直径；小盾片圆钝隆起，无脊；后胸后背板宽平，中部不收缩；淡膜区小，间距3倍于淡膜区宽。前足胫节内端距端部分叉，后足胫节微长于腿节与转节之和，明显长于跗节，胫节端距近似等长，短于基跗节1/3长；后足跗节强烈短缩；爪基片小，锐利，内齿发达，不短于外齿。前翅具4个肘室，2Rs室远长于1Rs室，通常等于$1R_1$ +1Rs室之和，R+M脉段点状，1M脉与1m-cu脉平行，cu-a脉位于中室下缘基部1/5处；臀横脉约呈45°倾斜，位于臀室中部外侧；后翅具封闭M室，臀室具柄式，cu-a脉倾斜；雄虫后翅无缘脉。阳茎瓣瓣体宽，近长方形，具腹缘细齿和端侧突。锯腹片锯刃端部较平，两侧垂直。

分布：东亚。世界已知2种，分别分布于中国和日本。秦岭地区分布1种。

（160）短跗富槛叶蜂 *Togashia brevitarsus* Wei, 1997（图版5：A）

Togashia brevitarsus Wei, 1997b: 136.

鉴别特征：雌虫体长约18mm，雄虫体长约14mm。体黄褐色，单眼三角、单眼后区、前胸背板中央、中胸背板前叶前部、侧叶中部、中胸前侧片前缘和下缘、中胸腹板、中胸后侧片凹处、后胸侧板中央大部、后足膝部黑褐色。翅和翅痣黄褐色。颚眼距1.50倍于单眼直径，中窝与前单眼凹沟通；单眼后区长稍大于宽。触角中部微加粗，末端3节等长。额区具细小刻点，中胸背板除小盾片密布刻点外近光滑，前侧片刻点粗糙。后胸淡膜区间距约为淡膜区宽的3倍。爪内齿长于外齿。锯腹片25锯刃，锯刃平截，无明显亚基齿，刃间断极短，节缝刺毛带分离，锯腹片具指向末端的短刺。

采集记录：5♀, Shaanxi: Foping. x, Dadianzi, 1650 ~ 1800m, 26. Ⅵ. 1997, T. Yagi. leg.; 1♀，宁陕，1600m，1979. Ⅶ. 26，韩寅恒采。

分布：陕西（佛坪、宁陕）、山西、河南、湖北、湖南、四川、云南。

76. 元叶蜂属 *Taxonus* Hartig, 1837

Tenthredo (*Taxonus*) Hartig, 1837: 297-298. **Type species**: *Tenthredo* (*Allantus*) *nitida* Klug, 1817 [= *Taxonus agrorum* (Fallén, 1808)].

Ermilia Costa, 1859: 106. **Type species**: *Ermilia pulchella* Costa, 1859 [= *Taxonus agrorum* (Fallén, 1808)].

Parasiobla Ashmead, 1898: 308. **Type species**: *Allantus rufocinctus* Norton, 1860.

Strongylogastroidea Ashmead, 1898: 308. **Type species**: *Strongylogaster apicalis* (Say, 1836) [= *Taxonus terminalis* (Say, 1824)].

Hypotaxonus Ashmead, 1898: 311. **Type species**: *Allantus pallipes* Say, 1823.

属征：唇基显著隆起，前缘缺口宽深，底部平钝，侧叶窄长；上唇宽大且平坦，唇根外露；额唇基沟显著，唇基上区低弱隆起，触角窝间距窄于内眶宽；后眶宽，后颊脊发达，伸至上眶后缘；上颚不对称，端部显著弯折，左上颚2～3齿，右上颚简单，无内齿；侧窝向前开放；复眼较大，间距稍宽于复眼长径，颚眼距0.50～1.20倍于单眼直径；触角较细长，长于头宽2倍，第2节长大于宽，第3节通常长于第4节，少数种类较短，鞭节有时侧扁；背面观后头明显延长，两侧缘亚平行；前胸背板沟前部发达，明显长于单眼直径2倍，具亚前缘脊；前胸侧板腹侧宽，接触面长于单眼直径；中胸小盾片平坦，后胸后背板发达，中部平坦，不收缩；无胸腹侧片，中胸前侧片前缘具细脊；前足胫节内端距端部分叉，后足胫节端距不等长，内距长于后足基跗节 1/3，后足基跗节约等长于其后 4 个跗分节之和；爪内齿稍短于外齿，爪基片较大，下端角近方形；前翅具 4 个肘室，Rs 脉第 1 段完整，$1R_1$ 室和 1Rs 室分离；1M 脉与 1cu-a 脉平行，R+M 脉点状，cu-a 脉位于中室下缘中部；臀室完整，臀横脉倾斜，位于臀室中部外侧和 1M 脉基部内侧；后翅具 0~2 个封闭中室，R_1 室无附室，臀室通常无柄式；雄虫后翅有时具缘脉；阳茎瓣具腹缘细齿和端侧突；锯腹片锯刃具明显延长的内侧肩状部。

分布：古北区，新北区。世界已知 62 种，中国记载 36 种，秦岭地区目前发现 14 种，包括 3 个未记述种类，本文记述 11 种。

分种检索表

1. 体黑色，唇基、上唇、小盾片、翅基片和前胸背板有时白色或橘褐色，腹部无红环；后翅 Rs 室总是开放，M 室开放或封闭；翅痣黑褐色，基部有时较淡 …… 2
   体黄褐色或橘褐色，具少量黑斑和白斑，或体黑色，腹部中部具多个红色环节；后翅 Rs 和 M 室总是封闭；翅痣基半部或全部黄褐色或浅褐色 …… 6
2. 触角全部黑色，端部数节腹侧偶尔浅褐色，或中基部鞭分节部分红褐色；两性后翅均具 1 个封闭中室（M） …… 3
   触角端部 3~4 节黄白色，鞭节无红褐色斑；两性后翅均无封闭中室 …… 5
3. 各足基节端部和转节全部白色；后足股节、胫节和跗节红褐色；头部上眶和单眼后区具粗大刻点 …… **白转元叶蜂 *T. leucotrochantera***
   前中足转节全部黑色；后足胫跗节黑色；如果后足股节红褐色，则头部无明显刻点 …… 4
4. 头部背侧光滑，无明显刻点；后足股节部分红色 …… **张氏元叶蜂 *T. zhangi***
   头部密布粗糙刻点；后足股节黑色 …… **热氏元叶蜂 *T. zhelochovtsevi***
5. 唇基黑色 …… **黑唇元叶蜂 *T. attenatus***
   唇基大部或全部白色 …… **白唇元叶蜂 *T. alboclypea***
6. 头胸部黑色；两性腹部中部具宽红环，两端黑色；触角中部白色，端部黑色，基部红褐色或黑色 …… **红环元叶蜂 *T. annulicornis***
   体黄褐色，腹部两端非黑色，胸部有时部分黑色；触角如果 3 色，则中部黑色 …… 7
7. 触角端部 4 节黑色 …… 8
   触角鞭节中部黑色，端部 2~3 节白色 …… 9
8. 触角强烈侧扁，雌虫触角第 7 节长宽比约等于 2，宽度约 2.50 倍于第 3 节基部宽 …… **扁角元叶蜂 *T. compressicornis***
   触角弱度侧扁，雌虫触角第 7 节长宽比等于 2.50，宽度约 2 倍于第 3 节基部宽 …… **开室元叶蜂 *T. immarginervis***
9. 翅痣基半部浅褐色，端半部黑褐色；头胸部暗棕褐色 …… **秦岭元叶蜂 *T. qinlinginus***
   翅痣一致黄褐色；头胸部黄褐色 …… 10
10. 中胸腹板部分黑色；中胸前侧片中上部刻点间隙不明显；单眼后区长几乎不大于宽 …… **川陕元叶蜂 *T. chuanshanicus***
    中胸腹板全部黄褐色；中胸前侧片上部刻点具光滑间隙；单眼后区长显著大于宽 …… **蓬莱元叶蜂 *T. formosacolus***

(161) 白唇元叶蜂 *Taxonus alboclypea* (Wei, 1997)

Parasiobla alboclypea Wei, 1997g: 1589.

鉴别特征: 雌虫体长9mm, 雄虫体长7~8mm。体黑色; 触角末端3节、唇基大部、上唇、上颚基半、口须、前胸背板后缘和翅基片白色, 小盾片大部和足红褐色, 各足基节基部、后足膝部、中足跗节、后足跗节黑褐色, 腹部第1背板后缘、2~6背板后缘和侧面小部分、2~6腹板黄褐色。翅透明, 前缘脉和翅痣基部褐色。额眼距短于单眼直径。触角长于前缘脉, 鞭节端部数节宽且扁, 第3、4节约等长。后翅无闭中室。头胸部光滑, 唇基和小盾片后部刻点较大, 中胸前侧片刻点粗糙。锯腹片21锯刃, 锯刃倾斜, 内侧具1枚大形亚基齿, 外侧具3个小亚基齿。雄虫无缘脉, 抱器狭长, 端部尖, 阳茎瓣颈部稍长, 腹缘下半部直, 侧突分支。

采集记录: 1♂, 佛坪三官庙, 1455m, 2006.Ⅳ.26, 何末军采。

分布: 陕西(佛坪)、浙江、湖北、湖南、广东、广西、重庆、四川、贵州、云南。

(162) 红环元叶蜂 *Taxonus annulicornis* Takeuchi, 1940

Taxonus annulicornis Takeuchi, 1940: 480.

鉴别特征: 体长7~10mm。体和足黑色, 上唇、上颚基部、触角4~5节、前胸背板后缘、各足转节除基部以外、转节和小盾片中部白色; 唇基、触角基部3节、翅肩片、前中足除基转节、后足股节基部2/3、后足胫节和基跗节、腹部第2节背板侧面和腹板以及第3~6节全部红褐色, 后足附分节2~5节黄褐色。翅痣基部黄褐色。颚眼距等于单眼半径; 后翅具2个封闭中室。头部光滑, 胸部刻点粗密, 背板刻点具光滑间隙, 中胸前侧片十分粗糙, 后侧片近光滑, 小盾片和后胸后背板光滑。锯腹片21锯刃, 刃间膜不倾斜, 约与锯刃等宽, 锯刃两侧对称, 各具4~5个小形亚基齿。雄虫后翅无闭中室, 具完整的缘脉。

采集记录: 1♂, 佛坪大古坪, 1190m, 2006.Ⅳ.27, 朱巽采。

分布: 陕西(佛坪)、江苏、安徽、浙江、江西、湖南、福建。

(163) 黑唇元叶蜂 *Taxonus attenatus* Rohwer, 1916

Taxonus attenatus Rohwer, 1916: 94.

鉴别特征: 雌虫体长9~10mm, 雄虫体长7~8mm。体黑色, 上唇和上颚基部、触角端部3节白色, 翅基片、小盾片中部、腹部基部腹板的中部红褐色至黄褐色; 足红褐色, 各足基节大部、后足胫节两端及后基跗节黑色。翅透明, 缘脉和翅痣基部浅褐色。头部光滑，唇基刻点密集；小盾片后缘及中胸前侧片上半部分具粗大刻点。颚眼距短于单眼直径；触角末端4节强烈侧扁。后翅无封闭中室。锯腹片18锯刃，刃间膜明显短于锯刃，锯刃具4个后侧亚基齿和1个内侧亚基齿；节缝刺毛带狭。雄虫后翅无缘脉，阳茎瓣颈部宽短，侧突宽大。

采集记录： 1♀，长安终南山，1555m，2006. Ⅴ.27，杨青采；1♂，周至楼观台，899m，2006. Ⅴ.25，杨青、朱巽采；1♀，凤县红花铺镇，1080m，2007. Ⅴ.25，朱巽采；1♀，留坝大坝沟，1320m，2007. Ⅴ.20，朱巽采；4♀12♂，佛坪，1000~1450m，2005. Ⅴ.17，刘守柱采；4♂，佛坪大古坪，1190m，2006. Ⅳ.27，朱巽、何末军采；2♂，佛坪三官庙，1455m，2006. Ⅳ.26，何末军采；1♂，佛坪岳坝，1085m，2006. Ⅳ.29，朱巽采；1♂，镇安，1300~1600m，2005. Ⅶ.10，朱巽采；1♀，丹凤寺坪镇，900~1200m，2005. Ⅴ.21，刘守柱采。

分布： 陕西(周至、凤县、留坝、佛坪、镇安、丹凤)、河南、甘肃、江苏、浙江、湖南、福建、广西、贵州、云南。

(164) 扁角元叶蜂 *Taxonus compressicornis* Wei, 1998

Taxonus compressicornis Wei in Wei *et* Nie, 1998c: 132.

鉴别特征： 体长10~11mm。体红褐色，触角4~5节黄白色，端部4节黑色；胸部背板凹部、后胸后背板、腹部3~6背板对斑黑色；上唇、小盾片、腹部1~2背板黄褐色；足橘褐色，基节大部、转节黄褐色；翅痣全部黄褐色。颚眼距0.80倍于单眼直径；单眼后区长稍大于宽；触角鞭节强侧扁，雌虫触角第7节长宽比约等于2，宽度约2.50倍于第3节基部宽；后翅Rs和M室封闭，臀室无柄式；雄虫后翅无缘脉。头部背侧无明显刻点，光滑；中胸前侧片上半部刻点粗糙密集，间隙不明显。

采集记录： 1♂，长安区鸡窝子，1720m，2008. Ⅴ.23，朱巽采；1♂，太白山，1580m，2007. Ⅶ.17，蒋晓宇采。

分布： 陕西(长安、眉县)、河南。

(165) 川陕元叶蜂 *Taxonus chuanshanicus* Wei, 1997

Taxonus chuanshanicus Wei, 1997g: 1590.

鉴别特征： 体长10~12mm。体橘褐色，触角4~7节、额区锚形斑纹、后侧沟、前胸背板侧凹、中胸后上侧片、后胸侧板、中胸背板前侧缘、中胸腹板、后胸后背板部分黑色，腹部第2~6背板各具1对黑斑；头部触角窝以下部分和各足基节大部、转节淡黄褐色。翅痣浅褐色。体光滑，中胸前侧片刻点粗糙网状，小盾片具少许刻点。单眼后区长大于宽，前半部具中脊；颚眼距短于单眼直径。触角第3节与第4节等长，鞭节侧扁。爪亚端齿与端齿等长。后翅雌虫具 Rs 和 M 室，臀室无柄式；雄虫缘脉不完整。雄虫抱器粗短，阳基腹铗内叶具大尾，阳基腹铗急弯成“Z”形，阳茎瓣颈部狭长。

采集记录：2♀1♂，佛坪，1000～1450m，2005. Ⅴ. 17，刘守柱采。

分布：陕西（佛坪）、河南、湖南、重庆、四川、贵州。

（166）蓬莱元叶蜂 *Taxonus formosacolus*（Rohwer，1916）陕西新纪录

Strongylogastroidea formosacola Rohwer，1916：86.

Indotaxonus sinensis Malaise，1957：21.

Indotaxonus flavissimus Haris，2006：345.

鉴别特征：雌虫体长 13～15mm，雄虫体长 10mm。体暗黄褐色，侧窝底部、单眼小区、单眼后区侧沟底部、上颚端部、触角第 4～6 节、前胸背板侧面凹部、中胸后侧凹部、后胸侧板黑色；后胸后背板和腹部 2～6 背板各具 1 对黑褐色斑纹。翅痣黄褐色。体光滑，中胸前侧片凸出部刻点较密，无刻纹，大刻点之间具狭细的刻点间隙和小刻点。颚眼距约等于单眼直径；单眼后区长宽比大于 1.50，侧沟深，亚平行。触角第 3、4 节几乎等长。后翅具 2 个闭中室，臀室无柄式。锯鞘约等长于前足胫节，鞘端显著长于鞘基，端部较尖。雄虫触角鞭节中部多为暗褐色，腹部背板仅第 2 背板具 1 对小黑斑；后头较短；后翅缘脉不完全。

采集记录：1♀1♂，佛坪，1000～1450m，2005. Ⅴ. 17，刘守柱、朱巽采；1♀，安康镇坪，1200m，2003. Ⅶ. 06。

分布：陕西（佛坪、镇安）、河南、安徽、浙江、湖北、江西、湖南、福建、台湾、广东、广西、四川、贵州；越南。

（167）开室元叶蜂 *Taxonus immarginervis*（Malaise，1957）陕西新纪录

Indotaxonus immarginervis Malaise，1957：21.

鉴别特征：体长 9.00～10.50mm。体黄褐色，触角末端 4 节、中窝、侧窝、单眼三角区、单眼后侧沟、前胸背板侧凹、前胸侧板前缘、前胸腹板、中胸背板侧叶侧面、中胸后侧片大部、中胸腹板中沟及前缘、后胸侧板、后胸后部黑色；后足基节外侧及腹部背板 3～5 节两侧各具 1 对黑斑。翅透明，前缘和痣基半部黄褐色，痣端半部黑褐色或暗褐色。单眼后区长微大于宽；颚眼距大于单眼直径。触角长于前缘脉，鞭节弱度侧扁，第 3 节约等长于第 4 节。体光滑，中胸前侧片具粗糙刻点。锯腹片 24 锯刃，锯刃倾斜，内侧亚基齿 1 个，外侧亚基齿小 2～3 个，刃间膜平坦，节缝刺毛稀短。雄虫后翅无封闭中室，亦无缘脉。

采集记录： 1♀，凤县嘉陵江源头，1617m，2007. Ⅶ. 14，朱巽采。

分布： 陕西(凤县)、浙江、湖南、广西、贵州、云南；缅甸。

(168) 白转元叶蜂 *Taxonus leucotrochantera* (Wei, 1997)

Parasiobla leucotrochantera Wei, 1997c: 23.

鉴别特征： 雌虫体长9.50mm，雄虫体长8mm。体黑色，后足基节端部和各足转节白色，触角3~6节，前中足股节末端、前足胫节前缘、后足股节大部和后足胫节暗红褐色。翅透明，痣下具褐斑，翅痣黑色，基部具甚小的淡斑。后头两侧强烈收缩，颚眼距短于单眼直径；触角丝状，与前缘脉等长，鞭节不侧扁，第3节长于第4节。后翅具闭M室，臀室无柄。头胸部密布粗糙刻点和皱纹，小盾片和后胸后背板光滑，中胸腹板刻点较稀浅。锯鞘侧面观甚短小，锯腹片22锯刃，锯刃具1个内侧和2个外侧亚基齿，刃间膜隆突，节缝刺毛带宽，刺毛密且长，基部锯刃间距宽。雄虫触角3~6节红褐色，后翅无缘脉。

采集记录： 1♂，太白山蒿坪寺，1200m，1982. Ⅶ. 16，马长贵采。

分布： 陕西(眉县)、山西、宁夏、甘肃、四川。

(169) 秦岭元叶蜂 *Taxonus qinlinginus* Wei, 1998 (图版5：B)

Taxonus qinlinginus Wei in Wei *et* Nie, 1998c: 133.

鉴别特征： 体长9.00~10.50mm。体锈褐色，上唇、上颚基部、中胸小盾片、各足转节、腹部2~5腹板黄白色；单眼三角区、额区外缘、前胸背板凹部、中胸背板侧缘、中胸腹中沟、后胸节除小盾片外黑色，第2节腹节白色，背板具2个小黑斑，第1和3~6背板各具2个大方形黑斑；足锈褐色，仅基节大部黑色。触角1、2节褐色，3~6节黑色，7~9节白色。翅透明，翅痣基半浅黄色，端半黑褐色。单眼后区近方形，颚眼距短于单眼直径；后翅具2个封闭中室，臀室无柄。头部和胸部背板光滑，中胸前侧片刻点粗糙。锯腹片25锯刃，锯刃倾斜，端部窄，具1个内侧亚基齿和4个外侧亚基齿，刃间膜对称凸出。雄虫鞭节明显侧扁，末端3节白色，3~6节黑褐色；后翅无封闭中室，亦无缘脉。

采集记录： 1♀，长安终南山，1555m，2006. Ⅴ. 27，杨青采；1♀，宝鸡天台山，802m，2006. Ⅴ. 23，杨青采；1♀1♂，太白青峰峡，1473m，2008. Ⅶ. 03，杨青、蒋晓宇采；1♀，太白山，1600~1800m，2005. Ⅶ. 07，杨青采；1♀1♂，凤县嘉陵江源头，1570m，2007. Ⅴ. 26，蒋晓宇、朱巽采；1♂，凤县嘉陵江源头，1617m，2007. Ⅶ. 14，蒋晓宇采；1♂，留坝营盘乡，1390m，2007. Ⅴ. 21，朱巽采。

分布： 陕西(长安、宝鸡、太白、凤县、留坝)、河南、甘肃、四川。

(170) 张氏元叶蜂 *Taxonus zhangi* (Wei, 1997)

Parasiobla zhangi Wei, 1997c: 22.

鉴别特征: 体长 7.00 ~ 8.50mm。体黑色，前中足第 2 转节、后足基节外侧及转节白色；触角中部数节及后足股节红褐色。翅透明，翅痣黑褐色，基部具小白斑，痣下具褐斑。后头两侧微收缩，单眼后区方形，颚眼距短于单眼直径。触角粗短，不侧扁，末端渐尖，第 3 节稍长于第 4 节。后翅具闭 M 室，臀室无柄。唇基，内眶和额区具大刻点，后头和中胸背板光滑，只有很稀浅的小刻点，中胸前侧片刻点粗糙。锯腹片 23 锯刃，锯刃对称，亚基齿小，刃间膜微宽于锯刃，鼓凸，节缝刺毛中部较密长。雄虫后翅无缘脉，具闭 M 室。阳茎瓣体近菱形，颈部较细。

采集记录: 1♀，长安终南山，1555m，2006. Ⅴ. 27，杨青采；2♀，周至厚畛子，1309m，2006. Ⅶ. 09，朱巽采；1♀，太白县青峰峡，1473m，2008. Ⅶ. 03，朱巽采；5♀，凤县红花铺镇，1080m，2007. Ⅴ. 25，朱巽采；11♀6♂，佛坪，1000 ~ 1450m，2005. Ⅴ. 17，刘守柱采。

分布: 陕西（长安、周至、太白、凤县、华阴、佛坪）、山西、河南、甘肃、湖南、重庆、四川、云南。

(171) 热氏元叶蜂 *Taxonus zhelochovtsevi* Viitasaari *et* Zinovjev, 1991

Taxonus zhelochovtsevi Viitasaari *et* Zinovjev, 1991: 176.

鉴别特征: 体长 8.50 ~ 10.00mm。体黑色，仅后足基节端部和后足转节白色，触角中部数节红褐色。翅透明，翅痣下具烟褐斑，痣黑褐色，基部浅色。颚眼距等于单眼直径；单眼后区长大于宽，侧沟深长，亚平行。触角稍短于前缘脉，第 3 节稍长于第 4 节。后翅具闭 M 室。头胸部密布粗糙刻点，后头和中胸背板刻点间具光滑间隙，中胸前侧片刻点粗糙，后侧片光滑。锯鞘较短，端部圆。锯腹片 22 锯刃，锯刃窄，微倾斜，具 1 枚内侧亚基齿和 2 个外侧亚基齿，刃间膜宽且对称，节缝刺毛密长。雄虫后翅无缘脉，具闭 M 室；阳茎瓣极宽大，无颈状部。

采集记录: 1♂，长安终南山，1292m，2006. Ⅴ. 28，朱巽采；1♂，周至楼观台，899m，2006. Ⅴ. 25，朱巽采；2♀1♂，太白青峰峡，1473m，2008. Ⅶ. 03，朱巽采；2♀，凤县红花铺镇，1080m，2007. Ⅴ. 25，朱巽采；1♂，凤县嘉陵江源头，1617m，2007. Ⅶ. 14，蒋晓宇采；1♀，留坝桑园林场，1080m，2007. Ⅴ. 19，蒋晓宇采；1♀3♂，佛坪，1000 ~ 1450m，2005. Ⅴ. 17，刘守柱采；1♀，丹凤寺坪镇，900 ~ 1200m，2005. Ⅴ. 21，朱巽采。

分布: 陕西（长安、周至、太白、凤县、华阴、留坝、佛坪、丹凤）、吉林、北京、河北、山西、河南、宁夏、甘肃、湖北、湖南、四川、贵州；俄罗斯。

77. 斜唇叶蜂属 *Nepala* Muche, 1986

Nepala Muche, 1986: 85. **Type species**: *Nepala signata* Muche, 1986 [= *Nepala incerta* (Cameron, 1876)].

属征：体粗壮。上唇宽大且倾斜，唇根不出露；唇基倾斜，十分短宽，中部狭窄，侧叶近三角形，两侧不等大，前缘缺口宽深；左右上颚不对称三齿形，左上颚内齿临近端齿，端部钝截形，基齿长三角形，端部尖锐；右上颚内齿远离端齿，端部斜截，基齿短小；复眼下缘间距大于复眼长径，触角窝间距宽于内眶；侧窝小，封闭；颚眼距线状，后眶圆钝，无后颊脊；背面观后头延长，两侧收缩。触角第 2 节长明显大于宽，第 3 节长于第 4 节，端部 4 节短缩，触角器发达。前胸背板沟前部窄，最宽处稍宽于单眼直径，无前缘脊；前胸侧板腹侧宽阔接触，前胸腹板棒状，缺前侧突；小盾片平坦，附片微小，后胸后背板中部宽大；中胸无胸腹侧片，前侧片前缘脊显著，后侧片后缘中部具缺口，气门外露；后胸侧板弯曲。前足胫节内距端位分叉，后足胫跗节等长，后足基跗节长于其后跗分节之和，胫节端距稍长于茎节端部宽；爪基片大，内齿短于外齿，侧位。前翅 Rs 脉第 1 段完整，R + M 脉段缺，1M 脉与 1m-cu 脉平行，cu-a 脉中位；臀室完整，横脉强烈倾斜，外侧位，基臀室腹缘不收缩；后翅具 Rs 和 M 室封闭，R_1 室无附室，臀室无柄，雄虫后翅无缘脉。第 1 腹节背板三角形，中部分裂到基部，无中脊，膜区宽三角形。阳茎瓣锤形，具小型端侧突，无背缘和腹缘细齿。锯刃无细齿，平滑。体光滑，无刻点。

分布：东亚南部。世界已知 8 种，中国记载 1 种，秦岭地区有分布。

(172) 黄带斜唇叶蜂 *Nepala incerta* (Cameron, 1876)

Tenthredo incerta Cameron, 1876: 465.

Siobla ruficollis Cameron, 1899: 27.

Nepala signata Muche, 1986: 86.

鉴别特征：体长 9.00 ~ 11.50mm。头部、前胸侧板、胸部腹板和腹部黑色，中胸侧板和胸部背板红褐色，腹部 2 ~ 3 节背板黄色；足黑色，各足基节端部、转节、前中足腿节两端、后足股节基半、前中足胫节及基跗节、后足胫节基部 4/5 黄褐色。翅基半透明，端半部显著烟褐色，翅痣和翅脉黑褐色。体光亮，黑色部分具青蓝色光泽。锯鞘侧面观宽且长，锯腹片 29 刃，锯刃稍突出，光滑，无细齿，节缝刺毛稀疏，细小且短。雄虫各足基跗节、后足股节大部、后足跗节端半部黑色；抱器端部窄圆，阳基腹铗及内叶一致骨化。

采集记录：1♀，凤县嘉陵江源头，1617m，2007. Ⅶ. 14，朱巽采。

分布：陕西（凤县）、甘肃、青海、江西、广西、重庆、四川、云南、西藏；越南，泰国，缅甸，印度，尼泊尔，马来西亚。

78. 纵脊叶蜂属 *Xenapatidea* Malaise, 1957

Xenapatidea Malaise, 1957: 17. **Type species**: *Xenapatidea tricolor* Malaise, 1957.

属征：体型粗壮。上唇宽大且倾斜，唇根不出露；唇基极宽短，中部狭窄，侧叶三角形，缺口深弧形；上颚不对称三齿形，左上颚基齿尖长，内齿短方形，右上颚内齿十分宽短，基齿小；颚眼距近线状；后头发达，背面观与复眼等长，后颊脊发达，上端伸达单眼后区两侧，单眼后区后缘无脊；单眼后区长明显大于宽，额区平坦，中窝与侧窝退化，浅沟状；复眼较小，间距明显大于眼高。触角丝状，长于头胸部之和，第2节长显著大于宽，第3节明显长于第4节，短于第4+5节之和，端部4节稍短缩，具触角器。前胸背板沟前部较短，侧叶前缘无缘脊，长约2倍于单眼直径；前胸侧板腹侧接触面长于触角第1节；前胸腹板窄条状，无侧臂；无胸腹侧片，中胸前侧片前缘具发达缘脊，侧板中部明显鼓出；中胸小盾片强隆起，具显著纵脊，附片窄小；后胸后背板宽大平坦，淡膜区小型，间距宽于淡膜区横径2倍；后胸后侧片窄小，背叶狭条状，后胸气门半出露。前足胫节内端距端部分叉，后足胫节和跗节约等长，胫节端距微长于胫节端部宽；后足基跗节等长于第2~5跗分节之和；爪无内齿，具发达的爪基片，端齿强烈弯曲。前翅无R+M脉，cu-a脉中位偏内侧，Rs+M脉基部游离，1M脉与1m-cu脉互相平行，2Rs室稍长于1Rs室，2M室长约2倍于宽；臀室亚基部明显收缩，臀横脉50~60°倾斜，外侧位；后翅Rs和M室封闭，臀室无柄式，R_1室端部窄圆，附室小或阙如。第1腹节背板具短中脊，后缘膜区较短宽，不伸达背板基部。锯鞘端刀片状，腹缘弧形弯曲，约2倍长于锯鞘基；锯腹片细长，锯刃平直，亚基齿细小而多。抱器长大于宽，阳茎瓣具顶侧突，无背腹缘细齿。

分布：东亚南部。世界已知12种，中国已记载6种，秦岭地区目前发现2种。

分种检索表

中胸前侧片上半部具粗糙密集刻点；单眼后区刻点密集；唇基和触角基部2节黑色；腹部第3节全部黑色；中胸腹板红褐色，无黑斑 ………………………………… **方顶纵脊叶蜂 *X. reticulata***

中胸前侧片上半部刻点不明显；单眼后区刻点稀疏；唇基、触角基部2节大部黄褐色；腹部第3节大部或全部黄白色；中胸腹板具大黑斑 ……………………………… **斑胸纵脊叶蜂 *X. procincta***

（173）斑胸纵脊叶蜂 *Xenapatidea procincta* (Konow, 1903)（图版5：C）

Taxonus procinctus Konow, 1903: 117.

鉴别特征：体长10.00～12.50mm。头部黑色，唇基和触角1、2节通常浅褐色；胸部橘红色，前中胸腹板黑色；腹部黑色，第2～3节黄色至白色。足黄褐色，基节、中足腿节中间大部、后足股节端半部黑色，前足股节后侧、后足胫节末端、中后足跗节端半部黑褐色或暗褐色。翅透明，翅痣黑褐色，基部浅褐色，痣下具大形褐斑，内侧止于痣下，不伸抵1M室，烟斑内侧色泽较深，端部色泽逐渐变淡。中胸前侧片光滑，隆起部分具模糊浅弱刻点；中胸小盾片后部和两侧具密集粗大刻点，头胸部背侧其余部分具细弱稀疏小刻点。单眼后区无明显中纵脊。锯腹片中部锯刃具16～18枚外侧亚基齿。雄虫触角基部和后足股节大部黑褐色。

采集记录：1♂，周至楼观台，899m，2006.Ⅴ.25，朱巽采；2♀，周至楼观台，801m，2006.Ⅶ.06，朱巽、蒋晓宇采；1♀，华山，1300～1600m，2005.Ⅶ.12，朱巽采；2♂，镇安，1300～1600m，2005.Ⅶ.10，朱巽、杨青采。

分布：陕西（周至、华阴、镇安）、河南、安徽、浙江、湖北、江西、湖南、福建、广西、四川、贵州、云南。

（174）方顶纵脊叶蜂 *Xenapatidea reticulata* Wei，2006

Xenapatidea reticulata Wei，2006：1003.

鉴别特征：雌虫体长12mm，雄虫体长8.50～9.00mm。头部和腹部黑色，胸部红褐色；前胸侧板腹缘和后胸侧板大部黑色，腹部第1背板膜区和第2节背腹板全部黄白色；足黄褐色，各足基节大部、股节大部、前中足胫节后侧、后足胫节端部1/3、中后足跗节后侧黑褐色。翅透明，端部2/5浓烟褐色，烟斑基部不接触Rs脉基段和1m-cu脉，翅端烟色逐渐变淡，烟斑不伸抵翅的边缘；翅痣大部黑褐色，基部浅褐色。单眼后区具显著中纵脊；额区、内眶和单眼后区前部刻点致密，具光泽，小盾片后部和两侧刻点密集；中胸前侧片中部具致密且粗糙的刻点。腹部1～2节背板大部光裸，其余背板具黄褐色细毛。锯腹片中部锯刃具23～24枚外侧亚基齿。

采集记录：1♀，佛坪大古坪，1320m，2006.Ⅳ.28，朱巽采。

分布：陕西（佛坪）、甘肃、湖北、湖南。

（九）麦叶蜂亚科 Dolerinae

79. 凹眼叶蜂属 *Loderus* Konow，1890

Loderus Konow，1890：236，240. **Type species**：*Tenthredo pratorum* Fallén，1808.

属征：上颚对称多齿形；唇基隆起，前缘具缺口；额区模糊，中窝和侧窝不明显；后眶圆钝，后颊脊发达；复眼肾形，内缘凹弧形弯曲，间距宽于复眼长径；雌雄触角同形，粗丝状，第2节宽大于长，第3节长于第4节；前胸背板沟前部狭窄，前胸侧板腹缘尖，接触面狭窄或缺；胸腹侧片退化，中胸前侧片前缘具脊，中胸后侧片宽大，中部具高锐横脊，后缘中部向后延伸，覆盖后胸气门；前足胫节内端距分叉，后足胫节明显长于跗节，基跗节长于其后2节之和，短于其后3节之和；爪小，无基片，内齿微小或缺；前翅R脉平直，R+M脉段显著，Rs+M脉基部显著弧形弯曲，1r-m横脉缺，1M脉显著长于1m-cu脉，互相向翅痣明显收敛，cu-a脉中位；臀室完整，具强烈倾斜的中位臀横脉；后翅Rs和M室封闭，臀室具短柄式；锯腹片狭长，常具翼突与亚缘突；阳茎瓣头叶窄长，端部较尖，常具小形腹钩；头胸部常具粗大刻点。

分布：古北区，新北区。世界已知19种及7亚种，中国已记载13种，秦岭地区只发现1种。

(175) 端白凹眼叶蜂 *Loderus apicalis* Wei, 2002

Loderus apicalis Wei, 2002c: 101.

鉴别特征：体长9mm。体黑色，上唇、翅基片内侧、前中足股节端部、各足胫节基部4/7白色，触角端部3节、腹部第3~4背板中部和2~4腹板中部、锯鞘端部和各足跗节黄褐色。翅透明，翅痣大部暗褐色。头胸部具致密刻点，额区及内眶刻纹粗糙，上眶、后眶和单眼后区刻点稍稀疏；附片具微细刻纹，中脊锐利；中胸前侧片刻纹密网格状，腹部背板具细弱刻纹。唇基缺口宽，深约为唇基3/5长；颚眼距微宽于前单眼半径；单眼后区宽微大于长。触角中部稍粗，第3节1.40倍长于第4节。爪亚端齿微小。锯鞘等长于前足胫节，锯鞘端等长于锯鞘基，背面观锯鞘短小，缨毛约呈80°夹角，端部显著弯曲。锯腹片节缝强烈倾斜，无中位翅突距，具近腹缘距。雄虫翅基片和腹部黑色，阳茎瓣腹钩十分显著。

采集记录：1♀，长安终南山，1555m，2006.Ⅴ.27，朱巽采；1♀，宁陕火地塘，1985.Ⅵ.22；1♀，太白山，1982.Ⅵ.13；2♀，安康化龙山，2100m，2003.Ⅵ.27，于海丽采。

分布：陕西(长安、宁陕、安康)、山西、河南、甘肃、湖北。

80. 麦叶蜂属 *Dolerus* Panzer, 1801

Dolerus Jurine in Panzer, 1801: 163. **Type species**: *Dolerus gonager* (Fabricius, 1781). Suppressed by Opinion 1135 (ICZN 1939).

Dolerus Panzer, 1801: 82: 11, 82: 13. **Type species**: *Tenthredo pedestris* Panzer, 1801 [= *Dolerus* (*Dolerus*) *germanicus germanicus* (Fabricius, 1775)].

Dosytheus Leach, 1817: 127. **Type species**: *Tenthredo eglanteriae* Fabricius, 1793 [= *Dolerus* (*Dolerus*) *germanicus germanicus* (Fabricius, 1775)].

Dositheus Agassiz, 1848: 374 (new name for *Dosytheus* Leach, 1817).

属征：上颚对称多齿形；唇基隆起，前缘具显著缺口；额区模糊，中窝和侧窝不明显；后眶圆钝，后颊脊发达；复眼肾形，内缘直或鼓出，间距宽于复眼长径；颚眼距通常不短于触角第2节；雌雄触角常异形，雌虫触角较短，雄虫触角较长，第2节宽大于长，第3节长于第4节；前胸背板沟前部狭窄，前胸侧板腹缘尖，接触面狭窄或缺；胸腹侧片退化，中胸前侧片前缘具脊，中胸后侧片宽大，中部具高锐横脊，后缘中部向后延伸，覆盖后胸气门；前足胫节内端距分叉，后足胫节明显长于跗节，基跗节短于其后2节之和；爪小，无基片，内齿微小；前翅R脉平直，R + M脉段显著，Rs + M脉基部显著弧形弯曲，1r-m横脉缺，1M脉显著长于1m-cu脉，互相向翅痣明显收敛，cu-a脉中位；臀室完整，具强烈倾斜的中位臀横脉；后翅Rs和M室封闭，臀室具短柄式；锯腹片构造多样；阳茎瓣头叶通常较宽；头胸部常具粗大刻点。

分布：古北区，新北区。世界已知超过180种，中国已记载45种，秦岭地区发现9种，本文记述7种。

分种检索表

1. 胸腹部红褐色，具少量黑斑；锯鞘基0.90～1.30倍于锯鞘端，锯腹片11～13锯节，节缝翼突距发达，锯刃亚基齿很大；腹部背板光滑，无明显刻 ······ 2

   体黑色，胸部背板和侧板部分红褐色；锯鞘基0.70～0.80倍于锯鞘端，锯腹片多于20锯节，无节缝翼突距，锯刃亚基齿微小；腹部2～10背板具细密刻 ······ 3

2. 锯鞘端窄小，腹缘弧形，显著短于锯鞘基，鞘毛短直，伸向后方；胸部侧板刻点较大，间隙光滑；体毛短于单眼半径；中胸背板和侧板黑斑显著 ······ **卡氏麦叶蜂** ***D. cameroni***

   锯鞘端宽大，端部尖，外缘斜截，长于锯鞘基，鞘毛长且弯曲，伸向外方；胸部侧板刻点较细密，间隙不明显；体毛长于单眼直径；中胸背板仅小盾片黑色，前侧片无黑斑，后侧片具黑斑 ······ **日本麦叶蜂** ***D. japonicus***

3. 两性中胸部背板红褐色，具极短密毡状细毛 ······ **丽毛麦叶蜂** ***D. poecilomallosis***

   胸部背板部分红褐色，背板细毛稀疏，非密集毡状 ······ 4

4. 中胸背板侧叶黑色；锯鞘背面观末端明显加宽，鞘毛直，伸向侧方 ······ 5

   中胸背板侧叶全部红褐色；锯鞘背面观末端狭窄，不加宽，鞘毛伸向侧后方 ······ 6

5. 中胸侧板上半部红褐色，刻点间隙显著，表面光滑 ······ **上海麦叶蜂** ***D. shanghaiensis***

   中胸侧板全部黑色，刻点粗密，间隙不明显 ······ **小麦叶蜂** ***D. tritici***

6. 腹部第1背板光滑；触角第3、4节等长；颚眼距1.60倍于单眼直径；锯鞘毛均匀弯曲；锯腹片中端部锯刃平坦，具17～20个亚基齿 ······ **副麦叶蜂** ***D. vulneraffis***

   腹部第1背板具显著刻纹；触角第3节长于第4节；颚眼距等长于单眼直径；锯鞘毛直，仅末端弯曲；锯腹片中端部锯刃突出，具10～13个亚基齿 ······ **黑缨麦叶蜂** ***D. guisanicollis***

(176) 卡氏麦叶蜂 *Dolerus cameroni* Kirby, 1882 陕西新纪录 (图版 5: D)

Dolerus bicolor Cameron, 1876: 469 (nec Cameron, 1876) [= *Dolerus cameroni* W. F. Kirby, 1882)].
Dolerus cameroni Kirby, 1882: 229.
Dolerus asceta Jakowlew, 1891: 35.

鉴别特征: 体长 11.50～13.50mm。体红褐色，头部、中胸背板侧叶除前端以外、小盾片、附片、后胸背板、中后胸侧板及腹板、足及翅黑色。体毛双色，淡色部分细毛淡黄色，黑色部分细毛黑褐色，鞘毛暗褐色。翅烟黑色，翅痣和翅脉黑色。唇基端缘缺口短于唇基 1/5 长；颚眼距微短于侧单眼直径；附片中脊高钝。腹部第 1 背板两侧各具 1 个显著凹坑。头部和胸部背侧刻点细密，上眶刻点间隙稍光滑，中胸前侧片刻点大，具明显光滑间隙；附片和腹部 1～2 背板中央具细刻纹，其余背板光滑。头胸部背侧细毛仅为单眼直径 1/3，侧板细毛等长于侧单眼半径。锯鞘端短于鞘基；锯腹片 11 节，翼突与亚缘突均尖长。雄虫完全黑色，腹部第 7 节背板中脊两侧具“八”字形膜区；阳茎瓣背缘平直，具细齿，腹端钩侧指。

采集记录: 5♂，留坝桑园林场，1080m，2007. Ⅴ. 19，朱巽采；2♀4♂，宁陕旬阳坝，1400m，2009. Ⅵ. 18，于海丽采。

分布: 陕西(留坝、宁陕)、内蒙古、北京、河北、山西、河南、甘肃、江苏、上海、湖北、湖南、福建、广东、海南、广西、重庆、四川。

(177) 日本麦叶蜂 *Dolerus japonicus* Kirby, 1882 陕西新纪录

Dolerus japonicus Kirby, 1882: 228.

鉴别特征: 体长 7.50～8.50mm。体红褐色，头部、中胸小盾片及附片、后胸小盾片、中胸后侧片大部、后胸侧板、中后胸腹板、翅痣及脉、足和锯鞘黑色；前足膝部红色，腹部第 1 背板部分或全部黑色，有时完全红褐色。体毛银色。翅淡烟色。唇基端缘缺口深约为唇基长的 1/2，颚眼距 1.50 倍于单眼直径，后头颞沟浅，单眼区宽长比为1.40，侧沟深直；小盾片附片长，中脊细弱，两侧凹入；头胸部刻点密集，上眶、中胸背板刻点稍弱，具光滑间隙，附片具显著纵向脊纹，腹部光滑无刻纹，第 1 背板无细毛；头胸部背侧细毛长 1.50 倍于单眼直径，中胸侧板细毛不长于前基跗节端部宽；锯鞘端等长于锯鞘基，端部斜截，末端尖，缨毛夹角大于 100°；锯腹片 13 节，节缝倾斜，翼突较小。雄虫体黑色。

采集记录: 1♂，凤县双石铺，1100m，1994. Ⅶ. 31，吕楠采；3♀4♂，佛坪大古坪，1190m，2006. Ⅳ. 27，朱巽、何末军采；1♀，佛坪岳坝，1085m，2006. Ⅳ. 29，何末军采；1♀，宁陕旬阳坝，1994. Ⅷ. 16，吕楠采；1♀，宁陕旬阳坝，1980. Ⅵ. 30，李玫采。

分布: 陕西(凤县、佛坪、宁陕)、山西、河南、宁夏、甘肃；朝鲜，日本。

(178) 副麦叶蜂 *Dolerus vulneraffis* Wei *et* Nie, 2003 陕西新纪录

Neodolerus vulneraffis Wei *et* Nie in Wei, Nie *et* Xiao, 2003: 77.

鉴别特征: 雌虫体长 11 ~ 12mm, 雄虫体长 9 ~ 10mm。体黑色, 前胸背板大部、翅基片、中胸背板前叶及侧叶全部红褐色; 足黑色。体披淡色细毛, 鞘毛黑褐色。翅浅烟色。唇基端缘缺口深达唇基 1/2 长; 颚眼距 1.50 倍于单眼直径; 附片无中脊。头部和中胸侧板刻点粗糙密集, 后头具少许光滑间隙, 附片及腹部第 1 节背板光滑, 腹部 2 ~ 10 背板具显著横向刻纹。单眼后区和中胸背板细毛短于单眼直径, 侧板细毛约等于前基跗节端宽的 1/2。锯鞘长于后足股节, 鞘端显著长于鞘基, 腹缘直; 锯鞘端部窄, 缨毛显著弯曲, 构形为长卵形; 锯腹片 21 刃, 中端部锯刃相当平坦, 17 ~ 20 齿; 雄虫胸部背板部分红色或全部黑色, 阳茎瓣瓣体几乎方形, 宽微短于长, 不显著倾斜, 背缘仅小凸角处具细齿。

采集记录: 1♀, 华山, 1300 ~ 1600m, 2005. Ⅶ. 12, 朱巽采; 1♀, 佛坪岳坝, 1085m, 2006. Ⅳ. 29, 何末军采。

分布: 陕西(佛坪、华阴)、江苏、安徽、浙江、江西、湖南、福建、广西; 韩国。

(179) 黑缨麦叶蜂 *Dolerus guisanicollis* Wei, 1999 陕西新纪录

Dolerus guisanicollis Wei in Wei, Wen *et* Deng, 1999: 23.

鉴别特征: 体长 11.30mm。体黑色, 前胸背板、中胸背板除小盾片以外、翅基片红色。翅浅烟色。腹部具微弱蓝色光泽。体毛淡色, 尾须毛及锯鞘毛黑色。唇基缺口深度约为唇基 2/5 长, 颚眼距等于侧单眼直径; 附片无中脊。单眼后区细毛约等长于单眼直径, 侧板细毛稍长于单眼直径。头部刻点密集, 后头刻点较大, 具显著光滑间隙; 中胸前侧片刻点致密, 附片光滑; 腹部各节背板均具细密刻纹, 第 1 节中央及两侧具光滑区域。锯鞘背面观端部狭窄, 鞘毛直, 仅端部弯曲; 侧面观锯鞘端显著长于锯鞘基, 腹缘平直; 锯腹片 23 刃, 锯刃突出, 端侧具 10 ~ 13 枚较钝的小齿, 无亚缘突。

采集记录: 1♀, 长安区鸡窝子, 1720m, 2008. Ⅴ. 23, 于海丽采。

分布: 陕西(长安)、河南、浙江、湖南。

(180) 丽毛麦叶蜂 *Dolerus poecilomallosis* Wei, 1997

Dolerus poecilomallosis Wei, 1997g: 1579.

鉴别特征: 体长 9.50 ~ 10.00mm。体黑色, 仅中胸背板前叶和侧叶红色; 头部背侧及中胸侧板上半细毛灰褐色, 前胸背板、翅基片、足及小盾片部分被毛淡色, 中胸

背板毛金黄色，小盾片毛黑色。翅黑色，边缘具纤毛。唇基端缘缺口深“V”形，颚眼距1.30倍长于单眼直径，单眼后区宽稍大于长；附片短，具钝脊。头胸部包括翅基片和盾板全部具十分细小密集的刻点，附片具刻纹；腹部第1背板光滑，其余背板刻纹均匀细密。单眼后区细毛约等长于单眼直径，中胸背板细毛短，毡状。锯鞘背面观端部狭窄，鞘毛伸向侧后方；侧面观锯鞘端1.50倍于锯鞘基长；锯腹片18刃，无亚缘突，锯刃突出，亚基齿不明显。阳茎瓣背突宽钝。

采集记录：2♀，安康化龙山，2100m，2003. Ⅵ. 27，于海丽采。

分布：陕西（安康）、安徽、浙江、湖北、湖南、福建、重庆、四川。

（181）上海麦叶蜂 *Dolerus shanghaiensis* Haris, 1996 陕西新纪录

Dolerus shanghaiensis Haris, 1996: 187.

鉴别特征：体长7～8mm。体黑色，无金属光泽；前胸背板、中胸背板前叶、翅基片及中胸前侧片上部2/3红褐色，背板前叶前端中部具1个小三角形黑斑，腹部各节后缘具狭窄白边。翅透明。体披淡色细毛，鞘毛褐色。唇基端缘缺口浅小，深约为唇基1/5长，颚眼距等于单眼直径；附片中脊模糊。上眶和单眼后区刻点间隙大，间隙具细刻纹；附片光滑，中胸前侧片刻点稀疏，间隙光滑，刻点间距约等于刻点直径；腹部第1背板光滑，其余背板具细横刻纹。单眼后区细毛微长于单眼直径；中胸前侧片细毛微短于前基跗节端宽。背面观锯鞘末端稍加宽，侧面观鞘端长于鞘基；锯腹片锯刃突出，中部刃具14～17个小齿。阳茎瓣背缘凹入，腹端部具三角形膜区，近顶角处具小形前指刺突。

采集记录：2♀，杨凌，1989，齐国俊采；1♀，武功，1951. Ⅶ。

分布：陕西（武功）、北京、山东、河南、江苏、上海、安徽、湖南。

（182）小麦叶蜂 *Dolerus tritici* Chu, 1949

Dolerus tritici Chu, 1949: 79.

鉴别特征：体长8.50～10.00mm。体黑色，无金属光泽，前胸背板、中胸背板前叶和翅基片红褐色。翅透明，体披淡色细毛，鞘毛褐色。唇基前缘缺口浅于唇基1/3长，颚眼距稍短于侧单眼直径，后头收缩且短于复眼短径，颞沟清晰，单眼后区宽长比为1.90，侧沟深；小盾片附片长，具锐利中脊。头部、中胸侧板和小盾片刻点粗糙，上眶和小盾片前部具光滑间隙，附片刻纹致密；腹部第1背板刻纹细弱，其余背板均具细密刻纹。单眼后区细毛短于单眼直径；中胸侧板细毛短于前基跗节端宽。锯鞘背面观末端加宽，鞘毛短直，伸向两侧；侧面观鞘端显著长于鞘基。锯腹片节缝简单锯刃较突出，具多数细齿。阳茎瓣背缘全长具细齿。

采集记录： 1♀，武功，1951. Ⅶ。

分布： 陕西(武功)、北京、天津、河北、山东、甘肃、江苏、安徽、湖南。

（十）叶蜂亚科 Tenthredininae

81. 刻胸叶蜂属 *Eriocampa* Hartig, 1837

Tenthredo (*Eriocampa*) Hartig, 1837: 279. **Type species**: *Selandria ovata* (Linné, 1760).

Eriocampa (*Brachyocampa*) Zirngiebl, 1956: 323. **Type species**: *Eriocampa dorpatica* Konow, 1887.

属征： 体型粗壮。唇基前缘具深缺口；上唇小，端缘弧形；上颚不对称，右上颚单齿，左上颚具1个中位小齿；颚眼距短于单眼半径；复眼较大，内缘向下收敛，间距狭于眼高；触角窝间距稍宽于内眶，内眶稍向内倾斜；额脊完整，通常比较锐利；中窝近方形，侧窝明显，向下开放；单眼三角高，后单眼在复眼后缘连线之前；单眼后区隆起，近方形或横宽；后颊脊锐利，伸至头顶，颞沟显著；侧面观后眶明显窄于复眼宽；背面观后头短于复眼，两侧收缩；触角丝状，第2节长显著大于宽，第3节长于第4节，末端4节稍短缩；前胸背板具侧纵脊，沟前部宽约等于单眼直径；前胸侧板腹面钝三角形，稍接触或不接触；中胸背板前叶前部隆起，具中纵沟，后部1/3下沉，具锐利中纵脊；小盾片平坦或微隆起；中胸前侧片前缘平坦，具细高缘脊，无胸腹侧片；中胸后侧片中部具长高横脊，后缘中部显著向后延伸，覆盖后胸气门；后胸淡膜区很小，CD =3-4.5；后胸后背片中部很短且显著倾斜；前翅具3个 R_1 室和3个 Rs 室，2Rs 显著长于1Rs 室；1M 脉与1m-cu 脉近平行，R + M 脉短小，Rs + M 脉基部显著弯曲；臀室完整，横脉约呈30°倾斜，位于 M 脉基部内侧；cu-a 脉位于1M 室下缘基部1/4 ~1/3 处；2M 室短宽；后翅 R_1 室端部尖，Rs 和 M 室封闭，臀室具短柄，雄虫后翅无缘脉；后足股节与转节之和稍短于胫节，胫节等于或微长于跗节；前足胫节内距端部分叉；后足基跗节简单，不膨大，无刺突，稍短于2 ~5 跗分节之和；爪基片发达，内齿侧腹位，稍短于外齿；腹部第1背板具中缝；锯鞘稍短于后足胫节，鞘端长于鞘基；锯刃倾斜，亚基齿0 ~3 个；阳茎瓣腹缘具多个齿状突，缺顶侧突，尾侧突不发达。

分布： 古北区，新北区。本属已知现生种20种，化石种8种。中国已记载6种，秦岭地区发现4种，本文记述3种。

分种检索表

1.　腹部和足全部黑色；腹部背板具显著刻纹………………………… **黑足刻胸叶蜂 *E. melanopoda***

腹部和足具显著淡斑；腹部背板光滑，刻纹不明显 ………………………………………………… 2

2. 小盾片和触角3、4节红褐色；足黄褐色，前足股节大部、中后足股节端半、后足胫节端部1/3黑褐色；小盾片前缘截形 ……………………………………… **黄斑刻胸叶蜂 *E. rufomaculata***

小盾片和触角3、4节黑色；足黑色，前足股节端部2/3、胫节和跗节、中足胫节和跗节、后足胫节基部2/3和跗节浅黄褐色；小盾片前缘三角形突出 …… **环腹刻胸叶蜂 *Eriocampa annulata***

(183) 环腹刻胸叶蜂 *Eriocampa annulata* Nie *et* Wei, 2001 陕西新纪录

Eriocampa annulata Nie *et* Wei, 2001: 288.

鉴别特征：体长6mm。体黑色，头部上眶中部、触角5~9节腹侧暗红褐色；前足股节端部2/3、胫节和跗节、中足胫节和跗节、后足胫节基部2/3和跗节浅黄褐色，前中足胫节端部暗褐色；腹部第1背板侧角、第2节背腹板全部、第3~5节除背板两侧角黑色外均黄褐色。前翅浅烟灰色透明，翅痣黑褐色。颚眼距宽线状，额脊低弱；单眼后区稍隆起，具弱中脊，宽1.70倍于长；触角第3节长1.70倍于第4节。小盾片平坦，前缘角状突出；淡膜区小，CD = 3；下生殖板端部圆钝，长略大于宽。阳茎瓣腹缘齿排列较均匀，约29齿。头部暗淡无光泽，刻点粗糙细密；上眶、后眶大部和单眼后区光泽强，刻点稀弱；腹部光滑，刻点细弱稀疏，无刻纹。

采集记录：2♀，周至，2009. V. 05，王培新采；1♀，佛坪，1000~1450m，2005. V. 17，刘守柱采。

分布：陕西(周至、佛坪)、北京、甘肃。

(184) 黑足刻胸叶蜂 *Eriocampa melanopoda* Nie *et* Wei, 2001 陕西新纪录

Eriocampa melanopoda Nie *et* Wei, 2001: 285.

鉴别特征：体长8~9mm。体和足黑色，翅均匀浅烟色，翅痣黑色。颚眼距线状；额区宽扁，长等于宽，额脊高；单眼后区强烈隆起，宽显著大于长，具模糊中纵脊；触角第3节1.60倍长于第4节；中胸小盾片前缘亚截型，淡膜区小，CD = 4；锯腹片20刃，锯刃有1个较大的内侧亚基齿，无外侧亚基齿。头部具粗糙密集小刻点，单眼后区及额区刻点较稀疏，上眶内侧具显著光滑区域，上眶其余部分、内眶、后眶具密集小刻点；腹部第1背板具细小稀疏刻点，无刻纹，光泽强，其余背、腹板具细弱稀疏刻点和显著刻纹。阳茎瓣腹缘具1列均匀细长齿突。

采集记录：1♀，佛坪，1000~1450m，2005. V. 17，刘守柱采。

分布：陕西(佛坪)、甘肃、湖南、四川、贵州。

(185) 黄斑刻胸叶蜂 *Eriocampa rufomaculata* Nie *et* Wei, 2001 陕西新纪录

Eriocampa rufomaculata Nie *et* Wei, 2001: 290.

鉴别特征：体长7mm。体黑色，触角2~4节全部、6~9节腹侧、前胸背板后缘、翅基片、小盾片大部、附片、后小盾片、腹部3~6背板基部红褐色，2~4节腹板大部黄褐色；足黄褐色，前足股节腹面大部、中后足股节端部2/5黑色，各足胫节端部暗褐色，后足胫节亚端部黑褐色。翅透明，翅痣黑色。颚眼距线状，额脊高，单眼后区隆起，宽1.20倍于长，具模糊的中纵脊；触角第3节1.60倍于第4节长；小盾片前缘截型；下生殖板长大于宽，端部圆钝；阳茎瓣腹缘具6个小齿，端缘附近具若干细小齿突；头部光滑，光泽强，刻点稀弱细小；后颊脊前侧刻点较粗大，额区具零星刻点；腹部背板光滑，无显著刻纹，光泽强，端部数节背板具少许细小刻点。

采集记录：1♀，凤县嘉陵江源头，1570m，2007.Ⅴ.26，朱巽采。

分布：陕西(凤县)、河北、湖南、四川。

82. 异颚叶蜂属 *Conaspidia* Konow, 1898

Conaspidia Konow, 1898: 279. **Type species**: *Conaspidia sikkimensis* Konow, 1898.

属征：体型粗壮。上唇通常较大，少数种类较小；唇基前缘缺口显著，深度0.30~0.70倍于唇基长，侧叶端钝或窄长；颚眼距线状至等长于单眼直径；复眼较大，内缘直，向下收敛或近似平行，间距等于或宽于复眼长径；唇基上区平坦，触角窝间距窄于内眶；背面观后头延长，侧缘亚平行或膨大；后眶宽，后颊脊通常锐利且完整，极少种类缺失后颊脊；上颚不对称，左上颚3齿，基部2齿和端齿间具深切，端齿内侧具肩状部；右上颚单齿，基部宽大；触角丝状，第2节长大于宽，第3节通常长于第4节，无触角器；前胸背板具侧纵脊，沟前部最宽处稍长于单眼直径，无前缘脊；前胸侧板腹侧接触面较短，约等于单眼直径；后胸淡膜区小型，间距宽于淡膜区横径2.50倍；后胸后背板中部较窄，明显倾斜；中胸前侧片上半部具粗大刻点；前翅R脉不长于R+M脉，末端下垂；R+M脉段不短于Sc脉游离段；1M脉长于1m-cu脉，互相近似平行；cu-a脉中位或稍偏内侧；2M室长稍大于宽；臀室完整，臀横脉外侧位，强烈倾斜；后翅Rs和M室封闭，臀室具柄式；后足基节小，股节不伸出腹部末端，前足胫节内距端部分叉，后足胫节约等长于跗节，胫节端距稍长于胫节端部宽，后基跗节不长于2~5跗分节之和，爪具小型基片和内齿；阳茎瓣无端侧突和被腹缘细齿。

分布：东亚。世界已知23种，中国已记载17种，秦岭地区目前发现4种。

分种检索表

1. 前翅具3个黑色翅斑；翅痣大部黑褐色 ········· **秦岭异颚叶蜂 *C. qinlingia***
   前翅透明，无黑斑；翅痣全部黄褐色或浅褐色 ········· 2
2. 后眶圆钝，无后颊脊；背面观头部在复眼后显著收缩 ········· **圆眶异颚叶蜂 *Conaspidia* sp.**

后眶具明显边缘，后颊脊完整；背面观头部在复眼后不收缩 …………………………………… 3

3. 小盾片后部具明显刺突；头部上眶和单眼后区刻点浅弱；单眼后区长约等于宽，后头两侧不明显膨大 ……………………………………………………………… **刺盾异颚叶蜂 *C. spinascutellis***

小盾片圆钝隆起，后部无刺突；头部上眶和单眼后区刻点粗大；单眼后区长明显大于宽，后头两侧明显膨大 ……………………………………………………………… **糙额裂颚叶蜂 *C. punctata***

(186) 圆眶异颚叶蜂 *Conaspidia* sp.

鉴别特征：体长 10mm。体黄褐色，头部触角窝以下部分、触角第 3 节以远、中后胸小盾片、前胸、中胸前侧片上半部、腹部 1～2 背板、2～3 腹板黄白色；中胸背板前叶前部、侧叶纵斑、后胸后背板大部、中胸前侧片腹侧半部、中胸后侧片下半部、后胸侧板上部，黑色；足浅黄褐色。翅透明，翅痣和缘脉黄褐色。体毛黄褐色。体光滑，中胸前侧片上半部具粗大网状刻点。唇基缺口宽大，深约为唇基 2/3 长；左上颚基齿短小；颚眼距 0.70 倍于单眼直径；后眶圆钝，无后颊脊，具口后脊；背面观头部在复眼后显著收缩，单眼后区长明显大于宽；复眼下缘间距宽于复眼长径；触角第 3 节长于第 4 节；小盾片后顶角近方形；锯刃亚基齿大，2～3 枚。

采集记录：1♀，长安区鸡窝子，1765m，2008. Ⅵ. 27，朱巽采；1♂，长安区鸡窝子，2077m，2008. Ⅵ. 28，蒋晓宇采。

分布：陕西（长安）、宁夏、湖北、四川。

(187) 糙额裂颚叶蜂 *Conaspidia punctata* Wei, 1997 陕西新纪录

Conaspidia punctata Wei in Wei *et* Nie, 1997a: 102.

鉴别特征：体长 9～10mm。体黄褐色，触角 7～9 节、前胸背板中部、中胸背板凹部、中胸腹板、后胸后侧片黑色；翅透明，无烟斑，翅痣黄褐色。足黄褐色，无黑斑。背面观头部在复眼后明显膨大，单眼后区长大于宽；颚眼距等长于单眼直径，唇基缺口宽深；后颊脊完整，触角第 3 节长于第 4 节；头部背侧具粗大刻点，中胸前侧片上半部刻点粗糙密集；腹部背板光滑，无刻点或刻纹；小盾片隆起，无刺突；后胸淡膜区间距2.50倍于淡膜区宽；前翅 cu-a 脉交于 1M 室下缘中部；锯腹片锯刃具 8～9 个亚基齿，节缝刺毛十分密集。

采集记录：1♀，凤县嘉陵江源头，1570m，2007. Ⅴ. 26，朱巽采。

分布：陕西（凤县）、四川。

(188) 秦岭异颚叶蜂 *Conaspidia qinlingia* Wei, 2015（图版 5：E）

Conaspidia qinlingia Wei, 2015: 227.

鉴别特征：体长12mm。体锈褐色，触角和足黄褐色；腹部各节背板后缘黑色，锯鞘端具黑斑；翅透明，基部烟黄色，前翅端半部具3个显著黑斑，翅痣黑色，端部黄褐色；唇基端部缺口宽深，深度达唇基长的3/4，侧叶窄长；颚眼距线状，后颊脊完整；单眼后区长大于宽，背面观头部在复眼后明显膨大；左上颚基齿窄长，端部尖，中齿宽大；复眼下缘间距约等于复眼长径；触角细长，第3节长于第4节；头部背侧刻点细小稀疏；小盾片强烈隆起，具顶角，后坡垂直，前缘圆钝，几乎不突出，两侧具粗密刻点；中胸前侧片上部刻点粗糙网状；腹部1～2背板光滑，其余背板具浅弱刻点；爪内齿短于外齿；锯刃倾斜，亚基齿细小。

采集记录：1♀，佛坪凉风垭，2128m，2014. Ⅵ. 18，祁立威采。

分布：陕西（佛坪）。

（189）刺盾异颚叶蜂 *Conaspidia spinascutellis* Wei, 1997

Conaspidia spinascutellis Wei in Wei *et* Nie, 1997a: 104.

鉴别特征：体长8～9mm。体黄褐色，前胸背板中部、中胸背板凹部、中胸腹板和后侧片、后胸后背板和侧板、锯鞘黑色；翅透明，无烟斑，翅痣黄褐色。足黄褐色，无黑斑。背面观头部在复眼后几乎不膨大，单眼后区长约等于宽；颚眼距等长于单眼直径，唇基缺口宽深；后颊脊完整，触角第3节长于第4节；头部背侧具稀疏浅弱刻点，中胸前侧片上半部刻点粗糙密集；腹部背板光滑，无刻点或刻纹；小盾片隆起，后顶角刺突状突出；后胸淡膜区间距3倍于淡膜区宽；前翅cu-a脉交于1M室内侧1/3；锯腹片锯刃具7～8个亚基齿，节缝刺毛密集。

采集记录：1♀，长安区鸡窝子，2077m，2008. Ⅵ. 28，朱巽采；1♀，华山中峰，1979. Ⅷ. 02，采集人不详；1♀，太白山，1988. Ⅸ，采集人不详；1♂，太白山，1580m，2007. Ⅶ. 17，朱巽采；1♀，凤县嘉陵江源头，1617m，2007. Ⅶ. 14，朱巽采。

分布：陕西（长安、华阴、太白、凤县）、山西、宁夏、甘肃。

83. 盔叶蜂属 *Corymbas* Konow, 1903

Corymbas Konow, 1903: 120. **Type species**: *Corymbas koreana* Konow, 1903.

Siobloides Takeuchi, 1919: 15-16, 18. **Type species**: *Macrophya fujisana* Matsumura, 1912.

Neocorymbas M. S. Saini, D. Singh, M. Singh *et* T. Singh, 1985: 325. **Type species**: *Neocorymbas smithi* M. S. Saini, D. Singh, M. Singh *et* T. Singh, 1985.

属征：头部稍狭于胸部宽；上唇小，端部圆钝；唇基长约等于或稍小于唇基宽的2倍，端部具宽浅或窄小缺口；口须不短缩；颚眼距通常窄于单眼直径；上颚粗短，对称双齿形；后眶窄于复眼短径1/2，后颊脊锐利、完整；复眼大型，内缘直，向下显著收敛，下缘间距通常约等于或稍宽于复眼长径；后头短小，背面观短于复眼1/2长，向后收缩；触角窝间距窄于触角窝—复眼内缘间距；触角窝上突不明显隆起，与低钝额脊融合，额区不低于复眼面；单眼后区横宽；触角粗壮，约等长于头胸部之和，亚端部数节多少膨大且侧扁，第2节长约等于或稍大于宽，第3、4节长度比为1.50～2.10；前胸背板侧叶沟前部约2倍宽于单眼直径，前缘脊不完整；前胸侧板腹侧三角形，接触面短小；无胸腹侧片，具胸腹侧片前片；小盾片平坦，前缘钝角状突出，附片宽大、平坦；后胸淡膜区间距1.80～2.50倍于淡膜区横宽；腹部第1背板中部显著前突，完全分隔后胸后背板；中胸后侧片宽大，气门叶不突出；后胸后侧片背叶椭圆形，无柄；后足基节发达，后股节通常伸抵腹部端部；前足胫节内距端部分叉；后足胫节内端距显著长于外距，约等长于后基跗节的1/2，后基跗节约等于其后4节之和，跗垫微小；爪基片短小且钝弱，爪齿中裂式，内齿发达；前翅R脉短，下垂；R+M脉段明显短于Rs+M脉段，长于R脉；2Rs室等长于或稍短于$1R_1$+1Rs室之和；1M等长于并平行于1m-cu脉；臀室无横脉，cu-a脉位于1M室下缘基部约1/6处；后翅Rs、M室封闭，臀室无柄式；雄虫后翅具完整缘脉；锯腹片骨化程度微弱，无节缝栉突列，锯刃稍倾斜，亚基齿多、细小；阳茎瓣头叶狭长，无钩突和背腹缘细齿，端部具小齿列。

分布：东亚。世界已知10种，中国已记载5种，秦岭地区发现4种，其中3个新种将另文发表。

（190）白檀盔叶蜂 *Corymbas*（*Neocorymbas*）*sinica*（Wei *et* Ouyang，1997）陕西新纪录（图版5：F）

Neocorymbas sinica Wei *et* Ouyang in Wei，Ouyang *et* Huang，1997：69.

Corymbas nigroyunanensis Haris *et* Roller，1999：234.

鉴别特征：雌虫体长13mm，雄虫体长9～10mm。体黑褐色，上唇、唇基、上颚基半部、触角第3节端部1/3、第4节全部、第5节大部、前胸背板侧缘和后缘宽边、翅基片、腹部第2～5背板两侧、第7节背板中部、第8背板大部、第10背板全部、各节背板缘折和腹板淡黄色；头部暗红褐色，具大黑斑，覆盖唇基上区、内眶下部、颜面、额区、单眼后区部分或全部，后眶中部黑褐色；小盾片和中胸背板侧叶内侧和后侧红褐色；足黄褐色，各足基节大部和后足股节黑色。翅透明，翅痣和前缘脉黄褐色，其余翅脉黑褐色。雄虫体黑色，腹部具淡斑。唇基前缘突出，中部具小缺口；颚眼距等于单眼直径；单眼后区宽长比等于1.30。额区具较密集刻点，中胸侧板具密集刻点；爪内齿长于外齿。腹部背板均无刻纹和显著。锯腹片锯刃倾斜，无亚基齿。

采集记录：1♀，宝鸡天台山，802m，2006.Ⅴ.23，朱巽采。

分布：陕西（宝鸡）、安徽、江西、湖南、福建。

84. 镰瓣叶蜂属 *Neocolochelyna* Malaise, 1937

Neocolochelyna Malaise, 1937: 47. **Type species**: *Colochelyna montana* Konow, 1898.

Curvatapenis Wei, 2002h: 253. **Type species**: *Curvatapenis testaceous* Wei, 2002. (as subgenus).

属征: 体粗壮，具密集刻点或刻纹。头部扁，稍窄于胸部；上颚粗短，对称三齿式，口须很短；唇基端部亚截形；复眼中型，内缘向下收敛，间距宽于眼高；无后颊脊和后眶沟；颚眼距约等宽于单眼直径；触角窝上突不发育，额脊模糊；中窝和侧窝发育；单眼后区宽大于长；触角粗短，短于头胸部之和，触角第 2 节长大于宽，第 3 节长于第 4 +5 节之和，中端部鞭分节粗短；背面观后头短于复眼长。前胸背板领状，无纵脊，沟前部短，无前缘细脊，长约 2 倍于单眼直径；前胸侧板腹侧短钝接触；中胸小盾片圆钝隆起，前缘弧形突出，附片小；中胸侧板和腹板无角突，前缘具发达的缘片；中胸后侧片平坦，中部无横脊和凹窝；后胸淡膜区较小，CD 约等于 2，后胸后背板狭窄且显著倾斜。前翅 Sc 脉游离段长且倾斜，R 脉短，端部下垂，1M 脉与 1m-cu脉几乎等长，互相平行，R + M 脉段微长于 1r-m 脉，2Rs 短于 $1R_1$ 与 1Rs 之和，cu-a 脉与 M 脉邻近，臀室基部1/3处稍收缩，无横脉；后翅具 2 个封闭中室 Rs 和 M，臀室具柄式，雄虫后翅无缘脉。后足基节稍膨大，后足股节伸达腹部末端；各足胫节端距端小，约等长于胫节端部宽；前足胫节内侧端距端部微弱分叉；后足胫节等长于跗节，基跗节稍侧扁，短于其后各跗分节之和，跗垫发达；爪小形，内齿短于外齿。腹部第 1 背板具中缝，中部前突，将后胸后背板分为左右两部分，两侧斜截形，气门邻近前缘；阳基腹铗内叶发达，阳茎瓣窄长，端半部强烈弯折；锯腹片骨化微弱，锯刃平直，亚基齿细小。

分布: 东亚。世界已知 6 种，中国分布 4 种，秦岭地区发现 1 种。

(191) 棕褐镰瓣叶蜂 *Neocolochelyna* (*Curvatapenis*) *testaceoa* (Wei, 2002) (图版 5: G)

Curvatapenis testaceous Wei, 2002h: 254.

鉴别特征: 体长 13 ~ 14mm。体暗棕褐色，头部具大圆形黑斑，触角第 3 节端部 2/3和其余鞭分节大部暗褐色；胸部黑色，前胸背板后缘宽边、翅基片、中胸背板前叶两侧、盾侧凹内缘、小盾片、后小盾片棕褐色；腹部第 1 背板后缘、第 2 背板绝大部分、第 3 背板后缘 1/2、其余各节背板后缘狭边黄褐色，第 1 背板大部、第 2 背板基缘、第3 ~ 7背板基部 1/2 黑色或黑褐色；足黄褐色，各足基节大部、前中足第 1 转节、各足股节大部黑色，后足胫节大部红褐色。翅烟黄色，前缘 2/5 和基部色泽较深，翅痣黄褐色。头胸部具粗糙密集刻点，附片光滑，腹部第 1 背板刻点和皱纹粗糙，其余背板刻纹密集。颚眼距微窄于单眼直径；爪内齿微小；阳茎瓣端突狭长。

采集记录：1♂，China，Shaanxi，Kaitianguan，Mt. Taibaishan，Qinling Mts.，2000m，01. Ⅵ. 2005，A. Shinohara.。

分布：陕西（太白山）、河南。

85. 小臀叶蜂属 *Colochela* Malaise，1937

Colochela Malaise，1937：48. **Type species**：*Colochela rufidorsata* Malaise，1937.

属征：体粗壮。前翅烟黑色。头部较小，稍狭于胸部；唇基较长，宽长比不大于2，端缘截形或具极浅小缺口；上颚十分短粗，双齿形，近似对称；上唇短小，端部稍突出；口须稍短缩；复眼短椭圆形，内缘稍鼓出，向下显著收敛，复眼下缘间距等于或稍宽于眼高；颚眼距短于单眼直径；触角窝间距宽于触角窝—复眼间距；后眶圆钝，后颊脊阙如，侧面观后眶不宽于复眼横径；额区小，额脊宽钝模糊；单眼后区宽大于长；背面观后头两侧缘亚平行或稍收缩；内眶近平坦，稍倾斜；无触角窝上突；触角较粗短，不长于头胸部之和，第2节长大于宽，第3节稍短于或约等长于其后2节之和。前胸背板沟前部很短，约2倍于侧单眼直径，无前缘细脊；前胸侧板腹侧面窄"U"形接触，中胸腹板"T"形；中胸小盾片前缘角状突出，前凹显著弯折，附片较小；中胸前侧片前缘脊发达，后侧片宽大，气门叶突出隆起；后胸 CD 约等于2；后胸小盾片前凹宽深，后胸后背板倾斜，中部极窄，被前突的腹部第1节背板中脊分为两部分；后胸后侧片背叶不规则椭圆形，具短柄。后足基节小型，胫节稍长于跗节；前足胫节内端距端部分叉，后足胫节端距稍长于胫节端部宽和后基跗节1/3长；后基跗节约等长于其后3个跗分节之和，跗垫中等大；爪无基片，内齿明显长于并宽于外齿。前翅狭长，R 脉短，端部下垂；1M 脉短于 1m-cu 脉，2Rs 室明显长于 $1R_1$ + 1Rs 室之和；cu-a 脉基位，与1M 脉临近或顶接；臀室亚基部强烈收缩，具短直基位横脉，或无横脉；后翅具双闭中室，臀室具短柄。锯腹片骨化较强，亚基齿不明显或阙如。阳茎瓣无背钩，具少数背缘细齿。

分布：东亚。世界已知3种，中国均有分布，秦岭地区发现其中2种。

分种检索表

体全部黑色；触角第3节等长于其后2节之和；尾须长宽比等于2；头部背侧刻点细密；抱器长约等于宽；阳茎瓣端部宽钩状，无卷叶 ………………………………… **黑色小臀叶蜂 *C. nigrata***

中胸背板红褐色；触角第3节明显短于其后2节之和；尾须长宽比等于4；头部背侧无明显刻点；抱器长宽比等于1.90；阳茎瓣无钩突，具卷叶 ………………………………… **橘背小臀叶蜂 *C. zhongi***

（192）黑色小臀叶蜂 *Colochela nigrata* Wei *et* Niu，2016

Colochela nigrata Wei *et* Niu，2016：460.

鉴别特征：雌虫体长 14.50mm，雄虫体长 13.50mm。体黑色，体毛全部黑色；翅深烟褐色，翅痣和翅脉黑色。头部背侧和胸部侧板刻点细密，腹部背板刻点和刻纹细密，无光泽。唇基前缘具浅弱缺口，颚眼距 0.20～0.30 倍于单眼直径，单眼后区宽 1.50 倍于长；触角粗短，0.80 倍于头胸部和长，第 3 节等长于其后 2 节之和；尾须粗短，长宽比等于 2；锯腹片 27 节，节缝刺毛短小稀疏；雄虫下生殖板宽大于长，端部圆；抱器长约等于宽，阳茎瓣扁平，端部钩状弯曲，无卷叶。

采集记录：1♀，西乡，560m，1988. Ⅴ.02，采集人不详。

分布：陕西（西乡）、浙江、湖北、广西、重庆。

（193）橘背小臀叶蜂 *Colochela zhongi* Wei *et* Niu, 2016（图版 5：H）

Colochela zhongi Wei *et* Niu, 2016：465.

鉴别特征：雌虫体长 16～18mm，雄虫体长 15mm。体黑色，中胸背板前叶、侧叶和小盾片红褐色；体毛大部黑色，胸部背板红褐色部分细毛红褐色；翅深烟褐色，翅痣和翅脉黑色。头部背侧无明显刻点，具微弱刻纹，表面较光滑；中胸背板大部和中胸前侧片上半部刻点细密，附片光滑，侧板下半部刻点稍大且稀疏，腹部背板刻纹细密，光泽弱。唇基前缘截型，颚眼距 0.50 倍于单眼直径，单眼后区宽 1.80 倍于长；触角较长，等长于头胸部之和，第 3 节 0.90 倍于其后 2 节之和；尾须窄长，长宽比等于 4；锯腹片 17 节，节缝刺毛较密且长；雄虫下生殖板宽大于长，端部钝截型；抱器长 1.90 倍于宽，阳茎瓣端部不钩状弯曲，具发达卷叶。

采集记录：1♀3♂，太白山开天观，2000m，2004. Ⅵ.02-08，A. Shinohara；1♀，眉县太白山开天观，1852m，2014. Ⅵ.05，祁立威、康伟楠采；1♀，眉县太白山开天观，1852m，2014. Ⅵ.07，魏美才采；1♀，眉县太白山开天观，1852m，2014. Ⅵ.09，魏美才采；2♀，眉县凉风垭，2128m，2014. Ⅵ.17，祁立威、康伟楠、刘萌萌、刘婷采；14♀1♂，眉县太白山，1601m，2014. Ⅵ.04-06，祁立威、康伟楠、刘萌萌、刘婷、魏美才采。

分布：陕西（眉县）、湖北、四川。

86. 隐斑叶蜂属 *Lagidina* Malaise, 1945

Lagidina Malaise, 1945：167-168. **Type species**：*Macrophya irritans* F. Smith, 1874.

属征：体长型。上唇小，端部圆钝；唇基小，平坦，前缘具明显缺口，宽度显著小于复眼下缘间距；额唇基沟深，唇基上区平坦；上颚对称双齿式；复眼大，内缘直，向下明显收敛，间距显著宽于复眼长径；后眶宽大，后颊脊发达；背面观头部在复眼后不显著延长，两侧收缩；单眼后区横宽；前胸背板沟前部较窄，最宽处约等于单眼直径2倍，具细前缘脊；触角丝状，第2节宽大于或等于长，极少长大于宽，第3节显著短于其后2节之和；前胸侧板腹侧多少接触，前胸腹板长三角形；小盾片台状隆起，后胸后背板十分宽大且平坦；中胸前侧片无胸腹侧片，侧板前缘脊显著，中胸后侧片宽大，中部覆盖气门；后足基节延长，后足股节通常伸出腹部末端；前足胫节内距端部分叉，后足胫节约等长于跗节，胫节内端距长于基跗节1/3，基跗节约等于或长于其后跗分节之和；爪无基片，内齿短于外齿；前翅R脉短，下垂；R+M脉长于1r-m脉，1M脉约等长并平行于1m-cu脉，2Rs室显著短于$1R_1$+1Rs室之和，臀室具内侧位短直横脉，cu-a脉交于1M室基部1/3附近；后翅具0~2个封闭中室，臀室具柄或无柄；雄虫后翅缘脉有或无；阳茎瓣窄长、弯曲，无端侧突；锯腹片窄长，骨化弱。

分布：东亚。世界已知8种，中国分布6种，秦岭地区发现2种。

分种检索表

后足股节、胫节红褐色，股节端部黑褐色；唇基、前胸背板、翅基片和腹部第1背板黑色，无白斑；唇基缺口窄深三角形，小盾片宽大于长；雄虫下生殖板中突十分短宽 ……………………………… **黑肩隐斑叶蜂 *Lagidina nigrocollis***

后足股节和胫节黑色，股节基部1/4左右白色；唇基、前胸背板和翅基片具白斑，腹部第1背板大部白色；唇基缺口浅宽弧形，小盾片长大于宽；雄虫下生殖板中突窄三角形 ……………………………… **黑足小唇叶蜂 *Lagidina nigripes***

(194) 黑肩隐斑叶蜂 *Lagidina nigrocollis* Wei *et* Nie, 1999 陕西新纪录

Lagidina nigrocollis Wei *et* Nie, 1999e: 155.

鉴别特征：体长12mm。体黑色，触角端部2节、上唇端部、小盾片、后小盾片中央、腹部2~6背板前上角小斑淡黄色；足暗红褐色，各足基节大部、前中足转节、后足股节端部、后足胫节末端及后足跗节黑色。翅痣和翅脉黑褐色，翅痣基部黄褐色。唇基前缘具窄深圆形缺口，侧叶对称；颚眼距等于单眼直径；单眼后区宽长比等于2.50，无中纵沟。头部背侧和后侧具粗糙密集刻点，额区刻点无明显光滑间隙。触角第3节长于第4节。中胸侧板刻点密集，具狭窄间隙；后翅Rs和M室封闭，臀室具短柄。腹部第1背板具细密刻纹，其余背板具细弱刻纹和刻点。雄虫后翅缘脉在Rs室外侧开放，下生殖板端部宽截形，具小型中突。

采集记录：1♀，佛坪大古坪，1320m，2006.Ⅳ.28，何末军采。

分布：陕西（佛坪）、山西、河南、浙江、湖北、湖南、贵州。

(195) 黑足小唇叶蜂 *Lagidina nigripes* Wei *et* Nie, 2002 陕西新纪录

Lagidina nigripes Wei *et* Nie, 2002a: 112.

鉴别特征：体长12.50mm。体黑色，触角端部2节半、上唇、内眶上部小点斑、小盾片、后小盾片、后胸后侧片后角、腹部第1节背板两侧大斑淡黄色；足黑色，后足基节端部、后足转节、前中足股节端半部前侧、后足股节基部1/3淡黄色，前中足胫节大部浅褐色至黄褐色。翅浅烟灰色，翅痣基部1/3黄褐色，端部2/3黑褐色。唇基前缘具浅于唇基1/3长的三角形缺口，侧叶对称；颚眼距窄于单眼直径，单眼后区宽长比等于2.50，具细低中纵脊；触角第3节稍长于第4节。头部颜面、背侧和后侧具粗糙密集刻点，额区刻点无明显光滑间隙。中胸侧板刻点密集，具十分狭窄的间隙。后翅Rs和M室封闭，臀室具短柄。腹部第1背板基半部和两侧具粗糙刻纹，余部光滑；其余背板具细弱刻纹和刻点。锯腹片锯刃稍突出，亚基齿细小。

采集记录：2♀，留坝桑园林场，1080m，2007. Ⅴ. 18，朱巽采；3♀1♂，留坝大坝沟，1320m，2007. Ⅴ. 20，朱巽采。

分布：陕西(留坝)、河南、安徽、重庆。

87. 合叶蜂属 *Tenthredopsis* Costa, 1859

Tenthredopsis Costa, 1859: 98. **Type species**: *Tenthredo tessellata* Klug, 1817.

Ebolia Costa, 1859: 105. **Type species**: *Ebolia floricola* Costa, 1859.

Thomsonia Konow, 1884: 327. **Type species**: *Perineura thomsonia* Konow, 1884.

Eutenthredopsis Enslin, 1913: 99. **Type species**: *Tenthredo litterata* Geoffroy, 1785.

属征：体长型。上唇小，端部圆钝；唇基平坦，前缘截型或中部微弱突出，宽度显著小于复眼下缘间距；额唇基沟深，唇基上区平坦；上颚对称双齿式；复眼大，内缘直，向下稍收敛，间距显著宽于复眼长径；后眶较窄，后颊脊完整；背面观头部在复眼后不显著延长，两侧收缩；单眼后区横宽；前胸背板沟前部窄，最宽处等于单眼直径2倍，具细弱前缘脊；触角长丝状，第2节宽大于或等于长，第3节约等长于第4节；前胸侧板腹侧接触面约等宽于单眼直径，前胸腹板长三角形；小盾片平坦，后胸后背板中部较窄，明显倾斜；中胸前侧片无胸腹侧片，侧板前缘脊显著，中胸后侧片宽大，中部覆盖气门；后足基节稍延长，后足股节不伸出腹部末端；前足胫节内距端部分叉，后足胫节约等长于跗节，胫节内端距长于基跗节1/3，基跗节约等于其后跗分节之和；爪无基片，内齿稍短于外齿；前翅R脉短，下垂；R + M脉长于1r-m脉，1M脉约等长并平行于1m-cu脉，2Rs室显著短于$1R_1$ + 1Rs室之和，臀室具内侧位短直横脉，cu-a脉交于1M室基部1/3附近；后翅雌虫具2个封闭中室，臀室具柄，雄虫后翅缘脉完整；腹部第1背板无中缝，具细中脊；锯腹片窄长，骨化较强，亚基齿大；阳茎瓣头叶近三角形，无端侧突，腹缘具齿突列。

分布：古北区。全世界已描述的种类超过60种，中国已记载8种，其中*T. insularis* Takeuchi有多个亚种，秦岭地区发现8种，本文记述5种。

分种检索表

1. 触角黄褐色，端部4节黑色；体黄褐色，几乎无黑斑 ……………… **缅甸合叶蜂 *T. birmanica***
   触角黑色全部黑色或黄褐色，有时中部具白环；体大部黑色 …………………………………… 2
2. 触角黑色，6~7节白色 …………………………………………………… **环角合叶蜂 *T. insularis***
   触角黑色，无白色环节，或黄褐色 ……………………………………………………………… 3
3. 触角和后足股节全部黄褐色 ……………………………………………… **红角合叶蜂 *T. ruficornis***
   触角黑色，雄虫触角腹侧有时浅褐色；后足股节至少部分黑色 ………………………………… 4
4. 腹部基部2节和端部黑色，3~6节红褐色；转节黑色 …………… **红腹合叶蜂 *T. gansuensis***
   腹部黑色，无红褐色环节，各节背板中部淡色，腹板大部或全部淡色；各足转节黄白色 ……
   ………………………………………………………………………………… **黑角合叶蜂 *T. fuscicornis***

(196) 缅甸合叶蜂 *Tenthredopsis birmanica* Malaise, 1945 陕西新纪录

Tenthredopsis birmanica Malaise, 1945: 175.

鉴别特征：体长12~14mm。体黄褐色，小盾片后缘、中后胸后侧片后缘具小型黑斑，口器、内眶条斑、各足转节黄色；触角黄褐色，端部4节黑褐色。中胸前侧片上部具明显刻纹和细小刻点。锯腹片端部12~13节的锯刃具3~4个显著亚基齿，节缝齿突列明显。

采集记录：1♀，长安终南山，1555m，2006. Ⅴ.27，杨青、朱巽采；1♀，长安终南山，1292m，2006. Ⅴ.28，朱巽采；1♀，长安区鸡窝子，1765m，2008. Ⅵ.27，朱巽采；3♀2♂，周至楼观台，899m，2006. Ⅴ.25，杨青、朱巽采；8♀2♂，宝鸡天台山，802m，2006. Ⅴ.23，朱巽、杨青采；1♀8♂，凤县红花铺镇，1080m，2007. Ⅴ.25，朱巽采；1♀1♂，留坝桑园林场，1250m，2007. Ⅴ.18，朱巽采；2♀2♂，留坝大坝沟，1320m，2007. Ⅴ.20，朱巽采；13♀2♂，丹凤寺坪镇，900~1200m，2005. Ⅴ.21，朱巽、刘守柱采。

分布：陕西（长安、周至、宝鸡、凤县、留坝、丹凤）、河南、甘肃、安徽、浙江、湖南、福建、广西、四川、云南；缅甸。

(197) 红腹合叶蜂 *Tenthredopsis gansuensis* Jakovlev, 1891 陕西新纪录

Tenthredopsis gansuensis Jakovlev, 1891: 37.

鉴别特征：体长12~14mm。体黑色，上唇、上颚基部、唇基、内眶中下部条斑、后眶条斑、小盾片、中胸背板侧叶内侧条斑黄色；腹部3~6节红褐色，背板缘折有时部分黑色；足黑色，前足股节大部、前中足胫跗节浅褐色，后足跗节浅褐色。翅痣暗褐色。中胸侧板大部和后胸侧板具密集刻点和刻纹，光泽弱；中胸背板具浅弱细

小刻点，有光泽；小盾片具刻点稍大，光泽较强；腹部第1背板大部光滑，其余背板具浅弱刻点和明显刻纹。锯鞘端部钝截型。

采集记录：1♀，留坝大坝沟，1320m，2007. Ⅴ.20，朱巽采；2♀，丹凤寺坪镇，900～1200m，2005. Ⅴ.21，朱巽采。

分布：陕西（留坝、丹凤）、河南、甘肃。

（198）红角合叶蜂 *Tenthredopsis ruficornis* Malaise，1945 陕西新纪录

Tenthredopsis insularis ruficornis Malaise，1945：176.

鉴别特征：体长9～11mm。体黑色，唇基、上唇、前胸背板后缘、翅基片、小盾片黄白色，胸部腹侧大部黄褐色，局部具小型黑斑；腹部黄褐色，背板两侧黑色；足橘褐色，基节大部黑色，后足股节部分暗褐色，后足胫节大部黑色，后足跗节大部黄白色。触角红褐色，基部3节背侧有时黑褐色。中胸前侧片上半部具明显的刻纹和模糊刻点。锯腹片端部8～9节锯刃具亚基齿。

采集记录：25♂，长安终南山，1555m，2006. Ⅴ.27，杨青、朱巽采；1♀，周至楼观台，899m，2006. Ⅴ.25，杨青、朱巽采；1♀8♂，凤县红花铺镇，1080m，2007. Ⅴ.25，朱巽采；1♀2♂，凤县嘉陵江源头，1617m，2007. Ⅶ.14，朱巽、蒋晓宇采；1♀，华山，1300～1600m，2005. Ⅶ.12，朱巽采；1♂，佛坪，1000～1450m，2005. Ⅴ.17，刘守柱采；1♀，镇安，1300～1600m，2005. Ⅶ.10，杨青采。

分布：陕西（长安、周至、凤县、华阴、佛坪、镇安）、河南、甘肃、浙江、湖南、四川、云南；缅甸。

（199）环角合叶蜂 *Tenthredopsis insularis* Takeuchi，1927 陕西新纪录

Tenthredopsis insularis Takeuchi，1927：201.

鉴别特征：体长12～13mm。体黑色，触角6～7节、唇基、上唇、内眶条斑、上眶横斑、前胸背板后缘、翅基片、小盾片和后小盾片、腹部背板中央纵条斑、背板缘折、腹板大部黄白色；足红褐色，各足基节大部和后足股节部分黑色，各足转节和后足跗节大部白色。中胸前侧片上部具不明显的微细刻点和刻纹，表面有光泽。锯鞘端部钝截型；锯腹片端部8～9锯节的锯刃各具3～4枚亚基齿，节缝齿突列明显。

采集记录：3♂，长安终南山，1555m，2006. Ⅴ.27，朱巽、杨青采；4♀7♂，周至楼观台，899m，2006. Ⅴ.25，杨青、朱巽采；1♂，太白青峰峡，1473m，2008. Ⅶ.03，朱巽采；3♀4♂，凤县嘉陵江源头，1570m，2007. Ⅴ.26，朱巽、蒋晓宇采；3♀，凤县红花铺镇，1080m，2007. Ⅴ.25，朱巽采；4♀2♂，留坝桑园林场，1250m，2007. Ⅴ.18，朱巽、蒋晓宇采；2♂，留坝营盘乡，1390m，2007. Ⅴ.21，朱巽采；1♂，佛坪，

832m, 2006. Ⅳ.30, 朱巽采; 1♀, 佛坪, 1000～1450m, 2005. Ⅴ.17, 刘守柱采; 1♀2♂, 安康化龙山, 2100m, 2003. Ⅳ.27; 7♀, 丹凤寺坪镇, 900～1200m, 2005. Ⅴ.21, 朱巽、刘守柱采。

分布: 陕西(长安、周至、太白、凤县、留坝、佛坪、安康、丹凤)、河南、甘肃、安徽、浙江、湖北、江西、湖南、福建、台湾、广西、四川、贵州、云南; 缅甸。

(200) 黑角合叶蜂 *Tenthredopsis fuscicornis* Malaise, 1945

Tenthredopsis fuscicornis Malaise, 1945: 176.

鉴别特征: 体长12～14mm。体和触角黑色, 雄虫触角鞭节腹侧浅褐色, 唇基、上唇、内眶条斑、上眶横斑、前胸背板后缘、翅基片、小盾片和后小盾片、腹部背板中央纵条斑、背板缘折、腹板大部黄白色; 足红褐色, 各足基节大部和后足股节黑色, 各足转节和后足跗节大部白色。中胸前侧片上部具不明显的微细刻点和刻纹, 表面有光泽。锯鞘端部钝截型; 锯腹片端部8～9锯节的锯刃各具3～4枚亚基齿, 节缝齿突列明显。

采集记录: 3♀, 长安终南山, 1555m, 2006. Ⅴ.27, 朱巽、杨青采; 2♀29♂, 凤县嘉陵江源头, 1570m, 2007. Ⅴ.26, 朱巽、蒋晓宇采; 1♀, 眉县营头蒿坪, 1162m, 2008. Ⅶ.01, 朱巽采; 1♀2♂, 留坝桑园林场, 1080m, 2007. Ⅴ.19, 朱巽采; 2♀1♂, 佛坪, 1000～1450m, 2005. Ⅴ.17, 刘守柱、朱巽采; 1♂, 镇安, 1300～1600m, 2005. Ⅶ.10, 朱巽采; 4♂, 丹凤寺坪镇, 900～1200m, 2005. Ⅴ.21, 朱巽采。

分布: 陕西(长安、凤县、眉县、留坝、佛坪、镇安、丹凤)、河南、甘肃、安徽、浙江、湖南; 缅甸。

88. 钝颊叶蜂属 *Aglaostigma* Kirby, 1882

Aglaostigma Kirby, 1882: 325. **Type species**: *Aglaostigma eburneiguttatum* W. F. Kirby, 1882 [= *Aglaostigma* (*Aglaostigma*) *gibbosum* (Fallén, 1808)].

Laurentia Costa, 1890: 14(nec Ragonot, 1888). **Type species**: *Laurentia craverii* Costa, 1890.

Bivena MacGillivray, 1894: 327. **Type species**: *Bivena maria* MacGillivray, 1894.

Homoeoneura Ashmead, 1898: 313. **Type species**: *Pachyprotasis delta* Provancher, 1878.

Neopus Viereck, 1910: 585. **Type species**: *Tenthredo quattuordecimpunctatus* Norton, 1862.

Macrophyopsis Enslin, 1912: 42. **Type species**: *Macrophya nebulosa* André, 1881.

Kincaidia MacGillivray, 1914: 137. **Type species**: *Tenthredopsis ruficorna* MacGillivray, 1893.

Astochus MacGillivray, 1914: 107. **Type species**: *Astochus fletcheri* MacGillivray, 1914.

Paralloma Malaise, 1933: 53. **Type species**: *Rhogogaster lichtwardti* Konow, 1892.

Neurosiobla Conde, 1935: 79. **Type species**: *Neurosiobla malaisei* Conde, 1935.

Laurentia (*Laurentina*) Malaise, 1937: 44. **Type species**: *Laurentia* (*Laurentina*) *ruficornis* Malaise,

1937.

Aglaostigma (*Stigmatozona*) Malaise, 1945: 99 (key), 177. **Type species**: *Aglaostigma* (*Stigmatozona*) *sinensis* Malaise, 1945.

属征：上唇小，端部圆钝；唇基平坦，前缘截型，宽度显著小于复眼下缘间距；额唇基沟深，唇基上区平坦；上颚对称双齿式；复眼大，内缘直，向下稍收敛，间距显著宽于复眼长径；后眶圆钝，无后颊脊，单眼后区后缘具脊；背面观头部在复眼后不显著延长，两侧亚平行或稍膨大；单眼后区横宽；前胸背板沟前部窄，最宽处约等于单眼直径2倍，具细弱前缘脊；触角长丝状，第2节长通常大于宽，第3节约等长于或长于第4节；前胸侧板腹侧接触面约不接触或稍接触，接触面窄于单眼直径，前胸腹板三角形；小盾片平坦，后胸后背板中部较窄，明显倾斜；中胸前侧片无胸腹侧片，侧板前缘脊显著，中胸后侧片较宽大，中部覆盖气门；后足基节通常不延长，后足股节大多不伸出腹部末端；前足胫节内距端部分叉，后足胫节约等长于跗节，胫节内端距长于基跗节1/3，基跗节明显短于2~5跗分节之和；爪无基片，内齿大型，靠近外齿；前翅R脉短，下垂；R+M脉长于1r-m脉，1M脉约等长并平行于1m-cu脉或互相分歧，2Rs室显著短于$1R_1$+1Rs室之和，臀室具内侧位短直横脉，cu-a脉交于1M室基部1/3附近；后翅雌虫具1~2个封闭中室，臀室通常具柄，少数无柄，雄虫后翅具缘脉；腹部第1背板中缝有或无，有时具细中脊；阳茎瓣无端侧突；锯腹片窄长，骨化较强，亚基齿大，常具节缝齿突列。

分布：古北区，新北区。世界已知种类约56种，中国已记载29种，秦岭地区发现17种，其中5种是尚未报道的新种。本文记述12种，新种将另文报道。

分种检索表

1. 腹部第4或第5背板大部或全部黄色或白色，与其前节或后节颜色对比鲜明，背板缘折和背板颜色一致 ······ 2

   腹部第4和5背板与其前后节体色相近或相同，如果雄虫第4背板淡色，其余背板背侧黑色，则背板缘折大部黄白色 ······ 4

2. 翅痣浅褐色或黄褐色，两性腹部第4节全部黄白色，2~3节和第5节全部黑色；雌虫第1节大部黄白色；雌虫头部绛红色，具黄白斑和黑斑 ······ **双环钝颊叶蜂 *A. pieli***

   翅痣大部或全部黑褐色；体黑色，具黄褐色斑或白斑，腹部斑纹不同上述 ······ 3

3. 腹部第1背板除最基缘外，第2~3、6~9背板中央亚圆形斑、第4背板基缘、第5背板大部、第10背板黄白色；后足股节基部2/5黄色 ······ **多斑钝颊叶蜂 *A. bicolor***

   腹部背板黑色，仅第4背板黄白色；后足股节基半部红褐色（雄虫腹部背板全部黑色，参见第7条） ······ **光盾钝颊叶蜂 *A. scutellare***

4. 腹部背板背侧全部黑色，或仅第4背板淡色 ······ 5

   腹部至少多节背板全部黄褐色或红褐色 ······ 7

5. 小盾片和腹部全部黑色，后足胫跗节全部黑色 ······ **大黑钝颊叶蜂 *A. carbo***

   小盾片具显著淡斑；腹部至少腹板大部黄褐色，后足胫节部分淡色 ······ 6

6. 前中足转节、后足跗节全部黑色 …………………………… **黑腹钝颊叶蜂 *A. melanogaster***
各足转节大部或全部黄褐色，后足 2～5 跗分节黄白色 ……………………………………… 7
7. 中胸前侧片具大黄白斑，刻纹细弱 ………………………… **短脉钝颊叶蜂 *A. brevinervis***
中胸前侧片全部黑色，刻纹密集 …………………………………… **光盾钝颊叶蜂 *A. scutellare***
8. 腹部两端黑色，中部 2～6 节红褐色；翅浅烟灰色，无横带斑；触角全部黑色；中胸背板前叶全部黑色；后翅臀室无柄式 ………………………………………………… **无柄钝颊叶蜂 *A. sessilia***
腹部斑纹不同上述；后翅臀室具柄式；至少中胸背板前叶后部黄色；前翅翅痣下具烟褐色横带斑 ………………………………………………………………………………………………… 9
9. 触角全部黄褐色；后胸黄褐色，小盾片和后胸前侧片黑色；腹部黄褐色，端部 4 节和锯鞘全部黑色 ……………………………………………………………………… **中华钝颊叶蜂 *A. sinense***
触角至少端部 4 节黑色；后胸全部黄褐色，或大部黑色，仅小盾片和后胸后侧片后半部黄色；腹部端部和锯鞘黄褐色，雄虫腹部端部背板有时大部黑色 ……………………………………… 10
10. 雌虫产卵器长于中足胫节，侧面观锯鞘端长高比大于 2；雄虫下生殖板长大于宽，端部具缺口；雌虫后翅 Rs 封闭，臀室柄短于 cu-a 脉 1/2 长 ……………… **长鞘钝颊叶蜂 *A. occipitosa***
雌虫产卵器显著短于中足胫节，侧面观锯鞘端长高比约等于 1；雄虫下生殖板长约等于宽，端部圆钝，无缺口；雌虫后翅 Rs 开放，臀室柄长于 cu-a 脉 ………………………………… 11
11. 前翅烟斑约等宽于翅痣长，翅痣基部 2/3 黑色，端部 1/3 黄褐色；触角鞭 3～9 节黑褐色，第 3 节外侧浅褐色；胸腹部无黑斑 ………………………………… **黑角钝颊叶蜂 *A. nigrocornis***
前翅烟斑窄，显著窄于翅痣长，翅痣黄褐色，仅基部 1/4 黑色；雌虫触角 3～5 节全部黄褐色；如果雄虫触角 3～5 节黄褐色，则胸部具黑斑 ………………………………………………… 12
12. 雌虫胸腹部黄褐色，具少量黑斑，雄虫胸部大部黑色；雄虫触角全部黑褐色，腹侧有时稍淡 ……
………………………………………………………………………………… **秦岭钝颊叶蜂 *A. qinlingia***
两性胸腹部均无明显黑斑，雄虫触角 1～5 节黄褐色 ……………… **美丽钝颊叶蜂 *A. elegans***

（201）黑角钝颊叶蜂 *Aglaostigma nigrocornis* Wei，1998 陕西新纪录

Aglaostigma nigrocornis Wei in Wei *et* Nie，1998e：146.

鉴别特征： 体长 11.50mm。体黄褐色，上唇、后胸后侧片后角和后足转节白色，后胸后侧片中部具小型黑斑；触角第 3 节腹侧端部和第 4 节以远黑褐色。翅烟黄色，翅痣下具等宽于翅痣长的烟黑色横带，翅痣基部 3/4 黑褐色，端部 1/4 黄褐色。体光滑。唇基方大，两侧平行，端缘具极浅的缺口；颚眼距稍宽于单眼直径；背面观后头两侧平行。触角细，长于腹部，第 3 节稍长于第 4 节。后胸后侧片长方形，后端角突出。爪内齿稍长于外齿。后翅臀室柄稍长于 cu-a 脉，Rs 室开放，M 室封闭。并胸腹节具细弱中缝。

采集记录： 4♀，凤县嘉陵江源头，1617m，2007. Ⅶ. 14，朱巽、蒋晓宇采。

分布： 陕西（凤县）、河南、甘肃、湖北、四川。

(202) 秦岭钝颊叶蜂 *Aglaostigma qinlingia* Wei, 1998 陕西新纪录（图版5：I）

Aglaostigma qinlingia Wei in Wei *et* Nie, 1998e: 148.

鉴别特征：体长10～12mm。体黄褐色，触角端部4节、前胸背板两侧大部、中胸背板前叶中央大部、侧叶条状斑、中胸侧板前后缘、中胸腹板、中胸后侧片、后胸侧板除白斑外、后足基节基部3/4、腹部背板两侧各1列大斑黑色。翅烟黄色，翅痣下具窄而直的烟黑色横带，翅痣基部1/4黑褐色，端部3/4黄褐色。体光滑，胸部背侧具细小刻点。颚眼距等于单眼直径；爪内齿稍长于外齿；后翅臀室柄稍长于cu-a脉，Rs室开放，M室封闭。并胸腹节具细弱中缝。雄虫头胸部黑色，具丰富淡斑；腹部两侧及腹部端部黑褐色，后翅具不完整的缘脉。

采集记录：1♀1♂，凤县嘉陵江源头，1617m，2007. Ⅶ. 14，朱巽采；1♀，太白山，1580m，2007. Ⅶ. 12，朱巽采；2♂，太白山，1300～1600m，2005. Ⅶ. 06-07，杨青采；1♂，华山，1300～1600m，2005. Ⅶ. 12，朱巽采；1♂，镇安，1300～1600m，2005. Ⅶ. 10，杨青采。

分布：陕西(凤县、眉县、华阴、镇安)、河南。

(203) 长鞘钝颊叶蜂 *Aglaostigma occipitosa* (Malaise, 1931) 陕西新纪录

Macrophyopsis occipitosa Malaise, 1931: 118.

鉴别特征：体长12～14mm。体和足暗黄褐色，唇基、上唇、内眶、触角3～5节、基节端部、转节、跗节大部、腹部腹板大部黄白色，胸部背板各叶顶部和沟缝处具形状不定的黑斑，触角端部4节黑褐色。翅烟褐色透明，前缘脉和翅痣黄褐色，翅痣下烟色横带斑模糊。颚眼距1.30倍于前单眼直径，单眼后区宽长比小于2，侧沟深，后缘脊模糊；触角第3节稍长于第4节。后足基跗节稍长于2～4跗分节之和，爪内齿稍长于外齿；后翅Rs和M室封闭，臀室具短柄。产卵器长大，稍短于后足胫节，腹缘显著弯曲，端部截形。雄虫头胸部大部黑色，具丰富黄白斑，触角背侧黑褐色，腹部浅褐色，下生殖板宽大，长大于宽，端部具缺口。

采集记录：9♀，长安终南山，1555m，2006. Ⅴ. 27，朱巽、杨青采；2♀，长安区鸡窝子，1765m，2008. Ⅵ. 27，朱巽、蒋晓宇采；8♀4♂，凤县嘉陵江源头，1570m，2007. Ⅴ. 26，朱巽采；4♀，留坝大坝沟，1320m，2007. Ⅴ. 20，朱巽采；21♀，佛坪，1000～1450m，2005. Ⅴ. 17，刘守柱、朱巽采；10♀94♂，佛坪大古坪，1320m，2006. Ⅳ. 28，朱巽、何末军采；10♀59♂，佛坪岳坝，1085m，2006. Ⅳ. 29，何末军、朱巽采；4♀，宁陕旬阳坝，1400m，2009. Ⅵ. 28，于海丽采；3♀，宁陕旬阳坝，1400m，2009. Ⅳ. 18，于海丽采。

分布：陕西(长安、凤县、留坝、佛坪、宁陕)、辽宁、河北、山西、河南、甘肃、

安徽、浙江、湖南、重庆、四川、贵州；俄罗斯，日本。

(204) 多斑钝颊叶蜂 *Aglaostigma bicolor* Wei, 2002 陕西新纪录

Aglaostigma bicolor Wei, 2002d: 104.

鉴别特征：体长9.50～11.50mm。体和触角黑色，上唇、唇基、上颚基部、内眶上部狭条、下眶狭条斑、前胸背板后角和后缘、翅基片、小盾片、后小盾片、后胸后侧片后角、腹部第1背板除最基缘外、第2～3和6～9背板中央圆斑、第4背板基缘、第5背板大部、第10背板、2～6节腹板黄色，锯鞘端和触角基部2节大部浅褐色；各足基节、后足股节端部3/5、后足胫节端部黑色，各足转节、前中足股节、后足股节基部2/5黄色，前中足胫跗节、后足胫节基部2/3～3/5红褐色，后足跗节黑褐色。翅痣黑褐色。颚眼距等宽于单眼直径；单眼后区宽长比等于3；触角第3节长于第4节；后翅臀室柄稍短于cu-a脉，M室封闭，Rs室开放，M室较大，高显著短于长，R_1室端部圆，无赘柄；并胸腹节具模糊；锯鞘明显长于中足胫节。

采集记录：1♀，凤县嘉陵江源头，1570m，2007.Ⅴ.26，朱巽采。

分布：陕西(凤县)、河南。

(205) 双环钝颊叶蜂 *Aglaostigma pieli* (Takeuchi, 1938) 陕西新纪录（图版5：J）

Laurentia pieli Takeuchi, 1938: 63.

鉴别特征：雌虫体长10～13mm，雄虫体长8～10mm。体和足暗红褐色，唇基、上唇、唇基上区、内眶和后眶大部、前胸背板后缘、小盾片、附片、后胸后侧片大部、腹部第1和4背板全部、7～10背板大部黄色，胸部背板各叶顶部、中胸腹板、后胸大部、腹部2～3节大部黑褐色，各足基节部分暗褐色。翅烟褐色，翅痣浅褐色。颚眼距等宽于单眼直径；单眼后区宽长比等于2，后缘脊明显；触角第3节明显长于第4节。头部背侧和胸部侧板具致密刻纹和模糊刻点，无光泽；腹部背板具细密刻纹。后足基跗节等长于2～4跗分节之和，爪内齿长于外齿。后翅Rs和M室封闭，臀室具短柄。腹部第1背板具中缝；产卵器短于中足胫节，端部截形。雄虫体大部黑色，上唇、内眶条斑、前胸背板后缘、后胸后侧片大部、腹部第4节黄白色。

采集记录：1♂，太白山蒿坪寺，1200m，1982.Ⅴ.18，陕西太白山昆虫考察组采；3♀，留坝大坝沟，1320m，2007.Ⅴ.20，朱巽、蒋晓宇采；2♀，佛坪岳坝，1085m，2006.Ⅳ.29，朱巽采；1♀，佛坪，832m，2006.Ⅳ.30，朱巽采；1♀，佛坪大古坪，1190m，2006.Ⅳ.27，朱巽采；1♀，佛坪，1000～1450m，2005.Ⅴ.17，朱巽采。

分布：陕西(眉县、留坝、佛坪)、河北、河南、安徽、浙江、湖北、湖南、福建、四川、贵州。

(206) 光盾钝颊叶蜂 *Aglaostigma scutellare* Wei *et* Nie, 1999 陕西新纪录

Aglaostigma scutellare [sic!] Wei *et* Nie, 1999e: 154.

鉴别特征: 雌虫体长10mm。体黑色，上唇、唇基大部、唇基上区、内眶狭斑、前胸背板后缘狭边、中胸小盾片、后胸小盾片中央、后胸后侧片后部1/2、腹部第4节、第10节背板中央、各足第2~5跗分节淡黄色，触角基部2节、第3~5节外侧、各足股节、胫节和基跗节大部暗红褐色，各足基节和转节、前足股节基部、中足股节基部和端部背侧、后足股节端半部和后足胫节末端黑色。翅透明，无烟斑，翅痣端部1/3浅褐色，翅痣其余部分黑色。体毛银色。颚眼距稍宽于单眼直径；单眼后区宽约2倍于长，后缘脊发达；额区皱纹较粗密，胸部侧板具细弱刻纹和刻点。后足基跗节等长于其后3节之和，爪内齿稍长于外齿。后翅臀室柄稍长于cu-a脉的1/2，Rs室开放，M室封闭。并胸腹节具细中缝，腹部背板具明显刻纹；锯鞘等长于中足胫节，侧面观端部窄截形。雄虫体长8mm，唇基大部、触角基部2节黑色，下生殖板端部钝截形。

采集记录: 1♀，长安区鸡窝子，1720m，2008. Ⅴ. 23，于海丽采；1♀，凤县，1982. Ⅵ，王鸣采。

分布: 陕西(长安、凤县)、河南、甘肃。

(207) 短脉钝颊叶蜂 *Aglaostigma brevinervis* Wei, 2002 陕西新纪录

Aglaostigma brevinervis Wei, 2002d: 106.

鉴别特征: 体长7.50mm。体和触角黑色，上唇、唇基、内眶、后眶、中窝侧臂顶缘、前胸背板后缘、翅基片、小盾片、后小盾片中部、中胸前侧片大斑、后侧片下缘、后胸前侧片上部、腹部第8背板端部、第10背板、各节背板缘折和腹板黄色；足暗黄褐色，各足基节基部黑色，基节端部、转节和后足跗节白黄色，后足股节端半部和后足胫节端部1/3黑色。翅无烟色横带，翅痣黑褐色。头部背侧黑斑内具密集刻纹和模糊刻点，其余部分光滑，中胸前侧片具细弱刻纹，腹部1~7背板具微细刻纹。颚眼距2倍于单眼直径；单眼后区宽长比大于2.50。触角第3节微长于第4节；爪内齿几乎等长于外齿。后翅臀室柄很短，M和Rs室封闭。并胸腹节具中缝和膜区。锯鞘等长于前足胫节，锯腹片窄长，13节12锯刃，中部锯节具2~3个分离的齿突。

采集记录: 1♀，长安区鸡窝子，1765m，2008. Ⅵ. 27，朱巽采；2♀6♂，凤县嘉陵江源头，1570m，2007. Ⅴ. 26，朱巽、蒋晓宇采。

分布: 陕西(长安、凤县)、河南。

本种雄虫是首次报道。

(208) 大黑钝颊叶蜂 *Aglaostigma carbo* (Malaise, 1931) 陕西新纪录

Macrophyopsis carbo Malaise, 1931: 119.

鉴别特征: 体长 12 ~ 14mm。体和足黑色, 仅前足股节前侧部分、前足胫跗节部分褐色。体毛黑褐色。翅浅烟灰色, 翅痣大部黑褐色, 前缘脉褐色, 翅痣下具边界模糊的烟褐色带斑。颚眼距 1.80 倍于侧单眼直径; 单眼后区宽长比小于 2, 具中纵沟, 侧沟宽深, 后缘脊显著; 触角第 3 节几乎不长于第 4 节。头部背侧刻点不显著, 局部具模糊刻纹; 中胸前侧片具微弱刻纹, 光泽显著; 腹部背板具显著微细刻纹, 第 1 背板光泽较强, 其余背板光泽弱。后足基跗节稍长于 2 ~ 4 跗分节之和, 爪内齿微长于外齿; 后翅 Rs 和 M 室封闭, 臀室柄约等长于 cu-a 脉。锯鞘约等长于中足胫节, 侧面观锯鞘端部具弧形缺口。雄虫唇基、上唇、上颚基部、内眶斑、唇基上区、前胸背板后缘、各足基节外侧大斑黄白色, 前中足大部浅褐色, 后足股节部分暗褐色。

采集记录: 3♂, 佛坪, 832m, 2006. Ⅳ. 30, 何末军采。

分布: 陕西(佛坪)、黑龙江; 俄罗斯。

本种雄虫是首次报道。

(209) 无柄钝颊叶蜂 *Aglaostigma sessilia* Wei, 1998 陕西新纪录

Aglaostigma sessilia Wei in Wei *et* Nie, 1998e: 148.

鉴别特征: 体长 10mm。体黑色, 上唇、唇基端半、内眶、前胸背板后缘狭边、中胸背板侧叶条斑、小盾片中斑和后胸后侧片后角白色, 各足转节、后足股节基部 1/6 和后足跗节大部淡黄褐色, 前足股节端部、前中足胫跗节和后足胫节中央宽环暗黄褐色, 后足胫节端部黑褐色, 腹部第 3 ~ 7 节背腹板红褐色。翅烟灰色, 翅痣和翅脉黑色。单眼后区宽稍大于长, 触角长于腹部, 第 3 节长于第 4 节; 中胸侧板光滑, 后胸后侧片发达; 爪内齿稍长于外齿; 后翅臀室无柄式, cu-a 脉交于臀室末端, Rs 室和 M 室均封闭; 并胸腹节具中缝, 腹部各节背板均具明显刻纹。锯鞘短于后足基跗节长。

采集记录: 1♀, 长安区鸡窝子, 1765m, 2008. Ⅵ. 27, 朱巽采; 1♀, 长安区鸡窝子, 2077m, 2008. Ⅵ. 28, 蒋晓宇采; 1♂, 佛坪大古坪, 1320m, 2006. Ⅳ. 28, 朱巽、何末军采。

分布: 陕西(长安、佛坪)、河南、湖北、湖南。

(210) 美丽钝颊叶蜂 *Aglaostigma elegans* Wei *et* Nie, 1999 陕西新纪录

Aglaostigma elegans Wei *et* Nie, 1999c: 103.

鉴别特征：体长9~11mm。体及足黄褐色，侧窝底部、触角端部4节、前胸背板侧叶中部、中胸背板前叶前半中央、中胸腹板中央、中胸后侧片大部、后胸前侧片前缘和下缘、后胸后侧片前半部以及后足基节基部黑色；上唇、唇基、内眶、上眶后缘、前胸背板后缘、中胸背板前叶后部、小盾片和附片、中胸前侧片中部、后胸前侧片中后部、后胸后侧片后半部、腹部第1背板两侧白色；各足转节淡黄色。翅透明，翅痣下具狭窄且弯曲的烟色横带，翅痣大部黄褐色，翅痣基部黑褐色。体光滑，具强光泽；头胸部背侧小盾片和附片外具细小刻点或刻纹。颚眼距等长于前单眼直径；单眼后区后缘脊细低。触角第3节微长于第4节。爪内齿等长或微长于外齿。后翅Rs室开放，M室封闭；臀室柄等长于cu-a脉。锯鞘等长于后足基跗节。

采集记录：1♀，宁陕火地塘，1984.Ⅷ，孙营采。

分布：陕西(宁陕)、河南、四川、贵州。

(211) 中华钝颊叶蜂 *Aglaostigma sinense* Malaise, 1945

Aglaostigma (*Stigmatozona*) *sinense* Malaise, 1945: 177.

鉴别特征：体长10~12mm。体黑色，唇基、上唇、上颚、内眶大部、触角、前胸背板后缘宽边、翅基片、后胸除小盾片和前侧片外、腹部1~6节全部和尾须黄褐色；足黄褐色，基节基部黑色；翅烟黄色，翅痣基半部黑色，端半部黄色，翅痣下具稍短于翅痣的烟黑色横带斑。颚眼距等宽于单眼直径，单眼后区宽1.80倍于长，后缘脊高，侧沟宽深；触角第3节明显长于第4节；头部额区具细密刻纹，中胸前侧片刻纹模糊，表面光滑；腹部背板刻纹为弱。后足基跗节等长于2~4跗分节之和，爪内齿长于外齿；后翅Rs室开放，M室封闭，臀室柄等长于cu-a脉。腹部第1背板无中缝，具细中脊；锯鞘长大，微短于后足胫节，端部窄，具背顶角。

采集记录：1♀，眉县太白山七女峰，2297m，2014.Ⅵ.08，祁立威、康伟楠采。

分布：陕西(眉县)、河南、湖北、湖南、重庆、四川。

(212) 黑腹钝颊叶蜂 *Aglaostigma melanogaster* Wei, 2002

Aglaostigma melanogastera [sic!] Wei, 2002d: 105.

鉴别特征：体长11mm。体、触角和足黑色，上唇大部、唇基大部、上颚基部、口须、内眶和后眶狭窄的条斑、唇基上区中部、小盾片中央纵斑、后胸后侧片后角、腹部第9~10背板端部、腹部腹板全部白黄色；后足转节黄褐色，前足股节大部、前中足胫跗节、后足胫节基部2/3~3/5红褐色；额脊和触角基部数节背侧暗红褐色，腹部第4~5节中央浅褐色。翅透明，无烟褐色横带，翅痣黑褐色。头部背侧、胸部背板和侧板具细密刻纹。颚眼距1.50倍宽于单眼直径；单眼后区宽长比稍大于2.50。触角

第3节等长于第4节；后足爪内齿短于外齿；后翅臀室柄约等长于cu-a脉，M和Rs室封闭；并胸腹节具模糊中缝和很小的膜区，无中脊；锯鞘等长于前足胫节，锯腹片12锯节，具10个锯刃。

分布：陕西（长安）、河南、甘肃、湖南、贵州。

89. 侧跗叶蜂属 *Siobla* Cameron, 1877

Siobla Cameron, 1877: 88-89. **Type species**: *Siobla mooreana* Cameron, 1877.

Encarsioneura Konow, 1890: 236, 240. **Type species**: *Tenthredo* (*Allantus*) *sturmii* Klug, 1817.

Megasiobla Dovnar-Zapolskij, 1930: 86. **Type species**: *Megasiobla zenaida* Dovnar- Zapolskij, 1930.

属征：体型粗壮。头胸部通常具粗糙密集刻点；上唇小型，端部圆钝，唇根隐蔽；唇基窄于复眼下缘间距，端部截形；颚眼距窄于单眼直径；上颚粗短，不对称，右上颚单齿，左上颚双齿；复眼中大型，内缘直，向下强烈收敛；触角窝上突通常不隆起，中窝宽大，侧窝宽沟状，向前开放；额区不明显分化，单眼三角小；背面观后头稍延长，两侧通常向后收缩；后颊脊发达；触角稍侧扁，基部2节长大于宽，第3节显著长于第4节。前胸背板沟前部稍宽于单眼直径，无缘脊；前胸侧板腹侧接触面窄；中胸小盾片前凹横沟形；后胸淡膜区小，间距大于淡膜区横径2倍；后小盾片前凹发达；后胸后背片中部狭窄；中胸无胸腹侧片，中胸侧板前缘脊发达，中胸后侧片宽大，具中位横脊；后胸后侧片窄，后角不延伸。后足基节发达，股节常伸出腹部末端；前足胫节内端距端部分叉，后足胫节端距短于基跗节1/2长；后足跗节显著侧扁，基跗节长于其后3节之和但短于其后4节之和；爪无显著基片，内齿常长于外齿。前翅R脉短，明显下垂；R+M脉长于R脉，短于1M脉；1M和1m-cu脉平行，互相近等长，cu-a脉临近1M脉基部；2Rs室不长于$1R_1$+1Rs室；臀横脉强烈倾斜，位于臀室中部外侧；后翅Rs和M室封闭，臀室封闭，具短柄。腹部第1背板具中缝，气门靠近前上角；产卵器细长，强烈骨化。阳茎瓣无端侧突。

分布：古北区，东洋区北缘。世界已知105种，中国分布90种，秦岭地区发现26种，本文记述26种。

分种检索表

1. 体具强烈金属光泽，头部有时具红色或绿色光泽 ………………………… 1
   体无金属光泽 ………………………………………………………………… 3
2. 后足黄褐色 ……………………………………… **橙足侧跗叶蜂 *S. zenaida***
   后足蓝黑色，无淡斑 …………………………… **网刻侧跗叶蜂 *S. reticulatia***
3. 中胸小盾片前坡光滑无刻点 ……………………… **光盾侧跗叶蜂 *S. grahami***
   中胸小盾片前坡刻点致密，刻点间隙清晰可见或阙如，不宽于刻点直径 …………… 4
4. 体全部黑色 ………………………………………………………………… 5

至少腹部具明显淡斑 ………………………………………………………………………………………… 9

5. 触角窝上突窄，强烈隆起……………………………………………… **马氏侧跗叶蜂 *S. malaisei***

触角窝上突正常，不强烈隆起 ………………………………………………………………………… 6

6. 雄虫。头部背侧毛明显长于单眼直径，弯曲（雌虫见 24）…………… **散毛侧跗叶蜂 *S. villosa***

雌虫和雄虫。头部背侧毛明显短于单眼直径，不弯曲 ……………………………………………… 7

7. 雌虫。锯刃强烈突出 …………………………………………………………………………………… 8

雌虫和雄虫。锯刃平，轻微突出……………………………………………… **刘氏侧跗叶蜂 *S. liui***

8. 后足转节白色，翅痣黑色；锯刃倾斜(雄虫见 23)……………… **脊唇侧跗叶蜂 *S. carinoclypea***

后足转节黑色，翅痣淡色；锯刃方形(雄虫见 26) ………………… **方刃侧跗叶蜂 *S. femorata***

9. 中胸小盾片黄色 ……………………………………………………………………………………… 10

中胸小盾片黑色 ……………………………………………………………………………………… 14

10. 至少触角端部 4 节黑色……………………………………………………………………………… 11

触角全部黄色或黄褐色 ………………………………………………………………………………… 13

11. 雄虫。上眶黑色；腹部腹板黄白色；各足基节腹侧、转节、后足股节前侧和基半部，触角 3 ~ 5 节腹侧黑色，后胸背板黄白色；侧沟直，亚平行；中胸前侧片上角具微小分散的刻点；中胸后侧片大部光滑(雌虫见 13) ……………………………………………… **大黄侧跗叶蜂 *S. maxima***

雌虫和雄虫。头部黄色具黑斑，上眶黄色 …………………………………………………………… 12

12. 腹部第 5 节背板背侧和腹侧黑色；第 6 和 7 节背板中部具三角形黑斑；中胸背板刻点间隙光滑；单眼后区强烈隆起，高于单眼顶面；侧面观锯鞘端部宽截；锯腹片中部锯刃具 12 ~ 14 小齿 ……………………………………………………………………… **三斑侧跗叶蜂 *S. trimaculata***

腹部 3 ~ 10 背板黄褐色；中胸背板刻点间隙不明显；单眼后区弱隆起，不高于单眼顶面；侧面观锯鞘端部窄；中部锯刃具 8 ~ 10 个小齿………………………… **侧带侧跗叶蜂 *S. nigrolateralis***

13. 雌虫和雄虫。前翅端部 1/3 烟褐色……………………………… **黄缘侧跗叶蜂 *S. fulvomarginata***

雌虫。翅透明，无烟斑(雄虫见 11) ……………………………………… **大黄侧跗叶蜂 *S. maxima***

14. 至少触角端部 4 节白色，第 8 ~ 9 节有时棕色；触角基部 5 节黑色，第 1 ~ 2 节有时红褐色 …… 15

触角全部黑色，或黄色 ………………………………………………………………………………… 19

15. 触角第 1 ~ 2 节和前胸背板后缘黄褐色 ……………………………………………………………… 16

触角第 1 ~ 2 节和前胸背板黑色 ……………………………………………………………………… 17

16. 腹部背板第 1 节具致密刻纹；第 3 节背板全部黑色；后足跗分节黑色；雄虫头部背侧细毛黑色 ……………………………………………………………………………… **钟氏侧跗叶蜂 *S. zhongi***

腹部背板第 1 节无致密刻纹；雌虫腹部背板第 3 节大部黄褐色；后足跗分节黄褐色；雄虫头部背侧毛浅棕色 ……………………………………………………………… **弯毛侧跗叶蜂 *S. curvata***

17. 触角基部 3 节黑色，第 4 ~ 7 节黄色，端部 2 节棕色；锯腹片亚端部明显较中基部加宽，刃齿强烈突出…………………………………………………………………… **环角侧跗叶蜂 *S. annulicornis***

触角第 1 ~ 5 节黑色，端部 4 节白色；锯腹片向端部渐窄，锯刃微弱突出……………………… 18

18. 腹部第 1 节和末端 4 ~ 5 节黑色，第 2 ~ 4 节黄褐色；后足基跗节、后足股节基部 1/2 ~ 1/3 黄棕色 ………………………………………………………………… **宽环侧跗叶蜂 *S. venusta rohweri***

腹部第 2 节黄白色，第 3 ~ 4 节大部或全部黑色 ………… **环丽侧跗叶蜂 *S. venusta venusta***

19. 后足转节淡色 ………………………………………………………………………………………… 20

后足转节黑色 ………………………………………………………………………………………… 24

20. 触角鞭节黄色或红棕色 ……………………………………………………………………………… 21

触角黑色，端部数节腹侧有时淡棕色 …………………………………………………………………… 23

21. 后胸后背板、后胸侧板、腹部第1~5节全部、第1~6节腹板全部和后足胫节黄棕色；翅透明，C脉和翅痣浅黄褐色 …………………………………………… **红基侧跗叶蜂 *S. rufopropodea***
后胸后背板和侧板黑色；腹部黑色，第2~3节背板黄棕色，第1背板后缘和第4背板前缘有时黄棕色；后足胫节端部1/3黑色；前翅具明显烟斑，C脉大部黑色，翅痣棕色 ………… 22

22. 产卵器等长于中足胫节，等宽于后足胫节端部宽，端部宽弧形突出；中部锯刃强烈突出，第10节具3~5个大型外侧亚基齿；单眼后区宽1.30倍于长；中胸背板刻点间隙光滑；腹部第1背板光滑，其余背板具致密刻纹 ………………………………………… **斜刃侧跗叶蜂 *S. acutitheca***
产卵器0.90倍于中足胫节长，约等长于后足胫节端部1/2宽，端部尖；中部锯刃平，第10节具10~12个小型外侧亚基齿；单眼后区宽等于长；中胸背板刻点间隙具微细刻纹，光泽弱；腹部第1背板具细刻纹，其余背板具明显刻纹 ………………… **小斑侧跗叶蜂 *S. pseudoplesia***

23. 雄虫。前胸背板和翅基片黑色，有时前胸背板后缘和翅基片外缘窄边淡色，雄虫阳茎瓣头叶宽，端部1/3明显渐窄(雌虫见8) ……………………………… **脊唇侧跗叶蜂 *S. carinoclypea***
雌虫和雄虫。前胸背板后缘宽边和翅基片大部黄褐色；阳茎瓣头叶窄长 ……………………… ………………………………………………………………………… **李氏侧跗叶蜂 *S. listoni***

24. 雌虫。后足跗垫大型，第1跗垫不短于第2跗分节，第1~2跗垫间距稍长于第1跗垫；锯腹片具明显节缝(雄虫见6) …………………………………………… **散毛侧跗叶蜂 *S. villosa***
雌虫和雄虫。跗垫小型，第1跗垫明显短于第2跗分节，第1~2跗垫间距2~3倍长于第1跗垫；锯腹片节缝不明显 ………………………………………………………………………… 25

25. 触角至少端部5节黑色 ………………………………………………………………………… 26
触角至少端部6节红棕色 ………………………………………………………………………… 27

26. 雌虫和雄虫。头部背侧毛弯曲，2倍长于中单眼直径；雌虫前胸背板具明显红褐色窄边；雄虫体长约9mm，腹部背板第2~3节红棕色 ……………………… **棒角侧跗叶蜂 *S. clavicornis***
雄虫。头部背侧毛直，等长于中单眼直径；前胸背板黑色，体长约9mm，腹部背板第2~5节黄褐色(雌虫见8) ………………………………………………… **方刃侧跗叶蜂 *S. femorata***

27. 雌虫 ………………………………………………………………………………………… 28
雄虫 ………………………………………………………………………………………… 31

28. 前胸背板后缘褐色边斑约0.20倍于中单眼直径；上唇黑色 …………………………… 29
前胸背板后缘褐色边斑约2倍于中单眼直径；上唇端半部红棕色 …………………………… 30

29. 头部背侧细毛明显弯曲，长约1.80倍于单眼直径；后足股节黑色；第2~4节腹部背板光滑(雄虫见33) ………………………………………………………… **陕西侧跗叶蜂 *S. shaanxi***
头部背侧毛直，约0.80倍于中单眼直径；后足股节黄褐色具黑色条纹；第2~4节腹部背板具刻纹(雄虫见32) …………………………………………………… **狭颊侧跗叶蜂 *S. vulgaria***

30. 腹部第8节背板大部或全部黄褐色(雄虫见32) ……………………… **秦巴侧跗叶蜂 *S. qinba***
腹部第8节背板黑色(雄虫见33) ……………………………………… **中原侧跗叶蜂 *S. centralia***

31. 腹部腹板包括下生殖板黄褐色 ……………………………………………………………… 32
腹部至少下生殖板黑色 ……………………………………………………………………… 33

32. 头部背侧细毛较直，长约0.80倍于中单眼直径；前胸背板后缘几乎无淡色边缘(雌虫见29) …… ………………………………………………………………………… **狭颊侧跗叶蜂 *S. vulgaria***
头部背侧细毛明显弯曲，长约1.10倍于中单眼直径；前胸背板后缘具明显淡色宽边(雌虫见30) ……………………………………………………………………… **秦巴侧跗叶蜂 *S. qinba***

33. 翅痣黑褐色；触角第 3 节大部黄色(雌虫见 29) ……………………… **陕西侧跗叶蜂 *S. shaanxi***
翅痣黄褐色；触角第 3 节大部黑色(雌虫见 30) ……………………… **中原侧跗叶蜂 *S. centralia***

(213) 斜刃侧跗叶蜂 *Siobla acutitheca* Niu *et* Wei, 2010

Siobla acutitheca Niu *et* Wei, 2010b: 911.

鉴别特征: 体长约 12mm。体黑色；触角第 1 节背侧、第 2 节端部 4/5、鞭节全部、前胸背板后缘狭边(最宽处约 0.90 倍于侧单眼直径)、腹部第 2 背板全部、第 3 背板大部、2～5 腹板全部黄褐色。足黄褐色，体毛银褐色。翅浅烟褐色透明，端部 1/3 左右具明显烟斑。头部、中胸背板前叶、侧叶大部、小盾片前坡刻点十分密集，光滑间隙十分狭窄；中胸盾片两侧刻点稍稀疏，刻点间隙光滑，光泽较强；腹部第 1 背板刻纹极细弱。中胸小盾片显著隆起，后足基跗节明显膨大。雌虫锯腹片窄长，锯刃 16 个，锯刃强烈倾斜突出。雄虫下生殖板长等于宽，端部圆钝；阳茎瓣头叶基部较宽，端部狭窄，背缘齿较细小。

采集记录: 1♀，周至，2009. Ⅵ. 30，王培新采；1♀，周至，2009. Ⅵ. 23，王培新采；1♂，周至，2009. Ⅴ. 12，王培新采；1♂，周至，2009. Ⅴ. 19，王培新采(coll. CSCS)；1♀，[China: Shaanxi]，Kaitianguan，2000m，Mt. Taibaishan，Qinling Mts.，06. Ⅵ. 2006，A. Shinohara；NSMT-HYM，63349；1♂，[China: Shaanxi]，Kaitianguan，2000m，Mt. Taibaishan，Qinling Mts.，08. Ⅵ. 2006，A. Shinohara；NSMT-HYM，63363；1♂，[China: Shaanxi]，Kaitianguan，2000m，Mt. Taibaishan，Qinling Mts.，08. Ⅵ. 2006，A. Shinohara；NSMT-HYM，63366 (coll. NSMT)。

分布: 陕西(周至、眉县)、河南、甘肃、湖北。

(214) 环角侧跗叶蜂 *Siobla annulicornis* Niu *et* Wei, 2010

Siobla annulicornis Niu *et* Wei，2010a: 51.

鉴别特征: 体长 10.50～13.00mm。体黑色，触角第 4～7 节、腹部 2～3 节背板、第 2～4 腹板浅黄褐色。足黄褐色，各足基节、后足股节端部半黑色。体毛浅褐色。翅烟黄色透明，前翅末端色泽稍暗。头部刻点粗糙致密，光泽弱；小盾片刻点粗糙致密；中胸前侧片前部和腹侧刻点较稀疏，光泽强；腹部第 1～4 节背板光滑无明显刻点和刻纹，其余背板具稀疏浅弱刻点和微弱刻纹。雌虫颚眼距约等于中单眼直径 1/2；中胸小盾片圆钝隆起，等高于背板平面；锯腹片柳叶刀形具 14 个锯刃，锯刃尖锐，中部锯刃具 7～8 个外侧亚基齿和 1 个内侧亚基齿。雄虫颚眼距线状；下生殖板端部圆钝；阳茎瓣头叶宽大。

采集记录: 1♀(正模)，长安终南山，1555m，2006. Ⅴ. 27，杨青采；4♂(副模)，

长安终南山，1555m，2006. Ⅴ.27，杨青采。

分布：陕西(长安)。

(215) 脊唇侧跗叶蜂 *Siobla carinoclypea* Niu *et* Wei, 2010

Siobla carinoclypea Niu *et* Wei, 2010b：913.

鉴别特征：体长10.50~12.00mm。体和足黑色；前胸背板后缘狭边暗褐色，后足转节黄褐色。体毛银褐色。翅透明。头部刻点粗糙密集，无光滑间隙，小盾片前坡刻点十分密集，中胸前侧片中上部刻点粗糙致密；腹部第1背板刻纹极细弱，其余背板具显著细刻纹。唇基中部具钝横脊，明显隆起，唇基端缘中部具小缺口；雌虫颚眼距约等于中单眼直径。中胸小盾片明显隆起，稍高于背板平面。锯腹片细长，柳叶刀形，亚端部显著加宽，锯刃18个，中部锯刃强烈突出。雄虫颚眼距0.80倍于中单眼直径；下生殖板长约等于宽，端部圆钝；阳茎瓣头叶稍弯曲，中基部较宽，端部狭窄，背缘齿较细小。

采集记录：1♀(副模)，凤县嘉陵江源头，1570m，2007. Ⅴ.26，蒋晓宇采；2♀，留坝桑园砖头坝，1158m，2014. Ⅵ.15，魏美才采；1♀，留坝县桑园砖头坝，1223m，2014. Ⅵ.16，魏美才采；1♀，佛坪凉风垭顶，2128m，2014. Ⅵ.18，魏美才采；1♀，佛坪三官庙，1529m，2014. Ⅵ.19，刘萌萌、刘婷采。

分布：陕西(凤县、留坝、佛坪)、湖南、贵州。

(216) 中原侧跗叶蜂 *Siobla centralia* Niu *et* Wei, 2012 (图版5：K)

Siobla centralia Niu *et* Wei, 2012b：403.

鉴别特征：体长9~11mm。体黑色；触角红褐色，触角仅第1~3节的基端收缩柄部黑色；腹部2~4节背板黄褐色，第6、7腹板两侧具黑斑，锯鞘端浅褐色。足大部橘褐色。翅烟褐色透明，R_1脉和翅痣黄褐色，其余翅脉大部黑褐色；体毛浅褐色。头胸部刻点粗糙致密，中胸前侧片隆起部分刻点密集；腹部第1节背板大部具细密刻纹，其余背板具明显的微细刻纹。雌虫颚眼距等宽于侧单眼直径。触角较短，稍长于前翅Sc+R脉，等长于头胸部之和。中胸背板前叶中沟浅弱；小盾片低钝隆起，稍低于背板平面。锯腹片14刃，无节缝，锯刃低弱突出。雄虫体黑色，触角端半部红褐色；腹部有时具红斑。颚眼距线状。下生殖板端部圆钝；抱器端部宽钝。

采集记录：1♀(副模)，凤县嘉陵江源头，1570m，2007. Ⅴ.26，蒋晓宇采。

分布：陕西(凤县)、河北、宁夏、甘肃。

(217) 棒角侧跗叶蜂 *Siobla clavicornis* Niu *et* Wei, 2010

Siobla clavicornis Niu *et* Wei, 2010b: 914.

鉴别特征: 体长9 ~ 11mm。体黑色; 前胸背板后缘、翅基片大部红褐色; 触角大部黑色, 第1 ~2 节大部、第3 ~5 节背侧浅褐色或黄褐色; 腹部中部黄褐色; 足黑色, 后足股节基部1/3、后足胫节基端以及中部1/4、后足跗节、足胫节亚基部1/3 黄色。翅烟褐色透明; 体毛浅褐色。头胸部具密集刻点; 腹部第1 节背板光滑, 具微弱刻纹, 局部具稀疏刻点, 第2 ~9 背板刻纹细密。颚眼距0.80 倍于中单眼直径; 触角粗短, 明显短于前翅C 脉或头胸部之和。小盾片圆钝隆起, 约等高于背板平面。锯腹片窄长, 16 刃, 无节缝, 锯刃低, 微弱突出。雄虫触角全部黑色, 颚眼距0.20 倍于单眼直径。下生殖板端部圆钝; 阳茎瓣头叶宽大, 端部宽圆。

采集记录: 1♀(副模), 凤县嘉陵江源头, 1570m, 2007. Ⅴ.26, 朱巽采; 1♀, 留坝大坝沟, 1320m, 2007. Ⅴ.20, 朱巽采; 2♀, 佛坪岳坝, 1085m, 2006. Ⅳ.29, 何朱军采。

分布: 陕西(凤县、留坝、佛坪)、甘肃、湖北。

(218) 弯毛侧跗叶蜂 *Siobla curvata* Niu *et* Wei, 2012 (图版5: L)

Siobla curvata Niu *et* Wei, 2012b: 405.

鉴别特征: 体长10.50 ~12.00mm。体黑色, 触角基部2 节、前胸背板后缘宽边、翅肩片红褐色, 触角6 ~8 节全部、第5 节端部和第9 节基部白色; 腹部第2 ~4 节黄褐色。各足跗节黄褐色。翅烟黄色透明, 端部无烟斑, 体毛和锯鞘毛浅褐色。头胸部具致密粗糙刻点, 无光滑刻点间隙。后足基节外侧刻点浅弱; 腹部第1 背板无明显横向刻纹, 两侧具稍密集的细小刻点, 其余背板具微细的刻纹, 中后部背板两侧具浅弱刻点。雌虫颚眼距等长于中单眼直径。触角明显短于前翅C 脉。小盾片明显隆起。锯腹片13 刃, 亚基部不细, 无节缝, 锯刃微弱突出。雄虫触角端部4 节半白色, 触角基部2 节黑色, 前胸背板后缘淡色边缘狭窄, 后足跗节全部红褐色, 头胸部背侧毛褐色; 颚眼距0.30 倍于前单眼直径, 阳茎瓣头叶端部明显变窄。

采集记录: 3♀, 长安区鸡窝子, 1765m, 2008. Ⅵ.27, 朱巽、蒋小宇采。

分布: 陕西(长安)、宁夏、甘肃、湖北。

(219) 方刃侧跗叶蜂 *Siobla femorata* Malaise, 1945

Siobla femorata Malaise, 1945: 127.

鉴别特征：体长 11～13mm。体黑色，腹部第 2～3 节背板气门附近具小型白斑，第 10 背板中部窄三角形斑黄白色。足黑色具暗褐斑。翅弱烟黄色透明。体毛浅褐色。头部其余部分刻点极其致密，无光滑间隙；中胸背板前叶中沟附近、侧叶顶部具狭窄刻点间隙，间隙处具显著微细刻纹，光泽微弱；中胸小盾片前坡刻点密集，无明显刻点间隙，后坡刻点致密；腹部各节背板具显著细刻纹，第 1 背板两侧缘刻点浅弱模糊。颚眼距约 0.90 倍于侧单眼直径。触角丝状，中胸背板前叶中沟稍明显，不深；小盾片几乎不隆起，不高出背板平面。锯腹片 16 节，锯刃强烈凸出，端部截形，亚基齿细小，3～4个，刃间膜强烈凹入。雄虫腹部 2～5 背板、2～7 腹板橘褐色，足具显著黄褐色斑纹；颚眼距等于单眼直径 1/3，阳茎瓣头叶端部明显较窄，基部显著加宽。

采集记录：4♂，留坝县桑园范条峪，1303m，2014. Ⅵ. 14，魏美才、刘萌萌、刘婷、祁立威、康玮楠采；2♂，留坝桑园砖头坝，1158m，2014. Ⅵ. 15，祁立威、康玮楠、魏美才采；8♂，留坝县桑园砖头坝，1223m，2014. Ⅵ. 16，祁立威、康玮楠、魏美才采；4♀45♂，佛坪，1000～1450m，2005. Ⅴ. 17，刘守柱、朱巽采。

分布：陕西（留坝、佛坪）、湖北、湖南、四川、云南。

（220）黄缘侧跗叶蜂 *Siobla fulvomarginata* Wei *et* Nie，1999

Siobla fulvomarginata Wei *et* Nie, 1999e: 156.
Siobla fulvolobata transferra Wei, 2002: 123.

鉴别特征：体长 14.50～15.50mm。体黄褐色，前胸背板侧缘条斑及中部横沟、中胸背板前叶大斑以及相连的后端矢形斑、胸部其他小斑、腹部第 2 背板基缘中部黑色。足黄褐色，后足股节端部背侧具显著黑色短条斑。体毛黄褐色。翅烟黄色透明，端部具较小但明显的烟斑。头胸部细毛明显短于前单眼直径，端部直。头胸部刻点致密，腹部第 1 背板高度光滑，无刻纹，第 2～9 背板具微弱刻纹，4～9 背板具稀疏浅弱刻点；颚眼距约等于单眼直径；单眼后区中部稍隆起，低于单眼面；中胸背板前叶中纵沟锐深，十分显著；无腹刺突。锯腹片 17 刃，中端部锯刃稍突出。雄虫头胸部大部黑色具黄斑，腹部 6～7 背板横斑黑色；各足基节基部黑色；颚眼距 0.20 倍于单眼直径，后足跗节跗垫小型，端部尖；抱器宽大，长宽比小于 2。

采集记录：2♀1♂，长安终南山，1555m，2006. Ⅴ. 27，杨青采；5♀1♂，周至楼观台，899m，2006. Ⅴ. 25，朱巽、杨青采；1♀，宝鸡天台山，802m，2006. Ⅴ. 23，朱巽采。

分布：陕西（长安、周至、凤县）、山西、河南、甘肃、安徽、湖北、江西、湖南、福建、贵州。

（221）光盾侧跗叶蜂 *Siobla grahami* Malaise，1945

Siobla grahami Malaise, 1945: 122.

鉴别特征：体长10.00～12.50mm。体黑色，触角柄节部分、头部淡斑橘褐色；触角端部4节黄白色；前胸背板后缘、翅肩片、中胸背板前叶后端"V"形斑、中胸小盾片及附片、后胸小盾片、腹部中部背板、腹板大部和锯鞘黄褐色。足黄褐色具黑斑。前翅烟褐色透明，翅痣以外具内侧界限不明显的烟斑；后翅烟灰色透明，端部具少许烟斑。头胸部背侧细毛褐色至黄褐色，胸部侧板细毛银色。头部上眶和单眼后区表面光滑，光泽较强；前叶后半部隆起部分、中胸小盾片前坡及小盾片附片光滑无刻点，腹部光滑，第1节背板两侧缘具刻点，第4～9节背板两侧及后部具稀疏浅弱刻点。锯腹片具16个锯刃，中部锯刃稍倾斜突出，具8～10个细小外侧亚基齿。雄虫头部及腹部2～3节背板全部黄白色，颚眼距线状。

采集记录：1♀5♂，安康镇坪，1200m，2003.Ⅶ.06，于海丽采；8♂，镇安，1300～1600m，2005.Ⅶ.10，杨青采。

分布：陕西(安康、镇安)、甘肃、湖北、湖南、福建、广西、四川、贵州。

(222) 李氏侧跗叶蜂 *Siobla listoni* Niu *et* Wei, 2012 (图版6：A)

Siobla listoni Niu *et* Wei, 2012b: 407.

鉴别特征：体长11mm。体黑色；前胸背板后缘宽边、翅基片大部(内侧具黑斑)、腹部2～4节大部黄褐色。各足基节黑色，后足胫节基部具1对暗褐色斑，端部1/5黑色。体毛银褐色。全翅显著烟褐色，基部几乎不淡，翅痣暗褐色。头胸部刻点粗糙密集，中胸盾片两侧刻点稍稀疏；中胸小盾片后坡刻点致密，无光滑间隙。腹部第1背板刻纹极细弱，具强光泽，其余背板具显著细刻纹。头部背侧细毛稍短于侧单眼直径，端部直。颚眼距约等于中单眼直径；锯腹片细长，柳叶刀形，亚端部显著加宽，锯刃15个，中部锯刃强烈突出，具3～4个外侧亚基齿和1个内侧亚基齿，刃齿较大。雄虫触角梗节端半部和鞭节全部褐色；颚眼距0.40倍于单眼直径；头部背侧细毛1.30倍于中单眼直径；阳茎瓣头叶稍宽，端部微弱变窄。

采集记录：2♀，周至，2009.Ⅵ.09，王培新采(coll. CSCS)；1♀，[China: Shaanxi], nr. ropeway 2700m, Kaitianguan Tanguy, Mt. Taibaishan, Qinling Mts., 07. Ⅵ.2007, A. Shinohara; NSMT-HYM, 62902；1♂，[China: Shaanxi], Kaitianguan, 2000m, Mt. Taibaishan, Qinling Mts., 04. Ⅵ.2007, A. Shinohara; NSMT-HYM, 62908；1♂，[China: Shaanxi], Kaitianguan, 2000m, Mt. Taibaishan, Qinling Mts., 04. Ⅵ. 2007, A. Shinohara; NSMT-HYM, 62920 (coll. NSMT)；1♀1♂，太白青峰峡第二停车场，1792m，2014.Ⅵ.11，刘萌萌、刘婷、祁立威、康玮楠采；1♂，太白青峰峡生肖园，1652m，2014.Ⅵ.11，刘萌萌、刘婷采；1♀，留坝县桑园砖头坝，1223m，2014.Ⅵ.16，魏美才采；1♀2♂，佛坪凉风垭顶，2128m，2014.Ⅵ.18，刘萌萌、刘婷、祁立威、康玮楠采。

分布：陕西(周至、眉县、太白、留坝、佛坪)、湖北、云南。

(223) 刘氏侧跗叶蜂 *Siobla liui* Wei, 1998

Siobla liui Wei in Wei *et* Nie, 1998d: 142.

鉴别特征: 体长10~13mm。体黑色，腹部第2背板两侧大斑、第3背板两侧气门小斑白色，第10背板中部窄三角形斑和尾须浅褐色；触角红褐色。足黑色，前足股节端部以及前缘条斑、中足股节前缘条斑、前足胫跗节全部、中足胫跗节腹侧以及各足胫节端距浅褐色。翅弱烟褐色透明，翅痣、翅脉黑褐色。体背侧细毛浅褐色，侧板细毛银色。头胸部刻点十分密集，无刻点间隙；腹部第1节背板具细密刻纹，两侧具浅弱刻点，其余各节背板具显著细横刻纹。头部背侧细毛稀疏；颚眼距0.60~0.70倍于侧单眼直径；小盾片微弱隆起，锯腹片16节，锯刃微弱突出，内端角稍明显，不尖锐，中部刃间膜不凹入，约等长于锯刃，第9锯节纹孔下域长高比等于2.50。雄虫颚眼距线状；阳茎瓣头叶中端部宽于基部。

采集记录: 2♂，长安区鸡窝子，1765m，2008.Ⅵ.27，朱巽、蒋晓宇采；1♂，周至，2009.Ⅵ.30，王培新采；1♂，太白山，1600~1800m，2005.Ⅶ.07，杨青采；3♂，太白山青峰峡，1473m，2008.Ⅶ.03，朱巽、蒋晓宇采；2♀6♂，凤县嘉陵江源头，1570m，2007.Ⅴ.26，朱巽、蒋晓宇采；3♂，镇安，1300~1600m，2005.Ⅶ.10，杨青、朱巽采。

分布: 陕西(西安、周至、太白、凤县、镇安)、北京、河北、山西、河南、宁夏、甘肃、湖北、湖南、广西、四川。

(224) 马氏侧跗叶蜂 *Siobla malaisei* Mallach, 1933

Siobla malaisei Mallach, 1933: 269.

Siobla tuberculatana Wei, 2002: 122.

鉴别特征: 体长10~13mm。体黑色，腹部第2背板两侧气门小斑白色，第10背板中部三角形斑和尾须浅褐色；触角大部红褐色。足黑色具少许褐斑。翅弱烟褐色透明。体毛银褐色。头胸部刻点密集；腹部具显著细横刻纹，第3背板以后两侧具稀疏浅弱刻点。头部背侧细毛稀疏，多数细毛短于侧单眼直径，中胸背板前叶中沟浅弱；小盾片微弱隆起，锯腹片短窄，15节，锯刃微弱突出，内端角十分低钝，中部刃间膜不凹入，约等长于锯刃，第9锯节纹孔下域长高比约等于2.20。雄虫颚眼距线状，背面观后头等于复眼长的0.40倍；下生殖板端部圆钝。

采集记录: 2♂，凤县嘉陵江源头，1570m，2007.Ⅴ.26，朱巽采。

分布: 陕西(凤县)、北京、河南、甘肃、湖北、四川。

(225) 大黄侧跗叶蜂 *Siobla maxima* Turner, 1920

Siobla maxima Turner, 1920: 88.

Siobla straminea immaculata Wei, 2002: 123.

Siobla schedli Haris, 2007: 80.

鉴别特征：体长14～15mm。体黄褐色具黑斑。体毛黄褐色。翅烟黄色透明，端部无烟斑。头部背侧刻点较密集；中胸背板刻点显著较头部稀疏且细小，刻点间隙稍宽，光泽较强；小盾片前坡刻点密集，间隙狭窄；中胸前侧片中部刻点粗大密集，无间隙；腹部第1背板高度光滑，无刻纹，第2～9背板刻纹不明；后足基节外侧刻点细小。复眼下缘间距等宽于复眼高；颚眼距0.90～1.00倍于前单眼直径；背面观后头两侧前部1/3稍膨大，后部2/3明显收缩。触角明显短于前翅C脉。中胸背板前叶中纵沟窄深，后端平坦，具短弱中纵脊；中胸小盾片显著隆起；跗垫小型。锯腹片狭窄，19刃，骨化弱，锯刃大部低弱。雄虫大部黑色，触角全部黑色至全部黄褐色；复眼下缘间距0.60倍于眼高；颚眼距线状。

采集记录：14♀52♂，周至楼观台，899m，2006. Ⅴ.25，朱巽、杨青采；5♂，宝鸡天台山，802m，2006. Ⅴ.23，朱巽采；1♀，凤县红花铺镇，1080m，2007. Ⅶ.25，朱巽采；1♀，眉县营头蒿坪，1162m，2008. Ⅶ.01，朱巽采；1♀1♂，留坝桑园林场，1250m，2007. Ⅴ.18，朱巽、蒋晓宇采。

分布：陕西(周至、宝鸡、凤县、眉县、留坝)、河南、安徽、浙江、湖北、江西、湖南、福建、台湾、广西、四川、贵州；越南。

(226) 侧带侧跗叶蜂 *Siobla nigrolateralis* Niu *et* Wei, 2010 (图版6：B)

Siobla nigrolateralis Niu *et* Wei, 2010b: 915.

鉴别特征：体和足黄褐色，触角端部4节及第5节端部腹侧、中胸背板前叶前缘大斑、侧叶外侧大部和后缘、中胸前侧片前缘和后缘“X”形斑、腹部第1背板基缘和两侧缘、中后足基节基部后侧小斑黑色。翅烟黄色，端部无烟斑，前缘脉和翅痣黄褐色，其余翅脉大部黑褐色。体毛黄褐色。中胸小盾片前坡刻点粗糙密集，腹部光滑。颚眼距约等于前单眼直径；背面观后头两侧约等长于复眼，弧形弯曲，向后稍收敛。触角约等长于腹部或头胸部与腹部1～3节背板之和；锯腹片具17个锯刃，中部锯刃明显倾斜突出，具8～10个外侧亚基齿，内角尖出。雄虫复眼下缘间距0.90倍于眼高，颚眼距等于单眼半径，背面观后头两侧向后强烈收敛。

采集记录：2♀，长安区鸡窝子，1765m，2008. Ⅵ.27，蒋小宇、朱巽采。

分布：陕西(西安)、甘肃、湖北、四川。

(227) 小斑侧跗叶蜂 *Siobla pseudoplesia* Niu *et* Wei, 2012 (图版6: C)

Siobla acutitheca Niu *et* Wei, 2010: 911. Part.

Siobla pseudoplesia Niu *et* Wei, 2012: 410.

鉴别特征: 体长13.50~15.50mm。体黑褐色，前胸背板后缘宽边、中胸小盾片、后小盾片、腹部1~4背板浅黄褐色，触角黄褐色。足黄褐色具黑斑。体毛黄褐色。翅烟黄色透明，端部具显著烟斑。头部背侧刻点较密集。小盾片前坡刻点密集，间隙狭窄模糊；腹部第1背板高度光滑，无刻纹，第2~9背板具微弱刻纹。颚眼距约等于单眼直径；中胸背板前叶中纵沟锐深，十分显著；中胸小盾片隆起，稍高于背板平面；跗垫较大，长椭圆形；锯腹片骨化较强，16刃，中端部锯刃明显突出，内角较尖，亚基齿细小模糊。雄虫颚眼距0.20倍于单眼直径，背面观后头较短，两侧强烈收敛，后足跗节跗垫小型，端部尖，抱器十分短宽，长宽比小于2。

采集记录: 1♀，长安终南山，1555m，2006. Ⅴ.27，杨青采；1♀，眉县太白山开天关，1852m，2014. Ⅵ.07，刘萌萌、刘婷采；1♀，佛坪凉风垭顶，2128m，2014. Ⅵ.17，祁立威、康玮楠采。

分布: 陕西(长安、眉县、佛坪)、河南、宁夏、湖北、四川。

(228) 秦巴侧跗叶蜂 *Siobla qinba* Niu *et* Wei, 2012

Siobla qinba Niu *et* Wei, 2012b: 413.

鉴别特征: 体长8~10mm。体黑色；前胸背板后缘宽边、触角全部红褐色；腹部2~3节背板全部、第4背板大部、第7~10背板大部、全部腹板、锯鞘大部黄褐色。足橘褐色，后足股节端部3/4、后足胫节端部1/3黑色。翅淡烟黄色透明；体毛浅褐色。头部刻点粗糙致密，中胸背板前叶和侧叶刻点密集，腹部第1节背板具细密刻纹，其余背板具稍弱但明显的微细刻纹。颚眼距等宽于侧单眼直径；中胸背板前叶平坦，中沟极细；小盾片低钝隆起，稍低于背板平面，腹侧无腹刺突。锯腹片13刃，无节缝，锯刃低弱突出，内端角较钝。雄虫后足股节端部2/3黑色，外生殖器黄褐色，头胸部细毛银色；颚眼距线状，背面观后头等于复眼长的0.40倍，两侧向后强烈收敛。

采集记录: 4♂，长安区鸡窝子，1765m，2008. Ⅵ.27，朱巽、蒋小宇采；4♂，凤县嘉陵江源头，1570m，2007. Ⅴ.26，朱巽、蒋晓宇采；5♂，安康平河梁，2090m，2010. Ⅶ.11，李涛采。

分布: 陕西(长安、凤县、安康)、湖北。

（229）网刻侧跗叶蜂 *Siobla reticulatia* Wei，1998

Siobla reticulatia Wei in Wei *et* Nie，1998d：143.

鉴别特征：体长 12～15mm。体金属蓝色；前足股节前侧、胫跗节腹缘、腹部 2～3 背板的气门附近小斑黄褐色；触角端部 4 节暗褐色；前翅淡烟褐色，端部颜色稍明显；后翅透明；翅脉和翅痣黑色。体毛银色。头部刻点粗糙密集，无显著光滑区域。胸部背板刻点密集；中胸小盾片前坡刻点较密集，中部具 1 个狭窄的光滑条斑；腹部第 1 背板光滑，中缝具微细刻纹，两侧缘具模糊刻点，其余背板具致密的横刻纹。颚眼距 0.80 倍于中单眼横径；触角等长于腹部；中胸小盾片圆钝隆起；锯腹片长大，具 17 个锯刃，腹侧节缝模糊，锯刃长，明显尖出，内角尖锐，中部锯刃具 12～13 枚端部细小、向基部渐大的亚基齿，中基部刃间膜长，端部很短。雄虫颚眼距线状；头部背侧毛 1.30 倍于中单眼横径，端部弯曲。

采集记录：1♂，长安区鸡窝子，1765m，2008. Ⅵ. 27，朱巽采；1♀，周至，2009. Ⅵ. 09，王培新采；1♀，凤县嘉陵江源头，1570m，2007. Ⅴ. 26，朱巽采；1♀，眉县太白山碓窝坪，1601m，2014. Ⅵ. 06，魏美才采；3♀8♂，眉县太白山开天关，1852m，2014. Ⅵ. 07-09，魏美才、祁立威、康玮楠采；1♀2♂，眉县太白山开天关，1852m，2014. Ⅵ. 09，魏美才、刘萌萌、刘婷采；2♀，佛坪凉风垭顶，2128m，2014. Ⅵ. 17-18，祁立威、康玮楠、刘萌萌、刘婷采；2♀，Kaitianguan，2000m，Mt. Taibaishan，Qinling Mts.，04. Ⅵ. 2004，A. Shinohara（coll. NMNS）；1♀1♂，Kaitianguan，2000m，Mt. Taibaishan，Qinling Mts.，31. Ⅴ-02. Ⅵ. 2004，A. Shinohara（coll. NMNS）；1♀1♂，Kaitianguan，2000m，Mt. Taibaishan，Qinling Mts.，10. Ⅵ. 2006，A. Shinohara（coll. NMNS）。

分布：陕西（长安、周至、凤县、眉县、佛坪）、河南、甘肃。

（230）红基侧跗叶蜂 *Siobla rufopropodea* Wei，1998

Siobla rufopropodea Wei in Wei *et* Nie，1998d：143.

鉴别特征：体长 9.50～12.00mm。头胸部黑色，触角黄褐色，前胸背板后缘狭边、翅基片黄褐色；后胸黄褐色；腹部黑色中部具黄环。足黄褐色，前足基节基缘、后足股节端部 1/4 黑色。体毛黄褐色。翅黄褐色透明，无烟斑，翅痣和翅脉大部黄褐色。头部刻点粗糙密集，无光滑间隙，无光泽；中胸背板前叶和侧叶刻点密集，间隙十分狭窄，表面具微细刻纹；小盾片前后坡刻点均致密，无间隙；腹部各节背板刻纹十分细弱，具强光泽，第 1 背板两侧和 6～8 背板具浅弱刻点。颚眼距等宽于中单眼直径；触角内外侧均具浅弱纵沟。中胸背板前叶中部纵沟显著；中胸小盾片稍隆起。锯腹片粗壮锯刃 16 个，锯刃强烈突出，中部锯刃具 5～6 个外侧亚基齿，亚基齿在同一平面上。雄虫腹部第 1～5 背板和腹板全部黄褐色。

采集记录：1♀，[China：Shaanxi]，Kaitianguan，2000m，Mt. Taibaishan，Qinling Mts.，06. Ⅵ. 2007，A. Shinohara，NSMT-HYM，62705；1♂，[China：Shaanxi]，nr. ropeway，2700m，Kaitianguan Tanguy，Mt. Taibaishan，Qinling Mts.，04. Ⅵ. 2007，A. Shinohara；NSMT-HYM，62706；2♂，眉县太白山开天关，1852m，2014. Ⅵ. 07-09，祁立威、康玮楠采。

分布：陕西(眉县)、河南、湖北。

(231) 陕西侧跗叶蜂 *Siobla shaanxi* Niu *et* Wei，2012

Siobla shaanxi Niu *et* Wei，2012b：415.

鉴别特征：体长10～11mm。体黑色，前胸背板后缘狭边和触角红褐色，触角1、2节部分黑色；腹部第2～5背板全部、8～10背板大部、2～6腹板全部黄褐色；足黄褐色具暗褐色斑。翅淡烟褐色透明，R_1脉浅褐色，翅痣和翅脉黑褐色；头胸部背侧细毛浅褐色，胸部侧板细毛银色。头胸部刻点粗糙致密；腹部第1节背板具细密弱刻纹，其余背板刻纹微弱，光泽强。头部背侧细毛柔软，多数细毛长1.70～2.00倍于侧单眼直径，端部弯曲；中胸背板前叶中沟显著；小盾片圆钝隆起，约等高于背板平面。锯腹片十分窄细，14锯刃，无节缝，锯刃低平，几乎不突出，内端角十分低钝。雄虫颚眼距线状；头部背侧细毛长2倍于单眼直径。

采集记录：1♀，长安区鸡窝子，1765m，2008. Ⅵ. 27，蒋小宇采，CSCSHT 00810062；2♀17♂，长安区鸡窝子，1765m，2008. Ⅵ. 27，蒋小宇、朱巽采；4♀，眉县太白山开天关，1852m，2014. Ⅵ. 07-09，魏美才、祁立威、康玮楠采；13♀，佛坪凉风垭顶，2128m，2014. Ⅵ. 17-18，刘萌萌、刘婷、祁立威、康玮楠、魏美才采。

分布：陕西(长安、眉县、佛坪)。

(232) 三斑侧跗叶蜂 *Siobla trimaculata* Niu *et* Wei，2010

Siobla trimaculata Niu *et* Wei，2010b：918.

鉴别特征：雌虫体长11～12mm。体和足黄褐色，触角第5节腹侧及端部4节、头胸部若干小斑黑色。腹部第5节背板大部、第6节和第7节中部三角形小斑、中后足基节基部外侧小斑。翅烟黄色，端部无烟斑，翅痣黄褐色。体毛黄褐色。头胸部刻点致密，中胸小盾片前坡刻点较小不十分密集，腹部背板无明显的刻纹，光泽强，第5～9背板具稀疏、浅弱刻点。颚眼距约等于侧单眼直径；中窝宽浅，底部具凹坑；单眼后区明显隆起，稍高于单眼平面，具模糊的中纵脊。中胸背板前叶中纵沟深；中胸小盾片圆钝隆起，后胸后背板中部低龙骨状隆起，与腹部第1背板前突的中脊合体。锯腹片强烈骨化，腹侧节缝显著，具14个锯刃，中部锯刃具12～14个外侧亚基齿。雄虫未知。

采集记录： 4♀，留坝县桑园砖头坝，1223m，2014. Ⅵ. 16，魏美才、祁立威、康玮楠采；1♀，留坝桑园砖头坝，1158m，2014. Ⅵ. 15，魏美才采；1♀，佛坪，1000 ~ 1450m，2005. Ⅴ. 17，刘守柱采；1♀2♂，佛坪三官庙，1529m，2014. Ⅵ. 20，魏美才、祁立威、康玮楠采；1♀，佛坪凉风垭顶，2128m，2014. Ⅵ. 18，祁立威、康玮楠采。

分布： 陕西（留坝、佛坪）、广西。

（233）宽环侧跗叶蜂 *Siobla venusta rohweri* Malaise，1945

Siobla venusta rohweri Malaise，1945：127.

鉴别特征： 体长 11. 50 ~ 15. 00mm。体黑色，触角第 5 节端部及第 6 ~ 9 节白色，第 9 节黑褐色；前胸背板后缘狭边（窄于单眼半径）、翅基片外缘狭边红褐色；腹部中部具黄环。前中足基节黑色，胫跗节全部黄褐色；后足基节大部黑色，后足跗节全部黄褐色，后足股节端部 1/5 ~ 1/3、胫节端部 2/5 ~ 1/3 黑色，股节基部 4/5 ~ 2/3 橘褐色。翅烟褐色透明。体毛银色。头胸部刻点密集，腹部第 1 节背板高度光滑，无刻纹，第 2 背板刻纹微弱，其余各节背板均具明显刻纹。颚眼距约 0. 90 倍于中单眼直径；小盾片明显隆起，稍高出背板平面。锯腹片骨化程度弱，14 刃，无节缝，中部锯刃隆起度微弱，具 8 ~ 9 个外侧亚基齿，刃间膜短。雄虫颚眼距线状，背面观后头两侧约等于复眼 1/2 长，两侧向后显著收敛。

采集记录： 2♀1♂，长安终南山，1555m，2006. Ⅴ. 27，杨青、朱巽采；2♀，眉县营头蒿坪，1162m，2008. Ⅶ. 01，朱巽采；1♀，佛坪，1000 ~ 1450m，2005. Ⅴ. 17，朱巽采。

分布： 陕西（长安、眉县、佛坪）、河南、甘肃、湖北、四川。

（234）环丽侧跗叶蜂 *Siobla venusta venusta*（Konow，1903）

Encarsioneura venusta Konow，1903：123.

Siobla hummeli Malaise，1931：123.

鉴别特征： 体长 14 ~ 15mm。体黑色；触角第 5 节端部及第 6 ~ 9 节白色，第 9 节黑褐色；腹部第 2 节背板全部黄褐色。前中足基节黑色，第 1 转节黑色，股节褐色，胫跗节黄白色，胫节端部具黑斑，中足股节后侧具模糊黑斑；后足基节及股节大部黑色，基节端缘、转节、股节基部 1/3 左右黄白色，胫节基部 1/2 左右黄白色，端部 1/2 左右黑色，跗节黄白色，基跗节有时黑褐色或暗褐色。翅烟黄色透明，体毛银色。头胸部刻点密集，腹部第 1 节背板高度光滑，无刻纹；其余各节背板均具明显刻纹；鞘表面刻纹微弱，光泽较强。颚眼距 0. 80 ~ 0. 90 倍于中单眼直径；触角粗丝状，等长于前翅 C 脉。锯腹片 16 刃，无节缝，中部锯刃低弱突出，顶端稍尖，具 7 ~ 9 个亚基齿。雄虫体淡色部分为黄褐色。前中足转节以下全部黄褐色，颚眼距线状。

采集记录： 5♀2♂，周至楼观台，899m，2006. Ⅴ.25，朱巽、杨青采；1♀1♂，太白山青峰峡，1473m，2008. Ⅶ.03，蒋小宇采；2♀，太白山，1580m，2007. Ⅶ.12，朱巽采；5♀，凤县嘉陵江源头，1570m，2007. Ⅴ.26，蒋晓宇采；4♀2♂，华山，2005. Ⅷ.12，1300~1600m，朱巽采。

分布： 陕西（周至、太白、凤县、华阴）、河南、甘肃、四川。

(235) 散毛侧跗叶蜂 *Siobla villosa* Malaise, 1931

Siobla villosa Malaise, 1931: 122.

Siobla rufoscapa Wei, 2002: 119.

鉴别特征： 体长9~13mm。头胸部和触角黑色，前胸背板后缘（最宽处等宽于单眼直径）、翅基片黄褐色，触角第1~4节背侧具浅褐色斑纹；腹部包括锯鞘亮黄褐色，5~7节背板大部黑色。足黄褐色具黑斑。翅透明，无烟斑，翅痣黄褐色，体毛银褐色。头部刻点十分密集；中胸背板刻点密集，刻点间隙具微弱刻纹；腹部第1节背板大部刻纹显著，中部光滑，第2~9背板刻纹细弱。头部背侧细毛稀疏柔软，长约2倍于单眼直径，端部微弱弯曲，少数细毛2.30倍于单眼直径；锯腹片较粗壮，12刃，腹侧1/2节缝显著，中部节缝不倾斜，锯刃相对集中，微弱突出，中部纹孔下域高约等于宽。雄虫头胸腹部包括触角和口器黑色，头部背侧细毛黑褐色，胸部侧板细毛浅褐色；腹部第1背板刻纹较强；后足跗垫小型；阳茎瓣头叶宽大。

采集记录： 9♀，眉县太白山开天关，1852m，2014. Ⅵ.07-09，魏美才采；1♂，眉县太白山七女峰，2297m，2014. Ⅵ.08，祁立威、康玮楠采；1♀，太白青峰峡第二停车场，1792m，2014. Ⅵ.10，刘萌萌、刘婷采；1♀，佛坪，1000~1450m，2005. Ⅴ.17，朱巽采；5♀1♂，佛坪凉风垭顶，2128m，2014. Ⅵ.17，魏美才、祁立威、康玮楠、刘萌萌、刘婷采。

分布： 陕西（眉县、太白、佛坪）、河南、甘肃。

(236) 狭颊侧跗叶蜂 *Siobla vulgaria* Niu *et* Wei, 2012

Siobla vulgaria Niu *et* Wei, 2012b: 417.

鉴别特征： 体长10~12mm。体黑色，前胸背板后缘狭边浅褐色；触角红褐色；腹部中部及锯鞘端浅褐色。足黄褐色具黑色条斑。翅淡烟黄色透明；体毛银褐色。头部刻点粗糙致密，上眶刻点无光滑间隙，光泽微弱；中胸背板前叶和侧叶刻点密集，明显小于头部刻点，刻点间隙极狭窄，具微弱刻纹；腹部第1节背板具细密刻纹，其余背板刻纹稍弱。头部背侧细毛稍密集，长0.70~0.80倍于侧单眼直径，端部不弯曲；颚眼距0.70倍于侧单眼直径；中胸背板前叶中沟明显；小盾片圆钝隆起；锯腹片16锯刃，无节缝，锯刃低弱突出，内端角较钝。雄虫触角1~2节全部、第3节基部3/5左右黑色；腹部2~4背板红褐色，全部腹板黄褐色；颚眼线状；头部背侧细毛约等长于侧单眼直径。

采集记录：2♀2♂，长安区鸡窝子，1765m，2008.Ⅵ.27，朱巽、蒋晓宇采；5♀2♂，周至厚畛子，1309m，2006.Ⅶ.07，蒋晓宇、朱巽采；6♀19♂，太白山，1600~1800m，2005.Ⅶ.07，杨青、朱巽采；7♂，太白山，1580m，2007.Ⅶ.12，朱巽、蒋晓宇采；1♂，太白山大殿，2300m，1982.Ⅵ.30，太白山昆虫考察组采；1♀，凤县嘉陵江源头，1570m，2007.Ⅴ.26，朱巽采，CSCSHT 00810067；16♀32♂，凤县嘉陵江源头，1570m，2007.Ⅴ.26，朱巽、蒋晓宇采；4♀，华山，1300~1600m，2005.Ⅶ.12，杨青、朱巽采；1♀3♂，安康镇坪，1200m，2003.Ⅶ.06，于海丽采；7♂，安康平河梁，2050m，2010.Ⅶ.11，李涛采；1♀10♂，镇安，1300~1600m，2005.Ⅶ.10，杨青、朱巽采。

分布：陕西（长安、周至、太白、凤县、华阴、安康、镇安）、黑龙江、吉林、河南、甘肃、湖北、四川。

（237）橙足侧跗叶蜂 *Siobla zenaida* (Dovnar-Zapolskij, 1930)

Megasiobla zenaida Dovnar-Zapolskij, 1930: 86.
Siobla zenaida: Malaise, 1934: 24.

鉴别特征：体长13~17mm。体金属蓝色，触角端部4节、各足基节端部、各足转节大部或全部黄白色；前中足股胫跗节黄褐色，后足股胫跗节橘褐色，尾须和锯鞘端部橘褐色。前翅烟黄色透明，端部1/4左右具烟褐色斑纹；后翅淡烟黄色，末端具不明显的烟斑。头胸部背侧细毛褐色，胸部侧板毛淡色。腹部第1背板光滑；2~9背板具细密的横刻纹。头部背侧毛稍短于中单眼横径，端部直；触角明显长于头胸部之和；中胸小盾片圆钝或强烈隆起，顶端稍突出，腹刺突稍发育；锯腹片强壮粗短，骨化强，腹侧节缝明显，13个锯刃，锯刃稍突出，顶端圆钝，中部锯刃具5~6枚亚基齿。雄虫颚眼距0.40倍于中单眼横径；下生殖板长约等于宽，端部圆钝；阳茎瓣狭长。

采集记录：1♀，Kaitianguan，2000m，Mt. Taibaishan，Qinling Mts.，01.Ⅵ.2005，A. Shinohara (coll. NMNS)；1♂，Kaitianguan，2000m，Mt. Taibaishan，Qinling Mts.，31.Ⅴ.2005，A. Shinohara (coll. NMNS)；1♂，Kaitianguan，2000m，Mt. Taibaishan，Qinling Mts.，09.Ⅵ.2006，A. Shinohara (coll. NMNS)；1♀，Kaitianguan，2000m，Mt. Taibaishan，Qinling Mts.，29.Ⅴ.2005，A. Shinohara (coll. NMNS)；1♂，Kaitianguan，2000m，Mt. Taibaishan，Qinling Mts.，10.Ⅵ.2007，A. Shinohara. 04.Ⅴ.1984。

分布：陕西（眉县）、黑龙江、河北、山西、河南、甘肃、湖北、四川；俄罗斯，韩国。

(238) 钟氏侧跗叶蜂 *Siobla zhongi* Wei, 2002

Siobla zhongi Wei in Wei *et* Nie, 2002c: 120.

鉴别特征: 体长10.50~11.50mm。体黑色，触角基部2节、前胸背板后缘宽边、翅肩片红褐色；触角端半部淡色；腹部第2节背板大部黄褐色；足黑色，后足股节基部1/3及各足胫节端距红褐色，各足胫节基部约2/5黄白色，后足基跗节大部黑褐色，其余跗分节大部褐色。翅烟黄色透明，端部无烟斑。体毛和锯鞘毛浅褐色。腹部具细刻纹。颚眼距等长于中单眼直径；头部背侧细毛2倍于单眼直径，末端显著弯曲。小盾片明显隆起；锯腹片15刃，锯刃微弱突出，9~10刃具8~9个外侧亚基齿。雄虫触角基部2节和翅基片黑色，腹部第2背板后缘、第3背板、第4背板背侧大部、2~5节腹板红褐色，头胸部背侧毛黑色；颚眼距0.30倍于前单眼直径，阳茎瓣端部明显逐渐变窄。

采集记录: 1♂，太白山，1580m，2007. Ⅶ. 12，朱巽采。

分布: 陕西(太白)、河南、宁夏、甘肃、青海、四川。

90. 钩瓣叶蜂属 *Macrophya* Dahlbom, 1835

Tenthredo (*Macrophya*) Dahlbom, 1835: 4, 11. **Type species**: *Tenthredo montana* Scopoli, 1763, *by subsequent designation of* Opinion 1958, ICZN 2000.

Zalagium Rohwer, 1912: 216-217. **Type species**: *Zalagium clypeatum* Rohwer, 1912 [= *Macrophya cinctula* (Norton, 1869)].

Macrophya (*Pseudomacrophya*) Enslin, 1913: 135. **Type species**: *Macrophya punctumalbum* (Linné, 1767) [= *Macrophya* (*Pseudomacrophya*) *punctumalbum* (Linné, 1767)].

Paramacrophya Forsius, 1918: 151. **Type species**: *Tenthredo blanda* Fabricius, 1775.

属征: 体粗壮。上唇与唇基常隆起，唇基端缘常呈截形或具弧形、三角形缺口；复眼中大型，内缘向下显著收敛，下内角位于唇基外侧；颚眼距狭于中单眼直径；触角窝上突不发育；中窝常窝状，侧窝常沟状；额区不显或微显，额脊模糊或缺；单眼中沟细浅，单眼后沟模糊细弱；单眼后区很短，后部常下倾；背面观后头较短，两侧缘收缩，后颊脊发达。触角9节，多粗丝状，无侧纵脊，第2节长通常大于宽，第3节长于第4节，中端部鞭节一般稍膨大且缩短。前胸背板侧叶斜脊和斜脊前沟发育，前胸侧板腹面宽，接触面不窄于单眼直径；中胸小盾片多隆起，顶面圆钝，一般无明显顶点和脊；小盾片附片具中纵脊；中胸前侧片中部不同程度鼓起，刻点多粗糙密集，前侧无胸腹侧片，具缘脊；中胸后上侧片皱纹粗密；中胸后下侧片前缘区域光滑，无刻点与刻纹，其他区域刻点稀疏粗大，刻纹细密；后胸后背板中部狭窄；后胸前侧片刻点细小浅弱，后胸后侧片刻点多光亮；后侧片附片缺失或发达。前翅臀室中柄呈线状或长点状，或具短直横脉，后翅有2个闭合中室，无缘脉。后足基节发达，后足胫节等长于股节，后胫节内端距多为后足基跗节的 2/3 长，后基跗节多稍长于其后 4 个跗分节之和，爪齿中裂式，内齿大型。

分布：古北区，新北区。世界已知 270 种，中国已经记载 131 种，秦岭地区发现 40 种，本文记载 32 种。检索表中加入了甘肃东部靠近秦岭地区的部分种类。

分种检索表

1. 体粗短；唇基小形，复眼内缘向下稍微收敛，下内角位于唇基外侧；颚眼距通常不狭于中单眼直径；或唇基长宽相似，端缘半圆形凹入，侧角很尖；后胸后侧片无附片；锯腹片锯刃低平，具多枚细齿 ………… 2
   体较匀称；唇基大形，横宽，侧角通常不尖锐；复眼内缘向下显著收敛，下内角位于唇基之上；颚眼距狭于中单眼直径；锯腹片锯刃通常倾斜 ………… 3
2. 唇基横形，前缘中央缺口浅，侧齿短；复眼内缘端距显著长于唇基宽；颚眼距长于中单眼直径；前翅臀室具显著中柄；唇基通常黑色；触角通常黑色，无黄斑；雄虫阳茎瓣头叶纵向椭圆形，长明显大于宽，具明显侧突 ………… **列斑钩瓣叶蜂 *M. crassuliformis***
   唇基亚方形，前缘缺口深，侧齿长；复眼内缘下端距等于唇基宽；颚眼距短于单眼直径；触角基部黄色；雄虫阳茎瓣细长，无侧突 ………… **黄斑钩瓣叶蜂 *M. flavomaculata***
3. 后胸后侧片后角延伸，具明显附片（碟形、大延展形、平台形） ………… 4
   后胸后侧片后角不延伸，无附片；如后角稍延伸，则附片十分狭窄 ………… 23
4. 后翅臀室无柄式；触角细长；后胸后侧片附片平台形，中部内凹，无长毛；阳茎瓣头叶顶部横形，具 1 个平台，无侧突 ………… **拟烟带钩瓣叶蜂 *M. parapompilina***
   后翅臀室具柄式；触角常粗短；后胸后侧片非平台形；阳茎瓣头叶纵形，顶部无平台，具侧突 …… 5
5. 触角鞭节数节具白环；后胸后侧片附片向后明显延伸，大延展形，内具长毛；阳茎瓣头叶前缘有角度突出，通常亚三角形 ………… 6
   触角鞭节完全黑色，无白斑 ………… 7
6. 触角第 5～9 节具白环；后足胫跗节具白斑，无红斑 ………… **刻盾钩瓣叶蜂 *M. tattakonoides***
   触角第 4～6 节具白环；后足胫跗节完全红褐色 ………… **晕翅钩瓣叶蜂 *M. infuscipennis***
7. 腹部背板具明显刻纹 ………… 8
   腹部背板无明显刻纹，或刻纹极细弱 ………… 10
8. 腹部各节背板具一致的细密刻纹；腹部第 7 背板两侧通常具长白斑 ………… 9
   腹部第 1 背板刻纹粗糙呈网状；腹部第 7 背板无长白斑 ………… **糙板钩瓣叶蜂 *M. vittata***
9. 单眼后区完全黄白色，宽长比约为 1.80；后胸后侧片附片碟形毛窝稍小于后胸淡膜区；触角柄节大部和腹部第 9 背板侧角大斑黄白色 ………… **密纹钩瓣叶蜂 *M. histrioides***
   单眼后区具“山”形黄白斑，宽长比约为 2.30；后胸后侧片附片毛窝显著大于后胸淡膜区；触角柄节大部和腹部第 9 背板完全黑色，无黄白斑 ………… **武氏钩瓣叶蜂 *M. wui***
10. 触角鞭节中端部显著膨大，端部 4 节明显短缩；后胸后侧片碟形，内具长毛 ………… 11
    触角鞭节中端部几乎不膨大，端部 4 节短缩不明显；后胸后侧片非碟形 ………… 13
11. 后足胫跗节完全黑色 ………… **小碟钩瓣叶蜂 *M. minutifossa***
    后足胫节不完全黑色，背侧具显著白斑 ………… 12
12. 后足胫节背侧白斑长度长于后足胫节的 1/2 ………… **白环钩瓣叶蜂 *M. albannulata***

后足胫节背侧白斑长度明显短于后足胫节的1/2 ………………… **浅碟钩瓣叶蜂 *M. hyaloptera***

13. 后胸后侧片后角强烈延长，光亮，无长毛 ……………………………… **九寨钩瓣叶蜂 *M. jiuzhaina***
 后胸后侧片后角稍延伸，附片小平台形，具短细毛，刻点细小 ……………………………………… 14
14. 雌虫锯鞘明显长于中足胫节；雄虫腹部背板细毛直立，等长于中单眼直径；前胸背板后缘具白色狭边……………………………………………………………………… **文氏钩瓣叶蜂 *M. weni***
 雌虫锯鞘明显短于中足胫节；雄虫若腹部背板细毛直立，则明显短于中单眼直径 ………… 15
15. 后足胫节背侧白斑长度约占后足胫节1/2长……………………………………………………………… 16
 后足胫节背侧白斑长度明显短于后足胫节1/2长…………………………………………………………… 17
16. 前胸背板后缘具白色狭边；中足胫节黑色，背侧无白斑；后足转节腹侧具模糊白斑；后足胫节背侧具1/2长白斑；前翅臀室中柄2倍于1r-m脉长；雌虫锯腹片22锯刃，锯刃稍突出，中部锯刃齿式2/7-9，刃齿较大且少 …………………………………… **后盾钩瓣叶蜂 *M. postscutellaris***
 前胸背板后缘白边两侧宽于中央；中足胫节具明显白斑；后足转节腹侧具明显黑斑；后足胫节中部具1/2宽白环；前翅臀室中柄稍短于1r-m脉；雌虫锯腹片17锯刃，锯刃低平，中部锯刃齿式2/16-22，刃齿细小且多枚……………………………………… **环胫钩瓣叶蜂 *M. circulotibialis***
17. 后足转节部分白色，腹侧具明显黑斑………………………………………………………………… 18
 后足转节完全白色 ………………………………………………………………………………………… 19
18. 中足胫节背侧具白斑 ……………………………………………… **长鞘钩瓣叶蜂 *M. parimitator***
 中足胫节背侧完全黑色……………………………………………… **斑转钩瓣叶蜂 *M. nigromaculata***
19. 前胸背板完全黑色，后缘无白边 ……………………………………… **焦氏钩瓣叶蜂 *M. jiaozhaoae***
 前胸背板后缘具明显白边 ……………………………………………………………………………… 20
20. 中足胫节背侧具明显白斑 ……………………………………………………………………………… 21
 中足胫节背侧完全黑色，无白斑………………………………………………………………………… 22
21. 背面观锯鞘鞘毛长且均匀弯曲；中部锯刃具5～6个外侧亚基齿；节缝刺毛带宽阔，相邻刺毛带之间在中部彼此相接……………………………………………… **弯毛钩瓣叶蜂 *M. curvatisaeta***
 背面观锯鞘鞘毛短且直；中部锯刃具9～10个外侧亚基齿；节缝刺毛带狭窄，相邻刺毛带之间彼此远离 ……………………………………………………………… **白边钩瓣叶蜂 *M. imitatoides***
22. 前中足转节黑色，后足转节白色；雌虫锯腹片锯刃平直，锯刃刃齿十分细小密集，中部锯刃齿式2/20-22 ……………………………………………………………… **平刃钩瓣叶蜂 *M. flactoserrula***
 各足转节均白色；雌虫锯腹片锯刃稍突出倾斜，刃齿较小且稍多，中部锯刃齿式为2/8-10 ………
 ………………………………………………………………………… **伏牛钩瓣叶蜂 *M. funiushana***
23. 后足股节或胫节多少具红褐色斑纹 …………………………………………………………………… 24
 后足股胫节通常大部黑色，绝无红斑…………………………………………………………………… 36
24. 触角不完全黑色，中部数节具白环……………………………………………………………………… 25
 触角完全黑色，如触角部分黑色，则基部数节红褐色 ………………………………………………… 26
25. 触角第6～7节具白环…………………………………………… **黑唇钩瓣叶蜂 *M. melanolabria***
 触角第3～5节具白环…………………………………………………… **红胫钩瓣叶蜂 *M. rubitibia***
26. 后足股节和胫节均具红褐色斑纹 ……………………………………………………………………… 27
 后足股节或胫节具红褐色斑纹 ………………………………………………………………………… 30
27. 虫体头胸部和足红褐色，少部具黑斑和淡斑 ………………………… **白跗钩瓣叶蜂 *M. leucotarsalina***
 虫体大部黑色，少部具红褐色斑纹和淡斑………………………………………………………………… 28
28. 中胸小盾片具明显白斑 ………………………………………………… **五斑钩瓣叶蜂 *M. pentanalia***

中胸小盾片完全黑色 …………………………………………………………………… 29

29. 后足胫节背侧具明显白斑 ………………………………… **杨氏钩瓣叶蜂 *M. yangi***

后足胫节背侧无白斑……………………………………… **黑体钩瓣叶蜂 *M. melanosomata***

30. 后足股节具红褐色斑纹；后足胫节黑色，或背侧具明显白斑 ……………………… 31

后足股节完全黑色；后足胫节多少具红褐色斑纹 ……………………………………… 33

31. 中胸小盾片完全黑色；后足胫跗节正常 ………………………………………………… 32

中胸小盾片具白斑；胫端及跗节显著膨大……………… **肿跗钩瓣叶蜂 *M. incrassitarsalia***

32. 各足转节均白色；后足基节腹侧端大部白色；第 2 ~ 6 背板侧缘具显著白斑，第 6 背板侧角白斑最小 ………………………………………… **白转钩瓣叶蜂 *M. leucotrochanterata***

前中足转节完全黑色；后足基节腹侧大部黑色，仅端缘白色；除第 1 背板中央后缘具狭窄白边外，其余各节背板均完全黑色………………………………… **童氏钩瓣叶蜂 *M. tongi***

33. 中胸小盾片具明显白斑 ………………………………………… **钟氏钩瓣叶蜂 *M. zhongi***

中胸小盾片完全黑色 …………………………………………………………………… 34

34. 前翅前缘脉和翅痣黄褐色 ………………………………… **淡痣钩瓣叶蜂 *M. fulvostigmata***

前翅前缘脉和翅痣黑褐色 ……………………………………………………………… 35

35. 腹部 2 ~ 5 背板侧缘具明显白斑……………………………… **点斑钩瓣叶蜂 *M. minutiluna***

腹部 2 ~ 5 背板均黑色，侧缘无白斑 ……………………………… **朝鲜钩瓣叶蜂 *M. koreana***

36. 体型较狭长；颜面与额区明显下沉；锯腹片锯刃乳突状 …………… **申氏钩瓣叶蜂 *M. sheni***

体型较粗短；颜面与额区不下沉或微弱下沉；锯腹片锯刃常形，非乳突状 ……………… 37

37. 中胸前侧片中部具明显黄斑；唇基通常弓形 ………………… **长腹钩瓣叶蜂 *M. dolichogaster***

中胸前侧片完全黑色，或中胸前侧片后缘中部具小型黄斑……………………………… 38

38. 体型较修长；唇基前缘缺口常深弧形，侧角较窄长；前翅臀室具明显中柄，无横脉；锯腹片锯刃通常平直 ……………………………………………… **缩臀钩瓣叶蜂 *M. constrictila***

体型较粗短；唇基前缘缺口普通型，侧角较短宽；前翅臀室通常具短直横脉，少数种类具明显收缩柄；锯腹片锯刃通常明显突出 ………………………………………………………… 39

39. 前翅前缘脉和翅痣黄褐色 ………………………………… **黄痣钩瓣叶蜂 *M. stigmaticalis***

前翅前缘脉和翅痣黑褐色 ……………………………………………………………… 40

40. 后足胫节仅背侧中部具白斑，且白斑长度不超过后足胫节 1/2 长 ……………………… 41

后足胫节中部具显著白斑，且白斑长度不短于后足胫节 1/2 长 ……………………… 42

41. 头部背侧刻点较密集；单眼后区隆起，刻点粗大；触角长约 2 倍于头宽；前胸背板后缘白色 ……………………………………………………………………… **石氏钩瓣叶蜂 *M. shii***

头部背侧刻点较弱，光滑间隙显著；单眼后区低平，具弱中纵沟，刻点弱，大部光滑；触角长于头宽 2.50 倍；前胸背板后缘黑色 …………………………… **反刻钩瓣叶蜂 *M. revertana***

42. 中胸小盾片全部黑色 ………………………………… **下斑钩瓣叶蜂 *M. maculoepimera***

中胸小盾片中央具白斑 ………………………………………………………………… 43

43. 中胸小盾片大部白色，显著隆起，具发达横脊；前胸背板后缘白边较宽；腹部第 1 背板后缘白边宽，第 2 ~ 7 背板侧角后缘具白斑，腹板后缘白色；前中足转节大部白色，腹侧具小型黑斑色……………………………………………………………………………… **横脊钩瓣叶蜂 *M. tripidona***

中胸小盾片顶部具模糊白斑，无横脊；前胸背板后缘白边狭窄；腹部黑色，第 1 背板后缘具 2 个横白斑；前中足转节几乎全部黑色…………………………… **鼓胸钩瓣叶蜂 *M. convexina***

（239）白环钩瓣叶蜂 *Macrophya albannulata* Wei *et* Nie, 1998（图版6：D）

Macrophya albannulata Wei *et* Nie, 1998j：373.

鉴别特征：本种属于 *Macrophya coxalis* 种团，雌虫体长10.00～10.50mm，雄虫体长7.50～8.00mm。后足胫节背侧亚端部狭长白色条斑显著长于胫节1/2长；腹部第1背板后缘狭边、第2～9背板后缘两侧1/3左右长斑、第10背板后缘白色；后胸后侧片附片碟形凹陷稍大于淡膜区；雌虫锯腹片中部锯刃齿式2/10-11；雄虫阳茎瓣头叶前缘较圆滑，无尖突。

采集记录：1♀，周至楼观台，899m，2006. Ⅴ.25，朱巽采。

分布：陕西(周至)、安徽、浙江、江西、湖南、福建、广东、广西、重庆、四川、贵州。

（240）环胫钩瓣叶蜂 *Macrophya circulotibialis* Li, Liu *et* Heng, 2015

Macrophya circulotibialis Li, Liu *et* Heng, 2015：212.

鉴别特征：本种属于 *Macrophya imitator* 种团，雌虫体长6.50～7.00mm，雄虫体长5mm。头部背侧光泽微弱，额区刻点密集，细小粗糙，刻点间无光滑间隙；单眼后区宽长比约为2.50；前胸背板后缘白边两侧宽于中央；前中足转节大部黑色，少部具白斑；后足转节大部白色，腹侧具明显黑斑；各足基节仅端缘白色，其余黑色；后足胫节中部宽白环约占后足胫节1/2长；锯鞘稍短于后足基跗节，鞘端几乎等长于鞘基；雌虫锯腹片锯刃十分平直，中部锯刃齿式2/3-15/22，亚基齿十分细小且多枚。

采集记录：1♀，长安区鸡窝子，1720m，2008. Ⅴ.23，于海丽采；1♀，China, Shaanxi, Kaitianguan, Mt. Taibaishan, Qinling Mts, 2000m, 06. Ⅴ. 2007, A. Shinohara；1♀，China, Shaanxi, nr. ropeway, Kaitianguan Tangyu, Mt. Taibaishan, Qinling Mts., 2700m, 06. Ⅶ. 2007, A. Shinohara；1♀，China, Shaanxi, Kaitianguan, Mt. Taibaishan, Qinling Mts, 2000m, 28. Ⅴ.2005, A. Shinohara；1♀1♂，China, Shaanxi, Kaitianguan, Mt. Taibaishan, Qinling Mts, 2000m, 06. Ⅶ.2006, A. Shinohara。

分布：陕西(长安、眉县)。

（241）缩臀钩瓣叶蜂 *Macrophya constrictila* Wei *et* Chen, 2002

Macrophya constrictila Wei *et* Chen, 2002：5：208.

鉴别特征：本种属于 *Macrophya malaisei* 种团，雌虫体长9mm。头部背侧光泽较强烈，具细小浅弱刻点，十分稀疏，刻点间光滑间隙十分显著，刻纹细弱；上唇和唇基均黑色，无白斑；单眼后区完全黑色，前胸背板后缘白边极狭；后足胫节背侧亚端部具模糊白斑；锯鞘明显短于后足基跗节；中部锯刃较低平，锯刃节间膜明显隆起。

采集记录：1♀，凤县红花铺镇，1080m，2007. Ⅴ. 25，朱巽采；1♀，China, Shaanxi, Kaitianguan, Mt. Taibaishan, Qinling Mts, 2000m, 30. Ⅴ. 2005, A. Shinohara。

分布：陕西（凤县、眉县）、河南。

（242）鼓胸钩瓣叶蜂 *Macrophya convexina* Wei *et* Li, 2013

Macrophya convexina Wei *et* Li, 2013: 869.

鉴别特征：本种属于 *Macrophya sibirica* 种团，雌虫体长 12～13mm，雄虫体长 9～10mm。单眼后区后缘两侧细横斑、前胸背板后缘、翅基片外缘和中胸小盾片 2 个小斑白色；后足转节完全白色，腹侧无黑斑；雌虫锯腹片中部锯刃齿式为 2/3-10/11；阳茎瓣头叶前部较窄。

采集记录：1♀，太白山。

分布：陕西（太白山）、浙江、湖南。

（243）列斑钩瓣叶蜂 *Macrophya crassuliformis* Forsius, 1925

Macrophya crassuliformis Forsius, 1925: 6.

Macrophya brevilabris Malaise, 1931: 124.

Macrophya brevilabris var. *nigroscutellata* Malaise, 1931: 124.

鉴别特征：本种属于 *Macrophya crassuliformis* 种团，雌虫体长 8～9mm，雄虫体长 6mm。上唇与唇基完全黑色；头部额区刻点稍密集，刻点间光滑间隙稍窄于刻点直径；中胸小盾片不完全黑色，中央大部和附片黄白色；腹部第 2 背板不完全黑色，侧缘具明显白斑；后足胫节中部 1/4～1/3 宽环白色；锯腹片锯刃稍亚三角形突出，中部锯刃齿式 1/6-9，刃齿较小型且少数；雄虫后足胫节完全黑色，中部无白环。

采集记录：2♀，马栏，1964. Ⅵ. 02，中南林学院采；1♀，宁陕火地塘，1539m，2010. Ⅶ. 11，李涛采；2♂，甘泉清泉沟，1971. Ⅵ. 01-03，杨集昆采。

分布：陕西（咸阳、宁陕、甘泉）、黑龙江、河北、湖南；俄罗斯，日本。

（244）弯毛钩瓣叶蜂 *Macrophya curvatisaeta* Wei *et* Li, 2010

Macrophya curvatisaeta Wei *et* Li, 2010: 268.

鉴别特征：本种属于 *Macrophya imitator* 种团，雌虫体长 9mm，雄虫体长 8mm。背面观锯鞘鞘毛长且均匀弯曲；后胸后侧片附片内侧具明显的光洁斑纹；中部锯刃具5~6个外侧亚基齿；节缝刺毛带宽阔，相邻刺毛带之间在中部彼此相接。

采集记录：1♀，镇安，1300~1600m，2005. Ⅶ. 10，朱巽采。

分布：陕西（镇安）、宁夏、甘肃、湖北、四川。

（245）长腹钩瓣叶蜂 *Macrophya dolichogaster* Wei *et* Ma, 1997

Macrophya dolichogaster Wei *et* Ma, 1997: 77.

鉴别特征：本种属于 *Macrophya formosana* 种团，雌虫体长 10.00~10.50mm，雄虫体长 8.00~8.50mm。中胸前侧片中央具1个显著黄白斑；前翅臀室无柄式，具短直横脉；雌虫锯腹片中部锯刃齿式为2/7-10。

采集记录：1♀，留坝桑园林场，1080m，2007. Ⅴ. 19，朱巽采；8♀25♂，佛坪，1000~1450m，2005. Ⅴ. 17，刘守柱、朱巽采；26♂，佛坪大古坪，1320m，2006. Ⅳ. 28，朱巽、何末军采。

分布：陕西（留坝、佛坪）、江苏、安徽、浙江、湖北、江西、湖南、福建、台湾、广东、海南、广西、重庆、四川、贵州、云南。

（246）平刃钩瓣叶蜂 *Macrophya flactoserrula* Chen *et* Wei, 2002

Macrophya flactoserrula Chen *et* Wei, 2002: 201.

鉴别特征：本种属于 *Macrophya imitator* 种团，雌虫体长 8mm，雄虫体长 7mm。前中足转节黑色，后足转节白色；前翅 2Rs 室近等长于 1Rs 室；雌虫锯腹片锯刃平直，刃齿十分细密，中部锯刃齿式 2/20-22。

采集记录：1♂，China, Shaanxi, Kaitianguan, Mt. Taibaishan, Qinling Mts, 2000m, 02. Ⅵ. 2006, A. Shinohara；1♂，China, Shaanxi, Kaitianguan, Mt. Taibaishan, Qinling Mts, 2000m, 06. Ⅵ. 2006, A. Shinohara。

分布：陕西（眉县）、河南、湖北、湖南。

（247）黄斑钩瓣叶蜂 *Macrophya flavomaculata* Cameron, 1876（图版6：E）

Macrophya flavomaculata Cameron, 1876: 464.

鉴别特征：本种属于 *Macrophya flavomaculata* 种团，雌虫体长 10~11mm，雄虫体长8.50~9.50mm。触角柄节与梗节黄色，鞭节黑色；单眼后区后大部黄色；中胸前侧片具1个黄斑；后足大部黄色，少部具黑斑；后足胫节中部具宽黄斑；雌虫锯腹片锯刃短叶状突出，中部锯刃刃齿十分细弱，数目不清晰，节缝刺毛带较宽，刺毛稀疏。

采集记录： 3♀2♂，周至楼观台，899m，2006. Ⅴ. 25，朱巽采；4♀1♂，佛坪，1000～1450m，2005. Ⅴ. 17，刘守柱采。

分布： 陕西（周至、佛坪）、河南、安徽、浙江、湖北、江西、湖南、福建、广西、贵州。

(248) 淡痣钩瓣叶蜂 *Macrophya fulvostigmata* Wei *et* Chen, 2002

Macrophya fulvostigmata Wei *et* Chen, 2002: 209.

鉴别特征： 本种属于 *Macrophya sanguinolenta* 种团，*Macrophya koreana* 亚种团，雌虫体长 8mm，雄虫体长 7.50mm。上唇、唇基和后足基节外侧长斑白色；足大部浅黄褐色；翅浅烟色，前缘脉及翅痣黄褐色；头部背侧光泽强烈，刻点十分细弱，表面光滑；雌虫锯腹片锯刃较突出，亚基齿较细小，中部锯刃齿式 2/6-9。

采集记录： 1♂，周至，2009. Ⅵ. 02，王培新采。

分布： 陕西（周至）、河北、河南。

(249) 伏牛钩瓣叶蜂 *Macrophya funiushana* Wei, 1998

Macrophya funiushana Wei, 1998: 154.

鉴别特征： 本种属于 *Macrophya imitator* 种团，雌虫体长 7.50mm。各足转节均白色；前翅 2Rs 室明显短于 1Rs 室长；雌虫锯腹片锯刃稍突出倾斜，刃齿较小型且稍多，中部锯刃齿式为 2/8-10。

采集记录： 1♀，太白山。

分布： 陕西（太白山）、河南、甘肃、湖北。

(250) 密纹钩瓣叶蜂 *Macrophya histrioides* Wei, 1998

Macrophya histrioides Wei, 1998: 158.

鉴别特征： 本种属于 *Macrophya histrio* 种团，雌虫体长 9mm。触角全部、单眼后区、前胸背板除后缘、中胸小盾片附片前半部、后胸小盾片、中胸后下侧片、后胸后侧片和前中足基节几乎全部黑色；单眼后区宽长比为 2.20；中胸背板完全黑色；中胸前侧片中部具明显黄白色横斑；后胸后侧片附片毛窝明显大于淡膜区；后足基节外侧具小型长白斑；后足股节基部 1/3 黄白色，端部 2/3 黑色；腹部第 1～6 背板两侧完全黑色，无带状列白斑，各节背板刻纹较粗密。

采集记录：1♀，周至，2009. Ⅵ.30，王培新采；1♀，周至，2009. Ⅴ.19，王培新采；1♀，China，Shaanxi，Kaitianguan，Mt. Taibaishan，Qinling Mts，2000m，02. Ⅵ. 2006，A. Shinohara；1♀，China，Shaanxi，Kaitianguan，Mt. Taibaishan，Qinling Mts，2000m，10. Ⅵ.2007，A. Shinohara。

分布：陕西（周至、眉县）、山西、河南、湖北。

（251）浅碟钩瓣叶蜂 *Macrophya hyaloptera* Wei *et* Nie，2003

Macrophya hyaloptera Wei *et* Nie，2003：97.

鉴别特征：本种属于 *Macrophya coxalis* 种团，雌虫体长 10mm，雄虫体长 8mm。各足基节除外侧具白色条斑外，全部黑色；前中足转节黑色，后足转节白色；后足胫节背侧亚端部具小白斑；头部背侧光泽强烈，刻点稀疏浅弱，表面光滑；上唇与唇基不完全白色，具黑斑；后胸侧板附片碟形凹陷稍小于淡膜区；雌虫锯腹片中部锯刃齿式 2/6-10；雄虫阳茎瓣头叶前缘无尖突。

采集记录：2♀，周至，2009. Ⅵ.09-30，王培新采。

分布：陕西（周至）、河南、甘肃、浙江、湖北、江西、湖南、福建、贵州、云南。

（252）白边钩瓣叶蜂 *Macrophya imitatoides* Wei，2007

Macrophya imitatoides Wei，2007：610.

鉴别特征：本种属于 *Macrophya imitator* 种团，雌虫体长 9mm，雄虫体长6. 50mm。前胸背板后缘具明显白边；锯鞘鞘端缨毛较短直；雌虫锯腹片锯刃微弱隆起，中部锯刃齿式 2/10-11，刃齿较小型且多枚，第 8～9 锯刃刃间膜约等宽于第 9 锯刃 1/3 倍宽。

采集记录：3♀，佛坪，1000～1450m，2005. Ⅴ.17，朱巽、刘守柱采；1♀，镇安，1300～1600m，2005. Ⅶ.10，朱巽采。

分布：陕西（佛坪、镇安）、甘肃、湖北、湖南、贵州。

（253）肿跗钩瓣叶蜂 *Macrophya incrassitarsalia* Wei *et* Wu，2012

Macrophya incrassitarsalia Wei *et* Wu，2012：802.

鉴别特征：本种属于 *Macrophya sanguinolenta* 种团，*Macrophya tongi* 亚种团，但雌虫体长 10mm，雄虫体长 7. 50mm。头部背侧、胸部背板及侧板刻点十分粗糙致密，无光滑间隙，光泽不明显；中胸小盾片全部和各足转节大部黑色；后足跗节显著膨大侧扁；中胸侧板下部明显隆起，具钝斜脊；前翅 2Rs 室显著长于 1Rs 室；雌虫锯腹片锯刃平坦，刃齿较小且多枚，中部锯刃齿式 1/10-11 等易于识别。在该种团中，只有本种后足跗节显著膨大且侧扁，其余种类后足基跗节均细长。

采集记录：2♀，China, Shaanxi, Kaitianguan, Mt. Taibaishan, Qinling Mts, 2000m, 31. V. - 02. VI. 2004, A. Shinohara。

分布：陕西（眉县）、河北、甘肃、湖北。

（254）晕翅钩瓣叶蜂 *Macrophya infuscipennis* Wei *et* Li, 2012

Macrophya infuscipennis Wei *et* Li, 2012: 168.

鉴别特征：本种属于 *Macrophya apicalis* 种团，雌虫体长 14mm。前足胫跗节浅黄褐色；中后足胫跗节全部和后足股节端部红褐色；翅面烟褐色。在 *M. apicalis* 种团中，本种是唯一的红足型种类。

采集记录：3♀1♂，长安终南山，1555m，2006. V. 27，朱巽、杨青采。

分布：陕西（长安）、甘肃。

（255）焦氏钩瓣叶蜂 *Macrophya jiaozhaoae* Wei *et* Zhao, 2010

Macrophya jiaozhaoae Wei *et* Zhao, 2010: 265.

鉴别特征：本种属于 *Macrophya imitator* 种团，雌虫体长 9. 50mm，雄虫体长 7. 50mm。两性虫体后足转节均黄白色；雄虫后足股节腹侧通常白色；复眼较大，侧面观雌虫后眶中部宽度明显短于 1/2 倍复眼宽，雄虫后眶中部宽度约 1/3 倍复眼宽；前面观雌虫复眼高约 1. 60 倍复眼内缘下端间距，雄虫复眼高约 1. 40 倍复眼内缘下端间距；雌虫锯腹片中部锯刃具 5 ~ 7 个外侧亚基齿。

采集记录：2♀4♂，安康市岚皋大巴山，2370m，2012. VII. 06，CSCS12090，魏美才、牛耕耘采；5♀2♂，安康市岚皋县大巴山，2370m，2012. VII. 06，CSCS12092，李泽建、刘萌萌采。

分布：陕西（岚皋）、湖北、重庆。

（256）朝鲜钩瓣叶蜂 *Macrophya koreana* Takeuchi, 1937

Macrophya koreana Takeuchi, 1937: 438.

鉴别特征：本种属于 *Macrophya sanguinolenta* 种团，*Macrophya koreana* 亚种团，雌虫体长 10mm，雄虫体长 8mm。上唇不完全黑色，端缘具浅褐色三角形小斑；腹部第1背板后缘具显著白边，两侧白边较中间宽，第2~3背板完全黑色；中胸小盾片完全黑色，顶部具粗大刻点，明显隆起，具顶点，无脊，明显高于中胸背板平面；后足转节完全白色；锯腹片中部锯刃齿式为2/7-11，锯刃明显隆起突出，刃齿较细小且多，大小不规则，节缝刺毛带狭窄，刺毛十分稀疏。

采集记录：1♀，潼关桐峪镇，1052m，2006. Ⅴ.30，朱巽采；1♀，华山，1300~1600m，2005. Ⅶ.12，杨青采。

分布：陕西(潼关、华阴)、内蒙古、北京、山西、河南、甘肃；俄罗斯，朝鲜。

(257) 下斑钩瓣叶蜂 *Macrophya maculoepimera* Wei *et* Li, 2013

Macrophya maculoepimera Wei *et* Li, 2013: 869.

鉴别特征：本种属于 *Macrophya sibirica* 种团，雌虫体长8mm，雄虫体长7mm。唇基大部黑色，后足胫跗节大部黑色，白斑不显著；触角粗壮，亚端部微弱膨大；单眼后区宽长比约为2.50，后缘脊锐利；后足基节外侧全部白色；前翅C脉、翅痣黑褐色；雌虫锯腹片锯刃明显突出，中部锯刃齿式1-2/5-6。

采集记录：1♂，凤县嘉陵江源头，1570m，2007. Ⅴ.26，朱巽采；1♀，留坝营盘乡，1390m，2007. Ⅴ.21，朱巽采。

分布：陕西(凤县、留坝)、河北、山西。

(258) 黑唇钩瓣叶蜂 *Macrophya melanolabria* Wei, 1998

Macrophya melanolabria Wei, 1998: 153.

鉴别特征：本种属于 *Macrophya sanguinolenta* 种团，*Macrophya depressina* 亚种团，雌虫体长11.50mm，雄虫体长9mm。唇基完全亮黄色；雌虫锯腹片中部锯刃齿式为1/8-10，锯刃刃齿较大。

采集记录：1♀，周至，2009. Ⅷ.11，王培新采；9♀，周至，2009. Ⅵ.02，09，23，30，王培新采；6♀，周至，2009. Ⅶ.07，14，28，王培新采；1♀，凤县红花铺镇，1080m，2007. Ⅴ.25，朱巽采；1♀，华阴华阳，1600m，1978. Ⅷ.19，金根桃；2♀，留坝桑园林场，1080m，2007. Ⅴ.19，朱巽采；2♀，华山，2005. Ⅶ.12，杨青、朱巽采。

分布：陕西(周至、凤县、华阴、留坝)、河北、河南、甘肃、湖北。

(259) 点斑钩瓣叶蜂 *Macrophya minutiluna* Wei *et* Chen, 2002 陕西新纪录

Macrophya minutiluna Wei *et* Chen, 2002: 203.

鉴别特征：本种属于 *Macrophya sanguinolenta* 种团，*Macrophya koreana* 亚种团，雌虫体长 9mm。头部背侧刻点粗糙密集，无光滑间隙，光泽微弱；唇基不完全黑色，侧角具模糊白斑；单眼后区和前胸背板完全黑色，无白边；腹部第 1 背板后缘白边较窄，第 3～4 背板侧角后缘具横白斑，其余各背板完全黑色；后足基节外侧卵形白斑显著；后足胫跗节几乎全部红褐色，胫跗节背侧具小白斑；前翅翅痣下具烟褐色斑，边界模糊；雌虫锯腹片中部锯刃齿式为 1/5-6，锯刃低平，刃齿较大且少，大小均一。

采集记录：1♀，China，Shaanxi，Kaitianguan，Mt. Taibaishan，Qinling Mts，2000m，04. Ⅵ. 2007，A. Shinohara；1♀，China，Shaanxi，Kaitianguan，Mt. Taibaishan，Qinling Mts，2000m，05. Ⅵ. 2006，A. Shinohara。

分布：陕西（眉县）、河南。

（260）斑转钩瓣叶蜂 *Macrophya nigromaculata* Wei *et* Li，2010

Macrophya nigromaculata Wei *et* Li，2010：81.

鉴别特征：本种属于 *Macrophya imitator* 种团，雌虫体长 9.50mm，雄虫体长 7.50mm。单眼后区宽长比为 2.50；后缘脊显著；雌虫锯刃平直，雄虫阳茎瓣头叶宽大；雌虫后足转节具大黑斑，雄虫后足转节全部黑色。

采集记录：1♂，长安区鸡窝子，1765m，2008. Ⅵ. 27，朱巽采；2♂，周至，2009. Ⅵ. 09-16，王培新采；4♀，周至厚畛子，1309m，2006. Ⅶ. 07，朱巽采；1♀，CSCS12148，户县涝峪八里坪朱雀森林公园，2012. Ⅶ. 12-13，杨露菁采；2♀，太白青峰峡，1473m，2008. Ⅶ. 03，朱巽采；1♀，太白北山，1981. Ⅶ. 08；2♀，凤县嘉陵江源头，1617m，2007. Ⅶ. 14，朱巽采；1♀，宁陕火地塘，1500m，1994. Ⅷ. 14，吕采；1♀，宁陕平河梁，2382m，2010. Ⅶ. 12，李涛采；1♀，China，Shaanxi，Kaitianguan，Mt. Taibaishan，Qinling Mts，2000m，10. Ⅵ. 2007，A. Shinohara；1♂，China，Shaanxi，Kaitianguan，Mt. Taibaishan，Qinling Mts，2000m，07. Ⅵ. 2006，A. Shinohara。

分布：陕西（长安、周至、户县、太白、凤县、眉县、宁陕、安康）、宁夏、甘肃、四川。

（261）后盾钩瓣叶蜂 *Macrophya postscutellaris* Malaise，1945

Macrophya postscutellaris Malaise，1945：136.

鉴别特征：本种属于 *Macrophya imitator* 种团，雌虫体长 8mm，雄虫体长 6mm。前胸背板后缘具白色狭边；后足第 1 转节腹侧具模糊黑斑；后足胫节背侧亚端部长斑约占胫节 1/2 长；头部背侧及中胸前侧片光泽强烈，刻点粗糙密集；中胸小盾片低度隆起，顶部平坦，后缘具弱度横脊。

分布：陕西(秦岭)、湖北、重庆、四川、贵州、西藏；缅甸。

(262) 反刻钩瓣叶蜂 *Macrophya revertana* Wei, 1998

Macrophya revertana Wei, 1998: 157.

鉴别特征：本种属于 *Macrophya sibirica* 种团，雌虫体长 12mm，雄虫体长 10mm。单眼后区完全黑色；中胸小盾片完全黑色，无白斑；腹部第 1 背板后缘两侧具明显小白斑；中胸前侧片刻点显著大且密于额区，额区刻点稀疏分散，刻点间隙光滑显著。

采集记录：2♀，长安终南山，1555m，2006. Ⅴ. 27，朱巽采；1♀，长安终南山，1292m，2006. Ⅴ. 28，朱巽采；12♀，潼关桐峪镇，1052m，2006. Ⅴ. 30，朱巽采；1♀，佛坪，1000 ~ 1450m，2005. Ⅴ. 17，朱巽采。

分布：陕西(长安、潼关、佛坪)、山西、河南、甘肃、安徽、浙江、湖北、湖南。

(263) 申氏钩瓣叶蜂 *Macrophya sheni* Wei, 1998 (图版 6：F)

Macrophya sheni Wei, 1998: 154.

鉴别特征：本种属于 *Macrophya sheni* 种团，雌虫体长 10mm，雄虫体长 8. 50mm。颜面与额区明显下沉；后胸侧板附片较短；后足股节端半部黑色，胫节和基跗节大部黑色。

采集记录：5♀3♂，长安终南山，1555m，2006. Ⅴ. 27，杨青、朱巽采；1♀，太白山点兵场，1200m，1981. Ⅶ. 01，陕西太白山昆虫考察团采。

分布：陕西(长安、太白)、河北、山西、河南、甘肃。

(264) 黄痣钩瓣叶蜂 *Macrophya stigmaticalis* Wei *et* Nie, 2002

Macrophya stigmaticalis Wei *et* Nie, 2002i: 457.

鉴别特征：本种属于 *Macrophya sibirica* 种团，雌虫体长 8mm。上唇、唇基和后足基节外侧长斑白色；足大部浅黄褐色；翅浅烟色，前缘脉及翅痣黄褐色；头部背侧光泽强烈，刻点十分细弱，表面光滑；雌虫锯腹片锯刃较突出，亚基齿较细小，中部锯刃齿式 2/6-9。

采集记录：1♀，长安终南山，1555m，2006. Ⅴ. 27，杨青采；1♀，丹凤寺坪镇，900 ~ 1200m，2005. Ⅴ. 21，朱巽采。

分布：陕西(长安、丹凤)、河南、湖北、贵州。

(265) 童氏钩瓣叶蜂 *Macrophya tongi* Wei *et* Ma, 1997

Macrophya tongi Wei *et* Ma, 1997: 80.

鉴别特征： 本种属于 *Macrophya sanguinolenta* 种团，*Macrophya tongi* 亚种团，雌虫体长 9mm，雄虫体长 7.50mm。上唇完全白色，唇基端半部白色，基半部黑色；前胸背板后缘具白色狭边；中胸小盾片不完全黑色，中央具白斑，后胸小盾片中央两侧大部白色；后足胫节背侧亚端部具显著白斑。

采集记录： 1♀，佛坪，2005. Ⅴ. 17，1000～1450m，刘守柱采。

分布： 陕西(佛坪)、安徽、湖南、广西。

(266) 糙板钩瓣叶蜂 *Macrophya vittata* Mallach, 1936 (图版 6：G)

Macrophya vittata Mallach, 1936: 221.

Macrophya abbreviata Takeuchi, 1938: 65.

鉴别特征： 本种隶属于 *Macrophya vittata* 种团，雌虫体长 13mm，雄虫体长 11mm。头胸部刻点粗大密集，光泽较弱；颜面稍凹陷；唇基缺口浅弱，侧角短钝；腹部第 1 和 10 背板不完全黑色，后缘具白斑，其余各节背板完全黑色；腹部第 1 背板刻纹粗糙网状，无光滑区域；前翅翅痣下具宽阔浅烟色横带，与该种团内其他种类容易识别。

采集记录： 1♀，潼关桐峪镇，1052m，2006. Ⅴ. 30，朱巽采；1♂，佛坪，1000～1450m，2005. Ⅴ. 17，朱巽采。

分布： 陕西(潼关、佛坪)、河北、河南、甘肃、浙江、湖北、湖南、四川、贵州；日本。

(267) 文氏钩瓣叶蜂 *Macrophya weni* Wei, 1998

Macrophya weni Wei, 1998: 157.

鉴别特征： 本种属于 *Macrophya imitator* 种团，雌虫体长 9.00～9.50mm，雄虫体长7.50～8.00mm。后足转节几乎完全白色，腹侧具模糊黑斑；锯鞘显著长于后足基跗节；头胸部刻点粗密，头部背侧无光滑间隙；前翅臀室中柄较长，约等长于 1r-m 脉；雌虫锯腹片锯刃强烈突出，刃间膜明显凹陷，刃齿小型且多，中部锯刃齿式为 2-3/10-12，节缝刺毛带狭窄，刺毛稀疏。

采集记录： 1♀，安康化龙山，2003. Ⅵ. 27，2100m，于海丽采；1♀，China，Shaanxi，Kaitianguan，Mt. Taibaishan，Qinling Mts，2000m，31. Ⅴ. - 02. Ⅵ. 2004，A. Shinohara；1♀，China，Shaanxi，Kaitianguan，Mt. Taibaishan，Qinling Mts，2000m，07. Ⅵ. 2007，A. Shinohara; 1♀, China, Shaanxi, Kaitianguan, Mt. Taibaishan, Qinling Mts, 2000m, 10. Ⅵ. 2007, A. Shinohara; 2♀, China, Shaanxi, Kaitianguan, Mt. Taibaishan, Qinling Mts, 2000m, 06. Ⅵ. 2007, A. Shinohara; 1♂, China, Shaanxi, Kaitianguan, Mt. Taibaishan, Qinling Mts, 2000m, 08. Ⅵ. 2006, A. Shinohara; 1♂, China, Shaanxi, Kaitianguan, Mt. Taibaishan, Qinling Mts, 2000m, 06. Ⅵ. 2006, A. Shinohara; 1♂, China, Shaanxi, Kaitianguan, Mt. Taibaishan, Qinling Mts, 2000m, 05. Ⅵ. 2007, A. Shinohara。

分布: 陕西(华阴、眉县、安康)、北京、河北、山西、河南、甘肃、宁夏、湖北、四川。

(268) 武氏钩瓣叶蜂 *Macrophya wui* Wei *et* Zhao, 2010

Macrophya wui Wei *et* Zhao, 2010: 84.

鉴别特征: 本种属于 *Macrophya histrio* group 种团, 雌虫体长 9mm。单眼后区"山"字形黄白色, 宽长比约为 2.30; 后胸后侧片附片碟形毛窝显著大于后胸淡膜区; 触角柄节基大部和腹部第 9 背板完全黑色, 无黄白斑。

采集记录: 1♀, 太白青峰峡, 1473m, 2008. Ⅶ. 03, 蒋晓宇采; 1♀, 留坝营盘乡, 1390m, 2007. Ⅴ. 21, 朱巽采; 1♀, 留坝大坝沟, 1320m, 2007. Ⅴ. 20, 朱巽采; 1♀, China, Shaanxi, Kaitianguan, Mt. Taibaishan, Qinling Mts, 2000m, 04. Ⅵ. 2007, A. Shinohara。

分布: 陕西(眉县、太白、留坝)、甘肃、湖北。

(269) 杨氏钩瓣叶蜂 *Macrophya yangi* Wei *et* Zhu, 2012 (图版 6: H)

Macrophya yangi Wei *et* Zhu, 2012: 165.

鉴别特征: 本种属于 *Macrophya sanguinoenlata* 种团, *Macrophya sanguinolenta* 亚种团, 雌虫体长 9.50mm, 雄虫体长 8mm。两性中胸小盾片黑色; 腹部第 2~3 背板侧缘具约等大的小型白斑; 后足转节白色; 后足胫节大部黑色, 背侧亚端部具小白斑; 头部背侧刻点较粗糙密集, 几乎无光滑间隙, 具微弱刻纹; 额区不明显下沉, 单眼顶面与复眼平面相齐平; 雄虫唇基大部和上唇全部白色, 各足转节全部黄褐色; 锯鞘短于后足基跗节, 鞘端明显短于鞘基, 锯刃低弱突出。

采集记录: 1♀, 长安终南山, 1555m, 2006. Ⅴ. 27, 杨青采; 3♀2♂, 周至楼观台, 899m, 2006. Ⅴ. 25, 杨青、朱巽采; 1♂, 潼关桐峪镇, 1052m, 2006. Ⅴ. 30, 朱巽采。

分布: 陕西(长安、周至、潼关、留坝)、甘肃。

(270) 钟氏钩瓣叶蜂 *Macrophya zhongi* Wei *et* Chen, 2002

Macrophya zhongi Wei *et* Chen, 2002: 213.

鉴别特征： 本种属于 *Macrophya sanguinolenta* 种团，*Macrophya koreana* 亚种团，雌虫体长 11mm，雄虫体长 8.50mm。上唇中央白色，边缘具黑框；腹部第 1 背板后缘中部白边极狭，第 2～3 背板侧白斑显著；中胸小盾片亮黄色，顶部刻点稀疏，较光亮，顶面稍高于中胸背板平面；后足转节大部白色，第 2 转节具明显黑斑；锯腹片中部锯刃齿式为 1/5-7，锯刃稍倾斜突出，刃齿较大且少，大小较均匀，节缝刺毛带较宽，刺毛稍密集。

采集记录： 1♀，潼关桐峪镇，1052m，2006. Ⅴ. 30，朱巽采；1♀，丹凤寺坪镇，900～1200m，2005. Ⅴ. 21，朱巽采。

分布： 陕西（潼关、丹凤）、河北、河南、甘肃。

91. 方颜叶蜂属 *Pachyprotasis* Hartig, 1837

Pachyprotasis Hartig, 1837: 295. **Type species**: *Lithracia flavipes* Cameron, 1902.

属征： 体长 6～16mm。体黑色，具黄色、白色或红褐色斑纹；唇基及上唇隆起，唇基端部凹入，底部弧形或钝截型，深约为唇基 1/4～1/2 长，上唇端部多为截形；复眼内缘向下平行，极少向内收敛，雄虫有时向外侧分歧；颚眼距宽，雌虫约等宽于单眼直径，雄虫有时宽达单眼直径的 2～3 倍；额区通常不隆起，额脊不明显；中窝及侧窝小坑状或细沟状；单眼中沟、后沟缺或不明显；多数种类头部向后强烈收敛；触角细长，雌虫多数约等长于胸腹部之和，雄虫多长于胸腹部之和，第 3 节等长于或稍长于第 4 节，极少较短，部分种类鞭节端部侧扁，雄虫绝大多数种类鞭节强烈侧扁；额区及邻近的复眼内眶多具刻点及刻纹，中胸背板前叶、盾片刻点多细密；中胸小盾片棱形或圆钝形隆起，两侧脊多明显；中胸前侧片刻点多细密且浅弱，上角有时具大、深且稀疏的刻点；腹部刻点多分散，刻纹不明显；第 1 节背板中裂；翅多透明，有些种类端部稍烟褐色；前翅 Rs 脉基部完整，后翅具 2 个中室；前翅 cu-a 脉一般位于中室基部 1/3 处，2Rs 室稍长于或等长于 1Rs 室，前翅臀室中柄长，绝大多数种类后翅臀室具柄；后足股节端部伸达腹部端部，后足胫节内距一般为基跗节 3/5 长，基跗节稍长于或等长于其后 4 个跗分节之和，爪内齿一般长于外齿。

分布： 古北区。世界已知 206 种，中国已记载 128 种，秦岭地区采集到 35 种，本文记述 29 种。

分种检索表

1. 触角全部黑色或黑褐色，或者背侧全部黑色，腹侧淡色（雄虫）………………………………… 2

触角黑色，第 6 节端部以远部分白色 ………………………………… **佛坪方颜叶蜂 *P. fopingensis***

2. 腹部黑色或具黄色、白色斑，无红色斑纹 ……………………………………………………………… 3
   腹部黑色，第 3 节背板端部至第 5 节背板端部及其缘折部分红褐色，杂以黑斑，锯鞘基红褐色，锯鞘端黑色 ……………………………………………………… **斑背方颜叶蜂 *P. maculotergitis***
3. 翅痣和前缘脉黄褐色、浅褐色或淡绿色；虫体大部黄白色或黄绿色，具黑斑 ……………… 4
   翅痣和前缘脉通常黑色或黑褐色；如翅痣浅褐色，则虫体大部或几乎全部黑色 …………… 5
4. 后足各跗分节除基部腹侧浅褐色外其余部分黑色，触角鞭节黑色…………………………………………………………………………………………… **秦岭方颜叶蜂 *P. qinlingica***
   后足各跗分节基部黄绿色，触角鞭节腹侧黄绿色 ……………… **淡痣方颜叶蜂 *P. pallidistigma***
5. 后足多少具红色部分 ……………………………………………………………………………… 6
   后足黑色或黄白色，无红色部分……………………………………………………………………… 12
6. 后足跗节全部黑色，或仅第 4 节及第 5 节跗分节基部黄白色 ………………………………… 7
   后足跗节除基跗节基部及端跗节端部黑色外，其余部分不为黑色 ……………………………… 9
7. 头部不光滑，刻纹明显，刻点密集 ……………………………………………………………… 8
   头部光滑，无刻纹或刻纹不明显，刻点分散………………………… **吴氏方颜叶蜂 *P. wui***
8. 后足股节外侧仅基半部具黑条纹 ………………………………… **副色方颜叶蜂 *P. parasubtilis***
   后足股节外侧全长具黑条纹 ………………………………… **纹股方颜叶蜂 *P. lineatifemorata***
9. 后足基跗节端部至端跗节基部黄白色 ……………………………………………………………… 10
   后足基跗节端部至端跗节基部大部分红色或红棕色 ……………………………………………… 11
10. 中胸前侧片刻点粗糙、深且不规则 ……………………………… **锥角方颜叶蜂 *P. subulicornis***
    中胸前侧片刻点极其微弱，不明显或浅、小、规则 ……………… **纤体方颜叶蜂 *P. subtilis***
11. 胸部侧板底部及相连的腹板黄白色，无黑斑 ……………………… **尖唇方颜叶蜂 *P. acutilabria***
    中胸侧板及腹板全部黑色 ………………………………………… **盛氏方颜叶蜂 *P. shengi***
12. 后足 2 ~ 4 跗分节全部白色 …………………………………………………………………………… 13
    后足跗节全部或大部分黑色，或者 2 ~ 5 跗分节至少端部黑色 ……………………………… 16
13. 后足股节基部白色，有时具黑条斑…………………………………………………………………… 14
    后足股节全部黑色，无白斑 ……………………………………… **王氏方颜叶蜂 *P. wangi***
14. 后足基节黄白色，有时外侧具黑色斑纹……………………………………………………………… 15
    后足基节黑色，无白斑………………………………………… **陕西方颜叶蜂 *P. shaanxiensis***
15. 雌虫中胸侧板底部具黑斑；雄虫中胸侧板顶部黑色 ……………… **纹基方颜叶蜂 *P. lineicoxis***
    雌虫中胸侧板底部无黑斑；雄虫中胸侧板大部黄白色，黑色部分较少 …………………………………………………………………………………………… **短角方颜叶蜂 *P. brevicornis***
16. 后足黑色，基节和股节有时部分白色；中胸前侧片黑色，前后侧有时具白斑；中胸腹板黑色 … 17
    后足至少基节至股节基半部白色，中胸侧板及腹板黄白色；或侧板黑色，底部具大型横白斑，腹板黑色 ……………………………………………………………………………………… 20
17. 中胸前侧片刻点不粗糙、规则……………………………………………………………………… 18
    中胸前侧片刻点粗糙且不规则…………………………………… **黑体方颜叶蜂 *P. melanosoma***
18. 后足股节基部至少 1/3 黄白色……………………………………………………………………… 19
    后足股节黑色，背侧具狭长白色条纹 …………………………… **微斑方颜叶蜂 *P. micromaculata***
19. 中窝深沟状，额区内陷；后足基节背侧暗褐色 …………………… **褐基方颜叶蜂 *P. fulvocoxis***
    中窝浅坑状，额区平；后足基节无褐色斑 ……………………… **斑足方颜叶蜂 *P. maculopediba***

20. 中胸侧板黑色，底部具大型横白斑，腹板有时具白斑，腹部腹板基部黑色 ………………… 21
中胸侧板及腹板全部白色，顶部有时黑色，底部或具窄小黑条斑，腹部背板缘折部分及腹板全部黄白色 …………………………………………………………………………………………… 27
21. 中胸前侧片刻点大、深、明显或密集、浅弱 ………………………………………………… 22
中胸前侧片光滑无刻点，或仅具少数几个稀疏刻点 ……………… **游离方颜叶蜂 *P. erratica***
22. 中胸侧板下半部白色，底部具黑色横斑，腹板白斑较大；或侧板黑色，具宽白色横斑 …… 23
中胸侧板黑色，基部有时具小型白斑，腹板白斑较小；或侧板黑色，但侧板底部白色横斑很窄 ………………………………………………………………………………………………… 25
23. 中胸前侧片刻点深且明显 …………………………………………………………………… 24
中胸前侧片光滑，刻点极其浅弱 ……………………………… **武陵方颜叶蜂 *P. wulingensis***
24. 后足股节基部黄白色部分宽于股节2/5长 ………………… **弱齿方颜叶蜂 *P. obscurodentella***
后足股节黄白色部分明显短于2/5股节长 ……………………………… **田氏方颜叶蜂 *P. tiani***
25. 体短于10mm，后足基节白色，无黑色条斑，头部背侧刻点大、深……………………………… 26
体长于10mm，后足基节白色，具很细的黑色条斑，头部背侧刻点浅 ……………………………
……………………………………………………………………… **小条方颜叶蜂 *P. lineatella***
26. 体长8~9mm；单眼后区宽长比为4:3 ……………………………… **蔡氏方颜叶蜂 *P. caii***
体长7mm；单眼后区宽长比为3:2 …………………………… **黑腹方颜叶蜂 *P. melanogastera***
27. 后足跗节黑色 ………………………………………………………………………………… 28
后足跗节大部黄白色，各跗分节端部黑色 ……………………… **合叶子方颜叶蜂 *P. antennata***
28. 中胸小盾片隆起不强烈，中部无纵沟 …………………………… **西姆兰方颜叶蜂 *P. simulans***
中胸小盾片强烈隆起，中部具深纵沟 ………………………… **沟盾方颜叶蜂 *P. sulciscutellis***

(271) 佛坪方颜叶蜂 *Pachyprotasis fopingensis* Zhong *et* Wei, 2010（图版6：I）

Pachyprotasis fopingensis Zhong *et* Wei, 2010：27.

鉴别特征： 雌虫体长10.50~11.50mm，雄虫体长9.50mm。体黑色，胸部背侧具明显白斑，腹部1~7节背板不相连横斑及第8节前背后缘中部横斑白色；触角黑色，第6节端部以远部分白色；足黑色，各足转节、跗节基部白色。单眼后区低平，宽稍微大于长，侧沟浅且直；后头短，两侧向后稍微收敛；触角明显短于胸腹长之和，第3节明显长于第4节。小盾片近棱形隆起，两侧脊明显。后足基跗节长于其后4个跗分节之和；后翅臀室无柄。头部额区刻点微弱，稍密集。中胸小盾片中部光滑无刻点，两侧具明显刻点，稍具光泽；中胸前侧片上部刻点稍大且明显，下部刻点细密，具光泽。锯腹片25刃，中部刃齿式为2/10-11，锯刃凸出。

采集记录： 2♀，佛坪，1000~1450m，2005.Ⅴ.17，朱巽采；1♂，佛坪岳坝，1085m，2006.Ⅳ.29，朱巽采。

分布： 陕西（佛坪）。

(272) 斑背方颜叶蜂 *Pachyprotasis maculotergitis* Zhu *et* Wei, 2008(图版6: J)

Pachyprotasis maculotergitis Zhu *et* Wei, 2008a: 176.

鉴别特征: 体长9mm。体黑色,胸部背侧具明显白斑,腹部第3~6节背板后缘中部具三角形小斑,上唇及唇基中部具黄褐色斑;腹部第3背板端部至第5背板端部及其缘折褐色,具黑斑,锯鞘基红褐色;足黄白色具黑色条斑,后足股节端部7/8、胫节除端缘外其余部分红褐色。单眼后区隆起,宽大于长,侧沟较深,向后稍分歧;头部背后观两侧向后强烈收敛。触角约等长于胸腹部之和,第3节略长于第4节,小盾片圆钝隆起,两侧脊钝;爪内齿短于外齿。后翅臀室柄稍长于cu-a脉1/2长。头部背侧刻点密集且稍大,刻点间隙具明显刻纹,光泽较弱;中胸前侧片上部刻点大小与头部背侧刻点相似,但稍浅,刻点间隙较光滑,下部刻点细密,光泽强;小盾片刻点少、浅,间隙光滑。锯腹片22刃,中部刃齿式2/8-9,锯刃突出。

采集记录: 1♀,长安终南山,1292m,2006. Ⅴ.28,朱巽采;2♀,镇安,1300~1600m,2005. Ⅶ.10,杨青采。

分布: 陕西(长安、镇安)。

(273) 秦岭方颜叶蜂 *Pachyprotasis qinlingica* Wei, 1998

Pachyprotasis qinlingica Wei *et* Nie, 1998g: 165.

鉴别特征: 雌虫体长9.00~10.50mm,雄虫体长8mm。头黄绿色,背侧具大黑斑;触角除基部两节腹侧外均黑色;胸部及腹部背侧黑色,具黄绿色斑纹;胸部及腹部腹侧黄绿色;足黄绿色,具黑色条纹,后足第2~5跗分节除各节基部腹侧外其余部分黑色。单眼后区宽明显大于长,侧沟深直;背后观后头短小,两侧向后明显收敛;触角短于胸腹长之和,第3节长于第4节。小盾片棱形隆起,两侧脊锐利;后足胫节内距长于基跗节1/2,爪内齿稍短于外齿。后翅臀室具柄,为cu-a脉段的1/3长。头部额区及邻近内眶刻点大、浅且分散,刻点间隙具细致刻纹及油质光泽;中胸前侧片除上部少数几个大浅刻点外,其余刻点浅弱且不明显,光泽强;小盾片顶部无刻点,后侧浅点浅弱。锯腹片23刃,中部刃齿式为2/10-12,锯刃倾斜。

采集记录: 1♀,太白山,1600~1800m,2005. Ⅶ.07,朱巽采;1♀,太白青峰峡,1473m,2008. Ⅶ.03,蒋晓宇采;1♀,镇安,1300~1600m,2005. Ⅶ.10,杨青采。

分布: 陕西(眉县、太白、镇安)、河南、宁夏、甘肃、湖北、湖南。

(274) 淡痣方颜叶蜂 *Pachyprotasis pallidistigma* Malaise, 1931

Pachyprotasis pallidistigma Malaise, 1931: 131.

鉴别特征：雌虫体长 9~10mm。体色与构造近似 *P. qinlingica* Wei，但后足各跗分节基部黄绿色，触角鞭节腹侧全长黄绿色，锯腹片形状与之不同等特征可与之区别。

采集记录：1♀，蓝田王顺山，1297m，2006. Ⅶ.12，朱巽采；8♂，凤县嘉陵江源头，1570m，2007. Ⅴ.26，朱巽、蒋晓宇采；4♂，留坝营盘乡村，1390m，2007. Ⅴ.21，朱巽采。

分布：陕西（蓝田、凤县、留坝）、内蒙古、山西、宁夏、甘肃、湖北、西藏。

（275）吴氏方颜叶蜂 *Pachyprotasis wui* Wei *et* Nie, 1998

Pachyprotasis wui Wei *et* Nie, 1998j: 372.

鉴别特征：雌虫体长 9.50mm，雄虫体长 6.50mm。体黑色，背侧具明显白斑，中胸前侧片中部具大型白色横斑，腹部各节背板缘折部分白色；足橙黄色，前中足股节缘端背侧以远黑色，后足股节端半部、胫节基部 2/3 红褐色，胫节端部 1/3 黑色。单眼后区宽约明显大于长，侧沟深直；后头短，背后观两侧向后明显收敛。触角稍短于胸腹部，第 3 节长于第 4 节。小盾片稍隆起，附片中脊低钝；后足基跗节略短于其后 4 个跗分节之和，爪内齿等长于外齿。后翅臀室柄等长于 cu-a 脉段 1/2 长。头部额区及内眶刻点稀少浅弱，刻点间隙光滑，刻纹细弱，光泽明显。中胸前侧片上部刻点稍大浅且稀疏，下部刻点浅弱分散，刻点间隙光滑；小盾片顶部光滑无刻点，后侧刻点稍大浅且分散。锯腹片 21 刃，中部刃齿式为 2/12-14，锯刃稍突出。

采集记录：1♀，佛坪大古坪，1320m，2006. Ⅳ.28，何末军采；1♀，佛坪岳坝，1085m，2006. Ⅳ.29，何末军采。

分布：陕西（佛坪）、浙江、湖南、福建。

（276）副色方颜叶蜂 *Pachyprotasis parasubtilis* Wei *et* Nie, 1998

Pachyprotasis parasubtilis Wei *et* Nie, 1998g: 162.

鉴别特征：体长 9.00~10.50mm。体黑色，具小白斑；前中足棕褐色，转节和股节基部黄色；后足红褐色，转节、股节基半部黄色，股节端部 1/2 红褐色，转节、股节外侧基半部具黑色条斑；胫节、跗节黑色。单眼后区宽 1.60 倍于长，侧沟深，相互平行；背面观后头短，两侧向后强烈收敛。触角短于胸腹长之和，第 3 节等长于第 4 节，鞭节侧扁。小盾片棱形隆起，两侧脊稍锐利；后足基跗节稍长于其后 4 个跗分节之和，爪内齿稍短于外齿。后翅臀室柄约为 cu-a 脉 1/2 长。头部额区及内眶刻点密集，刻点间隙不光滑，具细致刻纹及光泽；中胸前侧片上部刻点大浅且不密集，下部刻点小且分散，刻点间隙光滑，光泽强；小盾片刻点浅弱，光泽稍弱。锯腹片 21

刃，中部刃齿式为2/14-17，锯刃低平，刃齿细小。

采集记录：1♀，安康镇坪，1200m，2003. Ⅶ. 06，于海丽采。

分布：陕西(安康)、河南、湖北、湖南、贵州。

(277) 纹股方颜叶蜂 *Pachyprotasis lineatifemorata* Nie *et* Wei, 1999

Pachyprotasis lineatifemorata Nie *et* Wei, 1999: 109.

鉴别特征：雌虫体长10～11mm。体黑色，具小白斑；足红褐色，各足转节、后足股节基半部浅黄色，后足股节内侧端部及外侧全长具黑色条斑，后足胫节、跗节黑色。单眼后区宽1.60倍于长，侧沟深，相互平行；背观后头短，两侧向后强烈收敛。触角约等长于胸腹部之和，第3节等长于第4节，鞭节侧扁。小盾片圆钝隆起，附片中脊稍锐利；后足基跗节稍长于其后4个跗分节之和，爪内齿稍短于外齿；后翅臀室柄稍长于cu-a脉段1/2长。头部额区及邻近内眶刻点密集、明显，刻点间隙不光滑，具细致刻纹及光泽。中胸前侧片上部刻点稍大、浅且不密集，下部刻点小且稍密，刻点间隙光滑，光泽强；小盾片刻点稍大浅，光泽稍弱。锯腹片21刃，中部刃齿式为2/14-16，锯刃短且低，刃齿细小。

采集记录：1♀，凤县嘉陵江源头，1617m，2007. Ⅶ. 14，蒋晓宇采。

分布：陕西(凤县)、河南、湖北、四川。

(278) 锥角方颜叶蜂 *Pachyprotasis subulicornis* Malaise, 1945

Pachyprotasis subulicornis Malaise, 1945: 153.

鉴别特征：体长6～7mm。体黑色，背侧具小白斑；足黄白色，各足基节基部腹侧具黑斑，前足股节后侧除基缘外及中足股节除基部外褐色，前中足股节端部背侧以远、后足胫节端部1/3和跗节黑色；中足股节中部、后足股节端部4/5及胫节基部2/3红褐色。单眼后区宽2倍于长，侧沟深，向后稍分歧；后头短，两侧向后明显收敛；触角约等长于胸腹部之和，第3节等长于第4节，鞭节端部稍侧扁。中胸小盾片钝形隆起；后足基跗节长于其后4个跗分节之和，爪内齿约等长于外齿。后翅臀室柄长于cu-a脉段1/2。头部额区及邻近内眶刻点细密，刻点间隙具明显刻纹；中胸前侧片上部刻点稍大、深且粗糙，下部刻点细密，刻点间隙具细致刻纹及明显光泽；小盾片刻点稍浅且密集。锯腹片18刃，中部刃齿式2/5-6，锯刃明显突出。

采集记录：1♀，丹凤寺坪填，900～1200m，2005. Ⅴ. 21，刘守柱采。

分布：陕西(丹凤)、河南、安徽、浙江、湖北、湖南、福建、广东、广西、贵州、云南；印度。

(279) 纤体方颜叶蜂 *Pachyprotasis subtilis* Malaise, 1945

Pachyprotasis subtilis Malaise, 1945: 150.

鉴别特征：体长6.50～8.50mm。体黑色，背侧具小白斑；足红褐色，各足转节、股节基部黄白色，后足胫节端部、端跗节端部黑色。单眼后区稍隆起，具微弱中沟，宽长比为13:8，侧沟较深直；后头短，两侧向后强烈收敛；触角约等长于胸腹部之和，第3节等长于第4节，鞭节端部数节侧扁。小盾片钝形隆起，两侧脊基部明显，端部钝圆；后足基跗节长于其后4个跗分节之和，爪内齿明显长于外齿。后翅臀室柄约为cu-a脉段1/3长。头部额区及邻近内眶刻点密集，刻点间隙具明显刻纹及光泽。中胸前侧片上部刻点大浅且稍分散，下部刻点细密，刻点间隙光滑，刻纹细致，光泽明显；小盾片两侧具浅弱刻点，光泽明显。锯腹片22刃，中部刃齿式2/11-13，锯刃凸出，刃齿细小。

采集记录：1♀，华山，1300～1600m，2005.Ⅶ.12，朱巽采。

分布：陕西（华阴）、河南、甘肃、四川、贵州；印度。

(280) 尖唇方颜叶蜂 *Pachyprotasis acutilabria* Wei *et* Nie, 1998

Pachyprotasis acutilabria Wei *et* Nie, 1998g: 164.

鉴别特征：体长7.50～8.00mm。体黑色，背侧具小白斑，体腹侧黄白色，无黑斑。前中足黄白色，后足红棕色，基节、股节基部黄白色，胫节端部黑色。单眼后区稍隆起，宽为长的2倍；侧沟深；头部背后观两侧向后明显收敛。触角短于胸腹长之和，第3节稍长于第4节。小盾片钝形隆起，侧脊基部锐利；后足基跗节长于其后跗分节之和，爪内齿短于外齿。后翅臀室柄短于cu-a脉1/2长。头部额区及邻近内眶刻点细浅小且分散，刻点间隙具细致刻纹，光泽弱。中胸前侧片刻点极细小且不明显，刻点间隙光滑，刻纹弱，光泽明显；中胸小盾片中部光滑无刻点，两侧具稀疏浅弱刻点，具光泽。锯腹片20刃，中部刃齿式为2/8-10，锯刃凸出。

采集记录：1♀，太白山，1600～1800m，2005.Ⅶ.07，杨青采；1♀，太白山，1580m，2007.Ⅶ.12，蒋晓宇采。

分布：陕西（眉县）、河南、宁夏、甘肃、湖北。

(281) 盛氏方颜叶蜂 *Pachyprotasis shengi* Nie *et* Wei, 1999

Pachyprotasis shengi Nie *et* Wei, 1999: 108.

鉴别特征：雄虫体长7.50～9.00mm。体黑色，背侧具小白斑。足红褐色，基节、转节及股节基部黄白色，后足胫节端部及第5跗分节端部黑色。单眼后区宽稍大于长，侧沟深，亚平行；头部背后观两侧向后强烈收敛。触角略短于胸腹长之和，第3节稍短于第4节。小盾片钝形隆起，两侧脊基部明显；后足基跗节稍长于其后4个跗分节之和，爪内齿显著短于外齿。后翅臀室柄稍长于cu-a脉段1/2长。头部额区及相邻内眶刻点浅小且密集，刻点间隙刻纹致密，光泽较弱；中胸前侧片上部刻点浅小且不密集，下部刻点细小且稍密集，刻点间隙光滑，刻纹弱，具油质光泽；小盾片两侧具浅且稍密集的刻点，无光泽。锯腹片21刃，强烈骨化，十分细长，纹孔线几乎与锯腹片腹缘平行，中部刃齿式为1/8-9，锯刃低，稍突出。雄虫体长7.50mm，体色构造与雌虫极相近。

采集记录：1♂，佛坪，1000～1450m，2005. Ⅴ.17，朱巽采。

分布：陕西（佛坪）、河南、湖北、湖南、四川、云南。

（282）王氏方颜叶蜂 *Pachyprotasis wangi* Zhong *et* Wei，2002

Pachyprotasis wangi Zhong *et* Wei，2002：220.

鉴别特征：体长7～8mm。体和足几乎全部黑色，具不明显的白斑，后足2～5跗分节白色。单眼后区稍隆起，宽2倍于长，侧沟稍深；头部背后观两侧向后弱度收敛；触角明显短于胸腹长之和，第3节明显长于第4节。中胸小盾片近棱形，稍隆起，两侧脊锐利；后足基跗节稍长于其后4个跗分节之和，爪内齿明显短于外齿。后翅臀室柄稍长于cu-a脉段1/2长。头部额区及邻近内眶刻点和刻纹致密，光泽较弱；中胸前侧片刻点和刻纹细密，光泽较弱；中胸小盾片中部刻点稀疏，两侧刻点及刻纹密集，光泽弱。锯腹片20刃，中部刃齿式为2/8-9，锯刃凸出。

采集记录：1♀，长安区鸡窝子，1765m，2008. Ⅵ.26，朱巽采。

分布：陕西（长安）、黑龙江、河南、宁夏、甘肃、青海、湖北、四川、云南、西藏。

（283）陕西方颜叶蜂 *Pachyprotasis shaanxiensis* Zhu *et* Wei，2008

Pachyprotasis shaanxiensis Zhu *et* Wei，2008a：177.

鉴别特征：体长8mm。体黑色，背腹侧具小白斑；前、中足黄白色，背侧具黑色条纹；后足黑色，股节基部1/4、2～5跗分节白色。单眼后区稍隆起，宽长比为12：7，侧沟深，向后微弱分歧；头部背面观两侧向后强烈收敛。触角稍短于胸腹部之和，第3节稍长于第4节，鞭节侧扁。小盾片棱形，两侧脊显著，顶部低平。后足基跗节等长于其后4个跗分节之和，爪内齿稍长于外齿。后翅臀室柄稍长于cu-a脉段1/2长。头部背侧刻点稍小，刻点间距小于刻点直径，刻点间隙具明显刻纹，稍具光泽；中胸前侧片上部刻点大小及密度与头部刻点相似，下部刻点稍小，刻点间隙光滑，光泽明显；中胸小盾片顶部光滑，刻点稀疏，浅弱，刻纹不明显，光泽较强。

采集记录： 1♂，佛坪，1000～1450m，2005. Ⅴ.17，朱巽采。

分布： 陕西（佛坪）、湖北。

（284）纹基方颜叶蜂 *Pachyprotasis lineicoxis* Malaise，1931

Pachyprotasis lineicoxis Malaise，1931：129.

鉴别特征： 雌虫体长 9～10mm，雄虫体长 7～8mm。体黑色，背侧具小白斑，腹侧具大白斑；足黄白色，前中足股节背侧以远窄的黑色条纹、后足股节端部 3/5、胫节、基跗节、端跗节端部黑色。单眼后区隆起，宽 2 倍于长，侧沟稍深直；头部背后观两侧向后稍收敛；触角短于胸腹长之和，第 3 节长于第 4 节。中胸小盾片近棱形，稍隆起，两侧脊稍钝；后足基跗节短于其后 4 个跗分节之和，爪内齿短于外齿。后翅臀室柄为 cu-a 脉段 1/2 长。头部额区及邻近内眶刻点浅弱且不密集，刻点间隙具微细刻纹及光泽；中胸前侧片上部刻点浅弱且不密集，刻点间隙光滑，刻纹不明显，具光泽；下部刻点极其细弱且密集；中胸小盾片光滑，几乎无刻点，刻纹不明显，均具明显光泽。锯腹片 23 刃，中部刃齿式为 3/14-16。

采集记录： 1♀，长安区鸡窝子，1765m，2008. Ⅵ.27，朱巽采；13♂，凤县嘉陵江源头，1570m，2007. Ⅴ.26，朱巽、蒋晓宇采；8♂，留坝营盘乡，1390m，2008. Ⅴ.21，朱巽、蒋晓宇采；1♂，佛坪岳坝，1085m，2006. Ⅳ.29，朱巽采。

分布： 陕西（长安、凤县、留坝、佛坪）、吉林、山西、河南、宁夏、甘肃、四川、贵州；俄罗斯（海参崴，东西伯利亚），日本。

（285）短角方颜叶蜂 *Pachyprotasis brevicornis* Wei *et* Zhong，2002

Pachyprotasis brevicornis Wei *et* Zhong，2002：227.

鉴别特征： 体长 6.50～8.50mm。体黑色，背侧具明显黄白斑，腹侧全部黄白色；足黄白色，前中足股节端半部后背侧具黑色条斑，后足股节端半部及胫节全部黑色。单眼后区宽大于长 2 倍，侧沟短深，互相平行；头部背后观两侧向后明显收敛；触角明显短于胸腹长之和，第 3 节微长于第 4 节。中胸小盾片钝形隆起，两侧脊基部稍锐利；后足基跗节等长于其后 4 个跗分节之和，爪内外齿几乎等长。后翅臀室柄为cu-a 脉段 1/2 长。头部背侧刻点稍密，相当浅弱，刻纹明显，光泽弱。胸部侧板刻点极其浅弱，刻纹不明显，具强光泽；中胸小盾片光滑，几乎无刻点及刻纹，具强光泽。锯腹片 21 刃，中部刃齿式为 2/8-10，锯刃明显凸出，刃间段很短。

采集记录： 1♀，长安终南山，1292m，2006. Ⅴ.28，朱巽采；1♀，长安区鸡窝子，1765m，2008. Ⅵ.27，朱巽采；1♀，安康化龙山，2100m，2003. Ⅵ.27，于海丽采。

分布：陕西(长安、安康)、山西、河南、宁夏、浙江、湖北、四川、云南。

(286) 黑体方颜叶蜂 *Pachyprotasis melanosoma* Zhong *et* Wei, 2002 (图版 6：K)

Pachyprotasis melanosoma Zhong *et* Wei, 2002：218.

鉴别特征：雌虫体长 11mm。体及足几乎全为黑色，仅中胸背板具微小白斑。单眼后区隆起，宽为长的 1.60 倍，侧沟较深，向后稍分歧；头部背后观两侧向后强烈收敛。触角稍短于胸腹长之和，第 3 节稍长于第 4 节，鞭节明显侧扁。中胸小盾片棱形明显隆起，两侧具锐脊；后足基跗节长于其后 4 个跗分节之和，爪内齿明显短于外齿。后翅臀室柄极短，约为 cu-a 脉段 1/6 长。头部背侧刻点密集，刻点间隙具细密刻纹，暗淡。中胸前侧片上部刻点深、粗糙且不规则，下部刻点细密，刻点间隙具细密刻纹；中胸小盾片刻点深且明显，刻纹致密，无光泽。锯腹片 21 刃，中部刃齿式为 2/6-8，锯刃稍凸出。

采集记录：1♀，长安区鸡窝子，1765m，2008. Ⅵ. 27，朱巽采。

分布：陕西(长安)、山西、河南、宁夏、甘肃、四川、云南、西藏。

(287) 微斑方颜叶蜂 *Pachyprotasis micromaculata* Zhong *et* Wei, 2002

Pachyprotasis micromaculata Zhong *et* Wei, 2002：218.

鉴别特征：雌虫体长 10mm。体几乎全为黑色，仅中胸背板具微小白斑；足黑色，仅后足基节外侧具 1 个明显白斑。单眼后区稍隆起，宽为长的 1.50 倍，侧沟稍浅；头部背后观两侧向后明显收敛。触角稍短于胸腹长之和，第 3 节长于第 4 节，鞭节端部数节侧扁。中胸小盾片钝形，强烈隆起，两侧脊稍钝；后足基跗节明显长于其后 4 个跗分节之和，爪内齿稍短于外齿。后翅臀室柄为 cu-a 脉段 1/3 长。头部背侧刻点密集，刻点间隙具细密刻纹，暗淡；中胸侧板刻点细密，刻点间隙具油质光泽；中胸小盾片刻点大且明显，无光泽。锯腹片 23 刃，锯刃倾斜，中部刃齿式为 2/9-10。

采集记录：1♀，华山，1300～1600m，2005. Ⅶ. 12，朱巽采；1♀，眉县营头蒿坪，1162m，2008. Ⅶ. 01，朱巽采。

分布：陕西(华阴、眉县)、河南、甘肃、湖北、湖南。

(288) 褐基方颜叶蜂 *Pachyprotasis fulvocoxis* Zhong *et* Wei, 2002

Pachyprotasis fulvocoxis Zhong *et* Wei, 2002：229.

鉴别特征：体长 9.50mm。体和足黑色，具微小白斑，后足背侧暗红褐色。单眼后区隆起，宽为长的1.50倍，侧沟深，向后显著分歧；头部背后观两侧向后强烈收敛。触角短于胸腹长之和，第3节稍长于第4节，鞭节强烈侧扁。中胸小盾片棱形，显著隆起，两侧脊锐利；后足基跗节等长于其后4个跗分节之和，爪内齿微长于外齿。后翅臀室柄长于cu-a脉段1/2长。头部背侧刻点大、浅且稍密集，刻点间隙具致密刻纹，光泽较弱；中胸小盾片刻点明显，无光泽。

采集记录： 1♂，长安区鸡窝子，2077m，2008.Ⅵ.28，朱巽采。

分布： 陕西(长安)、河南、湖北。

(289) 斑足方颜叶蜂 *Pachyprotasis maculopediba* Zhong *et* Wei, 2002

Pachyprotasis maculopediba Zhong *et* Wei, 2002: 219.

鉴别特征： 体长8mm。体黑色，背侧具小白斑，中胸前侧片底部具1个白色宽横斑；足黑色，前中足前侧全部及后足股节基部1/3黄白色。单眼后区宽为长的2倍，侧沟深弧形，向后分歧；头部背后观两侧向后稍收敛。触角短于体长，第3节稍长于第4节，鞭节端部数节侧扁。中胸小盾片钝形，微弱隆起；后足基跗节约等长于其后4个跗分节之和，爪内齿明显短于外齿。后翅臀室短于cu-a脉段1/3长。头部背侧刻点密集且稍浅，刻纹细密，具光泽；中胸前侧片上部刻点分散且稍大，下部刻点细密，刻点间隙光滑，具明显油质光泽；中胸小盾片中部光滑无刻点，两侧刻点浅弱、稀疏，具强光泽。锯腹片20刃，锯刃凸出，中部刃齿式为2/13-14。

采集记录： 1♀，佛坪三宫庙，1455m，2006.Ⅳ.26，朱巽采；1♀，佛坪岳坝，1085m，2006.Ⅳ.29，朱巽采；2♀，佛坪，1000~1450m，2005.Ⅴ.17，朱巽、刘守柱采；1♀，佛坪，1000~1450m，2005.Ⅴ.17，朱巽采。

分布： 陕西(佛坪)、河南、宁夏、湖北、云南。

(290) 游离方颜叶蜂 *Pachyprotasis erratica* Smith, 1874

Pachyprotasis erratica Smith, 1874: 381.

鉴别特征： 体长8mm。体背侧黑色，具明显黄白斑，腹侧黄白色，中胸前侧片底部具1个宽的黑色横斑；足黄绿色，前中足股节背侧端部1/3以远部分具黑色条纹，后足股节端部2/5以远部分黑色。单眼后区宽约为长的2倍，侧沟弧形且稍深；头部两侧向后明显收敛；触角短于胸腹长之和，第3节稍长于第4节。中胸小盾片钝形隆起，两侧脊钝；后足基跗节亚等长于其后4个跗分节之和，爪内齿短于外齿。后翅臀室具长柄，为cu-a脉段3/4长。头部额区及内眶刻点浅弱且不密集，刻点间隙光滑，几乎无刻纹，光泽强。中胸前侧片上部刻点极其浅弱且分散，下大半部刻点细弱且稍密集，刻点间隙刻纹不明显，光泽强；中胸小盾片中部光滑无刻点，两侧具稍大且浅的刻点。锯腹片 20 刃，锯刃倾斜，刃间段较短，中部刃齿式 10-2/16-18。

采集记录：1♀，佛坪，1000～1450m，2005. Ⅴ. 17，朱巽采。

分布：陕西（佛坪）、吉林、浙江、湖南、福建、台湾、贵州；俄罗斯，日本。

（291）武陵方颜叶蜂 *Pachyprotasis wulingensis* Wei, 2006

Pachyprotasis wulingensis Wei, 2006: 625.

鉴别特征：体长 9mm。体背侧黑色，具明显黄白斑，腹侧黄白色，中胸前侧片底部具 1 个黑色宽横斑；足黄绿色，前中足股节背侧以远部分具黑色条纹，后足股节端部 2/5 以远黑色。单眼后区宽约为长的 2 倍，侧沟浅直，向后稍分歧；后头两侧向后明显收敛；触角稍长于腹部，第 3 节明显长于第 4 节，端部鞭节稍侧扁；中胸小盾片棱形隆起，两侧脊锐利；后足基跗节等于其后 4 个跗分节之和，爪内齿稍短于外齿。后翅臀室具短柄。头部额区及相连的内眶部分刻点分散且浅弱，刻点间隙具致密刻纹及光泽；中胸前侧片刻点极其浅弱，刻纹微细，具光泽；中胸小盾片中部光滑无刻点，光泽强，两侧具明显刻纹，刻点稍深且明显。锯腹片 20 刃，锯刃端部稍倾斜突出，中部刃齿式 2/15-16。

采集记录：1♀，长安区鸡窝子，1765m，2008. Ⅵ. 27，朱巽采。

分布：陕西（长安）、浙江、湖南、广东、贵州。

（292）弱齿方颜叶蜂 *Pachyprotasis obscurodentella* Wei *et* Zhong, 2009

Pachyprotasis obscurodentella Wei *et* Zhong, 2009: 612.

鉴别特征：雌虫体长 10mm。体背侧黑色，具明显黄白斑，腹侧黄白色，中胸前侧片底部具 1 个宽黑色横斑；足黄绿色，前中足股节端部 1/3 背侧以远部分具黑色条纹，后足股节端部 3/5 以远部分黑色。单眼后区宽长比为 13∶9，侧沟深直，背后观后头两侧明显收敛；触角短于胸腹长之和，第 3 节稍短于第 4 节，鞭节端部稍侧扁。中胸小盾片近棱形，明显隆起，两侧脊基部锐利；后足基跗节长于其后 4 个跗分节之和，爪内齿等长于外齿。后翅臀室极短。头部区及相邻的内眶刻点大深且不密集，刻点间隙具致密刻纹，光泽稍弱。中胸前侧片下部刻点密集，上部刻点大浅且稍密集，刻点间隙具微细刻纹，光泽稍弱；中胸小盾片刻点浅且分散，光泽明显。锯腹片 22 刃，锯刃凸出，中部刃齿式 2/2-3。

采集记录：1♀，留坝桑园林场，1250m，2007. Ⅴ. 18，朱巽采；1♀，佛坪，1000～1450m，2005. Ⅴ. 17，朱巽采。

分布：陕西（留坝、佛坪）、湖北、湖南、广东、四川。

(293) 田氏方颜叶蜂 *Pachyprotasis tiani* Wei *et* Nie, 1998

Pachyprotasis tiani Wei *et* Nie, 1998g: 166.

鉴别特征: 雌虫体长8.50mm, 雄虫体长6.50mm。体黑色, 具明显黄白斑, 中胸前侧片底部具1个宽白色横斑, 中胸腹板白色; 足黄绿色, 前中足股节背侧以远及后足股节端部3/5以远黑色。单眼后区宽为长的2倍, 侧沟近弧形且稍深; 背面观后头两侧收敛不明显; 触角短于胸腹长之和, 第3节明显长于第4节。后足基跗节稍长于其后4个跗分节之和, 爪内齿短于外齿。后翅臀室具柄。头部背侧刻点密集, 具光泽; 中胸前侧片下部刻点浅弱, 上部刻点大且明显, 光泽明显; 中胸小盾片棱形隆起, 光滑几乎无刻点。锯腹片22刃, 锯刃低平, 中部刃齿式为2/16-19。

采集记录: 1♀, 长安区鸡窝子, 1765m, 2008. Ⅵ.27, 蒋晓宇采; 1♀, 太白青峰峡, 1473m, 2008. Ⅶ.03, 朱巽采; 3♀, 凤县嘉陵江源头, 1570m, 2007. Ⅴ.26, 朱巽采; 5♀, 凤县红花铺镇, 1080m, 2007. Ⅴ.25, 朱巽采; 3♀, 留坝大坝沟, 1320m, 2007. Ⅴ.20, 朱巽采; 3♀, 留坝桑园林场, 1080m, 2007. Ⅴ.18-19, 朱巽采; 2♀, 佛坪岳坝, 1085m, 2006. Ⅳ.29, 何末军、朱巽采。

分布: 陕西(长安、太白、凤县、眉县、留坝、佛坪)、河北、河南、甘肃、广东。

(294) 小条方颜叶蜂 *Pachyprotasis lineatella* Nie *et* Wei, 1999 陕西新纪录

Pachyprotasis lineatella Nie *et* Wei, 1999: 111.

鉴别特征: 体长9~10mm。体黑色, 背侧具黄白斑, 中胸腹板黄白色。足黄白色, 前、中足股节背侧以远具黑色条斑, 后足股节端部3/7以远黑色。单眼后区明显隆起, 宽约为长的2倍, 侧沟深直; 头部背后观两侧向后强烈收敛; 触角短于体长, 第3节长于第4节(21∶19), 鞭节稍侧扁。中胸小盾片钝形, 明显隆起; 后足基跗节稍长于其后4个跗分节之和, 爪内齿短于外齿。后翅臀室约为cu-a脉段1/2长。头部背侧刻点稍密集, 刻点间隙具细密刻纹, 光泽稍弱; 中胸侧板上部刻点稍大且深, 向下刻点渐小, 刻点间隙具微细刻纹及光泽; 中胸小盾片光滑, 几乎无刻点, 光泽强。锯腹片20刃, 锯刃稍凸出, 中部刃齿式为2/8-9。

采集记录: 9♀, 长安终南山, 1555m, 2006. Ⅴ.27, 朱巽采; 12♀1♂, 长安终南山, 1555m, 2006. Ⅴ.27, 杨青采; 3♀, 太白山, 1580m, 2007. Ⅶ.12, 朱巽、蒋晓宇采; 2♀, 华山, 1300~1600m, 2005. Ⅶ.12, 杨青采。

分布: 陕西(长安、眉县、华阴)、河北、山西、河南、浙江、湖北、湖南、四川、贵州。

(295) 蔡氏方颜叶蜂 *Pachyprotasis caii* Wei *et* Nie, 1998

Pachyprotasis caii Wei *et* Nie, 1998g: 165.

鉴别特征：体长 8 ~ 9mm。体黑色，背侧具白斑，中胸腹板白色。足黄白色，前足、中足股节背侧以远部分具黑色条斑，后足股节端部 3/5、胫节端部、跗节黑色。单眼后区宽 1.50 倍于长，侧沟稍浅；头部背后观两侧向后明显收敛。触角短于胸腹长之和，第 3 节明显长于第 4 节，鞭节稍侧扁。中胸小盾片钝形，明显隆起；后足基跗节等于或稍长于其后 4 个跗分节之和，爪内齿短于外齿。后翅臀室柄具短柄，为 cu-a 脉段 1/3 长。头部背侧刻点大深且明显，刻点间隙具微细刻纹及光泽；中胸前侧片上部刻点大深且明显，往下刻点渐小，具微细刻纹，光泽明显；中胸小盾片及附片光滑，光泽明显。锯腹片 21 刃，锯刃短且不凸出，中部刃齿式为 2/5-8。

采集记录：2♀，太白青峰峡，1473m，2008. Ⅶ. 13，朱巽采；1♀，眉县营头蒿坪，1162m，2008. Ⅶ. 01，朱巽采；5♀，太白山，1600 ~ 1800m，2005. Ⅶ. 07，杨青、朱巽采；3♀，镇安，1300 ~ 1600m，2005. Ⅶ. 10，杨青、朱巽采；1♀，丹凤寺坪镇，900 ~ 1200m，2005. Ⅴ. 21，刘守柱采。

分布：陕西(太白、眉县、镇安、丹凤)、山西、山东、河南、甘肃、湖北、四川。

(296) 黑腹方颜叶蜂 *Pachyprotasis melanogastera* Wei *et* Nie, 1998

Pachyprotasis melanogastera Wei *et* Nie, 1998g: 167.

鉴别特征：体长 6.50 ~ 7.50mm。体黑色，背侧具黄白斑；足黄白色，前足、中足股节背侧以远部分及后足股节端 3/5 以远部分黑色。单眼后区隆起，宽明显大于长，侧沟弧形且深；头部背后观两侧向后强烈收敛；触角短于体长，第 3 节稍长于第 4 节，鞭节稍侧扁。中胸小盾片钝形隆起；后足基跗节稍长于其后 4 个跗分节之和，爪内齿短于外齿。后翅臀室柄长于 cu-a 脉段 1/2 长。头部背侧刻点大、深且明显，刻点间隙具微细刻纹及光泽。中胸前侧片上部刻点大、深且明显，往下刻点渐小，具微细刻纹，光泽明显；中胸小盾片中部光滑无刻点，两侧刻纹明显，刻点稍大且深。锯腹片 21 刃，中部刃齿式为 2/5-6，锯刃短平。

采集记录：1♀，凤县嘉陵江源头，1617m，2007. Ⅶ. 12，朱巽采；2♂，太白山，1600 ~ 1800m，2005. Ⅶ. 07，杨青、朱巽采；1♀，太白山，1600 ~ 1800m，2005. Ⅶ. 07，朱巽采；1♀，太白山，1580m，2007. Ⅶ. 12，朱巽采；1♀，宁陕旬阳坝，1400m，2008. Ⅵ. 29，于海丽采；1♀，镇巴，1985. Ⅶ. 21，王淑芳采；1♀，镇安，1300 ~ 1600m，2005. Ⅶ. 10，朱巽采。

分布：陕西(凤县、眉县、宁陕、镇巴、镇安)、河北、山西、河南、宁夏、甘肃、湖北、四川、云南、西藏。

(297) 合叶子方颜叶蜂 *Pachyprotasis antennata* (Klug, 1817)

Tenthredo antennata Klug, 1817: 129.

鉴别特征: 体长8.00~9.50mm。体背侧黑色，具明显黄白斑，体腹侧黄白色，无黑斑；足黄白色，前中足股节端部背侧以远具窄黑条纹，后足股节端部内侧具窄短黑斑，胫节基部2/3背侧、跗分节端部黑色。单眼后区宽为长的1.50倍；侧沟浅、近弧形；头部背后观两侧向后明显收敛。触角短于胸腹长之和，第3节稍长于第4节。中胸小盾片棱形隆起，两侧脊明显；后足基跗节等长于其后4个跗分节之和，爪内齿亚等于外齿。后翅臀室柄短，约为cu-a脉段1/3长。头部背侧刻点稍大浅、不密集，刻纹细密，光泽稍弱。胸部侧板光滑或具极浅弱刻点，具光泽；中胸小盾片刻点刻纹不明显，光泽稍弱。锯腹片21刃，锯刃倾斜凸出，中部刃齿式为2/6-7。

采集记录: 1♀，凤县嘉陵江源头，1570m，2007. Ⅴ.26，采集人不详；1♂，留坝营盘乡，1390m，2007. Ⅴ.21，朱巽采。

分布: 陕西(凤县、留坝)、黑龙江、河北、山西、河南、宁夏、甘肃、青海、湖北、湖南；蒙古，俄罗斯，日本，欧洲。

(298) 西姆兰方颜叶蜂 *Pachyprotasis simulans* (Klug, 1817)

Tenthredo simulans Klug, 1817: 128.

鉴别特征: 体长7mm。体背侧黑色，具明显黄白斑，体腹侧黄白色，无黑斑；足黄白色，前中足股节端部背侧以远部分、后足股节端部内外条斑、胫节、跗节黑色。单眼后区宽长比为7∶4；侧沟深短；头部背后观两侧向后稍收敛；触角长于腹部，第3节稍长于第4节，鞭节稍侧扁。中胸小盾片钝形、不明显隆起，两侧脊钝；后足基跗节短于其后4个跗分节之和，爪内齿明显短于外齿。后翅臀室中柄长于cu-a脉段2/3长。头部背侧光滑，刻点及刻纹微弱，不明显，光泽强。中胸前侧片光滑，刻点浅弱且分散，具明显油质光泽；中胸小盾片光滑无刻纹，两侧具几个大深刻点，光泽强。锯腹片20刃，中部刃齿式2/16-19，锯刃凸出。

采集记录: 1♀，凤县红花铺镇，1080m，2007. Ⅴ.25，朱巽采。

分布: 陕西(凤县)、山西、湖北、湖南，东北；蒙古，俄罗斯，欧洲。

(299) 沟盾方颜叶蜂 *Pachyprotasis sulciscutellis* Wei *et* Zhong, 2002 (图版6: L)

Pachyprotasis sulciscutellis Wei *et* Zhong, 2002: 237.

鉴别特征: 体长10.00~11.50mm。体背侧黑色，具明显黄白斑，体腹侧黄白色，无黑斑；足黄白色，前中足股节端半部背侧以远部分、后足基节内侧斑、外侧全长窄条纹，股节端部和胫跗节黑色。单眼后区宽为长的2倍；侧沟深、向后稍分歧；头部背后观两侧向后稍收敛。触角短于胸腹部之和，第3节稍长于第4节，鞭节端部稍侧扁。中胸小盾片棱形强烈隆起，侧面观顶部具明显中沟；后足基跗节长于其后4个跗分节之和，爪内齿等长于外齿。后翅臀室柄稍长于cu-a脉段1/3长。头部背侧刻点大、密集且明显，刻纹明显，具光泽。中胸前侧片上角刻点大且稍密集，下部刻点细密，刻点间隙具微细刻纹及光泽；中胸小盾片前部刻点不明显，后部刻点大，具光泽。锯腹片细长，20刃，刃齿低平，中部刃齿式为1/12-14。

采集记录： 3♀，长安终南山，1555m，2006. Ⅴ. 27，朱巽、杨青采；1♀，长安区鸡窝子，1765m，2008. Ⅵ. 27，蒋小宇采；2♀，凤县嘉陵江源头，1570m，2007. Ⅴ. 26，朱巽、蒋晓宇采；1♀，凤县嘉陵江源头，1617m，2007. Ⅶ. 14，蒋晓宇采；1♂，留坝桑园林场，1250m，2007. Ⅴ. 18，朱巽采；1♀，佛坪，1000～1450m，2005. Ⅴ. 17，朱巽采；1♀1♂，佛坪，1000～1450m，2005. Ⅴ. 17，刘守柱采。

分布： 陕西（长安、凤县、留坝、佛坪）、河北、山西、河南、湖北、四川、贵州。

92. 壮并叶蜂属 *Jermakia* Jakovlev, 1891

Jermakia Jakovlev, 1891: 58. **Type species**: *Allantus cephalotes* Jakovlev, 1888 [= *Tenthredo sibirica* (Kriechbaumer, 1869)].

属征： 体粗壮。上唇横宽，端部圆钝；唇基倾斜，端缘缺口宽浅，底部平直，侧叶短；无额唇基沟，上颚亚对称多齿式；复眼大形，内缘凹，向下逐渐强烈收敛，间距窄于复眼长径；背面观后头发达，两侧膨大，颊脊全缘式；颚眼距约等于或稍宽于单眼直径，触角窝上沿向前突出，背侧平坦，无触角窝上突，额区与单眼后区十分平坦，不明显分化，单眼三角极小，单眼后区侧沟不明显；触角不长于头胸部之和，基部2节长大于宽，鞭节亚端部稍膨大，第3节显著长于第4节；前胸背板沟前部宽大，侧叶最宽处宽于单眼直径3倍，具前缘脊；前胸侧板腹缘宽阔接触，前胸腹板短棒状，侧臂不明显；中胸小盾片强烈隆起，小盾片前缘亚截形；中胸侧板鼓凸，无胸腹侧片，侧板前缘脊显著，腹刺突短，尖锐；后胸淡膜区间距大于淡膜区横径3倍，后胸后背板中部狭窄，显著倾斜；腹部第1背板中部短且显著隆起，完全愈合，光滑，无中缝；前足胫节内距大形，端部分叉；后足胫节短于跗节，基跗节短于其后3节之和；爪无基片，内齿近端位，短于外齿；前翅狭长，前缘具纵向褐斑，R脉短，下垂；R+M脉约等长于M脉，Sc脉痕状，cu-a脉基位，2Rs室约等长于$1R_1$+1Rs室之和，臀室完整，内侧2/5处具短直横脉；后翅具Rs和M室封闭，臀室无柄式或具短柄；雄虫后翅无缘脉；锯腹片不骨化，细长柔软；阳茎瓣头叶简单。

分布： 东亚。世界已知6种，中国分布5种，秦岭地区发现1种。

(300) 东方壮并叶蜂 *Jermakia sibirica* (Kriechbaumer, 1869)

Allantus sibiricus Kriechbaumer, 1869: 590.

Tenthredo spectabilis Mocsáry, 1878: 199.

Allantus cephalotes Jakowlew, 1888: 374.

Allantus bistriatus Mallach, 1936: 220.

鉴别特征：体长 13～15mm。体黑色，唇基两侧、上颚基部、前胸背板前外角和后缘、翅基片、后胸前侧片大部，腹部第 1、5 背板后侧 2/3 和第 9 背板侧缘亮黄色，小盾片和腹部第 6 节有时具淡斑；触角基半部暗褐色；足黑色，前中足股节前侧部分、各足胫节前腹侧、各足跗节浅褐色。前翅烟色纵斑从基部伸至端部，前缘脉和翅痣浅褐色，R 室透明。头部背侧刻点密集，具狭窄光滑间隙；中胸背板刻点细小，间隙具细密刻纹，小盾片刻点间隙光滑，胸部侧板刻点粗糙致密，无光泽；腹部第 1 背板光滑，无刻点和细毛，第 2 背板具微弱刻纹和浅弱稀疏刻点，大部光裸无毛，其余背板具显著微细刻纹和浅弱刻点，被毛均匀。后翅臀室无柄式。

采集记录：1♀，长安区鸡窝子，2077m，2008. Ⅴ. 23，张少冰采；1♀，Shaanxi, Zuoshui. x, W of Hetaoping, 1500～1550m, 10. Ⅶ. 1997, T. Saigusa coll. (KUK)。

分布：陕西(长安、左水)、黑龙江、辽宁、内蒙古、北京、河北、山西、山东、河南、宁夏、新疆、上海、浙江、湖北、四川；蒙古，俄罗斯，朝鲜。

93. 狭并叶蜂属 *Propodea* Malaise, 1945

Dipteromorpha W. F. Kirby, 1882: 324(nec Felder, 1874). **Type species**: *Macrophya rotundiventris* Cameron, 1876.

Propodea Malaise, 1945: 83(new name for *Dipteromorpha* W. F. Kirby, 1882).

属征：体狭长。上唇宽大，端部圆钝；唇基平坦，前缘中部缺口弧形，浅于唇基 1/3 长；左右上颚亚对称四齿式；颚眼距窄于单眼直径；复眼大形，内缘凹，向下强烈收敛，间距狭于复眼长径 1/2 和唇基宽；内眶窄陡，触角窝间距窄于同一高度内眶宽；触角窝上突长，明显隆起，与额脊融合；额区前缘开放；中窝和侧窝大深，前后端均开放；单眼后区宽不大于长，前部明显隆起；背面观后头短于复眼 1/2 长，两侧强烈收缩；后颊脊锐利，全缘式，下部无褶；后眶窄于复眼宽；触角长丝状，第 2 节长大于宽，第 3 节长于第 4 节。前胸背板前缘脊发达，沟前叶稍短于后叶，最宽处约 4 倍于单眼直径；前胸侧板腹侧接触面稍短于前胸腹板长；中胸小盾片尖锥形隆起，附片具低钝中脊；中胸侧板扁平，两侧平行，无胸腹侧片，前缘细脊高，前侧片中部前侧具发达竖脊和相连的弧形横脊，腹刺突尖长；中胸后下侧片具大凹窝，无气门上叶；后胸背板前缘脊低钝，小盾片前凹微小；淡膜区小，间距 1～2 倍于淡膜区宽；后胸后背板倾斜，中部脊状突出；后胸后侧片窄长条形，后角不向后延伸。腹部筒形，第1背板光滑，无中缝。足细长，前足胫节内端距分叉，后足基节短，股节细，短于胫节，不伸抵腹部末端，后胫内端距约等长于后基跗节1/2长，后基跗节约等长于其后3节之和，跗垫微小；爪无基片，内齿大，中裂式。前翅R脉短，下垂；R+M脉不短于cu-a脉，2Rs室长于$1R_1$+1Rs室之和，1M约等长并平行于1m-cu脉，cu-a脉位于1M室下缘基部，臀横脉位于臀室基部1/3内侧；后翅Rs和M室封闭，臀室无柄式，雄虫后翅无缘脉。中胸前侧片具粗大刻点。

分布：东亚。世界已知13种，中国已记载12种，秦岭地区发现3种。

分种检索表

1. 中胸前侧片鼓凸，前缘弧形脊不明显；前侧片刻点十分粗糙致密；爪内齿短于外齿；后足股节大部黑色 …………………………………………………… **脊额狭并叶蜂 *P. rufonotalis***
   中胸前侧片平坦，前缘弧形脊十分发达；前侧片刻点粗大且稀疏，表面光滑；爪内齿长于外齿 …………………………………………………………………………………… 2
2. 触角全部黄褐色；后足股节、胫节全部红褐色；前翅端部烟斑边缘不清晰；中胸背板具1对大黑斑；腹部第1背板红褐色，仅后缘狭边黑褐色 ……………… **黄角狭并叶蜂 *P. xanthocera***
   触角基部2节黑色，鞭节黄褐色；后足股大部节和胫节端半部黑色；前翅烟斑边缘清晰；中胸背板无大黑斑；腹部第1背板黑色，两侧气门附近具小黄斑………… **中华狭并叶蜂 *P. sinica***

(301) 黄角狭并叶蜂 *Propodea xanthocera* Wei *et* Niu, 2016（图版7：A）

Propodea xanthocera Wei *et* Niu, 2016: 308.

鉴别特征：体长16.50mm。头部亮黑色，唇基、上唇及颚眼距黄白色，触角黄白色；胸部翅以下部分黑色，前胸背板后侧和中后胸背板红褐色，中胸背板侧叶纵斑、附片后缘、淡膜区周围黑色。腹部深黄褐色，第1节背板后缘黑色，第2节背板气门之前圆斑黄白色，第2~5节背侧黑褐色，具中央淡色条斑，6~10背板褐色，锯鞘及尾须黄褐色。前中足浅黄褐色，基节大部黑色，后足基节大部黑色，基节端部和转节黄褐色，后足股节、胫节和胫节端距红褐色，跗节黄白色。翅浅烟黄色透明，C脉与翅痣黄褐色，前翅端部具1个小型的界限模糊的椭圆形烟褐色斑。中胸前侧片弧形脊之后具粗大稍密集刻点，刻点直径等于单眼半径，刻点间隙狭窄，具微弱刻纹；腹部第1背板光滑，其余背板具微细刻纹。单眼后区无明显中纵脊。锯腹片中部锯刃具1个大型内侧亚基齿和6~8枚较小的外侧亚基齿。

采集记录：1♂（副模），Shaanxi: Foping, Bridge 3 Km NW of Donghetai, 1500m, 25. Ⅵ. 1997, T. Saigusa col.（KUK）；1♀1♂，Shaanxi: Zuoshui. x, Yingpan. Linchang, 1850m, 22. Ⅵ. 1997, T. Yagi col.（KUK）；1♀，Shaanxi: Zuoshui. x, Brook nr tunnel, Hetaoping, 1650~1700m, 10. Ⅶ. 1997, H. Shima col.（KUK）；2♀，Shaanxi: Foping, Dadianzi, 1650~1800m, 5 km N of Donghetai, 02. Ⅶ. 1997, T. Yagi & A. Nakanishi col.（KUK）。

分布：陕西（佛坪、左水）、河南、甘肃。

（302）脊额狭并叶蜂 *Propodea rufonotalis*（**Mallach, 1936**）

Tenthredo rufonotalis Mallach, 1936: 219.

鉴别特征：雌虫体长 16mm。头部黑色，上唇、上颚大部、口须黄白色；触角第 1 节全部、第 2 节大部黄褐色，第 2 节端部和鞭节浅褐色；胸部背侧红褐色，中胸背板侧叶后端小斑、小盾片后坡和附片中部黑色，胸部侧板黑色；腹部黑褐色，第 1 背板前缘两侧具红褐色斑，2～6 背板中带背板缘褶及 2～6 腹板全部黄褐色；各足基节黑色，前中足转节至跗节、后足转节、后足胫节基部 2/5 和后足跗节黄褐色，后足股节大部和后足胫节端部 3/5 黑褐色；翅端部具亚圆形烟黑色斑，烟斑内缘弧形，伸抵或几乎伸抵 $2R_1$ 脉，前缘脉及翅痣浅褐色。中胸前侧片粗糙致密刻点。中胸小盾片锥状隆起；中胸前侧片中部低钝隆起，前缘弧形脊低弱，不贯通；中胸腹刺突较短小三角形，腹刺突前脊不明显，腹刺突侧区长约等于宽。腹部第 2 背板宽长比约等于 2。雄虫体长 15mm；阳茎瓣头叶近似三角形，端部钝截型，腹侧稍突出。

采集记录：1♀，[Shaanxi: Foping-x] Dadianzi, 5km N of Donghetai, 1650～1800m, 26. Ⅵ. 1997, A. Nakanishi col.（KUK）。

分布：陕西（佛坪）、北京、河北、山西、河南、湖南、四川。

（303）中华狭并叶蜂 *Propodea sinica* **Wu** ***et*** **Wei, 2016**

Propodea sinica Wu *et* Wei, 2016: 304.

鉴别特征：雌虫体长 16～17mm。头部亮黑色，唇基、上唇、上颚大部、下唇、口须及颚眼距黄白色；触角黄褐色，基部两节、第 3 节外侧细条斑黑褐色；胸部红褐色，小盾片后部三角形斑、附片中部、后胸小盾片大部、前胸侧板下部、中胸侧板后角及后胸侧板黑色；腹部黑色，第 1 节背板两侧缘微小圆斑黄白色，第 2～7 节背板中纵斑及侧缘和腹板全部浅黄褐色。足浅黄褐色，各足基节黑色，中足股节端部后侧具小型黑褐色斑，后足股节除基部 1/5 外、后足胫节端半部黑色。翅浅烟黄色透明，前翅端部具亚圆形浓烟褐色斑，前缘脉与翅痣黄褐色。中胸前侧片弧形脊后区具稀疏粗大刻点。单眼后区前部稍隆起，后部下沉，宽 1.20 倍于长，无明显中纵脊和中纵沟。触角短于腹部长，第 3 节明显长于第 4 节。中胸前侧片具发达的弧形脊，前面观两侧平行，表面平坦。锯腹片 25 锯刃，中部锯刃稍倾斜突出，具 1 个大型内侧亚基齿和7～8枚较小的外侧亚基齿。雄虫体长 14～16mm；后足胫跗节腹侧具密集长毛，跗节明显平扁；下生殖板长稍大于宽，端部钝截形。

采集记录：1♂，Shaanxi: Foping-x, Dadianzi, 1850～2000m, 5km N of Donghetai,

08. Ⅶ. 1997, T. Yagi col. (KUK); 1♂, Shaanxi: Foping-x, Dadianzi, 1650~1800m, 5km N of Donghetai, 02. Ⅶ. 1997, T. Nakanishi col. (KUK)。

分布: 陕西(佛坪)、河南、甘肃、安徽、湖北、湖南、四川。

94. 任氏叶蜂属 *Renothredo* Wei, 1998

Rena Wei, 1997c: 13(nec Baird & Girard, 1853). **Type species**: *Rena maculata* Wei, 1997.

Renothredo Wei in Wei *et* Nie, 1998a: 28(new name for *Rena* Wei, 1997).

属征: 体中小型。绿色; 上唇宽大, 端部钝截型; 唇基平坦, 前缘缺口半圆形, 侧叶窄长; 复眼大, 内缘凹, 向下强烈收敛, 间距等于或宽于复眼长径, 显著宽于唇基宽度; 上颚亚对称, 具3个大齿和1个小基叶, 右上颚第3齿方形; 无触角窝上突, 内眶倾斜, 触角窝侧沟深, 额脊低钝; 背面观头部在复眼后短且收缩, 单眼后区横宽或近方形, 后缘无脊; 后眶窄于复眼横径, 后颊脊伸至后眶上部; 触角丝状, 短于腹部, 第2节长显著大于宽, 第3节明显长于第4节, 短于4、5节之和; 前胸背板沟前部最宽处3倍于单眼直径, 无前缘脊; 前胸侧板腹侧接触面宽; 无胸腹侧片, 中胸侧板平坦, 前缘脊显著, 无腹刺突; 后胸后背板中部狭窄, 倾斜; 后胸后侧片背叶狭条状; 前足胫节内端距端部分叉, 后足胫节显著长于后足股节, 约等长于后足跗节, 端距短于基跗节1/2长; 后基跗节等长于2~4跗分节之和; 爪无基片, 内齿靠近但短于外齿; 前翅R脉短, 下垂; R+M脉不短于1r-m脉, 2Rs室不长于$1R_1$+1Rs室之和, 1M约等长并平行于1m-cu脉, cu-a脉位于1M室下缘中部内侧, 臀室无横脉, 中部具显著收缩柄; 后翅Rs和M室封闭, 臀室无柄式, 雄虫后翅无缘脉。

分布: 中国。本属已知2种, 其中1种分布于秦岭地区。

(304) 秦岭任氏叶蜂 *Renothredo* sp. (图版7: B)

鉴别特征: 体长8~9mm。体绿色, 单眼区和单眼后区两侧具宽大黑斑; 触角黑色, 柄节腹侧绿色; 中胸背板各叶各具1个大黑斑, 盾侧凹底部和后胸后背板后缘黑色; 腹部2~8背板具中位黑斑。足绿色, 前足股节背侧具黑色条斑, 中国后足股节背侧端部具短黑色条斑, 前足胫节背侧、中后足胫节和各足跗节黑色。翅透明, 缘脉和翅痣绿色。体高度光滑, 头部黑斑区具微弱刻纹, 中胸背板具微细刻点, 腹部背板具微弱刻纹。单眼后区宽长比等于1.30, 侧沟向后显著分歧, 颚眼距等于单眼直径, 小盾片附片三角形; 约等长于前足胫节, 锯腹片17锯刃, 锯刃几乎不倾斜, 纹孔线下域长1.50倍于宽。

采集记录: 1♀, 凤县嘉陵江源头, 1570m, 2007. Ⅴ. 26, 蒋晓宇采。

分布: 陕西(凤县)、河南、宁夏、湖南。

95. 齿唇叶蜂属 *Rhogogaster* Konow, 1884

Rhogogaster Konow, 1884: 338. **Type species**: *Tenthredo viridis* Linné, 1758.

Rhogogastera Konow, 1885: 123 (new name for *Rhogogaster* Konow, 1884).

属征：上唇宽大，端部钝截型；唇基平坦，前缘缺口宽深，底部平直，侧叶窄长，端部常具小齿；复眼大，内缘凹，向下强烈收敛，间距等于或宽于复眼长径，显著宽于唇基宽度；上颚亚对称，具3个大齿和1个小基叶，右上颚第3齿近方形；触角窝上突不发育或稍发育，内眶倾斜，触角窝侧沟深，额脊低钝；背面观头部在复眼后通常较短且收缩，少数种类膨大，单眼后区横宽，后缘无脊；后眶窄于复眼横径，后颊脊伸至后眶上部；触角丝状，短于腹部，第2节长显著大于宽，第3节明显长于第4节，短于4、5节之和；前胸背板沟前部最宽处约3倍于单眼直径，无前缘脊；前胸侧板腹侧接触面明显；无胸腹侧片，中胸侧板平坦，前缘脊显著，无腹刺突；后胸后背板中部狭窄，倾斜；后胸后侧片背叶狭条状；前足胫节内端距端部分叉，后足胫节显著长于后足股节，约等长于或短于后足跗节，端距短于基跗节1/2长；后基跗节约等长于2~4跗分节之和；爪无基片，内齿靠近但短于外齿，雄虫内齿长于外齿；前翅R脉短，下垂；R+M脉不短于1r-m脉，2Rs室不长于$1R_1$+1Rs室之和，1M约等长并平行于1m-cu脉，cu-a脉位于1M室下缘中部内侧，臀室完整，中部内侧具短直横脉；后翅Rs和M室封闭，臀室具柄式，雄虫后翅无缘脉。

分布：古北区，新北区。世界已知40种，中国记载19种，秦岭地区发现8种，本文记述4种。

分种检索表

1. 体绿色，头胸部背侧具窄条形黑带斑，额脊和单眼后区总是绿色，中胸腹板和腹部腹侧全部绿色 ………………………………………………………… **黑刺齿唇叶蜂 *R. nigrospina***
   体绿色或黑色，头胸部背侧大部黑色，具较小的淡斑，如果额脊和单眼后区部分绿色，则中胸腹板具大黑斑，腹部腹板部分黑色 ………………………………………………………… 2
2. 头部背侧黑斑两侧接触复眼，额脊黑色；两性颚眼距等于单眼直径，唇基侧叶端部圆钝，无小齿；雄虫腹部背板全部黑色；翅痣浅褐色……………………………… **暗痣齿唇叶蜂 *R. stigmata***
   头部背侧黑斑两侧不接触复眼(雄性偶尔接触复眼)，额脊总是部分淡色；雌性颚眼距明显宽于单眼直径，唇基侧叶端部具明显的小齿；雄虫腹部背板两侧和后缘淡色；翅痣黄绿色，端部黑褐色或暗褐色 ………………………………………………………… 3
3. 单眼后区宽长比大于2；小盾片十分平坦；背面观后头明显收窄；中胸前侧片光滑，无刻纹，光泽强 ………………………………………………………… **敛眼齿唇叶蜂 *R. convergens***
   单眼后区宽长比小于2；小盾片明显隆起；背面观后头两侧膨大；中胸前侧片具细密刻纹，光泽弱 ………………………………………………………… **脊盾齿唇叶蜂 *R. robusta***

(305) 黑刺齿唇叶蜂 *Rhogogaster nigrospina* Wei, 2004

Rhogogaster nigrospina Wei in Wei *et* Shi, 2004: 295.

鉴别特征: 体长11.00~12.50mm。体和足绿色，触角背侧、额窝条斑、触角窝沟、单眼围沟、单眼中沟和后沟、单眼后区侧沟黑色，前胸侧板顶角、中胸背板前叶中缝和后角、侧叶外侧条斑和盾侧凹底部黑色；各足股节中部以外背侧具细黑色纵条斑。翅透明，翅痣绿色。唇基侧角端部平钝无齿，上唇长于唇基外侧，颚眼距2倍于单眼直径；单眼后区宽稍大于长，侧沟向后强烈分歧；背面观后头两侧明显膨大，等于复眼长。头部光滑，光泽强，中胸前侧片前部和中胸腹板具细弱刻纹和刻点，具油质光泽；腹部各节背板具微细刻纹，光泽稍弱。锯腹片具26个锯刃，锯刃低平，刃间段平直，中部锯刃齿式SF=2/18-20。雄虫中胸背板黑色条斑狭窄，各足股节黑色条带伸达股节基部，颚眼距宽于单眼直径2倍；后翅臀室具柄。

采集记录: 1♀，凤县红花铺镇，1080m，2007. Ⅴ.25，朱巽采；1♀，甘肃榆中，1984. Ⅷ.04；1♀，甘肃榆中兴隆山，2007. Ⅶ.17，辛恒采；1♀，甘肃迭部，2007. Ⅴ. 25，辛恒采。

分布: 陕西(凤县)、宁夏、甘肃、四川。

(306) 敛眼齿唇叶蜂 *Rhogogaster convergens* Malaise, 1931 陕西新纪录

Rhogogaster convergens Malaise, 1931: 114.

鉴别特征: 雌虫体长10~11mm，雄虫体长8~9mm。虫体背侧黑色，额脊、单眼后区侧角、内眶斑、前胸背板后缘、翅基片、小盾片和后小盾片、中胸背板前叶和侧叶上三角形对斑黄绿色，触角黑色，柄节腹侧绿色；体腹侧绿色，中胸腹板黑色；足黄绿色，股节端部背侧条斑、前中足胫节背侧条斑、后足胫节基部和端部、前中足跗分节端部和后足跗节全部黑色。唇基前缘缺口深约为唇基1/3长，侧叶端部宽，具齿；颚眼距明显宽于单眼直径；单眼后区宽1.80倍于长，侧沟较浅，向后显著分歧。触角第3节长1.50倍于第4节。头部背侧高度光滑，光泽强；小盾片几乎不隆起；中胸前侧片光滑，光泽强；后翅臀室具柄。

采集记录: 1♀，留坝营盘乡，1390m，2007. Ⅴ.21，朱巽采。

分布: 陕西(留坝)、辽宁、内蒙古、河北、河南、宁夏；日本。

(307) 暗痣齿唇叶蜂 *Rhogogaster stigmata* Wei, 2002 陕西新纪录

Rhogogaster stigmata Wei in Wei *et* Nie, 2002b: 115.

鉴别特征：体长9~10mm。体黑色，头部触角窝以下部分、内眶中下部、后眶下部、复眼上顶角三角形斑、前胸背板后缘宽边、翅基片、中胸背板侧叶内侧三角形斑、小盾片大部、后小盾片中部、中胸前侧片中部横斑、后胸前侧片上角、腹部第10背板大部、各节背板缘折全部、各节腹板后缘狭边、锯鞘基部黄绿色；足黑色，各足转节大部、前足股节以下前侧全部、中后足胫节亚基部1/3黄绿色。翅痣暗绿色。唇基侧角钝圆无齿；颚眼距等于单眼直径；单眼后区宽2.50倍于长，侧沟深直，互相平行。触角第3节长1.50倍于第4节。头部背侧光滑，光泽强；中胸前侧片平坦光滑；后翅臀室具柄；锯腹片具20个锯刃，锯刃较突出，中基部刃间段明显隆出，宽于锯刃。

采集记录：1♀，凤县红花铺镇，1080m，2007. Ⅴ. 25，朱巽采；2♀，潼关桐峪镇，1052m，2006. Ⅴ. 30，朱巽采；1♀，宁陕旬阳坝，1400m，2009. Ⅵ. 18，于海丽采；5♀，丹凤寺坪镇，900~1200m，2005. Ⅴ. 21，刘守柱、朱巽采。

分布：陕西(凤县、潼关、宁陕、丹凤)、山东、河南、甘肃。

(308) 脊盾齿唇叶蜂 *Rhogogaster robusta* Jakovlev, 1891（图版7：C）

Rhogogastera robusta Jakovlev, 1891：38.

鉴别特征：雌虫体长14~15mm，雄虫体长12~13mm。体黄绿色，头部背侧“W”形大黑斑、触角柄节背侧、梗节和鞭节全部、前胸背板中部和侧板中部、中胸背板前叶和侧叶大部、中胸腹板、后胸背板凹部、腹部各节背板中部2/3左右和2~6腹板前部2/3、锯鞘端部黑色。翅浅烟褐色，翅痣绿色，端部黑褐色；足黄绿色，中足股节端部1/4、后足股节端部2/5、各足胫节端部、前中足跗分节端部和后足跗节全部黑色。唇基缺口深约为唇基1/3长，侧叶具齿；颚眼距明显宽于单眼直径；单眼后区宽1.50倍于长，侧沟较深，稍弯曲，向后明显分歧。触角第3节长1.30倍于第4节。头部背侧高度光滑，光泽强；小盾片具钝横脊，中胸前侧片具细密刻纹，无光泽；后翅臀室具柄。

采集记录：1♀，宁陕旬阳坝，1400m，2008. Ⅵ. 29，于海丽采。

分布：陕西(宁陕)、北京、河北、山西、河南、甘肃、浙江、湖北。

96. 叶蜂属 *Tenthredo* Linnaeus, 1758

Tenthredo Linnaeus, 1758：555. **Type species**：*Tenthredo scrophulariae* Linné, 1758.

Allantus Jurine in Panzer, 1801：163. no type species selected.

Allantus Jurine, 1807：52 (nec Panzer, 1801). **Type species**：*Tenthredo scrophulariae* Linné, 1758.

Parastatis W. F. Kirby, 1881：107. **Type species**：*Parastatis indica* W. F. Kirby, 1881 [= *Tenthredo largifasciata* (Konow, 1900)].

Labidia Provancher, 1886: 21. **Type species**: *Labidia columbiana* Provancher, 1886 [= *Tenthredo* (*Tenthredo*) *opima* (Cresson, 1880)].

Rethrax Cameron, 1899: 32-33. **Type species**: *Rethra carinata* Cameron, 1899 [= *Tenthredo cyanata* Konow, 1898].

Fethalia Cameron, 1902: 439-440. **Type species**: *Fethalia nigra* Cameron, 1902 [= *Tenthredo opposita* (F. Smith, 1878)].

Clydostomus Konow, 1908: 19. **Type species**: *Clydostomus cestatus* Konow, 1908.

Tenthredella Rohwer, 1910: 117. **Type species**: *Tenthredo atra* Linné, 1758.

Tenthredina Rohwer, 1910: 116. **Type species**: *Tenthredo flavida* Marlatt, 1898 [= *Tenthredo* (*Tenthredina*) *smithii* W. F. Kirby, 1882].

Zamacrophya Rohwer, 1912: 221-222. **Type species**: *Zamacrophya nigrilabris* Rohwer, 1912 [= *Tenthredo* (*Tenthredo*) *ocampa* Ross, 1951].

Jakovleviella Malaise, 1937: 48. **Type species**: *Macrophya pusilloides* Malaise, 1934.

Ebba Malaise, 1945: 104, 181. **Type species**: *Ebba soederhellae* Malaise, 1945.

Eurogaster Zirngiebl, 1953: 236. **Type species**: *Rhogogaster arctica* Kiaer, 1898 [= *Tenthredo* (*Eurogaster*) *aaliensis* (Strand, 1898)].

Cuneala Zirngiebl, 1956: 322, 325. **Type species**: *Cuneala tricolor* Zirngiebl, 1956 [= *Tenthredo* (*Elinora*) *longipes* (Konow, 1886)].

Tenthredo (*Cephaledo*) Zhelochovtsev in Zhelochovtsev & Zinovjev, 1988: 218. **Type species**: *Tenthredo costata* Klug, 1817.

Tenthredo (*Maculedo*) Zhelochovtsev in Zhelochovtsev & Zinovjev, 1988: 222. **Type species**: *Tenthredo maculata* Geoffroy, 1785.

Tenthredo (*Olivacedo*) Zhelochovtsev in Zhelochovtsev & Zinovjev, 1988: 220. **Type species**: *Tenthredo olivacea* Klug, 1817.

Tenthredo (*Temuledo*) Zhelochovtsev in Zhelochovtsev & Zinovjev, 1988: 219. **Type species**: *Tenthredo temula* Klug.

Tenthredo (*Zonuledo*) Zhelochovtsev in Zhelochovtsev & Zinovjev, 1988: 217. **Type species**: *Tenthredo zonula* Klug, 1817.

Murciana Lacourt, 1988: 310. **Type species**: *Murciana sebastiani* Lacourt, 1988.

Absentia Togashi, 1990: 182. **Type species**: *Absentia abatae* Togashi, 1990.

Tenthredo (*Dorhettenyx*) Lacourt, 1997: 376. **Type species**: ***Tenthredo indica* Cameron**, 1876.

Tenthredo (*Endotethryx*) Lacourt, 1997: 376. **Type species**: *Tenthredo albicornis* Fabricius, 1781 [= *Tenthredo* (*Endotethryx*) *crassa* Scopoli, 1763].

Sainiella Lacourt, 1997: 380. **Type species**: *Allantus felderi* Radoszkowsky, 1871.

Blankia Lacourt, 1998: 487. **Type species**: *Tenthredo* (*Allantus*) *koehleri* Klug, 1817.

属征：体型多样。上唇宽大，端部圆钝至近截型；唇基平坦或隆起，前缘三齿形或具缺口，缺口深度浅于唇基 1/3 长；左右上颚亚对称四齿式；颚眼距 0.30 ~ 3.50 倍于单眼直径；复眼大形，内缘凹，向下强烈收敛，间距通常狭于复眼长径和唇基宽，少数较宽；内眶窄陡，少数平坦，触角窝间距窄于同一高度内眶宽；触角窝上突变异大；背面观后头通常不短于复眼 1/2 长；后颊脊通常锐利，全缘式；触角形态各异，第 2 节通常长大于宽；前胸背板前缘脊发达，沟前叶稍短于后叶，最宽处是单眼直径的 3 ~4 倍；前胸侧板腹侧接触面稍短于前胸腹板长；中胸小盾片形态各异；中胸侧板无胸腹侧片，前缘细脊高，腹刺突通常无，偶尔有；后胸后背板倾斜，中部脊状突出；后胸后侧片窄长条形，后角不向后延伸；腹部筒形，第 1 背板具中缝；前足胫节内端距分叉，后足基节短，股节细，短于胫节，通常不伸抵腹部末端，后胫内端距长大，后基跗节约等长于其后 3 节之和，跗垫大小各异；爪通常无基片，内齿大，中裂式，少数种类有爪基片；前翅 R 脉短，下垂；R + M 脉通常不短于 cu-a 脉，1M 约等长并平行于 1m-cu 脉，cu-a 脉位于 1M 室下缘近基部，臀横脉位于臀室基部 1/3 内侧；后翅 Rs 和 M 室封闭，臀室通常无柄式，部分种类有柄式；雄虫后翅无缘脉。

分布：古北区，新北区，东洋区北缘。世界已知种类接近 1000 种，中国已知 313 种，秦岭地区已发现超过 130 种，本文记述 112 种。

分种检索表

1. 头胸腹部均为金属蓝绿色，后翅臀室无柄式；触角窝上突狭高且呈片状，中胸侧板扁平，前缘具发达缘脊，中胸腹板刺突锐利 ········ **黄突细蓝叶蜂 *T. regia***
   至少头部不为金属蓝色，胸部通常亦不为蓝色；触角窝上突如果强烈隆起，则中胸前侧片后下部无腹刺突 ········ 2
2. 虫体黄褐色，有时具少量黑斑；前翅黄褐色，端部 1/3 左右显著烟黑色 ········ 3
   不同时具备上述两项特征 ········ 9
3. 中胸腹板下部刺突发达；唇基缺口底部平直；触角窝上突狭窄，显著隆起 ········ 4
   中胸腹板下部无刺突；唇基缺口底部圆；触角窝上突不明显 ········ 6
4. 中胸侧板刻纹细弱，具单个尖突；后颊脊折痕微弱；唇基缺口底部的宽度不宽于侧叶宽的 2 倍；腹部端部无黑斑 ········ 5
   中胸侧板刻纹较粗糙，具 2 个尖突；后颊脊折痕十分显著；唇基缺口底部的宽度宽于侧叶宽的 2 倍；腹部端部 3 节黑色 ········ **黑端刺斑叶蜂 *T. fuscoterminata***
5. 触角窝上突低平，后端不突然中断；雌雄虫中胸腹板均黄褐色；触角等长于腹部；单眼后区宽显著大于长；小盾片顶角尖锐 ········ **黄端刺斑叶蜂 *T. fulviterminata***
   触角窝上突狭高，后端突然中断；雌虫中胸腹板具黑斑，雄虫腹板黄褐色；触角短于腹部；单眼后区亚方形；小盾片顶角较钝 ········ **钝突刺斑叶蜂 *T. obtusicorninata***
6. 触角全部黄褐色；中胸小盾片具 2 个顶，无中脊；头部背侧具大黑斑；雌虫中胸腹板全部和侧板大部以及腹部端部黑色 ········ **黄角平斑叶蜂显斑亚种 *T. fulva adusta***
   触角至少端部 4 节黑色；体色不如上述 ········ 7
7. 触角窝上突显著隆起，后端突然中断；后足黄褐色，股节背侧具黑色条斑；触角鞭节和腹部端部黑色；翅斑接近或接触翅痣 ········ **断突平斑叶蜂 *T. xanthotarsus***
   触角窝上突不隆起，如果前部明显隆起，则后端不突然中断；足黄褐色或部分黑褐色，股节背侧无黑色条斑；触角鞭节不全部黑色；翅斑远离翅痣 ········ 8
8. 头部背侧和中胸背板具显著黑斑；附片具刻点；单眼后区具中脊；腹部黄褐色，无黑斑；触角

基部 4 节黄褐色，外侧具黑色条斑…………………………………… **东缘平斑叶蜂 *T. terratila***
头胸部背侧无显著黑斑；附片无刻点；单眼后区无中脊；腹部端部 3 节黑色；触角 3 ~ 9 节黑色 ………………………………………………………………………… **中华平斑叶蜂 *T. sinensis***

9. 触角基部和端部黑色，中部具白环，4 ~ 6 节部分或全部黄白色，偶尔基部 3 节红褐色 …… 10
触角鞭节基部 3 ~ 6 节颜色一致，全部黑色或全部淡色，如果淡色则多为黄褐色，极少红褐色或黄褐色，外侧具黑色条斑……………………………………………………………………… 14

10. 触角窝上突明显隆起，顶部平直，后端突然中断，不与额脊连接 ……………………………… 11
触角窝上突后端不突然中断，与额脊连接；触角淡色鞭分节外侧无完整黑色条斑 ………… 12

11. 触角淡色鞭分节外侧具完整黑色条斑；各足股节后侧具黑色条斑；体黑色，前胸背板沟前部大斑、中胸背板前叶后部箭头斑、小盾片、后小盾片、中胸前侧片大斑、后胸前侧片、腹部第 1 背板大部黄色………………………………………………………… **半环环角叶蜂 *T. pronotalis***
触角淡色环节外侧无黑色条斑；股节红褐色，仅后足股节端部具短黑色条斑；体红褐色，单眼区、单眼后区、中胸背板侧叶纵斑、小盾片附片、中胸前侧片下缘横带、触角端部 4 节黑色 …………
……………………………………………………………………………… **申氏条角叶蜂 *T. sheni***

12. 触角第 4 节黑色，第 5 节全部、第 6 节部分淡色；后胸前侧片黑色，无淡斑；中胸前侧片淡斑位于前侧片上缘；腹部第 1 背板和翅基片全部黑色 …………… **刻颜环角叶蜂 *T. puncticincta***
触角第 4 节全部淡色；触角第 5 节端半部和第 6 节全部黑色；后胸前侧片白色；中胸前侧片淡斑远离前侧片上缘；腹部第 1 背板和翅基片大部或全部黄白色……………………………… 13

13. 后足胫节和跗节橘褐色，雄虫后足胫节后侧有时具小型黑斑；腹部 2 ~ 10 背板通常全部红褐色；中胸前侧片中部具大黄斑 ……………………………… **红胫环角叶蜂 *T. rufotibianella***
后足胫节端部具显著黑环；后足胫跗节淡色部分通常黄白色；雌虫腹部第 2、6 ~ 7 背板通常全部黑色；中胸前侧片全部黑色或具小黄斑 …………………… **红腹环角叶蜂 *T. sordidezonata***

14. 前翅翅痣下具明显烟褐色横带，翅端部和基部透明；体黑色，具少量淡斑，腹部有时具蓝色光泽；触角细长，第 3 节约等长于第 4 节；中胸侧板无腹刺突 ……………………………… 15
前翅翅痣下无烟褐色横带，翅端部有时具明显烟斑；如果翅痣下侧具横带斑，则触角粗短，第 3 节 2 倍于第 4 节长；中胸腹刺突发达 ……………………………………………………… 16

15. 腹部背板具显著的蓝色光泽，第 4 背板无白色横带 ………………… **吕氏横斑叶蜂 *T. lunani***
腹部背板无蓝色光泽，第 4 背板基缘具白色横带 …………………… **脊盾横斑叶蜂 *T. pompilina***

16. 体黄褐色具黑斑；触角长于腹部，明显侧扁，鞭节外侧全长黑色，内侧端部 4 节黑色，基部 3 节红褐色或黄褐色 ……………………………………………………………………………… 17
触角鞭节色斑不同上述，如果中部鞭分节内侧淡色，外侧具黑色条斑，则虫体黑色 ……… 19

17. 触角窝上突低弱隆起，互相平行，后端不明显中断；中胸前侧片可见低钝腹刺突；雌虫触角 3、4 节仅外侧近端部具不显著的黑带斑，雄虫黑带斑完整；小盾片具尖顶；雄虫阳茎瓣头叶具细长端突 ………………………………………………………………… **钟氏条角叶蜂 *T. zhongi***
触角窝上突显著隆起，向后明显分歧，后端中断；中胸前侧片无腹刺突；两性触角外侧黑色条斑完整；小盾片无尖顶；雄虫阳茎瓣无细长端突 ……………………………………………… 18

18. 触角 4 ~ 5 节内侧暗红褐色；雌虫腹部端部 3 节黑色 …………… **条斑条角叶蜂 *T. striaticornis***
触角 4 ~ 5 节内侧黄白色；雌虫腹部全部红褐色 ……………… **天目条角叶蜂 *T. tienmushana***

19. 中胸前侧片中部显著隆起，顶端具火山口状凹窝；头部背侧通常具倒“W”形黑斑；唇基宽大平坦；体黄褐色或锈褐色，具黑斑和黄白斑 ……………………………………………………… 20
中胸前侧片中部无火山口状凹陷，如果偶有火山口状凹窝，则虫体大部或全部黑色；头部背侧

无倒“W”形黑斑 …………………………………………………………………………………… 23

20. 前翅透明，无明显的烟褐色纵带；体黄褐色，具黑斑；腹部各节背板黄色，基部具黑色细横带…………………………………………………………………………………………… **亮翅窝板叶蜂 *T. eburnea***

前翅具明显的烟褐色纵带 ……………………………………………………………………… 21

21. 胸部腹侧和腹部腹侧黄褐色，无明显黑斑；腹部各节背板黄褐色，基缘黑色；前翅基半部透明，无烟斑 ……………………………………………………………… **黄胸窝板叶蜂 *T. linjinweii***

中胸侧板黑色，侧板上部具黄斑；腹部1、2、4背板大部或全部黑色；前翅基半部具烟色纵条斑 …………………………………………………………………………………………… 22

22. 单眼后区黑色；腹部第3背板全部、腹板全部黄色；足黄色，股节背侧具黑色条斑；前翅烟色纵带在1M室内中断 ……………………………………………… **断带窝板叶蜂 *T. seminfuscalia***

单眼后区红褐色；腹部第3背板后部、5～7腹板和足大部黑色；前翅烟色纵带完整，中部不中断 ……………………………………………………………………… **红褐窝板叶蜂 *T. rubiginolica***

23. 腹部第2节窄于第1节；体背侧大部锈褐色，腹侧大部黄褐色或锈褐色；翅透明或具纵向烟褐色带斑 ……………………………………………………………………………………………… 23

腹部第2节不窄于、通常宽于第1节；偶尔腹部第2节较窄，则虫体大部或全部黑色 …… 27

24. 中胸前侧片具锐利腹刺突……………………………………… **刺胸槌腹叶蜂 *T. dentipecta***

中胸前侧片无腹刺突 ……………………………………………………………………………… 25

25. 翅透明，无烟褐色纵带斑；腹部6～8背板中部具显著大黄斑；小盾片附片和中胸侧板光滑，无刻点或刻纹；触角端部4节黄褐色 ……………………… **三带槌腹叶蜂 *T. trixanthomacula***

翅具显著烟褐色纵带斑；腹部6～8背板黑褐色或锈褐色，无黄斑；中胸侧板具明显刻点或刻纹；触角鞭节全部暗褐色或黑褐色……………………………………………………………… 26

26. 小盾片附片光滑无刻点；后翅臀室无柄式；腹部6～10背板黑色；前翅翅斑内侧仅伸抵翅痣下侧 ………………………………………………………… **黑尾槌腹叶蜂 *T. nigrocaudata* ***

小盾片附片具显著刻点；后翅臀室具柄式；腹部4～7背板棕褐色，8～10背板褐色具黄斑；前翅翅斑内侧伸抵翅基部 ………………………………………… **室带槌腹叶蜂 *T. nubipennis***

27. 虫体大部黄褐色或大部黑色，非主要绿色，虫体无明显绿色斑纹；如果胸腹部腹侧具黄绿色斑纹或光泽，则触角短于头宽的2倍且小盾片细毛大部或全部银色或浅褐色，或者头部背侧具界限十分清晰的密集刻点，胸部背侧刻点致密 …………………………………………………… 28

虫体部分或全部绿色，至少具显著绿色斑纹；若绿斑不明显，则腹部背侧黑色，具淡色中带，或腹部背侧黑色，腹侧大部淡色且触角窝上突明显隆起，后端中断，或触角长于头宽2倍，头部背侧无界限清晰的密集刻点，胸部背侧刻点阙如或稀疏细小，或小盾片细毛全部黑色与绿色的小盾片对比鲜明 …………………………………………………………………………… 77

28. 虫体大部黑色，腹部第3背板大部或全部黄色，其余背板黑色，具蓝紫色光泽；触角背侧全部黑色，鞭节腹侧淡色；前胸背板和翅基片黑色，翅痣黑褐色；雌虫小盾片和中胸腹板黄色；中胸腹刺突尖锐，头胸部刻点致密 ……………………………………… **斑眶刺胸叶蜂 *T. felderi***

如果胸部腹刺突发达，则虫体大部黄褐色或红褐色，或触角部分环节全部淡色 ………… 29

29. 腹部无淡色环节，2～10背板具明显的金属蓝色或紫红色光泽；复眼下缘间距明显窄于唇基宽；触角鞭节全部黑色；胸部侧板扁平，前缘具弧形脊 ………………………………………… 30

腹部无金属蓝色或紫红色光泽，或触角鞭节部分环节淡色，或腹部具明显的淡色环节，或中胸侧板不扁平，无弧形脊………………………………………………………………………… 31

30. 体粗短，腹部微长于头胸部和；头部黑色……………………………… **黑股平胸叶蜂 *Tenthredo* sp.**

体狭长，腹部几乎 2 倍于头胸部和；头部红褐色 ……………… **修长平胸叶蜂 *T. cyanigaster***

31. 触角不长于头宽 2 倍，第 3 节显著长于第 4 节；体型偏粗短或短小；触角窝上突总是平坦；腹部无红环，中基部背板至少具显著黑斑；部分种类的雄虫触角较长，则其下生殖板宽显著大于长，抱器横形，端部斜截，基部窄，阳基腹铗内叶指状突十分狭长 ………………………… 32

触角不短于头宽 2 倍，或者触角窝上突显著隆起，后端中断，或者腹部具红色环节或几乎全部橘褐色；雄虫下生殖板和生殖节特征不如上述 ……………………………………………… 53

32. 中胸前侧片腹刺突发育（雄虫较弱）；两性颚眼距均大于单眼直径 2 倍；雌虫复眼下缘间距宽于唇基基部宽；翅痣黄褐色；雌虫中后足全部黄褐色，雌虫前足和雄虫各足背侧均具黑色条斑（雌虫中胸侧板全部黄绿色，雄虫具条斑） ……………………… **黄带刺胸叶蜂 *T. szechuanica***

中胸前侧片腹刺突不发育（*T. lui* 腹刺突发达，但胸部和翅痣黑色）；两性颚眼距均明显小于单眼直径 2 倍；复眼下缘间距窄于唇基基部宽；雌雄虫各足背侧均具黑色条斑或大部黑色，或前中足股节全部黄色 ……………………………………………………………………………… 33

33. 中胸前侧片全部黑色，前后缘或中部有时具点状白斑，或上部黄绿色具黑色纵斑（垂直于体轴）；后翅臀室通常无柄式，少数具短柄 ……………………………………………………… 34

中胸前侧片全部黄绿色（侧板缝偶尔具黑色条带），或者具平行于体轴的黄绿色横斑 …… 43

34. 各足基节、转节和股节基部黑色，后足第 2 转节有时部分淡色或触角鞭节亚端部明显膨大，触角第 3 节约 1.60 ~ 2.00 倍于第 4 节长，如果仅 1.50 倍于第 4 节长，则中胸侧板具大型凹窝；或雄虫体长于 11mm，下生殖板宽显著大于长，抱器横形，端部斜截，基部窄，阳基腹铗内叶指状突狭长 ……………………………………………………………………………………… 35

各足转节黄褐色，股节基部显著淡色或股节腹侧黄褐色或前中足股节全部黄色；触角细，亚端部完全不膨大，或微弱膨大，第 3 节不长于第 4 节 1.50 倍；如果雄虫生殖节类似前述情形，则体长短于 10mm ……………………………………………………………………………… 39

35. 前翅具显著横向烟斑，无纵向烟斑；唇基黄色，上唇黑色；腹部第 6 节背板后缘宽带白色，第 3、4 背板背侧黑色；触角全部黑色 ………………………………… **吕氏棒角叶蜂 *T. lui***

前翅透明，无明显烟斑或具纵向烟斑；触角基部淡色；腹部第 6 背板黑色，第 3 或 4 背板大部淡色；唇基和上唇大致同色 …………………………………………………………………… 36

36. 后翅臀室具柄式；中胸前侧片中部和腹部 5 ~ 6 背板两侧具白斑；触角鞭节短于头宽；各足转节大部或全部黄褐色 ………………………………………… **蒙古棒角叶蜂 *T. mongolica***

后翅臀室无柄式；中胸前侧片和腹部 5、6 背板两侧无白斑；触角鞭节长于头部宽；各足转节大部或全部黑色 ……………………………………………………………………………… 37

37. 唇基和上唇大部黄色；腹部第 3 背板黄色，第 1、4 背板黑色 ………………………………… 38

唇基和上唇黑色；腹部第 1、4 背板后缘黄白色 ………………… **双带棒角叶蜂 *T. odynerina***

38. 雌虫前翅具浓烟褐色纵带斑；单眼后区宽长比等于 1.40 ~ 1.60；后头明显膨大；胸部侧板无明显凹窝；触角亚端部明显膨大 ……………………… **单带棒角叶蜂 *T. ussuriensis unicinctasa***

翅透明，无烟斑；单眼后区宽长比大于 2；后头明显收缩；胸部侧板具明显凹窝；触角亚端部不膨大 ……………………………………………………………… **褐跗短角叶蜂 *T. rubitarsalitia***

39. 中胸前侧片黑色，前后侧或中部有时具白斑 …………………………………………………… 40

中胸前侧片至少上半部淡色，具显著黑色垂直条斑 ………………………………………… 42

40. 后足基节、转节和股节基部黄色；头部背侧具细密刻纹；前胸背板和翅基片黑色，淡边不明显；腹部第 3 背板大部或全部黄色；触角黑色；腹部第 2 背板宽于第 1 背板 ……………… 41

各足基节黑色，前中足股节全部黄色；小盾片黄色；腹部 1 ~ 5 背板两侧缘折黄褐色，2 ~ 7 背板背侧大部黑色，前后缘中部具三角形淡斑；头部背侧具模糊刻纹；触角鞭节浅褐色；腹部第2背板通常稍窄于第1背板 …………………………… **侧斑槌腹叶蜂 *T. mortivaga***

41. 小盾片黑色；唇基大部黑色；腹部第3背板全部黄白色；中胸前侧片中部宽钝隆起，顶端具凹窝 ………………………………………… **平刃短角叶蜂 *T. ahaina***

小盾片黄白色；唇基白色；腹部第3背板中部具黑斑；中胸前侧片中部锥状隆起，顶部无凹窝 ……………………………………………… **黑柄短角叶蜂 *T. potanini* 雌虫**

42. 中胸侧板下半部黑色，上半部黄褐色，具垂直黑色条斑，条斑上端未伸抵侧板背缘 ……………………………………………… **短条短角叶蜂 *T. vittipleuris***

中胸侧板下部部分或全部黄色或黄绿色，上部如果具黑色条斑则上部抵达侧板背缘，如上端不伸抵背缘，则下端也不伸抵侧板腹缘(与33条2项共同走向43条) …………… 43

43. 后翅臀室具显著臀柄；体长短于8mm；侧窝极深，中窝浅平；触角鞭节微长于头宽；小盾片平坦，微弱隆起，无纵横脊 ……………………………… 44

后翅臀室无柄式或具点状柄；雌虫体长超过9mm，雄虫通常不短于9mm，极少7～8mm；侧窝浅，稍深于中窝；触角鞭节长于头宽1.30倍；小盾片强烈隆起，具脊 ……………… 45

44. 雌虫胸部侧板通常全部黄褐色，最多仅顶角和中部短横带黑色；两性腹部第4背板黑色，无淡斑 ……………………………… **绿胸短角叶蜂 *T. pusilloides***

雌虫胸部侧板黑色，中部具黄褐色横带，雄虫前侧片腹侧大部黄绿色；两性腹部第4背板全部黄绿色 ……………………………… **横带短角叶蜂 *T. brachycera***

45. 翅痣黄褐色或浅褐色；中胸前侧片全部黄绿色或中部黑色纵条斑不明显超越侧板中突…… 46

翅痣黑褐色；中胸前侧片具长大黑色纵条斑，条斑长度长于侧板长的2/3 ……………… 49

46. 侧面观两性上颚明显延长，颚眼距和上颚总长等长于复眼和上眶总长；颚眼距接近2倍于单眼直径；只少后足股节具黑色长条斑 ……………………………… 47

侧面观两性上颚不延长，颚眼距和上颚总长显著短于复眼和上眶总长；颚眼距约等于单眼直径；雌虫股节全部黄褐色 ……………………………… **黄股短角叶蜂 *T. punctimaculiger***

47. 触角柄节全部黑色 ……………………………… **黑柄长颚叶蜂 *T. plagiocephalia***

触角柄节黄褐色，雄虫柄节背侧有时具小黑斑 ……………………………… 48

48. 腹部1～7节背板均具黑色斑纹；前中足股节背侧无黑色条斑；颚眼距1.50倍于单眼直径，唇基缺口浅弧形，侧叶宽钝；单眼后区宽长比大于2 ……… **黑胫长颚叶蜂 *T. longimandibularis***

腹部3～4节背板无黑斑；前中足股节背侧具黑色条斑；颚眼距1.30倍于单眼直径，唇基缺口窄深，侧叶尖；单眼后区宽长比稍小于2 ……………………………… **大斑短角叶蜂 *T. japonica***

49. 侧面观两性上颚明显延长，颚眼距和上颚总长等长于复眼和上眶总长；颚眼距雌虫1.80～2.00倍于单眼直径，雄虫约1.30倍于单眼直径；腹部各节背板后缘显著淡色 ………… 50

侧面观两性上颚不延长，颚眼距和上颚总长显著短于复眼和上眶总长；颚眼距雌虫1.00～1.30倍于单眼直径，雄虫约等于单眼直径；腹部各节背板几乎全部黑色，后缘淡边不明显或十分狭窄 ……………………………… 51

50. 中胸背板前叶全部黑色；中胸前侧片黑色条斑宽大，下部明显加宽；腹部背板后缘淡边狭窄，不宽于背板长度的1/5 ……………………………… **线缘长颚叶蜂 *T. lineimarginata***

中胸背板前叶两侧白色；中胸前侧片黑色条斑狭窄，下部不加宽；腹部各节背板后缘淡边宽，多数不窄于背板长度的1/3 ……………………………… **多环长颚叶蜂 *T. finschi***

51. 体长7～9mm；头部背侧和胸部侧板刻纹微弱，光泽显著或头部背侧和胸部侧板刻纹细密，无光泽(雌虫胸部侧板下半部全部黑色) ……………………………… 52

体长 10 ~ 11mm；头部背侧具粗刻纹，有光泽；胸部侧板刻纹粗密；雌虫胸部侧板黄绿色，具窄长黑色条斑；雌虫腹部背板黑色，具紫色光泽，第 3 背板黄绿色，雄虫腹部背板紫色光泽弱，第 3 背板无明显淡斑 ………………………………………… **短顶短角叶蜂 *T. brevivertexila***

52. 头部背侧和胸部侧板刻纹微弱，光泽显著；侧板黑色条斑狭窄；雌虫中胸前侧片上半部黄绿色，具黑色条斑 ……………………………………… **短条短角叶蜂 *T. vittipleuris*（雄虫）**
头部背侧和胸部侧板刻纹细密，无明显光泽；侧板黑色条斑宽大；雌虫胸部侧板黑色，无明显淡斑 …………………………………………………… **黑柄短角叶蜂 *Tenthredo potanini*（雄虫）**

53. 触角 3 ~ 4 节全部黑色，端部 3 ~ 4 节大部或全部白色 ……………………………………… 54
触角鞭节全部黑色，或大部淡色，第 6 ~ 8 节不明显淡于 3 ~ 4 节 ………………………… 61

54. 腹部黑色，背板具强烈金属蓝色光泽 ……………………… **寡斑白端叶蜂 *T. oligoleucomacula***
腹部背板无蓝色光泽，有时具淡紫色光泽 …………………………………………………… 55

55. 中胸小盾片白色或黄色；头部黑色具黄白斑 ………………………………………………… 56
中胸小盾片黑色 ……………………………………………………………………………… 58

56. 前翅端部具大型烟斑；腹部 2 ~ 10 节全部黑色；中胸前侧片和后胸前侧片具大黄白斑；触角窝上突强烈隆起，后端中断 ………………………………………… **双峰白端叶蜂 *T. bicuspis***
前翅透明，无烟斑；腹部 2 ~ 5 背板两侧具显著淡斑 ……………………………………… 57

57. 中胸侧板和后胸侧板具大型白斑；触角窝上突显著隆起，后端截断；各足转节黄褐色；腹部第 2 背板后缘、3 ~ 7 节背板中斑黄褐色；翅痣浅褐色 ………………… **花斑白端叶蜂 *T. seriata***
中胸侧板和各足转节、腹部第 2 节和 5 ~ 7 节背板全部黑色；触角窝上突不显著隆起，后端平坦；翅痣黑褐色 …………………………………………………… **宽顶白端叶蜂 *T. calvaria***

58. 腹部黑色，3 ~ 5 节红褐色 ……………………………………… **红眶白端叶蜂 *T. rubiobitava***
腹部端部大部或全部红褐色，中部无红褐色环节，或腹部几乎全部橘褐色，仅基部 2 ~ 3 节背板具黑斑 ………………………………………………………………………………………… 59

59. 腹部大部黑色，两侧具淡斑或端部 3 ~ 4 节红褐色，中胸侧板全部黑色；单眼后区宽明显大于长 …………………………………………………………………………………………… 60
腹部红褐色或橘褐色，仅基部 2 ~ 3 节背板具黑斑；中胸侧板具显著淡斑，后胸前侧片淡色；单眼后区长约等于宽 ………………………………………………… **秦岭白端叶蜂 *T. qinlingia***

60. 腹部 2 ~ 4 节背板两侧具白色大斑列 …………………………… **长角白端叶蜂 *T. rubiapicilina***
腹部两侧无白斑 ……………………………………………… **黑腰白端叶蜂 *T. pararubiapicilina***

61. 体黄褐色，头胸部背侧有时具稍大的独立黑斑，侧板黑斑较少或小，小盾片全部淡色，中胸背板前叶和侧叶中部具明显大淡斑 ……………………………………………………………… 62
头胸部大部黑色，如果侧板大部或全部淡色，则后翅臀室具柄式或小盾片具显著黑斑 …… 66

62. 爪内齿长于外齿；头部背侧黑斑奖杯形，前端 2 倍于中后部宽；触角黄白色，无黑斑或红褐色部分；唇基缺口底部平直，浅于唇基 1/4 长 ………………… **黄胸黄角叶蜂 *T. xanthopleurita***
爪内齿明显短于外齿；头部背侧黑斑大或小，但前端不宽于中后部；触角黄褐色，具黑斑或红褐色部分；唇基缺口底部圆，不浅于唇基 1/3 长 …………………………………………… 63

63. 中胸前侧片平坦且光滑，无刻点或刻纹，光泽强；头部背侧和附片光滑，刻点不明显；触角第 3 节微短于第 4 节；头部背侧具小黑斑且腹部 2 ~ 10 节全部黄褐色 ………………………… 64
中胸前侧片中部显著隆起，至少隆起部附近具显著刻点和刻纹，光泽较弱；附片具明显刻点，头部背侧至少额区具明显刻点；头部背侧具大黑斑或腹部 1 ~ 7 节背板具显著黑斑 ……… 65

64. 两性触角端部 4 节黑色 …………………………………… **程氏大黄叶蜂 *T. chenghanhuai***

两性触角黄褐色，无黑斑 ……………………………… 小顶大黄叶蜂 *T. microvertexis*

65. 头部背侧具大黑斑，内眶上半部和上眶内侧几乎全部黑色；触角第3节外侧具黑色条斑，雄虫触角外侧大部黑色；腹部背板无黑斑；小盾片顶部圆钝，无纵脊；中胸前侧片锥状隆起，无斜脊 …………………………………………………… 伏牛斑黄叶蜂 *T. funiushana*

头部背侧具小黑斑，仅覆盖单眼区和单眼后区；两性触角无黑斑；腹部1～7背板具成对黑斑；小盾片具纵脊；中胸前侧片具长斜脊 ………………………… 文氏斑黄叶蜂 *T. wenjuni*

66. 胸部侧面和腹面全部淡色；腹部2～10节全部暗黄褐色；触角长短于头部宽2倍 ………… 67

胸部侧板大部黑色，或具显著黑色宽条斑；腹部2～10背板具显著黑色大斑或大部黑色；触角长于头宽2倍 ……………………………………………………………………………… 68

67. 后翅臀室具柄式；头部背侧和小盾片光滑，光泽强；小盾片黄褐色；后头明显膨大；单眼后区方形，侧沟深 ………………………………………… 褐黄光柄叶蜂 *T. flavobrunneus*

后翅臀室无柄式；头部背侧和小盾片刻点密集，光泽微弱；小盾片大部黑色；后头明显收缩；单眼后区宽显著大于长，侧沟浅弱模糊 ……………………… 短毛刻绿叶蜂 *T. brevipilosila*

68. 中胸侧板黄褐色，稍具绿色光泽，前侧片具1个宽大的垂直黑色条斑，侧板缝黑色；小盾片中部黑色，两侧淡色；腹部端部红褐色 ……………………… 陕西刻绿叶蜂 *T. shensiensis*

中胸侧板黑色，具小型淡斑，雄虫有时前腹侧大部淡色；小盾片全部黑色，或中部淡色；腹部端部非红褐色 ………………………………………………………………………… 69

69. 中胸前侧片上部具显著淡斑；前翅端部明显烟褐色；唇基端部缺口不深于唇基1/4长 …… 70

中胸前侧片黑色，雄虫前侧片腹侧有时部分淡色；前翅透明，端部有时微弱烟褐色；唇基端部缺口不浅于唇基1/3长 ……………………………………………………………………… 71

70. 触角窝上突显著隆起，后端中断；小盾片白色，强烈隆起，具横脊；唇基缺口窄小；中胸前侧片高锥状隆起，腹刺突稍发育 ……………………………… 小凹斑翅叶蜂 *T. microexcisa*

触角窝上突不隆起，后端平坦；小盾片黑色，弱度隆起，无横脊；唇基缺口浅宽；中胸前侧片低锥状隆起，腹刺突不发育 ………………………………… 横带斑翅叶蜂 *T. transversa*

71. 触角窝上突平坦，后端不中断 ………………………………………………………… 72

触角窝上突显著隆起，后端突然中断 ………………………………………………… 75

72. 腹部基部和端部黑色，中部2～3个环节全部淡色；头部背侧刻点粗大，刻纹细密，无明显光泽；腹部黑色部分无紫色光泽 ……………………………………………………… 73

腹部大部或全部黑色，中部无淡色环节；头部背侧刻点稀疏浅弱，刻纹不明显，有明显光泽；腹部黑色部分具紫色光泽 ……………………………………………………………… 74

73. 体长10mm；小盾片黄白色，翅痣浅褐色；小盾片约等长于附片；各足基节、转节和股节基半部黄褐色；腹部第1背板黑色 …………………… 黑胸绿痣叶蜂 *T. elegansomatoida*

体长12～13mm；小盾片黑色，翅痣暗褐色；小盾片约1.80倍于附片长；各足基节、转节和股节黑色；腹部第1背板两侧大部白色 ………………………… 尹氏逆角叶蜂 *T. yinae*

74. 各足胫跗节、唇基、小盾片和后胸前侧片黄色；腹部3～5节黄褐色；触角显著长于头部宽的2倍 …………………………………………………………… 亮黄环腹叶峰 *T. xysta*

胫跗节、唇基大部、小盾片和后胸前侧片全部黑色；腹部3～5节红褐色；触角不长于头部宽的2倍 ……………………………………………………… 黑唇红环叶蜂 *T. pulchra*

75. 腹部3～5节大部或全部、后足胫跗节全部红褐色 ……………… 红胫断突叶蜂 *T. rubritibialina*

腹部2～10节黑色，有时具小型白斑；后足胫节端部黑褐色 ……………………………… 76

76. 中胸前侧片刻点和刻纹粗糙致密，无光泽；后足胫节黑褐色或暗褐色；小盾片大部和附片、各足基节和转节全部黑色；翅痣暗褐色 ………………………… **双斑断突叶蜂** ***T. bimacuclypea***
中胸前侧片刻点和刻纹微弱，光泽明显；后足胫节大部黄白色；小盾片和附片全部、各足基节端部和转节全部黄褐色；翅痣浅褐色 ……………………… **反斑断突叶蜂** ***T. reversimaculeta***

77. 腹部背板两侧黑色，有时黑斑十分狭窄，双带形，中部具或宽或窄的淡色中带斑，有时各节背板中部具前后相连的三角形淡斑；小盾片细毛银色 …………………………………………………… 78
腹部斑纹不如上述，背板大部或全部黑色或淡色，无中央淡色条带 ………………………… 82

78. 腹部两侧黑色带斑十分狭窄，中部淡色纵带斑 4～5 倍于黑带宽；触角窝上突强烈隆起，后端突然中断；后眶下端角具明显平台 ……………………………… **瘤突瘤带叶蜂** ***T. pediculus***
腹部两侧黑色带斑宽大，中部淡色带斑最多 2 倍于黑带宽；触角窝上突后端平坦，于额脊融合；后眶下端无明显平台 …………………………………………………………………………… 79

79. 腹部各节背板中部具 1 列三角形淡斑纵带；触角柄节和头部在唇基以上部分全部黑色；中胸侧板黑色，中部有时具圆形淡斑；翅痣黄绿色 ………………………………………………… 80
腹部各节背板中部具亚方形淡斑列，宽度不窄于两侧黑板列；头部触角窝上突和后眶大部黄绿色；中胸前侧片上半部全部淡色；翅痣暗褐色或黑褐色 ……………………………… 81

80. 中胸前侧片、中后足股节全部黑色；单眼后区宽 2.50 倍于长；触角第 3 节明显长于第 4 节；翅痣黑褐色 ……………………………………………………………… **时氏中带叶蜂** ***T. shii***
中胸前侧片具大白斑，中后足股节黄绿色，后足股节背侧具黑色条斑；单眼后区宽长比等于 3；触角 3、4 节约等长；翅痣暗褐色 ……………………… **短顶中带叶蜂** ***T. transversiverticina***

81. 触角柄节和中胸前侧片腹侧半部全部黄绿色；单眼后区宽长比等于 3；中胸背板前叶仅后端白色 …………………………………………………………… **绿柄中带叶蜂** ***T. pseudoformosula***
触角柄节和中胸前侧片腹侧半部全部黑色；单眼后区宽长比等于 2.20；中胸背板前叶两侧及后端白色………………………………………………………… **方斑中带叶蜂** ***T. formosula***

82. 体背侧大部黑色，腹侧大部绿色；头部背侧黑斑大型，两侧于复眼宽阔接触，无完整淡色内眶斑；小盾片刺毛黑色 ………………………………………………………………………………… 83
头部背侧大部绿色或黄绿色、黄褐色，额区和单眼区黑斑两侧不接触复眼，或稍接触复眼，如果稍接触复眼，则腹部 2～10 背板大部或全部淡色 ……………………………………… 92

83. 触角窝上突平坦，后端不中断，与额脊平缓汇合 …………………………………………… 84
触角窝上突明显隆起，后端中断，不与额脊平缓汇合 ……………………………………… 86

84. 头部背侧光滑，无明显刻纹；触角窝上突和内眶下部 3/5 黄绿色；翅痣和前缘脉绿色；小盾片全部绿色；雄虫阳茎瓣端突长于阳茎瓣头叶主体，显著弯曲 ………………………………… 85
头部背侧具显著皱刻纹；触角窝上突和内眶全部黑色；翅痣和前缘脉黑褐色；小盾片后缘黑色；雄虫阳茎瓣端突直，短于头叶主体 ……………………… **纹额绿斑叶蜂** ***T. rugifrontalisa***

85. 中胸前侧片黑色纵带宽度约 2 倍于单眼直径，前侧片腹侧部分黑色；腹部背板黑斑带宽稍窄于背板背侧宽度；唇基缺口宽度不窄于唇基端部宽的 1/2；各足股节背侧均具完整黑色条带 ……………
……………………………………………………… **大斑绿斑叶蜂** ***T. magnimaculatia***
中胸前侧片黑色纵带宽度约等于单眼直径，前侧片腹侧通常全部淡色；腹部背板黑斑带宽约等于背板背侧宽度 1/2；唇基缺口宽度窄于唇基端部宽的 1/2；前足股节全部绿色，中后足股节通常仅端部背侧具黑色条斑……………………………… **光额绿斑叶蜂** ***T. glatofrontalina***

86. 触角窝上突隆起程度低，长宽比不大于 2，长高比明显小于 2，后端中断截面低钝；腹部各节背板后缘具完整的淡边，后眶上部 1/3 黑色；中胸背板前叶全部黑色；内眶上部和上眶大部刻纹较弱，有光泽 ………………………………………………… **黑顶低突叶蜂** ***T. mesomela gigas***

触角窝上突隆起程度较高，长宽比大于2，长高比不小于2，后端中断截面陡峭；中胸背板前叶两侧或后端绿色；头部背侧刻纹强，无明显光泽 …… 87

87. 后眶淡斑显著向上延伸，上眶后缘部分淡色 …… 88

后眶淡斑不向上显著延伸，后眶上部至少1/4和上眶全部黑色 …… 90

88. 触角窝上突明显短于复眼下缘间距，向后明显分歧；腹部各节背板后缘淡边完整；中胸背板前叶两侧仅中部具淡色条斑 …… **陡峭低突叶蜂 *T. sinoalpina***

触角窝上突显著长于复眼下缘间距，互相平行；腹部各节背板后缘无完整淡色条斑；中胸背板前叶两侧条斑后端汇合 …… 89

89. 两性腹部2~4背板后缘淡斑短于背板1/2长，5~7背板后缘淡斑短于背板1/3长；触角窝上突间距宽于触角窝上突宽度；单眼后区宽长比等于1.90 …… **扁长高突叶蜂 *T. convergenomma***

雌虫腹部2~7背板后缘淡斑等长于背板，雄虫淡斑较短；触角窝上突间距窄于触角窝上突宽度；单眼后区宽长比等于2.20 …… **角斑高突叶蜂 *T. triangulimacula***

90. 触角窝上突较低矮，高约等于宽，长宽比等于2；雌虫后眶黑色，仅颚眼距附近淡色；中胸前侧片大部黑色 …… **粗纹窄突叶蜂 *T. paraobsoleta***

触角窝上突窄高，高明显大于宽，长宽比大于2；中胸前侧片大部淡色 …… 91

91. 雌虫各足基节、转节全部和股节大部黑色；触角窝上突大部和后眶黑色；翅烟褐色，基部稍淡；头部背侧刻纹致密，无光泽 …… **方顶高突叶蜂 *T. yingdangi***

雌虫各足基节、转节和股节大部绿色，背侧具黑色条斑；触角窝上突全部淡色；翅透明，端部有时微弱烟褐色；头部背侧皱刻纹不十分密集，有明显光泽 …… **多斑高突叶蜂 *T. triangulifera***

92. 体黄褐色，头胸部微具绿色味道；头部背侧具哑铃形或蝶形斑，腹部3~10背板通常无明显黑斑；触角窝上突低弱，如果明显隆起，则较狭窄 …… 93

体明显绿色；头部背侧黑斑非蝶形或哑铃形，腹部背板绿色或具明显黑斑 …… 101

93. 触角柄节黑色；胸部侧面和腹面黄色，无黑斑；触角窝上突低钝，稍隆起；头部背侧黑斑大型，靠近或接触复眼内缘 …… 94

触角柄节大部或全部黄褐色 …… 95

94. 体型窄瘦；头部背侧黑斑两侧显著接触复眼；头部背侧和小盾片具明显刻纹；中胸前侧片隆起部顶端单尖形；单眼后区宽显著大于长 …… **黑柄亚黄叶蜂 *T. nigroscapulatina***

体型粗胖；头部背侧黑斑不接触复眼；头部背侧和小盾片光滑；中胸前侧片隆起部顶端扁平凿状；单眼后区宽等于长 …… **褐黄光柄叶蜂 *T. flavobrunneus***

95. 头部背侧黑斑哑铃形，额脊、额区绿色，后单眼连线和两侧宽斑黑色，黑斑外侧不接触复眼 …… 96

头部背侧黑斑非哑铃形，完全覆盖额区和额脊 …… 97

96. 中胸前侧片腹刺突明显；触角窝上突前部明显隆起，后端渐低；单眼后区宽长比等于1.20；小盾片附片较长，中部长约2倍于单眼直径 …… **大齿亚黄叶蜂 *T. jiuzhaigoua***

中胸前侧片腹刺突不明显；触角窝上突全长低平；单眼后区宽长比等于1.60；小盾片附片较短，中部长约1.60倍于单眼直径 …… **多齿亚黄叶蜂 *T. multidentella***

97. 后足股节端半部背侧黑色；中胸背板黑色，前叶后端具小黄斑；小盾片强烈隆起，具纵脊；中胸侧板和腹板黑色，侧板前部具黄斑；触角窝上突后部低平，与额脊连接；腹部第2背板大部黑色；腹板无刺突 …… **斑股亚黄叶蜂 *T. maculofemoratila***

后足股节端部背侧黑斑小或无；中胸背板黄褐色，具黑斑；小盾片无纵脊，有时具横脊或顶角；腹部第2背板黄褐色，有时具黑斑 …… 98

98. 腹部第2背板全部红褐色，无黑斑；触角窝上突明显隆起，后端中断；中胸前侧片腹刺突明

显；雌虫中胸腹板黑色；两性触角梗节大部红褐色 …………………………………………… 99

腹部第2背板基部具黑色横带或宽弧形黑斑；触角窝上突后端逐渐降低并与额脊平缓汇合；中胸前侧片腹刺突不明显或缺如；两性触角梗节黑色 ……………………………………… 100

99. 爪内齿长于外齿；触角窝上突高小于宽，后端渐低，与额脊几乎平缓融合；锯刃较平，刃齿较大，不显著倾斜突出 ……………………………………………… **顶斑亚黄叶蜂 *T. cestanella***

爪内齿短于外齿；触角窝上突高等于宽，后端不低，与额脊间明显中断；锯刃显著倾斜突出，刃齿较小 ……………………………………………………… **中斑亚黄叶蜂 *T. allocestanella***

100. 腹部第2背板仅基缘黑色；两性胸部腹板黄绿色；雄虫阳茎瓣具细长端丝；头部背侧黑斑不接触复眼 ………………………………………………… **黑额亚黄叶蜂 *T. nigrofrontalina***

腹部第2背板具半圆形黑斑；雌性胸部腹板黑色；雄虫阳茎瓣端丝具宽膜叶；头部背侧黑斑两侧通常接触复眼 ……………………………………………… **弧底亚黄叶蜂 *T. pseudocestanella***

101. 头部背侧和胸部背侧细毛银色或浅褐色；头部背侧光滑，无刻纹 ……………………… 102

头部单眼后区和胸部背侧细毛黑色；头部背侧具微细刻纹 ……………………………… 105

102. 单眼后区具明显黑斑；头胸部黑斑非窄条状 ……………………………………………… 103

单眼后区绿色，无黑斑，侧沟和单眼区黑色；头胸部背侧黑斑窄条状………………………… 104

103. 头部单眼后区后缘和两侧黑色；中胸背板前叶黑斑伸过中叶中部；后足爪外齿不加宽；雌虫腹部2～7节背板常具明显短横黑斑 ………………………… **钩纹平绿叶蜂 *T. bilineacornis***

头部单眼后区仅前部1/2黑色，后部和两侧无黑斑；中胸背板仅最前缘黑色；后足爪外齿明显加宽；雌虫腹部背板无黑斑 ………………………………………… **宽齿平绿叶蜂 *T. latidentella***

104. 头部黑斑显著向前延伸，触角柄节背侧绿色，腹侧黑色；中胸背板前叶黑色对斑向前强烈分歧；颚眼距2.50倍于单眼直径；体短于10mm ……………………… **细条细斑叶蜂 *T. beryllica***

头部黑斑不向前延伸，触角柄节黑色，外侧绿色；中胸背板前叶黑色对斑向前互相平行；颚眼距1.50倍于单眼直径；雌虫体长于10mm ………………………… **宽条细斑叶蜂 *T. nephritica***

105. 后翅臀室具柄式；中胸前侧片中部具小型尖突，无腹刺突；腹部各节背板基部具黑色横带斑贯穿背板两侧缘；头部背侧具"H"形黑斑 ………………………………………………… 106

后翅臀室无柄式；中胸前侧片完全平坦，无尖突，或中部锥形隆起，尖突大型；腹部背板基部无黑色带斑，或亚中部具短横带斑 ……………………………………………………………… 107

106. 触角窝上突明显隆起，后端稍中断；雌虫腹部中端部背板无明显黑色横斑；单眼后区宽长比小于2 ……………………………………………………………… **纤弱突柄叶蜂 *T. tenuisomania***

触角窝上突前部稍隆起，后部平坦，于额脊汇合；雌虫腹部各节背板均具黑色横斑；单眼后区宽长比不小于2 …………………………………………………………… **光额突柄叶蜂 *T. subflava***

107. 触角窝上突平坦或前部稍隆起，后端不突然中断，与额脊平坦汇合；中胸无腹刺突……… 108

触角窝上突显著隆起，后端突然中断，与额脊间具明显的缺口 ………………………… 111

108. 触角柄节全部黄绿色，无黑斑；头部仅单眼三角黑色，无其他黑斑；中胸背板仅侧叶两侧缘具黑斑；唇基缺口显著；体长短于10mm ……………………… **痕纹细斑叶蜂 *T. pseudonephritica***

触角柄节黑色；头部黑斑从单眼区向后明显延长；中胸背板具成对条斑；唇基端缘缺口极浅，短于唇基1/6长，或三尖形；体长于11mm ………………………………………………… 109

109. 头部背侧黑斑"H"型，黑斑侧臂中部宽约2.50倍于单眼直径；胸部背板具3个大黑斑；雌虫唇基三齿形；腹部2～8背板具明显中位黑斑……………………… **三齿翠绿叶蜂 *T. tridentata***

头部背侧黑斑"W"形或"H"形，黑斑侧臂中部约等宽于单眼直径；胸部背板和腹部背板无黑斑；雌虫唇基端缘具浅弧形缺口 …………………………………………………………… 110

110. 头部黑斑"W"形；小盾片横脊钝弱；锯刃中等突出 ………… **尖刃翠绿叶蜂 *T. acutiserrulana***
头部黑斑"H"形；小盾片横脊显著；锯刃强烈突出 ……………… **平突翠绿叶蜂 *T. flatotrunca***
111. 触角窝上突狭窄，横切面三角形，上窄下宽，背缘间距约4~5倍于触角窝上突顶部宽；胸部背侧无块状黑斑，腹部背板无黑斑或具中位小型黑斑；中胸前侧片腹刺突显著 ………… 112
触角窝上突背缘不十分狭窄，间距2~3倍于背缘宽；胸部具块状黑斑，腹部背板后缘具显著黑色横带斑；中胸前侧片无腹刺突 ……………………………………………………… 113
112. 触角窝上突高长，约2倍于额脊长；雌虫腹部背板具中位黑斑 ……………………………………………………………………………… **三齿狭突叶蜂 *T. tridentoclypeata***
触角窝上突较低，约等长于额脊；雌虫腹部背板无黑斑 … **脊颚狭突叶蜂 *T. carinomandibularis***
113. 触角柄节绿色，无黑斑；头部黑斑"Ω"形，额区全部黑色；中胸侧板无黑斑，腹部背板黑斑狭窄；雄虫阳茎瓣无端突 …………………………………………… **环斑长突叶蜂 *T. omega***
触角柄节大部或全部黑色，头部黑斑非"Ω"形，或额脊绿色；雄虫阳茎瓣具显著端突…… 114
114. 触角窝上突较低，高小于宽；单眼后区宽长比大于2；头部背侧黑斑宽椭圆形，不向前后侧延伸；中胸侧板平坦，无黑斑……………………………… **平胸长突叶蜂 *T. flatopectalina***
触角窝上突高大于宽；单眼后区宽长比小于2；头部背侧黑斑向前后侧明显延伸；中胸侧板锥状隆起，具黑色条斑 …………………………………………………………………… 115
115. 额区全部黑色；触角窝上突高稍大于宽，触角窝间距等宽于触角窝上突；中胸前侧片黑斑纵贯侧板全长，腹部背板黑色横带不中断………………………… **短角长突叶蜂 *T. pseudobullifera***
额脊绿色；触角窝上突窄，高约2倍于长，间距2倍于触角窝上突宽；中胸前侧片黑斑很短，向下不伸过顶点，腹部2~3背板黑色横带中部中断……… **半环长突叶蜂 *T. pseudograhami***

注：* 正文中未包括。

(309) 黄突细蓝叶蜂 *Tenthredo regia* Malaise, 1945（图版7：D）

Tenthredo regia Malaise, 1945: 194.

鉴别特征： 体长13~15mm。体黑色，头胸部具金属绿色光泽，腹部具金属蓝色光泽；上唇、上颚基半部、触角端部3节、前胸背板后缘、翅基片白色；足黑蓝色，各足膝部、前足胫跗节大部、中部基节基部和端部、跗节全部、后足胫节基端和末端、基跗节基部和2~5跗分节黄褐色。唇基中部具纵沟，触角窝上突强烈片状隆起，后端中断；单眼后区横宽，后缘脊锐利；触角第3节稍长于第4节；小盾片尖锥状隆起；中胸前侧片扁平，具弧形长脊和锐利腹刺突；头部背侧和腹部第1背板光滑，无刻点和刻纹；中胸前侧片具密集皱刻纹，腹部2~10节背板具细密刻纹；后翅臀室无柄式。

采集记录： 1♂，华山，1300~1600m，2005.Ⅶ.12，杨青采。

分布： 陕西（华阴）、河北、山西、河南、甘肃、四川。

(310) 黄端刺斑叶蜂 *Tenthredo fulviterminata* Wei, 1998

Tenthredo fulviterminata Wei in Wei *et* Nie, 1998h: 171.

鉴别特征：体长 15mm。体暗黄褐色，头部触角窝以下部分和转节淡黄色；触角鞭节、后足跗节和前翅端部 1/3 黑褐色。前翅端斑色泽均一，内界显著，伸抵翅痣末端，翅面其余部分烟黄色。体毛黄褐色。唇基端部缺口宽深，底部平直，侧叶三角形；颚眼距约 1.50 倍于单眼直径，后颊脊下部具较弱的曲折；触角窝上突稍隆起，向后分歧并与额脊连接，不中断；单眼后区具模糊中脊；触角第 3 节微长于第 4 节。体光滑，除附片两侧外无明显刻点。中胸小盾片锥状隆起，具顶角，附片具低钝中脊。中胸侧板下部尖角状隆出，具单峰；中胸腹板具短而明显的刺突。爪内齿几乎不短于外齿。锯腹片 21 刃，具节缝刺毛带。

采集记录：1♀，留坝桑园林场，1250m，2007. Ⅴ.18，朱巽采。

分布：陕西(留坝)、河北、河南、甘肃、浙江、湖北、湖南。

(311) 黑端刺斑叶蜂 *Tenthredo fuscoterminata* Marlatt, 1898

Tenthredo fuscoterminata Marlatt, 1898: 502.

鉴别特征：体长 15～17mm。体黄褐色，触角鞭节、后足跗节和腹部端部 3～4 节黑色；翅烟黄色，端部 1/3 具烟黑色斑纹，斑纹内侧缘直，伸达翅痣端部；唇基端部缺口十分浅宽，底部平直，侧叶短三角形；后颊脊完整，下部具曲折；触角窝上突明显隆起、狭窄，向后互相平行并与额脊连接，不中断；单眼后区长等于宽，无中纵脊；触角第 3 节明显长于第 4 节；头部背侧具微细刻纹，胸部背侧包括小盾片和附片具细密刻点和刻纹；中胸小盾片锥状隆起，具顶角；中胸侧板中部角状隆出，具双峰，表面具密集皱刻纹；中胸腹板具明显的腹刺突；腹部第 1 背板光滑，其余背板具极微弱刻纹，光泽显著；爪内齿几乎不短于外齿；后翅臀室无柄式。雄虫腹部端部黄褐色，后基跗节稍膨大，阳茎瓣具窄端突。

采集记录：5♀5♂，周至楼观台，801m，2006. Ⅶ.06，朱巽、蒋晓宇采；11♀4♂，华山，1300～1600m，2005. Ⅶ.12，杨青、朱巽采。

分布：陕西(周至、华阴)、黑龙江、吉林、辽宁、北京、天津、河北、山西、河南、甘肃、浙江、湖北、湖南、重庆、四川、云南；俄罗斯，朝鲜，日本。

(312) 钝突刺斑叶蜂 *Tenthredo obtusicorninata* Wei *et* Nie, 1999

Tenthredo obtusicorninata Wei *et* Nie in Nie *et* Wei, 1999: 117.

鉴别特征：体长 13.00～14.50mm。体黄褐色，触角鞭节、单眼斑、中胸腹板中部、后足跗节黑色；翅烟黄色，前翅端部具色泽均一的黑褐色烟斑，其内缘抵达翅痣，边界显著；唇基缺口宽浅，底部平直，侧叶尖；颚眼距 1.50 倍于单眼直径，触角窝上突陡峭，与额脊不会合；单眼后区稍隆起，长约等于宽；侧沟深于中后沟，稍外弯；背面观后头两侧平行；触角丝状，稍短于腹部，第3、4节长度之比为4∶3；中胸小盾片锥状隆起，具低弱中纵脊，附片具刻点和弱中纵脊；中胸侧板钝角状隆起，中胸腹刺突明显；后足跗节不膨大，爪内齿短于外齿；前翅cu-a脉位于M室基部1/3，2Rs约等长于$1R_1$与1Rs之和。雄虫中胸腹板无黑斑，爪内外齿等长。

采集记录： 6♀1♂，华山，1300～1600m，2005.Ⅶ.02，朱巽、杨青采。

分布： 陕西（华阴）、辽宁、北京、河北、山西、河南、甘肃、湖北。

（313）中华平斑叶蜂 *Tenthredo sinensis* Mallach，1933（图版7：E）

Tenthredo sinensis Mallach，1933：271.

鉴别特征： 雌虫体长16～20mm，雄虫体长14～16mm。体黄褐色，触角鞭节和腹部端部3～4节黑色；体毛黄褐色；足全部黄褐色；翅烟黄色透明，前翅端部1/4烟黑色，翅痣黄褐色。唇基缺口宽深，深于唇基1/2长，几乎2倍于唇基侧叶宽度；单眼后区宽长比为4∶3，无中脊；触角窝上突平坦；后翅臀室具显著短柄；小盾片圆钝隆起，无脊，后坡刻点浅弱模糊，附片具细浅中沟；中胸侧板中部强度隆起，光滑，无明显刻点；腹部第1背板大部光裸无毛，仅中缝附近具黑色细毛；爪内齿短于外齿；雄虫后足基跗节细长，不膨大；锯腹片锯刃亚基齿细小。

采集记录： 2♂，长安终南山，1555m，2006.Ⅴ.27，杨青采；1♀，留坝桑园林场，1250m，2007.Ⅴ.18，朱巽采。

分布： 陕西（长安、华阴、留坝）、河南、安徽、浙江、湖北、湖南、广东、广西、贵州。

（314）东缘平斑叶蜂 *Tenthredo terratila* Wei *et* Nie，2002 陕西新纪录

Tenthredo terratila Wei *et* Nie，2002d：127.

鉴别特征： 体长18～19mm。体和足黄褐色，单眼区、单眼后区、前胸背板侧叶中部、侧板上部、中胸背板前叶小斑、侧叶1大1小2个斑纹、中胸前侧片前侧小斑、后侧片上半部、后胸后侧片、后足基节后侧小斑黑色；触角基部4节半红褐色，2～4节外侧黑色，第4节内侧黄色，端部4节半黑色。翅烟黄色透明，端部1/3具远离翅痣的显著烟褐色斑，翅痣黄褐色。唇基端部缺口宽"U"形，底部圆钝；颚眼距约2倍于单眼直径；触角窝上突明显隆起，后端与额脊微弱分离；单眼后区宽稍大于长，具细中纵脊；触角第3节稍长于第4节；小盾片顶部圆，具模糊纵脊；附片平坦，具刻点；胸部侧板光滑；中胸前侧片下部圆钝隆起，无腹刺突。腹部背板几乎光滑；后翅臀室无柄式。锯腹片中部锯刃SF＝2/26-30。雄虫中后胸侧板无黑斑。

采集记录： 2♂，宝鸡天台山，812m，2006.Ⅴ.23，杨青、朱巽采。

分布：陕西(凤县、宝鸡)、河南、湖南、广西、贵州。

(315) 断突平斑叶蜂 *Tenthredo xanthotarsus* Cameron, 1876 陕西新纪录

Tenthredo xanthotarsus Cameron, 1876: 467.

鉴别特征：体长16～17mm。体黄褐色，头部和胸部有时具少数小型黑斑，触角鞭节和腹部端部黑色；后足黄褐色，股节背侧常具黑色条斑；前翅端部烟斑内侧圆形，不接触翅痣；唇基前缘缺口底部圆钝，侧叶宽；触角窝上突显著隆起，后端突然中断，不与额脊连接，额脊低，额区前端显著下倾；单眼后区方形；后颊脊完整，下部无折；触角第3节明显长于第4节；头胸部背侧具密集细小刻点，光泽弱；小盾片圆钝隆起，无明显纵脊；中胸侧板显著隆起，无腹刺突，皱刻纹细密；腹部背板较光滑，无明显刻纹；后翅臀室无柄(雌虫)或具短柄(雄虫)；爪内齿短于外齿。

采集记录：1♀，华山，1300～1600m，2005.Ⅶ.12，杨青采。

分布：陕西(华阴)、内蒙古、河南；俄罗斯，日本。

(316) 黄角平斑叶蜂显斑亚种 *Tenthredo fulva adusta* Motschultsky, 1866 陕西新纪录

Tenthredo fulva adusta Motschulsky, 1866: 182.

鉴别特征：体长13～16mm。虫体、触角和足黄褐色，额区大斑、胸部腹面、腹部端部4节黑色，唇基、上唇、上颚基部和后胸前侧片黄色；翅烟黄色，端部具明显烟褐色斑，内侧不接触翅痣，翅痣黄褐色；体毛黄褐色。唇基缺口浅弧形，后头两侧膨大，单眼后区横宽，触角窝上突明显隆起，后端中断；小盾片强烈隆起，具1对较钝的顶突；后翅臀室无柄式；爪内齿短于外齿；头部背侧刻点和刻纹不明显，胸部背侧具细小稀疏刻点，小盾片刻纹较显著；中胸前侧片中部明显隆起，无腹刺突，上半部具细弱模糊刻纹，下半部具较明显的细小刻点。

采集记录：1♂，周至厚畛子，1309m，2006.Ⅶ.09，朱巽采。

分布：陕西(周至)、黑龙江、吉林、辽宁、内蒙古、河北、山西、宁夏、甘肃；蒙古，俄罗斯，韩国，日本，乌克兰，芬兰。

(317) 亮翅窝板叶蜂 *Tenthredo eburnea* (Mocsáry, 1909) 陕西新纪录

Allantus eburneus Mocsáry, 1909: 29.

鉴别特征：雌虫体长15mm。体和足亮黄色，侧窝和中窝、单眼三角、单眼后区大部、上眶宽弧形斑、中胸背板前叶和侧叶顶部大斑、小盾片和后小盾片的后缘、中

胸腹板两侧、后侧片前缘中部、腹部第1～7背板基部"T"形斑、触角鞭节、后足胫跗节背侧黑色。翅透明，无烟色带斑，翅痣浅褐色。唇基宽大，缺口弧形；颚眼距稍宽于单眼直径；后头两侧明显膨大；触角窝上突和额区低平；单眼后区平坦，亚方形。触角短于头胸部之和，第3节1.50倍长于第4节。小盾片强烈隆起，光滑，具显著纵脊；附片具显著刻点和低中纵脊；中胸侧板下部显著隆起，顶端具小凹陷；中胸腹板无刺突。爪内齿短于外齿。后翅臀室无柄式。腹部第1、2节等宽；下生殖板深裂式。雄虫体长12mm，中胸腹板无黑斑，单眼后区宽大于长。

采集记录：1♂，佛坪，832m，2006.Ⅳ.30，朱巽采。

分布：陕西（佛坪）、河南、浙江、广西、贵州。

(318) 红褐窝板叶蜂 *Tenthredo rubiginolica* Wei, 2005 陕西新纪录

Tenthredo rubiginolica Wei, 2005: 493.

鉴别特征：体长12～13mm。体暗红褐色，上眶和后单眼处的宽弧形斑、前胸背板大部、中胸背板前叶和侧叶顶部大斑、小盾片后缘、附片、后胸背板大部、中胸前侧片下部、后侧片、后胸侧板周缘、腹部第1～4背板大部和第2～6腹板大部黑色，腹部第3背板基部横斑黄色，触角鞭节黑褐色。足黑褐色，前足股节至跗节前侧黄色，中后足基节外侧、股节前侧和后足胫节腹侧红褐色，中足胫跗节腹侧和后足跗节腹侧浅褐色。翅透明，前翅具烟褐色纵斑从翅顶角延伸至翅基部的臀角，翅痣和前缘脉浅褐色。颚眼距1.30倍宽于单眼直径；单眼后区宽稍大于长；触角第3节1.70倍长于第4节；小盾片锥状强烈隆起；中胸侧板具密集皱纹和刻点，中部锥形隆起，顶端具大凹窝；后翅臀室无柄式；下生殖板中部具很深的缺口和发达的侧叶。

采集记录：4♀，留坝桑园林场，1250m，2007.Ⅴ.18，朱巽采；2♀，佛坪，832m，2006.Ⅳ.30，朱巽、何末军采；1♀，佛坪岳坝，1085m，2006.Ⅳ.29，何末军采；1♀，丹凤寺坪镇，900～1200m，2005.Ⅴ.21，朱巽采。

分布：陕西（留坝、佛坪、丹凤）、四川、贵州。

(319) 断带窝板叶蜂 *Tenthredo seminfuscalia* Wei, 2002 陕西新纪录

Tenthredo seminfuscalia Wei in Wei *et* Nie, 2002d: 132.

鉴别特征：体长13.50mm。体棕褐色，头部触角窝以下和后眶中部以下、内眶窄条斑黄色，头部背侧具大黑斑，触角鞭节黑色，柄节黄褐色；前胸背板前下角和后缘、翅基片、盾侧凹内壁、小盾片顶角、附片、后胸后背板大部，中胸前侧片斑纹、中后胸后侧片后缘、后胸前侧片中部，腹部第1背板后缘中部、第2和4背板两侧、第3背板全部、第2～5腹板、8～10节和锯鞘黄色；足黄褐色，各足基节基缘、转节和

中后足股节后侧、后足胫节基部背侧具窄黑色条斑。翅痣浅褐色，前翅端半部具较宽的深烟褐色条斑，内端突然止于1M室中部。颚眼距1.30倍宽于单眼直径；单眼后区平坦，宽长比等于1.10；触角第3节1.50倍长于第4节；小盾片锥状强烈隆起；中胸侧板顶端具凹窝；后翅臀室无柄式。下生殖板中部具很深的缺口和发达的侧叶。

采集记录：1♀，周至楼观台，801m，2006. Ⅶ.06，朱巽采。

分布：陕西(周至)、河南、甘肃。

(320) 黄胸窝板叶蜂 *Tenthredo linjinweii* Wei *et* Nie, 2003 陕西新纪录

Tenthredo linjinweii Wei *et* Nie in Wei, Nie *et* Xiao, 2003: 101.

鉴别特征：雌虫体长15mm。体和足黄色，上眶宽弧形斑、中胸背板前叶和侧叶顶部大斑、小盾片和后小盾片的后缘、后侧片前缘中部、腹部第1~7背板基缘、触角鞭节大部、后足股节背侧基部黑色。翅透明，端半部具烟褐色纵带斑，翅痣浅褐色。唇基宽大，缺口弧形；颚眼距稍宽于单眼直径；后头两侧明显膨大；触角窝上突和额区低平；单眼后区平坦，亚方形。触角短于头胸部之和，第3节1.50倍于第4节长。小盾片强烈隆起，光滑，具弱纵脊；附片具显著刻点和低中纵脊；中胸侧板中部显著隆起，顶端具凹陷；中胸腹板无刺突。爪内齿短于外齿。后翅臀室无柄式。腹部第1、2节等宽；下生殖板深裂式。

采集记录：1♀，佛坪，832m，2006. Ⅳ.30，何末军采。

分布：陕西(佛坪)、河南、湖南、福建。

(321) 刺胸槌腹叶蜂 *Tenthredo dentipecta* Wei *et* Nie, 2006

Tenthredo dentipecta Wei *et* Nie, 2006: 275.

鉴别特征：体长10mm。体锈褐色，头部触角窝以下部分、触角柄节、小盾片前坡、附片、后胸后背板、腹部第1背板、前中足全部、后足转节黄白色，腹部2~8背板基缘黑色；翅透明，翅痣黄褐色。唇基缺口浅弧形，颚眼距窄于单眼直径；复眼大，下缘间距窄于复眼横径；单眼后区宽约2倍于长；触角细，第3节1.40倍于第4节长；头部背侧光滑，无刻点或刻纹；小盾片尖锥状隆起，光滑；附片光滑，无刻点；中胸前侧片光滑，无刻点或刻纹，中部尖锥状隆起，腹刺突尖锐；爪内齿短于外齿；前翅cu-a脉交于1M室下缘内侧1/5，后翅臀室无柄式。

采集记录：1♀，华山，1300~1600m，2006. Ⅶ.12，朱巽采。

分布：陕西(华山)、甘肃。

(322) 室带槌腹叶蜂 *Tenthredo nubipennis* Malaise, 1945 陕西新纪录

Tenthredo (*Tenthredina*) *nubipennis* Malaise, 1945: 191.

鉴别特征: 雄虫体长12~13mm, 雌虫体长15~17mm。体棕褐色, 具少数不明显的黑色条斑和较多淡黄色斑纹, 足无黑色条斑, 触角鞭节黑褐色, 端部不淡; 翅浅烟褐色, 沿Rs脉具显著纵向烟斑, 翅痣浅褐色。唇基缺口较深, 侧叶较突出; 触角窝上突和额脊低弱, 无中窝; 头部背侧具细小稀疏但明显的刻点, 光泽较强; 单眼后区宽稍大于长, 无中脊。触角短于腹部长, 第3节显著长于第4节; 中胸背板具显著刻点, 小盾片圆形隆起, 无顶点和中纵脊, 刻点显著; 附片具刻点, 无明显中脊; 中胸前侧片具浅弱但显著的刻点, 下部低钝隆起, 无中胸腹刺突; 腹部第1、2背板之间显著缢缩, 中端部腹节明显膨大; 后翅臀室具短柄。

采集记录: 1♂, 留坝桑园林场, 1250m, 2007. V.18, 朱巽采。

分布: 陕西(留坝)、安徽、浙江、湖北、江西、湖南、福建、广东、广西、贵州。

(323) 三带槌腹叶蜂 *Tenthredo trixanthomacula* Wei *et* Yan, 2012

Tenthredo trixanthomacula Wei *et* Yan in Yan, Xu *et* Wei, 2012: 363, 365.

鉴别特征: 体长14~15mm。头胸部浅黄褐色, 侧窝底部、单眼中沟和后沟、单眼环黑色; 中窝、上眶、单眼后区中部、中胸背板前叶和侧叶纵斑橘褐色; 触角柄节和第6节端部以远黄褐色, 其余部分暗褐色; 腹部暗褐色, 第1节背板全部、第4~9节背板两侧大斑以及第8~10节背板中部大型横斑、各节腹板、锯鞘端亮黄褐色。足浅黄褐色, 具暗褐色和黑色条斑。翅透明, 翅痣黄褐色。体大部光滑, 光泽强, 头胸部无明显刻点和刻纹; 中胸背板刻点细小浅平, 刻纹细弱模糊; 腹部第1背板光滑, 其余各节背板具细弱刻纹。唇基缺口半圆形, 颚眼距等于单眼半径; 单眼后区横宽, 后缘无脊; 触角细第3节1.40倍于第4节长; 小盾片顶部圆钝, 附片无纵脊; 中胸腹板无刺突。后翅臀室具柄式。腹部第2节明显窄于第1节。

采集记录: 1♀, 长安终南山, 1555m, 2006. V.27, 杨青采; 1♀, 潼关桐峪镇, 1052m, 2006. V.30, 朱巽采; 1♀, 留坝桑园林场, 1080m, 2007. V.19, 朱巽采。

分布: 陕西(长安、潼关、留坝)、山西、甘肃、安徽、湖北、江西、湖南、广西、四川、贵州。

(324) 侧斑槌腹叶蜂 *Tenthredo mortivaga* Marlatt, 1898 陕西新纪录

Tenthredo mortivaga Marlatt, 1898: 501.

Tenthredopsis basalis Matsumura, 1912: 46.

鉴别特征：体长 9～11mm。体黑色，头部额区前缘以前部分、后眶中下部、触角第 1 节、前胸背板后缘和翅基片、小盾片、附片、后小盾片、后胸后背板，腹部第 1 背板、第 2～5 背板缘折和第 2～5 腹板黄白色，腹部端部 3～5 节红褐色，触角梗节和鞭节褐色；各足基节大部黑色，基节端部、转节、前中足股节、前足胫节淡黄色，后足股节和中后足胫跗节红褐色。翅透明，前缘脉浅褐色，翅痣暗褐色。唇基缺口弧形，浅于唇基 1/3 长，颚眼距窄于单眼直径；单眼后区宽长比大于 2；触角窝上突平坦；头部背侧具不规则弱刻纹，有光泽；小盾片圆钝隆起，刻点浅弱稀疏，无脊；附片光滑，无纵脊；中胸侧板微弱隆起，具明显细皱纹。腹部背板刻纹弱，第 2 背板常窄于第 1 背板。爪内齿短于外齿，后翅臀室具点状柄。

采集记录：2♀，留坝桑园林场，1250m，2007. Ⅴ. 18，朱巽采；1♀，留坝桑园林场，1080m，2007. Ⅴ. 19，朱巽采；1♀，佛坪，1000～1450m，2005. Ⅴ. 17，刘守柱采；1♀3♂，佛坪，832m，2006. Ⅳ. 30，何末军采；1♀1♂，佛坪岳坝，1085m，2006. Ⅳ. 29，朱巽、何末军采。

分布：陕西（留坝、佛坪）、甘肃、安徽、江苏、浙江、湖南、福建、广西；日本。

（325）小顶大黄叶蜂 *Tenthredo microvertexis* Wei，2006

Tenthredo microvertexis Wei，2006：630.

鉴别特征：体长 15～16mm。体黄褐色，单眼周围和额区小斑、单眼后区侧沟、中胸背板侧叶条斑、中胸侧板前缘、上缘和后缘、腹板两侧模糊条斑、后胸背板除后小盾片以外、后胸后侧片、后足基节外侧基部黑色；翅透明，翅痣黄褐色。体光滑，光泽强；中胸前侧片大部和小盾片附片十分光滑；腹部具微细刻纹。唇基缺口深弧形，深约为唇基 1/3 长，底部圆钝；颚眼距 1.50 倍于单眼直径；触角窝上突很小，稍隆起；单眼后区隆起，长明显短于宽；背面观后头两侧微向后收敛；触角显著长于腹部，第 3 节稍短于第 4 节；小盾片强烈隆起，无中纵脊，具弱横脊，附片无中脊；中胸前侧片腹缘微弱隆起，中胸腹板无刺突；后翅臀室无柄式。爪无基片，内齿明显短于外齿。

采集记录：1♀，宁陕旬阳坝，1400m，2009. Ⅵ. 18，于海丽采。

分布：陕西（宁陕）、浙江、湖北、湖南、广西、四川、贵州。

（326）程氏大黄叶蜂 *Tenthredo chenghanhuai* Wei，2002

Tenthredo chenghanhuai Wei，2002g：194.

鉴别特征：体长 15～17mm。体黄褐色，单眼周围和额区小斑、侧窝后端、单眼后区两侧条斑、触角第 6～9 节全部和第 5 节部分、中胸背板侧叶条斑、侧板前缘、上缘和后缘、腹板两侧模糊条斑、后胸背板除后小盾片以外、后胸后侧片、后足基节外侧基部。翅透明，翅痣黄褐色。体光滑，光泽强；中胸前侧片大部和小盾片附片十分光滑；腹部具微细刻纹。唇基缺口深弧形，深约为唇基1/3长，底部圆钝；颚眼距2倍于单眼直径；触角窝上突稍隆起；单眼后区长明显短于宽；背面观后头两侧微向后收敛；触角显著长于腹部，第3节稍短于第4节；小盾片强烈隆起，无中纵脊，顶端钝；附片无明显中脊；中胸前侧片腹缘微弱隆起，中胸腹板无刺突；后翅臀室无柄式。爪无基片，内齿明显短于外齿。

采集记录：1♀，宁陕旬阳坝，1400m，2009. Ⅵ. 18，于海丽采。

分布：陕西（宁陕）、河南、浙江、湖北、湖南、重庆、四川、贵州。

（327）文氏斑黄叶蜂 *Tenthredo wenjuni* Wei, 1998 陕西新纪录

Tenthredo wenjuni Wei in Nie *et* Wei, 1998: 178.

鉴别特征：体长约15mm。体暗黄褐色，头胸部具丰富淡黄色斑，单眼区、单眼后区、中胸背板除中部方斑和小盾片及附片外、后胸背板凹部、中胸侧板边缘、腹部1～7节背板基部对斑黑色。翅透明，翅痣黄褐色。头部背侧刻点细密，有明显光泽；胸部背侧刻点细密，无光泽，附片刻点粗密；胸部侧板皱刻纹细密，光泽微弱；腹部背板具微细刻纹。唇基缺口深，底部圆，不浅于唇基1/2长；颚眼距约1.60倍于单眼直径；单眼后区宽大于长，具细中纵脊；触角窝上突狭窄，明显隆起，与额脊汇合；触角长于头胸部之和，第3节长于第4节；小盾片显著隆起，具细纵脊；中胸前侧片中部显著隆起，具长斜脊；爪内齿短于外齿，后翅臀室无柄式。

采集记录：1♀，长安区鸡窝子，1765m，2008. Ⅵ. 27，朱巽采。

分布：陕西（长安）、河南、甘肃、四川。

（328）伏牛斑黄叶蜂 *Tenthredo funiushana* Wei, 1998

Tenthredo funiushana Wei in Nie *et* Wei, 1998: 177.

鉴别特征：体长约14mm。体暗黄褐色，头部背侧大黑斑覆盖中窝和侧窝区、额区、单眼区、单眼后区、内眶大部和上眶内半部；触角第3节外侧具黑条斑；中胸背板前叶前侧、侧叶大部、中后胸背板凹部、中胸侧板腹侧边缘、后胸侧板上部、腹部第1背板基部和两侧黑色；后足股节背侧具黑色条斑。翅透明，翅痣黄褐色。头部背侧刻点密集，光泽弱；胸部背侧刻点细密，无光泽，附片刻点粗密；胸部侧板皱刻纹细密，光泽微弱；腹部背板具微细刻纹。唇基缺口圆，深约为唇基1/3；颚眼距约1.30倍于单眼直径；单眼后区宽1.80倍于长，无中纵脊，侧沟向后强烈分歧；触角窝上突前部稍隆起，后部平坦；触角长于头胸部之和，第3节长于第4节；小盾片圆钝

隆起，纵脊不明显；中胸前侧片中部锥状隆起，斜脊很短；爪内齿短于外齿，后翅臀室无柄式。雄虫触角外侧全长黑色。

采集记录： 1♀，长安区鸡窝子，1765m，2008. Ⅵ. 27，朱巽采；1♂，长安区鸡窝子，1765m，2008. Ⅵ. 27，朱巽采；1♀，华山，1300～1600m，2006. Ⅶ. 12，朱巽采。

分布： 陕西（长安、华阴）、河南、甘肃、湖北。

（329）黄胸黄角叶蜂 *Tenthredo xanthopleurita* Wei，1998 陕西新纪录

Tenthredo xanthopleurita Wei in Nie *et* Wei，1998：176.

鉴别特征： 体长约13.50mm。体淡黄褐色，头部背侧具奖杯形黑斑，前部向两侧显著扩大，约2倍于中后部宽，内眶大部和上眶除内缘狭边外黄褐色；中胸背板前叶前半部、侧叶宽"L"形斑、中后胸侧板黑色，中胸前侧片中上部大斑和后侧片下部斑淡黄色。翅透明，翅痣浅褐色。头部背侧刻点微弱，单眼后区和胸部背侧刻点极其细密，光泽弱，附片刻点浅弱；胸部侧板隆起部附近刻纹较细密，光泽微弱；腹部背板具微细刻纹。唇基缺口底部平直，深约为唇基1/4；颚眼距约1.20倍于单眼直径；单眼后区宽约1.40倍于长，具微弱中纵脊，侧沟向后明显分歧；触角窝上突隆起，后部稍中断；触角长于头胸部之和，第3节长于第4节；小盾片强隆起，具顶尖；中胸前侧片锥状隆起，斜脊长；爪内齿命长长于外齿，后翅臀室无柄式。

采集记录： 1♀，宝鸡天台山，802m，2006. Ⅴ. 23，朱巽采；1♀，凤县红花铺镇，1080m，2007. Ⅴ. 25，朱巽采；1♀，凤县嘉陵江源头，1570m，2007. Ⅴ. 26，朱巽采；1♀，留坝桑园林场，1250m，2007. Ⅴ. 18，朱巽采；1♂，佛坪岳坝，1085m，2006. Ⅳ. 29，朱巽采；2♀，佛坪，1000～1450m，2005. Ⅴ. 17，刘守柱采；1♀1♂，秦岭，no. 891。

分布： 陕西（宝鸡、凤县、留坝、佛坪、宁陕）、河南、甘肃。

（330）圆斑纤腹叶蜂 *Tenthredo jozana*（Matsumura，1912）*

Tenthredopsis jozanus Matsumura，1912：41.

Tenthredo fuscata Enslin，1920：31（nec Christ，1791）[= *Nematus*（*Pteronidea*）*papillosus*（Retzius，1783）].

鉴别特征： 体长14～15mm。体、触角和足十分狭长；头胸部黑色，唇基、上唇、上颚、触角柄节、小盾片、附片、后小盾片和后胸后背板大部黄色，触角梗节和鞭节浅褐色；腹部黄褐色，第1背板基部、第1～7背板两侧纵条斑黑色；足黄褐色，后足股节和胫节大部红褐色，中后足股节背侧具黑色条斑，后足跗节黄白色。翅烟黄色透明，翅痣黄褐色，前翅端部具小型烟黑色圆斑。复眼强烈突出，额区和颜面下沉；

单眼后区宽长比等于2，后头两侧强烈收缩；唇基缺口弧形，浅于唇基1/4长；颚眼距窄于单眼直径。触角不短于腹部，第3节稍长于第4节；头部背侧具浅弱粗大刻点和模糊刻纹。胸部背板具细密刻点，小盾片圆钝隆起，无脊；中胸前侧片钝锥状隆起，具粗密皱刻纹；腹部背板具微弱刻纹。爪内齿短于外齿；后翅臀室无柄式。

采集记录：1♀，凤县红花铺镇，1080m，2007. Ⅴ.25，朱巽采；1♀，华山，1966. Ⅷ.22，李法圣采；2♀，太白山，1580m，2007. Ⅶ.17，朱巽、蒋晓宇采。

分布：陕西（凤县、华阴、眉县）、河南、湖北、四川；俄罗斯，韩国，日本。

注：＊本种未包括在检索表中。

（331）申氏条角叶蜂 *Tenthredo sheni* Wei，1998

Tenthredo sheni Wei in Nie *et* Wei，1998：178.

鉴别特征：体长16mm。体暗红褐色，唇基、口器、内眶、触角第3节端部、第4节全部、第5节大部、翅基片、中胸背板前叶后端、小盾片大部、中胸前侧片上部斑、后胸前侧片、腹部第1背板大部黄色，单眼区和单眼后区、触角第2～3节外侧和第5节端部以远、前胸背板后部、中胸背板侧叶大斑、中后胸后侧片后缘、中胸腹板边缘黑色；翅烟褐色，前缘脉和翅痣浅褐色。触角窝上突明显隆起，向后分歧，后端中断；单眼后区宽稍大于长，具细中纵脊；触角第3节长于第4节；小盾片圆钝隆起；爪内齿短于外齿，后翅臀室无柄式；头部背侧具细弱刻点，中胸背板和侧板刻纹细密，光泽微弱；阳茎瓣头叶无端丝。

采集记录：5♀4♂，长安终南山，1555m，2006. Ⅴ.27，杨青、朱巽采；1♀，长安终南山，1292m，2006. Ⅴ.28，杨青采；1♀，蓝田王顺山，1297m，2006. Ⅶ.12，朱巽采；1♀1♂，华阴华阳，1500m，1978. Ⅶ.23，金根桃采；1♀，太白山点兵场，1200m，1981. Ⅶ.01，陕西太白山昆虫考察组采；1♀，秦岭；1♀，宁陕旬阳坝，1400m，2008. Ⅵ.29，于海丽采。

分布：陕西（长安、蓝田、华阴、太白、宁陕）、河南、甘肃。

（332）天目条角叶蜂 *Tenthredo tienmushana*（Takeuchi，1940）

Tenthredella tienmushana Takeuchi，1940：467.

鉴别特征：体长14～16mm。体暗红褐色，唇基、口器、内眶、触角4～5节内侧、前胸背板沟前部大斑、翅基片、中胸背板前叶后端、小盾片大部、中胸前侧片上部大斑、后胸前侧片、腹部第1背板大部黄色，单眼区和单眼后区、触角鞭节除1～4节内侧、前胸背板后部、中胸背板侧叶大斑、后胸背板大部、中后胸后侧片大部、中胸腹板边缘黑色；翅烟褐色，前缘脉和翅痣浅褐色。触角窝上突明显隆起，向后分歧，后端中断；单眼后区宽大于长，具细中纵脊；触角第3节长于第4节；小盾片圆钝隆起；爪内齿短于外齿，后翅臀室无柄式；头部大部光滑，单眼后区具细小刻点；中胸背板和侧板刻纹细密，光泽微弱；阳茎瓣头叶无端丝。

采集记录：1♀，蓝田王顺山，1297m，2006. Ⅶ. 12，朱巽采；7♀2♂，周至楼观台，801m，2006. Ⅶ. 06，朱巽、蒋晓宇采；1♀，太白山，1580m，2007. Ⅶ. 17，朱巽采；5♀，凤县嘉陵江源头，1617m，2007. Ⅶ. 14，朱巽采；24♀3♂，华山，1300～1600m，2006. Ⅶ. 12，朱巽、杨青采；1♂，潼关桐峪镇，1052m，2006. Ⅴ. 30，杨青采；1♀，佛坪，1000～1450m，2005. Ⅴ. 17，朱巽采。

分布：陕西（蓝田、周至、太白、凤县、华阴、潼关、佛坪）、北京、河北、河南、甘肃、安徽、浙江、湖北、广西、重庆、四川、云南。

(333) 条斑条角叶蜂 *Tenthredo striaticornis* Malaise, 1945 陕西新纪录

Tenthredo striaticornis Malaise, 1945: 216.

鉴别特征：体长14～16mm。体暗红褐色，唇基、口器、内眶、前胸背板沟前部大斑、翅基片、中胸背板前叶后端、小盾片大部、中胸前侧片上部大斑、后胸前侧片、腹部第1背板大部黄色，单眼区和单眼后区、触角鞭节除1～4节内侧、前胸背板后部、中胸背板侧叶大斑、附片、后胸背板大部、中后胸后侧片大部、中胸腹板边缘、雌虫腹部端部3～4节黑色；翅烟褐色，前缘脉和翅痣浅褐色。触角窝上突明显隆起，向后分歧，后端中断；单眼后区宽大于长，具细中纵脊；触角第3节长于第4节；小盾片圆钝隆起；爪内齿短于外齿，后翅臀室无柄式；头部大部光滑，单眼后区具细小刻点；中胸背板刻纹细密，侧板刻纹微弱；阳茎瓣无端丝。

采集记录：1♀，长安区鸡窝子，1765m，2008. Ⅵ. 27，朱巽采；5♀，周至厚畛子，1309m，2006. Ⅶ. 09，朱巽采；1♀，周至楼观台，801m，2006. Ⅶ. 06，朱巽采；2♀，太白山，1580m，2007. Ⅶ. 17，朱巽采；2♀，太白山，1600～1800m，2005. Ⅶ. 07，朱巽、杨青采；2♀，凤县嘉陵江源头，1617m，2007. Ⅶ. 14，朱巽采；2♀1♂，眉县营头蒿坪，1162m，2008. Ⅶ. 01，朱巽采；6♀4♂，华山，1300～1600m，2006. Ⅶ. 12，朱巽、杨青采；3♀，潼关桐峪镇，1052m，2006. Ⅴ. 30，朱巽采；3♀1♂，佛坪，1000～1450m，2005. Ⅴ. 17，刘守柱、朱巽采；1♀，宁陕旬阳坝，1400m，2009. Ⅵ. 18，于海丽采。

分布：陕西（周至、太白、凤县、眉县、华阴、潼关、佛坪、宁陕）、河南、甘肃、湖北、湖南、四川、贵州。

(334) 钟氏条角叶蜂 *Tenthredo zhongi* Wei *et* Nie, 2002 陕西新纪录

Tenthredo zhongi Wei *et* Nie, 2002d: 128.

鉴别特征：体长14mm。头部黄色，后头和后眶橘褐色，头部背侧具近圆形黑斑，覆盖额区以及邻近的内眶小部分和单眼后区中部、侧窝和中窝底部，黑斑外缘远离复眼；雄虫触角2～5节外侧黑色，内侧黄色，雌虫触角2～5节内侧端部具黑色条斑，两性触角端部4节全部黑色；胸部背板黑色，前胸背板前缘、后缘和后角、翅基片、中胸背板前叶后大矢形斑、侧叶内侧小三角形斑部、小盾片、附片、后小盾片黄色；前中胸腹板和中胸前侧片大部黄色，前胸侧板，中胸前侧片前、上、后侧边缘，后侧片大部和后胸侧板大部黑色；腹部和中后足橘褐色，前足黄色。翅痣黄褐色。颚眼距等于单眼直径；触角窝上突低钝隆起，后端平。触角第3节约等长于第4节；小盾片尖锥形隆起；阳茎瓣具细长端丝。

采集记录：1♀，长安终南山，1555m，2006. Ⅴ.27，朱巽采；1♀，凤县嘉陵江源头，1570m，2007. Ⅴ.26，朱巽采。

分布：陕西(长安、凤县)、河南、安徽、湖北。

本种雌虫是首次报道。

(335) 中斑亚黄叶蜂 *Tenthredo allocestanella* Wei, 2002 陕西新纪录

Tenthredo allocestanella Wei in Wei *et* Zhong, 2002: 243.

鉴别特征：体长12.00～13.50mm。头胸部和足黄褐色，具微弱绿色味道，头部背侧具宽马蹄形黑斑覆盖额区、单眼三角、邻近的内眶部分和上眶小部、单眼后区中部，两侧不接触复眼；触角鞭节黑色；中胸背板具3个纵向大黑斑，中胸后侧片、中胸腹板、后胸侧板大部黑色。腹部锈褐色，第1背板基部黑色。翅透明，翅痣黄褐色。唇基缺口浅于唇基1/4长，底部平钝；触角窝上突显著隆起，顶部平，后端突然中断，不与细低的额脊融合；单眼后区宽长比等于1.70。触角等长于腹部，第3节长明显长于第4节。小盾片尖锥状隆起，中胸侧板尖锥状突起，中胸腹板突显著尖出。爪内齿稍短于外齿。后翅臀室无柄式。锯刃明显倾斜，刃齿较小。头部背侧具较弱刻纹，胸部侧板具细密刻纹。

采集记录：2♀，凤县嘉陵江源头，1820m，2010. Ⅶ.12，王厚帅采。

分布：陕西(凤县)、河北、河南、宁夏、甘肃、湖北。

(336) 顶斑亚黄叶蜂 *Tenthredo cestanella* Wei, 1998 陕西新纪录

Tenthredo cestanella Wei in Wei *et* Nie, 1998i: 194.

鉴别特征：体长12～13mm。头胸部和足黄褐色，具微弱绿色味道，头部背侧具宽椭圆形黑斑覆盖额区、单眼三角、邻近的内眶部分和上眶小部、单眼后区前部，两侧不接触复眼；触角鞭节黑色；中胸背板具3个纵向大黑斑，中胸后侧片大部、中胸

腹板、后胸侧板大部黑色；腹部锈褐色，第1背板基部黑色。翅透明，翅痣黄褐色。唇基缺口浅于唇基1/4长，底部平钝；触角窝上突明显隆起，前端较高，后端逐渐降低，与细低的额脊融合；单眼后区宽长比等于1.50。触角等长于腹部，第3节长明显长于第4节。小盾片尖锥状隆起，中胸侧板尖锥状突起，中胸腹板突显著尖出。爪内齿稍长于外齿。后翅臀室无柄式。锯刃较低平，刃齿较大。头部背侧和胸部侧板具微细刻纹。

采集记录：1♀，秦岭。

分布：陕西(宁陕)、河南、四川。

(337) 大齿亚黄叶蜂 *Tenthredo jiuzhaigoua* Wei *et* Nie, 1997

Tenthredo jiuzhaigoua Wei *et* Nie, 1997b: 14.

Tenthredo magnidentella Wei in Wei *et* Nie, 1998i: 193.

鉴别特征：体长11.50～12.50mm。头胸部黄褐色，具绿色光泽，腹部锈褐色；头部背侧具蝶形黑斑覆盖单眼圈、单眼外侧的内眶和上眶部分，黑斑外侧不接触复眼，触角梗节以远黑色；中胸背板前叶和侧叶各具1个窄长黑斑，腹部第1、2背板基缘黑色。翅透明，翅痣黄褐色。唇基缺口等于唇基1/4长，底部宽截型；触角窝上突前部稍隆起，后部平坦，与平坦额脊完全融合；单眼后区宽1.20倍于长；触角约等于腹部长，第3节长于第4节；小盾片锥状隆起，中胸侧板尖锥形隆起，具明显腹刺突；爪内齿稍短于外齿，后翅臀室无柄式。头部背侧和胸部侧板具明显微细刻纹；阳茎瓣具细长端突。

采集记录：1♀1♂，佛坪，1000～1450m，2005.Ⅴ.17，刘守柱、朱巽采。

分布：陕西(佛坪)、河北、山西、河南、宁夏、甘肃、湖北、四川。

(338) 黑额亚黄叶蜂 *Tenthredo nigrofrontalina* Wei, 1998 陕西新纪录

Tenthredo nigrofrontalina Wei in Wei *et* Nie, 1998i: 188.

鉴别特征：体长12～13mm。头胸部黄褐色，具绿色光泽，腹部锈褐色；头部背侧具大黑斑覆盖额区、单眼区及相连的内眶和上眶部分，黑斑外侧不接触复眼，触角梗节以远黑色；中胸背板前叶和侧叶各具1个大黑斑，腹部第1背板基缘和两侧亚缘条斑、第2背板基部黑色；中后足股节端部背侧条斑黑色。翅透明，翅痣黄褐色。唇基缺口等于唇基1/4长，底部宽截型；触角窝上突几乎不隆起，与额脊完全融合；单眼后区宽1.70倍于长；触角0.80倍于腹部长，第3节长于第4节；小盾片锥状隆起，中胸侧板尖锥形隆起，腹刺突不明显；爪内齿几乎不短于外齿，后翅臀室无柄式。头部背侧刻纹微弱，胸部侧板刻纹细弱；阳茎瓣端丝极细长。

采集记录: 5♀1♂, 长安区鸡窝子, 1765m, 2008. Ⅵ. 27, 朱巽采; 2♀, 凤县嘉陵江源头, 1617m, 2007. Ⅶ. 14, 蒋晓宇采; 1♀, 潼关桐峪镇, 1052m, 2006. Ⅴ. 30, 杨青采; 1♀, 留坝大坝沟, 1320m, 2007. Ⅴ. 20, 朱巽采; 1♂, 佛坪, 1000~1450m, 2005. Ⅴ. 17, 刘守柱采。

分布: 陕西(长安、太白、凤县、潼关、留坝、佛坪)、河南、宁夏、甘肃、湖北、四川。

(339) 斑股亚黄叶蜂 *Tenthredo maculofemoratila* Wei, 2002 陕西新纪录

Tenthredo maculofemoratila Wei in Wei *et* Nie, 2002d: 129.

鉴别特征: 体长13.50mm。头部和触角柄节黄褐色, 具微弱绿色光泽, 触角梗节端部和鞭节黑色, 头部背侧具大黑斑覆盖额区、单眼区、单眼后区前缘、内眶和上眶内侧, 黑斑外缘不接触复眼; 胸部黑色, 前胸背板后角和前缘、翅基片、中胸背板中部、小盾片、附片、后小盾片、中胸前侧片前部大斑黄绿色; 腹部橘褐色, 第2背板具大黑斑; 足黄色, 后足基节腹侧具细黑条斑, 后足股节端半部背侧黑色, 后足跗节暗褐色。翅浅烟褐色透明, 翅痣黄褐色。唇基缺口窄浅; 触角窝上突稍隆起, 后端额脊融合; 单眼后区宽1.50倍于长; 触角微长于腹部, 第3节稍长于第4节。头部额区附近具模糊皱纹。小盾片锥形隆起, 中胸前侧片尖锥形隆起, 具皱纹; 爪内外齿近等长。后翅臀室无柄式。

采集记录: 1♀, 留坝桑园林场, 1250m, 2007. Ⅴ. 18, 朱巽采。

分布: 陕西(留坝)、河南、甘肃。

(340) 多齿亚黄叶蜂 *Tenthredo multidentella* Wei, 1998

Tenthredo multidentella Wei in Wei *et* Nie, 1998i: 192.

鉴别特征: 体长11~12mm。头胸部黄褐色, 具绿色光泽, 腹部锈褐色; 头部背侧具蝶形黑斑覆盖单眼圈、单眼外侧的内眶和上眶部分, 黑斑外侧不接触复眼, 触角梗节以远黑色; 中胸背板前叶和侧叶各具1个大黑斑, 腹部第1、2背板基缘黑色, 第5~7背板中部常具小型黑斑。翅透明, 翅痣黄褐色。唇基缺口等于唇基1/4长, 底部宽截型; 触角窝上突前部稍隆起, 后部平坦; 单眼后区宽1.60倍于长; 触角0.80倍于腹部长, 第3节长于第4节; 小盾片锥状隆起, 中胸侧板尖锥形隆起, 无腹刺突; 爪内齿短于外齿, 后翅臀室无柄式。头部背侧和胸部侧板具微弱细刻纹; 阳茎瓣具狭长端突。

采集记录: 4♀, 长安区鸡窝子, 1765m, 2008. Ⅵ. 27, 朱巽采; 2♀, 太白山, 1580m, 2007. Ⅶ. 17, 朱巽、蒋晓宇采; 1♀, 太白青峰峡, 1473m, 2008. Ⅶ. 03, 朱巽

采；2♀，凤县嘉陵江源头，1617m，2007. Ⅶ. 14，朱巽、蒋晓宇采；1♀1♂，华山，1300～1600m，2005. Ⅶ. 12，朱巽、杨青采；1♀，宁陕火地塘，1640m，1994. Ⅷ. 14，卜文俊采。

分布：陕西(长安、太白、凤县、华阴、宁陕)、北京、河北、河南、甘肃、宁夏、湖北。

(341) 黑柄亚黄叶蜂 *Tenthredo nigroscapulatina* Wei, 2002 陕西新纪录

Tenthredo nigroscapulatina Wei in Wei *et* Nie, 2002d: 130.

鉴别特征：体长 13.50mm。体和足黄色，具绿色味道，触角全部黑色，头部背侧具大黑斑覆盖额区、单眼区、内眶和上眶内侧，黑斑外缘弧形，接触复眼；中胸背板前叶中部、侧叶顶部黑色；腹部第 1 背板黑色，两侧和后缘中部方斑黄色，第 2～10 节背板橘褐色，第 1 和 2 背板基部宽斑、第 3 和 4 背板基缘狭斑黑色；中后足股节背侧具黑色条斑，各足胫节橘褐色。翅近透明，翅痣黄褐色。唇基缺口宽浅弧形；触角窝上突稍隆起，后端与额脊融合；单眼后区宽 1.50 倍于长；触角短于腹部，第 3 节稍长于第 4 节。头部具微弱皱纹，有光泽。小盾片锥形隆起，中胸前侧片尖锥形隆起，无腹板突；胸部侧板具细密刻纹，无光泽。爪内齿稍长于外齿。后翅臀室无柄式。阳茎瓣具狭长端丝。

采集记录：1♀，长安区鸡窝子，1765m，2008. Ⅵ. 27，朱巽采；1♂，长安区鸡窝子，1765m，2008. Ⅴ. 23，于海丽采；1♂，佛坪，1000～1450m，2005. Ⅴ. 17，朱巽采；1♂，佛坪大古坪，1320m，2006. Ⅳ. 28，何末军采。

分布：陕西(长安、佛坪)、河南、甘肃。

(342) 弧底亚黄叶蜂 *Tenthredo pseudocestanella* Wei, 1998 陕西新纪录

Tenthredo pseudocestanella Wei in Wei *et* Nie, 1998i: 195.

鉴别特征：体长 12～13mm。头胸部黄褐色，具绿色光泽，腹部锈褐色；头部背侧具大黑斑覆盖侧窝底部、额区、单眼区及相连的内眶和上眶部分，黑斑外侧接触或几乎接触复眼，触角梗节以远黑色；中胸背板前叶和侧叶各具 1 个大黑斑，胸部侧板黑色，前侧片上部具大黄斑，腹部第 1 背板基缘、第 2 背板半圆形斑黑色；后足股节端部背侧条斑和后足跗节端部黑色。翅透明，翅痣黄褐色。唇基缺口等于唇基 1/4 长，底部截型；触角窝上突稍隆起，与额脊融合；单眼后区宽 1.90 倍于长；触角等长于腹部，第 3 节长于第 4 节；小盾片锥状隆起，中胸侧板尖锥形隆起，腹刺突微显；爪内齿短于外齿，后翅臀室无柄式。头部背侧和胸部侧板具细刻纹。

采集记录：1♀，留坝县桑园范条峪，1303m，2014. Ⅵ. 14，魏美才采。

分布：陕西(留坝)、河北、山西、河南、宁夏、甘肃。

(343) 褐黄光柄叶蜂 *Tenthredo flavobrunneus* Malaise, 1945

Tenthredo flavobrunneus Malaise, 1945: 274.

鉴别特征：体长15~16mm。体黄褐色，头部背侧具大黑斑覆盖额区、单眼区和相连的内眶与上眶部分、侧窝和中窝；触角黑色，柄节腹侧黄色；中胸背板前叶和侧叶黑色，前叶后端黄色，中后胸背板凹部黑色；腹部背板锈褐色。唇基缺口窄，深约为唇基1/3长；颚眼距1.50倍于单眼直径，触角窝上突低弱隆起；单眼后区宽稍大于长，后头膨大且延长；触角稍短于头胸部之和，第3节1.40倍于第4节长；小盾片锥状强烈隆起，前侧片中部锥状隆起，顶部具靠近的2个端突，无腹刺突；爪内齿短于外齿，后翅臀室具柄式；头部背侧刻纹不明显，光泽较强；中胸背板前叶和侧叶具细密刻点，胸部侧板上半部具微弱刻纹，下半部具细小刻点；腹部背板刻纹极微弱。

采集记录：1♀，留坝县桑园范条峪，1303m，2014. Ⅵ. 14，魏美才采；1♀，佛坪三官庙，1529m，2014. Ⅵ. 20，魏美才采；1♀，佛坪梨子坝，1223m，2014. Ⅵ. 16，魏美才采；1♀，佛坪凉风垭顶，2128m，2014. Ⅵ. 18，祁立威、康伟楠采。

分布：陕西(留坝、佛坪)、河南、四川、贵州；缅甸。

(344) 半环环角叶蜂 *Tenthredo pronotalis* Malaise, 1945 陕西新纪录

Tenthredo pronotalis Malaise, 1945: 207.

鉴别特征：体长16~18mm。体黑色，唇基、口器、眼眶、唇基上区、后眶下部，触角第3节端部内侧、第4节内侧和第5节内侧大部，前胸背板沟前部大斑、翅基片、中胸背板前叶后部箭头斑、小盾片、后小盾片、中胸前侧片大斑、后胸前侧片、腹部第1背板大部黄色；足黄褐色，各足基节大部、前中足股节和胫节后侧条斑、后足股节后侧基部条斑黑色。翅端半部浅烟褐色，翅痣褐色。唇基缺口浅弧形，颚眼距稍大于单眼直径；触角窝上突隆起，向后分歧，后端中断；单眼后区宽1.30倍于长，具中纵脊；后头延长；触角第3节微长于第4节；小盾片显著隆起，顶部圆钝，具低弱中纵脊；爪内齿短于外齿；后翅臀室无柄式；头胸部背侧具细密刻纹，胸部侧板具粗密皱纹，侧板无腹刺突；腹部背板刻纹微弱。

采集记录：1♀，太白山。

分布：陕西(太白山)、湖北、湖南、四川。

(345) 红腹环角叶蜂 *Tenthredo sordidezonata* Malaise, 1945 陕西新纪录

Tenthredo sordidezonata Malaise, 1945: 208.

鉴别特征：雌虫体长 12～14mm。体黑色，口器、唇基、眼眶、触角第 3 节末端、第 4 节全部、第 5 节基半部、翅基片、小盾片和附片、后小盾片、后胸前侧片大部、腹部第 1 背板大部黄白色；腹部第 3～5 背板大斑、腹板大部、第 8～10 背板中部斑黄褐色；足黑色，各足转节、前足股节和胫跗节全部、中足股节背侧条斑和胫跗节大部、后足胫节中部、跗节大部黄褐色；翅浅烟褐色，翅痣浅褐色。唇基缺口深约为唇基 2/5 长，单眼后区宽 2 倍于长，侧沟深；触角窝上突较低平，与额脊连接，后头短小；触角第 3 节长于第 4 节；小盾片明显隆起，具钝横脊；中胸侧板低弱隆起，无腹刺突；爪内齿短于外齿，后翅臀室无柄式。头胸部背侧具细密刻点和细弱刻纹，中胸侧板刻纹弱，腹部第 1 背板光滑，其余背板刻纹微弱。

采集记录：1♂，太白山，1580m，2007. Ⅶ. 17，蒋晓宇采；1♀，华山，2005. Ⅶ. 12，1300m，杨青采。

分布：陕西(眉县、华阴)、河北、河南、四川。

(346) 刻颜环角叶蜂 *Tenthredo puncticincta* Wei, 1998

Tenthredo puncticincta Wei in Nie *et* Wei, 1998: 184.

鉴别特征：体长 12mm。体黑色，口器、唇基上区、眼眶宽带、触角第 5 节全部和第 6 节基部、前胸背板后角、中胸前侧片上角、中胸背板前叶后端、小盾片和附片、中胸后侧片后缘、基节腹侧斑、后足转节、前足股节前侧、各足胫节基部 2/5、各足跗节黄白色，腹部 2～4 背板两侧褐色。翅浅烟褐色，翅痣黑褐色，基部稍淡。唇基缺口圆钝，颚眼距 2 倍于单眼直径，触角窝上突低弱，颜面不下沉，单眼后区宽 1.50 倍于长；头部背侧刻点细密；触角长于腹部，第 3 节长于第 4 节；中胸背板刻点细密，暗淡，附片具粗大刻点；小盾片显著隆起，顶端钝；中胸前侧片钝角状隆起，具皱刻纹；爪内齿短于外齿；腹部背板具微细刻纹；锯刃平坦。

采集记录：1♀，华山，1300m，2005. Ⅶ. 12，杨青采。

分布：陕西(华山)、河南。

(347) 红胫环角叶蜂 *Tenthredo rufotibianella* Wei, 1998

Tenthredo rufotibianella Wei in Nie *et* Wei, 1998: 184.

鉴别特征：雌虫体长 12～14mm。体黑色，口器、唇基、眼眶、触角第 3 节末端、第 4 节全部、第 5 节基半部、翅基片、中胸背板前叶后端、小盾片和附片、后小盾片、中胸前侧片中部大斑、后胸前侧片大部、腹部第 1 背板大部黄白色；腹部第 2、第 6～7 背板大部黑色；足黑色，各足基节端部、转节、前足股节、中足股节大部、各足胫跗节黄褐色；翅浅烟褐色，翅痣浅褐色。唇基缺口深约为唇基 1/3 长，单眼后区宽 2 倍于长，侧沟深；触角窝上突较低平，与额脊连接，后头短小；触角第3节长于第4节；小盾片明显隆起，具钝横脊；中胸侧板低弱隆起，无腹刺突；爪内齿短于外齿，后翅臀室无柄式。头胸部背侧具细密刻点和细弱刻纹，中胸侧板刻纹弱，腹部第1背板光滑，其余背板刻纹微弱。

采集记录：1♀，佛坪岳坝，1085m，2006.Ⅳ.29，何末军采。

分布：陕西(佛坪)、河南、宁夏、甘肃、湖北。

(348) 吕氏横斑叶蜂 *Tenthredo lunani* Wei *et* Niu, 2008

Tenthredo lunani Wei *et* Niu, 2008: 514.

鉴别特征：体长14mm。头胸部黑色，唇基、上唇和上颚白色，三者边缘黑色；后眶下部三角形斑块白色，前胸背板两下角斑和后缘狭边、中胸小盾片附片外缘、后胸后背板中斑和后胸前侧片后角白色；腹部黑色，具强金属蓝色光泽，第1背板两侧和第4节背板缘折、第2~3节和第5节腹板后缘、第4腹板全部白色。足黑色，前足基节和转节腹侧大部、股节和胫节前侧、中足转节端缘、股节中端部前侧条斑和胫节端部小斑白色。前翅翅痣下具深烟褐色横带。头部背侧具较大但浅弱的刻点，小盾片中后部刻点粗大密集，中胸前侧片横脊以上部分具粗糙致密的粗大刻点和刻纹。颚眼距约等长于单眼半径；触角窝上突低钝，单眼后区方形；触角第3节稍长于第4节；爪内齿稍长于外齿，后翅臀室无柄式。

采集记录：1♀，宁陕，1600m，1994.Ⅵ.16，吕楠采。

分布：陕西(宁陕)、河南、湖北。

(349) 脊盾横斑叶蜂 *Tenthredo pompilina* Malaise, 1945

Tenthredo pompilina Malaise, 1945: 222.

鉴别特征：体长9~11mm。体和足黑色，唇基部分、上颚基半部、上唇大部、后眶下端小斑、前胸背板后缘狭边、翅基片周缘、附片外缘，腹部第1背板后缘、第4背板基部和第4腹板大部，前足股、胫、跗节前侧和中足股节端部前侧白色。翅痣下侧具深烟褐色横带，翅痣黑褐色。头部背侧无刻点，具弱皱纹；附片、后胸后背片光滑；中胸背板具明显刻点，小盾片后半刻点较密集，中胸侧板具密集皱刻纹；腹部各节背板均具细弱刻纹。颚眼距窄于单眼直径；触角窝上突微隆起；单眼后区宽几乎2倍于长；触角第3节稍短于第4节；小盾片显著隆起，附片具中脊；中胸前侧片中部隆起，无腹刺突；后翅臀室无柄式；爪内齿稍短于外齿。

采集记录：3♀，长安终南山，1292m，2006.Ⅴ.28，杨青采；19♀2♂，周至厚畛子，1309m，2006.Ⅶ.09，朱巽采；1♀，凤县嘉陵江源头，1617m，2007.Ⅶ.14，朱巽

采；1♀，镇安，1300～1600m，2005.Ⅶ.10，朱巽采。

分布：陕西(长安、周至、太白、凤县、镇安)、河南、安徽、浙江、江西、湖南、广西、四川、贵州、云南、西藏；缅甸，印度。

(350) 双峰白端叶蜂 *Tenthredo bicuspis* Wei et Qi, 2016（图版7：F）

Tenthredo bicuspis Wei *et* Qi, 2016：316.

鉴别特征：体长17～18mm。体黑色，唇基、上唇、上颚大部、后眶下端、内眶上半部和上眶后侧相连的"L"形斑、触角端部3节半、前胸背板后缘、翅基片、小盾片、淡膜区后侧小斑、后胸后背板前缘、中胸前侧片上部大斑、后胸前侧片大部、腹部第1背板大部白色；足黑色，基节端部、转节全部、各足股节背侧、胫节除端部外、跗节大部黄白色。翅端部1/3浓烟褐色，翅痣浅褐色。唇基缺口浅，深约为唇基1/4长；触角窝上突显著隆起，后端中断；颚眼距约等于单眼直径；单眼后区宽长比等于1.25；触角第3节1.20倍于第4节长。小盾片强隆起，具双突；中胸侧板钝锥形隆起，无腹刺突；后翅臀室无柄式，爪内齿短于外齿。头部和小盾片刻点细小稀疏，光泽强；中胸背板刻点细密，侧板刻点粗密，腹部2～10背板具细弱刻纹。

采集记录：1♂，长安区鸡窝子，1765m，2008.Ⅵ.27，蒋晓宇采。

分布：陕西(长安)、甘肃、湖北。

(351) 花斑白端叶蜂 *Tenthredo seriata* Malaise, 1945

Tenthredo seriata Malaise, 1945：221.

鉴别特征：体长13mm。体黑色，内眶、后眶、头部触角窝以下部分、触角端部4节、前胸背板后角、翅基片、中胸背板前叶后端、小盾片和附片、后小盾片、中胸前侧片大斑、后胸前侧片大部、腹部第2背板大部和第3～10背板中部短横斑、各节背板缘折部分、第2～6腹板中部黄白色；足黑色，基节端部、转节全部、前中足股节前侧、前中足胫跗节大部、后足胫节基部3/5和跗节黄白色。翅烟褐色，翅痣浅褐色。唇基缺口浅圆，约为唇基1/3长；触角窝上突显著隆起，后端中断；颚眼距约等于单眼直径；单眼后区宽长比等于1.80；触角第3节稍长于第4节。小盾片圆钝隆起，无脊；中胸侧板钝锥形隆起，无腹刺突；后翅臀室无柄式，爪内齿短于外齿。头部刻点密集，眼眶有光泽；胸部刻点粗密，腹部背板具细密刻纹。

采集记录：1♂，留坝营盘乡，1390m，2007.Ⅴ.21，朱巽采；1♀，佛坪，1000～1450m，2005.Ⅴ.17，刘守柱采。

分布：陕西(留坝、佛坪)、湖北；缅甸。

(352) 寡斑白端叶蜂 *Tenthredo oligoleucomacula* Wei, 1998 陕西新纪录

Tenthredo oligoleucomacula Wei in Nie *et* Wei, 1998: 182.

鉴别特征: 体长15mm。体黑色,内眶狭边、上颚大部、触角第5节端半部和第6~7节全部、前胸背板后角端部、翅基片白色;腹部背腹板蓝色,第1背板具紫色光泽。足黑色,前中足膝部和胫跗节前侧浅褐色。唇基缺口宽,深度稍短于唇基2/5长;触角窝上突平坦;颚眼距1.30倍于单眼直径;单眼后区宽长比等于1.60;触角第3节稍长于第4节。小盾片圆钝隆起,无脊;中胸侧板钝锥形隆起,无腹刺突;后翅臀室无柄式,爪内齿短于外齿。头部刻点密集,眼眶有弱光泽;胸部刻点和刻纹致密,无光泽;腹部背板具细密刻纹。

采集记录: 1♀,凤县嘉陵江源头,1570m,2007.Ⅴ.26,朱巽采;2♀,宁陕旬阳坝,1400m,2008.Ⅵ.29,于海丽采。

分布: 陕西(凤县、宁陕)、河南、甘肃、湖北、湖南。

(353) 宽顶白端叶蜂 *Tenthredo calvaria* Enslin, 1912 陕西新纪录

Allantus lateralis Mocsáry, 1909: 25 (nec Mocsáry, 1909) [= *Tenthredo* (*Tenthredella*) *contusa* (Enslin, 1912)].

Tenthredo calvaria Enslin, 1912: 104 (new name for *Allantus lateralis* Mocsáry, 1909).

鉴别特征: 体长16~17mm。体黑色,唇基中部、上唇、上颚大部、唇基上区中部、内眶窄条斑和相连的上眶宽斑、触角第6~8节和第5节端部、前胸背板后角、翅基片大部、小盾片、后小盾片后缘、腹部1~5背板两侧和2~4腹板大部黄白色;足黑色,前中足股节前侧端半部、各足胫跗节全部黄白色。翅端半部微弱烟褐色,翅痣黑褐色。唇基缺口弧形,浅于唇基1/3长;触角窝上突微弱隆起,后端平;颚眼距1.60倍于单眼直径;单眼后区宽长比等于1.30;触角第3节稍长于第4节。小盾片圆钝隆起,无脊;中胸侧板钝锥形隆起,无腹刺突;后翅臀室无柄式,爪内齿短于外齿。头部刻点密集,眼眶光滑;胸部背侧刻点粗密,侧板皱刻纹致密;腹部背板具细弱刻纹。

采集记录: 2♀,长安区鸡窝子,1765m,2008.Ⅵ.27,朱巽、蒋晓宇采;1♀,周至厚畛子,1309m,2006.Ⅶ.09,蒋晓宇采;1♀,凤县嘉陵江源头,1570m,2007.Ⅴ.26,朱巽采;1♀,凤县嘉陵江源头,1617m,2007.Ⅶ.14,朱巽采;1♀,太白青峰峡,1473m,2008.Ⅶ.03,朱巽采;1♀,太白山,1580m,2007.Ⅶ.17,朱巽采;2♀,眉县营头蒿坪,1162m,2008.Ⅶ.01,蒋晓宇采;3♀,佛坪,1000~1450m,2005.Ⅴ.17,刘守柱、朱巽采;1♀,宁陕旬阳坝,1400m,2009.Ⅵ.18,于海丽采。

分布: 陕西(长安、周至、太白、凤县、眉县、佛坪、宁陕)、吉林、河南、甘肃、

浙江、湖北、湖南、贵州；俄罗斯(东西伯利亚)。

(354) 秦岭白端叶蜂 *Tenthredo qinlingia* Wei, 1998

Tenthredo qinlingia Wei in Nie *et* Wei, 1998: 18.

鉴别特征：体长12mm。头胸部黑色，头部触角窝以下部分、内眶狭边、后颊脊、触角端部4节半、前胸背板后缘、翅基片内侧、后胸后背板前缘白色，后眶下部、中胸前侧片前侧和后胸侧板大部橘褐色，胸部侧板有时全部暗红褐色。足橘褐色，后足基节外侧和各足转和股节的背侧条斑黑色。翅透明，翅痣浅褐色。唇基缺口较深，底部圆，深为唇基长的2/5；颚眼距近2倍于单眼直径，单眼很小；单眼后区宽等于长；后头两侧膨大；小盾片低钝隆起，顶部圆钝；中胸前侧片锥状隆起，无腹刺突；后翅臀室无柄式。头胸部背侧刻点粗密，中胸侧板刻纹密集，腹部背板刻纹微弱，有光泽。

采集记录：1♀，华山，1300～1600m，2005.Ⅶ.12，杨青采；1♀，太白山，1600～1800m，2005.Ⅶ.07，杨青采。

分布：陕西(华山、眉县)、河南、宁夏、湖北、广东、云南。

(355) 黑腰白端叶蜂 *Tenthredo pararubiapicilina* Wei *et* Niu, 2008 陕西新纪录

Tenthredo pararubiapicilina Wei *et* Niu, 2008: 517.

鉴别特征：体长14mm。体黑色，头部红褐色，上唇大部黑褐色，头部背侧具大黑斑覆盖头部背侧大部，内眶狭边黄白色，上颚基半部黄白色。触角第5节端部和第7节黄白色。前胸背板两后角大斑黄白色，翅基片、腹部4～5节背板两侧小斑和6～10节大部和锯鞘红褐色。足红褐色，前足基节大部、中后足基节全部、各足转节小斑、前中足股节背侧条斑、胫节基部1/3背侧条斑、后足股节除腹侧外、胫节两端小斑和各足胫距端部黑色。翅浅烟褐色，翅痣褐色。头部背侧黑斑内刻点密集，中胸背板刻点致密；中胸前侧片具密集粗糙皱纹；腹部背板向端部刻纹逐渐明显。颚眼距1.50倍于侧单眼直径；触角窝上突短小，明显隆起，后端缓慢中断。触角第3节长于第4节；小盾片顶部圆钝；后翅臀室无柄式。

采集记录：1♀，佛坪，1000～1450m，2005.Ⅴ.17，刘守柱采。

分布：陕西(佛坪)、山西、河南、宁夏、甘肃、湖北。

(356) 长角白端叶蜂 *Tenthredo rubiapicilina* Wei, 2002 陕西新纪录

Tenthredo rubiapicilina Wei in Wei *et* Nie, 2002e: 149.

鉴别特征：体长12mm。体和触角黑色，具红褐色斑纹；头部、触角基部2节、前胸背板侧叶外缘狭边、翅基片、中胸前侧片前侧大斑和后侧小斑、后侧片后缘小斑、腹部第5~10节红褐色，上颚基半部、前胸背板后缘、触角第5节端部和第6~8节、腹部2~4节背板两侧大斑白色，头部背侧具独立大黑斑；足红褐色，基节腹侧、转节背侧、前中足股节背侧条斑、后足股节除腹侧外黑色。翅烟褐色，前缘脉浅褐色。唇基缺口深弧形，颚眼距1.30倍宽于单眼直径；触角窝上突低，与额脊融合；单眼后区宽1.50倍于长；背面观后头两侧稍膨大。触角等长于腹部，第3节微长于第4节。头部背侧黑斑内刻点密集，中胸背板具致密细小刻点和刻纹；小盾片稍圆钝隆起；中胸前侧片钝锥形隆起，具密集粗糙皱纹。腹部背板刻纹显著。后翅臀室无柄式。

采集记录：2♀，长安区鸡窝子，1765m，2008. Ⅵ.27，蒋晓宇采；1♀，长安终南山，1555m，2006. Ⅴ.27，朱巽采；1♀，长安终南山，1292m，2006. Ⅴ.28，朱巽采；3♀，凤县嘉陵江源头，1570m，2007. Ⅴ.26，朱巽采；1♀，凤县红花铺镇，1080m，2007. Ⅴ.25，朱巽采；1♀，潼关桐峪镇，1052m，2006. Ⅴ.30，朱巽采；1♀，留坝桑园林场，1250m，2007. Ⅴ.18，朱巽采；1♀，佛坪岳坝，1085m，2006. Ⅳ.29，何末军采。

分布：陕西(长安、太白、凤县、潼关、留坝、佛坪)、河北、河南、甘肃。

(357) 红眶白端叶蜂 *Tenthredo rubiobitava* Wei, 2002 陕西新纪录

Tenthredo rubiobitava Wei in Wei *et* Zhong, 2002: 241.

鉴别特征：体长13mm。体黑色，上颚基半部、内眶条斑、前胸背板后角大部亮黄褐色，触角第6~7节黄褐色，翅基片污褐色，上唇边缘、唇基和唇基上区、颚眼距、后眶大部、上眶两侧，腹部第3~5节背板、第2节背板两侧和第2~6腹板、锯鞘大部红褐色，第8~10背板暗红褐色；足红褐色，前足基节大部、中后足基节全部、各足转节大部、前中足股节后侧、后足股节全部黑色。翅浅烟褐色透明，端半部烟色稍明显，翅痣黑褐色。唇基缺口圆弧形，颚眼距1.50倍宽于单眼直径；触角窝上突后端低，与额脊持平；单眼后区宽1.20倍于长大；背观面后头两侧稍膨大。触角等长于腹部，第3节微长于第4节。头胸具致密刻点和刻纹。小盾片稍隆起，顶部圆钝；中胸前侧片下部锥形隆起，具密集粗糙皱纹；腹部背板刻纹细弱。后翅臀室无柄式。

采集记录：1♀，长安终南山，1292m，2006. Ⅴ.28，杨青采；1♀，凤县嘉陵江源头，1570m，2007. Ⅴ.26，蒋晓宇采；2♀，佛坪，1000~1450m，2005. Ⅴ.17，刘守柱采；1♂，佛坪三官庙，1455m，2006. Ⅳ.26，何末军采；1♀，宁陕旬阳坝，1400m，2009. Ⅳ.18，于海丽采；1♂，南郑元坝，1983. Ⅴ.27，贺答汉采。

分布：陕西(长安、凤县、佛坪、宁陕、南郑)、河南、甘肃。

(358) 瘤突瘤带叶蜂 *Tenthredo pediculus* Jakovlev, 1891

Tenthredo pediculus Jakovlev, 1891: 59.

鉴别特征: 体长9.00~10.50mm。体和足黄绿色，头部背侧具大黑斑覆盖中窝、侧窝、额区、单眼区和单眼后区以及临近的内眶和上眶部分，触角梗节和鞭节、中胸背板前叶大斑、侧叶背侧全部、盾侧凹底部小斑、中胸前侧片上半部中位细条斑、腹部1~7背板两侧细条带斑(宽度等于单眼直径)黑色，各足股节至跗节背侧具细黑色条斑。翅透明，前缘脉和翅痣黄绿色。唇基宽大，前缘缺口浅平，底部截型，深0.22倍于唇基长；颚眼距等于单眼直径；触角窝上突明显隆起，互相平行，后端中断；单眼后区宽长比等于2.50；后眶下部具瘤状平台；后头两侧收缩。触角2倍于头部宽，第3节长于第4节。头部背侧具明显皱刻纹。小盾片平坦无脊，附片无纵脊；中胸前侧片平坦，无刻纹；腹部背板具微弱刻纹。爪内齿短于外齿，后翅臀室无柄式。

采集记录: 1♀，长安区鸡窝子，2077m，2008. Ⅵ. 28，张少冰采；2♀，凤县嘉陵江源头，1617m，2007. Ⅶ. 14，朱巽采。

分布: 陕西(长安、凤县)、宁夏、甘肃、湖北、四川。

(359) 方斑中带叶蜂 *Tenthredo formosula* Wei, 2002 陕西新纪录

Tenthredo formosula Wei in Wei *et* Nie, 2002f: 154.

鉴别特征: 体长12.50mm。体和足绿色，触角、头部背侧、中胸背板和腹板黑色，触角窝上突和颜面绿黄色；后眶黑色，具黄绿色条斑，上端伸至上眶中部；中后胸后侧片前缘具黑色细条斑，中胸背板前叶后端、小盾片和附片全部黄绿色，腹部1~9节背板具2列连接的方形黑斑，黑斑宽度稍窄于小盾片；前足股节端部背侧、中后足股节背侧全长、前中足胫跗节具黑色条斑，后足胫跗节黑色。翅透明，翅痣绿色。唇基具深弧形缺口；颚眼距等宽于单眼直径；触角窝上突稍隆起，后端与额脊微弱分离；单眼后区宽长比稍大于2；触角几乎等长于腹部，第3节稍长于第4节。头部、小盾片和附片光滑，中胸侧板具微细刻纹；小盾片圆钝隆起，无脊；中胸前侧片下部微弱隆起。爪内齿微短于外齿。后翅臀室无柄式。

采集记录: 1♀，长安终南山，1292m，2006. Ⅴ. 28，朱巽采；1♀，长安区鸡窝子，1765m，2008. Ⅵ. 27，朱巽采；1♀，长安区鸡窝子，2077m，2008. Ⅵ. 28，朱巽采；1♀，宝鸡天台山，802m，2006. Ⅴ. 23，朱巽采；9♀，凤县红花铺镇，1080m，2007. Ⅴ. 25，朱巽采；4♀，留坝大坝沟，1320m，2007. Ⅴ. 20，朱巽采；1♀，留坝营盘乡，1390m，2007. Ⅴ. 21，朱巽采；2♀，佛坪，1000~1450m，2005. Ⅴ. 17，刘守柱、朱巽采；1♀，宁陕旬阳坝，1400m，2009. Ⅵ. 18，于海丽采。

分布: 陕西(长安、宝鸡、太白、凤县、留坝、佛坪、宁陕)、河北、山西、河南、

宁夏、甘肃、湖北。

(360) 绿柄中带叶蜂 *Tenthredo pseudoformosula* Wei *et* Shang, 2013

Tenthredo pseudoformosula Wei *et* Shang in Shang *et* Wei, 2013: 609, 611.

鉴别特征: 体长 11～12mm。体绿色,头部背侧大斑及相连的内眶下半部、头部后侧、触角梗节及鞭节全部、中胸背板前叶大椭圆形斑、侧叶大部和盾侧凹大部、后胸背板凹处、腹部背板两侧窄条斑、锯鞘边缘黑色;腹部背板黑色条斑宽度约 2.20 倍于淡膜区宽,间距约 2 倍于黑色条带宽。足黄绿色,中后足股节中部背侧狭条斑、胫跗节背侧条斑黑色。翅透明,翅痣黄绿色。头部背侧凹部具细弱刻纹,无刻点;小盾片后坡具浅弱刻点和刻纹,附片光滑;中胸侧板无刻点,具明显细刻纹。唇基前缘缺口宽浅弧形,颚眼距 0.80 倍于中单眼直径;触角窝上突低弱隆起;单眼后区宽 3 倍于长;触角等长于前缘脉,第 3 节 1.20 倍于第 4 节长。小盾片圆形隆起,无脊;中胸前侧片中部低钝角状隆起,顶部稍凹;后翅臀室无柄式。爪内齿短于外齿。

采集记录: 6♀,长安区鸡窝子,1765m,2008. Ⅵ.27,朱巽采;1♂,长安区鸡窝子,1720m,2008. Ⅴ.23,于海丽采;3♀,太白山,1580m,2007. Ⅶ.17,朱巽采;1♀,太白青峰峡,1473m,2008. Ⅶ.03,朱巽采;28♀1♂,凤县嘉陵江源头,1570m,2007. Ⅴ.26,朱巽、蒋晓宇采;3♀,凤县嘉陵江源头,1617m,2007. Ⅶ.14,蒋晓宇采;1♂,凤县红花铺镇,1080m,2007. Ⅴ.25,朱巽采;1♀1♂,留坝大坝沟,1320m,2007. Ⅴ.20,朱巽采;4♂,留坝营盘乡,1390m,2007. Ⅴ.21,朱巽采;1♀,佛坪,1000～1450m,2005. Ⅴ.17,刘守柱采。

分布: 陕西(长安、太白、凤县、眉县、留坝、佛坪)、宁夏、甘肃、湖北、四川。

(361) 时氏中带叶蜂 *Tenthredo shii* Wei, 1998 陕西新纪录

Tenthredo shii Wei in Nie *et* Wei, 1998: 180.

鉴别特征: 体长 13～14mm。体黑色,唇基、上唇、上颚、前胸背板后缘、翅基片、小盾片顶部、附片、后小盾片、腹部各背板三角形中斑、腹部腹侧全部黄绿色;足黑色,前足全部、中后足基节和转节大部、中足胫跗节腹侧黄绿色;翅淡烟灰色,翅痣黑褐色。唇基前缘缺口较窄,深约为唇基 1/3 长,颚眼距短于单眼直径;单眼后区宽长比等于 2.50;触角稍短于腹部,第 3 节明显长于第 4 节;头部背侧具微弱刻纹,中胸前侧片中部稍隆起,具细密刻纹,无刻点;胸部背板刻点细小;中胸小盾片稍隆起,具钝横脊;腹部背板具微弱刻纹;爪内齿短于外齿,后翅臀室无柄式。

采集记录: 1♀,留坝大坝沟,1320m,2007. Ⅴ.20,朱巽采;1♀,宁陕旬阳坝,1400m,2008. Ⅵ.29,于海丽采。

分布：陕西(留坝、宁陕)、河南、甘肃。

(362) 短顶中带叶蜂 *Tenthredo transversiverticina* Wei *et* Shang, 2013

Tenthredo transversiverticina Wei *et* Shang in Shang *et* Wei, 2013: 609.

鉴别特征：体长12mm。体黑色，唇基、上唇、上颚、前胸背板后角、翅基片、小盾片背缘、附片、后小盾片、后胸后背板中部、中胸前侧片中部倾斜大横斑、中胸后侧片下部、后胸前侧片大部、腹部1～8背板三角形中斑黄绿色；足黄绿色，中足胫跗节背侧细条斑、后足股节背侧条斑、后足胫跗节黑色。翅透明，翅痣暗褐色。单眼后区宽长比等于3；触角第3节几乎不长于第4节；头部背侧具微弱细刻纹；中胸前侧片具细密刻纹，无刻点，光泽微弱；胸部背板刻点细小且稍密集，刻点间隙具明显细刻纹，光泽较弱；中胸小盾片具钝横脊；附片宽长比等于2，长约2倍于单眼直径；中部锯刃具1～2个内侧亚基齿和12～13个外侧亚基齿。

采集记录：1♀，凤县嘉陵江源头，1570m，2007. V.26，朱巽采；1♀，潼关桐峪镇，1052m，2006. V.30，朱巽采。

分布：陕西(凤县、潼关)、甘肃、四川。

(363) 黑顶低突叶蜂 *Tenthredo mesomela gigas* Malaise, 1931 陕西新纪录

Tenthredo mesomelas var. *gigas* Malaise, 1931: 107.

鉴别特征：体长14～16mm。体背侧和触角黑色，触角窝上突、前胸背板大部、翅基片、小盾片除后缘狭边、附片、后小盾片、后胸后背板、腹部各节背板后缘1/4以下绿色；体腹侧黄绿色，侧板缝和中胸前侧片中部纵条斑黑色；足黄绿色，后足基节腹侧细条斑、各足转节至跗节背侧条斑黑色。翅大部烟褐色，翅痣和缘脉黑褐色。头部背侧具光泽，刻纹不十分密集；中胸前侧片具较细弱刻纹；腹部背板刻纹细密。复眼下缘间距0.50倍于复眼高；触角窝上突较低，明显隆起，高明显短于宽，后端中断；单眼后区宽约1.60倍于长。触角约0.90倍于头胸部之和，第3节约1.50倍于第4节长。中胸小盾片圆钝隆起，中胸前侧片几乎不隆起；爪内齿短于外齿；后翅臀室无柄式。阳茎瓣无端突。

采集记录：1♀，长安区鸡窝子，1765m，2008. Ⅵ.27，朱巽采；2♀1♂，长安终南山，1555m，2006. V.27，朱巽、杨青采；1♂，长安区鸡窝子，2077m，2008. Ⅵ.28，朱巽采；2♀，周至楼观台，899m，2006. V.25，朱巽采；1♀，宝鸡天台山，802m，2006. V.23，朱巽采；1♀，太白青峰峡，1473m，2008. Ⅶ.03，朱巽采；2♀，凤县红花铺镇，1080m，2007. V.25，朱巽采；1♀8♂，凤县嘉陵江源头，1617m，2007. Ⅶ.14，朱巽采；3♀，眉县营头蒿坪，1162m，2008. Ⅶ.01，朱巽、蒋晓宇采；1♀，潼关

桐峪镇，1052m，2006. Ⅴ.30，朱巽采；6♀7♂，留坝桑园林场，1250m，2007. Ⅴ.18，朱巽采；2♀12♂，留坝桑园林场，1080m，2007. Ⅴ.19，朱巽、蒋晓宇采；5♀7♂，留坝大坝沟，1320m，2007. Ⅴ.20，朱巽、蒋晓宇采；6♀10♂，佛坪，1000～1450m，2005. Ⅴ.17，刘守柱、朱巽采；2♀2♂，宁陕旬阳坝，1400m，2009. Ⅵ.18，于海丽采；5♂，丹凤寺坪镇，900～1200m，2005. Ⅴ.21，朱巽、刘守柱采。

分布：陕西（长安、周至、太白、凤县、眉县、潼关、留坝、佛坪、宁陕）、黑龙江、吉林、辽宁、河北、山西、河南、甘肃、湖北、湖南、重庆、四川；韩国，东北亚。

（364）陡峭低突叶蜂 *Tenthredo sinoalpina* Malaise，1945 陕西新纪录

Tenthredo parcepilosa sinoalpina Malaise，1945：227.

鉴别特征：体长 12～14mm。体背侧和触角黑色，触角窝上突、后眶后部、前胸背板大部、翅基片、中胸背板前叶两侧短条斑、小盾片除后缘狭边、附片、后小盾片、腹部各节背板后缘 1/4 以下绿色；体腹侧黄绿色，侧板缝和中胸前侧片中部纵条斑黑色；足黄绿色，后足基节腹侧细条斑、各足转节至跗节背侧条斑黑色。翅浅烟褐色，翅痣和缘脉黑褐色。头部背侧暗淡无光泽，刻纹密集；中胸前侧片具弱刻纹；腹部背板刻纹细密。复眼下缘间距 0.50 倍于复眼高；触角窝上突粗壮隆起，高等于宽，向后分歧，后端突然中断；单眼后区宽约 1.60 倍于长。触角约 0.80 倍于头胸部之和，第 3 节约 1.50 倍于第 4 节长。中胸小盾片圆钝隆起，中胸前侧片低钝角状隆起；爪内齿明显短于外齿；后翅臀室无柄式。阳茎瓣具短直端突。

采集记录：1♀，长安区鸡窝子，2077m，2008. Ⅵ.28，朱巽采。

分布：陕西（长安）、宁夏、甘肃、四川。

（365）粗纹窄突叶蜂 *Tenthredo paraobsoleta* Wei *et* Liu，2013（图版 7：G）

Tenthredo paraobsoleta Wei *et* Liu in Liu，Li *et* Wei，2013：335.

鉴别特征：体长 11.00～12.50mm。体和足黑色，上颚基部、上唇、唇基大部、唇基上区上部、触角窝上突、外眶下部、前胸背板后缘宽斑、翅基片、中胸小盾片前部、附片、后小盾片前部及侧脊、后胸后背片前部、中胸前侧片前上小斑及后下条斑、后胸前侧片大部、腹部各节背板缘折和腹板全部绿色；各足基节腹侧、前中足前侧绿色。翅近透明，翅痣黑褐色。头部背侧大部暗淡无光泽，刻纹细密；中胸前侧片具较粗密刻纹；腹部背板刻纹粗密。复眼下缘间距 0.50 倍于复眼高；触角窝上突强烈隆起，高等于宽，后端突然中断；单眼后区宽约 1.65 倍于长。触角约 0.80 倍于头胸部之和，第 3 节约 1.60 倍于第 4 节长。中胸小盾片圆钝隆起，中胸前侧片低钝角状隆起；爪内齿短于外齿；后翅臀室无柄式。阳茎瓣无端突。

采集记录：1♂，凤县嘉陵江源头，1617m，2007.Ⅶ.14，朱巽采。

分布：陕西(凤县)、河北、山西、宁夏、甘肃、湖北、四川。

(366) 方顶高突叶蜂 *Tenthredo yingdangi* Wei, 2002

Tenthredo yingdangi Wei, 2002g: 195.

鉴别特征：体长12~13mm。体黑色，唇基大部、上颚大部、上唇和下唇全部、触角窝上突前端、翅基片、前胸背板后缘、中胸小盾片前坡、腹部腹板和背板缘折、锯鞘基、前中足股节至跗节前侧黄绿色。翅基半部透明，端半部烟灰色；翅痣和翅脉黑色。触角窝上突强烈隆起，高大于宽，向后分歧，后端突然中断；单眼后区宽稍大于长，侧沟细弱，向后明显分歧；头部背侧具密集刻点和刻纹。触角稍短于头胸部之和，鞭节亚端部稍侧扁膨大，第3、4节长度之比为3∶2。小盾片显著隆起，顶部钝；中胸前侧片表面刻纹粗密，中部钝角状隆起；爪内齿短于外齿，后翅臀室无柄式。腹部背板具细密横向刻纹。

采集记录：1♀，佛坪，1000~1450m，2005.Ⅴ.17，刘守柱采。

分布：陕西(佛坪)、河北、河南、宁夏、甘肃、湖北。

(367) 扁长高突叶蜂 *Tenthredo convergenomma* Wei, 1998

Tenthredo convergenomma Wei in Wei *et* Nie, 1998i: 197.

鉴别特征：体长13~15mm。体黑色，头部触角窝以下部分、后眶大部、上眶后侧方斑、触角窝上突、前胸背板大部、翅基片、小盾片、附片、后小盾片、中胸前侧片前侧和后侧竖斑、后侧片大部、后胸侧板大部、腹部第1背板方斑和第2~7背板后缘中部、腹部腹侧全部绿色；足黄绿色，各足基节背腹侧宽斑、股节至跗节背侧宽斑黑色。翅透明，前缘脉和翅痣黑褐色。头部背侧具粗密皱纹，有弱光泽；中胸前侧片刻纹微弱，腹部2~10背板刻纹细密。复眼下缘间距0.30倍于复眼高，触角窝上突强烈隆起，后端突然中断；单眼后区宽长比约为1.60。触角明显短于腹部，第3节1.30倍于第4节长。中胸小盾片强烈隆起，具钝横脊；中胸前侧片几乎不隆起，无腹刺突；后翅臀室无柄式。阳茎瓣端突狭窄，较短。

采集记录：1♀，华阴市华山中峰，2030m，2012.Ⅶ.11，姜吉刚采。

分布：陕西(华阴)、河南、宁夏。

(368) 多斑高突叶蜂 *Tenthredo triangulifera* Malaise, 1945 陕西新纪录

Tenthredo triangulifera Malaise, 1945: 226.

鉴别特征：体长12～13mm。体黑色，头部触角窝以下部分、触角窝上突、前胸背板前角和后角、翅基片、小盾片大部、附片、后小盾片、中胸前侧片前侧和后侧竖斑、后侧片大部、后胸侧板大部、腹部腹侧全部绿色；足黄绿色，各足股节端半部后侧、前中足胫跗节背侧、后足胫跗节黑色。翅透明，前缘脉和翅痣黑褐色。头部背侧具粗密皱纹，有弱光泽；中胸前侧片上半部刻纹密集，腹部背板刻纹细密。复眼下缘间距0.40倍于复眼高，触角窝上突强烈隆起，后端突然中断；单眼后区宽长比约为1.30。触角第3节1.30倍于第4节长。中胸小盾片强烈隆起，顶部圆钝；中胸前侧片中部角状隆起，无腹刺突；后翅臀室无柄式。阳茎瓣无细端突。

采集记录：2♂，凤县嘉陵江源头，1617m，2007.Ⅶ.14，朱巽、蒋晓宇采。

分布：陕西（凤县）、河南、甘肃、湖北、湖南、重庆、四川、云南。

（369）角斑高突叶蜂 *Tenthredo triangulimacula* Wei *et* Hu, 2013

Tenthredo triangulimacula Wei *et* Hu in Hu *et* Wei, 2013: 344.

鉴别特征：体长12.00～12.50mm。体绿色，触角、头部背侧除触角窝上突、单眼后区后缘狭边及相连的上眶后侧斑外、中胸背板前叶除两侧“V”形斑外、侧叶大部、中胸前侧片前缘小斑、中部纵条斑、侧板缝狭条斑、后胸侧板缝下端小斑、腹部背板背侧黑色，第1背板中部方斑、第2～6背板中部三角形大横斑、第7背板中部三角形小斑黄绿色；足绿色，背侧具黑色纵条斑。翅淡烟灰色透明，无明显烟斑，翅痣黑色。头部背侧具细弱但明显的刻纹，中胸前侧片上半部具油质光泽，刻纹细弱。复眼下缘间距0.30倍于复眼高，触角窝上突强烈隆起，后端突然中断；单眼后区宽长比约为1.70。触角第3节1.40倍于第4节长。中胸小盾片强烈隆起，顶部圆钝；中胸前侧片中部角状隆起，无腹刺突；后翅臀室无柄式。阳茎瓣具直而细长的中突。

采集记录：1♀，太白山。

分布：陕西（太白）、四川。

（370）光额绿斑叶蜂 *Tenthredo glatofrontalina* Wei, 2002 陕西新纪录

Tenthredo glatofrontalina Wei in Wei *et* Nie, 2002g: 166.

鉴别特征：体长12～13mm。体和足黄绿色，触角黑色；头部背侧黑色大斑覆盖额区、单眼区和单眼后区，两侧与复眼宽阔接触；中胸背板前叶大部、侧叶背侧黑色，中胸前侧片上部具窄黑色条斑；腹部第1～8背板具方形黑色大斑，第3～4节黑斑不延伸至背板后缘；中后足股节背侧、各足胫节后侧、前中足跗节背侧具黑色条纹，后足跗节黑色。翅透明，翅痣和前缘脉绿色；胸腹部背侧细毛大部黑色。唇基端部缺口浅，底部平直；上颚不延长；颚眼距稍宽于单眼直径；触角窝上突低，后端与

额脊融合；单眼后区宽长比等于1.50；触角微短于腹部，第3节明显长于第4节；体光滑，头部背侧无刻纹；中胸侧板具细弱刻纹和油质光泽，中胸前侧片下部尖锥形隆起；后翅臀室无柄式；中部锯刃SF=2/12-13；阳茎瓣具弯曲的狭长端突。

采集记录：1♀，长安终南山，1292m，2006. Ⅴ. 28，朱巽采；1♀，长安区鸡窝子，2077m，2008. Ⅵ. 28，朱巽采；1♀，宝鸡天台山，802m，2006. Ⅴ. 23，杨青采；2♀，宝鸡天台山，802m，2006. Ⅴ. 23，朱巽、杨青采；1♂，凤县嘉陵江源头，1570m，2007. Ⅴ. 26，朱巽采；1♀，凤县红花铺镇，1080m，2007. Ⅴ. 25，朱巽采；2♀，留坝桑园林场，1250m，2007. Ⅴ. 18，朱巽、蒋晓宇采；2♂，留坝桑园林场，1080m，2007. Ⅴ. 19，朱巽、蒋晓宇采。

分布：陕西（长安、宝鸡、凤县、留坝）、山西、河南、甘肃、湖北。

（371）大斑绿斑叶蜂 *Tenthredo magnimaculatia* Wei, 2002 陕西新纪录

Tenthredo magnimaculatia Wei in Wei *et* Nie, 2002g: 165.

鉴别特征：体长14～15mm。体和足黄绿色，触角黑色；头部背侧黑色大斑覆盖额区、单眼区和单眼后区，两侧与复眼宽阔接触；中胸背板前叶大部、侧叶背侧黑色，中胸前侧片黑色条斑伸达腹侧边缘，约2倍宽于单眼直径；腹部第1～8背板方形黑斑稍窄于背瓣宽度；各足股节背侧全长、各足胫节后侧、前中足跗节背侧具黑色条纹，后足跗节黑色。翅透明，翅痣和前缘脉绿色；胸腹部背侧细毛大部黑色。唇基端部缺口浅宽，底部平直；上颚不延长；颚眼距稍宽于单眼直径；触角窝上突低，后端与额脊融合；单眼后区宽长比等于1.60；触角微短于腹部，第3节明显长于第4节；体光滑，头部背侧无刻纹；中胸侧板具细弱刻纹和油质光泽，中胸前侧片下部尖锥形隆起；后翅臀室无柄式；中部锯刃SF=2/8-9；阳茎瓣具弯曲的狭长端突。

采集记录：1♀，长安区鸡窝子，2077m，2008. Ⅵ. 28，朱巽采。

分布：陕西（长安）、河南、甘肃、湖北。

（372）纹额绿斑叶蜂 *Tenthredo rugifrontalisa* Wei, 2002 陕西新纪录

Tenthredo rugifrontalisa Wei in Wei *et* Nie, 2002g: 163.

鉴别特征：体长13～14mm。体和足黄绿色，触角、后眶上部1/3和头部背侧包括内眶全部黑色，触角窝上突前缘绿色；中胸背板除小盾片大部和附片外、中胸腹板两侧条斑、腹部背板除后缘狭边外黑色，中胸前侧片具宽度2倍于单眼直径的黑色条斑；各足股节和胫节背侧、前中足跗节背侧具较宽黑色条纹，后足跗节黑色。翅痣黑褐色。胸腹部背侧细毛大部黑褐色。唇基具很浅弱的弧形缺口，上颚不延长，颚眼距等于单眼直径；触角窝上突低钝隆起，后端与额脊融合；单眼后区宽长比等于

1.80～2.00；触角第3节明显长于第4节；头部背侧具显著皱刻纹；小盾片圆钝隆起，中胸前侧片下部钝锥形隆起；后翅臀室无柄式。阳茎瓣具短直端突。

采集记录：1♀，凤县，1982.Ⅵ，王鸣采；1♂，留坝营盘乡，1390m，2007.Ⅴ.21，朱巽采。

分布：陕西(凤县、留坝)、河北、河南。

(373) 短角长突叶蜂 *Tenthredo pseudobullifera* Wei et Liu, 2013 (图版7：H)

Tenthredo pseudobullifera Wei *et* Liu in Liu *et* Wei, 2013: 841.

鉴别特征：体长13.00～14.50mm。体和足黄绿色，触角、覆盖中窝和侧窝底部、额区全部、内眶上半部大部的大斑、中胸背板前叶大斑、中胸背板侧叶、中胸前侧片中部稍弯曲纵条斑、腹部1～8节背板基部横斑、各足转节至跗节背侧条斑黑色。头胸部背侧细毛黑褐色。翅透明，翅痣绿色。头部背侧刻纹明显；中胸前侧片上半部光泽较强，刻纹细弱；腹部背板刻纹较细密。唇基前缘缺口浅弧形，颚眼距约等于中单眼直径；触角窝上突强烈隆起，背面长约1.30倍于自身高，等长于额区和单眼区合长；单眼后区宽1.30倍于长。触角等长于头胸部之和，第3节约1.40倍于第4节长。中胸小盾片强烈隆起，顶端圆钝，无脊；中胸前侧片中部钝角状隆起，无尖突，无腹刺突；爪基片显著，内齿短于外齿。后翅臀室无柄式。雄虫阳茎瓣端突粗短。

采集记录：2♀2♂，长安区鸡窝子，1765m，2008.Ⅵ.27，张少冰、朱巽、蒋小宇采；1♀4♂，长安区鸡窝子，2077m，2008.Ⅵ.28，朱巽、蒋小宇采。

分布：陕西(长安)、北京、河北、山西、河南、宁夏、甘肃、湖北、重庆、四川、云南。

(374) 平胸长突叶蜂 *Tenthredo flatopectalina* Wei, 2002 陕西新纪录

Tenthredo flatopectalina Wei in Wei *et* Nie, 2002f: 155.

鉴别特征：体长12mm。体和足绿色，触角黑色，头部背侧具小型黑斑覆盖单眼区、额区和邻近的内眶小部分；中胸背板前叶中部黑色，侧叶具1大1小2个黑斑，腹部各节背板基部具很窄的黑色横斑，2～4背板条斑中部中断；中后足股节背侧端部、中后足胫节背侧基部和端部具短细黑色条斑，跗节背侧黑色。翅透明，翅痣绿色。小盾片细毛黑色。唇基端部具稍深于唇基1/4长的弧形缺口，颚眼距等宽于单眼直径；触角窝上突显著隆起，长且直，宽约等于高，后端与额脊完全分离；单眼后区宽长比等于2；触角约等长于腹部，第3节1.30倍于第4节长。头部、中胸侧板具细弱刻纹，腹部背板刻纹微弱。小盾片圆钝隆起，无脊和顶点；中胸前侧片不隆起，无腹刺突。爪内齿明显短于外齿；后翅臀室无柄式。阳茎瓣具窄长端突。

采集记录：2♂，长安区鸡窝子，1765m，2008. Ⅵ.27，朱巽、张少冰采。

分布：陕西(长安)、河南、宁夏、甘肃。

(375) 环斑长突叶蜂 *Tenthredo omega* Takeuchi, 1936

Tenthredella pseudolivacea var. *omega* Takeuchi, 1936: 76.

Tenthredo longitubercula Wei in Wei *et* Nie, 1998i: 189.

鉴别特征：体长13~15mm。体和足绿色，头部背侧具冠状黑斑覆盖单眼区、额区和相连的中窝和侧窝底部、邻近的内眶和上眶部分；触角黑色，柄节全部和梗节大部绿色；中胸背板前叶和侧叶具大黑斑，腹部1~8节背板基部具黑色横斑；股节端部背侧具黑色条斑，中后足跗节背侧黑色。翅透明，翅痣绿色。小盾片毛黑褐色。唇基端部具窄弧形缺口，颚眼距等宽于单眼直径；触角窝上突强烈隆起，高稍大于宽，互相平行，后端垂直中断；单眼后区宽长比等于1.30。触角等长于头胸部之和，第3节1.40倍于第4节长。头部内眶上部具刻纹。小盾片强烈隆起，具模糊钝横脊；中胸侧板平坦，刻纹微细，无腹刺突。腹部各节背板刻纹微弱。爪内齿短于外齿。后翅臀室无柄式。阳茎瓣椭圆形，无端突。

采集记录：1♀15♂，长安区鸡窝子，1765m，2008. Ⅵ.27，朱巽、蒋晓宇采；1♀4♂，长安区鸡窝子，2077m，2008. Ⅵ.28，朱巽、蒋晓宇采；11♀17♂，凤县嘉陵江源头，1617m，2007. Ⅶ.14，朱巽、蒋晓宇采；2♀，太白青峰峡，1473m，2008. Ⅶ.03，朱巽采；1♀，华山，1300~1600m，2005. Ⅶ.12，杨青采。

分布：陕西(长安、太白、凤县、华阴、宁陕)、河北、山西、河南、宁夏、甘肃、湖北、四川；日本，东北亚。

(376) 半环长突叶蜂 *Tenthredo pseudograhami* Wei, 2002

Tenthredo pseudograhami Wei in Wei *et* Zhong, 2002: 244.

鉴别特征：体长12~14mm。体和足绿色，触角黑色，头部背侧具冠状黑斑覆盖单眼区、额侧沟和相连的中窝和侧窝底部、邻近的内眶和上眶部分；中胸背板前叶和侧叶具大黑斑，中胸前侧片具垂直黑色细条斑；腹部第1~8节背板基部1/3左右具弧形黑色条斑；股节背侧和胫节背侧具细黑色条斑，中后足跗节背侧黑色。翅透明，翅痣绿色。小盾片毛黑褐色。唇基端部具窄弧形缺口，颚眼距等宽于单眼直径；触角窝上突强烈隆起，高大于宽，互相平行，后端垂直中断；单眼后区宽长比等于1.40。触角等长于头胸部之和，第3节显著长于第4节。头部内眶上部具显著刻点和皱纹。小盾片强烈隆起，具模糊钝横脊；中胸侧板刻纹微细，锥形隆起，无腹刺突。腹部各节背板刻纹微弱。爪内齿短于外齿。后翅臀室无柄式。阳茎瓣具窄长端突。

采集记录： 1♂，长安区鸡窝子，2077m，2008. Ⅵ. 28，张少冰采；1♀，华山，1300～1600m，2005. Ⅶ. 12，杨青采。

分布： 陕西（长安、华阴）、山西、河南、宁夏、甘肃、四川。

（377）尖刃翠绿叶蜂 *Tenthredo acutiserrulana* Wei，2002 陕西新纪录

Tenthredo acutiserrulana Wei in Wei *et* Nie，2002g：167.

鉴别特征： 体长 12～13mm。体和足绿色，腹部微带锈褐色光泽，触角全部黑色，后单眼处具窄黑色横斑，两侧向前弯曲延伸至侧窝上沿，中胸背板前叶中沟和侧沟底部具很细的黑色条斑。翅透明，翅痣和前缘脉绿色。头胸部背侧细毛大部黑色。唇基端部缺口浅弱弧形，颚眼距 2 倍宽于单眼直径；触角窝上突低钝隆起，后端与额脊几乎完全融合；单眼后区宽长比等于 1.30；触角等长于腹部，第 3 节显著长于第 4 节。头部背侧具明显弱刻纹，中胸背板和侧板具细弱刻纹和油质光泽；小盾片锥状隆起，具横脊；中胸前侧片锥形隆起，无腹刺突。腹部背板刻纹较弱。爪内齿短于外齿；后翅臀室无柄式。锯刃大部平坦，仅纹孔处强烈突出。阳茎瓣头部横形。

采集记录： 4♀，长安区鸡窝子，1765m，2008. Ⅵ. 27，蒋晓宇采；1♀，长安区鸡窝子，2077m，2008. Ⅵ. 28，张少冰采；7♀1♂，凤县嘉陵江源头，1617m，2007. Ⅶ. 14，朱巽、蒋晓宇采；1♀，华山，1300～1600m，2005. Ⅶ. 12，杨青采。

分布： 陕西（长安、凤县、华阴）、吉林、河南、宁夏、甘肃、湖北、四川。

（378）平突翠绿叶蜂 *Tenthredo flatotrunca* Wei *et* Hu，2013

Tenthredo flatotrunca Wei *et* Hu in Hu *et* Wei，2013：343.

鉴别特征： 体长 12～14mm。体和足绿色，中单眼围沟、额区两侧"H"形斑、腹部第 2 背板基缘短横斑、后足胫节背侧端部小条斑和后足跗节背侧长条斑黑色，胸部背侧沟缝处局部黑色；触角黑褐色。头胸部背侧细毛大部黑色。翅透明，翅痣和缘脉绿色。头部背侧具浅弱刻点和模糊刻纹，光泽强；中胸背板刻点较细密，刻点间具明显细刻纹，中胸前侧片具细密弱刻纹，腹部背板刻纹细弱。唇基缺口浅弱弧形，颚眼距1.80倍于中单眼直径；触角窝上突微弱隆起，后端与额脊完全融合；单眼后区宽长比约为 1.50。触角 0.90 倍于头胸部之和，第 3 节 1.30 倍于第 4 节长。小盾片强烈隆起，后缘横脊显著；中胸前侧片锥状隆起，无腹刺突；爪内齿稍短于外齿，基片显著。后翅臀室无柄式。锯刃明显乳突状突出。阳茎瓣头叶近似长椭圆形，无端突。

采集记录： 7♀1♂，凤县嘉陵江源头，1570m，2007. Ⅴ. 26，朱巽、蒋晓宇采；1♀，凤县红花铺镇，1080m，2007. Ⅴ. 25，朱巽采。

分布： 陕西（凤县）、宁夏、甘肃、湖北、四川。

(379) 三齿翠绿叶蜂 *Tenthredo tridentata* Malaise, 1945

Tenthredo tridentata Malaise, 1945: 236.

鉴别特征: 体长 12～13mm。体和足青绿色，头部背侧具宽"H"形黑斑，覆盖单眼和临近的内眶于上眶部分，触角黑色，中胸背板前叶和侧叶各具 1 个大黑斑，腹部 2～8 背板中部具近似三角形的黑斑，小盾片细毛大部黑色，后足跗节黑褐色。翅透明，翅痣和缘脉绿色。头部背侧具明显细弱刻纹，中胸背板刻点间具细刻纹，中胸前侧片具细密刻纹，腹部背板刻纹细弱。唇基端部三尖形，颚眼距 2 倍于中单眼直径；触角窝上突微弱隆起，后端与额脊融合；单眼后区宽长比约为 1.40。触角约等长于头胸部之和，第 3 节稍长于第 4 节。小盾片强烈隆起，后缘横脊极显著；中胸前侧片锥状隆起，具模糊的腹刺突；爪内齿短于外齿，基片显著。后翅臀室无柄式。锯刃倾斜。阳茎瓣头叶近似长椭圆形，无端突。

采集记录: 1♀，长安区鸡窝子，1765m，2008. Ⅵ. 27，朱巽采；2♂，长安终南山，1292m，2006. Ⅴ. 28，朱巽、杨青采；1♀，凤县嘉陵江源头，1570m，2007. Ⅴ. 26，蒋晓宇采；1♂，太白山，1580m，2007. Ⅶ. 17，朱巽采。

分布: 陕西(长安、凤县、眉县)、湖北、云南；缅甸(北部)。

(380) 脊颚狭突叶蜂 *Tenthredo carinomandibularis* Wei *et* Nie, 1997 陕西新纪录

Tenthredo carinomandibularis Wei *et* Nie, 1997b: 13.

Tenthredo henanica Wei in Wei *et* Nie, 2002g: 164.

鉴别特征: 体长 12～13mm。体和足绿色，头部具"H"形黑纹，黑斑侧臂中部稍宽于单眼直径，触角黑色；胸部背侧沟缝处局部黑色，小盾片细毛大部黑色。翅透明，翅痣和缘脉绿色。头部背侧具细弱刻纹；中胸背板具细小刻点和刻纹，中胸前侧片具细密弱刻纹，腹部背板刻纹细弱。唇基缺口极浅，颚眼距 2 倍于单眼直径；触角窝上突明显隆起，顶部狭窄，后端较低，与额脊间明显中断；单眼后区宽长比约为 1.30。触角等长于头胸部之和，第 3 节稍长于第 4 节。小盾片强烈隆起，后缘横脊显著；中胸前侧片锥状隆起，具腹刺突；爪内齿短于外齿，基片显著。后翅臀室无柄式。锯刃倾斜。阳茎瓣头叶近似长椭圆形，无端突。

采集记录: 1♀1♂，长安区鸡窝子，1765m，2008. Ⅵ. 27，朱巽采；1♀，长安区鸡窝子，2077m，2008. Ⅵ. 28，蒋晓宇采；1♂，凤县嘉陵江源头，1617m，2007. Ⅶ. 14，朱巽采。

分布: 陕西(长安、凤县)、河北、山西、河南、重庆、四川。

(381) 三齿狭突叶蜂 *Tenthredo tridentoclypeata* Wei, 1998

Tenthredo tridentoclypeata Wei in Wei *et* Nie, 1998i: 199.

鉴别特征: 体长 12～14mm。体和足绿色，头部具"H"形黑纹，黑斑侧臂中部宽 1.50倍于单眼直径，触角黑色，柄节外侧具淡斑；胸部背侧沟缝处黑色，头胸部背侧细毛大部黑色。翅透明，翅痣和缘脉绿色。头部背侧具细弱刻纹；中胸背板具细小刻点和刻纹，中胸前侧片具细密弱刻纹，腹部背板刻纹细弱。唇基缺口极浅，颚眼距 1.70 倍于单眼直径；触角窝上突显著隆起，顶部狭窄，后端不低，与额脊间显著中断；单眼后区宽长比约为 1.10。触角等长于头胸部之和，第 3 节 1.30 倍于第 4 节长。小盾片强烈隆起，后缘横脊极显著；中胸前侧片锥状隆起，顶部横脊状，具腹刺突；爪内齿短于外齿。后翅臀室无柄式。锯刃倾斜。阳茎瓣头叶长椭圆形，无端突。

采集记录: 1♀，华山，1000～1600m，2005. Ⅶ. 12，朱巽采。

分布: 陕西(华阴)、山西、河南、宁夏、湖北、四川。

(382) 光额突柄叶蜂 *Tenthredo subflava* Malaise, 1945

Tenthredo subflava Malaise, 1945: 238.

Tenthredo subflava victorialis Malaise, 1945: 238.

Tenthredo valvurata D. Singh *et* M. S. Saini, 1987: 336.

鉴别特征: 体长 10～12mm。体黄绿色，头部背侧宽"H"形斑、触角除柄节腹侧外、中胸背板前叶和侧叶纵斑、腹部各节背板基缘宽斑黑色；足黄绿色，股节背侧和胫节后侧细条斑黑色。体毛银色。翅透明，前缘脉和翅痣黄绿色。唇基前缘缺口弧形，浅于唇基 1/3 长，颚眼距短于单眼直径，触角窝上突前部明显隆起，后端低平；单眼后区宽长比等于 2，背面观后头两侧收缩；触角约等长于头胸部之和，第 3 节 1.30倍于第 4 节长。小盾片显著隆起，顶部圆钝；中胸前侧片中部具尖突，无腹刺突；爪内齿短于外齿，后翅臀室具柄式。头部背侧光滑，无刻纹，中胸背板具浅弱刻点，表面光滑；中胸前侧片具极弱刻纹，光泽强；腹部 2～10 背板具微弱刻纹；阳茎瓣简单，端部圆钝。

采集记录: 1♀，华山，1000～1600m，2005. Ⅶ. 12，朱巽采。

分布: 陕西(华阴)、河南、宁夏、浙江、湖北、江西、湖南、重庆、四川、云南；缅甸，印度。

(383) 纤弱突柄叶蜂 *Tenthredo tenuisomania* Wei, 1998 陕西新纪录

Tenthredo tenuisomania Wei in Wei *et* Nie, 1998i: 193.

鉴别特征：体长10～11mm。体黄绿色，头部背侧“H”形斑、触角除柄节腹侧外、中胸背板前叶和侧叶纵斑、腹部各背板基缘黑色；足黄绿色，股节端部背侧和胫节后侧细条斑黑色。体毛银色。翅透明，前缘脉和翅痣黄绿色。唇基前缘缺口平，浅于唇基1/3长，颚眼距短于单眼直径；触角窝上突明显隆起，狭窄，后端中断；单眼后区宽长比等于1.80，背面观后头两侧收缩；触角约等长于头胸部之和，第3节1.30倍于第4节长。小盾片显著隆起，顶部圆钝；中胸前侧片中部具尖突，无腹刺突；爪内齿短于外齿，后翅臀室具柄式。头部背侧光滑，无刻纹，中胸背板具浅弱刻点，表面光滑；中胸前侧片具极弱刻纹，光泽强；腹部2～10背板具微弱刻纹；阳茎瓣简单，端部钝截。

采集记录：1♀，太白山，1580m，2007.Ⅶ.17，蒋晓宇采。

分布：陕西（眉县）、河南。

（384）钩纹平绿叶蜂 *Tenthredo bilineacornis* Wei，1998

Tenthredo bilineacornis Wei in Wei *et* Nie，1998i：191.

鉴别特征：雌虫体长12～13mm，雄虫体长11～12mm。体绿色，触角柄节背侧小斑、梗节和鞭节两条黑带黑色，单眼区和单眼后区具钟形黑斑，单眼后区后部绿色；中胸背板前叶和侧叶各具1个椭圆形黑斑；腹部2～7背板常具成对小黑斑；股节以远具断续黑色条斑；翅透明，翅痣和缘脉绿色。唇基缺明显，颚眼距等于单眼直径；触角窝上突稍隆起，后端与额脊融合；单眼后区宽长比等于1.30，背面观后头两侧收缩；触角约等长于腹部，第3节稍长于第4节。前足1、2跗分节跗垫间距长于第2跗垫长；小盾片圆钝隆起，无脊；中胸前侧片平坦，无尖突；爪内齿短于外齿，后翅臀室无柄式。头部背侧光滑，无刻纹，中胸背板具浅弱刻点；中胸前侧片具极弱刻纹，光泽强；腹部2～10背板具微弱刻纹；阳茎瓣头叶横形，端部圆钝。

采集记录：2♀，周至厚畛子，1309m，2006.Ⅶ.09，朱巽采；3♀2♂，太白青峰峡，1473m，2008.Ⅶ.03，朱巽采；4♀，太白山，1580m，2007.Ⅶ.17，朱巽、蒋晓宇采；4♀3♂，太白山，1600～1800m，2005.Ⅶ.07，杨青、朱巽采；9♀7♂，凤县嘉陵江源头，1617m，2007.Ⅶ.14，朱巽、蒋晓宇采；7♀8♂，镇安，1300～1600m，2005.Ⅶ.10，朱巽、杨青采。

分布：陕西（周至、太白、凤县、眉县、华阴、留坝、镇安）、河南、甘肃、湖北。

（385）宽齿平绿叶蜂 *Tenthredo latidentella* Wei *et* Zhao，2010

Tenthredo latidentella Wei *et* Zhao，2010：460.

鉴别特征：体长10～11mm。体黄绿色，单眼区及单眼后区前部1/2、中胸背板前叶和侧叶椭圆形大斑、中胸后背板大部黑色，中胸背板前叶黑斑后半部分叉；触角黑色，4～9节腹侧绿色。足黄绿色，股节端半部背侧、胫跗节背侧具不连续黑色条斑。翅透明，翅痣、前缘脉黄绿色。体毛银色。体光滑，头部背侧和胸部侧板光滑，无刻点和刻纹，腹部背板具微弱刻纹。唇基前缘缺口深弧形，颚眼距1.30倍于单眼直径；触角窝上突明显隆起，与额脊等高并完全融合；单眼后区宽稍大于长。触角稍长于头胸部之和，第3节显著长于第4节。小盾片低钝平坦，中胸侧板十分平坦，无角突。后翅臀室无柄式。爪内齿短于端齿，端齿宽大。阳茎瓣端部圆钝。

采集记录： 2♀3♂，长安区鸡窝子，2077m，2008.Ⅵ.28，蒋晓宇、张少冰采；4♀3♂，长安区鸡窝子，1765m，2008.Ⅵ.27，张少冰、蒋晓宇采；1♀，太白青峰峡，1473m，2008.Ⅶ.03，蒋晓宇采；47♀9♂，凤县嘉陵江源头，1617m，2007.Ⅶ.14，朱巽、蒋晓宇采。

分布： 陕西（长安、太白、凤县）、甘肃、湖北。

（386）细条细斑叶蜂 *Tenthredo beryllica* Malaise，1945 陕西新纪录

Tenthredo beryllica Malaise，1945：247.

鉴别特征： 体长9～10mm。体和足黄绿色，触角黑色，柄节端部和外侧、第3～5节末端背侧、第6～9节腹侧绿色，头部单眼区和单眼后区侧沟上具窄细黑色条斑；中胸背板前叶中沟两侧具2条向后明显收敛的黑条斑，每个侧叶各具1长1短2条黑斑，黑条斑的宽度狭于单眼直径；各足股节基部至胫节末端具细狭黑色条斑，各足跗节大部黑色。翅透明，翅痣、前缘脉绿色。体毛银色。头胸部和腹部背侧具极微弱刻纹，无明显刻点。唇基缺口深约为唇基1/3长，侧叶端部具齿；颚眼距2.50倍于单眼直径；触角窝上突低钝隆起，后端与额脊融合；单眼后区宽大于长。触角细，短于腹部，第3节明显长于第4节。小盾片强烈锥状隆起，具显著横脊；中胸前侧片下部低锥状隆起，无尖顶。爪内齿短于外齿。后翅臀室无柄式。

采集记录： 1♀，长安区鸡窝子，2077m，2008.Ⅵ.28，蒋晓宇采；1♀1♂，凤县嘉陵江源头，1617m，2007.Ⅷ.14，朱巽采。

分布： 陕西（长安、太白、凤县）、河南、宁夏、湖北、四川、贵州、云南。

（387）宽条细斑叶蜂 *Tenthredo nephritica* Malaise，1945

Tenthredo nephritica Malaise，1945：246.

鉴别特征： 体长10～12mm。体和足黄绿色，触角黑色，柄节外侧和3～4节末端、5～9节腹侧绿色，头部单眼区和单眼后区侧沟上具窄细黑色条斑；中胸背板前叶中沟两侧具2条平行的黑条斑，侧叶各具1长1短2条黑斑，黑斑的宽度狭于单眼

直径；各足股节端部至跗节末端具不连贯细狭黑条斑。翅透明，翅痣、前缘脉绿色。体毛银色。体高度光滑，头胸部和腹部背侧具极微弱刻纹。唇基缺口深约为唇基1/3长；颚眼距1.50倍于单眼直径；触角窝上突低钝隆起，后端与额脊融合；单眼后区宽稍大于长。触角细，短于腹部，第3节明显长于第4节。小盾片强烈隆起，具显著横脊；中胸前侧片低锥状隆起，顶部低钝。爪内齿短于外齿。后翅臀室无柄式。阳茎瓣端部圆钝。

采集记录：11♀4♂，长安区鸡窝子，1765m，2008. Ⅵ. 27，朱巽、蒋晓宇采；5♀6♂，太白青峰峡，1473m，2008. Ⅶ. 03，朱巽、蒋晓宇采；15♀6♂，凤县嘉陵江源头，1617m，2007. Ⅶ. 14，蒋晓宇、朱巽采；2♀2♂，华山，1300～1600m，2005. Ⅶ. 12，杨青采；1♂，佛坪，1000～1450m，2005. Ⅴ. 17，朱巽采；1♀，宁陕旬阳坝，1400m，2009. Ⅵ. 18，于海丽采；1♀，宁陕旬阳坝，1400m，2008. Ⅵ. 29，于海丽采。

分布：陕西（长安、太白、凤县、华阴、佛坪、宁陕）、河南、甘肃、湖北、重庆、四川、贵州；缅甸。

（388）痕纹细斑叶蜂 *Tenthredo pseudonephritica* Wei, 1998 陕西新纪录

Tenthredo pseudonephritica Wei in Wei *et* Nie, 1998i: 191.

鉴别特征：体长9～10mm。体和足黄绿色，触角梗节端部和鞭节全部、单眼区"W"形小斑、中胸背板前叶前缘模糊横斑、侧叶两侧纵斑、腹部2～3背板基缘横斑黑色；各足股节基部至跗节末端具不连贯细狭黑条斑。翅透明，翅痣、前缘脉绿色。头胸部背侧包括小盾片细毛黑色，腹侧细毛银色。头胸部和腹部背侧具明显微细刻纹，胸部背板具浅弱刻点。唇基缺口深约为唇基1/3长；颚眼距等于单眼直径；触角窝上突低钝隆起，后端与额脊融合；单眼后区宽1.60倍于长。触角细，短于腹部，第3节明显长于第4节。小盾片强烈隆起，顶部圆钝，无脊；中胸前侧片中部低锥状隆起。爪内齿短于外齿。后翅臀室无柄式。阳茎瓣端部圆钝。

采集记录：1♀1♂，长安区鸡窝子，1765m，2008. Ⅵ. 27，张少冰采；3♂，凤县嘉陵江源头，1617m，2007. Ⅶ. 14，朱巽、蒋晓宇采。

分布：陕西（长安、凤县）、河南、宁夏、甘肃、湖北、四川。

（389）短毛刻绿叶蜂 *Tenthredo brevipilosila* Wei, 2002 陕西新纪录

Tenthredo brevipilosila Wei in Wei *et* Nie, 2002f: 156.

鉴别特征：体长14～15mm。体和足黄褐色；头部背侧具大黑斑，黑斑与复眼稍分离连接；触角黑色，柄节黄褐色，背侧具黑斑；中后胸部背板大部黑色，小盾片两侧、附片两侧黄褐色，腹部第1背板大部、第2背板基部黑色；足具狭窄黑色条斑。

翅透明，翅痣浅褐色。唇基缺口宽浅弧形，颚眼距2倍宽于单眼直径；触角窝上突几乎不隆起，单眼后区宽1.30倍大于长，侧沟细弱，向后分歧；背面观后头两侧明显收敛；触角短于腹部，短于头宽2倍，第3节1.50倍于第4节长。头部背侧具密集刻点，中胸背板、小盾片和附片具致密刻点，中胸侧板具微细刻纹和油质光泽；小盾片圆钝，具弱中纵脊；中胸前侧片锥形隆起，无腹板突。爪内齿稍短于外齿。后翅臀室无柄式。

采集记录： 1♀，宁陕旬阳坝，1400m，2008. Ⅵ. 29，于海丽采。

分布： 陕西(宁陕)、河南、四川。

(390) 陕西刻绿叶蜂 *Tenthredo shensiensis* Malaise, 1945

Tenthredo shensiensis Malaise, 1945: 239.

鉴别特征： 体长14~15mm。体黄褐色，腹侧具微弱绿色光泽；触角、头部背侧全部、前胸背板"X"形斑、中胸背板前叶和侧叶全部、小盾片和后小盾片中部、附片中部、中胸侧板1宽1窄2条纵斑、腹部1~5节背板基部2/3左右黑色，腹部端部4节红褐色；足黄褐色，后足股节和各足胫节红褐色，后足跗节黄白色，股节背侧具黑色条斑。翅透明，翅痣暗褐色。唇基缺口深于唇基1/2长，颚眼距2倍于单眼直径；触角窝上突微弱隆起，后端平坦；单眼后区宽大于长，侧沟浅弱，向后分歧；后头两侧膨大；触角微长于头宽2倍，第3节明显长于第4节。小盾片显著隆起，具顶脊；侧板中部锥状隆起，具斜脊。头胸部背侧刻点密集，侧板刻点浅弱，具皱刻纹；腹部背板刻纹显著。爪内齿短于外齿；后翅臀室无柄式。

分布： 陕西(太白山)、四川、云南。

(391) 小凹斑翅叶蜂 *Tenthredo microexcisa* Wei, 1998 陕西新纪录

Tenthredo microexcisa Wei in Wei *et* Nie, 1998: 173.

鉴别特征： 体长17~18mm。体、触角和足黑色，唇基大部、上唇、上颚、唇基上区、触角窝上突、后眶中下部、前胸背板后缘、翅基片、小盾片、附片、后小盾片顶部、中胸前侧片上部小斑、后侧片后上缘、后胸前侧片大部、各足基节端部、转节、前足股节前缘、前足胫跗节、中足胫节部分、中后足跗节、后足胫节端半、腹部腹板后缘、背板腹侧大部、1~4背板后缘和中央三角形小斑黄白色。翅透明，端部烟褐色，翅痣黑色。唇基端缘中部具微小缺口，颚眼距大于单眼直径；触角窝上突宽钝隆起，向后分歧；单眼后区宽明显大于长。头部高度光滑。触角等长于头胸部之和，第3节长于第4节。小盾片强烈隆起，无顶点和脊；中胸侧板具皱纹，下部角状隆起，中胸腹板刺突低且短。爪内齿几乎等长于外齿。后翅臀室无柄式。

采集记录：1♀，凤县嘉陵江源头，1617m，2007. Ⅶ. 14，朱巽采。

分布：陕西（凤县）、北京、河北、河南、贵州。

（392）横带斑翅叶蜂 *Tenthredo transversa* Wei *et* Shang，2013

Tenthredo transversa Wei *et* Shang in Shang *et* Wei，2013：351.

鉴别特征：体长15.50~17.00mm。体黑色，上唇、唇基、下眶小斑、前胸背板后角、翅基片、中胸前侧片大斑、后胸前侧片大部，腹部第1背板方横斑、第3~4节背板后缘长横条斑和第5~8背板后部小斑，腹部腹侧、锯鞘基大部黄白色；足黄白色，基节基缘及后足股节外侧斑、前中足股节后侧条斑、后足股节大部、前中足胫节端缘、后足胫节端部1/3、各足1~4跗分节端缘黑色。翅淡烟灰色，端部烟褐色，翅痣上半部黑褐色。头部背侧刻点模糊，刻纹微弱，小盾片后部刻点密集，附片具大刻点；腹部2~10背板刻纹密集。唇基缺口弱弧形，颚眼距0.80倍于单眼直径；触角窝上突不隆起；单眼后区宽长比为1.70，侧沟深直。触角第3节约1.35倍于第4节长。小盾片顶端圆钝，中胸前侧片中部钝角状隆起；爪内齿短于外齿；后翅臀室无柄式。

采集记录：3♀5♂，佛坪，1000~1450m，2005. Ⅴ. 17，刘守柱、朱巽采。

分布：陕西（佛坪）、甘肃。

（393）双斑断突叶蜂 *Tenthredo bimacuclypea* Wei，1998 陕西新纪录

Tenthredo bimacuclypea Wei in Wei *et* Nie，1998h：170.

鉴别特征：体长13~14mm。体黑色；唇基侧斑、上唇大部、上颚大部、唇基上区、内眶、上眶后部横斑、后眶下部小斑、前胸背板后缘、翅基片、小盾片顶部、后胸前侧片下部小斑、腹部第1背板两侧淡黄色；前中足股节前缘、前足胫跗节、中足胫节前缘和中足跗节黄褐色；后足跗节暗褐色。翅透明，端部1/3弱烟色，翅痣黑褐色，基部具淡斑。唇基缺口深圆，颚眼距等于单眼直径；触角窝上突发达，互相平行，后端垂直中断；单眼后区宽微大于长。头部背侧刻点分散且模糊，具光泽。触角约等长于腹部，第3、4节长度之比为9∶8。小盾片顶面圆钝，无脊，附片具中脊；中胸前侧片刻纹致密，无光泽，下部角状隆出，无腹板刺突。爪内齿稍短于外齿；后翅臀室无柄式。腹部背板具细密弱刻纹。

采集记录：1♂，长安终南山，1292m，2006. Ⅴ. 28，杨青采；1♀，凤县红花铺镇，1080m，2007. Ⅴ. 25，朱巽采；3♀，华山，1300~1600m，2005. Ⅶ. 12，杨青采。

分布：陕西（长安、凤县、华阴）、河北、山西、河南、甘肃、湖北。

(394) 反斑断突叶蜂 *Tenthredo reversimaculeta* Wei, 2002 陕西新纪录

Tenthredo reversimaculeta Wei in Wei *et* Zhong, 2002: 247.

鉴别特征: 体长 13 ~ 14mm。体黑色，唇基大部、上唇、上颚基部、唇基上区、内眶、上眶横方斑、触角窝上突后端、前胸背板后缘、翅基片、中胸背板前叶后端、小盾片和附片、后小盾片中央、后胸前侧片中部、腹部第1背板淡黄白色，第2 ~ 5 背板缘折、第3 ~ 8 背板后缘斑、第10背板、各腹板后缘黄褐色。足黑色，转节、前中足股节前缘部分、前中足胫跗节、后足胫节大部淡黄白色，中足胫节末端和后足胫节端部黑褐色。翅透明，翅痣浅褐色。唇基缺口深约为唇基 1/3 长；颚眼距窄于单眼直径；触角窝上突发达，后端垂直中断；单眼后区宽微大于长；头部刻点不明显。触角等长于腹部，第3节稍长于第4节。小盾片具模糊横脊；中胸前侧片低锥形隆起，刻纹较密。爪内齿短于外齿，后翅臀室无柄式。腹部 2 ~ 10 背板具细密弱刻纹。

采集记录: 1♂，太白山上白云，1800m，1981. Ⅷ. 04，陕西太白山昆虫考察组采。

分布: 陕西(眉县)、河南、甘肃、湖北。

(395) 红胫断突叶蜂 *Tenthredo rubritibialina* Wei, 2002 陕西新纪录

Tenthredo rubritibialina Wei in Wei *et* Zhong, 2002: 249.

鉴别特征: 体长 13mm。体黑色，上唇、上颚大部、唇基侧斑、内眶斑以及相连的上眶横斑，前胸背板后缘、翅基片、小盾片顶部、后胸前侧片中部、腹部第1背板两侧亮黄色，触角柄节、腹部 3 ~ 5 节红褐色；足黑色，前中足股节前侧大部白黄色，胫跗节全部黄褐色；后足胫跗节红褐色。翅透明，翅痣基部褐色。唇基缺口窄深“U”形，颚眼距等宽于单眼直径；触角窝上突强隆起，后端中断；单眼后区宽 1.40 倍于长。触角稍长于腹部，第3节微长于第4节。头部背侧具较细小稀疏刻点，中胸背板具致密刻点和刻纹，小盾片圆钝隆起，无脊；中胸前侧片钝锥形隆起，具密集粗糙刻点和皱纹；腹部背板刻纹稍明显。爪内齿短于外齿；后翅臀室无柄式。

采集记录: 1♀，周至厚畛子，1309m，2006. Ⅶ. 09，朱巽采；1♀，凤县红花铺镇，1080m，2007. Ⅴ. 25，朱巽采；1♀，留坝大坝沟，1320m，2007. Ⅴ. 20，朱巽采；1♀，宁陕火地塘，1984. Ⅷ. 17，李宝明采。

分布: 陕西(周至、凤县、留坝、宁陕)、山西、河南、宁夏、甘肃、湖北。

(396) 尹氏逆角叶蜂 *Tenthredo yinae* Wei, 1999 陕西新纪录

Tenthredo yinae Wei in Wei, Wen *et* Deng, 1999: 22.

鉴别特征：体长14mm。体、触角和足黑色，唇基圆形侧斑、上唇、上颚基半部、前胸背板后缘、翅基片、后胸前侧片、腹部第1背板大部白色；前足股节和胫节前缘黄褐色，跗节浅褐色。翅基半部透明，端半部弱烟色，翅痣黑褐色。唇基缺口深约为唇基1/2长，颚眼距稍窄于单眼直径；触角窝上突微弱隆起，后端平坦，不中断；单眼后区宽几乎2倍于长，侧沟弯曲；头部额区具明显刻点，其余部分刻点浅弱模糊。触角长于腹部，第3节等于或微短于第4节。小盾片几乎不隆起，无脊，小盾片和附片刻点粗密；中胸前侧片低弱隆起，刻纹较细密。爪内齿短于外齿，后翅臀室无柄式。腹部第1背板较光滑，2~10背板具细密刻纹。

采集记录：8♀3♂，长安终南山，1292m，2006. Ⅴ.28，朱巽采；4♀1♂，长安终南山，1555m，2006. Ⅴ.27，朱巽、杨青采；1♀，周至楼观台，899m，2006. Ⅴ.25，杨青采；4♀，宝鸡天台山，802m，2006. Ⅴ.23，朱巽、杨青采；1♀，太白山上白云，1800m，1983. Ⅵ.07，陕西太白山昆虫考察组采；5♀10♂，凤县嘉陵江源头，1570m，2007. Ⅴ.26，朱巽采；8♀3♂，凤县红花铺镇，1080m，2007. Ⅴ.25，朱巽采；2♀，凤县嘉陵江源头，1617m，2007. Ⅶ.14，朱巽采；1♀，潼关桐峪镇，1052m，2006. Ⅴ.30，朱巽采；1♀3♂，留坝桑园林场，1080m，2007. Ⅴ.19，朱巽采；1♀9♂，留坝大坝沟，1320m，2007. Ⅴ.20，朱巽、蒋晓宇采；6♀6♂，留坝桑园林场，1250m，2007. Ⅴ.18，朱巽、蒋晓宇采；5♂，佛坪，832m，2006. Ⅳ.30，朱巽采；3♂，佛坪岳坝，1085m，2006. Ⅳ.29，朱巽采；1♂，佛坪大古坪，1190m，2006. Ⅳ.27，朱巽采；1♀，丹凤寺坪镇，900~1200m，2005. Ⅴ.21，朱巽采。

分布：陕西（长安、周至、太白、凤县、潼关、留坝、佛坪、丹凤）、河南、甘肃、安徽。

（397）亮黄环腹叶峰 *Tenthredo xysta* Wei，2002 陕西新纪录

Tenthredo xysta Wei in Wei *et* Nie, 2002f：158.

鉴别特征：体长14mm。体、触角和足黑色，上唇、上颚大部、唇基、颚眼距、前胸背板后角、翅基片、小盾片、后小盾片后半、后胸前侧片、腹部第1背板两侧亮黄褐色，腹部3~5节黄褐色；前足股节前侧大部和后侧端半部、中足股节前侧端半部、各足胫跗节亮黄褐色。翅浅烟褐色透明，翅痣褐色。唇基缺口宽弧形，深度约为唇基1/3长；颚眼距等宽于单眼直径；触角窝上突明显隆起，向后与额脊融合；单眼后区宽1.50倍大于长。触角明显侧扁，稍长于腹部，第3节微长于第4节。头部背侧具密集刻点，刻点间隙具刻纹；中胸背板具致密刻点和微细刻纹；小盾片隆起，无脊；附片具锐利纵脊；中胸前侧片下部显著隆起，具密集粗糙刻点和皱纹；腹部背板刻纹微弱。爪内齿短于外齿；后翅臀室无柄式。

采集记录：1♀，太白山上白云，1800m，1981. Ⅷ.04，陕西太白山昆虫考察组采。

分布：陕西（眉县）、河南、贵州。

(398) 黑胸绿痣叶蜂 *Tenthredo elegansomatoida* Wei *et* Nie, 1999 陕西新纪录

Tenthredo elegansomatoida Wei *et* Nie in Nie *et* Wei, 1999: 115.

鉴别特征: 体长9~10mm。体黑色，唇基、口器、足、翅基片、中后胸小盾片白色，腹部腹板黄褐色；后足股节端部4/7和后足胫节端部1/3黑色，前中足股节和胫节背侧具黑色条斑。翅透明，翅痣黄褐色。唇基缺口宽大，深约为唇基3/5长；复眼大，强烈突出，颚眼距稍窄于单眼直径；触角窝上突狭窄，明显隆起，向后与额脊融合；单眼后区宽几乎2倍于长，背面观后头两侧强烈收缩。触角细丝状，稍长于腹部，第3、4节长度之比为4:3。中胸小盾片微弱隆起，无脊，附片几乎等长于小盾片，具中纵脊。头部背侧刻点和刻纹微弱，有光泽；中胸侧板中部具明显刻纹，其余部分刻纹弱；腹部背板刻纹微弱。爪内齿短于外齿；后翅臀室无柄式。

采集记录: 1♀，宝鸡天台山，802m，2006. V.23，朱巽采。

分布: 陕西(宝鸡、凤县)、河南。

(399) 平刃短角叶蜂 *Tenthredo ahaina* Nie *et* Wei, 2002 陕西新纪录

Tenthredo ahaina Nie *et* Wei, 2002: 141.

鉴别特征: 体长9.50mm。体黑色，具黄褐色斑纹；上唇、唇基端部、中胸后侧片后缘、后胸前侧片、后胸后侧片后缘，腹部第3节背板和腹板全部、第4~5背板两侧、各节腹板后缘黄褐色；足黑色，各足基节大部、转节、前中足股节前缘、后足股节基部1/5、前中足胫节大部、后足胫节基半部黄褐色，前中足跗节浅褐色。翅透明，端半部烟褐色，翅痣暗褐色。唇基缺口窄弧形，颚眼距稍宽于单眼直径；触角窝上突不隆起；单眼后区宽长比稍大于2；背面观后头两侧显著收敛，约等长于复眼1/2；触角短丝状，不侧扁和膨大，短于头胸部之和，第3节2倍长于第4节。头部背侧大部具致密刻点和刻纹，中胸侧板具致密刻点和刻纹。小盾片强烈隆起，顶部圆钝；中胸前侧片下部锥形隆起，突起顶端具凹窝；无腹板突。后翅臀室无柄式。

采集记录: 1♀，凤县嘉陵江源头，1570m，2007. V.26，蒋晓宇采。

分布: 陕西(凤县)、河南、甘肃。

(400) 短顶短角叶蜂 *Tenthredo brevivertexila* Nie *et* Wei, 2002 陕西新纪录

Tenthredo brevivertexila Nie *et* Wei, 2002: 142.

鉴别特征: 体长11~12mm。体背侧黑色，头部触角窝以下部分、后眶中下部、前胸背板大部、翅基片大部、小盾片、附片、后小盾片、后胸后背板，腹部第1背板

后缘、第3背板后缘大部和第9～10背板全部、胸腹部腹面黄绿色，中胸前侧片具黑色条斑，小盾片和后小盾片后缘、锯鞘端缘黑色；足黄绿色，各足股节背侧全长、前中足胫跗节背侧具较宽的黑色条斑，后足胫节和跗节全部黑色。翅透明，翅痣黑色。唇基缺口窄深弧形，颚眼距2倍宽于单眼直径；触角窝上突几乎不隆起，单眼后区宽2倍于长；触角不膨大，短于头胸部之和，第3节1.40倍于第4节长。头部背侧具模糊刻点和明显皱纹；中胸前侧片具明显刻纹。小盾片隆起，顶部圆；中胸前侧片下部锥形隆起；爪内齿短于外齿；后翅臀室无柄式。

采集记录：5♀，宝鸡天台山，802m，2006. Ⅴ.23，朱巽、杨青采；7♀1♂，凤县红花铺镇，1080m，2007. Ⅴ.25，朱巽采。

分布：陕西（宝鸡、凤县）、河北、河南、宁夏、甘肃。

（401）黑柄短角叶蜂 *Tenthredo potanini*（Jakovlev, 1891）陕西新纪录

Allantus potanini [sic!] Jakovlev, 1891: 45.

Allantus andreas [sic!] Jakovlev, 1891: 47.

鉴别特征：雌虫体长8～9mm。体黑色，上唇、唇基、上颚基部、后眶下部条斑、小盾片、附片，后胸后背板、中胸前侧片前后侧点斑和后缘、后胸前侧片，腹部第3背板除中部点斑、第4背板两侧和第2～5腹板，各足基节、转节、股节基部、胫节基部黄褐色。翅无烟斑，翅痣黑褐色。唇基缺口浅弧形，颚眼距1.30倍于单眼直径；触角窝上突平坦，单眼后区宽长比等于2，后头短小；小盾片显著隆起，具钝横脊；中胸前侧片中部锥状隆起，顶部无凹窝；爪内齿短于外齿，后翅臀室无柄式。雄虫体长7mm。中胸前侧片黄褐色，具较宽的黑色垂直条斑，腹部背侧全部黑色，腹侧黄白色；各足股节背侧黑色，腹侧黄褐色。

采集记录：3♀1♂，长安区鸡窝子，2077m，2008. Ⅵ.28，朱巽、蒋晓宇采；3♀，长安区鸡窝子，1765m，2008. Ⅵ.27，朱巽采；5♂，凤县嘉陵江源头，1570m，2007. Ⅴ.26，朱巽、蒋晓宇采；1♀，太白山，1600～1800m，2005. Ⅶ.07，朱巽采；1♂，太白青峰峡，1473m，2008. Ⅶ.03，朱巽采；1♀，太白山，1580m，2007. Ⅶ.17，朱巽采。

分布：陕西（长安、太白、凤县、眉县）、河南、甘肃、四川。

（402）黄股短角叶蜂 *Tenthredo punctimaculiger* Wei, 1998 陕西新纪录

Tenthredo punctimaculiger Wei in Wei *et* Nie, 1998i: 198.

鉴别特征：雌虫体长10～11mm，雄虫体长9～10mm。体黄绿色，头部背侧大斑，中胸背板前叶大斑、侧叶背侧、盾侧凹，后胸背板凹部，腹部第2和第5～7背板背侧，第1、4、8背板基部黑色；足黄绿色，前中足胫节端部和跗节暗褐色，后足胫

跗节黑色。翅透明，翅痣和前缘脉黄褐色。唇基缺口宽深，颚眼距约等长于单眼直径，触角窝上突低平，单眼后区宽长比约等于2；侧面观上颚不延长，颚眼距与上颚总长明显短于复眼和上眶之和；触角第3节1.35倍于第4节长。小盾片强烈隆起，具钝横脊，附片具纵脊；中胸前侧片中部显著隆起。头部背侧具皱刻纹和浅弱刻点，胸部背板和附片刻点显著，小盾片刻点微弱，胸部侧板具皱刻纹，腹部第1背板较光滑，其余背板具刻纹。后翅臀室无柄式。

采集记录：3♀，长安终南山，1555m，2006.Ⅴ.27，朱巽采；9♀，长安区鸡窝子，1765m，2008.Ⅵ.27，朱巽采；2♀，宝鸡天台山，802m，2006.Ⅴ.23，朱巽采；1♀，留坝营盘乡，1390m，2007.Ⅴ.21，朱巽采。

分布：陕西（长安、宝鸡、凤县、留坝）、河南、甘肃。

（403）短条短角叶蜂 *Tenthredo vittipleuris* Malaise，1945 陕西新纪录

Tenthredo vittipleuris Malaise，1945：233.

鉴别特征：体长11mm。体黑色，头部触角窝以下部分、后眶中下部，前胸背板大部，翅基片大部、小盾片、附片、后小盾片，后胸后背板，腹部第1、3～5、8～10背板后缘较宽的横带，各节背板缘折和腹板黄绿色，小盾片后缘黑色；胸部侧板黄绿色，前胸侧板两侧、中胸腹板、中胸前侧片中央垂直条斑、中胸后侧片前缘和后胸后侧片前缘黑色；足黄绿色，各足股节背侧全长、前中足胫跗节背侧具黑色条斑，后足胫节和跗节全部黑色。翅端部1/3浅烟灰色，翅痣黑色。唇基缺口浅弧形，颚眼距1.50倍宽于单眼直径；触角窝上突不隆起，单眼后区宽2倍大于长；触角细丝状，不膨大，短于头胸部之和，第3节明显长于第4节。爪内齿短于外齿。后翅臀室无柄式。

采集记录：1♀，留坝大坝沟，1320m，2007.Ⅴ.20，朱巽采；2♀，佛坪大古坪，1320m，2006.Ⅳ.28，何末军采；2♀，佛坪，832m，2006.Ⅳ.30，朱巽、何末军采。

分布：陕西（留坝、佛坪）、河南、安徽、浙江、湖北、湖南、四川、贵州、云南；缅甸。

（404）横带短角叶蜂 *Tenthredo brachycera*（Mocsáry，1909）陕西新纪录

Allantus brachycerus Mocsáry，1909：22.

Tenthredo daetekensis Togashi，1976：67.

鉴别特征：体长6～8mm。体黑色，头部触角窝以下部分，前胸背板前角、外缘和背侧，翅基片大部，前胸侧板下部，中胸前侧片贯穿中部的宽阔横斑、后下侧片大部，后胸前侧片全部、后侧片后缘，腹部第4和第10背板、各节背板缘折和腹板全部

淡黄绿色；足黄绿色，基节基缘、前中足股节至跗节背侧、后足股节背后侧、胫跗节全部黑色。翅透明，翅痣黑褐色。头胸部背侧具稍密的微细刻点，中胸侧板刻点极细弱，小盾片和附片刻点较大；腹部背板具微弱刻纹。唇基缺口浅宽弧形；颚眼距稍窄于单眼直径；单眼后区宽大于长；触角窝上突低平，侧窝深沟状；触角微长于胸部，第3节几乎等长于4+5节之和。小盾片低钝，附片具中脊。中胸前侧片下部圆钝隆起。后翅臀室具柄式。锯鞘等长于前足胫节。雄虫中胸腹板黄绿色。

采集记录：2♀，太白山，1988. Ⅸ，采集人不详；1♂，秦岭，1980. Ⅷ，邵生恩采；2♂，华山，1300m，2005. Ⅶ. 12，杨青采；1♂，华山，1962. Ⅷ. 23，李法圣采。

分布：陕西（太白、华阴）、黑龙江、吉林、辽宁、内蒙古、天津、河北、山西、甘肃、青海、湖北、湖南、四川、贵州、云南、西藏。

（405）绿胸短角叶蜂 *Tenthredo pusilloides*（Malaise，1934）

Macrophya pusilloides Malaise，1934：28.

鉴别特征：体长5～7mm。体背侧黑色，头部触角窝上沿以下部分、后眶大部、胸腹部腹侧黄绿色，前胸背板上角、翅基片内侧、腹部第10背板淡黄绿色；足黄绿色，各足股胫节背侧以及跗节全部黑色。翅浅烟灰色，翅痣黑褐色。头部背侧刻点微细，胸部背侧刻点稍明显，中胸侧板无明显刻点，小盾片刻点稍大；腹部各节背板具微细刻纹。唇基缺口宽，底部钝直；颚眼距稍宽于单眼直径；单眼后区宽2倍于长；触角窝上突低平。触角微长于胸部，第3节等长于4+5节之和。小盾片微弱隆起，附片具显著中脊，中胸前侧片圆钝。前翅cu-a脉位于M室中部稍偏内侧；后翅臀室具柄式。锯鞘长于前足胫节，锯腹片无近腹缘距，中部锯刃台状突出；节缝刺毛带较宽，具10列左右的刺毛，中部锯刃齿式为1/6-7。

采集记录：1♀，华山，1300m，2005. Ⅶ. 12，杨青采。

分布：陕西（华阴）、宁夏、甘肃、青海、湖北、四川、贵州。

（406）线缘长颚叶蜂 *Tenthredo lineimarginata* Wei，2002 陕西新纪录

Tenthredo lineimarginata Wei in Wei *et* Nie，2002h：171.

鉴别特征：体长9～10mm。体黄绿色，头部背侧、后眶上部1/4和触角黑色，内眶具线状绿色条斑；前胸背板中部和后角中央、翅基片外侧、中胸背板前叶和侧叶全部、小盾片后缘黑色，中胸侧板具下部稍宽的垂直黑色条斑，中后胸后侧片前缘黑色；腹部背板背侧黑色，各节背板后缘具狭窄淡色横斑；足黄绿色，转节、股节、前中足胫节和跗节背侧具宽黑色条斑，后足胫跗节黑色。翅透明，翅痣黑色。唇基缺口窄小弧形，深度等于唇基1/4长；上颚显著延长；颚眼距2倍于单眼直径；触角窝

上突缺如，单眼后区宽长比等于2；背面观后头两侧明显收敛。触角等长于头胸部之和，第3节明显长于第4节。头部背侧具明显皱纹，中胸前侧片黑色部分具明显皱纹；小盾片显著隆起，顶部圆钝；爪内齿短于外齿；后翅臀室无柄式。

采集记录：5♀，长安区鸡窝子，1765m，2008.Ⅵ.27，朱巽、蒋晓宇采；1♀，凤县嘉陵江源头，1570m，2007.Ⅴ.26，朱巽采。

分布：陕西(长安、凤县)、吉林、河南、宁夏、甘肃、湖北。

(407) 多环长颚叶蜂 *Tenthredo finschi* Kirby, 1882 陕西新纪录

Tenthredo finschi Kirby, 1882: 302.

鉴别特征：体长11～12mm。体黄绿色，头部背侧大斑、后眶上部1/4和触角黑色，中胸背板前叶除后端外、侧叶大部和小盾片后缘、中胸侧板狭窄垂直条斑、腹部背板背侧基部约2/3黑色；足黄绿色，转节至胫节背侧具宽黑色条斑，前中足跗节端部和后足跗节大部黑色。翅透明，前缘脉和翅痣黑褐色。唇基缺口窄小弧形，深度等于唇基1/5长；上颚显著延长；颚眼距2倍于单眼直径；触角窝上突缺如，单眼后区宽长比几乎等于2；背面观后头两侧明显收敛。触角等长于头胸部之和，第3节明显长于第4节。头部背侧具明显皱刻纹，中胸前侧片具明显皱纹，无腹刺突；小盾片圆钝隆起，无脊，几乎光滑；爪内齿短于外齿；后翅臀室无柄式。

采集记录：1♀，长安区鸡窝子，1765m，2008.Ⅵ.27，蒋晓宇采；1♀，宁陕旬阳坝，1400m，2009.Ⅵ.18，于海丽采。

分布：陕西(长安、宁陕)、黑龙江、吉林、辽宁、内蒙古、河北、山西、浙江、湖北、福建、四川；俄罗斯，朝鲜，日本。

(408) 黑胫长颚叶蜂 *Tenthredo longimandibularis* Wei, 1998 陕西新纪录

Tenthredo longimandibularis Wei in Wei *et* Nie, 1998i: 195.

鉴别特征：体长12mm。头部背侧具方形黑色大斑，两侧接触复眼；触角除柄节外、中胸背板前叶和侧叶大部、后胸背板凹部黑色，腹部1～7背板基部黑色横斑黑色；足黄色，后足股节端部背侧大斑、后足胫跗节大部黑色。翅浅烟褐色透明，缘脉和翅痣黄绿色。唇基大型平坦，缺口窄浅弧形；上颚明显延长，颚眼距约1.50倍于单眼直径；触角窝上突缺如；单眼后区宽长比稍大于2；触角等长于胸部，第3节1.40倍于第4节长。头部背侧具微弱刻纹，中胸背板具细小刻点，附片具浅弱刻点，小盾片几乎光滑；中胸前侧片具稍密的微细刻纹。小盾片锥形隆起，具横脊；附片具明显纵脊；中胸前侧片下部高锥形隆起，无腹刺突。腹部各节背板具稍明显的微细刻纹。后翅臀室无柄式。

采集记录：2♂，长安区鸡窝子，2077m，2008. Ⅵ.28，张少冰采。

分布：陕西（长安）、河南。

本种雄虫是首次报道。

(409) 大斑短角叶蜂 *Tenthredo japonica* (Mocsáry, 1909)

Allantus japonicus Mocsáry, 1909: 32.

Tenthredo carpinata Enslin, 1912: 104 (new name for *Allantus japonicus* Mocsáry, 1909).

鉴别特征：体长 10～12mm。头部背侧具方形黑色大斑，两侧接触复眼；触角除柄节外、中胸背板前叶和侧叶大部、后胸背板凹部黑色，腹部第 2 和第 5～7 背板具大型黑色横斑，第 1 背板基部黑色；足黄色，各足股节、胫节、跗节的背侧具黑色条斑。翅透明，翅痣黄绿色。唇基大型平坦，缺口窄深，侧叶较尖；上颚明显延长，颚眼距约 1.30 倍于单眼直径；触角窝上突缺如；单眼后区宽长比稍小于 2；触角等长于胸部，第 3 节 1.50 倍于第 4 节长。头部背侧具微弱刻纹，中胸背板具细小刻点，附片具浅弱刻点，小盾片几乎光滑；中胸前侧片具稍密的微细刻纹。小盾片锥形隆起，具横脊；附片具明显纵脊；中胸前侧片下部高锥形隆起，无腹刺突。腹部第 1 背板刻纹微弱，其余背板具稍明显的微细刻纹。后翅臀室无柄式。

采集记录：1♀1♂，长安区鸡窝子，2077m，2008. Ⅵ.28，朱巽采；2♀3♂，长安区鸡窝子，1765m，2008. Ⅵ.27，朱巽、蒋晓宇采；1♀，长安终南山，1555m，2006. Ⅴ.27，朱巽采；2♀，周至厚畛子，1309m，2006. Ⅶ.09，朱巽采；1♀，蓝田王顺山，1297m，2006. Ⅶ.12，朱巽采；1♀1♂，宝鸡天台山，802m，2006. Ⅴ.23，朱巽采；4♀1♂，太白青峰峡，1473m，2008. Ⅶ.03，朱巽采；1♂，太白山，1580m，2007. Ⅶ.17，朱巽采；2♀，凤县嘉陵江源头，1617m，2007. Ⅶ.14，朱巽采；4♀，眉县营头蒿坪，1162m，2008. Ⅶ.01，蒋晓宇、朱巽采；1♀，宁陕旬阳坝，1400m，2009. Ⅵ.18，于海丽采；1♀，镇安，1300～1600m，2005. Ⅶ.10，朱巽采；1♀，秦岭，1981. Ⅶ.20，魏建华采。

分布：陕西（长安、蓝田、周至、太白、凤县、眉县、华阴、宁陕、镇安）、河南、宁夏、甘肃、安徽、浙江、湖北、广东、重庆、四川；俄罗斯，日本。

(410) 黑柄长颚叶蜂 *Tenthredo plagiocephalia* Wei, 2002 陕西新纪录

Tenthredo plagiocephalia Wei in Wei *et* Nie, 2002h: 172.

鉴别特征：体长 11～12mm。体黄褐色，头部背侧具方形黑色大斑，触角、中胸背板前叶前中部、侧叶大部黑色，中胸前侧片中部具狭窄黑色条斑，腹部 1～4 背板具小型黑色横斑，5～7 背板具大型黑斑；足黄色，各足股节、胫节和跗节的背侧具宽

黑色条斑，后足跗节全部黑色。翅透明，翅痣黄绿色。唇基大型平坦，缺口窄小弧形；上颚明显延长，颚眼距约2倍宽于单眼直径；触角窝上突缺如；单眼后区宽长比稍大于2；触角微短于头胸部之和，第3节1.30倍于第4节长。头部背侧具皱纹，中胸背板和附片具显著刻点，小盾片几乎光滑，中胸前侧片黑色部分具明显的皱纹。小盾片锥形隆起，附片具明显的纵脊；中胸前侧片下部高锥形隆起，无腹板突。腹部第1背板刻纹微弱，其余背板具稍明显的微细刻纹。后翅臀室无柄式。

采集记录：2♀，长安区鸡窝子，2077m，2008. Ⅵ.28，蒋晓宇、张少冰采；1♀，凤县嘉陵江源头，1617m，2007. Ⅶ.14，朱巽采。

分布：陕西（长安、凤县）、河南。

（411）黄带刺胸叶蜂 *Tenthredo szechuanica* Malaise, 1945 陕西新纪录（图版7：I）

Tenthredo szechuanica Malaise, 1945: 262.

鉴别特征：雌虫体长12～13mm，雄虫体长9～10mm。体黄褐色，活体时带绿色，头胸腹部腹侧无黑斑或具狭窄黑色条斑，背侧大部黑色；头部背侧黑斑几乎覆盖头部背侧全部；触角黑色，基部2节腹侧黄色；中后胸背板除小盾片和附片、后小盾片和后胸后背板以外均黑色；腹部1～8背板背侧基部2/3黑色。足橘黄色，前中足股节背侧和前足胫节背侧具黑色短条斑。翅透明，翅痣黄褐色。唇基宽大平坦，缺口极浅弱；颚眼距2.50倍于单眼直径，触角窝上突平坦；侧沟互相平行；单眼后区宽明显大于长，具后缘脊；复眼小，间距显著宽于眼高和唇基；头部背侧具细密刻纹。触角约等长于胸部，第3节稍短于4+5节之和。中胸背板刻点细密；小盾片高锥状隆起；中胸前侧片具微细刻纹，中部锥状隆起；中胸腹板具短刺突。后翅臀室无柄式。

采集记录：2♀，长安区鸡窝子，1765m，2008. Ⅵ.27，朱巽、蒋晓宇采；1♀，凤县嘉陵江源头，1617m，2007. Ⅶ.14，蒋晓宇采。

分布：陕西（长安、凤县）、河南、甘肃、湖北、四川、贵州。

（412）斑眶刺胸叶蜂 *Tenthredo felderi* (Radoszkowsky, 1871)（图版7：J）

Allantus felderi [sic!] Radoszkowsky, 1871: 196.

Allantus terminalis F. Smith, 1878: 19.

Allantus multicolor F. Smith, 1878: 18.

Allantus albipectus Konow, 1907: 167.

Tenthredo atalanta Enslin, 1912: 103 (new name for *Allantus multicolor* F. Smith, 1878).

鉴别特征：体长12～14mm。体黑色，具显著蓝紫色光泽；雌虫唇基、口器、后眶下部、触角鞭节腹侧、前中胸侧板腹面、小盾片，腹部第3背板大部、第7～10背板大部和第4~7腹板白色；雄虫唇基、口器、下眶、触角鞭节腹侧、腹部第3背板大部、下生殖板白色；足蓝黑色具白斑；翅透明，翅痣黑褐色。唇基宽大平坦，缺口浅弧形；颚眼距2倍于单眼直径，单眼后区横宽；触角第3节约1.40倍于第4节长；小盾片强烈隆起，中胸腹刺突锐利；爪内齿显著长于外齿，后翅臀室无柄式。头部背侧和胸部具粗糙密集刻点，无光泽；腹部第1背板光滑，其余背板具细弱刻纹。

采集记录：1♀，宁陕火地塘，1500m，吕楠采。

分布：陕西(宁陕)、四川、云南、西藏，华南；缅甸，印度。

(413) 吕氏棒角叶蜂 *Tenthredo lui* Wei, 2005

Tenthredo lui Wei, 2005: 494.

鉴别特征：体长9~11mm。体黑色，唇基、上颚基部、后胸前侧片下部，腹部第1背板两侧大斑、第4~5背板两侧后缘、第6背板后半部、第7背板后缘、第10背板、腹板后缘黄色。足黑色，前足股节至跗节前侧以及后足基节端部白色。翅透明，翅痣下侧具边界不明确的宽烟褐色横带，翅痣和前缘脉浅褐色。唇基鼓起，缺口浅弧形；颚眼距等于单眼直径；触角窝上突十分低平；单眼后区宽约等于长，具中纵沟。头部背侧具致密刻点和皱纹，光泽弱，唇基高度光滑。触角微长于头宽，第3节2倍长于第4节，5~9节槌状膨大。中胸背板刻点细小，较密集；小盾片显著隆起，后坡具低纵脊，附片具中脊和稀疏大刻点；中胸前侧片下部显著隆起，刻点粗糙，网格状，腹刺突短小锐利；爪内齿等长于外齿；腹部背板高度光滑。

采集记录：1♂，宁陕火地塘，1500m，吕楠采。

分布：陕西(宁陕)、浙江、湖北、贵州。

(414) 褐跗短角叶蜂 *Tenthredo rubitarsalitia* Wei *et* Xu, 2012

Tenthredo rubitarsalitia Wei *et* Xu in Yan, Xu *et* Wei, 2012: 364.

鉴别特征：体长11~12mm。体黑色，腹部背板具明显紫色光泽；上唇、唇基、上颚基半部，腹部第3背板大部、第4背板两侧亮黄色，后眶窄长条斑、触角梗节和柄节、翅基片大部、前胸背板后缘狭边，腹部第5节背板后缘狭边、第6~8背板后缘宽斑、各节腹板后缘宽边、第10背板全部黄褐色；后足胫节大部、各足跗节橘褐色。翅无烟斑，翅痣橘褐色。头部背侧具粗糙皱纹和模糊刻点，光泽弱；胸部侧板具致密皱刻纹，无光泽；腹部各节背板均具细密横向刻纹。唇基缺口浅小，颚眼距1.20倍于侧单眼直径；单眼后区宽2倍于长。触角第3节1.50倍于第4节长。小盾片锥状隆起，中胸前侧片中部钝角状隆起。后翅臀室无柄式。

采集记录：1♀，长安终南山，1555m，2006. V.27，朱巽采；1♀，留坝大坝沟，

1320m, 2007. Ⅴ. 20, 朱巽采。

分布: 陕西(长安、留坝)、甘肃、安徽、浙江、湖南。

(415) 蒙古棒角叶蜂 *Tenthredo mongolica* (Jakovlev, 1891)

Allantus mongolicus Jakovlev, 1891: 55.
Tenthredo coreana Takeuchi, 1927: 383.
Tenthredo coreana var. *nigripes* Takeuchi, 1927: 384.
Tenthredo erasa Malaise, 1945: 258.

鉴别特征: 体长 9 ~ 12mm。体黑色, 唇基、上唇大部、上颚基部、触角基部、前胸背板后缘、翅基片大部或全部、小盾片斑、后胸前侧片, 腹部 1 和 4 背板后缘、3 和 5 ~ 6 背板侧板、8 ~ 10 背板中部斑白色; 足黑色, 转节部分或全部黄褐色, 后足胫跗节红褐色。翅透明, 无烟斑, 翅痣和缘脉浅褐色。唇基缺口显著, 颚眼距等长于单眼直径; 单眼后区宽长比等于 2, 后缘脊锐利; 触角窝上突平坦; 触角粗短, 亚端部显著膨大, 鞭节短于头部宽, 第 3 节 2 倍于第 4 节长。小盾片圆钝隆起, 无纵脊; 中胸前侧片鼓起, 无凹窝; 头部背侧具弱刻纹, 表面有光泽; 侧板刻点致密; 爪内齿短于外齿; 后翅臀室具柄式。

采集记录: 1♀, 太白山蒿坪寺, 1982. Ⅸ. 13, 陕西太白山昆虫考察组采; 1♀, 太白山, 1988. Ⅸ, 采集人不详; 1♀, 太白山, 1630m, 2010. Ⅷ. 06, 王厚帅采。

分布: 陕西(宝鸡、凤县、眉县、宁陕)、黑龙江、内蒙古、北京、河北、宁夏、浙江、四川; 蒙古, 俄罗斯, 朝鲜。

(416) 双带棒角叶蜂 *Tenthredo odynerina* (Malaise, 1934)

Allantus odynerinus Malaise, 1934: 463.
Tenthredo khalka Takeuchi, 1940: 473.

鉴别特征: 体长 9 ~ 12mm。体黑色, 触角基部浅褐色, 上颚基部、前胸背板后缘、翅基片、后胸前侧片, 腹部 1 和 4 背板后缘宽带、7 ~ 8 和 10 背板中部斑白色; 足黑色, 转节部分褐色, 后足胫跗节红褐色。翅透明, 具纵向烟斑, 翅痣和缘脉浅褐色。唇基缺口显著, 颚眼距短于单眼直径; 单眼后区宽长比等于 1.70, 后缘脊明显; 触角窝上突平坦; 触角粗短, 亚端部显著膨大, 鞭节长于头部宽, 第 3 节 2.00 ~ 2.20 倍于第 4 节长。小盾片圆钝隆起, 无纵脊; 中胸前侧片鼓起, 无凹窝; 头胸部刻点粗密, 表面无光泽; 爪内齿短于外齿; 后翅臀室无柄式。雄虫翅斑显著, 各足转节黄褐色。

采集记录: 1♀, 华山, 1000 ~ 1600m, 2005. Ⅶ. 12, 朱巽采; 2♂, 华山, 1300m, 2005. Ⅶ. 12, 杨青采。

分布：陕西(华阴)、北京、河北、甘肃、湖北、四川；印度(北部)。

(417) 单带棒角叶蜂 *Tenthredo ussuriensis unicinctasa* Nie *et* Wei, 2002 陕西新纪录

Tenthredo ussuriensis unicinctasa Nie *et* Wei, 2002: 138.

鉴别特征：体长13~14mm。体黑色，唇基、上唇、上颚基部，后胸后背片前部，腹部第3背板大部、第4背板侧角、第8背板中部、第3和4腹板后缘，前中足股胫跗节前侧黄色，小盾片中部有时黄色，触角基部2节、翅基片和后足胫跗节红褐色。翅痣黄褐色，翅基至翅端具显著深烟褐色宽纵带。头部背侧具较弱的皱纹，中胸前侧片具致密刻纹，腹部2~10背板具细密刻纹。唇基缺口浅弧形，颚眼距2倍于单眼直径；触角窝上突不隆起；单眼后区宽1.50倍于长大；触角短于头胸部之和，第3节长1.70倍于第4节，中端部数节稍膨大。小盾片锥形隆起；后翅臀室无柄式。雄虫翅透明，常无烟斑，足黄色，具宽黑色条斑；下生殖板宽大于长；抱器亚三角形，阳茎瓣窄长，副阳茎窄高，具长指状突，阳基腹铗内叶狭长，具3个片突。

采集记录：2♀1♂，长安终南山，1555m，2006. Ⅴ.27，朱巽采；4♀，周至楼观台，899m，2006. Ⅴ.25，杨青、朱巽采；3♀2♂，宝鸡天台山，802m，2006. Ⅴ.23，朱巽采；5♀，潼关桐峪镇，1052m，2006. Ⅴ.30，朱巽、杨青采；1♀，留坝桑园林场，1250m，2007. Ⅴ.18，朱巽采；5♀，丹凤寺坪镇，900~1200m，2005. Ⅴ.21，朱巽、刘守柱采。

分布：陕西(长安、周至、宝鸡、太白、凤县、潼关、留坝、丹凤)、北京、天津、河北、河南、甘肃、安徽、浙江、湖南。

(418) 黑股平胸叶蜂 *Tenthredo sp.* (图版7：K)

鉴别特征：体长10mm。体黑色，上颚基部、上唇、唇基两侧角、前胸背板后侧角、翅基片黄白色；腹部2~10背板具明显蓝色光泽。足黑色，前足股节、胫节和跗节，中足股节端部3/4、中足胫节和中足基跗节黄褐色。翅透明，翅痣黑褐色。额区刻点较大，粗糙密集；中胸背板刻点细小，十分密集；中胸小盾片刻点粗大、密集，小盾片附片刻点粗大、稀疏；中胸前侧片弧形脊后侧光泽微弱，刻点粗密、不规则，具皱刻纹；腹部第1背板光泽较强，无刻点，刻纹细弱；其余背板横向刻纹密集。唇基前缘缺口弧形，颚眼距约1.10倍于中单眼直径；触角细长丝状，第3节短于第4节；中胸小盾片具明显中纵脊，中胸前侧片前侧弧形脊发达，腹侧无腹刺突。

采集记录：1♀，陕西秦岭。

分布：陕西(秦岭)、四川、云南。

(419) 修长平胸叶蜂 *Tenthredo cyanigaster* Wei *et* Nie, 1999 陕西新纪录

Tenthredo cyanigaster Wei *et* Nie in Nie *et* Wei, 1999: 119.

鉴别特征: 体长12~14mm。头部红褐色，单眼周围、内眶及上唇黑色，除前胸背板上角及翅肩片暗褐色、中胸背板前叶黑褐色外，胸部其余部分黑色，腹部金属蓝色；前足基节、转节、股节外侧黑色，其余褐色；中足胫跗节黑褐色，其余黑色，后足黑色；翅烟褐色。唇基缺口宽浅，底部截型；颚眼距约等于单眼直径；触角丝状，约等于胸腹部长之和，第3、4节等长；中胸背板无金属光泽，小盾片角状隆起，具低中纵脊，附片具刻点和纵脊；中胸前侧板具细密刻点，光泽弱；爪内齿短于外齿。

采集记录: 1♀，佛坪大古坪，1320m，2006.Ⅳ.28，何末军采。

分布: 陕西(佛坪)、河南、甘肃、四川。

(420) 黑唇红环叶蜂 *Tenthredo pulchra* Jakovlev, 1891

Tenthredo pulchra Jakovlev, 1891: 61.

鉴别特征: 雌虫体长14~15mm，雄虫体长12~13mm。体、触角和足黑色，唇基两侧小斑、上颚基部、腹部第1背板两侧缘、前足股节和胫节前侧白色，腹部背板具紫色光泽；翅透明，端部浅烟褐色，前缘脉和翅痣黑褐色。唇基缺口圆形，深等于唇基1/3长；颚眼距等于单眼直径；触角窝上突微隆起，后端与额脊完全融合；单眼后区宽长比等于1.90；头部背侧刻点稀疏，间隙具细密刻纹，无光泽；触角约等长于头部宽的2倍，第3节明显长于第4节。小盾片低弱隆起，无脊；中胸前侧片钝锥形隆起，具低斜脊；中胸背板刻点和刻纹细小致密，侧板刻纹粗糙致密；腹部背板具细密横刻纹。爪内齿短于外齿，后翅臀室无柄式。

采集记录: 1♀，留坝桑园林场，1250m，2007.Ⅴ.18，朱巽采。

分布: 陕西(留坝)、内蒙古、河北、山西、宁夏、甘肃、青海、湖北、四川、云南；印度。

(十一)大基叶蜂亚科 Belesesinae

97. 半基叶蜂属 *Hemibeleses* Takeuchi, 1929

Hemibeleses Takeuchi, 1929: 513-514. **Type species**: *Hemibeleses nigriceps* Takeuchi, 1929.

属征：体型瘦小。体光滑，无明显刻点；上唇小，端部圆钝；唇基平坦，显著窄于复眼下缘间距，端缘截型或弱弧形突出；上颚短小，对称双齿形，端齿弱度弯折；后眶窄，边缘圆钝，无后颊脊；颚眼距窄于单眼半径，通常线状；复眼大，内缘亚平行；背面观后头狭小，两侧强烈收缩；额区模糊，侧窝圆形封闭，内眶平坦；触角丝状，第2节长1~2倍于宽，约与第1节等长，第3节等于或长于第4节，端部鞭分节具触角器；前胸背板沟前部狭窄，无缘脊；前胸侧板腹侧尖，互相远离，无接触面；中胸无胸腹侧片，具前缘狭脊；小盾片平坦，后胸后背板中央狭窄；后足基节小，后足股节端部不伸抵腹部末端；后足胫节长于股节，约与跗节等长；前足胫节内端距端部分叉，后足胫节端距约等长于基跗节1/3；后足基跗节约等长于2~5跗分节之和，1、2跗分节无跗垫，3~4跗分节跗垫微小；雌虫爪基片发达，外齿稍长于内齿；雄虫后足爪常三齿式，互相紧贴，无基片；前翅R脉平直，R+M脉点状；2Rs室短于$1R_1$+1Rs室之和，外下角锐角形突出；1M长于1m-cu脉，互相平行，cu-a脉亚中位或稍偏外侧；臀横脉强度倾斜，稍短于cu-a脉长，位于臀室中部外侧；后翅无封闭中室，R_1室端部具小柄，臀室具短柄；雄虫后翅有时具缘脉；锯鞘基和锯鞘端分离；阳茎瓣椭圆形，无端突，具亚端位水平长刺突。

分布：东亚。世界已知19种，中国目前仅记载6种，秦岭地区发现1种。

寄主：茜草科 Rubiaceae 的 *Rubia*、*Galium* 等属植物。

(421) 细角半基叶蜂 *Hemibeleses gracilicornis* Wei, 1999 陕西新纪录

Hemibeleses gracilicornis Wei in Wei *et* Wang, 1999: 124.

鉴别特征：体长5mm。体黑色，唇基、口器、前胸、翅肩片、中胸前上侧片、腹部腹面浅黄色；足淡黄色，上颚末端红褐色；翅透明，翅痣黑褐色。单眼后区隆起，宽约为长的2.80倍；侧沟深直，向后缘分歧；单眼后沟显明，中单眼前具1条弧状凹沟，中窝和侧窝均深圆形；复眼大，内缘向下聚敛，间距明显短于复眼长径；唇基前缘弧形前突；触角细长，鞭节粗细一致，各节长度之比为6:7:23:19:16:11:10:9:12；前翅2Rs室下内角向内侧延伸，外下角向外强烈延伸；锯腹片16刃，锯刃突出，亚基齿内侧10~11个，外侧约10个，端部4~5刃亚基齿相连，基部节缝具刺毛；锯背片15节缝。

采集记录：1♀，佛坪大古坪，1320m，2006.Ⅳ.28，何末军采。

分布：陕西(佛坪)、河南、四川。

98. 张华叶蜂属 *Zhanghuaus* Niu *et* Wei, 2016

Zhanghuaus Niu *et* Wei, 2016: 383.

属征：体光滑，头部和胸部侧板无明显刻点；上唇小，端部圆钝；唇基平坦，显著窄于复眼下缘间距，端缘具三角形缺口；上颚粗短，对称三齿形，基齿钝弱，端齿微弱弯曲；后眶窄，边缘圆钝，无后颊脊和眶沟；颚眼距窄于单眼半径；复眼大，内缘向下显著收敛，间距宽于复眼长径；背面观后头狭小，两侧收缩；额区模糊，侧窝圆形封闭，内眶平坦；触角双栉齿状，基部 2 节长等于宽，第 2 节短于第 1 节，第 3 节等长于第 4 节，端部鞭分节无触角器，3 ~ 8 节齿突长；前胸背板沟前部狭窄，无侧纵脊和前缘脊，侧后角平坦光滑，无脊和沟；前胸侧板腹侧尖，互相远离，无接触面；中胸无胸腹侧片，具前缘狭脊；中胸后侧片后缘中部具明显缺口，后气门外露；小盾片平坦，后胸后背板中央狭窄，后胸后侧片背叶狭窄；后足基节小，后足股节端部不伸抵腹部末端；后足胫节长于股节，约与跗节等长；前足胫节内端距端部分叉，后足胫节端距约等长于基跗节 1/3；后足基跗节约等长于 2 ~ 5 跗分节之和，1、2 跗分节无跗垫，3 ~ 4 跗分节跗垫微小；雌虫爪基片发达，外齿稍长于内齿，内齿侧位；前翅 R 脉长直，R + M 脉点状；2Rs 室约等于 $1R_1$ + 1Rs 室之和；1M 长于 1m-cu 脉，互相平行，cu-a 脉亚中位或稍偏内侧；臀横脉倾斜，稍短于 1r-m 脉，位于臀室中部内侧；后翅 Rs 开放，M 室封闭，R_1 室端部具小柄，臀室具点状柄或无柄；锯鞘基和锯鞘端分离；锯腹片节缝具栉突列，锯刃平直，亚基齿细小。

分布：中国。目前仅发现于秦岭。

(422) 端斑张华叶蜂 *Zhanghuaus apicimacula* Niu *et* Wei, 2016 (图版 7：L)

Zhanghuaus apicimacula Niu *et* Wei, 2016：385.

鉴别特征：雌虫体长 11mm。体黑色，具蓝色光泽；后足基节端部、后足转节、后足股节基部、前足胫跗节大部、中足胫节基部 3/4 和基跗节大部、后足基跗节 3/5 和基跗节 3/4 白色。前翅基半部透明，端半部显著烟褐色，翅痣和翅脉黑色。体毛银色，锯鞘和尾须毛黑褐色。唇基、头部后缘具稍明显的刻点，其余部分刻点不明显；小盾片、附片、中胸侧板、腹部背板十分光滑，无刻点或刻纹，光泽强。唇基缺口深约为唇基 1/2 长，颚眼距线状；单眼后区宽长比等于 1.40；锯腹片 19 节，节缝栉齿列显著，锯刃平，内侧尖。

采集记录：留坝桑园梨子坝，1223m，2014. Ⅵ. 16，魏美才采。

分布：陕西(留坝)。

99. 畸距叶蜂属 *Nesotaxonus* Rohwer, 1910

Taxonus (*Nesotaxonus*) Rohwer, 1910：111. **Type species**：*Phyllotoma flavescens* Marlatt, 1898.

属征：体光滑，头部具刻点，小盾片和侧板光滑；上唇短小，端部圆钝；唇基平坦，显著窄于复眼下缘间距，端缘截型；上颚粗短，对称双齿形，端齿弱度弯折；后眶窄，边缘圆钝，无后颊脊；颚眼距窄于单眼直径；复眼较大，内缘向下稍收敛，间距宽于复眼长径；背面观后头狭小，两侧强烈收缩；额区模糊，侧窝圆形封闭，内眶平坦；触角粗丝状，第2节长大于宽，短于第1节，第3节稍长于第4节，端部鞭分节具触角器；前胸背板沟前部狭窄，无缘脊，侧后角具斜脊和沟；前胸侧板腹侧尖，互相远离，无接触面；中胸具宽大胸腹侧片，具前缘脊；小盾片平坦，后胸后背板中央狭窄；后足基节大，伸抵第4腹板后缘，后足股节端部伸抵腹部末端；后足胫节长于股节，约与跗节等长；前足胫节内端距显著长于外距，具高位膜叶，后足胫节端距长于基跗节1/3；后足基跗节稍侧扁，外侧具纵沟，长于2~5跗分节之和，1、2跗分节无跗垫，3~4跗分节跗垫微小；爪无基片，外齿稍长于内齿，内齿侧位；前翅R脉平直，R+M脉点状；2Rs室约等长于1R_1+1Rs室之和，外下角突出；1M长于1m-cu脉，互相平行，cu-a脉交于1M室基部1/3；臀横脉强度倾斜，稍短于cu-a脉长，位于臀室中部外侧；后翅Rs室开放，M室封闭，R_1室端部具小柄，臀室具短柄；雄虫后翅无缘脉；锯鞘基和锯鞘端愈合，无分界线；阳茎瓣椭圆形，无端侧突，具端叶；锯腹片无节缝栉齿。

分布：东亚。数节已知2种，中国均有分布，秦岭地区采集到3种。

分种检索表

1. 前翅cu-a脉交于1M室下缘内侧1/3处；雌虫后足胫节大部黑色；雄虫前翅均匀烟褐色，翅痣黑褐色 ………………………………………………………………………… 2
   前翅cu-a脉交于1M室下缘内侧中部；雌虫后足胫节黄褐色；雄虫前翅透明，烟色不明显，翅痣浅褐色；下生殖板具明显缺口 ……………………… **凹板畸距叶蜂 *N. flavescens***
2. 雄虫后足跗节黑色 ……………………………………………… **黄褐畸距叶蜂 *N. fulvus***
   雄虫后足跗节黄白色 ……………………………………………… **白跗畸距叶蜂 *N.* sp.**

(423) 黄褐畸距叶蜂 *Nesotaxonus fulvus* (Cameron, 1877) 陕西新纪录

Beleses fulvus Cameron, 1877: 88.

鉴别特征：雌虫体长9~11mm。体黄褐色，触角2~6节和上颚尖端黑褐色，后足胫节大部黑色。翅透明，翅痣与前缘脉大部黄褐色，前缘脉端部黑褐色，前翅基部烟黄色，端部1/3明显烟褐色。体毛黄褐色。颚眼距等于单眼半径，单眼后区稍隆起，宽长比为1.80；侧沟深直，单眼后沟中央间断；中窝大，侧窝甚小；头部额区和内眶中上部刻点粗糙且密集，间隙具刻纹，暗淡无光，虫体其余部分光滑，无明显刻点或刻纹；前翅cu-a脉交于1M室下缘内侧1/3；锯腹片16刃，锯刃突出，亚基齿几乎互相连接，锯腹片表面刺毛稍稀，十分均匀。雄虫体长7~9mm，触角及后足胫跗节全部黑色，翅均匀烟褐色，翅痣和翅脉黑褐色；下生殖板端缘钝截型。

采集记录：3♂，佛坪，1000～1450m，2005. Ⅴ. 17，刘守柱、朱巽采。

分布：陕西（佛坪）、甘肃、贵州、云南。

（424）凹板畸距叶蜂 *Nesotaxonus flavescens*（Marlatt, 1898）陕西新纪录

Phyllotoma flavescens Marlatt, 1898: 494.
Poecilosoma unicolor Matsumura, 1912: 62.

鉴别特征：雌虫体长9～11mm。体黄褐色，触角3～5节和上颚尖端黑褐色。翅透明，翅痣与前缘脉大部黄褐色，前缘脉端部黑褐色，前翅基部烟黄色，端部1/3微弱烟褐色。体毛黄褐色。颚眼距约等于单眼半径，单眼后区稍隆起，宽长比为1.60；侧沟深直，单眼后沟中央间断；中窝大，侧窝甚小；头部额区和内眶中上部刻点粗糙且密集，间隙具刻纹，暗淡无光，虫体其余部分光滑；前翅cu-a脉交于1M室下缘中部；锯腹片16刃，锯刃突出，亚基齿几乎互相连接。雄虫体长7～9mm，触角3～9节黑色，第2节暗褐色，后足胫节大部黑褐色，翅均匀烟褐色，翅痣浅褐色；下生殖板端缘具弧形缺口。

采集记录：1♀，镇安，1300～1600m，2005. Ⅶ. 10，朱巽采。

分布：陕西（镇安）、北京、河南、江苏、上海、安徽、浙江、湖北、湖南、福建、台湾、重庆、四川、贵州；日本。

（425）白跗畸距叶蜂 *Nesotaxonus* sp.

鉴别特征：雄虫体长6.50～8.50mm，雌虫未知。体黄褐色，触角2～9节和上颚尖端黑褐色，后足胫节大部黑褐色。翅均匀烟褐色，翅痣和翅脉黑褐色；体毛黄褐色，头胸部背侧细毛稍暗。颚眼距短于单眼半径，单眼后区稍隆起，宽长比为2；侧沟深直，单眼后沟中央宽阔间断；中窝大，侧窝甚小；头部额区和内眶中上部刻点粗糙且密集，间隙具刻纹，暗淡无光，虫体其余部分光滑；前翅cu-a脉交于1M室下缘内侧1/3；下生殖板端缘钝截型，无缺口。

采集记录：2♂，周至楼观台，899m，2006. Ⅴ. 25，杨青、朱巽采；10♂，凤县天台山，802m，2006. Ⅴ. 23，朱巽、杨青采；2♂，佛坪，1000～1450m，2005. Ⅴ. 17，刘守柱、朱巽采。

分布：陕西（周至、凤县、佛坪）。

本种未见雌虫。翅脉和翅色与黄褐畸距叶蜂相同，但雄虫跗节白黄色。

100. 大基叶蜂属 *Beleses* Cameron, 1877

Anisoneura Cameron, 1876: 463 (nec Guenée, 1852). **Type species**: *Anisoneura stigmaticalis* Cameron, 1876.

Beleses Cameron, 1877: 88(new name for *Anisoneura* Cameron, 1876).

Belesidea Rohwer, 1916: 97. **Type species**: *Belesidea multipicta* Rohwer, 1916.

属征: 上唇半圆形, 唇根隐藏; 唇基平坦, 端部截形, 宽度窄于复眼下缘间距; 上颚对称双齿形; 颚眼距线状或缺; 复眼大, 间距小于眼高; 后眶圆, 无后颊脊, 后头极狭; 侧窝和中窝均封闭, 额区平坦或微显, 额脊钝或缺, 单眼后区宽大于长; 触角细长, 具触角器, 第2节长大于宽; 前胸背板沟前部狭窄, 不宽于单眼直径, 无缘脊; 前胸侧板腹侧尖, 无接触面; 中胸小盾片平坦, 侧板无胸腹侧片, 后胸后背板中部狭窄且倾斜; 中胸侧板无胸腹侧片, 前缘具细脊; 后足基节发达, 股节端部伸出腹端; 前足胫节端距近似等长, 内距端部分叉; 后足胫节端距不等长, 内距显著长于胫节端部宽; 后足基跗节圆柱形, 不侧扁, 长于2~5跗分节之和; 爪具显著基片, 齿中裂式, 内外齿近等长; 前翅R脉平直, R+M脉点状; 1M脉稍长于1m-cu脉, 互相平行; cu-a脉中位; 臀室完整, 臀横脉中位, 长于cu-a脉, 强烈倾斜; 后翅具闭M室, Rs室开放, 臀室无柄式; 雄虫后翅通常具缘脉, 如无缘脉, 则M室封闭; 锯鞘基和锯鞘端分离; 阳茎瓣端部具侧刺突。

分布: 东亚。世界已知24种, 中国已记载18种, 秦岭地区发现10种, 其中4个新种将另文发表, 本文记述6种。

分种检索表

1. 体黄褐色, 有时具白斑; 头部除单眼三角附近外无黑斑 ········ 2
   体主要黑色, 具少数白斑, 少数种类胸腹部部分或大部红褐色, 则头部具花斑或头部全部黑色 ········ 5
2. 翅透明, 端部无烟色斑; 腹部黄褐色, 偶尔个别背板黑褐色或具黑斑 ········ 3
   前翅端部1/3显著烟褐色; 雌虫腹部末端数节背板黑褐色; 触角基部黄褐色, 中端部黑色; 后足跗节黑色 ········ **黑尾大基叶蜂 *B. stigmaticalis***
3. 后足基跗节不膨大; 体毛淡色; 足黄褐色, 无黑斑; 锯鞘背面观窄长, 鞘毛通常很短; 锯腹片无节缝, 具密毛 ········ 4
   后足基跗节膨大; 触角3~5节和后足跗节黑色; 头胸部背侧细毛部分黑褐色; 锯鞘背面观宽短, 具密长柔毛; 锯腹片光裸, 节缝显明 ········ **短距大基叶蜂 *B. brachycalcar***
4. 翅痣全部黄褐色(雄虫虫体大部黑色, 见第6条) ········ **中华大基叶蜂 *B. sinensis***
   翅痣黑褐色, 基部具很小淡斑 ········ **黄褐大基叶蜂 *B. unicolor***
5. 中胸背板前叶黑色, 具矢状白斑; 中胸侧板具白斑; 触角第3节短于第4节; 腹部背板均具宽白边; 中胸前侧片后缘具1个白色宽斑 ········ **宽斑大基叶蜂 *B. latimaculata***
   中胸背板前叶黑色, 无白斑; 中胸侧板黑色无白斑; 触角第3节长于第4节; 中胸侧板黑色, 无白色条斑; 腹部背板黑色, 后缘无明显淡边 ········ 6
6. 唇基上区和翅基片黑色; 头部背侧无刻点 ········ **黑鳞大基叶蜂 *B. tegularis***
   唇基上区和翅基片黄褐色; 头部背侧具明显刻点 ········ **中华大基叶蜂 *B. sinensis***

(426) 短距大基叶蜂 *Beleses brachycalcar* Wei, 2005

Beleses brachycalcar Wei, 2005: 499.

鉴别特征：体长 13mm。体暗黄褐色，触角 3~5 节、后足腿节端部背侧、后足胫节末端和后足 1~3 跗分节黑色，触角端部 4 节白色。翅透明，C、Sc+R 脉黄褐色，其余翅脉大部黑褐色。头部背侧刻点显著，额区刻点密集；中胸前侧片上半部刻点较小；腹部 1~2 背板光滑，其余背板具模糊不规则刻纹。颚眼距线状；触角中部稍粗，第 3 节明显短于第 4 节；后足基跗节强烈膨大，中部最宽；锯鞘等长于后足基跗节，端部较尖，具密集长毛，背面观鞘毛弧形弯曲；锯腹片几乎光裸，16 刃，锯刃粗壮，强骨化，1~6 刃双齿，中部锯刃 3~4 齿，端部数刃单齿，3~7 节缝中部各具 1 对大齿突，第 8 节缝具齿；锯背片节缝刺毛甚密。

采集记录：1♀，宁陕，1984.Ⅶ，采集人不详。

分布：陕西（宁陕）、浙江、湖北、贵州。

(427) 宽斑大基叶蜂 *Beleses latimaculata* Wei *et* Niu, 2012（图版 8：A）

Beleses latimaculata Wei *et* Niu, 2012: 589.

Beleses multipictus sensu Wei *et* Nie, 2002j: 837 (nec Rohwer, 1916).

鉴别特征：雌虫体长 9mm，雄虫体长 7mm。体黑色，具丰富白斑；口器、唇基、内眶、上眶中部、触角端部 4 节半、前胸背板后缘、中胸背板前叶后部 1/3、小盾片、附片端部、后小盾片、后胸后背板中央、中胸前上侧片、前侧片后下部斜斑、后侧片后缘，腹部 2~6 节腹板、第 2~5 背板前缘和后缘白色；前中足基节大部、后足基节中央和后侧、各足转节、前中足股节基部、后足基跗节端部和第 2~5 跗分节全部白色，前中足股节和胫节大部黄褐色，跗节背侧暗褐色或黑褐色，后足股节和胫节大部红褐色，股节端部和基端、胫节端部 1/4 及基跗节大部黑褐色。翅透明翅痣黑褐色。

采集记录：1♂，留坝桑园林场，1250m，2007.Ⅴ.18，蒋晓宇采。

分布：陕西（留坝）、浙江、湖北、湖南、福建、广东、海南、广西、重庆、四川。

(428) 中华大基叶蜂 *Beleses sinensis* Wei, 2002 陕西新纪录

Beleses sinensis Wei, 2002e: 175.

鉴别特征：雌虫体长 10mm。体和足黄褐色，口器、颚眼距、后眶下部、唇基上区、中窝和侧窝前缘、触角第 5~8 节，前中足、后足转节和股节基部、后足跗节中部，腹部腹板、9~10 节背板黄褐色；触角第 2 和 3 节内侧、单眼内侧黑色。翅浅烟

灰色，前缘脉及翅痣黄褐色。体毛黄褐色。中胸前侧片具稀疏刻点。颚眼距线状，单眼后区隆起，宽1.50倍大于长，触角第3节明显长于第4节；中胸侧板下部显著隆起，具较尖的顶点；锯腹片22刃。雄虫体长7mm，体黑色，口器、唇基上区、中窝和侧窝前缘、前胸背板前缘和后缘、翅基片、后胸腹板、前中足除基节基缘以外、后足基节大部、转节、股节基部1/3、跗节大部，触角5～8节全部、1～4节腹侧黄褐色，腹部3～5节背板、2～6节腹板和后足股节大部、后足胫节橘褐色；后翅具完整缘脉。

采集记录：1♀，长安终南山，1555m，2006.Ⅴ.27，朱巽采；1♀，长安终南山，1292m，2006.Ⅴ.28，朱巽采；1♀，留坝桑园砖头坝，1158m，2014.Ⅵ.15，刘萌萌、刘婷采；1♀，佛坪，1000～2450m，2005.Ⅴ.17，刘守柱采；1♀，佛坪县凉风垭顶，2128m，2014.Ⅵ.18，祁立威、康玮楠采。

分布：陕西（长安、留坝、佛坪）、河南、浙江、湖南。

（429）黑尾大基叶蜂 *Beleses stigmaticalis*（Cameron，1876）陕西新纪录

Anisoneura stigmaticalis Cameron，1876：464.

鉴别特征：雌虫体长11.50～14.00mm。体黄褐色，上颚端部、触角第4节中部以远、腹部末端4节背板、后足跗节及锯鞘黑色。前翅基部3/5和后翅大部浅烟黄色透明，前翅端部2/5显著烟黑色，后翅端部烟灰色；前翅翅痣除末端外、前缘脉黄褐色。体覆黄色短毛，头胸部背侧和腹部背侧细毛大部黑褐色。头部背侧刻点稀疏；小盾片后部和两侧刻点稍密；中胸侧板刻点稀疏。颚眼距线状；单眼后区稍隆起，宽稍大于长。触角稍粗，与腹部等长，第3节稍长于第4节。后足基跗节明显膨大，显著长于其后4节之和；爪基片圆钝，内齿侧位，显著短于外齿。锯鞘稍长于后足基跗节，鞘端上翘。雄虫体长10～11mm，后翅具缘脉。

采集记录：1♀，长安终南山，1555m，2006.Ⅴ.27，杨青采；1♀，凤县天台山，802m，2006.Ⅴ.23，朱巽采；1♀，佛坪三官庙，1529m，2014.Ⅵ.20，魏美才采。

分布：陕西（长安、凤县、佛坪）、天津、河南、安徽、浙江、湖北、湖南、广西、四川；印度。

（430）黑鳞大基叶蜂 *Beleses tegularis* Wei，2002 陕西新纪录

Beleses tegularis Wei，2002e：176.

鉴别特征：体长7.50mm。体黑色，上唇、上颚基部、唇基、前胸背板后缘白色；中后胸小盾片，腹部1～4节背板后缘、第5节背板中部、2～5腹板全部黄褐色，触角端部4节和翅基片外缘暗褐色；前中足除基节基缘黑色外均淡黄色，后足基节、转

节和后足跗节大部淡黄色，基节后侧大部、股节基部和端部以及内侧大部黑色，股节外侧中部暗橘褐色，后足胫节绝大部分和基跗节基部橘褐色，胫节基部黑色，端部背侧具小黑点。前翅基部3/5和后翅近透明，端部2/5微带烟灰色，翅痣黑褐色。体毛浅褐色，头胸部背侧细毛暗褐色。中胸前侧片刻点较明显，但不密集。颚眼距线状，单眼后区宽2倍于长；触角第3节明显长于第4节；中胸侧板不隆起；后足基跗节微膨大；下生殖板长大于宽，端部钝截形。

采集记录： 1♂，长安终南山，1292m，2006. Ⅴ.28，朱巽采。

分布： 陕西(长安)、河南。

(431) 黄褐大基叶蜂 *Beleses unicolor* Wei, 1999

Beleses unicolor Wei in Wei *et* Wang, 1999: 123.

鉴别特征： 雌虫体长10.60mm。体黄褐色，翅透明，翅痣黑褐色，基部1/5黄褐色，痣以外部分微带灰褐色。体覆黄褐色短毛，头胸部背侧细毛黑褐色；腹部4～8节中部披黑色短毛。颚眼距线状；额区刻点稍大且密；单眼后沟细，单眼中沟不明显；单眼后区宽微大于长，显著隆起，具低钝而明显的中纵脊；侧沟宽深，弧形弯曲，向后稍分歧；触角第3、4节细长。中胸前侧片角状突出，顶端角小而突出，刻点十分稀疏细小。后足基跗节不明显膨大；爪基片发达，内齿明显短于外齿。前翅2Rs室约等长于$1R_1$+1Rs室之和；锯腹片十分宽短，15个锯刃，锯刃突出；锯背片节缝裸。雄虫体长8mm，后翅具缘脉，中胸侧板侧角较钝，阳茎瓣腹侧突出。

采集记录： 1♂，周至楼观台，899m，2006. Ⅴ.25，杨青采。

分布： 陕西(周至、宁陕)、河南、湖北、湖南、四川、贵州。

101. 异基叶蜂属 *Abeleses* Enslin, 1911

Abeleses Enslin, 1911: 99. **Type species:** *Abeleses formosanus* Enslin, 1911.

属征： 上唇半圆形，唇根隐藏；唇基平坦，端部截形，宽度窄于复眼下缘间距；上颚对称双齿形；颚眼距线状或缺；复眼大，间距小于眼高；后眶圆，无后颊脊，后头极狭；侧窝和中窝均封闭，额区平坦或微显，额脊钝或缺，单眼后区宽大于长；触角细长，具触角器，第2节长大于宽；前胸背板沟前部狭窄，不宽于单眼直径，无缘脊；前胸侧板腹侧尖，无接触面；中胸小盾片平坦，侧板无胸腹侧片，后胸后背板中部狭窄且倾斜；中胸侧板无胸腹侧片，前缘具细脊；后足基节发达，股节端部伸出腹端；前足胫节端距近似等长，内距端部分叉；后足胫节端距不等长，内距显著长于胫节端部宽；后足基跗节圆柱形，不侧扁，长于2～5跗分节之和；爪具显著基片，齿中裂式，内外齿近等长；前翅R脉平直，R+M脉点状；1M脉稍长于1m-cu脉，互相平行；cu-a 脉中位；臀室完整，臀横脉中位，长于 cu-a 脉，强烈倾斜；后翅 M 室和 Rs 室均开放，臀室无柄式；雄虫后翅无缘脉；锯鞘基和锯鞘端分离；阳茎瓣端部具侧刺突。

分布：东亚。世界已知13 种，中国已记载9 种，秦岭地区发现2 种，包括1 个尚未报道的新种。

分种检索表

体和足黄褐色，仅后胸背板和腹部第 1 背板部分黑褐色；后足基跗节细长 ………………………………………… **黑痣异基叶蜂 *Abeleses* sp.**

体黑色，仅上唇、触角端部 4 节、前胸背板后缘、后足转节白色，后足胫节中部部分红褐色；后足基跗节强烈膨大 ……………………… **红胫异基叶蜂 *A. rufotibialis***

(432) 黑痣异基叶蜂 *Abeleses* sp.

鉴别特征：体长 7.00～8.50mm。体黄褐色，仅后胸背板和腹部第 1 背板部分黑褐色，触角 3～4 节有时部分黑褐色，各足基节、转节和股节基部黄白色。翅几乎透明，翅脉和翅痣黑褐色。体毛黄褐色。颚眼距线状，单眼后区横宽；复眼下缘间距窄于复眼长径；触角第 3 节显著长于第 4 节；头部额区和内眶中部刻点显著，小盾片后部刻点较密集；中胸前侧片中部具少明显的细小刻点，上部刻点极微弱，腹侧刻点稍明显，但极浅弱；腹部背板光滑。后足基跗节十分细长，几乎不粗于第 2 跗分节。

采集记录：1♀，长安区鸡窝子，1765m，2008. Ⅵ. 27，朱巽采；2♀，凤县嘉陵江源头，1820m，2010. Ⅶ. 12，王厚帅采。

分布：陕西（长安、凤县）。

(433) 红胫异基叶蜂 *Abeleses rufotibialis* Wei, 2003（图版 8：B）

Abeleses rufotibialis Wei in Wei *et* Nie, 2003：131.

鉴别特征：体长 7～8mm。体黑色；上唇、触角第 6～8 节背侧和第 4 节端部、前胸背板外缘狭边和中胸小盾片中部有时浅褐色或白色；足黑色，前足膝部和胫跗节全部、中足胫节基部、中足跗节中部浅褐色或黄褐色，后足胫节中基部红褐色，后足转节部分白色。翅浅烟灰色透明，翅痣和翅脉黑色，翅痣基部附近浅褐色。体背侧细毛暗褐色，腹侧细毛浅褐色。头胸部均匀分布较大刻点，额脊上刻点较密，腹部中端部背板具细弱刻点。颚眼距线状；复眼大型，间距显著窄于眼高；触角第 3 节微长于第 4 节；后足基跗节十分粗壮，显著膨大，稍细于胫节端部，长为粗的 5 倍，几乎 2 倍长于其后 4 节之和。

采集记录： 1♀，佛坪，832m，2006. Ⅳ. 30，朱巽、何末军采。

分布： 陕西(佛坪)、河南、甘肃、浙江、湖南、福建。

（十二）残青叶蜂亚科 Athaliinae

102. 残青叶蜂属 *Athalia* Leach, 1817

Athalia Leach, 1817: 126. **Type species**: *Tenthredo spinarum* Fabricius, 1793 [= *Athalia rosae rosae* (Linné, 1758)].

Athalia (*Dentathalia*) Benson, 1931: 111. **Type species**: *Athalia scutellariae* Cameron, 1880.

属征： 头部前后向扁平，复眼大，内缘向下强烈收敛，间距约等于或窄于复眼长径；背面观后头短小，明显向后收缩；颚眼距狭，等于或狭于单眼直径；侧窝闭式，额区模糊；上颚简单，对称，内齿不明显；唇基形态变化较大，东亚种类唇基端部弧形或弓形突出；上唇较大，端部突出，唇根隐蔽；唇基上区平坦，额唇基沟显著；单眼后区扁宽，侧沟及单眼后沟均模糊；后眶狭窄且圆钝，无后颊脊；触角棒状，不少于10节，第2节长大于宽，第3节稍短于其后2节之和；前胸背板沟前部不长于单眼直径，无缘脊；前胸侧板腹面尖，互相远离，无结合面；小盾片平坦；中胸侧板前缘脊明显，无分离的胸腹侧片，前侧片上部具宽浅横沟，侧板缝强烈弯曲，后上侧片横置，宽大，强烈隆起；后胸侧板小；后胸后侧片中部极短并强烈倾斜；前翅前缘域甚狭，窄于前缘脉宽，C脉末端明显膨大；R脉长直，R + M脉段缺，Rs + M脉段显著；1M脉显著长于1m-cu脉，二者向翅痣弱度收敛；cu-a脉基位，邻近1M脉；臀室完整，臀横脉中位，强烈倾斜，位于1M脉内侧，基臀室中部显著收缩；后翅Rs和M室封闭，Rs室小型；臀室封闭，臀室柄约2倍于cu-a脉长，雄虫后翅无缘脉；前足胫节内端距端部不分叉，后足胫节长于股节，后基跗节短于其后3节之和；爪简单，无基片，内齿缺或微小；腹部第1背板具中缝；阳茎瓣头叶宽大，具小型端突。

分布： 非洲界，古北区，东洋区。世界已知约105种，中国已记载29种，秦岭地区发现6种。

分种检索表

1. 后胫端距短于胫端3/4宽；触角第7节宽大于长；中胸背板黄褐色，前叶具盾状黑斑；唇基端部弱弧形突出，近似截型，具明显侧角和侧边 ………………………… **盾斑残青叶蜂 *A. decorata***

 后足胫节端距长于胫节端部3/4宽；触角第7节长大于宽；中胸背板前叶如果具黑斑，则胸部背板大部黑色 ……………………………………………………………………………… 2

2. 唇基端部弱弧形突出，近截型，具侧角和侧边；锯刃强烈突出；中胸背板黄褐色，无黑斑；股节黄褐色，无黑斑；胫节和跗节黑色 ………………………… **隆齿残青叶蜂 *A. tanaoserrula***
唇基端部弓形突出，无侧角和侧边；锯刃明显倾斜，不强烈突出 ………………………… 3
3. 胫节仅末端具黑环，跗分节基部黄褐色；触角第3节等长于第4+5节之和；中胸背板侧叶具黑斑；股节黄褐色，无黑斑 ………………………………………… **短斑残青叶蜂 *A. ruficornis***
胫节外侧大部和跗节全部黑色；触角第3节短于第4+5节之和；中胸背板无黑斑 ………… 4
4. 前中足股节黑色，或中后足股节末端黑色 ………………………………………………… 5
各足股节黄褐色，无黑斑；前胸背板和翅基片黄褐色……………… **黑胫残青叶蜂 *A. proxima***
5. 前中足股节大部黑色；前胸背板及翅基片大部黑色 ……………… **黑肩残青叶蜂 *A. scapulata***
仅中后足股节末端黑色；前胸背板和翅基片黄褐色 ……………… **日本残青叶蜂 *A. japonica***

(434) 日本残青叶蜂 *Athalia japonica* (Klug, 1815)

Tenthredo (*Allantus*) *japonica* Klug, 1815: 131.
Athalia novittola Kokujev, 1927: 64.

鉴别特征：雌虫体长7.00～10.50mm。体黄褐色，头部除唇基上区外、后胸背板两侧、腹部第1背板大部、中后足股节最末端、各足胫节外侧、各足跗分节除基部外均黑色，锯鞘大部黑色。翅烟黑色，翅痣和翅脉黑褐色。唇基前缘弓形突出，无侧角和侧边；头部无中窝，颚眼距等于触角窝间距1/3宽；触角11节，各节均长大于宽，第3节短于4+5节之和；后足胫节端距长于胫节端部宽；爪简单，无内齿；下生殖板中突较短，两侧切口浅平；锯腹片16锯刃，锯刃低三角形突出，亚基齿细小。雄虫体长5.80～7.50mm，唇基和上唇浅褐色，前中足胫节端部1/4、中后足胫节基部、后足胫节端部1/3外侧黑色，阳基腹铗内叶三角形。

采集记录：1♀1♂，佛坪，1000～1450m，2005. Ⅴ.17，刘守柱采。

分布：陕西(佛坪)、吉林、辽宁、内蒙古、北京、河北、山西、河南、甘肃、青海、江苏、上海、台湾、四川、云南、西藏；俄罗斯，朝鲜，日本，印度。

(435) 黑肩残青叶蜂 *Athalia scapulata* Konow, 1903 陕西新纪录

Athalia scapulata Konow, 1903: 117.

鉴别特征：体长7.00～7.50mm。体暗橙色，头部包括触角、前胸背板和侧板、翅基片、中胸盾侧凹、附片、后胸背板、腹部第1背板、前足全部、中足除基节以外、后足腿节末端以远以及锯鞘黑色。翅浓烟色，端部微淡，翅痣及翅脉黑色。唇基前缘弓形前突，无侧角及侧边；颚眼距稍短于单眼直径，中窝小而深，圆形；后头稍收缩；触角11节，各节长均大于宽；后足胫节端距约等长于胫节端部宽；爪简单，无内齿；下生殖板中突短宽，两侧明显切入；锯鞘较窄；锯腹片18锯刃，锯刃较低平，亚

基齿细小，内侧 8～9 个，外侧 18～20 个。雄虫唇基、上唇和唇基上区黄褐色，颚眼距线状。

采集记录： 13♀21♂，长安终南山，1555m，2006. Ⅴ. 27，朱巽、杨青采；♂，长安区鸡窝子，1765m，2008. Ⅵ. 27，朱巽、于海丽采；1♀2♂，长安终南山，1555m，2006. Ⅴ. 27，朱巽采；1♀，周至厚畛子，1309m，2006. Ⅶ. 09，朱巽采；8♀11♂，凤县嘉陵江源头，1570m，2007. Ⅴ. 26，朱巽、蒋晓宇采；1♂，凤县红花铺镇，1080m，2007. Ⅴ. 25，朱巽采；3♀1♂，宝鸡天台山，802m，2006. Ⅴ. 23，杨青采；1♀1♂，留坝营盘乡，1390m，2007. Ⅴ. 21，朱巽采；1♀，佛坪，2005. Ⅴ. 17，1000～1450m，刘守柱采；6♀9♂，佛坪大古坪，1320m，2006. Ⅳ. 28，朱巽、杨青、何末军采；32♂，佛坪三官庙，1455m，2006. Ⅳ. 26，何末军采。

分布： 陕西（长安、周至、凤县、宝鸡、留坝、佛坪）、河南、宁夏、甘肃、湖北、重庆、四川、云南、西藏；缅甸。

（436）黑胫残青叶蜂 *Athalia proxima*（**Klug, 1815**）

Tenthredo（*Allantus*）*proxima* Klug, 1815: 130.
Athalia tibialis Cameron, 1876: 460.
Athalia spinarum var. *orientalis* [sic!] Cameron, 1877: 90.
Athalia proxima var. *funebris* Forsius, 1925: 91.
Athalia colibri var. *kuroiwae* Matsumura *et* Uchida, 1926: 70.
Athalia lugens var. *camtschatica* Forsius, 1928: 46.
Athalia lugens var. *tristis* Forsius, 1934: 106.

鉴别特征： 雌虫体长 6～8mm。体黄褐色，头部及触角全部、中胸盾侧凹、附片、后胸背板、锯鞘、各足胫节外侧全部及各足跗节黑色。翅烟褐色，向端部渐淡，翅痣和翅脉黑褐色。唇基短，前缘弓形突出，无侧角和侧边；颚眼距等长于单眼直径，中窝明显；触角 11 节，各节均长大于宽，第 3 节短于第 4＋5 节之和；后足胫节内端距约等长于胫节端部宽；爪简单，无内齿；下生殖板中突极小，两侧缺口浅弱；锯腹片 15 刃，锯刃低平，刃间段凹入，刃齿细小，内侧 8～9 个，外侧 20～22 个。雄虫体长 5.60～7.00mm，颚眼距线状，复眼内缘强烈收敛。

采集记录： 1♀，凤县红花铺镇，1080m，2007. Ⅴ. 25，朱巽采；1♂，佛坪，2005. Ⅴ. 17，1000～1450m，刘守柱采。

分布： 陕西（长安、凤县、佛坪）、黑龙江、吉林、辽宁、山西、河南、甘肃、江苏、上海、安徽、浙江、江西、湖南、福建、台湾、广东、海南、香港、广西、重庆、四川、西藏；日本，缅甸，印度，马来西亚，印度尼西亚。

（437）隆齿残青叶蜂 *Athalia tanaoserrula* **Chu *et* Wang, 1962 陕西新纪录**

Athalia tanaoserrula Chu *et* Wang, 1962: 512.

Athalia kwangsiensis Chu *et* Wang, 1962: 512.

鉴别特征：雌虫体长5.50~7.00mm。体黄褐色，头部额唇基沟以上部分黑色，小盾片后半部、盾侧凹、后胸背板、锯鞘、各足胫跗节黑色；触角腹面颜色有时较浅。翅烟褐色，翅痣及翅脉黑褐色。唇基端部截形，具明显侧角及侧边；中窝甚浅，颚眼距明显窄于单眼直径；复眼大，间距窄于眼高；触角11节，端部2节愈合，第7节长大于宽，第8节以远宽大于长；后足胫节端距约等长于胫节端部宽，爪简单，无内齿；下生殖板中突显著突出，两侧具深缺口；锯腹片具15个锯刃，锯刃尖，强烈突出，内外侧各具6~8个细小亚基齿，排列紧密。雄虫体长5.20~6.50mm；颚眼距近线状，复眼内缘向下强烈收敛。

采集记录：1♂，佛坪，2005. Ⅴ.17，1000~1450m，刘守柱采；1♀，佛坪大古坪，1320m，2006. Ⅳ.28，朱巽采。

分布：陕西(佛坪)、甘肃、江苏、上海、浙江、湖北、湖南、福建、广东、广西、重庆、四川、贵州、云南、西藏。

(438) 盾斑残青叶蜂 *Athalia decorata* Konow, 1900 陕西新纪录

Athalia decorata Konow, 1900: 120.

鉴别特征：体长6~8mm。体黄褐色，头部复眼下缘以上部分黑色，触角腹缘暗褐色；中胸背板前叶具盾形黑斑；锯鞘、后足胫节端部1/4和后足跗节大部黑色。翅浅烟色透明，前缘脉、翅痣和翅脉黑褐色。唇基端缘钝截，两侧角状，具侧边；颚眼距窄于1/2单眼直径，额区平坦，无中窝；触角12节，第3节等长于第4+5节之和，第6~11节宽大于长；后足胫节内端距约等长于胫节端部宽的1/2；下生殖板中央强烈突出，两侧具显著缺口；锯腹片锯刃呈低三角形突出，具细小亚基齿。

采集记录：1♀，凤县红花铺镇，1080m，2007. Ⅴ.25，朱巽采；1♀，宁陕火地塘，1985. Ⅵ.19，阎凤鸣采。

分布：陕西(凤县、宁陕)、黑龙江、内蒙古、甘肃、四川；俄罗斯。

(439) 短斑残青叶蜂 *Athalia ruficornis* Jakovlev, 1888 (图版8：C)

Athalia spinarum var. *ruficornis* Jakovlev, 1888: 373.

Athalia leucostoma Cameron, 1904: 108.

Athalia spinarum japanensis Rohwer, 1910: 109.

鉴别特征：雌虫体长7.00~8.50mm，雄虫体长5~7mm。体黄褐色，头部额唇基沟以上部分、各足胫节和跗分节端部、中胸背板侧叶的翅基片以后部分、后胸背板除小盾片之外、腹部第1背板基部中央及锯鞘黑色。翅透明，微带黄色，翅痣、C脉

及 Sc + R 脉黑色，其余翅脉黄褐色。唇基短宽，无侧角及侧边；颚眼距等于1/2 触角窝距，中窝浅宽；触角 10 节，第 3 节等长于第 4 + 5 节之和，末端 2 节愈合，第 8、9 节长短于宽。后足胫节内端距稍短于胫节端部宽；爪简单，无内齿；下生殖板具中等大的中突，中突两侧明显凹入；锯腹片 16 刃，锯刃低平，亚基齿小且多，内侧 6 ~ 7 个，外侧 16 ~ 18 个。雄虫颚眼距约等于单眼半径。

采集记录： 32♀44♂，武功、华山。

分布： 陕西（武功、华山）、黑龙江、吉林、辽宁、内蒙古、北京、天津、河北、山西、河南、宁夏、甘肃、青海、江苏、上海、安徽、浙江、湖北、江西、福建、台湾、广西、重庆、四川、云南；俄罗斯，朝鲜，日本，东喜马拉雅地区。

（十三）蔺叶蜂亚科 Blennocampinae

103. 真片叶蜂属 *Eutomostethus* Enslin, 1914

Tomostethus (*Eutomostethus*) Enslin, 1914: 167. **Type species**: *Tomostethus luteiventris* (Klug, 1816).

Tomostethopsis Sato, 1928: 178. **Type species**: *Tomostethopsis metallicus* Sato, 1928.

Forsia Malaise, 1931: 29. **Type species**: *Forsia tomostethi* Malaise, 1931.

属征： 唇基端部截型或亚截型，颚眼距狭于单眼直径；上颚粗短，对称双齿式；后颊脊多少发育，长短不一，无后眶沟；额区明显发育，额脊钝，侧窝与触角窝侧沟通连；单眼后区横宽；触角较粗短，第 2 节长大于或等于宽，第 3 节明显长于第 4 节，无触角器；前胸背板侧叶后部具斜脊和斜脊前沟，前胸侧板腹侧尖，互相远离；中胸具胸腹侧片，胸腹侧片缝沟状；小盾片平坦，附片发达；后胸淡膜区大，间距窄于淡膜区横径；前足胫节内端距简单，端部不分叉，有时具亚端位膜叶；后足胫节明显长于跗节，后足基跗节等于或长于其后 3 节之和，短于其后 4 节之和；爪小型，无基片，内齿微小或稍大，短于外齿，中位，极少缺；前翅 R 脉短，向下倾斜，R + M 脉短；2Rs 室短于 $1R_1$ + 1Rs 室之和，极少较长；1M 脉与 1m-cu 脉平行或向翅痣方向稍收敛，cu-a 脉中位或外侧位；基臀室开放，2A + 3A 末端分叉，上支显著向上弯曲，少数种类几乎封闭基臀室；后翅 M 室封闭，Rs 室开放，臀室具柄式，柄长约 1.20 ~ 2.00 倍于 cu-a脉长；腹部第 1 背板后缘膜叶小，三角形；阳茎瓣头叶简单，无侧叶或侧突，有时具数枚背缘细齿；锯背片节缝裸，锯腹片狭长，锯刃倾斜；抱器具内侧尾叶；雌雄有时异色。

分布： 古北区，新北区，东洋区。世界已知约 100 种，中国已记载 41 种，秦岭地区发现 8 种，本文记述 6 种。

分种检索表

1. 头部后缘和小盾片后部具粗深大刻点；雌虫胸部大部红褐色；胫节大部白色；后颊脊伸达后眶上部 …………………………………………………………………………………………… 2
   头部后缘和小盾片后部无粗大刻点，小盾片后缘偶尔具十分细小的模糊刻点；雌虫胸部黑色；胫节黑色 …………………………………………………………………………………………… 3
2. 后足基跗节大部白色；锯腹片具16个锯刃，中部锯刃外侧亚基齿12~14枚 ………………………………………………………………………………… 三色真片叶蜂 *E. tricolor*
   后足基跗节黑色；锯腹片具18个锯刃，中部锯刃外侧亚基齿8~9枚 ………………………………………………………………………………… 刻眶真片叶蜂 *E. occipitalis*
3. 前足胫节内端距具膜叶；腹部背板具细密刻纹；侧面观单眼后区显著高于单眼面；小盾片后缘具微细刻点 ……………………………………………………… 湖南真片叶蜂 *E. hunanicus*
   前足胫节内距无膜叶；小盾片后缘无细小刻点 ………………………………………………… 4
4. 后颊脊发达，伸至后眶上端；额区具刻纹，腹部1、2背板具细密刻纹；后翅臀室柄2倍于cu-a脉长；腹部背板具蓝色光泽 ……………………………………… 革纹真片叶蜂 *E. coriaceous*
   后颊脊短，仅伸至后眶中下部；额区无刻纹，腹部背板无明显刻纹；后翅臀室柄约1.20倍于cu-a脉长；腹部背板无蓝色光泽 ……………………………………………………………… 5
5. 前翅2Rs较小，稍短于$1R_1+1Rs$之和；锯腹片锯刃突出，中部锯刃具4~5个外侧亚基齿，节缝刺毛带互相连接，刺毛密集 ……………………………………… 短室真片叶蜂 *E. brevicellus*
   前翅2Rs长大，约等长于$1R_1+1Rs$之和；锯腹片锯刃低平，中部锯刃具16~18个外侧亚基齿，节缝刺毛带互相远离，刺毛较稀疏 ……………………… 假亮真片叶蜂 *E. pseudometallicus*

(440) 三色真片叶蜂 *Eutomostethus tricolor* (Malaise, 1934)

Tomostethus (*Eutomostethus*) *tricolor* Malaise, 1934: 31.
Eutomostethus hyalinus Takeuchi, 1936: 99.

鉴别特征：体长4~5mm。体黑色，前胸背板、中胸除附片和胸部侧板下部外红褐色；足黑色，股节端部、胫节和基跗节大部白色。翅浅烟色至透明。颚眼距线状；后颊脊发达，延伸至上眶后缘；复眼间距等于眼高，后头短缩，单眼后区宽长比为2，侧沟短直；触角丝状，约等长于前翅Sc+R脉，第3节1.30倍于第4节长；前足胫节内距具膜叶，后足基跗节稍短于其余4节之和，爪内齿微小；前翅1M脉与1m-cu脉微聚敛，2Rs室稍短于$1R_1+1Rs$室之和。体光滑，小盾片后部和后眶，上眶散布粗大刻点，颜面具细皱刻纹。锯腹片16刃，刺毛稀疏，稍呈带状，中部锯刃较突出，齿式为6-7/12-13。雄虫胸部黑色，复眼间距狭于眼高。

采集记录：1♂，凤县秦岭车站，1994.Ⅶ.28，吕楠采。

分布：陕西(凤县)、吉林、辽宁、北京、河北、山西、河南、甘肃、安徽、浙江、江西、湖南、福建、台湾、广西、四川、贵州、云南、西藏；俄罗斯，日本。

(441) 刻眶真片叶蜂 *Eutomostethus occipitalis* Wei *et* Nie, 1998

Eutomostethus occipitalis Wei *et* Nie, 1998j: 376.

鉴别特征: 体长6~7mm。体黑色，前胸背板、中胸除附片和腹板中部和后下侧片黑褐色外均红褐色；各足股节末端和胫节除末端外均白色。翅均匀烟灰色。后颊脊伸达上眶后缘；复眼间距稍大于眼高，后头收缩；单眼后区宽长比稍大于2；侧沟深直，互相平行；触角短于头胸部之和，第2节长等于宽，第3节1.50倍于第4节长，第8节长稍大于宽。颜面和额区具微弱刻纹，上眶后部和后眶后缘及后头边缘具粗大刻点。胸腹侧片狭肩状；中胸背板前叶具不明显的中脊，小盾片后缘及两侧具大刻点。前足胫节内距具高位膜叶，爪内齿微小。前翅2A+3A脉几乎封闭基臀室，2Rs室长于1Rs室，但短于$1R_1$和1Rs室之和。

采集记录: 1♂，秦岭，1981. Ⅶ.20，采集人不详。

分布: 陕西(凤县)、山东、浙江、湖北、湖南、福建、广东、贵州、云南。

(442) 革纹真片叶蜂 *Eutomostethus coriaceous* Wei, 2002 陕西新纪录

Eutomostethus coriaceous Wei, 2002f: 180.

鉴别特征: 体长6.50mm。体和足黑色，具强光泽，腹部具弱蓝色光泽。翅均匀烟褐色；体毛黑褐色。体粗短光滑，无明显刻点，额区具明显的细弱刻纹；腹部第1~2背板具显著的细密刻纹，其余背板刻纹微弱。头部背侧细毛微长于单眼直径；颚眼距等于1/3单眼直径；复眼间距稍宽于眼高；后颊脊伸至后眶边缘；单眼后区明显隆起，宽长比为1.50；后头两侧稍收缩。触角第3节1.60倍于第4节长。前足胫节内距无膜叶，爪内齿微小。前翅1M脉与1m-cu脉向翅痣稍收敛，2Rs室稍长于$1R_1$+1Rs室，cu-a脉位于M室中部。后翅臀室柄2倍于cu-a脉长。锯鞘稍长于后足跗节，锯腹片节缝刺毛密集带状，中端部刺毛带连接；锯刃平直，20刃。

采集记录: 1♀，佛坪，1000~1450m，2005. Ⅴ.17，朱巽采。

分布: 陕西(佛坪)、河南、宁夏、福建。

(443) 湖南真片叶蜂 *Eutomostethus hunanicus* Wei *et* Ma, 1997 陕西新纪录

Eutomostethus hunanicus Wei *et* Ma in Xiao, Ma *et* Wei, 1997: 8.

鉴别特征: 体长6~8mm。体黑色，具光泽，腹部背面显著青蓝色。体毛棕黑色。翅浅烟褐色。头部背面观后头较短，两侧平行或微收缩；颚眼距稍窄于单眼半径，后颊脊伸至后眶中部以下；单眼后区强烈隆起，高出单眼面；触角短于头胸部之和，第

3 节为第 4 节 1.40 倍，第 8 节长宽比明显小于 2。头胸部光滑，无明显刻点。前足胫节内距具明显膜叶；爪内齿微小。前翅 1M 与 1m-cu 脉向翅痣收敛，$1R_1$ +1Rs 室之和等长于 2Rs 室，cu-a 脉中位。后翅臀室柄几乎 2 倍于 cu-a 脉长。腹部背板具明显的微细刻纹。雄虫后头两侧强烈收缩，复眼内缘向下强烈收敛。

采集记录：1♀，佛坪，1000～1450m，2005. Ⅴ.17，朱巽采。

分布：陕西(佛坪)、浙江、湖北、江西、湖南、广东、广西、重庆、贵州。

(444) 短室真片叶蜂 *Eutomostethus brevicellus* Wei *et* Niu, 2009

Eutomostethus brevicellus Wei *et* Niu in Niu *et* Wei, 2009: 596.

鉴别特征：体长 6～7mm。体黑色，体毛黑褐色。翅浅烟褐色。头胸部光滑，唇基、内眶上部和上眶后缘具细弱刻点，颜面刻纹不明显，头部背侧和胸部无明显刻点，小盾片后缘具少许微细刻点；腹部背板无明显微细刻纹。颚眼距细线状，单眼后区显著隆起，约等高于单眼顶面，宽长比约等于 2.20；后颊脊低弱，伸至后眶下部 1/3处；触角第 3 节与第 4 节长度比约为20:11，第 8 节长宽比约为 1.20；胸腹侧片宽平；前足胫节内距无膜叶；爪内齿较小，中位；1M 脉与 1m-cu 脉向翅痣稍收敛，2Rs 室微短于$1R_1$ +1Rs室之和，cu-a 脉中位稍偏外侧；后翅臀室柄 2 倍于 cu-a 脉长；产卵器稍短于后足胫节；锯腹片 21 刃，锯刃亚三角形突出，中部锯刃无内侧亚基齿，外侧亚基齿 4～5 个，节缝刺毛带密集，互相连接。

采集记录：1♀，安康化龙山，2100m，2003. Ⅵ.27，于海丽采。

分布：陕西(安康)、河南、湖北。

(445) 假亮真片叶蜂 *Eutomostethus pseudometallicus* Wei *et* Niu, 2009 (图版 8: D)

Eutomostethus pseudometallicus Wei *et* Niu in Niu *et* Wei, 2009: 599.

鉴别特征：体长 6～7mm。体黑色，体毛黑褐色，翅烟褐色。头胸部背侧光滑，颜面刻纹不明显，胸部无明显刻点，中胸背板前叶具少许刻点，小盾片后缘无微细刻纹；腹部背板光滑，无刻纹和刻点。颚眼距细线状，单眼后区强烈隆起，等高于单眼顶面，宽约 2.30 倍于长；后颊脊伸至后眶下部 1/3 处；触角短于头胸部之和，第 3 节长为第 4 节的 1.50 倍，第 8 节长宽比约为 1.50；前足胫节内距无膜叶，爪具微小内齿；前翅 1M 脉与 1m-cu 脉向翅痣微弱收敛，$1R_1$ +1Rs 室之和几乎不短于 2Rs 室，cu-a 脉位于 M 室外侧 2/5；后翅臀室柄几乎 2 倍于 cu-a 脉长；锯腹片 22 刃，中基部锯刃微弱突出，端部锯刃低平，中部锯刃具 2 枚内侧和 19～20 枚外侧亚基齿。

采集记录：1♀，长安终南山，1555m，2006. Ⅴ.27，朱巽采；1♀，太白山，1580m，2007. Ⅶ.17，朱巽采。

分布：陕西(长安、太白)、河南。

104. 直片叶蜂属 *Stethomostus* Benson, 1939

Stethomostus Benson, 1939: 111. **Type species**: *Tenthredo fuliginosa* Schrank, 1781.

属征：唇基端部截型，颚眼距短于单眼半径；上颚粗短，对称双齿式；后眶狭窄，后颊脊发育，具后眶沟；复眼大，内缘向下收敛，间距通常宽于复眼长径；额区明显发育，额脊钝，侧窝向前开放，与触角窝侧沟通连；单眼后区横宽；触角细，第2节长大于宽，第3节明显长于第4节，无触角器，第7节长明显大于宽；前胸背板侧叶后部具斜脊和斜脊前沟，前胸侧板腹侧尖，不接触；中胸具隆起的胸腹侧片，胸腹侧片缝窄沟状；小盾片平坦，附片发达；后胸淡膜区间距窄于淡膜区横径；前足胫节内端距端部分叉；后足胫节等于或稍长于跗节，后足基跗节短于其后4节之和；爪小型，无基片，内齿微小、中位，远离外齿，或无内齿；前翅R脉短，向下倾斜，R+M脉短；2Rs室短于$1R_1$+1Rs室之和；1M脉稍长于并与1m-cu脉互相平行或微弱收敛，cu-a脉中位；基臀室开放，2A+3A直，不分叉，不向上弯曲；后翅M室和Rs室均开放，臀室具柄式，柄长约等短于cu-a脉长；腹部第1背板后缘膜叶小，三角形；阳茎瓣具侧叶；锯腹片每节具单纹孔。

分布：古北区。世界已知6种，中国已记载4种，秦岭地区发现1个新种，新种描述将另文发表。

(446) 朱氏直片叶蜂 *Stethomostus* sp.

鉴别特征：体长5mm。体黑色，上唇、唇基、上颚基半部、前胸背板大部、中胸前上侧片、淡膜区白色；足黄白色，各足基节基部1/2左右、股节基部3/5、胫节末端黑色，跗分节末端暗褐色。体毛浅褐色。翅烟褐色，翅痣和翅脉黑褐色。颚眼距线状；单眼后区明显隆起，宽显著大于长；触角短于头胸部之和，第3节1.50倍于第4节长，第7节长宽比约等于1.30；后足胫节长于跗节，爪具微小内齿。头部额区具细小稀疏刻点，小盾片后部和附片刻点粗大；胸部侧板和腹部背板光滑。后翅臀室柄1.20倍于cu-a脉长。

采集记录：1♀，佛坪岳坝，1085m，2006.Ⅳ.29，朱巽采。

分布：陕西(佛坪)、浙江、湖南。

105. 巨片叶蜂属 *Megatomostethus* Takeuchi, 1933

Megatomostethus Takeuchi, 1933: 30. **Type species**: *Monophadnoides crassicornis* Rohwer, 1910.

属征： 唇基端部截型，颚眼距线状；后颊脊发育，具浅弱后眶沟；上颚粗短，对称双齿式；复眼大，内缘亚平行，间距约等于复眼长径；额区明显发育，额脊钝，侧窝向前开放，与触角窝侧沟通连；单眼后区横宽；触角粗短，第 2 节长大于宽，第 3 节明显长于第 4 节，无触角器，第 7 节长微大于宽；前胸背板侧叶后部具斜脊和斜脊前沟，前胸侧板腹侧窄圆，接触面不宽于单眼直径；中胸具隆起的胸腹侧片，胸腹侧片缝宽深沟状；小盾片平坦，附片发达；后胸淡膜区稍小，间距约等于淡膜区横径；前足胫节内端距简单，端部不分叉，具亚端位膜叶；后足胫节明显长于跗节，后足基跗节等长于其后 4 节之和；爪大，基片发达，腹端角尖，内齿侧位，稍短于外齿；前翅 R 脉短，向下倾斜，R + M 脉短；2Rs 室约等于 $1R_1$ + 1Rs 室之和；1M 脉稍长于并与1m-cu脉互相平行，cu-a 脉中位或稍偏内侧；基臀室开放，2A + 3A 直，不分叉，不向上弯曲；后翅 M 室封闭，Rs 室开放，臀室具柄式，柄长短于 cu-a 脉；腹部第 1 背板后缘膜叶小，三角形；阳茎瓣具侧叶；锯腹片具双纹孔。

分布： 东亚。世界已知 4 种，中国均有分布，秦岭地区发现 1 种。

（447）粗角巨片叶蜂 *Megatomostethus crassicornis*（Rohwer，1910）陕西新纪录（图版 8：E）

Monophadnoides crassicornis Rohwer，1910：107.

鉴别特征： 雌虫体长 7 ~ 8mm，雄虫体长 6mm。体和足黑色，各足基节末端及转节、后足胫节基部、前足胫节腹面及前中足跗节腹面黄褐色。翅浅烟色，翅痣黑色。体毛银色。唇基亚端部稍隆起，中窝上、下端均开放；触角第 3 节微短于第 4、5 节之和；额区和内眶具粗大刻点，单眼后区刻点细小稀疏，后眶刻点较稀疏；小盾片后部具分散刻点；淡膜区较大，间距几乎不宽于淡膜区宽；腹部光滑，无刻点和刻纹；锯腹片具 18 个锯刃，锯刃十分低平，具微小亚基齿，刃间段很短；锯背片垂叶显著。

采集记录： 1♀1♂，佛坪大古坪，1320m，2006. Ⅳ. 28，朱巽、何末军采。

分布： 陕西（佛坪）、北京、河南、甘肃、安徽、浙江、湖南、台湾；韩国，日本。

106. 珠片叶蜂属 *Onychostethomostus* Togashi，1984

Onychostethomostus Togashi，1984：1. **Type species**：*Onychostethomostus gilvipes* Togashi，1984.

属征： 唇基端部截型，颚眼距短于单眼半径；后颊脊发育，具浅弱后眶沟；上颚强壮且粗短，对称双齿式；复眼大，内缘向下微弱收敛，间距约等于复眼长径；额区明显发育，额脊钝，侧窝向前开放，与触角窝侧沟通连；单眼后区横宽；触角较粗短，第 2 节长约 2 倍于宽，第 3 节明显长于第 4 节，无触角器，第 7 节长微大于宽，中端部鞭分节稍膨大；前胸背板侧叶后部具斜脊和斜脊前沟，前胸侧板腹侧窄圆，稍接触；中胸具隆起的胸腹侧片，胸腹侧片缝宽深沟状；小盾片平坦，附片发达；后胸淡膜区稍小，间距约等于淡膜区横径；前足胫节内端距简单，端部不分叉，具亚端位膜叶；后足胫节等长于跗节，后足基跗节等长于其后4节之和；爪大，基片发达，腹端角尖，内齿侧位，稍短于外齿；前翅R脉短，向下倾斜，R+M脉短；2Rs室稍短于$1R_1$+1Rs室之和；1M脉稍长于并与1m-cu脉互相近似平行或微弱收敛，cu-a脉中位；基臀室开放，2A+3A直，不分叉，不向上弯曲；后翅M室和Rs室均开放，臀室具柄式，柄长短于cu-a脉；腹部第1背板后缘膜叶很小，三角形；阳茎瓣具侧叶；锯腹片具双纹孔。

分布：东亚。世界已知4种，中国已记载3种，秦岭地区发现1种。

(448) 黑腹珠片叶蜂 *Onychostethomostus insularis* (Rohwer, 1916)

Atomostethus insularis Rohwer, 1916: 109.

鉴别特征：体长5~7mm。体黑色，前胸背板、中胸背板、中胸侧板、后胸侧板中央、后胸小盾片红褐色；足淡黄褐色，前中足股节背侧端半部、前中足胫节外侧端半部、各足胫节末端、跗节端部褐色至暗褐色。翅浅烟灰色，端半部具模糊烟斑。体毛浅褐色，长约等于单眼直径。复眼间距等于眼高，单眼后区宽稍大于长，侧沟深，稍弯曲；触角短于头胸部之和，第2节长几乎2倍于宽，第3节1.40倍于第4节长，第8节长稍大于宽；胸腹侧片隆肩状；后颊脊前侧、中胸小盾片后缘和两侧以及附片、胸腹侧片缝等具明显刻点；锯腹片15~16刃，无近腹缘距。雄虫体黑色，无红色斑纹。

采集记录：1♀，留坝营盘乡，1390m，2007.Ⅴ.21，朱巽采。

分布：陕西(留坝、佛坪)、北京、山东、河南、甘肃、安徽、浙江、湖北、湖南、福建、台湾、广东、四川、贵州。

107. 半片叶蜂属 *Nipponostethus* Togashi, 1997

Nipponostethus Togashi, 1997: 502. **Type species**: *Nipponostethus imperialis* Togashi, 1997.

Umegatomostethus Wei in Wei *et* Nie, 1997: 98. **Type species**: *Umegatomostethus fulvus* Wei, 1997.

属征：唇基端部具前三角形缺口，颚眼距不长于单眼直径；复眼大，内缘向下平行或微弱收敛，间距宽于复眼长径；后眶窄，后颊脊发育，具浅弱后眶沟；上颚强壮、粗短，对称双齿式；额区明显发育，额脊钝，侧窝向前开放，与触角窝侧沟通连，颜侧沟深，额侧沟显著；触角窝间距狭于复眼—触角窝距，触角窝上沿片发达；单眼后区横宽；触角细，丝状，第2节长大于宽，第3节明显长于第4节，无触角器，第5节长宽比等于2.50～3.00，中端部鞭分节不膨大；前胸背板侧叶后部具斜脊和斜脊前沟，前胸侧板腹侧窄圆，稍接触；中胸具前缘翘起的小型胸腹侧片，胸腹侧片缝浅沟状；小盾片平坦，附片发达；后胸淡膜区扁宽，间距窄于淡膜区横径；前足胫节内端距简单，端部不分叉；后足胫节1.50倍于跗节长，后足基跗节短于其后4节之和；爪大，基片显著，腹端角尖，内齿后位，稍短于外齿，爪基片和内、外齿连成一线；前翅R脉短，向下倾斜，R＋M脉短；2Rs室稍长于$1R_1$＋1Rs室之和；1M脉稍长于并与1m-cu脉互相近似平行，cu-a脉中位；基臀室开放，2A＋3A直，不分叉，不向上弯曲；后翅M室封闭，Rs室开放，臀室具柄式，柄长约等于cu-a脉；腹部第1背板后缘膜叶很小，三角形；阳茎瓣具侧叶；锯腹片具双纹孔，锯刃低平。

分布：东亚。世界已知2种，中国均有分布，秦岭地区发现2种。

分种检索表

产卵器等长于后足跗节；爪内齿窄于并短于外齿；各足基节、转节和股节全部黄褐色；唇基和额区光滑；背面观后头短于复眼，两侧收缩 ………………………………… **黄褐半片叶蜂** ***N. fulvus***

产卵器等长于后足1～3跗分节之和；爪内齿宽于并稍长于外齿；各足基节端部、转节和股节全部黑色；唇基具粗糙大刻点，额区具细密刻纹，刻纹均微弱；背面观后头等长于复眼，两侧缘膨大 ……………………………………………………………………………………… **黑足半片叶蜂** ***N.*** sp.

(449) 黄褐半片叶蜂 *Nipponostethus fulvus* (Wei, 1997)

Umegatomostethus fulvus Wei in Wei *et* Nie, 1997: 98.

鉴别特征：体长7.00～8.50mm。体黄褐色，头部包括口器和触角、中胸背板后缘、后胸背板全部、锯鞘端黑色；足黄褐色，各足胫节和跗节黑色。翅均匀深烟褐色，翅痣和翅脉黑褐色额。头部、后胸和锯鞘毛暗褐色，其余体毛黄褐色。体光滑，仅小盾片后部具1列刻点；颚眼距0.80倍于单眼直径；复眼内缘平行，间距1.30倍于复眼长径；额脊明显，单眼后区宽长比等于1.60，侧沟深，向后显著分歧；背面观后头稍收缩，后颊脊细，伸至后眶上部；触角鞭节稍长于头宽，第3节1.20倍于第4节长，第5节长宽比等于2.50；后翅臀室柄稍短于cu-a脉；爪内齿短于并窄于外齿；产卵器等长于后足跗节全长，背面观端部不加宽。

采集记录：1♀，华山，1962.Ⅷ.22，李法圣采。

分布：陕西（华阴）、内蒙古、山西、河南。

(450) 黑足半片叶蜂 *Nipponostethus* sp.（图版8：F）

鉴别特征：雌虫体长8.50～9.50mm，雄虫体长7.00～7.50mm。体黄褐色，头部包括口器和触角、前胸侧板、前中足基节大部、各足转节至跗节全部黑色，胸部盾侧凹和锯鞘端部暗褐色。翅深烟褐色，前缘色泽更深，翅痣和翅脉黑褐色。头部和锯鞘毛暗褐色，其余体毛黄褐色。体光滑，唇基具粗糙大刻点，颚眼距、内眶和额区具密集皱刻纹，小盾片两侧和后部具明显刻点，中胸侧板上半部和后胸侧板具明显皱刻纹；颚眼距 0.40 倍于单眼直径；复眼内缘间距 1.30 倍于复眼长径；单眼后区宽长比等于 1.70，侧沟深，向后显著分歧；背面观后头膨大，等长于复眼；触角第 3 节 1.40倍于第4 节长，后翅臀室柄等长于 cu-a 脉；爪内齿宽于并长于外齿；产卵器等长于后足 1～3 跗分节之和，背面观端部稍加宽。雄虫体黑色，仅胸部部分红褐色。

采集记录： 3♀10♂，[China：Shaanxi：] Kaitianguan，Mt. Taibaishan，Qinling Mts.，2000m，31. Ⅴ. - 02. Ⅵ. 2004，A. Shinohara；2♀2♂，[China：Shaanxi：] Kaitianguan，Mt. Taibaishan，Qinling Mts.，2000m，31. Ⅴ. - 02. Ⅵ. 2004，A. Shinohara。

分布： 陕西（眉县）。

108. 儒雅叶蜂属 *Rya* Malaise，1964

Rya Malaise，1964：25. **Type species**：*Rya tegularis* Malaise，1964.

属征： 体中小型。上唇小，端部圆钝；唇基平坦，端部亚截形；上颚粗短，对称双齿式；颚眼距线状；复眼大，椭圆形，内缘向下稍收敛，间距微大于眼高；后眶圆，具后眶沟，后颊脊低短；触角窝间距约等于复眼—触角窝距，触角窝沿不延伸；中窝深，侧窝向前开放，与颜侧沟汇合；额区稍隆起，额脊钝；单眼后区横宽，侧沟向后分歧，后头收缩；触角短丝状，第 2 节稍短于第 1 节，长宽比大于 1.50，第 3 节长于第 4 节，无触角器；前胸背板侧叶后部具斜脊和斜脊前沟，前胸侧板腹侧窄圆，稍接触；小盾片台状隆起，侧板无胸腹侧片，前缘具脊；后胸淡膜区宽于淡膜区间距；前足内胫距端部分叉，后足胫节长于跗节，后足基跗节等于其后 3 个跗分节之和；爪简单，无基片和内齿。前翅 1M 脉与 1m-cu 脉向翅痣稍聚敛；2Rs 室稍长于 1Rs 室，cu-a 脉中位，R + M 脉点状；端臀室短，基臀室开放 2A + 3A 脉直；后翅无封闭中室，cu-a 脉内斜，臀室柄稍长于 cu-a 脉；雄虫后翅无缘脉；产卵器显著短于后足胫节，锯腹片约 14 节，锯刃倾斜，具膜质叶突和亚基齿，叶突基部不收缩；阳茎瓣无侧刺和端侧突，具短小侧叶。

分布： 东亚。本属已知仅 1 种，中国分布 1 种，秦岭地区也有分布。

（451）白鳞儒雅叶蜂 *Rya tegularis* Malaise，1964 陕西新纪录

Rya tegularis Malaise，1964：26.

鉴别特征： 体长 5mm。体黑色，翅基片、股节端部、胫节、基跗节基部白色，上

唇、前胸背板后缘，各足基节端部、转节及股节中部红褐色。翅透明，端部稍变灰色，翅痣及脉黑色；体毛淡色。单眼后区宽2倍于长，侧沟深，不达后缘，单眼后沟细浅且直，OOL: POL = 23: 15；触角等长于头胸部之和，第3、4、5节长度比为32: 19: 18；头部光亮，额区以下具轻微皱纹。小盾片两侧，后部及附片具粗大刻点。后翅臀室柄稍长于cu-a脉。腹部各节背板均具细微表皮刻纹，第1节刻纹稍强；锯鞘端短于锯鞘基，侧面观呈三角形，背缘稍下凹。锯背片裸，锯腹片骨化弱，节缝不显著，锯刃倾斜，具大形膜质叶突和1个内侧亚基齿，5～6个外侧亚基齿。

采集记录：2♀，佛坪大古坪，1320m，2006. Ⅳ.28，何末军、朱巽采。

分布：陕西(佛坪)、浙江、湖南、福建、云南。

109. 胖蔺叶蜂属 *Monophadnus* Hartig, 1837 *

Tenthredo (*Monophadnus*) Hartig, 1837: 271. **Type species**: *Tenthredo albipes* Gmelin, 1790 [= *Monophadnus pallescens* (Gmelin, 1790)].

Corporaalinus Forsius, 1925: 86. **Type species**: *Corporaalinus azureus* Forsius, 1925 [= *Monophadnus rivalis* Konow, 1906].

Monophadnus (*Doderia*) Malaise, 1935: 167. **Type species**: *Tenthredo* (*Allantus*) *spinolae* Klug, 1816.

属征：体粗短。唇基平坦，端部截形；上唇小，端部圆钝；颚眼距不宽于单眼半径；复眼小，内缘平行，下缘间距宽于复眼长径；后眶圆钝，后眶沟浅，无后颊脊，具口后脊；侧窝向前开放，与颜侧沟汇合；额区明显，额脊低钝；单眼后区横宽，背面观后头通常膨大；触角粗短，第2节长大于宽，第3节显著长于第4节，端部鞭分节无触角器；前胸背板侧叶后部具斜脊和斜脊前沟，前胸侧板腹侧窄圆，稍接触；中胸侧板无胸腹侧片，前缘具脊；后胸淡膜区扁宽，等于或宽于淡膜区间距；后小盾片前部下倾，后胸后背板中部狭窄；前足胫节内端距端部稍分叉，后足胫节通常等长于跗节，少数跗节很短，后基跗节短于其后3个跗分节之和；爪无基片，内齿小至中形；前翅R + M脉点状，2Rs室发达，1M脉与1m-cu脉近等长且相互平行，cu-a脉中位，端臀室短于柄部，基臀室开放，2A + 3A脉直；后翅具闭M室，臀室柄不长于cu-a脉，cu-a脉垂直；腹部第1背板膜区中等大，产卵器明显短于后足胫节；锯腹片宽短，少于20节，每节1～2个纹孔，锯刃低平或突出，缘齿细小；阳茎瓣简单或具侧叶，抱器亚圆形。

分布：古北区，新北区。世界已知22种，中国已记载2种，秦岭地区发现2种，包括1个未描述种类。

注：* 分属检索表中未列入。

分种检索表

后足胫节1.30倍于跗节长，后足跗节长于产卵器，锯腹片少于15节，爪齿中裂式或内齿几乎等长于外齿，后足胫节端部黑色，触角鞭分节具棘毛圈 ………… 环棘胖蔺叶蜂 ***Monophadnus* sp.**
后足胫节1.50倍于跗节长，后足跗节短于产卵器，锯腹片少于18节，爪内齿显著小于外齿，胫节全部黄褐色，触角鞭节光滑，无棘毛圈 ……………………………… 中华胖蔺叶蜂 ***M. sinicus***

(452) 中华胖蔺叶蜂 *Monophadnus sinicus* Wei, 1997

Monophadnus sinicus Wei, 1997g: 1599.

鉴别特征： 体长7.00～7.50mm。体黄褐色，头部、胸部侧板和腹板、中胸小盾片后缘和附片、后小盾片，各足基节、转节和锯鞘黑色，跗节中部黑色。翅烟褐色，体毛黄褐色。颚眼距线状；中窝深，前端开放；单眼中沟、后沟及侧沟均较浅；单眼后区隆起，长宽比为26∶21，侧沟弯曲，向后分歧，后头膨大；触角稍长于头宽，鞭分节无棘毛圈；后足胫节与跗节长度之比为3∶2；基跗节等于其后3节之和；爪内齿长为端齿的1/2；产卵器发达，明显长于后足跗节，鞘端稍长于鞘基；锯腹片18节，外侧刺毛均匀，每节1个纹孔，纹孔端部具1个骨化板；中部刃亚基齿内侧2～3枚，外侧26～28枚。

采集记录： 1♀，留坝营盘乡，1390m，2007. Ⅴ. 21，朱巽采。

分布： 陕西(留坝)、黑龙江、吉林、辽宁、内蒙古、北京、河北、山西、山东、河南、甘肃、江苏、安徽、浙江、湖南、广西、重庆。

(453) 环棘胖蔺叶蜂 *Monophadnus* sp.

鉴别特征： 体长8.50mm。头部及触角黑色，胸腹部黄褐色；前胸侧板和腹板、中后胸板、中胸背板盾侧凹、后小盾片、锯鞘端、前中足基节、各足转节、各足胫节末端及跗节黑色。翅烟褐色，端部稍变浅。体毛黄褐色。颚眼距稍短于前单眼直径，中窝浅平，单眼中沟和后沟浅弱，单眼后区隆起，侧沟浅宽且弯曲，向后分歧；后头较长，膨大，OOL∶POL∶OGL＝19∶15∶21；触角长与头宽之比为13∶9，各节长度之比为15∶9∶25∶16∶15∶13∶12∶11∶12，3～8节端缘向外扩展，并着生1圈棘毛；后足胫跗节长度比为11.5∶8.5，爪内齿稍短于端齿；产卵器短，与后跗节长度比为5.5∶8.5；锯腹片15刃，外侧刺毛带状不均匀分布，每节具2个纹孔，锯刃简单，外半锯刃相连，亚基齿内侧6枚，外侧25～27枚。

采集记录： 1♀，华阴，1500m，1978. Ⅷ. 24，采集人不详。

分布： 陕西(华阴)、北京、江苏、浙江。

110. 近脉叶蜂属 *Phymatoceropsis* Rohwer, 1916

Phymatoceropsis Rohwer, 1916: 107. **Type species**: *Phymatoceropsis fulvocincta* Rohwer, 1916.

属征: 体粗短。上唇端部圆钝; 唇基平坦, 端缘具浅三角形缺口; 雌虫颚眼距约等于或稍短于单眼直径, 雄虫较短; 上颚十分粗壮, 对称双齿式; 后眶圆, 后颊脊发达; 复眼小形, 内缘近似平行, 间距远宽于复眼长径; 触角窝间距窄于内眶, 额区微显, 侧窝向前开放, 与触角窝上沟通连; 背面观后头两侧稍收缩, 单眼后区横宽; 触角细长, 第2节宽大于长, 3~5节互相近似等长, 端部鞭分节无触角器, 雄虫触角鞭节具短直立毛; 前胸背板侧叶后部具斜脊和斜脊前沟, 前胸侧板腹侧较尖, 稍接触或不接触; 胸腹侧片狭长, 隆肩形, 胸腹侧片缝深沟状; 中胸附片大, 后胸淡膜区间距稍狭于淡膜区横径; 前足胫节内距端部显著分叉, 后足胫节长于跗节, 基跗节等长于其后3节之和; 爪短, 无基片, 内齿小形, 中位, 明显短于外齿; 前翅Sc脉不明显, R脉长, 端部下垂, R+M脉段点状, 1M脉与1m-cu脉亚平行, cu-a脉中位, 2Rs室约等长于或短于 $1R_1$ +1Rs之和; 基臀室开放, 2A+3A脉端部上曲, 端臀室很短, 约等长于1M室下缘; 后翅无封闭中室, 臀室柄约等长于cu-a脉; 腹部第1背板具大形膜区, 背板侧叶近三角形; 雌虫锯腹片锯刃平坦, 锯背片具节缝刺毛列; 雄虫阳茎瓣具指状端侧突。雌雄体色不同。

分布: 东亚。世界已知8~9种, 中国已记载7种, 秦岭地区发现1种。

(454) 黑腹近脉叶蜂 *Phymatoceropsis melanogaster* He, Wei *et* Zhang, 2005

Phymatoceropsis melanogaster He, Wei *et* Zhang, 2005: 618.

鉴别特征: 雌虫体长7mm, 雄虫体长6mm。头胸部黄褐色, 触角暗褐色; 后胸和腹部黑色, 上唇、唇基、上颚基部和足全部黄白色。翅烟褐色, 翅痣和翅脉黑褐色。体毛黄褐色。颚眼距0.80倍于单眼直径, 单眼后区宽1.80倍于长, 侧沟向后明显分歧; 体光滑, 小盾片后缘具明显刻点, 胸部侧板和腹部背板光滑。后翅臀室柄稍短于cu-a脉。雄虫体黑色, 唇基、上唇、上颚基半部、前胸背板后缘、翅基片、中胸前上侧片、腹部腹板大部黄褐色, 腹部第3背板中部浅褐色, 足黄褐色。

采集记录: 1♀2♂, 佛坪大古坪, 1320m, 2006.Ⅳ.28, 朱巽、何末军采。

分布: 陕西(佛坪)、江西、湖南。

111. 宽距叶蜂属 *Eurhadinoceraea* Enslin, 1920 *

Rhadinoceraea (*Eurhadinoceraea*) Enslin, 1920: 316. **Type species**: *Rhadinoceraea* (*Eurhadinoc-*

eraea) *roseni* Enslin, 1920.

Sterigmos Zombori, 1977: 237. **Type species**: *Tenthredo fulviventris* Scopoli, 1763.

属征：体粗短。上唇小，端部圆钝；唇基平坦，端缘具浅三角形缺口；颚眼距窄于单眼直径；复眼小，内缘向下收敛，间距宽于眼高；后眶圆，无后颊脊和口后脊，具后眶沟；背面观后头两侧膨大，单眼后区横宽；额区明显，额脊低钝；中窝深大，侧窝向前开放，与颜侧沟汇合；触角窝间距狭于复眼—触角窝距；触角细长，第2节宽大于长，鞭节各节约等长，无触角器，雄虫触角鞭节具短直立毛；前胸背板侧叶后部具斜脊和斜脊前沟，前胸侧板腹侧较尖，稍接触或不接触；中胸小盾片平坦，附片发达；侧板无胸腹侧片，具缘脊；后胸淡膜区宽扁，间距窄于淡膜区长径；后小盾片具明显前凹；前足胫节内端距宽扁且弯曲，末端分叉，外距细小；后足胫节显著长于跗节，基跗节稍长于其后3节之和；爪无基片，内齿中位，短于外齿；前翅Sc脉不明显，R脉长，端部下垂，R+M点状；1M脉长于1m-cu脉，二者互相平行；cu-a脉中位，近似垂直；2Rs室短于$1R_1$+1Rs室之和；基臀室开放，2A+3A脉直，端臀室1.30倍于1M室下缘长；后翅Rs室开放，具闭M室，臀室柄约等长于cu-a脉；腹部第1背板膜区中小形；锯腹片少于15节，具近缘腹距，锯刃低平；阳茎瓣具较短的顶侧叶，阳茎腹铗内叶狭长。

分布：古北区。世界已知16种，中国已记载11种，秦岭地区仅发现1种。

注：*分属检索表中未列入。

(455) 吕氏宽距叶蜂 *Eurhadinoceraea lui* Wei, 1999

Eurhadinoceraea lui Wei, 1999: 418.

鉴别特征：体长6~7mm。头部、触角、翅和足黑色，上眶淡斑不明显，胸腹部和后足股节黄褐色，中胸附片、盾侧凹后部、后胸背板、前胸侧板和胸部腹板、第1~2腹背板和鞘端黑色。体毛黄褐色。唇基缺口浅三角形，颚眼距等于单眼半径，中窝深，单眼中沟和后沟宽浅，单眼后区宽长比为1.85，侧沟短宽，向后稍分歧，后头两侧微弱膨大，OOL∶POL∶OCL=16∶13∶13；头部各沟和颜面以下部分具细小刻点和皱纹；爪内齿小形；下生殖板两侧缺口狭深，锯鞘侧面观端部宽圆；锯腹片12刃，锯刃突出，中部锯刃亚基齿内侧3个，外侧9~14个，节缝近腹缘距小。雄虫头胸部和足完全黑色，触角粗短，等长于腹部，第9节长宽比为4.50。

采集记录：3♂，凤县，1400m，1994.Ⅶ.28，吕楠、卜文俊采；1♀，太白青峰峡，1473m，2008.Ⅶ.03，朱巽、蒋晓宇采。

分布：陕西（太白、凤县）、宁夏、甘肃、青海、四川。

112. 基齿叶蜂属 *Nesotomostethus* Rohwer, 1910

Nesotomostethus Rohwer, 1910: 106. **Type species**: *Blennocampa religiosa* Marlatt, 1898.

属征：体粗短。上唇小，端部圆钝；唇基平坦，端缘具浅角状缺口；颚眼距等于或短于单眼半径；后眶圆，无后颊脊，后眶沟模糊；复眼小形，间距远大于眼高；触角窝间距窄于内眶；侧窝开放，与触角窝沟相连；触角细长丝状，第2节长等于或短于宽，第3节微长于或等于第4节，鞭节各节长度相近，无触角器，雄虫触角鞭节具短直立毛；前胸背板侧叶后部具锐利斜脊和斜脊前沟，前胸侧板腹侧较尖，稍接触或不接触；中胸小盾片平坦，附片发达；中胸侧板前缘反翘，与侧板主体间具浅弱斜沟，无明显胸腹侧片，具前缘脊；后胸淡膜区发达，间距狭窄；前足胫节内距端部分叉，后足胫节等于或稍长于跗节，后足基跗节稍短于其后4节之和；爪基片小而钝，具2个明显的内齿；前翅Sc脉不明显，R脉长，端部下垂，R+M脉点状；1M脉长于1m-cu脉，二者互相平行或微弱收敛；cu-a脉中位，明显弯曲；2Rs室长于$1R_1$+1Rs室之和；基臀室开放，2A+3A脉直，端臀室2倍于1M室下缘长；后翅具闭M室，Rs室开放，臀室柄稍短于cu-a脉；雌虫锯腹片平刃型；雄虫阳茎瓣具顶叶突。

分布：东亚。世界已知7种，中国记载6种，秦岭地区发现3种，本文报道1种。

(456) 中华基齿叶蜂 *Nesotomostethus continentialis* Malaise, 1934 陕西新纪录

Nesotomostethus continentialis Malaise, 1934: 30.

鉴别特征：体长8~10mm。体和足黄褐色，头部在复眼后缘连线之前部分包括触角全部、前胸侧板前端、后胸背板、锯鞘端、各足膝部、胫跗节全部黑色。体毛银色。翅均匀深烟褐色，翅痣和翅脉黑褐色。唇基具细小、密集刻点，额区、内眶、上眶部分、小盾片和附片具稀疏粗大刻点，虫体其余部分高度光滑，光泽强。颚眼距近线状，单眼后区宽1.60倍于长，侧沟深，向后稍分歧，背面观后头微弱膨大；触角稍长于腹部；小盾片前角三角形突出；产卵器约等长于后足1~3跗分节之和，锯鞘端微长于锯鞘基，背面观锯鞘狭长；后翅臀室柄等长于cu-a脉。

采集记录：1♀，长安终南山，1555m，2006. V.27，朱巽采。

分布：陕西(长安)、天津、河北、河南、甘肃。

113. 聂氏叶蜂属 *Niea* Wei, 1998 陕西新纪录

Niea Wei, 1998d: 65. **Type species**: *Niea metallica* Wei, 1998.

属征：体具金属光泽；上唇小，端部圆钝；唇基平坦，向前强烈收窄，端缘宽度不大于基缘的1/2，具浅三角形缺口；上颚粗短，对称双齿式；颚眼距短于单眼直径；复眼较小，内缘向下显著收敛，间距宽于复眼长径；后眶圆，后眶沟深，无后颊脊，口后脊短于单眼直径；触角窝间距狭于复眼—触角窝距，触角窝上沿片大；中窝宽深，侧臂发达；侧窝开放，额区与额脊隆起，中窝与额窝通连，额侧沟深；单眼后区横宽，隆起；触角细长，第2节宽大于长，3～5节近似等长，6～9节稍短，无触角器，雄虫触角具短直立毛；前胸背板后角折页大形，具斜脊和斜脊前沟；前胸侧板腹侧尖，不明显接触；中胸无胸腹侧片前片，胸腹侧片狭高，胸腹侧片缝下半深沟状，上半模糊，侧板前缘脊显著；中胸后侧片横脊高，后气门后片狭片状；小盾片平坦，附片大形；后胸淡膜区扁宽，间距小于1/2淡膜区宽；后小盾片前凹大；腹部第1背板无显著膜区；前足胫节内距端部分叉，后足胫节稍长于跗节，基跗节等长于其后3节之和；爪基片微弱，内齿大，稍短于外齿；前翅Sc脉稍显，R脉长，端部稍下垂，R＋M脉点状；1M脉平行于并显著长于1m-cu脉，cu-a脉中位；基臀室开放，端臀室1.50～1.80倍于中室下缘长，2A＋3A脉直；后翅具闭M室，Rs室开放，臀室柄0.60～1.10倍于cu-a脉长；锯鞘长于后足股节，几乎等长于跗节；锯腹片每节具双纹孔，锯刃平直，锯背片具缝刺列；阳茎瓣具短指状侧突。

分布：中国。本属已知2种，均分布于四川，秦岭地区发现1种。

(457) 尖鞘聂氏叶蜂 *Niea* sp.

鉴别特征：体长7mm。体黑色，头部具明显的蓝色光泽，触角和胸部黑色，无金属光泽，腹部具紫蓝色光泽。翅烟褐色，翅痣和翅脉黑褐色。体毛浅褐色，短于单眼直径。唇基端缘宽度约0.40倍于唇基基部宽，颚眼距0.60倍于单眼直径；单眼后区明显隆起，宽长比稍大于2，侧沟深直，互相平行；背面观后头两侧收缩，约0.40倍于复眼长；触角等长于前翅C脉，第3节稍短于第4节。唇基、额区和内眶大部具不规则皱纹，小盾片两侧和附片光滑，具粗大刻点，胸部其余部分高度光滑；腹部背板具细密横向刻纹；前翅2Rs室长于$1R_1$＋1Rs之和，端臀室1.80倍于1M室下缘长；后翅臀室柄1.10倍于cu-a脉长；侧面观锯鞘端端部渐尖，腹缘弧形。

采集记录：1♀，长安区鸡窝子，1720m，2008.Ⅴ.24，于海丽采。

分布：陕西(长安)。

114. 匀节叶蜂属 *Phymatocera* Dahlbom, 1835

Tenthredo (*Phymatocera*) Dahlbom, 1835: 4, 11. **Type species**: *Tenthredo* (*Allantus*) *aterrima* Klug, 1816.

Pectinia Brullé, 1846: 664. **Type species**: *Tenthredo* (*Allantus*) *aterrima* Klug, 1816.

Phymatoceros Konow, 1905: 77 (key), 82 [new name for *Tenthredo* (*Phymatocera*) Dahlbom, 1835].

属征：体较粗壮。上唇短，端部圆钝；唇基平坦，端部截形；上颚粗短，对称双齿式；复眼中小形，内缘向下稍收敛，复眼间距通常宽于眼高，触角窝间距窄于内眶，颚眼距不宽于单眼半径；侧窝向前开放，与颜侧沟汇合；后眶圆，无后颊脊，后眶沟显著，前部具底部膜质的后眶窝；单眼后区横形，背面观头部两侧收缩；触角细长，第2节宽大于长，第3节短于第4节，其余鞭分节各节约等长，鞭分节各节表面具密集刻纹，末端膨大成瘤状，雄虫触角鞭节具短直立毛；前胸背板后角折页小形，具斜脊和斜脊前沟；前胸侧板腹侧尖，不明显接触或稍接触；胸腹侧片狭窄，胸腹侧片缝沟状；小盾片大形，附片极小；后胸淡膜区宽大，间距狭窄；前足胫节内距端部分叉，后足胫节和跗节等长，基跗节短于其后4节之和；爪无基片，具明显内齿；前翅Sc脉不明显，R脉长直，端部不下垂，R+M脉点状；2Rs室等长于或长于$1R_1$+1Rs室之和；1M脉长于并与1m-cu脉向翅痣稍收敛，cu-a脉中位内侧；基臀室开放，端臀室长于中室下缘，2A+3A脉显著分叉，上叉末端接近1A脉；后翅具闭M室，Rs室开放，臀室柄长于cu-a脉；腹部具明显刻纹，第9背板十分发达；产卵器短于后足胫节，鞘端长于鞘基；锯腹片常具小形近腹缘距，锯刃低平；阳茎瓣简单，无侧刺突和指状突。

分布：古北区。世界已知7种，中国已记载5种。秦岭地区发现1种。

(458) 窝陷匀节叶蜂 *Phymatocera foveata* Wei, 1998 陕西新纪录

Phymatocera foveata Wei in Nie *et* Wei, 1998: 121.

鉴别特征：体长7mm。体黑色，翅烟褐色，翅痣、翅脉黑褐色；体毛黑褐色。颚眼距线状，中窝小，侧窝大，额区几乎不显；单眼后区隆起，宽2.50倍于长；复眼下缘间距稍窄于复眼长径；小盾片附片显著，光滑；爪内齿几乎等长于外齿；前翅1M脉和1m-cu脉不明显延长，1M室上部不显著收窄；后翅臀室柄1.30倍于cu-a脉长。产卵器短于后足股节，稍长于前足胫节，侧面观锯鞘端部较尖；锯腹片锯刃倾斜突出。雄虫下生殖板长大于宽，端部圆钝。

采集记录：1♂，佛坪，832m，2006.Ⅳ.30，朱巽采。

分布：陕西(佛坪)、河南。

115. 脊栉叶蜂属 *Neoclia* Malaise, 1937

Neoclia Malaise, 1937: 49. **Type species**: *Neoclia sinensis* Malaise, 1937.

属征：体粗短。黄褐色，翅具烟斑；上唇短，端部圆钝；唇基稍鼓，端缘具浅缺口或近似截形；上颚十分粗壮，对称双齿式，内齿接近外齿；复眼大型，内缘向下显著收敛，间距窄于复眼长径，触角窝间距窄于内眶，颚眼距线状；后头短小，后眶窄，具较低但明显的后颊脊；触角长于头胸部之和，第2节长宽约相等，第3、4节约等长，端部鞭分节较短，无触角器；前胸背板后角折页短小，斜脊微弱发育，斜脊前沟不明显；前胸腹板腹面圆钝，稍接触；中胸背板前叶具中沟，中胸侧板胸腹侧片显著，胸腹侧片缝沟状，侧板具前缘脊；后胸淡膜区大，间距短于1/2淡膜区宽；前足胫节内距端部分叉，后足胫节稍长于跗节；后基跗节约等长于其后3节之和；爪具5~6个齿，具小型基片；腹部第1背板膜区小型，第1气门位于该节侧面中部；前翅Sc脉显著，R脉端部稍下倾，R+M脉段较短；1M脉稍长于1m-cu脉，两者互相平行；2Rs室长于$1R_1$+1Rs之和；cu-a脉位于中室基侧1/5~1/6；基臀室开放，端臀室约2倍于1M室下缘长，2A+3A脉端部分叉；后翅具闭M室，Rs室开放，臀室柄约等长于cu-a脉；锯腹片宽短，骨化强；阳茎瓣十分狭长，无侧突和侧叶。

分布：东亚。本属已知3种，中国记载1种，秦岭地区有分布。

(459) 中华脊栉叶蜂 *Neoclia sinensis* Malaise, 1937 陕西新纪录（图版8：G）

Neoclia sinensis Malaise, 1937: 50.

鉴别特征：雌虫体长11~14mm，雄虫体长9~11mm。体红褐色，头部、触角、腹部末端3节、锯鞘和跗节末端黑色，第1腹节背板中部和其余背板中央有时稍具暗色斑纹。翅烟黄色透明，前翅端部1/3黑褐色，后翅末端灰色。体黑色部分具黑褐色细毛，红褐色部分具黄褐色细毛。体光滑，仅头部具细小刻点。唇基缺口很浅，侧窝显著深于中窝，额区三角形，额脊低；单眼后区横宽，宽长比为2，侧沟深直，向后强烈分歧；单眼后沟模糊，中沟深短；后翅臀室柄微长于臀室宽；锯鞘短，不伸出腹端，侧面观狭尖；锯腹片21刃，背缘几乎光裸，锯刃稍突出，刃齿10~11个。雄虫生殖茎节十分发达，抱器小，副阳茎反曲。

采集记录：3♀，太白青峰峡，1473m，2008.Ⅶ.03，蒋晓宇采；1♀，佛坪；1♀，宁陕旬阳坝，1400m，2008.Ⅵ.29，于海丽采。

分布：陕西（太白、佛坪、宁陕）、河南、甘肃、江苏、安徽、浙江、湖北、四川、云南。

116. 角瓣叶蜂属 *Senoclidea* Rohwer, 1912

Senoclidea Rohwer, 1912: 228. **Type species**: *Senoclidea amala* Rohwer, 1912.

属征：体粗壮。具金属蓝色光泽；上唇较短，端部圆钝；唇基平坦，端部截形；

上颚粗短，对称双齿式；复眼大，内缘向下聚敛，间距等于或窄于复眼长径，触角窝间距约等宽于内眶；颚眼距线状或缺；后眶圆，具后颊脊和短口后脊；中窝宽深，侧窝向前开放，与颜侧沟汇合；额区显著，额脊高钝；单眼后区横宽、隆起；触角粗长，第2节长大于宽，第3节长于第4节，末端4节稍短缩。前胸背板后角折页短小、下陷，无斜脊和斜脊前沟；前胸腹板腹面尖，不接触；中胸无胸腹侧片，前缘具细脊；后胸淡膜区宽，间距约等于或窄于淡膜区宽；后小盾片弧形，向前下方倾斜；前足胫节内距端部分叉，后足胫节不短于跗节，基跗节约等于其后4节之和；爪具发达的基片，内齿侧位，邻近端齿，常较端齿大；前翅Sc脉微显，R脉极短，下垂，R+M脉段较短；1M脉稍长于1m-cu脉，两者互相平行；2Rs室长于$1R_1$+1Rs之和；cu-a脉位于中室基侧1/3~2/5；基臀室开放，端臀室约1.70~1.90倍于1M室下缘长，2A+3A脉端部分叉；后翅具闭M室，M室上缘尖顶，Rs室开放，臀柄长于cu-a脉；腹部第1背板后缘膜区三角形；雄虫8~10背板具浅弱中沟；产卵器短于后足胫节，锯腹片宽短，锯刃稍突出，刃齿汇合；阳茎瓣具长角形端突，抱器短截形，阳基腹铗内叶无尾。

分布：东亚，太平洋群岛。世界已知17种，中国已记载4种，秦岭地区发现1种。

(460) 白唇角瓣叶蜂 *Senoclidea decora* (Konow, 1898)（图版8：H）

Monophadnus decorus Konow, 1898: 235.

Rhadinoceraea dioscoreae G. Xiao, 1993: 619.

鉴别特征：体长6~10mm。体黑蓝色，上唇、唇基、翅基片前半、各足胫节基部2/3白色。体毛黑褐色。翅基部1/3透明，端部2/3黑褐色。复眼间距短于复眼长径，中窝深，马蹄形，侧窝长沟状，额区端缘封闭；单眼中沟和后沟细深，单眼后区宽长比为1.60，侧沟深长，向后分歧，后头两侧平行或稍收缩；触角亚端部膨大不明显，第3、4节长度之比为37∶30；后足胫节、跗节等长，基跗节等于其后4节之和。体光滑，具强光泽，头胸部背侧有时散布细小的刻点。锯鞘不短于后胫节2/3长，锯鞘端长于锯鞘基；锯腹片21刃，锯刃低平，亚基齿内侧5~6个，外侧18~20个。雄虫胫节内侧常黑褐色，下生殖板端缘钝截形，抱器横方形，内缘弯曲。

采集记录：1♀1♂，周至楼观台，801m，2006.Ⅶ.06，朱巽、蒋晓宇采；1♂，华山青柯坪上，1979.Ⅷ.03；1♂，镇安，1300~1600m，2005.Ⅶ.10，杨青采。

分布：陕西（周至、华阴、镇安）、北京、山东、河南、江苏、浙江、湖北、江西、湖南、福建、台湾、广东、海南、广西、四川、贵州、云南；缅甸。

寄主：本种幼虫危害薯蓣。

117. 异李叶蜂属 *Apareophora* Sato, 1928

Apareophora Sato, 1928: 185. **Type species**: *Apareophora forsythiae* Sato, 1928.

属征: 体小型，窄长。上唇短小，端部圆；唇基平坦，端部截形；上颚粗短，对称双齿式；复眼小，内缘稍向下收敛，间距大于复眼长径；颚眼距稍短于单眼直径；后眶圆，无后眶沟和后颊脊；单眼后区横宽，中窝和侧窝大，侧窝独立；额区微显，额脊低钝；触角窝间距狭于复眼—触角窝间距；触角粗短，第2节长等于宽，第3节长于第4节，鞭分节向端部逐渐缩短，无触角器；前胸背板后侧角折页明显，斜脊稍发育，斜脊前沟微弱；前胸侧板腹侧尖，不接触；中胸侧板无胸腹侧片，前缘细脊明显；后胸淡膜区宽大于淡膜区间距，后小盾片具前凹；前足胫节内距端部分叉，后足胫节与跗节等长，后基跗节等长于其后3节之和；爪小形，无基片和内齿。前翅Sc脉微显，R脉长直，端部不下垂；R+M脉点状，1M室无背柄；1M脉等长于并与1m-cu脉平行，cu-a脉中位；$1R_1$室长大于宽，Rs脉第1段有时缺；2Rs室明显短于$1R_1$+1Rs室之和；基臀室开放，端臀室约1.30~1.40倍于1M室下缘长，2A+3A脉端部上曲；后翅无封闭中室，臀室柄约等长于cu-a脉；腹部第1背板膜区小；产卵器短于后足胫节，锯腹片15~20节，锯刃平坦或具尖突；阳茎瓣具内指的侧刺突和钝侧叶。

分布: 东亚，北美洲。世界已知8种，中国已记载2种，秦岭地区发现1种。

(461) 狭鞘异李叶蜂 *Apareophora stenotheca* Wei, 1997 陕西新纪录

Apareophora stenotheca Wei, 1997g: 1600.

鉴别特征: 体长5.50~6.00mm。体和足全部黑色；翅深烟褐色，体毛黑褐色。颚眼距稍宽于单眼半径，中窝浅平，底部具小形凹陷；侧窝深，圆形，约2倍于单眼大，单眼互相靠近；单眼中沟宽长，后沟细浅；单眼后区具中沟，宽长比为2；侧沟圆点状，背面观后头两侧收缩。头部光滑，额脊具细微刻纹，后眶后缘和唇基具细小刻点。中胸背板前叶具显著中纵沟，小盾片后半部具粗密刻点，附片光滑，后小盾片具刻纹。前翅具4个肘室。腹部背板具细微刻纹。锯鞘狭长，侧面观锯鞘出露部分长宽比约等于2；锯腹片15节，锯刃平坦，具5~6个后侧亚基齿。雄虫触角粗壮，短于头胸部之和，鞭节粗于基部2节，各节腹弧形突出；下生殖板端缘圆形。

采集记录: 1♀，太白山，1600~1800m，2005.Ⅶ.07，朱巽采；1♀，安康化龙山，2100m，2003.Ⅵ.27，于海丽采。

分布: 陕西(眉县、安康)、甘肃、安徽、浙江、湖北、湖南、福建、四川、贵州。

118. 线蔺叶蜂属 *Stenocampa* Wei *et* Nie, 1997

Stenocampa Wei *et* Nie, 1997g: 106. **Type species**: *Stenocampa elongata* Wei *et* Nie, 1997.

属征：体细长。头部鼓凸，微宽于胸腹部，宽长比小于2；上唇短宽，端部圆；唇基平坦，端部截形；上颚粗短，对称双齿式；触角窝间距稍狭于内眶；复眼中等大，内缘平行，间距宽于眼高；内眶与复眼面持平，额区突出于复眼面之上，额脊钝；颚眼距约等长于单眼直径；后眶窄，无后眶沟和后颊脊，背面观后头两侧微收缩，显著短于复眼；触角稍长于头宽，丝状，基部2节等长，长宽比约等于2，鞭节向端部逐渐缩短；前胸背板后侧角折页显著，斜脊细，斜脊前沟浅弱；前胸侧板腹面圆钝，互相稍接触；中胸侧板无胸腹侧片，前缘具细脊；中胸后侧片狭窄，后气门后片线状，后胸侧板宽大，侧板缝模糊；后胸淡膜区圆形，间距稍宽于淡膜区，后小盾片前凹显著；足细长；前足胫节内距端部分叉，后足胫节1.60倍于股节长，但稍短于跗节，后基跗节约等于其后3节之和；爪简单，无基片和内齿；腹部长约2倍于头胸部之和，第1背板无显著膜区；产卵器约等长于后足基跗节。前翅Sc脉不显，R脉直，R+M脉点状，2r脉微弱；Rs脉第1段完整，2Rs室短于$1R_1$+1Rs室之和；1M脉弯曲，长于但几乎平行于1m-cu脉，cu-a脉中位或稍偏内侧；2M室狭长；基臀室开放，2A+3A脉端部稍上曲，端臀室约1.50倍于1M室下缘长；后翅无封闭中室，臀室柄长于cu-a脉2倍，cu-a脉垂直；雄虫下生殖板长2倍于宽；阳茎瓣具侧刺突。

分布：中国。本属已知仅1种，秦岭有分布。

(462) 细长线蔺叶蜂 *Stenocampa elongata* Wei *et* Nie, 1997

Stenocampa elongata Wei *et* Nie, 1997: 106.

鉴别特征：体长3.50~4.00mm。体黑褐色，翅基片和触角第1节端部白色，各足胫节浅褐色。翅浅烟灰色透明，翅痣和翅脉黑褐色。体毛银色，极短。体大部光滑，唇基具细密刻点，额区和颜面具微细刻点和毛瘤，上眶和单眼后区大部光滑。额区近似桶形，额脊微显；中窝浅平，侧窝小；单眼后区平坦，宽长比约等于1.70；侧沟深，较直，未伸达后头中部，互相近似平行；单眼后沟和中沟细浅；后头约等于复眼1/2长，侧缘圆钝；后足基跗节等于其后3节之和；锯鞘不长于后足基跗节，锯鞘端等长于锯鞘基，端部圆钝；前翅长宽比约等于4，1M室长小于翅长的1/6；触角第3~5节长度比为14:10:8。雄虫下生殖板端部窄圆。

采集记录：2♀1♂，宝鸡南，1919.Ⅳ.27。

分布：陕西(宝鸡)、山西、甘肃。

119. 蔺叶蜂属 *Blennocampa* Hartig, 1837

Tenthredo (*Blennocampa*) Hartig, 1837: 266. **Type species**: *Tenthredo* (*Allantus*) *pusilla* Klug, 1816 [= *Blennocampa phyllocolpa* Viitasaari & Vikberg, 1985].

属征: 体短小。上唇小，端部圆钝；唇基平坦，端部截形；上颚短钝，对称双齿式；复眼中等大，长卵形，内缘向下收敛，间距狭于眼高，颚眼距狭于单眼半径；后眶圆，后眶沟细浅，无后颊脊；背面观后头极短，两侧显著收缩；额区和单眼后区隆起，无额侧沟；中窝长形，侧窝近圆形，独立；额区无明显界限，额脊模糊或缺如；单眼后区横宽，侧沟短直，无单眼后沟和外沟，具单眼中沟；触角窝间距等长于复眼—触角窝距；触角丝状，短于头胸部之和，第2节长宽比约等于2，第3节显著长于第4节，第4节长于第5节，端部鞭分节较短；前胸背板后侧角折页大型，斜脊明显，斜脊前沟缺；前胸侧板腹侧尖，不接触；中胸侧板无胸腹侧片，前缘具细脊；后胸淡膜区扁宽，间距稍窄于或等长于淡膜区横径；中胸小盾片附片发达，后胸小盾片前凹明显；前足胫节内距端部分叉，后足胫节与跗节等长，并稍长于产卵器；爪具小型基片，内齿短于外齿；前翅C脉端部膨大，翅痣短宽；Sc脉微显，R脉长直，端部不下垂，R+M脉点状；1M脉微弯曲，长于并与1m-cu脉亚平行；2r脉交于2Rs室端侧1/4~1/5，2Rs室稍长于1Rs室，外下角锐角形前伸；cu-a脉位于中室内侧1/4；基臀室开放，端臀室约1.30倍于1M室下缘长，2A+3A脉直；后翅无封闭中室，臀室具柄式，柄长为cu-a脉的1.50~2.00倍，cu-a脉外侧无赘脉；腹部第1节气门位于前上角，背板膜区小形；锯鞘窄长，锯腹片寡节式，锯刃突出，具亚基齿；阳茎瓣具发达侧刺突和侧叶。

分布: 古北区。世界已知3种，中国记载1种，秦岭地区有分布。

(463) 纹颊蔺叶蜂 *Blennocampa* sp.

鉴别特征: 雌虫体长4mm，雄虫体长3mm。体和足黑色，各足膝部、胫跗节黄褐色，胫节端部暗褐色。翅烟褐色，翅痣和翅脉黑褐色。体毛浅褐色。唇基、内眶刻点模糊浅弱，后眶具细密刻纹，额区具不规则皱纹；胸部背板较光滑，小盾片和附片无刻点，胸部侧板无刻点或刻纹；腹部背板具细密刻纹，光泽弱。颚眼距线状，复眼内缘间距宽于复眼长径；额区隆起，额脊低钝；单眼后区隆起，宽长比等于1.80，侧沟短直，向后少分歧；触角鞭节稍长于头宽，第3节1.80倍于第4节长，稍短于4+5节之和；后翅臀室柄1.50倍于cu-a脉长；产卵器约等长于后足1~2跗分节之和，锯鞘端长于锯鞘基，端部窄圆。

采集记录: 1♀，佛坪三关庙，1455m，2006.Ⅳ.26，何末军采。

分布：陕西(佛坪)、山西。

八、扁蜂科 Pamphiliidae

鉴别特征：体扁平。头部倾斜压扁，性二型，四孔式，后头孔下侧封闭，具口后桥，上颚孔独立；复眼小，互相远离；上颚狭长，左右不对称，唇基十分宽大，上唇隐藏；下颚须6节，下唇须4节；触角细长，16~33节，第1节棒状，长于第2节3倍，鞭节简单。前胸背板后缘平直，侧叶不显著扩大；前胸侧板腹侧接触面长，无基前桥；中胸背板前叶小型，中胸小盾片具大型附片，前后胸盾侧凹宽大且深，后胸背板淡膜区发达，间距稍宽于1个淡膜区；中胸具腹前桥，后胸侧板独立。前足胫节具1对不等长的端距；中后足胫节各具3个分成2组的端前距，跗垫发达。翅宽大，前后翅 R_1 室均封闭，翅痣偏窄长；前翅翅脉多曲折，具15个封闭翅室，Sc脉完全游离，1M室邻近R脉，背柄很短或缺，cu脉常具中位残柄，cu-a脉靠近1M室外侧，臀室完整，具外位倾斜横脉；后翅Sc脉全长游离，前缘具2组翅钩列，具9个封闭翅室，臀室完整。腹部极扁平，两侧具锐利边缘脊；第1、2背板中央具裂缝；锯鞘和产卵器十分短小，不伸出腹部末端；外生殖器不扭转。幼虫多足式，触角7节，幼龄时常群集生活。

生物学：扁蜂科通常分为2个亚科：腮扁蜂亚科 Cephalciinae 和扁蜂亚科 Pamphiliinae。腮扁蜂亚科寄主是松科植物。扁蜂亚科幼虫取食被子植物叶片，尤其是木本的蔷薇科、桦木科和杨柳科树木。幼虫可做丝网，但丝网做好后，一般就转移到叶缘，再做1个特别的叶卷。因此，扁蜂科中名曾叫做卷叶锯蜂科。

分类：全北界分布，东亚种类最多。世界已知10属约310种，中国已记载7属76种。陕西秦岭地区已经发现5属25种，其中3种将另文报道，本文记述5属21种。

分属检索表

1. 翅端部饰纹不规则形；胫节端距尖端膜质，较钝；爪内齿微小，亚中位，远离端齿；基跗节约等长于其后2节之和，腹面跗垫大型，第4跗分节长大于宽，爪腹面仅具1根长刚毛。寄生裸子植物。(**腮扁蜂亚科 Cephalciinae**) ………… 2
   翅端部饰纹纵条形；胫节端距尖端尖锐且骨化；爪内齿大形，亚端位，临近端齿；基跗节不短于其后3节之和，腹面跗垫小型，第4跗分节横形，长不大于宽，爪腹面具1~2根长刚毛。寄生被子植物。(**扁蜂亚科 Pamphiliinae**) ………… 3
2. 前足胫节具亚端距 ………… **阿扁蜂属 *Acantholyda***
   前足胫节无亚端距 ………… **腮扁蜂属 *Cephalcia***
3. 前翅 Sc_1 脉大部或全部消失；单眼后侧沟向前分歧，额侧沟缺；翅痣宽约等于2r长；爪腹面具1根长刚毛 ………… **脉扁蜂属 *Neurotoma***

前翅 Sc_1 脉完全；单眼后侧沟向前不分歧，额侧沟显著；翅痣宽度小于 2r 长；爪腹面具 2 根长刚毛 ……………………………………………………………………………………………………… 4

4. 爪基片缺，部分种类爪基部加宽，但倾斜圆钝；颚眼距区域无凹陷区和卷毛；右上颚通常 2 齿 ……………………………………………………………………………… **扁蜂属 *Pamphilius***

爪基片大，端部锐利；颚眼距区域具显著凹区和多个卷毛（♀）或 1 根长刚毛和数个卷毛（♂）；右上颚通常 3 齿 ……………………………………………………… **齿扁蜂属 *Onycholyda***

120. 阿扁蜂属 *Acantholyda* Costa, 1859

Acanthocnema Costa, 1859: 3. Not available. Suppressed. **Type species**: *Tenthredo erythrocephala* Linné, 1758. Suppressed by Opinion 290 (ICZN 1954 1519).

Lyda (*Acantholyda*) Costa, 1894: 232. **Type species**: *Tenthredo erythrocephala* Linné, 1758.

Lyda (*Itycorsia*) Konow, 1897: 13. **Type species**: *Tenthredo hieroglyphica* Christ, 1791.

属征：体中型，长 8～18mm。触角细长丝状，不侧扁，柄节通常不短于第 3 节，第 3 节显著长于第 4 节；后颊脊有或无，翅端部革质，具不规则皱纹，前翅 C 室和 Sc 室无毛；Sc 脉 2 支，端部远离翅痣，翅痣狭长，窄于 2r 脉长；1r 脉粗度正常，不细；m-cu-a 横脉残柄缺或很短。后翅臀室端部宽圆，臀柄高位。前足胫节具 1 个（极少具 2 个）亚端距；胫节端距尖端膜质，较钝；基跗节约等长于其后 2 节之和，腹面跗垫大型，第 4 跗分节长大于宽；每个跗爪具 1 个远离端齿的小型亚端齿，爪腹面仅具 1 根长刚毛。幼虫独自或群居生活，取食裸子植物针叶。

分布：全北区，新热带区北部。全球已知 76 种，中国已知 18 种。秦岭地区发现 2 种。

分种检索表

头部眼侧区上部 1/3 具显著刻点和刺毛；上眶细毛显著弯曲，长于单眼直径 2 倍；胸部大部黄褐色，具少量黑斑；触角第 1 节黄褐色，无黑斑；触角第 3 节显著长于 3、4 节之和；头部背侧刻点密且深 ……………………………………………………… **大刻阿扁蜂 *A. punctacephala***

头部眼侧区高度光滑，无刻点，无刺毛；上眶细毛不明显弯曲，短于单眼直径 1.50 倍；胸部大部黑色，具少量淡斑；触角第 1 节背侧具黑斑；触角第 3 节约等长于其后 2 节之和；头部背侧刻点浅弱 ……………………………………………………………… **松阿扁蜂 *A. posticalis posticalis***

(464) 松阿扁蜂 *Acantholyda posticalis posticalis* (Matsumura, 1912)

Lyda posticalis Matsumura, 1912: 76.

Acantholyda posticalis: Takeuchi, 1923: 362.

鉴别特征：体长11～12mm。头部黑色，上颚大部、唇基前缘、内眶条斑、上眶和单眼后区宽斑、后眶大部、触角黄褐色，触角第1节背侧大部黑色；胸部黑色，前胸背板后缘和两侧、中胸背板前叶两侧、侧叶顶部和小盾片上不规则斑纹、中胸前侧片上半部大部、后胸侧板部分黄褐色；腹部大部黄褐色，背板前缘和腹板前缘具狭窄黑色横带；足黄褐色，各足基节部分、转节部分、股节后侧条斑黑色。翅淡烟褐色，翅痣一致浅褐色。雄虫触角窝以下部分大部黄褐色，腹部背板黑色，侧缘黄褐色。头部眼侧区高度光滑，无刻点，无刺毛；上眶细毛不明显弯曲，明显短于单眼直径1.50倍；触角第3节约等长于其后2节之和。

采集记录：1♀，太白山，1580m，2007.Ⅶ.12，朱巽采。

分布：陕西(太白)、黑龙江、辽宁、山西、河南、宁夏、甘肃；蒙古，俄罗斯，韩国，日本，欧洲。

(465) 大刻阿扁蜂 *Acantholyda punctacephala* Wei, 2002 陕西新纪录（图版8：I）

Acantholyda punctacephala Wei in Wei *et* Jiang, 2002: 187.

鉴别特征：体长12.50mm。头胸部黄褐色具黑斑；触角柄节黄褐色，无黑斑；中胸背板锈褐色，具模糊黑褐斑；腹部黄褐色，背板和腹板黑斑较显著。头部背侧、内眶、唇基、唇基上区刻点显著，上眶和单眼后区刻点大且深，刻点间隙小于刻点直径，眼侧区上部1/3具显著刻点和刺毛；触角29～30节，第1、3、4+5节长度比为20∶22∶16；上眶细毛显著弯曲，其两侧细毛长于单眼直径2倍；翅淡烟黄色透明，翅痣浅褐色，基部稍暗。

采集记录：1♀，潼关桐峪镇，1052m，2006.Ⅴ.30，朱巽采。

分布：陕西(潼关)、河南、甘肃。

121. 腮扁蜂属 *Cephalcia* Panzer, 1803

Cephalcia Jurine in Panzer, 1801: 163. Not available. Suppressed (No species included). Suppressed by Opinion 135 (ICZN 1939).

Cephalcia Panzer, 1803: 86: 8. **Type species**: *Cephalcia arvensis* Panzer, 1803.

Cephaleia Jurine, 1807: 65. **Type species**: *Cephaleia arvensis* Panzer, 1803.

Liolyda Ashmead, 1898: 209. **Type species**: *Lyda frontalis* Westwood, 1874.

属征：体中型，长10～18mm。触角细长丝状，不侧扁，柄节通常不短于第3节，第3节显著长于第4节；后颊脊有或无，翅端部革质，具不规则皱纹；Sc脉2支，端部远离翅痣，翅痣狭长，窄于2r脉长；1r脉粗度正常，不细；m-cu-a横脉残柄缺或很短。后翅臀室端部宽圆，臀柄高位。前足胫节无亚端距；胫节端距尖端膜质，较钝；

基跗节约等长于其后 2 节之和，腹面跗垫大型，第 4 跗分节长大于宽；每个跗爪具 1 个远离端齿的小型亚端齿，爪腹面仅具 1 根长刚毛。幼虫独自或群居生活，取食裸子植物针叶。

分布：全北区。世界已知 48 种，中国已知 18 种，秦岭地区采集到 4 种，包括 1 个陕西新纪录。

分种检索表

1. 前翅 C 室光裸，无刺毛；翅基片全部白色或黄褐色；触角大部或全部黄褐色，如大部白色，则基部 3 节黑色；翅端部显著烟褐色；各足股节和胫节全部黑色或全部黄褐色 ·················· 2
   前翅 C 室具稀疏刺毛；翅基片黑褐色；触角 5 ~ 20 节乳白色或黄白色，第 2、3 节全部和第 4 节大部暗红褐色；翅透明，无烟褐色斑；各足股节大部黑色，胫节和跗节红褐色；体黑色，具显著白斑 ·· **白角腮扁蜂 *C. alboflagellaria***
2. 头部和胸部细毛大部黑褐色；触角大部白色，基部 3 节和末端黑色，第 3 节约等长于或微长于 4、5 节之和；头胸腹部均为黑色，具白斑；腹部黑色具白斑，背板黑斑具金属光泽，刻纹细密；各足股节、胫节全部黑色；翅基片白色 ································ **黑胫腮扁蜂 *C. nigrotibialis***
   头部和胸部细毛黄褐色或浅褐色；触角全部黄褐色，第 3 节等长于其后 3 节之和；虫体主要黄褐色，具少量黑斑，腹部背板无金属光泽，刻纹微弱；各足股节和胫节全部淡色 ·············· 3
3. 雌虫前翅端半部全部烟褐色，基半部透明 ························ **昆嵛山腮扁蜂 *C. kunyushanica***
   雌虫前翅端部边缘烟褐色，翅痣下具小型烟斑 ······················ **马尾松腮扁蜂 *C. pinivora***

(466) 白角腮扁蜂 *Cephalcia alboflagellaria* Wei, 1998

Cephalcia alboflagellaria Wei in Wei *et* Nie, 1998b: 113.

鉴别特征：体长 12mm。体黑色，唇基端部、上颚、眼侧区、上眶小斑、单眼后区侧带斑、后眶宽带、前胸背板后缘、小盾片、中胸侧板中部小斑和顶角、腹部各节背板狭窄后缘和侧缘、各节腹板后缘宽带黄白色；触角白色，柄节大部黑色，梗节和 3 ~ 5节红褐色。足黑色，胫节和跗节红褐色。翅透明，翅痣黑色。体毛黑色。颚眼距 1.30 倍于单眼直径；后颊脊显著；触角 28 节，第 3 节显著长于 1 + 2 和 4 + 5 节之和。唇基、额区和眼侧区具显著皱纹，但无刻点，眼侧区下部光滑；头顶和上眶具稀疏刻点；熊干部盾片后侧具刻点，小盾片光滑；胸部侧板刻纹较密。前翅 Cu_1 脉桩缺如，C 室具稀疏刺毛。

采集记录：1♀，佛坪，1000 ~ 1450m，2005. Ⅴ. 17，朱巽采。

分布：陕西（佛坪）、河南、甘肃。

(467) 黑胫腮扁蜂 *Cephalcia nigrotibialis* Wei *et* Niu, 2008（图版 8：J）

Cephalcia nigrotibialis Wei *et* Niu, 2008: 58.

鉴别特征：体长 17mm。体和足黑色，唇基前缘中部、眼侧区两侧、单眼后区侧带斑和后眶条斑、前胸背板后角和侧缘、中胸和后胸小盾片、中胸前侧片顶角、后足基节腹侧斑、各足跗节全部，腹部 1 ~ 8 背板侧角、第 10 背板和 2 ~ 6 腹板后缘宽带白色；触角白色，基部 2 节、第 3 节大部和端部 5 节黑色。翅透明，端部 1/6 和翅痣下窄带弱烟褐色，翅痣全部黑色，体毛黑色。颚眼距等长于单眼直径；后颊脊明显；触角 31 节，第 3 节等长于第 1 节，2 倍于第 4 节长。额区和眼侧区上部刻点粗密，眼侧区下部光滑；头顶和上眶刻点稀疏，间隙光滑；中胸侧板黑色区域刻点密集，间隙具刻纹；前翅 C 室光裸，m + cu-a 很短。腹部背板刻纹密集。

采集记录：1♀，周至楼观台，899m，2006. Ⅴ.25，杨青采。

分布：陕西（周至）、安徽。

（468）昆嵛山腮扁蜂 *Cephalcia kunyushanica* Xiao，1987 陕西新纪录

Cephalcia kunyushanica Xiao，1987：2.

鉴别特征：体长 13 ~ 15mm。体深黄褐色，前胸背板后缘和触角浅黄褐色，触角末端数节、中胸背板中部、小盾片、中胸侧板下部、后胸侧板部分黑色；足黄褐色，转节具黑斑；体毛黄褐色。翅端半部浓烟褐色，翅痣黑色，翅痣下方无独立的黑斑；前翅 C 室光裸，无刺毛。头部背侧具显著刻点，但不致密，胸部背板刻点显著，侧板刻点较密集。头部无后颊脊；触角 29 节，第 3 节等长于 4 ~ 6 节长度之和。

采集记录：18♀50♂，周至楼观台，899m，2006. Ⅴ.25，朱巽、杨青采。

分布：陕西（周至）、山东。

（469）马尾松腮扁蜂 *Cephalcia pinivora* Xiao *et* Zeng，1998

Cephalcia pinivora Xiao *et* Zeng，1998：488.

鉴别特征：体长 14 ~ 15mm。体深黄褐色，前胸背板后缘和触角浅黄褐色，单眼三角、触角末端数节、中胸背板中部、小盾片、中胸侧板下部、后胸侧板部分黑色；足黄褐色，转节具黑斑；体毛黄褐色。翅端部浓烟褐色，翅痣黑色，翅痣下方具独立的黑斑，黑斑外侧具显著透明区域；前翅 C 室光裸，无刺毛。头部背侧具显著刻点，但不致密，胸部背板刻点显著，侧板刻点较密集。头部无后颊脊；触角 29 节，第 3 节等长于 4 ~ 6 节长度之和。

采集记录：2♀，长安终南山，1555m，2006. Ⅴ.27，朱巽采；2♀，周至楼观台，899m，2006. Ⅴ.25，朱巽、杨青采。

分布：陕西（长安、周至）、重庆、四川。

122. 扁蜂属 *Pamphilius* Latreille, 1803

Pamphilius Latreille, 1803: 303. **Type species**: *Tenthredo sylvatica* Linné, 1758.

Lyda Fabricius, 1804: ix, 43. **Type species**: *Tenthredo sylvatica* Linné, 1758.

Anoplolyda Costa, 1894: 239, 241. **Type species**: *Lyda alternans* O. G. Costa, 1859.

Pamphilius (*Bactroceros*) Konow, 1897: 21 (key). **Type species**: *Tenthredo vafer* Linné, 1767.

属征：中型叶蜂，6.50～13.00mm 长。触角细长丝状，不侧扁；单眼后侧沟向前不分歧，额侧沟显著；右上颚通常 2 齿，颚眼距区域无陷窝和特殊刚毛，有后颊脊；翅端部饰纹纵条形；胫节端距尖端尖锐且骨化；基跗节不短于其后 3 节之和，腹面跗垫小型，第 4 跗分节横形，长不大于宽；爪腹面具 2 根长刚毛，无基片，基部有时稍加宽，但圆钝，内齿大形，亚端位，靠近端齿。前翅 Sc_1 脉完全；翅痣宽度小于 2r 长；后翅臀室端部尖，臀室柄中位。寄生被子植物。

分布：古北区，新北区。世界已知约 122 种，中国已记载 27 种，秦岭地区目前发现 9 种，本文记述 7 种。

分种检索表

1. 头部背侧和唇基刻点十分粗大且密集，刻点间隙狭窄；头部细毛长且弯曲，不短于单眼直径 2 倍 ……… 2
   头部背侧无刻点或刻点浅弱且稀疏，光泽强；头部背侧细毛不显著长于单眼直径 ……… 4
2. 前翅 C 室光裸无毛；触角柄节黑色；颚眼距宽大，复眼小，复眼短径 1.90～2.40 倍于颚眼距长；触角第 3 节 1.70～3.00 倍于第 4 节长 ……… 3
   前翅 C 室具密毛；触角柄节奶白色，无黑斑；颚眼距短，复眼较大，复眼短径大于颚眼距 3 倍；触角第 3 节 1.10 倍于第 4 节长 ……… **白唇扁蜂 *P. minor***
3. 翅痣浅褐色；复眼短径 1.90 倍于颚眼距；触角第 3 节 1.70 倍于第 4 节；中胸背板前叶后半部、侧叶后侧方形斑、小盾片淡黄色 ……… **中华扁蜂 *P. sinensis***
   翅痣黑褐色；复眼短径 2.40 倍于颚眼距；触角第 3 节 2.90 倍于第 4 节；中胸背板前叶、侧叶和小盾片全部黑色 ……… **秦岭扁蜂 *P. qinlingicus***
4. 翅痣全部黑色；腹部背板黑色，无明显淡斑；左右上颚均为双齿形，无中齿；触角第 3 节约 2.50倍于第 4 节长 ……… **盛氏扁蜂 *P. shengi***
   翅痣基部淡色，端部黑褐色，或翅痣全部浅褐色；腹部背板具明显淡斑或淡色环节；至少右上颚 3 齿，中齿明显 ……… 4
5. 触角第 3 节 0.80～1.20 倍于第 4 节长；翅透明，无烟斑，翅痣基部浅褐色，端部黑褐色，雄虫翅痣有时几乎全部淡色；头部背侧大部橙色 ……… **亮头扁蜂 *P. hilaris***
   触角第 3 节 2.20～2.70 倍于第 4 节长；前翅局部明显烟褐色，或头部背侧具大型黑斑 ……… 5
6. 左上颚 2 齿，外齿内侧中部无肩状齿；翅痣基部淡色，端部黑褐色；前翅亚端部常具 1 个深褐色大翅斑；雌虫头部亮橙黄色，单眼区具小型黑斑 ……… **光头扁蜂 *P. nitidiceps***

左上颚3齿，外齿内侧中部具肩状齿；翅痣一致浅褐色；前翅亚端部无烟褐色斑纹；雌虫头部背侧具大型黑斑 ………………………………………………… 淡痣扁蜂 *P. uniformis*

(470) 中华扁蜂 *Pamphilius sinensis* Shinohara, Dong *et* Naito, 1998

Pamphilius sinensis Shinohara, Dong *et* Naito, 1998: 7.

鉴别特征：体长13.50mm。头部包括口器淡黄色，背侧具多个大黑斑，上颚具黑斑；触角褐色，向端部渐变黑，柄节黑色；前胸淡黄色，背板和侧板背侧具黑色横带；中胸背板黑色，前叶后半部、侧叶后侧方形斑、小盾片和翅基片淡黄色；后胸背板黑色，淡膜区周围和小盾片斑淡黄色，胸部侧板和腹板淡黄色，后侧片具窄条状黑斑。足淡黄色，基节基部黑色，胫节端部和跗节褐色。翅透明，翅痣浅褐色，前后缘黑褐色。腹部背板黑色，具明显淡斑，腹板淡黄色。复眼小，颚眼距宽大，复眼短径1.90倍于颚眼距；头部背侧具长且弯曲的细毛，刻点粗糙、深大且密集，间隙具细密刻纹。触角20节，第3节1.70倍于第4节长。小盾片光滑，刻点细小。前翅C室光裸无毛。

采集记录：1♀，长安区鸡窝子，2077m，2008. Ⅵ. 28，朱巽采。

分布：陕西(长安)、云南。

(471) 白唇扁蜂 *Pamphilius minor* Shinohara *et* Xiao, 2006

Pamphilius minor Shinohara *et* Xiao, 2006: 287.

鉴别特征：雄虫体长6.50mm，雌虫未知。头部黑色，唇基、上颚、颊和颚眼距大部奶白色；触角柄节奶白色，梗节和鞭节浅褐色，端部渐变黑褐色；胸部黑色，具丰富白色斑，翅基片、小盾片和后小盾片白色；足奶白色，基节基部黑色，胫节和跗节褐色。翅显著烟褐色，翅痣浅褐色。腹部背侧黑色，侧缘具淡斑，4~5节后缘狭边橙色，腹板奶白色，具小黑斑。唇基和额区刻点粗大密集，头部横缝后侧部分表面光滑，刻点粗大且深。头部背侧细毛黑色，长且弯曲。触角20节，第3节1.10倍于第4节长。左上颚具3个齿。前翅C室全部被密毛。

采集记录：1♂(正模)，秦岭天台山，2000m，1998. Ⅵ. 08，马玉采。

分布：陕西(凤县)。

(472) 亮头扁蜂 *Pamphilius hilaris* (Eversmann, 1847)

Lyda hilaris Eversmann, 1847: 61.

鉴别特征：体长10~11mm。头部橙色，背侧具小型黑斑；触角黄褐色，柄节无黑斑；胸部黑色，具淡斑，中胸背板和中胸小盾片全部黑色；腹部黑色，第2背板大部橙黄色。翅透明，无烟斑，翅痣基部淡色，端部黑褐色，雄虫翅痣有时全部浅褐色；足大部黄褐色。唇基中部明显隆起，具少许刻点；单眼前侧具1对明显的小瘤突，头部背侧几乎无刻点，表面光滑，光泽强。前翅C室具细毛；触角第3节0.80～1.20倍于第4节长，明显短于柄节；锯鞘栓不明显。幼虫取食蔷薇属植物叶片。

采集记录：1♀，秦岭天台山，1800m，1998. Ⅵ. 10，马杜采。

分布：陕西(凤县)；俄罗斯，日本。

(473) 光头扁蜂 *Pamphilius nitidiceps* Shinohara, 1998

Pamphilius nitidiceps Shinohara, 1998: 18.

鉴别特征：雌虫体长9～11mm，雄虫体长8.00～10.50mm。体黑色；雌虫头部大部橙色，额区具小型黑斑，雄虫头部触角窝以上部分大部黑色；胸部大部黑色，具小型白斑；腹部黑色，雌虫腹部2～3节全部、第4～5节部分橙色，雄虫4～5节背板部分和腹板大部橙色；雌虫触角黄褐色，端部黑褐色，雄虫触角黑褐色，基部2节黄褐色。头部背侧大部光滑，刻点不明显。右上颚3齿，左上颚2齿；触角第3节2.30～2.60倍于第4节长。翅透明，雌虫前翅亚端部具明显的烟斑，雄虫烟斑稍弱；翅痣基部淡色，端部黑褐色；C室全部具毛。

采集记录：1♀，长安终南山，1555m，2006. Ⅴ. 27，朱巽采；1♀，佛坪，1000～1450m，2005. Ⅴ. 17，朱巽采。

分布：陕西(太白、佛坪)、山西。

(474) 盛氏扁蜂 *Pamphilius shengi* Wei, 1999 (图版8: K)

Pamphilius shengi Wei in Wei *et* Xiao, 1999: 149.

鉴别特征：体长10.00～11.50mm。体黑色；上颚基半部、唇基端缘扁三角形斑、颜面部倒梯形斑黄色，内眶上半部经上眶至头部后缘具1个弯勾形黄斑；前胸背板前下侧角、翅基片、中胸背板前叶后部1/2、中胸小盾片和后胸小盾片全部、腹部各节腹板后缘1/3～1/2、背板缘折后部、足除基节基部以外淡黄色。翅透明，翅痣和翅脉黑褐色，C脉浅褐色。体光滑，具强光泽。唇基端缘钝截形，无侧角；颚眼距与触角第2节长度比为7∶8，具刻点；唇基前半部的中央具低钝中纵脊，触角窝侧区高度平滑，无刻点；单眼后区前部2/3具1条较浅弱的中纵沟；后颊脊发达且完整；后眶后部和单眼后区后缘具显著刻点，头部其余部分刻点不明显；左右上颚均双齿。触角21节，第3节2.50倍于第4节长。小盾片高度光滑。前翅C室和Sc室全部具毛。

采集记录：1♀，佛坪，1000～1450m，2005. Ⅴ. 17，朱巽采。

分布：陕西(佛坪)、河南、浙江、湖北。

(475) 淡痣扁蜂 *Pamphilius uniformis* Shinohara *et* Zhou, 2006

Pamphilius uniformis Shinohara *et* Zhou, 2006: 177.

鉴别特征：雌虫体长11~12mm，雄虫体长9~11mm。雌虫头部淡黄色，背侧具大黑斑覆盖额区、单眼区、单眼后区、上眶和内眶上半部；胸腹部背侧黑色，前胸背板后缘、翅基片、腹部2~4背板中部椭圆形斑黄褐色，胸腹部腹侧黄褐色，胸部腹板具黑斑；触角黄褐色，端部较暗；足黄褐色；翅透明，亚端部具显著烟褐色斑，前缘脉和翅痣浅褐色。雄虫色斑类似雌虫，但头部背侧几乎全部黑色，翅斑较不明显。体光滑，头胸部背侧刻点不显著。触角第3节2.50~2.70倍于第4节长。前翅C室具毛(雄虫)或光裸(雌虫)。

采集记录：1♀(正模)，太白山开天观，2000m，2004.Ⅵ.05-07，A. Shinohara；5♀31♂，太白山开天观，2000m，2004.Ⅴ.31-Ⅵ.02，A. Shinohara；2♀21♂(副模)，数据同正模。

分布：陕西(太白、眉县)。

(476) 秦岭扁蜂 *Pamphilius qinlingicus* Wei, 2010

Pamphilius qinlingicus Wei in Xin *et* Wu, 2010: 11.

鉴别特征：体长约10mm。体黑色，小盾片无白斑，腹部2~4背板和腹板全部、第5背板前角奶白色；足淡黄色，胫节端部1/3~1/4黑色；翅烟黄色，翅痣黑褐色；触角鞭节褐色。颚眼距宽大，复眼较小，短径2.40倍于颚眼距，长径约4倍于颚眼距；前翅C室光裸无毛，极少具稀疏刺毛；头部背侧刻点粗糙密集，间隙具刻纹，光泽弱。触角第3节2.90倍于第4节长。

采集记录：1♀，周至，2009.Ⅴ.05，王培新采；1♀67♂，Kaitianguan，2000m，Mt. Taibaishan，Qinling Mts.，21.Ⅴ-02.Ⅵ. 2005，A. Shinohara；1♀，秦岭嘉陵江源头，1570m，2007.Ⅴ.26，朱巽采。

分布：陕西(周至、凤县、眉县)、甘肃、浙江。

123. 齿扁蜂属 *Onycholyda* Takeuchi, 1938

Pamphilius (*Onycholyda*) Takeuchi, 1938: 217-218. **Type species**: *Pamphilius viriditibialis* Takeuchi, 1930 (= *Pamphilius sulphureipes* auct.) by subsequent designation of Opinion 1087, ICZN 1977.

属征：中型叶蜂，8～13mm 长。触角细长丝状，不侧扁；单眼后侧沟向前不分歧，额侧沟显著；右上颚通常具 2 个齿，颚眼距区域具陷窝和弯曲刚毛，有后颊脊；翅端部饰纹纵条形；胫节端距尖端尖锐且骨化；基跗节不短于其后 3 节之和，腹面跗垫小型，第 4 跗分节横形，长不大于宽；爪腹面具 2 根长刚毛，基片大型，端部尖，内齿大形，亚端位，靠近端齿。前翅 Sc_1 脉完全；翅痣宽度小于 2r 长；后翅臀室端部尖，臀室柄中位。寄生被子植物。

分布：古北区，新北区。世界已知 47 种，中国记载 21 种，秦岭地区发现 8 种，本文记述 7 种。

分种检索表

1. 两性唇基中纵脊发达，将唇基分为 2 个部分；左上颚 3 齿，外齿内侧中位小齿明显…………2
   雌虫唇基中纵脊低弱，雄虫中纵脊模糊；左上颚 2 齿；头部大部或全部黑色　………………5
2. 两性腹部黄褐色，仅第 1 背板黑色，偶尔第 8 背板黑色；触角柄节大部或全部黑褐色，鞭节黑褐色或暗褐色；翅痣全部黑褐色；头部大部黑色　…………………………………………………3
   腹部端部至少 7、8 两节背板黑色；左上颚外齿中位内侧小齿非常明显；两性触角柄节全部、梗节大部黄褐色　…………………………………………………………………………………4
3. 左上颚 2 齿；雌虫腹部第 8 背板具黑斑　……………………………**黑脉齿扁蜂 *O. nigronervis***
   左上颚 3 齿；雌虫腹部第 8 背板无黑斑……………………………**黄腹齿扁蜂 *O. xanthogaster***
4. 触角鞭节黑褐色；翅痣基部 1/4～1/5 浅褐色；雌虫腹部 2～6 节、雄虫 4～5 节黄褐色；雌虫头部大部黄褐色……………………………………………………………**方顶齿扁蜂 *O. subquadrata***
   触角鞭节黄褐色；翅痣黑色，基部具点状淡斑；雌虫腹部 1～2 节背板、7～8 节背板黑色，其余黄褐色；头部背侧具大型黑斑………………………………………………**黄角齿扁蜂 *O. flavicornis***
5. 翅痣全部黑色，翅透明，无烟黄色光泽，或弱烟褐色，至少中部部分翅脉黑褐色；头部背侧具淡斑；雌虫中胸背板前叶后半部黄白色　…………………………………………………………6
   翅痣基部和端部具显著淡斑，翅面烟黄色，翅脉全部黄褐色；头部背侧、中胸前侧片全部、中胸背板前叶全部黑色；触角第 3 节较粗短，长宽比约等于 4；雌虫腹部 2～6 节全部黄褐色，雄虫腹部背板大部黑色　………………………………………………………**黄转齿扁蜂 *O. odaesana***
6. 雌虫下唇大部、中胸前侧片前缘、腹部第 6 腹板、各足基节端部和转节黄褐色；翅透明，前翅前缘脉褐色　……………………………………………………………………**陕西齿扁蜂 *O. shaanxiana***
   雌虫下唇、中胸前侧片前缘、腹部第 6 腹板、各足基节和转节全部黑色；翅烟褐色，前翅前缘脉黄褐色　………………………………………………………………………**黄缘齿扁蜂 *O. flavicostalis***

（477）黑脉齿扁蜂 *Onycholyda nigronervis* Wei, 1998

Onycholyda nigronervis Wei in Wei *et* Nie, 1998b: 114.

鉴别特征：体长 10.80mm。头胸部黑色，光泽强；上颚、口须、唇基前缘、内眶上半部、上眶条斑、额区前侧点斑、额脊、翅基片、前胸背板侧角、中后胸小盾片黄色；触角暗褐色，柄节大部黑色，鞭节端部黑褐色。足亮黄色，基节大部黑色，跗节褐色。腹部黄褐色，第 1 节和第 8 节背板黑色。翅淡烟黄色，端缘透明，翅痣黑色，基部具小型淡斑点，翅脉黑色。体毛淡色。唇基中纵脊锐利且长，左上颚 2 齿，无小型中齿；颚眼距1.40倍于单眼直径；单眼后区具浅弱中纵沟。唇基具稀疏刻点，额区无刻点，上眶、后眶和头顶具细小稀疏刻点。触角 28 节，第 3 节稍长于第 1 节，产于 4、5 节之和。腹部背板光滑，刻纹微弱。前翅 C 室具毛，Cu_1 赘柄长。后翅臀室柄稍短于 cu-a 脉。

采集记录：2♀，长安区鸡窝子，2077m，2008. Ⅵ. 28，蒋晓宇、朱巽采。

分布：陕西（长安）、河南、甘肃。

（478）黄腹齿扁蜂 *Onycholyda xanthogaster* Shinohara，1999

Onycholyda xanthogaster Shinohara，1999：66.

鉴别特征：体长 9mm。头胸部黑色，光泽强；上颚、口须、唇基前缘、内眶上半部、上眶条斑、额区前侧点斑、额脊、翅基片、前胸背板侧角、中后胸小盾片黄色；触角暗褐色，柄节大部黑色，鞭节端部黑褐色。足亮黄色，基节大部黑色，跗节褐色。腹部黄褐色，仅第 1 节背板黑色。翅淡烟黄色，端缘透明，翅痣黑色，基部具小型淡斑点，翅脉黑色。体毛淡色。唇基中纵脊锐利且长，左上颚 3 齿，具低弱中齿；颚眼距 1.40 倍于单眼直径；单眼后区具浅弱中纵沟。唇基具稀疏刻点，额区无刻点，上眶、后眶和头顶具细小稀疏刻点。触角 28 节，第 3 节稍长于第 1 节，产于 4、5 节之和。腹部背板光滑，刻纹微弱。前翅 C 室具毛，Cu_1 赘柄长。后翅臀室柄稍短于 cu-a 脉。

采集记录：1♂，佛坪岳坝，1085m，2006. Ⅳ. 29，何末军采。

分布：陕西（周至、佛坪）。

（479）方顶齿扁蜂 *Onycholyda subquadrata*（Maa，1944）

Pamphilius（*Anoplolyda*）*subquadrata* Maa，1944：54.

Pamphilius micans Maa，1950：16.

Onycholyda subquadrata：Shinohara，1983：313.

鉴别特征：体长 8.50 ~ 10.50mm。雌虫头部大部黄褐色，额区具黑斑；触角第 1 节全部、第 2 节大部黄褐色，鞭节黑褐色；胸部大部黑褐色，小盾片有时具淡斑；腹部黑色，2 ~ 6 节黄褐色；足黄褐色。翅淡烟黄色透明，前缘脉黄褐色，翅痣基部 1/4 左右浅褐色，其余黑褐色。雄虫头部背侧大部黑色，腹部 4、5 节黄褐色，有时 2、3、6 节部分或全部黄褐色。唇基中纵脊十分显著；左上颚外齿内侧中位具明显的肩状小齿；单眼后区侧沟深。

采集记录：1♀2♂，周至楼观台，899m，2006. Ⅴ.25，杨青采。

分布：陕西(周至、佛坪、宁陕)、内蒙古、北京、河北、山西、河南、甘肃、浙江、江西、湖南、福建、广西、四川。

(480) 黄角齿扁蜂 *Onycholyda flavicornis* Shinohara *et* Wei, 2016

Onycholyda flavicornis Shinohara *et* Wei, 2016: 305.

鉴别特征：体长 8.50 ~ 10.00mm。头部近黄褐色，背侧具大型黑斑；触角全部黄褐色，端部微暗；胸部黑色，前胸背板后缘、翅基片、小盾片大部、后小盾片部分黄色；腹部黑色，3 ~ 6 节和尾端黄褐色；翅透明，翅痣黑褐色，基部具点状淡斑，前缘脉浅褐色。足淡黄色，基节黑色，胫节橙色。唇基中纵脊发达；左右上颚均具第 3 小齿；触角 28 ~ 29 节，第 3 节 2.20 倍于第 4 节长。头部光滑，背侧无明显刻点和刻纹，唇基具稀疏浅弱刻纹和刻点，颚眼距具刻纹。胸腹部光滑。

采集记录：3♀5♂，Kaitianguan，2000m，Mt. Taibaishan，2005.Ⅴ.24-Ⅵ.09，A. Shinohara。

分布：陕西(眉县)、浙江。

(481) 黄转齿扁蜂 *Onycholyda odaesana* Shinohara *et* Byun, 1993（图版 9：A）

Onycholyda odaesana Shinohara *et* Byun, 1993: 33.

鉴别特征：体长 9 ~ 10mm。体黑色，雌虫头部唇基大部、上颚、上眶狭窄条斑、前胸背板后缘、翅基片、小盾片斑、腹部 2 ~ 6 节和足黄褐色；雄虫头部颜脊以前部分以及额脊全部黄褐色，腹部无黄褐色环节。雌虫触角黑褐色，雄虫触角柄节和梗节黄褐色，鞭节暗褐色，第 3 节较粗短，长宽比约等于 4。两性翅烟黄色，翅脉黄褐色，翅痣黑色，基部小斑和端缘黄褐色；唇基中纵脊低弱；左上颚双齿，外齿内侧无小齿；右上颚 3 齿。

采集记录：1♀，佛坪岳坝，1085m，2006. Ⅳ.29，何末军采。

分布：陕西(佛坪)、河南、甘肃、安徽、湖南；朝鲜，韩国。

(482) 陕西齿扁蜂 *Onycholyda shaanxiana* Shinohara, 1999

Onycholyda shaanxiana Shinohara, 1999: 68.

鉴别特征：雌虫体长 9mm。头部和触角黑色，下唇大部和口须、上颚、上唇全部、上眶窄条斑、额区前侧倒弧形横斑和额脊、前胸背板后缘和侧缘、翅基片、中胸背板前叶后半部、中后胸小盾片、中胸前侧片前缘宽斑黄白色，腹部 2 ~ 5 节背板和

2~6节腹板橙色；足黄褐色，各足基节除端部外黑色；翅微弱烟褐色透明，前翅前缘脉褐色，翅痣黑褐色。唇基中纵脊低弱，颜脊明显隆起；唇基前部刻点较明显，两侧区域具刻纹，头部背侧其余部分刻点细小且稀疏，几乎光滑；右上颚3齿，左上颚2齿；触角19~21节，第3节2.20倍于第4节长。

采集记录：1♀，佛坪大古坪，1320m，2006.Ⅳ.28，何末军采。

分布：陕西（佛坪、宁陕）、河南、浙江、湖北、湖南、广西。

（483）黄缘齿扁蜂 *Onycholyda flavicostalis* Shinohara, 2012

Onycholyda flavicostalis Shinohara, 2012: 57.

鉴别特征：体长9.00~11.50mm。雌虫头部和触角黑色，下唇末端、上颚、上唇、额区、上眶窄条斑、前胸背板后缘、翅基片、中胸背板前叶后半部、侧叶中部小斑、中后胸小盾片大部、中胸前侧片前缘宽斑黄白色，腹部2~5节橙色；足黄褐色，各足基节和转节黑色，后足转节部分黄褐色；翅微烟褐色透明，前翅前缘脉黄褐色，翅痣黑褐色。唇基中纵脊低弱，颜脊明显隆起；唇基前部刻点较明显，两侧区域具刻纹，单眼后区后部刻点稍密，头部背侧其余部分刻点细小且稀疏，几乎光滑；右上颚3齿，左上颚2齿；触角20~22节，第3节1.90~2.50倍于第4节长。雄虫触角柄节大部和梗节基部黄褐色，中胸背板黑斑不明显，腹部第2腹板、3~5节橙色。

采集记录：1♀（正模），佛坪大古坪，1320m，2006.Ⅳ.28，何末军采。

分布：陕西（佛坪）、湖南。

124. 脉扁蜂属 *Neurotoma* Konow, 1897

Neurotoma Konow, 1897: 2 (key), 18-19. **Type species**: *Tenthredo flaviventris* Retzius, 1783 [= *Neurotoma saltuum* (Linné, 1758)].

Neurotoma (*Gongylocorsia*) Konow, 1897: 19 (key). **Type species**: *Neurotoma mandibularis* (Zaddach, 1866).

属征：中型叶蜂。触角细长丝状，不侧扁；上颚较粗短，左上颚通常具3个齿；颚眼距区域无陷窝和特殊刚毛，有后颊脊；单眼后侧沟向前显著分歧，额侧沟模糊；翅端部饰纹纵条形；前翅 Sc_1 大部或全部消失；翅痣短而宽，其宽约等于2r脉长；后翅臀室端部尖，臀室柄中位；胫节距端部尖，骨化；基跗节不短于其后3节之和，腹面跗垫小型，第4跗分节横形，长不大于宽；爪腹面具1根长刚毛，无基片，具大型内齿，靠近外齿。主要取食蔷薇科植物；少数种类取食壳斗科栎属植物。

分布：古北区，新北区。全世界已知22种，中国已知9种，秦岭地区发现2种，本文记述1种。

(484) 黄角反脉扁蜂 *Neurotoma* sp.（图版9：B）

鉴别特征：雌虫体长10mm。头胸腹部均具弱金属紫色光泽；小盾片黄白色；后足股节除最基部外全部黄白色；触角鞭节全部和后足胫节全部黄褐色；中窝平坦，无凹窝；颜侧区大部具刻点和刺毛，仅腹缘光裸、光滑；单眼后区、上眶、后眶上部刻点粗大且较深，刻点间隙刻纹较弱，不规则细横纹状；头部背侧细毛等长于单眼直径，端部1/3明显弯曲；颚眼距宽于中单眼直径；唇基顶部平坦，近似三角形；颜侧区上半部具不规则粗大刻点，无微细刻点状刻纹；中胸背板各叶顶部大部光滑；前翅翅痣窄长，长宽比约等于3.70，明显窄于2r脉长；C室光裸无毛；胸部侧板细毛基部2/3黑褐色，端部1/3银色；锯鞘全部黑色。雄虫未知。

采集记录：1♀，佛坪县凉风垭顶，2128m，2014.Ⅵ.17，魏美才采。

分布：陕西（佛坪）。

九、广蜂科 Megalodontesidae

鉴别特征：体中型。背腹向扁平；后头孔下缘封闭，具口后桥；上颚狭长，上颚孔独立；唇基十分宽大，上唇隐藏，无额唇基沟；复眼小，间距显著宽于复眼长径；下颚须6节，下唇须4节；触角短，多于15节，第1节棒状，长于第2节3倍，鞭分节短小。前胸背板短，后缘直，侧叶不显著扩展；中胸背板短宽，小盾片无附片，中后胸盾侧凹显著，后胸淡膜区发达；中胸具短腹前桥。前足胫节具1对约等长的端距；中后足胫节各具1对端前距；跗垫微小。翅纵脉不显著弯曲，前后翅R_1室均封闭，Sc脉均不独立，翅痣窄长；前翅具13个封闭翅室，1M室背柄很长，Rs第1段与M室内缘连成直线，$1R_1$室与M室宽阔接触，cu-a脉与M脉顶接，臀室完整，具外侧位倾斜横脉；后翅前缘具1组翅钩列，具7个封闭翅室，臀室封闭。腹部扁筒形，无侧缘脊，第1、2背板完整，中部无裂缝；产卵器十分短小，不伸出腹部末端。雄虫外生殖器不扭转。

生物学：成虫飞行速度较快，喜访花。幼虫群居，具网，取食草本种子植物，如伞形花科Umbelliferae和芸香科Rutaceae。

分类：本科仅分布于地中海区域和东亚草原地带。世界已知1属45种，东亚地区仅分布1属4种，中国均有分布，陕西秦岭地区发现1属1种。

125. 广蜂属 *Megalodontes* Latreille, 1803

Megalodontes Latreille, 1803: 302. **Type species**: *Tenthredo cephalotes* Fabricius, 1781.

Tarpa Fabricius, 1804: 19. **Type species**: *Tarpa cephalotes* (Fabricius, 1781).
Megalodus Rafinesque, 1815: 127. Name for *Megalodontes* Latreille, 1803.
Melanopus Konow, 1897: 2 (key), 12. **Type species**: *Tarpa fabricii* Leach, 1817.
Tristactus Konow, 1897: 2 (key), 12. **Type species**: *Lyda judaicus* (Lepeletier, 1823).
Megalodontes (*Rhipidioceros*) Konow, 1897: 2. **Type species**: *Tarpa flabellicornis* Germar, 1825.
Megalodontes (*Forficulotarpa*) Pic, 1918: 12. **Type species**: *Megalodontes levaillanti* (Lucas, 1848).
Tristactoides Chevin, 1985: 73. **Type species**: *Tristactoides lacourti* Chevin, 1985.

属征：复眼间距大于复眼长径2倍，触角窝间距稍窄于内眶宽；后头稍延长，具后颊脊；颚眼距约等长于单眼直径；额区小，平坦；单眼后区宽大，侧沟显著；触角第1节4倍于第2节长，第2节长约等于宽，东亚种类鞭分节背侧具长且扁平的叶状突；后足跗节短于胫节，基跗节长于其后3节之和，爪无基片，具内齿；前翅具显著的深烟褐色纵斑覆盖翅的前半部；后翅臀室柄约等长于cu-a脉。

分布：本属已知45种。中国分布4种，秦岭地区记载1种。

(485) 黑股广蜂 *Megalodontes spiraeae siberiensis* (Rohwer, 1925) (图版9：C)

Megalodontes (*Rhipidioceros*) *siberiensis* Rohwer, 1925: 1.

鉴别特征：体长10~12mm。体和足黑色，上颚端部红褐色，内眶小斑、后眶和单眼后区后缘弧形带斑，前胸背板后缘，腹部第1背板膜区、4~5背板后缘横带黄色，后足胫跗节有时暗红褐色。翅浓烟褐色，翅痣暗褐色。体毛黑色，头部背侧和胸部侧板细毛长约2倍于单眼直径。头胸部背侧刻点粗大密集，额区和小盾片刻点粗糙，中胸前侧片刻点较稀疏，腹部背板高度光滑，无刻点或刻纹。触角稍短于头宽，3~13节具发达的扁平侧突叶，第3节主体微长于4~6节主体之和，第3节侧突叶明显长于4~7节主体之和。颚眼距约等长于单眼半径。爪内齿短于外齿。后翅臀室柄短于cu-a脉。

采集记录：1♀，太白山，1988.Ⅸ，采集人不详；1♀，太白山，1981.Ⅳ.28，中南林学院采；1♀1♂，华阴华阳，1500m，1978.Ⅷ.17，金根桃采；1♀，甘泉清泉沟，1971.Ⅶ.30，杨集昆采。

分布：陕西(太白、华阴、甘泉)、黑龙江、吉林、辽宁、内蒙古、北京、河北、河南、宁夏、甘肃、重庆；蒙古，俄罗斯(远东)，东北亚。

十、项蜂科 Xiphydriidae

鉴别特征：体长5~25mm。头部亚球形，后头明显膨大；后头孔闭式，具口后桥；上颚短宽，具多个内齿；触角窝下位，互相远离，具触角沟；下颚须和下唇须变化大。触角丝状，11～19 节，第 1 节最长。前胸侧板长大，侧面观长颈状；前胸背板中部狭窄，后缘显著凹入，侧叶发达；中胸背板具横沟，盾侧凹发达，小盾片无附片；中胸侧腹板前缘具狭窄的腹前桥；中胸侧板和腹板间具宽沟；后胸背板具淡膜区，侧板发达，与腹部第 1 背板结合，结合缝显著。前足胫节具 1～2 个端距，后足具 2 个端距，端前距缺如。前翅前缘室发达，翅痣狭长，纵脉较直，具 2r 脉，1M 室内上角具长柄，$1R_1$ 室与 1M 室接触面长，cu-a 脉靠近 1M 脉，臀室完整，亚基部收缩。后翅至少具 6 个闭室。腹部较扁，两侧具纵缘脊，第 1 节背板具中缝，腹部末节简单，无臀突和凹盘；锯鞘短，稍伸出腹端；雄虫外生殖器扭转。幼虫触角 3 节，无腹足，胸足退化，行钻蛀生活。

生物学：寄主主要为杨柳科、桦木科、榆科等植物，通常一年完成一代。

分类：除非洲外各大动物地理区域均有分布，东亚种类最丰富。世界已知 24 属约 110 种，中国已记载 16 属 30 种，陕西秦岭地区采集到 1 属 2 种。

126. 真项蜂属 *Euxiphydria* Semenov *et* Gussakovskij, 1935

Euxiphydria Semenov *et* Gussakovskij, 1935: 117. **Type species**: *Xiphydria potanini* Jakowlew, 1891.

属征：中大型项蜂，体型较粗壮，体长 10～23mm。头胸部约等宽，背面观后头圆形鼓出，背侧高度光滑，无刻点和刻纹；上颚粗短，对称 4 齿；下颚须 4 节，第 2 节最长；下唇须 3 节，第 1 节细，最长，第 3 节显著膨大，具感觉陷窝；颚眼距长于单眼直径 2 倍，平台区域稍长于单眼直径，凹窝明显，但较短；唇基前缘截型，具小型中齿；复眼椭圆形，内缘近似平行，间距明显宽于复眼长径；后单眼连线位于复眼后缘连线之前；上眶和后眶宽大，高度光滑，宽于复眼长径，无后颊脊，后头脊完整；额区具不规则皱刻纹。触角短粗，稍长于头部宽，13～19 节，第 2 节不短于第 1 节 1/2 长，第 3 节稍长于第 2 节，无次生分节痕迹，中部鞭分节明显侧扁，稍加宽，末端较尖。翅脉正常，前后翅 R_1 室端部均封闭，cu-a 脉交于 1M 室下缘基部 1/4，2r 脉上端交于翅痣端部，下端几乎与 1r-m 脉顶接；后翅 Rs 和 M 室封闭，臀室封闭。前足胫节具 1 长 1 短 2 个端距，各足爪形态类似，后足爪稍大，爪无基片，内齿大型，亚中位。腹部圆筒形，中部较粗壮，端部渐细，背板侧缘纵脊锐利；第 10 背板明显突出。产卵器短直，稍伸出腹部末端。体黑色，头部大部或全部红褐色。

分布：东亚。世界已知 5 种，中国分布 4 种，秦岭地区发现 2 种。

分种检索表

翅烟黑色，基部稍淡；头部红褐色，头部额区前部以下部分黑色；额区皱刻纹粗糙密集，非纵脊状 ………………………………………………………… **红头真项蜂 *E. potanini***

翅透明或具极微弱的烟灰色；头部全部红褐色，无黑斑；额区具不规则的纵脊列，表面不粗糙致密 ………………………………………………………… **陕西真项蜂 *E. shaanxiana***

(486) 红头真项蜂 *Euxiphydria potanini* (Jakovlev, 1891) 陕西新纪录 (图版9: D)

Xiphydria potanini [sic!] Jakovlev, 1891: 3, 15.

Xiphydria ruficeps Mocsáry, 1909: 39.

Xiphydria ruficeps Matsumura, 1912: 210 (nec Mocsáry, 1909) [= *Euxiphydria potanini* (Jakowlew, 1891)].

Xiphydria akazui Matsumura, 1932: pl. 8 fig. 9, 44.

Xiphydria Maidli [sic!] Zirngiebl, 1937: 342.

Euxiphydria subtrifida Maa, 1944: 33.

鉴别特征: 雌虫体长10~20mm, 雄虫体长20~25mm。体黑色, 头部大部红色, 触角全部、额区前部以下部分和口器黑色, 黑色部分微具紫色光泽; 足全部黑色。翅浓烟褐色, 具明显紫色虹彩, 翅痣和翅脉黑色。体毛大部黑色。触角13~16节, 第1节明显长于第3节。前翅2r脉交于Rs末端或与1r-m脉顶接; 后翅臀室柄约等长于cu-a脉。头部额区皱刻点粗糙密集, 不规则; 锯鞘基约等长于锯鞘端。

采集记录: 1♀, 凤县嘉陵江源头, 1570m, 2007. Ⅴ. 26, 朱巽采; 1♀, 佛坪, 1000~1450m, 2005. Ⅴ. 17, 朱巽采。

分布: 陕西(凤县、佛坪)、北京、河南、甘肃; 俄罗斯远东地区, 朝鲜, 日本。

寄主: 槭树科(Aceraceae) 的色木槭 *Acer mono* Maxim. (Krivolutskaya and Stroganova, 1966; Stroganova, 1968)。

(487) 陕西真项蜂 *Euxiphydria shaanxiana* Smith *et* Shinohara, 2011

Euxiphydria shaanxiana Smith *et* Shinohara, 2011: 18.

鉴别特征: 雌虫体长13mm。头部红褐色, 上颚大部、口须、触角、胸腹部和足黑色; 翅透明, 翅痣和翅脉黑褐色。触角15节, 基部4节长度比为1.0∶0.4∶0.9∶0.4; 额区具不规则、近似平行的纵脊纹; 上眶、后眶上部、头顶高度光滑, 光泽强; 颚眼距的平台区约0.30倍于单眼直径, 远窄于陷窝直径; 前胸背板前侧光滑, 背侧和两侧脊网状; 小盾片刻点细小, 并具不规则纵脊列; 中胸前侧片脊网状, 后侧片前半部光滑, 后半部具短细横脊列。后小盾片长2.50倍于宽。后足基跗节长0.80倍于其后4个跗分节之和。腹部第1背板大部光滑, 前侧具细小刻点; 其余背板光滑, 具小刻点。锯鞘端约等长于锯鞘基。

采集记录: 1♀(正模), "[China: Shaanxi], Kaitianguan, 2000m, Mt. Taibaishan, Qinling Mts., 27. Ⅴ. 2005, A. Shinohara"; 1♀(副模), "Shaanxi, Kaitianguan, 2000m, Mt. Taibaishan, Qinling Mts., 05. Ⅵ. 2007, A. Shinohara"。

分布: 陕西(眉县)。

十一、茎蜂科 Cephidae

鉴别特征：体纤细，长4～20mm。头部后头孔闭式，具口后桥；上颚粗壮，2～3齿，左右上颚不对称；上唇退化。触角长丝状，16～35节，第1节较长，着生于颜面中上部，接近复眼上缘，无触角沟，后头延长。前胸背板长大，后缘近平直或具浅弱缺口；具短腹前桥，无基前桥。中胸背板前叶小形，小盾片发达，盾侧凹浅，无附片，淡膜区缺失，无胸腹侧片。前足胫节具1个端距，中后足各具2个端距，中后足胫节有时具亚端距。前翅纵脉较直，Sc脉消失，前缘室通常狭窄；1r和2r脉存在，1M室背柄短小，cu-a脉基位，臀室完整，基部不收缩；后翅至少具5个闭室，翅钩除端丛外，前缘中部附近还散生数个翅钩。腹部筒形或显著侧扁，第1、2节间明显缢缩，第1节具中缝和膜区，基部与后胸愈合；产卵器较短，但背面观可见端部伸出腹端；锯腹片有锯刃。雄外生殖器直茎形，不扭转，阳茎瓣背侧联合。幼虫蛀食植物茎秆，无腹足，胸足退化，触角4～5节，腹部具肛上突。

分类：世界已知16属约135种，东亚分布18属70余种，中国已记载17属62种，陕西秦岭地区发现8属10种，本文记述6属8种，包括无刺茎蜂属1个新种在内的两个属种将另文报道。

分属检索表

1. 触角第3节等长于或短于第4节，鞭节端部或亚端部明显膨大；后足跗节短于其后3节之和；爪细小，无基片，内齿小型，远离端齿；雄性阳茎瓣中部愈合 ………………………………… 2

   触角第3节通常长于第4节，鞭节粗细较均匀，或中端部均匀稍膨大；爪粗壮，强烈弯曲，内齿发达，接近端齿；雄性阳茎瓣背侧不愈合 ………………………………………………………… 3

2. 头部颜面宽，复眼间距远大于眼高；触角窝距等长或稍短于触角窝—前幕骨陷距；颚眼距窄于触角第2节的1/2长；前胸背板宽显著大于长；尾须短于鞘端1/2长，锯鞘端稍短于锯鞘基 …………
   ………………………………………………………………………………………… 茎蜂属 *Cephus*

   颜面狭窄，复眼间距等于或微大于眼高；触角窝—前幕骨陷距大于触角窝间距1.50倍；颚眼距约等宽于触角第2节；前胸背板宽不显著大于长；尾须长于鞘端1/2，锯鞘基长约2倍于锯鞘端；锯鞘腹缘直 ……………………………………………………………………… 细茎蜂属 *Calameuta*

3. 后足胫节具亚端距；触角多于20节；尾须短于锯鞘端1/2长；后翅通常具2个封闭中室 … 4

   后足胫节无亚端距；触角少于19节；尾须明显长于锯鞘端的1/2长；后翅仅具1个封闭中室 ……
   ……………………………………………………………………………… 无刺茎蜂属 *Caenocephus*

4. 爪具发达基片或第3齿，内齿发达；下颚须第6节着生于第5节基部；触角第2节长大于宽；后足胫节具2个亚端距；下颚须第4节等于或明显长于第6节；左上颚内齿不显著短于外齿；锯腹片明显骨化，节缝痕状或消失，无节缝齿突 ……………………………………………… 5

爪无基片和第3齿；下颚须第6节着于第5节中部；触角第2节宽大于长；后足胫节具1个亚端距；下颚须4、6节等长；左上颚内齿短于外齿，外侧肩状；锯腹片不骨化，节缝发达，具节缝齿突列 ………………………………………………………………… **等节茎蜂属 *Phylloecus***

5\. 触角窝间距明显宽于触角窝与前幕骨陷间距；中胸前侧片上部具明显短横沟；爪基片圆钝；下颚须第4节等长于第6节；锯鞘弧形上弯 ……………………………… **张茎蜂属 *Jungicephus***

触角窝间距宽于或短于触角窝与前幕骨陷间距；中胸前侧片上部无短横沟；爪基片锐利；下颚须第4节明显长于第6节；锯鞘腹缘向腹侧弯折，锯鞘端伸向后方 ……………………… 6

6\. 左上颚具中位第3齿；翅痣十分短宽，前翅1r脉完整，起源于翅痣中部外侧，十分靠近2r脉，$2R_1$室十分窄高，前缘显著窄于后缘 ………………………………… **短痣茎蜂属 *Stigmatijanus***

左上颚无中位第3齿；翅痣窄长，前翅1r脉起源于翅痣近基部，远离2r脉，1r脉基部有时消失，2r脉交于翅痣中部，$2R_1$室大型，高约等于或稍大于宽，前缘不明显窄于后缘 … **简脉茎蜂属 *Janus***

127. 细茎蜂属 *Calameuta* Konow, 1896

Calameuta Konow, 1896: 151. **Type species**: *Cephus filiformis* Eversmann, 1847.

Monoplopus Konow, 1896: 151. **Type species**: *Ichneumon pygmaeus* Poda, 1761.

Haplocephus Benson, 1935: 544. **Type species**: *Haplocephus aureus* Benson, 1935.

属征：小至中型茎蜂，体狭细。胸部常具细密刻点；颜面狭窄，复眼间距等于或稍宽于眼高，触角窝间距显著短于触角窝—前幕骨陷间距(1∶1.5～2)；颚眼距约等宽于触角第2节长，后颊脊发达；左上颚具小形中齿，下颚须第4节显著长于第6节，第6节着生于第5节端部。触角细长，亚端部多少膨大，第3节等于或短于第4节。前胸背板宽0.80～1.20倍于长；中胸前侧片上部无横沟。后足胫节具1～2个亚端距，基跗节等于或短于其后3节之和；爪细小，无基片，内齿小型，亚端位。前翅翅痣狭长，1r脉交于翅痣基部，2r脉交于翅痣中部稍偏外侧；后翅Rs室封闭；腹部不侧扁，第2节高不小于长；锯鞘腹缘直，锯鞘端短小，末端不膨大，锯鞘基约2倍长于锯鞘端；尾须细长，稍短于锯鞘端；锯腹片简单。

分布：全北区。世界已知23种，主要分布于古北区。中国记载5种，秦岭地区发现2种，均为陕西新纪录。

分种检索表

体长10mm；前胸背板宽大于长；触角亚端部明显膨大；雌虫上颚大部黄色 ……………………… ……………………………………………………………………… **黄颚细茎蜂 *C. mandibularis***

体长7.00～7.50mm；前胸背板宽等于长；触角亚端部微弱膨大；雌虫上颚黑色 ……………… ……………………………………………………………………… **纤细茎蜂 *C. tenuis***

(488) 黄颚细茎蜂 *Calameuta mandibularis* Wei, 1995 陕西新纪录

Calameuta mandibularis Wei in Wei *et* Nie: 109.

鉴别特征: 体长10mm。体黑色,上颚大部黄色,末端红褐色;气门后片、前足股节前侧端部黄褐色,前足胫跗节褐色。翅均匀中度烟色,翅脉和痣黑色;前翅前缘脉基部1/4褐色。体毛黑褐色。上颚内齿稍长于外齿,中齿模糊,肩状;颚眼距微短于触角第2节长;后头背面观约等于复眼长,两侧亚平行,后侧缘圆钝,后缘中部凹入部分深达后头的1/2长,底部平直,POL: OOL = 5: 7,中单眼前沟狭深且长。颜部无明显刻点,额区刻点弱,后头及后眶刻点密集。触角24节,短于腹长,第3节短于第4~7节,约与第8节等长,从第10节起向端部渐稍膨大,次末节方形。前胸背板宽大于长,具弱光泽,刻点较细密,前缘领狭窄且强烈隆起,后缘中部浅弧形凹入。中胸背板刻纹致密,无光泽,小盾片刻点稍大,光泽弱;中胸侧板具弱光泽。后足胫节亚端距1对,基跗节短于其后3节之和;爪内齿较大,与端齿亚平行。腹部约1.50倍长于头胸部和,各节均具细密刻纹。锯鞘腹缘直,鞘端等于鞘基的1/2长。锯腹片12刃。

采集记录: 1♀,太白山蒿坪寺,1983. Ⅵ. 12,陕西太白山昆虫考察组采。

分布: 陕西(太白)、河南、宁夏、甘肃、湖北、湖南。

(489) 纤细茎蜂 *Calameuta tenuis* Wei, 1995 陕西新纪录

Calameuta tenuis Wei in Wei *et* Nie, 1995: 108.

鉴别特征: 体长7.00~7.50mm。体及足十分狭细,黑色,雌虫前足膝部以远褐色,雄虫上颚部分、前足股节前缘及胫跗节、中足股节端部2/3以远及气门后片黄褐色。体毛黑色,翅均匀烟褐色,前缘脉、痣及脉黑褐色。头部和腹部具较强光泽,后头上部和腹部刻纹较弱;前胸背板和中胸侧板刻纹较强,光泽稍弱;中胸背板光泽弱,刻纹较致密。上颚内齿微长于外齿,中齿显著;颚眼距稍短于触角第2节长;后头显著收缩,后缘中部凹入部分深达后头1/3长;POL: OOL = 7: 10。触角23节,细长,亚端部明显膨大,第3节短于第4~7节,鞭节各节均长大于宽。前胸背板长等于宽,前缘领部狭窄,隆起,后缘中部不明显凹入。后足胫节具1对亚端距,基跗节约等长于其后3节之和,爪内齿大形,与端齿亚平行。腹部长于头胸部和长的2倍;锯鞘腹缘直,鞘端微长于鞘基的1/2长。锯腹片12刃,中部具约4列刚毛。雄虫下生殖板端缘窄截形,抱器狭长,稍弯曲,侧缘亚平行。

采集记录: 2♀,太白山蒿坪寺,1983. Ⅴ. 31,冯纪年采;1♀,太白山蒿坪寺,1983. Ⅴ. 20,王、柴采。

分布: 陕西(太白)、甘肃、湖北。

128. 茎蜂属 *Cephus* Latreille, 1803

Astatus Jurine in Panzer, 1801: 163. Not available. Suppressed. **Type species**: *Sirex pygmaeus* Linné, 1767. Note. Suppressed by Opinion 135 (ICZN 1939).

Cephus Latreille, 1803: 303. **Type species**: *Sirex pygmaeus* Linné, 1767.

Peronistilus Ghigi, 1905: 26. **Type species**: *Cephus politissimus* Costa, 1888.

Peronistilomorphus Pic, 1916: 24. **Type species**: *Peronistilomorphus berytensis* Pic, 1916.

Cephus (*Fossulocephus*) Pic, 1917: 2. **Type species**: *Cephus* (*Fossulocephus*) *citriniventris* Pic, 1917.

Pseudocephus Dovnar-Zapolskij, 1931a: 47. **Type species**: *Cephus pulcher* Tischbein, 1852.

属征：小型茎蜂，体较粗短。颜面宽，复眼间距显著大于眼高；触角窝间距等于或稍短于触角窝—前幕骨陷距；唇基端缘截形，颚眼距狭于触角第2节的1/2长，颊脊发达；左上颚3齿，中齿小型；下颚须第4节1.50倍于第6节长，第6节着生于第5节端部。触角细长，鞭节基部较细，亚端部明显膨大，第3节短于第4节。前胸背板宽显著大于长，中胸前侧片上部无明显横沟。后足胫节亚端距1~2枚，基跗节短于其后3节之和；爪无基片，内齿亚端位，小形。腹部粗短，第2节高明显大于长；尾须短小，显著短于锯鞘端1/2长；锯鞘腹缘直或稍曲折，锯鞘端微短于锯鞘基，端部不膨大；锯腹片简单，锯刃倾斜或平钝。体通常具较强光泽，刻点稀疏浅弱。

分布：全北区。世界已知40种，主要分布于古北区西部，新北区只记载1种。中国已知9种，秦岭地区发现1种。

(490) 点斑茎蜂 *Cephus brachycercus* Thomson, 1871

Cephus brachycercus Thomson, 1871: 322.

Cephus punctulatus Konow, 1896: 162.

Cephus brachycercus var. *tibialis* Dovnar-Zapolskij, 1926: 130.

鉴别特征：雌虫体长8~10mm。体黑色；上颚亚基部具黄斑，下颚须中部、前中足股节末端以远、后足胫节除末端黑环外黄色，跗节褐色；腹部第4、6、7背板两侧各具1个浅黄点斑，第10节背板后缘及各节腹板后缘具狭窄黄褐色边。前翅前缘脉大部浅褐色，显著淡于其余翅脉。雄虫体长6~8mm，上颚、唇基和内眶下端各具1个小黄斑，气门后片、中胸前侧片前上角、腹部第4和6背板后缘中部具小黄斑，第10背板后缘黄色；足黄色，基节外侧、转节外侧及节缝、前足股节后侧大部、后足股节后侧基部、后足胫节末端及跗节黑褐色。体光滑无刻点。触角18~19节，不长于腹部；后头收缩，后缘中部稍凹入。前胸背板前缘具平坦领部，后缘中凹深。后胫亚端距1对，爪长直，内齿小，亚端位，与端齿垂直。翅基部2/3烟褐色，痣外侧浅烟色。锯鞘腹缘直，鞘端稍短于鞘基。

采集记录： 2♀，潼关桐峪镇，1052m，2006. Ⅴ.30，朱巽采。

分布： 陕西(潼关)、黑龙江、辽宁、山西、河南、宁夏、甘肃、青海、湖北；日本，亚洲，欧洲。

129. 张茎蜂属 *Jungicephus* Maa, 1949

Jungicephus Maa, 1949: 18 (key), 21. **Type species**: *Jungicephus mandibularis* Maa, 1949.

属征： 中型茎蜂，体瘦长。上颚粗短，具2枚齿，内齿等长于外齿，外侧具明显肩部；下颚须5节，第3节不膨大，约等长于或短于第5节；下唇须3节，第3节具明显的感觉陷窝；前面观头部横宽，触角窝间距1.50倍于触角窝与前幕骨陷间距以及触角窝与内眶间距；背面观头部约于胸部等宽，复眼后头部两侧缘亚平行；唇基上区弱度隆起，无中脊；颚眼距长于单眼直径；复眼内缘亚平行，复眼下缘间距1.50倍于复眼长径；OCL 2.50倍于POL，OOL 2倍于POL；后颊脊伸至后眶上部；触角丝状，21~23节，第5节以远粗度一致，第2节宽大于长，第3、4节稍细于其余鞭分节，第3节明显长于第4节，第4节短于第5节。前胸背板宽2倍于长，侧面观中部明显弯折、倾斜；中胸小盾片宽明显大于长；中胸前侧片上部具显著短横沟。中足胫节具1个亚端距，后足胫节等长于跗节，具2个亚端距，后基跗节细，稍短于其后3节之和；爪短宽，具锐利基片，内齿长于外齿。前翅翅痣窄长，$2R_1$室正常，1r脉交于翅痣基部，2r交于翅痣中部，2A脉距臀褶距离3~4倍于2A脉宽；后翅具两组翅钩列，Rs和M室封闭。腹部强侧扁，第1背板中部分裂，第2节短，高显著大于长；锯鞘长于后足胫节，向背面弯折，锯鞘端显著短于锯鞘基；尾须长1/4倍于锯鞘端；锯腹片具3个端部节缝，无节缝齿突，锯刃端部尖，无亚基齿。

分布： 中国。世界已知2种，均分布于中国，秦岭地区发现1种。

(491) 双齿张茎蜂 *Jungicephus bidentus* Nie *et al.*, 2016 (图版9: E)

Jungicephus bidentus Nie *et al.*, 2016: 238.

鉴别特征： 体长8.50~10.50mm。体黑色，左上颚外齿内侧没有小齿；下颚须第5节明显长于第3节；额区几乎平坦，具极浅的中沟；上眶刻点极微细，中胸背板刻点较密，小盾片光滑，几乎无刻点；前翅2A脉基部圆钝弯曲，与翅内边缘的臀褶距离约3倍于2A脉的宽度；背面观头部在复眼后明显收缩，后缘中部凹入；锯腹片具13个锯刃，锯腹片和锯背片向背面轻度但明显反曲。

采集记录： 1♂，周至楼观台，899m，2006. Ⅴ.25，朱巽采。

分布： 陕西(周至)、北京、河北、河南。

130. 短痣茎蜂属 *Stigmatijanus* Wei, 2007

Stigmatijanus Wei in Wei *et* Nie, 2007: 110. **Type species**: *Janus stigmaticalis* Maa, 1949.

属征: 小型茎蜂。左上颚3齿，中齿小，靠近内齿，内齿无肩状部，等长于外齿；下颚须6节，第3节粗短，稍长于第2节，第4节细长，约2倍长于第6节，第6节着生于第5节近基部；下唇须4节，第1节显著长于第2节，第2节2倍长于第3节，第4节宽大，明显长于第1节，3.50倍长于第3节；唇基上区无中脊；触角窝间距稍宽于触角窝—内眶间距，等长于触角窝—前幕骨陷间距；颚眼距等宽于前单眼直径；复眼中内缘互相平行，间距明显宽于复眼高；POL约等于OOL，OCL 2.50倍于POL；颊脊发达，伸至后眶上端；背面观头部宽宽于胸部，后头不强烈延长或膨大，稍短于复眼。触角丝状，显著长于头宽2倍，25~26节，中端部微弱膨大，第2节长明显大于宽，第3节稍长于第4节。背面观前胸背板宽稍大于长。中足胫节具1个亚端距；后足胫节和跗节等长，胫节具2个亚端距，基跗节细圆柱形，长于其后3节之和；爪短宽，具发达基片，内齿稍长于外齿。前翅前缘室狭窄，无Sc脉，1r脉和2r脉均交于翅痣亚中部，互相靠近，1Rs和2Rs室很小，二者长度之和仅稍长于1M室的1/2；后翅具2个封闭中室。腹部显著侧扁，第1背板不愈合，第2节十分短高，高长比显著大于2；产卵器短于后足胫节，腹缘强烈弯曲，鞘端约等长于鞘基的3/5；尾须约等长于锯鞘端1/3长。锯腹片无节缝和翼突，锯刃方齿形，无细齿。

分布: 东亚。世界已知3种，中国分布2种，秦岭地区发现1种。

(492) 杏短痣茎蜂 *Stigmatijanus armeniacae* Wu, 2008 (图版9: F)

Stigmatijanus armeniacae Wu in Wu *et* Xin, 2008: 61.

鉴别特征: 雌虫体长7.50~10.00mm。体黑色；上颚黄色，腹部第2、3、4腹节大部黄褐色或棕褐色；足黑色，前足和中足基节、转节和股节基部浅黄色，其余各节黄褐色；后足基节、转节和股节基部浅黄色，股节其余部分棕色，胫节基部1/2黄色。翅透明，翅痣黑褐色。体型较细，头部OOL: POL: OCL = 1: 1: 3；触角25节；锯腹片12刃，锯背片12环。雄虫体长5.50~6.00mm，腹部第2、4节淡斑不明显，腹部修长。

采集记录: 1♀，丹凤寺坪镇，900~1200m，2005. V. 21，刘守柱采。

分布: 陕西(丹凤)、甘肃。

寄主: 杏树。

131. 简脉茎蜂属 *Janus* Stephens, 1829

Janus Stephens, 1829: 341. **Type species**: *Janus connectens* Stephens, 1829.

Ephippionotus Costa, 1860: 10. **Type species**: *Ephippinotus luteiventris* Costa, 1860.

属征: 复眼下缘间距显著宽于复眼高; 触角窝间距短于触角窝—前幕骨陷间距; 左上颚 2 齿, 外齿简单, 内齿简单或外侧具肩状部; 颚眼距约等于单眼直径, 短于触角第 2 节; 后颊脊发育; 后头不明显延长; 下颚须第 6 节通常着生于第 5 节基部, 第 4 节 1.50 倍于第 6 节长; 下唇须 4 节, 第 1 节长于第 2 节, 第 3 节明显, 第 4 节内侧亚基部具感觉凹; 触角通常不短于腹部, 第 2 节长等于或短于宽, 第 3 节长于或等长于第 4 节, 鞭节细丝状, 中端部有时微弱膨大; 前胸背板横宽, 中胸前侧片上部无横沟; 中足胫节具 1 个亚端距, 后足胫节具 1 对亚端距; 后足跗节多少侧扁, 基跗节长于其后 3 节之和; 爪短宽, 基片发达, 内齿大, 长于端齿; 前翅翅痣较短宽, 1r 脉起源于翅痣亚基部, 有时基部部分消失, 2r 脉起源于痣中部或微偏外侧, $2R_1$ 室前缘不宽于后缘; 后翅具 1 ~2 个封闭中室; 腹部弱度至中度侧扁, 侧面观第 2 节高显著大于长; 锯鞘腹缘显著曲折, 鞘端稍短于鞘基, 伸向腹部后方; 锯腹片简单, 无节缝和翼突列, 锯刃截刃形; 尾须短小。

分布: 全北区。世界已知 27 种, 包括 1 个化石种。中国已记载 12 种。秦岭地区发现 1 种。

(493) 古氏简脉茎蜂 *Janus gussakovskii* Maa, 1949 (图版 9: G)

Janus gussakovskii Maa, 1949: 19.

鉴别特征: 体长 7 ~9mm。体黑色; 口器、唇基、翅基片、气门后片、前胸背板后缘、各足基节大部、转节淡黄色, 各足股节及腹部 2 ~5 节部分红褐色; 前中足胫跗节及后胫节大部黄褐色; 后股节末端、后胫节末端及跗节黑褐色。翅透明。体光滑, 后头稍收缩, 左上颚 2 齿, 内齿肩形, 长于外齿。头部稍宽于胸部。前翅 1r 消失, 后翅无闭 Rs 室。后足第 4 跗分节短且倾斜。锯鞘腹缘稍曲折, 鞘端明显短于鞘基。锯腹片 12 刃。雄虫下生殖板末端结节状。

采集记录: 2♀, 丹凤寺坪镇, 900 ~1200m, 2005. Ⅴ.21, 刘守柱采。

分布: 陕西(丹凤)、北京、山西、甘肃、江西、湖南、福建。

132. 等节茎蜂属 *Phylloecus* Newman, 1838

Phylloecus Newman, 1838: 485. **Type species**: *Phylloecus faunus* Newman, 1838.

Hartigia Schiødte, 1839: 332, 347, 370. **Type species**: *Astatus satyrus* Panzer, 1801.

Cerobactrus Costa, 1860: 9. **Type species**: *Cerobactrus major* Costa, 1860.

Macrocephus Schlechtendal, 1878: 153. **Type species**: *Macrocephus ulmariae* Schlechtendal, 1878 [= *Hartigia xanthostoma* (Eversmann, 1847)].

Cephosoma Gradl, 1881: 294-296. **Type species**: *Cephosoma syringae* Gradl, 1881 [= Hartigia nigra (M. Harris, 1779)].

Adirus Konow, 1899: 74. **Type species**: *Cephus trimaculatus* Say, 1824.

Paradirus Dovnar-Zapolskij, 1931a: 39. **Type species**: *Paradirus algiricus* DovnarZapolskij, 1931.

Hissarocephus Gussakovskij, 1945: 530. **Type species**: *Hissarocephus stackelbergi* Gussakovskij, 1945.

属征：中小型茎蜂，体长形，稍粗壮。头部横宽，宽长比显著大于1.50；左上颚双齿，内齿短于外齿且具肩状部；下颚须短，第6节与第4节约等长，着生于第5节中部偏外侧；唇基端缘弧形突出，颚眼距常宽于触角第2节长，颊脊发达；复眼内缘间距约等于或大于复眼长径；触角窝间距宽于内眶，短于触角窝—前幕骨陷间距；唇基上区无中脊；后头稍延长，后颊脊发育。触角较粗短，23～30节，第2节宽大于长，第3节长于第4节，从第4节起常膨大。前胸背板平坦，通常较长；中胸前侧片上部无横沟，中胸腹板侧沟痕状。中足胫节无亚端距，后足胫节具1个亚端距，后基跗节约等于其后3节之和，第4跗分节长显著大于宽；爪内齿发达，无基片。前翅1r脉位于痣基端，2r脉位于翅痣中部外侧，翅痣窄长；后翅具双闭中室。腹部第1背板中部分裂，第2节高大于长；雄虫下生殖板简单；雌虫锯鞘腹缘曲折，鞘端短于鞘基；锯腹片中部宽于两端，具节缝和栉状翼突列，锯刃近三角形突出。

分布：古北区，新北区。世界已知33种，中国已记载14种，秦岭地区发现2种。

分种检索表

后眶、前胸背板和后足胫节全部黑色；前翅前缘脉黄褐色，翅痣黄褐色或浅褐色。体长19～20mm ……………… **黑胫等节茎蜂 *Phylloecus nigrotibialis***

后足胫节部分淡色；后眶和前胸背板后缘具黄斑；前缘脉和翅痣暗褐色或黑褐色。体长13～17mm ……………… **陈氏等节茎蜂 *Phylloecus cheni***

(494) 黑胫等节茎蜂 *Phylloecus nigrotibialis* (Wei *et* Nie, 1997) (图版9：H)

Hartigia nigrotibialis Wei *et* Nie, 1997h: 523.

Phylloecus nigrotibialis: Liston & Prous, 2014: 90.

鉴别特征：雌虫体长19～20mm。体黑色；上颚中部、内眶下半和上端具黄斑，腹部第2、3、4、6节背板侧缘具大黄斑，第3、5节背板后缘中部具小黄斑，第4节背板后缘和第3、4、6腹板侧角黄色；足黑色，前足股节末端及其胫跗节、中足胫节、后足基节外侧和后足胫距黄褐色，后足跗节褐色。翅浅烟色，前缘脉、翅痣及 R 脉黄褐色。体毛褐色。头部后缘不显著凹入，中单眼前具 1 个宽浅的横凹，无中纵沟；颚眼距约 1.80 倍于触角第 2 节长。触角 32 节，第 3 节 1.30 倍长于第 4 节。腹部侧扁，2 倍长于头、胸部长度之和。头部内眶上端光滑，光泽强，其他部分具细小刻点，光泽弱；前中胸背板、中胸腹板和腹部刻纹细弱，光泽弱，中胸侧板无光泽，小盾片中央刻点较稀疏，刻点间隙光滑。锯腹片节缝 20 个，不强烈倾斜，3～16 节缝各具 2 个小型瘤突。雄虫体长 19mm。唇基和唇基上区大部黄色。

采集记录：1♀，佛坪大古坪，1320m，2006. Ⅳ. 28，朱巽采。

分布：陕西（宝鸡、佛坪）、河南、宁夏、甘肃。

（495）陈氏等节茎蜂 *Phylloecus cheni*（Wei *et* Nie，1999）

Hartigia cheni Wei *et* Nie，1999d：136.

Phylloecus cheni：Liston & Prous，2014：90.

鉴别特征：雌虫体长 13～17mm。体黑色；上颚基部 2/3、内眶下半部、唇基除中央小斑及两侧之外，上眶小斑、后眶中部点斑、前胸背板后缘，腹部第 2、3、4、6 节侧斑及第 4、6 节背板后缘，各足基节下外侧条斑、前中足股、胫节腹大部，后足胫节基部 1/3、后足第 2 转节腹侧小斑亮黄色；前中足跗节暗褐色至褐色。翅浅烟色透明，翅痣和缘脉暗褐色。颚眼距 2 倍于触角第 2 节长；中单眼前具弧形横沟，无明显中纵沟，背面观后头稍长于复眼的 1/2，两侧明显收缩。头部光滑，光泽强。触角 31 节，第 3 节 1.20 倍长于第 4 节，鞭节丝状，不明显膨大。前胸背板刻点较细密，具光泽，小盾片顶部刻点较稀疏；中胸侧板刻点致密，光泽微弱。后翅 M 室无柄式。腹部刻点较密，光泽亦强。

采集记录：1♀，太白山，1580m，2007. Ⅶ. 12，朱巽采。

分布：陕西（太白）、河南、甘肃。

十二、树蜂科 Siricidae

鉴别特征：体中大型，体长 12～50mm。头部方形或半球形，后头膨大；后头孔下侧封闭，具口后桥；口器退化，下颚须 1 节，下唇须 2～3 节；唇基宽大，上唇很小，隐蔽；上颚粗短，具钝齿；颚眼距宽大，后颊脊缺或短小，后头和后眶宽大。触角丝状，12～30 节（中美洲有 1 属触角 5～6 节），第 1 节通常最长，约 4 倍于第 2 节长，鞭节细丝状或扁粗，具触角沟。前胸背板大致横方形，前缘陡峭，背面观多少凹入，后缘凹入部分稍深，前后外角均比较显著；前胸侧板短，侧面观无长颈；翅基片消失；中胸背板前叶和侧叶合并，小盾片无附片，盾侧凹大部强烈隆起成三角片；中胸侧腹板前缘具狭窄的腹前桥；中胸侧板和腹板间无侧沟；后胸背板具淡膜区；后胸侧板发达，与腹部第1背板结合，结合缝显著。前足胫节具1个端距，后足具1~2个端距，各足股节粗短，胫节发达，端前距缺如，基跗节明显延长、侧扁，跗垫发达。翅窄长，前后翅 R_1 室端部均开放，翅痣狭长；前翅前缘室狭窄，纵脉较直，具2r脉，1M室内上角具短柄或无柄，$1R_1$ 室与1M室接触面短或缺，1M室小型，扁平，cu-a脉基位或中位，臀室完整，亚基部收缩，2A脉常完整；后翅具5~7个闭室和1簇翅钩列。腹部圆筒形，无侧缘脊，第1节背板具中缝，雌虫第9背板具凹盘，第10节背板发达，具长突；产卵器细长，伸出腹端外的部分很长，锯刃退化。雄虫下生殖板宽大，端部具指突，外生殖器不扭转。幼虫触角1节，胸足退化，无腹足，具肛上突，蛀茎。

分类：树蜂科主要分布于北温带森林。全世界已知10属124种，另已发现化石7属11种。中国记载树蜂科6属54种，陕西秦岭地区现发现4属5种。

分属检索表

1. 触角细长，长于前翅缘脉，中端部鞭分节长明显大于宽；下唇须3节；后胸淡膜区2倍宽于长；寄生针叶树 …… 2
   触角粗短，短于前翅缘脉，鞭节中部稍膨大，明显扁平，中端部鞭分节宽大于长；下唇须2节；后胸淡膜区长约等于宽(触角窝互相远离，间距约为触角与复眼间距的3倍以上；复眼长2倍于宽；前翅2r脉位于翅痣端部1/4处左右；7~8背板仅具稀疏柔毛，无尾须；前翅 $3R_1$ 室通常稍短于 $2R_1$ 室)；寄生落叶阔叶树 …… **扁角树蜂属 *Tremex***
2. 雌虫腹部末端角突向基部微弱收缩；前翅1M室内侧无第2条cu-a横脉；头部背侧多少具淡斑，或全部淡色，极少全部黑色，则后足胫节具1距，且后眶下部具斜脊 …… 3
   雌虫腹部末端的角突三角形，向基部明显加宽；前翅1M室内侧具第2条cu-a横脉；头部背侧和复眼后无淡色斑纹；后足胫节具2个端距；后眶无侧脊 …… **树蜂属 *Sirex***
3. 头部后眶下部具显著短侧脊；后翅无封闭的臀室；产卵管长约为前翅的1.50倍；后足胫节具1个端距；前翅cu-a脉交于1M室基部 …… **长尾树蜂属 *Xeris***
   头部后眶无短侧脊；后翅具1个封闭的臀室；产卵管至多稍长于前翅；后足胫节具2个端距；前翅cu-a脉位于1M室中部或稍偏内侧 …… **大树蜂属 *Urocerus***

133. 扁角树蜂属 *Tremex* Jurine, 1807

Tremex Jurine, 1807: 80. **Type species**: *Sirex fuscicornis* Fabricius, 1787.

Sirex (*Xyloterus*) Hartig, 1837: 385(Hnec Erichson, 1836). **Type species**: *Sirex fuscicornis* Fabricius, 1787.

Xyloecematium Heyden, 1868: 227(new name for *Sirex* (*Xyloterus*) Hartig, 1837).

属征：大型叶蜂，体型粗壮。复眼窄高，长约2倍于宽，背侧间距0.70~1.20倍于复眼长径；触角粗短，不长于前翅缘脉，鞭节13节，中部鞭分节稍膨大，明显扁平，中端部鞭分节宽大于长，第1鞭分节至少0.70倍于第2鞭分节长；触角窝互相远离，间距为触角与复眼间距的3.50倍以上；下唇须2节；后胸淡膜区长约等于宽；前翅2r脉位于翅痣端部0.20~0.30，$2R_1$室至少0.85倍于$3R_1$室长，通常稍长于后者，2r-m脉缺如，cu-a脉邻近1M脉基部或顶接；腹部7~8背板仅具稀疏柔毛；额区刻点粗密，间隙窄于刻点直径；雌虫无尾须，第9背板凹盘平坦胡凹陷，极少微弱隆起，第10背板突向端部渐尖；两性头部细毛端部尖锐，不扁平扩大；产卵器约等长于腹部，锯鞘基约等长于锯鞘端。幼虫寄生落叶阔叶树。

分布：古北区，新北区。世界已知33种，中国分布19种，秦岭地区发现2种。

分种检索表

雌虫触角鞭节端半部白色，基半部黑褐色；雄虫中足胫节和基跗节全部黑色或黑褐色……………………………………………………………………………………………… **黑顶扁角树蜂 *T. apicalis***

雌虫触角全部红褐色；雄虫中足胫节和基跗节大部红褐色或黄褐色…… **烟扁角树蜂 *T. fuscicornis***

(496) 烟扁角树蜂 *Tremex fuscicornis* (Fabricius, 1787)

Sirex fuscicornis Fabricius, 1787: 257.

Sirex Struthiocamelus [sic!] Villers, 1789: 132.

Sirex Camelogigas [sic!] Christ, 1791: 411.

鉴别特征：雌虫体长16~40mm，雄虫体长11~17mm。头部和触角大部红褐色，触角鞭节中端部腹侧或大部、唇基、额区和头顶前部黑色；胸部大部黑色，前胸背板、中胸背板前叶和侧叶大部、小盾片大部和三角片红褐色；腹部第1背板边缘、第4~7背板大部、第8背板中部、第9背板前部两侧黑色，2和3背板大部、第4~7背板前部、第8背板前后部、第9背板大部红褐色；产卵器基半部红褐色，端半部黄白色。体色变化较大，有时虫体大部红褐色。足红褐色，基节和转节、中后足股节黑色，前足胫节基部黄褐色，中后足胫节基半部和基跗节基半部黄色。翅烟黄色，外缘狭边烟灰色，翅痣黄褐色。雄虫体黑色，前中足胫跗节和后足第5跗分节红褐色。

采集记录：1♀，太白山，1988. Ⅸ，采集人不详。

分布：陕西(太白)、黑龙江、吉林、辽宁、内蒙古、北京、天津、河北、山西、河南、甘肃、江苏、上海、浙江、江西、湖南、福建、西藏；蒙古，朝鲜，日本，欧洲。

(497) 黑顶扁角树蜂 *Tremex apicalis* Matsumura, 1912 (图版9: I)

Tremex apicalis Matsumura, 1912: 23.

Tremex propheta Semenov, 1921: 93.

鉴别特征：雌虫体长 21 ~ 38mm。体黑色，触角端半部白色，前中足胫节基部 2/3、后足胫节基半部、各足基跗节大部和第 5 跗分节黄褐色，腹部 2 和 3 背板大部、3 ~ 8背板两侧和前缘部分黄褐色，锯鞘基部 1/3 和末端黄褐色。翅烟黄色，端部 1/3 左右深烟褐色，翅痣黄褐色。雄虫体长 13 ~ 17mm，体黑色，前足胫节两端、基跗节外侧和第 5 跗分节红褐色。

采集记录：1♀，镇安，1300 ~ 1600m，2005. Ⅶ. 10，杨青采。

分布：陕西(镇安)、吉林、辽宁、北京、天津、河北、河南、江苏、上海、浙江、四川。

134. 树蜂属 *Sirex* Linnaeus, 1760

Sirex Linnaeus, 1760: 396. **Type species**: *Sirex juvencus* (Linné, 1758).
Urocerites Heer, 1867: 36. **Type species**: *Urocerites spectabilis* Heer, 1867.
Sirex (*Paururus*) Konow, 1896: 41. **Type species**: *Sirex juvencus* (Linné, 1758).

属征：中大型树蜂，体长 12 ~ 30mm。头部背侧和复眼后无淡色斑纹，体黑色部分通常具蓝色金属光泽；下唇须 3 节；复眼较小，下缘间距宽于复眼长径 1.50 倍，背侧最短距离 1.20 ~ 1.60 倍于复眼长径；触角窝间距 1.50 ~ 2.50 倍于触角窝复眼间距；后眶圆钝，无侧脊；触角细长，不侧扁，长于前翅缘脉，鞭分节至少多于 12 节，通常多于 16 节，中部鞭分节长宽比至少大于 2；后胸淡膜区 2 倍宽于长；前翅 1M 室内侧具第 2 条 cu-a 横脉，cu-a 脉中位；后翅臀室封闭；后足胫节具 2 个端距；雌虫腹部末端的角突三角形，向基部明显加宽；锯鞘端部 1/3 背侧具齿；寄生针叶树。

分布：古北区、新北区、东洋区，有 1 种传入新热带区、非洲界南部和澳洋界。世界已知 28 种，中国已知 9 种。秦岭地区发现 1 种。

(498) 斑翅树蜂 *Sirex nitobei* Matsumura, 1912 (图版 9: J)

Sirex nitobei Matsumura, 1912: 17.

鉴别特征：雌虫体长 12 ~ 30mm。体黑色，具显著蓝色金属光泽，足和触角全部黑色；前翅基半部近透明，端半部深烟褐色，翅痣黑褐色或暗褐色。体毛大部黑色。雌虫产卵器较短，约与腹部除尾突外部分等长，锯鞘端短于锯鞘基。雄虫体长 12 ~ 27mm；头胸部包括触角蓝黑色，腹部基部 2 节蓝黑色，其余部分黄褐色；足黑色，前中足股节端部、前中足胫节和跗节黄褐色；翅透明，烟斑不显著。头顶中沟宽浅，刻点粗密。

采集记录：1♀，周至楼观台，899m，2006. Ⅴ. 25，朱巽采。

分布：陕西(周至、勉县)、河北、山东、河南、江苏、云南；朝鲜，日本。

135. 大树蜂属 *Urocerus* Geoffroy, 1762

Urocerus Geoffroy, 1762: 264-265. **Type species**: *Ichneumon gigas* Linné, 1758.

Xanthosirex Semenov, 1921: 86. **Type species**: *Xanthosirex phantasma* Semenov, 1921.

Eosirex Piton, 1940: 229. **Type species**: *Eosirex ligniticus* Piton, 1940.

属征: 中大型树蜂, 体长 15 ~ 35mm。头部色斑各异, 但至少复眼后上侧具明显的淡色斑纹, 体黑色部分无蓝色金属光泽; 下唇须 3 节; 复眼较小, 下缘间距宽于复眼长径 1.50 倍, 背侧最短距离 1.20 ~ 1.60 倍于复眼长径; 触角窝间距 1.50 ~ 2.00 倍于触角窝复眼间距; 后眶圆钝, 无侧脊, 表面几乎光滑, 无明显刻点; 头部细毛端部尖锐; 触角细长, 不侧扁, 长于前翅缘脉, 鞭分节至少多于 13 节, 通常多于 16 节, 中部鞭分节长宽比至少大于 2; 前胸背板前垂面具显著粗刻点; 后胸淡膜区 2 倍宽于长; 前翅 2r-m 脉交于 2M 室内, 1M 室内侧无第 2 条 cu-a 横脉, cu-a 脉中位; 后翅臀室封闭; 后足胫节具 2 个端距; 雌虫第 9 背板凹盘宽长比等于 2, 侧缘脊很长, 显著分歧; 腹部末端的角突较宽, 通常基部明显收缩; 锯鞘基明显短于锯鞘端, 锯鞘端端部 1/3 背侧通常具齿(国产有几种不具齿); 寄生针叶树。

分布: 古北区, 新北区。世界已知 33 种, 中国记载 22 种, 秦岭地区采集到 1 种。

(499) 类台大树蜂 *Urocerus similis* Xiao *et* Wu, 1983

Urocerus similis Xiao *et* Wu, 1983: 7.

鉴别特征: 雌虫体长 25 ~ 31mm。头部和触角黄褐色, 前单眼以上部分的复眼间部分及头顶黑褐色; 胸部黑色, 前胸背板大部、中胸背板前叶 2 条纵带、小盾片和后小盾片、中胸前侧片大部和足黄褐色; 腹部黄褐色, 2 ~ 8 背板后缘和第 9 背板前缘黑色, 锯鞘黄褐色; 翅烟黄色透明, 翅痣和翅脉黄褐色。唇基和额区刻点粗密, 具皱纹, 上眶、单眼后区后颊刻点较少; 中胸背板侧叶、小盾片刻点粗密, 中胸背板前叶和胸部侧板刻点较细小稀疏, 间隙大于刻点, 腹部仅第 1 背板前侧具少许刻点。体毛较长, 大部黑褐色。前足胫节长于基跗节。第 9 背板凹盘具明显中脊, 产卵器等长于腹部和尾突之和。雄虫体长 14 ~ 19mm; 触角第 1 节大部黑色, 头部黑色, 唇基、上眶、头顶沟两侧以及后颊部分淡色; 胸部和足黑色, 前中足股节端部 1/3、胫节和跗节、后足股节端部、胫节两端和第 5 跗分节黄褐色, 腹部黄褐色, 1、2 背板黑色; 翅透明, 外缘稍暗, 脉黄色, 翅痣黑褐色。

采集记录: 1♀, 留坝桑园林场, 1080m, 2007. V. 19, 朱巽采。

分布: 陕西(留坝、勉县)。

136. 长尾树蜂属 *Xeris* Costa, 1894

Sirex (*Xeris*) Costa, 1894: 259. **Type species**: *Ichneumon spectrum* Linné, 1758.
Neoxeris Saini *et* Singh, 1987: 177. **Type species**: *Neoxeris melanocephala* Saini *et* Singh, 1987.

属征: 中大型树蜂，体型狭瘦，长15~35mm。头部黑色，复眼后上侧通常具明显的淡色斑纹，极少全部黑色；体黑色部分无蓝色金属光泽；下唇须3节；复眼较小，下缘间距宽于复眼长径1.60倍，背侧最短距离1.20~1.60倍于复眼长径；颚眼距宽于单眼直径2倍；触角窝间距1.50~2.00倍于触角窝复眼间距；后眶中部具明显的侧脊，表面几乎光滑，无明显刻点；头部细毛端部尖锐；触角细长，不侧扁，长于前翅缘脉，鞭分节至少多于14节，中部鞭分节长宽比大于3；前胸背板前垂面大部高度光滑；后胸淡膜区2倍宽于长；前翅2r交于翅痣中部，2r-m脉交于2M室内，1M室内侧无第2条cu-a横脉，cu-a脉接近1M脉；后翅臀室不封闭；后足胫节具1个端距；雌虫第9背板凹盘十分短宽，宽长比约等于2，侧缘脊显著分歧；腹部末端的角突较窄长，基部不收缩，中部有时稍收缩；锯鞘十分狭长，长于前翅1.50倍，锯鞘基短于锯鞘端1/2，锯鞘端端部1/3背侧无齿；尾须短小。寄生针叶树。

分布: 古北区，新北区。世界已知10种，中国记载3种，秦岭地区发现1种。

(500) 黄肩长尾树蜂 *Xeris spectrum spectrum* (**Linné, 1758**)(图版9: K)

Ichneumon spectrum [sic!] Linné, 1758: 560.
Sirex nanus O. F. Müller, 1776: 151.
Sirex emarginatus Fabricius, 1793: 128.
Sirex melancholicus Westwood, 1874: 116.

鉴别特征: 雌虫体长20~35mm，雄虫体长18~25mm。体和触角黑色，后眶上部具黄白斑，前胸背板两侧缘具黄褐色纵带，足大部或全部红褐色，雄虫足色有较大变化。头顶刻点粗大、稀疏，间隙光滑。

采集记录: 1♀，佛坪大古坪，1320m，2006.Ⅳ.28，朱巽采。

分布: 陕西(佛坪)、黑龙江、吉林、辽宁、内蒙古、北京、山西、河南、甘肃、青海、新疆、台湾、四川；韩国，日本，澳大利亚，欧洲，北美洲。

十三、尾蜂科 Orussidae

鉴别特征: 中小型蜂类。虫体表面通常具粗大密集刻点或脊纹。头部亚球形，额区和头顶附近具对称排列的瘤突；头型双孔式，具口后桥；复眼较大，窄高，内缘向下显著分歧；颚眼距宽大；上颚粗短，多齿形；唇基平坦，缺额唇基沟，上唇隐藏；触角雄性 11 节，雌性 10 节，均着生于唇基下方，第 1 节短棒状，短于第 2 节 2 倍长，鞭分节形态简单，雌虫触角第 9 节明显大于第 8 节和第 10 节。前胸背板后缘深凹，侧叶发达；无基前桥；中胸背板前叶中沟和侧沟退化，常不明显，具盾横沟，盾侧凹小型，退化，小盾片无附片；后胸背板具淡膜区，后胸侧板独立。翅脉简化，前后翅均缺封闭的臀室和 R_1 室，前翅具 4 个封闭翅室，前缘室狭窄，具典型的翅痣，1r 脉缺，具 2r 脉，cu-a 脉与 1M 脉基部顶接；后翅具 2 个封闭翅室。前足胫节具 1 个端距，中后足胫节无亚端距，后足胫节背侧具齿列；跗节简单，跗垫微小。腹部筒形，第 1 背板无中缝，雌虫产卵器很长，但不用时全部盘在腹部内，外观不可见。雄性的外生殖器不扭转。幼虫无胸足和腹足，触角只有 1 节。幼虫寄生于蛀干昆虫。

生物学：尾蜂成虫在枯死树干上活动时，行动迅捷，外观近似大型蚂蚁，但腹部基部与胸部宽阔连接，无细柄和单独结节，容易识别。

分类：分布于热带地区。世界已知 16 属约 76 种，中国已记载 2 属 5 种，陕西秦岭地区发现 1 属 1 种。

137. 尾蜂属 *Orussus* Latreille, 1797

Orussus Latreille, 1797: 111. **Type species**: *Oryssus coronatus* Fabricius, 1798.

Heliorussus Benson, 1955: 16. **Type species**: *Heliorussus scutator* Benson, 1955.

属征：足具多个白斑；前翅通常具翅斑，翅痣暗褐色，后翅透明；头部具冠齿列，颜面无背侧横脊和纵脊，颜面下缘横脊完整；眼后具毛被，常具眼后脊，通常具后颊脊，但发育程度不一；亚触角沟清晰；触角柄节短柱形，雌虫触角 4 +5 节之和最多等长于第 6 节，第 9 节侧缘弧形，最宽处不在端半部；下颚下唇复合体发育完全，下颚须 5 节，下唇须 3 节。前胸背板后缘缺口深，无后缘切口；前足基节中部膨大；中胸小盾片通常近似三角形，极少后角圆钝，常无中纵脊，小盾片沟模糊，侧缘显著；中胸侧板翅下脊显著；后胸小盾片萎缩；后足基节外侧毛被弱；后足股节无齿突和腹缘纵脊，后腹角圆钝；后足胫节背侧栓突较弱或明显发育，如果明显发育，则只有 1 列，腹侧纵脊常不明显，后背角常明显突出，后足胫节两端距通常显著不等长。前翅 2r 脉自翅痣中部伸出，交于 Rs 脉，之间具弯角；1M 室基部宽于端部，基侧背角不接触 R 脉；cu-a 脉交于 1M 室基部，与 1M 顶接。雌虫腹部第 1 背板气门后脊发育各样，第 2 背板具横方形光滑区并于前缘横沟接触；雌虫第 8 背板后缘中部具刺突，第 9 背板常具纵脊；雄虫第 9 腹板后臂多少发育，无横向隆起和瘤突。

分布：全北区，东洋区，非洲区北部，澳洋区北部。世界已知 24 种，中国已记载 4 种，秦岭地区发现 1 种。

（501）黑腹尾蜂 *Orussus melanosoma* Lee *et* Wei, 2014（图版 9：L）

Orussus melanosoma Lee *et* Wei, 2014: 250.

鉴别特征：雌虫体长 6～7mm。体黑色，股节端部具白斑，胫节背侧基部 1/4 具白斑；前翅明显烟褐色，基部稍淡，翅痣端部下方具与翅痣约等宽、中部内弯的弧形透明横带；翅痣、翅脉 C 和 R 黑褐色，其他翅脉浅褐色或近透明；后翅透明。单眼区齿突列显著，腹侧具齿突；颜面下缘横脊中部稍低；头部表面具网状粗大刻点；侧面观颜面几乎平坦，触角下沟显著发育；眼后脊微弱，表面光滑；后颊脊不发育；侧单眼距 4 倍于中单眼直径；触角第 1 节稍长于第 2 节，第 4、5 节之和明显短于第 6 节，第 9 节腹侧膨大，侧缘圆钝，最宽处位于中部内侧。中胸背板具纵沟，中胸小盾片沟深，小盾片后角尖三角形，边缘隆起；中胸背板具明显刻纹并杂以刻点。前翅 1r 脉缺如。后足股节侧腹侧光滑；后足胫节具明显的背桩，侧纵脊低弱，无腹纵脊；后足胫节端距几乎等长。腹部背板前部刻点显著，近后缘较光滑。产卵器稍向背侧弯折，长于后足胫节。雄虫体长 4mm，足无白斑，翅斑较弱。

采集记录：1♀，眉县太白山开天关，1852m，2014. Ⅵ. 05，魏美才采。

分布：陕西（眉县、佛坪）；韩国。

参考文献

Agassiz, J. L. R. 1848. *Nomenclatoris zoologici index universalis, continens nomina systematica classium, ordinum, familiarum et generum animalium omnium, tam viventium quam fossilium, secundum ordinem alphabeticum unicum disposita, adjectis homonymiis plantarum.* Jent *et* Grassmann, Soloduri, pp. Ⅰ-Ⅹ + 1-1135 + [1].

André, E. 1880. Species des Hyménoptères d'Europe & d'Algérie. *Beaune* (Côte-d'Or), 1[1879-1882](6): 161-236.

André, E. 1881a. Species des Hyménoptères d'Europe & d'Algérie. *Beaune* (Côte-d'Or) 1 (8): 301-380.

André, E. 1881b. Species des Hyménoptères d'Europe & d'Algérie. *Beaune* (Côte-d'Or), 1[1879-1882](9): 381-484.

Ashmead, W. H. 1898. Classification of the horntails and sawflies, or the suborder Phytophaga (Paper No. 3). *The Canadian Entomologist*, 30: 205-212.

Benson, R. B. 1931. Notes on the British sawflies of the genus *Athalia* (Hymenoptera, Tenthredinidae), with the description of a new species. *The Entomologist's Monthly Magazine, Third Series*, 67(17): 109-114.

Benson, R. B. 1935. On the genera of Cephidae, and the erection of a new family Syntexidae (Hymenoptera, Symphyta). *The Annals and Magazine of Natural History, including Zoology, Botany, and Geology; Tenth Series*, 16: 535-553.

Benson, R. B. 1939. Four new genera of British Sawflies (Hym., Symphyta). *The Entomologist's Monthly Magazine, Third Series*, 75(25): 110-113.

Benson, R. B. 1945. Classification of the Pamphiliidae (Hymenoptera Symphyta). *Proceedings of the Royal Entomological Society of London. Series B: Taxonomy*, 14(3-4): 25-33.

Benson, R. B. 1955. Classification of the Orussidae, with some new genera and species (Hymenoptera: Symphyta). *Proceedings of the Royal Entomological Society of London. Series B: Taxonomy*, 24(1-2): 13-23.

Berthold, A. A. 1827. *Latreille's (Mitgliedes der königlichen Academie der Wissenschaften zu Paris, Ritters der Eherenlegion, u. s. w., u. s. w.) Natürliche Familien des Thierreichs. Aus dem Französischen mit Anmerkungen und Zusätzen.* Verlag des Gr. H. S. priv. Landes-Industrie-Comptoires, Weimar, pp. 1-606.

Blank, S. M., Krampa, K., Smith, D. R., Sundukov, Y. N., Wei, M. C., Shinohara, A. 2017. Big and beautiful: The *Megaxyela* species (Hymenoptera, Xyelidae) of East Asia and North America. *European Journal of Taxonomy*, 348: 1-46.

Blank, S. M., Taeger, A., Liston, A. D., Smith, D. R., Rasnitsyn, A. P., Shinohara, A., Heidemaa, M. and Viitasaari, M. 2009. Studies toward a World Catalog of Symphyta (Hymenoptera). *Zootaxa*, 2254: 1-96.

Bremi-Wolf, J. J. 1849. Beschreibung einiger Hymenopteren, die ich für noch unbeschriebene und unpublicirt halte. *Entomologische Zeitung (Stettin)*, 10(3): 92-96.

Brébisson, J. B. G. de 1818. Sur une nouveau genre d'insectes, de l'ordre des Hyménoptères (Pinicole). *Bulletin des sciences, par la Société Philomatique* (3), 1818([8]): 116-117.

Brischke, C. G. A. 1883. Beobachtungen über die Arten der Blatt- und Holzwespen von C. G. A. Brischke, Hauptlehrer a. D. in Langfuhr und Dr. Gustav Zaddach Professor in Königsberg, mitgeteilt von Brischke aus Zaddach's Manuscripten. *Schriften der physikalisch-ökonomischen Gesellschaft zu Königsberg*, 23[1882]: 127-200.

Brullé, A. 1846. *Histoire naturelle des Insectes. Hyménoptères. (ed. Lepeletier de Saint-Fargeau), Vol. 4.* Paris, pp. 1-680 + 1-16.

Burmeister, C. H. C. 1847. *Athlophorus Klugii, eine neue Gattung der Blattwespen (Tenthredonidae). Zur Jubelfeier der vor 50 Jahren, am 27. November 1797, begangenen Promotion des Herrn Geheimen Ober-Medicinal-Rath's Dr. Friedrich Klug, etc. etc. bekannt gemacht von Dr. Hermann Burmeister, o. ö. Pr. d. Zoologie zu Halle.* C. A. Schwetschke & Sohn, Halle, 9 pp.

Chevin, H. 1985. Tristactoides lacourti, n. gen. n. sp. d'Hyménoptère Megalodontidae d'Afrique du Nord. *L'Entomologiste. Revue d'Amateurs*, 41(2): 73-77.

Cameron, P. 1876. Descriptions of new genera and species of Tenthredinidae and Siricidae, chiefly from the East Indies, in the Collection of the British Museum. *Transactions of the Entomological Society of London for the Year* 1876, (3): 459-471.

Cameron, P. 1877. Descriptions of new genera and species of East Indian Tenthredinidae. *Transactions of the Entomological Society of London for the Year* 1877, (2): 87-92.

Cameron, P. 1882. *A Monograph of the British Phytophagous Hymenoptera.* London, 1: 1-340.

Cameron, P. 1882. XXIII. Descriptions of ten new species of *Nematus* from Britain. *Transactions of the Entomological Society of London for the Year* 1882, (4): 531-540.

Cameron, P. 1899. Hymenoptera Orientala or Contributions to a knowledge of the Hymenoptera of the Oriental Zoological Region. Part VIII. The Hymenoptera of the Khasia Hills. First Paper. *Memoirs and proceedings of the Manchester Literary and Philosophical Society*, 43(3): 1-220.

Cameron, P. 1902. Descriptions of new genera and species of Hymenoptera collected by Major C. G. Nurse at Deesa, Simla and Ferozepore. Part Ⅱ. *Journal of the Bombay Natural History Society*, *Bombay*, 14(3): 419-449.

Choi, J., Wei, M., Vilhelmsen, L. and Lee, J. 2014. A new *Orussus* from South Korea, and a key to the East Asian Orussidae (Hymenoptera). *Zootaxa*, 3873(3): 250-258.

Christ, J. L. 1791. *Naturgeschichte*, *Classification und Nomenclatur der Insecten vom Bienen*, *Wespen und Ameisengeschlecht*; *als der fünften Klasse fünfte Ordnung des Linneischen Natursystems von den Insecten*: *Hymenoptera.* Mit häutigen Flügeln. Hermannsche Buchhandlung, Frankfurt am Main, pp. 1-535.

Chu, H. F. 1949. The wheat sawfly, *Dolerus tritici* new species. *Contributions from the Institute of Zoology*, *National Academy of Peiping*, 5(3): 79-92.

Chu, H. F. and Wang, L. 1962. A synoptical study on the Chinese sawflies of the subfamily Athaliinae (Hymenoptera, Tenthredinidae). *Acta Zoologica Sinica*, 14(4): 505-514.

Conde, O. 1935. Oryssoidea *et* Tenthredinoidea collecta in Ussuri *et* Sachalin ab N. Delle. *Notulae Entomologicae*, 14: 67-87.

Costa, A. 1859. *Fauna del Regno di Napoli. Imenotteri. Parte* Ⅲ. — *Trivellanti Sessiliventri.* [*Tentredinidei*]. Antonio Cons, Napoli, [1859-1860], pp. 1-116.

Costa, A. 1860. *Fauna del Regno di Napoli. Imenotteri. Parte* Ⅲ. — *Trivellanti Sessiliventri.* [*Lididei*, *Cefidei*, *Siricidei*, *Orissidei*]. Antonio Cons, Napoli, [1859-1860], pp. 1-4 + 1-12 + 1-6 + 1-6.

Costa, A. 1894. Prospetto degli Imenotteri Italiani. Ⅲ, Tenthredinidei e Siricidei. *Atti della Reale Accademia delle Scienze Fisiche e Matematiche*, 3, 1-290.

Cresson, E. T. 1880. Descriptions of new North American Hymenoptera in the collection of the American Entomological Society. *Transactions of the American Entomological Society*, 8: 1-52.

Curtis, J. H. 1829. *British Entomology*; *being illustrations and descriptions of the genera of Insects found in Great Britain and Ireland*: *containing Coloured Figures from Nature of the most rare and beautiful species*, *and in many instances of the plants upon which they are found.* Published by the Author, London, 6(part 61-72), each plate with [2] pp. text.

Curtis, J. H. 1831. *British Entomology*; *being illustrations and descriptions of the genera of Insects found in Great Britain and Ireland*: *containing Coloured Figures from Nature of the most rare and beautiful species*, *and in many instances of the plants upon which they are found.* Published by the Author, London, 8(part 85-96), each plate with [2] pp. text.

Curtis, J. H. 1833. *British Entomology*; *being illustrations and descriptions of the genera of Insects found in Great Britain and Ireland*: *containing Coloured Figures from Nature of the most rare and beautiful species*, *and in many instances of the plants upon which they are found.* Published by the Author, London, 10(part 109-120), each plate with [2] pp. text.

Curtis, J. H. 1836. *British Entomology*; *being illustrations and descriptions of the genera of Insects found in Great Britain and Ireland*: *containing Coloured Figures from Nature of the most rare and beautiful species*, *and in many instances of the plants upon which they are found.* Published by the Author, London, 13(part 145-156), each plate with [2] pp. text.

Curtis, J. H. 1839. *British Entomology*; *being illustrations and descriptions of the genera of Insects found in*

Great Britain and Ireland: containing Coloured Figures from Nature of the most rare and beautiful species, and in many instances of the plants upon which they are found. Published by the Author, London, 16(part 181-192), each plate with [2] pp. text.

Dahlbom, G. 1835. Conspectus Tenthredinidum, Siricidum *et* Oryssinorum Scandinaviae, quas Hymenopterorum familias. *Kongl. Swenska Wetenskaps Academiens Handlingar*, 1835: 1-16.

Dalman, J. W. 1819. Nagra nya Insect. Genera. *Kongl. Vetenskaps Academiens Handlingar*, 1819: 117-127.

Dovnar-Zapolskij, D. P. 1926. O steblevyh pilil'shhikah (Cephidae) Severo-Kavkazskogo Kraja. [On stem sawflies (Cephidae) of the North Caucasus area. In Russian, new species also in German]. *Izvestija Severo-Kavkazkoj Krajevoj Stancii zaschtschity rastenij*, 1: 127-132.

Dovnar-Zapolskij, D. P. 1930. Neue oder wenig bekannte Chalastogastren. *Russkoe Entomologicheskoe obozrenie*, 24(1-2): 86-94.

Dovnar-Zapolskij, D. P. 1931a. Cephiden Studien (Hymenoptera, Chalastogastra) (I. Beitrag). *Ezhegodnik Zoologitscheskogo Muzeja Leningrad*, 32: 37-49.

Dovnar-Zapolskij, D. P. 1931b. Obzor fauny pilil"98 + shhikov i rogohvostov (Hym. Chalastogastra) Severo-Kavkazskogo kraja. (Eine Uebersicht über die Blattwespen (Chalastogastra) des nord kaukasischen Gebietes). *Izvestija Severo-Kavkazkoj Krajevoj Stancii zaschtschity rastenij*, 6-7: 33-62.

Enderlein, G. 1919. Symphytologica I. Zur Kenntnis der Oryssiden und Tenthrediniden. *Sitzungsberichte der Gesellschaft Naturforschender Freunde zu Berlin*, 9(3-4): 111-127.

Enderlein, G. 1920. Symphytologica II. Zur Kenntnis der Tenthrediniden. *Sitzungsberichte der Gesellschaft Naturforschender Freunde zu Berlin*, 9[1919](9): 347-374.

Enslin, E. 1911a. Ein Beitrag zur Tenthrediniden. Fauna Formosas. *Societas Entomologica*, 25(24): 93-94.

Enslin, E. 1911b. Ein Beitrag zur Tenthrediniden-Fauna Formosas. (Fortsetzung). *Societas Entomologica*, 25(25): 98-99.

Enslin, E. 1912a. Die Tenthredinoidea Mitteleuropas. *Deutsche Entomologische Zeitschrift*, [1912] (Beiheft 1), 1-98.

Enslin, E. 1912b. Edward Jacobson's Java-Ausbeute, Fam. Tenthredinoidea (Hym.), nebst Bestimmungstabelle der einschlägigen Gattungen. *Tijdschrift voor Entomologie*, 55: 104-126.

Enslin, E. 1912c. Über *Tenthredo* (*Allantus*) *albiventris* Mocs. und *trivittata* Ed. André, sowie über einige Namensänderungen bei *Tenthredo* und *Tenthredella*. *Archiv für Naturgeschichte*, 78 Abt. A(6): 101-105.

Enslin, E. 1913. Die Tenthredinoidea Mitteleuropas II. *Deutsche Entomologische Zeitschrift*, [1913] (Beiheft 2): 99-202.

Enslin, E. 1914a. Ueber Tenthrediniden aus Spanien. Nebst einer Bestimmungstabelle der paläarktischen *Tomostethus*. *Archiv für Naturgeschichte*, 79 Abt. A[1913](9): 165-171.

Enslin, E. 1914b. Die Tenthredinoidea Mitteleuropas III. *Deutsche Entomologische Zeitschrift*, [1914] (Beiheft 3): 203-309.

Enslin, E. 1920a. Die paläarktischen *Rhadinoceraea*-Arten (Hym., Tenthred.). *Archiv für Naturgeschichte*, 85 Abt. A[1919](2): 316-320.

Enslin, E. 1920b. Die Blattwespengattung *Tenthredo* L. (*Tenthredella* Rohwer). *Abhandlungen der Zoologisch-Botanischen Gesellschaft in Österreich*, 11(1): 1-96.

Eversmann, E. 1847. Fauna hymenopterologica volgo- uralensis exhibens Hymenopterorum species quas in provinciis Volgam fluvium inter *et* montes Uralenses sitis observavit *et* nunc descripsit. *Bulletin de la Société Impériale des Naturalistes de Moscou*, 20(1): 3-68.

Fabricius, J. C. 1787. *Mantissa Insectorum sistens eorum species nuper detectas adiectis characteribus generi-cis differentiis specificis emendationibus observationibus*, *Vol.* 1. C. G. Proft, Hafniae, pp. 1-348.

Fabricius, J. C. 1793. *Entomologica systematica emendata et aucta. Secundum classes, ordines, genera, species adjectis synonimis, locis, observationibus, descriptionibus*, *Vol.* 2. C. G. Proft, Hafniae, pp. 104-132.

Fabricius, J. C. 1804. *Systema Piezatorum secundum ordines, genera, species adiectis synonymis, locis, observationibus, descriptionibus.* Carolus Reichard, Brunsvigae, pp. 1-30 + 1-440.

Fallén, C. F. 1807. Försok till uppställning och beskrifning å de i Sverige fundne Arter af Insect- Slägtet *Tenthredo* Linn. Kongl. *Vetenskaps Academiens nya Handlingar*, 28(3): 179-209.

Fallén, C. F. 1808. Försok till uppställning och beskrifning å de i Sverige fundne Arter af Insect- Slägtet *Tenthredo* Linn. Kongl. *Vetenskaps Academiens nya Handlingar*, 29(2): 98-124.

Forsius, R. 1910. Eine neue Selandriaden- Gattung. *Meddelanden af Societas pro Fauna et Flora Fennica*, 36[1909-1910], 49-52: 218.

Forsius, R. 1918. Über einige paläarktische Tenthredinini. *Meddelanden af Societas pro Fauna et Flora Fennica*, 44[1917-1918]: 141-153.

Forsius, R. 1925. J. B. Corporaal's Tenthredinoiden- Ausbeute aus Sumatra. *Notulae Entomologicae*, 5 (3): 84-97.

Forsius, R. 1927. Tenthredinoiden aus China eingesammelt von Herrn Dr. Kr. Kolthoff 1921. *Arkiv för Zoologi*, 19[1927-1928](2[nr A10]): 1-12.

Forsius, R. 1928. Über die von Wuorentaus in Kamtschatka gesammelten Tenthredinoiden. *Notulae Entomologicae*, 8: 43-50.

Forsius, R. 1929. Über neue oder wenig bekannte Tenthredinoiden aus Sumatra. *Notulae Entomologicae*, 9(2): 53-70.

Forsius, R. 1931. Über einige neue oder wenig bekannte orientalische Tenthredinoiden (Hymenopt.). *Annalen des Naturhistorischen Museums in Wien*, 46[1932-1933]: 29-48.

Forsius, R. 1934. Über einige Tenthredinoides Javas. *In*: Prof. Dr. Handschin. Studienreise auf den Sundainseln und in Nordaustralien 1930-1932. *Revue Suisse de Zoologie*, 41(4): 105-110.

Forsius, R. 1935. On some new Tenthredinidae from Burma and Sumatra (Hymenoptera). *Annali del Museo Civico di Storia Naturale Giacomo Doria*, 59: 28-36.

Geoffroy, E. L. 1762. *Histoire abrégée des Insectes qui se trouvent aux environs de Paris; Dans laquelle ces Animaux sont rangés suivant un ordre méthodique*, *Vol.* 2. Durand, Paris, pp. 1-690.

Geoffroy, E. L. 1785. *In*: Fourcroy, A. F. *de Entomologia Parisiensis, sive catalogus Insectorum quae in agro parisiensi reperiuntus. Vol.* 1-2. Paris, pp. Ⅰ-Ⅷ + 1-231 + [232]-544.

Ghigi, A. 1905. Catalogo dei Tenthredinidi del Museo zoologico di Napoli con osservazioni critiche e sinonimiche. *Annuario del Museo Zoologico della R. Università di Napoli*, *N. S.* 1[1904](21): 1-28.

Gimmerthal, B. A. 1847. Einiges über die Blattwespen im Allgemeinen, nebst einer Uebersicht der Gattungs- Charactere, und über die bis hiezu in Liv- und Curland beobachteten Arten, mit einigen Bemerkungen dazu. *Arbeiten des Naturforschenden Vereins zu Riga*, 1[1847-1848](1): 23-60.

Gistel, J. N. F. X. 1848. *Naturgeschichte des Thierreichs. Für höhere Schulen.* Hoffmann'sche Verlags-Buchhandlung, Stuttgart, XVI + 216 + 4 pp.

Gmelin, J. F. 1790. *Caroli a Linné Systema Naturae.* 13. *ed.*, *Vol.* 1(5). Beer, Leipzig, pp. 2225-3020.

Gradl, H. 1881. Aus der Fauna des Egerlandes. Neue Beschreibungen von Insekten. *Entomologische Nachrichten*, 7(20-21): 294-309.

Guérin-Méneville, F. É. ([1834]) Insectes. *In*: Guérin-Méneville, F. É. (1829-1844) *Iconographie du Règne animal de G. Cuvier, ou représentation d'après nature, de l'une des espèces les plus remarquables et souvent non encore figurées, dechaque genre d'animaux, avec un text de* J. J. Ballière, Paris, plates 64-65.

Gussakovskij, V. V. 1935. *Insectes Hyménoptères, Chalastrogastra 1. Fauna SSSR*, 2(1): 1-453.

Gussakovskij, V. V. 1945. A new genus of Cephidae (Hymenoptera) from Tadjikistan. *Doklady Akademii Nauk* SSSR, 48(7): 530-531.

Hara, H. and Shinohara, A. 2006. The sawfly genus Spinarge (Hymenoptera, Argidae). *Bulletin of the National Science Museum, Series A, Zoology*, 32(2): 61-94.

Haris, A. 1996. New East-Palaearctic *Dolerus* species (Hymenoptera, Symphyta, Tenthredinidae). *Acta Zoologica Academiae Scientiarum Hungaricae*, 42(3): 187-194.

Haris, A. 2006. New sawflies (Hymenoptera: Symphyta, Tenthredinidae) from Indonesia, Papua New Guinea, Malaysia and Vietnam, with keys to genera and species. *Zoologische Mededelingen*, 80(2): 291-365.

Haris, A. 2007. Sawflies from Nepal and China (Hymenoptera: Symphyta: Tenthredinidae). *Berichte des Naturwissenschaftlich-Medizinischen Vereins in Innsbruck*, 94: 79-86.

Haris, A. and Roller, L. 1999. Four new sawfly species from Yunnan (Hymenoptera: Tenthredinidae). *Folia Entomologica Hungarica*, 60: 231-237.

Hartig, T. 1837. *Die Aderflügler Deutschlands mit besonderer Berücksichtigung ihres Larvenzustandes und ihres Wirkens in Wäldern und Grten für Entomologen, Wald- und Gartenbesitzer. Die Familien der Blattwespen und Holzwespen nebst einer allgemeinen Einleitung zur Naturgeschichte der Hymenopteren.* Erster Band. Haude und Spener, Berlin, pp. I-XIV + 1-416.

Hartig, T. 1840. Hymenopterologische Mittheilungen vom Forstrathe Dr. Th. Hartwig. [sic!] *Entomologische Zeitung (Stettin)*, 1(2): 19-28.

He, Y. K., Wei, M. and Zhang, S.-B. 2005. Two new species of Tenthredinidae from China (Hymenoptera, Tenthredinidae). *Acta Zootaxonomica Sinica*, 30(3): 618-621.

Hu, P. and Wei, M. 2013. Two new species of the genus *Tenthredo* Linnaeus (Hymenoptera, Tenthredinidae) from China. *Acta Zootaxonomica Sinica*, 38(2): 343-350.

Jakowlew, A. 1888. Quelques nouvelles espèces des mouches à scie de l'Empire Russe. *Trudy Russkogo Entomologiceskogo Obscestva v S. Peterburge*, 22, 368-375.

Jakowlew, A. 1891. Diagnoses Tenthredinidarum novarum ex Rossia Europaea, Sibiria, Asia Media *et* confinum. *Trudy Russkogo Entomologiceskogo Obscestva v S. Peterburge*, 26[1892]: 1-62 (Separatum, preprint).

Jurine, L. 1807. *Nouvelle Méthode de classer les Hyménoptères et les Diptères*, *Vol.* 4(II). Genève & Paris, pp. 1-319 + plates 1-7.

Kangas, E. 1946. Über die Gattung *Abia* Leach (Hym., Tenthredinidae) im Lichte ihrer europäischen Arten. *Annales Entomologici Fennici*, 12: 77-122.

Kirby, W. F. 1881. Description of a new genus and species of Tenthredinidae. *The Entomologist's Monthly Magazine*, 18: 107.

Kirby, W. F. 1882. *List of Hymenoptera with descriptions and figures of the typical specimens in the British Museum. 1. Tenthredinidae and Siricidae.* London: British Museum. pp. 1-450.

Klug, F. 1815. Die Blattwespen nach ihren Gattungen und Arten zusammengestellt. *Der Gesellschaft Naturforschender Freunde zu Berlin Magazin für die neuesten Entdeckungen in der gesamten Naturkunde*, 7[1813](2): 120-131.

Klug, F. 1817a. Die Blattwespen nach ihren Gattungen und Arten zusammengestellt. *Der Gesellschaft Naturforschender Freunde zu Berlin Magazin für die neuesten Entdeckungen in der gesamten Naturkunde*, 8 (2): 110-144.

Klug, F. 1817b. Die Blattwespen nach ihren Gattungen und Arten zusammengestellt. *Der Gesellschaft Naturforschender Freunde zu Berlin Magazin für die neuesten Entdeckungen in der gesamten Naturkunde*, 8[1814](3): 179-219.

Klug, F. 1834. Uebersicht der Tenthredinetae der Sammlung. *Jahrbücher der Insectenkunde mit besonderer Rücksicht aufdie Sammlung des Königl. Museum in Berlin herausgegeben*, 1: 223-253.

Koch, F. 1988. Die palaearktischen Arten der Gattung *Apethymus* Benson, 1939 (Hymenoptera, Symphyta, Allantinae). *Mitteilungen der Münchner Entomologischen Gesellschaft*, 78: 155-178.

Kokujev, N. 1927. Hymenoptera, sobrannye V. V. Sovinskim na beregah ozera Bajkala b 1902 godu. [Hymenoptera, collected by V. V. Sovinskij on the shores of the Lake Baikal in 1902.] (In Russian and Latin). *Trudy Komissii po izuceniju ozera Bajkala*, 2: 63-76.

Konow, F. W. 1884. Bemerkungen über Blattwespen. *Deutsche Entomologische Zeitschrift*, 28(2): 305-354.

Konow, F. W. 1885a. Ueber die Blattwespen Gattungen *Strongylogaster* Dahlb. und *Selandria* Klg. *Wiener Entomologische Zeitung*, 4: 19-26.

Konow, F. W. 1885b. Bemerkungen über einige Blattwespengattungen. *Wiener Entomologische Zeitung*, 4(4): 117-124.

Konow, F. W. 1890. Tenthredinidae Europae. *Deutsche Entomologische Zeitschrift*, 1890(2): 225-240.

Konow, F. W. 1892. Bemerkungen und Nachträge zum Catalogus Tenthredinidarum Europae. *Deutsche Entomologische Zeitschrift*, 1891(2): 209-220.

Konow, F. W. 1896a. Verschiedenes aus der Hymenopteren- Gruppe der Tenthrediniden. *Wiener Entomologische Zeitung*, 15: 41-59.

Konow, F. W. 1896b. Ueber Blattwespen, Tribus Cephini (Tenthredinarum Tribus). *Wiener Entomologische Zeitung*, 15(4-5): 150-179.

Konow, F. W. 1897a. Systematische und kritische Bearbeitung der Blattwespen- Tribus Lydini. *Annalen des K. K. Naturhistorischen Hofmuseums*, 12(1): 1-32.

Konow, F. W. 1897b. Neue palaearctische Tenthrediniden. *Wiener Entomologische Zeitung*, 16 (6): 173-187.

Konow, F. W. 1898a. Neue *Chalastogastra*- Gattungen und Arten. *Entomologische Nachrichten*, 24 (17-18): 268-282.

Konow, F. W. 1898b. Neue Tenthrediniden. *Wiener Entomologische Zeitung*, 17(7-8): 228-238.

Konow, F. W. 1899a. Ueber einige neue Chalastogastra. *Wiener Entomologische Zeitung*, 18(2-3): 41-46.

Konow, F. W. 1899b. Einige neue Chalastogastra. Gattungen und Arten. *Entomologische Nachrichten*, 25(5): 73-79.

Konow, F. W. 1899c. Neue südamerikanische Tenthredinidae. *Anales del Museo Nacional de Buenos Aires*, 2. Ser., 3-6: 397-417.

Konow, F. W. 1900a. Neue Chalastogastra-Arten (Hym.). *Természetrajzi Füzetek*, 24[1901]: 57-72 (preprint).

Konow, F. W. 1900b. Neue Sibirische Tenthrediniden. *Entomologische Nachrichten*, 26: 119-126.

Konow, F. W. 1902. Neue Blattwespen. (Hym). *Zeitschrift für systematische Hymenopterologie und Dipterologie*, 2(6): 384-390.

Konow, F. W. 1903. Über neue oder wenig bekannte Tenthrediniden (Hym.) des Russischen Reiches und Centralasiens. *Ezhegodnik Zoologicheskago Muzeja Imperatorskoj Akademii Nauk*, 8: 115-132.

Konow, F. W. 1905. Hymenoptera. Fam. Tenthredinidae. Fasc. 29. *In*: Wytsman, P. (ed.), *Genera Insectorum*, *Brüssel*, Bruxelles, pp. 1-176.

Konow, F. W. 1906. Ueber einige Tenthrediniden der alten Welt. (Hym.). *Zeitschrift für systematische Hymenopterologieund Dipterologie*, 6(2): 122-127.

Konow, F. W. 1907a. Neue Chalastogastra aus den naturhist. Museen in Hamburg und Madrid. *Zeitschrift für systematische Hymenopterologie und Dipterologie*, 7(2): 161-174.

Konow, F. W. 1907b. Neue Argides. (Hym.). *Zeitschrift für systematische Hymenopterologie und Dipterologie*, 7(4): 306-309.

Konow, F. W. 1907c. Litteratur. (Hym.). *Zeitschrift für systematische Hymenopterologie und Dipterologie*, 7(3): 325-333.

Konow, F. W. 1908. Neue Tenthrediniden aus Sikkim. (Hym.). *Zeitschrift für systematische Hymenopterologie und Dipterologie*, 8(1): 19-26.

Kriechbaumer, J. 1869. Hymenopterologische Beiträge. *Verhandlungen der kaiserlich-königlichen zoologisch-botanischen Gesellschaft in Wien*, *Abhandlungen*, 19: 587-600.

Krivolutskaya, G. O., Stroganova, V. K. 1966. [The horntail fauna (Hymenoptera, Siricoidea) of the Kuril Islands.], In *The Entomofauna of the Forests of the Kuril Islands*, *Kamchatka*, *and Magadanskaya Oblast*. Moscow, Leningrad, 59-62. [In Russian]

Kuznetzov-Ugamskij, N. N. 1928. Spisok Hymenoptera Tenthredinoidea, sobrannyh A. V. Shestakovym v okrestnostjah s Zhedenovo, Jaroslavskoj gub. [Table des Hymenoptéres Tenthredinoidea recueillis par A. Shestakov dans les environs de Zhedenovo, gouvernement de Jaroslavl.] (In Russian, abstract in French). *Trudy Jaroslavskogo Estestvenno-Istoricheskogo Obshhestvo*, 4(2): 33-34.

Labram, J. D. and Imhoff, L. 1836. *Insekten der Schweiz*, *die vorzüglichsten Gattungen je durch eine Art bildlich dargestelltvon J. D. Labram. Nach Anleitung und mit Text von Dr. Ludwig Imhoff*, *Vol.* 1(1-20). Bei den Verfassern und in Comm. C. F. Spittler, Basel, each plate with one unpaginated text page.

Lacourt, J. 1988. *Murciana sebastiani* n. gen. *et* n. sp. de Tenthredininae d'Espagne (Hymenoptera, Tenthredinidae). *Revue française d'Entomologie*, (*N. S.*), 10(4): 309-312.

Lacourt, J. 1997. Contribution àune révision mondiale de la sous-famille des Tenthredininae (Hymenoptera: Tenthredinidae). *Annales de la Société Entomologique de France* (*N. S.*), 32[1996](4): 363-402.

Lacourt, J. 1998. Le genre *Blankia*, gen. n., créé pour deux espèces placées auparavant dans legenre *Cuneala Zirngiebl*, 1956. *Annales de la Société Entomologique de France* (*N. S.*), 33 [1997] (4): 487.

Latreille, P. A. 1797. *Précis des caractères génériques des Insectes, disposés dans un ordre naturel par le Citoyen Latreille.* An V. Prévot., Paris; Brive, Bordeaux, XIV + 201 + [7] pp.

Latreille, P. A. 1803. *Histoire naturelle, générale et particulière des Crustacés et des Insectes, Vol.* 3. Dufart, Paris, 3[1802-1803](1-12), pp. 1-467.

Latreille, P. A. 1810. *Considérations générales sur l'ordre naturel des animaux composant les classes des Crustacés, des Arachnides et des Insectes; avec un tableau méthodique de leurs genres, disposés en familles.* F. Schoell, Paris, pp. 1-444.

Latreille, P. A. 1829. Les Crustacés, les Arachnides *et* les Insectes, distribues en familles naturelles, ouvrage formant lestomes 4 *et* 5 de celui de M le Baron Cuvier sur le Règne animal (deuxième édition). *In*: Cuvier G. L. F. C. D.: *Le Régne Animal distribué d'après son organisation, pour servir de base à l'histoire naturelle des animaux et d'introduction al'anatomie comparée. Nouvelle édition, revue et augmentée, Vol.* 2. Deterville & Crochard, Paris, pp. 1-556.

Latreille, P. A., Lepeletier de Saint-Fargeau, A., Serville, A. J. G. and Guérin-Méneville, F. É. 1828. Entomologie, ou Histoirenaturelle des Crustacés, des Arachnides *et* des Insectes. *In*: *Encyclopédie méthodique. Histoire naturelle, 1825-1828, Vol. 10* (*2*) [*ed. Latreille*]. Agasse, Paris, pp. 345-833.

Leach, W. E. 1817. *The Zoological Miscellany. Being Descriptions of New or Interesting Animals Vol.* 3. R. and A. Taylor, Shoe. Lane, London, pp. 1-151.

Lee, J. W. and Ryu, S.-M. 1996. A Systematic Study on the Tenthredinidae (Hymenoptera: Symphyta) from Korea Ⅱ. Ten new species of the Tenthredinidae. *Entomological Research Bulletin*, 22: 17-34.

Li, M. L. and Guo, X. R. 1999. A new species of *Gilpinia* (Hymenoptera: Diprionidae) from Qinling, China. *Entomotaxonomia*, 21(4): 304-306.

Li, Z. J. and Wei, M. 2009. A new species of *Jinia* Wei *et* Nie (Hymenoptera, Tenthredinidae) with a key to known species of the genus. *Acta Zootaxonomica Sinica*, 34(4): 781-783.

Lindqvist, E. 1958. Neue paläarktische *Pteronidea*-Arten (Hym., Tenthredinoidea). *Notulae Entomologicae*, 37[1957](4): 92-117.

Linné, C. 1758. *Systema Naturae, per regna tria naturae secundum classes, ordines, genera, species cum characteribus, differentiis, synonymis, locis. Editio Decima Reformata.* (*10th ed.*) *Vol. 1.* Laurentius Salvius, Holmiae, pp. 1-824.

Linné, C. 1760. Fauna Svecica sistens animalia Sveciae regni: Mammalia, Aves, Amphibia, Pisces, Insecta, Vermes. Distributa per classes & ordines, genera & species, cum differentiis specierum, synonymis auctorum, nominibus incolarum, locis natalium, descriptionibus insectorum. Editio altera, auctior. Laurentius Salvius, Stockholmiae [1761], 578 pp.

Liston, A. D. 2007. Revision of *Stauronematus* Benson, 1953 and additions to the sawfly fauna of Corsica and Sardinia (Hymenoptera, Tenthredinidae). *Beiträge zur Entomologie*, 57(1): 135-150.

Liston, A. and Prous, M. 2014. Sawfly taxa (Hymenoptera, Symphyta) described by Edward Newman and Charles Healy. *Zookeys*, 398: 83-98.

Liu, M. and Wei, M. 2013. Two new species of *grahami* group of *Tenthredo* Linnaeus (Hymenoptera,

Tenthredinidae) from China. *Acta Zootaxonomica Sinica*, 38(4): 841-848.

Liu, M., Li, Z. and Wei, M. 2013. Two new species of *obsoleta* and *mesomela* groups of *Tenthredo* Linnaeus (Hymenoptera, Tenthredinidae) from China. *Acta Zootaxonomica Sinica*, 38(2): 335-342.

Maa, T. 1944. Novelties of Chinese Hymenoptera Chalastogastra. *Biological Bulletin of Fukien Christian University*, 4: 33-60.

Maa, T. 1949. A synopsis of Chinese sawflies of the superfamily Cephoidea (Hymenoptera). *The Chinese Journal of Zoology*, 3: 17-29.

MacGillivray, A. D. 1894. New species of Tenthredinidae, with tables of the species of *Strongylogaster* and *Monoctenus*. *The Canadian Entomologist*, 26(11): 324-328.

MacGillivray, A. D. 1908a. Blennocampinae—descriptions of new genera and species—synonymical notes. *The Canadian Entomologist*, 40(9): 289-297.

MacGillivray, A. D. 1908b. Emphytinae—new genera and species and synonymical notes. *The Canadian Entomologist*, 40(10): 365-369.

MacGillivray, A. D. 1909. A new genus and some new species of Tenthredinidae. *The Canadian Entomologist*, 41(10): 345-362.

MacGillivray, A. D. 1912. New genera and species of Xyelidae and Lydidae. *The Canadian Entomologist*, 44(10): 294-299.

MacGillivray, A. D. 1914a. New genera and species of Tenthredinidae: a family of Hymenoptera. *The Canadian Entomologist*, 46(3): 103-108.

MacGillivray, A. D. 1914b. New genera and species of Tenthredinidae: a family of Hymenoptera. *The Canadian Entomologist*, 46(4): 137-140.

MacGillivray, A. D. 1914c. New genera and species of sawflies. *The Canadian Entomologist*, 46(10): 363-367.

Malaise, R. 1931. Blattwespen aus Wladiwostok und anderen Teilen Ostasiens. *Entomologisk Tidskrift*, 52(2): 97-159.

Malaise, R. 1931a. Entomologische Ergebnisse der schwedischen Kamtchatka Expedition 1920-1922. (35. Tenthredinidae). *Arkiv för Zoologi*, 23[1931-1932](2[nr A8]): 1-68.

Malaise, R. 1931b. Neue japanische Blattwespen. *Zoologischer Anzeiger*, 94(5-8): 201-213.

Malaise, R. 1933. A new genus and synonymical notes on Tenthredinoidea. *Entomologisk Tidskrift*, 54(1): 50-59.

Malaise, R. 1934a. Schwedisch-chinesische wissenschaftliche Expedition nach den nordwestlichen Provinzen Chinas unter Leitung von Dr. Sven Hedin und Prof. SüPing-Chang. Insekten gesammelt vom schwedischen Arzt der Expedition Dr. David Hummel 1927-1930. 23. Hymenoptera. 1. *Arkiv för Zoologi*, 27[1934-1935](2[nr A9]): 1-40.

Malaise, R. 1934b. On some sawflies (Hymenoptera: Tenthredinidae) from the Indian Museum, Calcutta. *Records of the Indian Museum*, 36: 453-474.

Malaise, R. 1935. New genera of Tenthredinoidea and their genotypes (Hymen.). *Entomologisk Tidskrift*, 56: 160-178.

Malaise, R. 1937. New Tenthredinidae mainly from the Paris Museum. *Revue francaise d'Entomologie*, 4:

43-53.

Malaise, R. 1939. The Genus *Leptocimbex* Sem., and some other Cimbicidae. *Entomologisk Tidskrift*, 60 (1-2): 1-28.

Malaise, R. 1942. New South American Sawflies (Hym. Tenthr.). *Entomologisk Tidskrift*, 63(1-2): 89-112.

Malaise, R. 1944. Entomological results from the Swedish expedition 1934 to Burma and British India (Hymenoptera: Tenthredinoidea). Collected by René Malaise. The Tenthredinoidea of South-Eastern Asia. Subfamily Ⅱ. Selandriinae. *Arkiv för Zoologi*, 35[1944-1945](3[nr A10]): 1-58.

Malaise, R. 1945. Tenthredinoidea of South-eastern Asia. *Opuscula Entomologica. Supplement* 4: 1-288.

Malaise, R. 1947. Entomological results from the Swedish expedition 1934 to Burma and British India. Hymenoptera: Tenthredinoidea. Collected by René Malaise. The Tenthredinoidea of South Eastern Asia. Part Ⅲ. The *Emphytus-Athlophorus* Group. *Arkiv för Zoologi*, 39[1947-1948](3[nr A8]): 1-39.

Malaise, R. 1957. Some Neotropical and Oriental Tenthredinoidea (Hym.). *Entomologisk Tidskrift*, 78 (1): 6-22.

Malaise, R. 1961. New Oriental sawflies (Hymen. Tenthr.). *Entomologisk Tidskrift*, 82 (3-4): 231-260.

Mallach, N. 1933. Neue chinesische Blattwespen (Zugleich 2. Beitrag zur Kenntnis der Blattwespenfauna Chinas). *Bulletin of the Fan Memorial Institute of Biology*, 4: 269-277.

Mallach, N. 1936. Dritter Beitrag zur Kenntnis der Blattwespenfauna Chinas. *Bulletin of the Fan Memorial Institute of Biology*, *Zoology*, 6: 217-222.

Malm, T. and Nyman, T. 2014. Phylogeny of the symphytan grade of Hymenoptera: new pieces into the old jigsaw(fly) puzzle. *Cladistics*, 1-17.

Marlatt, C. L. 1898. Japanese Hymenoptera of the family Tenthredinidae. *Proceedings of the United States National Museum*, 21(1157): 493-506.

Matsumura, S. 1911. Erster Beitrag zur Insektenfauna Sachalins. *The journal of the College of Agriculture*, *Tohoku Imperial University*, 4: 1-145.

Matsumura, S. 1912. *Thousand insects of Japan. Supplement* Ⅳ. Keiseisha, Tokyo, 1-247.

Matsumura, S. 1932. *Illustrated Common Insects of Japan. Hymenoptera*, *Diptera*, *Rhynchota.* Shunyodo, 4, 23 plates, 154 pp.

Matsumura, S. and Uchida, T. 1926. Die Hymenopteren-Fauna von den Riukiu-Inseln (Schluss). *Insecta Matsumurana*, 1(2): 63-77.

Mocsáry, A. 1878. Data ad faunam hymenopterologicam sibiriae. *Tijdschrift voor Entomologie*, 21: 198-200.

Mocsáry, A. 1909. Chalastogastra nova in collectione Musei nationalis Hungarici. *Annales historico-naturales Musei Nationalis Hungarici*, 7: 1-39.

Mocsáry, A. 1912. Két új Hymenoptera-faj. (Species Hymenopterorum duae novae.) *Rovartani Lapok*, 19, 131-132.

Motschulsky, V. 1866. Catalogue des Insectes recus du Japon. *Bulletin de la Société Impériale des Naturalistes de Moscou*, 39(1): 163-200.

Muche, W. H. 1968. Die Blattwespen Deutschlands-I. Tenthredinidae (Hymenoptera). *Entomologische Abhandlungen. Staatliches Museum für Tierkunde in Dresden*, Supplement 36: 1-60.

Muche, W. H. 1986. Beitrag zur Symphytenfauna von Nepal (Hymenoptera, Argidae *et* Tenthredinidae). *Reichenbachia*, 24(9): 79-90.

Müller, O. F. 1776. *Zoologiae Danicae prodromus, seu Animalium Daniae et Norvegiae indigenarum, characteres, nomina, et synonyma imprimis popularium.* Hallageriis, Havniae, pp. 1-274.

Naito, T. 1980. Studies on the Japanese sawflies of the genus *Strongylogaster* Dahlbom (Hymenoptera, Tenthredinidae). *Kontyû*, 48(3): 390-401.

Naito, T. and Huang, F. S. 1988. The sawfly genus *Strongylogaster* in Tibet and Sichuan, China (Hymenoptera, Tenthredinidae). *Scientific Report of the Faculty of Agriculture, Kobe University*, 18(1): 41-48.

Naito, T. and Huang, F. S. 1992. Four new species of the sawfly genus *Rocalia* (Hymenoptera, Tenthredinidae) from Sichuan Province, China. *Japanese Journal of Entomology*, 60(1): 96-102.

Newman, E. 1838. Entomological notes. *The Entomological Magazine*, 5[1837-1838](2, 4, 5): 168-181, 372-402, 483-500.

Nie, H., Liu, L. and Wei, M. 2016. On *Jungicephus* Maa (Hymenoptera: Cephidae) with description of a new species from China. *Zoosystematics*, 41(2): 236-240.

Nie, H. and Wei, M. 1998a. Five new sawflies from Funiushan (Hymenoptera: Tenthredinoidea). pp. 117-123. *In*: Shen, X. & Shi, Z. (eds) 1998, *Insects of the Funiu Mountains Region* (1). (*The Fauna and Taxonomy of Insects in Henan, Vol.* 2). China Agricultural Science and Technology Press, Beijing, 368pp.

Nie, H. and Wei, M. 1998b. Six new species of Selandriidae from Mt. Funiu (Hymenoptera: Tenthredinoidea). pp. 124-130. *In*: Shen, X. & Shi, Z. (eds) 1998, *Insects of the Funiu Mountains Region (1)*. (*The Fauna and Taxonomy of Insects in Henan, Vol.* (2). China Agricultural Science and Technology Press, Beijing, 368pp.

Nie, H. and Wei, M. 1998c. Fourteen new species of *Tenthredo* from Funiushan (Hymenoptera: Tenthredinidae). pp. 176-187. *In*: Shen, X. & Shi, Z. (eds) 1998, *Insects of the Funiu Mountains Region (1)*. (*The Fauna and Taxonomy of Insects in Henan, Vol.* (2). China Agricultural Science and Technology Press, Beijing, 368pp.

Nie, H. and Wei, M. 1999a. Six new species of *Tenthredo* L. from south slope of Mt. Funiu (Hymenoptera: Tenthredinidae). pp. 115-122. *In*: Shen, X. & Pei, H. (eds), *Insects of the mountains Funiu and Dabie regions.* (*The Fauna and Taxonomy of Insects in Henan, Vol.* (4), China Agricultural Science and Technology Press, 415pp.

Nie, H. and Wei, M. 1999b. Six new species of *Pachyprotarsis* [sic!] Hartig from south slope of Mt. Funiu (Hymenoptera: Tenthredinidae). pp. 107-114. *In*: Shen, X. & Pei, H. (eds), *Insects of the mountains Funiu and Dabie regions.* (*The Fauna and Taxonomy of Insects in Henan, Vol.* 4), China Agricultural Science and Technology Press, 415pp.

Nie, H. and Wei, M. 2001. Taxonomical studies on the genus *Eriocampa* (Hymernoptera: Tenthredinidae: Tenthredininae) from China. *Entomotaxonomia*, 23(4): 283-295.

Nie, H. and Wei, M. 2002. Six new species and subspecies of the genus *Tenthredo* L. (Hymenoptera: Tenthredinidae) from Henan Province. pp. 138-147. *In*: Shen, X. & Zhao, Y. (eds), *Insects of the mountains Taihang and Tongbai regions. The Fauna and Taxonomy of insects in Henan. Vol.* 5.

China Agricultural Science and Technology Press, 453pp.

Nie, H. and Wei, M. 2004a. On the sawfly genus *Indostegia* Malaise and descriptions of four new species (Hymenoptera: Tenthredinidae: Allantinae). *Acta Zootaxonomica Sinica*, 29(2): 342-347.

Nie, H. and Wei, M. 2004b. Taxonomic study on the genus *Adamas* Malaise (Hymenoptera: Tenthredinidae). (In Chinese, abstract in English). *Entomotaxonomia*, 26(3): 200-210.

Niu, G. and Wei, M. 2008. Three new species of the genus *Tenthredo* Linnaeus (Hymenoptera, Tenthredinidae) from China. *Acta Zootaxonomica Sinica*, 33(3): 514-519.

Niu, G. and Wei, M. 2009. Four new species of *Eutomostethus* from China (Hymenoptera, Tenthredinidae). *Acta Zootaxonomica Sinica*, 34(3): 596-603.

Niu, G. and Wei, M. 2010a. Revision of the *Siobla annulicornis*, *acutiscutella* and *sheni* groups (Hymenoptera: Tenthredinidae). *Zootaxa*, 2643: 46-65.

Niu, G. and Wei, M. 2010b. Five new species of *Siobla* Cameron from China (Hymenoptera, Tenthredinidae). *Acta Zootaxonomica Sinica*, 35(4): 911-921.

Niu, G. and Wei, M. 2011. Revision of *Siobla* (Hymenoptera: Tenthredinidae) from Taiwan with descriptions of three new species and three new synonyms. *The Japanese Journal of Systematic Entomology*, 17(2): 155-176.

Niu, G. and Wei M. 2013. Revision of the *Siobla formosana* group (Hymenoptera: Tenthredinidae). *Zootaxa*, 3746: 41-68.

Niu, G. and Wei, M. 2016a. Revision of *Colochela* (Hymenoptera, Tenthredinidae). *Zootaxa*, 4127: 457-470.

Niu, G. and Wei, M. 2016b. A new genus and a new species of Atelozini from China (Hymenoptera, Tenthredinidae). *Proceedings of Washington Entomological Society*, 118(3): 382-388.

Niu, G., Liu, T. and Wei, M. 2018. A new genus and new species of *Hoplocampinae* from China (Hymenoptera: Tenthredinidae). Zootaxa, in press.

Niu, G., Wei, M and Taeger, A. 2012. Revision on *Siobla metallica* group (Hymenoptera: Tenthredinidae). *Zootaxa*, 3196: 1-49.

Niu, G., Wei, M. and Xiao, W. 2012. A key to *Siobla* (Hymenoptera: Tenthredinidae) species from Shaanxi, China with descriptions of seven new species. *Entomotaxonomia*, 2012(2): 399-422.

Niu, G., Xue, J. and Wei, M. 2012. Three new species of Belesesinae (Hymenoptera, Tenthredinidae) from China. *Acta Zootaxonomica Sinica*, 37(3): 589-595.

Okutani, T. 1959. Three new species of *Priophorus* from Japan (Hym. Tenthr.). Transactions of the Shikoku Entomological Society, 6(3): 33-36.

Opinion, ICZN 1939. Opinion 135. The suppression of the so. called "Erlangen List". *Opinions and Declarations renderedby the International Commission on Zoological Nomenclature*, 2: 9-12.

Opinion, ICZN 1954. Opinion 290. Validation, under the Plenary Powers, of the generic names Acantholyda Costa, 1894 (Class Insecta, Order Hymenoptera) and Acanthocnema Becker, 1894 (Class Insecta, Order Diptera). *Opinions and Declarations rendered by the International Commission on Zoological Nomenclature*, 8(7): 89-98.

Opinion, ICZN 1970. Opinion 906. *Nematus leachii* Dahlbom, 1835 (Insecta, Hymenoptera): suppressed under the plenary powers. *The Bulletin of Zoological Nomenclature*, 27(1): 8-9.

Opinion, ICZN 1977. Opinion 1087. *Pamphilius viriditibialis* Takeuchi, 1930, designated under the plenary powers as type-species of *Onycholyda* Takeuchi, 1938 (Insecta, Hymenoptera). *The Bulletin of Zoological Nomenclature*, 34(1): 40- 41.

Opinion, ICZN 2000. Opinion 1953. *Strongylogaster* Dahlbom, 1835 (Insecta, Hymenoptera): conserved by the designation of *Tenthredo multifasciata* Geoffroy in Fourcroy, 1785 as the type species. *The Bulletin of Zoological Nomenclature*, 57(2): 130.

Opinion, ICZN 2000. Opinion 1958. *Macrophya* Dahlbom, 1835 (Insecta, Hymenoptera): conserved by the designation of *Tenthredo montana* Scopoli, 1763 as the type species; and *Tenthredo rustica* Linnaeus, 1758: usage of the specific name conserved by the replacement of the syntypes with a neoty. *The Bulletin of Zoological Nomenclature*, 57(3): 185-186.

Opinion, ICZN 2000. Opinion 1963. *Blennocampa* Hartig, 1837, *Cryptocampus* Hartig, 1837, *Taxonus* Hartig, 1837, *Ametastegia* A. Costa, 1882, *Endelomyia* Ashmead, 1898, *Monsoma* McGillivray, 1908, *Gemmura* E. L. Smith, 1968, Blennocampini Konow, 1890 and Caliroini Benson, 1938 (Insecta, Hymenoptera): conserved by setting aside the type species designations by Gimmerthal (1847) and recognition of those by Rohwer (1911). *The Bulletin of Zoological Nomenclature*, 57(4): 232-235.

Panzer, G. W. F. 1797. *Faunae Insectorum Germanicae initia oder Deutschlands Insecten.* Felssecker, Nürnberg, 5[1797-1798](49): 1-24.

Panzer, G. W. F. 1801. Nachricht von einem neuen entomologischen Werke, des Hrn. Prof. Jurine in Geneve (Beschluß). *Litteratur. Zeitung. Intelligenzblatt*, 1: 161-165.

Panzer, G. W. F. 1803. *Faunae Insectorum Germanicae initia oder Deutschlands Insecten.* Felssecker, Nürnberg, 8[1801-1804](86-94): each 1-24.

Panzer, G. W. F. 1804. *D. Jacobi Christiani Schaefferi Iconum Insectorum circa Ratisbonam indigenorum. Enumeratio Systematica.* [*second title*:] *D. G. W. F. Panzeri Enumerationis Systematicae D. Jac. Christiani Schaefferi Iconum Insectorum Ratisbonensium. Dr. G. W. F. Panzers systematische Nomenklatur über Dr. Jac. Christian Schäffers Abbildungen regensburgischer Insekten.* Pars Tertia. J. Jacob Palm, Erlangen, pp. X-XVI, I-VIII, 1-260.

Pic, M. 1916. Hyménoptères nouveaux d'Orient *et* de Nord de d'Afrique. L'Échange. *Revue Linnéenne*, 32(378): 23-24.

Pic, M. 1917. Notes hyménoptérologiques. L'Échange. *Revue Linnéenne*, 33(381): 1-3.

Pic, M. 1918. Hyménoptères nouveaux. L'Échange. *Revue Linnéenne*, 34(387): 11-12.

Piton, L. 1940. *Paléontologie du gisement éocène de Menat* (*Puy-de-Dome*) (*flore et faune*). Thesis, Clermond-Ferrand, pp. 1-286.

Provancher, L. 1886. [Symphyta.] *In*: *Additions et Corrections au volume II de la faune entomologique de Canada.* C. Daeveau, Québec, [1885-1889], 17-28.

Qi, L., Niu, G., Liu, T. and Wei, M. 2015. New species and new synonyms of *Conaspidia* Konow (Hymenoptera: Tenthredinidae) with keys to species of the *Conaspidia bicuspis* group and Japanese species. *Entomotaxonomia*, 37(3): 221-233.

Radoszkowski, O. 1871. Hyménoptères de l'Asie. Description *et* énumération de quelques espèces reçues de Samarkand, Astrabad, Himalaya *et* Ning-Po, en Chine. *Horae Societatis Entomologicae Rossicae*, 8(3): 187-200.

Radoszkowski, O. 1889. Hymenoptères de Korée. *Trudy Russkago Jentomologicheskago Obshhestva v" S.-Peterburg"*, 24[1889-1890]: 229-232.

Rafinesque, C. S. 1815. *Analyse de la nature ou tableau de l'univers et des corps organisés.* Palermo, pp.

1-224.

Rohwer, S. A. 1908. On the Tenthredinoidea of the Florissant shales. *Bulletin of the American Museum of Natural History*, 24(25): 521-530.

Rohwer, S. A. 1909. Notes on Tenthredinoidea, with descriptions of new species. (Paper Ⅲ). *The Canadian Entomologist*, 41: 88-92.

Rohwer, S. A. 1910a. Some new hymenopterous insects from the Philippine Islands. *Proceedings of the United States National Museum*, 37(1722): 657-660.

Rohwer, S. A. 1910b. Japanese sawflies in the collection of the United States National Museum. *Proceedings of the United States National Museum*, 39(1777): 99-120.

Rohwer, S. A. 1910c. Notes on Tenthredinoidea, with descriptions of new species. Paper Ⅺ. —(Genera of Pamphiliinae and New Species). *The Canadian Entomologist*, 42: 215-220.

Rohwer, S. A. 1911a. Technical papers on miscellaneous forest insects. Ⅱ. The genotypes of the sawflies and woodwasps, or the superfamily Tenthredinoidea. *Technical series / US Department of Agriculture, Bureau of Entomology*, 20: 69-109.

Rohwer, S. A. 1911b. Additions and corrections to "The genotypes of the sawflies and woodwasps, or the superfamily Tenthredinoidea" (Hymen.). *Entomological News and Proceedings of the Entomological Section of the Academy of Natural Sciences of Philadelphia*, 22: 218-219.

Rohwer, S. A. 1911c. New sawflies in the collections of the United States National Museum. *Proceedings of the United States National Museum*, 41: 377-411.

Rohwer, S. A. 1912. Notes on sawflies, with descriptions of new species. *Proceedings of the United States National Museum*, 43: 205-251.

Rohwer, S. A. 1915a. Descriptions of new species of Hymenoptera. *Proceedings of the United States National Museum*, 49[1916](2105): 205-249.

Rohwer, S. A. 1915b. Some Oriental sawflies in the Indian Museum. *Records of the Indian Museum*, 11 (1-4): 39-53.

Rohwer, S. A. 1916. H. Sauter's Formosa-Ausbeute. Chalastogastra (Hymenoptera). *Supplementa Entomologica*, 5: 81-113.

Rohwer, S. A. 1918. New sawfies of the subfamily Diprioninae (Hym.). *Proceedings of the Entomological Society of Washington*, 20: 79-90.

Rohwer, S. A. 1921. Notes on sawflies, with descriptions of new genera and species. *Proceedings of the United States National Museum*, 59(2361): 83-109.

Rohwer, S. A. 1925. Sawflies from the Maritime Province of Siberia. *Proceedings of the United States National Museum*, 68(2609): 1-12.

Ross, H. H. 1937. A generic classification of the Nearctic sawflies (Hymenoptera, Symphyta). *Illinois Biological Monographs*, 15(2): 1-173.

Rudow, F. 1871. Die Tenthrediniden des Unterharzes, nebst einigen neuen Arten anderer Gegenden. *Entomologische Zeitung (Stettin)*, 32: 381-395.

Saini, M. S. 1989. Revision of genus *Pachyprotasis* Hartig from India (Insecta, Hymenoptera, Symphyta: Tenthredinidae). *Entomologische Abhandlungen*, 52 (2): 131-184.

Saini, M. S. 2007. Subfamily Tenthredininae Sans Genus *Tenthredo*. *Indian Sawflies Biodiversity. Keys, Catalogue & Illustrations*. Dehra Dun: Bishen Singh Mahendra Pal Singh. 1-234.

Saini, M. S. and Singh, D. 1987. A new genus and a new species of Siricinae (Insecta, Hymenoptera, Siricidae) from India with a revised key to its world genera. *Zoologica Scripta*, 16: 177-180.

Saini, M. S., Singh, D., Singh, M. and Singh, T. 1985. Three new genera of Tenthredinidae from India (Hym. Symphyta). *Deutsche Entomologische Zeitschrift, Neue Folge*, 32(4-5): 325-334.

Sato, K. 1928. The Chalastogastra of Korea (No. 1). *Insecta Matsumurana*, 2: 178-190.

Schiødte, J. C. 1839. Beretning om Resultaterne af en i Sommeren 1838 foretagen entomologisk Undersøgelse af det sydlige Sjaelland, en Deel af Laaland, og Bornholm. *Naturhistorisk Tidsskrift*, 2 [1838-1839](4): 309-394.

Schlechtendal, D. H. R. von 1878. Eine neue Deutsche Siricide Macrocephus (n. g.) ulmariae n. sp. *Entomologische Nachrichten*, 4: 153-154.

Schrank, F. von P. 1802. *Fauna Boica. Durchgedachte Geschichte der in Baiern einheimischen und zahmen Thiere. Zweiter Band. Zweite Abtheilung.* Bey Johann Wilhelm Krüll, Ingolstadt, 412 pp.

Semenov, A. 1891. *Abia Jakowlewi*, sp. n. *Trudy Russkogo Entomologiceskogo Obscestva v S. Peterburge*, 25[1890-1891](1-2): 172-174.

Semenov, A. 1896a. De Tenthredinidarum genere novo Clavellariae Oliv. proximo. *Ezhegodnik Zoologicheskago Muzeja Imperatorskoj Akademii Nauk*, 1: 95-104.

Semenov, A. 1896b. Revisio specierum eurasiaticarum generis *Abia* (Leach). *Ezhegodnik Zoologicheskago Muzeja Imperatorskoj Akademii Nauk*, 1: 153-180.

Semenov, A. (= Semenov-Tian-Shanskij, A.) 1921. Praecursoriae Siricidarum novorum diagnoses (Hymenoptera). [Predvaritel'nyja opisanija novyh" predstavitelej semejstva Siricidae (Hymenoptera).] (In Latin, abstract in Russian). *Russkoe Entomologicheskoe obozrenie*, 17[1917]: 81-95.

Semenov, A. (= Semenov Tian-Shanskij, A.) and Gussakovskij, V. V. 1935. Siricides nouveaux ou peu connus de la fauna paléarctique (Hymenoptera). *Annales de la Société Entomologique de France*, 104: 117-126.

Schulz, W. A. 1906. Strandgut. *Spolia Hymenopterologica*, [1906]: 76-269.

Shang, Y. and Wei, M. 2013a. Two new species of *Tenthredo simlaensis* group (Hymenoptera, Tenthredinidae) from China. *Acta Zootaxonomica Sinica*, 38(3): 609-615.

Shang, Y. and Wei, M. 2013b. A new species of *maculipennis* group *of Tenthredo* Linnaeus (Hymenoptera, Tenthredinidae) from China. *Acta Zootaxonomica Sinica*, 38(2): 351-355.

Shinohara, A. 1998. *Pamphilius nitidiceps*, a new species of leaf-rolling sawfly (Hymenoptera, Pamphiliidae) from China. *Bulletin of the National Science Museum, Series A, Zoology*, 24(1): 17-22.

Shinohara, A. 1999. Leaf-rolling sawflies of the genus *Onycholyda* (Hymenoptera, Pamphiliidae) from Shaanxi Province, China. *Bulletin of the National Science Museum, Series A, Zoology*, 25(1): 65-71.

Shinohara, A. and Byun, B. K. 1993. Pamphiliid sawfly genera *Neurotoma* and *Onycholyda* (Hymenoptera, Symphyta) of Korea. *Insecta Koreana*, 10: 75-91.

Shinohara, A. and Wei, M. 2012. Pamphiliid Sawflies (Hymenoptera, Symphyta) of Mt. Yunshan, Hunan Province, China. *Bulletin of the National Science Museum, Series A, Zoology*, 48: 53-74.

Shinohara, A., Dong, D. and Naito, T. 1998. *Pamphilius tibetanus* (Hymenoptera, Pamphiliidae) and its Close Relatives. *Japanese Journal of Systematic Entomology*, 4(1): 1-15.

Shinohara, A., Hara, H. and Kim, J. W. 2009. The species-group of *Arge captiva* (Insecta, Hymenoptera, Argidae). *Bulletin of the National Museum of Nature and Science, Series A (Zoology)*, 35(4):

249-278.

Shinohara, A. and Wei, M. 2016. Leaf-rollingsawflies (Hymenoptera, Pamphiliidae, Pamphiliinae) of Tianmushan Mountains, Zhejiang Province, China. *Zootaxa*, 4072: 301-318.

Shinohara, A. and Xiao, G. 2006. Some Leaf-rolling Sawflies (Hymenoptera, Pamphiliidae, Pamphiliinae) from China in the Collection of the Research Institute of Forest Protection, Chinese Academy of Forestry, Beijing. pp. 285-296. *In*: Blank, S. M., Schmidt, S. & Taeger, A. (eds), *Recent Sawfly Research—Synthesis and Prospects.* Goecke & Evers, Keltern, 701pp + 16Pls.

Shinohara, A. and Zhou, H. 2006. Leaf-rolling Sawflies of the *Pamphilius komonensis* Complex (Insecta, Hymenoptera, Pamphiliidae). *Bulletin of the National Science Museum, Series A, Zoology*, 32(4): 153-189.

Singh, D. and Saini, M. S. 1987. Six new species of *Tenthredo* Linnaeus (Hymenoptera: Tenthredinidae) from India. *Journal of the New York Entomological Society*, 95(2): 328-337.

Smith, D. R. and Shinohara, A. 2011. Review of the Asian wood-boring genus *Euxiphydria* (Hymenoptera, Symphyta, Xiphydriidae). *Journal of Hymenoptera Research*, 23: 1-22.

Smith, F. 1874. Descriptions of new species of Tenthredinidae, Ichneumonidae, Chrysididae, Formicidae &c. of Japan. *Transactions of the Entomological Society of London for the Year* 1874: 373-409.

Smith, F. 1878. Hymenoptera. *Scientific results of the second Yarkand mission; based upon the collections and notes of the late Ferdinand Stoliczka, Ph. D.* Calcutta, pp. 1-22.

Stephens, J. F. 1829. *A Systematic Catalogue of British Insects: being an attempt to arrange all the hitherto discovered indigenous insects in accordance with their natural affinities. Containing also references to every English writer on entomology, etc. Vol.* 1. Published for the Author, by Baldwin & Cradock, London, pp. i-XXXIV + 1-416.

Stephens, J. F. 1835. *Illustrations of British Entomology; or, a Synopsis of Indigenous Insects: containing their generic and specific distinctions; with an account of their metamorphosis, times of appearance, localities, food, and economy, as far as practicable. Mandibulata. Vol.* 7. Baldwin & Cradock, London, pp. 1-312.

Stroganova, V. K. 1968. [*Horntails of Siberia.*]. Nauka, Moscow 147 pp. [In Russian].

Taeger, A. and Blank, S. M. 1996. Kommentare zur Taxonomie der Symphyta (Hymenoptera) (Vorarbeiten zu einem Katalog der Pflanzenwespen, Teil 1. *Beiträge zur Entomologie*, 46(2): 251-275.

Taeger, A., Blank, S. M. and Liston, A. D. 2010. World catalog of Symphyta (Hymenoptera). *Zootaxa*, 2580, 1-1064.

Takeuchi, K. 1919. On the genus *Siobla* and new genus *Siobloides* of Japan (In Japanese, abstract in English). *The Entomological Magazine, Kyoto*, 4: 11-20.

Takeuchi, K. 1923. A list of Pamphiliidae of Japan. *Insect World, Gifu*, 27: 362-366. (In Japanese)

Takeuchi, K. 1927a. Some new sawflies from Formosa. *Transactions of Natural History Society of Formosa*, 17(90): 201-209.

Takeuchi, K. 1927b. Some Chalastogastra from Corea. *Transactions of the Natural History Society of Formosa*, 17(93): 378-387.

Takeuchi, K. 1928. New sawflies from Formosa. I. *Transactions of the Natural History Society of Formosa*, 28(94): 38-45.

Takeuchi, K. 1929. Descriptions of new sawflies from the Japanese Empire (I). *Transactions of the*

NaturalHistory Society of Formosa, 29(105): 495-520.

Takeuchi, K. 1932. A revision of the Japanese Argidae. *The Transactions of the Kansai Entomological Society*, 3: 27-42.

Takeuchi, K. 1933. Undescribed sawflies from Japan. *The Transactions of the Kansai Entomological Society*, 4: 17-34.

Takeuchi, K. 1936. Tenthredinoidea of Saghalien (Hymenoptera). *Tenthredo. Acta Entomologica*, 1(1): 53-108.

Takeuchi, K. 1938a. Chinese sawflies and woodwasps in the collection of the Musée Heude in Shanghai (First report). *Notes d'Entomologie Chinoise*, 5(7): 59-85.

Takeuchi, K. 1938b. A systematic study on the suborder Symphyta (Hymenoptera) of the Japanese Empire (Ⅰ). *Tenthredo. Acta Entomologica*, 2(2): 173-229.

Takeuchi, K. 1939. A systematic study on the suborder Symphyta (Hymenoptera) of the Japanese Empire (Ⅱ). *Tenthredo. Acta Entomologica*, 2(4): 393-439.

Takeuchi, K. 1940. Chinese sawflies and woodwasps in the collection of the Musée Heude in Shanghai (second report). *Notes d'Entomologie Chinoise*, 7(2): 463-486.

Takeuchi, K. 1941. A systematic study on the suborder Symphyta (Hymenoptera) of the Japanese Empire (Ⅳ). *Tenthredo. Acta Entomologica*, 3(3): 230-274.

Takeuchi, K. 1952. *A Generic Classification of the Japanese Tenthredinidae (Hymenoptera: Symphyta)*. 1-90.

Thomson, C. G. 1870. Öfversigt af Sveriges Tenthrediner. *Opuscula Entomologica.* Edidit C. G. Thomson, 2: 261-304.

Thomson, C. G. 1871. *Hymenoptera Scandinaviae (Tenthredo et Sirex Lin.)*. H. Olsson, Lundae, 1, 1-342.

Tischbein, 1853. Hymenopterologische Beiträge. *Entomologische Zeitung (Stettin)*, 14: 347-349.

Togashi, I. 1976. Tenthredinoidea of Korea collected by Prof. K. Tsuneki in 1941-43 (2) (Hymenoptera). *Transactions of the Shikoku Entomological Society*, 13(1-2): 65-70.

Togashi, I. 1984. A new genus and new species of Blennocampinae (Hymenoptera: Tenthredinidae) from Japan. *Akitu: transactions of the Kyoto Entomological Society*, *N. S.*, 60: 1-4.

Togashi, I. 1990. Notes on the Taiwanese Symphyta (Hymenoptera, Siricidae, Tenthredinidae, Argidae) (Ⅱ). *Esakia*, 1: 177-192.

Togashi, I. 1995. A new genus and new species of the tribe Caliroini, Heterarthrinae (Hymenoptera: Tenthredinidae) from Japan. *Japanese Journal of Entomology*, 63(1): 91-94.

Togashi, I. 1997. A new genus and a new species belonging to the subfamily Blennocampinae (Hymenoptera: Tenthredinidae) from Japan. *Proceedings of the Entomological Society of Washington*, 99(3): 502-504.

Turner, R. E. 1920. On Indo. Chinese Hymenoptera collected by R. Vitalis de Salvaza. —Ⅳ. *The Annals and Magazine of Natural History, including Zoology, Botany, and Geology; Ninth Series*, 5: 84-98.

Viereck, H. L. 1910. Phytophaga. *In*: Smith, J. B. *Annual Report of the New Jersey State Museum Including a Report of the Insects of New Jersey*, 1909. Trenton, 888 pp.

Viitasaari, M. and Zinovjev, A. G. 1991. *Taxonus zhelochovtsevi* sp. *n.* and *Apethymus parallelus* (Eversmann, 1847) from the Soviet Far East (Hymenoptera, Tenthredinidae). *Entomologica Fennica*, 2(3): 175-178.

Vilhelmsen, L., Blank, S. M., Liu, Z. W. and Smith, D. R. 2013. Discovery of new species confirms Oriental origin of *Orussus* Latreille (Hymenoptera: Orussidae). *Insect Systematics & Evolution*, 44: 51-91.

Villers, C. J. de 1789. *Caroli Linnaei entomologia, faunae suecicae descriptionibus aucta; D. D. Scopoli, Geoffroy, de Geer, Fabricii, Schrank etc. speciebus vel in Systemate non enumeratis, vel nuperrime detectis, vel speciebus Galliae australis locupletata, generum specierumque rariorum iconibus ornata; Curante et augente Carolo de Villers*; *Vol.* 3. Piestre *et* Delamolliere, Lugduni, XXIV + 657 pp.

Vollenhoven, S. S. C. van 1860. Beschrijving van eenige nieuwe soorten van Bladwespen. *Tijdschrift voor Entomologie*, 3: 128-130.

Vollenhoven, S. S. C. van 1870. De inlandsche bladwespen in hare gedaantewisseling en levenswijze beschreven. *Tijdschrift voor Entomologie*, 13[1869]: 55-74 [reprint paginated 1-20]

Wang, M., Rasnitsyn, A. P., Shih, C. & Ren, D. 2014. A new fossil genus in Pamphiliidae (Hymenoptera) from China. *Alcheringa: An Australasian Journal of Palaeontology*, 38: 1-5.

Wei, M. 1995. Hymenoptera: Argidae and Tenthredinidae. pp. 544-550. *In*: Wu, H. (ed.), *Insects of Baishanzu Mountain, Eastern China.* China Forestry Publishing House, Beijing, 586pp.

Wei, M. 1997a. Studies on the tribe Allantini (Hym: Tenthredinidae)—New taxa and records of Allantini from China. *Entomologia Sinica*, 4(2): 112-120.

Wei, M. 1997b. New genera and new species of sawflies from Southwestern China (Hymenoptera: Tenthredinidae). *Zoological research*, 18(2): 129-138.

Wei, M. 1997c. New species of sawflies (Hymenoptera: Tenthredinidae) in the collection of entomological museum of Northwestern Agricultural University (In Chinese, abstract in English). *Entomotaxonomia*, 19, Suppl.: 17-24.

Wei, M. 1997d. Taxonomical studies on Argidae (Hymenoptera) of China Ⅳ. Revision of Tanyphatnideini from China with descriptions of two new species. *Entomotaxonomia*, 19, Suppl.: 35-42.

Wei, M. 1997e. Revision on the Genus *Aneugmenus* Hartig of China with Descriptions of New Species and Subspecies (Hymenoptera: Selandriidae). *Journal of Central South Forestry University*, 17, Suppl.: 37-48.

Wei, M. 1997f. A new genus of Caliroinae (Hymenoptera: Tenthredinomorpha: Heterarthridae) from China. *Entomotaxonomia*, 19, Suppl.: 48-50.

Wei, M. 1997g. Hymenoptera: Tenthredinidae (Ⅱ). (In Chinese, abstract in English). pp. 1565-1616. *In*: Yang, X. C. (ed.), *Insects of the Three Gorge Reservoir Area of Yangtze River*, *Vol.* 2. Chongqing Publishing House, Chongqing, pp: 1-1847.

Wei, M. 1997h. Two New Genera of Empriini from China (Hymenoptera: Tenthredinidae). *Journal of Central South Forestry University*, 17, Suppl.: 121-125.

Wei, M. 1998a. Two new genera of Allantinae from China (Hymenoptera: Tenthredinidae). *Zoological research*, 19(2): 148-152.

Wei, M. 1998b. Two New Genera of Hoplocampinae from China with a Key to Known Genera of the Subfamily in the World (Hymenoptera: Nematidae). *Journal of Central South Forestry University*, 18(4): 12-18.

Wei, M. 1998c. A review of Caliroini with descriptions of new taxa from China (Hymenoptera: Heterarthridae). *Journal of Central South Forestry University*, 18(4): 25-34.

Wei, M. 1998d. A new genus and two new species of the tribe Phymatocerini from China (Hymenoptera: Blennocampidae). *Journal of Central South Forestry University*, 18(4): 65-68.

Wei, M. 1999. Revision of the genus *Eurhadinoceraea* Enslin from China (Hymenoptera: Blennocampidae). *Acta Zootaxonomica Sinica*, 24(4): 417-428.

Wei, M. 2002a. Five new species of Nematidae (Hymenoptera: Tenthredinoidea) from Henan Province. pp. 69-76. *In*: Shen, X. & Zhao, Y. (eds), *Insects of the mountains Taihang and Tongbai regions.* (*The Fauna and Taxonomy of Insects in Henan, Vol.* 5), China Agricultural Science and Technology Press, 453pp.

Wei, M. 2002b. New species and subspecies of *Nematus* Panzer (Hymenoptera: Nematidae) from Henan Province. pp. 77-84. *In*: Shen, X. & Zhao, Y. (eds), *Insects of the mountains Taihang and Tongbai regions.* (*The Fauna and Taxonomy of Insects in Henan, Vol.* 5[2003]), China Agricultural Science and Technology Press, 453pp.

Wei, M. 2002c. A new species of *Loderus* Konow (Hymenoptera: Tenthredinidae) from Henan Province. (In Chinese, abstract in English). pp. 101-103. *In*: Shen, X. & Zhao, Y. (eds), *Insects of the mountains Taihang and Tongbai regions.* (*The Fauna and Taxonomy of Insects in Henan, Vol.* 5 [2003]), China Agricultural Science and Technology Press, 453pp.

Wei, M. 2002d. Five new species of *Aglaostigma* Kirby (Hymenoptera: Tenthredinidae) from Henan Province. pp. 104-111. *In*: Shen, X. & Zhao, Y. (eds), *Insects of the mountains Taihang and Tongbai regions.* (*The Fauna and Taxonomy of Insects in Henan, Vol.* 5[2003]), China Agricultural Science and Technology Press, 453pp.

Wei, M. 2002e. Three new species of Belesinae from Henan Province (Hymenoptera: Tenthredinomorpha: Blennocampidae). pp. 175-179. *In*: Shen, X. & Zhao, Y. (eds), *Insects of the mountains Taihang and Tongbai regions.* (*The Fauna and Taxonomy of Insects in Henan, Vol.* 5[2003]), China Agricultural Science and Technology Press, 453pp.

Wei, M. 2002f. Five new species of Blennocampinae from Henan Province (Hymenoptera: Tenthredinomorpha: Blennocampidae). pp. 180-186. *In*: Shen, X. & Zhao, Y. (eds), *Insects of the mountains Taihang and Tongbai regions.* (*The Fauna and Taxonomy of Insects in Henan, Vol.* 5 [2003]), China Agricultural Science and Technology Press, 453pp.

Wei, M. 2002g. New sawfly species from Henan Province collected by Mr. Shen and his colleagues (Hymenoptera: Tenthredinidae). (In Chinese, abstract in English). pp. 191-199. *In*: Shen, X. & Zhao, Y. (eds), *Insects of the mountains Taihang and Tongbai regions.* (*The Fauna and Taxonomy of Insects in Henan, Vol.* 5[2003]), China Agricultural Science and Technology Press, 453pp.

Wei, M. 2002h. A new genus and a new species of Tenthredininae (Hymenoptera: Tenthredinidae). pp. 253-256. *In*: Shen, X. & Zhao, Y. (eds), *Insects of the mountains Taihang and Tongbai regions.* (*The Fauna and Taxonomy of Insects in Henan, Vol.* 5[2003]), China Agricultural Science and Technology Press, 453pp.

Wei, M. 2003. Review of the sawfly genus *Filixungulia* Wei and a description of a new species (Hymenoptera, Tenthredinidae, Allantinae). *Acta Zootaxonomica Sinica*, 28(4): 729-732.

Wei, M. 2005a. On the sawfly genus *Hemathlophorus* Malaise of China (Hymenoptera, Tenthredinidae, Allantinae). *Acta Zootaxonomica Sinica*, 30(4): 822-827.

Wei, M. 2005b. Tenthredinidae. pp. 456-517. *In*: Jin, D. & Li, Z. (eds), *Insects from Xishui Landscape.* Guizhou Science and Technology Publishing House, Guiyang, 616pp.

Wei, M. 2006a. Argidae, Cimbicidae, Tenthredinidae and Xiphydriidae. pp. 590-655. *In*: Li, Z. &

Jin, D. (eds), *Insects from Fanjingshan Landscape.* Guizhou Science and Technology Publishing House, Guiyang, 780pp.

Wei, M. 2006b. A taxonomic study on the genus *Xenapatidea* Malaise (Hymenoptera: Tenthredinidae) from China. *Acta entomologica Sinica*, 49(6): 1002-1008.

Wei, M. and Deng, T. 1999. Three new species of Cimbicidae from south slope of Mt. Funiu (Hymenoptera: Tenthredinomorpha). pp. 138-141. *In*: Shen, X. & Pei, H. (eds), *Insects of the mountains Funiu and Dabie regions.* (*The Fauna and Taxonomy of Insects in Henan*, *Vol.* (4), China Agricultural Science and Technology Press, 415pp.

Wei, M. and Deng, T. 2002. Three new species of Cimbicidae from Henan Province (Hymenoptera: Tenthredinomorpha). pp. 45-49. *In*: Shen, X. & Zhao, Y. (eds), *Insects of the mountains Taihang and Tongbai regions.* (*The Fauna and Taxonomy of Insects in Henan*, *Vol.* 5[2003]), China Agricultural Science and Technology Press, 453pp.

Wei, M. and Huang, N. 2002. Three new species of Allantinae from Henan Province (Hymenoptera: Tenthredinidae). pp. 95-100. *In*: Shen, X. & Zhao, Y. (eds), *Insects of the mountains Taihang and Tongbai regions.* (*The Fauna and Taxonomy of Insects in Henan*, *Vol.* 5[2003]), China Agricultural Science and Technology Press, 453pp.

Wei, M. and Jiang, J. 2002. Two new species of Pamphiliidae from Henan Province (Hymenoptera: Siricomorpha). pp. 187-190. *In*: Shen, X. & Zhao, Y. (eds), *Insects of the mountains Taihang and Tongbai regions.* (*The Fauna and Taxonomy of Insects in Henan*, *Vol.* 5[2003]), China Agricultural Science and Technology Press, 453pp.

Wei, M. and Lin, Y. 2005. Hymenoptera: Argidae, Cimbicidae and Tenthredinidae. pp. 428-463. *In*: Yang, M. and Jin, D. (eds), *Insects from Dashahe Nature Reserve of Guizhou.* Guizhou Peoples Publishing House, Guiyang, 607pp.

Wei, M. and Nie, H. 1995. [Taxonomic studies on the Chinese Cephidae I. Cephini.]. *Transcentury Hunan Science and Technology*, 1: 103-112.

Wei, M. and Nie, H. 1997a. Studies on the genus *Conaspidia* Konow (Hymenoptera: Tenthredinidae) from China with a key to the known species of the world. *Entomotaxonomia*, 19, Suppl.: 95-117.

Wei, M. and Nie, H. 1997b. Five new sawfly species from Jiuzhaigou, Sichuan (Hymenoptera: Tenthredinoidea). *Journal of Central South Forestry University*, 17, Suppl.: 11-15.

Wei, M. and Nie, H. 1997c. Studies on genus *Birka* Malaise of China (Hymenoptera: Selandriidae). *Journal of Central South Forestry University*, 17, Suppl.: 49-59.

Wei, M. & Nie, H. 1997d. On the genus *Busarbidea* Rohwer with descriptions of six new species from China (Hymenoptera: Selandriidae). *Journal of Central South Forestry University*, 17, Suppl.: 60-67.

Wei, M. and Nie, H. 1997e. Descriptions of new species of *Caliroa* from China (Hymenoptera: Heterarthridae). *Journal of Central South Forestry University*, 17, Suppl.: 77-83.

Wei, M. and Nie, H. 1997f. Three new genera of Blennocampinae from China (Hymenoptera: Blennocampidae). *Journal of Central South Forestry University*, 17, Suppl.: 95-100.

Wei, M. and Nie, H. 1997g. A new genus and a new species of Blennocampinae (Hymenoptera: Tenthredinidae) from China. *Journal of Central South Forestry University*, 17, Suppl.: 106-108.

Wei, M. and Nie, H. 1997h. Studies on Chinese Cephidae: Notes on the species of stem-sawfly deposited in Zhejiang Agricultural University (Hymenoptera: Cephidae). *Journal of Zhejiang Agricultural*

University, 23(5): 523-528.

Wei, M. and Nie, H. 1998a. Generic list of Tenthredinoidea s. str. (Hymenoptera) in new systematic arrangement with synonyms and distribution data. *Journal of Central South Forestry University*, 18 (3): 23-31.

Wei, M. and Nie, H. 1998b. New species of Pamphiliidae (Hymenoptera) of Mt. Funiu. pp. 112-116. *In*: Shen, X. & Shi, Z. (eds) 1998, *Insects of the Funiu Mountains Region* (1). (*The Fauna and Taxonomy of Insects in Henan*, *Vol.* (2). China Agricultural Science and Technology Press, Beijing, 368pp.

Wei, M. and Nie, H. 1998c. New species of *Taxonus* Hartig from Funiushan (Hymenoptera: Tenthredinidae). pp. 131-135. *In*: Shen, X. & Shi, Z. (eds) 1998, *Insects of the Funiu Mountains Region* (1). (*The Fauna and Taxonomy of Insects in Henan*, *Vol.* (2). China Agricultural Science and Technology Press, Beijing, 368pp.

Wei, M. and Nie, H. 1998d. Four new species of *Siobla* and *Metallopeus* from Mt. Funiu (Hymenoptera: Tenthredinidae). pp. 142-145. *In*: Shen, X. & Shi, Z. (eds) 1998, *Insects of the Funiu Mountains Region* (1). (*The Fauna and Taxonomy of Insects in Henan*, *Vol.* (2). China Agricultural Science and Technology Press, Beijing, 368pp.

Wei, M. and Nie, H. 1998e. Five new species of *Aglaostigma* from Mt. Funiu (Hymenoptera: Tenthredinidae). pp. 146-151. *In*: Shen, X. & Shi, Z. (eds) 1998, *Insects of the Funiu Mountains Region* (1). (*The Fauna and Taxonomy of Insects in Henan*, *Vol.* (2). China Agricultural Science and Technology Press, Beijing, 368pp.

Wei, M. and Nie, H. 1998f. New species of *Macrophya* from Funiushan (Hymenoptera: Tenthredinidae). (In Chinese, abstract in English). pp. 152-161. *In*: Shen, X. & Shi, Z. (eds) 1998, *Insects of the Funiu Mountains Region* (1). (*The Fauna and Taxonomy of Insects in Henan*, *Vol.* (2). China Agricultural Science and Technology Press, Beijing, 368pp.

Wei, M. and Nie, H. 1998g. Eleven new species of *Pachyprotarsis* [sic!] Hartig from Funiushan (Hymenoptera: Tenthredinidae). pp. 162-169. *In*: Shen, X. & Shi, Z. (eds) 1998, *Insects of the Funiu Mountains Region* (1). (*The Fauna and Taxonomy of Insects in Henan*, *Vol.* (2). China Agricultural Science and Technology Press, Beijing, 368pp.

Wei, M. and Nie, H. 1998h. Five new species of *Tenthredo* of Funiushan (Hymenoptera: Tenthredinidae). pp. 170-175. *In*: Shen, X. & Shi, Z. (eds) 1998, *Insects of the Funiu Mountains Region* (1). (*The Fauna and Taxonomy of Insects in Henan*, *Vol.* (2). China Agricultural Science and Technology Press, Beijing, 368pp.

Wei, M. and Nie, H. 1998i. Sixteen new species of the genus *Tenthredo* from Funiushan (Hymenoptera: Tenthredinidae). pp. 188-200. *In*: Shen, X. & Shi, Z. (eds) 1998, *Insects of the Funiu Mountains Region* (1). (*The Fauna and Taxonomy of Insects in Henan*, *Vol.* (2). China Agricultural Science and Technology Press, Beijing, 368pp.

Wei, M. and Nie, H. 1998j. Hymenoptera: Pamphiliidae, Cimbicidae, Argidae, Diprionidae, Tenthredinidae, Cephidae. pp. 344-391. *In*: Wu, H. (ed.), *Insects of Longwangshan Nature Reserve*. China Forestry Publishing House, Beijing, 404pp.

Wei, M. and Nie, H. 1999a. New species of Blasticotomidae from China with keys to known genera and species of the family. *Entomotaxonomia*, 21 (1): 51-59.

Wei, M. and Nie, H. 1999b. New taxa of Selandriidae from south slope of Mt. Funiu (Hymenoptera: Tenthredinomorpha). pp. 92-97. *In*: Shen, X. & Pei, H. (eds), *Insects of the mountains Funiu and Dabie regions.* (*The Fauna and Taxonomy of Insects in Henan*, *Vol.* (4), China Agricultural Science and Technology Press, 415pp.

Wei, M. and Nie, H. 1999c. New taxa of Tenthredinidae from south slope of Mt. Funiu (Hymenoptera: Tenthredinomorpha: Tenthredinidae). pp. 102-106. *In*: Shen, X. & Pei, H. (eds), *Insects of the mountains Funiu and Dabie regions.* (*The Fauna and Taxonomy of Insects in Henan*, *Vol.* (4), China Agricultural Science and Technology Press, 415pp.

Wei, M. and Nie, H. 1999d. A new species of Cephidae from south slope of Mt. Funiu (Hymenoptera: Cephomorpha). pp. 136-137. *In*: Shen, X. & Pei, H. (eds), *Insects of the mountains Funiu and Dabie regions.* (*The Fauna and Taxonomy of Insects in Henan*, *Vol.* (4), China Agricultural Science and Technology Press, 415pp.

Wei, M. and Nie, H. 1999e. New species of sawflies collected by Mr. Sheng and Ms Sun from Henan Province (Hymenoptera: Tenthredinomorpha). (In Chinese, abstract in English). pp. 152-166. *In*: Shen, X. & Pei, H. (eds), *Insects of the mountains Funiu and Dabie regions.* (*The Fauna and Taxonomy of Insects in Henan*, *Vol.* (4), China Agricultural Science and Technology Press, 415pp.

Wei, M. and Nie, H. 1999f. Sawflies collected from Mt. Dabieshan, Henan (Hymenoptera: Tenthredinomorpha). pp. 167-185. *In*: Shen, X. & Pei, H. (eds), *Insects of the mountains Funiu and Dabie regions.* (*The Fauna and Taxonomy of Insects in Henan*, *China Vol.* (4), China Agricultural Science and Technology Press, 415pp.

Wei, M. and Nie, H. 1999g. A new genus and seven new species of Allantinae (Hymenoptera: Tenthredinidae) from China. *Journal of Central South Forestry University*, 19(3): 9-14.

Wei, M. and Nie, H. 1999h. A new genus and three new species of Allantinae (Hymenoptera: Tenthredinidae) from China. *Journal of Central South Forestry University*, 19(3): 15-18.

Wei, M. and Nie, H. 1999i. New genera of Allantinae (Hymenoptera: Tenthredinidae) from China with a key to known genera of Allantini. *Journal of Central South Forestry University*, 19(4): 8-16.

Wei, M. and Nie, H. 2002a. A new species of the genus *Lagidina* Malaise from Henan Province (Hymenoptera: Tenthredinidae). pp. 112-114. *In*: Shen, X. & Zhao, Y. (eds), *Insects of the mountains Taihang and Tongbai regions.* (*The Fauna and Taxonomy of Insects in Henan*, *Vol.* 5 [2003]), China Agricultural Science and Technology Press, 453pp.

Wei, M. and Nie, H. 2002b. Two new species of the genus *Rhogogaster* Konow from Henan Province (Hymenoptera: Tenthredinidae). pp. 115-118. *In*: Shen, X. & Zhao, Y. (eds), *Insects of the mountains Taihang and Tongbai regions.* (*The Fauna and Taxonomy of Insects in Henan*, *Vol.* 5 [2003]), China Agricultural Science and Technology Press, 453pp.

Wei, M. and Nie, H. 2002c. Four new species and two new subspecies of the genus *Siobla* Cameron (Hymenoptera: Tenthredinidae) from Henan Province. pp. 119-126. *In*: Shen, X. & Zhao, Y. (eds), *Insects of the mountains Taihang and Tongbai regions.* (*The Fauna and Taxonomy of Insects in Henan*, *Vol.* 5[2003]), China Agricultural Science and Technology Press, 453pp.

Wei, M. and Nie, H. 2002d. Seven new species of the genus *Tenthredo* L. (Hymenoptera: Tenthredinidae) from Henan Province. pp. 127-137. *In*: Shen, X. & Zhao, Y. (eds), *Insects of the mountains Taihang and Tongbai regions.* (*The Fauna and Taxonomy of Insects in Henan*, *Vol.* 5

[2003]), China Agricultural Science and Technology Press, 453pp.

Wei, M. and Nie, H. 2002e. Three new species of the genus *Tenthredo* L. (Hymenoptera: Tenthredinidae) from Henan Province. pp. 148-153. *In*: Shen, X. & Zhao, Y. (eds), *Insects of the mountains Taihang and Tongbai regions.* (*The Fauna and Taxonomy of Insects in Henan*, *Vol.* 5 [2003]), China Agricultural Science and Technology Press, 453pp.

Wei, M. and Nie, H. 2002f. Six new species of the genus *Tenthredo* L. (Hymenoptera: Tenthredinidae) from Henan Province. pp. 154-162. *In*: Shen, X. & Zhao, Y. (eds), *Insects of the mountains Taihang and Tongbai regions.* (*The Fauna and Taxonomy of Insects in Henan*, *Vol.* 5[2003]), China Agricultural Science and Technology Press, 453pp.

Wei, M. and Nie, H. 2002g. Five new species of *mesomelas* group of the genus *Tenthredo* L. (Hymenoptera: Tenthredinidae) from Henan Province. pp. 163-170. *In*: Shen, X. & Zhao, Y. (eds), *Insects of the mountains Taihang and Tongbai regions.* (*The Fauna and Taxonomy of Insects in Henan*, *Vol.* 5[2003]), China Agricultural Science and Technology Press, 453pp.

Wei, M. and Nie, H. 2002h. Two new species of *finschi* group of the genus *Tenthredo* L. (Hymenoptera: Tenthredinidae) from Henan Province. pp. 171-174. *In*: Shen, X. & Zhao, Y. (eds), *Insects of the mountains Taihang and Tongbai regions.* (*The Fauna and Taxonomy of Insects in Henan*, *Vol.* 5 [2003]), China Agricultural Science and Technology Press, 453pp.

Wei, M. and Nie, H. 2002i. Tenthredinidae. pp. 427-482. *In*: Li, Z. & Jin, D., *Insects from Maolan Landscape.* Guizhou Science and Technology Publishing House, 615pp.

Wei, M. and Nie, H. 2002j. Hymenoptera: Tenthredinidae. pp. 835-851. *In*: Huang, F. (ed.), *Forest Insects of Hainan.* Science Press, Beijing, 1064pp.

Wei, M. and Nie, H. 2003. Nematidae. pp. 47-56 + 193-212 [abstract for Symphyta]. *In*: Huang, B. (ed.), *Fauna of Insects in Fujian Province of China. Vol.* 7 (*Hymenoptera*), Fujian Science and Technology Publishing House, 927pp.

Wei, M. and Nie, H. 2004. On the sawfly genus *Jinia* and description of a new species (Hymenoptera: Tenthredinidae: Allantinae). Acta *Zootaxonomica Sinica*, 29(4): 781-785.

Wei, M. and Nie, H. 2005. A new genus of Allantinae from China (Hymenoptera, Tenthredinidae, Allantinae). *Acta Zootaxonomica Sinica*, 30(1): 166-169.

Wei, M. and Nie, H. 2006. A New Species of *fortunii* group of *Tenthredo* from China (Hymenoptera: Tenthredinidae). (In Chinese, abstract in English). *Entomotaxonomia*, 28(4): 275-278.

Wei, M. and Nie, H. 2007. Two new genera of Cephidae (Hymenoptera) from Eastern China. Acta *Zootaxonomica Sinica*, 32(1): 109-113.

Wei, M. and Nie, H. 2008. A new species of *Megadineura* Malaise (Hymenoptera: Tenthredinidae) and a key to the known species of the genus. *Zootaxa*, 1920: 51-60.

Wei, M., Nie, H. and Xiao, G. 2003. Tenthredinidae. pp. 57-127 + 193-212. *In*: Huang, B. (ed.), *Fauna of Insects in Fujian Province of China. Vol.* 7 (*Hymenoptera*). Fujian Science and Technology Publishing House, 927pp.

Wei, M. and Niu, G. 2007. Two new species of Selandriinae from China (Hymenoptera, Tenthredinidae). *Acta Zootaxonomica Sinica*, 32(4): 775-777.

Wei, M. and Niu, G. 2008. Two new species of Pamphiliidae (Hymenoptera, Siricomorpha) from China. *Acta Zootaxonomica Sinica*, 33(1): 57-60.

Wei, M. and Shi, F. - m. 2004. Two new sawfly species (Hymenoptera: Tenthredinidae) from Jiuzhaigou and Southern Gansu of China. *Entomotaxonomia*, 26(4): 293-298.

Wei, M. and Wang, B. 1999. New taxa of Blennocampidae from south slope of Mt. Funiu (Hymenoptera: Tenthredinomorpha). pp. 123-127. *In*: Shen, X. & Pei, H. (eds), *Insects of the mountains Funiu and Dabie regions.* (*The Fauna and Taxonomy of Insects in Henan*, *Vol.* (4), China Agricultural Science and Technology Press, 415pp.

Wei, M. and Wen, J. 1997. Six new species of *Arge* Schrank (Hymenoptera: Argidae) from China. *Entomotaxonomia*, 19, Suppl.: 25-34.

Wei, M. and Wen, J. 1998. Five new species of Allantinae of Funiushan (Hymenoptera: Tenthredinidae). pp. 136-141. *In*: Shen, X. & Shi, Z. (eds) *Insects of the Funiu Mountains Region* (1). (*The Fauna and Taxonomy of Insects in Henan Vol.* (2). China Agricultural Science and Technology Press, 368pp.

Wei, M. and Wen, J. 1999. Six new species of Argidae from south slope of Mt. Funiu (Hymenoptera: Tenthredinomorpha). pp. 128-135. *In*: Shen, X. & Pei, H. (eds), *Insects of the mountains Funiu and Dabie regions.* (*The Fauna and Taxonomy of Insects in Henan*, *Vol.* (4), China Agricultural Science and Technology Press, 415pp.

Wei, M. and Wen, J. 2002. Five new species of Argidae from Henan Province (Hymenoptera: Tenthredinomorpha). pp. 50-56. *In*: Shen, X. & Zhao, Y. (eds) *Insects of the mountains Taihang and Tongbai regions.* (*The Fauna and Taxonomy of Insects in Henan*, *Vol.* 5[2003]). China Agricultural Science and Technology Press, 453pp.

Wei, M. and Zhong, Y. 2002a. Three new taxa of *Pachyprotasis* Hartig from Mt. Funiushan, Henan, China (Hymenoptera: Tenthredinidae). pp. 235-239. *In*: Shen, X. & Zhao, Y. (eds), *Insects of the mountains Taihang and Tongbai regions.* (*The Fauna and Taxonomy of Insects in Henan*, *Vol.* 5). China Agricultural Science and Technology Press, 453pp.

Wei, M. and Zhong, Y. 2002b. Nine new species of *Tenthredo* from Henan province (Hymenoptera: Tenthredinidae). pp. 240-252. *In*: Shen, X. & Zhao, Y. (eds), *Insects of the mountains Taihang and Tongbai regions.* (*The Fauna and Taxonomy of Insects in Henan*, *Vol.* 5). China Agricultural Science and Technology Press, 453pp.

Wei, M., Liang, M. and Liao, F. 2007. Argidae and Tenthredinidae. pp. 597-617. *In*: Li, Z., Yang, M. & Jin, D. (eds), *Insects from Leigongshan Landscape.* Guizhou Science and Technology Publishing House, Guiyang, 759pp.

Wei, M., Ouyang, G. and Huang, W. 1997. A new genus and eight new species of Tenthredinidae (Hymenoptera) from Jiangxi. *Entomotaxonomia*, 19(1): 65-73.

Wei, M., Wen, J. & Deng, T. 1999. Nine new sawflies from Mt. Jigong (Hymenoptera: Tenthredinidae, Argidae). pp. 21-32. *In*: Shen, X. & Deng, G. (eds), *Insects of the Jigong Mountains Region.* (*The Fauna and Taxonomy of Insects in Henan Vol.* 3). China Agricultural Science and Technology Press, 181pp.

Wei, M. and Wang, P. 2002. Three new species of Selandriidae from Henan Province (Hymenoptera: Tenthredinoidea). pp. 63-68. *In*: Shen, X. & Zhao, Y. (eds), *Insects of the mountains Taihang and Tongbai regions.* (*The Fauna and Taxonomy of Insects in Henan*, *Vol.* (5). China Agricultural Science and Technology Press, 453pp.

Wei, M. and Xia, G. 2012. A new species of Pristiphora (Hymenoptera, Tenthredinidae) feeding on *Larix from China. Acta Zootaxonomica Sinica*, 37(1): 171-174.

Wei, M. and Xiao, W. 1999. A new species of *Pamphilius* from Mt. Funiushan (Hymenoptera: Siricomorpha: Pamphiliidae). pp. 149-151. *In*: Shen, X. & Pei, H. (eds), *Insects of the mountains Funiu and Dabie regions.* (*The Fauna and Taxonomy of Insects in Henan*, *Vol.* 4), China Agricultural Science and Technology Press, 415pp.

Wei, M. and Xiao, W. 2002. Two new species and a new subspecies of sawflies (Hymenoptera: Selandriidae) from Mt. Mangshan of Hunan and Yunnan, China. *Entomotaxonomia*, 24(1): 69-75.

Wei, M. and Zhong, Y. 2002. Nine new species of *Tenthredo* from Henan Province (Hymenoptera: Tenthredinidae). pp. 240-252. *In*: Shen, X. & Zhao, Y. (eds), *Insects of the mountains Taihang and Tongbai regions.* (*The Fauna and Taxonomy of Insects in Henan*, *Vol.* 5). China Agricultural Science and Technology Press, 453pp.

Wen, J. and Wei, M. 1998. New species of Argidae from Funiushan (Hymenoptera: Tenthredinomorpha). pp. 100-111. *In*: Shen, X. & Shi, Z. (eds) 1998, *Insects of the Funiu Mountains Region* (1). (*The Fauna and Taxonomy of Insects in Henan*, *Vol.* (2). China Agricultural Science and Technology Press, Beijing, 368pp.

Wen, J. and Wei, M. 2001. Study on *Alloscenia* Enderlein (Hymenoptera: Argidae) of China. *Entomotaxonomia*, 23(1): 75-77.

Wen, J. and Wei, M. 2002. Three new species of Argidae from Henan Province (Hymenoptera: Tenthredinomorpha). (In Chinese, abstract in English). pp. 57- 62. *In*: Shen, X. & Zhao, Y. (eds), *Insects of the mountains Taihang and Tongbai regions.* (*The Fauna and Taxonomy of Insects in Henan Vol.* 5). China Agricultural Science and Technology Press, Beijing, 453pp.

Wen, J., Wei, M. and Nie, H. 1998. Taxonomical study of *Sterictiphora* Billberg (Hymenoptera: Argidae) of China with descriptions of nine new species. *Journal of Guangxi Agricultural University*, 17 (1): 61-70.

Westwood, J. O. 1839. Synopsis of the genera of British insects. *In*: Westwood, J. O. 1838-1840. *An introduction to themodern classification of insects*; *founded on the natural habits and corresponding organisation of the different families.* Longman, Orme, Brown, Green, and Longmans, London, Synopsis (E-F), pp. 49-80.

Westwood, J. O. 1874. *Thesaurus entomologicus Oxoniensis*; *or*, *illustrations of new*, *rare*, *and interesting insects*, *for the most part contained in the collection presented to the University of Oxford by the Rev. F. W. Hope*, *M. A. D. C. L. F. R. S. &c. with forty plates from drawings by the author.* Clarendon Pr. Oxford, I - XXIV + 205 pp.

Wong, H. R. 1977. Chinese species of *Pristiphora* and their relationship to Palearctic and Nearctic species (Hymenoptera: Tenthredinidae). *The Canadian Entomologist*, 109(2): 101-106.

Wu, X. & Xin, H. 2008. A new species of the genus *Stigmatijanus* Wei (Hymenoptera: Cephidae) from China. (In Chinese, abstract in English). *Entomotaxonomia*, 30(1): 61-64.

Xiao, G. 1987. Four new species of Cephalcinae from China (Hymenoptera: Pamphiliidae). *Scientia silvae sinicae. Memoir of Forest Entomology*: 1-4.

Xiao, G. 1990. Four new species of sawflies from China (Hymenoptera, Symphyta, Pamphiliidae, Tenthredinidae). *Forest Research*, *Beijing*, 3(6): 548-552.

Xiao, G. 1993. Two New Species of Sawflies from China (Hymenoptera, Tenthredinidae). *Forest Research, Beijing*, 6(6): 618-620.

Xiao, G. 1994. A new sawfly injurous to cherry from China (Hymenoptera: Tenthredinidae). *Scientia silvae sinicae*, 30(5): 442-444.

Xiao, G. and Zeng, C. H. 1998. A new species of the genus *Cephalcia* (Hymenoptera: Pamphiliidae) from China. (In Chinese, abstract in English). *Forest Research*, 11(5): 488-490.

Xiao, G., Huang, X. and Zhou, S. 1981. Three new species of *Nesodiprion* from China (Hymenoptera, Symphyta, Diprionidae). *Scientia silvae sinicae*, 17(3): 247-249.

Xiao, G., Huang, X., Zhou, S., Wu, J. and Zhang, P. 1992. Economic sawflies fauna of China (Hymenoptera: Symphyta). Hongkang: Tianze Eldonejo. 1-148, +40 plates.

Xiao, W., Ma, L. and Wei, M. 1997. Investigation of sawflies (Hymenoptera: Tenthredinoidea) from the campus of Central South Forestry University. *Journal of Central South Forestry University*, 17, Suppl.: 6-10.

Xin, H. and Wu, X. 2010. The investigation and taxonomical research of the sawflies species from Gansu Province. Ⅱ. A list of the genera and species (Hymenoptera: Pamphiliidae, Megalodontesidae). *Journal of Gansu Forestry Science and Technology*, 35(1): 9-11.

Yan, Y., Wei, M. and He, Y. 2009. Two new species of Tenthredinidae (Hymenoptera, Tenthredinidae) from China. *Acta Zootaxonomica Sinica*, 34(2): 248-252.

Yan, Y., Xu, Y. and Wei, M. 2012. Two new species of *Tenthredo* (Hymenoptera, Tenthredinidae) from China. *Acta Zootaxonomica Sinica*, 37(2): 363-369.

Zaddach, G. 1859. *Beschreibung neuer oder wenig bekannter Blattwespen aus dem Gebiet der preussischen Fauna. In: Zur öffentlichen Prüfung der Schüler des Königlichen Friedrichs-Collegiums am Montag den* 3. *und am Dienstag den* 4. October 1859, Schultzsche Hofbuchdruckerei, Königsberg in Pr., pp. 3-40.

Zaddach, G. 1864. Beobachtungen über die Arten der Blatt- und Holzwespen von C. G. A. Brischke erstem Lehrer am Spend- und Waisenhause zu Danzig und Dr. Gustav Zaddach, Professor in Königsberg, mitgetheilt von Zaddach. [Zweite Abhandlung] Hylotomidae. *Schriften der physikalisch-ökonomischen Gesellschaft zu Königsberg*, 4[1863]: 83-124.

Zaddach, G. 1876. Beobachtungen über die Arten der Blatt- und Holzwespen von C. G. A. Brischke Hauptlehrer in Danzig und Dr. Gustav Zaddach, Professor in Königsberg, mitgetheilt von Zaddach. *Schriften der physikalisch-ökonomischen Gesellschaft zu Königsberg*, 16[1875]: 23-89.

Zhao, F. and Wei, M. 2010. Two new species of *Tenthredo* (Hymenoptera, Tenthredinidae) from China with a key to *subflava* species group. *Acta Zootaxonomica Sinica*, 35 (3): 460-465.

Zhelochovtsev, A. N. 1951. Obzor palearkticheskih pilil'shhikov podsemejstva Selandriinae (Hym., Tenthr.). [Review of the Palaearctic sawflies of the subfamily Selandriinae (Hym., Tenthr.)]. (In Russian). *Sbornik trudov zoologicheskogo muzeja MGU*, 7, 123-153.

Zhelochovtsev, A. N. and [Zinovjev, A. G.] 1988. 27. Otrjad Hymenoptera — Pereponchatokrylye Podotrjad Symphyta (Chalastogastra) — Sidjachebrjuhie. [27. Order Hymenoptera — Wasps Suborder Symphyta (Chalastogastra) — Sawflies and woodwasps.] *In*: Zhelohovcev A. N., Tobias V. I. & Kozlov M. A. (eds), *Opredelitel' nasekomyh evropejskoj chasti SSSR. T.* Ⅲ. *Pereponchatokrylye. Shestaja chast'.* (*Opredeliteli po faune SSSR, izdavaemye Zoologicheskim institutom AN SSSR*; *Vyp.*

158. [*Key to the insects of the European part of the USSR. Vol.* Ⅲ. *Hymenoptera. Sixth part.* (*Keys to the fauna of the USSR, edited by the Zoological Institute of the Academy of Sciences of the USSR*; *Vol.* 158.]. Nauka, Leningrad, pp. 7-234.

Zhong, Y. and Wei, M. 2002a. Six new species of *Pachyprotasis* Hartig from Mt. Funiu, Henna, China (Hymenoptera: Tenthredinidae). pp. 216-223. *In*: Shen, X. & Zhao, Y. (eds), *Insects of the mountains Taihang and Tongbai regions.* (*The Fauna and Taxonomy of Insects in Henan*, *Vol.* 5). China Agricultural Science and Technology Press, 453pp.

Zhong, Y. and Wei, M. 2002b. Nine new species of *Pachyprotasis* Hartig from Mt. Funiu, Henna, China (Hymenoptera: Tenthredinidae). pp. 224-234. *In*: Shen, X. & Zhao, Y. (eds), *Insects of the mountains Taihang and Tongbai regions.* (*The Fauna and Taxonomy of Insects in Henan*, *Vol.* 5). China Agricultural Science and Technology Press, 453pp.

Zhong, Y. and Wei, M. 2009. Two new species of *Pachyprotasis* Hartig (Hymenoptera, Tenthredinidae) from China. *Acta Zootaxonomica Sinica*, 34(3): 611-615.

Zhong, Y. & Wei, M. 2010. The *Pachyprotasis formosana* group (Hymenoptera, Tenthredinidae) in China: identification and new species. *Zootaxa*, 2523: 27-49.

Zhou, S. & Zhang, Z. 1993. A new species and a new record of Tenthredinidae (Hymenoptera: Symphyta) from China. *Forest Research*, 6(mem.): 57-59.

Zhu, X. & Wei, M. 2008a. Two new species of the genus *Pachyprotasis* Hartig from Mt. Qinlin, China (Hymenoptera, Tenthredinidae). *Acta Zootaxonomica Sinica*, 33(1): 176-179.

Zhu, X. & Wei, M. 2008b. Two new species of the genus *Apethymus* Benson from Mt. Qinling, China (Hymenoptera, Tenthredinidae, Allantinae). *Acta Zootaxonomica Sinica*, 33(4): 785-789.

Zirngiebl, L. 1937. Neue oder wenig bekannte Tenthredinoiden (Hym.) aus dem Naturhistorischen Museum in Wien. Festschrift zum 60. *Geburtstage von Professor Dr. Embrik Strand*, 3: 335-350.

Zirngiebl, L. 1953. Tenthredinoiden aus der Zoologischen Staatssammlung in München. *Mitteilungen der Münchner Entomologischen Gesellschaft*, 43: 234-238.

Zirngiebl, L. 1956. Blattwespen aus Iran. *Mitteilungen der Münchner Entomologischen Gesellschaft*, 46: 322-326.

Zombori, L. 1977. *Sterigmos amauros* gen. *et* sp. n. with remarks on Blennocampini (Hymenoptera: Symphyta). *Acta Zoologica Academiae Scientiarum Hungaricae*, 23(1-2): 237-245.

膜翅目：细腰亚目 Apocrita

陈学新
（浙江大学昆虫研究所，杭州 310058）

鉴别特征： 细腰亚目原始的腹部第 1 节已与后胸紧密相连，成为并胸腹节，与原始的第 2 节之间通常均强度缢缩易于识别；前后翅上没有关闭的臀室；翅发达，但也有短翅和无翅类型，尤其是雌性。细腰亚目的 1 龄幼虫形态变化很大，但以后的各龄一般均为“膜翅目型”。中肠与后肠只在进入预蛹期才相通排出“蛹便”。大部分细腰亚目幼虫为肉食性，猎物或食物一般由雌性亲代提供，最后导致寄主或饵物死亡，从而成为害虫的天敌，是自然控制的主要因子。有些种类的幼虫明显具次生植食现象，但它们的食料仅局限于花粉（结果成为授粉的益虫），也有取食胚乳或植物虫瘿组织等含丰富营养的物质。

分类： 本亚目传统上分为锥尾部 Terebrantia 和针尾部 Aculeata，目前一般学者已将细蜂总科 Proctotrupoidea 从原来的针尾部归入原来的锥尾部中，而组成寄生部 Parasitica。目前，比较普遍认可的是把细腰亚目分为寄生部 Parasitica 和针尾部 Aculeata。

本亚目一般分为 12～13 个总科，即钩腹蜂总科 Trigonaloidea、冠蜂总科 Stephanoidea、巨蜂总科 Megalyroidea、旗腹蜂总科 Evanioidea、瘿蜂总科 Cynipoidea、小蜂总科 Chalcidoidea、细蜂总科 Proctotrupoidea、姬蜂总科 Ichneumonoidea、分盾细蜂总科 Ceraphronoidea、胡蜂总科 Vespoidea、青蜂总科 Chrysidoidea、蜜蜂总科 Apiodea 和泥蜂总科 Sphecoidea。但细蜂总科 Proctotrupoidea 传统上含有一群无法在其他地方放置的寄生性的科，最近几年，虽分出分盾细蜂总科 Ceraphronoidea，但有人指出仍不是全系类群。蜜蜂总科 Apoidea 和泥蜂总科 Sphecoidea，目前多数专家似乎倾向于合为蜜蜂总科 Apoidea，但也有专家认为，分更实用。

分总科检索表（有翅型）

1. 后足转节 2 节；前翅有翅痣，后翅有闭室；雌蜂腹部末端多数属种稍呈钩状弯曲；产卵管针状很少外露；上颚大，齿左 3 右 4 ………………………………………… **钩腹蜂总科 Trigonalyoidea**
   上述特征不同时具备 ……………………………………………………………………………… 2
2. 头部单眼周围具 5 个齿状额突；腹柄长大于宽；前翅有若干闭室 …… **冠蜂总科 Stephanoidea**
   无上述特征的组合 ……………………………………………………………………………… 3
3. 具触角下沟；后足胫节端部有密生刚毛的洁净刷 ……………………… **巨蜂总科 Megalyroidea**

无触角下沟；后足胫节端部无洁净刷 …………………………………………………… 4

4. 腹部着生在并胸腹节背面，远在后足基节上方；触角 13～14 节；前翅有若干闭室；原始腹部气门仅第 1 及第 8 节开口 …………………………………………… **旗腹蜂总科 Evanioidea**

无上述特征的组合 …………………………………………………………………… 5

5. 雌虫最后腹节的腹板纵裂，产卵管从腹部末端的前面伸出，并具有 1 对与产卵管伸出腹端部分等长而狭的鞘；后翅往往无臀叶；转节 1 或 2 节 ……………………………………… 6

雌虫最后腹节的腹板不纵裂，产卵管从腹部末端伸出，常为 1 个真刺而无 1 对突出的鞘；前翅前缘室常存在；后翅常有臀叶；转节 1 节（或为极不明显的 2 节） ………………………… 8

6. 前后翅翅脉发达；前翅有 1 个翅痣，通常三角形或少数细长或线形；前缘脉发达，与亚前缘脉会合而无前缘室，或分开而有前缘室；腹部腹板多为膜质，死后有 1 个中褶，触角多在 16 节以上 …………………………………………………… **姬蜂总科 Ichneumonoidea**

前后翅翅脉退化；前翅无翅痣；前缘脉远细于亚前缘脉；腹部腹面坚硬骨质化，无褶；触角丝状或膝状，常少于 14 节；转节 1 或 2 节 ………………………………………………… 7

7. 前胸背板两侧向后延伸达翅基片；缺胸腹侧片；触角不呈膝状；转节常仅 1 节；翅有径室，多少完整，翅痣极少发达；体多侧扁 ………………………………… **瘿蜂总科 Cynipoidea**

前胸背板不达翅基片；胸腹侧片常存在；触角多少呈明显的膝状；转节常 2 节；翅脉很退化，常有 1 个线形的痣脉，缺径室 ……………………………………… **小蜂总科 Chalcidoidea**

8. 腹部第 1 节呈鳞片状或结节状，有时第 1、2 节均形成结节状，与第 3 节背腹两面均有深沟明显分开；群体生活，部分为捕食性，没有寄生性（蚁科 Formicidae） ……………………………
……………………………………………………………… **胡蜂总科 Vespoidea（部分）**

腹部第 1 节不呈鳞片状，若为结节状则第 2 节与第 3 节之间无深沟分开 ………………… 9

9. 前胸背板两侧向后延伸，达到或几乎达到翅基片，其后角无叶状突 ………………………… 10

前胸背板短（少数前方延伸成颈），虽后角有圆瓣状突，但不达于翅基片 ………………… 13

10. 后翅有 1 个明显的翅脉序，而且至少有 1 个关闭的肘室；通常体型较大 ……………………
……………………………………………………………………… **胡蜂总科 Vespoidea**

后翅无明显的脉序和关闭的翅室；通常为小型或微小蜂类 ………………………………… 11

11. 后翅有臀叶；前足腿节常显著膨大且末端呈棍棒状；前胸两腹侧部不在前足基节前相接或不明显 ……………………………………………………………… **青蜂总科 Chrysidoidea**

后翅无臀叶；前足腿节正常或端部膨大；前胸左右两腹侧部细，伸向前足基节前方而相接 ……………………………………………………………………………………… 12

12. 前足胫节 1 距；无小盾片横沟（frenum）；如有三角片，则与小盾片主要表面不在同一水平上 ………………………………………………………… **细蜂总科 Proctotrupoidea**

前足胫节 2 距；小盾片通常有 1 条横沟（frenum）；并且有三角片，与主要表面在同一水平上
……………………………………………………………… **分盾细蜂总科 Ceraphronoidea**

13. 中胸背板（包括小盾片）的毛分支成羽毛状；后足第 1 节通常大形，常增厚或扁平，常有毛；蜜蜂，主要为传粉昆虫 ……………………………………………………… **蜜蜂总科 Apidea**

中胸背板（包括小盾片）的毛简单，不分支；后足第 1 节纤细，不宽阔或增厚，常无毛 ……
……………………………………………………………………… **泥蜂总科 Sphecoidea**

寄生部 Parasitica

寄生部为一并系阶元。有9个总科：钩腹蜂总科、巨蜂总科、旗腹蜂总科、冠蜂总科、瘿蜂总科、小蜂总科、细蜂总科、分盾细蜂总科和姬蜂总科。这9个总科在我国均已发现。除姬蜂总科、小蜂总科和细蜂总科的种类相当丰富外，其余总科所含种类不多也不易采到。寄生部的姬蜂总科可能与"针尾部"关系比"寄生部"的其他类群更密。本类群包括膜翅目的大多数种类，而且除极少数属种外，均为营典型的拟寄生(parasitiod)生活的蜂类。

Ⅰ. 冠蜂总科 Stephanoidea

冠蜂总科与现存的其他的细腰亚目看起来都不很相似。按胸腹侧脊和中胸气门的发育情况和位置，冠蜂近似于尾蜂科 Osussidae，在已知的细腰亚目中，它的这些原始特征是保存得最多的，表明可能是一个非常古老的类群。本总科仅含冠蜂科 Stephanidae 一科。

十四、冠蜂科 Stephanidae

洪纯丹 陈华燕 许再福
(华南农业大学，广州 510642)

鉴别特征：体细长，3.50～35.00mm。触角丝状，25～42节。上颚2个齿。头球形或近球形。头顶常有5个齿突，如冠冕，故名冠蜂。前胸伸长如颈。前胸背板突伸达翅基片。足转节2节。中足胫节无距。后足腿节膨大，下方常具2～4个大齿及一些小齿；胫节向端部膨大。许多雌虫跗节退化成3～4节。腹部常细长如棒锤状。雌性肛下板有三角形、"Y"形或"V"形缺切。雌虫产卵器细长，伸出部分可达体长的2倍或更长。

分类：冠蜂科是一个小科，全世界已知13属约360种。中国已记录5属20种，陕西秦岭地区分布3属3种。

分属检索表

1. 腹柄背、腹板分离，约与腹部第2节等长；腹部第2节不呈柄状，基部光滑；前翅1-M脉弯曲；后翅 cu-a 脉明显；后足基节亚末端背面具小齿…………………………… **施冠蜂属 *Schlettererius***

腹柄背、腹板不分离，显著长于腹部第2节；腹部第2节柄状，基部常具刻纹；前翅1-M脉直；后翅cu-a脉不明显；后足基节亚末端背面无小齿 …………………………………………… 2

2. 上颊沿复眼外缘有浅黄色条斑；前翅第1亚中盘室基部宽于第1中盘室，或无第1中盘室；后足胫节内侧具斜长的凹陷 ……………………………………………… **副冠蜂属 *Parastephanellus***

上颊腹面有浅色斑点，但通常无浅黄色条斑；前翅第1亚中盘室基部窄于或等宽于第1中盘室；后足胫节内侧常无凹陷 …………………………………………………… **冠蜂属 *Stephanus***

1. 副冠蜂属 *Parastephanellus* Enderlein, 1906

Parastephanellus Enderlein, 1905: 474. **Type species**: *Stephanus pygmaeus* Enderlein, 1901.

属征：上颊沿复眼外缘具浅黄色条斑。颈粗短。前胸背板褶弱或无。前翅1-SR脉直；具1-SR + M脉、2-SR脉、2-SR + M脉和2-Cu_1脉。后足胫节狭窄部分的内侧光滑或具刻点。雌虫后足跗节3节。产卵鞘亚末端不具黄色或白色环斑。

分布：古北区，东洋区，澳洲区。全世界已知59种，我国已知5种，秦岭地区发现1种。

（502）松本副冠蜂 *Parastephanellus matsumotoi* Achterberg, 2006

Parastephanellus matsumotoi Achterberg, 2006: 219.

鉴别特征：体长7.50～16.40mm；前翅长5.20～9.00mm。额红褐色并具网皱。上颊背面观在眼后部明显凸出成弧形。颈粗短，基部凹陷呈“U”形。前胸背板黑褐色至黑色，中部、后部具横条皱。后足基节粗壮，具细脊；腿节具有3个大齿及一些小齿。腹柄较粗，密生细横脊。肛下板端缘缺切略呈倒“V”形。

采集记录：1♀，秦岭天台山，1999.Ⅸ.03，马云采。

分布：陕西（凤县）、河南、浙江；日本。

2. 施冠蜂属 *Schlettererius* Ashmead, 1900

Schlettererius Ashmead, 1900: 150. **Type species**: *Stephanus cinctipes* Cresson, 1880.

属征：腹柄粗壮，约与腹部第2节等长。腹部第2节不呈柄状。前翅1-M脉明显弯曲。后翅具cu-a脉。后足基节背面具亚端小齿。后足腿节腹面常具2个大齿。后足胫节基部不狭缩。雌虫后足跗节5节。雌虫第8腹板末端具臀突。产卵鞘亚末端白色。

分布：古北区，新北区，澳洲区。全世界已知2种，我国记录1种，秦岭地区有分布。

寄主：树蜂科Siricidae昆虫（Taylor 1967）。

（503）施冠蜂 *Schlettererius determinatoris* Madl, 1991

Schlettererius determinatoris Madl, 1991: 119.

鉴别特征：体长 9.80mm；前翅长 6.50mm。上颊背面观在眼后稍凸出，呈圆弧形。颈粗短，具不规则横脊。前翅第 1 亚中盘室长约为宽的 2 倍。后足基节粗壮，具横皱，亚末端背面具小齿突。后足腿节腹面有 3 个大齿。腹部第 1～3 背板黑色或黑褐色。第 1 背板长是中宽的 4.60 倍。第 2 背板与第 1 背板等长。雌虫第 8 腹板末端具管状臀突。产卵鞘亚端部的白色环斑长是端部黑色部分长度的 3.70 倍。

采集记录：1♂，留坝紫柏山，1632m，2004. Ⅷ. 04，张红英采。

分布：陕西（留坝）；韩国。

3. 冠蜂属 *Stephanus* Jurine, 1801

Stephanus Jurine (in Panzer), 1801: 76. **Type species**: *Stephanus coronatus* Jurine (in Panzer), 1801 (= *Ichneumon serrator* Fabricius, 1798).

属征：上颊沿复眼外缘无浅色条斑。头顶无中沟，常具横皱。颈具粗横脊。前翅有 4 个闭室；第 1 中盘室不超过翅痣的中部。后翅有 M + Cu 脉，无 cu-a 脉。后足腿节相对细长，腹面常具 2～3 个大齿，偶见 4 个大齿。后足胫节腹面内侧具 1 条短而窄的斜沟。雌虫后足跗节 5 节。腹柄长于腹部第 2 背板。产卵鞘黑色或深褐色。雌虫第 8 腹板末端无臀突。

分布：古北区，东洋区。世界已知 5 种，我国记录 2 种，秦岭地区发现 1 种。

寄主：天牛科 Cerambycidae 和吉丁虫科 Buprestidae 幼虫（Achterberg & Yang 2004）。

（504）三齿冠蜂 *Stephanus tridentatus* Achterberg *et* Yang, 2004

Stephanus tridentatus Achterberg *et* Yang, 2004: 106.

鉴别特征：体长 7.70～16.90mm；前翅长 10.10～12.80mm。前胸背板褶发达，略呈波纹状。前翅 1-M 脉稍弯，长约为 1-SR 脉的 3.30 倍。后翅 M + Cu 脉大部分着色明显。后足腿节细长，密布粗横脊；腹面有 3 个尖锐的大齿，偶见 4 个大齿。腹柄粗，前端 2/5 具不规则的横皱，端部 3/5 具规则的横皱。腹部第 1 背板长是中宽的 3.00～5.70 倍。肛下板端缘缺切呈深倒“V”形。产卵鞘长是体长的 1.30 倍。

采集记录：5♀2♂（副模），周至楼观台，1991. Ⅸ. 09，杨忠歧采；2♀，凤县辛家山，1992. Ⅵ. 28-30。

分布：陕西（周至、凤县）、河南。

寄主：天牛科和吉丁虫科幼虫（Achterberg & Yang 2004）。

参考文献

Achterberg, C van and Quicke, D. L. J. 2006. Taxonomic notes on Old World Stephanidae (Hymenoptera): description of *Parastephanellus matsumotoi* sp. n. from Japan, redescription of *Commatopus xanthocephalus* (Cameron) and keys to the genera *Profoenatopus* van Achterberg and *Megischus* Brullé. *Tijdschrift voor Entomologie* 149: 215-225.

Achterberg, C van and Yang, Z. Q. 2004. New species of the genera *Megischus* Brullé and *Stephanus* Jurine from China (Hymenoptera: Stephanoidea: Stephanidae), with a key to world species of the genus *Stephanus*. *Zoologische Medelingen Leiden* 78 (3): 101-117.

He, J. H. *et al*. 2004. *Hymenopteran Insect Fauna of Zhejiang*. Science Press, Beijing. 1-1373 + plates Ⅰ-XLⅢ. [何俊华等编著. 浙江蜂类志. 北京：科学出版社，2004. 1-1373 + 图版Ⅰ-XLⅢ.]

Hong, C. D, Achterberg, C van and Xu, Z. F. 2011. A Revision of the Chinese Stephanidae (Hymenoptera, Stephanidae). *ZooKeys*, 110: 1-108.

Madl, M. 1991. Zur Kenntnis der paläarktischen Stephanidae (Hymenoptera, Stephanoidea). *Entomofauna* 12: 117-126.

Ⅱ. 旗腹蜂总科 Evanioidea

旗腹蜂总科 Evanioidea 原包括旗腹蜂科 Evaniidae、褶翅蜂科 Gasteruptiidae 和举腹蜂科 Aulacidae。但这 3 个科的生物学习性截然不同，缺少足够的共近裔性状，一直被认为是人为分出的类群。现已有作者将旗腹蜂总科仅包含旗腹蜂科 1 科，其余 2 科放入另外新建褶翅蜂总科 Gasteruptioidea。本书仍按传统分类处理，作为 1 总科。

十五、褶翅蜂科 Gasteruptiidae

赵可心 陈华燕 许再福
（华南农业大学，广州 510642）

鉴别特征：体黑色或红褐色，具白色或黄色斑。触角着生在两复眼中间。雌虫触角 14 节；雄虫 13 节，偶有 14 节。头半球形。上颚短粗，闭合时相互重叠。复眼大，卵圆形。后头脊常发达。颚唇须节比 6/4。前胸向前延伸成颈头。中胸背板前端常圆凸起。盾纵沟明显。翅常透明。前翅常有盘室；无 r-m 脉；2-M 脉基部近 1/3 管状。后翅有 3～4 个翅钩。前、中足胫节常有白色斑。后足基节常具横皱。后足胫节棒状膨大，在端部肿胀，基部常有白斑。腹部第 1 节细长，背板几乎包裹腹板。雌虫产卵管短至长，伸出腹末。该科昆虫的前翅纵褶折叠，故名褶翅蜂科。

分类：全世界已知 6 属，中国已记录 1 属 28 种，陕西秦岭地区分布 1 属 1 种。

4. 褶翅蜂属 *Gasteruption* Latreille, 1796

Gasteruption Latreille, 1796: 113. **Type species**: *Ichneumon assectator* Linnaeus, 1758.

属征：头在复眼后常收窄。后头脊发达，或无。雌虫触角 14 节；雄虫 13 节。复眼细长，表面光裸或覆刚毛。颚唇须节比 6/4。前胸侧板延伸成颈状。前翅无轭叶；有r-m脉；常有盘室。后翅有 3～4 个翅钩。后足转节有亚端沟；胫节呈棒状。腹部着生于并胸腹节上端。腹部第 1 背板几乎完全遮盖住腹板。雌性肛下板有"Y"形或"V"形缺切。雌虫产卵器伸出腹部末端。产卵鞘端部多呈白色、黄色或褐色。

生物学：褶翅蜂幼虫主要营盗寄生，寄主包括蜜蜂总科 Apoidea、泥蜂总科 Sphecoidea 以及可能包括胡蜂总科 Vespoidea 的昆虫。雌虫把卵产在寄主的巢内，幼虫孵化后首先取食寄主的卵和幼虫，然后取食巢内食料(何俊华等, 2004; Zhao *et al*. 2012)。

分布：世界性分布。世界已知400余种，我国记录28种，秦岭地区发现1种。

（505）弯角褶翅蜂 *Gasteruption angulatum* Zhao，Achterberg *et* Xu，2012（图版10：2）

Gasteruption angulatum Zhao，Achterberg *et* Xu，2012：19.

鉴别特征：体长11.50～13.00mm。体黑色，仅触角、足和产卵鞘为褐色。头顶和额皮质且无光泽，头顶后略凸起。后头脊窄，不成薄片状。中胸盾片皮质无光泽，中后部具少许弱皱。后足基节皮质无光泽，极细长。产卵器端部稍膨大并呈弯角状。产卵鞘是体长的0.30～0.50倍。

采集记录：1♂（副模），宁陕旬阳坝，1371m，2011.Ⅴ.06，陈华燕采。

分布：陕西（宁陕）、河南、浙江、湖北。

参考文献

He，J. H. *et al*. 2004. *Hymenopteran Insect Fauna of Zhejiang*. Science Press，Beijing. 1-1373 + plates Ⅰ-XLⅢ.［何俊华等编著. 浙江蜂类志. 北京：科学出版社，2004. 1-1373 + 图版Ⅰ-XLⅢ.］

Macedo，A. C. C. 2009. Generic classification for the Gasteruptiinae（Hymenoptera：Gasteruptiidae）based on a cladistics analysis，with the description of two new Neotropical genera and the revalidation of *Plutofoenus* Kieffer. *Zootaxa* 2075：1-32.

Zhao，K. X，Achterberg，C van and Xu，Z. F. 2012. A revision of the Chinese Gasteruptiidae（Hymenoptera，Evaninoidea）. ZooKeys 237：1-123.

十六、举腹蜂科 Aulacidae

陈华燕[1]　何俊华[2]　许再福[1]

（1. 华南农业大学，广州 510642；2. 浙江大学昆虫研究所，杭州 310058）

鉴别特征：触角着生于唇基正上方，近于复眼下缘；雌虫14节；雄虫13节。前胸侧板前伸，呈明显颈状。前翅翅脉近于完整，有2条回脉和2个关闭的亚缘室。后翅翅脉退化，无臀叶。雌虫后足基节内侧常有直的或斜的刻槽，在产卵时用于固定产卵管。腹部略呈棍棒形。第1腹节着生于并胸腹节上方，远离后足基节，高高举起，故名举腹蜂。雌虫产卵管长，远远伸出于腹部末端。

分类：全世界已知2属，中国已记录2属，陕西秦岭地区分布2属2种。

分属检索表（据 Smith，2008 修改）

无后头脊；前翅具2r-m脉；跗爪简单或具1枚小齿 ………………………… **举腹蜂属 *Aulacus***

有后头脊；前翅无2r-m脉；跗爪梳状，具3～4枚齿 ………………… 锤举腹蜂属 *Pristaulacus*

5. 举腹蜂属 *Aulacus* Jurine, 1807

Aulacus Jurine, 1807: 89. **Type species**: *Aulacus striatus* Jurine, 1807.

属征：见科的鉴别特征。该属与锤举腹蜂属的区别是：无后头脊；前胸背板无齿突；前翅具2r-m脉；跗爪简单或具1枚小齿。

分布：世界性分布。世界已知70余种，我国已记录3种，秦岭地区发现1种。

寄主：树蜂科 Xiphydriidae、吉丁虫科 Buprestidae 和天牛科 Cerambycidae 幼虫。

（506）施氏举腹蜂 *Aulacus schoenitzeri* Turrisi, 2005

Aulacus schoenitzer Turrisi, 2005: 798.

鉴别特征：雌虫体长8.50mm；前翅长7.90mm。体黑色。上颚橙红色。触角橙红色，但第1～4和11～14节黑褐色。足黑褐色，但胫节和跗节橙红色。额具不规则网皱。头顶、上颊和颊区具细皱和刻点。中胸盾片具横脊。小盾片中间具横脊，两侧具网皱。后胸背板中间具弱纵脊，两侧具斜脊。并胸腹节具网状皱；后表面明显倾斜。前翅透明，无色斑。前足和中足内外端距几乎等长。后足基节具横脊，脊间有微小刻点。后足基节端叶发达，达基节长度的1/3。腹部不侧扁，卵圆形。产卵器长为前翅长的0.90倍。雄虫未知（Turrisi, 2005）。

分布：陕西（宁陕）。

6. 锤举腹蜂属 *Pristaulacus* Kieffer, 1900

Pristaulacus Kieffer, 1900: 813. **Type species**: *Pristaulacus chlapowskii* Kieffer, 1900.

属征：见科的鉴别特征。该属与举腹蜂属的区别是：有后头脊；前胸背板无齿突或具1个至多个齿突；前翅无2r-m脉；跗爪梳状，具3～4枚齿。

分布：世界性分布。世界已知约170种，我国已记录10种，秦岭地区分布1种。

寄主：树蜂科 Xiphydriidae、吉丁虫科 Buprestidae、天牛科 Cerambycidae、长蠹科 Bostrichidae 和郭公虫科 Cleridae 的幼虫。

（507）中锤举腹蜂 *Pristaulacus intermedius* Uchida, 1932

Pristaulacus intermedius Uchida, 1932: 190.

鉴别特征：体长 10.20 ~ 10.70mm；前翅长 8.00 ~ 8.50mm。体黑色。上颚橙红色，基部和端部黑色。唇基和颊区具细密小刻点。额、头顶和上颊具稀疏微小刻点。后头缘直。前胸背板具网皱或凹孔。中胸盾片具横脊。小盾片具横脊。后胸背板具纵脊。并胸腹节具网皱。前翅翅痣下有 1 个褐色斑。前足和中足内端距长于外端距。后足基节具横脊。腹部中等侧扁，侧面观近梨形。第 7 腹板具密粗刻点。产卵器长为前翅长的 1.30 倍(Turrisi, 2007)。

分布：陕西(宁陕)；韩国，日本。

寄主：日本绿虎天牛 *Chlorophorus japonicus*（Chevrolat, 1863）（Uchida 1932）。

参考文献

Smith, D. R. 2001. *World Catalog of the Family Aulacidae* (*Hymenoptera*). Contributions on Entomology, International 4: 263-319.

Smith, D. R. and Tripotin, P. 2011. Aulacidae (Hymenoptera) of Korea, with notes on their biology. *Proceedings of the Entomological Society of Washington* 113(4): 519-530.

Turrisi, G. F. 2005. Description of *Aulacus schoenitzeri* spec. nov. (Hymenoptera, Evanioidea, Aulacidae) from China. *Linzer Biologische Beiträge* 37 (1): 797-803.

Turrisi, G. F. 2007. Revision of the Palaearctic species of *Pristaulacus* Kieffer, 1900 (Hymenoptera: Aulacidae). *Zootaxa* 1433: 1-76.

Uchida, T. 1932. Beitragzur Kenntnis der Japonischen Aulaciden (Hym.). *Transactions of the Sapporo Natural History Society* 12: 189-193.

Ⅲ. 钩腹蜂总科 Trigonalyoidea

本总科分类地位，看法颇不一致，放在寄生部或针尾部的都有。在寄生部中，认为较原始的和较进化的都有。该蜂跗节上有趾叶；前翅翅脉组成 10 个闭室，具与叶蜂很相似的下颚下唇等某些奇特的原始特性。目前仅包括钩腹蜂科Trigonalyidae一科。

十七、钩腹蜂科 Trigonalyidae

陈华燕[1] 何俊华[2] 许再福[1]
(1. 华南农业大学，广州 510642；2. 浙江大学昆虫研究所，杭州 310058)

鉴别特征：触角 13 ~ 32 节；雄虫触角第 11 ~ 14 节上具光滑并稍凸起的角下瘤。复眼较长，下端接近上颚基部。上颚发达，不对称。左、右上颚具不同数量的齿；左上颚 3 ~ 4 齿，右上颚 4 ~ 5 齿。颚唇须节比为 6/3，少数为 2/2、3/2 或 4/2。前翅有翅痣，至少 10 个闭室；前缘室宽。后翅 2 个闭室。后足转节 2 节。跗爪二分叉，内齿大于外齿。并胸腹节气门具盖。并胸腹节常无中脊。雌虫腹部末端呈钩状弯曲，故名钩腹蜂。

分类：世界已知 16 属，中国已记录 8 属，陕西秦岭地区分布 2 属 5 种。

分属检索表

体细长，似姬蜂；触角末端 1/3 处常具浅色环斑；中胸盾片和小盾片常光滑或仅具稀疏刻点；前翅无深色斑；第 2 腹板侧面观平坦，腹面观平坦，中央不具突起或齿 ………………………………………………………………………… **直钩腹蜂属 *Orthogonalys***

体多粗壮；触角末端 1/3 处无浅色环斑；中胸盾片和小盾片较粗刻点或皱纹；前翅常具深色斑；第 2 腹板侧面观明显拱起，腹面观隆起，中央常具突起 ……… **带钩腹蜂属 *Taeniogonalos***

7. 直钩腹蜂属 *Orthogonalys* Schulz, 1905

Orthogonalys Schulz, 1905: 76. **Type species**: *Orthogonalys* boliviana Schulz, 1905.

属征：体常细长，似姬蜂。触角 21 ~ 32 节，末端 1/3 处常具浅色环斑。中胸盾片和小盾片光滑或仅具稀疏刻点。后胸背板中央明显拱起，两侧后区凹下且具纹饰。

并胸腹节前沟具明显凹窝。并胸腹节后纵脊弯曲且呈板状。前翅半透明，至多在翅痣下面略带褐色，无深色斑。后足转节背面三角区被1条斜横沟划分为两半。后足跗节稍特化或正常。第2腹板侧面观平坦，弱骨化，光滑；腹面观平坦，中央不具突起或齿。雌虫第5腹板后缘中部直。

分布： 世界性分布。世界已知15种，我国已记录5种，秦岭地区发现2种。

分种检索表

触角近末端不具浅色环斑；胸部背面无浅色斑；腹部第2背板基缘黑色，其余橙黄色 ………………………………………………………………………… **盾唇直钩腹蜂 *O. clypeata***

触角近末端具浅黄色环斑；胸部背面具乳白色纵条斑；腹部第2背板几乎全为黑色 ………………………………………………………………………… **粗壮直钩腹蜂 *O. robusta***

(508) 盾唇直钩腹蜂 *Orthogonalys clypeata* Chen, Achterberg, He *et* Xu, 2014

Orthogonalys clypeata Chen, Achterberg, He *et* Xu, 2014: 67.

鉴别特征： 体长7.80～9.60mm；前翅长6.90～8.40mm。触角近末端无浅色环斑。唇基明显拱起。后头脊弱。额光滑，具小刻点。头顶近后单眼处光滑。盾纵沟宽，深，具粗凹窝。小盾片具小刻点，有时具弱纵脊。并胸腹节前侧区光滑，中部具不规则皱纹。前翅第3亚缘室是第2亚缘室长的0.40～0.50倍。胸部黑色，无浅色斑。前足腿节橙色或褐色。腹部第1背板大部分黑色，后缘橙黄色；第2背板基缘黑色，其余橙黄色。

采集记录： 1♀(副模)，宁陕火地塘，1580～1650m，1999.Ⅵ.27，袁德成采。

分布： 陕西(宁陕)、宁夏、四川、贵州、云南。

(509) 粗壮直钩腹蜂 *Orthogonalys robusta* Chen, Achterberg, He *et* Xu, 2014

Orthogonalys robusta Chen, Achterberg, He *et* Xu, 2014: 84.

鉴别特征： 体长9.00～12.60mm；前翅长7.70～10.80mm。触角近末端具浅黄色环斑。唇基稍拱起。后头脊发达，背观中央具1条短脊。额具稀疏小刻点。头顶几乎光滑。盾纵沟中等宽，深，具粗凹窝。小盾片具纵皱。并胸腹节基半具不规则皱褶。前翅1m-cu脉与第1亚缘室相接。胸部背面具乳白色纵条斑。足黑色或暗褐色。腹部第1背板大部分黑色，后缘乳白色；第2背板几乎全黑色。

采集记录： 1♀(正模)，太白山，1580m，2007.Ⅶ.12，蒋晓宇采；2♀(副模)，宁陕大水沟，1500～1760m，1999.Ⅵ.30，袁德成采。

分布： 陕西(眉县、宁陕)、广西。

8. 带钩腹蜂属 *Taeniogonalos* Schulz, 1906

Taeniogonalos Schulz, 1906: 212. **Type species**: *Trigonalys maculate* Smith, 1851.

属征: 体常粗壮。触角 21 ~26 节, 末端 1/3 处无浅色环斑。中胸盾片和小盾片具显著刻点或皱纹。后胸背板至少两侧拱起且具纹饰。并胸腹节后纵脊呈圆弧形, 稍成板状。前翅亚末端常具深色斑。后足转节背面三角区被 1 条斜横沟划分为两半。后足跗节稍特化。第 2 腹板侧面观明显拱起, 强烈骨化, 常具细密刻点; 腹面观中央隆起, 中央常具突起但不具齿。

分布: 世界性分布。世界已知 15 种, 我国已记录 21 种, 秦岭地区发现 3 种。

分种检索表

1. 头顶后面的后头脊明显加宽成片状, 具粗凹窝 ························ **大脊带钩腹蜂 *T. bucarinata***
   头顶后面的后头脊窄而光滑 ··· 2
2. 头部背面几乎黑色, 仅近后头脊处具黄色斑纹; 胸部背面大部分或全部橙色 ······················ **条带钩腹蜂 *T. fasciata***
   头部背面具明显的黄色或橙色斑纹, 包括 1 个"V"形的黄斑; 胸部背面黑黄相间 ······················ **三色带钩腹蜂 *T. tricolor***

(510) 大脊带钩腹蜂 *Taeniogonalos bucarinata* Chen, Achterberg, He *et* Xu, 2014

Taeniogonalos bucarinata Chen, Achterberg, He *et* Xu, 2014: 108.

鉴别特征: 体长 4.90 ~10.40mm; 前翅长 4.70 ~9.00mm。触角 21 ~24 节。额具刻点, 刻点间隙与刻点直径等宽。头顶具刻点, 刻点间隙明显大于刻点直径。头顶后面的后头脊成片状, 具粗凹窝。头后区黑色或仅具黄色或橙色的小斑。胸部黑色或仅具有限的黄色小斑。中胸盾片中叶具粗横皱, 侧叶具弱皱。前翅顶角具褐色斑。雌虫第 2 腹板明显拱出。雄虫第 2 腹板稍拱出或向后渐变平坦。

采集记录: 1♀(副模), 秦岭天台山, 1999. Ⅸ.04, 陈学新采; 1♀(副模), 太白山点兵场, 1200m, 1981. Ⅶ.01, 陕西太白山昆虫考察组采。

分布: 陕西(太白、凤县)、河南、宁夏、甘肃、浙江、福建、四川、云南。

(511) 条带钩腹蜂 *Taeniogonalos fasciata* (Strand, 1913)(图版 10: 3)

Poecilogonalos fasciata Strand, 1913: 97.

Poecilogonalos magnifica Teranishi, 1929: 147.

Poecilogonalos fasciata var. *interrupta* Chen, 1949: 12.
Taeniogonalos fasciata: Carmean & Kimsey, 1998: 67.

鉴别特征：体长5.20～13.40mm；前翅长2.20～12.20mm。雌虫触角22～26节。触角基半部黑褐色。头大部分黑色，但上颚、唇基、复眼内缘和外缘及近后头脊处具黄色斑纹。胸部背面大部分或全部橙色。前翅顶角具暗褐色斑。腹部第2背板基部中央稍下凹。雌虫第2腹板侧面观明显拱出。

采集记录：1♂，留坝庙台子，1981.Ⅶ.16，魏建华采。

分布：陕西（留坝）、吉林、辽宁、河南、安徽、浙江、湖南、福建、台湾、广东、海南、广西、贵州；俄罗斯，韩国，日本，伊朗，马来西亚，印度尼西亚。

（512）三色带钩腹蜂 *Taeniogonalos tricolor*（Chen, 1949）

Poecilogonalos tricolor Chen, 1949: 1.
Paecilogonalos（!）*tricolor*: He *et al*. 2004: 75.
Taeniogonalos tricolor（!）: Carmean & Kimsey, 1998: 68.

鉴别特征：体长8.60～12.10mm；前翅长8.40～11.70mm。头顶后区具黄色或橙色斑纹，包括1个"V"形的黄色斑纹。中胸盾片中叶和侧叶全部为黑色或中央黑色两侧黄色。中胸侧板多为黑色或至具橙色斑。后胸侧板黑色。前翅前缘暗色斑；第3亚缘室长是第2亚缘室的0.70～1.00倍。腹部第2背板有3种颜色：前部深褐色，中间褐色，后缘黄色；第4～6背板中央不具深褐色斑。雌雄两性第2腹部无突起。

采集记录：1♀（副地模），宁陕，1996.Ⅷ.22，Hy-11080。

分布：陕西（宁陕）、河南、浙江、湖北、江西、福建、海南、广西、四川、贵州、云南；韩国，泰国。

参考文献

Chen, H. Y, Achterberg, C van, He, J. H, and Xu, Z. F. 2014. *A revision of the Chinese Trigonalyidae* (*Hymenoptera*, *Trigonalyoidea*). ZooKeys, 385: 1-207.

Chen, S. H. 1949. Records of Chinese Trigonaloidae (Hymenoptera). Sinensia 20(1-6): 7-18.

He, J. H. *et al*. 2004. *Hymenopteran Insect Fauna of Zhejiang*. Science Press, Beijing. 1-1373 + plates Ⅰ-XLⅢ. [何俊华等编著. 浙江蜂类志. 北京：科学出版社，2004. 1-1373 + 图版Ⅰ-XLⅢ.]

Lelej, A. S. 2003. A review of the family Trigonalyidae (Hymenoptera) of the Palaearctic Region. *Far Eastern Entomologist* 130: 1-7.

Tsuneki, K. 1991. Revision of the Trigonalidae of Japan and adjacent territories (Hymenoptera). *Special Publications Japan Hymenopterists Association*, 37: 1-68.

Ⅳ. 细蜂总科 Proctotrupoidea

何俊华[1] 许再福[2] 田红伟[1]

(1. 浙江大学昆虫研究所, 杭州 310058; 2. 华南农业大学, 广州 510642)

细蜂总科微小至小型，细。体呈暗色或金属色。触角直或膝状。前胸背板后角伸达翅基片；两腹侧部细，伸向前足基节前方而相接。大多数前翅脉序退缩，但少数有闭室；后翅无明显的脉序或闭室，也无臀叶。有些种无翅。腹部尖，侧缘有明显的脊或锋锐，或圆滑；产卵管针状，自腹部顶端伸出。

细蜂总科是一个很古老的类群，其中有 2 个现存的科在侏罗纪地层中被发现 (Rasnitsyn, 1969)。另外，侏罗细蜂科 Jurapriidae (1 属 1 种) 和 Mesoserphidae (6 属 18 种) 是根据仅知在中生代和新生代化石中发现的几个属而建立的 (Rasnitsyn, 1980)。细蜂总科中的几个科看来为残遗类群，如优细蜂科 Peradeniidae、澳细蜂科 Austroniidae、窄腹细蜂科 Roproniidae、长腹细蜂科 Pelecinidae、纤细蜂科 Monomachidae、离颚细蜂科 Vanhoridae、柄腹细蜂科 Heloridae 和修复细蜂科 Proctorenyxidae，每个科仅含极少几个 (1 ~ 3) 属的小科。但是，细蜂科 Proctotrupidae 是一个较大的科，锤角细蜂科 Diapriidae、缘腹细蜂科 Scelionidae 和广腹细蜂科 Platygasteridae 均为大科，这几个科的种类在世界各地的潮湿生境中常可见到。Fabricius (1975) 对细蜂总科的分类和生物学方面浩繁的文献资料进行了汇编。但是，也有专家已把广腹细蜂科和缘腹细蜂科与其他科分开，另立为广腹细蜂总科 Platygasteoidea。我国已知缘腹细蜂科、广腹细蜂科、窄腹细蜂科、离颚细蜂科、柄腹细蜂科、细蜂科、锤角细蜂科和修复细蜂科，但未有深入系统研究。

细蜂总科均为寄生性蜂，多为初寄生蜂，也有重寄生蜂。

分科检索表

1. 触角窝与唇基背缘相连或分开的距离小于触角窝直径；触角第 1 节 (柄节) 细长，长明显为宽的 2 倍以上；触角绝非 13 节；前翅翅脉退化，无翅痣，径室绝不封闭 ………………………… 2
   触角窝与唇基背缘分开的距离明显大于触角窝直径 ………………………………………… 3
2. 前翅具痣脉，通常也具后缘脉；触角通常 11 节或 12 节，偶有 10 节，若棒节愈合，也有 7 节的；雄蜂触角第 5 节特化 …………………………………………… **缘腹细蜂科 Scelionidae** *
   前翅无痣脉，通常也无后缘脉，或有 1 条末端稍粗的亚前缘脉；触角通常 10 节或更少；雄蜂触角第 4 节偶在第 3 节特化 ……………………………………… **广腹细蜂科 Platygastridae**
3. 触角第 1 节长形，长至少为宽的 2.50 倍；触角架通常明显；无翅痣…… **锤角细蜂科 Diapriidae**
   触角第 1 节较短，长至多为宽的 2.20 倍；无触角架；有翅痣 ……………………………………… 4

4. 触角 13 节；前翅中室不完整，Rs + M 脉基部不曲折；前翅翅痣宽，通常有 1 个关闭的很小的径室 …………………………………………………………………… **细蜂科 Proctotrupidae**
   触角 14 节或 16 节；前翅中室不完整，Rs + M 脉基部曲折；前翅翅痣不特别宽，径室不特别狭小 ……………………………………………………………………………… 5
5. 触角 16 节，包括 1 环状节；腹部宽度稍大于高度，侧面观背板高度等于腹板高度；前翅中室三角形，不与 R 脉接触 …………………………………………… **柄腹细蜂科 Heloridae**
   触角 14 节，无环状节；腹部强度侧扁，高度明显大于宽度，侧观背板高度明显大于腹板高度；前翅中室多角形，与 R 脉接触 ………………………………… **窄腹细蜂科 Roproniidae**

注：＊文中未包括。

十八、细蜂科 Proctotrupidae

何俊华[1]　许再福[2]　田红伟[1]
(1. 浙江大学昆虫研究所，杭州 310058；2. 华南农业大学，广州 510642)

鉴别特征：前翅长 1.40 ~ 7.40mm。有 1 种雌性无翅型，2 种有时为短翅型。体通常稍为侧扁，腹部侧方无脊。雌雄性触角均为 13 节，着生于头部前面的中央；触角不呈膝状，也不明显呈棒形。上颚具 1 或 2 枚端齿。下颚须 4 节；下唇须 3 节。足转节 1 节；足胫节距式 1-2-2。前翅前缘脉、亚前缘脉、径脉均发达；其余翅脉有时稍发达，但通常仅由弱沟显出；翅痣通常大；径室通常非常短；均无第 2 回脉。后翅没有由翅脉包围的翅室，通常仅在前缘附近有 1 条明显的脉。腹部基部有 1 个结实的柄，由第 1 背板和第 1 腹板组成；此柄长或中等，或短到实际上消失的都有。柄后腹有 2 ~ 4 背板愈合而成的合背板(Syntergite)，占腹部长度的大部分；由 1 ~ 4 腹板愈合而成合腹板(Synsternite)。产卵管鞘坚硬，伸出腹端；末端几乎总是下弯。产卵管可伸到鞘的端部之外，但绝不可能像姬蜂总科那样可与鞘分开。头部和体躯一般黑色，偶尔部分铁锈色；翅透明至黑色，除少数种外无斑，有时在近翅痣处有暗色斑点，前沟细蜂属 *Nothoserphus* 前翅中部常为烟褐色。

生物学：大部分种类容性内寄生于蛀木性的鞘翅目 Coleoptera 幼虫，偶尔寄生于鳞翅目 Lepidoptera 钻蛀性幼虫。

分类：全世界分布。陕西秦岭地区发现 10 属 43 种。

（一）细蜂亚科 Proctotrupinae

鉴别特征：柄节端部平截。上颚发达，常呈镰刀形；具 1 枚端齿，有时其上缘还有 1 枚次生小齿；但隐颚细蜂族 Cryptoserphini 的某些属上颚退化。下颚须短至中等长，4节；下唇须3节。前胸背板有或无前沟缘脊，有时背侧前方具1个瘤或1条角状脊。盾纵沟通常短或缺，在分沟细蜂属 *Disogmus* 和前沟细蜂属 *Nothoserphus* 的某些种以及缩管细蜂属 *Serphonostus* 较长，达中胸盾片中部之后或有时在盾纵沟部位为1条长而弱的凹痕（细蜂属 *Proctotrupes*）。小盾片前沟不呈窝状（非细蜂属 *Afroserphus* 和某些前沟细蜂属 *Nothoserphus* 的种除外）。并胸腹节背表面具1条中纵脊，或在中沟细蜂属 *Parthenocodrus* 中具1中纵沟。跗爪简单，或在叉齿细蜂属 *Exallonyx* 和非细蜂属 *Afroserphus* 中具齿。前翅前缘脉、亚前缘脉、径脉均发达；肘间横脉有时中等发达至稍弱；其余翅脉有时发达，但通常仅由弱沟显出；翅痣通常大；径室中等短或非常短。肘脉基段存在，第1肘室和第1盘室明显，但有时第1盘室和第2盘室相愈合。第1回脉与中脉相接处远在外小脉基方，即更近于小脉（第1回脉缺者例外）。小脉呈1条弱沟。腹部有柄或无柄。通常合背板上毛稀少。产卵管鞘坚硬；中等细长至非常粗壮，长为后足胫节的0.25~1.50倍，末端几乎总是下弯。

生物学：细蜂亚科大多数生活在潮湿地方。一般寄生于鞘翅目幼虫体内。

分布：世界广布。世界目前有21属302种，陕西秦岭地区分布10属43种。

分族检索表

常具盾纵沟，通常短，有时被1个前侧窝代替；腹部通常无柄（除前沟细蜂属 *Nothoserphus* 中的某些种）；上颚通常具2枚齿；后胸侧板通常具1个大而光滑的无刻皱区；前翅长约为宽的2.50倍；第1盘室和第2盘室分离；并胸腹节背表面长，但有时很短 ………………………… **隐颚细蜂族 Cryptoserphini**

盾纵沟缺，无明显的沟，而为1条浅洼痕显出；腹部通常具柄（除无翅细蜂属 *Paracodrus*）；上颚常具1枚齿（或在中沟细蜂属 *Parthenocodrus* 中具2枚齿）；后胸侧板前方的无刻皱区通常小于侧板的0.35倍；前翅长约为宽的3倍（或有时翅退化为短翅型或缺如）；第1盘室和第2盘室愈合，但肿额细蜂属 *Codrus* 有时例外；并胸腹节背表面中等长至长；全世界 ………………………… **细蜂族 Proctotrupini**

I. 隐颚细蜂族 Cryptoserphini

鉴别特征：后头脊完整或不完整，有时仅头部上方存在。上颚通常中等发达至较弱或退化，具1枚端齿，有时其上缘还有1枚小的前端齿，有时退化为1个卵圆形小片。触角角下瘤有或无，若有则呈卵圆形，且通常小而低，有时呈1条长脊。前胸背板侧面通常有1条前沟缘脊，此脊有时较粗壮，且向背面呈1个角突或瘤状突。后胸侧板几乎总有1块无刻皱的大而光滑的区域。并胸腹节背表面非常短至中等长，除有1条中纵脊外常光滑。跗爪简单，或在非细蜂属 *Afroserphus* 爪的中部具2或3个细齿。前翅长约为宽的2.50倍。翅痣中等宽至非常宽而短；径脉第1段从翅痣中央附近发出，当径室异常短时，径脉则在近端部发出。肘间横脉弱而短，通常无色。径室各异，从非常短至长为翅痣宽的2.20倍(沿前缘脉测量)。第1盘室和第2盘室分开。后盘脉通常发自后小脉前端下方。腹部通常无柄，有时具柄，长约为宽的2倍。合背板稍侧扁，毛稀少。雌性腹部末端常伸出。产卵管鞘短至长，细长至粗壮，经常几乎无毛或具稀疏的毛，但有时具中等密度的毛。

生物学： 大多寄主于鞘翅目的幼虫，但至少有一种寄生于双翅目菌蚊科 Mycetophilidae(蕈蚊科 Fungivoridae)，尖细蜂属 *Oxyserphus* 曾从鳞翅目织蛾科 Oecophoridae 中育出。

分布： 世界性分布。世界已知15属，秦岭地区发现4属7种。

分属检索表

1. 径脉第1段从翅痣下角垂直伸出，然后折成锐角斜向前缘脉 ………………………… 2
   径脉斜行弯曲或几乎垂直地直接从翅痣下角或下部伸向前缘脉，没有一条短而垂直的从翅痣伸出的径脉第1段 ………………………… **短细蜂属 *Brachyserphus***
2. 径室短，其前缘脉长为翅痣宽的0.30~1.00倍；径脉基部垂直的1段翅脉粗而短，不长于其宽度或稍长于其宽度 ………………………… 3
   径室中等长，其前缘脉长为翅痣宽的0.60~2.00倍；径脉基部垂直的1段翅脉稍长于宽度至长约为宽的2倍 ………………………… **隐颚细蜂属 *Cryptoserphus***
3. 并胸腹节背表面中等长，长至少为小盾片宽的1.20倍；后头脊在头部下方0.40±缺如或存在，但较弱；产卵管鞘长为后足胫节的0.45~1.45倍，具稀疏的毛或没有毛 ………………………… **马氏细蜂属 *Maaserphus***
   并胸腹节背表面非常短，长约为小盾片宽的0.30倍，侧面观近其前缘即始明显向下倾斜；后头脊完整，或在头部下方0.30±缺如；产卵管鞘长约为后足胫节的0.40倍 ………………………… **前沟细蜂属 *Nothoserphus***

9. 前沟细蜂属 *Nothoserphus* Brues, 1940

Nothoserphus Brues, 1940: 263. **Type species**: *Nothoserphus mirabilis* Brues, 1940.

Thomsonina Hellen, 1941: 40. **Type species**: *Proctotrupes boops* Thomson, 1857.

Watanebeia Masner, 1958: 477. **Type species**: *Disogmus affissae* Watanabe, 1954.

属征： 前翅长1.70~4.50mm。体较壮。头部很短，横形。唇基中等大小，光滑，均匀拱起，端部稍隆，具有1个窄的缘折。颊具1条发达的竖脊，脊后凹入。上颊极短。后头平坦或凹入。后头脊完整，上部靠近后头孔。上颚很小，难以看见。触角鞭节11节，中等长，雄性具椭圆形或线形的角下瘤。颈部具1条竖脊。前胸背板侧面前上方具1个膨大的隆瘤。盾纵沟中等短至长而深。中胸侧板前部具毛。中胸侧板的中央横沟宽，有时前半部不明显。中胸侧板缝呈凹窝状。后胸侧板前上方一侧具光滑区，占侧板表面的0.20~0.40倍。并胸腹节背表面非常短，长约为小盾片宽的0.30倍，侧面观并胸腹节从近基部开始即向后下方倾斜。后足胫节长距伸达后足基跗节基部的0.25~0.40之间。翅痣短宽。径脉垂直段长为宽的0.40~1.30倍。径室前缘脉长为翅痣宽的0.25~0.65倍。前缘脉止于径室端部或刚超过。腹部具柄，长为宽的0.30~1.10倍。合背板基部具1条长的中纵沟，其侧方有时有短纵沟。产卵管鞘长约为后足胫节的0.40倍，有时很短而缩入体内。

生物学：寄生于瓢虫科 Coccinellidae 的小毛瓢虫亚科 Scymminae 和植食瓢虫亚科 Epilachninae 的幼虫。

分布：东洋区，古北区。全世界已记载种类分隶于3个种团，3个种团在我国均有发现。秦岭地区分布2个种团，包括7种。

分种团检索表

盾纵沟非常短，与翅基片等长或稍长，有时非常短仅存1个凹窝；后胸侧板光滑区占其表面的0.35~0.50倍 …………………………………………………… **短沟前沟细蜂种团 *Boops* Group**

盾纵沟明显较长，至少伸过中胸盾片中央；后胸侧板光滑区非常小，最多占其表面的0.20倍 ………………………………………………………… **无洼前沟细蜂种团 *Afissae* Group**

短沟前沟细蜂种团 *Boops* Group

鉴别特征：前翅长1.70~2.40mm。头部顶端无突起。雄性触角鞭节2~7节具角下瘤，角下瘤椭圆形，稍微隆起或不隆起。前胸背板侧面前上方的瘤状突边缘镶有竖脊或不甚明显，此瘤后方和前胸背板凹槽内光滑。盾纵沟较短，约与翅基片等长，或稍长或很短，呈凹窝状。中胸盾片中叶近盾纵沟处无凹痕。小盾片前沟光滑或有纵脊。后胸侧板前上方至少0.35光滑，其余部分具粗糙的皱纹。产卵管鞘长为后足胫节的0.20~0.50倍。

分布：秦岭地区分布1种。

寄主：瓢虫科小毛瓢虫属 *Scymus*。

(513) 杜氏前沟细蜂 *Nothoserphus dui* He *et* Xu, 2015(图版11：1)

Nothoserphus dui He *et* Xu, 2015: 83.

鉴别特征：雌虫前翅长2.20mm。体黑褐色。触角黑褐色，柄节、梗节及第1鞭节基部褐黄色。须黄色。翅基片浅褐色。足基节黑褐色；前中足转节背方、腿节背方和第4~5跗节，后足转节、腿节除两端、胫节背方和跗节褐色；其余褐黄色。翅透明，翅痣和强脉浅褐色。额稍拱隆，光滑，几乎无刻点。前胸背板侧面平滑而光亮，有前沟缘脊；在背缘前方0.30和前缘下方具带毛细刻点，下角具夹点刻皱，后缘下方有4个凹窝。小盾片前沟深，内无纵脊；小盾片平滑。前翅长为宽的1.83倍；翅痣长和径室前缘脉长分别为翅痣宽的2.40倍和0.81倍；径脉第1段从翅痣近中央伸出，长为宽的0.80倍；径脉第2段直，与第1段相交处有脉桩。腹柄背面中长为宽的0.80倍，光滑，中央有"V"形平台，其后侧凹窝内无皱脊；腹柄侧面具网皱，但上方基段具斜脊，后方具纵脊。合背板基部窄，中纵沟伸达合背板基部至第1对窗疤间距的0.80处，中纵沟两侧光滑无沟和脊。产卵管鞘长为后足胫节的0.43倍，表面光滑，具极细刻纹。雄虫未知。

采集记录： 1♀(正模)，四川雅江，2830m，1996.Ⅵ.14，杜予州采，No.977692；2♀(副模)，陕西留坝紫柏山，1632m，2004.Ⅷ.04，时敏采，Nos. 20049993，20049984。

寄主： 未知。

分布： 陕西、四川。

无注前沟细蜂种团 *Afissae* Group

鉴别特征： 前翅长3.10～4.50mm。头部顶端无突起。雄性触角鞭节5～7或4～8节具角下瘤，每1个隆起的角下瘤似龙骨状，从该节基部伸向近末端的1个小齿。前胸背板侧面前上方的瘤状突边缘圆滑，瘤状突后方光滑或几乎光滑。前胸背板洼槽光滑或多少具皱。中胸盾片中叶近盾纵沟前方无凹痕。盾纵沟伸过中胸盾片中部，两者后端分开，其距约为翅基片之长。小盾片前沟内有或无1对纵脊。后胸侧板完全具粗糙的皱纹或前上角具1块光滑小区。产卵管鞘非常短，常隐藏。

分布： 东洋区，在我国台湾、华南及云南有分布。秦岭地区分布1种。

寄主： 食植瓢虫属 *Epilachna* 的一些种类。

(514) 瓢虫前沟细蜂 *Nothoserphus epilachnae* Pschorn-Walcher, 1958(图版12)

Nothoserphus epilachnae Pschorn-Walcher, 1958: 725.

鉴别特征： 雄性触角角下瘤在第5～7鞭节；颊长约为复眼长的0.50倍；体较粗壮；侧单眼间距与单复眼间距比约为7∶8；前翅长为3.10～3.40mm。

采集记录： 1♀，秦岭天台山，1991.Ⅸ.03，马云采，No.991105；3♀，陕西紫阳，1982.Ⅷ.30，王树芳采，No.844878。

寄主： 酸浆瓢虫 *Epilachna virgintinoctopuncta* 和瓜十星瓢虫 *E. admirabilis* 幼虫，单寄生。

分布： 陕西(凤县、紫阳)、浙江、台湾、云南，华南；越南，印度尼西亚。

10. 隐颚细蜂属 *Cryptoserphus* Kieffer, 1907

Cryptoserphus Kieffer, 1907: 288. **Type species**: *Cryptoserphus longicalcar* Kieffer, 1907 .

属征：前翅长2.10～4.10mm。体狭长。唇基窄至宽，末端平截，端缘薄而不锐，具1个窄的反折。复眼至上颚基部颊区具1条深沟或者没有。后头脊完整，下方与口后脊相接。上颚中等长而壮至短而弱，上缘有1个小的亚端齿或无。触角鞭节较细，没有明显的角下瘤。前胸背板凹槽和颈的侧面光滑，背侧部的前方具明显突出的瘤，其边缘无脊状边镶嵌。盾纵沟通常存在，长约为翅基片的0.80倍或有时缺。中胸侧板前缘有1条毛带，此毛带可能中断。横穿中胸侧板的中央横沟完整。中胸侧板缝光滑，极少数种上半部有小凹窝。后胸侧板的前上方是1个大而光滑的无刻点区；光滑区的前上方无脊(或有1条弱而低的细脊)与并胸腹节侧缘相接(在隐颚细蜂族中除尖细蜂属 *Oxyserphus* 和尖脊细蜂属 *Phoxoserphus* 外，其他属中均有此脊)。后足胫节长距伸达后足基跗节中部至端部的0.20处。翅痣中等宽。径脉第1段从翅痣近端部0.45处伸出，长约为宽的2倍。径室前缘脉长约为翅痣宽的1.75倍。前缘脉达于径室端部或刚超过。腹部无柄。合背板基部具5～9条纵沟。产卵管鞘长为后足胫节的0.60～1.10倍，具非常稀疏的毛或无毛。

分布：世界性分布。曾报道过有7种化石种，但已被移至另外3属4种，即部分被合并成为异名。秦岭地区分布2种。

寄主：菌蚊科 Mycetophilidae(= Fungivoridae)幼虫。

分种检索表

唇基宽为长的2.60倍；唇基宽为颜面宽的0.75倍；上颊背观长为复眼的0.69倍；颊长为复眼纵径的0.6倍；触角第10鞭节长为端宽的2.50倍；并胸腹节一侧光滑区中长为中宽的2倍；前翅长2.30mm ……………………………………………… **黑痣隐颚细蜂 *C. nigristigmatus***

唇基宽为长的2.10～2.30倍；唇基宽为颜面宽的0.53～0.60倍；上颊背观长为复眼的0.45～0.61倍；颊长为复眼纵径的0.38～0.43倍；触角第10鞭节长为端宽的2.80～3.60倍；并胸腹节一侧光滑区中长为中宽的1.50～1.70倍 ……………………… **针尾隐颚细蜂 *C. aculeator***

(515) 黑痣隐颚细蜂 *Cryptoserphus nigristigmatus* He *et* Xu, 2015(图版13)

Cryptoserphus nigristigmatus He *et* Xu, 2015: 130.

鉴别特征：雌虫前翅长3.20mm。体黑色。触角柄节端部、梗节、第1鞭节基半褐黄色，其余黑褐色。口器、翅基片及产卵管鞘褐黄色。足黄褐色；中后足基节背方、前中足端跗节和后足第2～5跗节褐色。翅透明；翅痣和强脉黑褐色。唇基宽约为长的3倍，约为颜面宽的0.76倍。头背观上颊长为复眼的0.57倍。盾纵沟长约为翅基片的0.80倍。中胸侧板前缘毛带在下半几乎光滑。并胸腹节气门开口呈线形。后足腿节长为宽的5.20倍；后足胫节长距为基跗节的0.81倍。前翅长为宽的2倍；前缘脉上的长毛长约为前缘室宽的0.60倍；翅痣长和径室前缘脉长分别为翅痣宽的1.80倍和1.60倍；径脉第1段从翅痣0.64处伸出，长为宽的2倍；径脉第1、2

段相接处下方有脉桩。合背板基部下方具毛约46根。合背板端部0.25的刻点极细，点距为其点径的2.00~2.50倍。鞘长约为后足胫节的0.77倍，长为中宽的11倍，稍侧扁，端部0.30下弯，稍向宽圆的顶端变细，其上的毛稍短于鞘宽；近鞘的顶端和近0.62处具1根长毛。

雄虫前翅长2.30mm。体黑色。触角黑褐色。口器、翅基片黄褐色。足黄褐色；前中足端跗节浅褐色；中后足基节除端部、后足胫节端部和跗节黑褐色。翅透明，翅痣及强脉浅褐色。唇基宽约为长的2.60倍，为颜面宽的0.75倍。各鞭节具小而圆形的角下瘤。盾纵沟长约为翅基片的0.90倍。中胸侧板前缘毛带下方稀。并胸腹节气门开口呈线形。后足腿节长为宽的4.80倍；后足胫节长距长为基跗节的0.89倍。前翅前缘脉上的长毛长为前缘室宽的0.60倍；翅痣长和径室前缘脉长分别为翅痣宽的1.90倍和1.40倍；径脉第1段从翅痣近中央伸出，长为宽的1.50倍。合背板基部下方具毛约18根。合背板端部背方的刻点极细而浅，点距为其点径的1~2倍。

采集记录： 1♂(副模)，凤县天台山，1999.Ⅸ.03，马云采，No.990919；1♀(正模)，甘肃宕昌大河坝，2530m，2004.Ⅶ.31，时敏采，No.20046986。

分布： 陕西(凤县)、甘肃。

(516) 针尾隐颚细蜂 *Cryptoserphus aculeator* (Haliday, 1839)(图版14：1)

Proctotrupes aculeator Haliday, 1839: 14.

Serphus (*Cryptoserphus*) *perrisi* Kieffer, 1908: 318.

Cryptoserphus aculeator: Townes, 1981: 91.

鉴别特征： 见检索表。据Towns, 1981描述，触角鞭节或多或少呈淡黄色，而我们全部标本鞭节除基部外呈黑褐色。

采集记录： 1♂，秦岭天台山，1999.Ⅸ.03，马云采，No.990919。

分布： 陕西(凤县)、浙江、福建、广东；尼泊尔，菲律宾，印度尼西亚，欧洲。

寄主： 据记载寄生菌蚊幼虫。

11. 马氏细蜂属 *Maaserphus* Lin, 1988

Maaserphus Lin, 1988: 16. **Type species**: *Maaserphus basalis* Lin, 1988.

属征： 翅正常，前翅长1.80~3.90mm。体正常细。头通常短，前面观常宽于其长。唇基宽为颜面的0.60~0.80倍，端部平截或微凹；颚眼缝存在。上颚端部尖，在上缘有1个亚端齿。后头脊相当弱，背方和侧方存在。触角中等长，雄性第1~11各鞭节节中央有1个纵向小而圆形的角下瘤。背观前胸背板侧方板状，侧缘平行或近于平行，后侧角角状或圆。前胸背板侧面凹漕内有1条纵沟和一些细皱；上部有完整的前沟缘脊，此脊上端之后有一些短脊。盾纵沟长短于翅基片。中胸侧板有 1 条水平横沟；中胸侧板缝整个畦状，其下部凹窝有时小。后胸侧板有 1 块占 0.60～0.75 倍大小的光滑区，其前沟畦状，光滑区上部有细的短脊连至并胸腹节上侧缘。并胸腹节中等长，稍弱拱隆，背表面与后表面几乎等长，有 1 条中脊，其两侧有 1 块大的平滑区，也有一些毛；后表面具不规则细皱。前翅有中等大小的翅痣。径脉发自翅痣中央附近，其垂直一段径脉长宽几乎相等或长于其宽。径室短至中等短，其前缘脉长为翅痣宽的 0.50～1.00 倍，前缘脉刚伸过径室。后足胫节长距为后基跗节长的 0.35～0.50 倍。腹部无柄。合背板基部有 1 条中纵沟。产卵管鞘长为后足胫节的 0.59～0.96 倍，无毛或具毛。该属可由前胸背板背面侧方板状、前胸背板侧面凹漕内有纵沟、前翅翅脉、后足胫距和合背板基部等形态特征之组合而识别，能够与隐颚细蜂族 Cryptoserphini 的尖细蜂属 *Oxyserphus*、缺沟细蜂属 *Apoglypha* 和其他属区别。

分布：本属可很明显地分出 2 个种团，秦岭地区分布 1 个种团，目前仅知 1 种。

基沟马氏细蜂种团 *Basalis* Group

鉴别特征：前胸背板侧缘从前面观直或近于如此。中胸侧板沟在中央水平横沟上方具 5～6 个凹窝。后胸侧板下部刻皱区（原文为光滑区）为光滑区高的 0.17～0.20倍。腹部合背板基部仅有 1 条长而窄的中沟。产卵管鞘无毛，微弯。

（517）沟花马氏细蜂 *Maaserphus sulculus* He *et* Xu, 2015（图版 11：2）

Maaserphus sulculus He *et* Xu, 2015: 191.

鉴别特征：雄虫体长 3mm；前翅长 2.30mm。体黑色。翅基片红褐色。足红褐色，前足端跗节、中后足整个跗节及后足基节和胫节黑褐色。翅透明，翅痣及强脉浅褐色。唇基宽为长的 4.40 倍，除端缘光滑外，具稀疏刻点。颊长为上颚基宽的 0.70 倍。颜面光滑，仅侧方带稀疏刻点。前胸背板侧面光滑，在中央下方有 1 条前窄后宽横凹痕，凹痕前端上方有 1 条平行短沟，凹痕与背方横脊之间前方有 4 个短沟，前沟缘脊后方光滑，亚背方 0.30 有横脊，后下角具 2 个凹窝；前胸背板背面侧片侧缘平行，后角近于钝圆，侧片内侧及中央部分（为一侧片宽的 0.70 倍）具明显带毛刻点，颈部具横刻条。中胸盾片具明显带毛刻点。中胸侧板光滑，中央横沟完整；翅基片下方具毛。后足腿节长为宽的 4.90 倍；后足胫节长距长为基跗节的 0.50 倍。前翅长为宽的 1.79 倍；翅痣长和径室前缘脉长分别为翅痣宽的 1.80 倍和 1 倍；径脉第 1 段从翅痣中央外方伸出，宽等于长；径脉第 2 段直。合背板基部光滑，沿侧脊之后两侧各有 2 个小凹窝，中纵沟伸达合背板基部至第 1 对窗疤的 1 处，其后有 1 簇花状 9 个短纵凹痕。第 1 窗疤眉毛形，宽为长的 4 倍，前方及下方有树叶状凹痕，疤距为疤宽的 0.90。

采集记录：1♂（正模），南郑黎坪国家森林公园，1742m，2004.Ⅶ.23，时敏采，No.20046860。

分布：陕西（南郑）。

12. 短细蜂属 *Brachyserphus* Hellén, 1941

Brachyserphus Hellén, 1941: 42. **Type species**: *Codrus parvulus* Nees, 1834.

属征：前翅长1.60～3.30mm。体粗壮，稍侧扁。唇基中等宽，稍拱起，端部平截部位宽或稍隆起，端缘狭而不锐。颊短，从复眼至上颚基部具1条深沟或者没有。后头脊完整或下端不明显，若下段存在则达上颚后关节。上颚长，单齿。触角鞭节短，雄性触角有或没有明显的角下瘤。盾纵沟与横轴呈20°（比其他属更加近于横向），长约等于翅基片的长度。前胸背板侧面前上方具1个粗壮的大瘤，瘤下方有1个与前沟缘脊相连的垂直脊嵌边。前胸背板侧面光滑或具一些横行的或斜行的细皱。中胸侧板前缘有1条连续的中等宽度的毛带。中胸侧板的中央横沟完整。中胸侧板缝呈凹窝状。后胸侧板除前缘和上缘、下方的0.25和后方的0.25外，光滑无毛；光滑区的前上方有1条脊与并胸腹节侧缘相接。后足胫节距伸达后足基跗节基部的0.40处。翅痣非常宽。径脉第1段从翅痣近中央处伸出，其垂直段消失。径室前缘脉长约为翅痣宽的0.30倍。前缘脉终止于径室端部。腹部无柄。合背板基部具1条中纵沟，其侧方各具1对凹痕。产卵管鞘长为后足胫节的0.40～1.00倍，粗壮，末端下弯，渐细，被有垂直的、近于垂直的或易卷曲的稀毛，其下缘的毛垂直或卷曲。

生物学：主要危害蕈类的甲虫，如露尾甲科 Nitidulidae、长朽木甲科 Melandryidae、姬花甲科 Phalacridae、大蕈甲科 Erotylidae、小蕈甲科 Mycetophagidae、双叶甲科 Diphyllidae 等科幼虫，聚寄生，也有从菌蚊科 Mycetophilidae（= Fungivoridae）中育出。

分布：全北区。秦岭地区分布2种。

分种检索表

1. 雌性 ………… 2
   雄性 ………… 3
2. 前胸背板侧面后下角有1个凹窝 ………… **周氏短细蜂 *B. choui***
   前胸背板侧面后下角有2个凹窝 ………… **短管短细蜂 *B. breviterebrans***
3. 中后足腿节和胫节基本上褐黄色、暗褐黄色或红褐色 ………… **周氏细姬蜂 *B. choui***
   中后足腿节和胫节基本上黑褐色 ………… **短管短细蜂 *B. breviterebrans***

（518）周氏短细蜂 *Brachyserphus choui* He *et* Xu, 2011（图版15：1）

Brachyserphus choui He *et* Xu, 2011: 3.

鉴别特征：本种与全北区种小短细蜂 *B. parvulus*（Nees, 1834）最为相似，但从下列特征可以区别：(1)产卵管鞘长为中宽的4.40倍(后者按 Townes *et* Townes，1981 图为3.20倍)；(2)触角第2鞭节长为宽的2.80倍(后者为2倍)；(3)并胸腹节背表面光滑区上具毛约40根(后者约30根)；(4)并胸腹节上刻纹弱(后者中等强)。

采集记录：1♀(正模)，秦岭天台山，1999.Ⅸ.03，何俊华采，No.990062；1♀1♂(副模)，同正模，Nos. 990250，990494；1♂，采地同正模，1999.Ⅸ.04，陈学新采，No.991617；1♂(副模)，南郑黎坪元坝，1283m，2004.Ⅷ.23，时敏采，No. 20046870。

分布：陕西(凤县、南郑)。

(519) 短管短细蜂 *Brachyserphus breviterebrans* He *et* Xu, 2015(图版16)

Brachyserphus breviterebrans He *et* Xu, 2015: 210.

鉴别特征：雌虫前翅长2.40mm。体黑色。触角柄节、梗节和第1~2鞭节红褐色，其余黑褐色。翅基片和产卵管鞘端部红褐色。足褐黄色；基节黑褐色，转节背缘、腿节背缘、前中足端跗节和后足全部跗节暗褐色。触角在端部稍粗，第2、10鞭节长分别为端宽的2.30倍和1.40倍，端节长为端前节的2倍。前胸背板侧面光滑；前沟缘脊中央有1个凹缺，其后有1个凹窝，窝内有浅而稀刻点，脊上段后方光滑；后下角有2个凹窝。后足腿节长为宽的4.80倍；后足胫节长距长为后足基跗节的0.35倍。前翅长为宽的2倍；径室前缘脉长分别为翅痣宽的1.40倍和0.33倍；肘间横脉上段有着色脉桩。合背板基部中纵沟伸达合背板基部至第1对窗疤间距的0.45处，侧方凹陷，外角有1条侧纵沟，长为中纵沟的0.90倍。第1窗疤近杆形，宽为长的3.80倍，疤距为疤宽的0.40倍。产卵管鞘长约为后足胫节的0.40倍，长为中宽的3倍，基半上下缘近于平行，端半下弯，渐向端部变细，其下缘的毛长约为鞘宽的0.30倍。

雄虫与雌虫相似，不同之处在于雄虫前翅长2mm。触角鞭状，鞭节等粗，第2、10鞭节长分别为端宽的2.20倍和2.20倍，端节长为端前节的1.60倍；第2~11各鞭节上有圆形小角下瘤。前胸背板侧面前上方的瘤状突较明显，前沟缘脊上方脊后有浅皱。中胸侧板前缘宽毛带具浅皱，下半部的毛不明显。后胸侧板光滑区大，长度几乎占整个侧板，仅背后方有凹窝，下方几乎达于侧板下缘脊，无点窝也无细脊。并胸腹节后表面具稀皱。前翅翅痣长和径室前缘脉长分别为翅痣宽的1.21倍和0.26倍。第1窗疤宽为长的5倍。翅基片和足转节、腿节及胫节黑褐色。

采集记录：1♀(正模)，秦岭天台山，1999.Ⅸ.03，何俊华采，No.990041；1♂(副模)，同正模，No.990273；1♀1♂(副模)，采地同正模，1999.Ⅸ.04，陈学新采，Nos. 991552，991689。

分布：陕西(凤县)。

Ⅱ. 细蜂族 Proctotrupini

鉴别特征：后头脊完整，或仅在近口后脊1段缺。上颚镰刀形，单齿，或在中沟细蜂属 *Parthenocodrus* 中双齿。角下瘤有或无。前沟缘脊短而不明显或无。前胸背板侧面沿颈部通常有1条折向前胸背板凹槽的脊，但并不穿过。前胸背板侧面前上方无瘤或明显的肿大。盾纵沟短，不明显，或缺，或有时被1条长而弱的凹痕所替代。后胸侧板完全具刻纹，或在前上方0.70或更小范围的光滑。并胸腹节背表面中等长至长。跗爪除叉齿细蜂属 *Exallonyx* 外简单。前翅长约为宽的2.50倍(有时翅退化或缺)。翅痣中等宽；径脉第1段从翅痣中央附近发出。肘间横脉短，通常着色。径室短至非常短。第1盘室和第2盘室通常愈合。腹部通常具柄，长为宽的0.40~3.50倍，在无翅细蜂属 *Paracodrus* 中无明显的柄。合背板圆筒形或稍微侧扁至中度侧扁，通常有少许毛，但有时在其下半部具中等密度的毛。雌性腹部端节通常不能延伸。产卵管鞘短或长，几乎总是下弯，表面具有中等稀至中等密的毛。

生物学：大多寄生于甲虫幼虫，特别是隐翅虫科 Staphylinidae、步甲科 Carabidae，和叩甲科 Elateridae；还有一从蜈蚣 *Lithobius* 中养出的报道。

分布：本族现有9个属，叉齿细蜂属 *Exallonyx* 为世界性分布，包括了细蜂科半数的种类；已知的其余几个属分布于全北区或古北区，某些种类可能伸入东洋区。秦岭地区发现6属36种。

分属检索表

1. 前中足跗爪近基部各具1枚长的、黑色分叉的齿；前胸背板侧面沿其上缘和颈的上部具毛，通常其他部分无毛。世界分布 ………………………………………… **叉齿细蜂属 *Exallonyx***
   前中足跗爪简单；前胸背板侧面通常具毛，均匀分布，但常具有1块中央无毛区。多分布于北半球 ………………………………………………………………………………………… 2
2. 头部触角窝之间具1条发达的中竖脊；合背板侧面下半部有毛或无毛；雄性后足胫节长距约为后足基跗节长的0.65倍，下弯 ……………………………… **脊额细蜂属 *Phaneroserphus***
   头部触角窝之间没有发达的中竖脊；合背板侧面下半部多毛；雄性后足胫节长距约为后足基跗节长的0.30~0.75倍……………………………………………………………………… 3
3. 额的下部中央具1个圆形肿状突起；小脉约在基脉对过，或在基脉外方，其距为小脉长的0.45倍；雄性后足胫节距长约为后足基跗节的0.65倍，雌性约为0.50倍；雄性抱器末端下弯，呈针状 ………………………………………………………………… **肿额细蜂属 *Codrus***
   额的下部中央无肿状突起；小脉在基脉外方，其距为小脉长的0.50~0.80倍；雄性后足胫节长距长为后足基跗节的0.30~0.60倍，雌性为0.30~4.50倍；雄性抱器末端宽，呈三角形片状物或尖 ……………………………………………………………………………………… 4
4. 复眼密布细毛；产卵管鞘很短，长为后足胫节的0.17倍；足端跗节稍粗于基跗节，前足第3~4跗节明显短；雌性触角末端稍呈棒状。中国分布 ……………… **毛眼细蜂属 *Trichoserphus***

复眼无密的细毛；产卵管鞘较长，长为后足胫节的0.25～1.50倍；足端跗节不粗于基跗节，前足第3～4跗节正常；雌性触角末端稍呈鞭状 …………………………………… 5

5. 产卵管鞘长为后足胫节的0.25～0.68倍；前胸背板侧面几乎总是光滑；腹柄长为高的0.45～1.55倍；合背板（除国外种*P. meliventris*和*P. partipes*外）均为黑色。全北区分布 ………………………………………………… **光胸细蜂属 *Phaenoserphus***

产卵管鞘长为后足胫节的0.60～1.50倍；前胸背板侧面具有或多或少的刻皱；腹柄长约为高的0.40倍；合背板几乎总是呈红褐色或部分红褐色 ………………… **细蜂属 *Proctotrupes***

13. 肿额细蜂属 *Codrus* Panzer, 1805

Codrus Panzer, 1805: 85. **Type species**: *Codrus niger* Panzer, 1805.

属征：前翅长约3.00～5.80mm。额区下部中央具1个圆形肿状突起。触角窝之间有1条钝中竖脊。上颚单齿。前胸背板侧面光滑，有毛或具1块中央无毛区。并胸腹节有网状皱褶，背表面具1条中纵脊，通常在近中纵脊的两侧各有1块光滑区。雄性后足胫节长距长为后足基跗节的0.60～0.70倍；雌性为0.50倍。跗爪简单。径室前缘脉长为翅痣宽的0.30～0.80倍。第1盘室和第2盘室分离。小脉在基脉对过或在外方，其距约为小脉长的0.45倍。腹柄长为宽的1.00～2.70倍。合背板侧面下半部覆有中等密度的毛。雄性抱器稍下弯，末端细长针形。产卵管鞘长约为后足胫节的0.30～0.40倍，具光泽和稀疏的刻点，均匀下弯，向末端尖细。

生物学：寄主据记载是步甲科Carabidae，单寄生于幼虫。

分布：古北区，东洋区。全世界已记载13种，我国已知7种，秦岭地区发现2种。

分种检索表

前翅径脉和前缘脉相接处夹角40～43° ………………………………… **马氏肿额细蜂 *C. maae***

前翅径脉和前缘脉相接处夹角28～37° ……………………… **秦岭肿额细蜂 *C. qinlingensis***

（520）秦岭肿额细蜂 *Codrus qinlingensis* He *et* Xu, 2010（图版17）

Codrus qinlingensis He *et* Xu in Xu & He, 2010: 84.

鉴别特征：本种与我国近似种区别，可见检索表。与径脉和前缘脉相交角度近30°、翅痣浅黄褐色的国外已知3种的区别，在于本种腹柄背面长为中高的2.20～2.70倍、复眼毛长为下颚须端节直径的1.50～3.00倍等组合特征。

采集记录：1♀（正模），秦岭天台山，1999. Ⅸ. 04，陈学新采，No. 991490；1♂，秦岭天台山，1999. Ⅸ. 03，何俊华采，No. 990777；1♂，同正模，马云采，No. 991029；7♂，同正模，Nos. 991447，991463，991465，991551，991636，991682，991697；1♀1♂，留坝紫柏山，1632m，2004. Ⅷ. 04，陈学新采，Nos. 20047138，20047147；1♀2♂，南郑黎坪实验林场，1344m，2004. Ⅶ. 23，陈学新、吴琼采，Nos. 20046884，

20046888，20046921（以上均副模）。

分布：陕西(凤县、留坝、南郑)。

（521）马氏肿额细蜂 *Codrus maae* He *et* Xu，2015(图版 15：2)

Codrus maae He *et* Xu，2015：247.

鉴别特征：雄虫前翅长 5.10mm。体黑色，腹端部及抱器端半带红褐色。触角柄节除端部暗红色，梗节黄褐色，其余黑褐色。须黄色。翅基片黄褐色。足褐黄色，基节端部、转节、腿节基端色较浅；后足基节最基部、胫节端部 0.60 和跗节黑褐色。翅透明，稍带烟黄色，翅痣和强脉浅褐色，肘间横脉、盘脉和亚盘脉浅黄褐色。复眼毛很稀，长为下颚须端节直径的 0.80 倍。前胸背板侧面光滑，前半具夹点细皱。后胸侧板稍拱，基本上为夹点网皱，近前方中央有 1 块光滑区，长宽均占侧板的 0.25。并胸腹节中纵脊伸达后表面端部；背表面一侧光滑区长约为中宽的 2.30 倍，光滑区后方有 1 条横脊；其余表面满布夹室网皱。后足腿节长为宽的 6.40 倍；后足胫节长距长为后足基跗节的 0.65 倍。前翅长为宽的 2.20 倍；翅痣长和径室前缘边长分别为翅痣宽的 2.50 倍和 0.68倍；径脉第 1 段从翅痣中央稍外方伸出；径脉第 1、2 段相接处有脉桩；径脉和前缘脉相接处夹角约 40°。腹柄背面中长为中宽的 2.10 倍，基部 0.40 具不规则网皱，端部 0.60 具 7 条纵脊，脊间沟内并列小刻点。变异：副模标本前胸背板侧面前半不规则细皱；后胸侧板光滑区较小；合背板基部中纵沟伸达 0.95 处；第 1 窗疤宽为长的 2 倍；后足胫节端部 0.60 和第 1 ~4 跗节黄褐色；无径脉第 1 段，肘间横脉上段明显。

雌虫未知。

采集记录：1♂(正模)，秦岭天台山，1999. Ⅸ.03，马云采，No. 991096；1♂(副模)，同正模，No. 991053。

分布：陕西(凤县)。

14. 光胸细蜂属 *Phaenoserphus* Kieffer，1908

Phaenoserphus Kieffer，1908：289，298. **Type species**：*Proctotrupes curtipennis* Haliday，1839 = *Proctotrupes viator* Haliday，1839.

Carabiphagus Morley，1929：40. **Type species**：*Proctotrupes laerifrons* Foerster，1808 = *Proctotrupes viator* Haliday，1839.

Phaulloserphus Pschorn-Watcher，1958：63. **Type species**：*Phaenoserphus gregori* Tomsik，1942 .

属征：前翅长 2.10 ~5.70mm。额中央无明显肿状突起。触角窝间有 1 条弱而低的中竖脊，在中央通常具 1 个小瘤状突。上颚单齿。前胸背板侧面光滑，或有时前下方约 0.40 部分具夹点刻皱，被毛或有 1 个中央无毛区，或在国外种 *P. gregori* 几乎无毛。无盾纵沟。并胸腹节具有网状皱褶，背表面有1条长的中纵脊，背表面皱纹比其他部位细而弱，有时很不明显。雄性后足胫节长距长为后足基跗节的0.35～0.60倍，雌性约为0.30～0.45倍。跗爪简单。径室前缘脉长为翅痣宽的0.40～0.70倍（短径光胸细蜂为0.16倍）。第1盘室和第2盘室愈合。小脉在基脉外方，其距为小脉长度的0.50～0.80倍。腹柄长为宽的0.40～1.60倍。合背板除*P. melliventris*和*P. partipes*外黑色。合背板侧面下半部有中等密的毛。雄性抱器窄三角形。产卵管鞘长约为后足胫节0.25～0.68倍，端部下弯，向末端渐细，表面具刻点，通常还有不规则刻条。

生物学：据记载寄主为步甲科Carabidae Townes & Townes，1981认为寄生于隐翅甲科Staphylinidae和叩甲科Elateridae的报道存疑；寄生于菌蚊科Mycetophilidae（=蕈蚊科Fungivoridae）的报道也不可靠。

分布：全北区，东洋区。秦岭地区分布4种。

分种检索表

1. 雌性，后胸侧板满布细网皱，无光滑区 …… 2
   雄性 …… 3
2. 并胸腹节满布细网皱，无光滑区 …… **袁氏光胸细蜂 *P. yuani***
   并胸腹节大部分具细网皱，前侧方有1块小光滑区 …… **鼓鞭光胸细蜂 *P. tumidflagellum***
3. 并胸腹节中纵脊伸至后表面中央；腹柄背面全部具横刻条；合背板基部中纵沟伸至第1窗疤间距的0.75处，侧纵沟各3条；第1窗疤宽为长的1.50倍，疤距为疤宽的0.90倍；前翅长2.70mm …… **横皱光胸细蜂 *P. transirugosus***
   并胸腹节伸至背表面后端；腹柄背面具网皱，并有2条弱中脊；合背板基部中纵沟伸至第1窗疤间距的0.50处，侧纵沟各5条；第1窗疤宽为长的2倍，疤距为疤宽的0.20倍；前翅长2.50mm …… **弱脊光胸细蜂 *P. obscuricarinatus***

（522）袁氏光胸细蜂 *Phaenoserphus yuani* He *et* Xu，2015（图版18）

Phaenoserphus yuani He *et* Xu, 2015: 281.

鉴别特征：雌虫体长3.50mm；前翅长3.20mm。体黑色；须和翅基片黄色；触角柄节和鞭节棕黑色；产卵管鞘端部黑色。足红褐色；转节、前足基节黄褐色。翅透明，稍带烟黄色；翅痣及强脉黑褐色。唇基宽为长的2倍，中央拱隆具带毛刻点，端缘光滑平截。前胸背板侧面满布细毛，背缘细毛较密；凹槽上方具弱而短刻条，后缘下方有4个凹窝。中胸侧板光滑，除镜面区中央外满布细毛；中央横沟宽而完整。后胸侧板满布细而密网皱，无光滑区。并胸腹节满布细的小室状网皱；中纵脊伸至背表面后端，两侧皱纹略横向，无光滑区。后足腿节长为宽的5倍，基部收窄，略呈棒状；后足胫节长距稍弯，长为基跗节的0.37倍。前翅长为宽的2.50倍；翅痣长和径室前缘脉边长分别为翅痣宽的1.90倍和0.18倍；径脉第1段从翅痣中央伸出，长为宽的0.40倍；第2段直，与第1段相交处下方有脉桩；小脉在基脉外方，其距为小脉脉长。腹柄背面长为中宽的2倍，近长方形，表面具夹点刻皱和小网皱；腹柄侧面背缘长为中高的1.70倍，具纵刻条，内夹细皱。合背板基部中纵沟伸至基部至第1对窗疤间距的0.50处，两侧各有纵沟4条，亚侧纵沟长为中纵沟的0.15倍(右)和0.40倍(左)。合背板下方具稀毛。产卵管鞘长为后足胫节的0.43倍、为中宽的4.70倍，端部1/4下弯而渐窄，顶端尖钝，表面具纵沟和细毛。

雄虫体长3.10~4.40mm；前翅长2.80~3.60mm。体黑色。须黄色。触角黑褐色。翅基片褐黄色。足红褐色，后足胫节和跗节色稍深，中后足基节除端部黑褐色；但足色有深浅，浅色者有如雌性，深色者有中足或前中足基节浅黑褐色，转节背方、腿节背方、胫节背方或除基部浅褐色，跗节端2节或3节、或整个后足跗节黑色。翅面烟黄色；翅痣和强脉黑褐色。抱器褐黄色。颊长为上颚基宽的1.10倍。鞭节具小水泡状角下瘤。前胸背板侧面光滑，凹槽前方具浅点皱，后下角1个大凹窝上方有并列的4个小而浅凹窝；后上角无毛区长约为翅基片的1倍。并胸腹节中纵脊伸至后表面端部；满布大网室，背表面基部侧方中央有光滑区，其长伸至气门后缘。后足腿节长为宽的5.10~7.70倍；后足胫节长距直，长为基跗节的0.34倍。前翅长为宽的2.40倍；翅痣长和径室前缘脉边长分别为翅痣宽的1.60~1.70倍和0.46~0.50倍；径脉第1段从翅痣0.55处伸出，长为宽的0.80倍；径脉第2段稍弯，与第1段相接处有脉桩。合背板基部中纵沟伸至基部至第1对窗疤间距的0.40~0.60处，两侧各有弱纵沟3~4条，亚侧纵沟长为中纵沟的0.40~0.90倍。合背板下方毛中等密。抱器长三角形，长为基宽的2.50倍。

采集记录： 1♀(正模)，秦岭天台山，1999.Ⅸ.04，陈学新采，No.991458；1♂(副模)，同正模，No. 991510；1♂(副模)，采集地及时间同正模，马云采，No. 991108。

分布： 陕西(凤县)、甘肃。

(523) 鼓鞭光胸细蜂 *Phaenoserphus tumidflagellum* He *et* Xu, 2015(图版19：1)

Phaenoserphus tumidflagellum He *et* Xu, 2015：288.

鉴别特征： 雌虫体长3.30mm；前翅长2.90mm。体黑色，胸部侧板和腹亚端部带红褐色。触角柄节、梗节红褐色，鞭节黑褐色。上唇、上颚红褐色。须及翅基片黄褐色。足红褐色，各足第3~5跗节、后足基节基部、胫节端部浅褐色。翅透明，带烟黄色；翅痣和强脉黄褐色。唇基宽为长的2.60倍，光滑，具细毛。颜面光滑，具细毛，在触角窝有1个椭圆形小瘤。前胸背板侧面前半(除下方)具细夹点刻皱，后缘下段具单个凹窝，其余部位光滑，少细毛。中胸侧板除镜面区光滑外具细毛，横沟下方侧板毛稀；中央横沟完整；侧缝整个具凹窝，后下角具水平细皱。后足腿节长为宽的6.90倍；后足胫节长距直，长为基跗节的0.32倍。前翅翅痣长和径室前缘边长分别为翅痣宽的1.90倍和0.30倍；径脉第1段长为宽的0.30倍；腹柄背面中长为中宽的1.75倍，表面有8条纵刻条；侧面背缘长为中高的1.30倍，基部具连有纵脊的横脊5条，横脊后另有纵脊3条。合背板基部中纵沟伸至基部至第1对窗疤间距的0.60处，两侧各有弱纵沟4条，亚中纵沟长为中纵沟的0.60倍。第1窗疤宽为长的1.50倍，疤距为疤宽的0.50倍。合背板后下方具稀毛。产卵管鞘长为后足胫节的0.29倍，为中宽的4.10倍，表面具细纵刻点，上下缘有长毛。

采集记录：1♀（正模），秦岭天台山，1999.Ⅸ.03，何俊华采，No.990074。

分布：陕西（凤县）。

（524）横皱光胸细蜂 *Phaenoserphus transirugosus* He *et* Xu, 2015（图版14：2）

Phaenoserphus transirugosus He *et* Xu, 2015：319.

鉴别特征：雄虫体长3.30mm；前翅长2.70mm。体黑色。触角黑色。须及翅基片褐黄色。足暗黄褐色；各足跗节和后足基节除端部、腿节除两端、胫节除基部带黑褐色。翅透明，带烟黄色；翅痣和强脉褐色。颊长为上颚基宽的0.90倍。触角第3～8鞭节腹方中央有几个聚在一起的小水泡状角下瘤。前胸背板侧面光滑，有细毛，在前上方具细而弱皱；后缘下段具2个凹窝。中胸侧板除镜面区光滑外具细毛；翅基片下方、中央横沟前端沟内具弱皱；侧缝整个具凹窝，下段凹窝前方连有水平细皱。后胸侧板满布网皱，多白毛。后足腿节长为宽的5.10倍；后足胫节长距直，长为基跗节的0.39倍。前翅长为宽的2.34倍；翅痣长和径室前缘脉长分别为翅痣宽的2倍和0.33倍；径脉第1段长为宽的0.70倍，从翅痣0.60处伸出；第2段近于直，与第1段相接处下方有脉桩；小脉在基脉外方，其距为小脉长的1.10倍。腹柄背面中长为中宽的1.80倍，表面具不规则稍横向细刻皱，近外侧有1条稍向前收窄的弱纵脊；腹柄侧面背缘长为中高的1.60倍，具不规则纵脊6条，在其基部夹有网皱。合背板后下方具稀毛。抱器中等大，窄三角形，长为基宽的2.50倍。

采集记录：1♂（正模），周至厚畛子，1998.Ⅵ.02-03，马云采，No. 981411。

分布：陕西（周至）。

（525）弱脊光胸细蜂 *Phaenoserphus obscuricarinatus* He *et* Xu, 2015（图版20：1）

Phaenoserphus obscuricarinatus He *et* Xu, 2015：320.

鉴别特征：雄虫体长3.30mm；前翅长2.50mm。体黑色。触角黑褐色。上颚（除两端）红褐色。须端部及翅基片褐黄色。前中足黄褐色，基节黑褐色；后足黑褐色，基节端部和转节黄褐色。翅透明，带烟黄色；翅痣和强脉褐黄色，弱脉浅褐色。头颊长为上颚基宽的0.90倍。触角鞭节第3～11节有集聚的小水泡状角下瘤。前胸背板侧面光滑，有细毛，仅在颈凹后方和前缘下方具弱刻点；在后缘下段具2个凹窝。中胸侧板除镜面区光滑外具稀毛；翅基片下方具弱皱；中央横沟完整；侧缝整段具凹窝。后胸侧板满布网皱，背方前半的较细。并胸腹节侧面观背缘缓斜；背表面和后表面分界不清；表面具小室状网皱；中纵脊不强，仅背表面存在。后足腿节长为宽的5倍；后足胫节长距直，长为基跗节的0.39倍。前翅长为宽的2.25倍；翅痣长和径室前缘脉长分别为翅痣宽的1.70倍和0.40倍。腹柄背面中长为中宽的1.70倍，表面具不规则网皱，除侧缘外有2条隐约亚中纵皱；腹柄侧面背缘长为中高的1.60倍，具6条不规则纵皱，纵皱间夹有细点皱。合背板后下方具稀毛。抱器中等大，窄三角形，长为基宽的2.50倍。

采集记录： 1♂（正模），秦岭天台山，1999.Ⅸ.03，马云采，No. 991030。

分布： 陕西（凤县）。

15. 毛眼细蜂属 *Trichoserphus* He *et* Xu, 2015

Trichoserphus He *et* Xu, 2015: 321. **Type species**: *Trichoserphus sinensis* He *et* Xu, 2015.

属征： 前翅长2.70～3.10mm。颊长长于上颚基部宽。头背观上颊长为复眼长的0.75～0.80倍。复眼密布细毛。颜面中央上方有1个小瘤突。触角稍棒状；第2鞭节细长，长为宽的5.00～5.50倍。前胸背板侧面凹槽内及前方具微弱浅刻点；中央无毛区有或无。无盾纵沟。中胸侧板光滑，包括镜面区亦满布细毛；侧缝整段具小凹窝。后胸侧板密布不规则细网皱。并胸腹节具细网皱，背表面中纵脊侧方皱纹弱，基部无光滑区；后表面无中纵脊。前翅稍狭长；第1盘室和第2盘室愈合；小脉在基脉外方。足端跗节稍粗于基跗节；前中足第3～4跗节明显短，跗爪简单；前足腿节较粗短。腹柄背面长约为宽的1.50倍，表面有纵脊。合背板基部中纵沟达基部至第1对窗疤的约0.35处。合背板下方具稀毛。产卵管鞘短，长为后足胫节的0.12～0.17倍。寄主未知。

分布： 中国。目前仅知1种，分布于秦岭地区。

（526）脊角毛眼细蜂 *Trichoserphus carinicornis* He *et* Xu, 2015（图版21）

Trichoserphus carinicornis He *et* Xu, 2015: 324.

鉴别特征： 雌虫体长3mm；前翅长3.10mm。体黑色。须污黄色。触角黑褐色。上唇、上颚、前胸背板侧面前缘、翅基片暗赤褐色。足红褐色；前中足基节仅前方带黑褐色，腿节背面、胫节背面和第3～5跗节多少带黑褐色；后足基节、胫节和跗节黑褐色。翅烟黄色；翅痣和强脉褐色，弱脉无色。产卵管鞘向末端渐黄褐色。颊长为上颚基部宽的1.30倍。背观上颊长为复眼长的0.80倍。复眼密布细毛。唇基宽为长的2倍。上唇大，宽为长的2倍，端缘中央稍凹。颜面中央上方有1个小瘤突。前胸背板侧面凹槽内及前方具微弱浅刻点；中央无毛区大小约为翅基片的1倍；后下缘有1个大凹窝。中胸侧板光滑，镜面区亦具细毛；中央横沟前段内有水平弱皱。后胸侧板密布不规则细网皱，上半的稍稀。并胸腹节具细网皱；背表面中纵脊侧方刻皱弱，基部无光滑区；后表面无中纵脊。端跗节稍粗于基跗节；前中足第3~4跗节明显短；前足腿节较粗短；后足腿节长约为宽的7.10倍；后足胫节长距长为基跗节的0.40倍；前翅长为宽的2.27倍；翅痣长和径室前缘脉长分别为翅痣宽的1.60倍和1倍。合背板下方具稀毛。产卵管鞘短，长为后足胫节的0.17倍，有刻点和纵刻条，背腹缘均具长毛。

雄虫与雌虫相似，不同之处在于雄虫体长2.40mm，前翅长2.50mm。唇基宽为长的2.30倍。前翅翅痣长和径室前缘脉长分别为翅痣宽的1.80倍和0.70倍；径脉第1段长为宽的0.70倍，第2段直；肘间横脉上段着色。腹柄背面长为中宽的1.65倍，表面基半具刻点，端半具9条纵刻条；侧面背缘长为中高的1.60倍，基半具5条夹网横刻条，端半具6条纵脊。合背板基部中纵沟两侧各有纵沟5条。第1窗疤宽为长的2.20倍；疤距为疤宽的0.25倍。抱器窄三角形，端部尖，外表光滑。上颚、须黄色。足黄褐色，胫节、跗节和中足基节浅褐色，后足基节黑褐色。

采集记录：1♀(正模)，秦岭天台山，1999. Ⅸ. 03，何俊华采，No. 990259；62♀5♂(副模)，同正模，Nos. 990057(♂)，990068，990076，990078，990081，990086，990087(无头)，990094，990100，990101，990106，990112，990120，990124，990126，990156，990192，990196，990202，990205~206，990223，990225，990233，990238，990251，990253~254，990256，990258，990270，990278，990282，990320，990395，990401，990403，990410，990424，990426~427，990431，990445，990447，990449，990469，990473~474，990476，990480，990493，990497，990518，990525，990527，990534，990558，990711，990714，990718，990740，990743，990746，990748，990800，990847；14♀5♂，秦岭天台山，1993. Ⅸ. 03，马云采，Nos. 990891，990920，990922，990938，990945~946，990954，990964，990971，990964，990976，990986，990989，991002，991022，991077，991079，991100，991136，991148；14♀4♂，秦岭天台山，1993. Ⅸ. 04，陈学新采，Nos. 991397，991406，991418，991420，991435，991436，991440，991462，991466，991472，991486，991497，991526，991543，991546，991554，991561，991563，991696。

分布：陕西(凤县)。

16. 细蜂属 *Proctotrupes* Latreille, 1796

Serphus Schrank, 1780: 307. **Type species**: *Serphus brachypterus* Schrank, 1780.

Proctotrupes Latreille, 1796: 108. **Type species**: *Proctotrupes brevipennis* Latreille, 1796 = *Serphus brachypterus* Schrank, 1780.

属征：前翅长3.10~8.80mm。额中央无明显肿状突起。触角窝间具1条低而弱的中竖脊，中央通常具有1个小瘤状突。上颚单齿。前胸背板侧面一部分或全部覆有细毛(有时仅前面和背面具毛)，具不同程度的细皱和刻皱。并胸腹节具有网状细皱或多数纵向刻皱，通常背面有1条长的中纵脊，有时纵脊被细皱所掩盖。后足胫节长距长约为后足基跗节的0.33倍。跗爪简单。径室前缘脉长约为翅痣宽的0.33倍。第1和第2盘室愈合。小脉在基脉外方，其距为小脉长度的0.50～0.80倍。腹柄长为宽的0.40倍。合背板几乎总是红色或部分红色或红褐色(*P. maurus*为黑色，*P. bistriatus*有时为暗褐色)。合背板侧面下半部有中等密的毛。雄性抱器窄三角形。产卵管鞘长为后足胫节的0.60～1.50倍，整个下弯或仅在末端下弯，向末端渐细或顶端圆钝；表面具刻点，或刻点和纵沟均有。

分布：全北区。全世界已记载有9种，我国记录有4种，秦岭地区分布2种。

膨腹细蜂种团 *Gravidator* Group

鉴别特征：前翅长3.10～5.50mm。短翅型标本未知。唇基宽或稍窄。颊脊中央渐斜，与口后脊相接处在上颊基部上方有一段距离，有时颊脊下段不完全。胸部比例适中。前胸背板侧面在颈部，沿其上缘，或多或少地在前胸背板凹槽内具皱褶或夹点刻皱；前胸背板侧面中央具1块非常小至相当大的无毛区。后胸侧板具网状皱纹，前上角常具刻点或中等光滑。中后足胫节长距直。径脉直或稍弯曲。产卵管鞘具分散的刻点，长约为后足胫节长的0.70～1.00倍，稍下弯，但端部强度下弯。

分布：全北区。全世界已记载有7种，秦岭地区发现2种。

分种检索表

前胸背板侧面中央无毛区大小为翅基片的0.70～1.00倍；颊脊接近口后脊处常缺或弱，近口后脊处常有几条斜皱；胸部黑色；并胸腹节网皱不斜向中纵脊；雌性产卵管鞘长约为后足胫节的1倍……………………………………………………………… **膨腹细蜂 *P. gravidator***

前胸背板侧面中央无毛区大小约为翅基片的2倍；颊脊伸达或不达口后脊；雌性产卵管鞘长为后足胫节的0.80～1.50倍 ……………………………………………… **中华细蜂 *P. sinensis***

(527) 膨腹细蜂 *Proctotrupes gravidator* (Linnaeus, 1758)(图版22)

Serphus gravidator Linnaeus, 1758: 565.

Proctotrupes gravidator: Latreille, 1809: 38.

鉴别特征：雌虫体长(不包括产卵管鞘)约5.20mm；前翅长约4mm。体黑色。触角和上颚带有铁锈色斑。口须淡褐色至黑色。翅基片铁锈色至暗褐色。足基节黑褐色至黑色；转节铁锈色；腿节铁锈色，或稍呈烟褐色至暗褐色；胫节和跗节褐黄色或铁锈色至暗褐色。腹部铁锈色或褐铁锈色，但腹柄黑色，端部0.40左右烟褐铁锈色。产卵管鞘铁锈色，下弯的端部黑色。翅面稍带褐色。翅痣和强脉暗褐色。唇基宽为长的3.10倍，除端缘光滑外，具带毛刻点。胸部狭长，中胸背板(包括小盾片)长为翅基片间宽的1.78倍。前胸背板侧面凹槽内中段具细网皱，背板前缘中央和背板上方具弱刻皱，中央无毛光滑区大小为翅基片的0.70～1.00倍。中胸侧板前缘近镜面区部位具横刻条，最前缘为模糊刻点；中央横沟内及侧板后下方或前下方具细而横刻条。后胸侧板具小室状网皱。并胸腹节相对较短，具小室状网皱，不斜向中纵脊；中纵脊强但不达后端。后足腿节长为宽的6倍；中后足胫节距直，后足胫节长距长为基跗节的0.29倍。前翅翅痣长和径室前缘脉边长分别为翅痣宽的1.70～1.90倍和0.24～0.45倍；径脉第1段短，径脉第2段直。腹柄背面长为中宽的0.50倍。产卵管鞘长为后足胫节的0.96倍，弧形，在末端下弯，向末端渐窄，顶端尖，表面具浅刻点。

雄虫与雌虫相似，不同之处在于雄虫体长4.20～7.40mm，前翅长3.30～6.00mm。头背观上颊长为复眼的0.63～0.70倍。POL：OD：OOL＝13：7：20。触角第2、10鞭节长分别为端宽的4.30～5.10倍和5.50倍；第11节长为第10节的1.10～1.30倍。后足腿节长为宽的5.70～6.30倍；后足胫节长距长为基跗节的0.26～0.30倍。抱器窄三角形，长为基宽的2.20倍。

采集记录：1♂，秦岭天台山，1997.Ⅶ，西北农业大学采，No.200011646。

分布：陕西(凤县)、辽宁、内蒙古、河北、山东、甘肃、新疆、浙江、湖北、江西、广西、四川、云南、西藏；日本，欧洲。

寄主：据记载为步甲科幼虫，如 *Amara apricaria*，*A. bifrons*，*Harpalus* sp. 等。

(528) 中华细蜂 *Proctotrupes sinensis* He *et* Fan, 2004(图版20：2)

Proctotrupes sinensis He *et* Fan in He *et al.*, 2004：331.

鉴别特征：本种与 *P. terminalis* Ashmead 极相近，但是：(1) 颊脊不达口后脊，有时接近口后脊之前分为二叉；(2) 镜面区前方下半部皱褶较规则，约与水平方向成30°；(3) 后胸侧板前上角刻皱与其部分相同。

采集记录：1♂，周至厚畛子，1998.Ⅵ.02-03，马云采，No.981636；1♂，秦岭天台山，1999.Ⅸ.03，何俊华采，No.990834。

分布：陕西(周至、凤县)、吉林、辽宁、内蒙古、北京、河北、山东、河南、甘肃、新疆、浙江、湖北、江西、贵州。

17. 脊额细蜂属 *Phaneroserphus* Pschorn-Walcher, 1958

Phaneroserphus Pschorn-Walcher, 1958：60. **Type species**：*Proctotrupes calcar* Haliday, 1839.

属征：前翅长约2.20～3.80mm。额区下部和触角窝之间有1条高至非常高的中竖脊。雌性触角柄节粗大，鞭节中央稍粗；雄性触角鞭节鞭状，至端部渐细。雌性上颊和颊较长，复眼相对较小；雄性上颊和颊较雌性短，而复眼相对较大。上颚单齿。前胸背板侧面除发自颈部的弱脊外光滑；前方近上缘和后下角有毛，其他部分无毛。并胸腹节有网状刻皱，背表面具1条中纵脊，有时不明显，通常中纵脊基部近两侧各有1个光滑区。雄性后足胫节长距强度弯曲，长约为后足基跗节的0.65倍；雌性为0.47倍。跗爪简单。径室前缘脉长约为翅痣宽的1.25倍。第1和第2盘室愈合。小脉在基脉外方其距约为小脉长的1.50倍。腹柄长为宽的1.10～1.60倍。合背板侧面下半部完全无毛。产卵管鞘长为后足胫节的0.24~0.35倍，具稀疏刻点，微下弯，向末端渐细。

生物学： 寄主据记载为隐翅虫科 Staphylinidae，但也有从唇足纲 Chilopoda 的石蜈蚣科 Lithobiidae 中育出的记录，是膜翅目中唯一寄生于昆虫纲或蛛形纲以外的类群。

分布： 全北区，东洋区。我国有分布，秦岭地区分布2种。

分种检索表

1. 雌性 ………………………………………………………………………………………… 2
   雄性 ………………………………………………………………………………………… 3
2. 后胸侧板满布网皱，前上方无光滑区 ……………………………… **田氏脊额细蜂 *P. tiani***
   后胸侧板前上方有长和高分别占侧板的0.18~0.33倍和0.25~0.70倍的光滑区，其余部位具网皱 ……………………………………… **光柄脊额细蜂 *P. glabripetiolatus***
3. 后胸侧板光滑区较小，长和高分别约占侧板的0.15倍和0.20~0.30倍；前翅长2.50~3.00mm………………………………………… **田氏脊额细蜂 *P. tiani***
   后胸侧板光滑区较大，长和高分别约占侧板的0.30~0.36倍和0.40~0.50倍 ………………………………………………… **光柄脊额细蜂 *P. glabripetiolatus***

(529) 田氏脊额细蜂 *Phaneroserphus tiani* He et Xu, 2015（图版23：1）

Phaneroserphus tiani He *et* Xu, 2015: 358.

鉴别特征： 雌虫体长3.10mm；前翅长2.70mm。体黑色。触角柄节下方、梗节和第1鞭节基部褐黄色，其余鞭节褐色。口器、翅基片黄色。足黄褐色；前中足腿节除两端、中后足基节除端部、后足胫节背方和跗节多少带褐色。翅透明；翅痣和强脉淡褐色，弱脉无色。头部侧面观复眼向前突出部分长为复眼横径的0.89倍。背观上颊长为复眼的0.86倍。触角窝之间中竖脊中等高，无次生脊。中胸侧板前缘毛带中断，仅中横沟上方和翅基片下方有毛。后胸侧板具小室网皱，在前上方网皱稍稀，无明显光滑区。并胸腹节背表面有细中纵脊，无端横脊，基部两侧各具1块光滑区，刚伸达并胸腹节气门后缘。后足腿节长为宽的5倍；后足胫节长距长为后足基跗节的0.50倍。前翅长为宽的2.60倍；翅痣长和径室前缘脉长分别为翅宽的2倍和1.50倍；径脉第1段长为宽的1.70倍。腹柄背面中长为端宽的1.46倍；除端部外整个具夹点横皱8~9条；腹柄侧面背缘长为宽的1.20倍，基部0.45具夹网弱横皱4条，端部0.55具纵脊6条。产卵管鞘长为后足胫节的0.26倍，光滑，具细毛。

雄虫体长2.80~3.40mm；前翅长2.50~3.00mm。体黑色。触角柄节、梗节黄褐色，鞭节褐色或全部黑褐色。口器、翅基片黄色。翅透明；翅痣和强脉淡褐色，弱脉无色。头部侧面观复眼向前突出部分长为复眼横径的0.40~0.59倍。头背观上颊长为复眼的0.70倍。触角窝之间中竖脊中等高，无次生脊，侧面观竖脊背缘弧形，侧面具毛，无刻条。中胸侧板前缘毛带中断，仅中横沟上方和翅基片下方有毛。后胸侧板满布夹小室网皱，仅最前方中央有1小块光滑区，光滑区长和高分别占侧板的0.15～0.20倍和0.30倍。并胸腹节中纵脊伸达后表面中央；满布小室状网皱，仅基部两侧各具1块倒梯形小光滑区，仅达并胸腹节基部至气门间距之半或刚达后缘。后足腿节长为宽的4.20～4.70倍；后足胫节长距长为后足基跗节的0.63～0.71倍。前翅长为宽的2.15～2.35倍；翅痣长和径室前缘脉长为翅宽的1.50～1.80倍和1.00～1.30倍；径脉第1段长为宽的2～3倍。腹柄背面中长为端宽的1.35～1.45倍，基部0.40具3列夹点横皱，端部0.60具7～8条纵刻条；腹柄侧面背缘长为中高的1.20～1.40倍，基部0.30具网皱，其余0.70具5～6条纵脊。

采集记录：1♀(正模)，秦岭天台山，1999. Ⅸ. 03，何俊华采，No. 990548；1♀3♂(副模)，秦岭天台山，1999. Ⅸ. 03，何俊华采，Nos. 990105，990257，990468，990745；1♂，采地采期同上，马云采，No. 990961；3♂，采地采期同上，马云、杜予州采，Nos. 983644，984530，984538；1♂，留坝紫柏山，1632m，2004. Ⅷ. 04，时敏采，No. 20047085；2♂，宁陕火地塘板桥沟，1998. Ⅵ. 05，马云采，Nos. 982406，982593；1♂，南郑黎坪实验林场，1344m，2004. Ⅶ. 23，吴琼采，No. 20046911。

分布：陕西(凤县、留坝、宁陕、南郑)、河南、甘肃。

(530) 光柄脊额细蜂 *Phaneroserphus glabripetiolatus* He et Xu, 2015(图版24：1)

Phaneroserphus glabripetiolatus He et Xu, 2015: 367.

鉴别特征：雌虫体长3.80mm；前翅长3.20mm。体黑色。触角柄节(中段浅褐色)、梗节和第1鞭节基部褐黄色，其余鞭节黑褐色。唇基、上颚、翅基片、产卵管鞘端部褐黄色。须黄色。足黄褐色；前中足腿节端部浅褐色；后足基节除端部、腿节端部0.60黑褐色。翅透明，稍带烟黄色；翅痣和强脉褐色，弱脉无色。头部侧面观复眼向前突出部分长为复眼横径的0.82倍。头背观上颊长为复眼的0.60倍。触角窝之间中竖脊高，有1条不明显次生脊，侧观竖脊弧形，脊侧面前半具斜纵刻条，除次生脊较强外，其余较弱。并胸腹节具小室状网皱；中纵脊伸达后表面中央；背表面基部气门内侧各具1块长形光滑区，其长为中宽的2倍，伸达并胸腹节基部至气门间距的1.60倍。后足腿节长为宽的5.30倍；后足胫节长距长为后足基跗节的0.54倍。前翅长为宽的2.60倍；翅痣长和径室前缘脉长分别为翅宽的2.10倍和1.60倍；径脉第1段长为宽的2.50倍。腹柄背面中长为端宽的1.80倍，具9条弱横刻条，端部横刻条模糊，后侧方光滑；腹柄侧面背缘长为中高的1.60倍，大部分光滑，仅前方有弱横皱4条。产卵管鞘长为后足胫节的0.23倍，表面光滑，具白毛。

雄虫与雌虫相似，不同之处在于雄虫触角第2、10鞭节长分别约为端宽的3.60

倍和5.50倍，端节长为端前节的1.30倍；前翅长为宽的2.20倍；后足腿节长为宽的4.10倍；腹柄背面观中长为端宽的1.50倍，端半具7条强纵刻条，基半具夹点网皱，腹柄侧面背缘长为中高的1.60倍，基方0.30有夹点网横皱外，具5条强纵刻条；足基本上褐黄色，雌性的黑褐色部位更浅更少。

采集记录： 1♀(正模)，留坝紫柏山，1632m，2004.Ⅷ.04，吴琼采，No. 20047120；1♀(副模)，同正模，No. 20047098；1♂，南郑黎坪森林公园，1742m，2004.Ⅶ.22，时敏采，No. 20046861。

分布： 陕西(留坝、南郑)。

18. 叉齿细蜂属 *Exallonyx* Kieffer，1904

Exallonyx Kieffer, 1904: 34. **Type species**: *Exallonyx formicarius* Kieffer, 1904.

属征： 前翅长1.60～5.80mm。额部触角窝之间具1条中竖脊。上颚单齿。前胸背板侧面光滑，但有1条脊与颈部后缘相平行，并向上延伸而与前沟缘脊相接(若前沟缘脊存在)。前胸背板侧面上缘有毛带，有1～5列毛宽，但上缘的前后两端变宽且不规则。前胸背板侧面颈脊之前有毛，有时前沟缘脊之后和颈脊上段后方有少数毛，有时颈脊中下段和前胸背板洼槽之间亦具毛；其他部分均光滑无毛。前中足跗爪淡黄色至淡褐色，近基部有1枚黑色分叉的长齿。后足跗爪有时在基部具1枚短黑齿。前中足端跗节通常小。径室前缘脉长为翅痣宽的1～2倍。径脉直接从翅痣下角伸出，然后以锐角折伸向前缘脉倍。第1和第2盘室(若可看出)愈合。小脉(若可看出)在基脉外方，其距约为小脉长的1.50±倍。腹柄背面长为宽的0.50～3.50倍。合背板上的毛通常很稀少，有时中等密。产卵管鞘长为后足胫节长的0.20～0.70倍，向末端渐细，下弯(除*E. pallidistigma*)，表面有刻点或刻条或两者均有。

生物学： 寄主均为隐翅虫科Staphyliaidae。

分布： 世界分布。种类较多，已记载种类超过了细蜂科已知种数的1/2。有2个亚属，种团较多。

18-1. 叉齿细蜂亚属 *Exallonyx* (*Exallonyx*) Kieffer，1904

Exallonyx Kieffer, 1904: 34. **Type species**: *Exallonyx formicarius* Keffer, 1904.

鉴别特征： 亚属特征如检索表所述。

分布： 世界性分布。多数分布于欧洲和新北区。本亚属分为11个种团，秦岭地区有8个种团，25种。

分种团检索表

1. 前胸背板侧面后下角 2 个凹窝或偶有 3 个凹窝，垂直排列，相同深度，二者之间有 1 条脊或高皱褶相隔 ········ 2
   前胸背板侧面后下角单个凹窝，或极少数在凹窝上方还有 1 ~ 3 个浅窝 ········ 9
2. 腹柄侧观向基部明显收窄而呈楔形，并可分出明显的 2 段：前段具几条横脊下方有长毛，后段向后增宽，有 1 条横脊和若干条发达的纵脊 ········ **束柄叉齿细蜂种团 *Strictus* Group**
   腹柄侧观向基部至多稍收窄，分不出明显的前段和后段 ········ 3
3. 腹柄基部侧下方有多条横脊，侧面纵脊终止于最后方横脊。旧世界热带地区 ········ **环柄叉齿细蜂种团 *Cingulatus* Group**
   腹柄基部侧下方仅有 1 条横脊，侧面纵脊终止于或接近于此横脊 ········ 4
4. 雄性 ········ 5
   雌性 ········ 7
5. 抱器渐窄，末端变尖细，下弯，爪状 ········ **针尾叉齿细蜂种团 *Leptonyx* Group**
   抱器窄三角形，较直，顶端尖锐或窄圆 ········ 6
6. 合背板最下方毛与其下缘接近，最下方毛窝与合背板下缘之距为其毛长的 1.00 ~ 1.40 倍。全北区，东洋区 ········ **暗黑叉齿细蜂种团 *Ater* Group**
   合背板最下方毛与其下缘远离，最下方毛窝与合背板下缘之距约为其毛长的 1.60 倍。全世界 ········ **蚁形叉齿细蜂种团 *Formicarius* Group**
7. 合背板基部有 3 条纵沟(1 条中纵沟，2 条侧纵沟)；前胸背板侧面颈脊上段后方一定无毛；翅痣后侧缘较直 ········ **针尾叉齿细蜂种团 *Leptonyx* Group**
   合背板基部有 3 ~ 9 条纵沟(1 条中纵沟，两侧 1 ~ 4 条侧纵沟)；前胸背板侧面颈脊上段后方有毛；翅痣后侧缘通常稍弯曲 ········ 8
8. 合背板最下方毛与下缘接近，最下方毛窝与合背板下缘之距为其毛长的 1.00 ~ 1.40 倍 ········ **暗黑叉齿细蜂种团 *Ater* Group**
   合背板最下方毛与下缘远离，最下方毛窝与合背板下缘之距约为其毛长的 1.60 倍 ········ **蚁形叉齿细蜂种团 *Formicarius* Group**
9. 后翅后缘近基部 0.35 处无明显的缺刻，后翅后缘近基部非常窄；前翅长 1.60 ~ 2.90mm。古北区，印澳区 ········ **华氏叉齿细蜂种团 *Wasmanni* Group**
   后翅后缘近基部 0.30 处具 1 个明显的圆形缺刻 ········ 10
10. 腹柄基部侧下方有 1 条明显突出的横脊 ········ 11
    腹柄基部侧下方无横脊，或有 1 条非常低的不超过腹柄侧下方的纵脊的横脊 ········ **陈旧叉齿细蜂种团 *Obsoletus* Group**
11. 并胸腹节背表面基部光滑区短，通常不达并胸腹节气门之后；前胸背板侧面上缘毛带为 1 ~ 2 列稀疏的毛；抱器三角形，不下弯 ········ **网腰叉齿细蜂种团 *Dictyotus* Group**
    并胸腹节背表面基部光滑区中等长，远过并胸腹节气门之后；前胸背板侧面上缘毛带宽呈双列毛或多列毛，或单列毛或有时仅有稀疏的毛；抱器各异，有时爪状下弯 ········ 12
12. 雄性 ········ 13
    雌性 ········ **蚁形叉齿细蜂种团 *Formicarius* Group**
13. 抱器窄长，向末端渐细，稍微或强度下弯，有时呈爪状；否者，前胸背板侧面上缘毛带宽呈双列或多列毛 ········ **窄尾叉齿细蜂种团 *Atripes* Group**

抱器窄三角形，不下弯；前胸背板侧面上缘毛带宽单列（*E. minor* 除外） ……………………
…………………………………………………………… 蚁形叉齿细蜂种团 ***Formicarius* Group**

暗黑叉齿细蜂种团 *Ater* Group

鉴别特征：前翅长 2.20 ~4.00mm。雄性触角鞭节无突出的角下瘤，但在高倍显微镜下可见小水泡状、条形或椭圆形的角下瘤。雄性第 2 鞭节长为宽的 2.50 ~3.00 倍；雌性为 2.00 ~2.40 倍。雄性第 10 鞭节长为宽的 2.50 ~3.30 倍；雌性为1.50 ~2.20 倍。前胸背板侧面后下角有双凹窝，垂直排列。前胸背板侧面上缘毛带多列毛或双列毛宽。前沟缘脊存在。前胸背板侧面前沟缘脊或颈脊上段后方通常有若干毛，有时无毛；有时颈脊的中下段后方亦具毛。并胸腹节背表面基部两侧的 1 对光滑区远过并胸腹节气门之后。后翅后缘近基部 0.35 处有 1 个浅缺刻。腹柄侧面观上缘直或稍拱起，侧面有发达的纵沟，基部侧下方有或无横脊。合背板或至少其下半部生中等密的长毛，最低毛窝距合背板下缘之长为毛长的 1.00 ~1.40 倍。合背板基部中纵沟两侧各具有 2 ~4 条侧纵沟，偶仅 1 条。产卵管鞘具刻点，光滑，或在欧洲种 *E. quedriceps* 上具刻点和纵刻条。

分布：全北区。秦岭地区分布 3 种。

分种检索表

1. 触角玻片标本在高倍显微镜下具小水泡状、条状或椭圆形角下瘤 ……………………………
…………………………………………………………………………… 黑胫叉齿细蜂 ***E. nigritibilis***
触角玻片标本在高倍显微镜下无角下瘤 ……………………………………………………… 2
2. 上颊背观长为复眼的 0.65 倍；腹柄背面中长为中宽的 1 倍；腹柄侧面背缘长为中高的 0.90 倍；合背板基部中纵沟伸达基部至第 1 窗疤间距的 0.60 ~0.70 处，亚侧纵沟长为中纵沟的 0.70 ~0.90 倍；第 1 窗疤宽为长的 3.20 倍；后足腿节长为宽的 5 倍；前翅长 3.30mm ………
…………………………………………………………………………… 周氏叉齿细蜂 ***E. zhoui***
上颊背观长为复眼的 0.90 倍；腹柄背面中长为中宽的 1.30 倍；腹柄侧面背缘长为中高的1.20 倍；合背板基部中纵沟伸达基部至第 1 窗疤间距的 0.92 处，亚侧纵沟长为中纵沟的 0.50 倍；第 1 窗疤宽为长的 4.20 倍；后足腿节长为宽的 4.60 倍；前翅长 3.20mm ……………………
…………………………………………………………………………… 雅林叉齿细蜂 ***E. yalini***

（531）黑胫叉齿细蜂 *Exallonyx nigritibilis* He *et* Xu, 2015（图版 25：1）

Exallonyx nigritibilis He *et* Xu, 2015: 408.

鉴别特征：雄虫前翅长 3.10mm。体黑色。须、翅基片红褐色。触角黑褐色。足红褐色；中后足基节（除端部）、转节背面、中足腿节背面及后足腿节（除两端）、后足胫节黑色至黑褐色（后足跗节不知）。翅透明，带烟黄色；翅痣和强脉黑褐色，弱脉浅黄色痕迹。背观上颊长为复眼的0.81倍。颊长为复眼纵径的0.28倍。唇基宽为长的3.50倍，稍均匀隆起，具刻点，前缘稍凹。额脊弱。后头脊正常高。前胸背板颈部背面具4~5条细横皱，中央无毛；侧面光滑，前沟缘脊发达；前沟缘脊之后无毛，颈脊之后具毛；背缘具连续的双列毛；后下角双凹窝。后足腿节长为宽的5.40倍；后足胫节长距长为基跗节的0.62倍。前翅长为宽的2.10倍；翅痣长和径室前缘脉长分别为翅痣宽的1.50倍和0.73倍；翅痣后侧缘稍弯；径脉第1段从翅痣中央伸出，长为宽的1.70倍；径脉第2段直，两段相接处膨大。后翅后缘近基部有缺刻。腹柄背面长为中宽的1倍，基部0.30具3条横皱，端部0.70具5条纵皱，内夹细皱，中脊仅后端存在；腹柄侧面上缘长为中高的0.90倍，上缘直，基部具横脊1条，其后具强纵脊5条。抱器长三角形，不下弯，端尖。

雌虫前翅长3.10mm。体黑色。须黄褐色。上唇、上颚端部和翅基片褐黄色。触角黑褐色，基部5节腹方红褐色。足褐黄色；基节除端部和腿节背缘黑色。翅透明，带烟黄色；翅痣和强脉黑褐色，弱脉浅黄色痕迹。背观上颊长为复眼的0.90倍。颊长为复眼纵径的0.50倍。唇基宽为长的2.50倍，近于平坦，具细刻点，端缘稍凹。额脊中等高。后头脊正常。前胸背板颈部背面具9条横皱；侧面光滑，前沟缘脊发达；前沟缘脊之后无毛，颈脊之后具毛；背缘具连续的双列毛；后下角双凹窝。并胸腹节侧面观背缘弧形；中纵脊伸至后表面近端部；背表面仅后方具皱，一侧光滑区长为并胸腹节基部至气门后端间距的2倍；后表面和外侧区具小室状网皱。后足腿节长为宽的5.40倍；后足胫节长距长为基跗节的0.40倍。前翅长为宽的2.54倍；翅痣长和径室前缘脉长分别为翅痣宽的2倍和0.43倍；翅痣后侧缘直；径脉第1段从翅痣中央伸出，长为宽的1.50倍；径脉第2段直，两段相接处膨大。后翅后缘近基部有缺刻。腹柄背面长为中宽的1倍，基半具横网皱，端半具8条强纵皱；腹柄侧面上缘长为中高的0.80倍，上缘直，基部具横脊1条，横脊后具强斜纵脊5条。

采集记录：1♂（正模），秦岭天台山，1993.Ⅸ.03，何俊华采，No.990268；3♀2♂（副模），同正模，Nos. 990072，990271，990356，990579，991528；1♂，秦岭天台山，2000m，1998.Ⅵ.08，马云采，No.983242。

分布：陕西（凤县）。

（532）周氏叉齿细蜂 *Exallonyx zhoui* He et Xu, 2015（图版26：1）

Exallonyx zhoui He *et* Xu, 2015：424.

鉴别特征：雌虫前翅长3.20mm。体黑色。须和翅基片黄褐色。上唇、上颚端部褐黄色。触角黑褐色。足红褐色；前足基节除端部褐色；中后足基节除端部黑色，中后足腿节背面浅褐色，后足胫节和跗节褐色，或部分标本暗褐黄色。翅透明，带烟黄色；翅痣和强脉黑褐色，弱脉浅黄色。背观上颊长为复眼的0.87倍。颊长为复眼纵径的0.49倍。前胸背板颈部背面具6~7条细横皱；侧面光滑，前沟缘脊发达；前沟缘脊之后无毛，颈脊之后具毛；背缘具连续的双列毛；后下角双凹窝。后足腿节长为宽的6.20倍；后足胫节长距长为基跗节的0.42 倍。前翅长为宽的2.40 倍；翅痣长和径室前缘脉长分别为翅痣宽的2.20 倍和0.83 倍；翅痣后侧缘稍弯；径脉第1 段从翅痣近中央伸出，内斜，长为宽的0.80 倍；径脉第2 段直，两段相接处膨大。后翅后缘近基部有缺刻。腹柄背面长为中宽的1.20 倍，基半具横网皱，端半具5 条强纵皱；腹柄侧面上缘长为中高的0.90 倍，上缘直，基部具横脊1 条，横脊后具强斜纵脊6 条。产卵管鞘长为后足胫节的0.29 倍，为鞘中宽的3.60 倍，表面具细长刻点，光滑，有细毛。

雄虫前翅长3.30mm。体黑色。须黄色。上唇、上颚端部和翅基片褐黄色。触角黑褐色或触角柄节、梗节和第1 鞭节基部红褐色。足褐黄色，中后足基节除端部外黑色，腿节背面、胫节除基部及跗节浅褐色；或后足除基节大部黑色外其余为红褐色。翅透明，带烟黄色；翅痣和强脉黑褐色，弱脉浅黄色痕迹。背观上颊长为复眼的0.65 倍。颊长为复眼纵径的0.30 倍。唇基宽为长的3.60 倍，近于平坦，具线刻点，光滑，亚端横脊弱，端缘稍凹。中胸侧板前缘上角有稀毛；镜面区上半具稀毛；侧板下半部具稀毛；中央横沟内具平行细皱。后胸侧板中央前方及前上方有1 个被纵点沟分隔的、表面具稀毛的光滑区，其长和高分别占侧板的0.50 倍和0.70 倍，部位具小室状网皱。后足腿节长为宽的5 倍；后足胫节长距长为基跗节的0.50 倍。前翅翅痣长和径室前缘脉长分别为翅痣宽的1.90 倍和0.70 倍；翅痣后侧缘稍弯；径脉第1 段内斜，长为宽的1 倍，从翅痣中央稍外方伸出；径脉第2 段直，两段相接处膨大。后翅后缘近基部有缺刻。抱器长三角形，不下弯，端尖。

采集记录：1♂（正模），秦岭天台山，1999. Ⅸ. 03，马云采，No. 991011；23♀26♂（副模），同正模，1999. Ⅸ. 03-04，何俊华、陈学新、马云采，Nos. 990082，990364，990367，990412，990414，990460，990483，990499，990757，990931，991033，991047，991056，991104，991120，991126，991129，991131，991137，991233，991394，991399，991415，991423，991426，991434，991437，991449 ~ 1450，991452，991460，991467，991470，991499，991503，991514，991520，991524，991537 ~ 1538，991541，991544 ~ 1545，991547，991583，991594，991650；4♂，秦岭天台山，1800 ~ 2000m，1998. Ⅵ. 08-10，马云、杜予州采，Nos. 983045，983083，984519，984521；2♂，宁陕火地塘，1600 ~ 1900m，1998. Ⅵ. 05，马云采，Nos. 982376，982614；1♂，南郑黎坪实验林场，1344m，2004. Ⅶ. 23，陈学新采，No. 200446882。

分布：陕西（凤县、宁陕、南郑）、河南。

（533）雅林叉齿细蜂 *Exallonyx yalini* He *et* Xu，2015（图版27：1）

Exallonyx yalini He *et* Xu，2015：426.

鉴别特征：雄虫前翅长3.20mm。体黑色。须黄色。上唇、上颚端部和翅基片褐黄色。触角黑褐色，柄节腹方、梗节及第1鞭节基部红褐色。足红褐色；前中足基节(一部分)和中后足胫节端部、距、跗节褐色；后足基节黑色。翅透明，带烟黄色；翅痣和强脉黑褐色，弱脉浅黄色痕迹。背观上颊长为复眼的0.90倍。颊长为复眼纵径的0.28倍。唇基宽为长的3.40倍，稍均匀隆起，具粗刻点，亚端横脊明显，端缘稍凹。额脊弱。后头脊正常。前胸背板颈部背面具4~5条横皱；侧面光滑，前沟缘脊发达。并胸腹节侧面观背缘弧形；中纵脊伸至后表面端部；背表面一侧光滑区长为并胸腹节基部至气门后端间距的2.50倍；后表面和外侧区均具小室状稀网皱。后足腿节长为宽的4.60倍；后足胫节长距长为基跗节的0.65倍。前翅长为宽的2.15倍；翅痣长和径室前缘脉长分别为翅痣宽的1.80倍和0.63倍；翅痣后侧缘稍弯；径脉第1段内斜，长为宽的1.50倍，从翅痣近中央伸出；径脉第2段直，两段相接处膨大；肘间横脉明显着色。后翅后缘近基部缺刻深。腹柄背面长为中宽的1.30倍，具6条纵皱，内夹点皱；腹柄侧面上缘长为中高的1.20倍，上缘直，基部具横脊1条，横脊后具强斜纵脊5条。合背板基部中纵沟伸达基部至第1对窗疤间距的0.92处，两侧各具2条纵沟，亚侧纵沟长为中纵沟的0.50倍。抱器大，长三角形，不下弯，端尖。

雌虫未知。

采集记录：1♂(正模)，留坝紫柏山，1682m，2004.Ⅷ.04，时敏采，No. 20049982。

分布：陕西(留坝)。

蚁形叉齿细蜂种团 *Formicarius* Group

鉴别特征：前翅长1.60~5.80mm。雄性约1/3的种类触角鞭节无角下瘤。前胸背板侧面后下角具2个凹窝，垂直排列；极少数种具3~4个凹窝，或有一些个体具单凹窝。前胸背板侧面上缘毛带有1~4列毛宽。前沟缘脊发达，或弱或无。前胸背板侧面前沟缘脊(若存在)和颈脊上段后方常有毛，有时在颈脊的中段、下段之后也具毛。并胸腹节背表面基部的1对光滑区通常达并胸腹节气门之后。后翅后缘近基部0.35处有1个浅缺刻。腹柄侧面下方前端有1条突出的横脊。腹柄侧面上缘通常直，偶稍下凹。合背板毛短至中等长，通常稀少，近合背板下缘无毛(毛窝距合背板下缘至少为毛长的2倍)。合背板基部有1条中纵沟，通常两侧还具有2~5条侧纵沟，偶尔仅有1条侧纵沟或无。雄性抱器三角形，不明显下弯。产卵管鞘具刻点或刻条，或两者均有。

分布：世界性分布，但主要是新北区、新热区和古北区。目前已知67种，秦岭地区分布5种。

分种检索表

1. 雄性 …………………………………………………………………………… 2
   雌性 …………………………………………………………………………… 4
2. 前胸背板侧面后下角凹窝2个 ……………………… **烟足叉齿细蜂 *E. fumipes***
   前胸背板侧面后下角凹窝1个 ………………………………………………… 3
3. 中后足转节大部分黑色；中足腿节除两端黑褐色；合背板基部亚侧纵沟长为中纵沟的0.50倍；前翅长3.40mm ……………………… **中黑叉齿细蜂 *E. medinigricans***
   中后足转节大部分褐黄色；中足腿节黄色；合背板基部亚侧纵沟长为中纵沟的0.70~0.95倍

………………………………………………………… 高脊叉齿细蜂 *E. excelsicarinatus*

4. 腹柄侧面除基部有 1 条斜横脊外，基本上光滑 ……………………… 杨氏叉齿细蜂 *E. yangae*

腹柄侧面除基部有 1 条斜横脊外，其后具纵脊 ……………………… 郑氏叉齿细蜂 *E. zhengi*

（534）烟足叉齿细蜂 *Exallonyx fumipes* He et Xu, 2015（图版 28：1）

Exallonyx fumipes He et Xu, 2015: 444.

鉴别特征：雄虫前翅长 1.70mm。体黑色。须黄色。上唇、上颚端部和翅基片浅褐色。触角黑褐色。足浅褐色；中后足基节黑色，转节背方、腿节背方除两端及后足胫节端半黑褐色。翅透明，带烟黄色；翅痣和强脉黑褐色，弱脉浅黄色痕迹。前胸背板颈部背面具 5 条横皱；侧面光滑，前沟缘脊发达；前沟缘脊之后无毛，颈脊之后具毛；背缘具断续的单列毛；后下角双凹窝。后足腿节长为宽的 4.80 倍；后足胫节长距长为基跗节的 0.61 倍。前翅长为宽的 2.30 倍；翅痣长和径室前缘脉长分别为翅痣宽的 2 倍和 0.64 倍；翅痣后侧缘稍弯；径脉第 1 段内斜，长为宽的 0.50 倍，从翅痣近中央伸出；径脉第 2 段直。后翅后缘近基部缺刻深。腹柄背面长为中宽的 1.50 倍，具 7 条细纵脊，内夹细皱；腹柄侧面上缘长为中高的 1.30 倍，上缘直，基部具横脊 1 条，横脊后具强斜纵脊 6 条。合背板基部中纵沟长度短于腹柄，伸达基部至第 1 对窗疤间距的 0.90 处，两侧各具 2 条弱纵沟，亚侧纵沟长为中纵沟的 0.30 倍。第 1 窗疤小，宽为长的 2 倍，疤距为疤宽的 0.50 倍。合背板上仅窗疤附近有的毛稀而短，远离合背板下缘。抱器长三角形，不下弯，端尖。

雌虫不知。

采集记录：1♂（正模），宁陕火地塘板桥沟，1600m，1998. Ⅵ. 05，马云采，No. 982401。

分布：陕西（宁陕）。

（535）中黑叉齿细蜂 *Exallonyx medinigricans* He et Xu, 2015（图版 29）

Exallonyx medinigricans He et Xu, 2015: 480.

鉴别特征：雄虫前翅长 2.30mm。体黑色。须黄色。上唇、上颚端部褐色。触角黑色。翅基片黄褐色。足黄褐色至暗黄褐色；基节、转节背方、腿节（除两端）黑色；前中足端跗节、后足胫节（除基部腹方）和跗节黑色至黑褐色。翅透明；翅痣和强脉黑褐色，弱脉无色。背观宽为中长的 1.47 倍。头背观上颊长为复眼的 0.82 倍。颊长为复眼纵径的 0.37 倍。唇基宽为长的 3 倍，稍均匀隆起，具刻点，亚端横脊明显，端缘平截。额脊弱。后头脊正常。前胸背板颈部背面具 3 条横皱；侧面光滑，前沟缘脊发达；前沟缘脊之后无毛，颈脊之后具毛；背缘具稀疏的单双列毛；后下角单个凹窝。后足腿节长为宽的 4.20 倍；后足胫节长距长为基跗节的 0.53 倍。前翅长为宽的 2.40 倍；翅痣长和径室前缘脉长分别为翅痣宽的 1.70 倍和 0.52 倍；翅痣后侧缘稍弯；径脉第 1 段内斜，长为宽的1倍，从翅痣近中央伸出；径脉第2段直，两段相接处膨大。后翅后缘近基部有缺刻。腹柄背面长为中宽的1倍，基部中央具2条横脊，其后具5条强纵脊，内夹细皱；腹柄侧面上缘长为中高的0.90倍，上缘直，基部具横脊1条，横脊后具强纵脊5条。合背板上几乎无毛。抱器长三角形，不下弯，端尖。

雌虫不知。

采集记录： 1♂（正模），留坝紫柏山，1632m，时敏采，No.20049989。

分布： 陕西（留坝）。

（536）高脊叉齿细蜂 *Exallonyx excelsicarinatus* He *et* Xu，2015（图版30）

Exallonyx excelsicarinatus He *et* Xu，2015：483.

鉴别特征： 雄虫前翅长3.50mm。体黑色。须黄褐色。上唇、上颚端部和翅基片褐黄色。触角黑褐色，仅柄节基部黄褐色。足褐黄色；前中足基节黑褐色，后足基节黑色；后足胫节端部和基跗节浅褐色。翅透明；翅痣和强脉黑褐色，弱脉浅黄色痕迹。背观上颊长为复眼的0.57倍。颊长为复眼纵径的0.28倍。唇基宽为长的3倍，稍均匀隆起，具细刻点，亚端横脊明显，端缘平截。触角第2、10鞭节长分别为宽的2.40倍和3.30倍，端节长为端前节的1.40倍；第1～6各鞭节有极不明显的条形角下瘤。额脊强而高。后头脊正常。前胸背板颈部背面具3～4条横皱；侧面光滑，前沟缘脊发达；前沟缘脊之后无毛，颈脊之后具毛；背缘具稀疏的双列毛；后下角单个凹窝。后足腿节长为宽的4.80倍；后足胫节长距长为基跗节的0.63倍。前翅长为宽的2.14倍；翅痣长和径室前缘脉长分别为翅痣宽的1.80倍和0.35倍；翅痣后侧缘直；径脉第1段内斜，长为宽的0.50倍，从翅痣近中央伸出；径脉第2段直，两段相接处膨大。后翅后缘近基部缺刻深。腹柄背面长为中宽的1倍，基部具横脊1条，具5条纵脊，中央呈"丫"形；腹柄侧面上缘长为中高的0.90倍，上缘直，基部具横脊1条，横脊后具强斜纵脊6条。抱器长三角形，不下弯，端尖。

雌虫不知。

采集记录： 1♂（正模），秦岭天台山，1999.Ⅸ.03，何俊华采，No. 990829。

分布： 陕西（凤县）。

（537）杨氏叉齿细蜂 *Exallonyx yangae* He *et* Xu，2015（图版19：2）

Exallonyx yangae He *et* Xu，2015：485.

鉴别特征： 雌虫前翅长2.30mm。体黑色。须污黄色。上唇、上颚端部和翅基片红褐色。触角黑褐色，柄节腹方、梗节和第1鞭节基部红褐色。足褐黄色；前足基节、腿节除基部和端跗节浅褐色；中后足基节黑色，转节背方、腿节除两端、端跗节及中后足胫节端半黑褐色，后足基跗节浅褐色，其余褐黄色。翅透明；翅痣和强脉浅褐色，弱脉无色。头近立方形；背观头宽为中长的0.90倍；头背观上颊长为复眼的

1.20 倍。颊长为复眼纵径的 0.50 倍。唇基宽为长的 2 倍，稍均匀隆起，光滑，前缘平截。额脊中等高。后头脊高，呈檐状。前胸背板颈部背面具 2 条横皱，中央无毛；侧面光滑，前沟缘脊发达；前沟缘脊之后无毛，颈脊之后具毛；背缘具稀疏的单列毛；后下角双凹窝。后足腿节长为宽的 3.10 倍；后足胫节长距长为基跗节的 0.45 倍。前翅长为宽的 3.10 倍；翅痣长和径室前缘脉长分别为翅痣宽的 2.10 倍和 0.55 倍；翅痣后侧缘稍弯；径脉第 1 段内斜，长为宽的 1.30 倍，从翅痣近中央伸出；径脉第 2 段直，两段相接处稍膨大。后翅后缘近基部缺刻深。腹柄背面长为中宽的 1.20 倍，基部 0.30 具 2 条横皱，其余为细皱；腹柄侧面上缘长为中高的 0.90 倍，上缘无纵脊，基部具斜横脊 1 条，其后面光滑。产卵管鞘长为后足胫节的 0.55 倍，为鞘中宽的 3.90 倍，表面具细长刻点夹有细纵刻皱，光滑，有细毛。变异：前翅长 1.80mm；后胸侧板光滑区长和高分别占侧板的 0.50 倍和 0.80 倍；后足腿节长为宽的 3.80 倍；前翅长为宽的 2.90 倍，翅痣长和径室前缘脉长分别为翅痣宽的 1.90 倍和 0.80 倍，径脉第 1 段长为宽的 0.90 倍；产卵管鞘长为鞘中宽的 4.50 倍。

雄虫不知。

采集记录： 1♀(副模)，留坝紫柏山，1632m，2004.Ⅷ.04，时敏采，No. 20049988；1♀(正模)，宁陕旬阳镇，1998.Ⅵ.06，马云采，No.982879。

分布： 陕西(留坝、宁陕)。

(538) 郑氏叉齿细蜂 *Exallonyx zhengi* He *et* Xu, 2015(图版 31)

Exallonyx zhengi He et Xu, 2015: 502.

鉴别特征： 雌虫前翅长 2.10mm。体黑色。须黄色。上唇、上颚端部红褐色。触角黑褐色。翅基片浅褐色。足褐黄色；基节黑色；转节背面、腿节背面(除两端)、前中足端跗节及后足胫节和跗节褐色。翅透明；翅痣和强脉黑褐色，弱脉浅黄色痕迹。背观头宽为中长的 1.10 倍；头背观上颊长为复眼的 0.90 倍。颊长为复眼纵径的 0.30倍。唇基宽为长的 3 倍，稍均匀隆起，光滑，亚端横脊明显，端缘平截。额脊中等高。后头脊正常。前胸背板颈部背面具 3 条横皱；侧面光滑，前沟缘脊发达；前沟缘脊之后无毛，颈脊之后具毛；背缘具稀疏的双列毛；后下角双凹窝。后足腿节长为宽的 4 倍；后足胫节长距长为基跗节的 0.50 倍。前翅长为宽的 2.53 倍；翅痣长和径室前缘脉长分别为翅痣宽的 2.10 倍和 0.63 倍；翅痣后侧缘稍弯；径脉第 1 段内斜，长为宽的 0.90 倍，从翅痣近中央伸出；径脉第 2 段直。后翅后缘近基部缺刻浅。腹柄背面长为中宽的 1.30 倍，基部 0.35 具夹点细细皱，端部 0.65 具 7 条不规则纵皱，内夹细皱；腹柄侧面上缘长为中高的 1.10 倍，上缘直，基部具横脊 1 条，横脊后具强斜纵脊 6 条。产卵管鞘长为后足胫节的 0.50 倍，为鞘中宽的 4.20 倍，表面具细长刻点，光滑，有细毛。

雄虫不知。

采集记录： 1♀(正模)，南郑元坝，1283m，2004.Ⅶ.23，No.20046869。

分布： 陕西(南郑)。

环柄叉齿细蜂种团 *Cingulatus* Group

鉴别特征：前翅长2.80～3.70mm。雄性触角鞭节无突出的角下瘤或有角下瘤。前胸背板侧面后下角具2个相邻的凹窝，垂直排列。前胸背板侧面上缘毛带约单列毛或双列毛宽。前沟缘脊有或无。前胸背板侧面颈脊上段后方无毛。并胸腹节背表面基部的1对光滑区稍达并胸腹节气门之后。后翅后缘近基部0.35处有1个圆形浅缺刻。腹柄前端侧下方有多条横脊；侧面具明显的沟；侧面观上缘直。合背板毛短而稀，无毛近于合背板下缘。合背板基部有1条中纵沟，两侧通常还具有2～3条侧纵沟。抱器窄三角形，无明显下弯（但雄性 *E. seyrigi* 的抱器细而窄，下弯呈爪状）。产卵管鞘具刻点和纵刻条。

分布：本种团已记述28种，秦岭地区分布9种。

分种检索表

1\. 雄性 …… 2
雌性 …… 5
2\. 前胸背板侧面背缘具3列毛 …… 3
前胸背板侧面背缘具2列毛或单列毛 …… 4
3\. 中后足转节黑褐色或背面黑褐色 …… **长距叉齿细蜂 *E. longicalcaratus***
中后足转节红褐色 …… **毛脊叉齿细蜂 *E. epitrichus***
4\. 前胸背板侧面背缘具单列毛 …… **无凹叉齿细蜂 *E. exfoveatus***
前胸背板侧面背缘具双列毛 …… **浙江叉齿细蜂 *E. zhejiangensis***
5\. 前胸背板侧面背面具单列毛 …… 6
前胸背板侧面背面具2列毛 …… 7
6\. 额脊强而高；头背观上颊长为复眼的1.10倍；并胸腹节后表面近于光滑；前翅翅痣长为宽的2.78倍；腹柄背面端部中央具纵脊；合背板基部中纵沟伸达基部至第1窗疤间距的0.90处，侧纵沟各1条，亚侧纵沟长为中纵沟的0.25倍；第1窗疤宽为长的3.80倍；前翅长2.70mm …… **窄痣叉齿细蜂 *E. stenostigmus***
额脊正常高；头背观上颊长为复眼的0.80倍；并胸腹节后表面具横皱；前翅翅痣长为宽的1.70倍；腹柄背面端部中央具弱皱，侧方中央光滑；合背板基部中纵沟伸达基部至第1窗疤间距的0.52处，侧纵沟各3条，亚侧纵沟长为中纵沟的0.80倍；第1窗疤宽为长的2.75倍；前翅长2.70mm …… **长柄叉齿细蜂 *E. longistipes***
7\. 产卵管鞘表面具细长刻点 …… 8
产卵管鞘表面具细刻皱 …… 9
8\. 额脊中等高；头背观上颊背观长为复眼的1.17倍；触角第2、10鞭节长分别为端宽的2.10倍和1.50倍，端节长为亚端节的1.83倍；腹部背面中长为中宽的1.20倍，端方具7条纵脊；腹柄侧面背缘长为中高的0.80倍，基部具4条横脊；合背板基部侧纵沟1～2条；第1窗疤宽为长的3.60倍；前翅长2.30mm …… **秦岭叉齿细蜂 *E. qinlingensis***
额脊弱；头背观上颊背观长为复眼的0.76倍；触角第2、10鞭节长分别为端宽的2.60倍和2倍，端节长为亚端节的1.40倍；腹部背面中长为中宽的1倍，端方具3条纵脊；腹柄侧面背缘长为中高的0.50倍，基部具2条横脊；合背板基部侧纵沟3条；第1窗疤宽为长的2.4倍；前翅长3.50mm …… **宽唇叉齿细蜂 *E. eurycheilus***
9\. 上颊背观长为复眼的1.10倍；前翅翅痣长为宽的2.20倍；第1窗疤宽为长的2倍，疤距为疤

宽的 0.60 倍；前翅长 2.40mm ……………………………… 突额叉齿细蜂 *E. exsertifrons*
上颊背观长为复眼的 0.85 倍；前翅翅痣长为宽的 1.75 倍；第 1 窗疤宽为长的 4 倍，疤距为疤宽的 0.80 倍；前翅长 2.60mm ……………………………… 浙江叉齿细蜂 *E. zhejiangensis*

(539) 长距叉齿细蜂 *Exallonyx longicalcaratus* He et Xu, 2015(图版 32)

Exallonyx longicalcaratus He *et* Xu, 2015: 508.

鉴别特征：雄虫前翅长 4.70mm。体黑色。须黄色。上唇黑褐色。上颚端部和翅基片红褐色。触角柄节腹面红褐色，其余各节黑褐色。足基节黑色，中后足转节背面黑褐色，其余红褐色。翅透明，带烟黄色；翅痣和强脉黑褐色，弱脉浅黄色。头背观上颊长为复眼的 0.57 倍。颊长为复眼长径的 0.24 倍。唇基宽为长的 2.60 倍，稍均匀隆起，有粗刻点，亚端横脊明显，端缘平截。额脊中等强而高。后头脊正常高，稍呈檐状。前胸背板颈部前方有 1 条强横脊，其后两侧的弱而不明显；侧面光滑，前沟缘脊发达；前沟缘脊之后有 4 根毛，颈脊之后具稀毛；背缘具连续的多列毛；后下角双凹窝。后足腿节长为宽的 3.40 倍；后足胫节长距长为基跗节的 0.61 倍。前翅翅痣长和径室前缘脉长分别为翅痣宽的 1.90 倍和 0.41 倍；翅痣后侧缘稍弯；径脉第 1 段近于直，长为宽的 1.30 倍，从翅痣近中央伸出；径脉第 2 段直，两段相接处膨大。后翅后缘近基部 0.35 处缺刻浅。腹柄背面长为中宽的 1 倍，基部在前缘具 1 条横皱，其余呈突起的不规则皱；腹柄侧面上缘长为中高的 0.60 倍，上缘直，基部具连斜脊的横脊 4 条，其后另具强斜纵脊 2 条。抱器三角形，不下弯，端尖。

雌虫不知。

采集记录：1♂(正模)，秦岭天台山，1999. Ⅸ. 04，陈学新采，No. 991675。

分布：陕西(凤县)。

(540) 毛脊叉齿细蜂 *Exallonyx epitrichus* He et Liu, 2015(图版 33)

Exallonyx epitrichus He *et* Liu in He et Xu, 2015: 513.

鉴别特征：雄虫前翅长 4.20mm。体黑色。须黄褐色。上唇、上颚端半和翅基片红褐色。触角柄节、梗节腹面褐色，其余黑色至黑褐色。足基节黑色，其余红褐色。翅透明，带烟黄色；翅痣和强脉黑褐色，弱脉浅黄色。头背观上颊长为复眼的 0.68 倍。颊长为复眼长径的 0.34 倍。唇基宽为长的 3.20 倍，稍均匀隆起，具粗刻点，亚端横脊明显，端缘平截。前胸背板颈部具 3 条粗横皱；侧面光滑，前沟缘脊发达；前沟缘脊之后具 12 根毛，颈脊之后具稀毛；背缘具连续的不规则多列毛；后下角双凹窝上大下小。后足腿节长为宽的 5.60 倍；后足跗节缺失。前翅长为宽的 2.50 倍；翅痣长和径室前缘脉长分别为翅痣宽的 1.90 倍和 0.60 倍；翅痣后侧缘稍弯；径脉第 1 段内斜，长为宽的 1.25 倍，从翅痣中央稍外方伸出；径脉第 2 段直，两段相接处膨大，下端有脉桩。后翅后缘近基部 0.35 处缺刻深。腹柄背面长为中宽的 1 倍，基部 0.40 具 3 条稍后弯的横皱，端部 0.60 具 5 条强纵皱，内夹细皱；腹柄侧面上缘长为中高的 0.90 倍，上缘直，基部具连斜纵脊的横脊 3 条，其后另具强斜纵脊 3 条。抱器窄三角形，不下弯，端尖。

雌虫不知。

采集记录： 1♂(正模)，秦岭天台山，1999. Ⅸ. 03，何俊华采，No. 990617。

分布： 陕西(凤县)。

(541) 无凹叉齿细蜂 *Exallonyx exfoveatus* He, Liu *et* Xu, 2006(图版34：1)

Exallonyx exfoveatus He, Liu *et* Xu, 2006: 419

鉴别特征： 本种从触角鞭节无角下瘤、后胸侧板光滑区大、并胸腹节背表面光滑区长等特征与赵氏叉齿细蜂 *Exallonyx* chaoi He *et* Fan, 2004 相似，本种可从以下特征与后者区别：(1) 触角第2、10鞭节长均为端宽的3.10倍(后者为2.80倍和2.70倍)；(2) 前胸背板背缘具单列毛(后者为双列毛)；(3) 中胸侧板侧缝下段无凹窝(后者有凹窝)；(4) 合背板基部中纵沟伸达基部至第1对窗疤的0.90处，亚侧纵沟长为中纵沟长的0.50倍(后者分别为0.70倍和0.75倍)。

采集记录： 1♂(正模)，秦岭天台山，2000m，1998. Ⅵ. 08，杜予州采，No. 983454；1♂(副模)，秦岭天台山，1800m，1998. Ⅵ. 10，马云、杜予州采，No. 983711。

分布： 陕西(凤县)。

(542) 浙江叉齿细蜂 *Exallonyx zhejiangensis* He *et* Fan, 2004(图版35)

Exallonyx zhejiangensis He *et* Fan in He, 2004: 335; *Exallonyx firmus* He, Liu *et* Xu, 2006: 418.

鉴别特征： 雌虫头背观上颊长为复眼的0.76~1.00倍。后头脊高，呈檐状。前胸背板颈部背面具4~7条横皱，中央无毛；侧面光滑，前沟缘脊发达；前沟缘脊之后无毛，颈脊之后具毛；背缘具连续的双列毛；后下角双凹窝，上大下小。前翅长为宽的2.60倍；翅痣长和径室前缘脉长分别为翅痣宽的1.70~2.10倍和0.40~0.57倍；翅痣后侧缘稍弯；径脉第1段内斜，长为宽的1.50~2.00倍，从翅痣近中央伸出；径脉第2段直。后翅后缘近基部0.35处缺刻深。体黑色，前胸背板侧面下缘和产卵管鞘端部红褐色。须、翅基片黄色。触角红褐色，至端部渐暗。足褐黄色；前足基节棕黑色，中后足基节(除端部)黑色；前中足第2~5跗节或褐黄色。翅透明，带烟黄色；翅痣和强脉黑褐色，弱脉浅黄色痕迹。

雄虫与雌性相似，不同之处在于雄虫前翅长3.50mm。颊长为复眼纵径的0.25倍。唇基宽为长的2.40倍。触角第2、10鞭节长分别为宽的2.80倍和2.70倍，端节长为端前节的1.40倍；鞭节无角下瘤。后头脊中等高。后胸侧板前上方光滑区长和高分别占侧板的0.50倍和0.65倍。后足胫节长距长为基跗节的0.56倍。腹柄背面长为中宽的0.80倍，基部0.30有2条强横皱，端部0.70具4条强纵皱，内夹细皱；腹柄侧面基部具横脊3条，横脊后另具强斜纵脊4条。合背板基部中纵沟伸达基部至第1对窗疤间距的0.85处，亚侧纵沟长为中纵沟的0.20倍。第1窗疤宽为长的3~5倍，疤距为疤宽的0.30倍。抱器长三角形，不下弯，端尖。

采集记录： 1♀，秦岭天台山，1999. Ⅸ. 04，陈学新采，No. 991640。

分布：陕西(凤县)、浙江、贵州。

(543) 窄痣叉齿细蜂 *Exallonyx stenostigmus* He *et* Liu, 2015(图版36)

Exallonyx stenostigmus He *et* Liu in He *et* Xu, 2015: 535.

鉴别特征：雌虫前翅长2.70mm。体黑色。须黄色。上唇、上颚端半黄褐色。触角暗红褐色，至基部色稍浅。翅基片红褐色。足红褐色，中足基节黑褐色；后足基节黑色(末端红褐色)。翅透明，带烟黄色；翅痣和强脉褐黄色，弱脉浅黄色痕迹。背观上颊长为复眼的1.10倍。颊长为复眼长径的0.60倍。唇基宽为长的3倍，稍均匀隆起，光滑，具弱刻点，亚端悬垂物前缘呈新月形倾斜，端缘平截。前胸背板颈部具4条细横皱；侧面光滑，前沟缘脊发达；前沟缘脊之后无毛，颈脊之后具毛；背缘具单列毛；后下角双凹窝。前翅长为宽的2.74倍；翅痣长和径室前缘脉长分别为翅痣宽的2.78倍和0.67倍；翅痣后侧缘稍弯；径脉第1段内斜，长为宽的0.70倍，从翅痣中央外方伸出；径脉第2段直，两段相接处不膨大。后翅后缘近基部0.35处具缺刻。第1窗疤宽为长的3.80倍，疤距为疤宽的0.35倍。产卵管鞘长为后足胫节的0.40倍，为鞘中宽的3倍，表面光滑，具细长刻点，有细毛。

雄虫不知。

采集记录：1♀(正模)，秦岭天台山，1999.Ⅸ.04，陈学新采，No. 991615。

分布：陕西(凤县)。

(544) 长柄叉齿细蜂 *Exallonyx longistipes* He *et* Liu, 2015(图版23: 2)

Exallonyx longistipes He *et* Liu in He *et* Xu, 2015: 537.

鉴别特征：雌虫前翅长2.70mm。体黑色。上唇、上颚端半红褐色。须黄色。翅基片褐黄色。触角黑褐色，但基部3节带红褐色。翅基片褐黄色。足红褐色，但腿节中段色稍暗；基节黑褐色至黑色，第2~4跗节黄褐色。翅透明，带烟黄色；翅痣和强脉褐黄色，弱脉无色。头背面观上颊长为复眼的0.80倍。颊长为复眼长径的0.42倍。唇基宽为长的3倍，较平坦，光滑，亚端横脊弱，端缘稍凹。前胸背板颈部具6~7条细横皱；侧面光滑，前沟缘脊发达；前沟缘脊之后无毛，颈脊之后具稀毛；背缘具连续的单列毛；后下角双凹窝。后足腿节长为宽的3.90倍；后足胫节长距长为基跗节的0.41倍。前翅长为宽的2.40倍；翅痣长和径室前缘脉长分别为翅痣宽的1.70倍和0.62倍；翅痣后侧缘稍弯；径脉第1段内斜，长为宽的1.50倍，从翅痣近中央伸出；径脉第2段直，两段相接处膨大。后翅后缘近基部0.35处缺刻深。腹柄背面长为中宽的1.20倍，基半具6条细横皱，靠基部2条较粗，其余短，端部半中央具弱皱，两侧光滑；腹柄侧面上缘长为中高的0.90倍，上缘直，基部具连有斜纵脊的粗横脊5条，其后另具纵脊2条。

雄虫不知。

采集记录：1♀，秦岭天台山，1999.Ⅸ.03，何俊华采，No. 990498。

分布：陕西（凤县）、浙江。

（545）秦岭叉齿细蜂 *Exallonyx qinlingensis* He *et* Liu, 2015（图版 37）

Exallonyx qinlingensis He *et* Liu in He *et* Xu, 2015：546.

鉴别特征：雌虫前翅长 2.30mm。体黑色。上唇、上颚端半红褐色。须黄褐色。触角黑褐色。翅基片褐色。中足基节褐色，后足基节黑色，前、中足第 2～4 跗节黄色，其余各节红褐色。翅透明，翅痣和强脉浅褐色，弱脉无色。头背面观上颊长为复眼的 1.17 倍。颊长为复眼长径的 0.52 倍。唇基宽为长的 3 倍，稍均匀隆起，光滑，亚端横脊不明显，端缘平截。触角第 2、10 鞭节长分别为端宽的 2.10 倍和 1.50 倍，端节长为端前节的 1.83 倍。额脊强而高。后头脊中等高，呈檐状。前胸背板颈部具 5 条横皱；侧面光滑，前沟缘脊发达；前沟缘脊之后无毛，颈脊之后具毛；背缘具双列毛；后下角双凹窝。后足腿节长为宽的 3.70 倍；后足胫节长距长为基跗节的 0.40 倍。前翅长为宽的 2.55 倍；翅痣长和径室前缘脉长分别为翅痣宽的 2.20 倍和 0.67 倍；翅痣后侧缘稍直；径脉第 1 段从翅痣近中央伸出，内斜，长为宽的 0.70 倍；径脉第 2 段直，两段相接处略膨大。后翅后缘近基部缺刻深。腹柄背面长为中宽的 1.20 倍，基部 0.55 中央具 4 条夹点横皱，端部 0.45 具 7 条短纵脊。产卵管鞘长为后足胫节的 0.48 倍，为鞘中宽的 3.90 倍，表面光滑，具细长刻条，有细毛。

雄虫不知。

采集记录：1♀（正模），秦岭天台山，1999. Ⅸ. 03，马云采，No. 991087。

分布：陕西（凤县）。

（546）宽唇叉齿细蜂 *Exallonyx eurycheilus* He *et* Liu, 2015（图版 28：2）

Exallonyx eurycheilus He *et* Liu in He *et* Xu, 2015：548.

鉴别特征：雌虫前翅长 3.50mm。体黑色。上唇、上颚红褐色。下颚须和下唇须黄色。触角黑褐色，柄节、梗节及第 1 鞭节红褐色。翅基片黄褐色。前足基节黄褐色，中后足基节黑褐色，其余红褐色。翅透明，带烟黄色；翅痣和强脉黑褐色，弱脉浅黄色。唇基宽为长的 4 倍，稍均匀隆起，光滑，侧方具粗刻点，亚端横脊明显，端缘平截。前胸背板颈部具 4～5 条横皱；侧面光滑，前沟缘脊发达；前沟缘脊之后无毛，颈脊之后具毛；背缘具双列毛；后下角双凹窝。后足腿节长为宽的 3.80 倍；后足胫节长距长为基跗节的 0.41 倍。前翅长为宽的 2.46 倍；翅痣长和径室前缘脉长分别为翅痣宽的 1.70 倍和 0.40 倍；翅痣后侧缘稍弯；径脉第 1 段从翅痣近中央伸出，近于垂直，长为宽的 1.60 倍；径脉第 2 段直，两段相接处稍膨大。后翅后缘近基部 0.35 处缺刻深。腹柄背面长为中宽的 1 倍，基部具不规则皱，端部 0.54 具 3 条强纵皱，内夹细皱；腹柄侧面上缘长为中高的 0.50 倍，上缘直，基部具连有 1 条纵脊的横脊 2 条，其后另具平行强纵脊 5 条。产卵管鞘长为后足胫节的 0.37 倍，为鞘中宽的 3.60 倍，表面具长刻条，有细毛。

雄虫不知。

采集记录： 1♀（正模），秦岭天台山，1800m，1998. Ⅵ. 10，马云、杜予州采，No. 983685。

分布： 陕西（凤县）。

（547）突额叉齿细蜂 *Exallonyx exsertifrons* He et Xu, 2015（图版 38：1）

Exallonyx exsertifrons He *et* Xu, 2015：549.

鉴别特征： 雌虫前翅长 2.40mm。体黑色。上唇、上颚端半红褐色。须黄色。触角基部红褐色，至端部渐黑褐色。翅基片黄褐色。足基节黑褐色，其余红褐色。翅透明；翅痣和强脉褐色，弱脉无色。头背观上颊长为复眼的 1.10 倍。颊长为复眼长径的 0.63 倍。唇基宽为长的 2.40 倍，均匀拱隆，有浅刻点，亚端横脊明显，端缘平截。触角第 2、10 鞭节长分别为端宽的 1.50 倍和 1.30 倍，端节长为端前节的 1.92 倍。额脊强而高，侧面观额长。后头脊正常高。前胸背板颈部具 4～5 条横皱；侧面光滑，前沟缘脊发达；前沟缘脊之后无毛，颈脊之后具毛；背缘具双列毛，两端多列毛；后下角双凹窝。并胸腹节侧面观背缘稍有角度，后表面陡斜；中纵脊伸达后表面基部；背表面大部分具涟漪状细皱，仅基部有光滑区；后表面除基部外光滑；外侧区具小室状网皱。后足腿节长为宽的 3.60 倍；后足胫节长距长为基跗节的 0.43 倍。前翅长为宽的 2.70 倍；翅痣长和径室前缘脉长分别为翅痣宽的 2.20 倍和 0.67 倍；翅痣后侧缘稍弯；径脉第 1 段从翅痣稍外方伸出，内斜直，长为宽的 1 倍；径脉第 2 段直，两段相接处稍膨大。后翅后缘近基部 0.35 处缺刻深。产卵管鞘长为后足胫节的 0.57 倍，为鞘中宽的 4.20 倍，表面具细长刻条，有细毛。

雄虫不知。

采集记录： 1♀，秦岭天台山，1998. Ⅵ. 10，马云采，No. 984180。

分布： 陕西（凤县）、吉林、浙江、湖北。

束柄叉齿细蜂种团 *Strictus* Group, 2015

鉴别特征： 前翅长 2.00～3.60mm。雄性触角鞭节无突出的角下瘤，但在高倍显微镜下可见小水泡状、条形或椭圆形的角下瘤。雄性第 2 鞭节长为宽的 2.70～3.60倍；第 10 鞭节长为宽的 2～4 倍。前胸背板侧面后下角有双凹窝，垂直排列。前胸背板侧面上缘毛带双列毛或单列毛宽。前沟缘脊存在；前沟缘脊或颈脊上段后方通常有若干毛。并胸腹节背表面基部两侧的 1 对光滑区通常远过并胸腹节气门之后。后翅后缘近基部 0.35 处有 1 个浅缺刻。腹柄侧面上缘直；向基部明显收窄而呈楔状，基段通常具弱横脊，偶具弱纵脊，后段最宽，有 1 条横脊和发达的纵沟。合背板下半部具中等密的长毛或稀而短的毛，最低毛窝至合背板下缘之距为毛长的 1.00～1.40 倍。合背板基部中纵沟两侧各具1~3条侧纵沟。抱器长三角形，不下弯，端尖。

分布：秦岭地区分布1种。

(548) 束柄叉齿细蜂 *Exallonyx strictus* Liu, He *et* Xu, 2006(图版25：2)

Exallonyx strictus Liu, He *et* Xu, 2006：36.

鉴别特征：本种腹柄侧面基部收缩部位光滑，无横皱或横皱极弱；中后足转节黑褐色等特征，可以与该种团其他已知种区别。

采集记录：1♂，周至，1998. Ⅵ. 02，马云采，No. 981455；1♂，秦岭天台山，1999. Ⅸ. 03，何俊华采，No. 990204。

分布：陕西(周至、凤县)。

针尾叉齿细蜂种团 *Leptonyx* Group

鉴别特征：前翅长2.40~4.80mm。雄性触角鞭节有或无突出的角下瘤，若有角下瘤则为突出的平顶瘤状突或脊状突起。前胸背板侧面后下角双凹窝，垂直排列。前胸背板侧面上缘具不同程度的毛，有时无毛。前沟缘脊有或无。前胸背板侧面前沟缘脊或颈脊上段后方无毛。并胸腹节背表面基部两侧的1对光滑区远过并胸腹节气门之后。后翅后缘近基部0.35处有1个浅缺刻。合背板上毛稀疏至稍密，短或长，少数种类最低毛窝与合背板下缘之距约在毛长的1.30倍以内。合背板基部具1条中纵沟，在其两侧各具有1~2条侧纵沟。抱器细长，顶端尖，下弯，爪状。产卵管鞘具刻点，通常亦具纵刻条。

分布：秦岭地区分布1种。

(549) 凹唇叉齿细蜂 *Exallonyx concavus* Xu, He *et* Liu, 2007(图版39)

Exallonyx concavus Xu, He *et* Liu, 2007：298.

鉴别特征：本种与分布于厄瓜多尔的变滑叉齿细蜂 *Exallonyx calvescens* Townes, 1981相似，与后者主要区别在于：(1) 触角第2鞭节长为宽的3.10倍(后者为3.40倍)；(2) 合背板基部中纵沟伸达基部至第1窗疤间距的1(后者为0.75)；(3) 第1窗疤宽为长的5倍(后者3.50倍)。

采集记录：1♂(正模)，宁陕火地塘板桥沟，1998. Ⅵ. 05，马云采，No. 982156。

分布：陕西(宁陕)。

陈旧叉齿细蜂种团 *Obsoletus* Group

鉴别特征：前翅长2.30~4.70mm。雄性触角鞭节有些种类具角下瘤。前胸背板侧面后下角具单凹窝。前胸背板侧面上缘毛带单列或双列毛。前沟缘脊有或无。前胸背板侧面前沟缘脊或颈脊上段后方无毛。并胸腹节背表面基部的1对光滑区伸过并胸腹节气门之后。后翅后缘近基部0.35处有1个浅缺刻。腹柄基部侧下方前端无横脊，有时有1条低于纵脊的横脊；雄性腹柄侧面有纵脊；雌性腹柄侧面纵脊有，或部分有，或无。腹柄侧面上缘直，或雄性稍下凹，雌性凹陷。合背板毛中等长，不接近其下缘。合背板基部有1条长中纵沟，雄性有时两侧还具有3~4条侧纵沟；雌性无侧纵沟，或有1~3条侧纵沟。雄性抱器向末端渐尖，下弯，爪状。雌性产卵管鞘具刻点，或纵刻条。

分布：秦岭地区分布1种。

(550) 密皱叉齿细蜂 *Exallonyx densirugolosus* Liu, He *et* Xu, 2006(图版24：2)

Exallonyx densirugolosus Liu, He *et* Xu, 2006: 413.

鉴别特征：本种的触角鞭节具角下瘤，与分布欧洲的痕角叉齿细蜂 *E. crenocornis* (Nees, 1834)相似，不同于后者的鉴别特征在于：(1) 触角第10鞭节长为端宽的2.50倍(后者为2.10倍)；(2) 前胸背板侧面上缘毛带双列毛宽(后者为4列毛宽)；(3) 后胸侧板具粗密网皱(后者较细而疏)。

采集记录：1♂(副模)，秦岭大散关，1999.Ⅸ.04，蔡平采，No. 200011717。

分布：陕西(宝鸡)、内蒙古。

网腰叉齿细蜂种团 *Dictyotus* Group

鉴别特征：前翅长2.60~5.30mm。雄性触角鞭节有或无角下瘤。前胸背板侧面后下角单凹窝。前胸背板侧面上缘单列毛，或部分具毛，或在 *E. nimius* 无毛；但在中国发现的种类有具双列毛或多列毛。前沟缘脊有或无。前胸背板侧面前沟缘脊和颈脊上段后方无毛。中胸侧板前方上半部(中横沟的上方)除前上角和中横沟下上方处无毛。并胸腹节背表面基部两侧的1对光滑区短至非常短，通常不达并胸腹节气门之后。后翅后缘近基部0.35处有1个浅缺刻。腹柄侧面上缘直，基部前下方有横叶突，侧面有纵脊。合背板上毛非常稀少，中等短，近合背板下缘无毛。雄性抱器长三角形，不下弯或稍下弯，末端尖。产卵管鞘具刻点和刻皱，或仅具刻点。

分布：该种团中国记录26种，秦岭地区分布3种。

分种检索表

1. 雄性，中后足转节黑色或褐色 ………………………… **黑唇叉齿细蜂 *E. nigrolabius***
   雌性 ……………………………………………………………………………… 2
2. 颊长为复眼纵径的0.20倍；触角第10鞭节长为端宽的1.25倍；径脉第1段长为宽的0.50倍；腹柄背面中长为中宽的1.50倍；腹柄侧面背缘长为中高的1.30倍，基部横脊后约具9条纵向细点皱；合背板基部中纵沟伸至第1窗疤间距的0.60处；前翅长2mm ……………………
……………………………………………………………… 点尾叉齿细蜂 *E. puncticaudatus*

颊长为复眼纵径的0.50~0.68倍；触角第10鞭节长为端宽的1.70倍；径脉第1段长为宽的1.30~1.67倍；腹柄背面中长为中宽的1.10~1.20倍；腹柄侧面背缘长为中高的0.90~1.10倍，基部横脊后具4或10条斜纵脊；合背板基部中纵沟伸至第1窗疤间距的0.90处 ………
……………………………………………………………… 多皱叉齿细蜂 *E. polyptychus*

（551）黑唇叉齿细蜂 *Exallonyx nigrolabius* Liu, He *et* Xu, 2006（图版26：2）

Exallonyx nigrolabius Liu, He *et* Xu, 2006: 140.

鉴别特征：本种的并胸腹节表面具网皱、足转节黑色、腹柄表面具强斜纵脊等特征，与分布于新几内亚的鸦叉齿细蜂 *Exallonyx coracinus* Townes, 1981 相似，与后者不同在于：(1)前沟缘脊发达，前胸背板上缘具双列毛（后者单列毛）；(2)并胸腹节后表面具强横脊（后者按图无横脊）；(3)合背板基部中纵沟伸达基部至第1窗疤间距的0.90处（后者为0.75）。本种与国内其他种区别见检索表。

采集记录：1♂（副模），汉中黎坪国家森林公园，2004.Ⅷ.22，吴琼采，No. 20046851。

分布：陕西（汉中）、浙江。

（552）点尾叉齿细蜂 *Exallonyx puncticaudatus* He *et* Xu, 2015（图版38：2）

Exallonyx puncticaudatus He *et* Xu, 2015: 683.

鉴别特征：雌虫前翅长2mm。体黑色。须黄色。上唇、上颚端部和翅基片红褐色。触角黑褐色，柄节和梗节色稍浅。足黄褐色；中后足基节、转节背方、各足腿节（除两端）、胫节除基部和跗节黑褐色至黑色，但前足色稍浅。翅透明，带烟黄色；翅痣和强脉褐色，弱脉无色。头背面观上颊长为复眼的1.10倍。颊长为复眼纵径的0.20倍。唇基宽为长的3倍，稍均匀隆起，光滑，端缘平截。前胸背板颈部背面具4~5条细横皱；侧面光滑，前沟缘脊发达；前沟缘脊之后无毛，颈脊之后具毛；背缘具连续的单列毛；后下角具单个凹窝。中胸侧板前缘仅上角有稀毛；镜面区上方0.40具稀毛；侧板下半部（中央横沟以下部位）具稀毛，近中央区域无毛；后下角无平行细皱。后足腿节长为宽的4倍；后足胫节长距长为基跗节的0.42倍。前翅翅痣长和径室前缘脉长分别为翅痣宽的2倍和0.62倍；翅痣后侧缘近于直；径脉第1段从翅痣中央伸出，内斜，长为宽的0.50倍；径脉第2段直，两段相接处稍膨大。后翅后缘近基部有缺刻。腹柄背面中长为中宽的1.50倍，基部0.30具网皱，端部0.70有7条强纵脊。产卵管鞘长为后足胫节的0.49倍，为鞘中宽的4.40倍，表面具细长刻点，光滑，有细毛。

雄虫未知。

采集记录： 1♀(正模)，南郑黎坪国家森林公园，1742m，2004. Ⅶ.22，吴琼采，No. 20046837。

分布： 陕西(南郑)。

(553) 多皱叉齿细蜂 *Exallonyx polyptychus* He *et* Liu, 2015(图版40)

Exallonyx polyptychus He *et* Liu in He *et* Xu, 2015: 686.

鉴别特征： 本种的触角鞭节端部不膨大、前沟缘脊弱、后足转节黑色等特征与分布于新几内亚的 *E. ejuncidus* Townes, 1981 和鸦叉齿细蜂 *E. coracinus* Townes, 1981 相似，不同之处在于本种的：(1)上颊背观长为复眼的1.20倍(后两者为0.82倍和0.83倍)；(2)腹柄侧面上缘长为中高的0.92倍(后两者为1.90倍和1.30倍)；(3)合背板基部中纵沟伸达基部至第1对窗疤间距的0.90处(后两者为0.68处和0.75处)。本种与国内其它种区别见检索表。

采集记录： 1♀(正模)，秦岭天台山，1999. Ⅸ.03，何俊华采，No. 990762。

分布： 陕西(凤县)。

华氏叉齿细蜂种团 *Wasmanni* Group

鉴别特征： 前翅长1.60～2.90mm。雄性触角鞭节无角下瘤或有。唇基短而宽。前胸背板侧面后下角单凹窝或少数双凹窝。前胸背板侧面上缘有单列毛，或无毛，或有时双列毛。前沟缘脊发达至弱，或缺。前胸背板侧面前沟缘脊(若存在)和颈脊上段后方无毛。并胸腹节背表面基部的1对光滑区远过并胸腹节气门之后。后翅异常窄，其后缘近基部0.35处无明显的缺刻。腹柄长，侧面基部有1条横脊；侧面有强纵沟；背面观腹柄直。合背板毛稀少，远离合背板下缘。合背板基部有一些弱的短纵沟，或无。抱器窄三角形，不下弯。产卵管鞘具稀疏刻点，或有时刻点延长。

分布： 本种团已记述12种，秦岭地区分布2种。

分种检索表

合背板基部无中纵沟，也无侧纵沟 ·································· **无沟叉齿细蜂 *E. nihilisulcus***
合背板基部有中纵沟，也有侧纵沟或偶尔无 ······························ **虞氏叉齿细蜂 *E. yuae***

(554) 无沟叉齿细蜂 *Exallonyx nihilisulcus* He *et* Xu, 2015(图版41)

Exallonyx nihilisulcus He *et* Xu, 2015: 703.

鉴别特征： 雄虫前翅长1.76mm。体黑色。须、上唇和上颚端部污黄色。翅基片浅褐色。触角黑褐色。足褐黄色，转节背面、腿节背面、胫节端半色稍暗；中后足基节黑褐色。翅透明，带烟黄色；翅痣和强脉褐黄色，弱脉无色。背观上颊长为复眼的0.86倍。颊长为复眼纵径的0.32倍。唇基宽为长的3.20倍，稍隆起，光滑具稀刻点，端缘稍凹。额脊稍高。后头脊正常。前胸背板颈部背面具不规则皱；背板侧面光滑，前沟缘脊发达；前沟缘脊之后无毛，颈脊之后具毛；背缘具稀疏的单列毛；后下角单个凹窝。并胸腹节侧面观背缘弧形；中纵脊伸至后表面中央；背表面整个光滑，但脊的内侧具刻纹；后表面和外侧区具小室状网皱。后足腿节长为宽的4.90倍；后足胫节长距长为基跗节的0.50倍。前翅长为宽的2.15倍；翅痣长和径室前缘脉长分别为翅痣宽的1.70倍和0.50倍；翅痣后侧缘直；径脉第1段从翅痣近中央伸出，内斜，长为宽的0.60倍；径脉第2段直。后翅狭，长为宽的4.20倍；后缘基部稍凹入，无缺刻。腹柄背面中长为中宽的1.50倍，具5条强纵皱。合背板上几乎光滑无毛。抱器长三角形，不下弯，端尖。

雌虫前翅长2mm。体黑色。须、上唇和上颚端部污黄色。触角和翅基片黑褐色。足褐黄色，转节背面、腿节背面、胫节端半色稍暗；中后足基节黑褐色。翅透明，带烟黄色；翅痣和强脉褐黄色，弱脉无色。近立方形，背观宽为中长的1倍；背观上颊长为复眼的1.15倍。颊长为复眼纵径的0.40倍。唇基宽为长的2.40倍，稍隆起，光滑，端缘稍凹。触角第2、10鞭节长分别为端宽的2.30倍和1.80倍，端节长为端前节的1.55倍。额脊高。后头脊正常。前胸背板颈部背面具不规则弱皱；背板侧面光滑，前沟缘脊发达；前沟缘脊之后无毛，颈脊之后具毛；背缘具稀疏的单列毛；后下角单个凹窝。后足腿节长为宽的4.70倍；后足胫节长距长为基跗节的0.39倍。前翅长为宽的2.60倍；翅痣长和径室前缘脉长分别为翅痣宽的1.25倍和0.50倍；翅痣后侧缘直；径脉第1段从翅痣近中央伸出，稍内斜，长为宽的0.80倍；径脉第2段直。后翅狭，长为宽的4.40倍；后缘基部无缺刻。腹柄背面中长为中宽的1.40倍，具5条强纵脊。产卵管鞘长为后足基跗节的0.83倍，散生带毛刻点。

分布：陕西（秦岭）、甘肃。

（555）虞氏叉齿细蜂 *Exallonyx yuae* **He *et* Xu, 2015**（图版27：2）

Exallonyx yuae He *et* Xu, 2015: 718.

鉴别特征：雄虫前翅长1.84mm。体黑色。须污黄色。足褐色，基节色稍深，转节、腿节两端色稍浅。翅透明，带烟黄色；翅痣和强脉褐色，弱脉浅黄色痕迹。头背观上颊长为复眼的0.81倍。颊长为复眼纵径的0.62倍。唇基宽为长的3倍，稍隆起，光滑，端缘平截。额脊强而高。后头脊正常。前胸背板颈部背面具不明显弱横皱；背板侧面光滑，前沟缘脊弱，前缘具弱皱；前沟缘脊之后无毛，颈脊之后具毛；背缘具稀疏的单列毛；后下角单个凹窝。并胸腹节侧面观背缘弧形；中纵脊伸至后表面中央；背表面全为光滑区，仅侧方和后端稍有细刻纹；后表面和外侧区具小室状网皱。后足腿节长为宽的4.80倍；后足胫节长距长为基跗节的0.50倍。前翅长为宽的2.30倍；翅痣长和径室前缘脉长分别为翅痣宽的1.67倍和0.39倍；翅痣后侧缘稍弯；径脉第1段从翅痣近中央伸出，稍内斜，长为宽的1倍；径脉第2段直，两段相接处膨大。后翅稍狭，长为宽的4.30倍；后缘近基部无缺刻。腹柄背面中长为中宽的1.30倍，具5条强纵脊，基部内夹细皱；腹柄侧面上缘长为中高的1倍，上缘直，基部具横脊1条，横脊后具强斜纵脊6条。抱器长三角形，不下弯，端尖。

雌虫与雄性相似，不同之处在于，雌虫前翅长2mm；背观上颊长为复眼的1倍；触角第2、10鞭节长分别为端宽的2.60倍和1.60倍，端节长为端前节的1.60倍。前胸背板颈部背面具6条横皱；中胸侧板镜面区上无毛；侧板下半部具少数几根毛，近中央区域无毛。并胸腹节，中纵脊伸至后表面端部，后表面具不规则小室状网皱。后足腿节长为宽的4.30倍。翅痣长和径室前缘脉长分别为翅痣宽的2.20倍和0.50倍，径脉第1段长为宽的0.50倍；径脉第2段与第1段相接处膨大。腹柄背面中长为中宽的1倍，具7条强纵脊，基部内夹细皱；合背板基部中纵沟伸达基部至第1对窗疤间距的0.60处，两侧各具2条纵沟，亚侧纵沟长为中纵沟的0.40倍；第1窗疤疤距为疤宽的0.60倍；产卵管鞘长为后足胫节的0.37倍，为鞘中宽的4.50倍，表面光滑，有细带毛刻点。足褐色，前足基节和转节黄褐色，腿节背面和胫节大部分及后足基节黑褐色；中后足腿节背面浅黑褐色。

采集记录： 1♀2♂（副模），留坝紫柏山，1632m，2004.Ⅷ.04，陈学新采，Nos. 20047104，20047143～7144；1♂（正模），宁陕火地塘板桥沟，1600m，1998.Ⅵ.05，马云采，No. 982444；2♂（副模），同前，Nos. 982192，982615；。

分布： 陕西（留坝、宁陕）。

十九、柄腹细蜂科 Heloridae

何俊华[1]　许再福[2]　田红伟[1]

（1. 浙江大学昆虫研究所，杭州 310058；2. 华南农业大学，广州 510642）

鉴别特征： 头横宽；上颚2齿，上齿稍长于下齿。触角平伸，着生于颜面中央，16节，包括甚小的环状节1节。前胸背板从上方可见，前端突出稍呈颈状。中胸盾片盾纵沟明显；小盾片近半圆形，稍隆起。并胸腹节后端钝圆。前翅端部较宽；具翅痣和前缘室；缘室狭，密闭；基脉（中脉）不伸达亚前缘脉，从中段突然向外方弯折至回脉基部，形成三角形的小室。后翅也宽，有明显的亚前缘脉。足胫节距式1-2-2；爪具栉齿。腹柄长，至基部稍粗；柄后腹倒圆锥形；第2节背板非常大，宽度稍大于高度，侧面观背板高度约等于腹板高度。

分类： 全世界仅有一个属 *Helorus*。世界已知12种，陕西秦岭地区发现3种。

19. 柄腹细蜂属 *Helorus* Latreille, 1802

Helorus Latreille, 1802: 309. **Type species**: *Helorus ater* Latreille, 1802 = *Sphex anomalipes* Panzer. 1798.

Copelus Provancher, 1881: 206. **Type species**: *Copelus paradoxus* Provancher, 1881 = *Sphex anomalipes* Panzer. 1798.

属征: 本属特征如科的简述。从翅脉、体型和跗爪具栉齿等特征易于识别。种间区别特征主要在于头胸部刻纹有无, 刻点深浅, 触角窝内侧叶突形状、触角环节比例、翅脉比例、腹柄长短及背表面刻纹等。

分布: 全北区。秦岭地区发现 3 种。

分种检索表

1. 颜面和中胸盾片有小而深刻点, 或为很粗糙夹点刻皱; 腹柄 (腹部第 1 节) 背面长为宽的 1.70 ~ 2.00 倍(但澳洲柄腹细蜂 *H. australiensis* 长约为宽的 2.30 倍, 诹访柄腹细蜂 *H. suwai* 长为宽的 3.60 倍) ………………………………………… **畸足柄腹细蜂 *H. anomalipes***
   - 颜面和中胸盾片基本上光滑, 其刻点细而浅以致不明显; 腹柄背面长为宽的 2.50 ~ 3.80 倍 …… 2
2. 翅痣长为宽的 3.30 倍; 第 1 鞭节长为第 2 鞭节长的 0.90 倍; 触角鞭节黑褐色, 柄节和梗节黄褐色; 后足腿节黄褐色; 第 1 背板长为宽的 4 倍 …………………… **蔡氏柄腹细蜂 *H. caii***
   - 翅痣长为宽的 2.30 ~ 2.80 倍; 第 1 鞭节长为第 2 鞭节长的 1.20 倍; 触角暗黄褐色或全为黑褐色; 后足腿节除两端黑褐色 ………………………………… **红角柄腹细蜂 *H. ruficornis***

(556) 畸足柄腹细蜂 *Helorus anomalipes* (Panzer, 1798) (图版 42)

Sphex anomalipes Panzer, 1798: 23.
Helorus ater Latreille, 1802: 309.
Copelus paradoxus Provancher, 1881: 207.
Helorus anomalipes var. *bifoveolata* Gregor, 1938: 15.
Helorus coruscus nigrotibia Hellén, 1941: 30.
Helorus anomalipes: Townes, 1977: 7.

鉴别特征: 颜面和中胸盾片有小而深刻点, 或为很粗糙夹点刻皱; 腹柄 (腹部第 1 节) 背面长为宽的 1.70 ~ 2.00 倍。

采集记录: 1♀, 凤县, 1974. Ⅸ. 01, 西北农学院采, No. 200011533。

分布: 陕西(凤县)、辽宁、内蒙古、河北、山西、山东、宁夏、甘肃、新疆、浙江; 蒙古, 欧洲, 北美洲。

(557) 蔡氏柄腹细蜂 *Helorus caii* He *et* Xu, 2015 (图版 34: 2)

Helorus caii He *et* Xu, 2015: 743.

鉴别特征：雄虫体长4.30mm；前翅长3.70mm。体黑色。触角黑褐色，柄节和梗节黄褐色；上颚基部黄色，端齿红褐色；须及翅基片黄褐色。足黄褐色，后足胫节端部2/3外侧及跗节除基部褐色。翅透明，翅痣黑褐色，翅脉黑褐色至黄褐色。背观宽为中长的2.20倍，平滑，有光泽，满布稍密为带毛细刻点。颜面宽为高的2.20倍，中央1/3稍拱。唇基端缘中央平截。颚眼距约为上颚基宽的1倍。上颊背观弧形收窄，长为复眼的0.75倍。前胸背板侧面前沟缘脊强，其后方凹入部位上方1/3光滑，夹有3条放射状刻条，下方2/3具横刻条9条。中胸盾片上盾片沟明显，内有并列短脊。小盾片前沟有8个深凹窝。中胸腹板光滑，具带毛极细刻点。后胸侧板和并胸腹节均具小室状网皱。后足基跗节长为第2跗节的2.40倍。翅痣长为宽的3.30倍，径脉从基部0.33处伸出；小脉稍内斜，对叉；第1肘间横脉长为回脉的0.86倍。后翅斜脉着色弱。第1节(腹柄)长为宽的4倍，背方基部缓斜，斜截面小，与垂直面约呈60°，其周围无脊；背表面具纵皱，部分夹有弱臀板近于梯形，端缘弧形横皱，有不明显中脊；腹柄侧面观背缘弧形。第2节长、宽、高之比为70∶38∶35。

雌虫不知。

采集记录：1♂(正模)，秦岭天台山，1999.Ⅸ.03，何俊华采，No. 990817。

分布：陕西(凤县)。

(558) 红角柄腹细蜂 *Helorus ruficornis* Foerster, 1856(图版43)

Helorus ruficornis Foerster, 1856: 143;
Helorus coruscus Haliday, 1857: 168.
Helorus flavipes Kieffer, 1907: 267.

鉴别特征：翅痣长为宽的2.30~2.80倍；第1鞭节长为第2鞭节长的1.20倍；触角暗黄褐色或全为黑褐色；后足腿节除两端黑褐色。

分布：陕西(周至)、河南、浙江；日本，尼泊尔，巴基斯坦，欧洲，美国。

采集记录：2♀1♂，周至楼观台，1979.Ⅷ，冉瑞碧采，Nos. 200011759~200011761。

寄主：晋草蛉 *Chrysopa shansiensis*(寄主新纪录)；据欧洲记载有草蛉 *Chrysopa prasina* 和 *C. ventralis*。从茧内羽化，单寄生。

二十、窄腹细蜂科 Roproniidae

何俊华[1]　许再福[2]　田红伟[1]
(1. 浙江大学昆虫研究所，杭州 310058；2. 华南农业大学，广州 510642)

鉴别特征：体小型。雌雄性触角均为14节，无环状节，第3节基部明显缢缩。

额中央稍拱隆，下角微突出。颜面中央稍拱隆，无任何纵脊。前翅有翅痣；中室多边形；基脉上半段骨化，直伸达亚前缘脉。腹部腹柄明显，细；柄后腹多少侧扁或强度侧扁，高度明显大于宽度。窄腹细蜂属侧面观多少呈舵形，背缘弧形，第 2 背板长，长约为高的 2 倍，明显长于腹柄第 3、4 背板，长度之和约等于第 2 节背板，第 3、4 背板短，长度之和短于第 2 节背板；刀腹细蜂属背缘和腹缘近于平行，侧面观呈刀形，第 2 节背板相当短，长约等于其高，稍短于腹柄；第 3、4 背板明显可见，长度之和约等于第 2 节背板。

分类：全世界仅知 2 属，中国分布 30 种，陕西秦岭地区分布 2 种。

20. 窄腹细蜂属 *Ropronia* Provancher, 1886

Ropronia Provancher, 1886: 154. **Type species**: *Ropronia pediculata* Provancher, 1886.

Roptronia Ashmead, 1898: 132. Error.

属征：头横宽。触角窝深，之间有薄片状脊，水平部位偶尔有纵槽，侧上方有或无额侧瘤；雌雄性触角均为 14 节。前翅有翅痣；第 1 盘室多边形。腹部腹柄明显，短于第 2 节背板；第 2 节背板长，约为高的 2 倍，至少为柄后腹长的 1/2；第 3、4 节背板非常短，之和短于第 2 节背板；柄后腹不强度侧扁，侧面观多少为舵形，背缘弧形。

分布：秦岭地区分布 2 种。

分种检索表

头部完全黑色，但长明窄腹细蜂唇基端部中央黄色 …………… **皱带窄腹细蜂 *R. rugifasciata***

头部黑色，但颜面、颊和口器黄褐色或黄白色 …………………… **鼻形窄腹细蜂 *R. nasata***

(559) 皱带窄腹细蜂 *Ropronia rugifasciata* He *et* Xu, 2015（图版 44）

Ropronia rugifasciata He *et* Xu, 2015: 761.

鉴别特征：雄虫体长 4mm；前翅长 3.70mm。全体被有稀疏的白色细毛。头部及胸部黑色；上颚黄褐色，须及前胸背板后角 2 个小斑黄白色；触角柄节黑褐色，梗节褐黄色，鞭节黑色。翅基片浅褐色。前中足黄白色，其腿节后半浅褐色；后足黑色，转节、腿节基部，胫节亚基部 0.20 ~ 0.35 部位及距黄白色，跗节黑褐色。翅透明，带烟色，翅脉暗褐色。腹部黑色，第 2 节背板带棕褐色，端部浅褐色。前面观宽约为高的 1.30 倍。颜面中央具刻点，侧方光滑，上半具中纵脊，脊两侧具细刻条。触角洼深凹，触角洼间有片状突起，额背侧瘤中等隆起。唇基凹甚深，唇基端部具纵刻条，端缘平截。头部背面观宽约为长的 1.70 倍。头顶散生带毛细稀刻点。前胸背板侧面光滑，中段横贯1条带状的细夹点刻皱，背缘具带毛细刻点，前缘下方具细皱，后缘有1个纵列凹窝。中胸盾片具稀刻点；并胸腹节几乎满布网状刻纹，基部有3纵刻条。前翅基脉上段稍弯曲，为下段长的0.74倍；第1盘室较短，长为高的1.46倍。腹柄细长，背表面长为中央最宽处的5.10倍，略短于中足腿节，满布不规则刻皱。柄后腹侧扁，各节光滑，具带毛细刻点。第2节背板长为高的2倍。

雌虫不知。

采集记录： 1♂（正模），南郑黎坪实验林场，1344m，2004.Ⅶ.23，陈学新采，No. 20046887。

分布： 陕西（南郑）。

（560）鼻形窄腹细蜂 *Ropronia nasata* He et Xu, 2015（图版45）

Ropronia nasata He *et* Xu, 2015: 778.

鉴别特征： 雌虫体长5.50mm；前翅长5.20mm。全体被有稀疏的白色细毛。头部、胸部黑色，额区从触角洼侧瘤以下、颜面、唇基、上颚（端齿红褐色）、须、上颊下方、触角（鞭节背面浅褐色）、前胸背板后缘及下缘、中胸侧板前缘、翅基片黄白色。腹柄、柄后腹基部腹板黑色；柄后腹黑褐色，下方及端部浅红褐色。前中足黄白色，其胫节背面中央浅褐色，胫节端部和跗节浅黄褐色；后足黑色，转节、腿节基部0.30、胫节亚基部约0.35和跗节黄白色，胫节端部黄褐色。翅透明，翅脉暗褐色，前翅翅痣下方径室内有烟褐色斑。前面观宽约为高的1.30倍；颜面鼻状拱隆，中央有模糊刻点，两侧光滑，上方呈指状突出，颜面上半有中纵脊，与触角洼间的片状突相连。触角洼深凹，其侧上方额背侧瘤弱；额具粗刻点，在中央略呈夹点刻皱。唇基凹甚深；唇基光滑，端缘中央有2个钝齿突前胸背板侧面光滑，背缘具带毛细刻点，后缘下半具并列长凹窝。并胸腹节基部0.25具4纵刻条，其余满布小室状网皱，后半中央有1条纵皱。前翅基脉上段稍弯曲，长为下段的0.73倍；小脉后叉式，与基脉的距离为小脉长的0.32倍；第1盘室长为高的1.70倍，亚盘脉从下方0.38处伸出。腹柄细长，背表面长为最宽处的4.70倍。后腹侧扁，各节光滑，具带毛细刻点。第2节背板长为高的2倍。

雄虫不知。

采集记录： 1♀（正模），留坝紫柏山，1632m，陈学新采，No. 20047127。

分布： 陕西（留坝）。

参考文献

Ashmead, W. H. 1897. A new species of *Roptronia*. *Proceedings of the Entomological Society of Washington*, 4: 132-133.

Fan, J. J. and He, J. H. 1993. A new genus and species of Serphini (Hymenoptera: Serphidae) from China. *Entomotaxonomia*, 15(1): 69-73. [樊晋江, 何俊华. 1993. 中国细蜂族一新属新种(膜翅目: 细蜂科). 昆虫分类学报, 15(1): 69-73].

Fan, J. J and He, J. H. 2003. Serphidae. pp. 716-723. *In*: Huang B-K (ed.), 2003: *Fauna of Insects in Fujian Province of China*, *Vol.* 7, Fuzhou, Fujian Science and Technology Publishing House, 1-927. [樊晋江, 何俊华. 2003. 细蜂科, 716-723. 见: 黄邦侃主编. 2003. 福建昆虫志 (第七卷). 福州: 福建科学技术出版社, 1-927].

Förster, A. 1856. *Hymenopterologische Studien.* Ⅱ. *Heft. Chalcidiae und Proctotrupii.* Ernstter Meer, Aachen., 152pp.

Förster, A. 1862. Synopsis der Familien und Gattungen der Braconiden. *Verhandlungen des Naturhistorischen Vereins der Preussischen Rheinlande und Westfalens*, 19: 225-288.

Gregor, F. 1938. Moravské druhy podčeledě Helorinae (Hym., Proct.). Čas. Česk. *Spolia Entomologica*, 35: 14-15.

Haliday, A. H. 1839. *Hymenoptera Britannica Oxyura*. Fasc. I. Hippolytus Baillière, London. 16pp.

He, J. H. and Fan, J. J. 1991. New species and new records of Cryptoserphini from China (Hymenoptera: Serphoidea: Serphidae). *Acta Agriculturae Universitatis Zhejiangensis*, 17(2): 218-221. [何俊华, 樊晋江. 1991. 中国隐颚细蜂族分类研究. 浙江农业大学报, 17(2): 218-221].

He, J. H. and Fan, J. J. 2004. Proctotrupidae. pp. 326-345. *In*: He, J-H. (ed.): *Hymenopteran Insect Fauna of Zhejiang*. Science Press, Beijing, 1-1373. [何俊华, 樊晋江. 2004. 细蜂科 Proctotrupidae. 326-345. 见: 何俊华编著. 2004. 浙江蜂类志. 北京: 科学出版社. 1-1373.].

He, J. H. and Xu, Z. F. 2006. Hymenoptera: Proctotrupidae, p. 567. *In*: Li, Z. Z and Jin, D. C (ed.): 2006. *Insects from Fanjingshan Landscape*. Guiyang: Guizhou Science and Technology Publishing House, 1-780. [何俊华, 许再福. 2006. 膜翅目: 细蜂科. 567. 见: 李子忠, 金道超主编. 2006. 梵净山景观昆虫. 贵阳: 贵州科技出版社. 1-780.].

He, J. H. and Xu, Z. F. 2007. A new genus of Proctotrupinae (Hymenoptera: Proctotrupidae). *Entomotaxonomia*, 29(2): 152-156. [何俊华, 许再福. 2007. 细蜂亚科一新属一新种(膜翅目: 细蜂科). 昆虫分类学报, 29 (2): 152-156.].

He, J. H. and Xu, Z. F. 2015. *Fauna Sinica*, *Insecta Vol.* 56, *Hymenoptera*, *Proctotrupoidea* (*I*). Science Press. Beijing. 1050pp. [何俊华, 许再福. 2015. 中国动物志. 昆虫纲. 第 56 卷. 膜翅目. 细蜂总科 I, 1050.].

Hellén, W. 1941. Ubersicht der Proctotrupoiden (Hym.) Ostfennoskandiens. 1. Heloridae, Proctotrupidae. *Notulae Entomologicae*, 21: 28-42.

Johnson, N. F. 1992. Catalog of world species of Proctotrupoidea, exclusive of Platygasteridae (Hymenoptera). *Memoirs of the American Entomological Institute*, 51: 1-825.

Kieffer, J. J. 1904. Nouveaux proctotrypides myrmécophiles. *Bulletin de la Société d'Historie Naturelle* (*du Département de la Moselle*) *de Metz*, 23: 31-58.

Kieffer, J. J. 1907. *Species des Hyménoptères d'Europe et d'Algérie*. *Vol.* 10. Ed. E. André. Librarie Scientifique A. Hermann and Fils, Paris. Pages 145 -288.

Kieffer, J. J. 1908. *Species des Hyménoptères d'Europe et d'Algérie*. *Vol.* 10. Ed. E. Andre. Librarie Scientifique A. Hermann and Fils, Paris. Pages 289 -448.

Kusigemati, K. 1987. The Heloridae (Hymenoptera, Proctotrupoidea) of Japan. *Kontyû*, 55: 477-485.

Latreille, P. A. 1796. *Précis des caractères génériques des insectes, disposés dans un ordre naturel*. Prévôt, Paris.

Latreille, P. A. 1802. *Histoire naturelle, générale et particulière des crustacés et des insectes. Vol*. 3. F. Dufart, Paris. 1-467.

Latreille, P. A. 1810. *Considérations générales sur l' ordre naturel des animaux conlposant les classes des Crustacés, des Arachnides, et des Insectes*. F., Schoell, Paris. 1-444.

Liu, J. X., He, J. H. and Xu, Z. F. 2006. The Obsoletus group of genus Exallonyx (Hymneoptera: Proctotrupidae) from China. *Entomological News*, 117(4): 413-421.

Lin, K. S. 1987. On the genus Nothoserphus Brues, 1940 (Hymenoptera: Serphidae) from Taiwan. *Taiwan Agric. Res. Inst. Spec. Publ.*, 22: 51-66.

Lin, K. S. 1988. Two new genera of Serphidae from Taiwan (Hymneoptera: Serphoidea). *Journal of Taiwan Museum*, 41(1): 15-33.

Masner, L. 1958. A new genus of Proctotrupidae from Japan (Hymenoptera: Proctotrupoidea). *Beiträge zur Entomologie*, 8: 477-481.

Morley, C. 1929. Catalagus Oxyurarum Britannicorum. *Transactions of the Natural Society of Suffolk*, 1: 39-60.

Panzer, G. W. F. 1793-1813. Faunae Insectorum Germaniae initia oder Deutschlands Insecten.

Panzer, G. W. F. 1805. *Kritische Revision der lnsektenfaune Deutschlands*. 1. Baendchen. Felsseckerchen Buchhandlung, Nürnberg.

Provancher, L. 1885-1889. *Additions et Corrections au volume de la Faune entomologique du Canada traitant des Hyménoptères*. C. Darveau, Québec. 1-477.

Pschorn-Walcher, H. A. 1958. Vorlaufige Gliederung der palacarktischen Proctotrupidae. *Mitteilungen der Schweiz Entomologischen Gesellschaft*, 31: 57-64.

Rajmohana, K. and Naredran, T. C. 1996. Four new species of the genus *Phaenoserphus* Kiffer, 1908 (Hymenoptera: Proctotrupidae) from India. *Journal of Entomological Research*, 20 (1): 43-51.

Schrank, F. V. P. 1780. Entomologische Beiträge. Schriften Berlin. Gesell. Naturforsch. *Freunde*, 1: 301-309.

Townes, H and Townes, M. 1981. A revision of Serphidae (Hymenoptera). *Memoirs of the American Entomological. Institute*, 32: 1-541.

Wan, S. W. 1985. *Helorus anomalipes* Panzer discovered in China. *Entomotaxonomia*, 7(4): 264. [万森娃. 1985. 草蛉柄腹细蜂在我国首次发现. 昆虫分类学报, 7 (4): 264].

二十一、广腹细蜂科 Platygastridae

陈华燕[1] 何俊华[2] 许再福[1]

(1. 华南农业大学, 广州 510642; 2. 浙江大学昆虫研究所, 杭州 310058)

鉴别特征: 触角膝状, 着生于唇基基部, 两触角窝距离很近。两性触角多为 12

节，但雌虫偶有7节，10节或14节，雄虫偶有14节。雄虫触角第5节具角下瘤。前翅常有亚缘脉，缘脉，后缘脉和痣脉。足的胫节距式1-1-1。前足胫节距分叉。腹部无柄或近于无柄，卵圆形，长卵圆形或纺锤形。雌虫腹部可见6~7节背板；雄虫可见7节背板。

分类：全世界已知约240属，中国已记录约70属，陕西秦岭地区发现1属2种。

21. 尖缘腹细蜂属 *Oxyscelio* Kieffer, 1907

Oxyscelio Kieffer, 1907: 310. **Type species**: *Oxyscelio foveatus* Kieffer, 1907.

属征：触角棒节6节。上颚2齿。颚唇须节比4/2。额凹入，凹洼两侧具脊，不具中脊。头顶常具横脊。中胸盾片前缘不具镜区，中部常具纵脊。前翅亚前缘脉远离翅前缘；前缘脉极短成点状。雌虫腹部可见背板6节。雄虫第7腹节末端常具2枚齿。

分布：世界性分布。全世界已知约171种，我国已知18种，秦岭地区发现2种。

寄主：直翅目昆虫的卵(Burks *et al*. 2013)。

分种检索表

中胸盾片无纵脊；后胸小盾片具毛…………………………………… **兜帽尖缘腹细蜂 *O. doumao***

中胸盾片具纵脊；后胸小盾片无毛 ………………………………… **中尖缘腹细蜂 *O. intermedietas***

(561) 兜帽尖缘腹细蜂 *Oxyscelio doumao* Burks, 2013(图版10：4)

Oxyscelio doumao Burks, 2013: 15.

鉴别特征：体长4.50~4.70mm。体黑色。雌虫触角第4节长大于宽。额洼深，成罩状。触角窝和复眼之间无隆起。有上后头脊。中胸盾片中部纹饰弱，不具纵皱或脊。后胸小盾片具背毛。并胸腹节侧脊在前方稍分离。前翅后缘脉极短或无，短于痣脉的1/3；缘脉短，远离翅的前缘。腹部第1背板具4条纵脊，中间2条向外弯曲。

采集记录：1♀，凤县紫柏山，1632m，2004.Ⅷ.03，时敏采。

分布：陕西(凤县)、浙江、广东、广西、四川。

(562) 中尖缘腹细蜂 *Oxyscelio intermedietas* Burks, 2013

Oxyscelio intermedietas Burks, 2013: 15.

鉴别特征：体长2.80~4.00mm。体黑色。雌虫触角第4节宽大于长。触角窝和复眼之间无隆起。额洼浅，不成罩状。有上后头脊。中胸盾片中部具刻点，中纵脊存在。后胸小盾片无背毛。并胸腹节侧脊在前方稍分离。雌虫前翅超过腹部末端。腹部第1背板中叶具4条近平行的纵脊。

采集记录： 1♀1♂，凤县紫柏山，1632m，2004.Ⅷ.03，时敏采。

分布： 陕西(凤县)、河北、浙江、广东、海南、云南；越南，泰国，老挝，尼泊尔。

参考文献

Burks, R., Masner, L., Johnson, N. F. and Austin, A. 2013. Systematics of the parasitic wasp genus *Oxyscelio* Kieffer (Hymenoptera, Platygastridae s. l.), Part Ⅰ: Indo - Malayan and Palearctic fauna. *ZooKeys*, 292: 1-263.

Johnson, N. F., Burks, R., Austin, A. and Xu, Z - F. 2013. Chinese species of egg- parasitoids of the genera *Oxyscelio* Kieffer, *Heptascelio* Kieffer and *Platyscelio* Kieffer (Hymenoptera: Platygastridae s. l., Scelioninae). *Biodiversity Data Journal*, 1: e987.

Schulz, W. A. 1910. Suesswasser - Hymenopteren aus dem See von Overmeire. *Annales de BiologieLacustre*, 4: 194 -210.

V. 瘿蜂总科 Cynipoidea

鉴别特征：一般体小(但枝跗瘿蜂属 *Ibalia* 体长可达16mm)，粗壮，褐色或黑色。前翅径室(缘室)呈显著的三角形；前翅无真正的翅痣(稀有伪翅痣)。前胸背板侧后方伸达翅基片。侧面观中胸小盾片与并胸腹节常同样大小。跗节5节，转节缩小。腹部常侧扁。

分类：本志仅报道瘿蜂科 Cynipidae 和环腹瘿蜂科 Figitidae 6属7种。

分科检索表

有翅；前翅的 Rs + M 脉若可见时，从 Rs 和 M 脉(基脉)下端或附近发出；雌性腹部第3节通常最大，但有时第2节最大；中后胸上至少部分具刻纹；中胸小盾片端部有时具1根刺 …………………………………………………… **环腹瘿蜂科 Figitidae**

有翅或无翅；前翅 Rs + M 脉若可见时，从 Rs 和 M 脉(基脉)中部发出；雌性腹部最大节为第2节或愈合的第2+3节；中后胸常光滑，具光泽；中胸小盾片端部绝无刺 ………… **瘿蜂科 Cynipidae**

二十二、环腹瘿蜂科 Figitidae

王娟[1] 王义平[1] 陈学新[2]

(1. 浙江农林大学林业与生物技术学院，临安 311300；
2. 浙江大学昆虫科学研究所，杭州 310058)

鉴别特征：体型较小，体长1～10mm。雌性触角13节，雄性触角14节。胸部至少部分具刻纹。小盾片末端有时具有1条刺脊。前翅2～4mm，Rs + M 脉从基脉和 $M + Cu_1$ 脉的连接点或近连接点发出。除狭背瘿蜂亚科第2腹背板为舌状外，其余种类雄虫腹部均不侧扁，雌性常第3腹背板最大，但有时第2腹背板最大。

生物学：环腹瘿蜂科昆虫主要寄生于双翅目昆虫幼虫体内，多数是常见林木钻蛀性害虫的主要寄生天敌，如潜叶蝇等农业有害生物，作为天敌昆虫在林业中具有一定生物防治的作用。

分类：多数分布于新热带区。全世界已知12个亚科135属，1400多种，陕西秦岭地区发现2属2种。

分属检索表

头顶具1条竖直沟，从单眼侧向后延伸至后头；复眼周围具有强烈连续隆脊（构成额脊、后头脊和面部凹陷）；单眼强烈隆起……………………………………… **剑盾狭背瘿蜂属 *Prosaspicera***

头顶中部不具竖直沟，复眼周围具或不具脊；单眼不突起或微凸起…… **狭背瘿蜂属 *Aspicera***

22. 狭背瘿蜂属 *Aspicera* Dahlbom, 1842

Onychia Haliday in Walker, 1835: 162 (nec Hübner, 1816). **Type species**: *Evania ediogaster* Rossi, 1790.

Aspicera Dahlbom, 1842: 6. **Type species**: *Evania ediogaster* Rossi, 1790.

Bellona Giraud, 1860: 156. **Type species**: *Evania ediogaster* Rossi, 1790 (Unnecessary replacement name for *Onychia* Haliday, 1835. nec Reichenbach, 1852).

Heteraspidia Belizin, 1952: 299. **Type species**: *Heteraspidia foveata* Belizin, 1952.

鉴别特征：头下半部具密毛，侧额脊明显，有时近单眼处微弱；头顶具直或弯曲刻纹；单眼突起，后头具明显横脊；额皮质，具明显横脊；触角丝状，雄性14节，雌性13节，雄性第1鞭节具明显凹陷；前胸侧板皮质具微刻纹；中胸背板皮质，有时具横脊，或刻纹；前平行沟明显或微弱，达整个中胸背板长的1/2或1/3；中脊明显或消失，达中胸背板中沟末端；盾纵沟皮质完整光亮，有时内部具横脊；中胸背板中沟皮质光亮，达整个中胸背板的1/3，有时内部具横脊；中胸侧板皮质光滑，具粗糙横脊或基部1/3处具1条沟；小盾片具1条可见刺脊，且具两小盾片窝；前翅径室开放，R_1脉存在，短或长但并未达翅缘，R_2脉直或弯曲，Rs + M脉不存在或略微有痕迹；翅表面具少量毛或不具毛，翅缘有时具缨毛；腹柄宽大于长，第2腹背板马鞍状且光滑，第3腹背板后端具明显刻点。

分布：古北区，新北区。世界已记述47种，中国已知2种，秦岭地区发现1种。

(563) 西伯利亚狭背瘿蜂 *Aspicera sibirica* Kieffer, 1901 中国新纪录种（图版46）

Aspicera sibirica Kieffer, 1901: 158.

鉴别特征：雌虫体长3.20mm。头胸腹黑色。柄节和梗节黑色，鞭节深黑色。足棕色，翅脉棕色。头前面观，额皮质，后半部褶皱；侧额脊平直，与复眼间区域不具横脊。侧面观，颊皮质，窄，具短横脊。背面观，头顶微刻纹，皮质褶皱；单眼微突；后头皮质具，在后部1/3处具微纵脊，基部具微横脊。触角丝状，雌性13节。胸背面观，盾纵沟间具有刻纹、刻点，中脊和盾纵沟间具微褶皱；侧脊完整明显；前平行沟突起，平行，达整个中胸背板长的1/3至1/2；中脊明显突起；盾纵沟皮质，具短横脊，前部光滑；中胸背板中沟具微弱横脊；侧盾片脊后部光滑，前部粗糙皮质；小盾片窝后部具微弱纵脊，前部微褶皱；小盾皮中脊突起，延伸至小盾片刺脊中部；小盾片刺脊细，具纵脊。侧面观，前胸侧板皮质；中胸侧板前1/3处强烈皮质，基部具斜脊，后部光滑。前翅膜质透明，翅表面绒毛递减，翅缘具长缨毛，R_1 脉长，R_2 脉直，Rs + M 脉不存在。

采集记录：1♀，柞水县牛背梁小甘沟，2013. Ⅶ. 15，王师君采。

分布：陕西(柞水)、山西、新疆、福建；俄罗斯。

23. 剑盾狭背瘿蜂属 *Prosaspicera* Kieffer, 1907

Prosaspicera Kieffer, 1907: 152. **Type species**: *Prosaspicera ensifera* Kieffer, 1907.

鉴别特征：头部具毛；侧额脊明显，具或不具额脊；头顶具强烈刻纹或微弱刻纹，头顶后半部皮质或光滑，中竖直沟深，且两侧具1到2条纵脊；后头脊明显，后头光滑至皮质，具或不具横脊；颊宽或不宽；触角丝状，雌性13节，雄性14节。中胸背板光滑或具毛，前胸侧板有时具横脊；中胸背板皮质，有时具横脊；前平行沟和盾纵沟存在；中脊从中胸背板前缘达中胸背板中沟末端，通常很明显；中胸背板中沟明显，占中胸背板长的1/3；中胸侧板光滑或后部2/3皮质；小盾片长大于中胸背板，具2个大且明显的小盾片窝，小盾片脊长，通常表面具纵脊；前翅径室开放，R_1 脉不存在或短，Rs脉长，直或弯曲，Rs + M脉和M脉通常不存在，翅缘毛短或不存在；足胫节后表面具强烈纵脊，通常前表面具1条纵脊；腹柄短，长与宽相等，第2腹背板马鞍状且光滑，第3腹背板具强烈刻点。

分布：新北区，新热带区，亚洲、非洲北部均有分布。全世界已记录30种，秦岭地区发现1中国新纪录种。

(564) 脊剑盾狭背瘿蜂 *Prosaspicera validispina* Kiffer, 1910(图版47)

Prosaspicera validispina Kiffer, 1910a: 336.

鉴别特征：雌虫体长3.00～4.10mm，雄虫体长2.80～3.10mm。头黑色，胸黑色，小盾片刺脊红棕色，除第3腹背板深棕外腹黑色，柄节黑色，梗节深棕色，足棕色至深黑色。头前面观，额皮质具少量脊，侧额脊突起；背面观，头顶具强烈刻纹，皮质，光亮具微弱横脊，后部皮质，具不完整横脊；单眼明显突起；侧面观，颊微宽，皮质，具微横脊。触角丝状，雌性13节。胸背面观，中胸背板皮质具横脊；前平行沟平行，突起，占整个中胸背板长的1/3至1/2；中沟突起，且在中胸背板中沟前分叉；盾纵沟后端宽于前端，雌性盾纵沟皮质，雄性中光滑；中胸背板中沟中央区域光滑，边缘皮质；中胸背板中沟末端突起；侧盾片脊宽皮质；小盾片窝近四方形，光滑且不具后缘；小盾片中脊和侧脊突出并达刺脊的1/3；小盾片刺脊皮质；侧面观，前胸侧板皮质，上半部具强烈横脊；中胸侧板强烈皮质，前部具明显刻点，后 1/3 处光滑；小盾片刺脊侧面观与小盾片在同一平面。前翅膜质透明，翅缘具长毛；R_1 脉很短，近乎不存在，Rs 脉顶部直且后部微弯。

采集记录： 1♀，眉县凉风堰保护站，2013. Ⅶ. 30，王师君采。

寄主： 寄生于马铃薯块茎蛾 *Gelechiidae operculella* 的幼虫中。

分布： 陕西(眉县)、山西、河南、宁夏、浙江、湖南、福建、台湾、海南、广西、重庆、贵州、云南；印度，尼泊尔，马来西亚，印度尼西亚，美国。

参考文献

Ros-Farrè, P. and Pujade-Villar, J. 2013. Revision of the genus *Aspicera* Dahlbom, 1842 (Hym.: Figitidae: Aspicerinae). *Zootaxa*, 3606: 1-110.

Buffington, M. L. 2010. Order Hymenoptera, family Figitidae. *Arthropod fauna of the UAE*, 3: 356-380.

二十三、瘿蜂科 Cynipidae

郭瑞[1,2]　王师君[1]　王义平[1]　陈学新[3]

(1. 浙江农林大学林业与生物技术学院，临安，311300；2. 浙江清凉峰国家级自然保护区管理局，临安，311300；3. 浙江大学昆虫科学研究所，杭州，310058)

鉴别特征： 体极小，体长 1～10mm，球形。体色主要为黑色、红褐色、暗黄色，体表面常具刻纹，触角丝状，12～16 节，雄性第 1 鞭节常变异，前翅 R_3 + M 脉如果存在，延长至基脉的中部或超过末端。中后足胫节具 2 个刺距。雌腹背板常侧扁，第 2 腹背板最大，第 3 腹背缺失，或第 2～3 腹背板愈合，肛下生殖板的腹刺突尖，长短不等。

生物学： 瘿蜂科是瘿蜂科总科 Cynipoidea 中唯一植食性致瘿类常见农林类害虫，该类昆虫雌蜂产卵后诱发寄主植物产生大量虫瘿，从而对寄主植物的正常发育产生不利影响。

分类： 世界广布，但主要分布在北半球的温带地区。世界已知 7 族 77 属，1400 多种，陕西秦岭地区发现 4 属 5 种。

分属检索表

1. 前胸背板中长，至少为其外侧缘最大长的 1/6，通常为 1/3；头和胸常具刻纹，不曾完全光滑和光亮；雌虫第 2～3 腹背板愈合，占据整个腹背板的大部 ……………………… **客瘿蜂属 *Synergus***
   前胸背板背中短，至多为其外侧缘最大长的 1/7；头和胸常皮质或革质，少有刻纹；雌虫第2～3 腹背板不愈合，长分离且腹背板间的沟缝可见 ……………………………………………… 2

2. 头和胸部具密白毛；盾纵沟完全且较浅；前翅存在云斑，体色为红棕色 ………………………………………………………………………………………………… 毛瘿蜂属 ***Trichagalma***
   头和胸部具稀疏毛，如果具密白毛仅存在于脸颊下方和侧面；盾纵沟缺失或不完全，通常完全达到前胸背板；翅无云斑，体色黑色或者黑褐色 ……………………………………………… 3
3. 腹部肛下板的刺突较为突出，顶端有两束，每束有5~8根刚毛且一直延续到顶点（或超过其长度）………………………………………………………………………… 二叉瘿蜂属 ***Latuspina***
   腹部肛下生殖板细长成针状且具稀毛，顶端具毛丛 ………………… 栗瘿蜂属 ***Dryocosmus***

24. 栗瘿蜂属 *Dryocosmus* Giraud, 1859

Dryocosmus Giraud, 1859: 353. **Type species**: *Dryocosmus cerriphilus* Giraud, 1859.

Entropa Förster, 1869: 330. 334. **Type species**: *Entropa lissonota* Förster, 1869.

属征：体长1.40~2.60mm。黄至深褐色；腹深色，具少量短毛；头光滑，皮质到革质，无毛，自唇基至复眼半部具放射状线条刻纹，到达触角槽；头项及后头具刻纹，有时强烈革质或皱纹；小盾片一致皱缩；小盾片具凹陷窝或无中脊分离；肛下生殖刺突短，具稀毛丛。

分布：全北区。世界已记述30种，秦岭地区发现1种。

（565）栗瘿蜂 *Dryocosmus kuriphilus* Yasumatsu, 1951（图版48）

Dryocosmus kuriphilus Yasumatsu, 1951: 54.

鉴别特征：体长2.50~3.00mm。体黑褐色；唇基、上颚、触角基部、足黄褐色。翅透明，翅脉褐色；头革质，光滑发亮，具稀疏白毛，低颜面具密短毛。复眼后颊革质，其略宽于复眼。低颜面皮质至革质，具密短白毛；唇基方形，长略大于宽，具较深的前幕骨坑，唇基横沟和侧沟明显。唇基至复眼间具线条刻纹，并达到复眼内缘。单眼三角区凹陷、光滑、光亮，皮质具细微网状刻点；触角14节，大于体长；前胸背板中间光滑、皮质、具稀疏毛，前胸侧板具强烈刻纹和稀疏白毛。中胸背板皮质，光滑、光亮，盾纵沟完整。中胸侧板光滑、光亮，具稀疏白毛。小盾片圆钝，长略大于宽，两侧未凹陷，皮质，整个小盾片具不规则刻点及稀疏长白毛；小盾片凹陷窝宽，相互由发达的窄脊分离，后端界限不明显。并胸腹节侧脊、中脊明显，侧脊自中至后端向外微弯曲；前翅翅缘具长缨毛；腹长于胸和头之和；腹背板均光滑发亮无刻点。肛下生殖节的腹刺突相对较粗且长，两侧具稀疏短毛，背观其不成2束。

采集记录：5♂6♀，周至楼观台，1250m，2012.Ⅵ.20，郭瑞采；5♂5♀，周至老县城，1750m，2013.Ⅶ.21-30，郭瑞采；6♂8♀，佛坪岳坝乡，1550m，2013.Ⅵ.21-30，郭瑞采。

分布：陕西（周至、佛坪）、辽宁、北京、天津、河北、山东、河南、江苏、安徽、浙江、湖北、江西、湖南、福建、广东、广西、四川；日本。

寄主： 寄主为板栗 *C. mollissima* Blume，虫瘿主要存在于叶芽上，膨大形成球形，虫瘿瘿室较大，多室。虫瘿出现在四月初，为绿色；六月下旬虫瘿成熟，瘿蜂出瘿。

25. 二叉瘿蜂属 *Latuspina* Monzen，1954

Latuspina Monzen，1954：78，**Type species**：*Neuroterus*（*Latuspina*）*stirps* Monzen，1954.

鉴别特征： 体黑色；头皮质至革质，具稀疏褐色短毛。头顶革质，无毛；低颜面具稀疏棕色短毛，隆起区域革质，眼颚缝缺失；后头革质具稀疏棕色短毛。胸部侧面观，具稀少褐色短毛。中胸背板长略大于宽，盾纵沟存在但较浅；中胸侧板皮质，具线条刻纹；小盾片圆盾形，革质具微褶皱和稀疏长毛，凹陷窝横向较宽，中央无脊分离，后端界限不明显。并胸腹节侧脊存在，微向外弯曲。所有腹背板光滑无刻点，肛下生殖节的腹刺突较短，基部较宽，突出部分顶端分为两支，每支顶端上各具 1 束长白毛。

分布： 古北区，东洋区。中国已知 4 种，秦岭地区发现 1 种。

（566）陕西二叉瘿蜂 *Latuspina shaanxinensis* Wang，Pujiade - Villar *et* Guo，2016（图版 49）

Latuspina shaanxinensis Wang，Pujiade - Villar *et* Guo，2016：85.

鉴别特征：（两性雌虫）体长 2.10mm。体黑色；但下颚须褐色；触角柄节至第 1 鞭节淡黄色，其余鞭节褐色；足基节黑褐色，其余淡黄色。头革质至皮质，具稀疏短毛。头顶革质，无毛；前面观，头宽是高的 1.60 倍，略窄于胸。复眼后颊革质，其宽度小于复眼宽度，前面观颊不可见，横向宽是复眼高的 1.80 倍。低颜面具稀疏棕色短毛，隆起区域革质，其余皮质，其横向间距为复眼高的 1.80 倍；唇基至复眼间皮质，其基部具放射状微弱线条刻纹，但未达到复眼基部和触角窝底部。眼颚缝缺失，颚间距为复眼高的 0.10 倍。唇基近圆形，皮质，具明显小的前幕骨坑；唇基横沟和唇基侧沟缺失；触角槽直径为触角槽间距的 1.60 倍，略大于触角窝到复眼内缘间距。背观，头宽为中间长的 2.20 倍；后单眼间距为单复眼间距的 1.30 倍，单复眼间距为侧单眼直径的 5 倍，为侧单眼间距的 2 倍。颊、额革质；后头革质具稀疏短毛。单眼三角区凹陷区革质且具细微网状刻点。触角 14 节，长于头胸之和；梗节长略短于柄节，且长略大于宽；第 1 鞭节的长是第 2 鞭节的 1.50 倍，其长为梗节长的 2.60 倍；第 2 鞭节至第 6 鞭节基本等于或短于第 2 鞭节。第 7～11 鞭节最短，明显短于第 12 鞭节。柄节至第 12 鞭节的比为 9∶8∶21∶14∶13∶13∶13∶12∶8∶9∶8∶8∶8∶17。侧面观胸部长为高的 1.20 倍，具稀少褐色短毛。前胸背板皮质，光滑发亮，无毛，前侧基部具横向刻纹。中胸背板前端皮质，光滑发亮，后端具网状刻纹，长略大于宽；盾纵沟缺失，但具较宽革质条纹延伸至中胸盾片底端、中胸背板、亚侧沟和前平行沟均缺失；中胸侧板皮质光亮，其中间具较宽且微弱的横向线条刻纹，三角区域光滑发亮具微弱刻纹；小盾片长方形，长是宽的 1.20 倍，皮质具尖锐褶皱；凹陷窝横向、光滑、光亮，无稀疏凹陷脊，端无绒毛，中央无脊分离，后端界限不明显。后胸背板槽皮质，光滑，腹凹陷光滑，无皱褶，后胸侧板沟延伸至高的 1/2；并胸腹节侧脊完整，向外微弯曲形成明显的中央区域，中央区域细微皮质具中脊，侧脊外区域革质，无毛。前翅长于体；前翅翅缘具长缨毛。径室长为宽的 3.60 倍；翅脉 R1 和 Rs 均到达翅缘；三角室存在但不明显；Rs + M 模糊可见。腹短于头胸之和；所有腹背板光滑无刻点，腹侧无毛；第 2 腹背板宽，占整个腹部长的 1/3。肛下生殖节的腹刺突较短，基部较宽，突出部分顶端分为两支，每支顶端上各具 1 束长白毛。

采集记录：2♀1♂，周至厚畛子，2011. Ⅵ. 18，郭瑞采。

分布：陕西(周至)。

寄主：寄主为栎属 *Quercus* 植物，虫瘿采集于 2011 年 5 月 17 日，在实验室条件下，2011 年 6 月 18 日出瘿。虫瘿寄生在寄主植物叶缘，形成球状突起，直径1.50mm 左右，单室。

26. 毛瘿蜂属 *Trichagalma* Mayr, 1907

Trichagalma Mayr, 1907: 3. **Type species**: *Trichagalma drouardi* Mayr, 1907.

属征：体黑褐色或褐色。触角丝状，雌性 13 节；复眼后颊明显变宽；头和胸具密毛；小盾片延伸至后胸背板外；并胸腹节侧脊缺失；侧面观，腹部极度侧扁，形似刀刃；产卵鞘短。

分布：中国，日本，朝鲜。世界已知 3 种，秦岭地区发现 1 种。

(567) 台湾毛瘿蜂 *Trichagalma formosana* Melika *et* Tang, 2010(图版 50)

Trichagalma formosana Melika *et* Tang, 2010: 11.

鉴别特征：(单性雌虫)体长 5.10mm。体黑褐色至黑色；后头、头顶单眼区、触角、下颚须、前平行沟、两盾纵沟之间、小盾片凹陷、并胸腹节的中央区域均为黑色；翅膜质，且具黑褐色云斑。头皮质，具均匀浓密白毛，前面观，头宽为高的 3.20 倍，几乎和胸等宽。颊皮质，复眼后加宽，其宽度明显大于复眼；低颜面皮质，中央隆起区域具密白毛。唇基矩形，扁平，其宽为高的 2 倍，皮质，具较深前幕骨坑，额唇基沟清晰可见。颚眼距皮质，具密毛，为复眼高的 0.40 倍；唇基具微弱网状刻纹，刻纹未达到复眼内缘。复眼内缘间距长为复眼高的 1.40 倍；触角窝直径大于触角间距，两触角之间的距离为单眼直径的1.10倍。背观，头宽为长的2.60倍；后单眼间距、侧单眼间距与侧单复眼间距之比为2.3∶1∶2。额皮质至革质，光滑，单眼区具刻点和白毛；头背革质且光滑，具长白毛。触角14节，其长度大于头和胸长度之和；梗节和长宽基本相等，近球形，第1鞭节的长为梗节的5倍，为第2鞭节的1.20倍，第2鞭节长为第3鞭节的1.40倍，第4鞭节比第3鞭节稍短，第6～11鞭节几乎相等且短于第5鞭节；第12鞭节长是第11鞭节的1.50倍。柄节至第12鞭节长的比为15∶5∶25∶20∶15∶14∶13∶10∶10∶9∶9∶9∶9∶14。侧面观，胸长大于宽，具均匀白色密毛。前胸背板皮质至革质，具密白毛；前胸侧板皮质，横向条纹延伸至侧板基部，具白色毛。中胸盾片皮质，长大于宽，盾纵沟完整，中胸中线浅，延伸至整个中胸背板；前平行沟和亚侧平行线较宽，光滑，光亮，延长至整个中胸盾片的1/2。中胸盾片与小盾片之间的横沟缺失。中胸小盾片长略大于宽，均匀皮质具褶皱。小盾片前无明显的凹陷，仅具横向浅凹陷，凹陷窝内革质。中胸侧板皮质，有光泽，具密白色毛；中胸侧片三角区前端皮质，后端区具刻纹，无毛。侧面观，并胸腹节侧脊缺失，中心区域光滑，光亮，无纵向黑色较宽隆起，无毛；并胸腹节侧区域皮质，具刻纹和褶皱及密白毛。跗节端部的爪简单，无齿。前翅的长大于体长，具黑褐色纹和不对称的黑色云斑，前翅边缘具短而密集的缨毛；前翅径室长为宽的4.40～4.50倍，R_1脉较长，达翅缘。Rs+M脉达到基脉基部下的1/3。腹部长长于头部和胸部之和。侧面观，腹部高大于长，光滑，光亮，无毛；侧面观，第2腹背板中部具密白毛，后侧下方具稀疏长白毛；第2腹背板呈弧形，长度占整个腹部的1/4；腹部肛下生殖刺突很短，长几乎等于宽，刺突顶端具1簇长密白毛。

采集记录：2♀，周至楼观台，2010.Ⅸ.11，郭瑞采。

分布：陕西（周至）、台湾。

寄主：寄主为栎属*Quercus*植物，虫瘿采集于2010年7月，经实验室条件密封饲养，于2010年9月11日出瘿。其虫瘿为球状，表面光滑，直径0.50mm～2.00mm，单室，寄生在枝条上。未成熟虫瘿为白色，随着其成长由绿色变为成熟后的棕色。

27. 客瘿蜂属 *Synergus* Hartig, 1840

Synergus Hartig, 1840: 186. **Type species**: *Synergus vulgaris* Hartig, 1840.

Sapholytus Foerster, 1869: 332, 337. **Type species**: *Synergus apicalis* Hartig, 1840.

属征：体主要黑色，翅脉深褐；头横向，皮质，皱纹，自唇基至复眼具放射状刻纹；颜面具强烈刻纹；唇基具放射刻纹，额革质，皱纹，有或无刻点；雌虫触角14节，雄虫15节；雄虫第1鞭节直或变异；中胸盾片有或无横向皱纹；中胸侧片具线条刻纹；并胸腹节侧脊直，亚平行或略向内汇合；前翅缘具缘毛；径室关闭；第2～3腹背板愈合，肛下生殖刺突短。

分布：全北区。世界已知100余种，中国记录2种，秦岭地区发现2个中国新纪录种。

分种检索表

额侧脊间区域和单眼三角区具针状刻纹或褶皱；中胸背板中线延伸至整个中胸背板长的1/3；触角第1鞭节至多为梗节长的1.70倍 ······································ **白足客瘿蜂 *S. pallipes***

额侧脊间区域和单眼三角区革质具微弱刻纹；中胸背板中线延伸至整个中胸背板长的3/4或以上；触角第1鞭节至少为梗节长的1.90倍 ··············· **球瘿客瘿蜂 *S. gallaepomiformis***

（568）球瘿客瘿蜂 *Synergus gallaepomiformis*（Boyer de Fonscolombe，1832）中国新纪录种（图版51）

Diplolepis gallae-pomiformis Boyer de Fonscolombe，1832：195.

Synergus facialis Harting，1840：199.

Synergus vulgaris Harting，1840：198.

Synergus basalis Harting，1840：198.

Synergus bispinus Harting，1841：347.

Synergus australis Harting，1843：414.

Aulax albinervis Snellen van Vollenhoven，1869：126.

Synergus pomiformis Kieffer，1898：264.

Synergus pomiformis var. *minima* Kieffer，1899：358.

Synergus gallaepomiformis Dalla Torre *et* Kieffer，1910：621.

鉴别特征：雌虫体长2.10mm；前翅长2.40mm。头部黑色，除低颜面常黄或黄红色至红色棕色至暗红色；胸黑色，触角和足全为黄色或者黄红色。腹部背面黑色，侧面棕色。翅脉明显，棕色。体具稀疏白毛。头皮质，前面观，略横向，具稀疏白毛，其宽是高的1.30倍；上观，头宽为长的1.70~1.90倍。颊细微皮质，复眼后颊未加宽。颚间距是复眼高度的0.60倍，具有自唇基到复眼的放射状细微刻纹。POL是OOL的1.90倍，OOL等长或略微短于LOL。颜面横向距离略等于复眼的高度；触角槽直径是两触角槽之间距离的2倍，略长于触角槽至复眼之间的间距。复眼内缘平行。低颜面中间凸起部分均匀皮质。唇基具条纹，具有大而明显的前幕骨坑；唇基侧沟和横沟不明显。额皮质，具有明显而深的刻点，侧额脊明显，延伸至侧单眼；顶点，单眼间和后头部明显具刻点和褶皱。触角14节，长于头和胸；梗节长宽相等；F1为梗节的2.10倍，略长于或等长于F2；F2与F3相等；鞭节未加宽或微弱膨大不明显。侧面观，前胸背板皮质；前胸背板侧脊发达，明显；背观，前胸背板具有发达的角。中胸盾板皮质或具微弱但未间断的横向褶皱，略宽于长。盾纵沟完整，沟内底部具褶皱；中胸背板中沟至少延伸至中胸背板长的3/4，前窄后宽；亚侧沟明显，延伸至翅基部；前平行沟明显，宽，短。小盾片圆钝，具均一钝褶皱；略微遮住后胸盾板；小盾片窝卵形，宽略宽于高，底部光滑，光亮，无毛；由1条明显窄的皮质中脊分开。中胸侧板整个具条纹，条纹间光滑，光亮；中胸侧板三角区均一的细微皮质，具径向纹，少毛。后胸侧板沟延伸至中胸侧板高度的1/3；并胸腹节侧脊直，均一的宽，具毛；并胸腹节中央区域细微皮质，前半部具密毛；侧区均一的细微皮质，具相对密白毛。翅膜质，长于体长，翅缘具有长缨毛；径室关闭，径室长是宽的2.80～3.00倍；三角区大而明显；Rs+M脉明显，延伸至三角区和M脉之间的2/3。腹部长于头与胸之和，侧面观，其长宽于高；第2与第3腹板后端具小的细微刻点带；生殖板具密刻点，生殖刺突短，具少量毛。雄性触角15节，F1略弯曲，基部平，端部强烈或适当膨大，F1为F2的2.20～2.30倍；F2至F5其长是宽的2～3倍。

采集记录： 3♀，周至厚畛子，2011.Ⅵ.03，郭瑞采。

寄主： 寄主为壳斗科栎属 *Quercus*。虫瘿着生在寄主植物的嫩芽上，一般形成球状虫瘿，直径8mm～18mm，初形成时为淡绿色，成熟为深绿色。虫瘿采集于2011年5月17日，经密封饲养于2011年6月3日出瘿。

分布： 陕西(周至)；俄罗斯，伊朗，南非，乌克兰。

(569) 白足客瘿蜂 *Synergus pallipes* Harting, 1840 中国新纪录种(图版52)

Synergus pallipes Harting, 1840: 198.

鉴别特征： 雌虫体长1.60～2.80mm；前翅长2.20mm。体主要为黑色，低颜面为黑色，触角和足棕色至深棕色；腹部除腹缘和生殖板是棕色外，其余为黑色；翅脉棕色。头前面观，呈梯形，其宽是高的1.30倍；前面观，头略宽于胸。颊革质，复眼后颊未变宽，头前面观不可见。低颜面疏毛，具有自唇基至触角窝和复眼的放射状线条刻纹；颜面横向距离与复眼高等长；唇基革质，宽大于高，具有前幕骨坑；口上沟和唇侧沟均不明显。颚间距为革质，与复眼高接近，具有自唇基延伸至复眼的线条刻纹；POL是OOL的2.50倍，OOL等长于侧单眼直径和LOL。背观，头宽是高的2倍，顶点和单眼区具褶皱，稀疏毛。侧额脊微弱。触角14节，略长于头胸长之和；梗节等长或略长于宽；F1是梗节的2倍，是F2的1.40倍；F2与F3等长。胸侧面观，胸长宽于高，具密白毛。前胸背板革质，具明显不规则褶皱，具毛。中胸盾板具有强烈的脊，具稀疏白毛。盾纵沟完整，延伸整个中胸盾版；中胸背板中沟明显，至少延伸至中胸背板长的1/2；亚侧沟和前平行沟均存在；中胸背板横裂缝宽且深。小盾片具褶皱和稀疏长毛。小盾片窝卵形，深，无毛。中胸侧板具有明显横线条刻纹，无毛；中胸侧板三角区具有浓密长毛。后胸侧板沟延伸至中胸侧板高的的1/4。并胸腹节侧脊平行，中央区域前部具有密白毛。前翅短于体长，翅缘具有短缨毛；径室沿翅缘关闭，长为宽的2.90倍，三角区大，但不明显。腹部短于头与胸之和，侧面观，长大于其高，第2腹背板前侧具有稀疏白毛，剩余背板均无毛；第2背板仅端部具刻点，肛下生殖板端部无刻点；生殖板的腹刺突短。

采集记录： 7♀，周至楼观台，2010.Ⅸ.11，郭瑞采。

分布： 陕西(周至)；俄罗斯，乌克兰。

寄主：寄主为栎属 *Quercus* 植物，于2010年7月20日采集于陕西周至楼观台栎属枝条上的球瘿，直径为10～20mm，球形，内为小球单室。成熟前为淡黄色，成熟后为黄棕色。自然条件下，密封饲养，于9月11日出瘿。

参考文献

Malyshev, S. I. 1968. *Genesis of the Hymenoptera and the Phases of Their Evolution.* Methuen, London. 1968, 1-230.

Ronquist, F and Liljeblad, J. 2001. Evolution of the gall wasp-host plant association. *Evolution*, 55(12): 2503-2522.

Ⅵ. 姬蜂总科 Ichneumonoidea

鉴别特征：（1）成虫上颚具2枚齿；（2）胸腹侧片与前胸背板侧缘垂直方向愈合，中胸气门位于胸腹侧片正上方；（3）腹部第1腹板分成两部分，前半部分骨化程度高，后半部分骨化程度低；（4）腹部第1节和第2节通过位于第1背板端缘和第2背板基缘的背侧关节相连接；（5）前翅前缘脉和亚前缘脉近贴，前缘室比前缘脉宽度还要窄，通常情况下前缘室完全缺；（6）前翅2r-m脉缺；（7）幼虫具口后骨腹枝。

分类：目前姬蜂总科仅含有2个现存的科，即茧蜂科 Braconidae 和姬蜂科 Ichneumonidae，以及1个化石科，真姬蜂科 Eoichneumonidae。

分科检索表

前翅有2条回脉；第1亚缘室(肘室)与第1盘室不分开而合并成为1个盘亚缘室，其他翅脉很少退化；腹部各节均可自由活动；体长多在7mm以上；多为单寄生 ………… **姬蜂科 Ichneumonidae**

前翅有1条回脉，或无；第1亚缘室(肘室)与第1盘室有时由肘脉第1段分开为2个室，或肘脉或肘间横脉消失；腹部第2、3背板愈合不能自由活动；体长多在7mm以下；单寄生或聚寄生……………………………………………………………………………… **茧蜂科 Braconidae**

二十四、茧蜂科 Braconidae

陈学新　李杨　唐璞　刘珍　毛宁　毛沙江洋

（浙江大学昆虫研究所，杭州 310058）

鉴别特征：体小型至中等大，体长2～12mm居多，少数雌蜂产卵管长与体长相等或长于数倍。触角丝形，多节。翅脉一般明显；前翅具翅痣；1+Rs+M脉(肘脉第1段)常存在，而将第1亚缘室和第1盘室分开；绝无第2回脉；亚缘脉(径脉)或r-m脉(第2肘间横脉)有时消失。并胸腹节大，常有刻纹或分区。腹部圆筒形或卵圆形，基部有柄、近于无柄或无柄；第2+3背板愈合，虽有横凹痕，但无膜质的缝，不能自由活动。产卵管长度不等，有鞘。

生物学：茧蜂科的寄主均为昆虫，涉及最广的是全变态昆虫，包括了几乎所有代表目。矛茧蜂亚科和优茧蜂亚科可广泛寄生不完全变态昆虫。虽然，蝇茧蜂亚科和反颚茧蜂亚科少数类群可寄生水生双翅目 Diptera，但未发现蜻蜓目 Odonata、蜉蝣目 Ephemeroptera、𫌀翅目 Plecoptera 和毛翅目 Trichoptera 被茧蜂寄生。营外寄生生活的虱目 Anoplura 和蚤目 Siphonaptera 也不被茧蜂寄生。

尽管茧蜂寄主有120多个科的昆虫，但大多数亚科只限于寄生某个目的昆虫。相当多亚科以鳞翅目 Lepidoptera 昆虫为寄主。反颚茧蜂亚科和蝇茧蜂亚科(两者相加约2400种)是双翅目环裂部 Cyclorrhapha 的内寄生蜂。蚜茧蜂亚科(大约300多种)全寄生于同翅目 Homoptera 蚜科 Aphidiidae 昆虫。蚁茧蜂亚科是一个较小的类群，寄生于膜翅目 Hymenoptera 蚁科 Formicidae 成虫。少数茧蜂亚科可寄生2个目以上的昆虫。只有4个亚科，即：矛茧蜂亚科、优茧蜂亚科、茧蜂亚科和异茧蜂亚科寄生于3个或更多目的昆虫。

分类：茧蜂科包括35个亚科，全世界已知超过50000余种，我国已记录2224种，陕西秦岭地区发现12亚科34属64种。

(一)内茧蜂亚科 Rogadinae

鉴别特征：触角14~104节。下颚须和下唇须分别为6节和4节；上唇内凹，光滑无毛，通常近垂直，不向后倾斜，但阔跗茧蜂族 Yeliconini 上唇平坦，多少后倾近水平状；上颚多强壮，单齿或2齿；前胸背板凹通常不存在；前胸背板很短于中胸盾片，前端圆形，不突出；前胸腹板通常平坦，中等程度至强度向后突出，侧面观可见；胸腹侧脊存在，偶尔缺少或退化。中胸盾片横沟无或仅中央存在；前翅 $M+Cu_1$ 脉通常平直或稍弯曲，但有时明显弯曲；前足基跗节具内凹，有特化的毛，但有时无此凹；前足和中足端跗节正常，短于2~4跗节之和，但阔跗茧蜂族前中足跗节很阔，第2~4跗节很短，端跗节很大而长，长于第2~4跗节之和；后足基跗节有特化区；腹部第1背板背脊常愈合，侧凹无或模糊。

生物学：鳞翅目昆虫的容性内寄生性茧蜂，主要寄生于谷蛾总科 Tineoidea、巢蛾总科 Yponomeutoidea、麦蛾总科 Gelechioidea、斑蛾总科 Zyganeoidea、螟蛾总科 Pyralidoidea、卷蛾总科 Tortricoidea、尺蛾总科 Geometroidea、天蛾总科 Sphingoidea、蚕蛾总科 Bombycoidea、夜蛾总科 Noctuoidea、舟蛾总科 Notodontoidea、弄蝶总科 Hesperioidea 和凤蝶总科 Papilionoidea 等总科的30多个科的种类。被寄生的寄主幼虫僵硬，寄生蜂在寄主僵硬虫尸内化蛹。绝大多数种类为幼虫单寄生，少数为聚寄生。

分类：世界已知58属1159种，中国已记录24属136种，陕西秦岭地区发现2属5种。

分属检索表

腹部第4~5背板具锐的侧褶；前翅 m-cu 脉多少弯曲，与 $2\text{-}Cu_1$ 脉平滑连接；后足胫节端部内方有1排梳状黄白色毛；下颚须第3节(尤其是雌性)常常扩大；雌性下生殖板中等至大；颚眼沟多少存在；产卵管鞘细；跗爪有或无基叶突 ………………………………… **内茧蜂属 *Rogas***

腹部第4~5背板不具锐的侧褶；前翅 m-cu 脉直，与 $2\text{-}Cu_1$ 脉成角度；后足胫节端部内方无1排梳状黄白色毛；须正常；雌性下生殖板小至中等；无颚眼沟；产卵管鞘较宽大；跗爪简单，无基叶突 ……………………………………………………………………… **脊茧蜂属 *Aleiodes***

28. 内茧蜂属 *Rogas* Nees, 1818

Rogas Nees, 1818: 306. **Type species** (designated by Curtis, 1834): *Ichneumon testaceus* Fabricius, 1798[nec Gmelin, 1790; = *Rogas luteus* Nees, 1834].

Pelecystoma Wesmael, 1838: 91. **Type species** (desig. by Foerster, 1862): *Rogas luteus* Nees, 1834[type lost].

属征: 触角 53 ~ 71 节，端节具短刺。后头脊完整；额和头顶平且光滑；颚眼沟存在；复眼明显内凹。盾片前凹深且窄；胸腹侧脊完整；基节前沟仅中部有痕迹，狭窄且表面具平行刻条；盾纵沟狭窄。后胸背板中纵脊长，不突出或稍突出。并胸腹节分区不规则，不完整且比较窄；无并胸腹节瘤，但脊稍突起。前翅 1-SR 脉长，与 1-M 脉成 1 条直线；前翅 m-cu 脉刚前叉，弯曲，渐并入 2-Cu_1 脉，向后与 1-M 脉会聚，前翅 r 脉不与痣脉后缘成 1 条直线；前翅 3-SR 脉中等大小，明显长于 2-SR 脉；前翅第 1 亚盘室长，1-Cu_1 中等大小；后翅缘室端部与翅缘平行，SR 脉基部稍弯；后翅 1r-m 脉斜；后翅 cu-a 脉明显弯向翅基部。跗爪具大而平截的基叶突；雄虫跗节正常，与雌虫跗节相似；中足、后足胫节距长直，具刚毛；后足胫节端部内侧具明显特化的梳状刚毛。第 1 背板具大背凹，背脊达背板端部；第 2 背板有或无中纵脊，基部中央具不规则而部分有刻纹的基区；第 2 ~ 5 背板具锋利的侧褶；雌虫下生殖板中等大小，腹面部分平直，端部平截。

生物学: 寄生于刺蛾科 Limacodidae 和凤蝶科 Papilionidae；有寄生于尺蛾科 Geometridae 和卷蛾科 Tortricidae 的记录，但还需证实。

分布: 古北区，东洋区。全世界共知 7 种，我国已记录 4 种，秦岭地区发现 1 种。

(570) 黑痣内茧蜂 *Rogas nigristigma* Chen *et* He, 1997 (图 1)

Rogas nigristigma Chen *et* He, 1997: 87.

鉴别特征: 体长 5.90mm；前翅长 6.80mm。触角 77 节，具密毛，端节具短刺，下颚须长度为头高的 1.50 倍，头顶和上颊光滑，头顶明显后倾；额平坦，光滑。脸具刻纹，中央稍隆起。唇基稍凸，具刻点。前胸背板侧面中央及后方具平行刻纹，下方具纵刻纹，其余光滑。中胸侧板除背方具刻纹外，光滑。后胸侧板前缘和下缘具皱纹，其余具稀刻点，刻点间侧板光滑。中胸盾片前方陡，小盾片前沟宽而深，并胸腹节短，明显后倾，中纵脊完整，具不规则刻纹。前翅 1-SR + M 脉稍曲，SR_1 脉端部弯曲；cu-a 脉近垂直。后翅缘室平行；2-Sc + R 脉四边形；cu-a 脉垂直；无 m-cu 脉。前后翅翅面具密毛。跗爪腹面具大而锐的叶突。后足基节光亮，具少许浅刻纹；后足腿节、胫节和跗节长分别为宽的 4.40、8.70 和 8.00 倍；后足跗节为其胫节长的

0.80倍；后足胫节距长为其基跗节的0.33和0.40倍，几乎直，具毛。第1背板长是端宽的1.20倍，两侧近平行，具皱状纵刻条，背凹大，背脊愈合，围成1个基区，中纵脊弱。第2背板长度是第3背板的1.20倍；基区大，近三角形，具刻纹。第2、3背板具明显的皱状纵刻条，第4、5背板具稍弱的皱状纵刻条；第6背板光滑。

采集记录：1♀，华山，1986. Ⅶ. 13，常育军采，No. 871223；1♀（正模），宁陕，1983. Ⅺ. 11，王家儒采，No. 907465。

分布：陕西（华阴、宁陕）、浙江。

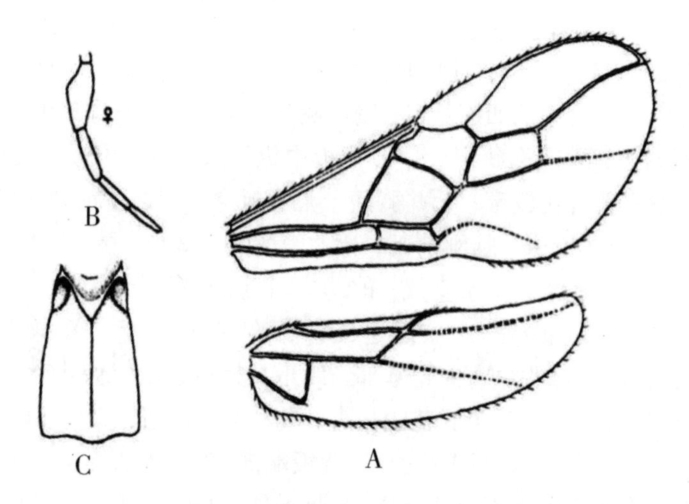

图1 黑痣内茧蜂 *Rogas nigristigma* Chen *et* He

A. 翅；B. 须；C. 腹部第1节背板

29. 脊茧蜂属 *Aleiodes* Wesmael, 1838

Aleiodes Wesmael, 1838: 194. **Type species**: *Aleiodes heterogaster* Wesmael, 1838 [= *A. albitibia* (Herrich-Schaffer, 1838).]

Petalodes Wesmael, 1838: 123. **Type species**: *Petalodes unicolor* Wesmael, 1838 [= *Aleiodes compressor* (Herrich-Schaffer, 1838).].

Heterogamus Wesmael, 1838: 120. **Type species**: *Aleiodes crypticornis* Wesmael, 1838 [= *A. dispar* (Haliday, 1833).].

Nebartha Walker, 1860: 310. **Type species**: *Nebartha macropodides* Walker, 1860.

Neorhogas Szepligeti, 1906: 605. **Type species**: *Neorhogas luteus* Szepligeti, 1906 [*Aleiodes praetor* (Reinhard, 1863)].

Chelonorhogas Enderlein, 1912a: 258. **Type species**: *Chelonorhogas rufithorax* Enderlein, 1912 [nec Cameron, 1911 = *A. convexus* van Achterberg, 1991].

Leluthinus Enderlein, 1912b: 96. **Type species**: *Leluthinus lividus* Enderlein, 1912.

Aleirhogas Baker, 1917: 383-411. **Type species**: *Rhogas* (*Aleirhogas*) *schultzei* Baker, 1917.

Heterogamoides Fullaway, 1919: 43. **Type species**: *Heterogamoides muirii* Fullaway, 1919.

Hyperstemma Shestakov, 1940: 10. **Type species**: *Hyperstemma chlorotica* Shestakov, 1940.

Jirunia Malac, 1941: 137. **Type species**: *Heterogamus farmakena* Malac, 1941[= *Aleiodes excavatus* Telenga, 1941].

属征：触角 27 ~75 节；端节有或无刺。头顶和额光滑或具刻纹；颚眼沟缺；复眼或多或少内凹；盾前凹或多或少发达；前胸腹板有变化，较宽且向上弯曲至弱小；胸腹侧脊完整；基节前沟有或无；盾纵沟有变化，有时部分消失；小盾片侧脊无、模糊或显著。后胸背板中脊无至几乎完整。并胸腹节不分区，至多有一些脊，通常无并胸腹节瘤，但在某些种中则有。前翅的 1-SR 脉有变化 m-cu 脉前叉，直，与 2-Cu_1 脉成角度并在后方与 1-M 脉收窄或平行；前翅 r 脉通常中等长，但许多种类长；前翅 3-SR 脉大约等长或长于 2-SR 脉；前翅第 1 亚盘室大至细长，1-Cu_1 脉水平，短至长；前翅 cu-a 脉短至长，垂直或内斜；前翅 M + Cu_1 脉通常稍波曲；后翅缘室有变化，平行或端部变宽；后翅 1r-m 脉长至相当短，斜。跗爪无叶突和刚毛，某些种呈栉形；雄虫跗节正常，相似于雌虫跗节；胫节端部内侧无明显特化的梳状毛，罕见有。第 1 背板具大至相当小的背凹，其背脊连接，或多或少成拱状，无基凸缘；第 2 背板基部中央有三角区，中纵脊多样；第 2 背板以及至少第 3 背板基部有锋利的侧褶，但在某些种中第 14 背板上也有侧折缘；雌虫下生殖板中等大小，腹方平直，端部平截。

生物学：内寄生于巢蛾科 Yponomeutidae、斑蛾科 Zygaenidae、羽蛾科 Pter-ophoridae、枯叶蛾科 Lasiocampidae、尺蛾科 Geometridae、夜蛾科 Noctuidae、舟蛾科 Notodontidae、灯蛾科 Arctiidae、毒蛾科 Lymantriidae、钩蛾科 Drepanidae、天蛾科 Sphingidae、灰蝶科 Lycaenidae、弄蝶科 Hesperiidae 和眼蝶科 Satyridae 等 14 科的(低龄)幼虫。对刺蛾科 Limacodidae、卷蛾科 Tortricidae、织蛾科 Oecophorida、潜蛾科 Lyonetiidae 和蛱蝶科 Nymphalidae 的寄主记录需进一步证实。

分布：全世界。秦岭地区发现 4 种。

分种检索表

1. 后翅缘室端半明显扩大，端部最大宽度为基部近翅钩处宽度的 1.60 倍或更大，如果两侧近平行，则跗爪具黑色栉齿；中胸侧板部分光滑，至少刻纹间侧板光滑，但克鲁脊茧蜂 *A. krulikowskii* 具密集的皱纹；第 2 背板中基部有明显和光滑的三角区。后头脊腹方退化，不达口后脊；小盾片侧脊通常缺 ………………………………………………………………………… 2
   后翅缘室端半两侧平行或稍为扩大，端部最大宽度少于基部近翅钩处宽度的 1.80 倍，如果达到 2.50 倍，则中胸侧板大部分皮革状；中胸侧板通常皮革状或细颗粒状，但 *bicolor* 种团中部具粗皱；跗爪至多具黄色栉齿；第 2 背板中基部无三角区或三角区很小或不明显。后头脊腹方通常完整，与口后脊相连；小盾片侧脊或多或少发达，但有时缺 ……………………… 3
2. 后足跗爪具明显黑色栉齿，偶尔为褐色栉齿，栉齿粗大；若栉齿处于中间状态或几乎没有，则前翅 1-Cu_1 脉与 2-Cu_1 脉等长和翅面近透明 ………………………… **谢氏脊茧蜂 *A. shestakovi***
   后足跗爪具黄色或褐色白毛，通常具 3 根黄色或褐色的长鬃，或仅基节具栉齿；若偶尔具明显的黄色栉齿，则翅面褐色；前翅 1-Cu_1 脉明显短于 2-Cu_1 脉 ……………………………………………………………………………………… **折半脊茧蜂 *A. ruficornis***

3. 上颊在复眼后方显著收窄。背面观复眼长是上颊长度的3.50～6.20倍；单眼大，OOL为后单眼直径的0.30～0.80倍；雌性颚眼距侧面观为复眼高的0.25倍 ……………………………………………………………………………………… 松毛虫脊茧蜂 ***A. esenbeckii***

上颊在复眼后方中等程度至稍收窄。背面观复眼长是上颊长度的1.80～3.20倍；单眼通常小，OOL大于后单眼直径的0.80倍；雌性颚眼距侧面观为复眼高的0.30～0.40倍 …………………………………………………………………………………………… 腹脊茧蜂 ***A. gastritor***

（571）谢氏脊茧蜂 *Aleiodes shestakovi*（Shenefelt，1971）（图2）

Rhogas orientalis Shestakov, 1940: 8.

Rhogas shestakovi Shenefelt, 1971: 250 (new name for *Rhogas orientalis* Shestakov, 1940).

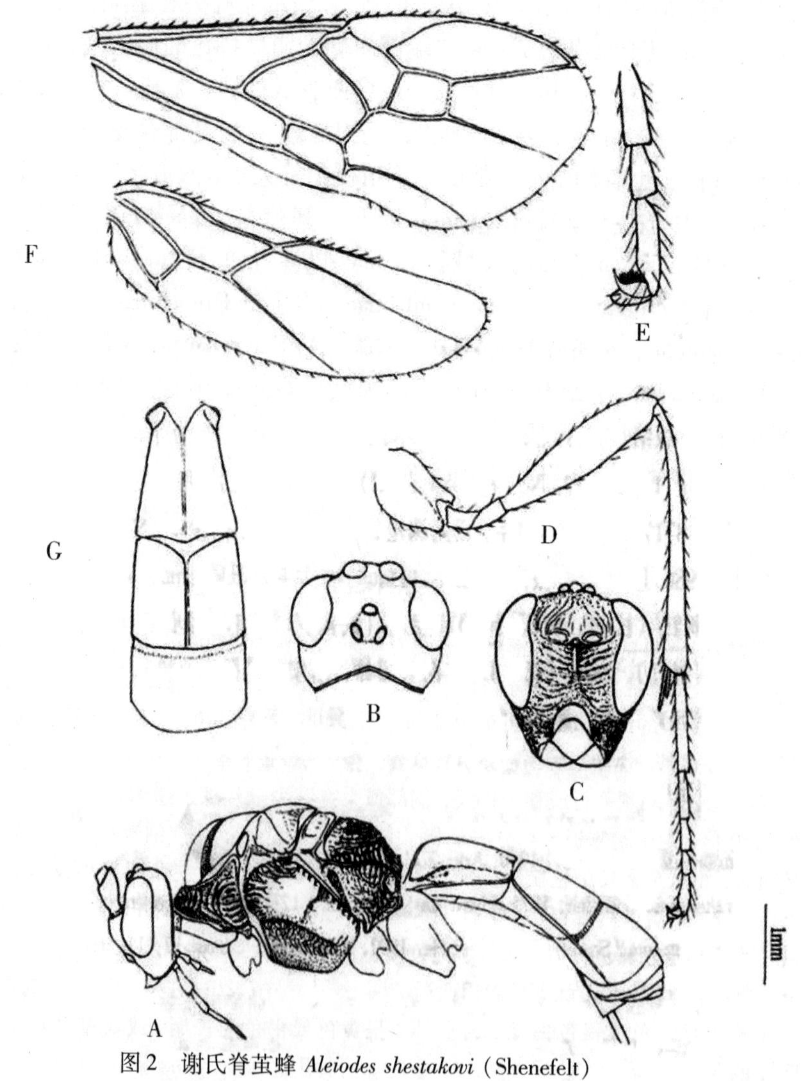

图2 谢氏脊茧蜂 *Aleiodes shestakovi*（Shenefelt）

A. 整体侧面观；B. 头背面观；C. 头前面观；D. 后足；E. 后足跗爪；F. 翅；G. 腹部背面观

鉴别特征：体长6.80～8.80mm；前翅长6.00～7.20mm。体色黑色；上颚中部红褐色；胫节基部有1个黄白色环；前足胫节和跗节常暗红褐色。翅略带茶色。翅痣及脉暗褐色。触角60～65节。头顶有横刻条，在复眼后方圆弧状，稍收窄。单眼小复眼中等。脸有显著的横刻条和中纵脊。前胸背板背方呈梯形，有皱纹，背板槽内刻条强烈。中胸盾片和小盾片有弱的皱纹，小盾片有侧脊。前翅r脉与3-SR脉几乎成直线，第2亚缘室长是高的1.40～1.50倍，向外方收窄。后翅SR脉着色；m-cu脉不存在。后基节有皱纹，爪具4个齿。第1～2背板具明显的纵刻条和中纵脊；第3背板最基部有短纵刻条，其余具弱刻点，近光滑。产卵管鞘末端钝圆。

采集记录：1♀，华山青柯坪，1978.Ⅷ.06，金根桃采，No.34011605(SIE)。

分布：陕西(华阴)、江苏、江西、四川；俄罗斯。

(572) 折半脊茧蜂 *Aleiodes ruficornis* (Herrich-Schaffer, 1838)(图3)

Bracon ruficornis Herrich-Schaffer, 1838: 156.

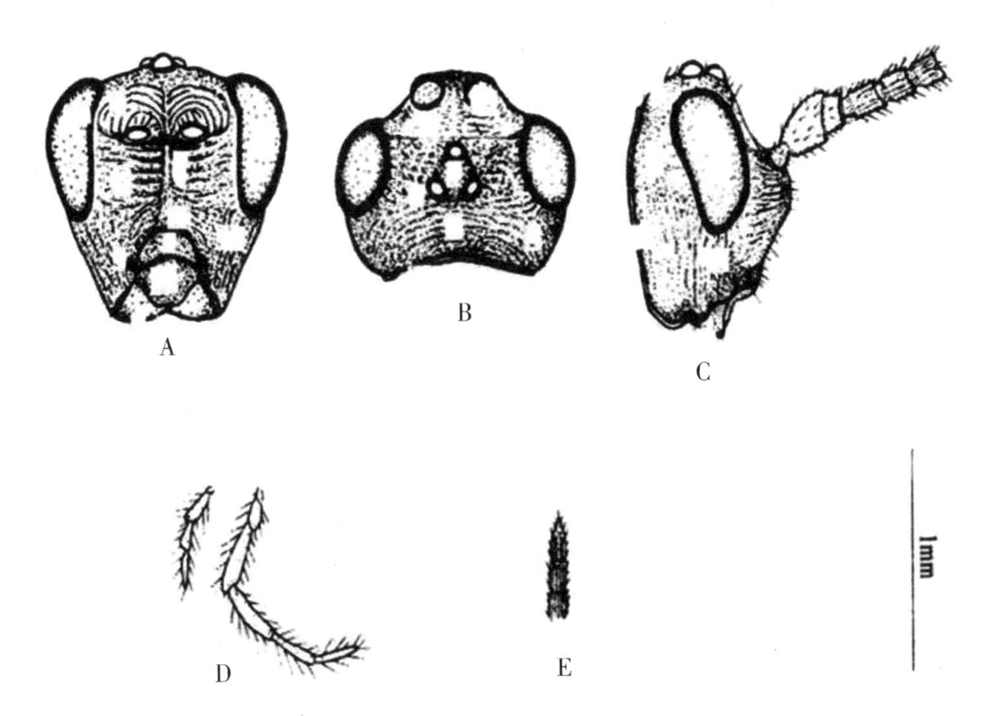

图3　折半脊茧蜂 *Aleiodes ruficornis* (Herrich-Schaffer)

A. 头前面观；B. 头背面观；C. 头侧面观；D. 须侧面观；E. 触角端部

鉴别特征：体长6.00～8.40mm；前翅长4.10～5.60mm。体黑色；触角基半红黄色(雌)或全黑色(雄)；头、前胸、中胸背板和侧板、后胸、足、腹部第1～2背板红黄色至红褐色。触角38～42节(雌)，粗，短于体长；雄虫触角细长，长于体长。头顶在复眼后方呈圆弧状收窄。脸有明显的横刻条和中纵脊。中胸盾片和小盾片具密集刻点，略有光泽。中胸侧板有皱纹，基节前沟明显。前翅 3-SR 脉为 r 脉的 2.20～2.60倍，1-Cu_1 与 2-Cu_1 约为 1∶2；第 2 亚缘室长是高的 1.40～1.70 倍。后翅缘室向外显著扩大。后足胫节长距长是基跗节的 0.42～0.47 倍。腹部第 1～2 背板有明显的纵刻条和中纵脊，第 3 背板基半有较细直的纵刻条。第 2 背板长是端宽的 0.70～0.80倍。产卵管鞘末端钝圆。

生物学： 寄主有小地老虎 *Agrotis ypsilon*（Rottemberg）（郑州）；寒彻夜蛾 *Euxos sibirica Boisduval*（武都）；粘虫 *Mythimna separata*（Walker）（公主岭）；寄生后的寄主两头萎缩、羽化孔在腹末背方，近圆形，直径约 2mm。单寄主。据国外记载，本种可寄生于夜蛾科、枯叶蛾科等科的鳞翅目昆虫 31 种。

采集记录： 1♀，咸阳，1982，杨怀玉采，地老虎幼虫，No. 826395。

分布： 陕西（咸阳）、黑龙江、吉林、辽宁、北京、河北、山西、山东、河南、甘肃、新疆、浙江、湖北、四川、贵州、云南；古北区。

（573）松毛虫脊茧蜂 *Aleiodes esenbeckii*（Hartig, 1838）（图 4）

Rogas esenbeckii Hartig, 1838: 255.

Rhogas metanastriae Rohwer, 1934: 47.

Phanomeris specabilis Matsumura, 1926a: 33.

Rhogas corsicus Szepligeti, 1906: 616.

Rogas gastropachae Kokoujev, 1901: 190.

鉴别特征： 体长 7.50～9.00mm；前翅长 6.50～7.50mm。体黑色；头、前胸、中胸和后胸红黄色；须红褐色。足暗红褐色，转节端部、胫节、各跗分节基部色较淡。翅透明，痣褐色，脉红黄色到暗褐色。触角 53～60 节。下颚须长约为头高的 1.20 倍。额稍凹，光滑，有 1 条明显中纵脊。头顶略有皱纹，在复眼后方直线收窄。单眼大。后头脊背观稍弧状，中央有 1 个缺凹，侧方下端近口后脊。脸有明显的横刻条和中纵脊。唇基有皱纹和缘脊。前胸背板背方皮革状。中胸盾片和小盾片具细刻点，小盾片侧明显。中胸侧板有细弱的刻纹，基节前沟浅而阔；胸腹侧脊上端折向前缘。后胸侧板中央近于光滑，侧板叶突明显。并胸腹节具中等强度的网状刻纹；气门椭圆形；无侧纵脊；中纵脊和外侧脊明显。前翅第 2 亚缘室长是高的 1.90～2.20 倍，向外略收窄。后翅 SR 脉弱，缘室在端部稍扩大，m-cu 脉存在。后基节皮革状；后足胫节长距是基跗节的 0.33～0.36 倍。爪简单。第 1～2 背板、第 3 背板基部 2/3 有纵刻条和中纵脊，第 3 背板端部 1/3 及以后背板光滑。产卵管末端刀状。

生物学： 寄主有马尾松毛虫 *Dendrolimus punctata* Walker（长兴、东安、广州）、赤松毛虫 *D. spectabilis* Butler（临朐、昆嵛山）、落叶松毛虫 *D. superans* Butlor（伊春、海林、东辽、清源）以及油松毛虫 *D. tabulaeformis* Tsai *et* Liu（密山、四川）。据国外记载，寄主还有欧洲松毛虫 *D. pini* L.、枯叶蛾 *Cosmoteriche lunigera* Esp. 和 *Endromis versicolora* L. 等。单寄主。寄主萎缩，羽化孔在腹末背方，近圆形。松毛虫脊茧蜂一年一代，以老熟幼虫在寄主体内越冬，次春五月间羽化。成虫平均寿命 2 周左右，最长可达3周，但也有记载在南京，以蛹越冬，成虫寿命最长可达45天，在山东越冬松毛虫幼虫有38% ~54%被该蜂所寄生（田淑贞等）。松毛虫脊茧蜂也常被一些其他寄生蜂，如姬蜂科（7属8种）、长尾小蜂科（1属2种）、广肩小蜂科（1属1种）、巨胸小蜂科（1属1种）、金小蜂科（4属4种）和旋小蜂科（2属2种）等科的种类所重寄生。

采集记录： 3♀1♂，蓝田，1978. Ⅺ. 19，党心德采，No. 870345。

分布： 陕西（蓝田）、黑龙江、吉林、辽宁、北京、山东、新疆、江苏、安徽、浙江、湖北、江西、湖南、福建、台湾、广东、广西、四川、云南；蒙古，俄罗斯，朝鲜，日本，阿富汗，欧洲。

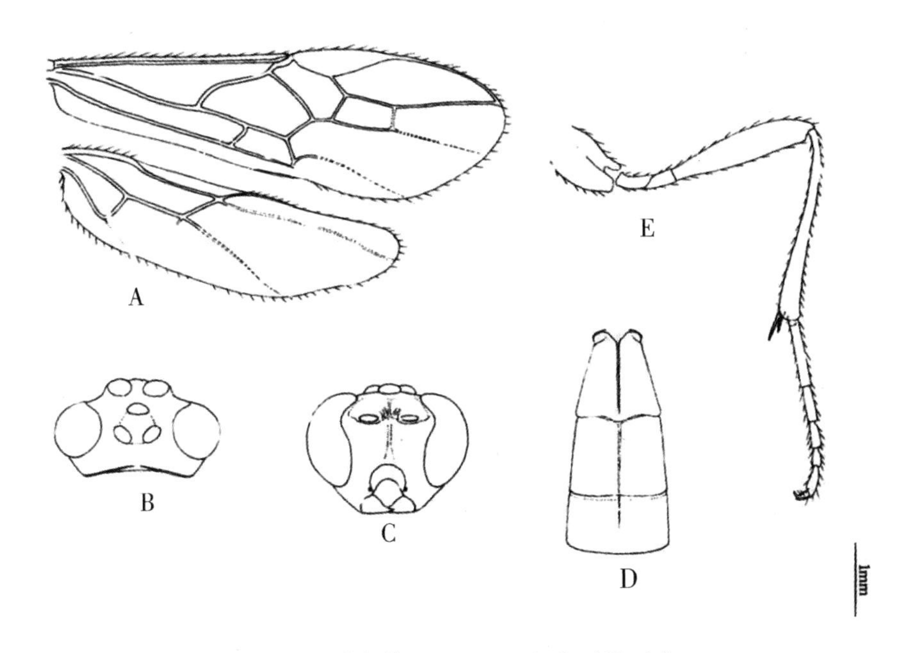

图4　松毛虫脊茧蜂 *Aleiodes esenbeckii*（Hartig）

A. 翅；B. 头背面观；C. 头前面观；D. 腹部第1~3节腹板背面观；E. 后足

（574）腹脊茧蜂 *Aleiodes gastritor*（Thunberg, 1822）（图5）

Ichneumon gastritor Thunberg, 1822: 260.

鉴别特征： 体长4.50~6.00mm；前翅长4.10~4.50mm。体黄褐色至红黄色；触角端部变暗；须、转节和后胫节端半黄白色。翅透明，翅痣黄色、端部暗色，脉黄色至暗色触角33~37节（雌虫），37~42节（雄虫）。额稍凹，细粒状，近于光滑，无中纵脊。头顶窄，在复眼后方稍弧状，收窄。后头脊背观中央稍弧状，侧方下端稍后伸，与口后脊会合。脸上方具细横皱和中纵脊。唇基皮革状，端缘内倾。前胸背板皮革状，背方凹较浅。中胸盾片和小盾片皮革状，满布细凹点，小盾片无侧脊。中胸侧板皮革状，仅侧板凹上方一点光滑；无基节前沟。后胸背板中部细颗粒状，侧板叶突明显。并胸腹节有网状刻纹；气门近于圆形；无侧纵脊；中纵脊明显。前翅第 2 亚缘室长是高的 1.60～1.90 倍，向外方明显收窄。后翅 SR 脉弱，中部稍曲；缘室不向外端扩大。m-cu 脉弱。后足基节皮革状；爪较细长，无齿。第 1～2 背板、第 3 背板基部 2/3 有纵刻条和中纵脊，第 3 背板端部 1/3 皮革状；第 4 背板基部有皱纹，其余及以后背板光滑。产卵管鞘末端平。

寄主： 寄主有桑尺蠖 *Phthonandria atrilineata*（Butler）（聚寄生），苜蓿绿夜蛾 *Plathypena seabra*（Fabricius）（铁岭），银纹夜蛾 *Plusia agnata* Staudinger（运城）。

采集记录： 1 头，周至，1979，杨建采，No. 79121。

分布： 陕西（周至）、吉林、辽宁、内蒙古、北京、河北、山西、江苏、安徽、浙江、湖南、福建、台湾、广东、广西、四川、贵州、西藏；日本，欧洲。

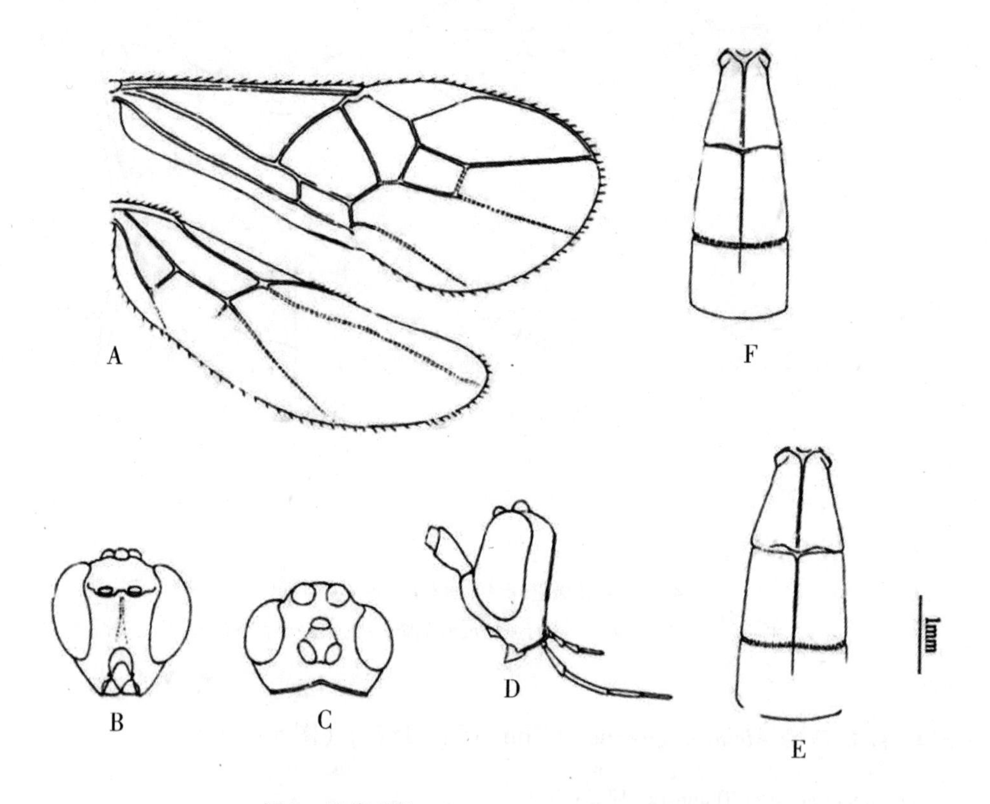

图 5　腹脊茧蜂 *Aleiodes gastritor*（Thunberg）

A. 翅；B. 头前面观；C. 头背面观；D. 头侧面观；E. 腹部第 1～3 腹板背面观（雌性）；F. 腹部第 1～3 腹板背面观（雄性）

（二）奇脉茧蜂亚科 Miracinae

鉴别特征： 触角 14 节；梗节长，长为柄节的 2/3。无后头脊。无明显小盾片前沟。前翅2-SR脉与r脉直接连于翅痣，或在近于翅痣处相连，即相连处与翅痣间有1条短脉；翅痣端部延长；前翅无1-R_1脉；前翅3-SR+SR_1脉及其他外方翅脉均无色；前翅无r-m脉。后翅无2r-m脉；无臀叶。后足胫距甚短，内距不伸达基跗节中央。第1背板有强度骨化中板，中板中央及端部收窄；气门位于侧背板(侧膜)上。第2背板亦有明显的中板。

生物学：寄主为潜叶性鳞翅目幼虫，包括微蛾科 Nepticulidae、日蛾科 Heliozelidae、细蛾科 Gracillariidae、冠潜蛾科 Tischeriidae 和潜蛾科 Lyonetiidae，单寄生于体内。

分类：古北区，东洋区，新北区，新热区，非洲区。全世界已知27种，我国已记录5种，陕西秦岭地区发现1属1种。

30. 奇脉茧蜂属 *Mirax* Haliday, 1833

Mirax Haliday 1833: 263. **Type species**: *Mirax rufilabris* Haliday, 1833.

属征：触角14节；梗节长，长为柄节的2/3。无后头脊。无明显小盾片前沟；并胸腹节无中纵脊；缺盾纵沟或在前端稍存在。前翅2-SR脉与r脉直接连于翅痣，或在近于翅痣处相连，即相连处与翅痣间有1条短脉；翅痣端部延长；前翅无1-R_1脉；前翅3-SR+SR_1脉及其他外方翅脉均无色；前翅无r-m脉。后翅无2r-m脉；无臀叶。后足胫距甚短，内距不伸达基跗节中央。第1背板有强度骨化中板，中板中央及端部收窄；气门位于侧背板(侧膜)上。第2背板亦有明显的中板。

分布：非洲区，古北区，新北区，新热带区，东洋区。秦岭地区发现1种。

(575) 中华微蛾奇脉茧蜂 *Mirax sinopticulae* He *et* Chen, 1997 (图6)

Mirax sinopticulae He *et* Chen *In*: Chen, He & Ma, 1997: 66.

鉴别特征：体长1.90mm；前翅长2.10mm。体黄褐色，头部及腹部色稍浅。触角14节。头顶和上颊具极细刻点，近于光滑。后头凹入。背观复眼长为上颊的1.60倍。上颊稍弧形收窄。脸宽为长的1.60倍，上方稍拱隆，几乎无刻纹。唇，基平，端缘微凹而翘。幕骨陷小，小于与复眼之距。单眼小，近于等边三角形排列。前胸背板近于平滑，无纵凹漕。中胸盾片具模糊细刻点，无盾纵沟；小盾片前凹缝形。中胸侧板甚大，相当膨起，近于光滑；无胸腹侧脊。后胸侧板较光滑，仅在后端有少许横刻条，中央上方有1个小圆窝。并胸腹节缓斜，表面无明显刻纹亦无中纵脊；端部弧形深凹；端横脊细，靠近后缘，而致端缘具2条平行横脊。前翅翅痣长为宽的2.30倍，端角甚尖；无1-R_1脉；r脉从翅痣0.46处伸出，无色，与2-SR脉在翅痣相接。后足腿节长为厚的3.20倍；胫节长为跗节的1.10倍；基跗节比其余各跗节稍粗，长为第2~4跗节之和的1.18倍。第1背板中央的骨化板长舌形，两侧近于平行，仅在中央及后端稍收窄。第2背板中央骨化板近矮三角形，基部细，至端部突然加宽，其侧缘稍弧形凹入(副模凹入较强)；长为后缘宽的0.40倍。产卵管鞘长为后足基跗节的0.70倍。

生物学：寄主中华微蛾 *Sinopticula sinica* Yang，1989（Nepticulidae），从茧内羽化，单寄生。

采集记录：1♀（正模），西安，1986.Ⅴ.07，杨集昆采，No. 900014；8♀1♂（副模），同正模，No. 862041，900014，959382。

分布：陕西(西安)。

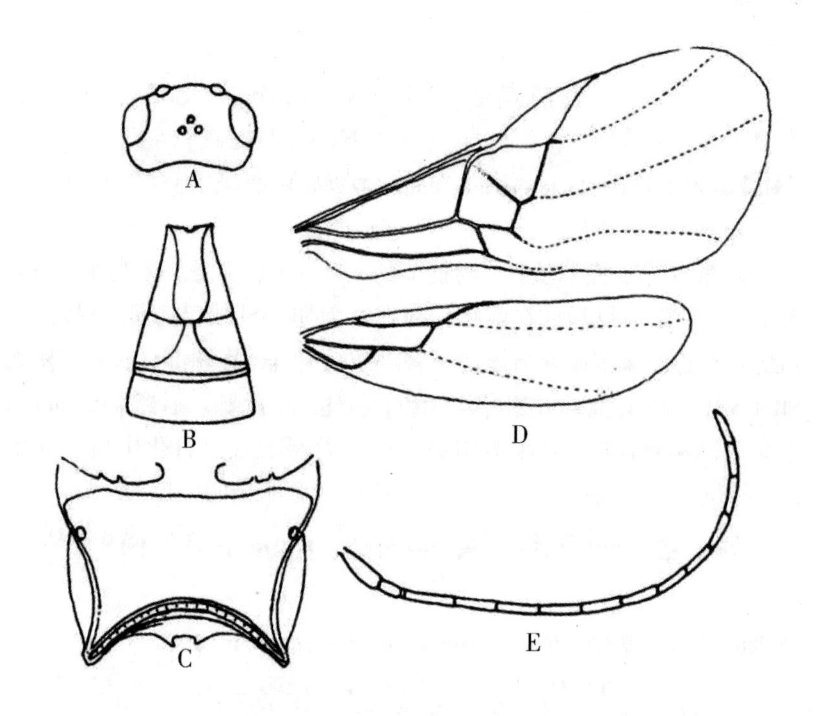

图6 中华微蛾奇脉茧蜂 *Mirax sinopticulae* He *et* Chen

A. 头背面观；B. 并胸腹节；C. 腹部第1～3节背板背面观；D. 翅；E. 触角

（三）长体茧蜂亚科 Macrocentrinae

鉴别特征：体通常细长，头强度横形。唇基端部无凹缘，直或弧形凸出，与上颚不形成口窝。上颚内弯，粗短或细长，端齿通常相叠，少数刚相接或不相接。触角丝状，细长，常具端刺。复眼裸。无后头脊。中胸盾片中叶隆起，多少比侧叶高。无中胸腹板后横脊。前翅 SR_1 脉完全骨化，伸至翅尖，缘室封闭；有2-SR脉和r-m脉，r-m脉偶有消失；m-cu脉前叉式。基节强度延长；第2转节外侧有短钉状小齿，偶有消失。腹部细长，着生于并胸腹节的位置较高，离后足基节有一些距离。产卵管通常长，长于腹长，但澳赛茧蜂属 *Austrozele*、长赛茧蜂属 *Dolichozele* 及古热区 3 属和少数长体茧蜂种类短于腹长。

生物学： 本亚科全部为鳞翅目的容性寄生方式内寄生蜂，主要寄生于卷叶蛾科 Tortricidae、谷蛾科 Tineidae、螟蛾科 Pyralidae、夜蛾科 Noctuidae、巢蛾科 Yponomeutidae、鞘蛾科 Coleophoridae、斑蛾科 Phycitidae、毒蛾科 Lymantridae、尺蛾科 Geometridae、透翅蛾科 Sessiidae、麦蛾科 Gelechiidae、织蛾科 Oecophoridae、蛱蝶科 Nymphalidae、灰蝶科 Lycaenidae 等。

分类： 世界各大动物地理区。世界已知 9 属 170 种，我国已知 4 属 78 种，陕西秦岭地区发现 3 属 5 种。

分属检索表

1. 第 1 腹节无侧凹（laterope），偶尔在基侧凹（glymma）处浅凹，但无明显区别；第 1 背基部中央平或拱隆；后翅 Sc + R_1 脉突然弯曲；第 1 背板具横刻条；前足腿节背方刚毛中等长，稍短于腹方刚毛 ………………………………………………………… **腔室茧蜂属 *Aulacocentrum***
   第 1 腹节侧凹大而深，明显不同于基侧凹；第 1 背板基部中央几乎均稍凹 ………………… 2
2. 后足胫节内距长为基跗节的 0.50 ~ 0.80 倍；产卵管鞘长约为腹部高度，约为前翅长的 0.10 倍（非洲种有长至 0.20 ~ 0.40 倍者）；后翅 SR 脉弯曲；前足腿节基腹方刚毛长于端腹方刚毛 ………………………………………………………………………… **澳赛茧蜂属 *Austrozele***
   后足胫节内距长为基跗节的 0.30 ~ 0.50 倍；产卵管鞘明显长于腹部端宽，至少为前翅长的 0.40倍；后翅 SR 脉至多稍弯曲；前足腿节基腹方刚毛长度明显比较均匀，若比之于背方刚毛，则较短 ………………………………………………………………… **长体茧蜂属 *Macrocentrus***

31. 长体茧蜂属 *Macrocentrus* Curtis, 1833

Macrocentrus Curtis, 1833: 187. **Type species**: *Macrocentrus bicolor* Curtis, 1833.

Rogas Wesmael, 1835: 170. **Type species**: *Ichneumon testaceus* Fabricius, 1798.

Amicroplus Foerster, 1862: 256. **Type species**: *Bracon collaris* Spinola, 1808.

Fhogra Cameron, 1901: 104. **Type species**: *Fhogra rubromaculata* Cameron, 1901.

Leptozale Cameron, 1910: 523. **Type species**: *Leptozale trimaculatus* Cameron, 1910.

Metapleurodon Enderlein, 1920: 213. **Type species**: *Metapleurodon ceylonicus* Enderlein, 1920.

Pachymerella Enderlein, 1920: 217. **Type species**: *Pachymerella maculicoxa* Enderlein, 1920.

属征： 触角 24 ~ 61 节，等长或稍长于体长；须短至长；唇基凸，腹缘直至稍凹；上颚通常强度弯曲，下齿通常很小于上齿，锐，但有些种类等长，钝。侧面观中胸盾片中叶明显高于侧叶；胸腹侧脊存在，常在前足基节后方断缺；后胸背板中纵脊前端不分叉。前翅 1-SR + M 脉直至明显弯曲，通常有 2A 脉，1-M 脉直至明显弯曲，1-Cu_1 脉和 1-1A 脉细；2-Cu_1 脉平直；亚基室端部通常不或稍扩大，内常有黄色或褐色斑；cu-a 脉垂直，细；r-m 脉偶尔缺；Cu_1a 脉无淡褐色斑；第 1 亚盘室部分无毛或具毛；

1-SR + M 脉与1-M 脉夹角大约90°；3-M 脉正常，通常长于3-SR 脉的3 倍。后翅缘室窄，平行或端部有点扩大，基部不扩大，SR 脉基部至多稍为弯曲，不骨化；1r-m 脉直，短至中等长；2-Sc + R 脉长形；Sc + R_1 脉直至均匀弯曲；r 脉缺，R_1 脉细。足通常中等长或短，后足胫节内距长是其基跗节的0.30 ~0.50 倍；前足胫节距长是其基跗节长的0.20 ~0.60 倍；跗爪有或无基叶突；后足基节至多有少许横刻纹。腹部第1 背板或具纵刻条或具皱纹或大部分光滑，长为端宽的1.50 ~3.40 倍，端部扩大，基部中央浅凹，侧凹深；产卵管鞘长是前翅的0.20 ~2.70 倍，产卵管具端前背缺刻。

生物学：单寄生于或聚寄生于卷蛾科、麦蛾科、织蛾科、螟蛾科、夜蛾科、灰蝶科和透翅蛾科等幼虫。具多胚生殖习性，但不少种类仅能育出一蜂。

分布：世界广布，主要分布于全北区。秦岭地区发现3 种。

分种检索表

1. 爪具明显基叶突；单寄生种类 ………………………………………… **周氏长体茧蜂 *M. choui***
   爪简单，或具1 个不明显基叶突；通常为聚寄生种类，少数为单寄生 ……………………… 2
2. 唇基明显平滑；后足胫节基部有浅色环，紧接中部烟褐色；头前面观较横形；前翅亚基室端半大部分具刚毛(除近翅褶处)；背观雌蜂复眼长为上颊的2.60 ~4.20 倍；上颚第2 齿中等大小且尖；唇基端缘直；触角约40 节。前翅长小于5mm ……… **松小卷蛾长体茧蜂 *M. resinellae***
   唇基隆起，具刻点；后足胫节通常浅黄色，或其基部暗褐和亚基部浅色 ………………………
   ……………………………………………………………… **渡边长体茧蜂 *M. watanabei***

(576) 周氏长体茧蜂 *Macrocentrus choui* He, Chen *et* Ma, 2000(图7)

Macrocentrus choui He, Chen *et* Ma, 2000: 438.

鉴别特征：雌虫体长8.40mm；前翅长6.50mm，产卵管鞘长为前翅长的1.70 倍。黑色；上颚除端齿、须、翅基片黄色；触角鞭节两端黑褐色，中段褐黄色。足黄褐色；后足基节、腿节红黄色，胫节端半黑褐色；后足跗节和距黄白色。触角52 节，端部数节较短，端节具刺。头顶光滑，刻点极小。单眼稍小。额光滑，在触角窝后具浅横沟，在中单眼前具纵沟。脸宽平坦，中央稍隆起，在外上方有刻皱，具小刻点；前面观脸宽为复眼宽的2.60 倍。唇基宽为长的2.10 倍；稍隆起，与脸分界不很明显，具刻点。前胸背板侧面光滑，中央凹漕内具并列刻条，漕前方具皱，肩角散生刻点。中胸盾片光滑，散生细刻点；盾片中叶稍隆起，前缘近于陡落；盾纵沟窄而深；中胸侧板密布中等刻点；胸腹侧脊完整；基节前沟浅，端部深。后胸侧板满布粗刻点，后半部呈刻皱；侧板叶突宽，端缘弧形。前翅亚基室近端部下方具1 个黄色斑，端部有1 块无毛区，其余部位毛极稀；第1 亚盘室长为宽的2.20 倍。后翅2-Sc + R 脉长形；缘室中后部几乎等宽。后足基节端部有几条横刻纹；转节端齿3 个；腿节基部无齿；腿节、胫节和基跗节长分别为宽的6.90、14.00 和9.30 倍；胫节距长为基跗节的0.40和0.30 倍。跗爪具基叶突。第1 背板长为端宽的2.40 倍，均匀隆起，密布纵刻条；基凹小而深，两侧纵脊细，在基部0.67存在。第2背板长为宽的1.40倍，具细纵刻条；基部0.75具凹缘。第3背板长为宽的1.30倍，基部0.67具细纵刻条。产卵管具端前背缺刻，端尖。

采集记录：1♀，华山，1962.Ⅷ.21，杨集昆采，No.871914。

分布：陕西（华阴）、黑龙江、吉林、辽宁、浙江。

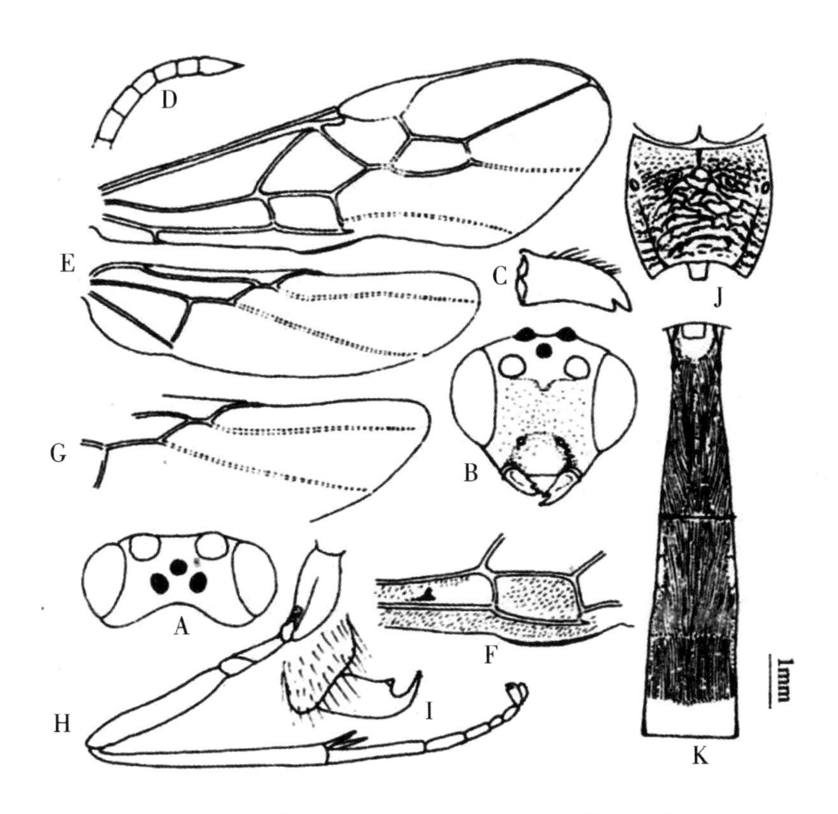

图7　周氏长体茧蜂 *Macrocentrus choui* He, Chen *et* Ma

A. 头背面观；B. 头前面观；C. 上颚；D. 触角端部；E. 翅；F. 前翅亚基室端部和亚盘；G. 后翅部分；H. 后足；I. 后足跗爪；J. 并胸腹节；K. 腹节第1～3节背面观

（577）松小卷蛾长体茧蜂 *Macrocentrus resinellae*（Linnaeus，1758）（图8）

Ichneumon resinellae Linnaeus，1758：565.

鉴别特征：体长4.30mm；前翅长4.10mm；产卵管鞘长7.10mm，为前翅长的1.73倍。体黑色，须、上颚（除端齿）、有时触角基部环节、前中胸和后胸侧板黄褐色。足黄褐色；后足胫节和跗节带烟褐色。触角44节，端节具刺。头顶光滑。单眼稍小，侧单眼外方凹痕深。额光滑，在中单眼前有浅纵沟。脸稍拱，具细刻点。唇基与脸分界不很明显，平滑无刻点，端缘平截。幕骨陷间距为幕骨陷至复眼间距的2倍。前胸背板侧方近于光滑，凹漕内具很弱的并列刻条。中胸盾片和小盾片光滑，稍具浅稀刻点；盾片中叶稍隆起，前方弧形下斜；盾纵沟深，后部汇合处有 1 条中纵脊；小盾片前凹内并列纵脊。中胸侧板满布较稀刻点；胸腹侧脊完整；基节前沟弱。后胸侧板具模糊夹点刻皱；侧板叶突弱，端缘平截。并胸腹节仅中央具不规则夹点刻皱，其余部位光滑。前翅翅痣长为宽的 3.75 倍；亚基室整个具稀毛，在近端部下缘有浅黄色斑。后翅 2-Sc + R 长形；缘室中部稍收窄，端部稍扩大；cu-a 脉刚内斜，稍弧形。各足转节端齿 3、3、3 ~ 4 个。后足基节光滑；腿节、胫节和基跗节长分别为宽的 6.20、15.20 和 11.20 倍；胫节距长为基跗节的 0.36 和 0.32 倍。爪无基叶突。第 1 背板长为端宽的 2.20 倍；中央稍拱起，具纵刻条；基凹存在，两侧向后方明显扩大。第 2 背板长为宽的 1.40 倍；具纵刻条。第 3 背板长为宽的 1.20 倍，近方形，基部 0.80 具纵刻条。产卵管端前背缺刻弱，端尖。

采集记录： 1♀，韩城雷国寺林场，1965. Ⅴ，No. 66005.15。

分布： 陕西(韩城)、黑龙江、吉林、辽宁、内蒙古、山西、山东、浙江、四川、云南；俄罗斯，哈萨克斯坦，欧洲。

寄主： 油松毛虫。

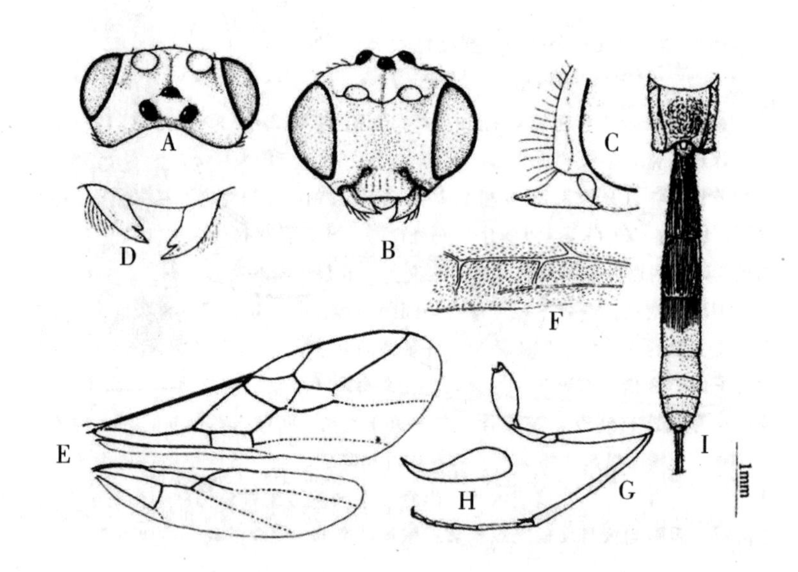

图 8 松小卷蛾长体茧蜂 *Macrocentrus resinellae* (Linnaeus)

A. 头背面观；B. 头前面观；C. 头侧面观；D. 上颚；E. 翅；F. 前翅亚基室端部和亚盘室；G. 后足跗节；H. 后足跗爪；I. 腹部第 1 ~ 3 节背板背面观

(578) 渡边长体茧蜂 *Macrocentrus watanabei* van Achterberg, 1993 (图 9)

Macrocentrus watanabei van Achterberg, 1993: 50.

鉴别特征： 体长 4.40 ~ 5.00mm；前翅长 3.90 ~ 4.10mm；产卵管鞘长 6.10 ~ 7.50mm，为前翅长的 1.56 ~ 1.80 倍。体色暗褐色至带黑色；脸、腹部和并胸腹节(相当暗)褐色；柄节、须、足、翅基片和胸部其余部位黄褐色。触角 46 节，端节具刺。头顶光滑。单眼中等。额平滑，在中单眼前具浅纵沟。脸光滑，具细而稀刻点。唇基与脸分界不很明显，相当拱，具稀刻点，端缘平截。上颊向后弧形收窄，背观复眼长为上颊的6倍。颚眼距为上颚基宽的0.50倍。上颚中等大小，端齿明显扭曲，闭合时齿端相接，上齿壮而尖。前胸背板侧面光滑，凹槽内及后缘并列刻条狭。中胸盾片侧方稍具浅稀刻点，中叶具毛，侧叶仅在盾纵沟处具毛；小盾片侧方光滑；盾片中叶稍隆起，前方弧形下斜；盾纵沟深，后部汇合处有1条中纵脊；小盾片前凹内深。中胸侧板满布刻点；胸腹侧脊明显，在腹板部位无；基节前沟具相当密的夹点刻皱，点径约等于点距。后胸侧板中央具浅刻点，腹方具皱；侧板叶突宽，端缘钝。并胸腹节中央密布皱脊，侧方有斜刻条，无中纵脊。前翅翅痣长为宽的3.70倍，亚基室大部分具相当密的毛，内无斑。后翅2-Sc+R脉长形；Sc+R_1脉均匀弯曲；缘室端部平行。各足转节端齿3、7、4个。后足基节具稀而细刻点；腿节、胫节和基跗节长为各自宽的6.80、15.00和8.00倍；后胫节长为后腿节的1.60倍；胫节距长为基跗节的0.40和0.30倍。爪无基叶突。第1背板长为端宽的1.80倍；中央稍拱起，具粗纵刻条；基部中央相当凹，无背脊，两侧纵脊明显。第2背板长为端宽的1.20倍，具纵刻条。第3背板长约为端宽的1倍，基半具纵刻条。产卵管无端前背缺刻，端尖。

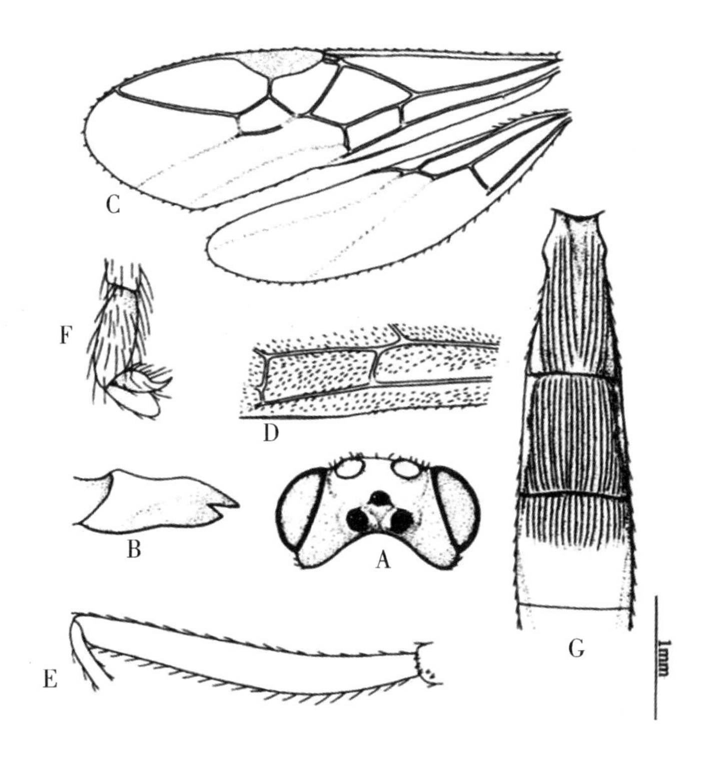

图9　渡边长体茧蜂 *Macrocentrus watanabei* van Achterberg

A. 头背面观；B. 上颚；C. 翅；D. 前翅亚基室端部和亚盘室；E. 前足；F. 后足跗爪；G. 腹部第1~3节背板背面观

采集记录：1♂，黄陵，1962.Ⅶ.17，陕西林科所采，No. 62017.10(1♂存 RMNH)；

4♀1♂，黄陵，1981. Ⅶ，党心德采，No. 815962(1♀存 RMNH)；1♀，韩城，1965. Ⅴ. 25，雷寺庄林场采，No. 66005. 16(1♀存 RMNH)。

分布：陕西(秦岭、黄陵、韩城)、黑龙江、辽宁、河南、江苏、安徽、湖北、广东、四川、贵州；日本。

寄主：油松球果螟，微红梢斑螟。

32. 腔室茧蜂属 *Aulacocentrum* Brues, 1922

Aulacocentrum Brues, 1922: 17. **Type species**: *Aulacocentrum pedicellatum* Brues, 1922.

鉴别特征：腹部第1背板长为端宽的3~6倍；第1背板至少有一部分具明显横刻纹；后翅SR脉基部多少强度弯曲；后翅R_1脉明显弯曲；后足胫节长距长为基跗节的0.30~0.50倍。

分布：古北区，东洋区。全世界已知6种，我国已记录3种，秦岭地区发现1种。

(579) 菲岛腔室茧蜂 *Aulacocentrum philippinense* (Ashmead, 1904)（图10）

Macrocentrus philippinensis Ashmead, 1904: 145.

鉴别特征：体长5.20~9.30mm；前翅长4.50~8.60mm。体黑色；须、柄节内侧(外侧浅褐色)、梗节端半黄色，鞭节中部黄白色触角45~47节，第1节粗大，端节具刺。头顶和额光滑无刻点，额凹入深。脸中央上方纵凹，散生浅而细刻点，在中下方刻点较密。唇基强度隆起；与脸分界明显，刻点更稀；端缘平截。前胸背板侧方光滑，凹漕内及后缘具并列刻条。中胸盾片和小盾片光滑，散生细刻点；盾片中叶隆起，前缘近于陡斜；盾纵沟深，具并列刻条，后方中央有中纵脊，但不强；小盾片前沟深，内有7条纵脊。中胸侧板满布较粗刻点，下部的点径大于点距；胸腹侧脊完整；基节前沟刻点更密些。后胸侧板满布粗刻点；侧板叶突长三角形，端尖或钝形。并胸腹节表面较平，大部分具不规则细网皱，在端部有一些纵脊。前翅cu-a脉刚内斜，稍后叉式，1-Cu_1长刚等于cu-a脉脉粗；1-SR+M脉强度弯曲；亚基室无毛，其0.60处下方具1个淡黄色长斑；第1亚盘室长为中部宽的2.90倍，仅中部具毛。后翅2-Sc+R脉刚长形；缘室中前方强度收窄；cu-a脉稍内斜且稍内弯。后足基节具中等刻点；转节端齿3~4个呈1排；腿节基段几乎无齿；腿节、胫节、基跗节长分别为其宽的5.20、16.90和11.00倍；胫节距长为基跗节的0.39和0.32倍；后足基跗节长为其余4节之和的1.25倍。爪具基叶突。第1背板长为端宽的3.80~4.00倍；具很密细横皱。产卵管端前背缺刻深，端尖。茧长圆筒形，长9~10mm，径2.70~3.10mm；棕红色，表面多细白丝，无光泽。

采集记录：2♀，太白山，1987. Ⅷ. 21，杨忠岐采，No. 956221-22。

分布：陕西(太白山)、山西、浙江、湖北、湖南、台湾、广西、四川、云南；日本，印度，菲律宾。

寄主：寄主桑绢野螟（桑螟）*Diaphania pyloalis*（Walker）（杭州，重庆及台湾），白蜡卷野螟 *Diaphania nigropunctalis*（Bremer），稻纵卷叶螟 *Cnaphacrocis medinalis* Guenee（四川），二化螟 *Chilo suppressalis*（Walker）（重庆），杨卷叶螟 *Botyodes diniasalis* Walker。据记载还有白杨缀叶野螟 *Botyodes asialis* Guenee。

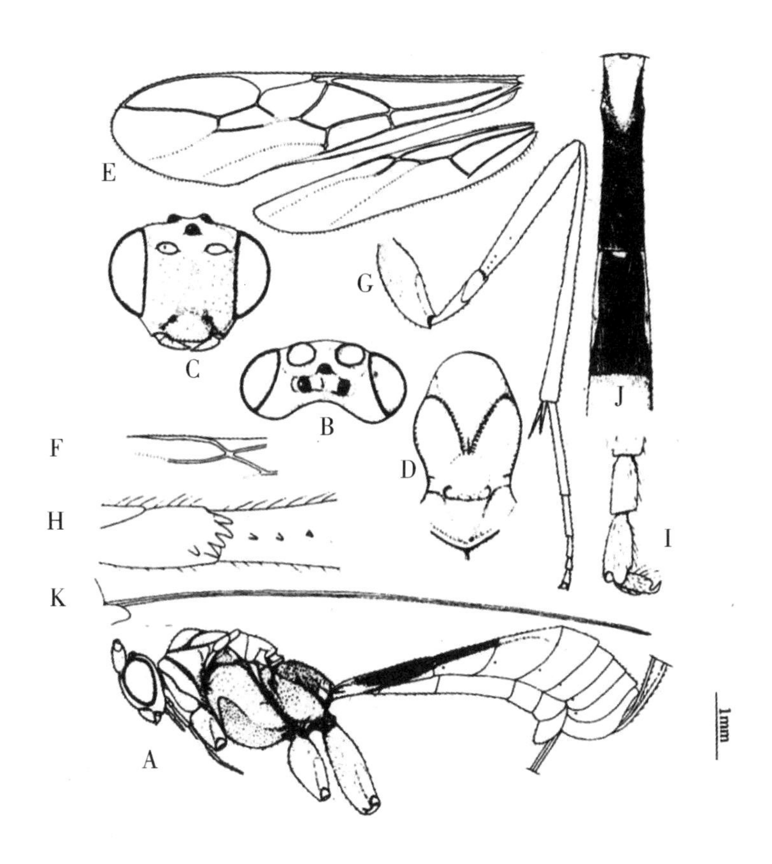

图10　菲岛腔室茧蜂 *Aulacocentrum philippinense*（Ashmead）

A. 整体侧面观；B. 头背面观；C. 头前面观；D. 中胸背板背面观；E. 翅；F. 后翅部分；G. 后足；H. 后足转节和腿节基部；I. 后足外爪；J. 腹部第1～2节背板背面观；K. 产卵管

33. 澳赛茧蜂属 *Austrozele* Roman, 1910

Austrozele Roman, 1910: 113. **Type species**: *Perilitus longipes* Holmgren, 1868.

Palinzele Brues, 1922: 15. **Type species**: *Palinzele oceanica* Brues, 1922.

Paniscozele Enderlein, 1920: 214. **Type species**: *Paniscozele sumatrana* Enderlein, 1920.

Laevis Sharma, 1982: 172. **Type species**: *Laevis spinosa* Sharma, 1982.

鉴别特征：体长6～10mm。触角细长，为前翅长的1.50～2.00倍，第1节粗大，第3节及以后各节长明显大于宽，端节具刺。上颊短。头顶和额光滑，偶具刻点，头顶在单眼后方常陡斜。额凹入。脸中央上方稍纵凹。唇基隆起，与脸多少明显分开，端缘稍凹或平。上颚粗壮，上齿大，两齿尖。下颚须长。前胸背板侧方大部分光滑，通常凹槽内具并列短刻条，肩角散生刻点。中胸盾片散生细刻点，盾片中叶弧形隆起，盾纵沟深，具并列刻条，后方中央有 1 条纵脊；小盾片散生细刻点，小盾片前凹深，内有纵脊。中胸侧板具刻点；胸腹侧脊完整，基节前沟宽，后端稍深。后胸侧板叶突三角形。并胸腹节表面较平，外侧区下方散生横刻条，气门椭圆形或近圆形。前翅 r 脉从翅痣中央很外方伸出，m-cu 脉明显前叉式，第 2 亚缘室至端部稍窄，cu-a 脉稍后叉式，亚基室端部约 0.30 处下方具 1 个淡黄色长斑，偶尔无。后翅缘室中部稍收窄；后翅 cu-a 脉垂直或稍内斜，内弯。足转节有端齿，后足胫节长距长为基跗节的 0.50～0.80倍，爪具基叶突。腹部第 1 背板气门稍突出，位于基部约 0.25 处，气门后背板侧缘向后常稍宽，侧凹(laterope)大而深，明显不同于基侧凹(glymma)。产卵管鞘长等于腹端部厚度，产卵管端前背缺刻深，端尖。

生物学：为夜蛾科幼虫，单寄生。

分布：各大动物区均有分布。古北区已知 6 种，秦岭地区分布 1 种。

（580）陕西澳赛茧蜂 *Austrozele shaanxiensis*（He，Chen *et* Ma，2000）（图 11）

Macrocentrus choui He, Chen *et* Ma, 2000: 524.

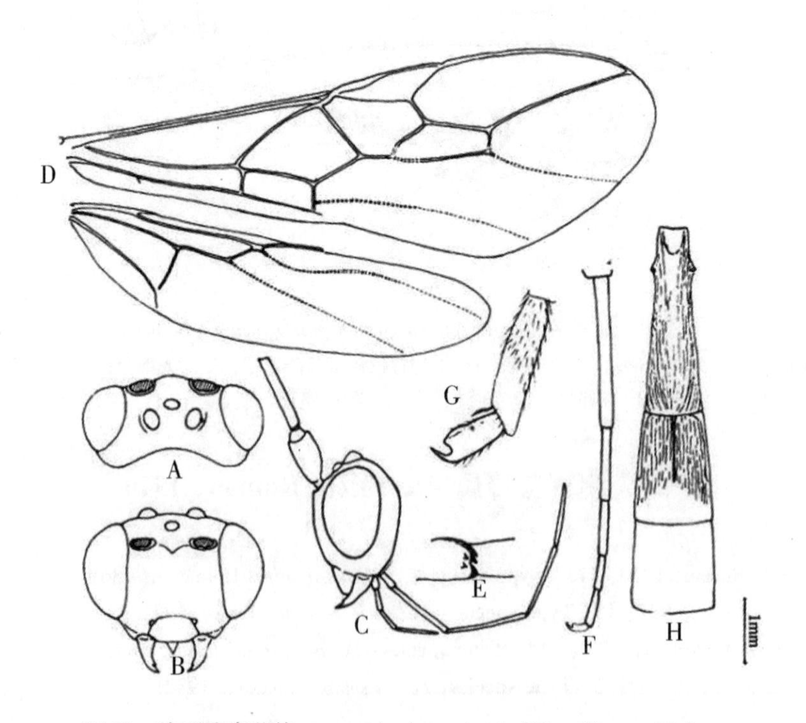

图 11 陕西澳赛茧蜂 *Austrozele shaanxiensis*（He, Chen *et* Ma）

A. 头背面观；B. 头前面观；C. 头侧面观；D. 翅；E. 后足转节和腿节；F. 后足跗节；G. 后足跗爪；H. 腹部第 1～3节背板背面观

鉴别特征： 体长 9.80mm；前翅长 9.20mm。触角 8 + 节。体赤黄色，上颚端齿、单眼区及其外侧 1 条横纹黑褐色。足赤黄色。单眼中等。脸散布细刻点，中央几乎光滑，在触角窝下方具浅皱。唇基稍隆起，刻点很浅；端缘稍凹。前胸背板侧方凹漕内并列刻条弱而较稀，其余部位几乎光滑。小盾片前凹内有 6 条纵脊。中、后胸侧板具中等刻点；胸腹侧脊完整且强；基节前沟后端有弱皱，侧板叶突锐三角形。并胸腹节基半具不规则细横皱，有 1 条中纵脊，后半侧方有斜脊，中央近于光滑。前翅 r-m脉气泡极小；M + Cu_1 脉中央稍弯曲；cu-a 脉与 3-Cu_1 脉向端部刚收窄；1-Cu_1 脉长为 cu-a 脉脉粗的 1.50 倍；亚基室除端部有毛 15 根外光滑，有 1 个浅褐色斑；第 1 臂室中长为中宽的 2.60 倍；Cu_1a 脉上无褐斑。后翅 2-Sc + R 方形。各足转节端齿 5、5、5 ~6 个。后足基节具稀细刻点；后足端跗节内侧稍凹，光滑，无刚毛；后足内外爪基叶突腹缘均弯曲。第 1 背板长为端宽的 2.60 倍，具较弱纵刻条，除气门后一段外均不太明显，气门后侧缘向后扩大。第 2 背板长为端宽的 1.25 倍，具细纵刻条，至端部渐消失，基半有 1 条细中纵脊。第 3 背板长为端宽的 1.10 倍，具带毛细刻点，在基部有极细纵刻条。产卵管鞘长为后足基跗节长的 0.70 倍。

采集记录： 1♀(正模)，武功，1981.Ⅷ.01，袁锋采，灯下，No. 907611。

分布： 陕西(武功)。

(四)屏腹茧蜂亚科 Sigalphinae

鉴别特征： 上颚正常；无圆形的唇基凹。前胸背板具中背凹和 1 对侧背凹；中胸盾片盾纵沟明显，盾叶均匀隆起；中胸腹板后横脊缺。足具第 2 转节，无齿。翅脉完整；前翅 SR_1 脉远在翅端前方，3-SR 脉为 r 脉的 4 倍以上，约与 SR_1 脉等长或稍短；1-SR 脉存在；2-SR + M 纵形；1-M 脉与 m-cu 脉平行；后翅具长而明显的 2-Cu 脉。腹部仅见 3 节，第 4 ~7 背板藏在第 3 背板之下，基部着生在后足基节之间；第 1 节气门在背板上；第 1 背板与第 2 背板之间可以活动。产卵管短，不长于第 3 背板的长度。个体较大。

生物学： 容性内寄生于鳞翅目幼虫，雌蜂产卵于寄主刚孵化的第 1 龄幼虫体内，蜂幼虫成长后钻出体外结茧。单寄生。

分类： 本亚科全世界分布。种数甚少，是比较稀有的类群。陕西秦岭地区分布 2 属 2 种。

分属检索表

腹部第 3 背板端部闭合，中长长于第 2 背板；第 2 背板前方深凹(屏腹茧蜂族 Sigalphini)；盾纵沟完整，其内具并列刻条；第 3 背板腹缘中央有 1 对齿或叶突 …… **屏腹茧蜂属 *Sigalphus***

腹部第 3 背板端部开口，中长约等于第 2 背板(1.10 倍或更少)；第 2 背板基部至多有 1 对浅凹痕，通常无；额中央无叶状突，中央平而具皱；产卵管鞘宽；后足跗爪约与第 4 跗节等长且有 1 枚尖的基齿 ………………………………………………………… **三节茧蜂属 *Acampsis***

34. 屏腹茧蜂属 *Sigalphus* Latreille, 1802

Sigalphus Latreille, 1802: 327. **Type species**: *Ichneumon irrorator* Fabricius, 1775.

属征: 腹部背板可见3节，通常腹末端部渐膨大；第3节背板球面状，密被细毛，毛平伸，端部腹面通常有2个强齿或叶突，偶尔无；后头脊明显，背方中央缺；盾纵沟完整且具扇状刻条；并胸腹节有亚中纵脊；跗爪基叶发达；前翅1-SR脉存在；2-SR+M脉纵形；后翅M+Cu脉与1-M脉近于等长；cu-a脉在下方曲折，有长而明显的2-Cu脉。

生物学: 屏腹茧蜂的寄主为鳞翅目昆虫，主要寄生于夜蛾科Noctuidae、邻绢蛾科Epermeniidae等科幼虫。

分布: 除澳洲区外世界各大动物区都有分布。全世界已知11种，我国记录4种，秦岭地区发现1种。

(581) 红腹屏腹茧蜂 *Sigalphus rafiabdominalis* He *et* Chen, 1994 (图12)

Sigalphus rafiabdominalis He *et* Chen, 1994: 446.

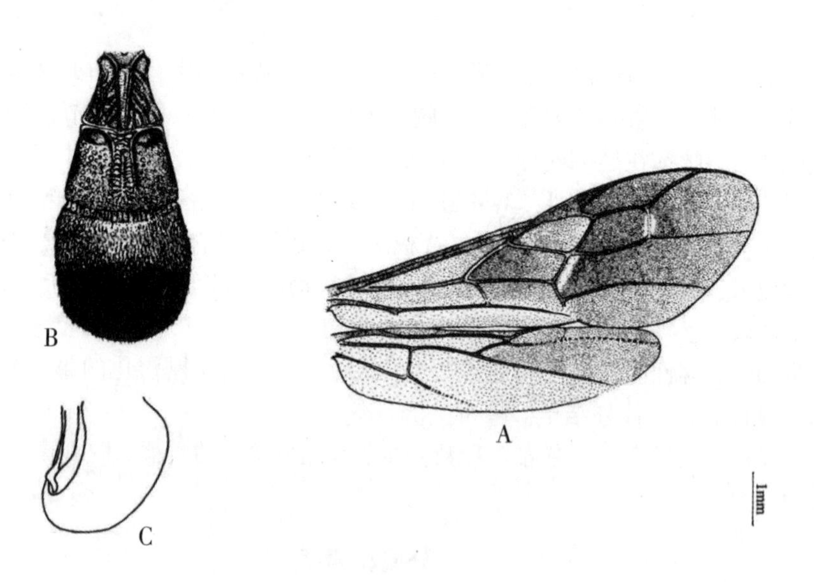

图12 红腹屏腹茧蜂 *Sigalphus rafiabdominalis* He *et* Chen
A. 翅；B. 腹部背面观；C. 腹部第3节背板侧面观

鉴别特征: 体长9.20mm；前翅长8.50mm。头胸部黑色；腹部第1、2背板及第3背板基半红黄色，第3背板端半黑色。足黑色至黑褐色，胫节褐色，最基部黄白色。

触角 38 + 节，端半各节近正方形。额中央平而光滑，侧方有强脊从侧单眼至触角窝外侧，脊外散生粗刻点。头顶具粗而浅刻点，在单眼后陡斜。上颊具带毛细刻点。单眼区隆起，单眼小。上颊在复眼后方不收窄，背观上颊稍长于复眼。脸具明显细刻点，中央纵隆部位(并有 1 条中脊)及亚侧纵凹内具皱。唇基隆起，具夹点刻皱；向端部斜削，端缘平直。前胸侧板后横褶存在。中胸盾片及小盾片光滑，散布极少微小带毛刻点；盾纵沟明显直至后缘，有纵列刻条；小盾片前凹内具 3 条纵脊。中胸侧板光滑，翅基下脊下方、后缘、胸腹侧脊后方和基节前沟前端具并列粗刻条，有大小不等凹窝。后胸侧板有 2 条粗强的弧形刻条。并胸腹节具粗而浅刻皱，中央有 2 条纵脊，近下端收窄，呈倒花瓶状，中区内光滑；侧纵脊存在；气门短椭圆形。前翅 r 脉从翅痣中央伸出，SR_1 脉远在翅端前方；第 2 亚缘室长是高的 1.75 倍；cu-a 脉明显后叉。后翅 r 脉位于基部 0.36 处；2-M 脉端部不明显向下弯曲；cu-a 脉垂直，下方曲折。后胫节内距长是基跗节的 0.50 倍。爪具 1 个阔基叶突。第 1 背板长是端宽的 1.10倍；具粗而强的网皱；中央有 2 条强纵脊在端部收敛的，伸到端缘，侧面观在 0.30处呈直角隆起。第 2 背板长为端宽的 0.70 倍，为第 3 背板的 0.60 倍；具网状刻纹；基部 0.40 有 2 条稍收敛的亚纵脊，后方 0.70 正中有 1 条强中纵脊，中脊两侧生并列横刻条；基缘两侧窗疤深凹。第 3 背板向后膨大，网皱比第 2 背板细弱。产卵管鞘长为第 3 背板的 0.21 倍，端缘钝圆。腹齿扁三角形，端部不尖。

采集记录： 1♀(正模)，武功，1951. Ⅴ.24，袁锋采，No. 907614。

分布： 陕西(武功)。

35. 三节茧蜂属 *Acampsis* Wesmael, 1835

Rhitigaster (*Acampsis*) Wesmael, 1835: 250. **Type species**: *Sigalphus alternipes* Nees, 1816.

属征： 盾纵沟明显；前翅 Sr_1 脉远在翅端前方，有 1-SR 脉，2-SR + M 脉纵形，cu-a脉后叉；后翅 M + Cu 脉长于 1-M 脉，cu-a 脉下方曲折，有长而明显的 2-Cu 脉；腹部末端腹方无齿；腹基部 3 节明显，其余略可见；产卵管鞘阔。

生物学： 本属寄主为鳞翅目尺蛾科 Geometridae 和夜蛾科 Noctuidae 幼虫。

分布： 古北区，东洋区。全世界已知 5 种，我国发现 2 种，秦岭地区分布 1 种。

(582) 中华三节茧蜂 *Acampsis chinensis* Chen *et* He, 1992 (图 13)

Acampsis chinensis Chen *et* He, 1992: 218.

鉴别特征： 体长 9mm；前翅长 7.80mm。体黑色；下颚须、翅基片深黑褐色；足红黄色，基节、转节、前足腿节基部、中足腿节基半、后腿节、后胫节端部和跗节黑色。触角 47 节。额稍凹，有明显的横行皱纹。头顶几乎光滑，有细刻点。上颊在复眼后方几乎不收窄，背观与复眼横径等长。后头脊完整，细，着生位置低。脸具细横刻皱，中央有 1 个宽的纵隆堤。唇基具明显刻点，端缘平截。两幕骨陷间距为幕骨陷至复眼距离的 1.50 倍。中胸盾片近于光滑，具衡疏细刻点。盾纵沟明显，深，内有平行刻条。小盾片具明显刻点。中胸侧板近于光滑；基节产沟完整，内有均匀平行的粗皱刻条。后脉侧板及并胸腹节具明显的网状皱纹，后者有不规则的脊，不形成分区。前翅 3-SR 脉是 r 脉的 5.60 倍，与 SR_1 脉等长。第 2 亚缘室长是高的 2.40 倍；cu-a 脉后叉，1-Cu_1 脉长是 cu-a 脉的 0.33 倍。后翅缘室不扩大，有 r 脉，位于基部 0.34处；cu-a 脉与 M + Cu 脉垂直，在下端曲折，有长而明显的 2-Cu 脉。后足胫节内距长是基跗节的 0.45 倍。爪有 1 枚基齿。第 1 背板长是端宽的 1.33 倍；具明显的网状刻纹；基部显著隆起；有 2 条中纵脊，伸达背板的 0.70 处，向端部收敛。第 2 背板与第 3 背板约等长，均具细纵刻条。其余背板不外露。产卵管鞘很宽阔，端部钝圆。

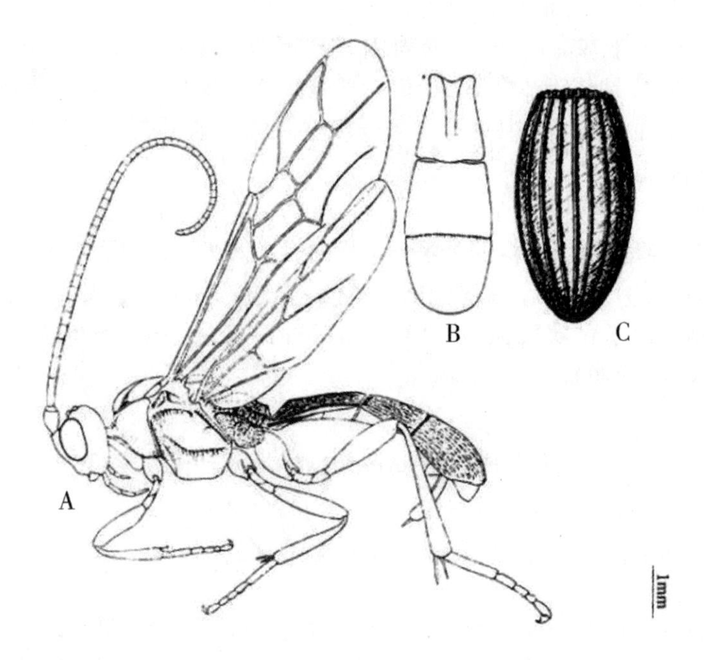

图 13 中华三节茧蜂 *Acampsis chinensis* Chen *et* He

A. 整体侧面观；B. 腹部背板背面观；C. 茧

生物学：茧纺锤状，长约 9mm，宽为 4.50mm，上有 17 条平行纵肋。棕色。

寄主：一种采自苹果树上的尺蠖幼虫。

采集记录：1♀(正模)，1♂(副模)，眉县，1974，谌有光采，寄主尺蠖幼虫，No. 740210。

分布：陕西(眉县)；韩国，日本。

(五)滑茧蜂亚科 Homolobinae

鉴别特征：口窝缺；触角 37 ~ 55 节，触角柄节端部近平截，触角端节具刺或无刺；后头脊存在，后头脊与口后脊在上颚基部上方连接；下颚须 6 节；下唇须分别为

4 节，第 3 节常常退化；前胸背板凹缺；中胸盾片前凹存在；中胸盾片均匀隆起；小盾片无侧脊；胸腹侧脊几乎伸达中胸侧板前缘；中胸腹板后横脊缺；后胸侧板下缘脊多少薄片状，透明；前翅 1-SR 脉不明显，少数明显；前翅 m-cu 脉明显前叉于 2-SR 脉；前翅 Cu_1b 脉、2-SR 脉及 2A 脉存在；前翅第 1 亚盘室端部封闭；前翅无 a 脉；后翅亚基室大；后翅臂室(叶)较大；足第 2 转节简单，无齿；腹部具均匀的毛；腹部第 1 背板无背凹，气门位于中部前方；腹部第 1 背板侧凹深、大；下生殖板端部平截，大至中等大小；产卵管直或几乎如此，亚端部具 1 个小结。

生物学：内寄生于裸露生活的鳞翅目幼虫，主要是夜蛾科 Noctuidae 和尺蛾科 Geometridae，少数也寄生毒蛾科 Lymantriidae 和枯叶蛾科 Lasiocampidae。

分类：全世界广布。陕西秦岭地区分布 1 属 5 种。

36. 滑茧蜂属 *Homolobus* Foerster, 1862

Homolobus Foerster, 1862: 256. **Type species**: *Phylax discolor* Wesmael, 1835.

属征：体长 4.40 ~ 15.00mm；前翅长 4.60 ~ 16.00mm。唇基腹缘薄；后头脊完整；下唇须第 3 节长是第 4 节的 0.14 ~ 0.62 倍。前胸背板中央近中胸盾片前缘处有凹窝；盾纵沟明显；后胸侧板突大。前翅 1-SR + M 脉直；有 r-m 脉；cu-a 脉斜；第 1 盘室无柄；后翅缘室向外扩大，有或无 r 脉。后足胫节端部内侧无梳状栉。腹部第 1 节无柄，气门位于背板基部，背板长是端宽的 1.70 ~ 4.80 倍，基部中央凸起。雌性腹末侧扁。产卵管长是前翅的 0.04 ~ 0.80 倍。

生物学：寄主多数是为裸露生活的鳞翅目幼虫，主要是夜蛾科 Noctuidae 和尺蛾科 Geometridae 等科的幼虫，单寄生。

分布：全世界。秦岭地区发现 5 种。

分种检索表

1. 爪简单，腹方无齿或薄片状；雄虫后足胫节距端部通常着色，一般平截 ……………………………………………………………………… **截距滑茧蜂 *H.* (*A.*) *truncator***

   至少前足爪有 1 个小齿或薄片；雄虫后足胫节距端部透明、尖锐 ……………… 2

2. 雌虫后足内爪腹方近中部明显凹入，内爪形状与外爪完全不同；雌虫触角第 3 ~ 6 节内侧有脊 ……………………………………………………………… 3

   雌虫后足内爪腹方近中部直或凸出，其形状与外爪相同或几乎相同；雌虫触角第 3 ~ 6 节通常无脊，如有则很弱 ……………………………………………… 4

3. 前翅 1-1A 脉基段弯曲；后翅 Rs 脉基部 1/3 弯曲，与 1r-m 脉骨化程度相同 ……………………………………………………… **暗滑茧蜂 *H.* (*C.*) *infumator***

   前翅 1-1A 脉基段直；后翅 Rs 脉基部 1/3 直或稍弯，比 1r-m 脉骨化程度弱或不骨化 ……………………………………………………… **中华滑茧蜂 *H.* (*H.*) *sinensis***

4. 后翅 Rs 脉基部 1/3 明显弯曲，与 1r-m 脉骨化程度相同，如为中间类型，则爪双叉式；后翅 R_1 脉强度弯曲 …………………………………………………… **环节滑茧蜂 *H.*（*P.*）*annulicornis***
后翅 Rs 脉基部 1/3 直或稍弯曲，通常比 1r-m 脉骨化程度弱，如骨化程度与 1r-m 脉相同，则后翅 Rs 脉直，爪有 1 个小亚端齿或薄片；后翅 R_1 脉直或中等程度弯曲 …………………………
…………………………………………………… **尼泊尔滑茧蜂 *H.*（*O.*）*nepalensis***

（583）截距滑茧蜂 *Homolobus*（*Apatia*）*truncator*（Say，1828）（图 14）

Bracon truncator Say，1828：381.

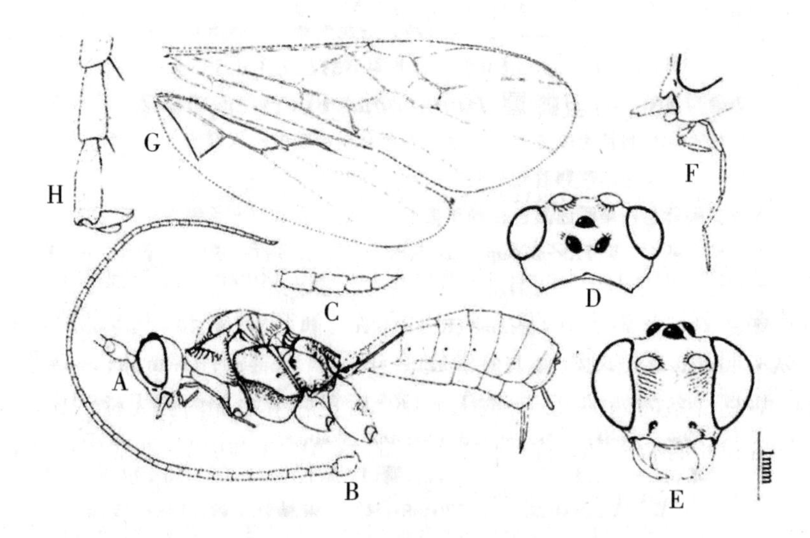

图 14　截距滑茧蜂 *Homolobus*（*Apatia*）*truncator*（Say）
A. 整体侧面观；B. 触角；C. 触角端部；D. 头背面观；E. 头前面观；F. 须；G. 翅；H. 后足外爪

鉴别特征： 雌虫体长 6.80mm；前翅长 6.30mm。体褐黄色；单眼区黑色；触角鞭节暗褐色；须和产卵管鞘为相当浅的黄色。触角 50 节。唇须第 4 节长约为第 3 节的 4 倍。颚须长为头高的 1.30 倍。复眼内缘微凹，背面观复眼长度为上颊的 1.60 倍。额几乎平坦，在近触角窝处有浅刻条。头顶光滑，但在近单眼处有微细的刻线。脸相当平，在触角窝下方有浅皱，在下方有刻条。唇基相当平坦，有小刻点，唇基端缘与唇基稍分开，中央稍凸起。上颚端部稍扭曲。前胸背板侧面大部分光滑，中部有稍宽而后部有更窄的扇状刻条。胸腹侧区具皱状刻点；基节前沟有相当粗的夹点刻皱；中胸侧板的其余部分光滑。后胸侧板突相当大，呈叶状，端部平截且宽。后胸侧板大部分光滑，仅腹方具皱。盾纵沟深，具相当宽的扇形脊；中胸盾片光滑。并胸腹节表面前端 1 小块光滑，有 1 条短的不规则中脊，中央和后方有网状皱纹。前翅 SR_1 脉向前端有些弯曲；cu-a 脉稍内斜并弯曲；2A 脉基本上存在仅如 1 条带褐色条纹；2A 脉的基区基本上无毛。后翅无 r 脉；$Sc+R_1$ 脉和 SR 脉稍弯曲。后足基节除具一些微细刻纹外光滑；后足的腿节、胫节和基跗节的长为其各自宽的 6.00、9.50 和

8.50倍；后足胫节距长为基跗节的0.70和0.50倍。跗爪简单，基部有刚毛，更确切为鬃。第1背板的长为端宽的3.20倍，表面有相当浅的不规则的点状刻皱；第1背板背脊在基半部稍发达。产卵管鞘长的前翅的0.07倍。体褐黄色；单眼区黑色；触角鞭节暗褐色；须和产卵管鞘为相当浅的黄色。

采集记录：1♂，咸阳，1980，朱芳采，No.804030。

分布：陕西(咸阳)、黑龙江、吉林、辽宁、内蒙古、北京、河北、山西、河南、宁夏、甘肃、新疆、江苏、浙江、江西、台湾、四川、贵州；日本，全北区，新热带区，东洋区。

寄主：小地老虎。

(584) 暗滑茧蜂 *Homolobus* (*Chartolobus*) *infumator* (Lyle, 1914)（图15）

Zele infumator Lyle, 1914: 288.

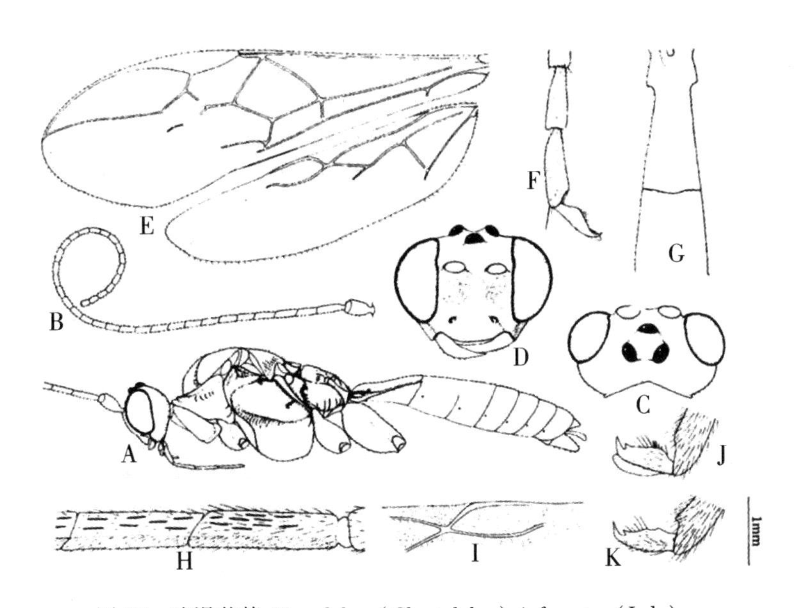

图15　暗滑茧蜂 *Homolobus* (*Chartolobus*) *infumator* (Lyle)

A. 整体侧面观；B. 触角；C. 头背面观；D. 头前面观；E. 翅；F. 前足内爪；G. 腹部第1～2节背板背面观；H. 触角第3～4节内面观；I. 后翅部分；J. 后足外爪；K. 后足内爪

鉴别特征：体长6.80～10.00mm；前翅长7.10mm。体褐黄色；单眼区暗褐色。触角46～50节唇须第4节长为第3节的2.70～3.30倍。颚须长为头高的1.50倍。复眼内缘微凹，背观复眼长为上颊的1.60倍；上颊向后圆形。额几乎平滑；头顶光滑。脸相当平，有横行的皱状刻条，但在唇基上方的三角形区光滑。唇基相当平坦，具浅的小刻点，几乎光滑。颚眼距长为上颚基宽的0.70倍。前胸背板侧方有小浅刻点，在中央有些短扇形刻纹。胸腹侧片几乎光滑；基节前沟前端有细皱，后半部光滑；中胸侧板的其余部分具不明显的小刻点。后胸侧板突大，呈叶状，端部圆形；后胸侧板具小刻点。盾纵沟具细扇形刻纹；中胸盾片具小刻点。并胸腹节表面光滑，除中央有一些皱和向中央延伸的不规则的中横脊外，在后端有1条弧形脊，围成1个半圆形小区。前翅 SR_1 脉稍弯曲；cu-a 脉短前叉式，直；2A 脉基部骨化且较细；2A 脉的基部区域裸，但在基方有些刚毛。后翅 SR 脉基部1/3 骨化并弯曲；$Sc+R_1$ 脉强度弯曲；缘室明显收缩。后足基节光滑；后足腿节、胫节和基跗节的长度分别为各自宽的7.00、10.90 和9.00 倍；后足胫节距长为基跗节的0.60 和0.50 倍。跗爪有1枚亚端齿。第1 背板的长为端宽的2.40 倍，表面光滑；第1 背板无背脊。产卵管鞘长为前翅的0.05～0.07 倍。

采集记录：1♂，周至，1962. Ⅷ. 17，杨集昆采，No. 871933；2♀，眉县太白山，1200m，1983. Ⅴ. 10-27，昆虫考察组采，No. 907599，907600；2♀1♂，武功，1976. Ⅷ. 03-04，1982. Ⅷ. 01，西北农学院采，No. 907601，907605-06（NWAU）。

分布：陕西（周至、眉县、武功）、黑龙江、吉林、甘肃、新疆、浙江、江西、湖南、福建、台湾、贵州、云南；日本，全北区，东洋区，新热带区。

寄主：落叶松毛虫 *Dendrolimus superans*（Butler）（海林）。据记载，有尺蛾科 Geometridae 的 *Alcis repandata repandata*（Linnaeus），*Ematurga atomaria*（Linnaeus），*Lambdina fiscellaria*（Guenee），*L. somniaria*（Hulst），*Lycia gonaria*（Denis & Sokiff.），*Nepytia canosaria*（Walker）和织蛾科 Oecophoridae 的 *Agonopteris alstroemeriana*（Clerck）。

（585）中华滑茧蜂 *Homolobus*（*Homolobus*）*sinensis* Chen，1991（图16）

Homolobus（*Homolobus*）*sinensis* Chen，1991：47.

鉴别特征：体长8.10mm；前翅长9mm。体褐黄色；上颚端部褐色，单眼区黑色，腹部第1～2 节背板褐色带黑斑。后腿节红褐色。翅痣黄色。触角46 节；第3～11节有1 条脊。下颚须长是头高的1.57 倍。背观复眼长是上颊的1.70 倍。额平坦，有明显的细刻条。头顶几乎光滑，在复眼后方几乎直线收窄。脸平坦，有明显横刻条。唇基凸出，具刻点，端缘薄，弧形。前胸背板侧面具光泽，前缘中央及后缘有平行短刻条，下缘具细弱长刻纹。中胸侧板光滑，无基节前沟。后胸侧板具刻纹，侧板下缘脊发达。中胸盾片及小盾片具微细刻点，近于光滑，盾纵沟明显，深。并胸腹节基缘光滑，中后方具横刻纹，2 条中纵脊不规则，在基部合成1 条，中后方围成不规则区域。前翅 SR_1 脉稍曲；cu-a 脉外斜，后叉式；臀区光滑。后翅 r 脉存在，近于中央，1-SR 脉长是2-SR 的0.85 倍；2-R 脉竖，R_1 脉直。后足基节光滑；后足腿节、胫节及基跗节长是宽的7.40、11.50 和8.90 倍；爪近端部有1 枚小齿。第1 背板的长为端宽的2.80 倍；基半表面具不明显皱褶，端半具纵皱纹，气门之前有2 条弱纵脊。第2 背板基半中央具细纵皱纹；其余背板光滑。产卵管鞘长是前翅长的0.10 倍。

采集记录：1♀（正模），华山，1962. Ⅷ. 21，杨集昆采，No. 871929。

分布：陕西（华阴）、台湾。

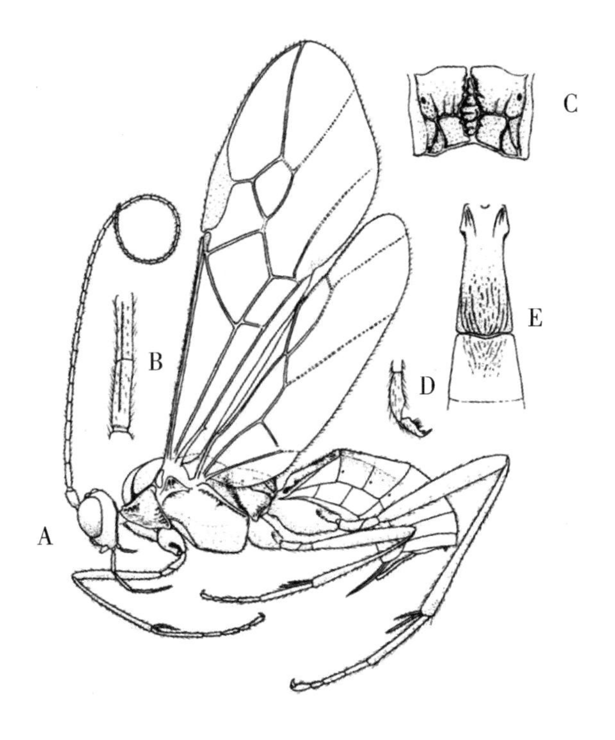

图 16　中华滑茧蜂 *Homolobus*（*Homolobus*）*sinensis* Chen

A. 整体侧面观；B. 触角基部；C. 并胸腹节；D. 后足跗爪；E. 腹部第 1～2 节背板背面观

(586) 环节滑茧蜂 ***Homolobus*（*Phylacter*）*annulicornis*（Nees, 1834）**（图 17）

Rogas annulicornis Nees, 1834: 201.

鉴别特征：体长 9.70mm；前翅长 9.70mm。体褐黄色；单眼区黑色；后足跗节（除基部和端部外），触角亚端部环节端部为不明显的烟褐色。翅痣黄色。触角 48～52 节。颚须长为头高的 1.60 倍。背面观复眼长度为上颊的 1.70 倍。额相当平坦，两侧有微刻条；头顶相当平，光滑。脸相当平，有小点皱。唇基相当平坦，具小刻点。颚眼距为上颚基宽的 0.50 倍。前胸背板侧面中央和后方有并列刻条，下部有刻条，背方几乎光滑。胸腹侧区有网状皱纹；基节前沟具网状皱纹，但后方几乎光滑；中胸侧板的其余部分具小刻点。后胸侧板突大，呈叶状，端部宽而圆；后胸侧板具小刻点，腹方有些并列刻条。盾纵沟几乎光滑，后部有些并列刻条；中胸盾片有小刻点。并胸腹节表面有细皱，前方几乎光滑，仅在前端有 1 条短中脊。前翅 SR_1 脉稍弯曲；cu-a 脉稍弯曲，后叉式；2A 脉基部刚骨化；2A 脉的基部区域散生刚毛。后翅 2-Sc + R 脉横形；SR 脉的基部 1/3 全部骨化。后足基节具小刻点。后足的腿节、胫节和基跗节的长度分别为各自宽的 8.00、11.20 和 10.40 倍；后足胫节距长为基跗节的 0.60 和 0.50 倍。跗爪亚端部有 1 个明显齿状的叶突，其基部有黄色栉齿，但后足内爪缺。第 1 背板的长为端宽的 2.90～3.50 倍，表面大部分光滑，但在侧方有些细皱；

第1背板无背脊。产卵管鞘长为前翅的0.18倍。

采集记录：1♀1♂，太白山，1983. Ⅷ. 06，昆虫考察组采，No. 907602，907609（NWAU）。

分布：陕西(太白山)、吉林、辽宁、湖北；日本，古北区东部及中部。

寄主：据国外记载有夜蛾科 Noctuidae 的小地老虎 *Agrotis*（= *Enargia*）*ypsilon*（Denis & Schiff.），谷夜蛾 *Lithophane lamda*（F.），梦尼夜蛾 *Orthosia* sp. 和三角鲁夜蛾 *Amathes*（= *Xestia*）*triangulum*（Hufn.）.

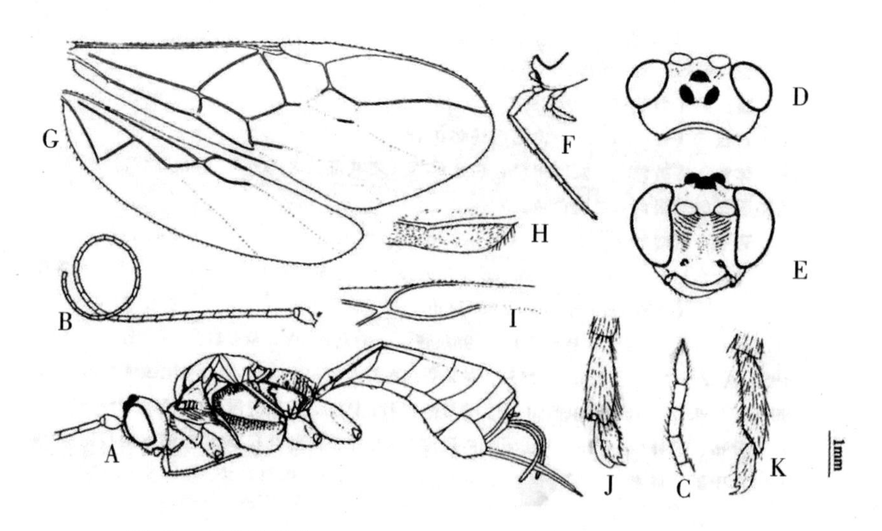

图17 环节滑茧蜂 *Homolobus*（*Phylacter*）*annulicornis*（Nees）

A. 整体侧面观；B. 触角；C. 触角端部；D. 头背面观；E. 头前面观；F. 须；G. 翅；H. 前翅臀角；I. 后翅部分；J. 后足外爪；K. 后足内爪

（587）尼泊尔滑茧蜂 *Homolobus*（*Oulophus*）*nepalensis* van Achterberg, 1979（图18）

Homolobus（*Oulophus*）*nepalensis* van Achterberg, 1979: 340.

鉴别特征：雌虫体长6.40mm；前翅长7mm。体黑褐色；头、复眼周围、上颊、触角(但基半部为烟褐色)、后足转节、后足腿节、后足胫节基部1/3处，后足胫节距、后足跗节，多少红褐色，触角42节。唇须第4节长为第3节的1.20倍；颚须长为头高的1.20倍。背观复眼长为上颊的2.10倍，上颊向后直线收窄。额几乎光滑并呈浅凹；头顶相当平滑。脸平，具小刻点，但在近触角窝处有点皱。唇基凸起，有小刻点，唇基端缘相当薄，不能区分，中部稍凸起。前胸背板侧面中央和后方有并列刻条，其余大多为小刻点。胸腹侧区具小刻点；基节前沟几乎没有；中胸侧板的其余部分具小刻点。后胸侧板突大，呈叶状，端部圆形；后胸侧板具浅刻点，腹方有些脊。盾纵沟有窄的并列刻条，但前端几乎光滑；中胸盾片几乎光滑，有些小刻点。并胸腹节表面光滑，除有分脊和1条相当不规则的中脊外，在后方有1个规则的封闭的椭圆形中区，并胸腹节后部与前背部分不开。前翅 SR_1 脉几乎直；cu-a 脉几乎直，稍后叉式；2A 脉基部骨化部位短；2A 脉基部的区域大多裸。后翅有 r 脉；2-Sc + R 脉横形，$Sc + R_1$ 脉相当弯曲；SR 脉的基部 1/3 几乎直，不骨化。后足基节具小刻点，背端方有少许刻条；后足腿节、胫节和基跗节的长度分别为各自宽的 6.60、10.30 和 8.00 倍；后足胫节距长为基跗节的 0.60 和 0.50 倍。跗爪有 1 枚中等大小的呈叶状的亚端齿，基部具刚毛。第 1 背板长为端宽的 1.80 倍，表面有不明显的稀疏细刻皱；第 1 背板除基部有 1 对短痕迹外无背脊。产卵管鞘长为前翅的 0.26 倍，甚短于腹部。

采集记录：1♀，留坝，1980. Ⅷ，魏建华采，No. 907627（NWAU）。

分布：陕西（留坝）、浙江；尼泊尔。

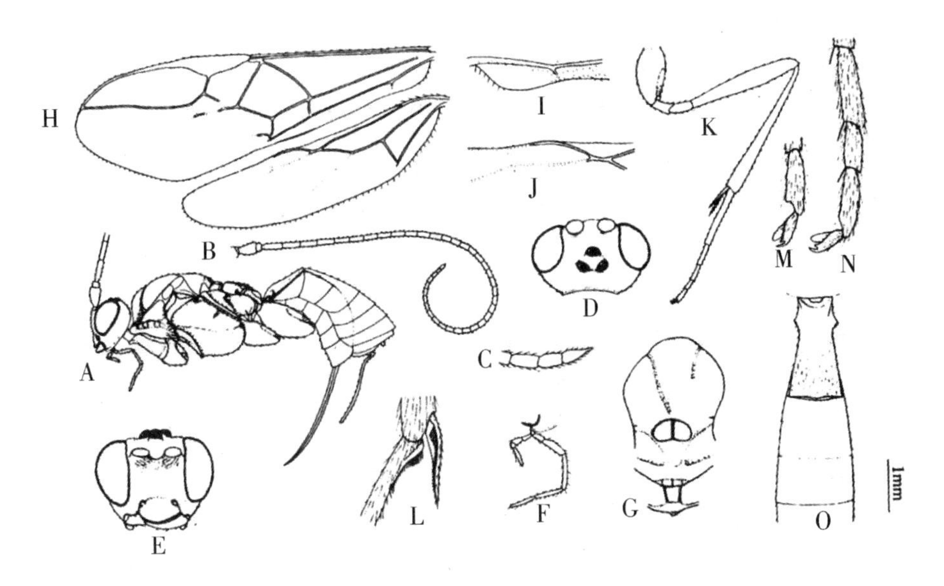

图 18　尼泊尔滑茧蜂 *Homolobus*（*Oulophus*）*nepalensis* van Achterberg

A. 整体侧面观；B. 触角；C. 触角端部；D. 头背面观；E. 头前面观；F. 须；G. 中胸背板背面观；H. 翅；I. 前翅臀角；J. 后翅部分；K. 后足；L. 前足胫距；M. 后足内爪；N. 后足外爪；O. 腹部第 1 ~ 3 节背板背面观

（六）优茧蜂亚科 Euphorinae

鉴别特征：唇基端缘无成列的刻点；唇基下陷缺；上唇平坦，唇基腹方不为唇基下陷的部分；触角有时位于强度突起的触角架上，柄节短，端部扩大；下颚须 2 ~ 5 节。前胸背板盾前凹缺；中胸盾片前端近前胸背板处不突出；胸腹侧脊侧方存在；翅基下陷通常具中脊或平行的短刻条；并胸腹节通常具分脊，中区缺或至多中等大小。前翅缘室小、中等至大；前翅 1-M 脉前端直或弱弯曲；1-SR 脉短或缺，或中等大小而斜；Cu_1b 脉缺或几乎如此；r-m 脉缺或存在，第 2 亚缘室开放或密闭。后翅缘室通常平行或端部收窄；cu-a 脉缺或仅有一点痕迹，或存在，脉管状；轭叶端部无明显的切口。足第2转节无钉状刺；后足胫节在近胫节距基部处无钉状刺。腹部着生位置至少部分在后足基节之间；腹部基部3节不愈合，不成甲壳状；第1背板明显柄状或很长，有时不成柄状；背凹存在或缺；该背板气门通常位于中部或中部之后，偶尔位于中部之前；产卵管短至长。

生物学：寄主范围很广，内寄生于鳞翅目幼虫，鞘翅目成虫和幼虫，半翅目、膜翅目和脉翅目的成虫，啮虫目和直翅目的若虫。

分类：世界广布。陕西秦岭地区分布6属11种。

分属检索表

1. 腹部第1背板阔，不成柄状，侧凹深；产卵管鞘长度小于其宽的3倍，如果大于3倍，则第1背板具大背凹；前翅缘室长，M + Cu_1 脉大部分不骨化 ………………… **宽鞘茧蜂属 *Centistes***
   腹部第1背板明显成柄状，若近于柄状或较阔，则第1背板侧凹或前翅缘室短，或产卵管鞘长度大于其宽的3倍；前翅 M + Cu_1 脉多样 ………………………… 2
2. 触角柄节扩大，长于触角第3节，达到或超过头顶高度；若处于中间类型，则背凹存在…… 3
   触角柄节正常，稍微或不扩大，等长或短于触角第3节，不达头顶高度；若达到头顶高度，则无背凹 ………………………… 4
3. 触角9~10节，柄节不或稍高出头顶，短于触角第3节长的1.90倍；触角端部变宽，端节长于端前节的2倍；前翅1-SR + M脉存在；下唇须2节；产卵管端部具1个端前背缺刻；腹部第1背板侧面观几乎成直角状弯曲………………… **绕茧蜂属 *Ropalophorus***
   触角多于14节，柄节稍高出头顶，长度几乎总是大于第3节长的1.90倍；触角端部不变宽，端节长度短于端前节的2倍；前翅1-SR + M脉通常缺；下唇须2~3节；产卵管端部前方无缺刻；腹部第1背板侧面观多少成圆弧状弯曲 ………………… **长柄茧蜂属 *Streblocera***
4. 腹柄腹髁几乎位于中足基节基部的水平处；腹部第1背板长，圆柱状，光滑，腹方关闭；前翅r-m脉存在 ………………………… **蝽茧蜂属 *Aridelus***
   腹柄腹髁正常，近后足基节水平处；腹部第1背板短，后半侧扁，不呈圆柱状，通常(大部分)腹方开放；前翅r-m脉多样 ………………………… 5
5. 后翅缘室端部变宽，有时有r脉痕迹；腹部第4~5背板大部分具密毛；第1背板背凹存在；茧无长端丝；并胸腹节前端无横脊………………… **赛茧蜂属 *Zele***
   后翅缘室端部变窄，很少两侧近平行，无r脉；腹部第4~5背板大部分光滑，仅雄性具毛；背凹多样；一些种的茧具长端丝；并胸腹节前方常无横脊………………… **悬茧蜂属 *Meteorus***

37. 蝽茧蜂属 *Aridelus* Marshall, 1887

Aridelus Marshall, 1887: 66. **Type species**: *Aridelus bucephalus* Marshall, 1887 [= *Ophion nigrator* Fabricius, 1804].

Helorimorpha Schmiedeknecht, 1907a: 523. **Type species**: *Helorimorpha egregia* Schmiedeknecht, 1907.

Strictometeorus Cameron, 1909: 9. **Type species**: *Strictometeorus rufus* Cameron, 1909.

Erythrometeorus Cameron, 1911: 317. **Type species**: *Erythrometeorus reticulatus* Cameron, 1911.
Scipolabia Enderlein, 1920: 220. **Type species**: *Scipolabia reticulata* Enderlein, 1920.
Arideloides Papp, 1974: 443. **Type species**: *Arideloides niger* Papp, 1974.

属征：头背面观呈横形；触角线形，18 节，端节具 1 根刺；触角间距为触角窝直径的 2 倍；下颚须 6 节；下唇须 4 节；后头脊完整，或背中央的间断较宽，极少完全缺，腹方与口后脊汇合；额具刻点，有 1 条中脊伸至中单眼；雌性颜面宽大于唇基宽；唇基腹缘中央有凹痕；颚眼距为复眼高的 0.25～0.50 倍；颚眼沟缺；上颚闭合时完全重叠；中胸背板、侧板和并胸腹节大部分具小室状网皱，并胸腹节端区伸至中足基节着生处；前翅副痣大；1-SR 脉缺至短；3-SR 脉缺至明显均有。1-R_1 脉短；SR_1 脉末端很靠近翅痣，而远离翅端；具 r-m 脉；后翅有 SR 和 2-M 脉，着深色；第 1 背板长约为除第 1 背板外腹部长度的 3/4，腹方完全愈合；第 3 背板几乎伸达腹部末端，其后各节隐藏；第 2 和第 3 背板腹方重叠，无侧褶；产卵管和鞘稍露出。

生物学：寄生于半翅目蝽科 Pentatomidae 的若虫和成虫。

分布：全世界，但热带地区种类丰富。世界已知约 40 种，中国报道 20 种，秦岭地区发现 1 种。

(588) 中华蝽茧蜂 *Aridelus sinensis* Wang, 1981（图 19）

Aridelus sinensis Wang, 1981: 219.

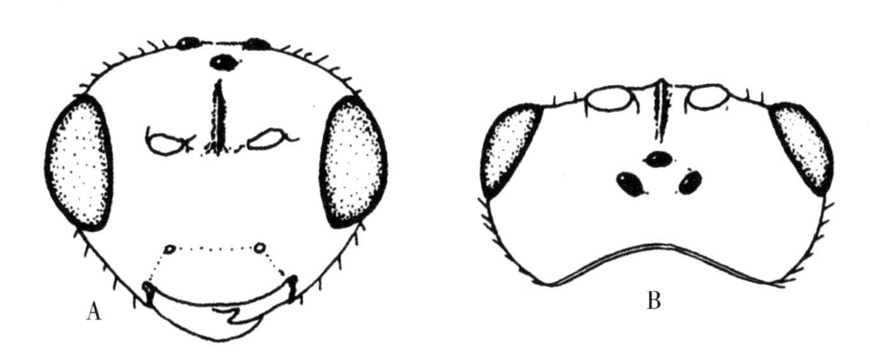

图 19　中华蝽茧蜂 *Aridelus sinensis* Wang
A. 头前面观；B. 头背面观

鉴别特征：体长 4mm。体黑色，头部棕黄色，背面观横形，其宽为长的 2 倍。头上布满小刻点，密生银白色细毛；头顶单眼区中央有 1 个近三角形褐色斑。须淡黄色。复眼黑色。触角的柄节、梗节及第 1 鞭节的基部棕黄色，其余鞭节为褐色。后头脊完整。额中央有 1 条赤褐色薄片状纵脊。幕骨陷间距与幕骨陷至复眼间距之比为 1.00∶0.80。眼颚距与复眼长径之比为 1.00∶1.40。上颚具 2 个齿。完全黑色，整个胸部（包括并胸腹节）具网状隆脊，网眼甚大，呈蜂房状，并密生银白色细毛。前翅

SR_1 脉明显，缘室长度约为翅痣长的2/3；翅痣下方有1条淡烟褐色带横贯全翅，褐色带渐向翅顶颜色变淡。翅痣褐色。翅痣附近翅脉为淡褐色，其余翅脉更浅。第2亚缘室无“柄”。淡黄色，各足第5跗节及爪为褐色。腹部光滑。第1背板淡黄色，背板较深，上面有赤褐色纵条纹。柄后腹节黑色，腹末有稀疏短毛。

分布：陕西（秦岭）、贵州。

38. 宽鞘茧蜂属 *Centistes* Haliday, 1835

Leiophron subgenus *Ancylus* Haliday, 1833: 261. **Type species**: *Leiophron* (*Ancylus*) *cuspidatus* Haliday, 1833.

Centistes Haliday, 1835: 462. **Type species**: *Ancylus cuspidatus* Haliday, 1833.

Ancyllus Haldeman, 1842: 191 (new name for *Ancylus* Haliday, 1833).

Syrrhizus Foerster, 1862: 254. **Type species**: *Syrrhizus delusorius* Foerster, 1862.

Ancylocentrus Foerster, 1862: 254. Synonymized by van Achterberg, 1977 and treated as a subgenus of *Centistes*.

Euphoridea Ashmead, 1900: 116. **Type species**: *Euphoridea claripennis* Ashmead, 1900.

Liosigalphus Ashmead, 1900: 125. **Type species**: *Liosigalphus politus* Ashmead, 1900.

属征：触角线形；下颚须5~6节；下唇须3节；复眼具稀疏短毛；后头脊完整，与口后脊汇合于上颚基部附近；颚眼沟存在；盾纵沟深，具平行刻条，但通常窄而光滑，有时缺，或仅在中胸盾片后半或1/3后部有短纵凹陷；胸腹侧脊完整；基节前沟通常有，但有时缺；并胸腹节常具1条横中脊；前翅缘室相对较短；$M+Cu_1$ 脉不骨化；1-SR脉存在；1-SR+M脉有或无；cu-a脉后叉式；2A脉呈痕迹状；跗爪简单；腹部第1背板短，无腹柄和背凹，但有明显的侧凹；下生殖板中等大小，通常具密毛，有时光滑无毛或有各种突起；产卵管长而平（但其主要部分隐藏腹部内），镰刀状；产卵管鞘通常短而细，有时长或粗。

生物学：寄生于鞘翅目 Coleoptera 的成虫，特别是象甲科 Curculionidae、叶甲科 Chrysomelidae、瓢虫科 Coccinellidae 和步甲科 Carabidae。

分布：全世界（除澳洲区）。世界已知约40种，秦岭地区发现2种。

分种检索表

翅痣褐色；第1背板长为端宽的1.50倍，其中央有1条中纵脊；触角23~24节 ……………………………………………………………… **脊宽鞘茧蜂 *C.* (*C.*) *carinatus***

翅痣黄色；第1背板长为端宽的1.20倍，其表面无中纵脊；触角25~26节 ……………………………………………………………… **黄宽鞘茧蜂 *C.* (*C.*) *flavus***

(589) 脊宽鞘茧蜂 *Centistes* (*Centistes*) *carinatus* Chen *et* van Achterberg, 1997(图 20)

Centistes (*Centistes*) *carinatus* Chen *et* van Achterberg, 1997: 24.

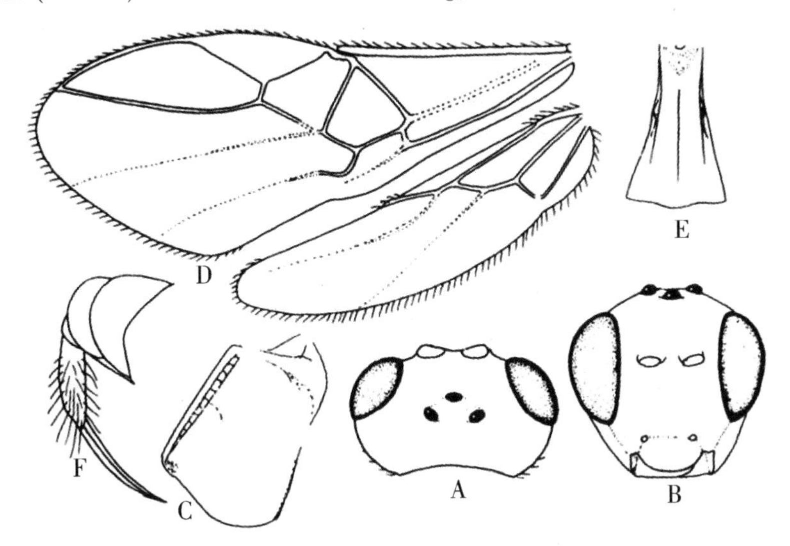

图 20 脊宽鞘茧蜂 *Centistes* (*Centistes*) *carinatus* Chen *et* van Achterberg

A. 头背面观; B. 头前面观; C. 中胸侧板侧面观; D. 翅; E. 腹部第 1 背板背面观; F. 产卵管和产卵管鞘侧面观

鉴别特征: 体长 2.20mm; 前翅长 2.30mm。体暗红褐色; 头腹方(包括颜面)、中胸侧板腹方、中胸盾片部分红褐色; 触角基部褐黄色, 向端部变暗; 前胸背板和足褐黄色, 后足胫节端部褐色; 须和转节浅黄色; 翅透明, 翅痣褐色, 翅脉浅褐色至浅黄色。触角 24 节, 下颚须长为头高的 0.90 倍; 背观复眼长为上颊的 1.30 倍; 上颊在复眼后圆弧状收窄, 上颊、头顶和额光滑; 颜面几乎光滑, 具密毛, 其宽为高的 1.30 倍; 幕骨陷间距为幕骨陷至复眼间距的 1.50 倍; 唇基拱凸, 几乎光滑; 颚眼距为上颚基宽的 1.30 倍。前胸背板侧前方具平行刻条, 其余大部分光滑; 中胸侧板光滑; 基节前沟完全消失; 后胸侧板大部分具刻皱; 中胸盾片大部分光滑, 无毛, 仅前方具很稀的毛; 盾纵沟缺; 小盾片前沟深, 具 1 条中脊; 小盾片稍凸起, 光滑; 并胸腹节具 1 条强壮的横脊和 1 条稍不发达的中纵脊, 其背方大部分光滑, 在近脊处有少许皱纹, 其后方几乎光滑。前翅 1-R_1 脉长为翅痣的 1.20 倍; r 脉发自翅痣中部; m-cu 脉对叉式; 1-Cu_1 脉斜。后翅 1-M 脉等长于 1r-m 脉。前、中足跗节稍短; 后足基节近于光滑; 第 1 背板长为端宽的1.50倍, 其表面光滑, 向端部渐宽, 气门不突出, 背脊明显(除端部), 中纵脊中部存在; 第 2 及以后背板光滑; 下生殖板简单, 具稀毛; 产卵管鞘长而窄, 近端部稍宽, 向端部收窄, 具长毛, 长为其最宽处的 3.40 倍, 为第 1 背板宽的 0.63 倍, 为前翅的 0.08 倍。

采集记录: 1♀(副模), 周至, 1979, 杨建采, No. 791216(ZJUH)。

分布: 陕西(周至)、浙江。

(590) 黄宽鞘茧蜂 *Centistes* (*Centistes*) *flavus* Chen *et* van Achterberg, 1997(图 21)

Centistes (*Centistes*) *flavus* Chen *et* van Achterberg, 1997: 25.

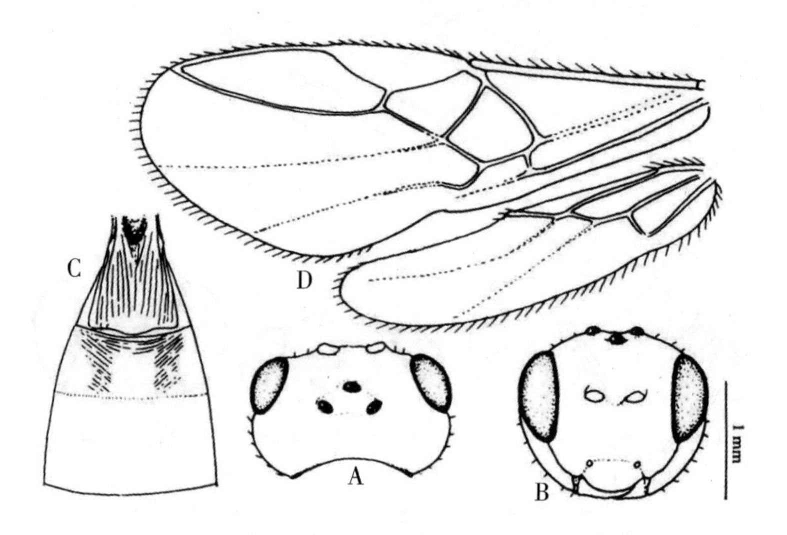

图 21 黄宽鞘茧蜂 *Centistes* (*Centistes*) *flavus* Chen *et* van Achterberg

A. 头背面观; B. 头前面观; C. 腹部第 1 ~ 3 节腹板背面观; D. 翅

鉴别特征: 雄虫体长 2.60mm; 前翅长 2.50mm。体褐黄色; 并胸腹节和腹部第 1 背板褐色, 第 4 及以后背板褐色; 触角浅褐色; 单眼区黑色; 须黄色; 足黄色, 后足胫节端部黑色; 翅透明, 翅痣黄色, 翅脉黄色至浅黄色。背观宽为中长的 1.90 倍; 触角 25 节, 第 3 节长为第 4 节的 1.20 倍, 第 3、4 节和端前节长分别为各自宽的 4.50、3.70 和 2.50 倍; 下颚须长为头高的 0.70 倍; 背观复眼长为上颊的 0.90 倍; 上颊在复眼后稍膨出, 后方圆弧状收窄; 上颊、头顶、额和颜面光滑; 颜面中部平坦, 其宽为高的 1.80 倍; 幕骨陷间距为幕骨陷至复眼间距的 1.10 倍; 唇基稍拱隆, 几乎光滑, 其宽为高的 2.20 倍; 颚眼距为上颚基宽的 1.60 倍。长为高的 1.40 倍; 前胸背板仅侧面前方具平行刻条, 其余大部分光滑; 中胸侧板光滑; 基节前沟完全消失; 后胸侧板小, 具皱; 中胸盾片光滑, 大部分无毛, 前方具稀毛; 盾纵沟缺; 小盾片前沟深, 内具 1 条中脊; 小盾片几乎平坦, 光滑, 中后方凹明显, 并具平行刻条; 并胸腹节具 1 条明显横脊和中纵脊, 刻皱稀疏, 但侧方较密。前翅 1-R_1 脉长为翅痣长的 1.10 倍; r 脉发自翅痣中部; m-cu 脉对叉式。后翅 2-Sc + R 脉短。后足基节几乎光滑; 后足腿节、胫节和基跗节长分别为各自宽的 3.80、10.00 和 6.00 倍; 后足胫节距长分别为后足基跗节的 0.44 和 0.56 倍。第 1 背板长为端宽的 1.20 倍, 从基部向端部渐加宽, 其表面具纵刻条, 背板基部的 2/3 处有背脊, 气门稍突出; 第 2 背板中部具细皱, 其长为第 3 背板中长的 0.60 倍; 第 3 及以后背板光滑。

采集记录: 1♂(正模), 周至, 1979, 杨建采, No. 791218(ZJUH)。

分布: 陕西(周至)。

39. 悬茧蜂属 *Meteorus* Haliday, 1835

Meteorus Haliday, 1835a: 24. **Type species**: *Ichneumon pendulator* Latreille, 1799.

Saprotichus Holmgren, 1868: 430. **Type species**: *Saprotichus chinensis* Holmgren, 1868.

Pachythechus Cameron, 1912: 84. **Type species**: *Pachythechus ruficeps* Cameron, 1912 (= *Meteorus cameroni* Shenefelt, 1969, new name for *ruficeps* Cameron, nec Nees, 1834).

属征: 触角 23 ~ 28 节，端节无刺，柄节端部平截，短，不伸达头部上缘；触角间距稍长于触角窝直径；下颚须 6 节；下唇须 3 节；复眼大而裸，前面观腹方稍内聚；后头脊通常完整，与口后脊汇合处位于上颚基部最上方；额凹，几乎光滑；口上沟存在；前幕骨陷大而深；唇基稍凸起；颚眼沟很发达；上颚细长，逐渐变细，具 1 条细中纵脊，上齿明显长于下齿，尖锐；基节前沟完整，宽，具皱状平行刻条；胸腹侧脊完整；中胸腹沟深；后方脊缺；中胸侧沟具平行刻条；盾纵沟完整，深并具平行刻条；小盾片前沟深，内有数条脊；小盾片中部凸起，侧脊缺，中央后方有小凹陷；并胸腹节具不规则粗糙皱纹；前翅 1-R_1 脉约等长于翅痣；1-SR 脉短；r-m 脉通常存在，但有时缺；M + Cu_1 脉完全骨化；3A 脉短；后翅 M + Cu 脉明显长于 1-M 脉；cu-a 脉近于垂直；2-Sc + R 脉长；SR 脉不骨化；后翅缘室向顶端收窄或平行，端部不阔；腿细长；爪简单而细长；腹部第 1 背板细而长，腹方中央通常相遇或几乎相遇，有时基部愈合，管状，气门位于中央或中央稍后方，背凹和侧凹通常存在，但有时缺；第 2 和以后各背板光滑；第 2 和第 3 背板有侧褶；腹部背板亚端部具 1 列毛；下生殖板简单，具稀疏短毛；产卵管鞘细长，具横脊和毛；鞘长约为第 1 背板的 2 倍；产卵管细而直，端部尖锐，背瓣亚端部具 1 个弱缺刻。

生物学: 寄生于鳞翅目尺蛾科 Geometridae、夜蛾科 Noctuidae、带蛾科 Thaumetopoeidae、眼蝶科 Satyridae、蛱蝶科 Nymphalidae、螟蛾科 Pyralidae、卷蛾科 Tortricidae、蝙蝠蛾科 Hepialidae、斑蛾科 Zygaenidae、谷蛾科 Tineidae、灰蝶科 Lycaenidae、枯叶蛾科 Lasiocampidae、麦蛾科 Gelechiidae、毒蛾科 Lymantriidae、灯蛾科 Arctiidae、Nolidae 和尖翅蛾科 Momphidae 幼虫体内；有些种寄生于鞘翅目 Coleoptera 木蕈甲科 Cisidae、长朽木甲科 Melandryidae、金龟子科 Scarabaeidae、毛蕈甲科 Biphyllidae、天牛科 Cerambycidae、小蠹科 Scolytidae、叶甲科 Chrysomelidae 及拟步行虫科 Tenebrionidae 和脉翅目 Neuroptera(*Meteorus oculatus* Ruthe, 1862)。蜂幼虫成熟后，钻出寄主幼虫，通常先引丝下垂，上下数次，以加固悬丝，再悬室结茧，茧多黄褐色，呈麦粒状。通常单寄生，部分聚寄生。

分布: 全世界。世界已知约 200 种，分 6 个种团，我国目前已记录 14 种，秦岭地区发现 3 种。

分种检索表

1. 上颚较粗壮，不强烈扭曲；额无瘤状突起；跗爪有或无爪中突 ········ **伏虎悬茧蜂 *M. rubens***
   上颚细长，强烈扭曲，由基部至末端具1条分明的纵脊；若扭曲程度较弱，则额在前单眼之前有1个瘤状突起；跗爪有爪中突 ··· 2
2. 唇基具密集的直立毛簇；翅痣褐色或暗褐色，基部、端部和前缘白色(雌虫) ····················
   ·· **斑痣悬茧蜂 *M. pulchricornis***
   唇基正常，具稀疏的俯卧毛 ··· **粘虫悬茧蜂 *M. gyrator***

(591) 粘虫悬茧蜂 *Meteorus gyrator* (Thunberg, 1822) (图22)

Ichneumon gyrator Thunberg, 1822: 261.

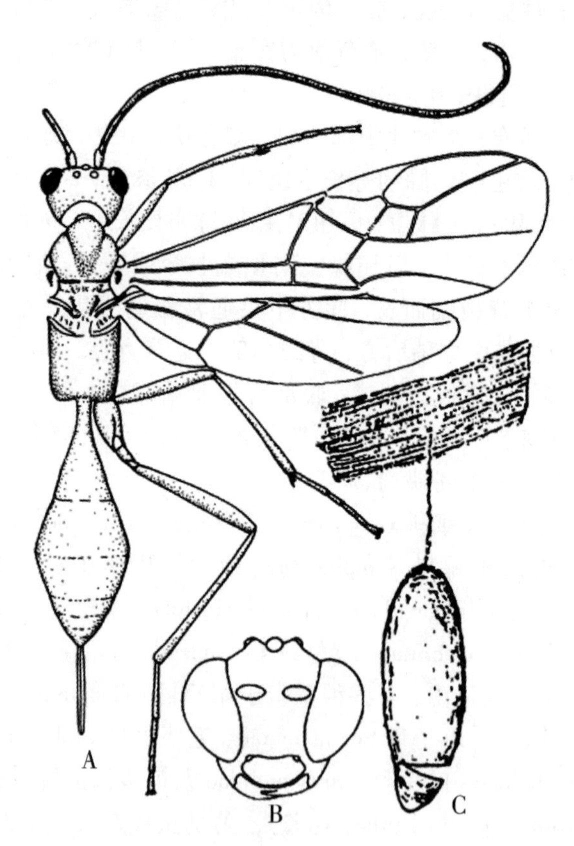

图22 粘虫悬茧蜂 *Meteorus gyrator* (Thunberg)
A. 整体背面观；B. 头前面观；C. 茧

鉴别特征： 雌虫体长4.50~5.50mm。体黄褐色至赤褐色，北方个体色较深；单眼区及腹部后端色稍暗；触角至末端、端跗节及爪、有时第1背板全部或仅凹洼附近、产卵管鞘，均黑褐色至黑色。翅透明。翅痣淡黄褐色。触角32~36节；侧单眼间距与单复眼间距相等，约为单眼直径的2倍；复眼的腹方稍会聚；颜面下端宽约为高的1.50倍；背观复眼为上颊的1.50倍。胸刻点较细而稀；盾纵沟窄而明显，后方渐宽，内具不规则刻纹；并胸腹节具弱网状皱纹，基半有中纵脊。前翅3-SR脉近于r脉的3倍，与2-SR脉等长；2-SR脉与2-SR+M脉第2段等长，与m-cu脉相交且约等长；cu-a脉在基脉稍外方；但亦有少数个体cu-a脉稍为前叉式。第1背板基部呈柄状，在气门前方的凹洼明显，后方纵行刻条甚明显，背板下缘在腹面近于平行，但不相接触；第2及以后各节背板光滑；产卵管鞘稍超过腹长之半，约为后足胫节长的0.65倍。

生物学：单寄生。在我国仅发现寄生于粘虫，稻田和麦田内均常见。蜂产卵于粘虫幼虫体内，蜂幼虫老熟以后即钻出寄主体外，先吐丝粘附于叶片上，再引丝下垂，上下多次，似加粗丝索，然后悬空吐丝结茧。有时从茧内会育出负泥虫沟姬蜂、次生大腿小蜂、绒茧金小蜂、粘虫广肩小蜂及菲岛黑蜂等重寄生蜂。

分布：陕西（秦岭）、黑龙江、吉林、辽宁、北京、河北、山西、河南、江苏、上海、浙江、湖北、江西、福建、广东、四川、贵州、云南。

（592）斑痣悬茧蜂 *Meteorus pulchricornis* （Wesmael, 1835）（图23）

Perilitus pulchricornis Wesmael, 1835: 42.

Meteorus striatus Thomson, 1895: 2157.

Meteorus thomsoni Marshall, 1899: 301. （Unnecessary replacement name for *Perilitus pulchricornis* Wesmael, 1835 sensu Thomson）.

Meteorus japonicus Ashmead, 1906: 190.

Meteorus nipponensis Viereck, 1912a: 624.

Meteorus macedonicus Fischer, 1957: 104.

Meteorus graeffei Fischer, 1957: 107.

Meteorus tuberculifer Fischer, 1957: 108.

鉴别特征：雌虫体长3.50～5.00mm；前翅长3.20～4.70mm。体黄色或黄褐色；脸、唇基和上颚常黄色；须白色；足黄色或褐黄色，后足腿节末端、胫节端部和端跗节较暗；第1背板褐色或暗褐色；柄后腹黄色或褐色，有暗斑；产卵管鞘褐色；翅透明，翅痣褐色或暗褐色，基部、端部和前缘色浅，翅脉浅褐色。触角29～31节；柄节显著膨大。头顶具细刻点；后头轻微凹陷，后头脊完整；单眼大，复眼大而突出，上颊在复眼后稍圆弧状收窄，额平，光滑，至多具微弱的细小刻点；脸中央轻微突出，有横皱，两侧具刻点；前幕骨陷大而深；唇基强烈突出，稍窄于脸，具刻点及密集的直立毛簇，两侧微弱横皱，前缘平直。盾前凹小；前胸背板有皱纹；中胸盾片具网状刻点；盾纵沟浅宽，有刻纹，前端粗皱，后端汇合处具粗糙的网状皱纹；小盾片前凹宽大而深，中脊和两侧的短脊发达；小盾片明显隆起，有刻点；中胸侧板具刻点，翅下区有网状皱纹；基节前沟甚浅，前半具网状皱纹，后半具皱纹；并胸腹节密布网状皱纹，无明显的中脊和横脊。前翅翅痣长为宽的2.90～3.20倍；r脉出自翅痣中部之后；SR_1 脉平直伸达翅尖之前；m-cu 脉前叉或轻微对叉式；cu-a 脉后叉式，后翅 M + Cu 与 1-M 之比为 14-15∶5。后足基节具皱纹，有时背面有横皱；后足腿节、胫节及基跗节长分别为宽的 5.00 ~ 5.40、9.80 ~ 10.00 和 7.80 ~ 8.00 倍；跗爪粗短而弯曲，有 1 个强壮的近中突。第 1 背板长为端宽的 1.60 ~ 1.80 倍，具分明的纵刻条，基部近光滑，刻条不发达，背凹小而浅，无侧凹，背板在腹面的基部 1/3 愈合，基部和端部明显分离；柄后腹光滑；产卵管粗短而平直，长分别为第 1 背板和后足基跗节长的1.80 ~ 2.20 和 2.40 ~ 3.00 倍，基部强烈膨大，有 1 个明显的端前背缺刻。

生物学：寄主范围较广，单寄生于暴露性生活的鳞翅目幼虫。国内报道的寄主有：棉小造桥虫、棉铃虫、紫四眼尺蠖、棉大卷叶螟、桑红腹灯蛾、桑螟、桑剑纹夜蛾、瓜绢螟、甜菜夜蛾、斜纹夜蛾、银纹夜蛾、烟夜蛾、粘虫、梨小食心虫、直纹稻苞虫等；国外报道的寄主有：舞毒蛾、油杉毒蛾、栎枯叶蛾、大棉铃虫、苎麻夜蛾 *Arcte coerulea*（Guenee）、槲犹冬夜蛾 *Eupsilia transersa*（Hufnagel）、夜蛾 *Heliothis maritime*（Graslin）、夜蛾 *Hipoea fractalis*（Guenee）、烈夜蛾 *Lycophotia porphyrea*（Denis *et* Schiffermuller）、联梦尼夜蛾 *Orthosia carnipennis*（Butler）、粘虫 *Pseudaletia separata*（Walker）、斜纹贪夜蛾 *Laphygma litura*（Fabricius）、桑斑雪灯蛾 *Spilosoma imparilis*（Butler）、尺蠖 *Agriopis aurantiaria*（Hubner）、尺蠖 *A. leucophaearia*（Denis *et* Schiffermuller）、狭翅小花尺蛾 *Eupithecia nanata*（Hubner）、精灰蝶 *Artopoetes pryeri* Murray、线灰蝶 *Thecla betulae*（L.）、栎杨小毛虫 *Poceilocampa populi*（L.）、瘤蛾 *Nola cuculatella*（L.）、蛱蝶 *Charaxes jasius* L. 姝美凤蝶 *Papilio macilentus* Janson 等。

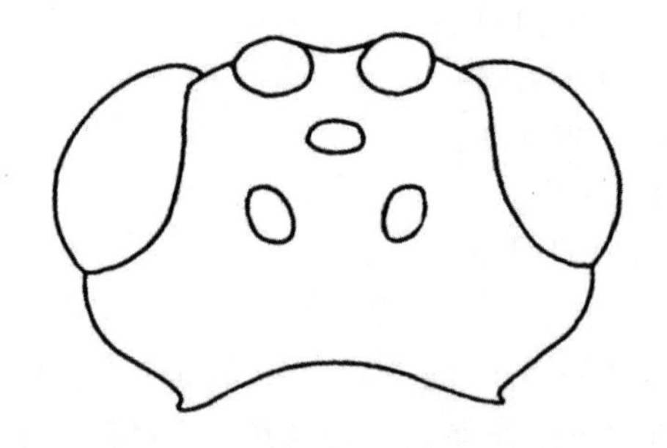

图 23 斑痣悬茧蜂 *Meteorus pulchricornis*（Wesmael）
头背面观

分布：陕西(秦岭)、吉林、河北、河南、江苏、安徽、浙江、湖北、江西、湖南、福建、四川、贵州；日本，土耳其，法国，德国，英国，匈牙利，爱尔兰，塞浦路斯，荷兰，波兰，葡萄牙，瑞典，瑞士，非洲北部。

(593) 伏虎悬茧蜂 *Meteorus rubens*（Nees, 1811）（图 24）

Bracon rubens Nees, 1811: 22.

Perilitus leviventris Wesmael, 1835: 46.
Meteorus islandicus Ruthe, 1859: 317.
Meteorus medianus Ruthe, 1862: 53.
Meteorus scutatus Costa, 1884: 172.
Meteorus heteroneurus Thomson, 1895: 2158.
Meteorus szechuanensis Fahringer, 1935: 11.
Meteorus mesopotamicus Fischer, 1957: 105.

鉴别特征: 雌虫体长3.60~5.20mm; 前翅长3.40~4.90mm。体黄褐色至黑褐色; 单眼区、后头和胸部常有暗斑; 触角黄褐色至暗褐色; 颜面和唇基常黄褐色; 上颚黄色; 须白色或浅黄色; 并胸腹节和第1背板常黑褐色; 足黄色或黄褐色, 后足基节、腿节和胫节常较暗; 第2背板多半黄色或黄褐色; 产卵管鞘褐色; 翅透明, 翅痣浅褐色至暗褐色, 翅脉较浅。触角较短, 25~28节, 柄节明显膨大。头顶近光滑, 具细微刻点; 后头脊背面中央常有1小段断开; 单眼大, 复眼较短, 上颊发达, 在复眼后向外鼓出, 后端强烈收窄, 背观复眼长为上颊的1.70~1.80倍; 额浅凹, 光滑; 颜面微隆, 至少中央隆起, 宽为高的1.80倍, 明显具横皱; 前幕骨陷大而深; 唇基明显突出, 比颜面窄, 具网状刻点和稀疏长毛, 两侧微弱横皱, 前缘平直, 至多中央轻微凹陷。前胸背板具皱纹; 中胸盾片具网状刻点; 盾纵沟浅宽, 有刻纹, 后端汇合处具网状皱纹; 小盾片前凹宽, 较浅, 中脊和两侧的短脊明显; 小盾片稍隆起, 具刻点; 中胸侧板具刻点, 翅下区具皱状刻点; 基节前沟甚宽大而浅, 具网状皱纹; 并胸腹节宽短, 具细网状皱纹, 中脊分明, 有时侧脊亦明显, 后端浅凹。前翅翅痣长为宽的3.00~3.40倍; r脉由翅痣中部略后伸出; SR_1脉微弯, 抵达翅缘处远离翅尖; m-cu脉对叉或轻微前叉式; cu-a脉后叉式; 后翅M+Cu与1-M之比为16-17:5。后足基节具刻点, 有时背面基部有网状刻点; 跗爪较长, 不强烈弯曲, 基部常明显膨大。第1背板长为端宽的1.90~2.00倍, 基部近光滑, 较细窄, 背板端半有不发达的纵刻条, 无背凹或背凹几乎消失, 背板在腹面近中部有1小段愈合; 柄后腹光滑; 产卵管粗短而平直, 基部强烈膨大, 后端显著收窄, 末端稍膨大, 具1个小的亚端缺刻。雄虫体长3.50~4.80mm; 前翅长3.30~4.60mm。触角24~28节; 背观复眼长为上颊的1.80~2.00倍; 颜面宽为高的1.70~1.90倍; 颚眼距长为上颚基宽的0.70~0.80倍; 第1背板长为端宽的2倍。

生物学: 寄生于暴露性的鳞翅目幼虫, 尤其是夜蛾科Noctuidae的幼虫, 是夜蛾科幼虫的重要寄生性天敌。主要寄主有: 夜蛾科的警纹地老虎*Agrotis exclamationis* (L.) (=*Euxoa informis* Leech)、小地老虎*A. ipsilon* (Hüfnagel)、黄地老虎*A. segetum* (Denis *et* Schiffermuller)、*Apamea lateritia* (Hüfnagel)、北俄夜蛾*Amphipoea ussuriensis* (Peterson)、*Calaena leucostigma* (Hubner)、甘蓝夜蛾*Mamestra brassicae* (L.)、模夜蛾*Noctua pronuba* (L.)、甜菜夜蛾*Spodoptera exigua* (Hubner)、尺蛾科Geometridae的*Idaea muricata* (Hüfnagel)及蛱蝶科Nymphalidae的*Cynthia cardui* (L.)等。

分布: 陕西(秦岭)、吉林、内蒙古、山西、河南、湖北、福建、四川、贵州、云南;

蒙古，日本，巴勒斯坦，以色列，土耳其，欧洲，非洲北部，新北区，新热区。

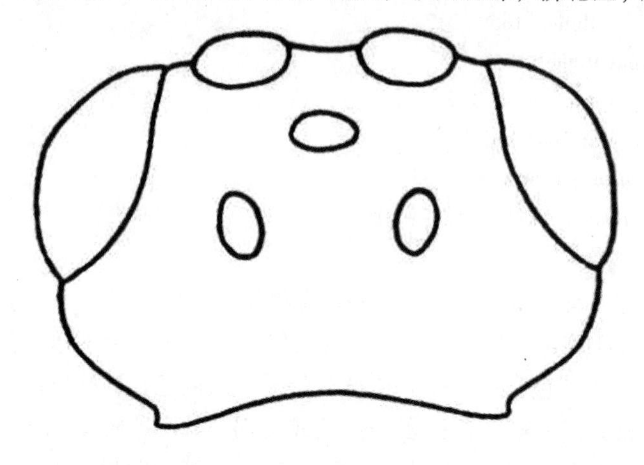

图 24 伏虎悬茧蜂 *Meteorus rubens*（Nees）
头背面观

40. 绕茧蜂属 *Ropalophorus* Curtis, 1837

Ropalophorus Curtis, 1837: 118. **Type species**: *Ropalophorus clavicornis* Wesmael, 1835.
Rhopalophorus Blanchard, 1840: 331 (nec Serville, 1834).
Eustalocerus Foerster, 1862: 251 (new name for *Rhopalophorus* Blanchard, 1840).

属征：触角短，9~10 节，膝状或棍棒状；柄节和端节长；触角着生处位于近复眼中水平线；下颚须 5 节，第 2 节变大，呈卵圆形；下唇须 2 节，第 2 节膨出；上颚 2 齿，其齿近于相等；复眼具毛，腹方稍收敛；颚眼沟和口上沟明显；复眼间最短间距宽于唇基宽；中胸盾片光滑，有光泽；盾纵沟完整而窄，内具平行刻条；小盾片前沟内有脊；胸腹侧脊存在；中胸侧板大部分光滑；基节前沟存在；后胸侧板具刻皱；并胸腹节具小室状网皱，后侧角明显突出，后方明显斜而深凹；足细长；前翅 1-SR 脉短，1-SR + M 脉存在；前翅 r-m 脉和 Cu_1b 脉缺；M + Cu_1 脉明显骨化；前翅缘室短，其前缘等长于翅痣的长；后翅 M + Cu 脉明显长于 1-M 脉；腹部第 1 背板具柄，侧面观中部强度弯曲，具纵皱，从基部向端部加宽；背凹大而深；第 2 和以后背板光滑；下生殖板小，具稀毛；产卵管鞘细长，具密毛；产卵管强度侧扁，端部稍向下弯曲，端部窄而尖锐，具 1 个端前背缺刻。

生物学：寄生于鞘翅目小蠹科 Scolytidae 的成虫。

分布：全北区。世界已知有 4 种，中国已记录 2 种，秦岭地区分布 1 种。

(594) 四眼小蠹绕茧蜂 *Ropalophorus polygraphus* Yang, 1989(图 25)

Ropalophorus polygraphus Yang, 1989: 91.

鉴别特征: 雌虫体长 2.20 ~ 2.40mm。体黑色，略带紫色光泽，全体光滑；唇基、上颚深黄褐色；触角黄褐色，但柄节及梗节色较淡，第 1 鞭节基部 1/5 部分为浅黄色，略透明；须及足均为污黄色，各足的端跗节褐色；翅透明，翅痣淡褐色，翅脉淡黄褐色。整个头部具细密的灰黄色短毛；头顶圆滑地隆起，但复眼着生的位置较低，在头顶两侧略靠下的位置上。后颊向后头圆滑地收缩，具完整的后头脊。正面观头部略呈阔卵形；复眼膨起显著，上生稀疏的微毛；内眼眶自上而下相向会聚；触角窝位于复眼高度的 1/2 以上，颜面部在紧接触角窝下方、两复眼内眼眶最相接近处隆起最高；唇基呈横片状，中部隆起，后缘与颜面部相连处陷下，侧后角的唇基窝(幕骨陷)大而陷入极深；前侧角圆滑且与中部稍稍凹进的前缘连成 1 条反向上的窄横带；唇基上的毛较头部其他处的为长但较稀疏。胸部上密被灰色短毛(但比头部的毛为长)。前胸背板的位置极低，背观看不见，表面具不规则的脊纹，整个背板深陷于头顶与隆起的中胸背板下方。中胸背板的前方突出，高隆，无褶缘，但侧面及侧后方具反折向上的窄褶缘；盾纵沟存在，浅，前方极弱，汇合于中胸盾片长度的 1/2 处，在此形成 1 个略呈三角形的凹陷区域，此区的顶端达中胸小盾片前沟，该区内具不规则的纵向脊纹及刻点窝；中胸小盾片小，半圆形隆起，基部为 2 个大而深的凹窝，以 1 条纵脊分隔开。并胸腹节膨起，表面多皱脊，不规则排列的这些粗皱脊间凹陷形成小窝；气门位于背面侧方长度的 1/2 处，紧靠两侧边着生；该节后缘中部呈弧形向前方凹入，而两后侧角则向后上方突出呈瘤状，其上的脊纹粗，脊纹间的小窝间明显比其他处的大；整个并胸腹节后缘急剧跌下。前胸背板侧方及中胸侧板中部光滑，腹板侧沟及中胸侧板上方为皱脊间具刻点窝。后胸侧板上呈粗糙的皱窝状。密生黄白色细毛；后足基节背方具弱的褐色脊纹，其中央为 1 条纵脊纹，其余脊纹则呈倒“八”字形排列于此纵脊纹两侧；后足跗节与胫节等长。前翅肘脉从第 1 回脉上发出，小脉位于基脉外侧，距离基脉稍远。后翅后肘脉直，后亚中脉也直，端部与后小脉完全相连，因此，后亚中室略呈长方形，其基方开式。背观呈长卵形，第 1 节基部稍宽，后即收缩呈柄状，然后又逐渐加宽，在中部急剧拱起；腹部第 2、3 节愈合，该节最长且后半部最宽，长度几乎为整个腹长(第 1 节背窝前缘至腹末)的 1/2，该节仅在近后缘处与其余各节一样具 1 排灰白色短毛，其他部分光滑，无毛；产卵管向下前方下弯，外露部分长度为腹部背观长度的 2/5；产卵管鞘上具密的灰黄色硬毛。雄虫体长 2.30 ~ 3.10mm；全体黑色，腹部略带紫色光泽；触角丝状，长，与体等长，17 节；其他鉴别特征与雌虫相似。

寄主: 寄生于危害华山松 *Pinus armandi* Franch.、青海云杉 *Picea crassifolia* Kom. 的云杉四眼小蠹成虫 *Polygraphus polygraphus* Linnaeus。

分布: 陕西(秦岭)、甘肃。

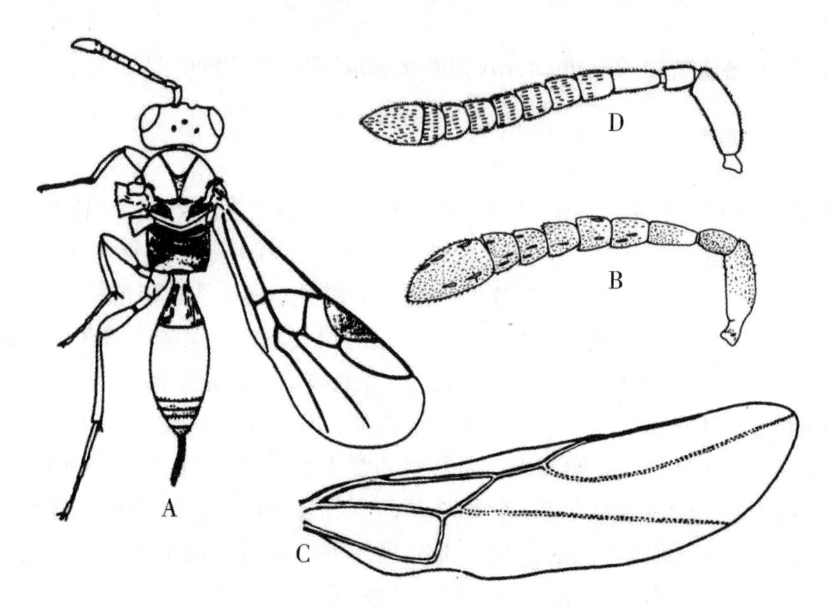

图 25 四眼小蠹绕茧蜂 *Ropalophorus polygraphus* Yang

A. 整体背面观；B，D. 触角；C. 翅

41. 长柄茧蜂属 *Streblocera* Westwood, 1833

Streblocera Westwood, 1833: 342. **Type species**: *Streblocera fulviceps* Westwood, 1833.

Eutanycerus Foerster, 1862: 251. **Type species**: *Eutanycerus halidayanus* Foerster.

Cosmophoridia Hedqvist, 1955: 93. **Type species**: *Cosmophorus flaviceps* Marshall, 1897.

属征：头背面观横形；雌性触角异常特化；柄节扩大，长为宽的 2 ~ 12 倍，基部有角状突或纵脊突出，或无任何突起；第 3 节有时细长，端部尖而长突出；触角在第 3、7 至第 10 节处曲折，或不曲折；下颚须 6 节；下唇须 3 节；后头脊完整，有时背中部有短的间断，腹方与口后脊汇合或分离；颜面有时具 1 个角突；颚眼沟存在；基节前沟和盾纵沟存在；前翅 1-SR + M 脉和 r-m 脉缺；跗爪简单；腹部较粗壮；第 1 背板端部明显变宽，背凹和侧凹通常存在，但有时缺，气门位于中部后方；第 2 及以后背板光滑；第 5 腹板有时具 1 对齿；产卵管鞘细长，具毛；产卵管弯曲。

生物学：寄生于叶甲科 Chrysomelidae。

分布：古北区，东洋区，非洲热带和新热带区。秦岭地区发现 3 种。

分种检索表

1. 颜面上有 1 个锐角；雌性腹部第 5 腹板具 1 对尖齿状突；后头脊腹方不与口后脊汇合 ……………………………………………………………………… **大峪长柄茧蜂 *S. dayuensis***

   颜面上无 1 个锐角；雌性腹部第 5 腹板无尖齿状突；后头脊腹方通常与口后脊汇合 ……… 2

2. 雌性颜面宽等长于高，甚平坦，多少密布向两侧分开的绒毛；触角窝侧面观达复眼上缘；雌性触角第 7 节特化 ……………………………………………… **西安长柄茧蜂 *S. xianensis***
雌性颜面横形，或多或少凸起，至多具密毛；触角窝侧面观约达复眼中部；雌性触角第 7 节通常不特化 ……………………………………………… **冈田长柄茧蜂 *S. okadai***

（595）大峪长柄茧蜂 *Streblocera*（*Asiastreblocera*）*dayuensis* Wang，1983（图 26）

Streblocera dayuensis Wang，1983a：231.

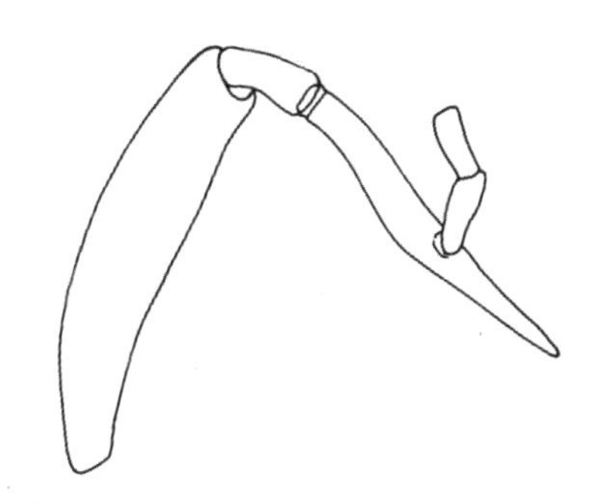

图 26　大峪长柄茧蜂 *Streblocera dayuensis* Wang
触角局部

鉴别特征：体长 3.80mm；触角长 3.60mm；前翅长 3.20mm；产卵管鞘长0.10mm。体黄褐色；并胸腹节褐黄色；腹部第 1 背板褐色；触角和腿黄褐色，爪较暗；翅透明，翅痣和脉黄褐色；产卵管鞘暗褐色。头背面观宽为长的 1.40 倍；复眼高为宽的 1.20 倍，为上颊长的 2.60 倍。额光滑，侧面具密毛。触角 17 节，柄节不粗壮。颜面和唇基具短柔毛，高为颜面宽的 1.30 倍。幕骨陷指数为 0.30。颚眼距为上颚基宽的0.60 倍。后头脊完整。中胸盾片光滑，中叶前方有非常短的毛，后方光滑；盾纵沟具极少平行刻条。中胸侧板大部分光滑；基节前沟凹，并胸腹节前部几乎光滑，后方具皱纹，基脊和中区发达。前翅长为宽的 2.80 倍；翅痣长为宽的 3.20 倍；1-R_1 脉为翅痣长的0.60 倍；r 脉长为翅痣宽的 0.33 倍。后腿节长为宽的 7.60 倍；后足胫节等长于后足基跗节的 2.50 倍。第 1 背板有中脊；长为端宽的 2.20 倍；气门间距为气门至端部间距的 0.70 倍。产卵管鞘等长于后基跗节的 0.20 倍。

分布：陕西（周至）、浙江、台湾；俄罗斯远东。

（596）冈田长柄茧蜂 *Streblocera*（*Eutanycerus*）*okadai* Watanabe，1942（图 27）

Streblocera okadai Watanabe，1942a：10.

鉴别特征：雌虫体长 3.30mm。雌性体黄褐色，头部单眼区黑褐色或黑色；触角基部 2 节黄色，其余各节烟褐色；并胸腹节全部或后半部烟褐色；腹部第 1 背板暗赤褐色；第1背板以后的各腹节前半黄色，后半略带赤褐色。有时整个并胸腹节、腹部第1背板及其后各腹节的后部色较深。头背面观横形，侧面观大略呈三角形；触角21～22节，柄节细长。颜面密生细毛和细刻点；额在两触角窝之间和在触角窝上方具短纵脊；后头脊背方的间断甚窄。前胸背板具微弱并列短刻条，与背板后缘远离，侧方和背板后侧缘均具若干并列短刻条。中胸背板光亮，中叶具稀疏细毛和刻点，侧叶则无细毛和刻点；盾纵沟具并列短刻条，两沟相遇成"U"字形构造，"U"字的底部与中胸背板后缘远离，该处具网状粗纵脊，中央具1条明显纵脊；中胸侧板光亮，基节前沟长而阔，稍弯曲，由侧板前缘上方伸展至中足基节基部附近，内具许多并列短刻条，在基节前沟与侧板前缘之间，具许多刻点和细毛；并胸腹节满布网状粗纵脊，但基本隆脊仍可辨认，以划分中区和后区之横脊及其向两侧延伸之脊尤为显著；中区有时区分不明显，但如划分明显，则显然较后区为小甚多。与胸部约等长；第1背板长为其端宽的2.20倍，具纵脊，气门位于背板中部两侧，两气门间距小于气门至背板末端的距离，背凹大；产卵管显露，其末端或微呈波浪状，或稍弯曲。

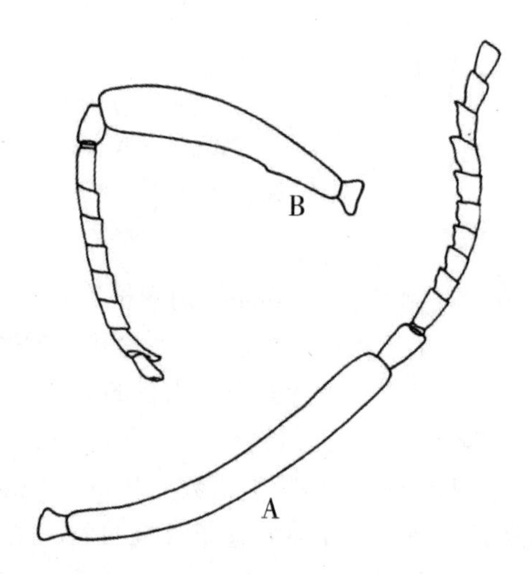

图27 冈田长柄茧蜂 *Streblocera okadai* Watanabe
A. 触角基部环节；B. 柄节

生物学：单寄生于黑条麦萤叶甲 *Medythia nigrobilineata* (Motschulsky)(叶甲科 Chrysomelidae)。成熟的幼虫从寄主成虫体上钻出结茧，单寄生。

采集记录：1♂，周至，1979，杨建采，No. 791217。

分布：陕西(周至)、吉林、辽宁、河北、山东、河南、江苏、安徽、浙江、湖北、江西、湖南、福建、云南；俄罗斯远东，日本。

(597) 西安长柄茧蜂 *Streblocera* (*Villocera*) *xianensis* Wang, 1983(图28)

Streblocera xianensis Wang, 1983b: 280.

Streblocera (*Villocera*) *xianensis*: Chen *et* van Achterberg, 1997: 124.

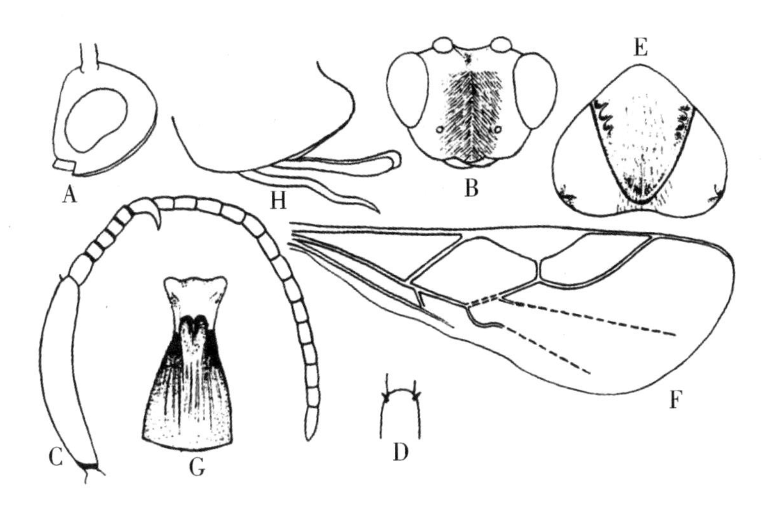

图 28　西安长柄茧蜂 *Streblocera xianensis* Wang, 1983

A. 头侧面观; B. 头前面观; C. 触角; D. 触角第 1 ~ 2 节; E. 中胸背板背面观; F. 翅; G. 腹部第 1 背板背面观; H. 产卵管及产卵管鞘侧面观

鉴别特征: 雌虫体长 3mm。体黄褐色。头部单眼区有不规则的黑褐色斑; 触角基部 2 节黄褐色, 其余各节烟褐色; 并胸腹节烟褐色; 腹柄节背板暗赤褐色, 基部及侧缘黑褐色; 柄后腹背面深褐色; 足污黄色。头背面观横形, 侧面观为三角形。额在两触角窝之间有 1 条纵沟沿颜面部直达唇基, 有白色深密的细毛沿沟向两侧分开, 将颜面和唇基全部覆盖; 触角 21 节, 第 1 节较粗, 末端背方两侧各有 1 枚褐色小齿向外侧突出, 第 7 节末端腹节为 1 根大的钩刺, 第 1 和第 3 节基部及第 3 ~ 6 节末端各有 1 个黑褐色环纹。前胸背板横脊微弱, 与背板后缘远离, 侧区和背板的后侧缘均有若干横脊; 中胸背板光滑, 有光泽, 中叶有稀疏细毛和刻点, 侧叶则无细毛和刻点; 盾纵沟前方有横, 两沟相遇成"V"字形构造, "V"字形的外缘饰以黑褐色边, 底部中央有 3 条纵脊, 中央纵脊明显并有分支, 侧纵脊短不明显; 中胸侧板光滑能反光, 中胸侧板沟长而阔, 稍弯曲, 由侧板前缘上方伸展至中足基节基部附近, 内有许多横脊, 在侧板沟与侧板前缘之间, 有刻点及细毛; 并胸腹节满布网状粗诌脊, 基脊较微弱而稍长。各腿节基部均有 1 个黑褐色环纹。长度与胸部约相等; 第 1 背板长约为其端宽的 1.60 倍, 具纵脊, 气门位于该节中部两侧, 两气门之间距小于气门至该节末端的距离, 两气门之间前方具有 1 对甚大的凹陷。产卵管显露, 其末端呈波浪状。

分布: 陕西(西安)。

42. 赛茧蜂属 *Zele* Curtis, 1832

Zele Curtis, 1832: 415. **Type species**: *Zele testaceator* Curtis, 1832.

Zemiotes Forster, 1862: 253. **Type species**: *Perilitus albitarsis* Nees, 1834.

Protelus Forster, 1862: 253. **Type species**: *Perilitus chrysophthalmus* Nees, 1811.

属征：后头脊完整；额无瘤状突起；复眼光裸无毛，腹面多少会聚；颜面不强烈隆起；口上沟完整；唇基强烈隆起，腹缘甚宽，鳃叶状，前缘中央平直；上颚强壮，腹面具1对多少突出且细的鳃叶状脊，末端多少扭曲；前凹中大而深；盾纵沟完整；小盾片两侧多少有皱，中后部有刻纹；并胸腹节至少后半具网状皱纹，中脊和横脊常明显，气门小而圆；前翅 SR_1 脉平直，m-cu 脉前叉或对叉式，有3个亚缘室，第1盘室前端短柄状，2A 脉常仅遗基部1小段；后翅的缘室末端扩张，径横脉 r 脉有或无；后足胫节明显比腿节窄，跗爪具有1个大的爪中突；腹部第1背板基部较窄，背凹明显，腹面明显分离；第2背板光滑或具革状小刻点；至多第3及其后背板的端半具密毛；产卵管细长而平直，第2产卵瓣楔形。

生物学：单寄生的幼虫内寄生蜂，在寄主体内结茧。已知并确定的寄主有：鳞翅目 Lepidoptera 的灯蛾科 Arctiidae、尺蛾科 Geometridae、枯叶蛾科 Lasiocampidae、刺蛾科 Limacodidae、毒蛾科 Lymantriidae、夜蛾科 Noctuidae、螟蛾科 Pyralidae 及大蚕蛾科 Saturniidae；另外，细卷蛾科 Conchylidae、蔷潜蛾科 Douglasiidae、麦蛾科 Gelechiidae、潜蛾科 Lyonetiidae、细蛾科 Momphidae、蛱蝶科 Nymphalidae、羽蛾科 Pterophoridae、卷蛾科 Tortricidae 和巢蛾科 Yponomeutidae 等寄主还需进一步确证(Lyle，1914；van Achterberg，1979，1984b)。

分布：除非洲热带区和澳洲区外各大动物地理区均有分布。秦岭地区发现1种。

(598) 红骗赛茧蜂 *Zele deceptor rufulus* (Thomson, 1895) (图 29)

Meteorus (*Zemiotes*) *rufulus* Thomson, 1895: 2149

鉴别特征：雌虫体长7.50mm；前翅长6.80mm。体褐黄色；触角端部和产卵管鞘(除端部)有些暗色；后足跗节白色。触角34节。上颊在复眼后方稍圆形收窄。复眼较小，背观复眼长为上颊的2.20倍。额光滑，稍凹。头顶稍拱，稍具细刻点。颜面相当平，具不明显细刻点。唇基侧端稍弧形，端缘平。颚眼距为上颚基宽的0.30倍。前胸背板侧面腹方和后方具夹点网皱，中央具并列刻条。中胸侧板背方具网皱，前方具并列刻条；基节前沟宽，腹方具网皱，背方有并列刻条，其余部位具刻点。后胸侧板叶突大，端部片状；具网皱。中胸盾片具细刻点；盾纵沟明显，具并列刻条；小盾片稍拱隆，稍具细刻点。并胸腹节具粗网皱，背中脊常不规则；后表面不与前背表面分开。前翅 cu-a 脉后叉。后翅无 r 脉；后翅 1-M 脉长为 cu-a 脉的0.40~0.80倍。后足基节具刻点；腿节长为宽的6.20~8.40倍。第1背板长为端宽的2.20~2.30倍；气门之前光滑，之后具纵刻条；侧凹和背凹均大而深。第2背板基本上裸而光滑。产卵管鞘长为前翅的0.26~0.32倍。

寄主：寄主据记载主要为尺蛾科 Geometridae 和夜蛾科 Noctuidae 幼虫。

分布：陕西(秦岭)、安徽、浙江、湖北、湖南、福建、四川、云南、西藏；日本，缅甸，印度，尼泊尔，墨西哥。

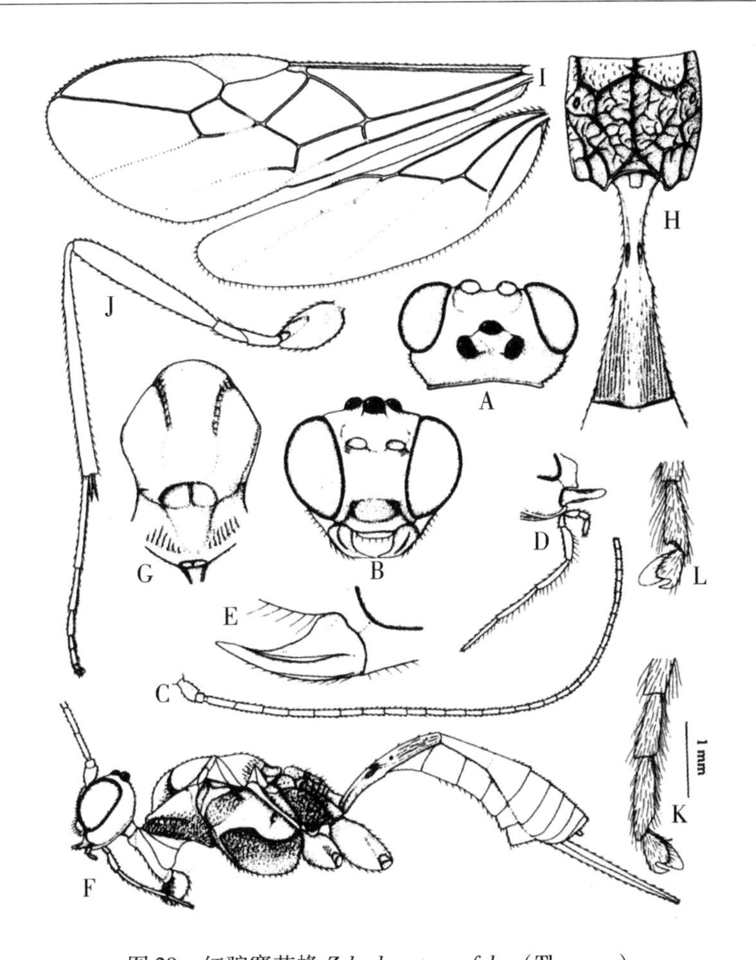

图 29 红骗赛茧蜂 *Zele deceptor rufulus*（Thomson）

A. 头背面观；B. 头前面观；C. 触角；D. 上颚及下颚须侧面观；E. 上颚侧面观；F. 整体侧面观；G. 胸部背面观；H. 并胸腹节及腹部第 1 背板背面观；I. 翅；J. 后足；K. 后足跗节；L. 后足跗爪

（七）甲腹茧蜂亚科 Cheloninae

鉴别特征：上颚内弯，端部相接；唇基拱隆，与上颚间无口窝；无胸腹侧脊；中胸腹板后横脊完整；腹部第 1 ~3 节背板呈背甲状不能活动，具皱状纵刻条，背甲上无横缝或有 2 条横缝；其余背板隐藏于背甲下方；前翅有 3 个亚缘室，r-m 脉存在。

生物学：容性内寄生于鳞翅目 Lepidoptera 卵至幼虫期，主要是隐蔽性生活的卷蛾科 Tortricidae 和螟蛾科 Pyralidae，单寄生。产卵于寄主卵内，蜂的 1 龄幼虫直至寄主幼虫成熟准备好化蛹处所后，才继续发育，最后钻出寄主，在寄主茧内结茧化蛹。

分类：全世界。我国已知 5 属。陕西秦岭地区分布 3 属 7 种。

分族检索表

腹部背甲无完整横沟，呈1块均匀隆起、具刻皱的表面；后头脊不与口后脊相连；复眼裸或具毛；胸部通常黑色 ……………………………………………………… 甲腹茧蜂族 Chelonini
腹部背甲有2条完整而明显的横沟；后头脊与口后脊刚相连；复眼裸；胸部通常大部分黄色 ……………………………………………………… 愈腹茧蜂族 Phanerotomini

Ⅰ. 愈腹茧蜂族 Phanerotomini

鉴别特征：上颚内弯，端部相接；触角24～60节；无口窝；中胸侧板后横脊强而完整；前翅2-R_1脉或无；前翅1-SR+M脉存在；前翅第2亚缘室小而近于三角形；前翅副痣中等大或大；前翅SR脉完全骨化；前翅Cu_1b消失，以致第1亚盘室端下角开放；后翅r脉消失；后翅M+Cu脉短于1-M脉；腹长比头胸部之和短；腹部第1～3节背板呈背甲状不能活动，有2条横缝；第1背板短于端宽。

分布：全世界分布。秦岭地区发现1属1种。

43. 愈腹茧蜂属 *Phanerotoma* Wesmael, 1838

Phanerotoma Wesmael, 1838: 1. **Type species**: *Chelonus dentatus* Panzer, 1805.

属征：前翅第1盘室无柄，若有柄则前翅第1盘室正常且m-cu脉对叉式；前翅cu-a脉明显后叉于1-M脉；前翅无1-SR脉或近于如此；前翅m-cu脉与2-SR脉位置不定；前翅2-R_1脉无或为一短桩；前翅Cu_1b脉通常存在，以致第1亚盘脉端部后方闭封；后翅r脉通常完整；后翅M+Cu脉等于或长于1-M脉触角节数不定，腹部背甲平，雌性端部没有齿；头部和胸部具细刻纹（刻点），后头脊背方中央几乎总是完整；唇基常有2个腹中齿；触角节数不定，触角（两性）23节，偶有27节以上。腹部第3背板等于或长于第2背板，后端中央形状不定，第4和以后各节背板大部分缩入，并胸腹节多少具皱，有突出的脊；唇基端缘有多少发达的中齿（但常小）。

分布：全世界分布。秦岭地区发现1种。

（599）食心虫愈腹茧蜂 *Phanerotoma* (*Bracotritoma*) *grapholithae* Muesebeck, 1933

Phanerotoma grapholithae Muesebeck, 1933: 50.

鉴别特征：雌虫体长4.30mm；前翅长3.50mm。背观宽为中长的1.61倍。触角23节，中央之后稍粗，至端部细，亚端4节，基部稍收窄，长为宽的1.70倍。POL: OD: OOL=6: 11: 26；单眼区宽为OOL的0.79倍。额具细斜刻皱。头顶具细横皱。

上颊背观弧形稍收窄，长为复眼的0.64倍。颜面具革状细皱。颚眼距长为复眼纵径的0.39倍。上颚上齿长为下齿的2倍。唇基近于光滑，有3个明显腹齿。中胸盾片具革状细皱；中胸侧板具革状细皱。并胸腹节具革状细皱，中横脊存在，不明显。前翅翅痣长为宽的3.30倍；翅痣宽∶r∶3-SR＝18∶14∶20；3-SR∶2-SR∶r-m＝20∶37∶16；2-SR脉和SR_1脉均直；1-R_1∶翅痣长＝84∶60（1.40倍）；m-cu脉对叉；cu-a∶1-Cu_1∶2-Cu_1＝13∶17∶42。中足胫节疱状突弱。后足腿节长为厚的4.10倍。腹部背甲拟卵形，稍拱隆，长为宽的1.77倍；第1、2背板具夹网细纵皱；第3背板除基部0.20外为细网皱；第1背板背脊短，止于0.30～0.50处，后端向中央收窄；第3背板端缘背观弧形或平截，后观弧形凹缺宽为深的4.90倍，其宽为第2背板缝宽的0.66倍，侧角近直角突出；第1、2、3背板中长及第2背板端宽之比＝60∶47∶70∶100；第2背板缝稍前曲。下生殖板未伸出腹端。产卵管短，刚伸出或不伸出腹端，其长为后足基跗节的0.34倍。

采集记录： 周至，1979，杨健采，No.791213；1♀，武功，1987.Ⅶ.24，农学院采，No.200011689；1♀，渭南，1986，马谷芳采，No.860999。

分布： 陕西（周至、渭南、武功）、内蒙古、北京、河北、山西；朝鲜，日本。

寄主： 芽白小卷蛾 *Spilonota lechriaspis* Meyrich；苹小食心虫（东北小食心虫）*Grapholitha inopinata* Heinrich；李小食心虫 *Grapholitha funebrana* Treitschke；梨小食心虫 *Grapholitha molesta* Busck；据国外记载，寄主还有杏小食心虫 *Grapholitha prunivora*（Walsh）。

Ⅱ. 甲腹茧蜂族 Chelonini

鉴别特征： 中胸盾片侧脊叶突状，突出处近于三角片；后头脊与口后脊分离；腹部背板通常无明显横缝，而呈1个背甲状；复眼裸或具柔毛；腹部通常黑色；胸腹侧脊止于前胸背板腹方1/3水平处。

分布： 全世界分布。中国仅知2属，秦岭地区分布2属6种。

44. 革腹茧蜂属 *Ascogaster* Wesmael, 1835

Ascogaster Wesmael, 1835: 226. **Type species**: *Ascogaster instabilis* Wesmael, 1835.

属征： 复眼光裸或被零星刚毛（除毛眼革腹茧蜂 *A. setula* 除外）；背甲无清晰的横缝（个别个体有浅痕）；前翅有3个亚缘室，翅脉1-SR＋M存在并将第1亚缘室和第1盘室分开，r-m脉存在；中胸腹板后横脊发达且完整。

分布： 全世界分布。秦岭地区发现3种。

分种检索表

1. 唇基端缘内切成2个小齿，即使不明显内切，也具2个小瘤突 …… **阿里山革腹茧蜂 *A. arisanica***
   唇基端缘宽阔凸出成1个小齿 …… 2
2. 唇基端缘圆弧形，中央无任何突起 …… **网皱革腹茧蜂 *A. reticulata***
   唇基端缘中央形成1个瘤状突或者小钝齿 …… **四齿革腹茧蜂 *A. quadridentata***

(600) 阿里山革腹茧蜂 *Ascogaster arisanica* Sonan, 1932(图版53)

Ascogaster arisanicus Sonan, 1932: 79.

鉴别特征： 雌虫体长3.30~3.70mm；前翅长2.90~3.20mm。触角36~39节，鞭节中部膨大，端部渐细，各节长均大于宽。头阔于中胸，上颊在复眼后圆弧形略收窄，背观等于或略长于复眼，为复眼的1.00~1.30倍。后头凹陷，后头脊完整。单眼几乎在1条直线上，OOL: OD: POL = 3.60: 1.00: 2.60。额在触角间略凹陷，光滑，中纵脊明显。复眼不突出，光裸，无明显刚毛。颚眼距为复眼高的0.70倍，两颊正面观轮廓略收窄。脸稍突出，刚毛向下，密刻点，中上部1个小瘤突，脸宽为高的1.50倍。唇基端缘向中部突出，末端中央明显内切成2个齿状突或唇基端缘仅微凹，有2个极不明显瘤突。前胸背板突出中胸背板前方，背侧面深网状凹窝，腹面皱纹；盾纵沟宽但浅，褶皱，后部汇合为1个大网格状皱褶区，中胸背板其余部分密网状刻点；基节前沟明显，宽但浅，小网格凹皱，后方略变窄至消失，前胸侧板翅基下区密刻点网皱，基节前沟背后方有1小块区域光滑无刻点，其余部分细刻点；并胸腹节强烈网皱，中横脊弱，具4枚齿，中齿比侧齿弱。前翅r与3-Rs比值约为1，m-cu脉对叉。后足基节光滑具刻点。背甲长，背观略呈棒状，在末端1/3处到最宽，最阔处与最窄处长度比为48: 35，CL/CW = 1.70~1.90，末端圆；小室状网皱，向末端渐弱至稀疏刻点；侧面观棒状，基侧突垂直向下，腹面开口明显在背甲末端之前。

采集记录： 1♂1♀，秦岭天台山，1998. Ⅵ. 08，马云、杜予州采，No. 983194，983445。

分布： 陕西(凤县)、吉林、北京、河南、宁夏、甘肃、浙江、湖北、湖南、台湾、广东、海南、广西、四川、贵州、云南、西藏；韩国，日本。

(601) 四齿革腹茧蜂 *Ascogaster quadridentata* Wesmael, 1835 (图版54)

Ascogaster quadridentatus Wesmael, 1835: 237 *Chelonus impressus* Herrich-Schaffer, 1838: 153.

鉴别特征： 雌虫体长3.20~4.50mm；前翅长2.60~2.90mm。触角长，29~34节，鞭节中部略膨大，向端部略变细，中部数节宽稍大于长，柄节长宽比约为2.80。背面观头宽为中长的2.10~2.30倍，约与中胸背板同宽。颅顶小室状网皱，单眼钝三角形排列，在1条直线上，OOL: OD: POL = 3.00～3.50: 1.00: 3.00～3.50。额中度凹陷，一般强皱，中纵脊明显，向后延至前单眼，向前起始于脸中上部中央1个瘤突；脸宽为脸高的1.60～2.00倍，小室状网皱，毛均向下生长。唇基约为脸宽之半，光滑具刻点，有时侧面略皱。端缘向中部突出，中央形成1个明显小齿状瘤突。上颊在复眼后弧形收窄，背观约与复眼等长，复眼光裸，不突出，后头中度凹陷，后头脊完整。眼高是颚眼距的1.50～2.00倍；颊正面观轮廓圆弧形。前胸背板略伸出中胸背板前端，侧面粗糙网皱；盾纵沟不明显，中胸盾片粗糙小室状网皱，小盾片网皱，前沟5凹，侧叶不发达，末端圆形，或发达，末端呈钩状；中胸侧板粗糙的小室状网皱，基节前沟不明显；并胸腹节发达小室状网皱，中横脊明显，具4枚齿，中齿比侧齿矮。前翅r脉与3-SR脉约等长。后足基节发达横皱。背甲背观卵圆形，末端略尖，有时呈1个小突起，腹腔在末端之前，至末端长度的0.15～0.30倍处。肛下板短，产卵管鞘棒状。

采集记录： 1♀，蓝田汤峪，1988. Ⅵ.01，杜予洲采，No. 981177。

分布： 陕西（蓝田）、黑龙江、吉林、辽宁、北京、河北、河南、宁夏、青海、江苏、上海、浙江、江西、湖南、福建、台湾、广东、广西、四川、贵州、云南；蒙古，俄罗斯，朝鲜，韩国，日本，欧洲，美国，秘鲁。

寄主： 花蝇科 Anthomyiidae，腐木蝇科 Clusiidae，象甲科 Curculionidae，瘿蜂科 Cynipidae，叶蜂科 Tenthredinidae，麦蛾科 Gelechiidae，尺蛾科 Geometridae，刺蛾科 Limacodidae，巢蛾科 Yponomeutidae，织蛾科 Blastodacnidae，螟蛾科 Pyralidae，卷蛾科 Tortricidae 的 *Aethes francillana*，*Ancylis achatana*，*Ancylis apicella*，苹果蠹蛾 *Cydia pomonella*（L.），李小食心虫 *Cydia funebrana*（Treitschke）等。另外，标本（No. 772259）由陈汉林从杉梢小卷蛾 *Polychrosis cunninghamiacola* Liu *et* Pai 中育出，为寄主新纪录。

（602）网皱革腹茧蜂 *Ascogaster reticulata* Watanabe, 1967（图版 55）

Ascogaster reticulatus Watanabe, 1967: 41.

鉴别特征： 雌虫体长 3.00～3.80mm；前翅长 2.70～3.30mm，后翅长 2.30～2.80mm。背面观头宽为中长的2倍，为中胸背板宽的1.40倍，约与之同宽。触角鞭节30～36节，各节长均大于宽，中部略膨大，向末端变细，柄节长宽比约为3。颅顶小室状网皱，上颊在复眼后强烈弧形收窄，背观约与复眼等长或短于复眼，复眼光裸，突出；单眼钝三角形排列，在1条直线上，OOL: OD: POL = 3.00: 1.00: 2.50。额中度凹陷，光滑或网皱，中纵脊明显，向后延至前单眼，向前起始于脸中上部中央1个瘤突；脸宽为脸高的1.50倍，小室状网皱，毛均向下生长。前幕骨陷明显，唇基与脸无明显分界，网皱至稀刻点，端缘弧形拱起，无任何齿或瘤，宽约为高的1.40倍，约为脸宽的3/5。眼高是颚眼距的1.60～1.70倍，后头脊完整。长为高的1.50倍。前胸背板在中胸背板之前中度前伸，前凹深，背侧方小网状凹陷，腹方光滑。中胸盾片小室状网皱，前部中央1小块粗糙刻点区，盾纵沟比较明显，盾纵沟后侧方各有1块小刻点区，后方汇合处小室状网皱；小盾片前沟具5个凹，侧叶不发达，末端钝圆，小盾片小室状网皱或夹点粗条皱；中胸侧板较规则的小室状粗糙网皱，基节前沟不明显；并胸腹节小室状粗糙网皱，齿不明显突起，侧齿比中齿略高。前翅翅痣长为宽的3倍，r脉自翅痣中点伸出，r: 3-SR = 1.00 ~ 1.50: 1.00；m-cu后叉，盘室无柄；1-Cu_1 : 2-Cu_1 = 1: 3。后足基节光滑至细小刻点，为背甲长度的1/3。背甲短，椭圆形，具纵向网状皱，披密毛，长是宽的1.50 ~ 1.70倍，2条基脊短而明显；侧面观短而厚，端部呈圆形，腹腔稍长于总长的2/3，具缘边；产卵器鞘短，棒状，产卵鞘末端圆形。

分布：陕西(秦岭)、北京、山西、山东、河南、甘肃、江苏、上海、安徽、浙江、江西、湖南、福建、台湾、广东、海南、广西、云南；朝鲜，韩国，日本，捷克，斯洛伐克，匈牙利，瑞士。

寄主：棉褐带卷蛾 *Adoxophyes orana*（Fischer von Röslerstamm），冷山银卷蛾 *Archips pulchra*（Butler），云杉黄卷蛾 *Archips oporane*（L.），黄斑民翅卷蛾 *Acleris fimbrian*（Thunberg）；蛀果蛾科 Carposinidae 桃蛀果蛾 *Carposiana nipponensls niponensis* Walsingham。

45. 甲腹茧蜂属 *Chelonus* Panzer, 1806

Chelonus Panzer, 1806: 191. **Type species**: *Ichneumon oculator* Fabricius, 1798.

属征：体长2 ~ 7mm。触角16 ~ 44节，复眼具刚毛，前翅r脉通常从翅痣近中部伸出，1-SR + M脉缺失，第1盘室与第1亚缘室汇合成1个大的室，Cu_1b脉存在，腹部前3节背板完全愈合成背甲状，其余各节藏于背甲之下，背甲上无横缝，有时雄性腹端具开孔。

生物学：容性内寄生于鳞翅目，少数寄生于双翅目，绝大多数为卵—幼虫寄生，其余为幼虫期寄生。

分布：全世界分布。秦岭地区分布3种。

分种检索表

1. 体长6 ~ 7mm；雌蜂触角30节左右；腹部相当长，背面观长是宽的2倍以上 ………………………………………… **螟甲腹茧蜂 *C. munakatae***
   体长小于5mm；雌蜂触角一般小于30节；背面观腹部长小于宽的2倍 ………………………… 2
2. 触角30节；并胸腹节外侧齿片状，突出 ………………………… **留坝甲腹茧蜂 *C. liubaensis***
   触角28节；并胸腹节外侧齿大而突出 …………………… **大齿甲腹茧蜂 *C. majusdentatus***

(603) 留坝甲腹茧蜂 *Chelonus liubaensis* He, 2002

Chelonus liubaensis He, 2002: 313.

鉴别特征：雌虫体长4.50mm。触角30节，中部以后微变宽扁；头横形，于眼后弧形收缩；上颊具条状纹，窄于复眼横径；头顶具网状纹，向后为条状纹；脸宽为高的1.50倍；具有斜的横皱纹及网纹，在柄节之下具有1条中纵脊；唇基具刻点、光泽，端缘成三边形圆，被有白色短柔毛；颊具皱纹；胸部具皱纹，中胸背板具较粗糙的皱纹，盾纵沟稍明显，内有横纹，在小盾片前方汇成网洼；小盾片中部光滑，具光泽；小盾片前沟有6条小脊；并胸腹节具粗糙的网状纹，无横脊，外侧齿片状，突出；前翅 SR_1 脉弯曲；腹部卵形，在基部有纵纹及两条斜脊，向端部成网状纹。腹腔开口达腹端部；产卵器长而直，伸出腹腔外；体黑色，上颚基部及端齿黑色，中部红黄色；触角棕褐色；翅烟色，基半部略透明；翅基片、副痣及基半部翅脉黄色；足黑色，前、中、后足的基节、转节，中足腿节基半部、后足腿节除端部外均为黑色；前、中足胫节中部为黄白色，端部黑褐色；腹部黑色，在近基部有2个黄色斑。

分布：陕西(留坝)。

(604) 大齿甲腹茧蜂 *Chelonus majusdentatus* He, 2001(图30)

Chelonus majusdentatus He, 2001: 74.

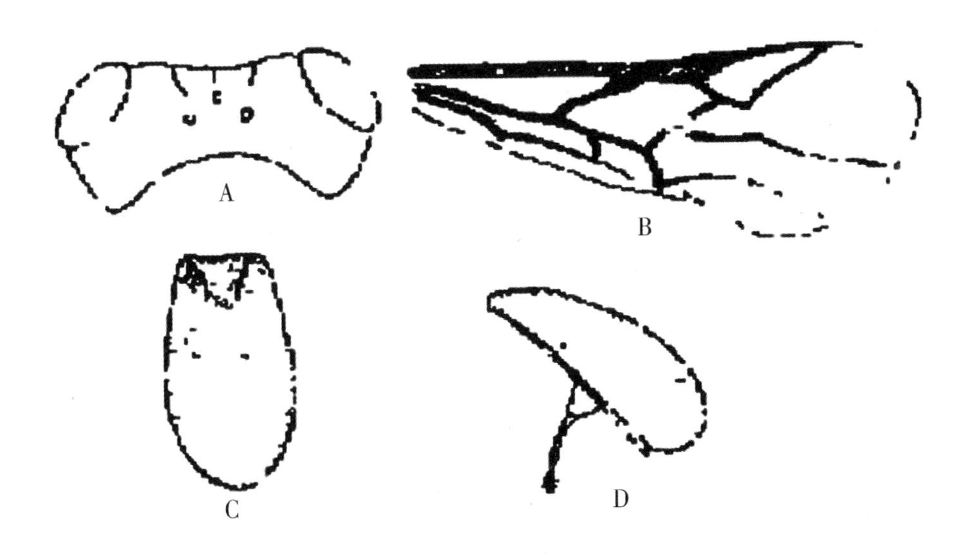

图30　大齿甲腹茧蜂 *Chelonus majusdentatus* He (仿何建平，2001)

A. 头背面观；B. 前翅；C. 腹甲上面观；D. 腹甲侧面观

鉴别特征：雌虫体长3.80mm。触角28节，中部以后微变宽扁；头横形，于眼后略收缩；上颊具网纹及条纹，窄于复眼横径；头顶具网状纹，向后为条状纹；脸具有横纹、网纹及刻点；唇基具极弱的光泽，具刻点；中胸盾片具粗的网状纹，盾纵沟不明显；小盾片略凸出，具光泽，中部具刻点；小盾片前沟有6条小脊；并胸腹节具网状纹，横脊不明显，外侧齿大而突出；前翅 SR_1 脉弯曲；腹部长卵形；腹腔开口达腹端部；产卵器长，伸出腹腔外；后足基节具皱纹；体黑色；翅浅烟色；翅基片、翅痣为棕色；副痣及翅脉黄色；足黑色；前、中、后足的基节、转节，中足腿节基半部、后足腿节除端部外、胫节两端均为黑褐色，其余红棕色；腹部黑色，在近基部有 2 个黄色斑。

分布：陕西(秦岭)。

(605) 螟甲腹茧蜂 *Chelonus munakatae* Matsumura, 1912(图 31)

Chelonus munakatae Matsumura, 1912: 68.

鉴别特征：雌虫体长 6 ~ 7mm。触角 32 节，细长，线形；头部自复眼后弧形收缩；上颊和头顶具密集的网状皱；额凹陷；脸具密集的网状皱；唇基凸起，散布细小的刻点，光滑且有光泽；前胸背板具细密的刻点；中胸背板均匀凸起，盾纵沟深，其余部分具粗糙的刻点皱；小盾片稍凸起，具细密的刻点；并胸腹节具粗糙的网状皱，无端横脊，两侧各具 1 个钝短的齿突；背面观腹部两侧几乎平行，长大于其宽的 2 倍，具粗糙且不规则的网状皱；体黑色，雌蜂腹部背基部两侧各有 1 个矩形白斑(大小有变化，有时相连接)；翅透明，稍带烟色；前中足腿节端部，前中足胫节和后足胫节中部，基跗节大部分黄色。茧圆筒形，长 7 ~ 8mm，白色，日久变淡黄色。

分布：陕西(秦岭)、辽宁、内蒙古、天津、山西、山东、江苏、浙江、江西、湖南、福建、四川、云南；韩国；日本。

寄主：寄主为二化螟 *Chilo suppressalis*，二点螟 *Chilo suppressalis*[Oryza sativa]，网野螟 *Omiodes indicata*，*Proceras shariinensis*，禾螟 *Schoenobius bipunctiferus* Waslk，三化螟 *Tryporyza incertulus*，玉米螟 *Ostrinia nubilalis*，高粱条螟 *Chilo venosatus*。重寄生蜂有绒茧灿金小蜂 *Trichomalopsis apanteloctona*。

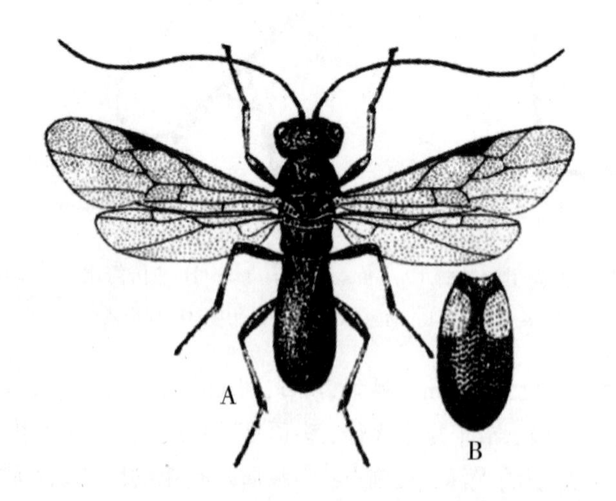

图 31 螟甲腹茧蜂 *Chelonus* (*Chelonus*) *munakatae* Matsumura (仿何俊华, 2003)
A. 整体背面观；B. 腹部背面观

（八）小腹茧蜂亚科 Microgastrinae

鉴别特征：唇基拱隆，端缘凹，与上颚之间不形成口窝；无后头脊；触角鞭节16节（由于各节中央收缩，似成32节）；复眼短，具柔毛；盾纵沟消失或有弱的凹痕；胸腹侧脊通常消失。SR_1脉（径脉端段）不骨化，通常几乎不明显，仅有1条不清楚痕迹显出；第2亚缘室若存在，则小且为三角形或近四边形；跗爪明显；腹部无柄，甚短；第1背板气门位于膜质的侧背板上；第1背板有明显的中区，与第2背板有活动的关节；产卵管通常短，不长于腹部。

生物学：容性内寄生鳞翅目 Lepidoptera 幼虫，偶有寄生于膜翅目 Hymenoptera（叶蜂、蜜蜂）幼虫。单寄生或聚寄生，也有为卵至幼虫跨期寄生。

分类：全世界分布。世界已知5族52属，我国已记录5族8属约170种，陕西秦岭地区分布4属11种。

分族检索表

1. 产卵管鞘长，长于后足胫节的1/2，全长具毛，并胸腹节具1个明显的中区 ································ **绒茧蜂族 Apantelini**
   产卵管仅短，仅稍伸出肛下板，刚毛聚集于末端，并胸腹节至多粗糙，具1条明显的中纵脊 ······ 2
2. 后足基节长，末端超过腹部第2背板端部，前翅r-m脉常缺失，腹部第2至3背板通常粗糙，且具1条明显的缝分开 ········ **盘绒茧蜂族 Cotesiini**
   后足基节短，末端不超过腹部第2背板端部，前翅r-m脉存在，小翅室封闭，腹部第2至3背板通常光滑，缝隙十分微弱 ········ **侧沟茧蜂族 Microplitini**

Ⅰ．盘绒茧蜂族 Cotesiini

鉴别特征：产卵管鞘几乎均（98%）短于后胫节之半，毛少并集中于端部；有时毛细或很细，几乎看不出。产卵管短，基部壮，近中央突然收窄。下生殖板短，通常骨化，侧面观通常长高相等。腹部背板变化很大，第1背板有时（20%）在基半或更长有中沟；并胸腹节常（50%）有1条中纵脊。后胸背板亚侧叶上的刚毛常消失，悬骨多少外露。胸腹侧脊均不存在；前胸背板侧面有1～2条沟。触角大部分环节有2列板状感器，但偶有不规则排列。

分布：世界已知17属，我国记录5属，秦岭地区发现1属5种。

46. 盘绒茧蜂属 *Cotesia* Cameron, 1891

Cotesia Cameron, 1891: 185. **Type species**: *Cotesia flavipes* Cameron, 1891.

属征：雌虫肛下板常短，均匀骨化，近中部附近绝无系列纵褶，偶尔仅近端部沿中线明显折褶。产卵管鞘短，大多数隐藏于肛下板内，其长度(包括隐藏部分)不超过后胫节之半(偶尔为其0.60倍)，几乎光滑具光泽，仅于近端部有少量毛集中，自负瓣片基部伸出；第2负瓣片端部变阔。T_1 基部凹陷处横截面呈"U"形，偶尔宽大于长但通常是稍长于宽，并端向变阔，偶尔略桶形或侧缘平行，但端部绝不变窄；末端中部无凹槽。T_2 长至少为 T_3 之半，通常近矩形；若具侧沟，则其呈平截的金字塔形或半圆形，则基宽大于中长，而端宽几乎或超过2倍于中长。T_1 基部通常光滑，但后部几乎总具皱或皱状刻点；T_2 几乎总是具皱至针划状刻纹，T_3 表面光滑至具与 T_2 相近刻纹。并胸腹节总具皱，绝无中区；常具1条中纵脊，部分被刻皱阻断，侧方常具不完整的横脊，将并胸腹节表面划分为前部较光滑表面和后部下斜的具皱表面。后翅臀瓣边缘明显凸，其边缘无毛至均匀具毛。

生物学：绝大多数寄生鳞翅目 Lepidoptera 幼虫，也有极少数种类寄生鞘翅目 Coleoptera 和膜翅目叶蜂科 Tenthredinidae 幼虫。

分布：全世界分布。世界已知260余种，中国已记录41种，秦岭地区发现5种。

分种检索表

1. T_3 完全光滑 …… 2
   T_3 至少局部具微皱至皱或刻点 …… 3
2. 肛下板短，侧面观端部平截；中胸盾片具规则的微细刻点或前部下斜部分具微弱的细刻纹，后半部高度光滑具缎状光泽；T_2 横形，略呈四边形，具纵刻纹，几乎无成形的侧沟 …… **邻盘绒茧蜂 *C. affinis***
   肛下板极短，端部中央具半圆形深凹；中胸盾片光亮，密布明显刻点，刻点间距短于或远短于刻点直径；T_2 亚三角形，侧沟深但不明显，表面即使具刻纹亦极光亮，侧方平滑 …… **菜粉蝶盘绒茧蜂 *C. glomerata***
3. 小盾片后部光滑带连续；后足基节通常光滑，至多具微弱刻点 …… 4
   小盾片后部光滑带中央被皱斑隔断；后足基节基背部具粗刻点，端部具细纵刻线，外部具弱而分散的刻点 …… **微红盘绒茧蜂 *C. rubecula***
4. 产卵管鞘短，短于后足基跗节；中胸盾片刻点不呈皱状；T_3 通常仅基部1/3具较弱刻纹 … 5
   产卵管鞘等长于后足基跗节，向端部渐尖；中胸盾片具弱至极弱的刻点，但刻点通常融合从而表面呈现不均匀的微皱状；T_3 除中部的有皱状大黑斑外，其余部分光滑具光泽 …… **粗尾盘绒茧蜂 *C. scabricula***
5. 产卵管鞘短，短于后足基跗节；中胸盾片刻点不呈皱状；T_3 通常仅基部1/3具较弱刻纹 …… **桥夜蛾盘绒茧蜂 *C. anomidis***

产卵管鞘等长于后足基跗节，向端部渐尖；中胸盾片具弱至极弱的刻点，但刻点通常融合从而表面呈现不均匀的微皱状；T_3 除中部的有皱状大黑斑外，其余部分光滑具光泽…………………………………………………………………………… **粗尾盘绒茧蜂 *C. scabricula***

（606）邻盘绒茧蜂 *Cotesia affinis*（Nees，1834）（图 32：A－B）

Microgaster affinis Nees von Esenbeck, 1834: 176.
Apanteles affinis: Reinhard, 1880: 370
Cotesia affinis: Papp, 1990: 117
Microgaster euphorbiae Bouché, 1834: 157.
Cryptus globatus: Panzer, 1810, 10: 109.
Microgaster vinulae Bouché, 1834: 156.
Apanteles harpyiae Niezabitowski, 1910: 76.
Apanteles harpae (!): Dutu-Lăcătusu, 1957, 14: 157.
Apanateles semeriathi Okamoto, 1921, 20: 53.
Apanateles okamotoi Watanabe, 1932: 86.
Apanateles planus Watanabe, 1932: 84.
Apanateles leucaniae Wilkinson, 1937, 6(4): 69.

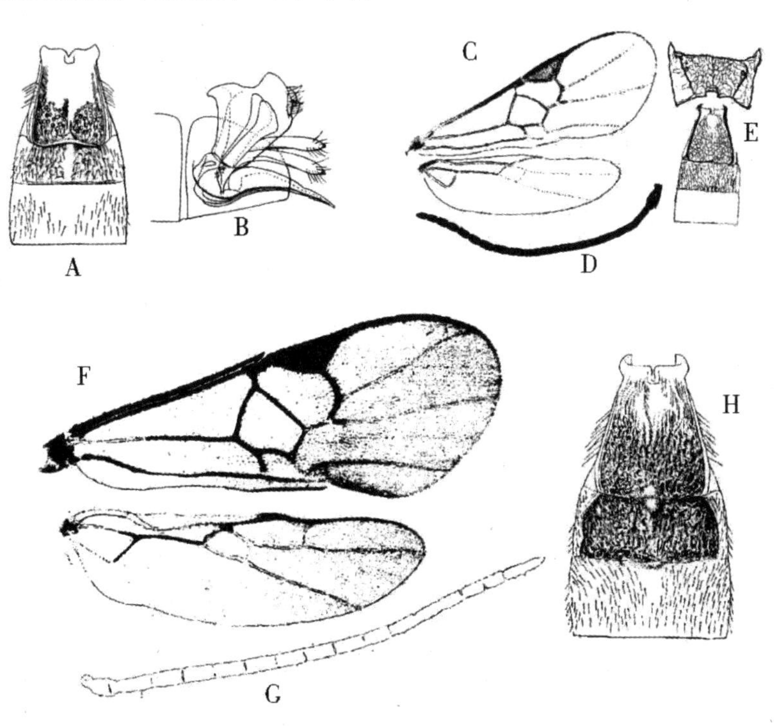

图 32　A－B. 邻盘绒茧蜂 *Cotesia affinis*（Nees）（采自 Wilkinson，1945）
A. 第 1～3 背板；B. 产卵管及产卵管鞘；
C－E. 桥夜蛾盘绒茧蜂 *Cotesia anomidis*（Watanabe）（采自何俊华，2004）
C. 翅；D. 触角；E. 第 1～3 背板
F－H. 微红盘绒茧蜂 *Cotesia rubecula*（Marshall）（F－G 采自何俊华，2004；H 采自 Wilkinson，1945）
F. 前后翅；G. 触角；H. 第 1～3 背板

鉴别特征：雌虫头部唇基、颜面，额和头顶有微小刻点；单眼矮三角形，前单眼后切线与后单眼相切。触角很细，短于体长，端前 2 节长约为宽的 1.50 倍。中胸盾片具规则的微细刻点或前部下斜部分具微弱的细刻纹，后半部高度光滑具缎状光泽；小盾片有微细刻点，悬骨明显可见，侧方中部区域具强光泽，极光滑；并胸腹节具中纵脊，基部及中部有微细皱纹，后侧区光滑具光泽。前翅 r 脉通常明显或稍长于 2-SR；翅痣相对宽，约 2.50 倍长于宽；r 脉自翅痣端半部伸出，但距中部不远；1-R_1 脉 4~5 倍长于其与缘室末端间距；后翅臀瓣于最宽处之外无毛或有毛的微弱痕迹。后足基节基部有刻点，上方及外方的刻点细；后足胫距略等，不及后基跗节之半。腹部 T_1 短，通常稍长于端宽，明显向后端加宽，基半部凹陷、光滑且有光泽，端半部具皱纹刻点，刻点间表面光滑；T_2 横形，略呈四边形，端宽 2.80~3.00 倍长于中长，具纵刻纹，几乎无成形的侧沟；T_3 是 T_2 的 1.30~1.40 倍。肛下板短，侧面观端部平截；产卵管鞘仅恰伸出肛下板。体黑色。足红黄色，基节和后足腿节末端黑色；后足腿节黄色；后足胫节完全黄色；后足跗节稍黄色，几乎与胫节同样鲜艳。腹部颜色变化较大；T_{2-3} 至 T_{2-7} 黑色，或通常 T_3 略带红色或红黄色。翅透明，翅面微毛，色浅；翅痣通常浅褐色。

采集记录：2♀，陕西靖边，1961. Ⅷ，陕西省林业研究所采，No. 62017.2。

分布：陕西（秦岭、靖边）、吉林、辽宁、内蒙古、河北、山西、山东、河南、宁夏、浙江、湖南、四川、贵州；古北区分布。

寄主：柳天蛾 *Smerinthus planus* 幼虫。

（607）桥夜蛾盘绒茧蜂 *Cotesia anomidis*（Watanabe, 1942）（图 32：C－E）

Apanteles anomidis Watanabe, 1942b：169.

Cotesia anomidis：Papp, 1990：117.

鉴别特征：雌虫头横形，2 倍宽于长，背观横形且绝不明显宽于中胸背板于翅基片间的宽度。颜面稍有刻点，触角稍短于体。中胸盾片刻点强而分散的或密集至融合，盾纵沟明显刻点融合程度更甚，中胸背板具弱光泽；小盾片有不明显的刻点；并胸腹节有网状皱纹，端角大多光滑、有光泽，具中纵脊，从中脊的每 1 边伸出数条斜脊，连成 1 条基横脊。前翅 r 脉与 2-SR 脉等长，短于翅痣的宽；1-R_1 脉稍长于翅痣的宽。后足基节光滑，有分散的刻点；后足胫距等长，为后基跗节长的 1/2。T_1 向端部逐渐加宽，基部凹陷，凹陷部分光滑且有光泽，其余部分有强的网状皱纹；T_2 的网状皱纹稍弱，无侧沟；T_3 基部 1/3 稍有皱纹，与 T_2 间沟强；T_4 及接续背板光滑有光泽。产卵管鞘短，稍短于后足胫距；肛下板末端平截。体黑色。触角柄节和上颚红褐黄色，鞭节褐色，端部色深，下颚须及下唇须浅黄褐色。足红黄褐色，基节大部分黑色，端部常呈红黄褐色；后足腿节末端、胫节端部和后足跗节暗褐色。翅透明，翅痣和翅脉褐色，翅基片暗褐色。T_{1-3} 背板侧缘和腹部基腹面红黄褐色。

采集记录：2♀1♂，咸阳，1975. Ⅷ，咸阳地区农科所采，No. 76080；4♀1♂，大荔，1980，朱芳采，No. 804045。

分布：陕西（咸阳、大荔）、辽宁、河北、江苏、浙江、湖北、湖南、四川；越南。
寄主：棉小造桥虫。

（608）菜粉蝶盘绒茧蜂 *Cotesia glomerata*（Linnaeus, 1758）（图 33）

Ichneumon glomeratus Linnaeus, 1758: 568.
Cynipsichneumon glomeratus: Christ, 1791: 391.
Cyniptus glomeratus: Fabricius, 1804: 90.
Ichneumon glomerator: Thunberg, 1822: 275
Bracon glomerator: Trentepohl, 1826: 302.
Microgaster glomeratus: Spinola, 1808: 149.
Apanteles glomeratus: Marshall, 1872: 106.
Apanteles (*Protapanteles*) *glomeratus*: Viereck (1916) 1917: 196.
Cotesia glomerata [-us]: Mason, 1981: 112.
Microgaster crataegi: Ratzeburg, 1848: 25.
Glyptapanteles nawaii: Ashmead, 1906: 193.
Microgaster pieridis Packard, 1881: 26.
Microgaster reconditus Nees von Esenbeck, 1834: 174.
Apanteles reconditus: Kirchner, 1867: 120.
Apanteles glomeratus var. *heterotergi* Fahringer, 1936: 107.

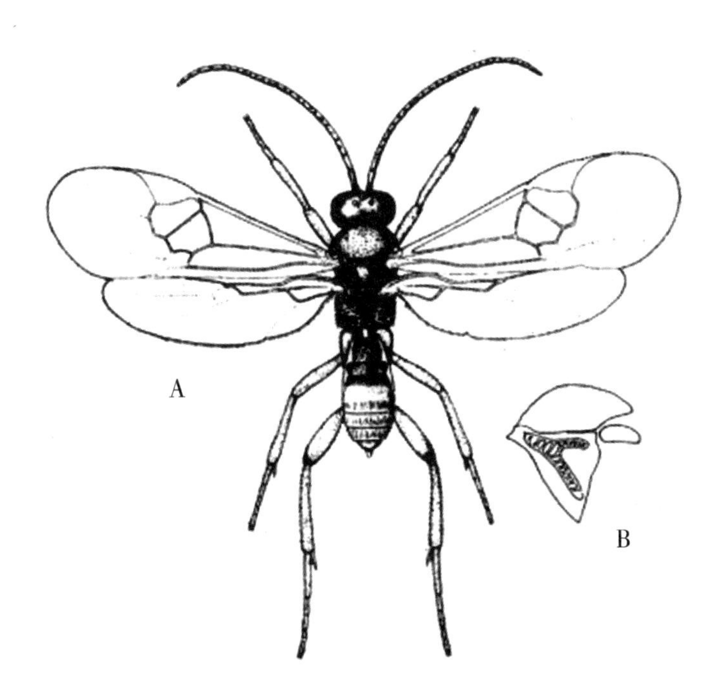

图 33　菜粉蝶盘绒茧蜂 *Cotesia glomerata*（Linnaeus）（A 采自 Gauld *et* Bolton, 1988；B 采自 Nixon, 1965）

A. 整体图；B. 前胸背面和中胸盾片

鉴别特征：头横宽，2.00～2.20倍宽于长，上颊几乎为复眼长之半，大部分具细皱，有光泽；单眼矮三角形；触角约等长于体，向端部稍变尖，末端2节长大于宽1/3至1/2。中胸盾片光亮，密布明显刻点，刻点间距短于或远短于刻点直径；盾纵沟浅，刻点密集呈刻皱带状，向后较退化形成模糊的微细刻纹；小盾片明显隆起或平，有光泽，有刻点的痕迹；小盾片悬骨可见狭窄部分；中胸侧板上方具刻点，下方平滑；并胸腹节有粗糙皱纹，中央有纵脊痕迹，前部两侧具短横脊。前翅翅痣(2.30～)2.50～3.00倍长于宽，r脉自其中部伸出或明显自其中部之外伸出，至多不明显地短于，通常多少长于翅痣宽之半；r脉明显长于2-SR脉，二者连接处明显角状；1-R_1脉相对短，等长于翅痣，约3倍长于其与缘室末端间距。后足基节上方和侧方平滑有光泽，下方有刻点；后足胫节内距仅稍长于外距且几乎不长于基跗节之半。T_1刻纹弱而多变，向后趋于退化呈现极光滑而光亮的状态，长明显至稍大于宽，侧缘平行，有时向末端明显变阔，有时甚至稍收窄；T_2亚三角形，侧沟深但不明显，表面即使具刻纹亦极光亮，短于T_3，侧方平滑；T_3刚毛仅限于后部1/3或沿后缘，其与接续背板光滑。肛下板极短，端部中央具半圆形深凹；产卵管鞘短，向下弯略钩状，至多为后足基跗节长之半。体黑色。触角黑褐色，近基部赤褐色。须黄色。翅基片暗红色。足黄褐色，后足基节和腿节末端、胫节末端黑色，后足跗节褐色。翅透明，翅痣和翅脉淡赤褐色；T_1～T_2侧缘黄色，腹部腹面在基部黄褐色。

采集记录：4♀1♂，咸阳，1980，朱芳采，No. 804028；2♀1♂，咸阳，1981，杨怀玉采，No. 815038。

分布：陕西(咸阳)、黑龙江、吉林、辽宁、内蒙古、北京、河北、山西、山东、河南、宁夏、新疆、江苏、浙江、湖南、台湾、四川、贵州；世界广布。

寄主：菜粉蝶幼虫。

(609) 微红盘绒茧蜂 *Cotesia rubecula* (Marshall, 1885)（图32：F－H）

Apanteles rubecula Marshall, 1885: 175.

Microgaster rubecula: Rudow, 1917: 19.

Cotesia rubecula: Mason, 1981: 113.

鉴别特征：颜面在两触角间下方有1个不明显的突起，眼眶前有密刻点及一些小隆线，额和头顶有小刻点；单眼矮三角形；触角长于体或等长于体，向端部渐细，端前3节长大于宽的2倍。中胸盾片光亮，密布离散的刻点，后部刻点尤密，沿盾纵沟近融合，形成皱状刻点组成的暗色带；小盾片前沟宽而深；小盾片仅有极浅弱刻点，其后部光滑带中央被皱斑隔断。并胸腹节具粗网状皱纹，中纵脊较明显，气门围脊和基横脊明显。前翅1-R_1脉略长于或约等于翅痣；r脉自翅痣中后部斜向伸出，长于2-SR脉，连接处明显角状。后足基节基背部具粗刻点，端部具细纵刻线，外部具弱而分散的刻点，后足胫距近等长，约为基跗节之半；或后足基节外表面光滑至部分

(或全部)不平整，具极细弱且离散的刻点；后足胫距不等长，内距明显长于基跗节之半。T_1 向端部加宽，基半部凹，具光泽并具不同程度的细小隆线，端半部具皱纹，几乎不长于宽；T_2 几乎与 T_1 同皱，宽为长的2.50倍，侧沟弱，其基部中央有1个小瘤；T_3 略长于 T_2，局部具弱皱至强皱，少数完全光滑。肛下板短，侧面观端部成直角；产卵管鞘短，恰露出肛下板。体黑色。触角深褐色；所有的足亮红黄色，所有的基节、转节的一部分、后足腿节和后足胫节的端部黑色，前中足基节或红褐色；前、中足跗节的端部、后足跗节的全部色暗，后足腿节端部的黑色范围多变。翅烟色，刚毛有色。翅基片红褐色或黄色。腹基半部侧膜浅黄红褐色；腹部 T_3 及接续背板深黄红褐色。

采集记录： 1♀，三原，1976. Ⅸ，杨怀玉采，No. 760941；4♀，咸阳，1981，杨怀玉采，No. 815037；2♀2♂，渭南，1982. Ⅷ. 16，朱芳采，No. 826557。

分布： 陕西(咸阳、三原、渭南)、黑龙江、吉林、北京、河北、山西、河南、新疆、浙江、湖北、福建；全北区分布。1978年被引入澳大利亚(Bartlett, *et al.*, 1978)。

寄主： 甘蓝地螟，菜青虫幼虫。

(610) 粗尾盘绒茧蜂 *Cotesia scabricula* (Reinhard, 1880)

Apanteles scabriculus Reinhard, 1880: 364.
Microgaster scabriculus: Rudow, 1917: 20.
Cotesia scabriculus: Papp, 1990: 171.
Apanteles eguchii Watanabe, 1935: 49.
Cotesia eguchii: You *et al.*, 2002: 799.
Apanteles olenidis Muesebeck, 1922, 61: 18.
Cotesia olenidis: Mason, 1981: 112.

鉴别特征： 头顶和颜面具微细刻点和白色短柔毛；触角比体稍长端前节1.30～1.80倍长于宽。中胸盾片光亮至近光亮，具弱至极弱的刻点，但刻点通常融合从而表面呈现不均匀的微皱状；盾纵沟不明显；小盾片无光泽，中央稍隆起，几乎光滑，有稀疏的刻纹；并胸腹节有网状皱纹，具1条弱中纵脊。前翅r脉稍长于翅痣宽，通常不伸向外方，为2-SR脉长的1.50倍。前足跗节无小刺；后足基节有微细刻点，具光泽；后足胫节内距略长于外距，稍短后足基跗节之半。T_1 稍窄，中长至多稍长于端宽，往基部渐变窄，具纵皱纹，末端中央稍向内凹；T_2 横长方形，端宽2.00～2.50倍于中长，具纵皱纹，中部稍隆起，稍长于 T_3；T_3 除中部的有皱状大黑斑外，其余部分及接续的背板光滑具光泽。产卵管鞘等长于后足基跗节，向端部渐尖，伸出腹部末端，向下弯曲，具直立的长毛。体黑色。翅透明。足除基部黑色外，其他为鲜黄色。T_1 除两侧为黄色外，其余部分黑色，黑色部分略呈梯形；T_2 中域黑色，T_3 中部有皱状大黑斑，其余部分及接续的背板鲜黄色。

寄主： 自舞毒蛾 *Lymantria dispar* (L.)幼虫、玉米螟 *Ostrinia nubilalis* (Hübner)、

杨毒蛾 *Leuoma candida* Staudinger、翠纹金刚钻 *Earias fabia* (Stoll)、鼎点金刚钻 *Earias cupreoviridis* (Walker)幼虫、小造桥虫 *Anomis flava* (Fabricius)幼虫养出。据报道还可寄生柳梢瘿蚊 *Rhabdophaga rosaria* L. (F.)(虫瘿)、*Apotomis capreana* (Hübner) (Shenefelt, 1972), *Earias clorana* (L.)、柳毒蛾 *Leucoma salicis* (L.)、*Malacosoma Neustria* (L.) (Yu *et al.*, 2005)。

分布: 陕西(秦岭)、内蒙古、河北、山西、山东、河南、新疆、浙江、湖北、江西、湖南、福建、四川;韩国,欧洲。

Ⅱ. 侧沟茧蜂族 Microplitini

鉴别特征: 产卵管鞘几乎均(99%)短;毛限制于端部,但一些种产卵管鞘长;产卵管短基部壮,在中央宽或窄;下生殖板完全骨化,侧面观通常长等于高。腹部第1背板近于方形或显然长大于宽,几乎均有刻纹;第2背板偶有(2%)刻纹。或有沟与第3背板分开,有时仅侧方的浅沟;第2+3背板通常形成1个光滑的分不开的表面。并胸腹节几乎均(99%)有皱和中纵脊,仅 *Alloplitis* Nixon 属3种中区多少存在。后胸背板几乎均(99%)有1个具刚毛的大亚侧叶突,紧靠小盾片后缘。无胸腹侧脊偶尔(5%),陡胸茧蜂属 *Snellenius* Westwood 部分存在。盾纵沟有时(30%)存在,偶尔(10%)很强。后足胫节短于第1背板;胫距短,约为基跗节的1/2。触角大部分环节有2列板状感器,一些雌蜂中央环节腹方基角部位取代板状感器。

分布: 世界已知4属,在我国均有发现,秦岭地区分布1属1种。

47. 侧沟茧蜂属 *Microplitis* Foerster, 1862

Microplitis Foerster, 1862: 245. **Type species**: Microgaster sordipes Nees von Esenbeck, 1834.

Dapsilotoma Cameron, 1906a: 101. **Type species**: *Dapsilotoma testaceipes* Cameron, 1906.

Glabromicroplitis Papp, 1979: 176. **Type species**: *Glabromicroplitis mahunkai* Papp, 1979.

属征: 肛下板常小,中线从无纵褶。产卵管和产卵管鞘略伸出肛下板;产卵管鞘具少量端毛。T_1 有变化,端部宽至窄,常具刻纹;其余背板几乎光滑;T_2 偶具刻纹,常具1个弱的梯形中域;T_3 常长于 T_2;T_2、T_3 间的缝弱或不存在。并胸腹节侧面观匀曲,几乎全皱;常具中纵脊,但从无中区痕迹。中胸盾片具粗糙刻纹,少有光泽,常具盾纵沟,小盾片后侧斜部分具皱纹或刻点,皱纹断开端部光滑带。前翅具小翅室;1-Cu_1 远短于 2-Cu_1;r 短。后翅臀瓣凸且多毛。后足基节小,不超过 T_1;后足胫节距短于基跗节之半。下唇须常3节,但有时4节。

分布: 世界分布。秦岭地区仅记录1种。

（611）周氏侧沟茧蜂 *Microplitis choui* Xu *et* He，2000（图 34）

Microplitis choui Xu *et* He，2000：109.

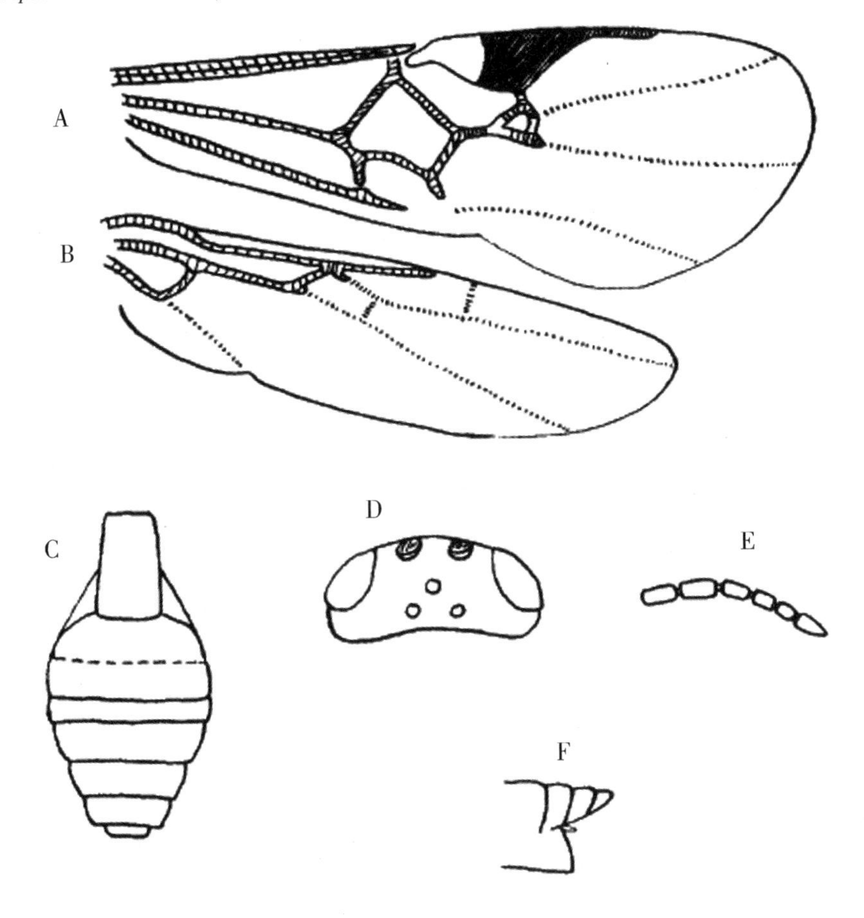

图 34　周氏侧沟茧蜂 *Microplitis choui* Xu *et* He（采自 Xu 等，2000）

A. 前翅；B. 后翅；C. 腹部背面观；D. 头部背面观；E. 触角前端；F. 腹部末端侧面观

鉴别特征：触角细，短于体长；鞭节端前节长分别为宽的 1.50 倍，末端第 3～4 节连接紧密疏松。头背面观在复眼后方不加宽。头顶具密刻点和刻纹。上颊密布小刻点和刻纹。单眼小，呈高三角形。复眼内缘平行。脸微拱，密布皱状刻点。中胸盾片盾纵沟浅，内具皱纹，在后方中央汇合形成稍微凹陷网状皱纹区域；中叶和侧叶密布刻点；中胸侧板前方、下方和翅基下脊下方具皱状刻点，其余光滑；无中胸侧脊；具腹板侧沟，内具小脊，向前伸至中胸侧板前沿。并胸腹节中纵脊发达，中部向两侧伸出数条横脊，其余表面具粗糙网皱。1-R_1 脉分别为其至径室端部距离和翅痣长的 0.71 倍和 0.63 倍；r 脉微弯，从翅痣中部稍外方伸出；小翅室四边形。后足基节基部具刻点，其余大部分光滑，端部未达到腹部第 1 背板端缘；后足胫节内外距约等长，内距长为基跗节的 0.36 倍；后足爪微弯，无齿和小刺。第 1 背板两侧亚平行，在后方稍宽，末端平截，长为最大宽度的2.10倍；前方稍平滑，有光泽，后方大部分具皱纹。第2背板光滑，第2与第3背板之间沟不明显，与第3背板等长。肛下板短，完全骨化，顶端远离腹部末端，后背缘平直。产卵管鞘伸出肛下板内，未达腹末，末端具细毛束。体黑色；翅基片红黄色，腹部第1~3腹片黑褐色。足基节黑色，仅末端黄褐色；胫距红黄色；前、中和后足转节至跗节红黄色。翅透明；基部1/3具1个明显黄色斑。

分布：陕西（杨凌）、甘肃。

Ⅲ. 绒茧蜂族 Apantelini

鉴别特征：产卵管鞘几乎长于后胫节之半（约85%≥后胫长度），几乎整个具毛（除最基部末骨化部分）。如鞘短，则仍整个具毛并从腹瓣片端生毛。下生殖板通常大，中央通常（95%）不骨化，有纵刻条，常有褶。腹部第1背板通常（95%）长于其宽，为1.50~3.00倍，端半常（70%）有1条宽的中沟；第2背板通常较宽或很宽，宽为长的1.50~4.00倍，通常短于第3背板，为其0.60~0.30倍。并胸腹节常（60%）有1个局部至完整的中区；周围的脊在前方常消失，以致中区显示"U"形或"V"形，有时（30%）并胸腹节完全无脊，除极少数南美洲的 *Promicrogaster* 属外，绝无完整中脊。后胸背板前缘通常（95%）从小盾片侧缘缩入，并有1个生有尖毛的向前伸的叶突。胸腹侧脊绝不存在；前胸背板侧面上下缘几乎均有沟；盾纵沟无，或弱由较密刻纹显出。触角大部分环节（至少在中央环节）有2列板状感器。

分布：世界已知16属，我国现知3属，秦岭地区分布2属5种。

分属检索表

后翅臀瓣最宽处外凹且无毛，或凸但亚端部平且具稀的不规则毛；T_1 通常后部狭窄，很少两侧平行或向后部加宽；肛下板常具中陷线，并总是具明显中褶；并胸腹节后侧区（若分脊存在）不宽于长 ………… 绒茧蜂属 *Apanteles*

后翅臀瓣最宽处外凸（有时略平），并一致具毛；并胸腹节后侧区（若分脊存在）宽大于长 ………… 长颊茧蜂属 *Dolichogenidea*

48. 长颊茧蜂属 *Dolichogenidea* Viereck, 1911

Dolichogenidea Viereck, 1911a: 173 (as subg. of *Apanteles s. l.*). **Type species**: *Apanteles* (*Dolichogenidea*) *banksi* Viereck, 1911.

属征：（与 *Apanteles* s. str. 的区别）盾片刻点典型分离，后外侧绝无针状刻痕；后翅臀瓣边缘外凸，被均匀厚毛；T_1 平行或端部略宽；并胸腹节端侧区（如果明显）宽大于高。然而，本属种团 *laevigata* 种团并胸腹节中区与盾片刻点减弱，有时同狭义绒茧蜂属的 *metacarpalis* 种团极为相似，以致要借助后翅臀瓣和 T_1 形状才可区分。

分布：世界分布。中国已知约 40 种，秦岭地区发现 2 种。

分种检索表

并胸腹节无分脊 …………………………………………………… **杨透翅蛾绒茧蜂 *D. paranthreneus***

并胸腹节分脊明显 ………………………………………………… **白蛾孤独长绒茧蜂 *D. singularis***

（612）白蛾孤独长绒茧蜂 *Dolichogenidea singularis* Yang *et* You，2002（图 35）

Dolichogenidea singularis Yang *et* You，2002：608.

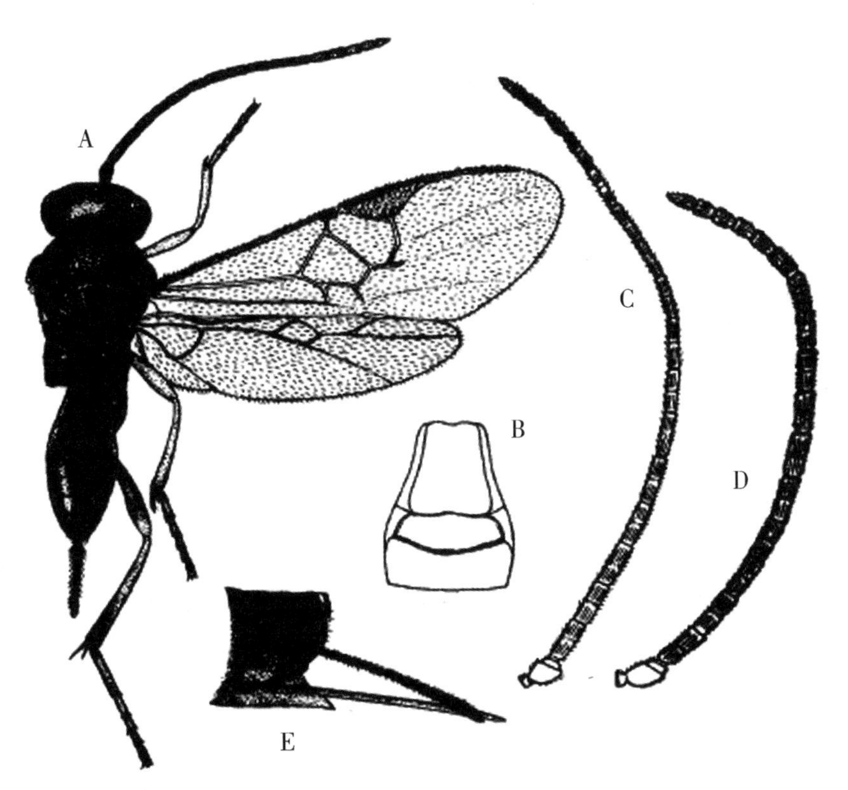

图 35　白蛾孤独长绒茧蜂 *Dolichogenidea singularis* Yang *et* You（采自杨忠岐等，2002）

A. 雌虫整体背面观；B. 雌虫第 1～3 背板；C. 雄虫触角；D. 雌虫触角；E. 雌虫腹部末端侧面观

鉴别特征：鞭节端半部各节向端部渐变短；鞭节倒数第 2 节长为宽的 1.30 倍。背观复眼长度为上颊的 1.70 倍。上颊在复眼后没有急剧向后收缩，而且是平行状向后延伸。整个头部及复眼上具浓密的灰白色纤毛，但后头中部下方至后头孔处及触角洼光滑无毛，头顶两侧、上颊及脸区上的载毛刻窝明显。脸区平坦，中部仅略膨起，无皱脊。中胸背板前方呈半球状圆隆突出，背面无沟及脊，表面具浓密的灰白色短毛及显著的载毛刻窝。小盾片圆鼓，边缘无脊，表面具与中胸盾片相同的密毛，但中部稍疏，且载毛刻窝浅。并胸腹节前半部较平坦，仅略低于后胸背板，表面具密毛；而后半部则呈120°斜跌下，该下斜区表面无毛；无中纵脊，但具2条亚中脊，其向后延伸，在并胸腹节中部围成1个烧瓶状中区；分脊从中区中部发出，后侧区略呈矩形，区内光滑，具几条不规则弱短脊。前翅翅痣与痣后脉等长；r与2-SR之比为5:6。T_1长为后缘宽的0.90倍，两侧缘呈弧形刻入，背面具不规则的皱脊，围成多个小刻窝；侧凹深陷而显著；背板前部1/3强烈折弯向下；T_2具网状刻纹；后缘呈弧形沟状，沟内具短纵脊。T_3长于T_2；产卵器长为腹部的0.60倍；产卵器鞘上的毛较长，长度略大于鞘宽度。下生殖板端部位于腹部前方1/3处。体黑色；前中足其余各节黄色，但腿节稍带褐色；后足转节1褐色，转节2及腿节基方大部分以及胫节端部1/4及基跗节褐黄色，其余部分黄色。

生物学：单个内寄生于美国白蛾1~3龄幼虫。自然寄生率在陕西、山东的美国白蛾发生区可达5%~6%。幼虫老熟后杀死美国白蛾2龄或3龄幼虫，钻出寄主体外结茧化蛹，茧白色，较疏松。由于此时为寄主幼虫形成网幕为害期，故其茧结在网幕的丝网上，远离寄主尸体。本种是美国白蛾幼虫期十分重要的寄生性天敌。也寄生杨扇舟蛾 *Clostera anachoreta* 幼虫。

分布：陕西(关中)、天津、河北、山东。

(613) 杨透翅蛾绒茧蜂 *Dolichogenidea paranthreneus* (You *et* Dang, 1987) (图版56)

Apanteles paranthreneus You *et* Dang, 1987: 278.
Dolichogenidea paranthreneus: Chen & Song, 2004: 131.

鉴别特征：触角柄节暗褐，其余红褐色；足基节黑色，除后足胫节末端及跗节各节端部色暗外，均为黄色；前翅翅基片黄色，翅痣暗褐基部有白斑；腹部除第1、2背板膜质边缘为暗黄色外，均为黑色。颜面略呈方形，密布微细刻点和白色柔毛；复眼内缘两侧几乎平行；单眼呈矮三角形；额和头顶有光泽。中胸盾片密布细微刻点，两后缘角和中胸小盾片前缘刻点稀少；小盾沟窄，具14~16条小脊；小盾片长，舌形，平滑，有光泽，具微细浅刻点；并胸腹节有"U"形中区，围成中区的脊不完整，仅基部明显，端部两侧的脊不明显，中区内有纵脊，并胸腹节其他部分有刻点。后足胫距外距长于内距，不及后足基跗节之半。翅痣短于痣后脉，痣后脉长为径室末端至痣后脉距离的5倍；径脉第1段从翅痣中部伸出，长于肘间横脉，与肘间横脉连接成弧形。第1背板长为端宽的1.33倍两侧几乎平行，末端稍加宽；基半部中央凹陷，光滑有光泽，中部中央隆起有皱纹，端半部有纵皱纹和刻点；第2背板横置，中间光滑，两侧有微细纵皱纹，长为第3背板的2/3。产卵管鞘约为后足胫节长的1.53倍。

分布：陕西(秦岭)、浙江、福建。

寄主：寄生杨透翅蛾 *Paranthrene tabaniformis* Rott。

49. 绒茧蜂属 *Apanteles* Foerster, 1862

Apantele Foerster, 1862: 245. **Type species**: *Microgaster obscurus* Nees von Esenbeck.

Urogaster Ashmead, 1898. **Type species**: *Urogaster vulgaris* Ashmead, 1900.

Allapanteles Brethes, 1915. **Type species**: *Allapanteles cecidiptae* Brethes, 1915.

Xestapanteles Cameron, 1910. **Type species**: *Xestapanteles latiannulatus* Cameron, 1910.

属征: 肛下板大，尖形，且中间通常具一系列纵褶，但至少中间明显折叠；产卵管鞘通常长且整长覆毛，极少为后足胫节的1/2；产卵管长且通常稍弯曲且渐弱。无褶的短肛下板通常具短的产卵管。T_1 明显长于宽且从接近平行或桶形至末端强度收窄，经常具1个长的末端凹陷；T_2 宽大于长，边缘弱至强地向末端分离；T_3 稍长或远长于 T_2。并胸腹节粗糙刻纹至光滑，绝无中脊痕迹，但具1个稍成形的中区和分脊（分级通常缺无，但中区通常以“U”形区域或中部凹陷从腹孔向上延伸）；在极度情况下并胸腹节全部光滑或具刻纹和无脊。后胸背板前缘具1对奇特的侧刚毛。中胸盾片具粗至细的刻纹，通常盾纵沟末端，即小盾片前端，侧区形成很密的刻皱区域，那里通常具分成纵脊块。臀瓣边缘末端一般凹且无毛，但通常将近平直或具少量短毛或2个鉴别特征都具备，极少情况边缘稍扁平且具稀毛但明显有点凸起。

生物学: 大多数单寄生，部分聚寄生。寄主大多为小蛾类，部分为大蛾类。

分布: 全世界分布。秦岭地区记录3种。

分种检索表

1. 翅痣色淡，苍白 …………………………………………………… **瓜野螟绒茧蜂 *A. taragamae***
   翅痣色深，黄褐色至深褐色，最多基部具浅色斑点 ……………………………………………… 2
2. T_2、T_3 通常黄色或红黄色，与其他背板颜色显然不同；后足基节黑色；T_1 末端稍至强收窄 ……
   …………………………………………………………………… **棉大卷叶螟绒茧蜂 *A. opacus***
   腹部背板颜色通常一致，深褐色或黑色；后足基节红黄色；T_1 末端不收窄 ……………………
   …………………………………………………………………………… **新月绒茧蜂 *A. lunata***

(614) 瓜野螟绒茧蜂 *Apanteles taragamae* Viereck, 1912（图版57）

Apanteles taragamae Viereck, 1912: 140.

Apanteles plusiae Viereck, 1913: 557.

Apanteles homonae Rohwer, 1922: 53.

鉴别特征: 体长3mm。体黑色；前足腿节末端2/3，中足腿节末端1/3，前、中足胫节和跗节，后足胫节基部2/3及后足跗节亮黄褐色到红褐色；腹板基部深红色；C + Sc + R 脉红褐色；翅痣透明，边缘窄、褐色。脸具稀的细刻点。中胸背板沿盾纵沟大面积地具细密网皱；小盾片几乎全部光滑、具闪光且无刻点，但实际具极少的细刻点，其他位置具密但极浅的刻点；小盾片几乎全部光滑、具闪光且几乎无刻点，除侧缘具一些不确定刻点；并胸腹节具光泽，除中区和分脊的强脊，明显无刻纹（最多具不明确刻纹）；中区基部开放。翅 m-cu 脉仅稍长于 r 脉，r 脉有点长于 2-SR；2-SR + M 稍短于 2-SR，明显短于 m-cu，比 2-M 长 2 倍多，2-M 明显短于 1-SR；翅痣明显短于痣后脉。后足基节外侧仅具稀的极细的刻点，基部靠上具更强刻点；后足胫节长距为后足基跗节的 1/2，短距明显不到后足基跗节的 1/3。腹部 T_1 中间具皱且强烈突起，其最末端中间具 1 个光滑、光亮的区域；T_2 几乎无刻纹；产卵管鞘约等长于后足跗节。

采集记录： 2♀，渭南，1982，朱芳采，No. 826558。

分布： 陕西（渭南）、山西、河南、浙江、湖北、湖南、福建、台湾、广东、海南、广西、贵州、云南；韩国，日本，泰国，印度，斯里兰卡，印度尼西亚，巴布亚新几内亚。

寄主： 苹稍卷叶蛾。

（615）棉大卷叶螟绒茧蜂 *Apanteles opacus*（Ashmead，1905）（图版 58）

Urogaster opacus Ashmead, 1905: 118.

Apanteles opacus: Wilkinson, 1928: 128.

Apanteles derogatae Watanabe, 1935: 49.

别名： 有荫绒茧蜂、棉卷叶螟绒茧蜂。

鉴别特征： 体长 3mm。雌虫黑色，前面 4 条腿（除基节），后足转节，后足腿节基部 1/4，后足胫节基半部，后足跗节基部和腹板基部红褐色；C + Sc + R 脉基部，下唇、下颚须和胫节距苍白；翅痣和翅脉褐色。头大部分具刻点。中胸背板具非常不规则的强刻点，沿盾纵沟具皱的细刻条；小盾片有光泽，具浅的、极不确定的强刻点；并胸腹节中区和分脊强，中部区域除一些极强的中等脊，光亮且无刻纹；中区强"V"形。翅 r 明显长于 m-cu 脉，短于翅痣宽度，翅痣宽度两倍长于 2-SR；2-SR + M 明显长于 2-SR，明显长于 2-M，2-M 约与 1-SR 等长；翅痣短于痣后脉。后足基节稍带光泽，明显彻底覆盖不明确的、极浅的、均匀分布的刻点；后足胫节长距为后足基跗节的 1/2，短距为后足基跗节的 1/3。腹部 T_1 基部和端部一样宽，1.75 倍长于其最大宽度，2.30 倍长于末端宽度，末端 2/3 具纵皱或皱状刻条，中间强度隆起，隆起处下面中间部位至近 T_1 末端具 1 个延长的稍凹区域，T_1 末端中央有 1 个小的、光滑的、有光泽的突出半圆区域；T_2 端半部具不明确的针状皱；产卵管鞘等于或稍长于后足腿节。

采集记录： 2♀♂，咸阳，1976. Ⅱ，杨怀玉采，Nos. 760948，826388。

分布： 陕西（咸阳）、辽宁、江苏、上海、安徽、浙江、湖北、湖南、福建、台湾、广东、海南、广西、四川、贵州、云南；日本，越南，印度，马来西亚，菲律宾。

寄主： 红铃虫幼虫。

(616) 新月绒茧蜂 *Apanteles lunata* Song *et* Chen, 2004(图版59)

Apanteles lunata Song *et* Chen, 2004: 68.

鉴别特征: 中单眼后至后头具1条浅沟；单眼高三角形；脸具弱皱状刻点，复眼内缘向唇基狭窄；触角长于体，第12～15鞭节长为宽的1.60～1.80倍。中胸盾片密布尖细刻点，其间距小于刻点本身，沿相向盾纵沟刻点密集，端部以点状刻条占优势；小盾片具稀疏小刻点，有光泽，端部平截，其后侧区小；并胸腹节中区和后侧区完整，均具不规则小脊，中区近圆形，后侧区横行。$1\text{-}R_1$ 分别为其至缘室端部和 pt 长的4.20倍和1.20倍。r 自 pt 中部略偏外伸出，略外曲，长于2-SR，结合处弧形。后足基节长达腹部第3节末，外侧光滑，内外胫节距分别达基跗节2/5和1/5，第4跗节短于第5跗节。T_1 略向端部加宽，基部凹、光滑，水平部分皱，其长为隆起处宽的1倍，中槽宽大且皱，端中光滑凸不明显；T_2+T_3 中域横长方形，宽为长的4.30倍，具细皱；T_3 为 T_2+T_3 中域长的1.80倍；产卵管鞘略短，为后足胫节长的4/5；产卵管细瘦，略下弯。体黑色。足黄色(除后足胫节端部和基跗节端部3/4灰黑褐色外)；腹面黄色，腹部背板深黄褐色(除 T_1、T_2 黑色，第1节侧膜和 T_3 浅黄褐色外)。

采集记录: 1♀，蓝田汤峪，1998. Ⅵ.01，杜予州采，No. 981178。

分布: 陕西(蓝田)、吉林、浙江、湖北、湖南、福建、台湾、海南、四川、贵州、云南。

(九) 矛茧蜂亚科 Doryctinae

鉴别特征: 头横形。圆口类；须长，下颚须6节，下唇须4节；后头脊常存在；前足胫节外侧具成列刺；前胸侧板后缘凸出；前翅具2～3个亚缘室；产卵管长度变异，末端背方具2个结节。

分类: 全世界分布。陕西秦岭地区分布6属8种。

分属检索表

1. 第1背板明显柄状；第1背板端腹片长，是第1背板长的0.70～0.80倍 ……………………………………………… 柄腹茧蜂属 *Spathius*

   第1背板不呈柄状或稍柄状；第1背板端腹片短或稍伸长，是第1背板长的0.15～0.40倍(少数情况下几乎0.50倍) …………………… 2

2. 后翅 m-cu 脉长且强烈向翅尖弯曲；后足基节背方具1长1短的2个刺状突起 ……………………………………………… 刺足茧蜂属 *Zombrus*

   后翅 m-cu 脉短，向翅基弯曲或稍斜向翅基，有时无 m-cu 脉，极少数情况下整个 m-cu 脉或其端部小部分稍向翅基弯曲；后足基节背方无刺状突起，极少数情况下(矛茧蜂属 *Doryctes*) 具1个钝且短的刺突 …………………… 3

3. 触角窝背方具明显幕骨凹陷，圆形或椭圆形；雄虫前翅有时在1-SR，1-M and 1-SR+M脉附近具明显骨化的膨大(前翅m-cu脉前叉，对叉或后叉；有时腹部第2背板具光滑的基中区)……………………………………………………………………………… **厚脉茧蜂属 *Neurocrassus***
触角窝背方无幕骨凹陷；雄虫前翅通常无骨化的膨大 …………………………………… 4
4. 后足基节腹面基部具明显的转角和齿突 …………………………… **陡盾茧蜂属 *Ontsira***
后足基节腹面基部无明显的转角和齿突 ……………………………………………… 5
5. 腹部第2背板通常具由深沟围成的大的三角形基区，少数仅仅具浅的"V"状图案(风雅合沟茧蜂*H. fuga*特别微弱)；腹部第1~3背板全部或大部分，第4~5背板基部具刻纹；(产卵管鞘与体长相等……………………………………………………… **合沟茧蜂属 *Hypodoryctes***
腹部第2背板无沟或图案和有沟围成的三角形基区；腹部第1~2背板全部和第3背板基半部具刻纹，剩余背板通常全部光滑(矛茧蜂属*Doryctes*一些雄虫除外) …… **矛茧蜂属 *Doryctes***

50. 矛茧蜂属 *Doryctes* Haliday, 1836

Rogas (*Doryctes*) Haliday, 1836: 40, 43. **Type species**: *Bracon obliteratus* Nees, 1834.
Doryctes: Shenefelt *et* Marsh, 1976: 1277.
Ischiogonus Wesmael, 1838: 125. **Type species**: *Ischiogonus erythrogaster* Wesmael, 1838.
Paradoryctes Granger, 1949: 102. **Type species**: *Paradoryctes coxalis* Granger, 1949.
Pristodoryctes Kieffer, 1921: 133. **Type species**: *Pristodoryctes striativentris* Kieffer, 1921.
Udamolcus Enderlein, 1920: 142. **Type species**: *Udamolcus herero* Enderlein, 1920.
Neodoryctes Szépligeti, 1914: 199. **Type species**: *Neodoryctes thoracicus* Szépligeti, 1914.
Plyctes Fischer, 1981: 78. **Type species**: *Hybodoryctes diversus* Szépligeti, 1910.

属征：单眼区底边大于侧边；额通常不凹陷或稍浅，无中脊；复眼光滑无毛；后头脊背方存在，与口后脊在上颚基部处通常不愈合；前胸背板背面前方通常具肿凸；中胸背板从前胸背板圆弧升起；胸腹侧脊明显，完整；并胸腹节具分区明显，侧突通常存在，短。前翅r脉通常从翅痣中央伸出；2-SR脉和r-m脉都存在；m-cu脉通常前叉；第1亚盘室末端关闭，Cu_1a脉从第1亚盘室后部0.25~0.30伸出。后翅cu-a脉存在；m-cu脉存在。后足基节腹方具齿突和转角；后足腿节宽，背方无肿凸。第2背板同具相当微弱的侧纵沟或脊；第2背板缝通常明显；产卵管鞘通常短于腹部。

生物学：据记载，寄主有鞘翅目的窃蠹科Anobiidae、长蠹科Bostrichidae、吉丁虫科Buprestidae、天牛科Cerambycidae、叶甲科Chrysomelidae、郭公甲科Cleridae、象甲科Curculionidae、小蠹科Scolytidae，鳞翅目的毛翅蛾科Cecidosidae、膜翅目的长颈树蜂科Xiphydriidae、长节锯蜂科Xyelidae (Yu *et al.*, 2012; Belokobylskij *et* Maeto, 2009)。

分布：全世界。世界已知87种，中国已记录14种，秦岭地区发现1种。

(617) 齿基矛茧蜂 *Doryctes denticoxa* Belokobylskij, 1996(图版60)

Doryctes denticoxa Belokobylskij, 1996: 164.

鉴别特征：雌虫体长5.80~11.50mm；前翅长4.60~7.20mm。触角39~65节。头顶光滑；额具明显横向刻条；上颊腹方光滑；背观复眼横径是上颊长的1.40~1.80倍，脸具皱刻条，部分区域几乎光滑；颚眼沟极其浅；后头脊背方完整，与口后脊在上颚基部处不愈合。中胸盾片中叶突起；中胸盾片仅沿盾纵沟或周围具稀疏的，长且直立的毛，大部分区域无毛；中胸盾片光滑；小盾片光滑；中胸侧板几乎光滑；翅下区深且宽，具密集横刻条；基节前沟明显，前部0.70相当深或后部0.30几乎不明显，光滑，横贯中胸侧板下部全长；并胸腹节端部无侧突，分区不明显，无中区；并胸腹节具粗糙密集网皱。前翅长是宽的3.70~4.50倍，r脉从翅痣中部伸出；3-SR = 1.4 ~ 2.0 × r = 0.3 ~ 0.4 × SR_1 = 1.3 ~ 1.6 × 2-SR；第2亚缘室长是宽的2.20~2.80倍，是第1亚盘室长的0.80~0.90倍；1-SR + M脉S形弯曲；m-cu脉前叉；后翅，M + Cu = 0.7 ~ 0.8 × 1-M；m-cu脉直，末端稍弯曲，稍前叉。后足基节背方具皱，或皱和刻点，背面近中部具1个明显的齿突，腹方具明显瘤突；后足腿节长是宽的3.00~3.50倍；第1背板从基部至端部几乎直线加宽；第1背板长是其端宽的1.40~1.60倍；第2背板具明显的，几乎直且近平行的侧凹陷；第2背板长是其基宽的0.50~0.70倍，是第3背板长的0.90~1.10倍；第2背板缝明显，浅，具明显侧带；第3背板基部0.30具宽但浅的凹陷；第1背板和第2背板全部，第3背板基部中央0.30~0.50(基部侧方0.80~0.90)具密集且细微刻纹；第4~6背板基部0.30~0.50密布颗粒和网皱；产卵管鞘长是腹长的1.20~1.50倍，是前翅长的0.85~1.15倍。

雄虫体长3.60~6.40mm，前翅长2.50~4.40mm；头宽是长的1.20~1.30倍；胸长是高的2.30~2.50倍；腹部细长，第1背板端宽是基宽的1.10~1.20倍，长是端宽的1.70~2.00倍；第2背板长为基宽的1.00~1.10倍；第4~6背板通常几乎全部具刻纹；体浅红棕色，足全部棕黄色；其他鉴别特征与雌蜂相似。

头和胸的前部红棕色，腹部黑色；触角棕色；足黑色，所有跗节棕色；翅烟褐色，翅痣暗棕色，基部和端部黄色。

采集记录：1♀，佛坪凉风垭，1999.Ⅵ.28，姚建采。

分布：陕西(佛坪)、河南、浙江、福建、台湾、广东、贵州；日本。

51. 合沟茧蜂属 *Hypodoryctes* Kokujev, 1900

Hypodoryctes Kokujev, 1900: 548. **Type species**: *Hypodoryctes sibiricus* Kokoujev, 1900.

Mixtec Marsh, 1993: 25. **Type species**: *Mixtec whartoni* Marsh, 1993.

属征：并胸腹节具缘区，中区很小。前翅 Cu_1a 脉接近2-1A脉。后足基节基腹方通常具瘤突。腹部第1背板不具柄，具深的背凹；第2背板基部多少具2条明显的沟(或是颜色不同的带)组成的三角形区，该区端部具柄，与第2背板缝分离；第3背板近中部多少具明显的横沟；第1、2背板完全，第3背板至少基半部和第4、5背板基部具刻条。

生物学：据记载，寄主有鞘翅目的窃蠹科 Anobiidae、天牛科 Cerambycidae 等。

分布：古北区，东洋区，新热带区。世界已知10种，中国已记录7种，秦岭地区分布2种。

分种检索表

背面观中胸盾片前缘陡，与前胸背板水平面几乎垂直，向前凸出明显，前侧面着生毛较密；后足基跗节的长是第2~5跗节总长的0.60倍，第2背板沟深………… **干合沟茧蜂 *H. torridus***
背面观中胸盾片前缘平缓，与前胸背板水平面成钝角，向前稍凸出，前侧面着生毛较稀疏；后足基跗节的长是第2~5跗节总长的0.70~0.90倍，第2背板沟浅，有时不明显 ……………………………………………………………………………… **风雅合沟茧蜂 *H. fuga***

（618）风雅合沟茧蜂 *Hypodoryctes fuga* Belokobylskij *et* Chen，2004（图版61）

Hypodoryctes fuga Belokobylskij *et* Chen，2004：704.
Ontsira retina Chen *et* Shi，2004：33.

鉴别特征：雌虫体长3.20~6.80mm；前翅长2.70~5.00mm。触角36~50节。头部几乎光滑，宽是长的1.40~1.60倍；额前部1/3~1/4有刻条或刻条皱；脸向中央延伸有刻条或是刻条皱，侧面有刻点；背面观复眼的横径是上颊的1.60~2.00倍；胸长是高的2.00~2.10倍，中胸盾片着生密且均匀的毛，密布相当明显的刻点；中胸盾片前缘平缓，与前胸背板水平面成钝角，端半部中间具窄的网皱，盾片中叶稍向前凸出，背面观前侧方无肩角，至少在端部5/6具明显的中纵沟；小盾片具细且很密的刻点；翅下区很深、宽，具粗糙的皱纹；基节前沟长达中胸侧板下部全长的0.70倍；并胸腹节基部1/5~1/2光滑，通常大部分具粗糙的皱纹，具明显的缘区，基侧区大，端部1/2~4/5具皱，少数种类大部分光滑；并胸腹节剩余部分具粗糙皱纹；中区短，很宽，长是宽的1.10~1.30倍。前翅长是宽的3.10~3.40倍，3-SR = 2.3~4.0×r = 0.3~0.5×SR_1 = 1.0~1.2×2-SR；第2亚缘室长是宽的2.10~2.80倍，与第1亚盘室几乎等长，是第1盘室的0.70倍；1-Cu_1 = 0.3~0.5×cu-a；后翅，M+Cu = 0.9~1.1×1-M。后足基节长是其宽的1.60~1.70倍，腹面具明显的瘤突，背面具粗糙的横刻条，刻条间通常具皱，侧面有刻点皱或刻点；后足腿节长是其宽的2.90~3.20倍。腹部第1背板具大背凹，无明显的气门瘤；腹部第1背板端宽是其基宽的1.60~2.00倍，长是其端宽的1.70~2.00倍，是并胸腹节长的1.40~1.50倍；腹部第2背板无明显的或是在近中部具极浅且相汇聚的沟；第2背板的长是其基宽的0.90~1.20倍，是第3背板长的1.20~1.40倍；腹部第1和2背板完全且很规则的、第3背板基部2/5~1/2（除了侧面大部分或完全）密布均匀的纵刻条，刻条间具微皱；第4背板且有时第5背板基部1/3~1/2具密集的纵刻条或斜刻条，有时具微弱的刻条皱；第2背板缝浅且很窄，无侧带；第3背板近中部具浅且多少明显的横沟；少数种类第3~5背板基中部光滑；腹部第3~5背板近中部着生横向的1列窄毛，侧面完全着生毛；产卵管鞘长是体长的 0.90～1.10 倍，是腹长的 1.70～1.90 倍，是前翅长的1.20～1.50 倍。体黑色，胸部侧面、中部通常深红棕色，有时腹部中央棕黄色，第 3、4 背板红棕色或端半部浅红棕色；触角深红棕色至黑色，基部 2～4 节红棕色或浅红棕色，少数种类深红棕色；翅基片红色；足浅红棕色，有时具暗斑，转节、前中足的基节黄色；后足通常较深，有时明显黑色，后足基节黑色或浅红棕色，后足跗节深红棕色至红棕色，少数种类几乎黑色，后足腿节基部黄色；产卵管鞘完全黑色或深红棕色；翅微弱烟褐色，翅痣棕色。

采集记录： 1♂（副模），宁陕火地塘板桥沟，1998. Ⅵ. 05，马云采，No. 982386（ZJUH）。

分布： 陕西（宁陕）、吉林、河南、浙江、福建、台湾、贵州；俄罗斯，朝鲜，韩国，日本，越南。

（619）干合沟茧蜂 *Hypodoryctes torridus* Papp，1987（图版 62）

Hypodoryctes torridus Papp，1987b：161.

鉴别特征： 雌虫体长 8.50mm；前翅长 5.30mm。触角 62 节。头顶几乎全部着生密毛；头部大部分光滑；背面观复眼的横径是上颊长的 1.30 倍。胸长是高的 2.10 倍；中胸盾片密布很细的刻点，端半部中央具宽的皱纹区。基节前沟深、窄，具短刻条，稍弯，长达中胸侧板下部全长的 0.60 倍。并胸腹节具明显的缘区，基侧区大，基部光滑，端部具有刻点的皱纹；中区短且很宽。前翅长是宽的 3.70 倍；第 2 亚缘室很长，长是宽的 3 倍，是第 1 亚盘室长的 1.10 倍；后翅，M + Cu = 1.30 × 1-M。后足基节腹面具很明显的瘤突，背面具有刻点的横纹，侧面具很明显且很稀疏的刻点；后足腿节长是宽的 3.10 倍。腹部第 1 背板具大背凹；腹部第 1 背板长是宽的 1.80 倍；腹部第 2 背板具两条深的、相汇聚的沟，两沟在第 2 背板缝之前愈合；第 2 背板的长是基宽的 1 倍，是第 3 背板的 1.20 倍；第 2 背板缝深且宽，侧面稍弯曲；第 3 背板基部多少具浅的、不完整的、稍弯曲的横沟；腹部第 1 背板全部及第 2 背板中部密布粗糙的网皱，第 2 背板剩余部分及第 3、4 背板（除端部）密布纵条纹；第 5 背板基部有具刻点的皱纹，基部具细微的横纹；第 5 背板以后的背板光滑。产卵管鞘长是体长的 1.10～1.20 倍，是腹长的1.90～2.10 倍，是胸长的 3.40～3.70 倍，是前翅长的 1.40～1.70 倍。

体黑色至深红棕色；胸部有时侧面红色；第 2 背板合沟和第 2 背板缝红色或浅红棕色；触角完全黑色或深红棕色；足浅红棕色，前、中足基部黄色；跗节较暗；后足胫节基部一段黄色或浅棕色，大部分几乎黑色或深红棕色；后足跗节深红棕色；翅浅烟褐色，翅痣深棕色。

采集记录： 1♀，太白山，1982. Ⅹ. 15，考察组采，No. 200012040。

分布： 陕西（太白山）、浙江、福建、台湾；俄罗斯，朝鲜，韩国，日本，越南。

52. 厚脉茧蜂属 *Neurocrassus* Šnoflak, 1945

Neurocrassus Šnoflak, 1945: 26. **Type species**: *Neurocrassus tesari* Šnoflak, 1945.

属征: 额通常不凹陷, 无中隆脊; 靠近触角窝背方具明显幕骨凹陷; 后头脊通常与口后脊在上颚基部处不愈合; 颚眼沟缺或微弱; 触角柄节基部不缢缩, 端部无叶突; 第1鞭节长于第2鞭节; 中胸盾片前缘陡, 几乎与前胸背板水平面垂直。盾纵沟完整; 前翅 2-SR 和 r-m 脉存在; 第1亚盘室末端闭合; Cu_1a 脉从第1亚盘室中央或下方伸出; 后翅 cu-a 脉存在; 后足基节腹面基部具明显的转角和齿突, 后足腿节背方无肿凸; 腹部第1背板不具柄, 具背凹。

生物学: 据记载寄主有鞘翅目的天牛科 Cerambycidae、象甲科 Curculionidae。

分布: 古北区, 东洋区。世界已知19种, 中国已记录8种, 秦岭地区发现1种。

(620) 拟陡盾厚脉茧蜂 *Neurocrassus ontsiroides* Belokobylskij, Tang *et* Chen, 2013 (图版63)

Neurocrassus ontsiroides Belokobylskij, Tang *et* Chen, 2013a: 243.

鉴别特征: 雌虫体长4.60mm; 前翅长3.35mm。触角30节; 头顶光滑, 具稀疏的半直立短毛; 额光滑; 复眼横径是上颊长的1.60~1.80倍; 上颊光滑; 触角窝附近背幕骨陷相当小。中胸盾片着生密集的半直立短毛; 中胸盾片具微弱但密集的颗粒, 中后部区域具2条强烈向后汇合的脊和微弱皱; 小盾片光滑; 中胸侧板下部0.80光滑, 中央大部分区域光滑无毛; 基节前沟具微弱短刻条, 其长达中胸侧板下部全长的0.50; 并胸腹节具明显短且粗的侧突, 明显分区; 基侧区具密集的颗粒皱, 剩余部分具网皱; 中区具微弱皱, 短, 窄。前翅第2亚缘室长是宽的2.40倍, 是第1亚盘室长的1.40倍; 后翅 M + Cu = 1 × 1-M。后足基节背方无齿突, 光滑; 后足腿节光滑, 长是宽的3.90倍。腹部第1背板具明显且完整的背脊, 中央具明显但相当稀疏的刻条, 刻条间具相当微弱皱, 端部侧方1/4几乎光滑; 第1背板端宽是基宽的2倍, 长是端宽的1.25倍; 第2背板长是其基宽的0.80倍, 是第3背板长的1.30倍; 第2背板缝浅, 窄, 稍弯曲; 第3背板无横沟; 剩余背板光滑; 产卵管鞘长是腹长的0.70倍, 是胸长的0.90倍, 是前翅长的0.40倍。体深红棕色, 具红色斑块, 上颚基部和唇基下部黄色; 腹部第1背板之后背板黄棕色, 边缘红棕色; 触角黑色; 须黄色; 足棕黄色, 所有胫节基部浅黄色; 产卵管鞘和藕色; 前翅稍烟褐色; 翅痣棕色。

采集记录: ♀(正模), 宁陕旬阳镇, 1998. Ⅵ. 06, 马云采, No. 928841 (ZJUH)。

分布: 陕西(宁陕)。

53. 陡盾茧蜂属 *Ontsira* Cameron, 1900

Ontsira Cameron, 1900: 89. **Type species**: *Ontsira reticulate* Cameron, 1900.

Doryctes (*Doryctodes*) Hellén, 1927: 40. **Type species**: *Rogas* (*Doryctes*) *imperator* Haliday, 1836.

Doryctodes: Telenga, 1941: 389.

Wachsmannia Szépligeti, 1900: 217. **Type species**: *Wachsmannia maculipennis* Szépligeti, 1900.

属征：头通常稍横形；额通常不凹陷，无中脊；后头脊完整，通常与口后脊在上颚基部处愈合；颚眼沟通常缺；须通常长；下鄂须6节；下唇须4节；触角柄节宽，无端叶，基部无缢缩；第1鞭节近圆柱形，几乎直，长于第2鞭节；前胸背板背脊存在；中胸盾片前缘陡，几乎与前胸背板水平面垂直。后足基节腹面基部具明显的转角和齿突，所有的腿节背方无肿凸；腹部第1背板不具柄，第2背板缝通常存在、多少直，第2背板无侧沟。

生物学：据记载寄主有鞘翅目的长蠹科 Bostrichidae、吉丁虫科 Buprestidae、天牛科 Cerambycidae、象甲科 Curculionidae、小蠹科 Scolytidae、拟步甲科 Tenebrionidae。

分布：全世界。世界已知30种，中国已记录11种，秦岭地区发现2种。

分种检索表

腹部第2背板完全光滑；产卵管鞘长是腹长的0.80倍，是胸长的1倍，是前翅长的0.40倍 ………………………………………………………… **小室陡盾茧蜂 *O. abbreviata***

腹部第2背板至少基部具刻纹；产卵管鞘长是腹长的1.80~2.00倍，是胸长的2.80~3.20倍，是前翅长的1.20~1.40倍 ………………………………… **火陡盾茧蜂 *O. ignea***

(621) 小室陡盾茧蜂 *Ontsira abbreviata* Belokobylskij, Tang *et* Chen, 2013 (图版64)

Ontsira abbreviata Belokobylskij, Tang *et* Chen, 2013b: 79.

鉴别特征：雌虫体长3mm；前翅长2.70mm。触角25节；头顶光滑，具相当稀疏的半直立长毛，前半部光滑无毛；额大部分光滑，前侧方微弱革质，无脊，在触角窝间具明显的坑；上颊光滑；背面观头在复眼后方均匀弧形收缩；复眼横径是上颊长的1.20倍；脸大部分光滑，上部具微弱皱刻条。中胸盾片具明显的密集颗粒，前端具皱；中胸盾片具密集的半直立长毛，侧叶大部分区域光滑无毛；小盾片具微弱颗粒；中胸侧板大部分光滑；基节前沟深，直，具微弱短刻条，长是中胸侧板下缘长的0.60；并胸腹节具明显分区，基侧区大，光滑，脊周围和后端1/3具皱。前翅第2亚缘室长是宽的2.35倍，是第1亚盘室长的1.70倍；Cu_1a 脉明显从第1亚盘室端部中央后方伸出。后翅 M + Cu = 1.1 × 1-M。后足基节背方无齿突，背半方具粗糙刻条，腹半方具微弱至光滑；后足腿节光滑，长是宽的4.20倍。腹部第1背板具明显刻条，基部中央和端部侧方光滑；第1背板端宽是其基宽的2倍，长是其端宽的1.15倍；第2背板无基区，长是其基宽的0.70倍，是第3背板长的1倍；第2背板缝直，非常浅；第3背板无横沟；剩余背板光滑；产卵管鞘长是腹长的0.80倍，是胸长的1倍，是前翅长的0.40倍。体深红棕色，腹部第1背板之后背板红棕色，颚眼距黄棕色；触角深棕色，基部浅红棕色；须黄色；足黄色；产卵管鞘黑色；前翅稍烟褐色；翅痣棕色，基部和端部色浅。

采集记录：♀（正模），宁陕火地塘板桥沟，1600m，1998.Ⅵ.05，杜予州采，No. 982455（ZJUH）。

分布：陕西（宁陕）。

（622）火陡盾茧蜂 *Ontsira ignea*（Ratzeburg，1852）（图版65）

Bracon igneus Ratzeburg，1852：36.

Doryctes igneus：Reinhard，1865：250.

Doryctodes igneus：Telenga，1941：91.

Ontsira ignea：Shenefelt *et* Marsh，1976：1323.

鉴别特征：雌虫体长4.60～6.70mm；前翅长4.00～5.80mm。头顶光滑；额前部具微弱皱刻条，后部光滑，无脊，触角窝间前半部具相当深且宽的中沟；上颊光滑；脸具相当密集的粗糙的刻条皱，侧方光滑，下方具明显刻点。前胸背板侧方具相当密集的粗糙皱，中沟具粗糙短刻条；中胸盾片着生密集的半直立短毛，具浅的中沟；中胸盾片密布相当明显的刻点，刻点间具密集的微弱颗粒，后半部中央具广布粗糙皱；小盾片几乎光滑；中胸侧板下部0.40～0.60光滑；基节前沟具明显的窄的短刻条，其长达中胸侧板下部全长的0.60。前翅第2亚缘室长是宽的2.00～2.20倍，是第1亚盘室长的1.00～1.20倍；Cu_1a脉明显从第1亚盘室端缘中央后方1/4伸出；后翅 M + Cu = 1.40～1.60 × 1-M。后足基节背方无齿突，具微弱半弧形刻条，侧方具微弱刻条皱或光滑，下方光滑；后足腿节背方具刻条，侧方上部具颗粒和刻点，下部几乎光滑，长是宽的3.90～4.20倍。腹部部分区域具密集的弯曲刻条，中央具网皱和刻条，刻条间广布刻纹；第1背板端宽是基宽的1.80～2.00倍，长是端宽的1.20～1.30倍；第1背板大部分具刻条，其间具皱；第1背板基半部具明显背脊，端半部背脊弱；第2背板无基中区；第2背板长是其基宽的0.70倍，与第3背板等长；第2背板缝直，非常浅，完整；第3背板无横沟；第2背板基部具刻条；剩余背板光滑；产卵管鞘长是腹长的1.80～2.00倍，是胸长的2.80～3.20倍，是前翅长的1.20～1.40倍。

体黑色或深红棕色；头和腹部第 1 背板之后的各背板深红棕色或红棕色，腹部腹方红棕色和黄色；触角黑色，基部 1/4 红棕色或黄棕色，基部 2 节黄色；须黄色或浅黄色；足黄棕色，有时腿节至少部分烟褐色，所有胫节和跗节红棕色或浅红棕色，所有胫节基部黄色或浅黄色；产卵管鞘深红棕色或黑色；前翅稍烟褐色；翅痣棕色，基部和端部浅。

寄主： 据记载寄主有鞘翅目的槲红腹长蠹 *Bostrichus capucinus*、金吉丁 *Buprestis strigosa*、*Pogonocherus fasciculatus*、光胸幽天牛 *Tetropium castaneum*。

采集记录： 1♀，宁陕火地塘，灯诱，1580m，1998. Ⅷ. 17，袁德成采。

分布： 陕西（宁陕）、福建、广东；俄罗斯，韩国，日本，土耳其，以色列，欧洲。

54. 柄腹茧蜂属 *Spathius* Nees, 1819

Spathius Nees, 1819: 301. **Type species**: *Cryptus clavatus* Panzer, 1809 (= *Ichneumon exarator* Linnaeus, 1758).

Euspathius Foerster, 1862: 236 (emendation).

Rhacospathius Cameron, 1905a: 86. **Type species**: *Rhacospathius striolatus* Cameron, 1905.

Stenophasmus Smith, 1858a: 169. **Type species**: *Stenophasmus ruficeps* Smith, 1858.

Ambispathius Belokobylskij, 1995b: 45 (subgenus of *Spathius*). **Type species**: *Spathius* (*Ambispathius*) *anervis* Belokobylskij, 1995.

Antespathius Belokobylskij, 1995b: 49 (subgenus of *Spathius*). **Type species**: *Spathius* (*Antespathius*) *buonluoicus* Belokobylskij, 1995.

属征： 触角细长，柄节和梗节正常，触角第 3 节一般比第 4 节长，偶尔等长；后头脊完整。中胸盾片和小盾片表面常具颗粒皱，盾纵沟一般存在，内具短刻条。腹部第 1 节成柄状，端部突然增宽，与第 2 + 3 节分界明显；腹部第 2 和第 3 节背板合并较强；前翅 Cu_1a 脉从第 1 亚盘室端缘的上半部伸出；中足胫节外侧具 1 列钉状刺。

生物学： 据记载，寄主有鞘翅目的窃蠹科 Anobiidae、长角象科 Anthribidae、长蠹科 Bostrichidae、吉丁虫科 Buprestidae、天牛科 Cerambycidae、叶甲科 Chrysomelidae、郭公虫科 Cleridae、坚甲科 Colydiidae、象甲科 Curculionidae、隐唇叩甲科 Eucnemidae、小蠹科 Colytidae 等，鳞翅目的夜蛾科 Noctuidae、螟蛾科 Pyralidae、透翅蛾科 Sesiidae、卷蛾科 Tortricidae 等，膜翅目的长颈树蜂科 Xiphydriidae、长节锯蜂科 Xyelidae 等科昆虫的 300 多种。

分布： 古北区，东洋区。世界记录 417 种，中国已知 129 种，秦岭地区发现 1 种。

(623) 腔柄腹茧蜂 *Spathius cavus* Belokobylskij, 1998（图版 66）

Spathius cavus Belokobylskij, 1998: 106.

鉴别特征：雌虫体长4.80～6.10mm；前翅长3.20～4.00mm。触角38～45节；头顶光滑；额具明显密集横刻条；颊光滑；脸具密集的横刻条，其间具颗粒。胸长为高的1.80～2.00倍；前胸背板脊明显，后横脊中央与前胸背板后缘愈合，前横脊位于前胸背板中央附近；中胸盾片缓和地升起，侧面观中胸盾片与前胸背板呈钝角；中胸盾片具密集的颗粒；中胸盾片沿盾纵沟及侧方被稀疏，半直立短毛，后部中央具2条汇合的纵隆脊，纵脊间具皱刻条；盾纵沟完整，深，宽，具粗糙的密集短刻条皱；小盾片具密集颗粒；中胸侧板下半部光滑；翅下区相当深，宽，具密集的皱刻条；基节前沟长为中胸侧板的0.60倍；并胸腹节分区明显，无侧突；基脊是叉脊的0.60倍，背区最基部具颗粒皱，其余部分具网状皱；中区具不规则横皱，柄区具平行横皱，柄区与中区分界明显。前翅r脉从翅痣的中央伸出；3-SR =3.2～4.0×r =0.5～0.6×SR_1 =0.9～1.0×2-SR；第2亚缘室长是宽的3.20～3.50倍，是第1亚盘室长的1.40～1.50倍；cu-a脉后叉；m-cu脉明显后叉；Cu_1a脉后叉。后翅，M + Cu =0.6×1-M。后足基节具微弱的密集颗粒，背方具横向刻条；后足基节基腹方具转角和瘤突；后足腿节几乎全具革质颗粒，背方具微弱刻条；后足腿节长是宽的2.70～3.00倍；后足胫节的毛长为胫节中间宽的0.50～0.70倍。腹柄侧面观腹面弯曲，背面基半部均匀弯曲，端半部几乎直；腹柄长为其端宽的2.00～2.20倍，为并胸腹节的1.80～2.00倍；腹柄端宽为气门处宽的1.50～1.60倍；腹柄具刻条，刻条间具粗糙皱；第2+3背板中长为第2背板基宽的1.00～1.20倍，是第2+3背板最宽处的0.70倍；第2背板缝浅；第2背板仅基半部具侧缘；第2背板具不规则刻条和小的密集的小室状皱；第3～4背板基半部具小的密集的小室状皱；其余背板基部具明显但细微的刻点；产卵管直；产卵管鞘长为体长的0.50倍，为腹部长的0.80～1.10倍，为胸部长的1.20～1.30倍，为前翅长的0.60～0.70倍。头暗红褐色；中胸盾片中叶中央和侧叶黑褐色，盾纵沟红褐色，小盾片黑褐色，中胸侧板和中胸腹板红褐色；并胸腹节和腹柄红褐色；其他背板黑褐色；触角基部黄褐色渐变为黑褐色；单眼区与头顶同色；须浅褐色；前足和中足基节、转节，以及各足胫节基部黄褐色，足的其余部分红褐色，后足胫节基部的浅色带为胫节长的0.40；翅褐色半透明，翅痣基部下方和翅端部具浅色斑；翅痣基部1/3换褐色，端部2/3黑褐色。

采集记录：1♀，秦岭天台山，1999.Ⅸ.03，何俊华采，No.990338。

分布：陕西（凤县）、山东、浙江、云南；俄罗斯，韩国，日本。

55. 刺足茧蜂属 *Zombrus* Marshall, 1897

Zombrus Marshall, 1897: 10. **Type species**: *Zombrus anisopus* Marshall, 1897.

Acanthobracon Szépligeti, 1902: 47. **Type species**: *Acanthobracon fuscipennis* Szépligeti, 1902.

Trimorus Kriechbaumer, 1894: 60 (nec Foerster, 1856). **Type species**: *Trimorus nigripennis* Kriechbaumer, 1894.

Neotrimorus Dalla-Torre, 1898a: 100 (replacement name for *Trimorus* Kriechbaumer, 1894).

Trichiobracon Cameron, 1905a: 104. **Type species**: *Trichiobracon pilosus* Cameron, 1905.

Trichodoryctes Szépligeti, 1906a: 599. **Type species**: *Acanthobracon striolatus* Szépligeti.

属征: 复眼无毛; 后头脊通常存在, 不与口后脊在上颚基部处愈合; 触角第 1 鞭节长于第 2 鞭节; 胸部不扁平; 前胸背板背方具明显凸叶和完整的前胸背板脊; 中胸背板平缓从前胸背板升起, 光滑; 中胸背板中叶向前凸出; 盾纵沟深, 通常完整; 后胸背板背方具小的齿突; 基节前沟深, 通常内具刻纹; 胸腹侧脊明显; 并胸腹节具明显侧突, 分区不明显; 前翅 r 脉从翅痣前部伸出; 2-SR 脉和 r-m 脉存在; m-cu 脉前叉; cu-a 脉后叉; Cu_1a 脉从第 1 亚盘室端缘下部伸出; 第 1 亚缘室末端闭合; 后翅M + Cu 脉不短于 1-M 脉; m-cu 脉强烈弯向翅尖; 前足胫节具成列钉状刺; 后足基节背面具 1 长 1 短的 2 个刺状突起, 腹方无转角和瘤突; 腹部第 1 背板不成柄状, 宽, 具短的端腹片和明显背凹; 第 2 背板具 1 个稍隆起椭圆形中区; 第 2 背板缝深, 具有 2 条明显的侧边带; 第 3 背板无凹陷。

生物学: 据记载, 寄主有鞘翅目的天牛科 Cerambycidae (Yu *et al*., 2012; Belokobylskij *et* Maeto, 2009)。

分布: 古北区, 东洋区。世界记录 42 种, 中国已知 1 种, 秦岭地区发现 1 种。

(624) 双色刺足茧蜂 *Zombrus bicolor* (Enderlein, 1912) (图版 67)

Neotrimorus bicolor Enderlein, 1912b: 29.
Odontobracon sjostedti Fahringer, 1929: 83.
Zombrus bicolor: Shenefelt *et* Marsh, 1976: 1367.
Zombrus sjostedti: Shenefelt & Marsh, 1976: 1371.

鉴别特征: 雌虫体长 6.50 ~ 14.00mm; 前翅长 5.50 ~ 9.50mm。触角 45 ~ 54 节。头顶和额光滑; 复眼横径是上颊长的 1.30 倍; 脸具明显网状刻点。胸长是高的 2.00 ~ 2.20 倍。中胸盾片中叶突起。盾纵沟深, 散布稀疏的短刻条。基节前沟深, 内具短刻条; 基节前沟长占中胸侧板下部全长的 0.80 ~ 0.90 倍; 并胸腹节有粗的侧突。前翅长是宽的 2.80 ~ 3.30 倍, r 脉明显从翅痣中央之前伸出; 第 2 亚缘室长是宽的 1.40 倍, 是第 1 亚盘室长的 0.50 倍。后翅 M + Cu∶1-M = 14∶11; m-cu 脉明显弯向翅尖。后足基节背面具刻皱, 有 1 长 1 短 2 个尖锐的刺状突起, 近基部的细而长, 近端部的短而三角形; 后足腿节长是宽的 2.50 ~ 2.80 倍。腹部第 1 背板端宽是基宽的 1.20 ~ 1.40 倍, 其长是端宽的 0.80 ~ 1.00 倍; 第 1 背板具明显刻纹, 末端侧方具深, 斜凹陷; 第 2 背板基区具刻纹, 基侧方具明显的凹陷, 具 1 个稍隆起椭圆形中区, 长是基宽的 0.50 倍, 是第 3 背板的 1.00 ~ 1.20 倍; 第 2 背板缝深, 具有 2 条明显的侧边带; 第 3 背板基半部具明显刻纹; 其余背板光滑; 产卵管鞘长是腹部的 0.60 ~ 0.70倍, 是胸部的 0.90 ~ 1.20 倍, 是前翅的 0.50 ~ 0.60 倍。

雄虫体长 5.10 ~ 6.50mm; 前翅长 3.50 ~ 4.20mm。头宽是长的 1 倍; 触角 36 ~ 55 节; 第 1 背板长是端宽的 1.00 ~ 1.10 倍; 第 2 背板长为基宽的 0.50 倍; 第 2 背板缝侧边带无雌蜂明显; 第 3 背板基部 0.50 ~ 0.80, 第 4 背板基部 0.30 ~ 0.50 具刻纹;

通常第5背板基部0.20～0.50和第6背板基部具刻纹；其他鉴别特征与雌蜂相似。

头和胸部浅红棕色；触角、须、上颚端部、足和腹部黑色；翅深烟褐色，末端颜色稍浅；翅痣黑色。腹部第3背板基部和近中部光滑；头黄棕色；并胸腹节和后胸侧板深红棕色；须、足和腹部深红棕色。

采集记录： 1♀，佛坪，890m，1999.Ⅵ.26，章有为采。

分布： 陕西（佛坪）、辽宁、内蒙古、北京、山西、河南、新疆、江苏、安徽、浙江、湖北、湖南、福建、台湾、广东、广西、重庆、四川、贵州、云南；蒙古，俄罗斯，韩国，日本，吉尔吉斯斯坦。

讨论： 酱色刺足茧蜂 *Z. sjostedti* 与本种在形态上无区别，仅仅腹部颜色有差异。双色刺足茧蜂 *Z. bicolor* 腹部通常为黑色，*Z. sjostedti* 腹部为浅红棕色，前者腹部颜色也常出现深红棕色，因此 Belokobylskij（1994）认为 *Z. sjostedti* 为 *Z. bicolor* 的次异名。

（十）窄径茧蜂亚科 Agathidinae

鉴别特征： 头横形。唇基凸出，非圆口类；触角鞭节常多于18节；须长，下颚须5节，下唇须4节；后头脊缺如；前翅第1亚缘室和第1盘室通常合并；径脉发达，缘室甚窄，第2亚缘室小，3～5边形（愈室茧蜂属 *Camptothlipsis* 第2亚缘室缺）；翅脉中等程度退化（无脉茧蜂属 *Aneurobracon* 严重退化）；前胸背板具背侧凹；前胸侧板脊存在；中后足胫节通常具刺；跗爪简单或分裂，有或无基叶；跗节短；腹部不成柄状；产卵管鞘长度多样；雄性抱握器通常短且宽。

分类： 全世界。陕西秦岭地区分布3属4种。

分属检索表

1. 前足跗爪分裂，内跗爪通常大，无叶突；中足胫节外侧近中央无钉状刺；触角窝间区域具1对脊突，有时具槽或瘤突（约30%）………………………………………… **拟喙茧蜂属 *Cremnoptoides***
- 前足跗爪简单或具薄片形的基叶；中足胫节外侧近中央具钉状刺或近端部具成簇钉状刺；触角窝间区域具简单的中等程度凸起或具槽 ……………………………………………………………… 2

2. 背面观触角窝外侧明显薄片状突起；前胸背板侧背凹深，宽且前胸缘脊发达；腹部第3背板基半部通常具锐利的侧缘；第1背板背脊通常长且明显；并胸腹节气门瘤相对大且椭圆形；前翅 $2Rs_2$ 脉通常存在 ……………………………………………………………… **窄腹茧蜂属 *Braunsia***
- 背面观触角窝外侧不突起或稍突起，有时成窄的薄片；前胸背板侧背凹相对浅，前胸缘脊微弱至中等程度；腹部第3背板基半部通常无锐利的侧缘或稍具侧缘（溶腔茧蜂属 *Lytopylu* 除外）；第1背板背脊通常弱或缺；并胸腹节气门瘤小至中等大小，圆形或近椭圆形；前翅 $2Rs_2$ 脉缺 ………………………………………………………………………… **下腔茧蜂属 *Therophilus***

56. 窄腹茧蜂属 *Braunsia* Kriechbaumer, 1894

Braunsia Kriechbaumer, 1894: 63. **Type species:** *Braunsia bicolor* Kriechbaumer, 1894.

Metriosoma Szépligeti, 1902: 74. **Type species**: *Metriosoma munda* Szépligeti, 1902.

Lissagathis Cameron, 1911: 245. **Type species**: *Lissagathis bicarinata* Cameron, 1911.

Pholeocephala van Achterberg, 1988: 48. **Type species**: *Pholeocephala lieftincki* van Achterberg, 1988.

属征：体中等大小。头横形；头顶光滑；额光滑；额凹浅至深；触角柄节膨大；触角窝间具脊；脸中央凸起，不成喙状；唇基宽，端部稍凹；下颚须5节，下唇须4节；前胸背板具光泽，后缘具弱刻条；中胸盾片中等程度凸出；盾纵沟明显，中等程度宽，具弱至较强的刻条；小盾片凸，光滑；中胸侧板光滑至具稀疏刻点；基节前沟明显，中等程度宽，具刻条；后胸侧板光滑至具稀疏刻点；并胸腹节光滑，具中纵脊，基部横脊有或无；前翅第1亚缘室和第1盘室合并；SR_1 脉发达；缘室宽；第2亚缘室三角形或四边形，无柄，通常具 $2Rs_2$ 脉；足细长；后足转节腹方无纵脊；前、中足具基叶；腹部窄，长；第1~2背板及第3背板基部具明显纵刻条；第1背板具背脊；第2、3背板具明显横沟；产卵管长。

生物学：据记载主要寄生于鳞翅目的螟蛾科 Pyralidae、夜蛾科 Noctuidae、枯叶蛾科 Lasiocampidae 和鞘蛾科 Coleophoridae 等。

分布：东洋区，古北区，澳洲区，非洲区。全世界已知71种，中国已记录5种，秦岭地区发现1种。

(625) 前叉窄腹茧蜂 *Braunsia antefurcalis* Watanabe, 1937（图版68）

Braunsia antefurcalis Watanabe, 1937a: 90.

Braunsia romani Shestakov, 1940: 12.

Braunsia graciliventris Belokobylskij, 1989: 70.

鉴别特征：雌虫体长8.60~9.60mm；前翅长7.80~8.60mm。触角45~50节；背面观头宽是中胸背板宽的1.30倍；复眼长是上颊长的2.00~2.20倍；颚眼距是上颚基宽的1.80倍；脸闪亮，具稀疏的微弱刻点；头顶和额光滑。胸长为高的1.50倍；前胸背板侧背凹大，深；前胸背板侧方光滑；中胸盾片侧脊附近具短刻条；中胸盾片侧叶光滑，中叶具稀疏的微弱刻点；盾纵沟深，光滑或仅稍具微弱短刻条；小盾片前端凸，光滑，具长毛；中胸侧板的基节前沟上方大部分光滑，仅前端和上方具稀疏刻点，基节前沟下方具密集毛和稀疏刻点；基节前沟浅，宽，内稍具短刻条；后胸侧板大部分光滑，表面覆盖长毛；并胸腹节具密集毛，近基部具完整横脊，后部具皱。前翅第2亚缘室三角形或五边形，前端窄，$2Rs_2$ 脉很长，是2-SR脉长的0.70~1.00倍；r∶3-SR∶SR_1 = 5∶2∶70；2-SR∶3-SR∶r-m = 17∶2∶17。后翅 M + Cu∶1-M = 25∶60；cu-a脉周围光滑无毛。后足腿节、后足胫节和后足基跗节长分别是其宽的5.60~6.20、9.80~10.40和9.60~10.60倍；后足基节光滑；后足腿节具稀疏的短毛；中足胫节距长分别是基跗节长的0.40和0.50倍；后足胫节距长分别是基跗节长的

0.30和0.40倍。腹部第1背板细长，闪亮，近端部具皱，端部稍弧形收窄；第1背板长是端宽的3.20~3.60倍；第1背板背脊向后延伸至3/4处；第2背板长是其端宽的1.50~1.80倍；第2背板具纵向刻条，端部1/3具横沟；第3背板基半部具纵向刻条，端半部具微弱颗粒；剩余背板光滑；产卵管鞘宽，丝带状，长是前翅长的1.00~1.10倍。

雄虫与雌虫鉴别特征十分相似。

体黑色；颚眼距区域象牙白；须浅黄色；触角和足黄棕色，但跗节较胫节颜色浅；腹部黄棕色或深棕色；翅膜质部分深棕色。

采集记录： 1♀，秦岭天台山，1999.Ⅸ.03，陈学新采，No.991274。

分布： 陕西(凤县)、河南、浙江、福建、四川；俄罗斯，日本。

57. 拟喙茧蜂属 *Cremnoptoides* van Achterberg *et* Chen, 2004

Cremnoptoides van Achterberg *et* Chen, 2004: 82. **Type species**: *Cremnoptoides pappi* Sharkey, 1996.

属征： 前翅长6~10mm。头腹方明显收窄及延长，颚眼距明显长于上颚基宽；触角长与体长相等，具49~50节，触角末节尖锐，无端刺；须不变大；触角窝间区域有1个脊突；触角窝后方稍凹；额具弯曲的侧脊；上颊侧面观在复眼下方变宽；上颚正面观明显扭曲，细长；胸腹侧脊粗糙，完整；基节前沟几乎完整(前端除外)，具粗糙短刻条和刻点；盾纵沟完整；小盾片近后端无脊状突起，中后部无凹陷(1个凹陷的具短刻条的区域除外)；气门中等大小，椭圆形；并胸腹节具粗糙的小室状刻纹，中室和分脊存在；前翅2-R_1脉短于1-R_1脉；后翅M+Cu脉短于1-M脉；2-Cu脉存在；后翅具3翅钩连锁；后足基节粗壮，明显短于后足腿节；前、中足跗爪分裂，内侧具1个相当大的叶突，后足内侧和外侧相似，具大的锐利的叶突；前足胫节距长是前足基跗节长的0.70倍，无长的光滑无毛的端刺；中足胫节内胫距长是中足基跗节长的0.60~0.70倍；前、中足第3~4跗节粗壮；中足胫节外侧近中部无钉状刺；后足小转节下缘或多或少具脊，有时几乎圆滑，腹方无脊；后足基跗节侧腹面无细长的钉状刺；腹部第1背板相当粗壮(长约为基宽的2倍)，光滑，有或无侧凹，侧脊相当大；第2背板光滑，具横沟；第2背板缝中等大小，相当浅；产卵管窄，无齿状凸起，一定程度弯曲；产卵管鞘长是前翅长的0.60~0.90倍，端部尖锐，其长度超过腹部末端高度。

分布： 古北区。全世界已知2种，中国已记录2种，秦岭地区发现1种。

(626) 派氏拟喙茧蜂 *Cremnoptoides pappi* (Sharkey, 1996) (图版69)

Cremnops pappi Sharkey, 1996: 15.

Cremnoptoides pappi: van Achterberg *et* Chen, 2004: 85.

鉴别特征： 体长10.60mm；前翅长9.30mm。触角49节；背面观复眼长是上颊长的5倍；脸具中等程度的刻点；头顶具稀疏刻点；后头凸缘窄，垂直；颚眼距是上颚基宽的2倍。前胸背板侧腹方大部分光滑，背方具刻点，后腹方具短刻条；中胸盾片中等凸出，具稀疏刻点或几乎光滑，盾纵沟明显，窄，内具明显短刻条；小盾片稍凸出，具刻点，近后端具不明显的横向隆起；中胸侧板的基节前沟上方和下方具微弱刻点；基节前沟具短刻条，相当深。前翅第2亚缘室三角形，无2Rs_2脉；cu-a脉对叉。后翅M+Cu∶1-M = 11∶14。后足腿节长是其宽的3倍；后足转节下缘具脊，但有时脊弱，转节腹方圆形。腹部第1背板长是端宽的1.90倍；第1背板除具些许微弱的刻点外，大部分光滑；产卵管鞘长是前翅长的0.65倍，被中等程度长且密集的刚毛。

体黑色；须，上颚和其他口器，前足（基节和转节深棕色）、中足胫节（胫节距棕色）及跗节棕黄色；唇基和前胸侧板大部分黄棕色；中足转节、小转节及腿节深棕色；前翅翅痣，翅脉和膜质部分（基部除外）和后翅端部深棕色。

采集记录： 1♀，长安南五台，1980.Ⅴ.18，农学院采，No.200011698。

分布： 陕西（长安）、河南、湖北、福建；韩国，日本。

58. 下腔茧蜂属 *Therophilus* Wesmael, 1837

Therophilus Wesmael, 1837: 15. **Type species**: *Microdus* (*Therophilus*) *conspicuous* Wesmael, 1837.

Orgiloneura Ashmead, 1900: 355. **Type species**: *Orgiloneura antipoda* Ashmead, 1900.

Agathiella Szépligeti, 1902: 73. **Type species**: *Agathiella pedunculata* Szépligeti, 1902.

Aerophiliodes Strand, 1911: 131. **Type species**: *Aerophiliodes testaceator* Strand, 1911.

属征： 正面观颊纵长是其横宽的1.00～1.50倍，颊在复眼下方强烈变窄；唇基通常至少部分平坦；上颊无侧瘤突；口器正常；下颚的外颚叶长不长于宽，且短于下唇须，侧面观通常几乎或完全看不见；背面观触角窝外侧不突起或稍突起，有时成窄的薄片；触角窝无环状脊；触角窝间区域具简单的中等程度凸起或具槽；触角窝后方区域几乎通常浅至中等程度凹陷；前胸背板侧背凹相对浅，前胸缘脊微弱至中等程度；小盾片近后方无脊突且横向中后部凹陷缺，不明显或半弧形；并胸腹节气门瘤小至中等大小，圆形或近椭圆形；后胸腹板腔伸入后足基节腔上水平线内；后胸腹板脊弯曲且稍存在；前翅翅脉大部分存在，SR_1脉存在，有时弱；前翅1-SR+M脉中央缺，不骨化，通常不着色；前翅2Rs_2脉缺；前翅r-m脉存在，极少数情况不明显；前足跗爪简单或具薄片形的基叶；前、中足跗爪几乎通常具明显基叶且相对细长；中足胫节外侧近中央具钉状刺或近端部具成簇钉状刺；后足腿节相对于后足基节长；后足基跗节腹方仅具短而硬的毛；腹部第1背板背脊通常弱或缺；腹部第3背板前半部通常光滑，有时具微弱刻条。

生物学： 寄主广泛，主要为隐蔽性生活的鳞翅目小蛾类幼虫（Shaekry *et al*., 2009）。

分布： 世界广布。全世界已知68种，中国已记录30种，秦岭地区发现2种。

(627) 曲径下腔茧蜂 *Therophilus cingulipes* (Nees, 1812) (图版 70)

Microdus cingulipes Nees, 1812: 189.
Bassus cingulipes: Thompson, 1953: 94.
Agathis cingulipes: Shenefelt, 1970: 325.
Bassus nantouensis Chou *et* Sharkey, 1989: 165.
Therophilus cingulipes: van Achterberg & Long, 2010: 148.

鉴别特征: 体长 3.60 ~ 4.70mm; 前翅长 2.70 ~ 4.00mm。触角 27 ~ 32 节; 背面观复眼长是上颊长的 2.80 ~ 3.00 倍; 脸闪亮, 具微弱刻点; 额中央光滑, 侧方具密集的微弱刻点; 头顶和上颊闪亮, 大部分光滑, 具稀疏的微弱刻点。前胸背板大部分光滑, 前部具些许皱, 背后方具微弱的密集刻点; 中胸盾片近侧脊区域具短刻条; 中胸盾片具微弱刻点, 中后部稍凸; 盾纵沟完整, 窄, 具短刻条; 小盾片闪亮, 稍具刻点; 中胸侧板具微弱刻点; 基节前沟深, 窄, 具短刻条。前翅第 2 亚缘室三角形, 具柄; 后翅 M + Cu = 0.9 ~ 1.1 × 1-M。后足腿节长是宽的 3.10 ~ 3.40 倍。腹部第 1 背板长是其端宽的 1.20 ~ 1.40 倍; 第 1 背板具纵刻条, 有时端部光滑; 第 2 背板长是其端宽的 0.50 ~ 0.60, 是第 3 背板的 0.90 倍; 剩余背板光滑; 产卵管鞘长是前翅长的1.00 ~ 1.10 倍。体色黑色; 唇基, 上颚和须黄棕色; 翅基片黑色; 前、中足黄棕色, 基节和腿节有时色稍暗; 后足胫节端半部色暗, 基部具明显深色环状带, 后足胫节剩余部分白色; 后足胫节距浅黄色; 后足腿节和后足跗节深棕色; 翅痣深棕色; 翅深棕色。

采集记录: 1♀, 秦岭大散关, 1999. Ⅸ.04, 蔡平采, No. 200011703。

分布: 陕西(宝鸡)、黑龙江、吉林、辽宁、河南、浙江、湖北、福建、台湾、广东、广西、四川、贵州; 蒙古, 俄罗斯, 韩国, 日本, 哈萨克斯坦, 土耳其, 欧洲。

寄主: 据记载寄主有卷蛾科 Tortricidae 的 *Aethes francillana* (Fabricius)、*Cydia laricana* (Busck)、*Exapate duratella* (Heyden)、曲带褐纹卷蛾 *Phalonidia curvistrigana* (Stainton)、松白小卷蛾 *Spilonota lariciana* (Heinemann)、苹白小卷蛾 *Spilonota ocellana* (Denis *et* Schiffermüller)、栎绿卷蛾 *Tortrix viridana* (Linnaeus)、松线小卷蛾 *Zeiraphera griseana* (Hubner); 麦蛾科 Gelechiidae 的钩麦蛾 *Aproaerema anthyllidella* (Hubner)、*Caryocolum fraternella* (Douglas)、*Metzneria aestivella* (Zeller)、*Teleiodes saltuum* (Zeller); 鞘蛾科 Coleophoridae 的 *Coleophora follicularis* (Vallot)、*Coleophora frischella* (Linnaeus); 尺蛾科 Geometridae 的 *Eupithecia intricata* (Zetterstedt) (Yu *et al.*, 2012)。

(628) 显下腔茧蜂 *Therophilus conspicuus* (Wesmael, 1837) (图版 71)

Microdus conspicuus Wesmael, 1837: 17.
Bassus conspicuus: Simbolotti *et* van Achterberg, 1992: 23.
Agathis conspicua: Shenefelt, 1970: 327.
Bassus carpocapsae Cushman, 1915: 508.

Bassus variabilis Chou *et* Sharkey, 1989: 173.

Earinus zonatus Marshall, 1885: 268.

Microdus angustatus Telenga, 1955: 295.

Therophilus conspicuus: Sharkey *et al.*, 2009: 47.

鉴别特征：体长3.30～3.80mm；前翅长2.90～3.40mm。触角30～33节；背面观复眼长是上颊长的2倍；脸具刻点；额凹陷浅，额和头顶光滑。前胸背板大部分光滑，背后方具十分稀疏的细刻点；中胸盾片近侧脊区域具短刻条；中胸盾片具稀疏细刻点，中后部平坦；盾纵沟完整，窄，具微弱短刻条；小盾片闪亮，平坦，具稀疏刻点；中胸侧板具细刻点；基节前沟窄，具短刻条。前翅第2亚缘室近三角形，通常具柄，有时无；后翅M＋Cu＝1.1×1-M。后足腿节长是宽的3.10～3.30倍。腹部第1背板端基部无背脊，长是其端宽的1.00～1.10倍；第1背板具明显纵刻条；第2背板长是其端宽的0.60，是第3背板的0.90～1.00倍；第2背板具微弱弧形横沟；剩余背板光滑；产卵管鞘长是前翅长的1倍。体黑色；头(复眼周围)，足(后足胫节端部和后足跗节色深)，腹部第2背板黄棕色；后足胫节距黄棕色；翅基片黄棕色；翅痣深棕色；翅透明。

采集记录：1♀，周至板房子，1994.Ⅸ.01，林学院采，No.200011628。

分布：陕西(周至)、黑龙江、吉林、辽宁、河北、山西、山东、河南、宁夏、江苏、浙江、湖北、江西、湖南、福建、台湾、广东、重庆、四川、贵州、云南；俄罗斯，韩国，日本，土耳其，美国，欧洲。

寄主：据记载寄主有卷蛾科Tortricidae的苹果蠹蛾*Cydia pomonella*(Linnaeus)、梨小食心虫*Grapholita molesta*(Busck)、*Gypsonoma nitidulana*(Lienig *et* Zeller)、*Pammene regiana*(Zeller)、*Phalonidia manniana*(Fischer von Rösterstamm)、*Rhopobota ustomaculana*(Curtis)；螟蛾科Pyralidae的*Scoparia crataegella*(Hubner)。

(十一)茧蜂亚科 Braconinae

鉴别特征：头横形。唇基前缘具半圆形深凹缘，与上颚之间形成圆形或圆形相当深的口窝；下颚须5节；后头脊缺失。通常无胸腹侧脊；无基节前沟；并胸腹节光滑，通常具中纵脊或中纵沟，偶有刻纹，无中区；前翅有3个亚缘室；第1盘室与第1亚缘室分开；前翅1-SR＋M脉完整，具r-m脉，其产生于3-SR脉而不是2-SR脉；3-SR脉产生于2-SR脉，而并非直接产生于翅痣；cu-a脉存在，前叉或后叉，但多数为对叉；2A脉缺失；后翅1-M脉长至少为M＋Cu脉的2倍；1-M脉基部明显变宽；前翅无臀横脉。后翅亚缘室短，不长于中室的1/3，也不长于其宽的2倍以上；无m-cu脉。前足胫节端部扩展，前侧具粗而浓密的毛刷；后足腿节两侧强烈扁平或厚，至少为其中间宽的4倍；腹部第1～2背板间横沟浅，多数类群二者间可活动(除盾茧蜂亚族和囊腹茧蜂亚族二者间愈合)；第1背板后端部通常具隆起区，绝大多数类群其侧缘骨化较强，少数类群侧缘骨化程度较弱或未完全骨化(如窄蝇茧蜂属 *Myosoma* 和距茧蜂属 *Calcaribracon*)。产卵鞘突出，通常长于腹末端。雄虫外生殖器前部具有楔形基环(gonocard)。

分类：世界性分布。全世界已知3000余种，中国记录100多种，陕西秦岭地区分布2属4种。

分属检索表

1. 触角梗节等长于第1鞭节；第1~3鞭节腹侧端强烈扩展；额凹入；第2鞭节腹侧凹入……………………………………………………………………………………… **刻鞭茧蜂属 *Coeloides***
2. 触角梗节短于第1鞭节；第1~3鞭节腹侧端未扩展；后翅1r-m脉中等长或长，如果短，柄节腹侧突出，端内侧具双缘，后翅1r-m脉明显弯曲，或者第3腹背板具完整的前侧沟，或并胸腹节具长毛；第1腹背板侧区多变；产卵鞘端缺少结或平行短刻条；前翅2-SR+M脉非中等长；前翅1-SR脉和唇基背脊多变；前翅3-SR脉常明显长于或等于 SR_1 脉；前翅r与3-SR脉明显形成角度 ……………………………………………………… **深沟茧蜂属 *Iphiaulax***

59. 刻鞭茧蜂属 *Coeloides* Wesmael, 1838

Coeloides Wesmael, 1838: 59. **Type species**: *Coeloides scolyticida* Wesmael, 1838 (= *Coeloides initiator* Fabricius of Wesmael).

Syntomomelus Kokujev, 1902: 163. **Type species**: *Syntomomelus rossicus* Kokujev, 1902.

Habrobraconidea Viereck, 1912a: 578. **Type species**: *Habrobraconidea bicoloripes* Viereck, 1912.

Coeloidina Viereck, 1921: 133. **Type species**: *Coeloides melanotus* Wesmael, 1938.

Cerobracon Viereck, 1926: 54. **Type species**: *Bracon secundus* Dalla Torre, 1898.

Coeloides (*Syntomomelus*): Hellen, 1927: 5.

属征：本属最显著的独有鉴别特征为第1鞭节，通常还有第2或第3鞭节端部向外扩展突出，腹部向内不同程度刻入。体长一般为4.50~7.00mm。头、胸及腹部大部分光滑，无刻纹。颜面，后胸侧板及雄性外生殖器上毛较密；具口器侧沟。触角柄节卵圆形，端侧部未凹陷；梗节长与宽基本相等，约与第1鞭节等长。中胸盾纵沟弱，不完整；并胸腹节光滑。腹部前2节或前3节背板上具不同的刻纹；第1腹背板长一般为宽的1.30~2.00倍；第2腹背板通常锥形，宽大于长，但有时长稍大于宽；第3腹背板常显著长于第2腹背板，但有时稍短，后侧区不具沟；腹部一般较短，背腹扁或筒形；产卵鞘直，长为前翅的0.60~1.50倍。

生物学：以幼虫外寄生于危害针叶树和阔叶树的小蠹科 Scolytidae、象甲科 Curculioidae 及吉丁虫科 Buprestidae 幼虫体上。幼虫老熟后将寄主杀死，然后在寄主坑道中做羊皮纸质茧化蛹。成虫产卵前先用颤抖的触角敲打树干，待测探到寄主后，便慢慢刺透树皮在寄主体上产卵。

分布：古北区，新北区。世界已知32种，我国已记录11种，秦岭地区发现3种。

分种检索表

1. 头黑色，胸深黄色；第1腹背板端部微弱变宽 ………………… **松小蠹刻鞭茧蜂 *C. abdominalis***
   头黄褐色或深褐色，腹红褐色；第1腹背板端部强烈变宽 ………………………………………… 2
2. 触角第2鞭节腹侧端微弱向外扩展；头顶和单眼三角区具黄褐斑…………………………………………………………………………………………………… **桦小蠹刻鞭茧蜂 *C. ungularis***
   触角第2鞭节腹侧端强烈向外扩展；头顶和单眼三角区具黑色斑…………………………………………………………………………………………………… **秦岭刻鞭茧蜂 *C. qinlingensis***

（629）松小蠹刻鞭茧蜂 *Coeloides abdominalis* （Zetterstedt，1840）（图36：H－J）

Bracon abdominalis Zetterstedt，1840：398.
Coeloides abdominalis：Thomson，1892：1845.

鉴别特征：体长5.10mm；前翅长5.50mm；产卵鞘长2.80mm。触角第2鞭节长为最大宽的1.20倍，腹侧端向外强烈扩展；第3鞭节端侧未向外扩展，长为最大宽的1.40倍。前翅cu-a脉对叉。腹背板光滑。第1腹背板端中后具强烈的隆起区，两侧缺平行短刻条沟；第2腹背板具明显向后叉的亚侧纵沟，其延伸至末端，光滑，两侧缺隆起脊；第2、3腹背板间缝窄，深，直，缺平行短刻条；第3～7腹背板光亮；产卵鞘长为腹长的1.20倍。头和胸部红褐色至暗褐色，但颜面为黄褐色，腹部橙黄色至黄褐色；触角、下颚须和足黄褐色，有时浅褐色；翅为均匀的浅烟色。

采集记录：43♀73♂，勉县，1984.Ⅳ.05，杨忠歧、王滨海采。

分布：陕西（勉县）、黑龙江；俄罗斯，日本，土耳其，欧洲。

寄主：红松的多毛切梢小蠹 *Scolytus seulensis* Muray、云杉八齿小蠹 *Ips typographus* Linnaeus、六齿小蠹 *Ips acuminatus* Gyllenhal 等幼虫（杨忠歧，1996）。在欧洲，寄生于15种小蠹、3种木蠹象及1种吉丁甲幼虫。本种也寄生于危害白桦的桦小蠹 *Scolytus ratzeburgi* Janson 等幼虫。

（630）秦岭刻鞭茧蜂 *Coeloides qinlingensis* Dang *et* Yang，1989（图36：A－D）

Coeloides qinlingensis Dang *et* Yang，1989：115.

鉴别特征：体长3.70～4.30mm。前翅略长于体。SR_1长达翅缘；第2亚缘室小，其内缘与外缘不平行；cu-a脉对叉式。小盾片三角形，毛较密，小盾片前凹具1横排小窝；并胸腹节的毛长而密。腹部第1节背板的中区呈梯形，长大于宽，前缘凹入，后缘直；第2节背板上的2条斜沟深且直，腹部末端钝；产卵鞘直，稍短于体长。头橘黄色，触角、胸部深褐色，产卵鞘黑褐色：复眼和单眼黑色，单眼周围有1个大黑斑；翅痣、翅脉、腹部和产卵鞘黄褐色；足暗褐色。

采集记录： 2♀2♂，勉县，1959. Ⅷ. 13，林研所采，No. 620174。

分布： 陕西(勉县)、河南、甘肃、云南。

寄主： 华山松的华山松大小蠹 *Dendroctonus armandi* 等多种小蠹幼虫，也寄生于危害油松的六齿小蠹 *Ips acuminatus* Gyllenhal、横坑切稍小蠹 *Tomicus minor* Hartig 及危害云南松的纵坑切梢小蠹 *Tomicus piniperda* L. 幼虫(杨忠岐，1996)。

(631) 桦小蠹刻鞭茧蜂 *Coeloides ungularis* Thomson, 1892(图 36：E－G)

Coeloides ungularis Thomson, 1892: 1846.

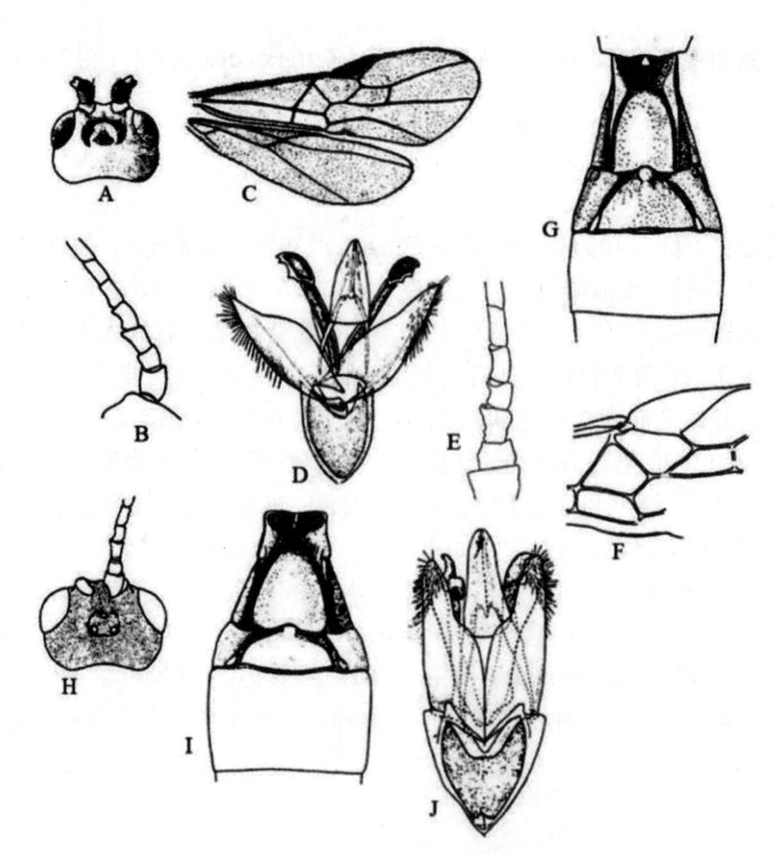

图 36 A－D. 秦岭刻鞭茧蜂 *Coeloides qinlingensis* Dang *et* Yang (仿杨忠岐，1996)

A. 头背面观；B. 触角基部；C. 前翅和后翅；D. 生殖器

E－G. 桦小蠹刻鞭茧蜂 *Coeloides ungularis* Thomson (仿杨忠岐，1996)

E. 触角基部；F. 部分前翅；G. 第1～3腹背板背面观

H－J. 松小蠹刻鞭茧蜂 *Coeloides abdominalis* (Zetterstedt) (仿杨忠岐，1996)

H. 头背面观；I. 第1～3腹背板背面观；J. 生殖器

鉴别特征： 体长4.30mm；前翅长4.80mm；产卵鞘长3.70mm。触角第1鞭节长于梗节，腹侧端向外扩展，长约为最大宽的1.10倍；第2鞭节长为最大宽的1.20倍，腹侧端向外强烈扩展；第3鞭节端侧未向外扩展，长为最大宽的1.30倍。前翅cu-a脉对叉。第1腹背板端中后具强烈的隆起区；第2腹背板具明显向后分离的亚侧纵沟，深，其延伸至末端，光滑，两侧缺隆起脊；第2~3腹背板间缝窄，深，直，具微弱平行短刻条。产卵鞘长为腹长的1.20倍。头部橘黄色；胸部黑色，但前胸为红褐色；足暗褐色至黑色，前足褐色；腹部橘黄色，但第1背板为黑色。

采集记录： 1♀，周至，1983.Ⅵ，党心德采，No. 831904。

分布： 陕西(周至)、黑龙江；俄罗斯，欧洲。

寄主： 白桦的白桦小蠹 *Ips* spp.，枫桦小蠹 *Ips* spp.，春榆的三刺小蠹 *Ips* spp.，危害家榆的角胸小蠹以及华山松大小蠹等幼虫(杨忠岐，1996)。

60. 深沟茧蜂属 *Iphiaulax* Foerster, 1862

Iphiaulax Foerster, 1862: 234. **Type species**: *Ichneumon imposter* Scopoli, 1763.

Digonogastra Viereck, 1912a: 625. **Type species**: *Bracon epicus* Cresson, 1972.

Euglyptobracon Telenga, 1936: 104. **Type species**: *Bracon umbraculator* Nees von Esenbeck, 1834.

Iphiaulacidea Fahringer, 1926: 581. **Type species**: *Ichneumon imposter* Scopoli, 1763.

Monogonogastra Viereck, 1912: 625. **Type species**: *Bracon atripectus* Ashmead, 1888.

Iphiaulax (*Monogonogastra*): Viereck, 1917: 209.

属征： 触角密毛，大于体长，通常50~100节；鞭节横向或方形；前翅长4~14mm。柄节端侧明显凹陷，侧面观腹侧长于背侧，短，卵圆形；第1~2鞭节正常，筒状；端鞭节具毛，尖细；颜面无脊状突起，无网状刻纹，通常主要光滑或具颗粒；额主要光亮；唇基由脊而变宽；1-SR与C+Sc+R脉间夹角约为80°；前翅第1盘室亚长方形；前翅3-M止于SR_1脉同一水平；后翅1r-m脉相当长，与1-Sc+R脉间夹角小；端跗节爪简单，无叶；腹前侧通常具前侧独立区域；第2腹背板光滑，无趋于向后汇合的侧纵沟，无中基区域；第2~3腹背板间通常具宽刻纹横沟；第3~5腹背板前侧具明显的前侧沟；第6腹背板紧缩，光滑；产卵鞘端齿增大，产卵鞘等长于腹或略短之。体色常为锈红色，并带有黑斑。

生物学： 独性容性外寄生于鞘翅目天牛科 Cerambycidae、吉丁虫科 Buprestidae 和鳞翅目螟蛾科 Pyralidae 等危害隐蔽幼虫。

分布： 新热带区，非洲区，古北区。中国已知7种，秦岭地区发现1种。

(632) 赤腹深沟茧蜂 *Iphiaulax impostor* (Scopoli, 1763)

Ichneumon impostor Scopoli, 1763: 287.

Bracon impostor: Nees von Esenbeck, 1819: 304.

Iphiaulax impostor: Foerster, 1862: 234.

鉴别特征：体长6.00～10.50mm；前翅长6.00～8.50mm；产卵鞘长2.50～3.50mm。复眼略凹陷；颜面中央光滑，两侧具浓密刻点和毛。胸光亮，具均匀浓密短毛；后胸背板中央区域具脊状突起；并胸腹节中央区域毛稀，两侧密长，缺中纵脊和沟。前翅C＋Sc＋R与1-SR脉间夹角为70°；cu-a脉略后叉。第1腹背板具强烈的端中隆起区；第2腹背板中基部具向后叉的中纵向沟，中央区域具纵向刻纹；第3腹背板前侧具弱隆起区及横向沟；第2、3腹背板间缝两侧宽，深；第4、5腹背板具微弱的前侧隆起区及相对深的端横向沟。体色主要为红色，但头、足、触角及产卵鞘黑色，翅膜黑褐色。

采集记录：1♀，秦岭天台山，1999.Ⅸ.03，何俊华采，No. 990600。

分布：陕西(凤县)、吉林、辽宁、内蒙古、山西、山东、新疆、江苏、浙江、江西、云南；俄罗斯，朝鲜，日本，欧洲，非洲北部，美国北部。

寄主：依据采集标签寄主为青杨天牛和山杨天牛；据资料记载(Shenefelt，1978)，寄主主要有虎天牛 *Plagionotus arcuatus* Linnaeus、青扬天牛 *Saperda populnca* Linnaeus、长角灰天牛 *Acanthocinus aedilis*、桑天牛 *Apriona germari*。据记载此蜂在欧洲寄生于云杉小黑天牛 *Monochamus sutor*；祝汝佐(1937)曾报道该种寄生于松毛虫 *Dentrolimus* sp. 但需进一步证实。

(十二)臂茧蜂亚科 Brachistinae

鉴别特征：无口窝。后头脊完整。前胸背板无盾前凹；胸腹侧脊侧方存在；中胸腹板后横脊缺。翅基下脊至少具1条脊；翅r-m脉缺，而无密闭的第2亚缘室；后翅缘室两侧平行或端部变窄。腹部第1背板不成柄状，无背凹。后足胫节在胫节距基部无钉状刺；转节无刺。

生物学：大部分种类容性内寄生于蛀木性的鞘翅目Coleoptera幼虫与鳞翅目Lepidoptera钻蛀性幼虫，偶尔寄生于双翅目Diptera与膜翅目Hymenoptera钻蛀性幼虫。

分类：全世界分布。世界已知11属约390种，中国记录3属30种，陕西秦岭地区分布1属1种。

61. 开茧蜂属 *Eubazus* Nees，1814

Eubazus Nees，1814：214. **Type species**：*Eubazus pallipes* Nees，1814 [lost].

Eubadizus Nees，1834：233. **Type species**：*Eubazus pallipes* Nees，1814.

Eubadizon Nees，1834：233. **Type species**：*Eubazus pallipes* Nees，1814.

Brachistes Wesmael，1835：109. **Type species**：*Brachistes ruficoxis* Wesmael，1835.

Brachystes Rondani，1876：59. Invalid emendation.

Calyptus Haliday，1835b：128. **Type species**：*Eubazus macrocephalus* Nees，1814 [lost].

Aliolus Say，1836：259. **Type species**：*Bracon trilobatus* Say，1836 [lost].

Allodorus 1862: 242. **Type species**: *Eubazus semirugosus* Nees, 1814 [lost; neotype designated by van Achterberg and Kenis, 2000].

属征：唇基前端缘平截或中间具小齿。胸腹侧沟较浅，通常光滑，少数具稀疏刻点；胸腹侧脊完整或腹面缺失。前翅 Cu_1b 脉完整，或较短，有时缺失。后足腿节无腹脊。腹部第 1 节侧面大部分光滑；第 2 背板平坦；第 3 背板端部未闭合，且亚端部无横脊。跗爪具基齿或无齿。

生物学：寄生鞘翅目、鳞翅目及少量膜翅目昆虫。

分布：全北区，旧热带区，新热带区。世界已知 5 亚属 125 种，中国已知 3 亚属 3 种，秦岭地区发现 1 种。

(633) 规则开茧蜂 *Eubazus* (*Aliolus*) *regularis* van Achterberg, 2000（图版 72）

Aliolus rufithorax Tobias, 1986: 166.

Eubazus (*Aliolus*) *regularis* van Achterberg, 2000: 351.

鉴别特征：雌虫触角 34 节；额区两侧微微隆起；脸黄色；唇基大部分光滑，至多具少量刻点。中胸侧板大部分光滑；后足胫节背方为黄色。腹部第 2 背板具粗糙饰纹；第 3 背板具规则弯曲条纹。雄虫与雌虫相似。

采集记录：2♀，秦岭天台山，1999. Ⅸ. 03，马云采，No. 991194，991218。

分布：陕西（凤县）、河南、浙江、四川；俄罗斯。

二十五、姬蜂科 Ichneumonidae

何俊华　李杨　熊燕红
（浙江大学昆虫研究所，杭州 310058）

鉴别特征：姬蜂种类众多，形态变化甚大。成虫微小至大型，2～35mm（不包括产卵管）；体多细弱。触角长，丝状，多节。足转节 2 节，胫节距显著，爪强大，有 1 个爪间突。翅一般大形，偶有无翅或短翅型；有翅型前翅前缘脉与亚前缘脉愈合而前缘室消失，具翅痣；第 1 亚缘室和第 1 盘室因肘脉第 1 段（1-SR + M）消失而合并成 1 个盘肘室，有第 2 回脉（2m-cu）；常具小翅室。并胸腹节大形，常有刻纹、隆脊或由隆脊形成的分区。腹部多细长，圆筒形，侧扁或扁平；产卵管长度不等，有鞘。

生物学：姬蜂科卵产在寄主体内或体外，有时具柄。蛹为离蛹，多有茧，即使在寄主蛹内化蛹的，也多有稀疏薄茧。对已羽化后的寄主蛹或蜂茧，除可依据羽化孔或茧的鉴别特征进行鉴定外，也可根据其幼虫口器形状的不同进行鉴定。多数初寄生，少数为重寄生或兼性重寄生。一般为单寄生，偶有聚寄生。一般为内寄生，但有些亚科或族全部为外寄生。单期寄生类型中寄生幼虫期的最多，不寄生于成虫期，也没有真正的卵寄生类型。跨期寄生的主要为幼虫—蛹期类型，从蛹中育出的姬蜂，多数为此类型。

寄生于鳞翅目 Lepidoptera、鞘翅目 Coleoptera、双翅目 Diptera、膜翅目 Hymenoptera、脉翅目 Neuroptera 和毛翅目 Trichoptera 等全变态昆虫的幼虫和蛹，绝不寄生于不完全变态的昆虫；也有寄生成蛛，或在蜘蛛卵囊内营生。此外，仅知 1 种伪蝎姬蜂 *Obisiphaga* 在英国从伪蝎 *Obisium* 卵囊中育出。其实，在卵囊内生活的姬蜂幼虫并不是只寄生于 1 个卵内，而是在取食卵粒，1 只姬蜂幼虫可捕食多粒蜘蛛卵，实际上为捕食者习性。

分类：世界广布。全世界已知种类超过了 1.5 万种，中国已记录种类 2125 种，陕西秦岭地区分布 30 属 36 种。

分亚科检索表

1. 唇基与脸之间没有 1 条明显的缝把它们分隔，这两个区域合并起来，形成 1 个稍为拱起的较宽的表面；小翅室菱形，通常大形；中胸腹板后横脊不完整；爪栉状；腹部第 1 背板有甚大的基侧凹，气门生在该节中部附近，或稍后些；第 4 节及以后各节的背板表面差不多都很光滑；雄性抱握器的末端形成长棒状突；雌性下生殖板大形，在侧面观，呈三角形 …………………………………………………………………………………… **菱室姬蜂亚科 Mesochorinae**

   与上述各点不完全一致，唇基与脸之间通常有 1 条明显的缝把它们分隔，这两个区域不宽，表面不如上述；小翅室形状不一定，有时缺如，甚少呈菱形；有时翅退化，或无翅；中胸腹板后横脊完整或不完整；爪栉状，或不呈栉状；腹部第 1 背板有基侧凹，或无；气门在该节的位置不定，或前，或后，或在中部；第 2 节及以后各节的背板表面光滑，或不光滑，或具刻点；雄性抱握器末端无长棒状突(但长足姬蜂属 *Nematopodius* 和悬茧姬蜂属 *Charops* 的一些种及卢姬蜂属 *Lusius* 除外)；雌性下生殖板形状各种各样，在侧面观，通常很小，不明显 ……………… 2

2. 腹部第 1 背板的气门生在该节中部后方(有一些属这个特征有时像这上联，同时又像下联，很不清楚明确，在这种情况下，上联和下联都要查下去) …………………………………………… 3

   腹部第 1 背板的气门生在该节中部，或在中部前方 ……………………………………………… 7

3. 腹部侧扁，第 3 节和第 4 节的厚度大于宽度 …………………………………………………… 4

   腹部扁或圆筒形，第 3 节和第 4 节的宽度大于厚度 ……………………………………………… 6

4. 并胸腹节无分区，最多只有 1 条基横脊，表面纹理通常很粗，并呈网状；无小翅室；后头脊通常生在上颊的后方外侧，因而头部在这条脊处的宽度几乎与在复眼处的宽度相等；后足跗节肿大，尤其雄蜂是这样；腹部第 3 背板紧接在气门下方有 1 条褶缝将折缘明显分出；肘间横脉位于第 2 回脉外侧，它与肘脉联结点至第 2 回脉之间的距离大于肘间横脉全长的 0.60；中足胫节具 1 距；后头脊背方部分低于侧单眼甚多；产卵器长约为腹末厚度的 3 倍 ………………………………………………………………………………………… **肿跗姬蜂亚科 Anomaloninae**

   并胸腹节通常分区，或者除了 1 条基横脊外，还有其他脊，它的表面纹理很细致，不呈粗糙网状；有小翅室，或无；后头脊通常生在正常位置上，因而头部在这条脊处的宽比在复眼处的宽窄得多；后足跗节不肿大 …………………………………………………………………… 5

5. 胫距与跗节同生在胫节末端的薄膜上，两者之间没有什么东西把它们分隔；唇基通常与脸愈

合；脸常呈黑色 …………………………………………………… **缝姬蜂亚科 Porizontinae**

胫距与跗节生在胫节末端两片不同的薄膜上，两者之间有1条几乎丁质的"桥"把它们分隔；唇基与脸之间有1条沟；脸通常多少呈浅色 ……………………… **分距姬蜂亚科 Cremastinae**

6. 腹板侧沟常有，其长度通常至少有中胸侧板长度之半；产卵管通常超出腹末很长，产卵管鞘如果不是很短的话，都很柔软；第2肘间横脉有或无；上颚末端2齿；唇基形状不定，通常强度拱起，其端缘常凹陷；胸腹侧脊背端差不多都高于前胸背板后缘高度之半，并且与中胸侧板前缘接近 …………………………………………………………………… **秘姬蜂亚科 Cryptinae***

腹板侧沟甚短，或无，如果有，则其长度不及中胸侧板长度之半；产卵管通常不显著伸出腹部末端(少数属例外)；产卵管鞘通常坚硬；有第2肘间横脉(个别属例外)；上颚末端2齿，有时只有1枚齿；唇基通常宽大，微弱拱起，其端缘常平截，或近似平截，无凹陷 ………………

……………… **姬蜂亚科 Ichneumoninae(圆孔姬蜂属 *Alomya* 和角突姬蜂属 *Megalomya* 除外)**

7. 唇基与脸之间无缝，它们或则形成1个圆凸形表面，强度拱起，表面光滑，或则(在盾脸姬蜂属 *Metopius*)形成1个甚大的盾状构造，其表面平坦或稍凹陷，四周围以隆脊，眼多毛；无小翅室，雌性的爪具1枚大基齿 ……………… **瘤姬蜂亚科 Pimplinae(裂臀姬蜂属 *Schizopyga*)**

唇基与脸之间有1条多少比较明显的缝，很少无缝，则脸较为平坦 ………………………… 8

8. 上颚的上端齿很阔，其端缘有1个微弱缺刻，把它分为上下2个小齿，因而上颚显似具有3枚齿；腹部第1背板方形，不明显向基方变细；前翅3.50至8.00mm；产卵管不露出腹部末端

…………………………………………………………………… **蚜蝇姬蜂亚科 Diplazontinae**

上颚只有1枚齿或2枚齿，上端齿不再分为2个小齿，如果偶尔有点儿好像分为2个小齿，则腹部第1背板向基方变细 …………………………………………………………………… 9

9. 前足胫节外侧端缘有1个小齿(对准胫节末端观察，寻找这个小齿)；腹部第3背板折缘不特别大，有时仅余残迹，它与背板之间有1条缝分隔；产卵管比腹部短得多，大多数产卵管亚端部背方都有缺刻 ………………… **栉足姬蜂亚科 Ctenopelmatinae(壮姬蜂属 *Rhorus* 除外)**

前足胫节外侧端缘圆，无小齿(注意：这个特征有例外，如果把那些例外情况都列举出来，将使检索表复杂化，所以这里不拟详述) …………………………………………………… 10

10. 腹部第2~5背板有深沟，围成三角形；前沟缘脊很强大，其上端突出如齿 ………………

…………………………………………………………………… **壕姬蜂亚科 Lycorininae**

腹部第2~5背板光滑，或具各种凹陷，这些凹陷绝不围成三角形，但有时围成菱形；无前沟缘脊，如有，其上端很少突出如齿 ………………………………………………………… 11

11. 腹部第1节腹板多少与背板游离，第1背板有基侧凹，并且(或者)并胸腹节完全没有基横脊；爪常具1齿或基齿，尤其是在雌性 ………………………………… **瘤姬蜂亚科 Pimplinae**

腹部第1腹板与背板完全愈合，第1背板无基侧凹，并胸腹节至少有基横脊的痕迹；爪简单，产卵管不露出腹末；无腹板侧沟；有第2肘间横脉……………… **姬蜂亚科 Ichneumoninae**

注：* 文中未包括。

(一)瘤姬蜂亚科 Pimplinae

鉴别特征：前翅长2.50~30.00mm。体中等至大型(如寄生鞘翅目昆虫的兜姬蜂属 *Dolichomitus* 的类群)，少数种类的个体较小(如曲姬蜂属 *Scambus* 的种类)；唇基

端缘中央通常有深的缺刻；上颚粗壮，扭曲或不扭曲；前翅小翅室有或无；并胸腹节区域小，或无；隆脊围成的区域，但有些类群如黑点瘤姬蜂属 *Xanthopimpla* 的种类通常有明显的分区；爪粗大，雌虫的爪基部通常有基齿，有的种类无基齿，但有爪基部有 1 根端部膨大的鬃，如囊爪姬蜂属团中 *Theronia* genus-group 种类；腹部第 1 节短而宽，气门位于该节中央或中央前方，腹瓣一般与背板游离，如果愈合，则背板有基侧凹；雌性下生殖板常呈方形，微弱骨化，中央常有 1 个膜质区域；产卵器通常较长，有的种类如兜姬蜂属 *Dolichomitus* 甚至长于体长，产卵管背瓣端部无缺刻。

生物学：寄生鳞翅目、鞘翅目、膜翅目、双翅目、蛇蛉目以及蛛形纲的蜘蛛目，大多数寄生幼虫与蛹。

分类：全世界分布。世界已知 1500 余种，中国已记录 330 余种，陕西秦岭地区分布 14 属 20 种。

分族检索表

1. 中胸侧板缝中央处不明显曲折成角度，如果形成一角度则唇基有 1 条横缝，且上颚明显扭曲 …… **瘤姬蜂族 Pimplini**

   中胸侧板缝中央呈微弱的角度；唇基无横缝，上颚不扭曲 …… 2

2. 雌性跗爪无基齿；跗爪扩大，基部有 1 根端末扩大的毛，毛的末端呈匙状；并胸腹节端区周围隆脊强；雄性下生殖板长常常大于宽 …… **瘤姬蜂族 Pimplini（囊爪姬蜂属团 Theronia genus group）**

   雌性跗爪有基齿；并胸腹节端区周围隆脊不明显；雄性下生殖板宽通常大于长 …… **长尾姬蜂族 Ephialtini**

Ⅰ. 长尾姬蜂族 Ephialtini

鉴别特征：前翅长 2.50～28.00mm。唇基端缘中央有 1 个缺刻，基部 0.50 或更多隆凸；颚眼距无白色斑；触角端部鞭节端缘表面无向外的突起。前胸背板背方不变短，背方颈部与中胸盾片有明显的距离；中胸盾片无横刻条；盾纵沟中等强，或弱，或不明显；胸腹侧脊体长存在；中胸侧板缝中央有 1 个明显的角度；并胸腹节外侧脊完整，气门圆形。雌虫跗爪具大的基齿。后翅 Cu_1 脉通常长 cu-a 脉中央上方伸出。腹部第2～6节背板具刻点，第 2～5 节背板通常有 1 对背瘤；雄性下生殖板宽大于长。

生物学：寄生鳞翅目、鞘翅目以及蛛形纲的蜘蛛目。

分布：全世界分布。世界已知 48 属，我国已知 37 属，秦岭地区发现 9 属 10 种。

分属检索表

1. 跗节末节通常不扩大，比基跗节稍细，如果比基跗节沙阔，则后头脊背方缺如；雌性产卵管由中部至端部均匀大小(闭臀姬蜂属 *Clistopyga* 除外) ………………………………………………… 2
   跗节末节扩大，比基跗节稍阔；后头脊完整，雌性产卵管由中部至端部逐渐变细，末端尖锐(嗜蛛姬蜂属团 *Polysphincta* genus group) ……………………………………………………………… 7
2. 后头脊背方中央横生，或稍上弯；眼眶通常呈白色 ………………………………………………… 3
   后头脊背方中央背方明显向下弯 ……………………………………………………………………… 4
3. 复眼特别大，在触角窝对过处强烈内凹；上颊特别短；后翅 cu-a 脉在中央下方曲折；有小翅室 ……………………………………………………………………………… **蓑瘤姬蜂属 *Sericopimpla***
   复眼不是特别大，不明显的凹陷；上颊中等长；后翅 cu-a 脉在中央下方曲折或不曲折；产卵管向端部渐尖细，端末稍向上弯；雌性下生殖板呈铲状突出 …………… **闭臀姬蜂属 *Clistopyga***
4. 后翅 cu-a 脉在中央下方曲折；产卵管稍侧扁至强烈侧扁 ……………………………………………… 5
   后翅 cu-a 脉在中央或中央上方曲折；产卵管稍侧扁或圆筒形 ………………………………………… 6
5. 腹部第 2 节背板基部侧方有明显的浅斜沟；前翅小翅室受纳 2m-cu 脉于顶角；产卵管腹瓣末端基部的脊与纵轴之间呈 15°角 ……………………………………………… **顶姬蜂属 *Acropimpla***
   腹部第 2 节背板基部侧方无斜沟；前翅小翅室受纳 2m-cu 脉于顶角前方；产卵管腹瓣末端的脊与产卵管纵轴垂直，背面无朝向前方的齿，下生殖板基部中央的膜质区小；跗节末节粗大，跗爪粗大；并胸腹节长，中纵脊亦长，两脊靠近 ……………………… **粗爪姬蜂属 *Endromopoda***
6. 唇基基半或更多强度拱起；产卵管稍侧扁，腹瓣末端基部的脊与产卵管纵轴呈 30°角；产卵管鞘长为前翅长的 0.30 ~ 0.70 倍；后足胫节黑白相间；后翅 cu-a 脉在中央与中央上方 0.40 之间曲折；并胸腹节侧面观强度隆突；前翅小翅室长大于高，受纳 2m-cu 脉于端部稍前方；腹部第 2 节背板基侧斜沟弱 ……………………………………………… **聚瘤姬蜂属 *Gregopimpla***
   唇基平坦；产卵管近圆筒形，腹瓣末端基部的脊与产卵管纵轴呈 40 ~ 90°角；产卵管鞘长等于或大于前翅长；后足胫节不呈黑白相间；唇基宽为高的 2.50 倍，相当平坦；上颚下端齿明显长于上端齿，产卵管鞘长为前翅长的 1.80 ~ 5.00 倍；产卵管端末较扁平，腹瓣末端的脊的背端强度向前弯曲 ……………………………………………… **长尾姬蜂属 *Ephialtes***
7. 产卵管腹瓣近基端不膨大；产卵管稍微至强烈上弯，或唇基与颜面愈合呈 1 个均匀的平面，或前翅有小翅室 ……………………………………………………………… **裂臀姬蜂属 *Schizopyga***
   产卵管腹瓣近基端明显膨大 …………………………………………………………………………… 8
8. 中胸盾片中叶前方两侧有发达的竖脊；前沟缘脊上段发达 …………… **锤跗姬蜂属 *Acrodactyla***
   中胸盾片中叶前方两侧明显的竖脊；腹部第 3 节背板基部和端部具明显的斜沟，在中央围成 1 个菱形的隆起区域；并胸腹节端横脊完整，中区马蹄形 ………………… **多印姬蜂属 *Zatypota***

62. 顶姬蜂属 *Acropimpla* Townes, 1960

Selenaspis Roman, 1910: 191 (nec Bleeker, 1858 and by Leonardi, 1898). **Type species**: *Hemipimpla alboscutellaris* Szépligeti, 1908.

Acropimpla Townes, 1960: 159. **Type species**: *Charitopimpla leucostoma* Cameron, 1907.

属征：体中等细长，前翅长3.50～11.50mm。唇基，雄性颜面白色或黄色；唇基基部隆起，端部中央深凹，呈二叶；颚眼距非常短，一般为上颚基部宽的0.20～0.30倍；上颚具2枚约等长的端齿；颜面上缘凸起或具深缺刻；额黑色或与头部其他部位颜色一致；后头脊完整，于背方中央下凹；胸腹侧脊强；后胸侧板下缘脊完整；并胸腹节相当短而且隆起，有或无中纵脊。前翅小翅室通常完整（分布我国台湾的一种类3rs-m脉缺失），三角形，通常具有短柄，受纳2m-cu脉于端部外角；后翅cu-a脉在中央下方曲折。第1腹节短而宽，背中脊和背侧脊发达；第2腹节基侧具1条短而明显的斜沟，第3～4腹节背瘤明显突起；端部无刻点；横带占背板长的0.15～0.20。生殖下板通常完全骨化，少数种类基部中央具1个膜质区。产卵管鞘长为前翅长的0.40～1.00倍；产卵管直，侧扁，在背结外方稍凹；腹瓣末端基部的脊较斜，与纵轴之间约呈15°角。

生物学：主要寄生小鳞翅目类群。

分布：东洋区，古北区（东部），非洲区，新北区，澳洲区。全世界已知有37种，我国已记录10种。秦岭地区发现1种。

（634）螟虫顶姬蜂 *Acropimpla persimilis*（Ashmead，1906）（图版73：1）

Epiurus persimilis Ashmead，1906：180.

Acropimpla persimilis：Momoi，1961：127.

鉴别特征：雌虫体长12.00～13.50mm；前翅长10.80～11.70mm；产卵管长7.50～8.00mm。触角26节长为前翅长的0.70倍。并胸腹节中纵脊不明显，但可由两侧的刻点而显示其痕迹；侧区密布刻点。前翅小翅室无柄。产卵管鞘长于腹部长，约为后足胫节的2.50倍。体黑色；足褐色，后足胫节亚基部和端部、跗节黑色。

采集记录：1♀，周至，1979.Ⅷ.23，农学院采，No.791197。

分布：陕西（周至）、黑龙江、吉林、辽宁、北京、河南、浙江、湖北、重庆、四川、贵州；俄罗斯，韩国，日本。

寄主：寄主有棉褐带卷蛾 *Adoxophyes orana*、竹织叶野螟 *Algedonia coclesalis*、棉小造桥虫 *Anomis flava*、黄卷蛾 *Archips fuscocupreanus*、龙眼裳卷蛾 *Canephora asiatica*、竹绒野螟 *Crocidophora evenoralis*、茶袋蛾 *Cryptothelea minuscula*、大袋蛾 *Cryptothelea variegate*、桑螟 *Diaphania pyloalis*、桃蛀野螟 *Dichocrocis chlorophanta*、棉卷叶野螟 *Haritalodes derogate*、茶卷叶蛾 *Homona magnanima*、叶野螟 *Omiodes indicata*、枇杷卷叶螟 *Pleuroptya balteata*、樗蚕 *Samia cynthia pryeri*。

63. 粗爪姬蜂属 *Endromopoda* Hellén，1939

Scambus（*Endromopoda*）Hellén，1939：56. **Type species**：*Pimpla melanopyga* Gravenhorst，1929.

Endromopoda：Fitton *et al*.，1988：45.

属征：前翅长6.00~8.20mm。上唇端缘凹陷；上颚具2枚端齿；复眼内缘近平行；颚眼距短；后头脊完整，在背方中央出下弯；触角约为前翅长的0.60倍。前沟缘脊和胸腹侧脊存在；中胸背板通常具密毛；后胸侧板下缘脊存在；并胸腹节长，中纵脊发达。前翅具小翅室。雌性跗爪粗壮。雌性生殖下板基部膜质区小。产卵管鞘约为腹部长的0.40倍；产卵管强度侧扁，腹瓣端部具与纵轴垂直的脊，背面无朝向前方的齿。

生物学：大部分种类寄生鳞翅目幼虫。

分布：全北区，东洋区。全世界已知10种，秦岭地区发现1种。

(635) 损粗爪姬蜂 *Endromopoda detrita* (Holmgren, 1860)（图版74：1）

Pimpla detrita Holmgren, 1860: 23.

Pimpla laevidorsum Vollenhoven, 1873: 213.

Endromopoda detrita: Fitton *et al.*, 1988: 46.

鉴别特征：雌虫体长6.20~9.50mm；前翅长5.00~7.50mm；产卵管长2.50~4.00mm。唇基平，端缘缺刻深。后头脊完整，背方中央下弯。触角短于前翅长。并胸腹节气门圆形，与外侧脊相接触。后足腿节长为最大宽的3.10倍；跗爪粗大。第1节背板长为端宽的1倍。产卵管强度侧扁，腹瓣末端的脊与轴向垂直；产卵管鞘具密毛，长为后足胫节的1.20倍。体黑色。触角黑褐色，鞭节末端数节色稍浅。下颚须黑褐色。前胸背板肩角末端和翅基片黄褐色。足红褐色；前足基节黑色；后足胫节亚基部0.20处，和端部0.30黑色，中央黄白色，后足跗节各节黑褐色。产卵管鞘黑色，产卵管红褐色。翅透明，略带烟黄色；翅脉黑褐色；翅痣黑色，基部0.20黄白色。

采集记录：1♀，秦岭天台山，1999.Ⅸ.03，何俊华采，No. 990581；1♀，宁陕火地塘火地沟，1998.Ⅵ.05，马云采，No. 982635。

分布：陕西(凤县、宁陕)、黑龙江、吉林、宁夏、新疆、台湾；全北区。

寄主：我国寄主不明；国外报道寄生于拟苔蛾 *Adaina microdactyla*、短胸长足象 *Alcides trifidus*、桃条麦蛾 *Anacampsis populella*、木纹瘿蜂 *Andricus lignicola*、苹果象甲 *Anthonomus pomorum*、*Aphelonyx cerricola*、光滑银蛾 *Argyresthia laevigatella*、山杨卷叶象 *Byctiscus betulae*、线茎蜂 *Calameuta filiformis*、坑卷蛾 *Celypha lacunana*、安氏茎蜂 *Cephus andrae*、灰翅麦茎蜂 *Cephus cinctus*、黑茎蜂 *Cephus nigrinus*、麦茎蜂 *Cephus pygmaeus*、芦苇螟 *Chilo phragmitellus*、红夜蛾 *Coenobia rufa*、落叶松鞘蛾 *Coleophora laricella*、苹果蠹蛾 *Cydia pomonella*、栗白小卷蛾 *Cydia splendana*、梢斑螟 *Dioryctria simplicella*、克氏卷叶蛾 *Eucosma krygeri*、洋桃小卷蛾 *Eupoecilia ambiguella*、黄褐天幕毛虫 *Malacosoma neustria*、*Mesoligia literosa*、白杨透翅蛾 *Paranthrene tabaniformis*、*Phalonidia udana*、欧洲松梢小卷蛾 *Rhyacionia buoliana*、广肩小蜂 *Tetramesa airae*、栎绿卷蛾 *Tortrix viridana* 等。

64. 长尾姬蜂属 *Ephialtes* Gravenhorst, 1829

Pimpla (*Ephialtes*) Gravenhorst, 1829a: 232. **Type species**: *Ichneumon manifestator* Linnaeus, 1758.

Pimpla Fabricius, 1804: 112. **Type species**: *Ichneumon manifestator* Linnaeus, 1758.

属征：体细长，前翅长10~18mm。颜面黑色，雄性上唇基黄白色，雌性红色或者褐色；上唇基相当平，端缘中央深凹，非常宽，宽为高的2.50~2.80倍；上颚长，下端齿长而宽于上端齿；后头脊完整，背方中央下弯；中胸盾片具均匀分布的中等密毛；后胸侧板下缘脊完整或者端部模糊；并胸腹节具刻点或者中央光滑；中等长；背面中央基部0.40具中纵沟，沟两侧呈弱脊状。前翅小翅室亚三角形，宽略大于高，受纳2m-cu脉于外角前方；2rs-m脉短于3rs-m脉；后翅cu-a脉于中央或者中央上方曲折。足细长。腹部第1节背板短而宽，远短于第2背板；背中脊和背侧脊明显；第2背板基侧斜沟宽而弱，第3~4节背板具大而弱的背瘤；各节背板端缘光滑带约占背板长的0.35；产卵管鞘长为前翅长的1.80~5.00倍；产卵管细长，圆柱形，端部略扁平；腹瓣端部呈叶状凸起包住背瓣；腹瓣末端基方的脊的背方强度向前弯。

生物学：寄生鳞翅目、膜翅目。

分布：全北区，东洋区。全世界已知15种，我国已记录4种，秦岭地区发现1种。

(636) 显长尾姬蜂 *Ephialtes manifestator* (Linnaeus, 1758) (图版74：2)

Ichneumon manifestator Linnaeus, 1758: 563.

Ichneumon carbonarius Christ, 1791: 365.

Ichneumon extricator Villers, 1789: 193.

Pimpla manifestator: Faricius, 1804: 113.

Ephialtes manifestator: Roman, 1932: 9.

鉴别特征：雌虫体长19mm；前翅长12mm；产卵管长36~53mm。颜面密布带毛刻点，中央具1条纵光滑带。上颚狭长，下端齿明显长于上端齿。后胸侧板上方0.60具刻点，后角具细刻条，下方具细皱；后胸侧板下缘脊前方0.70存在。并胸腹节中纵脊不明显；侧区密布带毛刻点；端区上方具细横皱；外侧区具细皱，披细毛。前翅小翅室三角形，具短柄。后翅cu-a在上方0.40曲折。后足腿节长为最大宽的6.60倍，胫节长为跗节的1.10倍。第3~5节背板长大于宽，侧瘤不明显，密布粗刻点。第6背板具夹点横刻条。第7~8背板近于光滑。产卵管鞘长为前翅长的3.00~4.50倍。体色黑色。触角黑色。唇基红褐色。上颚黑色。须、前胸背板肩角和翅基片黄褐色。足红褐色；前、中足基节和转节黄白色；后足第1转节外侧黑褐色，腿节端部暗褐色，胫节和跗节黑褐色。产卵管鞘黑色，产卵管红褐色。翅透明，翅脉黑褐色，翅痣黑色。

采集记录： 1♀，留坝张良庙，1998. Ⅵ. 07，1300m，马云、杜予洲采，No. 982938。

分布： 陕西（留坝）、甘肃、青海；全北区。

65. 蓑瘤姬蜂属 *Sericopimpla* Kriechbaumer, 1895

Sericopimpla Kriechbaumer, 1895: 135. **Type species**: *Pimpla sericata* Kriechbaumer, 1895.

Charitopimpla Camenron, 1902: 48. **Type species**: *Charitopimpla flavobalteata* Cameron, 1902.

Philopsyche Camenron, 1905: 137. **Type species**: *Philopsyche albobalteata* Cameron, 1905 = *Charitopimpla sagrae sagrae* Vollenhoven, 1879.

属征： 前翅长 6.00 ~ 13.50mm。体中等大小。颜面和唇基黑色，有时黄色。颜面隆起，具 1 条弱中纵脊，散生小刻点。唇基微弱隆起，端缘具 1 个圆缺刻。复眼非常大，内缘在触角窝对过处强烈凹入。颚眼距非常短；上颚中等短，端齿等长；上颊短，向后强烈收窄；后头脊完整，背方中央不明显下弯。胸部光滑或近光滑，并胸腹节通常具粗刻点，其他部位具小刻点；但有的种类胸部几乎无刻点。前沟缘脊发达；胸腹侧脊强；盾纵沟强或弱，通常伸至中胸盾片端部 0.60 ~ 0.85；后胸侧板下缘脊完整；并胸腹节短，侧面观强度弧形，仅外侧脊存在；前翅小翅室三角形或近三角形，受纳 2m-cu 脉于端角前方，有时在端部；后翅 cu-a 脉在中央下方曲折，极少数在中央上方曲折。雌性足跗爪具基齿。腹部第 1 节背板短而宽，侧面观弱弧形至强烈隆起，背中脊伸至中央，背侧脊有或无；第 2 节背板基侧斜沟明显，与横轴呈 40°。第 2 ~ 5 节背板短，具发达背瘤。雌性生殖下板横长方形，完全骨化。产卵管鞘长为前翅长的 0.33 ~ 0.65 倍。产卵管稍侧扁，端部具背结；背瓣端部厚；腹瓣端末具强的斜脊。

生物学： 寄生蓑蛾科 Psychidae 幼虫。

分布： 古北区东部，东洋区，非洲区，澳洲区。全世界已知 19 种和亚种，我国已记录 2 种，秦岭地区发现 1 种。

（637）蓑瘤姬蜂索氏亚种 *Sericopimpla sagrae sauteri* (Cushman, 1933)（图版 75：1）

Charitopimpla sagrae Uchida, 1932: 195.

Philopsyche sauteri Cushman, 1933: 38.

Charitopimpla (*Philopsyche*) *sagrae* Sonan, 1944: 6.

Sericopimpla sagrae sauteri: Townes *et al.*, 1961: 18.

鉴别特征： 雌虫体长 12 ~ 17mm；前翅长 9 ~ 13mm；产卵管长 6 ~ 12mm。颜面长大于宽，具明显的刻点；颚眼距短，约为上颚基部宽的 0.10 倍；额光滑；头顶窄；中胸盾片具密刻点；小盾片和后小盾片具深刻点；并胸腹节具密刻点，两侧的刻点近革状。足粗壮，后足腿节长为宽的4倍。后翅cu-a脉在下方0.20曲折。腹部密布刻点。产卵管侧扁，尤其是端部，约为腹部长的1倍。体黑色。后足基节黑色；后足腿节黄色，端缘黑色。

分布：陕西(秦岭)、辽宁、河南、江苏、浙江、湖北、湖南、福建、台湾、广东、广西、四川、贵州；朝鲜，韩国，日本，印度。

寄主：寄生爪哇蓑蛾 *Chaliella javana*、毁灭蓑蛾 *Clania destructor*、派氏蓑蛾 *Clania pryeri*、小蓑蛾 *Cryptothelea minuscula*、大蓑蛾 *Cryptothelea variegata*、涅蓑蛾 *Mahasena nitobei*。

66. 聚瘤姬蜂属 *Gregopimpla* Momoi, 1965

Gregopimpla Momoi; Townes *et al.*, 1965: 601. **Type species**: *Pimpla* (*Epiurus*) *kuwanae* Veireck, 1912.

属征：体中等长。唇基在亚基部强烈隆凸，端部平，雌雄均黑色；后头脊完整，背方中央下弯。中胸盾片具中等密均匀分布的细毛；后胸侧板下缘脊完整；并胸腹节强烈隆突，中纵脊存在。前翅小翅室长大于高，近端部受纳2cu-m；后翅cu-a脉在上方0.40和中央之间曲折。腹部第2背板基侧沟弱。产卵管长为前翅长的0.60～0.80倍。

生物学：寄生鳞翅目幼虫体外，聚寄生。

分布：东洋区，全北区。全世界已知6种，我国已记录2种，秦岭地区发现2种。

分种检索表

颜面和后胸侧板具稀疏的粗刻点；雌虫触角31～32节，雄虫触角29节；前翅小翅室长为高的1.50～2.00倍，后翅cu-a脉在中央上方0.40曲折 ……… **喜马拉雅聚瘤姬蜂 *G. himalayensis***

颜面和后胸侧板近于光滑，散生稀而细的刻点；雌虫触角25节，雄虫触角23节；前翅小翅室长为高的1.10～1.30倍，后翅cu-a脉在中央或下方0.40曲折 … **桑螨聚瘤姬蜂 *G. kuwanae***

(638) 喜马拉雅聚瘤姬蜂 *Gregopimpla himalayensis* (Cameron, 1899)（图版76）

Pimpla himalayensis Cameron, 1899: 178.

Epiurus hakonensis Ashmead, 1906: 179.

Pimpla japonica Ulbricht, 1911: 54.

Epiurus quersifoliae Uchida, 1928: 59. key.

Scambus satanas Narayanan et Lal, 1955: 149.

Scambus hakonensis: Iwata, 1958: 72.

Iseropus hakonensis: Townes *et al.*, 1960: 166.

Iseropue himalayensis: Townes *et al.*, 1960: 166.

Gregopimpla himalayensis: Yu & Horstmann, 1997: 804.

鉴别特征： 雌虫体长 11 ~ 13mm，前翅长 9 ~ 11mm；雄虫体长 9 ~ 12mm，前翅长 8 ~ 9mm。颜面高等于宽，上半具刻点，下半与两侧光滑；触角 31 ~ 32 节。后胸侧板具粗刻点；并胸腹节基部 0.50 具稀疏刻点，端部 0.50 ~ 0.75 之间具网点，端部光滑。前翅小翅室长为高的 1.50 ~ 2.00 倍，后翅 cu-a 脉在上方 0.40 曲折。腹部第 1 节背板长大于宽，具强刻点，第 3 ~ 5 节背板背瘤明显。体黑色，后足胫节端部 0.30 黑色，近中央有 1 个白环；后足跗节黑色，基跗节基部褐色。雄虫与雌虫相似，触角 29 节。

采集记录： 1♀，蓝田，1981，党心德采，No. 816458；2♀，蓝田，1978. Ⅷ. 02，党心德采，No. 780894；1♀1♂，宜川，1975. Ⅷ. 10，党心德采，No. 780888。

分布： 陕西（蓝田、宜川）、黑龙江、吉林、辽宁、山西、山东、河南、安徽、浙江、江西、湖南、广西、贵州、云南；朝鲜，日本，印度。

寄主： 油松毛虫 *Dendrolimus tabulaeformis*、落叶松毛虫 *Dendrolimus superans*、马尾松毛虫 *Dendrolimus punctatus*、柳大蚕蛾 *Actias selene*、柞蚕 *Antheraea pernyi*、褐带长卷叶蛾 *Homona coffearia*、大豆食心虫 *Leguminivora glycinivorella*、舞毒蛾 *Lymantria dispar*、黄褐天幕毛虫 *Malacosoma neustria testacea*、红铃虫 *Pectinophora gossypiella*、蓖麻蚕 *Samia cynthia* 等。

（639）桑蟥聚瘤姬蜂 *Gregopimpla kuwanae*（Viereck, 1912）（图版 75：2）

Pimpla (*Epiurus*) *kuwanae* Viereck, 1912b: 589.

Epiurus satanas Morley, 1913: 173.

Iseropus heichinus Sonan, 1930: 138.

Epiurus nankingensis Uchida, 1931: 157.

Epiurus mencianae Uchida, 1935a: 141.

Epiurus kimishimai Uchida, 1942: 123.

Gregopimpla kuwanae: Townes *et al.*, 1965: 28.

鉴别特征： 雌虫体长 9 ~ 10mm；前翅长 7 ~ 9mm。颜面宽为高的1.30倍；表面光滑，仅在隆起部位具稀疏的刻点；侧单眼距和单复眼距分别为单眼直径长的 1.50 倍和 1.30 倍；触角 25 节。并胸腹节基部 0.60 具中纵脊，端部稍外扩展。前翅小翅室长稍大于宽；后翅 cu-a 脉在中央至下方 0.40 曲折。腹部第 1 节背板长短于端宽，具强刻点，第 3 ~ 5 节背板背瘤明显。体黑色，翅痣黄褐色。足红黄色，后足胫节亚基部和亚端部、各节跗节端部及爪黑褐色。

采集记录： 1♀，杨凌，1983. Ⅲ，党心德采，No. 831900；1♀，咸阳，1980，朱芳采，No. 804026；2♀3♂，咸阳，19xx，杨怀玉采，No. 826390；1♀，秦岭，1961，郑哲民采，No. 62001.5。

分布： 陕西(杨凌、咸阳、秦岭)、黑龙江、吉林、辽宁、北京、河北、山东、河南、新疆、江苏、上海、安徽、浙江、湖北、江西、湖南、福建、台湾、四川、贵州、云南；日本。

寄主： 桑蟥 *Rondotia menciana*、杨二尾舟蛾 *Cerura menciana*、稻纵卷叶螟 *Cnaphalocrocis medinalis*、苹果卷叶蛾 *Archips fuscocupreanus*、丫纹夜蛾 *Autographa gamma*、二化螟 *Chilo suppressalis*、金翅夜蛾 *Chrysaspidia festucae*、马尾松毛虫 *Dendrolimus punctatus*、西伯利亚松毛虫 *Dendrolimus sibiricus*、落叶松毛虫 *Dendrolimus superans*、油松毛虫 *Dendrolimus tabulaeformis*、舞毒蛾 *Lymantria dispar*、稻负泥虫 *Oulema oryzae*、苹褐卷蛾 *Pandemis heparana* 等。

67. 闭臀姬蜂属 *Clistopyga* Gravenhorst, 1829

Clistopyga Gravenhorst, 1829a: 132. **Type species**: *Ichneumon incitator* Fabricius, 1793.

Ichneumonoglypta Balnchard, 1941: 9. **Type species**: *Ichneumonoglypta lopezrichinii* Balnchard, 1941.

Hymenomacropyga Uchida, 1941: 116, **Type species**: *Hymenomacropyga latifrontalis* Uchida, 1941.

属征： 前翅长3.40~11.00mm。体细长。颜面、唇基以及额眶部分或全部黄白色。唇基窄隆起，端部稍扁平，端缘凹陷。后头脊完整，背方中央不下弯。中胸盾片具中等密毛，均匀分布。后胸侧板下缘脊完整或不完整。并胸腹节中等长至非常长，中纵脊弱或缺。前翅无小翅室，后翅 cu-a 脉不曲折或在中央下方曲折。腹部第1背板中等长；背中脊和背侧脊存在或缺。第2背板具长而明显的基侧斜沟，与较弱的近横形的端侧沟围成大的近菱形区域。第3~4节背板具弱瘤状凸起，后缘无明显的光滑带。雌性下生殖板大，铲状，端部圆形，突出腹端。产卵管侧扁，有基部向端部渐细，表面粗糙，基部0.50~0.70直，端部上弯；产卵管鞘端约为前翅长的0.30倍。

生物学： 寄生鳞翅目、鞘翅目、蜘蛛目等。

分布： 全世界。世界已知23种。我国已记录2种，秦岭地区发现1种。

(640) 激闭臀姬蜂 *Clistopyga incitator* (Fabricius, 1793)（图版77）

Ichneumon incitator Fabricius, 1793: 172.

Clistopyga incitator: Gravenhorst, 1829a: 134.

Clistopyga incitatrix Schulz, 1906: 356.

Polysphincta excavata Telenga, 1930: 105.

鉴别特征： 雌虫体长7mm；前翅长5.20mm。触角鞭节24节，第1节长为其端宽的6倍，为第2节的1.50倍。额光滑。POL∶OD∶OOL＝1.0∶1.3∶1.5。中胸盾片明显隆起，具中等密而平滑刻点，披细毛；盾纵沟深，伸至端部0.60，内光滑。后翅cu-a在中央下方0.30曲折，内斜；Cu_1脉端段不明显。后足腿节长为最大宽的3.10倍。第1节背板长为端宽的1.30倍。第2节背板约等于宽。第3~5节背板密布带毛刻点，背瘤明显，但较弱。产卵管略侧扁，毛糙，基部0.70直，端部0.30上弯，长为后足胫节的1.30倍。黑色。触角黑褐色，柄节、梗节和第1鞭节腹缘黄褐色。颜面（基部三角形黑斑）、眼眶（自唇基至头顶）、颊、上颚（除端齿黑色）、须、前胸背板前缘和上缘、翅基片、翅基下脊、中胸盾片2个纵斑、小盾片和后小盾片，均黄褐色。中胸侧板大部分（上方0.30黑色）、后胸侧板红褐色。足褐色；前、中足基节和转节色浅；后足胫节黄白色，基部0.20和端部0.30黑色；跗节浅黄褐色，端缘黑褐色。卵管鞘黑色，产卵管暗红褐色。翅透明，翅脉和翅痣浅黑褐色。

采集记录： 1♀，留坝紫柏山，2004.Ⅷ.04，时敏采，No. 200704609。

分布： 陕西（留坝）、山西、浙江；古北区。

寄主： 我国寄主不明；国外报道寄生毛粉蠹 *Lyctus pubescens*、天幕毛虫 *Malacosoma neustria*、污小卷叶蛾 *Pammene inquilina*、国王小卷蛾 *Pammene regiana*、栉角长蠹 *Ptilinus pectinicornis*、欧洲松梢小卷蛾 *Rhyacionia buoliana*、金蛛 *Segestria senoculata*、*Steraspis squamosa*、苹果巢蛾 *Yponomeuta malinella* 等。

68. 裂臀姬蜂属 *Schizopyga* Gravenhorst, 1829

Schizopyga Gravenhorst, 1829a: 125. **Type species**: *Schizopyga podagrica* Gravenhorst, 1829.

Laufeia Tosquinet, 1903: 381 (nec Simon, 1889). **Type species**: *Laufeia mira* Tosquinet, 1903.

Afrosphincta Benoit, 1953: 140. **Type species**: *Afrosphincta congica* Benoit, 1953.

Dreisbachia Townes, 1962: 38 (new name for *Laufeia* Tosquinet, 1903).

Schizopyga (*Schizopygoides*) Kasparyan, 1976: 71. **Type species**: *Schizopyga* (*Schizopygoides*) *nitida* Kasparyan, 1976.

属征： 前翅长3.40~6.50mm。复眼有明显的毛。唇基至非常弱的隆起，与颜面愈合或者仅有1条很弱的唇基缝分隔；颜面光滑，具稀疏的细刻点；上颚细，不扭曲至强烈扭曲，上端齿明显长于下端齿；上颊长，相当平；后头脊完整。前胸背板短；前沟缘脊存在；中胸盾片中等长，隆起或平；盾纵沟长，但较浅；胸腹侧脊发达，上端前方远离中胸侧板前缘；后胸侧板下缘脊完整或不完整；并胸腹节中等长，中纵脊有或无；后足基节窝与胸腹连接孔分离。足粗壮，第5跗节膨大，雌性跗爪具大基齿。前翅小翅室有或无；后翅Cu_1端段通常存在，明显。腹部第1节背板短；第2节背板基侧斜沟弱，中央微弱隆起；第3~4节背板具1对弱至强度的瘤凸。产卵管短，上弯，腹瓣基部不膨大。

生物学：寄生管巢蛛科 Clubionidae。

分布：全北区，东洋区，非洲区，澳洲区。世界已知 17 种，我国已记录 3 种，秦岭地区发现 1 种。

（641）寒地裂臀姬蜂 *Schizopyga frigida* Cresson，1870（图版 78：1）

Schizopyga frigida Cresson，1870：159.

Schizopyga atra Kriechbaumer，1887：87.

Polysphincta pontiaci Viereck，1917：317.

Acrogonia varipes Matsumura，1912：243.

Schizopyga nipponica Uchida，1928：77.

Schizopyga matsumurai Matsumura，1931：66（new name for *Acrogonia varipes* Matsumura，1912）.

鉴别特征：雌虫体长 7.50mm；前翅长 5.50mm。上颊背面观长为复眼的 0.70 倍；触角鞭节 21 节，长为前翅的 0.70 倍；并胸腹节光滑，中纵脊和端横脊不明显。前翅无小翅室；后翅 cu-a 脉在上方 0.40 曲折。腹部第 1 节背板长是端宽的 2 倍。产卵管鞘长约等于后足胫节的 0.70 倍。颜面黑色；后足基节基部黑色；腿节端部黑色，胫节亚基部和端部黑色。

采集记录：1♀，汉中，1979.Ⅷ.24，No.791194。

分布：陕西（汉中）、内蒙古、宁夏、江苏、福建、云南；全北区。

寄主：我国寄主不明；国外有寄主土黄管巢蛛 *Clubiona lutescens* 等。

69. 锤跗姬蜂属 *Acrodactyla* Haliday，1838

Barypus Haliday，1837：94. Name preoccupied. **Type species**：*Barypus degener* Haliday，1837.

Acrodactyla Haliday，1838：117（new name for *Barypus* Haliday，1837）.

Colpomeria Holmgren，1859：126. **Type species**：*Colpomeria laevigata* Holmgren，1859 = *Ichneumon quadrisculpta* Gravenhorst，1820.

Symphylus Förster，1871：105. **Type species**：*Symphylus hadrodactylus* Förster，1871 = *Barypus degener* Haliday，1837.

Polemophthorus Schulz，1911：22（new name for *Symphylus* Förster，1871）.

Pantomima van Rossem，1990. **Type species**：*Pantomima festata* van Rossem，1990（= *Barypus degener* Haliday，1837）.

属征：前翅长 2.70～6.00mm。体细长。颜面横形至长形；唇基宽矛形，与颜面之间有沟分开，强烈隆起，端半平，端缘弱反折；上颚微弱扭曲，上端齿比下端齿长；复眼无毛；后头脊完整。前胸背板侧面观较长，颈部有时具弱纵脊；前沟缘脊发达；中胸盾片光滑，几乎无毛，中叶前方两侧具明显的竖脊；盾纵沟长而强；胸腹侧脊长，上端前缘不伸至前胸背板后缘；后胸侧板下缘脊完整；并胸腹腹节长，中纵脊和端横脊存在。前翅3rs-m脉缺；后翅 cu-a 脉曲折或直。足细长，端跗爪膨大，具基齿。腹部第1节较长；第2节背板基侧斜沟和端侧斜沟弱，中央具弱的菱形区域；第3~4节背板光滑，具弱的菱形区域。产卵管直，端部略上弯，腹瓣亚基部膨大。

生物学：寄生蜘蛛目圆蛛科 Araneidae。

分布：全北区，东洋区，澳洲区。世界已知27种，我国已记录7种，秦岭地区发现1种。

（642）四雕锤跗姬蜂 *Acrodactyla quadrisculpta*（Gravenhorst, 1820）（图版78：2）

Ichneumon quadrisculptus Gravenhorst, 1820: 378.

Colpomeria laevigata Holmgren, 1859: 127.

Polysphincta laevigata: Thomson, 1888: 1253.

Polysphincta quadrisculpta: Morley, 1908: 137.

Zaglyptus kincaidii Ashmead, 1894: 260.

Colpomeria mellithorax Cushman, 1920: 19.

Acrodactyla quadrisculpta: Townes *et al.*, 1960: 235.

鉴别特征：雌虫体长3.70mm；前翅长3.20mm。颚眼距约为上颚基部宽；上颊背观长为复眼的0.73倍；触角24节，第1节长为第2节的1.60倍。中胸盾片光滑无毛；后胸侧板具粗糙的刻皱；并胸腹节中纵脊强，中区内有细刻点；端横脊中央前凸。后翅 cu-a 脉在下方0.40曲折。前中足腿节中央肿大，各有1枚扁的钝齿。腹部第1节背板长为端宽的1.50倍。产卵管长约等于第1节背板长。体黑色；胸部赤褐色。后足胫节亚基部有1个黑斑，端部黑色。

采集记录：1♀，榆林，1982.Ⅶ.21，农学院采，No.200011772。

分布：陕西（秦岭、榆林）、浙江、福建、贵州；全北区，东洋区，澳洲区。

寄主：我国寄主不明；国外记载寄生扁圆蛛 *Araniella cucurbitina*、分节窨蛛 *Meta segmentata* 等。

70. 多印姬蜂属 *Zatypota* Foerster, 1869

Zatypota Foerster, 1869: 166. **Type species**: *Ichneumon percontatorius* Muller, 1776.

Polysphinctopsis Habermehl, 1917: 167. **Type species**: *Polysphincta eximia* Schmiedeknecht, 1907 (= *Glypta albicoxa* Walker, 1874).

Lycorinopsis Haupt, 1954: 110. **Type species**: *Lycorinopsis rhombifer* Haupt, 1954 (= *Ichneumon percontatorius* Muller, 1776).

属征：前翅长2.50~5.60mm。上颚非常尖细，扭曲至20°，上端齿长于下端齿；唇基横形，微弱隆起，与颜面之间有1条弱唇基沟，侧缘圆，有时整个唇基弧形；颜面横形至长形，光滑，或具细的稀疏带毛刻点；复眼无毛，单眼小；后头脊完整(但新热带区的种类，背方缺)。前胸背板侧面观中等短，背方中央具1个强的横凹槽；前沟缘脊上段强或弱或呈残余的脊；中胸盾片中等长，隆起，光滑；盾纵沟浅；胸腹侧脊发达；后胸侧板下缘脊完整；并胸腹节短，中纵脊和端横脊发达。后足基节窝与胸腹连接孔混合。足细长，第5跗节膨大，雌性跗爪短，具基齿。前翅无小翅室；后翅 Cu_1 脉端段通常缺。腹部第1节背板方形至长形；第2节背板有基侧和端侧斜沟，中央呈菱形隆起区域；第3~5节背板与第2节相似，但基侧沟横形。产卵管锥状，直或上翘，基部和中央明显膨大，端部尖细。

生物学：寄生球腹蛛科 Theridiidae。

分布：全北区，东洋区，非洲区，澳洲区，新热带区。世界已知38种。我国仅记录1种，秦岭地区也有分布。

(643) 白基多印姬蜂 *Zatypota albicoxa* (Walker, 1874)(图版79)

Glypta albicoxa Walker, 1874: 304.
Pimpla colorata Rudow, 1883: 237.
Polysphincta eximia Schmiedeknecht, 1907b: 1170.
Polysphinctopsis nigriventris Habermehl, 1917: 167.
Polysphincta japonica Uchida, 1927: 173.
Polysphinctopsis eximia nigrithorax Uchida, 1936: 54.
Zatypota albicoxa: Uchida, 1940: 112.

鉴别特征：雌虫体长5~9mm；前翅长3.60~8.00mm。触角鞭节24~28节。体黑色，有光泽；眼眶、胸部和腹部通常有黄白色和赤褐色斑，后足胫节基部0.30和端部0.40黑色，中央黄白色；前翅cu-a脉内斜；后翅cu-a脉不曲折。后足长为宽的5倍；产卵管中部不明显膨大，自基部向端部渐细，端部上弯。少数标本胸部带红褐色。

采集记录：1♂，南郑黎坪森林公园，2004.Ⅶ.23，吴琼采，No.200704597。

寄主：寄生新月球蛛 *Theridion lunatum*、温室球蛛 *Theridion tepidariorum* 等。

分布：陕西(南郑)、黑龙江、吉林、河北、河南、江苏、安徽、浙江、湖南、四川、贵州、云南；俄罗斯(远东)，日本。

Ⅱ. 瘤姬蜂族 Pimplini

鉴别特征：前翅长2.50~25.00 mm。唇基端缘中央缺刻不明显，基部0.50隆起；颚眼距无白色斑；触角端节表面有明显的突起。前胸背板短，颈部(如果存在)通常与中胸盾片靠近；胸腹侧脊完整；中胸侧板缝中央无明显的角度；并胸腹节气门长，长约为宽的2倍或以上。跗爪简单(钩尾姬蜂属 *Apechthis* 除外)。后翅 Cu_1 脉端段通常从 cu-a 脉上方伸出。腹部第2~6节背板具粗刻点(囊爪姬蜂属团 *Theronia* genus group 除外)。雄性下生殖板长大于宽(囊爪姬蜂属团 *Theronia* genus group 除外)。

生物学：寄生鳞翅目 Lepidoptera 幼虫与蛹、膜翅目 Hymenoptera。

分布：全世界广布。世界已知14属，650余种，秦岭地区发现5属10种。

分属检索表

1. 中胸侧板缝在中央处不曲折成1个角度 …… 2
   中胸侧板缝在中央处曲折成1个明显的角度 …… 4
2. 复眼内缘在触角窝上方微弱内陷；雌性跗爪无基齿；产卵管长，伸出腹部末端，产卵管鞘长约为前翅长的0.45倍；颜面不向前方肿凸；胸部不扁实，长为高的1.35倍 …… **黑瘤姬蜂属 *Pimpla***
   复眼内缘在触角窝上方强度内陷；雌性前足跗爪通常有1枚大的基齿 …… 3
3. 产卵管直，端末不下弯 …… **埃姬蜂属 *Itoplectis***
   产卵管末端向下弯曲 …… **钩尾姬蜂属 *Apechthis***
4. 唇基被1条横缝分为基部和端部两部分；上颚末端呈90°扭曲 …… **黑点瘤姬蜂属 *Xanthopimpla***
   唇基无横缝；上颚不扭曲(囊爪姬蜂属团 *Theronia* genus group)；产卵管近圆筒形，背瓣与腹瓣厚度约相等，腹瓣末端有锯齿状脊；胸腹侧脊上端曲折处通常变弱 … **囊爪姬蜂属 *Theronia***

71. 囊爪姬蜂属 *Theronia* Holmgren, 1859

Theronia Holmgren, 1859: 123. **Type species**: *Ichneumon flavicans* Fabricius, 1793 = *Theronia atalantae* (Poda, 1761).

Pseudacoenites Kriechbaumer, 1892: 219. **Type species**: *Pseudacoenites moravicus* Kriechbaumer, 1892 = *Theronia laevigata* (Tschek, 1869).

Epimecoideus Ashmead, 1900: 56. **Type species**: *Epimecoideus apicalis* Ashmead, 1900.

Poecilopimpla Cameron, 1903: 141. **Type species**: *Poecilopimpla lucida* Cameron, 1903.

Erythrotheronia Cameron, 1905a: 134. **Type species**: *Erythrotheronia flavolineata* Cameron, 1905 = *Xanthopimpla flavolineata* Cameron, 1907.

Orientotheronia Morley, 1913: 146. **Type species**: *Orientotheronia rufescens* Morley, 1913 = *Zebra iridipennis* Cameron, 1907. S

属征：前翅长5~19mm。体长，较粗壮。上颚端齿等长，唇基端缘平截，或具缺刻，或具瘤凸，基部横隆，端部平；颜面隆肿，具刻点；复眼内缘在触角窝对过处凹入；颚眼距很短；触角短粗；头顶在单眼后方陡斜；后头脊完整。前胸背板短；前沟缘脊存在；中胸盾片中等隆起；盾纵沟前方明显；胸腹侧脊存在；后胸侧板下缘脊发达，通常在中足基节后方呈三角形凸起；并胸腹节短，具中纵脊和侧纵脊，少数种类分脊和端横脊完整。足粗壮，端跗爪简单无基齿，但基部具1根端部膨大的鬃，爪间垫大。前翅具小翅室，四边形，受纳2m-cu脉在端部0.70；后翅cu-a脉在中央上方曲折，Cu_1 脉端段明显。腹部光滑，无明显刻点，第1节背板，中纵脊弱，侧纵脊不明显，端侧斜沟明显；第2～4节背板具弱横形瘤凸。产卵管鞘长约为前翅长的0.45倍；产卵管圆柱形。

生物学：寄生鳞翅目蛹或幼虫，膜翅目姬蜂科一些种类。

分布：世界分布。世界已知59种和亚种，我国已记录8种和亚种，秦岭地区发现1亚种。

(644) 脊腿囊爪姬蜂腹斑亚种 *Theronia atalantae gestator* (Thunberg, 1824)

(图版80：1)

Ichneumon gestator Thunberg, 1824: 262.

Theronia japonica Ashmead, 1906: 181.

Theronia gestator: Roman, 1912: 257.

Theronia atalantae Chu, 1937: 86.

Theronia atalantae gestator: Townes *et al.*, 1960: 354.

鉴别特征：雌虫体长7.70～12.50mm；雄虫体长6.80～12.20mm。唇基基部稍隆起，端缘有卷边；额在触角窝之间有明显的纵脊。胸腹侧脊完整，上端曲折处不变弱；盾纵沟浅，仅在前方0.20～0.30存在；后胸侧板下缘脊在后足基节背方不呈叶状突起；并胸腹节中区长方形，后方封闭，长为宽的1.30倍。后足腿节腹缘端半有钝齿。产卵管长为后足胫节的1.00～1.20倍。中胸侧板具明显的黑斑；腹部有暗褐色带或斑；后足基节有黑色斑。雄虫中胸侧板有大的黑斑。

采集记录：1♀，宁陕火地塘板桥沟，1998.Ⅵ.05，花保祯采，No. 982237；2♂，宁陕火地塘板桥沟，1998.Ⅵ.05，马云采，No. 982356。

分布：陕西(宁陕)、黑龙江、辽宁、北京、江苏、浙江、湖北、江西、湖南、四川、贵州；古北区东部。

寄主：苹小卷叶蛾 *Adoxophyes orana*、素妆绢粉蝶 *Aporia crataegi*、精灰蝶 *Artopoetes pryeri*、黑足凹眼姬蜂 *Casinaria nigripes*、异色卷蛾 *Choristoneura diversana*、马尾松毛虫 *Dendrolimus punctatus*、赤松毛虫 *Dendrolimus spectabilis*、落叶松毛虫 *Dendrolimus superans*、油松毛虫 *Dendrolimus tabulaeformis*、美国白蛾 *Hyphantria cunea*、松毛虫墨胸姬蜂 *Hyposoter takagii*、杨毒蛾 *Leucoma salicis*、舞毒蛾 *Lymantria dispar*、黄褐天幕毛虫 *Malacosoma neustria testacea*、链环蛱蝶 *Neptis pryeri*、白尾尺蠖 *Ourapteryx maculicaudaria*、稻苞虫 *Parnara guttata*、菜粉蝶 *Pieris rapae*、落叶松卷蛾 *Ptycholomoides aeriferanus*、雪毒蛾 *Stilpnotta salicis*、大红蛱蝶 *Vanessa indica* 等。

72. 黑点瘤姬蜂属 *Xanthopimpla* Saussure, 1892

Xanthopimpla Saussure, 1892: 20. **Type species**: *Xanthopimpla hova*(?) Saussure, 1892.

Chloropimpla Saussure, 1892: 20. **Type species**: *Chloropimpla dorsigera* Saussure, 1892.

Notopimpla Krieger, 1899: 106. **Type species**: *Pimpla terminalis* Brulle, 1846.

Neopimploides Viereck, 1912: 151. **Type species**: *Neopimploides syleptae* Viereck, 1912 = *Ichneumon punctata* Fabricius, 1781.

Austrapophua Girault, 1926: 135. **Type species**: *Austrapophua xanthopimploides* Girault, 1926 = *Xanthopimpla rhopaloceros* Krieger, 1915.

属征: 前翅长4~18mm。体粗壮。体黄色，通常具黑斑。复眼内缘在触角窝对过处强烈凹入；颜面均匀隆起；唇基短，被1条横沟分成两部分；颚眼距短；上颚短，基部宽，端部非常尖细且扭曲呈90°，致使下端齿位于内方，上端齿长于下端齿；头顶在单眼后方陡斜；后头脊完整。盾纵沟强，其前端有1条短横脊；小盾片通常具发达的侧脊，均匀隆起或呈锥状凸起；后胸侧板下缘脊通常完整；并胸腹节光滑，通常有纵脊和横脊。足粗壮，跗爪简单无基齿，通常有1根端部扩大的鬃。前翅透明或亚透明，一般有小翅室，受纳2m-cu脉于中央或近外角；后翅cu-a脉在中央上方曲折，Cu_1脉端段明显。腹部光滑，具强横沟和粗刻点。产卵管鞘通常长约为腹部长的0.40倍，但有少数种类较长。产卵管微扁平和下弯，极少上弯。

生物学: 寄生鳞翅目蛹，单寄生。

分布: 东洋区，澳洲区，非洲区，新热带区。世界已知229种和亚种，我国已知50种和亚种，秦岭地区发现1种。

(645) 广黑点瘤姬蜂 *Xanthopimpla punctata* (Fabricius, 1781) (图版73: 5)

Ichneumon punctatus Fabricius, 1781: 437.

Pimpla punctuator Smith, 1858b: 119.

Pimpla transversalis Vollenhoven, 1879: 146.

Pimpla transversalis var. *punctata*(?) : Vollenhoven, 1879: 146.

Pimpla ceylonica Cameron, 1899: 165.

Xanthopimpla punctata: Krieger, 1899: 101.

Xanthopimpla ruficornis Krieger, 1899: 103.

Zanthopimpla (!) *appendiculata* Cameron, 1902: 51.

Xanthopimpla brunneciornis Cameron, 1903: 139.

Xanthopimpla kandyensis Cameron, 1905a: 136.

Xanthopimpla maculiceps Cameron, 1905b: 37.

Xanthopimpla lissonota Cameron, 1906b: 115.

Xanthopimpla punctuator: Schmiedeknecht, 1907c: 40.

Xanthopimpla kriegeri Szepligeti, 1908: 255.

Neopimploides syleptae Viereck, 1912: 151.

Xanthopimpla tibialis Morley, 1913: 124.

Phygadeuon (!) *punctator*: Ishida, 1915: 106.

Xanthopimpla pyraustae Rao, 1953: 163.

Xanthopimpla punctata: Li, 1935: 306.

鉴别特征：雌虫体长10～14mm；前翅长9～12mm。触角40节。小盾片强度隆起，侧脊高；并胸腹节中区完整，长为宽的0.56倍。中后足跗爪最大鬃的末端不扩大；后足胫节端前鬃4～8个。腹部第1节无侧纵脊；第2节背板光滑，刻点稀少。产卵管鞘长为后足胫节的1.80倍。体黄色。中胸盾片前方为1条黑横带；并胸腹节为1条黑带；腹部第1、3、7节背板各有1对黑点斑，第4、6、8节背板无黑斑。

分布：陕西(秦岭)、北京、河北、山东、河南、江苏、安徽、浙江、湖北、江西、湖南、福建、台湾、广东、海南、香港、广西、四川、贵州、云南、西藏；东洋区。

寄主：小造桥夜蛾 *Anomis flava*、甘蔗二点螟 *Chilo infuscatellus*、玉米螟 *Chilo partellus*、二化螟 *Chilo suppressalis*、杨扇舟蛾 *Clostera anachoreta*、稻显纹纵卷叶螟 *Cnaphalocrocis exigua*、稻纵卷叶螟 *Cnaphalocrocis medinalis*、马尾松毛虫 *Dendrolimus punctatus*、瓜螟 *Diaphania indica*、桑螟 *Diaphania pyloalis*、棉卷叶野螟 *Haritalodes derogata*、棉铃虫 *Helicoverpa armigera*、双斑野螟 *Herpetogramma bipunctale*、粟穗螟 *Mampava bipunctella*、稻螟蛉 *Naranga aenescens*、椰蛀蛾 *Nephantis serinopa*、花生蚀叶野螟 *Omiodes diemenalis*；叶野螟 *Omiodes indicata*、茎螟 *Omphisa illisalis*、小白纹毒蛾 *Orgyia australis*、亚洲玉米螟 *Ostrinia furnacalis*、欧洲玉米螟 *Ostrinia nubilalis*、稻苞虫 *Parnara guttata*、红铃虫 *Pectinophora gossypiella*、隐纹谷弄蝶 *Pelopidas mathias*、玉带凤蝶 *Princeps memnon*、大凤蝶 *Princeps memnon heronus*、蔗蛀草螟 *Procerata sacchariphaga*、高粱条螟 *Procerata venosata*、*Pyrausta celatalis*、大螟 *Sesamia inferens*、甘蔗黄螟 *Tetramoera schistaceana* 等。

73. 埃姬蜂属 *Itoplectis* Foerster, 1869

Itoplectis Foerster, 1869: 164. **Type species**: *Ichneumon scanicus* Villers, 1789 = *Itoplectis maculator* Fabricius, 1775.

Nesopimpla Ashmead, 1906: 180. **Type species**: *Nesopimpla naranyae* Ashmead, 1906.

Exeristesoides Uchida, 1928: 51. **Type species**: *Pimpla spectabilis* Matsumura, 1926 = *Itoplectis alternans specablis* (Matsumura, 1926).

Alophopimpla Momoi, 1966: 160. **Type species**: *Alophopimpla polia* Momoi, 1966.

属征：前翅长2.50～12.50mm。颜面和眼眶完全黑色。上颚等长；唇基基部微横隆，端缘微凹；颜面均匀隆起，具密刻点；额凹入；后头脊完整；复眼内缘在触角窝处强度凹入。前沟缘脊存在；盾纵沟不明显；胸腹侧脊发达；中胸侧板缝在中央处不明显曲折成角度；并胸腹节短，具中纵脊。雌性前足跗爪通常具基齿，中后足跗爪简单，雄性所有跗爪简单。前翅有小翅室，受纳2m-cu脉于中央外方；后翅cu-a脉在中央上方曲折；Cu_1 脉端段明显。腹部粗壮，具密刻点。产卵管直。

生物学： 寄生鳞翅目蛹。少数种类有时成为重寄生蜂。产卵与老熟有虫，均在蛹期羽化。

分布： 世界分布。世界已知65种，我国已记录8种，秦岭地区发现2种。

分种检索表

雌性前足跗爪无基齿；前足基节黄色，后足胫节基部和端部黑褐色，跗节端缘黑色；腹部第1～4节红褐色，第5～8节黑色 ………………………………………… **螟蛉埃姬蜂 *I. naranyae***

雌性前足跗爪有基齿；基节红色；翅痣黄褐色；触角鞭节第1节为第2节的1.60倍…………………………………………………………………… **松毛虫埃姬蜂 *I. alternans epinotiae***

（646）松毛虫埃姬蜂 *Itoplectis alternans epinotiae* Uchida, 1928（图版73：2）

Pimpla spectabilis Matsumura, 1926b: 30(nec Szepligeti, 1908).

Itoplectis epinotiae Uchida, 1928: 55.

Itoplectis nigribasalis Uchida, 1937: 131.

Itoplectis alternans spectabilis: Uchida, 1942: 122.

Itoplectis alternans epinotiae: Yu & Hortsmann, 1997: 827.

鉴别特征： 雌虫体长5.00～8.70mm；前翅长4～7mm。触角25节，长为前翅长的0.96倍；第1节长为端宽的8.40倍，为第2节的1.60倍。无盾纵沟；中胸侧板具细刻点。前足跗爪有基齿。腹部第1节背板长为端宽的1.50～1.70倍。体黑色。前中足大部分黄色或黄褐色，后足胫节的基部黑斑小，端半黑色。雄虫后足基节黑色。

采集记录： 1♀，留坝紫柏山，2004.Ⅷ.04，时敏采，No. 200704607。

分布： 陕西（留坝）、黑龙江、吉林、辽宁、内蒙古、北京、山西、山东、河南、宁夏、甘肃、江苏、浙江、湖北、湖南、四川、贵州、云南；蒙古，俄罗斯（远东），朝鲜，日本。

寄主： 拟小黄卷叶蛾 *Adoxophyes cyrtosema*、苹小卷叶蛾 *Adoxophyes orana*、茶角纹小卷蛾 *Adoxophyes privatana*、苹果卷叶蛾 *Archips fuscocupreanus*、丫蚊夜蛾 *Autographa gamma*、茶细蛾 *Caloptilia theivora*、乌龙墨蓑蛾 *Canephora asiatica*、黑足凹眼姬蜂 *Casinaria nigripes*、异色卷蛾 *Choristoneura diversana*、梧桐球象 *Cionus helleri*、落叶松鞘蛾 *Coleophora laricella*、茶袋蛾 *Cryptothelea minuscula*、大袋蛾 *Cryptothelea variegata*、蜻蜓尺蛾 *Cystidia stratonice*、马尾松毛虫 *Dendrolimus punctatus*、赤松毛虫 *Dendrolimus spectabilis*、落叶松毛虫 *Dendrolimus superans*、油松毛虫 *Dendrolimus tabulaeformis*、松梢斑螟 *Dioryctria splendidella*、玫斑钻夜蛾 *Earias roseifera*、杨梅圆点小卷蛾 *Eudemis gyrotis*、梨云翅斑螟 *Eurhodope pirivorella*、*Hedya ignara*、茶长卷叶蛾 *Homona magnanima*、苜蓿象甲 *Hypera postica*；松毛虫黑胸姬蜂 *Hyposoter takagii*、亮灰蝶 *Lampides boeticus*、舞毒

蛾 *Lymantria dispar*、新渡蓑蛾 *Mahasena nitobei*、黄褐天幕毛虫 *Malacosoma neustria testacea*、*Olethreutes mori*、稻负泥虫 *Oulema oryzae*、苹褐卷蛾 *Pandemis heparana*、松实小卷蛾 *Petrova cristata*、*Phyllonorycter yakushimensis*、小菜蛾 *Plutella xylostella*、稠李巢蛾 *Prays alpha*、*Ptycholoma lecheana*、落叶松卷蛾 *Ptycholomoides aeriferanus*、夏梢小卷蛾 *Rhyacionia duplana simulata*、*Samaria ardentella*、幽洒灰蝶 *Satyrium iyonis* 等。

(647) 螟蛉埃姬蜂 *Itoplectis naranyae* (Ashmead, 1906) (图版 73: 3)

Nesopimpla naranyae Ashmead, 1906: 180.
Pimpla (*Nesopimpla*) *naranyae*: Schmiedeknecht, 1907c: 36.
Itoplectis immigrans Timberlake, 1920: 271.
Nesopimpla rufiventris Sonan, 1939: 204.
Itoplectis naranyae: Twones, 1940: 314.

鉴别特征: 雌虫体长 8 ~ 13mm; 前翅长 5 ~ 9mm。颚眼距为上颚基部宽的 0.28 倍; 触角 25 节, 为前翅长的 0.83 倍, 鞭节第 1 节长为第 2 节的 1.20 倍。并胸腹节中纵脊明显。前足跗爪无基齿。头胸黑色, 腹部第 1 ~ 4 节黄褐色; 后足胫节黄白色, 两端黑色。雄虫中后胸侧板和并胸腹节赤褐色。

采集记录: 1♂, 周至, 1979, 杨健采, No. 791211。

寄主: 寄生于苹小卷叶蛾 *Adoxophyes orana*、茶角纹小卷蛾 *Adoxophyes privatana*、金翅夜蛾 *Agrapha agnata*、螟蛉脊茧蜂 *Aleiodes narangae*、纵卷叶螟绒茧蜂 *Apanteles cypris*、秈弄蝶 *Borbo cinnara*、稻苞虫凹眼姬蜂 *Casinaria pedunculata*、螟蛉悬茧姬蜂 *Charops bicolor*、二化螟 *Chilo suppressalis*、稻显纹纵卷叶螟 *Cnaphalocrocis exigua*、稻纵卷叶螟 *Cnaphalocrocis medinalis*、茶袋蛾 *Cryptothelea minuscula*、松梢斑螟 *Dioryctria splendidella*、蜡螟 *Galleria mellonella*、褐带长卷蛾 *Homona coffearia*、后黄卷叶蛾 *Homona magnanima*、苜蓿象甲 *Hypera postica*、稻螟蛉 *Naranga aenescens*、螟蛉夜蛾 *Naranga diffusa*、稻负泥虫 *Oulema oryzae*、稻苞虫 *Parnara guttata*、银纹夜蛾 *Plusia agnata*、小菜蛾 *Plutella xylostella*、高粱条螟 *Procerata venosata*、东方粘虫 *Pseudaletia separata*、三化螟 *Scirpophaga incertulas*、大螟 *Sesamia inferens*、辉刀夜蛾 *Simyra albovenosa* 等。

分布: 陕西(周至)、吉林、辽宁、山西、河南、江苏、安徽、浙江、湖北、江西、湖南、广东、海南、广西、四川、贵州、云南; 俄罗斯, 日本, 菲律宾。

74. 钩尾姬蜂属 *Apechthis* Foerster, 1869

Apechthis Foerster, 1869: 164. **Type species**: *Pimpla rubata* [!] Gravenhorst, 1829 = *Ichneumon rufatus* Gmelin, 1790.
Apechtis Thomson, 1889: 1410. Emendation.
Ephialtes Schrank, 1802: 316. **Type species**: *Ichneumon compunctor* Linnaeus, 1758.
Taiwatheronia Sonan, 1936: 256. **Type species**: *Taiwatheronia mahasenae* Sonan, 1936 = *Ephialtes*

taiwanus Uchida, 1928.

Parapechthis Blanchard, 1936: 404. **Type species**: *Parapechthis bazani* Blanchard, 1936.

属征：前翅长5~13mm。体粗壮。唇基基部隆起，端部平，端缘微凹；上颚宽，两端齿约等长；颚眼距短；颜面中等隆起；复眼内缘在触角窝对过处强度凹入；后头脊完整。盾纵沟弱或无；中胸侧板缝在中央附近无明显角度；并胸腹节中纵脊仅在基部存在，无其他隆脊。雌性在前中足跗爪一般具大的基齿，后足跗爪基齿有或无。前翅有小翅室，四边形；后翅 cu-a 脉在中央上方曲折，Cu_1 脉端段明显。腹部密布刻点。产卵管末端明显向下呈钩状弯曲。

生物学：寄生鳞翅目蛹。

分布：世界分布。世界已知17种，我国已记录5种，秦岭地区发现1种。

(648) 黄条钩尾姬蜂 *Apechthis rufata* (Gmelin, 1790)（图版81：1）

Ichneumon rufatus Gmelin, 1790: 2684.

Apechthis rufata: Morley, 1914: 32.

Apechthis rufatus geometriae Uchida, 1928: 51.

Pimpla rufatus pectoralis Ulbricht, 1909: 1.

Pimpla rufatus rufithorax Strobl, 1902: 3.

Ephialtes rufatus: Townes, 1944: 67.

Apechthis rufata: Yu & Horstmann, 1997: 824.

鉴别特征：雌虫体长7.20~15.00mm；前翅长6.00~13.50mm。各足跗爪均有基齿。前翅2rs-m脉和3rs-m脉几乎等长。腹部第1节背板中央无明显的隆丘。中胸盾片后方具2条平行的黄斑。足赤褐色，后足胫节和跗节黑褐色。

采集记录：1♀，秦岭大散关，1999.Ⅸ.04，蔡平采，No. 200011715。

分布：陕西（宝鸡）、黑龙江、吉林、河南、甘肃、浙江、湖北、湖南；古北区。

寄主：山楂黄卷蛾 *Archips crataegana*、蔷薇黄卷蛾 *Archips rosana*、*Archips xylosteana*、杨麦蛾 *Anacampsis populella*、舞毒蛾 *Lymantria dispar*、菜粉蝶 *Pieris rapae*、黄腹斑污灯蛾 *Spilosoma lubricipedum* 等。

75. 黑瘤姬蜂属 *Pimpla* Fabricius, 1804

Pimpla Fabricius, 1804: 112. **Type species**: *Ichneumon instigator* Fabricius, 1793. Misidentified *Pimpla* of authors = *Ephialtes* Gravenhorts, 1829.

Coccygomimus Saussure, 1892: 14. **Type species**: *Coccygomimus madecassus* Saussure, 1892.

Habropimpla Cameron, 1900: 96. **Type species**: *Habropimpla bilineata* Cameron, 1900.

Lissotheronia Cameron, 1905a: 139. **Type species**: *Lissotheronia flavipes* Cameron, 1905.

Phytodiaetoides Morley, 1913: 221. **Type species**: *Phytodiaetoides megaera* Morley, 1913 = *Lissotheronia flavipalpis* Cameron, 1905.

Pimplidea Viereck, 1914: 117. **Type species**: *Pimpla pedalis* Cresson, 1865.

Coelopimpla Brethes, 1916: 402. **Type species**: *Coelopimpla amadeoi* Brethes, 1916.
Liotheronia Enderlein, 1919: 147. **Type species**: *Liotheronia kriegeri* Enderlein, 1919.
Dihyboplax Enderlein, 1919: 148. **Type species**: *Dihyboplax flavipennis* Enderlein, 1919.
Neogabunia Brethes, 1927: 322. **Type species**: *Neogabunia paulistana* Brethes, 1927.
Opodactyla Seyrig, 1932: 60. **Type species**: *Pimpla* (*Opodactyla*) *waterloti* Seyrig, 1932.
Oxypimpla Noskiewicz *et* Chudoba, 1951: 42. **Type species**: *Ichneumon turionellae* Linnaeus, 1758.
Jamaicapimpla Mason, 1975: 225. **Type species**: *Ephialtes nigroaeneus* Cushman, 1927.

属征: 前翅长3.20~17.50mm。体小至粗壮。颜面中等隆起, 宽大于高; 复眼内缘在触角窝上方微弱凹入; 唇基基部略隆起, 端部平, 端缘中央通常具缺刻; 颚眼距长为上颚基部宽的0.33~1.50倍, 颊具细的颗粒状刻点; 上颚基部通常具刻点, 端齿等长或上端齿稍长; 额凹入; 后头脊完整。前沟缘脊存在; 盾纵沟微弱存在或无; 小盾片均匀隆起; 并胸腹节中纵脊有或无; 并胸腹节气门圆形至线形。足粗壮, 后足腹缘无齿; 各节跗爪大而简单, 无基齿或端部扩大的鬃。前翅有小翅室, 四边形; 后翅cu-a脉在中央上方曲折, 外斜, Cu_1 脉明显。腹部第1节背板与腹板分离, 基侧凹明显; 各节背板具密刻点或光滑; 产卵管至近圆柱形, 端末有时扁平或稍下弯; 产卵管鞘长为后足胫节长的0.71~1.20倍。

生物学: 寄生鳞翅目蛹。

分布: 世界分布。世界已知200多种, 我国已记录21种, 秦岭地区发现5种。

分种团检索表

1. 腹部第2~5背板折缘均很宽 ·················· **等黑瘤姬蜂种团 *Aequalis* Group**
   腹部至少第2、3节背板折缘窄 ·················· 2
2. 腹部第2~5节背板折缘均很窄, 各节等宽 ·················· **红足黑瘤姬蜂种团 *Rufipes* Group**
   腹部第4~5节背板稍宽于第2、3节折缘, 其长宽比约为2.20倍 ·················· **卷蛾黑瘤姬蜂种团 *Turionellae* Group**

红足黑瘤姬蜂种团 *Rufipes* Group

鉴别特征: 前翅cu-a脉一般稍后叉式。后足无明显白环。并胸腹节较长, 中纵脊通常基部明显。腹部第1节背板中央有或无隆丘; 各节背板折缘均狭窄, 长约为宽的3倍以上; 第4、5节宽约等于第1~3节宽。产卵管近圆柱形, 背瓣端部无明显的横脊。

分种检索表

1. 腹部第1节背板窄而长, 中央隆丘尖, 其后侧方有光泽, 无明显的刻点, 第2~6节背板刻点细而稀疏; 并胸腹节背面具明显的横刻条 ·················· **乌黑瘤姬蜂 *P. ereba***
   腹部第1节背板短而宽, 中央隆丘较圆, 其后侧方具密刻点, 第2~6节背板具密刻点; 并胸腹节背面具密点皱 ·················· 2
2. 体上柔毛褐色; 翅基部黑色; 腹部第1~4节背板具不规则刻点, 第5节背板具浅皱, 无明显

的刻点；后足基节具模糊刻点 …………………………………………………… **暗黑瘤姬蜂 *P. pluto***
体上柔毛金色或白色；翅基部黄色；腹部第1～4节背板密布规则的刻点，第5节背板密布小刻点；后足具清晰的刻点 ………………………………………… **野蚕黑瘤姬蜂 *P. luctuosa***

(649) 乌黑瘤姬蜂 *Pimpla ereba* Cameron, 1899(图版81：2)

Pimpla erebus Cameron, 1899: 184.
Epiurus erebus: Morley, 1913: 176.
Scambus erebus: Narayanan & Lal, 1956: 176.
Coccygomimus erebus: Townes *et al*., 1960: 315.
Pimpla ereba: Yu & Horstmann, 1997: 838.

鉴别特征： 雌虫体长10～25mm，前翅长9～15mm，产卵管鞘长3.00～6.50mm；雄虫体长7～14mm，前翅长6～11mm。触角鞭节第1节长为第2节的1.50～1.70倍，约等于前翅长。前胸背板具不规则细皱。前沟缘脊强。胸腹侧脊强，伸至中胸侧板上方0.70，其前端不触及中胸侧板前缘；中胸侧板前方0.50具针状刻点，后缘下方具细横刻条。前翅小翅室四边形，具短柄。后翅cu-a在中央上方0.24曲折，Cu_1脉端段明显。前足胫节中央中等膨大，跗节第4节端缘缺刻深；后足跗节第1节长为胫节的0.45倍。第1节背板长为端宽的1.20～1.30倍，中央具强的隆丘，光滑，仅在亚端部有稀疏刻点。第3～4节背板在中央具密而非常细的刻点，两侧近光滑。第5～8节背板近于毛糙。第2节背板折缘线形，第3～5节背板折缘长宽比分别为4倍、3倍和2倍。产卵管近圆筒形；产卵管鞘长为后足胫节的0.85倍。体色黑色。翅基片黑色。前足各节内缘黄褐色。翅透明，带烟黄色；翅脉和翅痣黑色。雄虫腹部第1节背板长为宽的2倍，无隆丘。

采集记录： 4♂，留坝紫柏山，2004.Ⅷ.03-04，吴琼采，No. 200704675，200704676，200704657，200704673；2♂，宁陕火地塘火地沟，1998.Ⅵ.05，马云采，No. 982130，682522。

分布： 陕西(留坝、宁陕)、浙江、福建、广东、广西、云南；缅甸，印度。

(650) 野蚕黑瘤姬蜂 *Pimpla luctuosa* Smith, 1874(图版80：2)

Pimpla luctuosa Smith, 1874: 394.
Apechthis bombyces Matsumura, 1912: 132.
Pimpla aterrima neustriae Uchida, 1928: 44.
Coccygomimus luctuosus: Townes *et al*., 1960: 315.
Pimpla luctuosa: Yu & Horstmann, 1997: 840.

鉴别特征： 雌虫体长11.80～17.50mm，前翅长11.00～14.30mm；雄虫体长

6.20～13.50mm，前翅长5～11mm。体被茶褐色柔毛。颜面密布刻点；额具浅刻点；触角36节，鞭节第1节长为宽的6.60倍。并胸腹节满布皱纹，在中央稍横行。前足跗节第4节端缘缺刻深。腹部第1节背板中央无明显的小丘，具刻点；第2～5节背板折缘窄。体黑色；中后足完全黑色。雄虫触角第6～10节具角下瘤。前足赤黄色，中足暗赤色。

采集记录： 1♀，蓝田，1978.Ⅶ.15，党心德采，No.780891；1♀，秦岭天台山，1998.Ⅵ.08-10，马云采，No.983542；1♂，秦岭天台山，1999.Ⅸ.03，何俊华采，No.990597；1♀，大荔，1980，朱芳采，No.80403。

分布： 陕西（蓝田、凤县、大荔）、辽宁、北京、江苏、上海、浙江、江西、福建、台湾、四川、贵州；俄罗斯，朝鲜，日本。

寄主： 油松毛虫，棉小造桥虫。

（651）暗黑瘤姬蜂 *Pimpla pluto* Ashmead，1906（图版73：4）

Pimpla pluto Ashmead，1906：178.

Coccygomimus pluto：Townes *et al.*，1960：311.

Pimpla pluto：Yu & Horstmann，1997：840.

鉴别特征： 雌虫体长17.20mm；前翅长13.40mm。颜面中央纵隆，其上具细纵刻条；额具细刻点；触角37节，第1节长是端宽的7倍。并胸腹节具粗刻点，中央略呈横皱。前足跗节第4节端缘缺刻深。腹部第1节背板中纵脊弱；第2、3节背板折缘长为宽的4倍以上。体黑色，后足完全黑色。雄虫触角第6、7节具角下瘤。

采集记录： 3♂，留坝紫柏山，2004.Ⅷ.04，陈学新采，No.200704508，200704509，200704511；2♂，南郑黎坪森林公园，2004.Ⅶ.23，吴琼采，No. 200704603，200704600。

寄主： 我国寄主不明；国外寄主有丫纹夜蛾 *Autographa gamma*、家蚕 *Bombyx mori*、*Canephora asiatica*、大袋蛾 *Cryptothelea variegata*、赤松毛虫 *Dendrolimus spectabilis*、油松毛虫 *Dendrolimus tabulaeformis*、黄褐天幕毛虫 *Malacosoma neustria*、柑橘凤蝶 *Papilio xuthus*、园黄掌舟蛾 *Phalera bucephala*、菜粉蝶日本亚种 *Pieris rapae crucivora*、霜降天蛾 *Psilogramma increta*、大螟 *Sesamia inferens*、野蚕 *Theophila mandarina*。

分布： 陕西（留坝、南郑）、宁夏、江苏、浙江；俄罗斯，朝鲜，日本。

卷蛾黑瘤姬蜂种团 *Turionellae* Group

鉴别特征： 腹部第4、5节折缘较宽，近梯形。前翅cu-a脉对叉或者稍前叉，极少数后叉。后足胫节通常有白环。并胸腹节短且弧形，中纵脊有或无。腹部第1节无隆丘。

(652) 舞毒蛾黑瘤姬蜂 *Pimpla disparis* Viereck, 1911(图版 82: 1)

Pimpla (*Pimpla*) *disparis* Viereck, 1911b: 480.
Pimpla (*Pimpla*) *porthetriae* Viereck, 1911b: 480.
Pimpla disparis: Uchida, 1935a: 143.
Coccygomimus disparis: Townes *et al*., 1960: 323.

鉴别特征: 雌虫体长 6.50 ~ 18.00mm; 前翅长 5.50 ~ 12.00mm。体密布刻点和被白细毛。额在中单眼前方具横皱; 触角 29 节, 稍短于前翅长, 第 1 节鞭节长为端宽的 7.80 倍。中胸盾片和小盾片密布细而深的刻点; 后胸侧板具斜点状横皱; 并胸腹节具网状粗刻点, 中纵脊短而细。前足第 4 跗节端缘缺刻深。腹部密布粗刻点。体黑色。足红褐色, 所有基节和转节黑色, 后足腿节端部、胫节和跗节黑色。雄虫触角鞭节第 6、7 节具角下瘤。体细毛密。

采集记录: 1♀1♂, 西安, 1974. Ⅵ. 10, 张英俊采, No. 740345(2); 1♀, 杨凌, 1984 冬-1985 春, 吴兴元采, No. 860749; 3♂, 咸阳, 1974-1975 冬, 地区农科所采, No. 750283(3); 2♀1♂, 咸阳, 1976. Ⅱ, 杨怀玉采, No. 760945(3); 1♂1♀, 咸阳, 19??, 杨怀玉采, No. 826393。

分布: 陕西(西安、杨凌、咸阳)、黑龙江、吉林、辽宁、内蒙古、河北、山西、山东、河南、宁夏、甘肃、江苏、安徽、浙江、江西、湖南、福建、四川、贵州、云南、西藏; 蒙古, 俄罗斯, 朝鲜, 日本。

寄主: 卫矛巢蛾 *Yponomeuta polystigmella*, 美国白蛾蛹, 棉金刚钻等。

等黑瘤姬蜂种团 *Aequalis* Group

鉴别特征: 体粗壮。前翅 cu-a 脉对叉或稍后叉, 后足胫节通常有 1 条浅的黄褐色带。并胸腹节相当短, 密布刻点, 具细皱; 中纵脊在基部 0.30 左右明显。腹部第 2 ~ 5 节背板折缘均很宽。

(653) 日本黑瘤姬蜂 *Pimpla nipponica* Uchida, 1928(图版 82: 2)

Pimpla spuria var. *nipponica* Uchida, 1928: 45.
Coccygomimus nipponicus: Townes *et al*., 1960: 338.
Pimpla nipponica: Yu & Horstmann, 1997: 840.

鉴别特征: 雌虫体长 5.90 ~ 9.40mm; 前翅长 4.80 ~ 7.30mm。额光滑; 触角 31 节, 鞭节第 1 节长为端宽的 8 倍; 第 6、7 节短, 合长约为第 5 鞭节相等。后胸侧板具点状网纹; 并胸腹节密布皱纹, 中纵脊短, 脊间光滑。前足跗节第 4 节端缘缺刻深。腹部第 2 ~ 5 节背板折缘均很宽。体黑色, 足赤褐色, 各足基节黑色; 后足胫节白环不明显。雄虫触角无角下瘤。

采集记录：1♀，秦岭天台山，1999.Ⅸ.03，马云采，No. 991062。

分布：陕西(凤县)、黑龙江、辽宁、河北、山东、河南、江苏、上海、安徽、浙江、湖北、江西、湖南、台湾、四川、贵州、云南；俄罗斯(远东地区)，日本。

寄主：绢粉蝶 *Aporia crataegi*、琉璃灰蝶 *Celastrina argiolus*、稻纵卷叶螟 *Cnaphalocrocis medinalis*、棉斑实蛾 *Earias insulana*、秋白尺蛾 *Epirrita autumnata*、后黄卷叶蛾 *Homona magnanima*、豆小卷叶蛾 *Matsumuraeses phaseoli*、稻螟蛉 *Naranga aenescens*、稻苞虫 *Parnara guttata*、菜粉蝶日本亚种 *Pieris rapae crucivora*、小菜蛾 *Plutella xylostella* 等。

(二)壕姬蜂亚科 Lycorininae

鉴别特征：前翅长 3～7mm。雄性无角下瘤。颊有 1 条沟。无中胸腹板后横脊。后胸侧板下缘脊完整，其前方 0.30 呈 1 个高的叶状突。并胸腹节背侧角强度突出，与后胸盾片上的叶状突相接。跗爪栉齿达于端部。后小脉在中央下方曲折或不曲折。腹部稍扁平。第 1 节背板健壮；气门位于中央以前；腹板与背板分开，有基侧凹。第 1～4 节背板中央各有 1 个被沟包围的三角形隆区，似壕沟状，故名。雌性下生殖板大，三角形，端部中央无缺刻。产卵管鞘长为后足胫节的 1.30～1.70 倍。产卵管端部尖矛形，上方无端前背缺刻，下瓣有斜脊。

生物学：寄生于鳞翅目小蛾类幼虫体内，在体外结茧，单寄生。

分类：分布在古北区、东洋区、非洲区和美洲地区。全世界已知 3 属，我国仅知 1 属，陕西秦岭地区分布 1 属 1 种。

76. 壕姬蜂属 *Lycorina* Holmgren, 1859

Lycorina Holmgren, 1859: 126. **Type species**: *Lycorina triangulifera* Holmgren, 1859.

属征：并胸腹节具明显而锋锐的端横脊、分脊、亚侧纵脊和中纵脊。后小脉内斜，在近后端曲折；后盘脉弱。

分布：古北区，东洋区。我国已知 5 种，秦岭地区分布 1 种。

(654) 卷蛾壕姬蜂 *Lycorina ornata* Uchida *et* Momoi, 1959(图 37)

Lycorina ornata Uchida *et* Momoi, 1959: 86.

鉴别特征：本种与梢蛾壕姬蜂 *L. spilonotae* 极相似，不同之处如下：本种颜面除脸眶(不达于颊)及触角窝下方斑纹黄色外黑色；上颊稍短，侧面观长为复眼宽的 0.53倍；中胸盾片刻点在前方较密，后方稀而细；并胸腹节中央无黄斑；第 1 节背板三角形隆区上无刻点；前中足基节大部黑色，后方有黄斑；后足胫节近端部1/3和跗节黑褐色。此外，就我们手头标本而言，其单复眼间距和侧单眼间距分别为侧单眼长径的1.30倍和2.20倍，侧单眼之间稍凹。

采集记录： 1♀，武功，1979. V.26，孙益知采，No. 791206。

分布： 陕西(武功)；日本。

寄主： 在我国已知黄斑卷叶蛾 *Aeleris fimbriana*，据日本记载为棉褐带卷蛾 *Adoxophyes orana*。

图37　卷蛾壕姬蜂 *Lycorina ornata* Uchida *et* Momoi

A. 雌蜂；B. 头部前面观

（三）栉足姬蜂亚科 Ctenopelmatinae

鉴别特征： 前翅长2.90～22.00mm。唇基通常短宽，与颜面有沟分开(偶有不分开，如 *Rhorus*)，上唇裸露。上颚2齿，上齿宽且稍分开。触角至端部渐尖，通常长，绝无角下瘤。无胸腹侧脊或短。中胸腹板后横脊绝不完整。并胸腹节分区变化甚大，完整至全无，通常有1个端中区和端亚侧区。前足胫节端缘在其外边有1个小齿突。跗爪简单或具栉齿。小翅室有或无，存在时亚三角形，上方尖或具柄。第2回脉气泡1个，有时2个。第1节背板气门在中央或其前方，仅损背姬蜂属 *Chrionota* 在中央之后。雌性下生殖板方形，常部分膜质。产卵管通常不长于腹部厚度，有时稍长于或致死姬蜂族 Olethrodotini 与腹部约等长。产卵管端部除非非常细，有端前背缺刻；下瓣无齿，有时有些小齿。

生物学：为叶蜂总科的内寄生蜂。产卵于叶蜂幼虫体内，有时产于卵内，在长成幼虫结茧后羽化。但也有少数属种从鳞翅目尺蛾科、舟蛾科和枯叶蛾科、毛顶蛾科幼虫中育出。

分类：分布于全世界。世界已知106属1398种，中国已记录32属86种，陕西秦岭地区分布1属1种。

Ⅰ．阔肛姬蜂族 Euryproctini

鉴别特征：前翅长2.90～14.50mm。体健壮至很细。额中央无角状突，仅*Cataptygma*属有中脊。后头脊完整，与口后脊在上颚基部上方相接。多有胸腹侧脊。并胸腹节与后胸背板在中央和亚侧方有相当宽的"V"形沟分开。并胸腹节通常有1个封闭的亚圆形或亚六角形的端区及稍分得出的亚端侧区；分脊偶尔存在，其余脊多少模糊，偶尔全毛；气门圆形，仅*Cataptygma*椭圆形。前足胫节距内缘和膜质垂叶端部呈尖焦或直角。跗爪一般简单。径脉发自翅痣的0.40至0.48处。后小脉通常在下方曲折。腹部第1节背板无腹柄侧凹。通常有窗疤。第2、3节背板折缘折于下方，*Cataptygma*例外。产卵管鞘短于腹端部厚度；产卵管直，有时下弯，有一端前背缺刻。

分布：全北区，东洋区，新热区。世界已知16属，我国记录5属，秦岭地区分布1属。

77．曲趾姬蜂属 *Hadrodactylus* Foerster，1868

Hadrodactylus Foerster, 1868: 199. **Type species**: *Ichneumon typhae* Fourcroy.

属征：前翅长5.50～9.70mm。体细。胸腹侧脊上端几乎均达于中胸侧板前缘。并胸腹节亚侧脊和中纵脊通常明显，但弱，有时无则并胸腹节光滑。有小翅室。后小脉在中央下方曲折。端跗节多少长而弯曲；跗爪中等大小至相当大，某些种1对爪中1大1小。腹部第1节背板长至很细长，其背中脊通常无。

分布：全北区，但在东洋区也有发现。我国已知1种，秦岭地区也有分布。

（655）东方曲趾姬蜂 *Hadrodactylus orientalis* Uchida，1930（图38）

Hadrodactylus typhae var. *orientalis* Uchida, 1930: 285.

鉴别特征：体长9～11mm；前翅长8～10mm。上颚下齿很大；颚眼距几乎消失；并胸腹节不分区；颜面两性均黄色；后小脉在中央下方曲折；腹部砖红色，仅基部黑色。颜面宽约为中长的1.80倍，两侧平行，具粗糙皱纹刻条；唇基与颜面明显分开，具不规则皱纹，横纺锤形，宽为长的2.20倍，端缘弧形；颚眼距几乎消失；上颚强，下齿很大而宽；额和头顶密布刻点；单眼排列正三角形，侧单眼长径为侧单眼间距的0.90倍，为单复眼间距的0.60倍，头部在复眼之后稍收窄；上颊侧面观长约为复眼宽的0.70倍；触角长为前翅的1.36倍，44~47节，第1鞭节长为第2鞭节的1.55~1.75倍。胸部密布刻点；前胸背板在下方有横刻条；中胸盾片侧方刻点较细；小盾片隆起，刻点亦细而稀；小盾片前凹浅，其内光滑；中后胸侧板密布刻点，镜面区光滑。并胸腹节满布刻点，无分区，在端区中央后方有弱纵脊，侧纵脊端段稍明显；气门卵圆形，稍突出。前翅径脉端段强度波曲；小翅室具柄，第1肘间横脉短于第2肘间横脉；第2回脉曲折，伸至小翅室外角；盘肘脉在基部强度弯曲；小脉后叉式；外小脉在中央附近曲折；后小肘在下方0.40处曲折。后足第5跗节长而弯曲，稍长于或等于第3跗节；爪发达，外爪短于内爪。腹部细，在端部稍侧扁，近于光滑；第1节背板细长，侧缘直至端部渐宽，仅在气门处(中央刚后方)稍突出，长为端宽的3.30倍，长为第2背板的1.80倍，侧面观直；第2节背板长为端宽的1.36倍。产卵管鞘刚伸出，露出部分长为后足基跗节的0.27倍。头胸部黑色，有光泽；触角红黄色，至基部黄褐色；颜面、唇基、上颚(除端齿)、须黄色；翅基片黄褐色。腹部砖红色，腹柄部黑色。翅透明，翅痣黄褐色，前翅翅脉大部黑褐色，后翅翅脉暗黄褐色。足赤黄色；前中足基节和转节黄色，胫节和跗节带黄褐色；后足胫节端缘及距淡褐色。

图38　东方曲趾姬蜂 *Hadrodactylus orientalis* Uchida (雌性)

采集记录：2♀1♂，渭南，1982，朱芳采，No. 826555。

分布：陕西(渭南)、辽宁、河南、江苏、浙江；俄罗斯，朝鲜，日本。

寄主：据记载，本属通常寄生于麦叶蜂属 *Dolerus*，我们有些标本也是 4 ~5 月间采自麦田。

(四)缝姬蜂亚科 Porizontinae

鉴别特征：前翅长 2.50 ~14.00mm；体中等健壮。唇基通常横形；与颜面不是明显分开。上颚 2 齿，仅短颚姬蜂属 *Skiapus* 1 齿。雄性触角无角下瘤。中胸腹板后横脊通常完整，仅少数属有些例外。并胸腹节通常部分或完全分区。跗爪通常具栉齿，有时除基部外简单。通常有小翅室，少数无小翅室者，除棒角姬蜂族 Hellwigiini 外，肘间横脉在第 2 回脉内方。第 2 回脉仅 1 个气泡。腹部第 1 节背板中等细或很细；气门位于中央以后；无中纵脊。腹部多少侧扁，但有时不明显。第 2、3 节背板折缘除都姬蜂属 *Dusoma* 外均被褶所分开并折于下方。下生殖板横形，不扩大。雄性抱器端部圆，或在少数属有时呈棒状。产卵管鞘与腹端部厚度等长或更长；产卵管端部有 1 个端前背缺刻，下瓣无端齿。

生物学：本亚科大部分寄生于鳞翅目幼虫，少数寄生于树生甲虫和象甲、叶甲，也有寄生于蛇蛉。

分类：本亚科现分 5 族，在我国均有分布。陕西秦岭地区分布 2 族 4 属 4 种。

分族检索表

腹部第 1 节在基方 0.30 处横切面呈圆形或横扁椭圆形(棱柄姬蜂属 *Sinophorus* 约略呈棱形)；该节背板与腹板之间的缝位于侧方或亚背方，在该节基方 0.30 处侧面观，此缝位于该处厚度的中部或稍高处(但在 *Casinaria orbitalis* 此缝位于中部下方)；该节气门前方无凹陷 ………… ………………………………………………………………………………… **缝姬蜂族 Porizontini**

腹部第 1 节基方 0.30 处横切面约略呈方形、梯形或三角形；该节背板与腹板之间的缝位于亚该节基方 0.30 处侧面观，该缝位于诙处厚度的中部以下，这条缝常消失或仅余痕迹；腹部第 1 节气门在腹板端部的端方，背侧脊几乎总是存在。有时弱或不完整，近基部 0.30 处剖面通常为方形、梯形或三角形，柄部通常短壮，基侧凹通常存在；体短而壮，腹部通常短，第 2 背板通常比较短宽 ……………………………………………………………… **马克姬蜂族 Macrini**

Ⅰ. 缝姬蜂族 Porizontini

鉴别特征：前翅长 2.30 ~9.00mm。额光滑。复眼内缘平行或向下有些合拢。唇基与颜面在基部愈合，或有 1 个模糊的凹痕。颚须 5 节。唇须 4 节。小翅室上方尖或具柄或无。肘间横脉当无小翅室时在第 2 回脉内方。腹部第 1 节柄部在背板高度中央、上方有时稍下方，侧方有边，决不与腹板完全愈合以致不可辨认。腹板圆柱形，而棱柄姬蜂属 *Sinophorus* 有时棱形。决无腹柄侧凹。产卵管与腹端部等长或更长。

生物学：内寄生于鳞翅目幼虫，蜂幼虫老熟后，钻出寄主体外结茧。

分布：世界已知 7 属，我国已记录 6 属，秦岭地区分布 1 属。

78. 悬茧姬蜂属 *Charops* Holmgren, 1859

Charops Holmgren, 1859: 324. **Type species**: *Campoplex decipiens* Gravenhorst, 1829.

属征：前翅长 3.70 ~ 8.00mm。复眼内缘在触角窝对面强度凹入；颊短，上颊短；中胸侧缝中央 0.30 或更长不凹入，由 1 个稍为隆起的中胸后侧片而显出，其内有横皱（脊）；并胸腹节通常有脊，但脊弱；并胸腹节端部近于后足基节端部 0.25 处；无小翅室，第 2 回脉直；后小脉在中央下方曲折或不曲折。腹部第 1 节柄部非常长，稍微上弯或直，圆筒形，分开背板和侧板的缝在腹柄基部位于背方，在腹柄近端部位于侧方或腹方。雄性抱器通常棒状，但有时正常。产卵管长约为腹端节厚度的 1.30 倍。

分布：世界广布。秦岭地区发现 1 种。

（656）螟蛉悬茧姬蜂 *Charops bicolor* (Szépligeti, 1906)（图 39）

Agrypon bicolor Szépligeti, 1906b: 124.

鉴别特征：并胸腹节中纵脊模糊；后足黄褐生殖抱器棒状，但较短翅悬茧姬蜂 *C. brachypterum* 的短而宽。

雌虫体长 9 ~ 13mm；前翅长 4.80 ~ 5.80mm；产卵管长 2.30mm。颜面、唇基具细皱，在触角窝下方皱纹稍粗；唇基端缘弧形；颚眼距具细颗粒状刻点，为上颚基部宽度的 0.43 倍；额具皱纹近于光滑；单眼具细皱；侧单眼间距为单复眼间距的 2 倍，为侧单眼直径的 1.30 倍；触角 48 节，长为前翅的 1.30 倍。前胸背板具横刻条，在后角具皱纹；中胸盾片具皱状刻点；小盾片近方形，中央稍凹；中胸侧板和后胸侧板具网皱。并胸腹节略呈三角形，后方显著向下倾斜，后端狭且伸至后足基节之间；表面具皱状网纹，中纵脊模糊。后足腿节长为厚的 6 倍；后足胫节长距稍长于胫节端宽的 2 倍，为基跗节长的 0.55 倍。腹部第 1 节柄部长，约占该节的 0.75；第 2 节以后显著侧扁。产卵管为腹端最宽处的 1.10 ~ 1.20 倍；产卵管鞘与第 3 节背板等长。头、胸部黑色；上颚黄色，端齿褐色；触角黑褐色，基部两节下面黄色；翅基片黄色；前中足黄色，基节多少黑色；后足黄褐色，基节、胫节亚基部和端部 0.4 及跗节黑色，转节、腿节最基部黄色。腹部黄褐色，第 1 节柄部中央色稍浅；第 2 节背板基半的倒箭状纹和后缘黑色。

雄虫体长9.00～9.50mm；前翅长4.50～4.80mm。与雌虫基本相似，但腹端部黑色；后足胫节长距为基跗节长的0.67倍。外生殖器抱器棒状较短而坚固。茧圆筒形，长6～7mm，径约3mm，两端钝圆，质地较厚；灰色，除顶斑外，上下有并列的黑色环斑，部分茧在中央亦有一些环斑或在端部有一些斑点，一般色均稍淡；茧之一端有丝系于植株上，而将茧悬于空中，丝长7～23mm，由于状似灯笼，故有"灯笼蜂"之称。

生物学：此蜂幼虫寄生于寄主幼虫体内，单寄生。据在稻螟蛉上观察，此蜂产卵于幼虫体内。蜂幼虫成熟后即从螟蛉幼虫前胸处钻出，此时寄主一般为3、4龄幼虫。蜂幼虫体色碧绿，长约6mm，先吐丝缀于叶上，再引丝将身体下垂，不断摇动头部，悬空吐丝结茧。结茧5～6小时完成，茧初无黑斑，而后逐渐显现。蛹期6～7天，羽化孔在茧的下端，孔圆形有细缺刻。雌蜂比例占92.5%。寄生率一般不高。

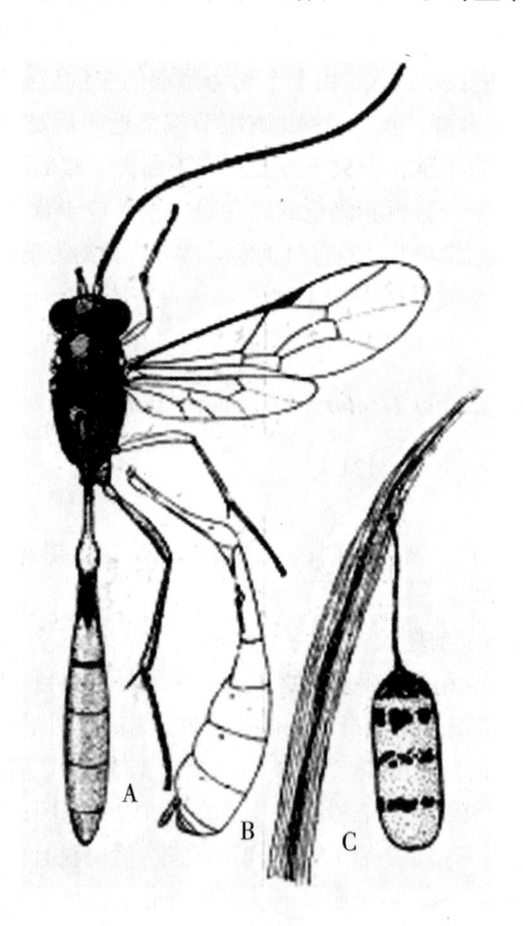

图39 螟蛉悬茧姬蜂 *Charops bicolor*（Szépligeti）

A. 雌蜂；B. 腹部侧面观；C. 茧

采集记录：1♀1♂，咸阳，1975.Ⅸ，咸阳地区农科院采，No.760078，760079；2♂，三原，1972.Ⅶ，棉花所采，No.740024。

分布：陕西(咸阳、三原)、黑龙江、吉林、辽宁、河北、山东、河南、江苏、安徽、浙江、江西、湖北、湖南、福建、台湾、广东、海南、广西、四川、贵州、云南；朝鲜，日本，泰国，印度，斯里兰卡，马来西亚，澳大利亚等。

寄主：稻纵卷叶螟 *Cnaphalocrocis medinalis*、稻螟蛉 *Naranga aenescens*、粘虫 *Mythimna separata*、斜纹夜蛾 *Prodenia litura*、棉铃虫 *Heliothis armigera*、棉小造桥虫 *Anomis flava*、粘土尺蠖 *Garaeus argillacea*、茶尺蠖 *Ectropis obliqua*、稻苞虫 *Parnara guttata*。

Ⅱ. 马克姬蜂族 Macrini

鉴别特征：前翅长2.50～14.00mm。体通常短而坚壮。复眼内缘平行至向下方强度收窄，在触角窝对面微弱至强度凹入。唇基基部与颜面愈合或由1条弱沟分开。颚须5节；唇须4节。小翅室通常三角形或无，上缘通常尖或有柄，有时稍平截。如无小翅室时，肘间横脉在第2回脉基方。腹部第1节柄部通常短而壮；横切面通常方形、梯形或三角形，分开背板和腹板的缝常存在，通常位于柄部中央稍下方；后柄部亚端部很宽于柄部。第1腹节气门位于第1腹板端部；第1腹板短而宽，显然短于背板。第1背板基侧凹通常存在。第2背板通常比较短宽。产卵管与腹端部背板等长或更长。

生物学：寄生于鳞翅目幼虫，蜂产卵于未成熟幼虫体内，孵化后即在体内生活，老熟后钻寄主幼虫体壁，在附近结茧，也有些属即在寄主幼虫体下或体内结茧。本族为缝姬蜂亚科中为数最多的一族。

分布：我国已知13属，秦岭地区分布3属3种。

分属检索表

1. 第2回脉由小翅室中央稍内侧处生出；唇基端缘中央有1个齿状突，该齿或尖或钝，有时甚阔而弱，因而不易识别 ········· **齿唇姬蜂属 *Campoletis***
   第2回脉由小翅室中央或外侧生出 ········· 2
2. 后足基跗节腹面中央具1行排列甚密的小毛，后足跗节第2～4节和中足的第1～2节通常也有这样的1行毛；唇基端缘钝，不反卷，呈弓形；无小翅室；有基侧凹；产卵器通常比腹末厚度长得多 ········· **钝唇姬蜂属 *Eriborus***
   后足基跗节无上述1行细毛；唇基端缘薄而反卷，端缘中央常平截；有小翅室或无；常无基侧凹；上颚下缘基方0.65左右有1个颇阔的镶边；上颊较窄；并胸腹节的脊通常很弱；唇基端缘圆凸；产卵器长度小于，或仅稍微大于腹末厚度 ········· **镶颚姬蜂属 *Hyposoter***

79. 齿唇姬蜂属 *Campoletis* Holmgren, 1869

Campoletis Foerster, 1869: 157. **Type species**: *Mesoleptus tibiator* Cresson, 1864.

属征：前翅长3.30～7.50mm。复眼内缘微凹。唇基中等宽，端缘光滑，有1枚中齿，中齿尖或钝或不明显。上颊短到中等长。中胸侧板毛糙，具明显的刻点。中胸腹板后横脊完整。后胸侧板下缘脊完整。并胸腹节中等长；中区六角形；与端区明显分开或合并。后基跗节腹方中央无1列密集的毛。小翅室具柄，受纳第2回脉位于中部前方。后盘脉与后小脉相连，但不着色。有基侧凹；窗疤亚圆形。产卵管中等粗，下弯或直；长为腹端厚度的1.60～3.50倍。

生物学：寄主通常为农田夜蛾科和弄蝶科未成熟的幼虫。

分布：全世界分布。我国已记录5种，秦岭地区分布1种。

（657）棉铃虫齿唇姬蜂 *Campoletis chlorideae* Uchida, 1957（图40）

Campoletis chlorideae Uchida, 1957: 29.

鉴别特征：雌虫体长5～6mm；前翅长4～5mm；产卵管长1～2mm。颜面宽为长的0.70倍，颜面和唇基有颗粒状刻点；唇基端区光滑，端缘有1枚宽而相当明显的小中齿；颚眼距等于上颚基部宽度；额和头顶具颗粒状，细刻点；侧单眼间距为单复眼间距或侧单眼长径的1.80～2.00倍；触角28～29节，中央稍粗，长比前翅稍短。前胸背板具细横刻条，前缘和背缘为细颗粒状刻点；中胸盾片和小盾片具细颗粒状刻点，前者在后方稍有细皱；中胸侧板和后胸侧板具颗粒状刻点，在镜面区有极细横皱，胸腹侧脊弧形，伸至前胸背板下方0.40～0.50处。并胸腹节脊强；基区三角形或倒梯形；中区五角形，或近六角形，端部收窄，与端区间开放或有皱状脊分开，内具不均匀细刻点；端区宽，浅凹，内具皱纹；侧区和外侧区具均匀细颗粒状刻点且光亮；分脊的脊较弱，在中区0.40处相接。小翅室小，具柄，受纳第2回脉明显在中央稍基方；小脉在基脉稍外方；后小脉在下方0.20处曲折；后盘脉无色，与后小脉相接。腹部后柄部及第2节背板基半具颗粒状细刻点，以下各节几乎无刻点，有些光泽；窗疤明显，与第2节背板基部的距离为其直径的1.33～1.50倍。产卵管相当长，稍上弯；产卵管鞘约为后足胫节的0.64倍。体黑色；腹部后柄部端缘狭条，第2、3背板端缘和侧面宽条，其余各节除基部中央黑斑外的几乎整个背板黄褐色；有时腹部大部分黑色，仅第2节背板端缘或第2～4节背板的端缘有黄褐色带。上颚、须、翅基片黄色；前中足黄褐色，转节和胫节外侧黄色，基节基部稍带黑色；后足基节黑色，第1转节暗褐色，第2转节黄色，腿节黄褐色，其基部侧面烟褐色，胫节中央有污黄色带，亚基部和端部有1条烟褐色带，或有1条黑线相连，跗节大部分黑褐色。翅透明，翅痣及翅脉黑褐色。茧椭圆形，长约5mm，径约2mm；初为灰白色，后转灰褐色，杂有黑色斑纹；寄主幼虫死后的干皮常粘附于茧之一端；茧单个着生于植物叶片上。

生物学：该蜂在黄河流域一年约发生8代，每代棉铃虫发生期约发生两代。气温

28℃时，一卵和幼虫期共6.40天，蛹期5.20天；气温21.10~23.80℃时，卵和幼虫期共9.00~9.20天，蛹期8.00~8.20天。越冬虫期尚不明确，但在5月中旬在田间麦株上已能查到新的茧壳。雌蜂羽化后即可交尾产卵，每头寄主幼虫有时虽可着卵多粒，但最后仅1头幼虫成活，产卵部位除头部外，并不固定，产卵虫龄，以1~4龄为主，但1龄幼虫如被产卵3粒以上，则不能成活。单雌产卵量平均147.90±22.30粒，但能杀死的幼虫数，则因复寄生多少而异。

采集记录：1♂，咸阳，1978. Ⅸ，杨怀玉采，No.780937；2♂，三原，1972. Ⅶ，棉研所，No. 740024a，b；3♀1♂，三原，1973. Ⅶ.13，棉研所，No. 740027。

分布：陕西(咸阳、三原)、辽宁、河北、山西、山东、河南、江苏、浙江、湖北、湖南、台湾、四川、贵州、云南；日本，印度，尼泊尔。

寄主：国内已知有：棉铃虫 *Heliothis armigera*、烟夜蛾 *H. assulta*、斜纹夜蛾 *Prodenia litura*、稻条纹螟蛉 *Jaspida distinguenda*、小地老虎 *Agrotis ypsilon* 和桑蚕 *Bombyx morz*。

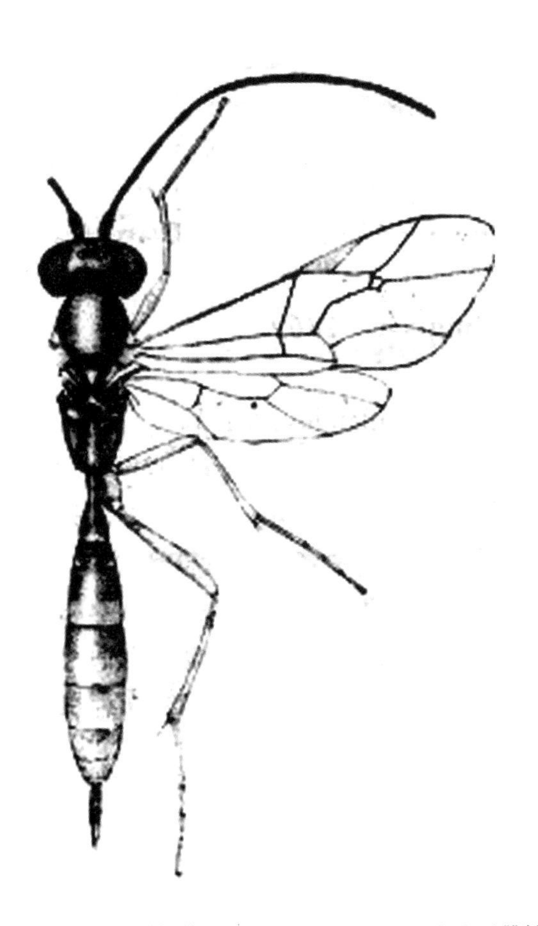

图40　棉铃虫齿唇姬蜂 *Campoletis chlorideae* Uchida（雌性）

80. 镶颚姬蜂属 *Hyposoter* Foerster, 1869

Hyposoter Foerster, 1869: 152. **Type species**: *Limnerium* (*Hyposoter*) *parorgyiae* Viereck, 1910.

属征: 前翅长3.20~9.00mm。体中等粗至中等细。复眼内缘稍微至强度凹入。唇基小，强度隆起。上颚短，基部约0.65下缘有薄片状的镶边，至中部明显变窄；下齿比上齿弱小。上颊短或很短。颊脊与口后脊会合。中胸侧板无光泽，通常具刻点。中胸腹板后横脉完整。并胸腹节中区短，与端区愈合或被1条不完整的不规则的脊所分开；气门圆或短椭圆形。通常有小翅室，具柄，受纳第2回脉于端部。后盘脉不与后小脉相接。后小脉垂直或稍外斜。腹部中等至强度侧扁。有基侧凹，通常小，偶有不明显；窗疤通常大。产卵管为腹末端厚度的1.00~1.50倍，直或稍下弯。

生物学: 寄主为裸露的大蛾类幼虫等，在体内取食，蜂幼虫成长后钻出体外在寄主尸体下部结茧或即结茧于寄主体内。

分布: 世界广布。我国已知6种，秦岭地区分布1种。

(658) 松毛虫镶颚姬蜂 *Hyposoter takagii* (Matsumura, 1926) (图41)

Casinaria takagii Matsumura, 1926: 28.

鉴别特征: 体长8~11mm；前翅长6~8mm。体型在本属中较大，并胸腹节大部分具皱纹，基区有一些皱状刻点，中区围有强脊；所有基节、转节和腿节均为黑色（前足的可能褐色）；腹部背板有红褐色斑。颜面向下稍收窄，下宽约为长的1.60倍，具细皱和长毛；唇基中央稍隆起，端缘有窄的卷边；颚眼距为上颚基部宽度的0.80倍；上颚下缘有宽的镶边，端部2齿相等；侧单眼之间有1条浅纵沟，侧单眼间距为单复眼间距或侧单眼直径的1.70~1.80倍；头顶具细颗粒状刻点；触角长为前翅的0.93倍，44~46节。前胸背板具横行皱状刻条，后角处为细颗粒状刻点，中胸盾片具颗粒状细皱；小盾片具细皱；小盾片前凹光滑；中胸侧板具细皱，从翅基下脊前下方至中胸侧板凹有横行细刻条；后胸侧板具细皱。并胸腹节具细皱，基区和第1侧区为细皱状刻点；中区六边形或五角形，长宽约相等，周围脊强；端区与第3侧区有中纵脊分开，端区后半向后收窄。小翅室四边形，具柄，受纳第2回脉在中央稍外方。腹部在端部稍侧扁；背板具极细的鲨鱼皮状刻点，近于光滑，第2节背板窗疤大，横形，至背板基部距离约为宽度的1/2。头胸部黑色，有白色细毛；触角黑褐色，上颚大部或全部、须、翅基片黄色。腹部第1节和第2节背板大部分黑色；第1节后缘、第2节后方0.30及窗疤，以后各节背板赤褐色；部分雌蜂第3节以后各节背板后缘和下缘带黑褐色。各足基节和转节、前足腿节基部、中后足腿节大部（末端赤褐色）或全部黑色；前足腿节除基部、前中足胫节及跗节黄赤色；后足胫节赤褐色。翅透明；翅脉及翅痣褐色。茧长椭圆形，长约10mm，径约7mm；暗褐色；位于松毛虫幼虫胸部下方，松毛虫幼虫体壁仍盖于茧上，但易于揭掉。

生物学： 寄生于幼虫体内，单寄生。在寄主幼虫体内越冬。蜂幼虫老熟后即在寄主胸部至第2～4腹节内作椭圆形茧，致使松毛虫幼虫胸下膨大，茧下之表皮多开裂，但整个幼虫体壁仍盖于茧上，颇为显目，易于识别。羽化孔圆形，在茧的前侧方。成蜂羽化后在晴天日中交尾，亦在日中产卵。寿命雌蜂最长40天，雄蜂16天。

采集记录： 1♂，商洛伟城，1965. Ⅴ.22，富寺庄林场，No. 66005.7。

分布： 陕西（商洛）、黑龙江、内蒙古、河北、江苏、浙江、湖南、福建、广东、广西、云南；朝鲜，日本。

寄主： 思茅松毛虫 *Dendrolimus kikuchii*、马尾松毛虫 *D. punctata*、赤松毛虫 *D. spectabilis*、落叶松毛虫 *D. superans*、油松毛虫 *D. tabulaeformis*（寄主新纪录）和德昌松毛虫 *D. tehchangensis*。

图41　松毛虫镶颚姬蜂 *Hyposoter takagii*（Matsumura）
A. 雌蜂；B. 被寄生的寄主幼虫

81. 钝唇姬蜂属 *Eriborus* Foerster, 1869

Eriborus Foerster, 1869: 153. **Type species**: *Campoplex perfidus* Gravenhorst, 1829.

鉴别特征: 前翅长2.50～11.00mm。体中等粗壮至很细。复眼内缘稍微至中等程度凹入。唇基很大，稍隆起；端缘钝，不卷边。中胸侧板无光泽或略有光泽；具显著的中等大小到粗糙的刻点。中胸腹板后横脊完整。并胸腹节中区长大于宽，后方稍收窄，通常与端区分开；有时中区与侧区愈合。并胸腹节气门圆形至短椭圆形。后基跗节腹面中央具1列不明显的毛。无小翅室。肘脉第2段长为肘间横脉的0.50～1.20倍。小脉刚在基脉外方。后盘脉不达后小脉，后者垂直。腹部稍微至强度侧扁。窗疤近圆形或有时长椭圆形。产卵管是腹部末端高度的1.30～5.00倍。

生物学: 寄主为各种鳞翅目幼虫。

分布: 古北区，东洋区。我国已知7种，秦岭地区分布1种。

(659) 大螟钝唇姬蜂 *Eriborus terebranus* (Gravenhorst, 1829) (图42)

Campoplex terebranus Gravenhorst, 1829b: 503.

鉴别特征: 体长7～10mm；前翅长6～7mm。体完全黑色，与中华钝唇姬蜂 *E. sinicus* 极相似，其区别在于：本种跗爪从基部至端部都有若干栉齿，后足第3跗节稍长于第5跗节，中胸盾片上刻点较密，其距离多半小于其直径。颜面与唇基不分，宽约为其长1.20倍，密布刻点，唇基端缘钝而平截；颊刻点较细，长为上颚基部的0.50～0.60倍；上颚2齿近于等长；侧单眼长径与单复眼间距相等，稍短于侧单眼间距；头部在复眼之后稍收窄；上颊侧面观为复眼横径的1倍；触角与前翅约等长，38～39节，第1鞭节长为第2鞭节的1.30倍。胸部密布刻点；前胸背板在凹洼处略呈点状细皱；中胸盾片刻点间距小于刻点直径；小盾片均匀隆起，后方刻点细且具长毛。并胸腹节刻点粗或为不规则细皱；基区三角形；中区五角形，长稍大于宽，与端区之间有横脊分开；分脊弯曲，在中区中央前方相接；气门小，短卵圆形。前翅无小翅室，肘间横脉长为肘脉第2段的1.50～1.80倍；小脉稍在基脉外方；后小脉弧形，不曲折；后盘脉不达后小脉。后足跗节第3节稍长于第5节；爪从基部至端部有若干栉齿。腹部第3～4节稍侧扁，端部稍呈棒状膨大；第1节背板柄部近方柱形，光滑，有基侧凹，气门在后方13处；第2节背板长大于端宽，窗疤近圆形，至前缘的距离约等于其长径或比之稍长。产卵管鞘长约为后足胫节的1.50倍。体黑色；腹部第2节背板后缘和窗疤带赤褐色；翅基片黄色。翅透明；翅脉和翅痣褐色。足赤褐色，前足基节和转节、中足转节及全部距黄色；中足基节(除端部黄)、后足基节和胫节末端、1～4跗节末端和端跗节、各足的爪均黑色。茧圆筒形，长9～11mm，径2.50～3.50mm，两端几乎平截，外表较光滑；灰黄，褐色。

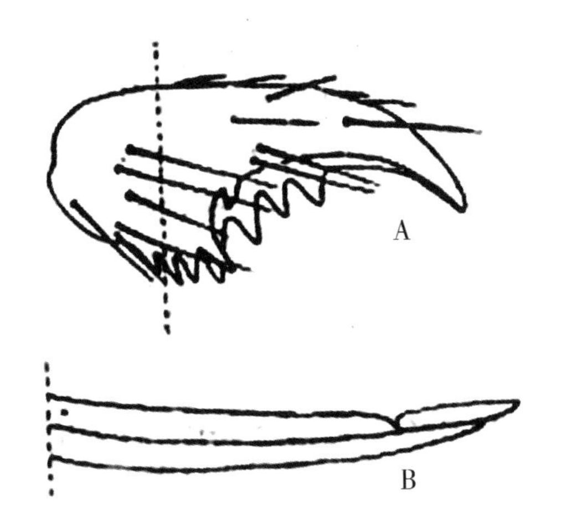

图 42　大螟钝唇姬蜂 *Eriborus terebranus*（Gravenhorst）
A. 后足跗爪；B. 产卵管末端

采集记录： 3♀，武功，1964，汪跃文采，No. 64009.2，64009.5。

分布： 陕西（武功）、黑龙江、吉林、河北、山西、山东、河南、江苏、浙江、湖北、福建、广东、四川、云南；俄罗斯，朝鲜，日本，匈牙利，法国，意大利，密克罗尼西亚地区。

寄主： 二化螟 *Chilo suppressalis*、三化螟 *Scirpophaga incertulas*、高粱条螟 *Proceras venosatus*（寄主新纪录）、亚洲玉米螟 *Ostrinia furnacalis*、大螟 *Sesamia inferens* 和稻金翅夜蛾 *Chrysapidia festato*。单寄生于幼虫体内，蜂幼虫老熟后从寄主体壁钻出，在茎秆内寄主尸体附近结茧。

（五）分距姬蜂亚科 Cremastinae

鉴别特征： 前翅长 2.50～14.00mm。体形中等至非常细长，腹部中等程度至强度侧扁（除 *Belesica*）。复眼裸露。雄性单眼有时很大。唇基小至中等，与脸之间有 1 条沟；端缘凸出，简单，但 *Belesica* 属唇基端缘中部有 1 对刺。无角下瘤。无腹板侧沟，或弱，不达中胸侧板之半。有胸腹侧脊。后胸侧板后横脊完整。并胸腹节各脊完整或几乎完整，有时中纵脊和侧纵脊部分或完全缺，极少情况下所有脊都缺。所有胫节距与基跗节所着生的膜质区有 1 条骨片将它们分开（其他姬蜂无此鉴别特征）。前足胫节端部外方无齿。小翅室有或无，若有则具柄（除 *Dimophora* 外）。第 2 回脉具 1 个气泡。后小脉在下方 0.20～0.40 处曲折。后盘脉通常存在，但仅为 1 条不着色的痕迹。第 1 背板延长，常有 1 个长而浅的基侧凹；气门在中部之后，偶有在中部。腹部通常强度侧扁。第 2 背板折缘，由 1 个褶分出，通常无毛，折在下方或有时下垂。第3背板折缘仅在基部被褶分开或不分开，常常有毛。雌蜂下生殖板不特化，通常看不出。产卵管除 *Belesica* 外外露，背瓣在亚端部有缺刻，下瓣无横刻条。

生物学： 寄生于生活在卷叶、植物组织和果实内等处所的鳞翅目幼虫，体内寄生。有些寄生于鞘翅目幼虫。非洲的 *Belesica* 则寄生裸露的叶甲幼虫。

分类： 全世界分布。世界已知有26属，我国已记录5属17种，陕西秦岭地区分布1属1种。

82. 离缘姬蜂属 *Trathala* Cameron, 1899

Trathala Cameron, 1899: 122. **Type species:** *Trathala striata* Cameron, 1899.

属征： 前翅长2.30～13.60mm。体中等细至很细，腹部强度侧扁。后头脊上部完整，稍弧状，或有时中央消失。小盾片通常具部分至完整的侧脊。并胸腹节分区完整或几乎完整。后足腿节下方无齿。翅痣宽。径脉几乎直。无小翅室。肘间横脉中等长，长为肘脉第2段的2.50倍。小脉与基脉对叉或几乎如此。后小脉在中部和下方0.20之间曲折，后盘脉很弱。第1背板中等长至长，有1个长而浅的基侧凹，腹柄部分的背板下缘明显，平行。窗疤缺。第2背板折缘被1个折痕所分出，折缘折入。雄性抱器形状简单，端部钝圆。产卵管鞘为后胫节的1.00～2.50倍。产卵管端部直，下弯，或有时波状。

生物学： 通常寄生于螟蛾科幼虫。但亦有寄生于鞘翅目和膜翅目的记录。

分布： 全世界分布。中国已记录5种，秦岭地区发现1种。

（660）黄眶离缘姬蜂 *Trathala flavo-orbitalis* (Cameron, 1907)（图43）

Tarytia flavo-orbitalis Cameron, 1907: 589.

鉴别特征： 体长4～8mm；前翅长3.20～4.40mm。头部具极细颗粒状刻点；颜面宽约为中长的1.50倍，中央稍隆起，唇基相当隆起，端缘钝圆；颚眼距为上颚基部宽度的0.60倍；单复眼间距和侧单眼间距分别为侧单眼长径的1倍和1.30倍（雌）或0.50和1.20倍（雄），（雄蜂有些标本单复眼间距为侧单眼长径的0.10～0.30，是否本种尚待今后进一步研究）。触角刚长于前翅35节，第1鞭节长为第2鞭节的1.36倍。胸部具细刻点；中胸盾片相当隆起，刻点间具细颗粒；盾纵沟浅，几乎达后缘；小盾片具极细颗粒状刻点；有模糊的侧脊；小盾片前凹内并列纵脊；中胸侧板凹有细刻条；后胸侧板下缘脊前端呈角状突出。并胸腹节端部向后突出，满布细横皱；基区近三角形；中区近五角形，长为分脊处宽的2倍，比第2侧区稍宽，与端区约等宽，长为端区的0.80倍，分脊约在前方0.30处伸出。无小翅室，肘脉第2段长约为肘间横脉的0.30；亚盘脉在外小脉上方0.45处曲折；小脉前叉式。腹部细瘦，从第3节起侧扁；第1节背板下缘在腹面平行不相接触；后柄部及第2节背板具细纵刻线。产卵管鞘长约为后足胫节的2倍。体黄褐色或赤褐色；颜面黄色；单眼区并前伸至触角窝之间、后扩至头顶和整个后头、触角鞭节背面、中胸盾片的3条纵纹（或仅中央1条明显，或3条均为褐色）、小盾片前凹。前后翅腋槽、并胸腹节前方或全部（或全不黑）、腹部第1节柄部或大部或全部、第2节背板前方大部或全部、有时以后各节背板背面的狭长三角形斑及产卵管鞘、前翅翅痣及大部分翅脉黑色；后足胫节末端或两端、后足跗节（除第1、2节基部）淡褐色。茧圆筒形，长7~9mm，径约2.50mm；灰黄褐色；质地坚韧，外表有粗丝。

采集记录：1♂，武功，时间不详，汪跃文采，No. 64009.7；3♀2♂，武功，时间不详，汪跃文采，No. 64009.8。

分布：陕西（武功）、辽宁、北京、天津、河北、山西、江苏、浙江、湖北、江西、福建、台湾、广东、广西、四川、贵州、云南；朝鲜，日本，泰国，缅甸，印度，斯里兰卡，菲律宾，马来西亚，密克罗尼西亚，美国。

寄主：二化螟 *Chilo suppressalis*、三化螟 *Sciipophaga incertulas*、亚洲玉米螟 *Ostrinia furnacalis*、桃蛀野螟 *Dichocrocis punctiferalis*、梨小食心虫 *Crapholitha molesta*、梨云翅斑螟 *Nephopteryx pirioorella*、棉红铃虫 *Pectinophora gossypieLla*、豆荚螟 *Etiella zinckenella*、稻纵卷叶螟 *Cnaphalocrocis medinalis*、豆蚀叶野螟 *Lamprosema indicata* 和甘薯麦蛾 *Brachmia macroscopa*。

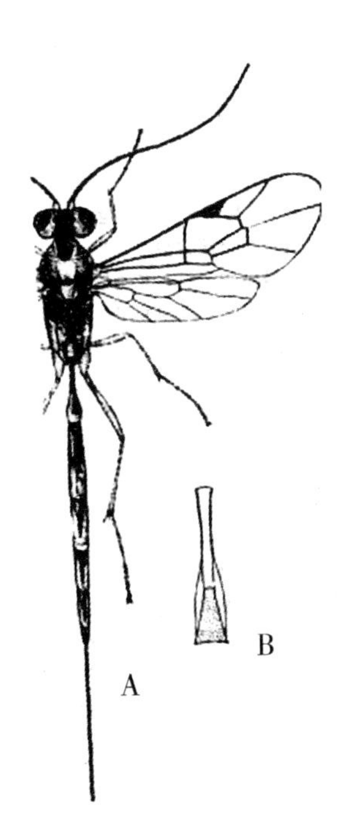

图43 黄眶离缘姬蜂 *Trathala flavo-orbitalis*（Cameron）
A. 雌蜂；B. 腹部第1节侧面观，示背板下缘平行

（六）瘦姬蜂亚科 Ophioninae*

鉴别特征： 前翅长6.50~29.00mm。复眼裸露，通常大，内缘凹入。单眼通常大。唇基与脸之间几乎都有1条明显的沟。鞭节无角下瘤。无前沟缘脊。腹板侧沟缺或浅而短。后胸侧板后横脊常常完整。并胸腹节分区有时完全或不完全，但常见的是并胸腹节仅有基横脊，有时无任何脊。跗爪通常全部栉状。无小翅室，肘间横脉总是在第2回脉的很外方。第2臂室总是有1条与翅后缘平行的伪脉（独特的鉴别特征）。第1腹节长，背板与腹板完全愈合，无基侧凹，气门在中部之后。腹部通常强度侧扁。第2背板折缘窄，由褶分出，下折；有的折缘较宽，不由褶分出，下垂，布满毛。雌性下生殖板侧面观呈三角形，中等大小。产卵管几乎总是比腹末端高度稍短一点，背瓣亚端部有凹缺，腹瓣无明显的脊。

生物学： 本亚科为鳞翅目幼虫的内寄生蜂，寄生蜂成虫从寄主幼虫或蛹内羽化。

分类： 世界广布。全世界已知32属，我国已记录7属121种，陕西秦岭地区分布1属1种。

注：*在分亚种检索表中未包括。

83. 窄痣姬蜂属 *Dictyonotus* Kriechbaumer，1894

Dictyonotus Kriechbaumer，1894：198. **Type species**：*Ophion*（*Dictyonotus*）*melanarius* Kriechbaumer，1894 = *Thyreodon purpurascens* Smith，1874.

属征： 前翅长18.50~23.00mm。体中等粗壮。胸部有带毛的中等密集小刻点。上颊中等长，隆起，中等斜。后头脊完整，或颊脊缺。颊长约为上颚基宽的0.73倍。唇基端缘中央呈钝角，稍反卷。单眼小。上颚宽短，不弯曲，下齿稍短。前胸背板后角的缺刻宽，它的上叶仅覆盖了气门开口上部的0.30区域。中胸侧板有1个中横凹，其上侧板鼓起，无毛。后胸侧板亚中部有时有1个水平方向的长瘤。胸腹侧脊上端折向中胸侧板前缘。后胸侧板后横脊完整。小盾片宽，具强烈的皱状刻点，有时近基部具侧脊。并胸腹节无脊，有稀疏网状皱。后小脉在中央或上方曲折。盘肘室缺无毛区。窗疤卵圆，为背板基部到气门之间距的0.60倍。第2背板折缘很窄，下垂。

生物学： 寄主为天蛾科幼虫，但我国陕西有从枯叶蛾科油松毛虫中育出的记录。

分布： 古北区东部、东洋区和非洲区。全世界仅知4种，秦岭地区记录1种。

（661）紫窄痣姬蜂 *Dictyonotus purpurascens*（**Smith，1874**）（图44）

Thyreodon purpurascens Smith，1874：395.

鉴别特征：体长25～31mm；前翅长20～22mm。颜面宽约为长的2倍，密布刻点，中央稍隆起，上侧角有1个深凹陷；唇基近于菱形，端缘有向上的镶边；颚眼距为上颚基部宽度的0.65倍；上颚粗，2齿约相等；额具刻条，有1和中纵脊；头顶生细刻点，直径小于间距；单眼约正三角形排列，侧单眼外侧有凹陷，单复眼间距为侧单眼直径或侧单眼间距的2.20倍；上颊侧面观长与复眼最宽处相等；触角长为前翅的1.05倍，70节，至端部渐细。前胸背板刻点极细，近于光滑；中胸盾片具稀疏细刻点；小盾片近于方形，馒形隆起，具粗网皱，侧脊完整；中胸侧板上半隆高，至侧缝处有并列短脊，下半较低，具细刻点；后胸侧板具粗刻点，中央有1个甚高的隆瘤。并胸腹节满布粗网状皱纹，中央纵隆，基半有1条中脊。前翅肘间横脉（稍粗）：肘脉第2段：第2回脉：亚盘脉基段之比为15:9:19:14；第2盘室长为宽的2.10倍，外下角刚为钝角；小脉近对叉式；后小脉在上方0.38处曲折。腹部第1节背板长为第2节背板的1.50倍，侧面观稍呈弧形，后柄部长为端宽的1.55倍；第2节背板气门在后方0.40处，窗疤卵圆形，位于中央稍前方。体黑色，有紫光；触角黑褐色或暗赤褐色；翅烟黄色，基部及外缘紫黑色，翅痣及翅脉黑褐色。

采集记录：2♂，蓝田，1978.Ⅶ.15，党心德采，No. 780890。

分布：陕西（蓝田）、吉林、辽宁、北京、山东、浙江、湖北、江西、四川；俄罗斯（西伯利亚），朝鲜，日本。

寄主：松毛虫 *Dendrolimus tabulaeformis*。

图44　紫窄痣姬蜂 *Dictyonotus purpurascens*（Smith）（雌性）

（七）菱室姬蜂亚科 Mesochorinae

鉴别特征：前翅长1.90～14.00mm。体中等粗壮至细瘦，腹部有时延长。唇基与脸不分开，端缘很薄，通常稍凸出。上颚两齿。雄性鞭节无角下瘤。后胸腹板后横脊决不完整。并胸腹节通常具完整的脊，有时脊减少。跗爪通常栉状。通常有小翅室，大而菱形，前面尖。第2回脉具1个气泡。后小脉在中下方曲折或不曲折。腹部第1背板长是宽的1.30～6.70倍，向基部收窄，无基侧角，基侧凹大，气门在中部或明显地中部以后。腹部通常稍侧扁，至少端半侧扁。雄性抱器长细竿状。雌性下生殖板大，中褶，侧面观大而呈三角形。产卵管鞘硬而甚宽，长是宽的2.50～13.50倍。产卵管很细，端部无明显的缺刻和脊。

生物学：本亚科为重寄生蜂，寄生于寄主体内的姬蜂科和茧蜂科幼虫，内寄生，被寄生的寄主原寄生蜂幼虫仍可结茧，菱室姬蜂而后从蜂茧中育出。

分类：全世界分布。世界已知7属，我国已记录5属25种，秦岭地区分布1属1种。

84. 菱室姬蜂属 *Mesochorus* Gravenhorst, 1829

Mesochorus Gravenhorst, 1829b: 960. **Type species**: *Mesochorus splendialus* Gravenhorst, 1829.

属征：前翅长1.90～10.50mm。体粗壮至很细，腹部端半多少侧扁。脸上缘通常具1条横脊，中部下弯。颊在复眼与上颚之间有1条沟。单、复眼有时很大，但通常单眼小。上颚齿通常等长。胸腹侧脊上端远离中胸侧板前缘。小翅室通常大，肘间横脉等长。后翅前缘脉端部有1～3个小钩。后小脉不曲折，后盘脉完全不存在。第1背板长约为宽的4.20倍，背板无侧纵脊，表面光滑或具稀疏刻点，极少有纵脊或纵皱。产卵管长是宽的2.20～13.50倍。

分布：全世界分布。我国已知18种，秦岭地区分布1种。

(662) 盘背菱室姬蜂 *Mesochorus discitergus* (Say, 1836)（图45）

Cryptus discitergus Say, 1836: 231.

鉴别特征：体长4.00～4.50mm。头、胸部黄褐色；复眼、单眼区黑色；触角稍带暗褐色；中胸盾片有2或3条黑色纵纹；并胸腹节基方大部黑色；某些个体后头、中胸和并胸腹节全黑。翅透明，翅痣黄褐色。足黄褐色，后胫节两端、各跗节末端及爪黑褐色。腹部背面黑至黑褐色，但第2背板后半和第3背板前半形成1个盘状黄褐色大斑；雄蜂抱器黄褐色。颜面和唇基间无沟，形成1个宽而微凸的表面，其侧下方及颊具细刻条；触角窝下方横脊中央突然下凹。并胸腹节分区明显，中区五角形，分脊在中央稍前方。前翅小翅室菱形且大；后小脉不曲折，无后盘脉。爪具栉齿。腹部第1~3背板稍平；背面除第1节后柄部有细纵刻纹外余均光滑；第1节基侧凹大；第2背板长稍大于宽，基角有窗疤。雌蜂产卵管鞘比第2腹节稍长，下生殖板大，侧面观呈三角形；雄蜂抱器呈长棒状，与腹末2节之和等长。

采集记录： 1♂，咸阳，1978.Ⅸ.21，杨怀玉采，No. 780925。

寄主： 本种为重寄生蜂，寄生于绒茧蜂和脊茧蜂等，从蜂茧内羽化，单寄生。

分布： 陕西(咸阳)、黑龙江、吉林、辽宁、内蒙古、北京、山西、山东、河南、江苏、安徽、浙江、湖北、江西、湖南、福建、广东、广西、四川、贵州、云南；世界广布。

图45　盘背菱室姬蜂 *Mesochorus discitergus* (Say)(雌性)

(八)肿跗姬蜂亚科 Anomaloninae

鉴别特征： 前翅长2.70~8.30mm。唇基端缘均匀弧形，或中央有1个弱片状物，或1对小齿。后头脊完整，其背部远在后单眼水平之下方，或中央缺。颊脊在上颚基部附近与口后脊相连。前胸背板前下角有时有角度，但无突出的齿。中胸盾片在小盾片前方无横沟。中胸腹板后横脊完整。中足胫节1距。肘间横脉在第2回脉外方，其距大于其长度的0.60倍，亚盘肘脉连接外小脉处在其上方约0.33处。无后盘脉。第3背板折缘被1个完整的褶分开，产卵管鞘长为腹端厚度的2.20~4.00倍。

生物学： 已知内寄生于拟步甲科 Tenebrionidae 和叩甲科 Elateridae 幼虫。

分类： 世界性分布。世界已知2属，我国仅知1属，陕西秦岭地区发现1属1种。

85. 肿跗姬蜂属 *Anomalon* Panzer, 1804

Anomalon Panzer, 1804: 15. **Type species**: *Anomalon cruentatus* Panzer, 1804 = *Ophion foliatar* Fabricius, 1798.

属征： 前翅长2.80~8.30mm。盾纵沟由1个皱状区而显出。肘间横脉约与肘脉第2段等长。触角鞭节无白带。

生物学： 寄主为拟步甲科 Tenebrionidae。

分布： 全世界分布。我国已知15种。秦岭地区分布1种。

(663) 泡胫肿跗姬蜂 *Anomalon kozlovi* (Kokujev, 1915) (图46)

Nototrachis (!) *kozlovi* Kokujev, 1915: 537.

图46 泡胫肿跗姬蜂 *Anomalon kozlovi* (Kokujev) (雌性)

鉴别特征： 雌虫体长10mm；前翅长4.50mm。颜面宽约为长的2倍，向下稍收窄，密布细刻点，背中央有"U"形缺刻；唇基凹深；唇基较光滑，具稀刻点，端缘有2个明显小齿；颚眼距约为上颚基部宽的0.40；上颚狭长，上齿明显长于下齿；中单眼至各触角窝有1个浅而光滑纵凹洼，洼间有1个低隆起；单眼区稍隆起，单眼外方有1条短沟，侧单眼间距稍长于单复眼间距，为侧单眼长径的1.50倍；上颊稍弧形收窄，近于光滑；触角短，长尚不及胸部(包括并胸腹节)之长，长为前翅的0.66，20节。前胸背板凹洼处及下角具刻条；中胸盾片具粗大刻点，部分带皱状，中央有1条极细中脊，盾纵沟不明显；小盾片隆起，具粗刻点；中后胸侧板具网状刻点，镜面区光滑，光滑部下方带网状刻条。并胸腹节具网状刻纹，在基部刻纹细，中段粗且略外斜，中央有1条浅而狭的纵漕，在基部不明显。前翅径室狭，其宽度比盘肘室端部小，长度比翅痣短；肘脉第2段稍长于肘间横脉；小脉对叉式；外小脉在中央曲折；后小脉稍外斜。足胫节异常膨大呈水泡状，比腿节粗，距短；后足基跗节约与第2~5跗节等长。腹部细长，侧扁，近于光滑，多细毛；第7节背板端部中央缺刻长，直至该节基部；产卵管鞘长为第1背板的2.60倍(有资料记载为2.30~2.50倍)，为后足胫节的1.65倍。雌蜂第7节背板端部中央有1个长而大的缺刻直至该节背板基部；产卵管鞘长为第1节背板的2.70倍；唇基端缘有1对小齿；触角甚短，仅为头胸部之和长度；径脉端段几乎直；后足基跗节约与2~5跗节之和等长。

体黄褐色；头顶色稍深；前胸背板后上方、中胸盾片中叶和侧叶上的纵条、中胸侧板中央条纹、并胸腹节基部、腹部背板背方(除第1节基部及第1~2节端部)黑褐色。触角淡褐色，柄节和梗节黄褐色。翅透明，稍带烟黄色，翅痣及翅脉赤褐色。足黄褐色，各足腿节上方、后足基节基部内侧、后足跗节赤褐色。

采集记录： 1♀，靖边，1965.Ⅵ.08，党心德采，No.780892。

分布： 陕西(秦岭、靖边)、新疆。

(九)蚜蝇姬蜂亚科 Diplazontinae

鉴别特征： 前翅长2.80~8.00mm。头和胸粗短，腹部粗短至长。唇基与脸之间有沟或凹痕分开5端部常薄，中央有1个缺刻。上唇隐蔽。上颚短宽；上齿很宽，端缘有1个缺刻或凿状凹缘，似将上齿分成2枚齿。下齿尖，比上齿略短。雄性鞭节通常有角下瘤。前沟缘脊消失或弱。盾纵沟短或消失。腹板侧沟短或缺。胸腹侧脊除两侧外消失。小盾片无侧脊。并胸腹节短，均匀隆起；常无脊，或常有1个很大的端区，有时还有其他一些脊。跗爪简单。小翅室有或无，若有，则上方有柄。第2回脉有1个弱点。后小脉在中部或中部以下曲折，极少在中部以上曲折。第1背板宽，基部宽，端部稍宽或更宽，气门位于中部前方。有基侧凹，通常小而浅。腹部扁平，少数种类雌性侧扁。雌性下生殖板很大，横长方形。产卵管比腹部末端厚度短。

生物学： 为食蚜蝇科种类的内寄生蜂，单寄生，产卵于食蚜蝇卵或初孵幼虫体内，至蛹期羽化。

分类： 世界广布。世界已知14属，我国记录7属16种，陕西秦岭地区分布1属1种。

86. 蚜蝇姬蜂属 *Diplazon* Viereck, 1914

Diplazon Viereck, 1914: 46. **Type species**: *Ichneumon laetatorius* Fabricius, 1781.

属征: 前翅长 3.10～7.50mm。脸常无光泽并稍有刻点。唇基与脸之间有 1 条沟; 基缘隆起, 端缘中央有中缺刻。触角常比前翅短得多; 鞭节通常 16～17 节, 上有感觉器。后头脊上方中央常窄弧状或有 1 个角度。颊为上颚基宽的 0.30～0.70 倍。大多数种类雌性内眼眶浅色。胸部通常光滑, 有刻点。盾纵沟在盾片前方0.20～0.25 处深。胸腹侧脊仅个别不完整。腹板侧沟浅。并胸腹节脊强或弱。无小翅室。小脉与基脉对叉。后小脉在中部下方曲折。后足胫节前面常缺鬃状毛, 基部黑, 端部和中部白色, 或 *D. laetatorius* 的后胫节端部褐黄色。腹部背方隆起, 向端部变尖, 少数种类雌性端部侧扁。各背板后缘稍隆起。第 1 背板正方形至长方形, 长是宽的1.00～1.90 倍, 通常有中纵脊。第 2、3 背板横形。第 2、3 背板折缘, 偶尔第 4 背板基部折缘被褶分开。气门在背板折缘上方。第 1～3 背板或第 1～4 背板中后部有横沟, 深至弱。雄性第 9 和第 10 背板多愈合成合背板。雄性第 9 腹板端部有 1 个中缺刻, 叶瓣圆或有角度。

分布: 全世界分布。我国已知 4 种, 秦岭地区分布 1 种。

(664) 花胫蚜蝇姬蜂 *Diplazon laetatorius* (Fabricius, 1781) (图 47)

Ichneumon laetatorius Fabricuius, 1781: 424.

鉴别特征: 雌虫体长 5～7mm; 前翅长 4～6mm。颜面宽约为长的 2 倍, 刻点在中央拱隆部位较深, 两侧较细而浅; 唇基平, 端缘中央有缺口; 颚眼距为上颚基部宽度的 0.60; 上颚 3 齿, 即上齿又分为 2 枚齿; 单眼排列为矮三角形, 侧单眼间距和单复眼间距分别为侧单眼长径的 2.80 倍和 1.60 倍; 头部在复眼之后收窄; 上颊侧面观为复眼宽的 0.60; 触角长为前翅的 0.81, 18 节, 鞭节端部稍膨大, 第 1 鞭节长为第 2 鞭节的 1.40 倍, 端节长为前 1 节的 2.50 倍。胸部密布细刻点; 前胸背板颈部之后具短刻条; 盾纵沟仅在前方明显; 小盾片呈方形且拱隆, 刻点稍粗而稀; 中胸侧板腹板侧沟在前半明显, 镜面区光滑; 后胸侧板中央隆起, 近中足基节处有凹洼, 近外侧脊处有短刻条。并胸腹节具强脊; 中区和基区近方形; 端横脊明显, 此脊之间具皱状刻点, 此脊之后多不规则皱状刻条; 端区陡斜具从端部发出的"V"形的脊。前翅无小翅室; 肘间横脉稍短于肘脉第 2 段; 小脉对叉式; 后小脉在下方 1/3 处曲折。腹部扁平, 第 1～3 节背板具皱状粗点, 近后缘有明显横沟(第 1、2 节横沟内有纵刻条), 其后各节近于光滑, 至端部略侧扁; 第 1 节背板长约等于端宽, 近基侧角突出, 背中脊达于横沟，后端近于平行，侧面观在中央拱隆成1个角度。产卵管鞘短，不露出腹端。头胸部黑色；唇基、上颚(端齿褐色)、复眼内缘纵条、前胸后角、中胸盾片两侧前方、小盾片及后小盾片均黄色；触角鞭节黄褐色，柄节和梗节黑褐色。足黄褐色；前中足转节及后足第2转节黄色；后足胫节基部及0.55～0.75段黑褐色，其间黄白色，端部0.25赤褐色；后足跗节及中后端跗节黑褐色。翅透明，翅脉及翅痣褐色，但翅痣基部黄。腹部第1节背板后方或全部、第2～3节背板赤黄色，其余背板黑褐色。

采集记录： 1♂，咸阳，19??，杨怀玉采，No. 826397。

分布： 陕西(咸阳)、黑龙江、辽宁、内蒙古、河北、山西、山东、河南、宁夏、甘肃、新疆、江苏、安徽、浙江、湖北、江西、湖南、福建、台湾、广东、广西、四川、贵州、云南；全世界广布。

寄主： 为多种食蚜蝇，产卵于卵或初龄幼虫，从蛹内羽化，单寄生。据国外记载寄主有：黑带食蚜蝇 *Epistrophe balteata*、短刺刺腿食蚜蝇 *Ischiodon scutellaris*、大灰食蚜蝇 *Syrphus corollae*、凹带食蚜蝇 *Syrphus nitens* 及狭带食蚜蝇 *Syrphus serarizus* 等二十多种。

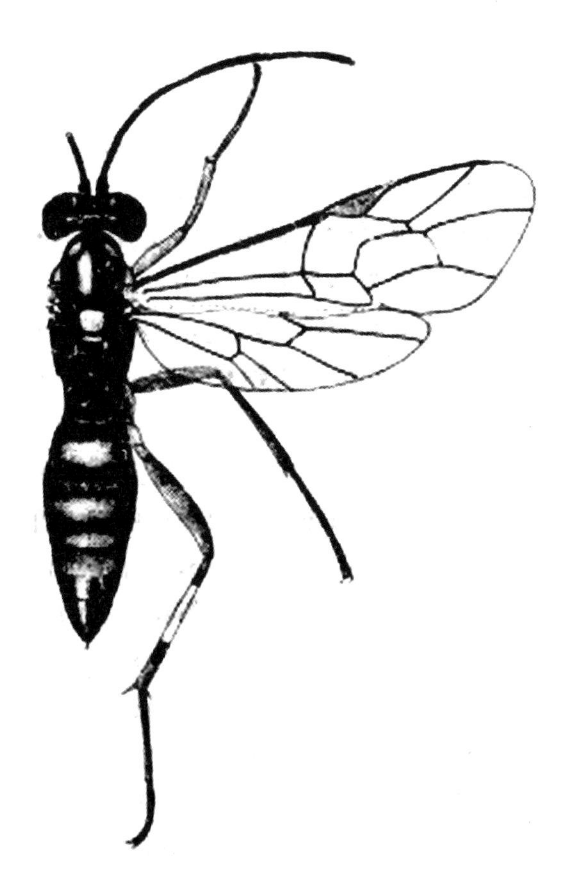

图47　花胫蚜蝇姬蜂 *Diplazon laetatorius* (Fabricius)(雌性)

（十）粗角姬蜂亚科 Phygadeuontinae*

鉴别特征： 前翅长 2～11mm（翅有时退化或缺如）。雄性脸几乎都不是白色或黄色，也没有白色、黄色的斑纹。柄节端缘横形或很斜。腹板侧沟后端（当它伸达中胸侧板缝时）明显高于中胸侧板后下角。后胸背板后缘亚侧方通常有 1 个小角状突，并与并胸腹节亚侧脊前 1 端相对。并胸腹节有纵脊和横脊，分区明显。小翅室封闭或开放。第 2 回脉通常斜并有 2 个弱点，但有时仅具 1 个弱点。第 2 回脉极少缺。第 2 背板折缘几乎均折入，有时不被褶分开，而悬在两侧。该亚科种类绝大多数体型较小。

分类： 本亚科包含 14 族，在我国已知 12 族。陕西秦岭地区分布 1 族 1 属 1 种。

注：* 在分亚科检索表中未包括。

Ⅰ. 泥甲姬蜂族 Bathytrichini

鉴别特征： 前翅长 2.50～11.00mm。体细长。头较短宽。唇基在端缘中央有2～3 个齿或突起，或无。上颚下齿短于上齿或等长。梗节与柄节相比特别大。鞭节通常长，基部 0.33 节之后较粗。盾纵沟通常到达或超过中胸盾片中部。腹板侧沟通常伸达 0.17 处，但在多棘姬蜂属 *Apophysius* 伸达 0.40 处。中胸腹板后横脊多不完整。小盾片无侧脊。侧纵脊基段通常存在。中区通常长于其宽。小翅室通常五边形，有时第 2 肘间横脉缺，和在 *Apophysius* 属中两条肘间横脉平行。第 2 回脉多内斜，有 2 个或 1 个弱点。后小脉垂直或外斜，多曲折。第 1 腹节细长，腹板端部常明显在气门后方。第 2、3 背板折缘被褶分开。产卵管鞘为前翅长的 0.25～1.15 倍。产卵管较细长，侧扁，端部短至中等长，通常有明显结节，下瓣有明显的齿。

生物学： 寄主为有小形茧的各种昆虫。

分布： 世界广布。世界已知 6 属，我国已记录 3 属，秦岭地区分布 1 属 1 种。

87. 泥甲姬蜂属 *Bathythrix* Foerster, 1869

Bathythrix Foerster, 1869: 176. **Type species:** *Bathythrix meteori* Howard, 1897.

属征： 前翅长 2.50～7.50mm。唇基端缘通常薄而锐，常有 1 对中齿突。上颚上下齿等长。盾纵沟通常长而明显，伸达中胸盾片很后方并突然中止。并胸腹节无突起；侧纵沟基段存在。小翅室较小，两条肘间横脉收拢。第 2 回脉内斜，有 2 个弱点。后小脉曲折或有时不曲折。第 1 背板气门通常位于中央后方。第 1 背板背侧脊和腹侧脊完整或几乎如此，背中脊弱到无。

生物学：寄主为各种小茧，包括姬蜂和茧蜂的茧。

分布：世界广布，北半球较多。我国已知2种，秦岭地区分布1种。

(665) 负泥虫沟姬蜂 *Bathythrix kuwanae* Viereck, 1912(图48)

Bathythrix kuwanae Viereck, 1912b: 584.

图48 负泥虫沟姬蜂 *Bathythrix kuwanae* Viereck (雌性)

鉴别特征：体长3~6mm，前翅长2.40~4.80mm，因寄主不同，个体大小有变化。头比胸稍宽；颜面宽大于长，密布白毛；唇基略呈正方形，稍隆起；颊短，约为上颚基宽的0.25倍；额和头顶具细刻点和稀毛，光亮；侧单眼直径稍短于侧单眼间距，为单复眼间距的0.40倍；触角丝形，仅比前翅稍短，26节，在鞭节基部较瘦。胸部驼起，有细毛，近于光滑，盾纵沟明显，后方稍收窄，末端稍粗而深，止于中胸盾片后缘的稍前方；小盾片前沟内无明显纵脊。并胸腹节具刻点，多白毛，有分区但为毛所盖；基区小；中区五边形或六边形，长约为宽的2倍；分脊在中央之前伸出；中区与端区间有横脊。小翅室五角形，但外方开放，肘脉第2段长于肘间横脉；肘脉外段无色；后小脉在中央下方曲折，有后盘脉。腹部纺锤形，雌蜂以第2节后缘处最宽，雄蜂较狭；第1节腹节细长柱状，表面光滑；其余背板具细刻点及短毛。产卵管鞘与第1腹节等长。头、胸部黑色有光泽，生有细白毛；触角基部黄褐色，鞭节暗褐色；翅透明，翅脉褐色；足大体淡黄褐色，后足基节、转节淡黄色，有时后足胫节和中、后足跗节变褐色。第1腹节黑色有光泽，背板后方中央常有土黄色小斑；以后各节背板土黄色，第 2 ~4 节基部有 1 对三角形大黑纹，第 2 节的黑纹内有土黄色圆形斑点，第 5 ~6 背板基部黑色，某些个体特别是雄蜂第 4 ~6 背板往往全部黑褐色。产卵管淡黄色，鞘暗褐色。

采集记录： 1♀，周至，1979，杨健采，No. 791214；1♂，大荔，1980，朱芳采，No. 804065。

分布： 陕西(周至、大荔)、黑龙江、吉林、浙江、湖北、江西、湖南、台湾、广东、广西、四川、贵州、云南；朝鲜，日本。

寄主： 稻负泥虫 *Oulema oryzae*、螟蛉悬茧姬蜂 *Charops bicolor*、稻毛虫花茧姬蜂 *Hyposoter* sp. 、螟蛉脊茧蜂 *Aleiodes narangae*、粘虫脊茧蜂 *Aleiodes mythimnae*、螟蛉绒茧蜂 *Apanteles ruficrus*、粘虫悬茧蜂 *Meteorus gyrator* 和侧沟茧蜂 *MicropLitis* sp.。

（十一）姬蜂亚科 Ichneumoninae

鉴别特征： 唇基比较平，与颜面有弱沟分开，端缘稍微弧形，或平截，中央有或无钝齿。上颚上齿通常长于下齿。无盾纵沟和腹板侧沟，或短而浅，偶尔例外。并胸腹节端区陡斜；有纵脊；中区存在，形状各异，常隆起，气门线形或圆形。小翅室五角形，肘间横脉向径脉合拢。腹部平，通常纺锤形。第 1 背板基部横切面方形；气门位于中央之后；后柄部平而宽，或锥形隆起。腹陷通常宽而明显凹入。产卵管通常短，刚伸出腹端。雌性鞭节通常在亚端部变宽；雄性细而尖。

生物学： 寄生于多种鳞翅目蛹的内寄生蜂，通常产卵于蛹，有时产卵于幼虫，在蛹期羽化。单寄生。

分类： 全世界分布。世界已记载 13 族，我国已知 11 族，陕西秦岭地区分布 2 族 4 属 4 种。

分族检索表

并胸腹节气门圆形，或近于圆形；后头脊在上颚基部上方与口后脊相遇；上颚通常(但不一定都是)具 2 枚齿；唇基短，其端缘通常呈弧形拱出，但有时呈其他形状 ………………………… **厚唇姬蜂族 Phaeogenini**

并胸腹节气门椭圆形，或长形；并胸腹节在侧面观呈明显两个面，即背面和后背面，这两个面在第 2 侧区末端处相遇，多少呈明显角度，或者突出如齿，否则第 2 侧区末端与腹部连接处之间的距离大于与分脊之间的距离，或则小脉生在基脉内侧，或与基脉相连，或则上颚下端齿甚小，或无下端齿；或则后头脊不如上述 ………………………… **圆齿姬蜂族 Gyrodoritini**

Ⅰ. 厚唇姬蜂族 Phaeogenini

鉴别特征：体小型。包括姬蜂亚科中最小种类。唇基短，端缘通常弧形拱出，但有时有其他形状，上颚通常2齿。后头脊与口后脊相通在上颚基部上方。并胸腹节气门圆形或近圆形，长宽比至多为1.20倍。腹部第1节柄部宽度约与厚度相等或较小，若偶有较宽，则后小脉上段内斜直，小脉在中央稍下方曲折。

生物学：寄主仅为小蛾类(Microlepidoptera)，从蛹内羽化，单寄生。

分布：全北区，东洋区，新热带区。世界已知4属，秦岭地区发现1属1种。

88. 厚唇姬蜂属 *Phaeogenes* Wesmael, 1845

Phaeogenes Wesmael, 1845 (1844): 180. **Type species**: *Phaeogenes primarius* Wesmael, **1845** = *semivulpinus* Gravenhorst.

属征：触角短，特别是雌性；柄节基部及端部不隆肿，侧缘拱形。唇基与颜面明显短，特别是雌性，之间通常有1条明显横沟分开；唇基端缘反折，甚厚。上颚2齿。口头脊在与上颚后角连接处强度弯曲。并胸腹节有背表面和倾斜表面，分区明显；中区完整，有时长。后翅小脉通常外斜或少数垂直。雌性后足基节上有1条脊突，长短、高低不定。窗疤宽而明显，多少凹陷，疤宽大于两窗疤之间距离，疤长大于窗疤至背板基缘之间的距离。

分布：全北区，东洋区，新热区。我国种类甚多，但秦岭仅发现1种。

(666) 玉米螟厚唇姬蜂 *Phaeogenes eguchii* Uchida, 1935(图49)

Phaeogenes eguchii Uchida, 1935b: 81.

鉴别特征：体黑色，腹部基部3节赤褐色；足赤褐色，仅后足腿节端半、胫节基部和端部和端跗节黑色；后足基节下侧方近端部的齿片状，顶圆，向后突出。

雌虫体长8～10mm；前翅长6～7mm。头刚阔于胸；颜面两侧近于平行，宽为中长的3.50倍，具横行皱状刻点，在中央隆起处稍密，上方中央有1个小瘤状突起；唇基与颜面约等长，具稀刻点，侧方光滑，端缘弧形；颚眼距为上颚基部宽度的0.60倍；额和头顶密布粗刻点，触角洼光滑；单眼小，外侧有细沟，单复眼间距和侧单眼间距分别为侧单眼长径的2.80倍和2.50倍；头部在复眼之后稍微收窄；上颊侧面观长为复眼宽的1.17倍；触角长为前翅的0.90倍，27节，第1鞭节长为宽的1.80～

2.00倍，第7、8鞭节近于方形，以后则稍粗，倒数2~4节近方形，端节为前一节长的1.70倍。胸部密布刻点，小盾片上的稍稀，后小盾片具纵刻条；盾纵沟仅在前端明显；镜面区也有刻点。并胸腹节分区明显，基区倒梯形，中区六角形，此2个区长度之和约为分脊处宽的2倍，内具细刻纹；分脊在中央或稍前方伸出；第1、2侧区具刻点，较胸部的弱；端区平行，内具横皱；第3侧区及整个外侧区具细皱纹；气门近圆形。小翅室大，五角形，各边长度几乎相近；径室短，不达翅尖。后足基节下侧方近末端有1枚向后突出的扁而顶圆的大齿。腹部第1节背板长为端宽的1.80倍，后柄部两侧平行，气门处侧面观背缘呈弧形，上有稀而细刻点，后侧角为细皱状刻点；第2节背板密布刻点，长约等于端宽，窗疤宽大但很浅，疤宽约为疤距的2倍；第3节背板横宽，密布刻点；此后各节刻点甚浅，后端近于光滑。产卵管不伸出腹端。体黑色，腹部第1~3节背板赤褐色。触角柄节、梗节黑色，鞭节3色(基部红色，中段背面白色，端部及红、白两色之间数节黑色)。翅透明；翅痣和翅脉黄褐色。足赤褐色；后足腿节端半、胫节基部和端部、端跗节黑色。

雄虫与雌虫相似，腹部较细瘦，第2~5节背板两侧近于平行，第2节背板长稍大于宽，基部突然收窄，上有横刻条；触角较细长，27~29节，至端部细，鞭节上面暗褐色，中段(9~12或10~13节)白色；有时腹部第4及以后各节背板后缘赤褐色。

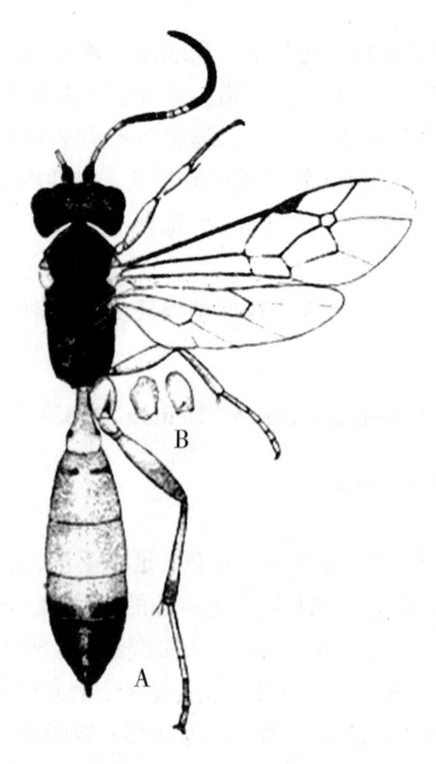

图49 玉米螟厚唇姬蜂 *Phaeogenes eguchii* Uchida

A. 雌蜂；B. 后足基节腹部及侧面观

采集记录：1♂，武功，时间不详，汪跃文采，No.64009.3。

分布：陕西(武功)、黑龙江、吉林、辽宁、内蒙古、山西、山东、河南、江苏、四川；朝鲜。

寄主：亚洲玉米螟 *Ostrinia furnacalis*，从蛹内羽化，单寄生。

Ⅱ. 圆齿姬蜂族 Gyrodoritini

鉴别特征：雌性触角变化大，丝状、很短且末端钝，或鬃形、很长且端部强度变细；有时中部以后强度变宽，有时很细长，一点也不变宽。雄性触角正常，有时结节上有横脊；角下瘤有不同形状、大小和数量。颊和上颊变化大，从非常窄到强度膨胀都有。唇基正常，不明显凸起，在少数强姬蜂属 *Cratichneumon* 的雄性中强度凹入；大多数种类端缘直，极少有凹入或双凹。上颚正常；有时宽、具钝齿，或铲状、无齿，或单齿。小盾片通常平坦；有时在后小盾片上方明显隆起；极少强度凸起。并胸腹节不像姬蜂族 Ichneumonini 那样圆弧状后倾，而是曲折式，第 2 侧区的侧纵脊与外侧脊之间向端部扩大，止于 1 个明显突出的角或瘤突。并胸腹节分区明显而完整，似姬蜂族；中区前端窄，有马蹄形、半卵圆形、六边形或长方形、方形或横向长方形；分脊通常不明显。足变化大，从很粗壮到很细长都有。一些属雌性后足基节有时有 1 个多少明显的毛刷；或个别属爪多少具明显的栉；阔跗姬蜂属 *Eupalamus* 雌性前中足跗节通常阔。雌性腹部末端尖或钝。并区姬蜂属 *Pterocormus* 及近缘属的后柄部有 1 个具规则刻条的中区，一些属中区常具刻点，在强姬蜂属 *Cratichneumon* 中则光滑。腹陷从完全不明显到很深很大都有，窗疤明显或不明显。雌性腹部形状一般长卵圆形，有时也很长细。雄性腹部较一致，仅下生殖板形状有些变化，在斑姬蜂属 *Spilichneumon* 和大铗姬蜂属 *Entanyacra* 中有 1 个多少延长的中突，或在 *Tricholabus* 属中具 1 个较大而强度凸起的隆突。雌性腹部常呈不同程度的黑色或红色，或红黑相间，极少具金属蓝色；有些种类有白色肛斑，极少在前面背板上有黄色或白色的侧斑或端带。雄性腹部常常具黑色和黄色的带，特别是在并区姬蜂属 *Pterocormus*、拟杂姬蜂属 *Pseudamblyteles* 和少数强姬蜂属 *Cratichneumon* 种中。雌性胸部和头部常呈不同的黄褐色。性二型很突出，常常是雌性腹部基色红色，而雄性黑色，或亮黄色间有黑色横带。雄性头部、胸部及足的白色多于雌性。

分布：全世界分布。本族是一个大族，在印澳区及古北区有 105 属，我国已知 30 属，秦岭地区分布 3 属 3 种。

分属检索表

1. 腹部第 2 节背板窗疤甚阔，两个窗疤之间的距离小于窗疤宽度的 0.70 倍；后头脊与口后脊在上颚基部上方相遇，与上颚基部有一段短距离；唇基端半部表面多少拱起(尖腹姬蜂属 *Stenichneumon* 一些种例外)，端缘厚度正常；唇基较长，在侧面观，微弱拱起，唇基端缘凹陷。上颊宽 …………………………………………………………………………… **武姬蜂属 *Ulesta***
   窗疤之间的距离大于窗疤宽度的 0.70 倍…………………………………………………………… 2
2. 雄性；并胸腹节完全黑色，第 2 侧区末端具甚长尖齿；腹部第 1 节背板末端黑色而非白色 ………………………………………………………………………………………… **钝姬蜂属 *Amblyteles***
   雌性 ……………………………………………………………………………………………… 3
3. 并胸腹节第 2 侧区末端具甚长尖齿；并胸腹节全黑；腹部第 1 节背板末端黑色，而非白色 ………………………………………………………………………………………… **钝姬蜂属 *Amblyteles***
   并胸腹节第 2 侧区末端具钝齿，或无齿；唇基宽度约为长度的 2.10 倍，唇基端缘平截的范围颇长，常稍呈弓形；腹部第 1 节的柄部腹缘有 1 条低脊 ……………… **腹脊姬蜂属 *Diphyus***

89. 武姬蜂属 *Ulesta* Cameron, 1903

Ulesta Cameron, 1903: 582. **Type species**: *Ulesta vericornis* Cameron, 1903.

鉴别特征：体细长。头大，上颊宽，在复眼后方稍肿大。后头宽，稍凸出。脸几乎平。唇基与脸不分开，端缘稍圆凸。上唇稍露，前缘有密而长的毛。上颚上齿长于下齿。触角中等粗，鬃形，中部以后变宽，但向端部有点变细，鞭节基部凡节长大于宽；柄节长，圆柱形。胸部具与头部一样的分散的大刻点。小盾片几乎平。并胸腹节分区完整，中区六角形，长大于宽；气门长形。小翅室五边形；小脉对叉或稍后叉。后小脉在中部稍下方曲折。足细长，后足基节下方有 1 个明显毛刷。腹部长，末端尖。后柄部宽，拱起，无中区，中央多少具刻点。腹陷明显深而大，横形，明显大于中间区域。第 2、3 背板密布明显皱状刻点；第 2 ~ 4 背板之间的切口很深。产卵管稍露出。

生物学：寄主已知为弄蝶科，从蛹中羽化，单寄生。

分布：东洋区，古北区东部。在我国已知 4 种，秦岭地区分布 1 种。

(667) 弄蝶武姬蜂 *Ulesta agitata* (Matsumura *et* Uchida, 1926) (图 50)

Chasmias agitatus Matsumura *et* Uchida, 1926: 72.

鉴别特征：体长 12 ~ 14mm；前翅长 9 ~ 11mm。腹部黑色，第 1 ~ 3 节赤褐色或暗赤褐色；足大部分基部黑色胫节和跗节赤褐色。头部密布刻点；颜面上方稍收窄，下宽为中长的2.60倍，中央上方最为隆起，刻点在侧方稍稀；唇基刻点稀疏，基部微隆起，端缘稍凹入；颚眼距比上颚基部宽度稍短；触角洼光滑；单复眼之间几乎无刻点，其间距和侧单眼间距分别为侧单眼长径的1.30倍和0.50倍；头部在复眼之后几乎不收窄；上颊侧面观长为复眼横宽的1.25倍；雌蜂触角长为前翅的0.75倍，39节，中央之后稍粗，第9～10鞭节方形；雄蜂鞭形，各鞭节分节明显。前胸背板密布刻点，下方的近于网状，前沟缘脊强；中胸盾片密布刻点，在正中较稀；盾纵沟仅在前方有痕迹；小盾片平而光滑，无侧脊；后小盾片光滑；中后胸侧板密布刻点，镜面区光滑，胸腹侧片刻点模糊，基间脊强。并胸腹节脊强，分区完整，具粗刻点；中区六角形，长稍大于宽，无刻点，向四周有模糊刻纹；分脊从中区中央或刚前方伸出；气门长卵圆形。小翅室四边形，上方刚合拢，受纳第2回脉约在其中央，小脉刚后叉式。腹部雌蜂刚阔于胸部；第1节背板柄部光滑，后柄部扩大，散生粗刻点，在中央有稍隆起的中区，其上刻点稍稀；第2～4(雄)或2～5(雌)节背板满布网状刻点，以后各节更弱而近于光滑；第2节背板稍长(雄)或稍短(雌)于端宽，窗疤很宽，宽度为疤距的1.70～2.00倍，在背板基部中央有纵皱；第2～5节背板之间节间缝深，第3、4节基部横凹沟内具纵刻条，基部中央有纵皱。产卵管刚伸出腹端。体黑色；复眼内眶狭条、触角中段、颈中央、前胸背板上缘、小盾片、翅基下脊黄色；腹部第1～3或1～5节赤褐色或暗赤褐色；上颚基部赤褐色；须淡褐色或污黄色；触角黑褐色，柄节、梗节及第1～3鞭节赤褐色，中段(大约为第7～12鞭节)背面白色。翅带烟黄色，翅脉黄褐色或黄色；翅痣黄色。足据原记述为黑色，仅前足胫节或所有胫节和跗节黄褐色，我们少数标本与此鉴别特征相同，部分标本前、中足腿节亦为暗红色，或完全红色。

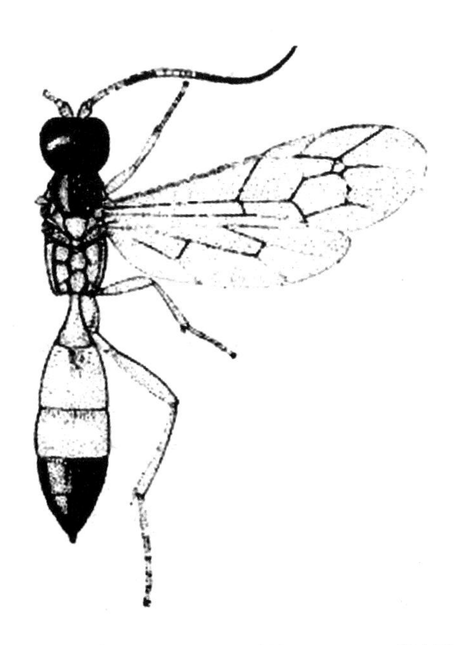

图50　弄蝶武姬蜂 *Ulesta agitata* (Matsumura *et* Uchida)(雌性)

采集记录：1♂，咸阳，1980，朱芳采，No. 804027。

分布：陕西(咸阳)、江苏、安徽、浙江、湖北；朝鲜，日本。

寄主：稻苞虫 *Parnara guttata* 从蛹内羽化，单寄生。据日本记载还有曲纹多孔弄蝶 *Polytremis pellucida* 和芋弄蝶 *Daimio tehys*。

90. 腹脊姬蜂属 *Diphyus* Kriechbaumer, 1890

Diphyus Kriechbaumer, 1890: 184. **Type species**: *Diphyes*(!) *tricolor* Kriechbaumer, 1890.

属征：雌性触角鬃形，多少长；雄性触角鞭节中央之后稍宽，无瘤状突或极微。唇基宽约为长的2.50倍，唇基端缘平截部位颇长，常稍呈弓形(雌性)。上颚不特别宽。小盾片圆形隆起至平坦，无侧脊。中胸腹板的胸腹侧片不完全。并胸腹节有明显基沟；基区特别凹入；水平表面明显短，仅有倾斜表面长度之半；中区通常四边形，分脊常明显；第2侧区端角有时仅有横突，有时有1个小而尖向上突出的危。小翅室正五角形，上方宽。雌性腹部中央宽，长椭圆形，端部钝。腹部第1节的柄部腹缘有1条低脊；后柄部明显凸出，向后渐宽，有细而有规则纵刻条的中区。腹陷小而平，窗疤无或不明显。雄性多数在第1~3节腹板通常有中褶。下生殖板明显，端部不突出。产卵管特别短。腹末通常浅色。

分布：全世界广布。我国已知6种，秦岭地区分布1种。

(668) 套装腹脊姬蜂 *Diphyus palliatorius* (Gravenhorst, 1829) (图51)

Ichneumon palliatorius Gravenhorst, 1829b: 384.

鉴别特征：雌虫体长14mm；前翅长11mm。颜面下宽约为中长的2.40倍，密布网状刻点，在侧缘弱；唇基平，基部具刻点，端部近于光滑，端缘平截；颚眼距与上颚基部宽度相等；额具细皱，触角洼大而光滑；侧单眼外方有沟，单复眼间距和侧单眼间距分别为侧单眼的1.20倍和1.60倍；头顶刻点细，在单眼后陡斜；头部在复眼后明显收窄；触角鞭节至端部渐细，第1鞭节长为第2鞭节的1.43倍，第11、12鞭节近方形。前胸背板上方密布刻点，下方具纵皱；中胸盾片密布刻点；盾纵沟仅在前方有痕迹；小盾片平，几乎光滑，无侧脊；后小盾片具细纵刻条；中后胸侧板满布横行皱纹。并胸腹节满布网皱，基区短宽；中区近于方形；分脊在中区中央附近伸出；侧突明显。小翅室五边形，受纳第2回脉在中央外方；第2回脉和盘肘脉有脉桩或其痕迹；小脉稍后叉式。腹部第1节背板柄部表面平坦，多少光滑，后柄部满布纵刻条，中央隆起部位宽；第2节背板长约等于端宽，满布刻点，在窗疤之间具细皱，窗疤小，位于侧角，其内有纵皱；第3节横形，密布刻点，但较前节浅而小，以后背板光滑。

体黑色；顶眶并连额眶、触角中段、前胸背板背缘、小盾片、有时翅基下脊一部分、第7背板中央黄色；翅基片、有时颜面侧方和唇基端缘、有时颊、腹部第2～3节背板基部(范围有变化)黄褐色或赤黄色。翅透明；翅痣及大部分翅脉黄褐色；亚前缘脉、部分中脉、基脉、小脉、盘脉带黑褐色。足黑色；转节端部、腿节基部和端部、胫节(后足胫节端部黑)和跗节黄褐色。

图51　套装腹脊姬蜂 *Diphyus palliatorius* (Gravenhorst)(雌性)

采集记录：1♂，秦岭，1981.Ⅴ.15，齐国俊采，No.842804。

分布：陕西(秦岭)、辽宁、山西、四川；俄罗斯，比利时。

寄主：据国外记载有甘蓝夜蛾 *Barathra brassicae*、*Ammnogrotis lucern*(夜蛾)和 *Nymphalis urticae*(蛱蝶)。从蛹内羽化，单寄生。

91. 钝姬蜂属 *Amblyteles* Wesmael, 1845

Amblyteles Wesmael, 1845 (1844): 112. **Type species**: *Amblyteles fasciatorius* Wesmael, 1845 = *Ichneumon armatorius* Foerster, 1771.

属征：唇基端缘平截，无瘤。上颚下齿小。后头脊完整至口后脊。鞭节长，第2

节长为宽的1.40~3.00倍，端节鞭节尖，中央鞭节圆柱形。并胸腹节在每边有1个明显的三角形亚侧突。雌性腹部臀部钝，其顶端钝。腹陷小至大，窗疤小，稍凹入。产卵管异常短。雌性第4腹板中央常为膜质；下生殖板明显，端部无毛簇，仅在端缘有几根稀而斜生的长毛。雄性下生殖板中央圆，或无1个长片状突起，抱器不扩大。第1背板端部和并胸腹节常黑色。

分布： 本属分布于古北区和东洋区。我国已知2种，秦岭地区分布1种。

（669）棘钝姬蜂 *Amblyteles armatorius*（Foerster, 1771）（图52）

Ichneumon armatorius Foerster, 1771: 82.

Amblyteles fasciatorius Wesmael, 1845: 112.

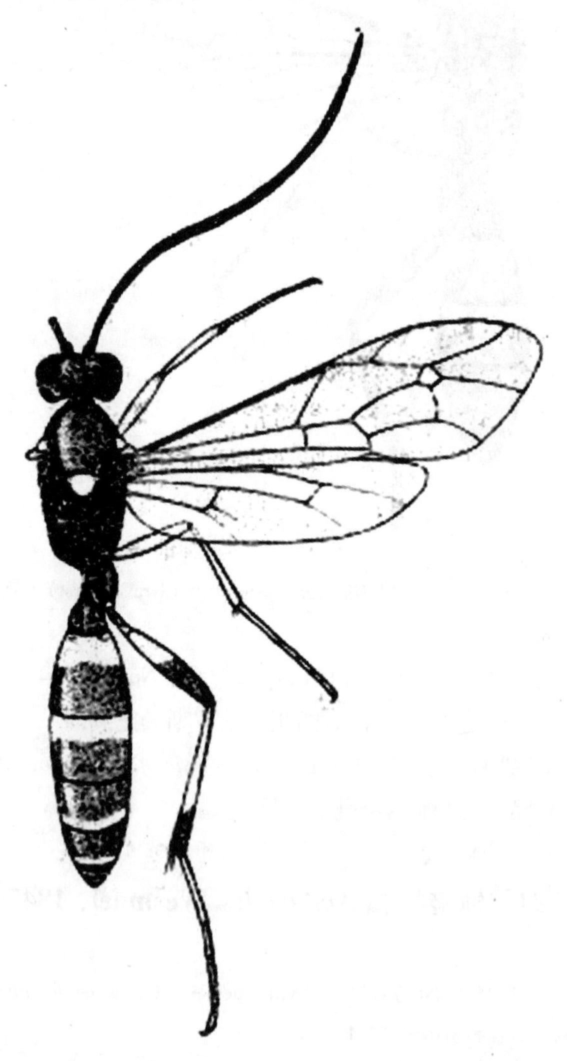

图52 棘钝姬蜂 *Amblyteles armatorius*（Foerster）（雌性）

鉴别特征：雌虫体长13～16mm；前翅长11～13mm。颜面宽约为长的2.20倍，密布粗刻点，中央稍隆起，在颜面上端中央具1个小瘤；唇基与颜面分开，端部薄，端缘几乎平截；颚眼距稍短于上颚基部宽度；上颚基部凹洼深，下端齿小，生在上齿下缘；额具粗刻点，触角洼平滑；单复眼间距等于侧单眼间距，为侧单眼长径的1.50倍；头顶具粗刻点，在单眼后倾斜，在复眼后稍收窄；后头脊在上颚上方与口后脊相接；上颊宽于复眼最宽处；触角鞭节48节，中段稍粗。前胸背板密布网状刻点，略呈斜皱；中胸盾片密布刻点；小盾片平坦，光滑，无侧脊；后小盾片具纵行皱纹；中胸侧板和后胸侧板网状刻点粗且发展成横皱。并胸腹节满布网皱；中区为远方形的六边形，宽稍大于长的或长稍大于宽的均有；分脊在中区中央稍前方相接，侧突强。前翅小翅室五角形，受纳第2回脉在中央附近。腹部纺锤形，刻点较细而密；第1背板后柄部具细刻条，中央稍隆起，两侧多有纵脊；第2背板窗疤之间距离刚大于窗疤宽度；产卵管短，刚显出，不伸过腹端。体黑色；脸眶（宽窄不等）、额眶、颈部上方、小盾片（除最端部）、翅基片，腹部第2、3背板前缘，第4、5、6背板后缘（宽窄有变化）均黄色。口器（除上颚端部）、触角全部或除端部黄褐色。前足基节、转节（除端部黄）黑色，腿节赤黄色，胫节和跗节黄褐色；中后足基节、第1转节基部、腿节除基部（中足的连端部）、后胫节端部0.28均漆黑色，其余赤黄色至黄褐色。翅带淡烟色，翅痣暗黄褐色，其余翅脉多为黑褐色。

雄虫与雌虫相似，但腹部较狭长，第4、5、6背板后缘黄条有时不显。

采集记录：1♂，凤县，1979. Ⅴ. 24，齐国俊采，No. 842800。

分布：陕西（凤县）、吉林、甘肃；俄罗斯，日本，伊朗，英国，瑞典，阿尔及利亚等。

寄主：宽翅地老虎 *Naenia typica*，寒切夜蛾 *Euxoa sibirica*。

参考文献

Ashmead, W. H. 1898. Part 2. - Descriptions of new parasitic Hymenoptera. *In*: Dimmock G. "*Notes of parasitic Hymenoptera.*" *Proceedings of the Entomological Society of Washington*, Washington, 4: 155-171.

Ashmead, W. H. 1900. Classification of the Ichneumon flies, or the superfamily Ichneumonoidea. *Proceedings of the United States National Museum*, 23(1206): 1-220.

Ashmead, W. H. 1904. Descriptions of new genera and species of Hymenoptera from the Philippine Islands. *Proceedings of the United States National Museum*, 28(1387): 127-158.

Ashmead, W. H. 1906. Descriptions of new Hymenoptera from Japan. *Proceedings of the United States National Museum*, 30: 169-201.

Austrin, A. D. and Dagerfield, R. C. 1993. Systematics of Australian and New Guinean Microplitis Forester and Snellenius Westwood. *Invertebrate Taxonomy*, 7: 1097-1660.

Bajari, N. E. 1960. *Furkeszdarazs-alkatuak* 1. *Ichneumonoidea* 1. Fauna Hungariae, 54: 1-266pp.

Baker, C. F. 1917. Ichneumonoid parasites of the Philippines. Ⅱ. Rhogadinae (Braconidae), Ⅱ: The genus *Rhogas*. *Philippine Journal of Science*, (D) 12: 383-422.

Baker, C. F. 1926. Braconidae-Cheloninae of the Philippines, Malaya, and Australia. 1. Chelonini (except Chelonus). *Philippine Journal of Science*, 31: 451-489.

Belokobylskij, S. A. 1989. Revision of the Palaearctic species of the genus *Braunsia* Kriechbaumer (Hymenoptera, Braconidae, Agathidinae). *Trudy Zoologicheskogo Instituta. Leningrad*, 188: 58-72.

Belokobylskij, S. A. 1992. On the classification and phylogeny of the braconid wasps subfamilies Doryctinae and Exothecinae (Hymenoptera, Braconidae). Part Ⅰ. On the classification, 1. *Entomologicheskoye Obozreniye*, 71(4): 900-928.

Belokobylskij, S. A. 1994. A review of parasitic wasps of the subfamilies Doryctinae and Exothecinae (Hymenoptera, Braconidae) of the Far East (Eastern Siberia and neighbouring territories). 3: 5-77. *In*: Kotenko A G. 1994. *Hymenopteran insects of Siberia and Far East: Memoirs of the Daursky Nature Reserve*. Schmalhausen Institute of Zoology, Kiev. 1-147.

Belokobylskij, S. A. 1995a. Principal evolutionary transformations of morphological structures in the subfamilies Doryctinae and Exothecinae (Hymenoptera, Braconidae). *Entomologicheskoe Obozrenie*, 74 (1): 153-176.

Belokobylskij, S. A. 1995b. Two new genera and two new subgenera of the subfamilies Exothecinae and Dorcytinae from the Old World (Hymenoptera: Braconidae). *Zoologische Mededelingen*, 69(1-14): 37-52.

Belokobylskij, S. A. 1996. A contribution to the knowledge of the Doryctinae of Taiwan (Hymenoptera: Braconidae). *Zoosystematica Rossica*, 5(1): 153-191.

Belokobylskij, S. A. 1998. Subfam. Doryctinae. 50-109. In: Lehr P A. 1998. *Key to Insects of the Russian Far East. Neuropteroidea, Mecoptera, Hymenoptera*. Dal'nauka, Vladivostok 4(3): 1-706.

Belokobylskij, S. A. 2003. The species of the genus *Spathius* Nees, 1818 (Hymenoptera: Braconidae: Doryctinae) not included in the monograph by Nixon (1943). *Annales Zoologici*, 53(3): 347-488.

Belokobylskij, S. A., Iqbal, M. and Austin, A. D. 2004. Systematics, distribution and diversity of the Australasian doryctine wasps (Hymenoptera, Braconidae, Doryctinae). *Records of the South Australian Museum*. Monograph Series, 8: 1-150.

Belokobylskij, S. A. and Maeto, K. 2009. *Doryctinae (Hymenoptera, Braconidae) of Japan.* (*Fauna Mundi. Vol.* 1). Warshawska Drukarnia Naukowa, Warszawa. 1-806.

Belokobylskij, S. A. and Tobias, V. I. 1986. Subfam. Doryctinae. 21-72. In: Medvedev G S. 1986. *Keys to Insects of the USSR European part. Hymenoptera*. Nauka, Leningrad. 3(4): 1-500.

Belokobylskij, S. A. and Chen, X. X. 2004. Revision of the Asian species of the genus *Hypodoryctes* Kokujev, 1900 (Hymenoptera: Braconidae, Doryctinae). *Annales Zoologici*, 54(4): 697-720.

Belokobylskij, S. A., Tang, P., He, J. H. and Chen, X. X. 2012. The genus *Doryctes* Haliday, 1836 (Hymenoptera: Braconidae, Doryctinae) in China. *Zootaxa*, 3226: 46-60.

Belokobylskij, S. A., Tang, P. and Chen, X. X. 2013a. Chinese species of the genus *Neurocrassus* Š noflak, 1945 (Hymenoptera: Braconidae: Doryctinae), with a key to Asian species. *Annales Zoologici*, 63(2): 235-249.

Belokobylskij, S. A., Tang, P. and Chen, X. X. 2013b. The Chinese species of the genus *Ontsira* Cameron (Hymenoptera, Braconidae, Doryctinae). *Zookeys*, 345: 73-96.

Benoit, P. L. G. 1953. Sur des Polysphinctini du Congo belge (Ichneum. - Pimpl.). *Revue de Zoologie et de Botanique Africaines*, 47: 137-141.

Bhat, S. and Gupta, V. K. 1977. The subfamily Agathidinae (Hymenoptera, Braconidae). Ichneumonologia Orientalis 6. *Oriental Insects Monograph*, 6: 1-353.

Blanchard, E. E. 1845. *Histoire naturelle des insecte leurs moeurs, leurs metamorphoses et leur classification ou Traite elementaire d'entomologie*. Tome Premier. Librairie de F. Didot Freres, Paris, 398 pp.

Blanchard, E. E. 1936. Descripcion de Icneumonoideos Argentinos. *Anales de la Sociedad Cientifica Argentina*, 122: 398-407.

Blanchard, E. E. 1941. Nuevos parasitos del bicho de cesto Oeceticus kirbyi Guild. *Revista de la Sociedad Entomologica Argentina*, 11(1): 3-21.

Bouché, P. F. 1834. *Naturgeschichte der Insekten, besonders in Hinsicht ihrer ersten Zustande als Larven und Puppen. Berlin*, 216 pp.

Brethes, J. 1916. Hymenopteres parasites de l'Amerique meridionale. *Anales del Museo Nacional de Historia Natural de Buenos Aires*, 27: 401-430.

Brethes, J. 1927. Hymenopteres sud-americains du Deutsches Entomologisches Institut: Terebrantia. (Schluss). *Entomologische Mitteilungen*, 16: 319-335.

Cameron, P. 1887. Family Braconidae. 312-419. *In*: Godman F D and O Salvin. 1887. *Biologia Centrali-Americana. Insecta. Hymenoptera. Vol.* 1. Nabu Press, London. 1-487.

Cameron, P. 1891. Hymenopterological notices. I. On some Hymenoptera parasitic in Indian injurious insects. *Memoirs and Proceedings of the Manchester Literary and Philosophical Society*, (4) 4: 182-194.

Cameron, P. 1899. Hymenoptera Orientalia, or contributions to a knowledge of the Hymenoptera of the Oriental Zoological Region. Part Ⅷ. The Hymenoptera of the Khasia Hills. First paper. *Memoirs and Proceedings of the Manchester Literary and Philosophical Society*, 43(3): 1-220.

Cameron, P. 1900. Hymenoptera Orientalia, or Contributions to the knowledge of the Hymenoptera of the Oriental zoological region, Part Ⅸ. The Hymenoptera of the Khasia Hills. Part Ⅱ. Section Ⅰ. *Memoirs and Proceedings of the Manchester Literary and Philosophical Society*, 44(15): 1-114.

Cameron, P. 1901. On a collection of Hymenoptera made in the neighbourhood of Wellington by Mr. G. V. Hudson, with descriptions of new genera and species. *Transactions of the New Zealand Institute*, 33: 104-120.

Cameron, P. 1903. Descriptions of new genera and species of Hymenoptera taken by Mr. Robert Shelford at Sarawak, Borneo. *Journal of the Straits Branch of the Royal Asiatic Society*, 39: 89-181.

Cameron, P. 1905a. On the phytophagous and parasitic Hymenoptera collected by Mr. E. Green in Ceylon. *Spolia Zeylanica*, 3: 67-143.

Cameron, P. 1905b. On some Australian and Malay Parasitic Hymenoptera in the Museum of the R. Zool. Soc. "Natura artis magistra" at Amsterdam. *Tijdschrift voor Entomologie*, 48: 33-47.

Cameron, P. 1906a. On the Tenthredinidae and parasitic Hymenoptera collected in Baluchistan by Major C. G. Nurse. Part Ⅰ. *Journal of the Bombay Natural History Society*, 17: 89-107.

Cameron, P. 1907. On the parasitic Hymenoptera collected by Major C. G. Nurse in the Bombay presidency. *Journal of the Bombay Natural History Society*, 17: 584-595, 1011-1012.

Cameron, P. 1911. On the Hymenoptera of the Georgetown Museum, Britsh Guiana. *Part* Ⅱ. *Timehri*, 1: 306-330.

Cameron, P. 1912. Descriptions of new genera and species of parasitic Hymenoptera taken at Kuching,

Sarawak, Borneo by Mr. John Hewitt B. A. *Societas Entomologica. Stuttgart*, 27: 63-64, 69-70, 74, 77-78 , 82, 84-85.

Chen, J. H. and Shi, Q. X. 2004. *Systematic studies on Doryctinae of China* (*Hymenoptera*: *Braconidae*). Fujian Science and Technology Publishing House, Fuzhou. 1-274. [陈家骅，石全秀. 2004. 中国矛茧蜂(膜翅目：茧蜂科). 福州：福建科学技术出版社. 1-274.]

Chen, J. H. and Song, D. B. 2004. *Systematic studies on Microgastrinae of China.* (*Hymenoptera*: *Braconidae*). Fujian Scientific Publisher. Fuzhou, 354 pp. [陈家骅，宋东宝. 2004. 中国小腹茧蜂(膜翅目：茧蜂科). 福州：福建科学技术出版社：1-354.]

Chen, J. H. and Yang, J. Q. 2006. *Hymenoptera Braconidae* (Ⅳ) *Agathidinae. Fauna Sinica.* Insecta 46. Science Press, Beijing, 301 pp. [陈家骅，杨建全. 2006. 中国动物志，昆虫纲第四十六卷，膜翅目茧蜂科(四)，窄径茧蜂亚科. 北京：科学出版社，1-301.]

Chen, X. X. 1991. A new species of the genus *Homolobus* Foerster from China, with a checklist of the Chinese species (Hymenoptera: Braconidae). *Entomologische Berichten. Amsterdam*, 51(4): 47-49.

Chen, X. X. and He, J. H. 1992. The genus Acampsis Wesmael from China (Hymenoptera: Braconidae: Sigalphinae). *Entomotaxonomia*, 14(3): 217-221. [陈学新，何俊华. 1992. 中国三节茧蜂属记述(膜翅目：茧蜂科：屏腹茧蜂亚科). 昆虫分类学报，14(3): 217-221.]

Chen, X. X. and He, J. H. 1997. Revision of the subfamily Rogadinae (Hymenoptera: Braconidae) from China. *Zoologische Verhandelingen Leiden*, 308: 1-187.

Chou, L. Y. and Sharkey, M. J. 1989. The Braconidae (Hymenoptera) of Taiwan. 1. Agathidinae. *Journal of Taiwan Museum*, 42(1): 147-223.

Christ, J. L. 1791. *Naturgeschichte*, *Klassification und Nomenklatur der Insekten von Bienen*, *Wespen und Ameisengeschlect*. Frankfurt am Main. 535 pp.

Chu, J. T. and Hsia, S. H. 1937. A list of the known Hymenopterous parasites of the European corn borer (*Pyrausta nubilalis* Huebner). *Entomology and Phytopathology*, 5(8): 136-147.

Costa, A. 1884. Diagnosi di nouvi Artropodi trovati in Sardegna. *Bollettino della Societa Entomologica Italiana*, 15: 332-341.

Cresson, E. T. 1870. Descriptions of new species belonging to the subfamily Pimplariae found in America north of Mexico. *Transactions of the American Entomological Society*, 3: 143-172.

Cresson, E. T. 1887. Synopsis of the families and genera of the Hymenoptera of America, north of Mexico, together with a catalogue of the described species, and bibliography. *Transactions of the American Entomological Society*, Supplementary Volume. 350 pp.

Curtis, J. 1828. British Entomology; being illustrations and descriptions of the genera of insects found in Great Britain and Ireland. 5: 198, 214, 234.

Curtis, J. 1832. *British Entomology*; *being illustrations and descriptions of the genera of insects found in Great Britain and Ireland.* 9: 388, 389, 399, 407, 415-418.

Curtis, J. 1833. Characters of some undescribed genera and species indicated in the'Guide to an arrangement of British insects.' *Entomological Magazine*, 1: 186-199.

Curtis, J. 1837. *A guide to an arrangement of British insects*; *being a catalogue of all the named species hitherto discovered in Great Britain and Ireland.* Second edition, greatly enlarged. London. 294 pp.

Cushman, R. A. 1915. Descriptions of six new species of Ichneumon flies. *Proceedings of the United States National Museum*, 48: 507-513.

Cushman, R. A. 1920. The North American Ichneumon-flies of the tribes Lycorini, Polysphinctini, and Theroniini. *Proceedings of the United States National Museum*, 58: 7-48.

Cushman, R. A. 1922. New Oriental and Australian Ichneumonidae. *Philippine Journal of Science*, 20: 543-597.

Cushman, R. A. 1933. H. Sauter's Formosa-collection: Subfamily Ichneumoninae (Pimplinae of Ashmead). *Insecta Matsumurana*, 8: 1-50.

Cushman, R. A. and Rohwer, S. A. 1919. The genus *Ephialtes* first proposed by Schrank. (Hym.). *Proceedings of the Entomological Society of Washington*, 20(9)(1918): 186-188.

Cushman, R. A. and Rohwer, S. A. 1920. Holarctic tribes of the Ichneumon-flies of the subfamily Ichneumoninae (Pimplinae). *Proceedings of the United States National Museum*, 57(2315): 379-396.

Dalla-Torre, C. G. de. 1898a. *Catalogus Hymenopterorum.* Volumen Ⅳ. Braconidae. Guilelmi Engelmann, Lipsiae. 1-323.

Dalla-Torre, C. G. de. 1898b. *Catalogus Hymenopterorum.* Volumen Ⅴ. Chalcididae *et* Proctotrupidae. Guilelmi Engelmann. Lipsiae. 598 pp.

Dang, X. D and Yang, Z. Q. 1989. A new species of the genus *Coeloides* from Shanxi, China. *Entomotaxonomia.* 11(1): 115-116. [党心德, 杨忠岐. 1989. 刻鞭茧蜂属 *Coeloides* 一新种. 昆虫分类学报. 11(1): 115-116.]

Enderlein, G. 1912a. H. Sauter's Formosa-Ausbeute. Braconidae, Proctotrupidae und Evaniidae (Hym.). *Entomologische Mitteilungen*, 1: 257-267.

Enderlein, G. 1912b. Neue Gattungen und Arten von Braconiden. *Archiv fur Naturgeschichte*, 78(A): 94-100.

Enderlein, G. 1919. Beitrage zur Kenntnis aussereuropaischer Ichneumoniden Ⅳ. Einige neue Pimpliden. *Sitzungsberichte der Gesellschaft Naturforschender Freunde*, Berlin. 1919: 146-153.

Enderlein, G. 1920. Zur Kenntnis aussereuropaischer Braconiden. *Archiv fur Naturgeschichte*, 84 (A) 11 (1918): 51-224.

Fabricius, J. C. 1775. *Systema Entomologiae, sistens Insectorum classes, ordines, genera, species.* Flensburgi *et* Lipsae. 832 pp.

Fabricius, J. C. 1781. *Species insectorum.* Tom. Ⅰ. Hamburgii *et* Kilonii. 552 pp.

Fabricius, J. C. 1793. *Entomologia systematica emendata et aucta.* Tom. Ⅱ. Hafniae. 519 pp.

Fabricius, J. C. 1804. *Systema Piezatorum: secundum ordines, genera, species, adjectis synonymis, locis, observationibus, descriptionibus.* Carolum Reichard, Brunsvigae. 439pp.

Fahringer, J. 1925. *Opuscula braconologica.* Band 1. Palaearktische Region. Lieferung 1. *Opuscula braconologica.* Fritz Wagner, Wien. 1-60pp.

Fahringer, J. 1926-1928. *Opuscula braconologica.* Band 1. *Palaearktischen Region.* Lieferung 1. Opuscula braconologica. Fritz Wagner, Wien. 1-606pp.

Fahringer, J. 1929. Beiträge zur Kenntnis der Braconiden-Fauna aus Chinas. *Entomologisk Tidskrift*, 50: 82-88.

Fahringer, J. 1930-1934. *Opuscula braconologica. Palaearctische Region.* Wien: F. Wagner, 2 (1-38): 1-594.

Fahringer, J. 1935. Schwedisch-chinesische wissenschaftliche Expedition nach den nordwestlichen Provinzen Chinas, 26. Hymenoptera. 4. Braconidae Kirby. *Arkiv foer Zoologi*, 27A (12) (1934): 1-15.

Fahringer, J. 1936. *Opuscula braconologica*. Band 4. *Palaearktischen Region*. Lieferung 1-3. *Opuscula braconologica, Fritz Wagner, Wien*, (1935) 1-276pp..

Fischer, M. 1957. Neue palaarktische *Meteorus*-Arten (Hym. Braconidae). *Annalen des Naturhistorischen Museums in Wien*, 61: 104-109.

Fischer, M. 1981. Versuch einer systematischen Gliederung der Doryctinae, insbesondere der Doryctini, und Redeskriptionen nach Material aus dem Naturwissenschaftlichen Museum in Budapest (Hymenoptera, Braconidae). *Polskie Pismo Entomologiczne*, 51: 41-99.

Fitton, M. G., Shaw, M. R. and Gauld, I. D. 1988. Pimpline Ichneumon-flies. Hymenoptera, Ichneumonidae (Pimplinae). *Handbook for the Identification of British Insects*, 7: 1-110.

Foerster, A. 1862. Synopsis der Familien und Gattungen der Braconen. *Verhandlungen des naturhistorischen Vereines der preussischen Rheinlande und Westphalens*, 19: 225-288.

Foerster, A. 1869. Synopsis der Familien und Gattungen der Ichneumonen. *Verhandlungen des Naturhistorischen Vereins der Preussischen Rheinlande und Westfalens*, 25(1868): 135-221.

Foerster, A. 1871. Uebersicht der Gattungen und Arten der Familie der Plectiscoiden. *Verhandlungen des Naturhistorischen Vereins der Preussischen Rheinlande und Westfalens*, 28: 71-123.

Fullaway, D. T. 1919. New genera and species of Braconidae, mostly Malayan. *Journal of the Straits Branch of the Royal Asiatic Society*, 80: 39-59.

Gauld, I. D. 1991. The Ichneumonidae of Costa Rica, 1. Introduction, keys to subfamilies, and keys to the species of the lower Pimpliform subfamilies Rhyssinae, Poemeniinae, Acaenitinae and Cylloceriinae. *Memoirs of the American Entomological Institute*, No. 47. 589 pp.

Gauld, I. D. and Dubois, J. 2006. Phylogeny of the Polyspincta group of genera (Hymenoptera: Ichneumonidae; Pimplinae): a taxonomic revision of spider ectoparasitods. *Systematic Entomology*, 31: 529-564.

Girault, A. A. 1926. A miscellany of new species of the lower Hymenoptera from Australia, with notes. *Insecutor Inscitiae Menstruus*, 14: 133-137.

Gmelin, J. F. 1790. *Caroli a Linne Systema Naturae* (Ed. XIII). Tom I. G. E. Beer. Lipsiae. 2225-3020. (Ichneumon: 2674-2722).

Granger, C. 1949. Braconides de Madagascar. *Memoires de l'Institut Scientifique de Madagascar, Seria A, Biologie Animale*, 2: 1-428.

Gravenhorst, J. L. C. 1820. Monographia Ichneumonum Pedemontanae Regionis. *Memorie della Reale Academia dell Scienze di Torino*, 24: 275-388.

Gravenhorst, J. L. C. 1829a. *Ichneumonologia Europaea*. Pars III. Vratislaviae. 1097 pp.

Gravenhorst, J. L. C. 1829b. *Ichneumonologia Europaea*. Pars I. Vratislaviae. 827 pp.

Habermehl, H. 1917. Beitrage zur Kenntnis der palaearktischen Ichneumonidenfauna. *Zeitschrift fur Wissenschaftliche Insektenbiologie*, 13: 20-27, 51-58, 110-117, 161-168, 226-234.

Haliday, A. H. 1833. An essay on the classification of the parasitic Hymenoptera of Britain, which correspond with the Ichneumones minuti of Linnaeus. *Entomological Magazine*, 1(iii): 259-276, 333-350.

Haliday, A. H. 1835a. Essay on parasitic Hymenoptera. *Entomological Magazine*, 3(1): 20-45.

Haliday, A. H. 1835b. Essay on parasitic Hymenoptera. *Entomological Magazine*, 3(2): 121-147.

Haliday, A. H. 1836. Essay on parasitic Hymenoptera. *Entomological Magazine*, 4(i): 38-59.

Haliday, A. H. 1837. Essay on parasitic Hymenoptera. *Entomological Magazine*, 4(iii): 203-221.

Haliday, A. H. 1838. Descriptions of new British insects, indicated in Mr. Curtis's guide. *Annals of Natural History*, 2: 112-121.

Hartig, T. 1838. Ueber den Raupenfrass im Konigl. Charlottenburger Forste unfern Berlin, wahrend des Sommers 1837. *Jahresber. Fortschr. Forstwiss. Forstl. Naturk. Berlin*, 1: 246-274.

Haupt, H. 1954. Fensterfaenge bemerkenswerter Ichneumonen (Hym.), darunter 10 neuer Arten. *Deutsche Entomologische Zeitschrift*, 1: 99-116.

Hedqvist, K. J. 1955. Studien uber Braconiden. I. Revision der Gattung Cosmophorus Ratz. *Entomologisk Tidskrift*, 76(2-4): 92-98.

He, J. H., Chen, X. X. and Ma, Y. 1994. Revision of the Sigalphus species from China with descriptions of two new species (Hymenoptera: Braconidae: Sigalphinae). *Journal of Zhejiang Agricultural University*, 20: 441-448.

He, J. H., Chen, X. X. and Ma, Y. 1997. A new *Agriotypus* (Hymenoptera: Agriotypidae) from Zhejiang, China. *Entomotaxonomia*, 19(1): 52-54.

He, J. H., Chen, X. X. and Ma, Y. 2000. *Hymenoptera Braconidae*. Fauna Sinica. Insecta. Vol. 18. Science Press, Beijing, 1-757 pp. [何俊华, 陈学新, 马云. 2000. 膜翅目: 茧蜂科. 1-757. 中国动物志. 北京: 科学出版社, 757.]

He, J. H., Chen, X. X., van Achterberg, C. and Ma, Y. 2001. Newly recorded species of the subfamily Agathidinae from China (Hymenoptera: Braconidae). *Acta Zootaxonomica Sinica*, 26(3): 373. [何俊华, 陈学新, van Achterberg, C., 马云. 2001. 中国窄径茧蜂亚科新纪录种(膜翅目: 茧蜂科). 动物分类学报, 26(3): 373.]

He, J. H. *et al.* 2004. *Hymenopteran insect fauna of Zhejiang*. Science Press, Beijing. 1-1373. [何俊华等. 2004. 浙江蜂类志, 北京: 科学出版社. 1-1373.]

He, J. P. 2001. [Two new species of genus *Chelonus* Jurine (Hymenoptera: Braconidae: Cheloninae).] (in Chinese with English summary). *Journal of Shaanxi Normal University*, Natural Science Edition. 29(2): 74-76.

Hellén, W. 1915. Beitrage zur Kenntnis der Ichneumoniden Finlands I. Subfamily Pimplinae. *Acta Societatis pro Fauna et Flora Fennica*, 40(6): 1-89.

Hellén, W. 1927. Zur Kenntnis der Braconiden (Hym.) Finnlands. I. Subfam. Braconinae (part.), Rhogadinae und Spathiinae. *Acta Societatis pro Fauna et Flora Fennica*, 56(12): 1-59.

Hellén, W. 1939. Zur Ichneumonidenfauna Finnlands (Hym.). *Notulae Entomologicae*, 19: 52-63.

Hellén, W. 1940. *Enumeratio insectorum Fenniae*. II. Hymenoptera. 2. Terebrantia. O. Y. F. Tilgmann A. B. Helsungfors. 32 pp.

Holmgren, A. E. 1859. Conspectus generum Pimplariarum Sueciae. *Ofversigt af Kongliga Vetenskaps-Akademiens Forhandlingar*, 16: 121-132.

Holmgren, A. E. 1860. Forsok till uppstallning och beskrifning af Sveriges Ichneumonider. Tredje Serien. Fam. Pimplariae. (Monographia Pimplariarum Sueciae). *Kongliga Svenska Vetenskapsakademiens Handlingar*, (B) 3(10): 1-76.

Holmgren, A. E. 1868. Hymenoptera. Species novas descripsit. *Kongliga Svenska Fregatten Eugenies Resa omkring jorden. Zoologi*, 6: 391-442.

Horstmann, K. 1993. Revision der von Ferdinand Rudow beschriebenen Ichneumonidae I. (Hymenoptera). *Beitrage zur Entomologie*, 43(1): 3-38.

Horstmann, K. 2003. Uber die aus der Sammlung Degeer beschriebenen Ichneumonidea (Hymenoptera). *Linzer Biologische Beitrage*, 35/2: 877-887.

Ishida, M. 1915. Kansho - Meichu Chosa - Hokuku. *Taiwansotoku Shokuankioku Hokoku*, [Report of the Sugar Cane Borer in Formosa.] 1: 97-109.

Ji, Q. E. and Chen, J. H. 2002. A new species of the genus Ascogaster Wesmael from China (Hymenoptera: Braconidae: Cheloninae). *Entomological Journal of East China*, 11(2): 6-9.

Kasparyan, D. R. 1976. Review of the Ichneumonids of the tribe Polysphinctini and Poemeniini (Hymenoptera, Ichneumonidae) of the Far East. *Trudy Zoologicheskogo Instituta*, 67: 68-89 (in Russian).

Kieffer, J. J. 1921. Sur divers Hyménoptères destructeurs des Cérambycides nuisibles au Caféier *et* au Bambou. *Bulletin Agricole de l'Institut Scientifique de Saigon*, 5: 129-140.

Kirchner, L. 1867. Catalogus Hymenopterorum Europae. *Vindobonae*, 285 pp.

Kokujev, N. R. 1900. Symbolae ad cognitionem Braconidarum Imperii Rossici *et* Asiae Centralis. III. *Trudy Russkago Entomologicheskago Obshchestva*, 34: 541-569.

Kokujev, N. R. 1901. Gyroneurom mirum, gen. *et* sp. nov. (Hymenoptera, Braconidae). *Entomologicheskoye Obozreniye*, 1: 231-233.

Kokujev, N. R. 1902. Materiaux pour le faune hymenopterologiaue de la Russie. *Entomologicheskoe Obozrenie*, 2: 4-12.

Kokujev, N. R. 1915. Ichneumonidea (Hym.) a clarissimis V. J. Roborowski *et* P. K. Kozlov annis 1894-1895 *et* 1900-1901 in China, Mongolia *et* Tibetia lecti 2. *Ezhegodnik Zoologicheskago Muzeya*, [Annales du Musee Zoologique. Academie Imperiale des Sciences.] 19: 535-553.

Kriechbaumer, J. 1887. Pimpliden-Studien. 1-5. *Entomologische Nachrichten*, 13(6): 81-87.

Kriechbaumer, J. 1892. Xylonomiden- und Pimpliden-Studien. *Entomologische Nachrichten*, 18(14): 211-220.

Kriechbaumer, J. 1894. Hymenoptera Ichneumonidea a medico nautico Dr. Joh. Brauns in itinere ad oras Africae occidentalis lecta. *Berliner Entomologische Zeitschrift*, 39: 43-68.

Kriechbaumer, J. 1895. Hymenoptera nova exotica Ichneumonidae e collectione Dr. Rich. Kriegeri. *Sitzungsberichte der Naturforschenden Gesellschaft zu Leipzig*, 1893/4: 124-136.

Krieger, R. 1899. Uber einige mit Pimpla verwandte Ichneumonidengattungen. *Sitzungsberichte der Naturforschenden Gesellschaft zu Leipzig*, 1897/98: 47-124.

Krieger, R. 1914. Uber die Ichneumonidengattung *Xanthopimpla* Saussure. *Archiv fur Naturgeschichte*, 80(6): 1-148.

Latreille, P. A. 1802. *Histoire naturelle, generale et particuliere, des Crustaces et des Insectes*. Tome troisieme. Paris. 468 pp. (Ichneumonidae pp. 318-327)

Linnaeus, C. von. 1758. *Systema naturae per regna tria naturae, secundum classes, ordines, genera, species cum characteribus, differentiis, synonymis locis. Tomus I. Editio decima*, reformata. Laurnetii Salvii, Holmiae. 824 pp.

Lyle, G. T. 1914. Contributions to our knowledge of British Braconidae. 2. Macrocentridae, with descriptions of two new species. *Entomologist*, 47: 287-290.

Lyle, G. T. 1920. Contributions to our knowledge of the British Braconidae. 6. Agathidae. *Entomologist*, 53: 177-186.

Malac, A. 1941. *Heterogamus* (*Jirunia*) *farmakena* n. subgen. *et* n. sp., Braconidae: Hymenoptera. *Entomologicke Listy*, 4: 136-139.

Marsh, P. M. 1973. New synonyms and new combinations in North American Doryctinae (Hymenoptera: Braconidae). *Journal of the Washington Academy of Sciences*, 63(2): 69-72.

Marsh, P. M. 1993. Descriptions of new Western Hemisphere genera of the subfamily Doryctinae (Hymenoptera: Braconidae). *Contributions of the American Entomological Institute*, 28(1): 1-58.

Marshall, T. A. 1885. Monograph of British Braconidae. Part Ⅰ. *Transactions of the Entomological Society of London*, 1885: 1-280.

Marshall, T. A. 1872. A catalogue of British Hymenoptera; Chrysididae, Ichneumonidae, Braconidae, and Evanidae. A. Napier. London. *The Entomological Society of London*, 136 pp.

Marshall, T. A. 1885. Monograph of British Braconidae. Part Ⅰ. *Transactions of the Entomological Society of London*, 1885: 1-280.

Marshall, T. A. 1887. Monograph of British Braconidae. Part Ⅱ. *Transactions of the Entomological Society of London*, 1887: 51-131.

Marshall, T. A. 1888. Les Braconides. *In*: André E. *Species des Hyménoptères d'Europe et d'Algérie*. Cote-d'Or, 4: 7-609.

Marshall, T. A. 1897. Les Braconides (supplement). *In*: Andre E. *Species des Hyménoptères d'Europe et d'Algerie*. Paris, 5bis. 1-334.

Marshall, T. A. 1899. Descriptions de Braconides. *Bulletin du Museum National d'Histoire Naturelle*, Paris. 5: 372-373.

Mason, W. R. M. 1981. The polyphyletic nature of *Apanteles* Foerster (Hymenoptera: Braconidae): A phylogeny and reclassification of Microgastrinae. *Memoirs of the Entomological Society of Canada*. No. 115: 1-144.

Matsumura, S. 1912. *Thousand insects of Japan*. Supplement Ⅳ. Tokyo. 247 pp.

Matsumura, S. 1926a. On the three species of *Dendrolimus* (Lepidoptera) which attack spruce- and fir-trees in Japan, with their parasites and predaceous insects. *Ezhegodnik Zoologicheskago Muzeya*, [Annales du Musee Zoologique. Leningrad.] 26(1925): 27-50.

Momoi, S. 1961. A list of Pimplinae of Saghalien and the Kuriles in the collection of the Entomological Institute, Hokkaido University (Hymenoptera: Ichneumonidae). *Insecta Matsumurana*, 24: 125-133.

Morley, C. 1908. *Ichneumonologia Britannica*, Ⅲ. The Ichneumons of Great Britain. Pimplinae. London. 328pp.

Morley, C. 1913. *The fauna of British India including Ceylon and Burma*, *Hymenoptera*, *Vol.* 3. Ichneumonidae. London, British Museum. 531pp.

Morley, C. 1914. *A revision of the Ichneumonidae based on the collection in the British Museum* (Natural History) Part Ⅲ. Tribes Pimplides and Bassides. London, British Museum. 148pp.

Muesebeck, C. F. W. 1933. Five new Hymenopterous parasites of the Oriental fruit moth. *Proceedings of the Entomological Society of Washington*, 35(4): 48-54.

Muesebeck, C. F. W., Walkley, L. M. 1951. Family Braconidae. *In*: Muesebeck C. F. W., Krombein K. V. & Townes H. K. (Eds.) " Hymenoptera of America North of Mexico - Synoptic catalog. " U. S. Dept. *Agriculture Monograph* No. 2, pp. 90-184.

Narayanan, E. S. and Lal, K. 1955. Studies on Indian Ichneumonidae (Hymenoptera). Part Ⅳ. Subfamily Pimplinae: Tribe Ephialtini. *Indian Journal of Entomology*, 17: 147-154.

Nees von Esenbeck, C. G. 1811. Ichneumonides Adsciti, in Genera *et* Familias Divisi. *Magazin Gesellschaft Naturforschender Freunde zu Berlin*. 5(1811). 37 pp.

Nees von Esenbeck, C. G. 1812. Ichneumonides Adsciti, in Genera *et* Familias Divisi. *Magazin Gesellschaft Naturforschender Freunde zu Berlin*, 6(1812): 183-221.

Nees von Esenbeck, C. G. 1819. Appendix ad J. L. C. Gravenhorst conspectum generum *et* familiarum Ichneumonidum, genera *et* familias Ichneumonidum adscitorum exhibens. *Nova Acta Physicomedica Academiae Caesareae Leopoldino-Carolinae*, 9(1818): 299-310.

Nees von Esenbeck, C. G. 1834. Hymenopterorum Ichneumonibus affinium monographiae, genera Europaea *et* species illustrantes. 1. *Stuttgartiae et Tubingae*. 320 pp.

Niezabitowski, E. L. 1910. Materyaly do fauny Brakonidow Polski. Braconidae, zebrane w Galicyi. *Sprawozdania Akademii Umiejetnosci w Krakowie*. 44: 47-106.

Nixon, G. E. J. 1965. A reclassification of the tribe Microgasterini (Hymenoptera: Braconidae). *Bulletin of the British Museum (Natural History)*. Entomology, Supplement, 2: 1-284.

Noskiewicz, J. and Chudoba, S. 1951. [Les supplements a la faune des Ichneumonides de la Pologne.] (in Polish with French summary) *Polskie Pismo Entomologiczne*, 21: 30-60.

Oehlke, J. 1967. Westpalaartische Ichneumonidae I. Ephialtinae. *Hymenopterorum Catalogus (nova editio)*. 's-Gravenhage. 2: 1-49.

Panzer, G. W. F. 1799. Faunae Insectorum Germanicae. *Heft*, 70-72.

Panzer, G. W. F. 1806. *Kritische Revision der Insektenfaune Deutschlands nach dem System bearbeitet* II. Nurnberg, 271 pp.

Papp, J. 1974. *Arideloides niger* gen. and sp. n. from New Guinea (Hym., Braconidae: Euphorinae). *Proceedings of the Hawaiian Entomological Society*, 21(3): 443-446.

Papp, J. 1987a. A survey of the European species of *Apanteles* Förster (Hymenoptera, Braconidae: Microgastrinae), X. The *glomeratus*-group 2 and the cultellatus-group. *Annales Historico-Naturales Musei Nationalis Hungarici*, 79: 207-258.

Papp J. 1987b. Braconidae (Hymenoptera) from Korea. VIII. *Acta Zoologica Hungarica*, 33: 157-175.

Papp, J. 1990. A survey of the European species of *Apanteles* Först. (Hymenoptera, Braconidae: Microgastrinae) XII. Supplement to the key of the *glomeratus*-group. Parasitoid/host list 2. *Annales Historico-Naturales Musei Nationalis Hungarici*, 81: 159-203.

Quicke, D. L. J. 1987. The old world genera of braconine wasps (Hymenoptera: Braconidae). *Journal of National History*, 21: 43-157.

Rao, S. N. 1953. On a collection of Indian Ichneumonidae (Hymenoptera) in the Forest Research Istitute, Dehra Dun. *Indian Forest Records*, 8: 159-225.

Ratzeburg, J. T. C. 1852. *Die Ichneumonen der Forstinsecten in forstlicher und entomologischer Beziehung*. Dritter Band, Berlin. 1-272.

Reinhard, H. 1865. Beiträge Kenntnis einiger Braconiden-Gattungen. Drittes Stück. *Berliner Entomologische Zeitschrift*, 9: 241-267.

Reinhard, H. 1880. Beitrag zur Kenntniss einiger Braconiden-Gattungen. Funftes Stuck. XVI. Zur Gattung *Microgaster*, Latr. (*Microgaster*, *Microplitis*, *Apanteles*). *Deutsche Entomologische Zeitschrift*, 24: 353-370.

Rohwer, S. A. 1922. Descriptions of Javanese Braconidae (Hym.) received from Mr. S. Leefmans. *Treubia*, 3: 53-55.

Rohwer, S. A. 1934. Descriptions of five parasitic Hymenoptera. *Proceedings of the Entomological Society of Washington*, 36(2): 43-48.

Roman, A. 1910. Notizen zur Schlupfwespensammlung des schwedischen Reichsmuseums. *Entomologisk Tidskrift*, 31: 109-196.

Roman, A. 1912. Zwei madagassische Schlupfwespen. *Entomologisk Tidskrift*, 33: 243-248.

Roman, A. 1923. Nya Polysphincta-former ur de Nielsen'ska klackningarne. *Entomologiske Meddelelser*, 14: 206-210.

Roman, A. 1932. The Linnean types of Ichneumon-flies. *Entomologisk Tidskrift*, 53: 1-16.

Rondani, C. 1876. Repertorio degli insetti parassiti e delle Loro Vittime. *Bollettino della Societa Entomologica Italiana*, 8: 54-70.

Rudow, F. 1883. Neue Ichneumoniden. *Entomologische Nachrichten*, 9(19/20): 232-247.

Ruthe, J. F. 1859. Verzeichniss der von Dr. Staudinger im Jahre 1856 auf Island gesammelten Hymenopteren. *Stettiner Entomologische Zeitung*, 20: 305-322.

Ruthe, J. F. 1862. Deutsche Braconiden. Drittes Stuck. *Berliner Entomologische Zeitschrift*, 6: 1-58.

Saussure, H. de. 1892. Hymenopteres. *In*: Grandidier A. *Histoire physique naturelle et politique de Madagascar*. 20. Paris. 590 pp.

Schmiedeknecht, O. 1907a. *Hymenopteren Mitteleuropas. Stephanidae and Braconidae*. Gustav Fischer. Jena. 804 pp.

Schmiedeknecht, O. 1907b. *Opuscula Ichneumonologica*. Ⅲ. Band. (Fasc. ⅩⅤ-ⅩⅦ.) Pimplinae. Blankenburg in Thuringen. pp. 1121-1360.

Schmiedeknecht, O. 1907c. Hymenoptera. Fam. Ichneumonidae. Subfamilie Pimplinae. *Genera Insectorum*, 62: 1-120.

Schrank, F. von Paula. 1802. Fauna Boica. 2(2). *Ingolstadt*, 412 pp. (Ichneumon on pp. 261-319.)

Schulz, W. A. 1906. *Spolia Hymenopterologica*. Paderborn (Junfermann). 356pp.

Schulz, W. A. 1911. Zweihundert alte Hymenopteren. *Zoologische Annalen*, Wuerzburg. 4: 1-220.

Scopoli, J. A. 1763. *Entomologia carniolica*. J. T. Trattner, Vindobonae. 30 + 420 + 3pp.

Seyrig, A. 1932. Les Ichneumonides de Madagascar. I Ichneumonidae Pimplinae. *Memoires de l'Academie Malgache*, Fascicule 11. 1-183.

Sharma, V. 1982. A new genus of Homolobini (Hymenoptera: Braconidae: Homolobinae). *Journal of Entomological Research*, 6(2): 172-174.

Sharkey, M. J. 1996. The Agathidinae (Hymenoptera: Braconidae) of Japan. *Bulletin of the National Institute of Agro-Environmental Sciences*, 13: 1-100.

Sharkey, M. J. 1998. Agathidinae. *In*: Ler, P. A. *Key to the insects of Russian Far East*. Vol. 4. Neuropteroidea, Mecoptera, Hymenoptera. Pt 3. 708 pp.

Sharkey, M. J. and Clutts, S. A. 2011. A revision of Thai Agathidinae (Hymenoptera, Braconidae), with descriptions of six new species. *Journal of Hymenoptera research*, 22: 69-132.

Sharkey, M. J., Laurenne, N. M., Sharanowski, B., Quicke, D. L. J. and Murray, D. 2006. Revision of the Agathidinae (Hymenoptera: Braconidae) with comparisons of static and dynamic alignments. *Cladistics*, 22(6): 546-567.

Sharkey, M. J., Yu, D. S., van Noort, S., Seltmann, K. And Penev, L. 2009. Revision of the Oriental genera of Agathidinae (Hymenoptera, Braconidae) with an mphasis on Thailand including interactive keys to genera published in three different formats. *ZooKeys*, 21: 19-54.

Shenefelt, R. D. 1970. *Braconidae* 3. *Agathidinae. Hymenopterorum Catalogus* (*nova editio*), pars 6. pp. 307-428.

Shenefelt, R. D. 1975. *Braconidae* 8. *Exothecinae*, *Rogadinae. Hymenopterorum Catalogus* (*nova editio*). Pars 12. pp. 1115-1262.

Shenefelt, R. D. and Marsh, P. M. 1976. *Braconidae* 9. *Doryctinae. Hymenopterorum Catalogus* (*nova editio*). Pars 13. 1263-1424.

Shestakov, A. 1940. Zur Kenntnis der Braconiden Ostsibiriens. *Arkiv foer Zoologi*, 32A(19): 1-21.

Shuckard, W. E. 1840. *Ichneumonides*. pp. 185-187. *In*: Swainson, W. & Shuckard, W. E. (eds.): *The cabinet cyclopedia*: *on the history and natural arrangement of insects*. London. 406 pp.

Simbolotti, G. and van Achterberg, C. 1992. Revision of the west Palaearctic species of the genus Bassus (Hymenoptera: Braconidae). *Zoologische Verhandelingen*, No. 281. 80 pp.

Smith, F. 1858a. Catalogue of Hymenopterous insects collected by A. R. Wallace at the islands of Aru and Key. *Journal and Proceedings of the Linnean Society of London* (Zoology), 4: 132-178.

Smith, F. 1858b. Catalogue of the Hymenopterous insects collected at Sarawak, Borneo; Mount Ophir, Malacca; and at Singapore, by A. R. Wallace. *Journal and Proceedings of the Linnean Society of London* (Zoology), 2: 42-130.

Smith, F. 1873. A catalogue of the Aculeate Hymenoptera and Ichneumonidae of India and the eastern Archipelago. *Journal and Proceedings of the Linnean Society of London* (Zoology), 11: 285-415.

Smith, F. 1874. Description of new species of Tenthredinidae, Ichneumonidae, Chrysididae, Formicidae etc. of Japan. *Transactions of the Entomological Society of London*, 1874: 373-409.

Šnoflak, J. 1945. *Neurocrassus* gen. nov. (Hym. Braconidae); nǘlez nověho rodu lumika z ech. *Entomologicny listy*, 8: 25-27.

Sonan, J. 1932. Notes on some Braconidae and Ichneumonidae from Formosa, with descriptions of 18 new species. *Transactions of the Natural History Society of Formosa*, 22: 66-87.

Sonan, J. 1936. Description of and notes on some Pimplinae in Formosa (Hym. Ichneumonidae). *Transactions of the Natural History Society of Formosa*. Taihoku, 26(153): 249-257.

Sonan, J. 1939. Four new species of the Ichneumon-flies from Formosa (Hymenoptera). *Transactions of the Natural History Society of Formosa*. Taihoku, 29: 201-204.

Sonan, J. 1944. [A list of host known Hymenopterous parasites of Formosa.] (in Japanese) *Bulletin Government of Institute for Agriculture Research*. Taiwan. 222: 1-77.

Sorg, M. and Cymorek, S. 1986. Typenliste zur Sammlung Ulbricht, Krefeld (Hymenoptera, Ichneumonidae). *Entomofauna*, 7(13): 185-199.

Spinola, M. 1808. *Insectorum Liguriae species novae aut rariores*, *quas in agro Ligustico nuper detexit*, *descripsit*, *et iconibus illustravit* (Hymenoptera). 2. Genua, 262 pp.

Strand, E. 1911. Zur Kenntnis papuanischer und australischer Hymenopteren, insbesondere Schlupfwespen. *Internationale Entomologische Zeitschrift*, 5(19): 131-132.

Strobl, G. 1902. Ichneumoniden Steiermarks (und der Nachbarlander). *Mitteilungen Naturwissenschaftlichen Vereines fur Steiermark*, Graz. 38: 3-48.

Szépligeti, G. 1900. Neue Braconiden aus Ungarn. *Természetrajzi Füsetek*, 23: 213-219.

Szépligeti, G. 1902. Tropischen Cenocoeliden und Braconiden aus der Sammlung des Ungarischen National-Museums. *Természetrajzi Füsetek*. 25: 39-84.

Szépligeti, G. 1904. Hymenoptera. Fam. Braconidae. *Genera Insectorum*, 22: 1-253.

Szépligeti, G. 1906a. Braconiden aus der Sammlung des ungarischen National-Museums, 1. *Annales Historico-Naturales Musei Nationalis Hungarici*, 4: 547-618.

Szépligeti, G. 1906b. Neue exotische Ichneumoniden aus der Sammlung des Ungarischen National Museums. *Annales Musei Nationalis Hungarici*, 4: 119-156.

Szépligeti, G. 1908. E. Jacobons'sche Hymenopteren aus Semarang (Java). Evaniden, Braconiden und Ichneumoniden. *Notes from the Leyden Museum*, 29: 209-260.

Szépligeti, G. 1914. Afrikanische Braconiden des Konigl. Zoologischen Museums in Berlin. *Mitteilungen aus dem Zoologischen Museum in Berlin*, 7: 153-230.

Tang, P, Belokobylskij, S. A. and Chen, X. X. 2015. *Spathius* Nees, 1818 (Hymenoptera: Braconidae: Doryctinae) from China with a key to species. *Zootaxa*, 3960(1): 1-132.

Telenga, N. A. 1930. Einige neue Ichneumoniden-Arten aus USSR. *Revue Russe d'Entom*, 24: 104-108.

Telenga, N. A. 1936. *Hymenoptera, Fam. Braconidae (pars 1)*. Faune de 1'URSS V/2. 403pp (in Russian; German text: 306-402).

Telenga, N. A. 1941. *Fauna USSR. Hymenoptera. Fam. Braconidae, subfam. Braconinae (continuation) and Sigalphinae*. AS USSR Publishing House, Moscow-Leningrad. 5(3): 1-466.

Telenga, N. A. 1955. *Braconidae, subfamily Microgasterinae, subfamily Agathinae. Fauna USSR, Hymenoptera*, 5(4). 311 pp. [Translated from Russian by Israel Program for Scientific Translation, Jerusalem. 1964.]

Thomson, C. G. 1888. XXXVII. Bidrag till Sveriges insectfauna. *Opuscula Entomologica*, Lund. XII: 1202-1265.

Thomson, C. G. 1889. XLI. Bidrag till Sveriges insectfauna. *Opuscula Entomologica, Lund.* XIII: 1401-1438.

Thomson, C. G. 1892. XLVII. Bidrag till Braconidernas Kannedom. I. Cyclostomi. *Opuscula Entomologica*, XVII: 1777-1861.

Thomson, C. G. 1895. LII. Bidrag till Braconidernas Kannedom. *Opuscula Entomologica*, 20: 2141-2339.

Thunberg, C. P. 1822. Ichneumonidea, Insecta Hymenoptera illustrata. *Memoires de l'Academie Imperiale des Sciences de Saint Petersbourg*, 8: 249-281.

Thunberg, C. P. 1824. Ichneumonidea, Insecta Hymenoptera illustrata. *Memoires de l'Academie Imperiale des Sciences de Saint Petersbourg*, 9: 285-368.

Tobias, V. I. 1968. [*The problems of classification and phylogeny of the Braconidae (Hymenoptera)*.] (in Russian) Acad. Sci. USSR. Dokladi na Dvadtsatom Ezhegodnom Chteniya Pamyati N. A. Kholodkovskogo. [Special issue dedicated to the memory of N. A. Kholodkovskogo.] pp. 3-43.

Tobias, V. I. 1986. Medvedev G. S. (ed.) Opredelitel Nasekomych Evrospeiskoi Tsasti SSSR 3, Peredpontdatokrylye 4. *Opr. Faune SSSR*. 145: 1-501.

Tobias, V. I. 2000. Key to the insects of Russian Far East. *Vol.* 4. Neuropteroidaea, Mecoptera, Hym.

Pt. 4. *Vladivostok*: *Dal'nauka*, 190-192.

Tosquinet, J. 1903. Ichneumonides nouveaux. (Travail posthume). *Memoires de la Societe Entomologique de Belgique*, 10: 1-403.

Townes, H. K. 1940. A revision of the Pimplini of eastern North America (Hymenoptera: Ichneumonidae). *Annals of the Entomological Society of America*, 33(2): 283-323.

Townes, H. K. 1944. A Catalogue and Reclassification of the Nearctic Ichneumonidae (Hymenoptera). Part Ⅰ. The subfamilies Ichneumoninae, Tryphoninae, Cryptinae, Phaeogeninae and Lissonotinae. *Memoirs of the American Entomological Society*, 11: 1-477.

Townes, H. K. 1957. A review of the generic names proposed for old world Ichneumonids, the types of whose genotypes are in Japan, Formosa or North America. *Proceedings of the Entomological Society of Washington*, 59(3): 100-120.

Townes, H. K. 1962. A new generic name in the Polysphinctine Ichneumonids (Hymenoptera). *Proceedings of the Entomological Society of Washington*, 64: 38.

Townes, H. K. 1966. Two Ichneumonids described incorrectly as from South America (Hymenoptera). *Proceedings of the Entomological Society of Washington*, 68: 180-181.

Townes, H. K. and Chiu, S. C. 1970. The Indo-Australian species of *Xanthopimpla* (Ichneumonidae). *Memoirs of the American Entomological Institute*, 14. 1-372.

Townes, H. K., Momoi, S. and Townes, M. 1965. A catalogue and reclassification of the eastern Palearctic Ichneumonidae. *Memoirs of the American Entomological Institute*, 5. 1-661.

Townes, H. K., Townes, M. and Gupta, V. K. 1961. A catalogue and reclassification of the Indo-Australian Ichneumonidae. *Memoirs of the American Entomological Institute*, 1. 1-522.

Turner, R E. 1917. Notes on the Braconidae in the British Museum. I. *Annals and Magazine of Natural History*, 20: 241-247.

Uchida, T. 1926. Erster Beitrag zur Ichneumoniden [-Fauna] Japans. *Journal of the Faculty of Agriculture, Hokkaido Imperial University*, 18: 43-173.

Uchida, T. 1927. Zwei neue Schmarotzerhymenopteren der Spinnen. *Insecta Matsumurana*, 1: 171-174.

Uchida, T. 1928. Dritter Beitrag zur Ichneumoniden-Fauna Japans. *Journal of the Faculty of Agriculture, Hokkaido University*, 25: 1-115.

Uchida, T. 1930. Vierter Beitrag zur Ichneumoniden-Fauna Japans. *Journal of the Faculty of Agriculture, Hokkaido University*, 25: 243-298.

Uchida, T. 1931. Eine neue Art und eine neue Form der Ichneumoniden aus China. *Insecta Matsumurana*, 5: 157-158.

Uchida, T. 1932. H. Sauter's Formosa-Ausbeute. Ichneumonidae (Hym.). *Journal of the Faculty of Agriculture*, Hokkaido University, 33: 133-222.

Uchida, T. 1935a. Einige Ichneumonidenarten aus China (Ⅱ). *Insecta Matsumurana*, 9: 81-84.

Uchida, T. 1935b. Einige Ichneumonidenarten aus China (Ⅲ). *Insecta Matsumurana*, 9: 140-143.

Uchida, T. 1936. Erster Nachtrag zur Ichneumonidenfauna der Kurilen. (Subfam. Cryptinae und Pimplinae). *Insecta Matsumurana*, 11: 39-55.

Uchida, T. 1937. Ein neuer Schmarotzer von Dendrolimus spectabilis aus China. *Insecta Matsumurana*, 11: 131.

Uchida, T. 1940. Die walkerschen Typen der japanischen Ichneumoniden. *Insecta Matsumurana*, 14:

108-114.

Uchida, T. 1941. Beitrage zur Systematik der Tribus Polysphinctini Japans. *Insecta Matsumurana*, 15: 112-122.

Uchida, T. 1942. Ichneumoniden Mandschukuos aus dem entomologischen Museum der kaiserlichen Hokkaido Universitaet. *Insecta Matsumurana*, 16: 107-146.

Uchida, T. 1957. Ein neuer Schmarotzer der Kartoffelmotte in Japan (Hymenoptera, Ichneumonidae). *Mushi*, 30: 29-30.

Uchida, T. and Momoi, S. 1959. On the species of the genera *Laufeia* and *Lycorina* occurring in Japan (Hymenoptera, Ichneumonidae). *Insecta Matsumurana*, 22: 82-87.

Ulbricht, A. 1909. Beitrage zur Insekten-Fauna des Niederrheins. Ichneumoniden der Umgegend. *Mitteilungen des Vereins fur Naturkunde zu Krefeld*, 1909: 1-40.

Ulbricht, A. 1911. Ichneumonidenstudien. *Societas Entomologica*, *Stuttgart*. 26(1911): 53-54.

van Achterberg, C. 1979. A revision of the subfamily Zelinae auct. (Hymenoptera, Braconidae). *Tijdschrift voor Entomologie*, 122: 241-479.

van Achterberg, C. 1988. Three new genera of the subfamily Agathidinae (Hymenoptera: Braconidae). *Zoologische Mededelingen*, 62(4): 43-58.

van Achterberg, C. 1993. Revision of the subfamily Macrocentrinae Foerster (Hymenoptera: Braconidae) from the Palaearctic region. *Zoologische Verhandelingen*. 286: 1-110.

van Achterberg, C. 2002. A revision of the Old World species of *Megischus* Brulle, *Stephanus* Jurine and *Pseudomegischus* gen. nov., with a key to the genera of the family Stephanidae (Hymenoptera: Stephanoidea). *Zoologische Verhandelingen*, 339: 3-206.

van Achterberg, C., Chen, X. X. 2004. Six new genera of Braconidae (Hymenoptera) from China. *Zoologische Mededelingen Leiden*, 78(2): 77-100.

van Achterberg, C. and Long, K. D. 2010. Revision of the Agathidinae (Hymenoptera, Braconidae) of Vietnam, with the description of forty-two new species and three new genera. *Zookeys*, 54: 1-184.

van Rossem, G. 1990. Key to the genera of the Palaearctic Oxytorinae, with the description of three new genera (Hymenoptera: Ichneumonidae). *Zoologische Mededelingen*, 63(23): 309-323.

Viereck, H. L. 1911a. Descriptions of six new genera and thirty-one new species of Ichneumon flies. *Proceedings of the United States National Museum*, 40(1812): 173-196.

Viereck, H. L. 1911b. Descriptions of one new genus and eight new species of Ichneumon flies. *Proceedings of the United States National Museum*, 40(1832): 475-480.

Viereck, H. L. 1912a. Contributions to our knowledge of bees and Ichneumon-flies, including descriptions of twenty-one new genera and fifty-seven new species of Ichneumon-flies. *Proceedings of the United States National Museum*, 42(1920): 613-648.

Viereck, H. L. 1912b. Descriptions of one new family, eight new genera, and thirty-three new species of Ichneumonidae. *Proceedings of the United States National Museum*, 43: 575-593.

Viereck, H. L. 1913. Descriptions of ten new genera and twenty-three new species of Ichneumon-flies. *Proceedings of the United States National Museum*. 44: 555-568.

Viereck, H. L. 1914. Type species of the genera of Ichneumon flies. *Bulletin of United States National Museum*, 83: 1-186.

Viereck, H. L. 1917. *Guide to the insects of Connecticut*. Part Ⅲ. *The Hymenoptera*, *or wasp-like insects of Connecticut. Ichneumonoidea*. State of Connecticut. State Geological and Natural History Survey. Bulletin No. 22(1916). Hartford. 824 pp.

Viereck, H. L. 1918. A list of families and subfamilies of the Ichneumon-flies in the superfamily *Ichneumonoidea*. *Proceedings of the Biological Society of Washington*, 31: 69-74.

Viereck, H. L. 1921. First supplement to "Type species of the genera of ichneumon-flies". *Proceedings of the United States National Museum*, 59: 129-150.

Villers, C. de. 1789. *Caroli Linnaei entomologia*, *Faunae Suecicae descriptionibus*. Tomus tertius. Lugduni. 657 pp. (Ichneumon on pp. 134-218).

Vollenhoven, S. C. Snellen van. 1873. Nieuwe naamlist van Nederlandsche vliesvleugelige Insecten (Hymenoptera). Tweede Stuk. *Tijdschrift voor Entomologie*, 16: 147-220.

Vollenhoven, S. C. Snellen van. 1879. Einige neue Arten von Pimplarien aus Ost-Indien. *Stettiner Entomologische Zeitung*, 40(4-6): 133-150.

Walker, F. 1860. Characters of some apparently undescribed Ceylon insects. *Annals and Magazine of Natural History*, (3)5: 304-311.

Walker, F. 1874. Descriptions of some Japanese Hymenoptera. *Cistula Entomologica*, 1: 301-310.

Wang, C. R. 1981. A new species of the genus *Aridelus* Marshall (Hymenoptera: Braconidae: Euphorinae). *Acta Entomologica Sinica*, 24(2): 219-221. [王家儒. 1981. 蝽茧蜂属一新种记述(膜翅目: 茧蜂科: 优茧蜂亚科). 昆虫学报, 24(2): 219-221.]

Wang, J. R. 1983a. A new species of Streblocera Westwood (Hymenoptera: Braconidae: Euphorinae). *Entomotaxonomia*, 5(3): 231-232. [王家儒. 1983a. 长柄茧蜂属一新种(膜翅目: 茧蜂科: 优茧蜂亚科). 昆虫分类学报, 5(3): 231-232.]

Wang, J. R. 1983b. [A new species of Streblocera Westwood (Hymenoptera: Braconidae: Euphorinae).] *Acta Zootaxonomica Sinica*, 8(3): 280-282. [王家儒. 1983b. 长柄茧蜂属的一新种记述(膜翅目: 茧蜂科: 优茧蜂亚科). 动物分类学报, 8(3): 280-282.]

Watanabe, C. 1932. Notes on the Braconidae. Ⅲ. Apanteles. *Insecta Matsumurana*. 7: 74-102.

Watanabe, C. 1935. On some species of Braconidae from North China and Korea. *Insecta Matsumurana*. 10: 43-51.

Watanabe, C. 1937. A contribution to the knowledge of the Braconid fauna of the Empire of Japan. *Journal of the Faculty of Agriculture*, *Hokkaido (Imp.) University*, 42: 1-188.

Watanabe, C. 1942a. A preliminary revision of the genus *Streblocera* Westwood, with description of a new species from Manchukuo (Hymenoptera, Braconidae). *Insecta Matsumurana*, 16 (1-2): 1-12.

Watanabe, C. 1942b. Descriptions of a new *Apanteles*-species bred from Anomis fimbriago Stephen in Manchoukuo. *Insecta Matsumurana*, 16: 169-170.

Watanabe, C. 1967. Description of a new species of the genus Ascogaster Wesmael and notes on synonymy of Apanteles species (Hymenoptera, Braconidae). *Insecta Matsumurana*, 29: 41-44.

Wesmael, C. 1835. Monographie des Braconides de Belgique. *Nouveaux Memoires de l'Academie Royale des Sciences et Belles-lettres Bruxelles*, 9: 1-252.

Wesmael, C. 1837. Monographie des Braconides de Belgique. (Suite.) *Nouveaux Mémoires de l'Academie Royale des Sciences et Belles-Lettres de Bruxelles*, 10: 1-68.

Wesmael, C. 1838. Monographie des Braconides de Belgique. 4. *Nouveaux Memoires de l'Academie Royale des Sciences et Belles-lettres de Bruxelles*, 11: 1-166.

Wesmael, C. 1845. Tentamen dispositionis methodicae. Ichneumonum Belgii. *Nouveaux Memoires de l' Academie Royale des Sciences, des Lettres et Beaux-Arts de Belgique*, 18(1944): 1-239.

Westwood, J. O. 1833. Descriptions of several new British forms amongst the parasitic Hymenopterous insects. *Philosophical Magazine*, (3)3: 342-344.

Westwood, J. O. 1840. *Introduction to the modern classification of insects. Vol.* Ⅱ. Synopsis of the genera of British insects. London. 587 + 158 pp.

Wilkinson, D. S. 1928. A revision of the Indo-Australian species of the genus Apanteles (Hym. Bracon.). Part II. *Bulletin of Entomological Research.* 19: 109-146.

Wilkinson, D. S. 1937. On two new Palaearctic species of Apanteles (Hym., Braconidae). *Proceedings of the Royal Entomological Society of London*, 6(4): 65-72.

Wilkinson, D. S. 1931. On the Indo-Australian and Ethiopian species of the Braconid genus Spathius (Hymenoptera). *Transactions of the Royal Entomological Society of London*, 79: 505-530.

Wilkinson, D. S. 1945. Description of Palaearctic species of *Apanteles* (Hymen., Braconidae). *Transactions of the Entomological Society of London*, 95: 35-226.

Xu, W. A., He, J. H. 2000. Two new species of Microplitis Foerster (Hymenoptera: Braconidae) from China. *Entomologia Sinica*, 7(2): 107-112. [许维岸, 何俊华. 2000. 侧沟茧蜂属二新种记述(膜翅目: 茧蜂科). 昆虫分类学报, 7(2): 107-112.]

Yang, Z. Q. 1989. A new species of *Ropalophorus* Curtis (Hymenoptera: Braconidae) parasitizing *Polyraphus polygraphus* adult (Coleoptera: Scolytidae) with a key to the world species of the genus. *Entomotaxonomia*, 11(1-2): 91-96. [杨忠岐. 1989. 绕茧蜂属寄生于杉四眼小蠹成虫的一新种并附本属世界种检索表(膜翅目: 茧蜂科). 昆虫分类学报, 11(1-2): 91-96.]

Yang, Z. Q. 1996. *Parasitic wasps of Scolytidae insects in China*. Science Press. Beijing. 363pp. [杨忠岐. 1996. 中国小蠹虫寄生蜂. 北京: 科学出版社. 363.]

Yang, Z. Q., Wei, J. R., and You, L. S. 2002. Two new braconid species parasitizing larva of fall webworm from China (Hymenoptera: Braconidae). *Acta Zootaxonomica Sinica*, 27(3): 608-615. [杨忠岐, 魏建荣, 游兰韶. 2002. 寄生于美国白蛾幼虫的茧蜂二新种(膜翅目: 茧蜂科). 动物分类学报, 27(3): 608-615.]

You, L. S., Xiong, S. L., Dang, X. D., Tong, X. W. 1987. Four new species of *Apanteles* Forster from China. (Hymenoptera: Braconidae, Microgasterinae). *Entomotaxonomia.* 9(4): 275-281. [游兰韶. 1987. 中国绒茧蜂属 *Apanteles* Forster 四新种(膜翅目: 茧蜂科). 昆虫分类学报, 9(4): 275-281.]

Yu, D. S. and Horstmann, K. 1997. A catalogue of world Ichneumonidae (Hymenoptera). *Memoirs of the American Entomological Institute*, Volume 58. 1558 pp.

Yu, D. S., van Achterberg, C. and Horstmann, K. 2012. *Taxapad* 2012: *World Ichneumonoidea* 2011, *Taxonomy, biology, morphology and distribution.* Vancouver, Canada: http://www.taxapad.com.

Zetterstedt, J. W. 1840. *Insecta Lapponica. Sectio secunda. Hymenoptera.* Lipsiae, Voss. 1140pp. (Braconidae, pp. 398-407).

Ⅶ. 小蜂总科 Chalcidoidea

一般体长仅 0.20 ~5.00mm，少数种类可达 16mm。头部横形；复眼大；单眼 3 个，位于头顶。触角大多呈膝状，由 5 ~13 节组成；鞭节可分为环状节(1 ~3 节，少数无)；索节(1 ~7 节)；棒节(1 ~3 节，多少膨大)。前胸背板后上方不伸达翅基片，之间为胸腹侧片相隔。小盾片发达，其前角有三角片。通常有翅，静止时重叠，偶有无翅或短翅种类；翅脉极退化，前翅无翅痣，由亚前缘脉、缘脉、后缘脉、痣脉组成，缘脉前斜离翅缘部分称缘前脉，有将缘前脉与亚前缘脉合称为亚缘脉；前缘脉远细于亚前缘脉，已看不出。足转节 2 节。腹部腹板坚硬骨质化，无中褶；产卵管从腹部腹面末端前面伸出，具有 1 对与产卵管伸出部分等长的鞘。

卵产在寄主体内或体外，有时具柄。第 1 龄和末龄幼虫的头部构造变化很大。末龄幼虫头部构造极度退化，常仅存 1 对一般纤细而弯曲的上颚，叶片部常无齿；有时可见到口上骨—口侧骨与上颚上下 2 个关节突；通常具 3 胸节和 10 腹节，分节不明。可根据第 1 龄幼虫若干不甚显著的特征，鉴别至科。不过，这些特征通常表明对环境的适应性，不足以说明缘系关系。蛹为裸蛹。除裹尸姬小蜂属 *Euplectrus* 由马氏管生成的特殊物质从肛门排出“丝状”物质结成稀疏网茧外均不结茧。个别小蜂为过变态。

小蜂总科是寄生性膜翅目中一个很大的总科，其种数与姬蜂总科不相上下。分布于全世界，但在热带地区，似乎更具多样性。尽管小蜂在形态上的变化很大，而且缨小蜂科 Mymaridae 和柄腹柄翅小蜂科 Mymarommatidae 的分类地位还不确定，但它们几乎可以肯定是一个全系类群(Gibson，1986a)。

不同的分类学家在科的数目上有不同的意见，采用 9 科、11 科、18 科、21 科和 24 科都有。目前的研究工作认为本总科由 21 个科组成。其中长痣小蜂科 Tanaostigmatidae 和多节小蜂科 Rotoitidae 在中国尚未发现。柄腹柄翅小蜂科很小，知之甚少，目前一般放在小蜂总科中。

小蜂生物学上的变化比任何其他的寄生蜂总科都大，甚至在属与属之间都表现出相当大的差异，绝大部分种类为寄生性，但有几个科的一些种为植食性。榕小蜂科的种类只在无花果中发育，广肩小蜂科、金小蜂科、长斑小蜂科和长尾小蜂科中也有部分为植食性。有些小蜂的幼虫为捕食性。寄生性在小蜂总科中表现得非常复杂：有容性寄生，也有抑性寄生；有单寄生，也有聚寄生；有外寄生，也有内寄生；有初寄生，也有二重或三重寄生；有正常生殖，也有孤雌生殖、多胚生殖；有膜翅型的幼虫，也有闯蚴型的幼虫；有些种的寄主范围很广，而有些种却非常专一。从寄主的卵、幼虫到蛹甚至成虫(特别是金小蜂科的几个类群)都可被不同的小蜂种类所寄生。小蜂的寄主范围极其广泛，包括几乎所有的昆虫纲内翅部的各个目，以及许多外翅部昆虫和蛛形纲 Arachnida 的种类。小蜂总科是膜翅目中种类较多、分类最困难的类群之一。

二十六、金小蜂科 Pteromalidae

肖晖　郝倩男

（中国科学院动物研究所，北京 100101）

鉴别特征：虫体紧凑多具金属光泽；触角 10 ~ 13 节；触角 13 节时，触式为 11263 或 11173、11353，触角为 12 节时的触式有 11253 等；前翅翅脉简单，具前缘脉、缘脉、后缘脉及痣脉，不同种类翅痣有不同的变化，不膨大或明显膨大；足跗节为 5 节。

分类：世界已知 588 属 3364 种。陕西秦岭地区分布 22 属 41 种。

分属检索表（雌）[①]

1. 触角 12 节，胸部较光滑，具稀的圆凹形刻点；前翅被毛稀，透明斑大；前翅下表面缘脉的后方有一规则的长毛列 ……… **毛链金小蜂属 *Systasis***
   触角 13 节 ……… 2
2. 中胸盾纵沟完整，伸至中胸盾片后缘 ……… 3
   中胸盾纵沟不完整，达不到中胸盾片后缘 ……… 5
3. 触角位于颜面上部；头极宽，后头具脊；腹柄扁平光滑；缘脉及翅痣较膨大 ……… **蜡卵金小蜂属 *Acroclisoides***
   触角位于颜面中部或稍中下方；头不宽大，后头脊有或无；腹柄、翅脉特征不同 ……… 4
4. 后头具马蹄状后头脊；颊光滑丰满且后缘具脊；唇基下缘平截无齿突；腹柄具纵行脊 ……… **脊柄金小蜂属 *Asaphes***
   后头无后头脊；颊被网状刻纹，后缘无脊；唇基具 2 个齿突，左齿大于右齿，唇基中部向上凹入；腹柄光滑无纵行脊 ……… **赘须金小蜂属 *Halticoptera***
5. 腹部具腹柄，腹柄被刻纹，两侧缘平行，如果光滑无刻纹则腹柄明显长 ……… 6
   腹部无明显的腹柄，或腹柄极短无刻纹 ……… 9
6. 前翅缘脉整体加粗，或从基部向端部加粗呈楔形；触式 11263 或 11353；柄后腹第 1 节背板较大，后缘向后方突出 ……… **楔缘金小蜂属 *Pachyneuron***
   前翅缘脉细，无明显加粗 ……… 7
7. 触角位于丰满隆起的颜面中上方；触角、腿及翅等附肢均细长；前翅几乎全被毛；腹柄横宽或方形，具粗糙的脊纹 ……… **狭翅金小蜂属 *Panstenon***

---

① 四斑金小蜂属 *Cheiropachus* Westwood, 1828，黑青金小蜂属 *Dibrachys* Förster, 1856，狄金小蜂属 *Dinotiscus* Ghesquiere, 1946，棍角金小蜂属 *Rhaphitelus* Walker, 1834，长尾金小蜂属 *Roptrocerus* Ratzeburg, 1848，蚁形金小蜂属 *Theocolax* Westwood, 1832，截尾金小蜂属 *Tomicobia* Ashmead, 1899 未包括在检索表中。

触角位于颜面中下方或稍下方；附肢不明显细长；前翅不全被毛 ·································· 8

8. 触角棒节端部具指状突或端部很尖突；腹柄短而光滑；并胸腹节颈半球形，被网状刻纹；前胸背板不呈矩形 ·· **尖角金小蜂属 *Callitula***

触角棒节端部不尖突，无指状突；腹柄长，被刻纹或光滑；前胸背板呈矩形 ·· **矩胸金小蜂属 *Syntomopus***

前缘具脊 ·· **矩胸金小蜂属 *Syntomopus***

9. 前翅缘脉整体加粗或从中部开始向端部加粗 ·· 10

前翅缘脉不加粗 ·· 11

10. 缘脉整体加粗，前后缘平行；触角位于颜面中上方，触角各索节被1轮显著规则的感觉毛 ·· **瓢虫金小蜂属 *Metastenus***

缘脉从中部开始向端部加粗，呈楔形；触角位于颜面中下方，触角各索节被感觉毛但不显著 ·· **楔缘金小蜂属 *Pachyneuron***

11. 触角棒节端部具指状突或端部很尖突 ·· 12

触角棒节端部不尖突，无指状突 ·· 13

12. 并胸腹节具半球状被网状刻纹颈；触角3环节5索节；柄后腹第1、2节较大 ·· **尖角金小蜂属 *Callitula***

并胸腹节无明显的颈；触角2环节6索节；柄后腹第1、2节正常······ **浩茂金小蜂属 *Homoporus***

13. 后缘脉等长于或稍短于痣脉；前翅无缘毛；柄后腹圆形；触角2环节，第2环节亚方形 ·· **长环金小蜂属 *Coelopisthia***

后缘脉至少为痣脉的1.20倍；前翅具缘毛；柄后腹短或长 ··· 14

14. 头背面观后头具明显的后头脊；并胸腹节常具明显的颈；后足基节光滑无毛；唇基下缘平截 ·· **克氏金小蜂属 *Trichomalopsis***

头背面观后头无明显的后头脊；其他特征不尽相同 ··· 15

15. 触角具3环节5索节；唇基下缘中部无齿；前胸背板前缘无脊 ······ **迈金小蜂属 *Mesopolobus***

触角具2环节6索节；其他特征不尽相同·· 16

16. 唇基下缘中部具1枚小尖齿，两侧各具1枚小齿；并胸腹节后缘不向前凹 ·· **纤金小蜂属 *Stenomalina***

唇基下缘中部倒"V"形切入，左右2枚钝齿；并胸腹节后缘明显向前凹入 ·· **绒茧金小蜂属 *Mokrzeckia***

92. 蛴卵金小蜂属 *Acroclisoides* Girault *et* Dodd, 1915

Acroclisoides Girault *et* Dodd, in Girault, 1915: 334. **Type species**: *Acroclisoides megacephalus* Girault *et* Dodd, 1915.

Neocoruna Huang *et* Liao, 1988: 426. **Type species**: *Neocoruna sinica* Huang, 1988.

属征：头大而横宽，明显宽于胸；唇基大而横宽，具明显的纵刻纹；触角着生于颜面中上方，柄节超过头顶；复眼较小。头侧面观颊部明显凹陷；后头具脊。胸部紧凑而凸起，盾纵沟完整且细而深；并胸腹节无侧褶，具弱的中脊，并胸腹节颈明显。腹柄很小，近方形；柄后腹第 1 节缩窄，变长，很像腹柄。

生物学： 该属种类为卵寄生蜂，寄主绝大多数为半翅目蝽科昆虫，如刺蝽属 *Biprorulus*、绿蝽属 *Nezara*、盾蝽属 *Tectocoris*、丽蝽属 *Antestia*、*Atelocera*、*Bathycoelia*、茶翅蝽属 *Halyomorpha*、莽蝽属 *Placosternum* 及 *Oechalia* 等；个别种类也有在膜翅目缘腹细蜂科 Scelionidae 沟卵蜂属 *Trissolcus* 寄生的记录。

分布： 非洲区，澳洲区，东洋区。全世界已知记录 10 种，秦岭地区分布 1 种。

（670）中国蝽卵金小蜂 *Acroclisoides sinscus*（**Huang *et* Liao, 1988**）（图版 83：A）

Neocoruna sinica Huang *et* Liao, 1988: 426.
Acroclisoides sinicus: Xiao & Huang, 2000a: 96.

鉴别特征： 体墨绿色，头前面为绿色，具光泽；触角柄节棕褐色，其余均为褐色；足基节与体同色，其余均为黄棕色；柄后腹第 1 节背板褐色；前翅痣脉下方具 1 个褐色昙斑。头横宽；颚眼距大于复眼高，复眼间距明显大于复眼高；唇基宽大，下缘中部呈弧状凹陷。触角位于颜面上部，柄节超过头顶；梗节短于第 1 索节；棒节不膨大。后头脊明显。头侧面观，颊部内陷，后部具齿状突。胸部紧凑凸起。前翅缘室上表面被散毛，下表面被密毛；基室被若干毛，基脉完整，基室下端封闭；透明斑较小或无，缘脉与痣脉长相当，均短于后缘脉。腹柄长宽相当，柄后腹第 1 节似腹柄的延伸，其长度占柄后腹长的 1/3，第 4 节背板占整个柄后腹长的近 1/3。

雄虫与雌虫相似，除触角各索节均长大于宽。

采集记录： 1♂，宁陕广货街，2014. Ⅶ. 17，郝倩男采。

分布： 陕西（宁陕）、北京、山西、河南、湖北、云南。

93. 脊柄金小蜂属 *Asaphes* Walker, 1834

Asaphes Walker, 1834a: 151. **Type species**: *Asaphes vulgaris* Walker, 1834.
Isocratus Förster, 1856: 53, 58 (new name for *Asaphes* Walker, 1834).
Parectroma Brèthes, 1913: 91. **Type species**: *Parectroma huebrichi* Brèthes, 1913.

属征： 体深绿色，光亮；头正面观三角形，上宽下窄，光滑，触角洼明显凹陷，后头脊显著；触角较接近唇基，触式为 11263；盾纵沟深而显著，小盾片隆起，横沟明显；并胸腹节长，具不规则的刻纹；腹柄长大于宽，具纵向的脊条；柄后腹第 1、2 节背板长于其他节。前翅缘脉短，几乎与痣脉等长，后缘脉长于缘脉和痣脉。

生物学： 为蚜虫的次寄生蜂，以蚜茧蜂及其他寄生物为寄主。

分布： 世界广布。世界已知 9 种，中国记录 6 种，秦岭地区发现 1 种。

(671) 钝缘脊柄金小蜂 *Asaphes suspensus* (Nees, 1834) (图版 83: B)

Chrysolampus suspensus Nees, 1834: 27.

Chrysolampus altiventris Nees, 1834: 127.

Pteromalus petioliventris Zetterstedt, 1838: 420.

Chrysolampus aphidiphagus Ratzeburg, 1844a: 181.

Chrysolampus aphidicola Rondani, 1848: 19.

Euplectrus lucens Provancher, 1887: 207.

Asaphes rufipes Brues, 1908: 160.

Megorismus fletcheri Crawford, 1909: 98.

Asaphes americana Girault, 1914: 114.

Pachycrepoides indicus Bhatnagar, 1951: 160.

Asaphes sawraji Sharma *et* Subba Rao, 1959: 181.

Pachyneuron uniarticulata Mani *et* Saraswat, 1974: 96.

Asaphes suspensus: Xiao & Huang, 2000b: 194.

鉴别特征: 雌虫体长 2.00 ~ 2.50mm。体深绿色具光泽, 触角柄节与体同色, 其余褐色; 足基节与体同色, 其余各节为黄色。头前面观, 颜面光滑, 仅触角洼外下方及下脸具凹脊网状纹, 下脸被长毛。头高大于宽; 复眼间距稍大于复眼高, 为颚眼距的 2.70 倍; 触角洼宽大而深, 两触角窝之间上方具纵形鼻状突; 下脸短, 较凸起; 唇基区小, 口上沟明显; 无颚眼沟。触角位于颜面下方, 复眼腹下线处; 触角柄节达中单眼; 梗节长大于宽, 与环节和第 1 索节长之和相当; 第 1 环节扁, 第 2 环节亚方形; 各索节均为方形或亚方形, 被 1 轮感觉毛; 棒节较膨大, 微毛区不明显; 梗节与鞭节长之和等于或稍小于头宽。头背面观后头脊明显, 上颊弧形, 明显向中后部会聚。胸部隆起, 具凹脊网状纹, 被毛。前胸背板为长方形; 中胸盾片前缘不向前伸长, 盾纵沟完整; 小盾片横沟由大的圆刻点组成, 横沟前方具凹脊网状纹, 后方光滑。并胸腹节具交错的脊构成的网, 无明显的中脊和侧褶, 颈部明显; 并胸腹节侧边具长密毛。前翅被密毛, 无透明斑; 缘脉短于后缘脉, 后缘脉为痣脉的 1.50 倍。腹柄具纵形脊, 之间被网纹, 长稍大于宽; 柄后腹光滑, 长为宽的 1.60 倍。

雄虫与雌虫相似。触角柄节与体同色, 其余各节为黄色; 触角短, 棒节膨大, 感觉毛明显, 棒节端部被较毛的密毛; 柄后腹短于胸部, 后部几节在背面不可见。

采集记录: 1♀, 凤县秦岭站, 1973. Ⅶ. 25。

分布: 陕西(凤县)、黑龙江、吉林、北京、河北、新疆、福建、广东、四川、云南、西藏; 日本, 欧洲。

寄主: 国外记载其寄主为多种蚜虫, 如沟无网蚜属 *Aulacorthum*、甘蓝蚜 *Brevicoryne*、圆瘤蚜属 *Binodoxys*、*Ovatus*、卡蚜属 *Coloradoa*、瘤蚜属 *Myzus*、衲长管蚜属 *Nasonovia*、绵叶蚜属 *Shivaphis* 等的种类。

94. 尖角金小蜂属 *Callitula* Spinola, 1811

Callitula Spinola, 1811: 151. **Type species**: *Callitula bicolor* Spinala, 1811.

Micromelus Walker, 1833a: 371 and 1833b: 464. **Type species**: *Micromelus rufomaculatus* Walker, 1833.

Baeotomus Förster, 1856: 145 (new name for *Micromelus* Walker, 1833).

Pterosemoidea Girault, 1913a: 103. **Type species**: *Pterosemoidea flavipes* Girault, 1913.

Apterosemoidea Girault, 1913a: 103. **Type species**: *Apterosemoidea nigriviridis* Girault, 1913.

Eurydinotella Girault, 1913a: 105. **Type species**: *Eurydinotella prima* Girault, 1913.

Pseudosphegigasterus Girault, 1913b: 322. **Type species**: *Pseudosphegigasterus grotiusi* Girault, 1913.

Eurydinotelleus Girault, 1913b: 324. **Type species**: *Eurydinotelleus silvensis* Girault, 1913.

Polycystomyia Dodd, in Girault, 1915b: 338. **Type species**: *Polycystomyia punctata* Dodd, 1915.

属征：头无后头脊；复眼无被毛；触角位于颜面的中部，触式 11353(3 环节，5 索节)，触角棒节前端呈尖突或具 1 个指状突；前胸背板前缘无明显的脊；并胸腹节无中脊，但颈加长且呈半圆形；前翅具明显的透明斑；柄后腹第 1 节背板或包括第 2 节明显加长，其他各节均短。雄蜂某些种类的缘脉加粗。

生物学：主要寄生于小型双翅目种类，尤其是潜蝇科的种类。

分布：从北温带至热带到南温带均有分布。全世界记录 20 多种，秦岭地区发现 1 种。

(672) 尖角金小蜂 *Callitula* sp. (图版 83：C)

鉴别特征：雌虫体长 2.00～2.20mm。体墨绿色，具金属光泽；触角浅褐色或棕黄色；后足基节与体同色，前、中足基节为褐色，其余均为黄色。头前面观被规则的网状刻点，头宽大于高，唇基区具明显的纵刻纹；触角洼明显，且伸至中单眼下方；唇基中部稍向下伸出，不具齿；触角窝位于颜面的中部；触角窝上缘到中单眼距稍小于触角窝下缘到唇基距；两复眼间距大于复眼高、颚眼距。触角柄节长伸达中单眼；3 个环节均为环形，宽而短；索节均被 1 轮感觉毛，各索节均长稍大于宽；棒节无显著的分节，末端具尖突明显；梗节与鞭节长之和等于或稍短于头宽。头背面观复眼长大于上颊长；POL 大于 OOL。胸部隆起，均被网状刻点。前胸短，领部前缘横脊较弱，后缘具光滑无刻点带。中胸盾片长短于宽，盾纵沟不完整；小盾片长宽相当，无后横沟。并胸腹节具规则的网状刻点，无中脊；侧褶仅在颈前部较明显；颈部明显加长，为整个并胸腹节长的 1/2 多。前翅透明无褐色的翅斑，缘脉大于后缘脉，后缘脉大于痣脉。前、中、后足无膨大，各节均细长。柄后腹为长椭圆形，后部较尖，背面观不隆起；柄后腹第 1 节背板长为整个柄后腹长的 1/4。

采集记录：1♀，宁陕广货街，2014. Ⅶ. 27，郝倩男采。

分布：陕西（宁陕）。

95. 四斑金小蜂属 *Cheiropachus* Westwood, 1828

Cheiropachus Westwood, 1828: 23. **Type species**: *Ichneumon quadrum* Fabricius, 1787.

Tropidogastra Ashmead, 1904: 323. **Type species**: *Tropidogastra arizonensis* Ashmead, 1904.

属征：雌虫触角13节，11263式，着生在复眼下缘连线之上，柄节扁宽，宽度与梗节长度相等，鞭节端部不显著膨大；唇基大，端缘中部浅凹。头部背面不具后头脊；前胸背板特化，盾片后缘中部呈拱形前凹；小盾片圆隆；并胸腹节短，表面网状刻纹浅而弱；前翅具2个烟色大斑；前足腿节显著膨大，在腹面端部凹入1个大的豁口；后足胫节2端距。

雄虫与雌虫相似，仅前足腿节腹面豁口较小。

分布：古北区，新北区，东洋区，非洲区。世界记载8种，中国已知5种，秦岭地区分布3种。

分种检索表

1. 腹部长，为头胸部长度之和的1.30倍；头顶中部具纵凹；前翅长达腹端，但不超过腹端 ……………………………………………………………… **小蠹凹面四斑金小蜂 *Ch. cavicapitis***

   腹部短，短于头胸部长度之和；头顶无纵凹；前翅明显长于腹端 ……………………………… 2

2. 中胸小盾片在沟后部前区表面两侧具9~12对刚毛 ……… **核桃小蠹四斑金小蜂 *Ch. juglandis***

   中胸小盾片在沟后部前区表面两侧具5对刚毛 ………… **果树小蠹四斑金小蜂 *Ch. quadrum***

(673) 果树小蠹四斑金小蜂 *Cheiropachus quadrum* (Fabricius, 1787)

Ichneumon quadrum Fabricius, 1787: 270.

Cheiropachus quadrum: Westwood, 1828: 25.

鉴别特征：雌虫体长2.50~3.00mm。体暗绿色，具紫铜色光泽，腹部颜色较深。头部具网状纹，颜面具稀疏黄白色毛；胸部背面具粗的网状纹；并胸腹节光滑，中部隆起，具中纵脊；前翅痣后脉下方的斑包围了痣脉。

雄虫腹部第6节具颗粒状黑色小瘤突。

采集记录：25♀10♂，杨凌，1985. Ⅳ. 18-28，杨忠岐、黄飞采。

分布：陕西（杨凌）、黑龙江、内蒙古、北京、甘肃、新疆、福建；世界广布。

寄主：天牛科、象甲科昆虫。

（674）小蠹凹面四斑金小蜂 *Cheiropachus cavicapitis* Yang, 1996

Cheiropachus cavicapitis Yang, 1996: 166.

鉴别特征：雌虫体长2.50～5.80mm。体翠绿色，具黄铜色金属光泽，头顶、单眼区紫褐色，头顶、颜面、胸部背面有紫色光泽；触角柄节黄褐色，梗节及鞭节紫褐色；前翅的缘脉、痣脉、痣后脉及后翅缘脉紫褐色；腹部大部分褐色，背面有紫色或浅紫色斑。

雄虫与雌虫相似，但前翅斑较小，腹部1～2节背面具"土"形黄斑。

采集记录：19♀（副模），杨凌西北农大果园，1989.Ⅴ.27，杨忠岐采。

分布：陕西（杨凌）、黑龙江、内蒙古、北京、山东、宁夏、甘肃、新疆。

寄主：危害阔叶树小蠹幼虫及蛹。

（675）核桃小蠹四斑金小蜂 *Cheiropachus juglandis* Yang, 1996

Cheiropachus juglandis Yang, 1996: 168.

鉴别特征：雌虫体长2.40～3.90mm。头及胸部深蓝绿色，头顶深紫色，颜面具金黄色金属光泽；触角柄节黄褐色，梗节及鞭节紫褐色；胸部背面褐色；后胸背板、并胸腹节及腹部蓝绿色。

采集记录：23♀（正模及副模），洛南，1989.Ⅵ.05，杨忠岐、安永平采。

分布：陕西（洛南）。

寄主：核桃黄须球小蠹。

96. 长环金小蜂属 *Coelopisthia* Förster, 1856

Coelopisthia Förster, 1856: 65. **Type species**: *Pteromalus extentus* Walker, 1835.

Kranophorus Graham, 1956: 257. **Type species**: *Pteromalus extentus* Walker, 1835.

属征：体色暗绿色，触角着生在两复眼下连线上或略靠下，触角着生位明显隆起，触式11263，两环节通常膨大成方形或亚方形，至少第2节膨大。头侧面观，后颊区域宽且平坦。头背面观后头强烈前凹，无后头脊。中躯背面较平，前胸背板前缘无脊，中胸盾纵沟不完整，小盾片后部无横沟结构，并胸腹节上中脊完整或不完整。前翅翅缘无缘毛，缘脉长于痣脉长的2倍。柄后腹多呈圆形或长圆形。

生物学：该属种类主要寄生鳞翅目的枯叶蛾科（Lasiocampidae）、夜蛾科（Noctuidae）、灯蛾科（Arctiidae）、蛱蝶科（Nymphalidae），以及膜翅目的叶蜂科（Tenthredinidae）和茎蜂科（Cephidae），双翅目的瘿蚊科（Cecidomyiidae）和鞘翅目的象甲科（Curculionidae)的个别种类。本研究中新增寄主记录粘虫（*Pseudaletia separate* Walker）。

分布：古北区，新北区，东洋区。世界已知13种，中国记录6种，秦岭地区发现4种。

分种检索表

1. 前翅缘脉是痣脉长的2.50倍……………………………………………………………… 2
   前翅缘脉是痣脉长的2倍 ………………………………………………………………… 3
2. 后缘脉短于痣脉 ……………………………………………… **克里长环金小蜂 *C. caledonica***
   后缘脉与痣脉等长 …………………………………………… **秦岭长环金小蜂 *C. qinlingensis***
3. 前足在后端具1条横沟，其长不超过前足长的1/3 ……………… **网颈长环金小蜂 *C. areolata***
   前足在后端没有明显的横沟，若有，其长超过前足长的1/3 ……………………………………
   ………………………………………………………………… **辛家山长环金小蜂 *C. xinjiashanensis***

（676）克里长环金小蜂 *Coelopisthia caledonica* Askew, 1980（图版83：D）

Coelopisthia caledonica Askew, 1980：3.

鉴别特征：雌虫体长2.00～2.20mm。头胸部墨绿色，柄后腹深褐色。触角柄节、梗节，有时包括两环节，黄褐色，其余为褐色；各足基节与体同色，其余各节黄褐色；前翅透明，略带烟色，翅脉黄褐色；两上颚淡黄色，仅在齿的边缘显褐色。触角着生于两复眼下连线上，唇基区域具纵形刻纹，下缘边缘光滑；唇基下缘平截，具2枚钝齿。头侧面观下脸弯向腹面，与额之间夹角约90°。触角梗节与鞭节的长度之和略短于头宽，索节1、2节长大于宽，其他索节长宽相当或略显横宽。胸部稍凸起，盾纵沟不完整；小盾片后部无小盾片横沟。并胸腹节侧褶完整而明显且成脊状；中脊不完整。前翅无缘毛，翅面毛稀疏；基室光滑，基脉无毛，无毛区延伸至痣脉基部，缘脉为痣脉的2倍，后缘脉短于痣脉。柄后腹卵圆形，长稍大于宽。

雄虫头胸部青蓝色，带绿色光泽，具金属反光；触角整体黄色或黄褐色；各足基节与体同色，其余各节淡黄色；前翅透明，略带烟色，翅脉淡黄色或黄褐色；触角各索节至少略微横宽；柄后腹桃形。其余特征同雌虫。

采集记录：1♀1♂，周至厚畛子，1350～1400m，1999. Ⅵ. 24，朱朝东采。

分布：陕西(周至)、甘肃、云南；古北区。

寄主：已知的寄主有鳞翅目的 *Xestia alpicola*（Humphreys *et* Westwood），庆网蛱蝶（*Melitaea cinxia*（L.））（Noyes，2002）。

（677）网颈长环金小蜂 *Coelopisthia areolata* Askew, 1980（图版83：E）

Coelopisthia areolata Askew, 1980：4.

鉴别特征： 雌虫体长1.80～2.80mm。头胸部黑色，柄后腹深褐色。触角柄节、梗节黄褐色，其余褐色；各足基节与体同色，其余各节黄褐色；前翅透明，略带烟色，翅脉黄褐色；上颚黄色，仅在齿的边缘呈黄褐色。触角着生位在两复眼下连线上，触角洼深；唇基区域狭窄，被弱的纵形刻纹；唇基下缘平截，伸出，中部轻微上凹，不形成明显的2齿。触角柄节长与复眼高相当，向上不伸达中单眼；梗节与鞭节的长度之和为头宽的0.87倍，触角梗节侧面观长是宽的2倍；第1环节横宽，第2环节膨大呈方形；各索节方形，端部的索节显横宽，索节每节具1轮感觉毛，感觉毛长；棒节不明显膨大。前胸背板前缘较直，向前陡降，区分出领部，前缘中部隆起，但不成脊状，被规则的网状刻纹，后缘具1条光滑条带；中胸盾片宽是长的2倍，整个中胸盾片被规则深刻的网状刻纹，刻纹细密，中胸盾纵沟不完整且不明显；小盾片宽略微长于长，中部稍微隆起，无小盾片横沟。并胸腹节两侧褶深刻呈脊状；中脊强烈隆起；并胸腹节后具光滑短颈。前翅外缘无缘毛，翅面上所被的毛稀疏；基室光滑，基脉无毛，无毛区域延伸到痣脉基部；缘脉为痣脉的2.60倍，缘脉与后缘脉等长；痣脉直，末端膨大呈方形。柄后腹卵圆形，长稍大于宽；柄后腹宽大于胸宽。

采集记录： 1♀，留坝石板房，1470～1550m，1999.Ⅶ.02，朱朝东采。

分布： 陕西(留坝)、内蒙古、河北、四川；古北区。

(678) 秦岭长环金小蜂 *Coelopisthia qinlingensis* Yang, 1996

Coelopisthia qinlingensis Yang, 1996: 205.

鉴别特征： 雌虫体长2.10～2.40mm。头、胸部黑色，带暗绿色光泽；触角柄节、梗节淡黄褐色，鞭节暗黄褐色；翅透明，表面烟色，翅脉淡黄色。唇基端缘中部凹入深；缘脉是痣脉和痣后脉长度的2倍；在翅基片前方具1个光滑微突的三角形斑。

采集记录： 3♀，勉县庙坪正沟，1984.Ⅴ.18，杨忠岐采。

分布： 陕西(勉县)。

寄主： 华山松大小蠹。

(679) 辛家山长环金小蜂 *Coelopisthia xinjiashanensis* Yang, 1996

Coelopisthia xinjiashanensis Yang, 1996: 203.

鉴别特征： 雌虫体长2.10～2.70mm。头胸部黑色，带暗绿色光泽；复眼紫褐色，单眼黄褐色；触角柄节、梗节深黄褐色，鞭节紫褐色；足黄褐色；翅透明具颜色底色，翅脉黄褐色；腹部黑紫色，但背板基部具较强的深绿色光泽。

采集记录： 4♀，凤县辛家山林场，1986.Ⅶ.05，杨忠岐、谢恩奎采。

分布： 陕西(凤县)。

寄主：华山松大小蠹，十二齿小蠹。

97. 黑青金小蜂属 *Dibrachys* Förster, 1856

Dibrachys Förster, 1856: 65. **Type species**: *Pteromalus boucheanus* Ratzeburg (= *Diplolepis microgastri* Bouché, 1834: 168).

Coelopisthoidea Gahan, 1913: 178. **Type species**: *Coelopisthoidea cladiae* Gahan, 1913: 178

属征：头顶圆隆，后头显著前凹，具明显的弧形后头脊；触角洼在颜面中部呈深的纵凹；唇基端缘为2个裂片状；触角13节，为11263式；前胸背板分成盾片和颈2个部分；小盾片后具横沟；后足胫节1个端距；并胸腹节具侧褶；前翅痣脉和痣后脉等长。

分布：全北区，东洋区，新热带区。中国已知10种左右，秦岭地区分布2种。

(680) 黄翅黑青金小蜂 *Dibrachys maculipennis* Szelényi, 1957

Dibrachys maculipennis Szelényi, 1957: 301.

鉴别特征：体长2.20～2.30mm。头及胸部蓝黑色，具金属光泽；触角柄节黄褐色，梗节及鞭节紫褐色；足黄褐色；前翅黄褐色；腹部深褐色，臀板黄色。

采集记录：1♀，汉中，1959. X，郑哲民采。

分布：陕西（汉中）、北京、浙江；古北区，新北区，新热带区。

寄主：*Megachile rotundata* (Fabricius), *Hyphantria cunea* (Drury), *Smerinthus planus* Walker, *Apanteles baoris* Wilkinson。

(681) 小腹黑青金小蜂 *Dibrachys microgastri* (Bouché, 1834)

Diplolepis microgastri Bouché, 1834: 168.

Pteromalus cavus Walker, 1835a: 477.

Pteromalus decedens Walker, 1835a: 478.

Pteromalus albinervis Ratzeburg, 1844a: 199.

Pteromalus boucheanus Ratzeburg, 1844a: 196.

Pteromalus tenuis Ratzeburg, 1844a: 195.

Pteromalus zelleri Ratzeburg, 1848: 190.

Pteromalus vesparum Ratzeburg, 1852: 233.

Cleonymus clisiocampae Fitch, 1856: 431.

Pteromalus boarmiae Walker in Newman, 1863: 8609.

Cheiropachus nigro-cyaneus Norton, 1869: 327.

Eupelmus cereanus Rondani, 1876: 38. 40.
Pteromalus gelechiae Webster, 1883: 151.
Pteromalus chionobae Howard, 1889: 1872, 1889.
Arthrolytus apatelae Ashmead, 1893: 162.
Arthrolytus pimplae Ashmead, 1894: 339.
Trichomalus truyilloi Blanchard, 1938: 178.
Tritneptis elegans Szelényi, 1981: 400.
Dibrachys microgastri: Peters & Baur, 2011: 18.

鉴别特征: 体长1.80~2.50mm。头及胸部蓝黑色,具绿色金属光泽,复眼褐色;触角柄节黄褐色,梗节及鞭节紫褐色;足黄褐色;腹部背面黑褐色,腹面褐色。

采集记录: 1♀,咸阳,1975.Ⅲ.06,廖定熹采。

分布: 陕西(西安、咸阳)、黑龙江、吉林、辽宁、内蒙古、北京、河北、山西、山东、河南、宁夏、甘肃、新疆、江苏、上海、安徽、浙江、湖北、湖南、云南、西藏;世界广布。

寄主: 鞘翅目 Coleoptera,双翅目 Diptera,半翅目 Hemiptera,膜翅目 Hymenoptera 鳞翅目 Lepidoptera 等昆虫。

98. 狄金小蜂属 *Dinotiscus* Ghesquiere, 1946

Dinotus Förster, 1856: 66(nec Guettard, 1770). **Type species**: *Hetroxys aponius* Walker, 1846.
Dinotiscus Ghesquiere, 1946: 370. **Type species**: *Dinotus bidentulus* Thomson, 1878 (= *Hetroxys aponius* Walker, 1846).

属征: 头宽,略呈半球形;触角着生于复眼下连线之上;唇基端缘双齿状或中部浅凹;前胸盾片具显著地前缘脊;并胸腹节短,侧褶处常为沟;前翅缘脉与痣后脉等长或略短,但长于痣脉;后足胫节有1根端刺。

分布: 全北区。世界已知12种,中国记录6种,秦岭地区分布3种。

分种检索表

1. 唇基前缘微凹;并胸腹节表面光滑,仅有隐约网纹 ………… **梢小蠹狄金小蜂 *D. qinlingensis***
   唇基前缘不微凹;并胸腹节表面具明显的网状纹 …………………………………………………… 2
2. 触角第1索节明显长于第2节;后胸盾片具显著地网纹 ………… **松蠹狄金小蜂 *D. armandi***
   触角第1索节与第2节等长;后胸盾片光滑或仅见网纹痕迹 …… **方痣狄金小蜂 *D. eupterus***

(682) 松蠹狄金小蜂 *Dinotiscus armandi* Yang, 1987

Dinotiscus armandi Yang, 1987: 178.

鉴别特征：雌虫体长3.10～5.50mm。体鲜铜绿色，具金属光泽；复眼紫褐色，单眼红褐色；触角柄节及梗节黄褐色，鞭节紫褐色；足腿节深褐色，胫节及跗节黄褐色。

雄虫腹部扁平，基半部背面具黄色纵带。

采集记录：5♀5♂，周至厚畛子，1984. Ⅳ. 27，杨忠岐采；16♀5♂，勉县，1900m，1984. Ⅳ. 05，杨忠岐采；18♂5♀，宁陕火地塘，1984. Ⅶ. 26，杨忠岐采。

分布：陕西（周至、勉县、宁陕）、云南。

寄主：华山松大小蠹，华山松梢小蠹等。

（683）方痣狄金小蜂 *Dinotiscus eupterus*（Walker，1836）

Pteromalus eupterus Walker，1836：482.

Pteromalus capitatis Förster，1841：21.

Dinotiscus eupterus：Hedqvist，1963：90.

鉴别特征：雌虫体长2.40～5.00mm。体金绿色，触角柄节黄色，鞭节褐色；足大部分浅黄褐色；腹部背板部分紫褐色；翅透明，无斑。前翅翅痣略呈方形，缘脉为痣脉长的1.80倍。

雄虫前翅基室内有毛，腹部前3节黄白色。

采集记录：4♀3♂，周至厚畛子，1994. Ⅴ. 14，杨忠岐采；21♀9♂，凤县辛家山林场，1986. Ⅷ. 05，杨忠岐采。

分布：陕西（周至、凤县）、黑龙江、甘肃、青海；日本，欧洲，北美洲。

寄主：寄生危害针叶树的多种小蠹幼虫。

（684）梢小蠹狄金小蜂 *Dinotiscus qinlingensis* Yang，1996

Dinotiscus qinlingensis Yang，1996：157.

鉴别特征：雌虫体长2.20～2.70mm。头胸部深蓝绿色，部分带暗紫色；触角柄节及足黄褐色，梗节及鞭节紫褐色；腹部背面大部分黑泽色，部分蓝绿色；翅透明无斑，缘脉和翅痣褐色。前胸盾片前缘具锐脊；前中足基节上覆盖有毛，后足腿节外侧中部及下缘具2行较长的毛。

采集记录：4♀2♂，周至厚畛子，1994. Ⅴ. 14，杨忠岐采；17♀，凤县辛家山林场，1986. Ⅶ. 05，杨忠岐采。

分布：陕西（周至、凤县）。

寄主：华山松星坑小蠹，华山松梢小蠹。

99. 赘须金小蜂属 *Halticoptera* Spinola, 1811

Halticoptera Spinola, 1811: 148. **Type species**: *Diplolepis flavicornis* Spinola, 1808.

Pachylarthrus Westwood, 1832: 127. **Type species**: *Pachylarthrus insignis* Westwood, 1832.

Phagonia Curtis, 1832: Plates 427. **Type species**: *Phagonia flavicornis* Curtis, 1832.

Dicyclus Walker, 1833a: 371 and 1833b: 455. **Type species**: *Dicyclus aeneus* Walker, 1833.

Phacostomus Nees, 1834: 121. **Type species**: *Diplolepis patellana* Dalman, 1818.

Megorismus Walker, 1846: 29. **Type species**: *Miscogaster daiphron* Walker, 1839.

Tityros Walker, 1848: 108, 164. **Type species**: *Tityros poreia* Walker, 1848.

Megalorismus Schulz, 1906: 147. unjustified emendation of *Megorismus* Walker, 1846.

属征: 触式 11263; 触角着生于复眼下端连线上或略靠下。唇基下端中央 2 齿，常不对称。无后头脊。前胸背板分为明显的颈和领，领之前缘无脊，仅 *Halticoptera aenea* (Walker) 具微弱的脊。中胸盾纵沟常不完整，有时后部依稀可辨。小盾片横沟有或无。并胸腹节中脊锋锐、完整，侧褶完整或不完整；中域隆起，光滑或具明显刻点。前翅缘脉长于后缘脉；基脉毛列常缺；基脉外透明斑大。腹柄明显。柄后腹第 2 节远远小于其后各节之和。雄蜂下颚须奇特，末 2 节膨大；茎节也常膨大。

生物学: 多数种类寄主不详，部分种类寄生于潜蝇、秆蝇、芒蝇、果蝇和瘿蝇等。

分布: 全世界广布。世界已知 59 种，中国记录 18 种，秦岭地区发现 1 种。

(685) 圆形赘须金小蜂 *Halticoptera circula* (Walker, 1833) (图版 83: F)

Dicyclus circulus Walker, 1833b: 456. Transferred to *Halticoptera* by Graham, 1969.

Dicyclus fuscicornis Walker, 1833b: 456.

Dicyclus tristis Walker, 1833b: 456.

Pteromalus palpigerus Zetterstedt, 1838: 425.

Pteromalus brevicornis Zetterstedt, 1838: 426.

Miscogaster daiphron Walker, 1839: 198.

Miscogaster suilius Walker, 1839: 202.

Halticoptera petiolata Thomson, 1876: 250.

鉴别特征: 雌虫体长 1.80 ~2.20mm。亮蓝绿色。触角柄节、梗节棕色，鞭节褐黄色。足基节亮蓝绿色，腿节基部浅棕色，端部黄色或褐黄色；端跗节棕色；其余足节黄色或褐黄色。翅透明，翅脉褐黄色。头前面观宽稍大于高；口上沟清晰，唇基表面近似光滑。头侧面观颚眼沟清晰，颚眼距约为眼高之半。触角柄节与眼高等长，上端不达中单眼；梗节与鞭节长之和明显小于头宽；梗节长为宽的 2 倍；索节等长，等粗，均宽大于长。棒节略短于末 3 索节之和。中胸盾片宽，小盾片略长于中胸盾片，无横沟，小背板光滑。并胸腹节中域光滑；中脊锋锐、完整；侧褶锋锐，伸达气门内侧。前翅缘脉稍长于后缘脉，为痣脉的2倍。腹柄长为宽的1.40～1.50倍。柄后腹略短于中躯。

雄虫触角和足（除基节外）均为黄色。下颚茎节上端不达后头孔，下颚须末2节等于或小于下颚茎节。

采集记录： 1♀3♂，眉县，1976.Ⅵ.09，廖定熹采。

分布： 陕西(眉县)、内蒙古、北京、河北、山东、宁夏、甘肃、新疆、江苏、湖南、福建、云南、西藏；欧洲，北美洲。

寄主： 各种潜叶蝇。

100. 浩茂金小蜂属 *Homoporus* Thomson, 1878

Homoporus Thomson, 1878: 60, 64. **Type species**: *Pteromalus fulviventris* Walker, 1835b: 190.

Phaenacra Förster, 1878: 51. **Type species**: *Phaenacra nubigera* Förster, 1978.

Parapteromalus Ashmead, 1904: 320. **Type species**: *Parapteromalus isosomatis* Ashmead, 1904.

Merisoporus Masi, 1924: 226. **Type species**: *Pteromalus luniger* Nees, 1834.

Pseudomerisus Erdös *et* Novitzky, in Erdös, 1953: 236. **Type species**: *Pseudomerisus stipae* Erdös *et* Nonvitzky, 1953.

属征： 雌虫触角一般2环节，6索节，3棒节，棒节端部具1个指状突出；前胸背板宽较中胸盾片窄，中胸较为隆起具刻点；并胸腹节颈不明显且不呈亚圆形；前翅后缘脉短，痣脉无显著膨大；后足胫节1距；柄后腹第2节不长于第1节。雄虫触角各索节无轮状长毛。

生物学： 寄生于草、灌木茎中双翅目或膜翅目昆虫的幼虫。

分布： 世界广布。全世界记录60余种，中国已知18种，秦岭地区发现1种。

(686) 日本类金小蜂 *Homoporus japonicus* Ashmead, 1904（图版83：G）

Homoporus japonicus Ashmead, 1904: 157.

鉴别特征： 雌虫体长3.00～3.50mm。体绿色具光泽；触角黄色透明，复眼深红褐色；足基节与体同色；腿节中部稍有褐色，其余均为黄色。头部颜面唇基区具纵刻纹；唇基中部凹陷且具2枚小齿；触角窝位于复眼下缘连线的稍上方，触角柄节长伸达不到中单眼；第1环节长明显大于宽，第2环节为环形，短于第1环节；索节均被1轮感觉毛，棒节末端具尖突。头宽明显大于胸宽；胸部隆起，被网状刻点。中胸盾纵沟不明显；小盾片长宽相当，前部窄于最宽处(中后部)，横沟缺；小背板光滑。并胸腹节无中脊，具完整的侧褶；侧褶之间区域具规则的网状刻点。前翅透明被毛；基脉完整，基室无毛，基室后缘封闭；缘脉与后缘脉等长，约为痣脉的1.60倍；翅痣脉和缘脉之下的中区具浅褐色的翅斑。腹柄短，宽明显大于长；柄后腹为长椭圆形，长为宽的1.30倍；背面观不隆起。

雄虫体长2.50mm。除体形较雌虫小之外，其他特征均与雌性相同。

采集记录：1♀，宁陕广货街，2014.Ⅶ.27，郝倩男采。

分布：陕西（宁陕）、山东、湖北、湖南、福建、广西、四川、云南；日本。

寄主：为竹广肩小蜂；竹子虫瘿中也有出现。

101. 迈金小蜂属 *Mesopolobus* Westwood, 1833

Mesopolobus Westwood, 1833: 443. **Type species**: *Mesopolobus fasciiventris* Westwood, 1833.

Platymesopus Westwood, 1833: 444. **Type species**: *Platymesopus tibialis* Westwood, 1833.

Platyterma Walker, 1834b: 303. **Type species**: *Platyterma nobile* Walker, 1834.

Amblymerus Walker, 1834c: 351, 356. **Type species**: *Amblymerus amaenus* Walker, 1834.

Eutelus Walker, 1834c: 351, 356. **Type species**: *Eutelus dilectus* Walker, 1834.

Xenocrepis Förster, 1856: 64. **Type species**: *Mesopolobus morys* Walker, 1848 = *Xenocrepis pura* Mayr, 1904.

Selitrichus Rondani, 1877: 196. **Type species**: *Selitrichus ceutorhynchi* Rondani, 1877.

Asemantus Förster, 1878: 51. **Type species**: *Asemantus amphibolus* Förster, 1878.

Syntomocera Förster, 1878: 52. **Type species**: *Syntomocera clavicornis* Förster, 1878.

Disema Förster, 1878: 54. **Type species**: *Disema pallipes* Förster, 1878.

Zacalochlora Crawford, 1913: 251. **Type species**: *Zacalochlora milleri* Crawford, 1913.

Urielloides Girault, 1913a: 106. **Type species**: *Urielloides fulvipes* Girault, 1913.

Paranogmus Girault *et* Dodd, in Girault, 1915: 318. **Type species**: *Paranogmus pallidicornis* Girault *et* Dodd, 1915.

Anogmoidea Girault, 1924: 174. **Type species**: *Anogmoidea joulei* Girault, 1924.

Baeoponerus Masi, 1924: 224. **Type species**: *Baeoponerus aeneus* Masi, 1924.

Euamblymerus Hincks, 1944: 37. **Type species**: *Amblymerus dubius* Walker, 1834.

Ahlbergiella Rosen, 1955: 88. **Type species**: *Eutelus aequus* Walker, 1834.

Sturovia Bouček, 1961: 86. **Type species**: *Sturovia tenuicornis* Bouček, 1961.

Isoptrynea Szelényi, 1982: 381. **Type species**: *Isoptrynea tricarinata* Szelényi, 1982.

属征：体一般绿色具光泽；头稍宽于胸；头顶不明显隆起；无后头脊。两颊不膨大；触角着生于颜面中部稍下方，触式11353，棒节稍有膨大。前胸背板较短，领前缘具弱脊；中胸盾纵沟不完整；并胸腹节短，一般较光滑，具完整的中脊，侧褶有时完整；前翅基部无毛。柄后腹有时中部塌陷。

生物学：迈金小蜂大多营寄生生活，以幼虫单个外寄生于其他昆虫的卵、幼虫、蛹甚至成虫。其寄主范围很广，包括双翅目、鳞翅目、鞘翅目、同翅目、膜翅目5大目，共43科300多种（Noyes, 2002）。

分布：世界广布。世界已知123种，中国记录6种，秦岭地区发现7种。

分种检索表

1. 触角明显着生于复眼连线以上，触角窝距唇基前缘仅比距中单眼稍近；前胸背板领前缘不明显具脊 ······ **等迈金小蜂 *M. aequus***
   触角着生位置低，触角窝几乎位于复眼复线位置上；如果在复眼连线以上，触角窝距唇基前缘也明显比距中单眼近；前胸背板领前缘具脊，陡降 ······ 2
2. 前翅基室上表面近基脉1/3~1/2处多毛 ······ **毛翅迈金小蜂 *M. anogmoides***
   前翅基室无毛或仅在近基脉处具若干稀疏的毛 ······ 3
3. 触角具2环节6索节，第3鞭节有时短于第4鞭节；唇基前缘中部不凹入，颊区不具白色长毛 ······ **光胫迈金小蜂 *M. tibialis***
   触角具3环节5索节，第3鞭节明显短于第4鞭节 ······ 4
4. 触角第1索节短小，与第3环节相当；棒节长为宽的1.60倍；柄节为复眼高的0.89倍 ······ **珠角迈金小蜂 *M. teliformis***
   触角第1索节明显长于第3环节 ······ 5
5. 柄节长稍大于复眼高；前翅缘脉长为痣脉的1.68倍 ······ **艾斯迈金小蜂 *M. aspilus***
   柄节长明显小于复眼高；前翅缘长为痣脉长的1.80~2.00倍 ······ 6
6. 并胸腹节中脊基部明显，中部分叉形成2条纵纹；肛下板明显突出，末端位于柄后腹3/4处 ······ **隐迈金小蜂 *M. agropyricola***
   并胸腹节中脊、侧褶均完整；肛下板末端多位于柄后腹1/2处 ······ **派迈金小蜂 *M. prasinus***

（687）隐迈金小蜂 *Mesopolobus agropyricola* Rosen, 1960（图版83：H）

Mesopolobus agropyricola Rosen, 1960: 22.

鉴别特征：雌虫体长3mm。头、胸绿色，具金属光泽，柄后腹蓝绿色具紫色反光；触角柄节、梗节背面黑褐色，其余棕黄色；足基节、腿节与体同色，端跗节褐色，其余棕黄色；翅基片棕褐色，翅不透明，翅脉棕色至棕黄色。头前面观复眼较大，触角着生位置低，但位于复眼腹线上方，唇基具竖刻纹，前缘中部平截不凹入。触式11353；柄节不伸达中单眼；梗节与鞭节之和小于头宽；鞭节短粗，3环节宽短；各索节横截，各节具1轮感觉毛，棒节膨大。头背面观头顶不凸出；上颊较直。前胸背板领短，领前缘具明显的脊。小盾片长稍大于宽，沟后区不明显。后胸盾片中区短，光滑。并胸腹节具斜刻纹，中脊在基部明显，中部弯曲形成2条纵纹；侧褶完整，基凹稍深；并胸腹节颈短，光滑具反光。前翅基脉具毛若干，基室无毛；翅痣不明显膨大；缘脉大于痣脉的2倍，缘脉为后缘脉的1.29倍，后缘脉为痣脉的1.64倍。柄后腹长卵形，略长于头胸之和。

雄虫体长2.50mm。柄后腹褐绿色，中部无黄色条带；触角梗节基部、棒节黑褐色，其余棕黄色。

采集记录： 8♂，凤县，1976. Ⅷ. 05，廖定熹采；1♀，秦岭北坡，1800m，1973. Ⅷ. 05，廖定熹采；1♀，秦岭北坡，1800m，1983. Ⅷ. 08，廖定熹采；1♂2♀，宁陕火地塘，2350m，1998. Ⅶ. 29，陈军采。

分布： 陕西（凤县、眉县、宁陕）、黑龙江、内蒙古、北京、河北、宁夏、甘肃、新疆、四川、云南、西藏；欧洲，古北区。

寄主： 冰草属植物 *Agropyricola repens* L. 茎中出蜂（Rosen，1960）。

（688）等迈金小蜂 *Mesopolobus aequus*（Walker，1834）

Eutelus aequus Walker，1834c：364.
Pteromalus contractus Walker，1835b：188.
Pteromalus purpureus Walker，1835a：493.
Pteromalus leogoras Walker，1839：269.
Pteromalus odites Walker，1845：216.
Pteromalus temesa Walker，1848：124.
Metastenus purus Walker，1872：118.
Eutelus decipiens Thomson，1878：77.
Mormoniella oviphaga Ahlberg，1925：82.
Mesopolobus aequus：Rosen，1958：230.

鉴别特征： 雌虫体长 2.60mm 左右。头、胸墨绿略具金属光泽，柄后腹棕绿色具反光；触角梗节背面略带褐色，其余棕黄色；足基节与体同色，腿节略带棕色，端跗节褐色，其余棕黄色；翅基片棕黄色，前翅透明，翅脉黄色。头前面观倒梯形，触角着生位置明显位于复眼腹线上方；唇基前缘中部平截不凹入。触式 11263；触角柄节几乎伸达中单眼，梗节与鞭节之和小于头宽；2 环节短小，各索节亚方形至横截。头背面观宽为长的 2.32 倍，大于胸宽。前胸背板领前缘具脊，陡降。小盾片长明显大于宽，沟后区较明显，网状刻纹明显较前区大。并胸腹节长约为小盾片的 1/2，具微弱的的斜刻纹；中脊完整；侧褶明显，基凹大而深；并胸腹节颈短，光滑。前翅基脉完整具毛，基室具毛 1 根；基脉外透明斑下方开放；缘脉为后缘脉的 1.30 倍，后缘脉为痣脉的 1.80 倍。柄后腹长矛状，长为宽的 2 倍；短于头胸之和。

雄虫体长 2.20mm 左右。柄后腹铜绿色，第 1 背板端半部及第 2、3 背板铜白色；触角柄节黄白色，其余黄色；足基节与体同色，端跗节褐色，其余黄色；翅基片黄色，翅透明，翅脉黄白色。触角梗节与鞭节之和大于头宽，各索节长方形。并胸腹节具微弱的网状刻纹；中脊完整；侧褶不明显，基凹大但浅；并胸腹节颈极短，光滑。柄后腹长卵形。

采集记录： 1♂1♀，陕西留坝，1976. Ⅵ. 29，廖定熹采。

分布： 陕西（留坝）、吉林、辽宁、内蒙古、北京、河北、宁夏、青海、新疆、四川、西藏；全北区。

(689) 毛翅迈金小蜂 *Mesopolobus anogmoides* Graham, 1969

Mesopolobus anogmoides Graham, 1969: 678.

鉴别特征: 雌虫体长2.00~2.30mm。头、胸蓝绿色具金属光泽，柄后腹褐绿色具铜色反光；触角棕褐色；足基节、腿节中部与体同色，端跗节褐色，其余棕黄色；翅基片棕黄色至棕褐色，翅不透明，翅脉棕褐色。头前面观复眼较大；触角着生于复眼腹线稍下方；唇基具竖刻纹，前缘中部平截，光滑。触式11353；柄节不伸达中单眼，梗节与鞭节之和小于头宽；3环节宽短；各索节亚方形。头背面观，宽约为长的2倍。前胸背板领极短，前缘明显具脊，中部为网状刻纹，后缘具光滑的窄带。小盾片长稍大于宽，沟后区不明显。并胸腹节中区长为小盾片的0.44倍；具微弱的网状刻纹；中脊在基半部明显，侧褶完整。前翅基脉完整，基室端部1/3~1/2具毛；缘脉为后缘脉的1.20倍，后缘脉为痣脉1.67倍。柄后腹长卵形，长为宽的1.80倍，短于头胸长之和。

雄虫体长2.00~2.30mm。头、胸蓝绿色具铜色光泽，柄后腹铜褐色，中部不具黄色条带；触角梗节背面、棒节黑褐色，其余棕黄色至棕褐色；足基节与体同色，端跗节褐色，其余棕黄色，几乎透明；翅不透明，翅脉棕黄色。触式11353；3环节宽短，渐宽；各索节宽大于长。

采集记录: 1♂，凤县，1976.Ⅶ.05，廖定熹采。

分布: 陕西(凤县)、河北、河南、青海、四川、云南、西藏；古北区。

寄主: Graham(1969)从欧洲落叶松 *Larix deciduas* 的嫩叶中采到。

(690) 艾斯迈金小蜂 *Mesopolobus aspilus* (Walker, 1835)

Pteromalus aspilus Walker, 1835a: 485.

Mesopolobus aspilus: Rosen, 1958: 218.

Eutelus enlongatus Thomson, 1878: 75.

鉴别特征: 雌虫体长2.30~2.50mm。头、胸明亮的金属翠绿色，柄后腹绿色具褐色反光；触角柄节棕黄色，其余棕褐色；足基节与体同色，腿节黑褐色，端跗节褐色，其余棕黄色；翅基片棕褐色，翅透明，翅脉棕黄色，缘前脉色较深。头前面观宽为高的1.30倍；复眼较小；唇基具竖刻纹，前缘中部微凹，外缘具明显的刚毛。触角柄节不伸达中单眼，长为复眼高1.80倍；梗节与鞭节之和小于头宽；第1索节长为宽的1.10倍，稍长于其他索节，其余各索节横宽，第3棒节具小的微毛区。前胸背板领前缘明显具脊，中部为具毛的网状刻纹，后缘具光滑的窄带。中胸盾片具规则的网状刻纹，同前胸背板。小盾片长宽相当；网状刻纹较中胸盾片稍小而浅，沟后区不明显。后胸盾片中区稍长，光滑具反光。并胸腹节中部具明显的网状刻纹，具反光；中脊后部明显，前部分叉；侧褶完整，基凹大，较浅；并胸腹节颈极短，光滑。前翅基脉完整，基室光滑无毛；基脉外透明斑下方稍有开放；缘脉为痣脉的 1.68 倍，翅痣不甚膨大，缘脉为后缘脉的 1.20 倍，后缘脉为痣脉的 1.40 倍。柄后腹长矛状，长为宽的 2.17 倍；长稍短于头胸之和。

雄虫体长 1.20～2.00mm。柄后腹中部具黄色条带；触角梗节背面基部、棒节黑褐色，其余棕黄色；足基节与体同色，端跗节褐色，其余黄色；翅基片黄色，翅脉黄色。

采集记录： 5♀，秦岭，1580m，1973. Ⅷ. 05，廖定熹采；3♀3♂，秦岭，1973. Ⅶ. 21-22，廖定熹采。

分布： 陕西（秦岭）、黑龙江、内蒙古、北京、山西、青海、广西、四川、云南；古北区，东洋区。

寄主： *Oligotrophus juniperus*, *Euura amerinae*.

（691）派迈金小蜂 *Mesopolobus prasinus*（Walker, 1834）（图版 84：A）

Platyterma prasinum Walker, 1834b: 305.

Asemantus amphibolus Förster, 1878: 51.

Mesopolobus prasinus: Rosen, 1958: 214.

鉴别特征： 雌虫体长 2.50mm 左右。头、胸绿色至蓝绿色具金属光泽，柄后腹绿色具金属光泽；触角梗节背面基半部略带褐色，其余棕黄色；足基节与体同色，端跗节褐色，后足腿节略带褐色，其余黄色；翅基片棕黄色，翅透明，翅脉黄色至棕黄色。头前面观亚方形，复眼较大，触角着生位置低，在复眼腹线稍上方；唇基具不甚明显的纵刻纹，中部平截不凹入。触式 11353；柄节不伸达中单眼，3 环节极短小，棒节膨大，梗节与鞭节长之和小于头宽。头背面观是胸宽的 1.11 倍；头顶稍凸出；上颊稍弯。前胸背板领极短，领前缘具脊，不陡降，后缘具光滑的窄带。小盾片沟后区不明显。后胸盾片中区短，前缘具纵脊，光滑具反光。并胸腹节中脊完整；侧褶明显，基凹大而深；并胸腹节颈短，具微弱的横纹。前足腿节粗壮。前翅基室无毛；痣脉较直较细，翅痣较小；缘脉为后缘脉的 1.60 倍，后缘脉为痣脉 1.21 倍。柄后腹长矛状，长为宽的 2.37 倍；长为中躯的 1.60 倍，长于头胸之和。

雄虫体长 1.20mm 左右。头、胸绿色具金属光泽，柄后腹绿色略具褐色光泽；触角梗节、棒节褐色，其余棕黄色；足基节与体同色，端跗节褐色，其余黄色；翅基片棕黄色，翅透明，翅脉棕黄色略带褐色。

采集记录： 1♀，留坝，1973. Ⅶ. 29，廖定熹采；2♂，秦岭，1973. Ⅶ. 29，廖定熹采。

分布： 陕西（留坝、秦岭）、吉林、辽宁、北京、河北、山东、甘肃、青海、新疆、浙江、湖北、江西、湖南、福建、四川、西藏；古北区。

寄主： *Agropyron repens*（L.），*Oscinella frit*（L.），*Rabdophaga dubia*（Kieffer）.

(692) 珠角迈金小蜂 *Mesopolobus teliformis* (Walker, 1834)

Platyterma teliformis Walker, 1834b: 305.

Mesopolobus teliformis: Rosen, 1958: 214.

Platyterma cincticorne Walker, 1834b: 306.

Pteromalus placidus Förster, 1841: 11.

Eutelus brevicornis Thomson, 1878: 77.

鉴别特征: 雌虫体长 1.80~3.20mm。头、胸深翠绿色具金属光泽, 柄后腹褐绿色具反光; 触角棕黄色; 足基节与体同色, 端跗节褐色, 中、后足腿节基部略带棕褐色, 其余黄色; 翅基片黑褐色, 翅透明, 翅脉黄色。头前面观宽为高的 1.36 倍。复眼大。唇基具微弱的竖纹, 前缘中部平截不凹入。触角柄节不伸达中单眼, 长为复眼高的0.89 倍; 梗节与鞭节之和小于头宽; 第 1 索节短, 与环节区分不明显; 各索节渐宽, 均宽大于长。棒节膨大, 长为宽的 1.60 倍。前胸背板领极短, 领前缘具弱脊, 后缘具极窄的光滑的窄带。中胸盾片具密集的网状刻纹, 刻纹同前胸背板; 小盾片长宽相当; 刻纹较中胸盾片小而浅, 沟后区不明显。并胸腹节中区长为小盾片的 0.39倍, 光滑具反光, 无网状刻纹; 中脊完整; 侧褶不甚明显; 并胸腹节颈短, 光滑具反光。后足腿节宽扁。前翅基脉、基室光滑无毛; 翅痣稍大, 缘脉为痣脉的 2 倍, 为后缘脉的 1.50 倍。柄后腹长矛状, 长为宽的 2.30 倍, 稍长于头胸之和。

雄虫体长 1.20mm。头、胸墨绿色具金属光泽, 柄后腹铜褐色具金属光泽; 触角黄色, 梗节背面基半部、棒节略带褐色; 足基节与体同色, 端跗节褐色, 其余黄色; 翅基片黄色, 翅透明, 翅脉黄色。

采集记录: 44♀5♂, 武功, 1450m, 1973. Ⅸ. 15, 廖定熹采。

分布: 陕西(武功)、内蒙古、北京、河北、山西、山东、宁夏、甘肃、新疆、湖南、福建、四川、云南、西藏; 古北区。

寄主: *Agropyron* spp., *Tamarix ramosissima Ledeb*。

(693) 光胫迈金小蜂 *Mesopolobus tibialis* (Westwood, 1833) (图版 84: B)

Platymesopus tibialis Westwood, 1833: 444.

Eutelus platycerus Walker, 1834c: 360.

Eutelus bicolor Walker, 1834c: 361.

Eutelus platynotus Walker, 1834c: 361.

Eutelus sobrinus Walker, 1834c: 362.

Pteromalus anticus Walker, 1835a: 494.

Pteromalus rusticus Föster, 1841: 11.

Pteromalus sodalis Föster, 1841: 13.

Platymesopus westwoodii Ratzeburg, 1844a: 206.

Platymesopus apicalis Westwood, 1882: 326.

Mesopolobus tibialis: Rosen, 1958: 228.

鉴别特征：雌虫体长2mm左右。头、胸绿色具金属光泽，柄后腹绿色具铜色反光；触角棕黄褐色；足基节与体同色，端跗节褐色，其余黄色；翅基片黄色，翅透明，翅脉黄色。头前面观倒梯形，复眼较大，唇基上半部具网状刻纹，前缘光滑，中部平截或微凹。触式11263；柄节不伸达中单眼；梗节与鞭节之和小于头宽；2环节明显，棒节不膨大。头背面观头顶不凸出；上颊弯。前胸背板领短，领前缘具脊，后缘具光滑的窄带。小盾片长稍大于宽，无横沟；沟后区明显。并胸腹节具明显的斜刻纹，间具微弱的网状刻纹；中脊完整；侧褶仅在后半部明显，基凹小且浅；并胸腹节颈短。前翅基脉具毛若干，基室无毛，缘室上表面无毛，下表面具完整的毛列；痣脉稍弯，翅痣小且色稍深，缘脉为痣脉的2.50倍；缘脉为后缘脉的1.32倍，后缘脉为痣脉的1.89倍。柄后腹卵圆形，长为宽的1.45倍；长为中躯的0.90倍，短于头胸之和。

采集记录：1♀，宁陕火地塘，2350m，1998.Ⅶ.29，陈军采。

分布：陕西(宁陕)、河北、海南、西藏；古北区。

寄主：从多种瘿蜂虫瘿中饲育出来，尤其是*Neuroterus* spp. 和安堆瘿蜂属*Andricus* spp.。

102. 瓢虫金小蜂属 *Metastenus* Walker, 1834

Metastenus Walker, 1834b: 301. **Type species**: *Metastenus concinnus* Walker, 1834.

Scymnophagus Ashmead, 1904: 319. **Type species**: *Scymnophagus townsendi* Ashmead, 1904.

Tripolycystus Dodd, in Girault, 1915b: 337. **Type species**: *Tripolycystus sulcatus* Dodd, 1915.

属征：头宽大于高，呈椭圆形；触角位于颜面中部，触式11353；唇基下伸，中部1枚宽齿，两侧各具1枚尖齿。前胸背板极短，具弱脊，明显窄于中胸；盾纵沟弱不完整；小盾片具横沟；并胸腹节被规则的网状刻点，无中脊，具侧褶，颈部长被刻点。前翅缘脉从基部至端部均粗。无腹柄；柄后腹后部极尖，第1、2节背板长，第1节长于第2节。

生物学：寄生于食蚧壳虫、食蚜虫的瓢虫，如显盾瓢虫属(*Hyperaspis*)、小毛瓢虫属(*Scymnus*)。

分布：古北区，新北区，东洋区，非洲区、澳洲区。世界共记录4种，秦岭地区发现1种。

(694) 规则瓢虫金小蜂 *Metastenus concinnus* Walker, 1834(图版84：C)

Metastenus concinnus Walker, 1834b: 302.

鉴别特征：雌虫体长1.80mm。头胸为黑色，柄后腹具暗绿色光；触角棕黄色；足基节与体同色，其余均棕黄色。头前面观颜面具较大而规则的网状刻点，唇基区无上沟，唇基下缘向下伸出，中部具1枚宽齿，两侧各具1枚尖齿；唇基区光滑；触角洼明显，伸达中单眼下缘；下脸较为凸起，中部为浅网纹。头宽大于高；触角窝位于颜面的中部，两复眼中线位；复眼较小，颚眼沟不明显。触角柄节短，长最多伸达中单眼；梗节长大于宽，3环节均呈薄饼状；第1索节长稍大于宽，之后各索节均方形或亚方形；感觉毛不明显；棒节不膨大；梗节与鞭节长之和短于头宽。头背面观，无后头脊；头宽为长的2.30倍；POL为OOL的1.28倍。头宽大于胸宽；胸部紧凑隆起，被规则的凸脊的网状刻点；前胸背板极短，具弱脊；盾纵沟弱而不完整；小盾片较中胸盾片更隆，呈圆形；横沟在两侧不明显。并胸腹节具规则网状刻点，无中脊，侧褶完整；颈部长。前翅具短缘毛；缘室无毛，基脉无毛，基室光滑，基室后缘开放；缘脉整个加粗，缘脉短于后缘脉，后缘脉长于痣脉。无腹柄；柄后腹长为宽的2倍；柄后腹第1节背板长占整个柄后腹长的近1/3多，后缘呈弧形向后伸出。

雄虫与雌虫相似。

采集记录：1♀，宁陕广货街保护站后山，2014. Ⅶ. 26，郝倩男采；1♂，宁陕火地塘，2012. Ⅶ. 14，刘丹、叶慧子采。

分布：陕西（宁陕）、新疆；印度，欧洲，北美洲。

103. 绒茧金小蜂属 *Mokrzeckia* Mokrzecki, 1934

Mokrzeckia Mokrzecki, 1934: 143. **Type species**: *Pteromalus pini* Hartig, 1838.

Beierina Delucchi, 1958: 271. **Type species**: *Pteromalus pini* Hartig, 1838.

属征：头前面观宽大于高；下脸几乎在1个平面上；唇基下缘中部呈"V"形凹陷，具2枚大齿。触式11263，着生于颜面的中部；柄节伸达中单眼，各索节均具感觉毛，棒节无明显膨大，末棒节具小区域的微毛区；2个触角窝之间具短纵脊；触角洼明显伸至中单眼的下方。胸部紧凑隆起；前胸背板领部前缘具脊；中胸横宽；并胸腹节较光滑，无中脊，侧褶完整，颈部明显，并胸腹节后缘中部明显向上抬起且向前方凹入。柄后腹卵圆形，后部尖。前翅痣脉稍膨大。

生物学：是鳞翅目昆虫的重寄生蜂，其寄主为茧蜂，如绒茧蜂（*Apanteles*）、长距茧蜂（*Macrocentrus*）。

分布：古北区，东洋区。世界记录有5种，秦岭地区发现1种。

（695）绒茧金小蜂 *Mokrzeckia pini*（Hartig, 1838）（图版84：D）

Pteromalus pini Hartig, 1838: 253.

Mokrzeckia pini: Mokrzecki, 1934: 143.

Beierina pini: Delucchi, 1958: 271.

鉴别特征：雌虫体长3mm。头、胸部、并胸腹节及柄后腹的侧面和背面均为蓝绿色；触角柄节黄色，其余各节为褐色；后足基节基部1/2与体同色，其余各足节均为浅黄色。头前面观颜面被网状刻点，下脸几乎在1个平面上；触角洼深而明显，伸达中单眼下方；两触角窝之间具短脊；唇基区口上沟较明显，区内具纵刻纹；唇基下缘中部呈"V"形凹陷。头宽大于高；触角窝位于颜面中部；颚眼沟线状完整。触角柄节伸达中单眼；梗节长稍大于宽；2环节均为环形，呈薄饼状；第1索节长大于宽，之后各节均为亚方形；各索节均被2轮感觉毛；棒节长于末2索节长之和；梗节与鞭节长之和小于头宽。头背面观无后头脊；触角洼较明显。胸部隆起，前胸领部前缘具脊，中胸盾片两侧叶之前方两侧角如肩状，与翅基片处的中胸等宽；盾纵沟浅而不完整，小盾片横沟明显；并胸腹节较短，无中脊，侧褶完整；颈部两侧较明显。前翅无翅斑；基脉完整；基室无毛，基室后缘封闭；透明斑后缘仅一点开放；缘脉为后缘脉的1.37倍，后缘脉为痣脉的1.69倍，翅痣稍膨大。腹柄棕黄色，宽稍大于长；柄后腹褐绿色相间，呈卵圆形后部尖；长为宽的1.60倍；柄后腹第1节背板后缘呈弧形后伸。

雌虫体长3mm。体绿色，触角柄节黄色，其余棕黄色，后足基节1/2与体同色。头前面观均具网状刻点及长白毛；下脸较雌虫明显向下伸长；口上沟之侧凹明显；触角柄节伸过头顶，各索节均长大于宽。

采集记录：1♀，宁陕火地塘，2012. Ⅶ.14，刘丹、叶慧子采。

分布：陕西(宁陕)、吉林、内蒙古、北京、河北、山西、湖南、福建、四川、贵州、云南；欧洲。

寄主：云尺蛾(*Biston thibetaria*)，双尾天蛾幼虫，兰目天蛾幼虫，杨二叉茧蜂，杨二尾舟蛾，卷叶蛾，苹花尺蠖等。国外记载该种寄生于绒茧蜂的茧，重寄生于鳞翅目。

104. 楔缘金小蜂属 *Pachyneuron* Walker, 1833

Pachyneuron Walker, 1833a: 371, 380. **Type species**: *Pachyneuron formosum* Walker, 1833.

Serimus Brèthes, 1913: 90. **Type species**: *Serimus argentinus* Brèthes, 1913.

Nepachyneuron Girault, 1917b: 9. **Type species**: *Pachyneuron eros* Girault, 1917.

Propachyneuronia Girault, 1917a: 102. **Type species**: *Encyrtus siphonophorae* Ashmead, 1886.

Eupachyneuron Blanchard, 1940: 256. **Type species**: *Eupachyneuron bosqui* Blanchard, 1940.

Atrichoptilus Delucchi, 1955: 141. **Type species**: *Pachyneuron aeneum* Masi, 1929.

属征：雌虫头正面观宽大于高，颜面不突起；触角位于中部，触式为11263 (*P. aphidis* 具3环节)；索节长均稍大于宽，棒节端部稍尖锐。前胸背板具明显的脊；中胸盾纵沟不完全且不明显。前翅缘脉粗或为楔形，与痣脉等长或长于痣脉。并胸腹节具侧褶，无明显中脊，末端常具半球形的颈。柄后腹具腹柄，圆形至长卵圆形。

生物学：以鳞翅目昆虫的卵及食蚜蝇蛹为寄主，是蚜虫、蚧虫的次寄生蜂。

分布：世界广布。全世界记录40余种，中国已知12种，秦岭地区发现4种。

注：廖定熹先生《中国经济昆虫志》中，把 *Pachyneuron* Walker 称为宽缘金小蜂；黄大卫和廖定熹(1988)发表的文章中把 *Pachyneuron* Walker 的中文名改称为楔缘金小蜂。本文中就使用楔缘金小蜂这一名称。

分种检索表

1. 触角3环节；前翅被缘毛；缘脉短于后缘脉 ………… **蚜楔缘金小蜂 *P. aphidis***
   触角2环节；前翅被缘毛 ………… 2
2. 头前面观，唇基下缘伸长尖而圆 ………… **松毛虫楔缘金小蜂 *P. solitarium***
   头前面观，唇基下缘平截或稍向内凹 ………… 3
3. 前翅前缘室上具1条毛列；并胸腹节无侧褶和中脊；缘脉与痣脉等长 ………… **巨楔缘金小蜂 *P. grande***
   前翅前缘室上表面无毛；并胸腹节具明显的侧褶和颈；缘脉为痣脉的1.22倍 ………… **丽楔缘金小蜂 *P. formosum***

(696) 蚜楔缘金小蜂 *Pachyneuron aphidis* (Bouche, 1834)

Diplolepis aphidis Bouche, 1834: 170.
Pteromalus minutissimum Förster, 1841: 28.
Pachyneuron pruni Walker, 1850: 128.
Encyrtus siphonophorae Ashmaed, 1888: 23.
Pachyneuron gifuensis Ashmaed, 1904: 158.
Serimus argentinus Bréthes, 1913: 91.
Pachyneuron ferrierei Mani, 1939: 83.
Eupachyneuron bosqui Blanchard, in Leiboff, 1948: 256.
Pachyneuron triarticulata Mani *et* Saraswat, 1974: 98.

鉴别特征：体长1.50mm左右。体黑色具蓝绿色光泽，复眼淡赭红色。触角深褐色，比体色稍浅。触式为11353，具3环节，触角索节长与宽相当，具黄色毛。头宽于胸，胸部紧凑而突起，并胸腹节较平滑，后部无半球形的颈。前翅透明，翅脉褐色，缘脉粗呈楔形，短于痣脉，约为痣脉的0.76倍；缘室上表面无毛，基脉具毛，前翅透明斑下不封闭。足基节及腿节中部与体同色，其余为黄色或黄褐色。柄后腹具腹柄，柄后腹光滑，呈六边形。由于本种的触角环节为3节，缘脉短于痣脉，故易于同其他种类相区别。

采集记录：4♀，三原棉花所，1978.Ⅶ-Ⅷ，廖定熹采；1♀，汉中农技站，1978.Ⅷ.26.

分布：陕西(三原、汉中)、黑龙江、吉林、辽宁、内蒙古、北京、河北、山西、山东、宁夏、甘肃、新疆、江苏、江西、福建、广东、海南、广西、贵州、云南；世界广布。

寄主：半翅目、鞘翅目、双翅目、膜翅目昆虫。

(697) 丽楔缘金小蜂 *Pachyneuron formosum* Walker, 1833(图版 84：E)

Pachyneuron formosum Walker, 1833a：380.
Pachyneuron speciosum：Blanchard, 1840：266.
Pteromalus incubator Förster, 1841：28.
Pteromalus amoenus Förster, 1841：28.

鉴别特征：雌虫体长 2mm 左右。体绿色，有金属光泽。触角柄节、梗节黄褐色，索节褐色。足基节与体同色，腿节、后胫节、端跗节黄褐色，其余黄色。柄后腹褐色光滑。头较胸部宽，POL 大于 OOL。触角位于颜面中部，柄节伸达中单眼；各索节长均大于宽，被 1 轮长感觉毛。胸部膨起；小盾片横沟不明显，其后部的刻点大而深。并胸腹节具明显的侧褶和颈，颈前缘具横脊与并胸腹节前部分开。翅基片黄色，前翅前缘室上表面无毛，基脉无毛，基室偶见毛。缘脉短于后缘脉，缘脉长于痣脉，后缘脉为痣脉的 1.44 倍，缘脉长为宽的近 4 倍。腹柄长大于宽，上具刻点。柄后腹宽于胸，柄后腹长为宽的 1.20 倍，两端尖中部宽。

雄虫体翠绿色，具金属光泽，体长较雌虫小，触角相对细长，其他特征差别不大。

采集记录：1♂4♀，凤县，1976.Ⅶ.06，廖定熹采；2♀，眉县，1976.Ⅵ.09，廖定熹采；3♂11♀，留坝，1976.Ⅵ.29，廖定熹采；1♂7♀，留坝庙台子，1976.Ⅵ.30，廖定熹采。

寄生：食蚜蝇蛹 Syrphidae (Diptera)。国外记载的 *P. formosum* 寄生于 *Syphus ribesii* L.（德国）和 *Xanthandrus comtus*（Harr.）(意大利)。中国标本寄主记录为 *Hyalopterus pruni*（Geoffroy), *Dendrolimus* sp. 和 *Delias* sp.（Lepidoptera)。

分布：陕西(凤县、眉县、留坝)、黑龙江、吉林、辽宁、内蒙古、北京、河北、山西、山东、宁夏、甘肃、新疆、江苏、浙江、福建、广东、四川、贵州、云南、西藏；欧洲。

(698) 巨楔缘金小蜂 *Pachyneuron grande* Thomson, 1878

Pachyneuron grande Thomson, 1878：29.

鉴别特征：体长 2.50mm 左右。体深绿色，具金属光泽。触角柄节、梗节和索节均为褐色。足基节与体色相同，其余各节黄色。头前面观横宽，唇基中部平截或稍内凹，表面平且光滑。侧面观颊的外下缘在上颚基部内陷，外缘具棱。触式 11263；柄节伸达中单眼；鞭节长不如头宽；各索节长与宽几乎相等，近方形。胸部较头宽窄。前胸背板领部前缘具明显的脊，中胸盾纵沟不完整，小盾片后沟不明显，但之后的刻点较大。并胸腹节无侧褶和中脊，中部明显具刻点，前部较光滑，稍浅刻纹；颈后部呈球形，褐色具横纹。前翅前缘室上表面具不规则毛列，基脉具毛，基室靠近基脉处有毛若干根；缘脉与痣脉等长，缘脉长为宽的 3 倍。

采集记录：1♀，西安，1983. Ⅸ. 13，党新德采。

分布：陕西(西安)、北京、山西、新疆、福建、云南；全北区。

寄主：*Syrphus arcuatus*，*Epistrophe bateatus*.

(699) 松毛虫楔缘金小蜂 *Pachyneuron solitarium* (Hartig, 1838)（图版 84：F）

Chrysolampus solitarius Hartig, 1838: 250.

Ichneumon (*Chrysolampus*) *solitarium*: Ratzeburg, 1844b: 29.

Pachyneuron solitarium: Kurdjumov, 1913: 24.

鉴别特征：雌虫体长 1.50 ~ 2.00mm 左右。体黑色，具蓝绿色光泽，复眼褐色。触角深褐色，比体色稍浅。足基节及腿节中部与体同色，其余为黄色或黄褐色。头横宽，触角位于颜面中部，柄节长过中单眼；触式 11263，索节长稍大于宽。头宽于胸，胸部又宽于腹；胸部紧凑而突起，中胸盾纵沟不完整；小盾片横沟不明显；并胸腹节无明显的中脊和侧褶，原侧褶位隆起并在并胸腹节中部呈“V”形；并胸腹节后部具明显的半球形的颈。前翅缘脉粗并等于痣脉长，缘脉长为最宽处的 5 倍；基脉毛列完整，基室具数目不等的毛；前翅透明斑下封闭。腹柄短于足基节长；柄后腹光滑，呈卵圆形；长为宽的 1.50 倍左右；第 1 节长为整个柄后腹长的 1/3，后缘中部稍长。

采集记录：1♀，凤县，1973. Ⅶ. 25，廖定熹采。

分布：陕西(凤县)、黑龙江、吉林、辽宁、内蒙古、北京、河北、山西、山东、甘肃、新疆、江苏、浙江、湖南、福建、广东、广西、四川、云南；古北区。

寄生：寄主范围很广，主要的记载有下列几种：赤松毛虫(*Dendrolimus spectabilis* Butler)、欧洲松毛虫(*D. pini* L.)、油松毛虫(*D. superans* (Butler))。在我们检视的标本中有寄生于瓢虫蛹、杨毛虫的卵。

105. 狭翅金小蜂属 *Panstenon* Walker, 1846

Panstenon Walker, 1846: 29. **Type species**: *Miscogaster oxylus* Walker, 1839.

Caudonia Walker, 1850: 125. **Type species**: *Caudonia agylla* Walker, 1850.

属征：头近球形且显著宽于胸；触角细长，触式 11263，着生于颜面上部，柄节伸达中单眼以上，棒节稍膨大；胸背较隆起，盾纵沟完整或不完整；并胸腹节长且具明显不规则的网纹；前翅狭长，被密毛，翅脉纤细；腹部具黄色腹柄，柄后腹卵圆形。

生物学：本属种类以禾本科植物蛀茎害虫为寄主；有些种类则有捕食寄主卵的记录。

分布：除南美大陆外的全球各动物地理区。世界记录约 12 种，秦岭地区发现 1 种。

(700) 飞虱卵金小蜂 *Panstenon oxylus* (Walker, 1839) (图版 84: G)

? *Pteromalus assimilis* Nees, 1834: 116.
Miscogaster oxylus Walker, 1839: 196.
Pteromalus omissus Förster, 1841: 30.
Panstenon oxylus: Walker, 1846: 29.
Panstenon pidius Walker, 1850: 132.

鉴别特征: 雌虫体长 2.50mm。头胸深绿色,柄后腹褐色;触角柄节棕黄色,其余褐色;后足基节背面褐绿色,其余各部分均为黄色。头前面观呈梯形,颜面光滑具浅网纹;触角位于颜面上方,无触角洼;下脸较膨胀;唇基区光滑无刻纹,下缘呈弧形稍伸出,口上沟较明显;POL 是 OOL 的近 2 倍。头侧面观触角柄节超过头顶近 1/2;梗节长为宽的 1.50 倍;梗节与鞭节长之和大于头宽;触式 11263,2 环节均横宽;各索节长均大于宽,被密毛及 1 轮感觉毛。胸部相当凸起,前胸背板领部前缘向下倾斜具脊;中胸盾片上的盾纵沟不完整;小盾片横沟明显完整;并胸腹节具不规则粗糙不平的网状刻点,中脊弱且中部分叉,侧褶完整,颈部明显。前翅狭长被密毛,无透明斑;缘室上表面无毛,下表面具 1 条毛列;缘脉短于后缘脉,后缘脉为痣脉的 3.60 倍。腹柄短而光滑;柄后腹宽于胸;柄后腹第 1 节背板长,各节均光滑。

采集记录: 1♀,商南金丝峡,2013. Ⅶ,郝倩男采。

分布: 陕西(商南)、辽宁、河北、宁夏、福建、广东、海南;欧洲。

寄主: 稻飞虱卵。

106. 棍角金小蜂属 *Rhaphitelus* Walker, 1834

Rhaphitelus Walker, 1834: 168. **Type species**: *Rhaphitelus maculatus* Walker, 1834.
Stylocerus Ratzeburg, 1844: 297. **Type species**: *Stylocerus ladenbergii* Ratzeburg, 1844.
Storthygocerus Ratzeburg, 1848: 208 (new name for *Stylocerus* Ratzeburg, 1844).
Eucerchysius Brèthes, 1913: 103. **Type species**: *Eucerchysius* scolyti Brèthes, 1913.

属征: 雌虫体色具明显的金属光泽;触角 11 节,1127 式,着生在 2 个复眼下缘连线之上,呈明显的棒状;前胸盾片前缘直,不具前缘脊,后缘深凹;并胸腹节中纵脊有时完整,有时断裂;前翅缘脉显著加宽,痣脉细,与痣后脉等长,翅面有不同形状的烟褐色斑纹。

雄虫触角 13 节,11263 式。

生物学: 寄生于危害多种针阔叶树枝条的小蠹幼虫。

分布: 全北区,东洋区,非洲区,新热带去,澳洲区。世界已知 3 种,中国记录 2 种,秦岭地区发现 1 种。

(701) 桃蠹棍角金小蜂 *Rhaphitelus maculatus* Walker, 1834

Rhaphitelus maculatus Walker, 1834: 179.

Stylocerus subulifer Förster, 1841: 30.

鉴别特征: 雌虫体长1.40~2.50mm。体色变化较大，头胸部常为金绿色，有时为暗绿色带古铜色金属光泽；触角柄节及足黄褐色，梗节及鞭节紫褐色；腹部紫褐色，但基部金绿色；前后足季节背面及后胸侧板具强烈的蓝紫色光泽。

采集记录: 12♀8♂，杨凌，1985. Ⅳ.28，杨忠岐、黄飞采。

分布: 陕西(杨凌)、内蒙古、北京、山西、山东、甘肃、新疆、云南；世界广布。

寄主: 寄生象甲科昆虫。

107. 长尾金小蜂属 *Roptrocerus* Ratzeburg, 1848

Pachyceras Ratzeburg, 1844: 217. **Type species**: *Pachyceras xylophagorum* Ratzeburg, 1844: 218.

Roptrocerus Ratzeburg, 1848: 209. **Type species**: *Pachyceras xylophagorum* Ratzeburg, 1844.

Roptroceroides Ishii, 1939: 190. **Type species**: *Roptrocerus karafutoensis* Ishii, 1939: 190.

属征: 触角着生于复眼下缘连线处，13节，11353式；上颚基部具3枚齿；前胸背板背面圆滑，不分盾片与颈部；中胸盾纵沟仅存在于前半部；并胸腹节短；前翅前缘室狭长，缘脉基部膨大，产于痣后脉；后足胫端具1距。雄虫触角11263式。

分布: 中国；印度，北美洲，古北区。世界已知7种，中国记录5种，秦岭地区发现2种。

(702) 木小蠹长尾金小蜂 *Roptrocerus xylophagorum* (Ratzebur, 1844)

Pachyceras xylophagorum Ratzeburg, 1844: 218.

Pachyceras eccoptogastri Ratzeburg, 1844: 218.

Roptrocerus xylophagorum: Ratzeburg, 1848: 209.

Roptrocerus karafutoensis Ishii, 1939: 190.

Roptrocerus qinlingensis Yang, 1987: 175.

鉴别特征: 雌虫体长3.20~3.40mm。体暗古铜色，带缎状光泽；单眼红色，复眼暗紫色；触角柄节浅黄褐色；翅透明，翅脉黄褐色；足黄褐色，腿节深褐色。头顶隆，后缘向前凹进；触角着生于复眼下缘连线之上；前胸盾片不具前缘脊；并胸腹节短，中脊明显；前翅前缘室在腹面端部具3行毛；后足胫端具1距。

采集记录: 3♀(正模、副模)，勉县，1700m，1984. Ⅳ.05，杨忠岐、王炳海采。

分布: 陕西(勉县、旬邑)、黑龙江、甘肃、四川、云南；俄罗斯，印度，欧洲，美国，墨西哥。

寄主： 华山松大小蠹幼虫和蛹。

（703）奇异长尾金小蜂 *Roptrocerus mirus*（Walker，1834）

Amblymerus mirus Walker，1834：351.

Roptrocerus mirus：Hedqvist，1963：62.

鉴别特征： 雌虫体长2.20～3.00mm。体暗古铜色，具金属光泽。复眼大，表面具短纤毛；触角着生于复眼下缘连线之上；前胸盾片短，并胸腹节短，为中胸小盾片长度的1/4，端部无颈状部；前翅缘脉为痣脉长度的2.30倍，前缘室正面无毛，腹面具毛；后足胫端仅1距。

雄虫与雌虫相似，个体较小，体色较鲜艳，腹部第1节背面黄褐色。

采集记录： 25♀10♂，周至厚畛子，1984.Ⅳ.26，杨忠岐采；19♀14♂，勉县，1700m，1984.Ⅳ.05，杨忠岐、王炳海采。

分布： 陕西（周至、勉县、宁陕）、黑龙江、甘肃、四川；日本，欧洲。

寄主： 小蠹。

108. 纤金小蜂属 *Stenomalina* Ghesquière，1946

Etroxys [sic!] subg. *Stenomalus* Thomson，1878：87，88（nec Gemminger & Harold，1872）. **Type species**：*Stenomalus crassicornis* Thomson，1878.

Stenomalus：Ashmead，1904：316.

Stenomalina Ghesquière，1946：370（new name for *Etroxys* [sic!] subg. *Stenomalus* Thomson，1878）.

属征： 个体较细长。唇基下端中部具明显伸出的1枚尖齿；胸部较隆起；前胸领部前缘具横脊或不明显，颈陡降；并胸腹节较长，一般约为小盾片长的1/2；前翅后缘脉几乎与缘脉等长。柄后腹较长；后足胫节1距。

生物学： 本属种类主要寄生于与草本植物有关的各种双翅目昆虫，但也有寄生鳞翅目、鞘翅目和膜翅目的记录。部分种类是外寄生蜂，部分种类是内寄生蜂。有的是重寄生蜂，有的是单寄生蜂。

分布： 世界各动物地理区均有分布，以欧洲为主。全世界记录有20种，中国已知8种，秦岭地区发现1种。

（704）丽纤金小蜂 *Stenomalina liparae*（Giraud，1863）（图版85：A）

Pteromalus liparae Giraud，1863：1271.

Stenomalus liparae: Kurdjumov, 1913: 14.
Stenomalina liparae: Graham & Claridge, 1965: 269.

鉴别特征: 雄虫体长2.10mm。体墨绿色，具金属光泽。除柄后腹第2、3背板具黄色三角形斑块及腹面靠近基部1/2透明。触角褐色除柄节基部黄褐色端部深褐色；各足基节与体同色，其余各节黄褐色除爪深褐色。头前面观，头宽大于头高，下颊较丰满；触角洼较浅；触角位于颜面中部，两复眼下缘连线上方；唇基下缘伸出，中部向内凹入，形成对称的2个小钝齿；触角窝上缘到中单眼距明显小于触角窝下缘到唇基距离；两复眼间距大于复眼高、颚眼距；触角柄节长未伸达中单眼；2环节均为环形；各索节均长大于宽，具1轮感应毛；棒节不膨大，分节明显；梗节与鞭节长之和长于头宽。头背面观，头顶隆起，后单眼距大于复眼单眼距。胸部隆起具规则刻点，头宽大于胸宽；前胸背板较长具脊；中胸盾纵沟不完整；小盾片长大于宽，横沟无；并胸腹节长，中脊无，中域及颈部具细密刻点；前翅透明具无毛区，缘脉短于后缘脉，缘脉长于痣脉。腹柄明显且光滑；柄后腹长形末端收拢。

采集记录: 1♂，宁陕火地塘，2012.Ⅶ.13，刘丹、叶慧子采。

分布: 陕西(宁陕)、河北；德国，英国。

109. 矩胸金小蜂属 *Syntomopus* Walker, 1833

Syntomopus Walker, 1833a: 371, 372. **Type species**: *Syntomopus thoracicus* Walker, 1833.
Merismorella Girault, 1926: 1. **Type species**: *Merismorella shakespearei* Girault, 1926.

属征: 体中等大小。体蓝绿色具金属光泽；触角13节，触式11263；触角着生于颜面中部；唇基下端3齿。中胸平，前胸背板分为明显的颈和领，领宽大呈矩形，前缘无脊；盾纵沟几乎伸达中胸盾片后缘，后部有时很浅；柄后腹第1节背板大，第2节背板极小于第1节。

生物学: 该属所有种类寄生于双翅目潜蝇科昆虫。

分布: 除非洲区之外的世界各动物地理区。世界已记录16种，中国已知5种，秦岭地区发现1种。

(705) 无脊矩胸金小蜂 *Syntomopus incisus* Thomson, 1878(图版85: B)

Syntomopus incisus Thomson, 1878: 23.

鉴别特征: 雌虫体长1.70~3.00mm。体暗蓝绿色，柄后腹黑褐色。触角柄节棕色，梗节棕色，鞭节暗褐黄色。足基节暗蓝绿色，除后足腿节棕色外其余足节全部褐黄色，端跗节色较深。翅透明，翅脉暗褐黄色。头前面观宽大于高；唇基表面具放射状纵刻纹，口上沟不明显。侧面观无颚眼沟，颚眼距短。背面观上颊短，后单眼距大于复眼单眼距。触角柄节上端不达中单眼，短于复眼高；梗节与鞭节长之和短于头宽；第1索节近方形，第2至第6索节宽大于长，第6索节宽为长的2倍；棒节长为宽的2倍。各索节和棒节具1排感觉毛。前胸盾片中央长约为中胸盾片长之半。中胸盾片长略短于小盾片；小盾片宽略大于长。小背板光滑；并胸腹节中域具均匀刻点，中脊仅基部明显，侧褶完整。前翅基室无毛，基脉毛列完整，无肘脉，基室和基脉外透明斑后缘开放；后缘脉短于缘脉，缘脉长为痣脉的2.00～2.50倍。腹柄长约为宽的2倍，后部较细。柄后腹长为宽的1.70～2.00倍；柄后腹第1节背板后缘中央向前切入，其长等于或略长于柄后腹全长之半。

雄性梗节加鞭节长大于头宽；索节方形或长大于宽，有时第5和第6索节或仅第6索节宽大于长。

采集记录：1♂，凤县，1976.Ⅶ.05，廖定熹采。

分布：陕西(凤县)、内蒙古、河北、山东、福建、四川、云南；英国，意大利，瑞典。

寄主：我国标本均为网捕所得，无寄主记录。在英国寄生于 *Melanagromyza lappae* (Loew), *M. dettmeri* Hering. 和 *M. aeneiventris* (Fallén)。

110. 毛链金小蜂属 *Systasis* Walker, 1834

Systasis Walker, 1834b: 288, 296. **Type species**: *Systasis encyrtoides* Walker, 1834.

Paruriella Girault, 1913b: 308. **Type species**: *Paruriella australiensis* Girault, 1913.

属征：体中等大小。体蓝绿色具金属光泽；触角12节，触式11253；触角着生于颜面中部。胸部隆起；中胸盾片具完整而深的盾纵沟；头胸散布着脐状刻点。前翅透明斑大；缘脉最多是痣脉长的2倍；前翅透明斑大，透明斑外被稀毛；下表面缘脉之后具1排规则的长毛，前翅上表面，缘脉的下部至痣脉下具1条无毛带。

生物学：该属的生物学较为复杂，目前所知与两种寄主有关：一些种类是植食性的，取食某些草的种子，如一些草的种子 *Cenchrus* L., *Panicum* L. and *Ziziphus* Mill.；另一些种类则与形成植物虫瘿的昆虫有关。

分布：世界广布。目前全世界记录有50余种，中国已知9种，秦岭地区发现2种。

分种检索表

触角柄节伸达头顶或超过头顶；触角各索节均方形或亚方形；梗节与鞭节长之和为头宽的1.20倍；后缘脉等长于痣脉 ………………………………… **拟跳毛链金小蜂 *S. encyrtoides***

触角柄节最多伸达中单眼，达不到头顶；触角各索节均方形；梗节与鞭节长之和与头宽相当；后缘脉为痣脉的1.30倍 ………………………………………………… **微毛链金小蜂 *S. parvula***

(706) 拟跳毛链金小蜂 *Systasis encyrtoides* Walker, 1834(图版 85: C)

Systasis encyrtoides Walker, 1834 b: 296.
Pteromalus geniculatus Nees, 1834: 113.
? *Tridymus punctatus* Ratzeburg, 1852: 227.
Hormocerus impletus Walker, 1872: 96.
Systasis longicornis Thomson, 1876: 204.

鉴别特征: 雌虫体长 1.60~2.40mm。体黑蓝绿色具光泽;触角黑褐色;足基节、腿节与体同色,各足胫节中部及端跗节为褐色,其余各节为黄色。头前面观宽大于高,整个颜面具小而密的网状刻点及圆凹形具毛刻点;触角洼较明显,高不及宽;两触角窝之间具纵形突脊;唇基区较光滑,具小网状刻点,口上沟明显。触角位于颜面的中上部,触角柄节伸达头顶;梗节与鞭节长之和大于头宽,各节结合较松;梗节长相当于环节与第 1 索节长之和;各索节均为方形或亚方形,具感觉毛;棒节较膨大,短于末 3 索节长之和。后单眼距为复眼单眼距的 5 倍;上颊短。胸部明显隆起,被规则光滑的网状刻点。前胸背板两侧长,中部几乎在背面不可见,稍窄于中胸;中胸盾片前缘明显向前伸出,盾纵沟深而完整。并胸腹节具规则的网状刻点,中脊完整,侧褶几乎完整。前翅基室无毛,基室后缘开放;后缘脉与痣脉之间的区域光滑无毛;缘脉为后缘脉的 2.60 倍左右,后缘脉等长于痣脉;痣稍膨大。无明显的腹柄;柄后腹与胸宽相当,长为宽的 1.80 倍,与头胸之和相当。

雄虫体稍小于雌虫,其他特征与雌虫相当。

采集记录: 1♂6♀,佛坪,1973.Ⅷ.07,廖定熹采;1♀,商南金丝峡,2013.Ⅶ.24,郝倩男采。

分布: 陕西(佛坪、商南)、黑龙江、吉林、北京、山东、宁夏、甘肃、浙江、福建、海南、云南;英国,瑞典,捷克,德国,法国,科西嘉岛,摩尔多瓦,美国,加拿大。

寄主: 瘿蚊属 *Cecidomyia Meigen*,康瘿蚊属 *Contarinia*(Gagné),叶瘿蚊属 *Dasineura* Saunders, *Diplosiola* Solinas, *Jaapiella* Rübsaamen, Agromyzidae,潜叶蝇属 *Phytomyza* Fallén, *Apion* (Curculionidae),细券蛾属 *Cochylidia* Obraztsov,券蛾属 *Tortrix* Denis *et* Schiffermüller (Tortricidae).

(707) 微毛链金小蜂 *Systasis parvula* Thomson, 1876(图版 85: D)

Systasis parvula Thomson, 1876: 205.

鉴别特征: 雌虫体长 1.80~2.20mm。体亮绿色具光泽;触角柄节腹面棕黄色,其余各部分均为褐色;足基节、腿节及中后足胫节与体同色,端跗节为褐色,其余各节为黄色。头前面观宽大于高,整个颜面具粗糙的网状刻点及稍浅圆凹形具毛刻点;触角洼较明显,伸至中单眼下的 1/2;两触角窝之间具纵形突脊,下脸中部呈纵形鼻状突；口上沟明显。触角位于颜面的中部，柄节最多伸达中单眼，不达头顶；梗节与鞭节长之和与头宽相当，各节结合较松；各索节均为方形，具感觉毛及与长于索节的细毛；棒节稍膨大。头背面观后单眼距为复眼单眼距的3倍。胸部明显隆起，前胸背板两侧长，中部几乎在背面不可见，稍窄于中胸；中胸盾片前缘明显向前伸出，盾纵沟深而完整；小盾片长宽相当。并胸腹节短，具规则的网状刻点，中脊完整，侧褶几乎完整。前翅透明斑大，透明斑外被稀毛；基脉无毛，基室无毛，基室后缘开放；缘室上表面无毛，下表面被中部断开的1排毛；缘脉为后缘脉的1.90倍，后缘脉长于痣脉，约为1.30倍；痣不膨大。无明显的腹柄；柄后腹与胸宽相当，长为宽的1.80倍，与头胸之和相当。

采集记录：1♀，凤县，1973.Ⅶ.25，廖定熹采；1♀，眉县，1973.Ⅶ.22，廖定熹采；6♀1♂，临潼，1973.Ⅸ.04，廖定熹采；1♂，宁陕广货街保护站后山，2014.Ⅶ.26，郝倩男采。

分布：陕西(凤县、眉县、临潼、宁陕)、黑龙江、吉林、北京、河北、山东、河南、新疆、湖南、海南；古北区。

111. 蚁形金小蜂属 *Theocolax* Westwood, 1832

Theocolax Westwood, 1832: 127. **Type species**: *Theocolax formiciformis* Westwood, 1832.
Choetospila Westwood, 1874: 137. **Type species**: *Choetospila elegans*, Westwood, 1874.

属征：体形似蚂蚁。体色多黄褐、红褐或黑褐色；头部扁，唇基前缘中央凹缺状；触角着生在复眼下缘连线之下，雌虫触角9节，雄虫10节；前胸背板长，无盾片脊；并胸腹节背面较平，向后收狭；前翅狭长，痣脉下有1个圆斑。

分布：全球分布。世界已记录6种，中国已知3种，秦岭地区分布1种。

(708) 柏肤小蠹蚁形金小蜂 *Theocolax phloeosini* Yang, 1989

Theocolax phloeosini Yang, 1989: 97.

鉴别特征：雌虫体长2.10～2.60mm。体黄褐色略带红色；头顶、触角端部2～3节、前胸背板除颈状部外的大部分、中胸盾片和小盾片、并胸腹节前半部分，前中后足的基节、腿节、胫节的基半部分深红褐色；翅透明，前翅在翅痣下有1个暗褐色大斑，在前缘脉近端部下方有1个小斑。

采集记录：4♀，周至楼观台森里公园，1991.Ⅸ.02，杨忠岐采；20♀15♂，杨凌，1985.Ⅴ.04，杨忠岐、黄飞采；1♀，佛坪龙草坪，1986.Ⅵ，王鸿哲采。

分布：陕西(周至、杨凌、佛坪、岐山)、北京、河南、江苏、贵州。

寄主：小蠹。

112. 截尾金小蜂属 *Tomicobia* Ashmead, 1899

Tomicobia Ashmead, 1899: 203. **Type species**: *Tomicobia tibialis* Ashmead, 1899.

属征: 体粗大。头部明显宽于胸部; 触角 13 节, 11263 式, 着生于复眼下缘连线之上; 左右上颚均具 3 枚端齿; 唇基端缘中部凹入, 两侧呈齿状突出; 前胸背板具明显盾片, 无盾片前缘脊; 并胸腹节长, 中纵脊存在, 侧褶明显; 腹部短, 腹板大, 向上呈"V"形与背板相连; 前翅痣脉细, 痣后脉短于缘脉; 足粗短, 腿节膨大, 后足胫端具 1 距。

分布: 全北区。世界已记录 8 种, 中国已知 4 种, 秦岭地区分布 1 种。

(709) 廖氏截尾金小蜂 *Tomicobia liaoi* Yang, 1987

Tomicobia liaoi Yang, 1987: 180.

鉴别特征: 雌虫体长 2.30 ~2.50mm。体墨绿色近黑色, 具金属光泽; 复眼暗紫色, 单眼红褐色; 触角柄节黄褐色, 梗节及鞭节紫褐色, 但棒节颜色较浅; 足黄褐色, 腿节褐色; 翅透明, 翅脉黄褐色。

采集记录: 1♀, 勉县, 1984. Ⅷ. 01, 杨忠岐采。

分布: 陕西(勉县)。

寄主: 小蠹。

113. 克氏金小蜂属 *Trichomalopsis* Crawford, 1913

Trichomalopsis Crawford, 1913: 251. **Type species**: *Trichomalopsis shirakii* Crawford, 1913.

Eupteromalus Kurdjumov, 1913: 12. **Type species**: *Pteromalus nidulans* Thomson, 1878 .

Metadicylus Girault, 1926: 71. **Type species**: *Metadicylus australiensis* Girault, 1926.

Nemicromelus Girault, 1917b: 4. **Type species**: *Merisus subapterus* Riley, 1885.

属征: 头、胸及并胸腹节具蓝绿色金属光泽及刻点。头正面观宽略大于高, 颜面平坦, 不凹陷; 复眼大, 卵圆形, 无被毛; 触角着生于颜面中部或稍高; 触式 11263, 梗节长于第 1 索节, 索节由基至端部略微膨大, 棒节 3 节末端收缩但不尖锐。后头具微弱的后头脊。前胸短, 中胸宽大于长, 无盾纵沟或不完整。并胸腹节具中脊、侧褶, 颈呈半球状。前翅缘脉长于痣脉, 前足腿节不明显膨大, 后足胫节末端具 1 距。柄后腹长为卵圆形, 无腹柄或较短, 产卵器不突出。

生物学: 寄主包括双翅目(蝇科、寄蝇科等)、膜翅目(主要是茧蜂)、鞘翅目的造瘿昆虫(Bouček, 1988)，以及鳞翅目(主要是蛾类)、半翅目(猎蝽科)的部分昆虫共计6目57科230种(Noyes, 2002)。

分布: 世界广布。全世界已记录50余种，中国已知26种，秦岭地区有1种。

(710) 棉铃虫克氏金小蜂 *Trichomalopsis genalis* (Graham, 1969) (图版85: E)

Eupteromalus genalis Graham, 1969: 908.

Trichomalopsis genalis: Kamijo & Grissell, 1982: 77.

鉴别特征: 雌虫体长1.90~2.70mm。头、胸铜绿色，具蓝绿色反光，腹部红褐色。上颚、触角柄节、梗节及环节黄褐色；触角其余部分褐色。足基节与胸部同色，前足基节有时局部黄褐色；足其余部分黄褐色，跗节末端褐色。头前面观近方形，宽稍大于高，颊外边向中会聚不强；复眼长形，复眼内缘几乎平行。触角着生位置明显高于复眼下缘连线，左右上颚均为4枚齿。唇基上具辐射状纵刻纹，伸达颊及颜面。头背面观颊膨大不特别显著，上颊长为复眼长的1/2；后头脊较明显；POL为OOL的1.25倍。触角柄节未伸达中单眼，梗节与鞭节之和明显短于头宽；第1索节长大于宽，其余各索节长与宽等长；棒节长略小于末3索节长之和。胸部有时扁平；前胸背板前缘具脊；中胸盾片与小盾片等长；小盾片宽稍大于长，稍膨起，具细网状刻纹。并胸腹节中脊明显，并胸腹节颈占到整个并胸腹节长度的近0.37倍；侧褶脊尖锐而弯曲。前翅缘脉为痣脉长的1.54倍，缘脉与后缘脉等长，后缘脉为痣脉的1.54倍。后躯为中躯长的1.25倍，腹部长卵圆形。

采集记录: 1♀，宝鸡，1976. Ⅱ.20；2♀，眉县，1973. Ⅶ.15，廖定熹采。

分布: 陕西(宝鸡、眉县)、北京；古北区。

寄主: 棉铃虫，梨星毛虫。

参考文献

Ashmead, W. H. 1896. On the genera of the Eupelminae. *Proceedings of the Entomological Society of Washington*. 4: 4-20.

Ashmead, W. H. 1904. Classification of the chalcid flies of the superfamily Chalcidoidea, with descriptions of new species in the Carnegie Museum, collected in South America by Herbert H. Smith. *Memoirs of the Carnegie Museum*, 1(4): ⅰ-ⅹⅰ, 225-551, 39pls.

Askew, R. R. 1980. The European species of *Coelopisthia* (Hymenoptera: Pteromalidae). *Systematic Entomology*, 5: 1-6.

Bhatnagar, S. P. 1951. Descriptions of new and records of known Chalcidoidea (Parasitic Hymenoptera) from India. *Indian Journal of Agricultural Science*, 21: 155-178.

Blanchard, E. 1840. *Histoire naturelle des Insectes* 3 + 672pp, 155 plates Paris.

Bouček, Z. 1961. Beiträge zur Kenntnis der Pteromaliden-fauna von Mitteleuropa, mit Beshreibungen neuer Arten und Gattungen (Hymenoptera). *Sborník Entomologického Oddeleni Národního Musea v*

Praze, 34: 55-95, 33 figs.

Brèthes J. 1913. Himenópteros de la América meridional. *Anales del Museo Nacional de Historia Natural de Buenos Aires*, 24: 91.

Brues, C. T. 1908. Notes and descriptions of North American parasitic Hymenoptera. Ⅶ. Bull. Wisconsin. *Natural History Society*, 6: 160-163.

Crawford, J. C. 1909. New Chalcidoidea. (Hymenoptera.) *Proceedings of the Entomological Society of Washington*, 11: 51-52.

Crawford, J. C. 1913. Descriptions of new Hymenoptera, no 6. *Proceedings of the United States National Museum*, 45: 241-260.

Curtis, J. 1832. *British Entomology*. 9: plates 386-433 (with text). 427.

Dahlbom, A. G. 1857. Svenska Små-Ichneumonernas familjer och slügten. *Öfversigt af Kongl. Vetenskaps Akad. Förhandlingar*, 14: 289-298.

Dalla Torre, K. W. von. 1898. *Catalogus Hymenopterorum hucusque descriptorum systematicus et synonymicus. V. Chalcididae et Proctotrupidae*. Lepzig, 1-598pp.

Delucchi, V. 1955. Beiträge zur Kenntnis der Pteromaliden (Hym., Chalcidoidea). I. *Zeitschrift für Angewandte Entomologie*, 38: 121-156, 1 pl., 5 figs.

Delucchi, V. 1958. *Pteromalus pini* Hartig (1838): specie tipo di *Beierina* gen. nov. (Hym., Chalcidoidea). *Entomophaga*, 3(3): 271-274, 2 figs.

Dzhanokmen, K. A. 1996. A review of pteromalids of the genus *Systasis* (Hymenoptera, Chalcidoidea, Pteromalidae) from Kazakhstan. *Zoologicheskiy Zhurnal*, 75: 1787-1802.

Dzhanokmen, K. A. 1999. New species of pteromalids from the genus *Homoporus* (Hymenoptera, Chalcidoidea, Pteromalidae) and an illustrated key to species of this genera from Kazakhstan. *Zoologicheskiy Zhurnal*, 78(2): 181-190.

Erdös *et*., 1953. Pteromalidae hungaricae novae. *Acta Biologica. Academiae Scientíarum Hungaricae*, 4(1-2): 221-247.

Fabricius, J. C. 1804. Systema Piezatorum. 440pp. A. C. Reichard, Brunsvigae.

Förster, A. 1841. *Beiträge zur monographie der Pteromalinen Nees. 1 Heft*. Aachen, 46pp, 1 plate.

Förster, A. 1856. *Hymenopterologische Studien. 2. Heft. Chalcidiae und Proctotrupii*, Aachen, 152pp.

Förster, A. 1878. Kleine monographien parasitischer Hymenopteren. *Verhandlungen des Naturhistorischen Vereins der Preussischen Rheinlande und Westfalens*, *Bonn* 35: 42-82.

Ghesquière, J. 1946. Contribution à l'étude de microhyménoptères du Congo Belge. X. Nouvelles dénominations pour quelques genres de Chalcidoidea *et* Mymaroidea. Ⅺ. Encore les gn. *Chalcis*, *Smiera*, *et Brachymeria* (Hym. Chalcidoidea). *Revue de Zoologie et de Botanique Africaines*, 39: 367-373.

Giraud, J. 1863. Mémorie sur les insectes qui vient sur le roseau commun, *Phragmites communis* Trin. (*Arundo phragmites* L.) *et* plus spécialement sur ceux de l'ordre des Hymenoptères. *Verhandlungen der Zoologisch-Botanischen Gesellschaft in Wien*, 13: 1251-1288.

Girault, A. A. 1913a. New genera and species of chalcidoid Hymenoptera in the South Australia Museum, Adelaide. *Transactions of the Royal Society of South Australia*, 37: 67-115.

Girault, A. A. 1913b. Australian Hymenoptera Chalcidoidea - Ⅵ. The family Pteromalidae with descriptions of new genera and species. *Memoirs of the Queensland Museum*, 2: 303-334.

Girault, A. A. 1915. Australian Hymenoptera Chalcidoidea. Ⅵ. Supplement. *Memoirs of the Queensland Museum*, 3: 313-346.

Girault, A. A. 1917a. A new genus or sub-genus of pachyneurine chalcid-flies. *Psyche*, *Cambridge*, 24: 102.

Girault A. A. 1917b. *Descriptions hymenopterorum chalcidoidicarum variorum cum observationibus. V.* : 16pp. Private publication. Glenndale, Maryland.

Girault, A. A. 1924. *Notes and descriptions of Australian chalcid flies.* Ⅱ. (*Hymenoptera*). *Insecutor Inscitiae Menstruus*, 12: 172-176.

Graham M. W. R. de V. 1956. *A revision of the Walker types of Pteromalidae* (*Hymenoptera*, *Chalcidoidea*). Part 2 (including descriptions of new genera and species). *Entomologist's Monthly Magazine*, 92: 246-263, 6 figs.

Graham, M. W. R. de V. 1957. *A revision of the Walker types of Pteromalidae* (*Hymenoptera*, *Chalcioidea*). Part 3 (including descriptions of new species). *Entomologist's Monthly Magazine*, 93: 217-236, 18 figs.

Graham, M. W. R. de V. 1969. *The Pteromalidae of north-western Europe* (*Hymenoptera*: *Chalcidoidea*). *Bulletin of the British Museum* (*Natural History*) (*Entomology*) Supplement, 16: 908pp, 686 figs.

Hartig, T. 1838. Uber den Raupenfrass im Koniglichen Charlottenburger Forste unfern Berlin, wahrend des Sommers 1837. *Jahresberichte über die Fortschritte der Forstwissenschaft und Forstlichen Naturkundede im Jahre* 1836 *und* 1837 *nebst Original-Abhandlungen aus dem Gebiete und Cameralisten*, 1(2): 246-274, Albert Förstner, Berlin.

Hincks, W. D. 1944. Notes on the nomenclature of some British parasitic Hymenoptera. *Proceedings of the Royal Entomological Society of London* (B), 13: 30-39.

Huang, D. W and Liao, D. X. 1988. A new genus and a new species of Pteromalidae (Hymenoptera: Chalcidoidea). *Acta Entomologica Sinica*, 31(4): 426-428. [黄大卫, 廖定熹. 1988. 金小蜂科一新属一新种(膜翅目: 小蜂总科). 昆虫分类学报, 31(4): 426-427.]

Huang, D. W and Xiao, H. 2005. *Hymenoptera Pteromalidae. Fauna Sinica. Insecta. vol.* 42, 1-388, Plates Ⅰ-Ⅴ Science Press, Beijing, China. [黄大卫, 肖晖. 2005. 中国动物志 昆虫纲 第四十二卷 膜翅目 金小蜂科, 北京: 科学出版社. 1-388.]

Jiao, T. J and Xiao, H. 2014. Taxonomic review of the genus *Coelopisthia* Förster (Hymenoptera: Pteromalidae) from China, with four new species. *Zoological Systematics*, 39(4): 545-554.

Kurdjumov N. V. 1913. *Notes on Pteromalidae* (*Hymenoptera*, *Chalcidoidea*). *Russkoe Entomologicheskoe Obozrenie*, 13(1): 1-24, 2 figs.

Masi, L. 1924. Calcididi del Giglio. Quarte serie: Pteromalinae (seguito). *Annali del Museo Civico di Storia Naturale Giacomo Doria. Genova.* (3), 10(50): 213-235, 9 figs.

Mokrzecki, A. 1934. Die in de Forstschädlingen lebenden Parasiten des I und 2. Grades aus der Gruppe der Chalcidoidea. *Polskie Pismo Entomologiczne*. 12: 143-144.

Nees ab Esenbeck, C. G. 1834. *Hymenopterorum Ichneumonibus affinium*, *Monographiae*, *genera Europaea et species illustrantes*, 2: 448pp.

Provancher, L. 1887. *Faune entomologique de Canada*, 2. *Additions et corrections à la faune Hyméınenoptèrologique de la province de Québec*: 165-272.

Ratzeburg, J. T. C. 1844a. *Die Ichneumonen der Forstinsekten in entomologischer und forstlicher Beziehung* 1: 224pp, 4 plates, Berlin.

Ratzeburg, J. T. C. 1844b. *Die Forst-Insecten* 3: Ⅷ +314pp, 16 plates, Berlin.

Ratzeburg, J. T. C. 1852. *Die Ichneumonen der Forstinsekten in entomologischer und forstlicher Beziehung* 3: Ⅴ-ⅩⅧ +272pp, 3 tables, Berlin.

Reinhard, H. 1857. Beiträge zur Geschichte und Synonymie der Pteromalinen (Schluss). *Berliner Entomologische Zeitschrift*, 1: 70-80.

Reinhard, H. 1858. Beiträge zur Geschichte und Synonymie der Pteromalinen (Schluss). *Berliner Entomologische Zeitschrift*, 2: 10-23.

Rondani, C. 1848. Osservazioni sopre paracchie species di esapodi afidicidi e sui loro nemici. *Nuovi Annali Delle Scienze Naturali di Bologna*, 9: 5-37.

Rondani, C. 1877. Vesparia parassita non vel minus cognita observata *et* descripta. *Bullettino della Società Entomologica Italiana*, 9(2): 166-213.

Rosen, H. von. 1955. Die Identität zweier für die Landwirtschaft wichtiger Erzwespen (Hymenoptera, Chalcidoidea) un Bemerkungen zu ihrer Lebensweise. *Entomologisk Tidskrift*, 76(2-4): 88.

Rosen, H. Von. 1958. Zur Kenntnis der europäischen Arten des Pteromaliden-Genus *Mesopolobus* Weswtwood 1833 (Hym., Chalc.). *Opuscula Entomologica*, *Lund*, 23: 203-240.

Rosen, H. Von. 1960. Zur Kenntnis des Pteromaliden-Genus Mesopolobus Westwood 1833 (Hymenoptera, Chalcidoidea). Ⅴ und Ⅵ. *Opuscula Entomologica*, *Lund*, 25: 1-15, 16-29, 7 +7 figs.

Rosen H. Von. 1962. Zur Kenntnis des Pteromaliden-Genus *Mesopolobus* Westwood 1833 (Hymenoptera, Chalcidoidea). Ⅸ. *Kungliga Landtbrukshögskolans Annaler*, 28: 141-148.

Schmiedeknecht, O. 1909. Hymenoptera fam. Chalcididae. *Genera Insectorum*, 97: 1-550.

Sharma, A. K. and Subba Rao, B. R. 1959. Descriptions of two parasites of an aphid from north India (Aphidiidae: Ichneumonoidea and Pteromalidae: Chalcidoidea). *Indian Journal of Entomology*, 20(3): 181-188.

Schulz, W. A. 1906. *Spolia Hymenopterologica*. 355pp, Paderborn.

Spinola, M. 1808. *Insectorum Liguriae species novae aut rariores*, *quas in agro ligustico nuper detexit*, *descripsit*, *et iconibus illustratavit*, 2(2-4): 261 + vpp, synoptic table Genoa.

Spinola, M. 1811. Essai d'une nouvelle classification générale des Diplolépaires. *Annales du Musouvelle classification générale des Diplo*, 17: 138-152.

Szelényi, G. von. 1956. Notes on Merisina (Hymenoptera, Chalcidoidea). I. The subtribe Merisina. *Annales Historico-Naturales Musei Nationalis Hungarici* (*Series Nova*), 7: 167-180, 3 figs.

Szelényi, G. von. 1982. Further data to the torymid, pteromalid and eulophid fauna of the Hortobagy National Park, Hungary (Hymenoptera: Chalcidoidea). *Acta Zoologica Academiae Scientiarum Hungaricae*, 28: 379-388.

Thomson, C. G. 1876. *Hymenoptera Scandinaviae*, 4. *Pteromalus* (*Svederus*). Lundae. 193-259.

Thomson, C. G. 1878. *Hymenoptera Scandinaviae*, 5. *Pteromalus* (*Svederus*) continuatio : 307pp, 1 plate Lund.

Walker, F. 1833a. *Monographia Chalciditum*. (Continued.) *Entomological Magazine*, 1(4): 367-384.

Walker, F. 1833b. *Monographia Chalciditum*. (Continued.) *Entomological Magazine*, 1(5): 455-466.

Walker, F. 1834a. *Monographia Chalciditum*. (Continued.) *Entomological Magazine*, 2(2): 148-179.

Walker, F. 1834b. *Monographia Chalciditum*. (Continued.) *Entomological Magazine*, 2(3): 286-309.

Walker, F. 1834c. *Monographia Chalciditum*. (Continued.) *Entomological Magazine*, 2(4): 340-369.

Walker, F. 1835a. *Monographia Chalciditum*. (Continued.) *Entomological Magazine*, 2(5): 476-502.

Walker, F. 1835b. *Monographia Chalciditum*. (Continued.) *Entomological Magazine*, 3(2): 182-206.

Walker, F. 1837. *Monographia Chalciditum*. *Entomological Magazine*, 4: 349-364.

Walker, F. 1839. *Monographia Chalciditum*. London. 1: 333pp.

Walker, F. 1846. *List of the specimens of Hymenopterous insects in the collection of the British Museum*. Part Ⅰ. Chalcidites. London. Ⅶi + 100pp.

Walker, F. 1848. *List of the specimens of Hymenopterous insects in the collection of the British Museum*, part Ⅱ. London. Ⅰv +273pp.

Walker, F. 1850. Notes on Chalcidites, and descriptions of various new species. *Annals and Magazine of Natural History*, (2) 5: 125-133.

Walker, F. 1872. Part 6. Hormoceridae, Sphegigasteridae, Pteromalidae, Elasmidae, Elachistidae, Eulophidae, Entedonidae, Tetrastichidae and Trichogrammidae. *Notes on Chalcidiae*. 89-105, 18 figures.

Westwood, J. O. 1832. Descriptions of several new British forms amongst the parasitic hymenopterous insects. *Philosophical Magazine* (3), 1: 127-129.

Westwood, J. O. 1833. Descriptions of several new British forms amongst the parasitic hymenopterous insects. *Philosophical Magazine* (3), 2: 443-445, 14 figs.

Westwood, J. O. 1882. On the supposed abnormal habits of certain species of Eurytomides, a group of the hymenopterous family Chalcididae. *Transactions of the Entomological Society of London*, 1882: 326.

Xiao, H and Huang, D. W. 1999. A taxonomic study of *Stenomalina* (Hymenoptera: Pteromalidae) from China. *Acta Zootaxonomica Sinica*, 24(3): 334-344. [肖晖, 黄大卫. 1999. 中国纤金小蜂属的分类研究 (膜翅目: 小蜂总科). 动物分类学报, 24(3): 334-344.]

Xiao, H and Huang, D. W. 2000a. Taxonomic study on genus *Acroclisoides* Girault and Dodd from China (Hymenoptera: Pteromalidae). *Acta Zootaxonomica Sinica*, 25(1): 94-99. [肖晖, 黄大卫. 2000. 中国蝽卵金小蜂属分类研究 (膜翅目: 小蜂总科). 动物分类学报, 25(1): 94-99.]

Xiao, H. and Huang, D. W. 2000b. A Taxonomic Study on *Asaphes* from China, with Descriptions of four New Species. *Entomologica Sinica*, 7(3): 193-202.

Xiao, H and Huang, D. W. 2000c. Taxonomic Study on *Panstenon* (Hymenoptera: Pteromalidae) from China. *Oriental Insects*, 34: 309-319.

Xiao, H., Zhang, Y. Z., Huang, D. W and Polaszek, A. 2004. A revision of *Homoporus* (Hymenoptera: Pteromalidae) of China. *Raffles Bulletin of Zoology*, 52(1): 59-65.

Xiao, H., Jiao, T. Y. and Huang, D. W. 2009. *Pachyneuron* (Hymenoptera: Pteromalidae) from China. *Oriental Insects*, 43: 341-359.

Yang, Z. Q. 1987. Apreliminary survey of parasitic wasps of *Dendroctonus armandi* Tsai *et* Li (Coleoptera, Scolytidae) in Qinling Mountains with description of three new species and a new Chinese record (Hymenoptera, Pteromalidae). *Entomotaxonomia*, Ⅸ(3): 175-184.

Yang, Z. Q. 1989. One new species and other pteromalids parasitizing Bark-beetles in Shaanxi, China (Hymenoptera, Chalcidoidea, Pteromalidae). Entomotaxonomia, Ⅺ (1-2): 97-103.

Yang, Z. Q. 1996. Parasitic wasps on Bark Beetles in China (Hymenoptera) (in Chinese with English Summary). Beijing: Science Press, ⅳ +363pp.

Zetterstedt, J. W. 1838. Hymenoptera. *Insecta Lapponica*, 1(2): 315-476.

二十七、姬小蜂科 Eulophidae

曹焕喜 朱朝东
（中国科学院动物研究所，北京 100101）

鉴别特征：体型较小，一般在2mm左右。体具或不具金属光泽。姬小蜂科科征较稳定，一般依据前足距短而直且跗节不超过4节便能很容易鉴定到科。

生物学：除极少数种类危害植物外，姬小蜂是一类重要的寄生蜂类群，具有重要的经济价值；其寄主范围非常广泛，尤其与双翅目的潜叶蝇类密切相关，也常寄生各种鳞翅目的幼虫和蛹，还能寄生很多其他目的昆虫，如鞘翅目、直翅目、半翅目等，也可作为重寄生蜂寄生膜翅目，此外还可能寄生蜘蛛的卵囊。

分类：世界广布。全世界已记录329属，4000余种，中国已知382种，陕西秦岭地区发现9属24种。

分属检索表

1. 中胸小盾片具1对刚毛；亚缘脉背生2根刚毛；并胸腹节具1对亚中脊，并和侧褶形成2个亚中室 …… **柄腹姬小蜂属 *Pediobius***
 中胸小盾片通常具2对刚毛；亚缘脉背生至少3根刚毛；并胸腹节无亚中脊 …… 2
2. 盾纵沟缺失，若存在则不明显，不伸达中胸后缘或三角片前缘 …… 3
 盾纵沟通常明显且完整，伸达中胸后缘或三角片前缘 …… 7
3. 中胸小盾片具2条亚中沟 …… 4
 中胸小盾片无亚中沟 …… 5
4. 触角索节4节，棒节2节；2条亚中沟后缘连接 …… **狭面姬小蜂属 *Elachertus***
 触角索节2节，棒节3节；2条亚中沟从不连接 …… **潜蝇姬小蜂属 *Diglyphus***
5. 触角柄节伸达头顶 …… **长柄姬小蜂属 *Hemiptarsenus***
 触角柄节不伸达头顶 …… 6
6. 中胸中叶除成对长刚毛外，散生刚毛无或成排列；并胸腹节仅具中脊，无侧褶和横脊 …… **羽角姬小蜂属 *Sympiesis***
 中胸中叶除成对长刚毛外，常具散生刚毛，不成排列；并胸腹节具中脊，具明显的侧褶和横脊 …… **格姬小蜂属 *Pnigalio***
7. 前翅基部刚毛密布，除无毛区外无明显的光秃区域，无毛区闭式；痣脉周围无明显毛列 …… 8
 前翅基部较光秃，无毛区开式；痣脉发出3条明显的毛列 …… **三脉姬小蜂属 *Euderus***
8. 并胸腹节两侧各具1条倒“Y”形近气门纵脊 …… **啮小蜂属 *Tetrastichus***
 并胸腹节无倒“Y”形脊 …… **方啮小蜂属 *Quadrastichus***

114. 狭面姬小蜂属 *Elachertus* Spinola, 1811

Elachertus Spinola, 1811: 151. **Type species**: *Diplolepis lateralis* Spinola, 1808.

Elachistus Förster, 1856: 73. Unjustified emendation of *Elachertus*.

Ardalus Howard, 1897: 162. **Type species**: *Ardalus aciculatus* Howard, 1897.

Cirrospiloideus Ashmead, 1904a: 354. **Type species**: *Miotropis platynotae* (Howard, 1885).

Sympiesomorphelleus Girault, 1913a: 75. **Type species**: *Sympiesomorphelleus suttneri* Girault, 1913.

Pseudelacherteus Girault, 1913c: 260. **Type species**: *Pseudelacherteus nigrithorax* Girault, 1913.

Parentedon Girault, 1913c: 279. **Type species**: *Parentedon australis* Girault, 1913.

Digyphomorphella Girault, 1913c: 280. **Type species**: *Diglyphomorphella delira* Girault, 1913.

Euplectromophella Girault, 1915: 280. **Type species**: *Euplectromophella cicatricosa* Girault, 1915.

Ardaloides Girault, 1915: 288. **Type species**: *Ardaloides simithorax* Girault, 1915.

Proardalus Girault *et* Dodd, in Girault, 1915: 288. **Type species**: *Proardalus nigricaput* Girault *et* Dodd, 1915.

Epardalus Girault, 1917b: 6. **Type species**: *Elachistus cidariae* Ashmead, 1898.

Peteenus Erdös, 1961: 471. **Type species**: *Peteenus pulcher* Erdös, 1961.

Guptaiella Khan *et* Sushil, 1998: 1. **Type species**: *Guptaiella indica* Khan *et* Sushil, 1998.

属征：上颚具明显的齿，但内缘不具较密的刚毛。雌雄两性中，触角索节通常4节，少数种类雄性索节5节，极少见雌雄索节5节。前胸前端伸长或者圆形，但中间长仍短于中胸中叶。盾纵沟完整。中胸中叶至少具有3对较长的刚毛，此外，通常具有较多散生的刚毛。小盾片光滑或具刻纹，通常具有2条近侧沟，近侧沟后端通常向内弯曲连接在一起或几乎接近连接在一起。并胸腹节中脊明显，不具侧褶和横脊。

分布：世界广布。全世界已知101种，中国记录22种，秦岭地区发现3种。

分种检索表

1. 中胸小盾片光滑 ………………………………………… **连沟狭面姬小蜂 *E. isadas***
   中胸小盾片具刻纹 ………………………………………… 2
2. 除后足基节有时褐色或者具金属光泽之外，足淡黄色；触角鞭节淡黄色或黄褐色 ……………………………………………… **黄腿狭面姬小蜂 *E. lateralis***
   足黄色；前翅无毛区较宽阔；触角褐色 ……………… **大斑狭面姬小蜂 *E. fenestratus***

(711) 大斑狭面姬小蜂 *Elachertus fenestratus* Nees, 1834（图版 86：1）

Elachertus fenestratus Nees, 1834: 140.

Eulophus argissa Walker, 1839: 172.

Eulophus eurybates Walker, 1839: 173.

Eulophus saon Walker, 1839: 175.

Elachistus opaculus Thomson, 1878: 193.

Elachistus proteoteratis Howard, 1885: 27.

Elachistus coxalis Howard, 1885: 28.

Euplectrus veridoeneus Provancher, 1887: 207.

Euplectrus viridaeneus Cresson, 1887: 243(Emendation for *Euplectrus veridoeneus* Provvancher).

Euplectrus viridiaeneus Dalla Torre, 1898: 75(Unjustified emendation of *Euplectrus veridoenus* Provancher).

Elachertus pini Gahan, 1927: 547.

鉴别特征：体蓝绿色，具有金属光泽。触角褐黄色，足淡黄色，但至少后足基节或鞭节颜色变暗或呈褐色。触角窝位于复眼下缘连线之下。索节4节，棒节3节，棒节均长于索节。头顶具网纹，无后头脊。前胸无横脊，具网纹。小盾片具网纹，两近侧沟后端连接。并胸腹节具中脊，但不具分支，后部呈倒"T"状。中胸中叶无明显向后突出之趋势，除2对长刚毛之外还具散生刚毛。后胸光滑，后侧角几乎成直角状。腹柄长，长为宽的1.50倍。腹部长于胸部，但比胸部窄。腹部末端较锐，产卵鞘外露，可见。前翅无毛区较大。

采集记录：1♀，周至厚畛子，1350~1450m，1999.Ⅵ.24。

分布：陕西(周至)、辽宁、北京、河北、山西、青海、四川、贵州、西藏；全北区。

寄主：鳞翅目。

(712) 连沟狭面姬小蜂 *Elachertus isadas* (Walker, 1839)(图53: A-C)

Eulophus isadas Walker, 1839: 168.

Eulophus ticida Walker, 1839: 179.

Elachertus splendens Förster, 1841: 39.

Eulophus scyllis Walker, 1848: 234.

Elachistus viridulus Thomson, 1878: 195.

鉴别特征：体绿色，具金属光泽。足除后足同体色外，其余黄色。腹部绿色，具金属光泽，具1个黄褐色斑。索节4节，棒节3节。头顶光滑，无后头脊。前胸无横脊。盾侧沟直，仅伸达三角片的内角。中胸中叶不明显向后突出，前部光滑，后端具凹纹，其上刚毛散生。小盾片光滑，两近侧沟后端连接。后胸小盾片光滑。并胸腹节具中脊，后端呈倒"T"形。腹部长卵圆形，宽于胸部。腹部末端钝。

采集记录：1♀，佛坪，890m，1999.Ⅵ.28，朱朝东采。

分布：陕西(佛坪)、河北、甘肃、福建、台湾、海南、广西、四川、云南、西藏；古北区。

寄主：鳞翅目。

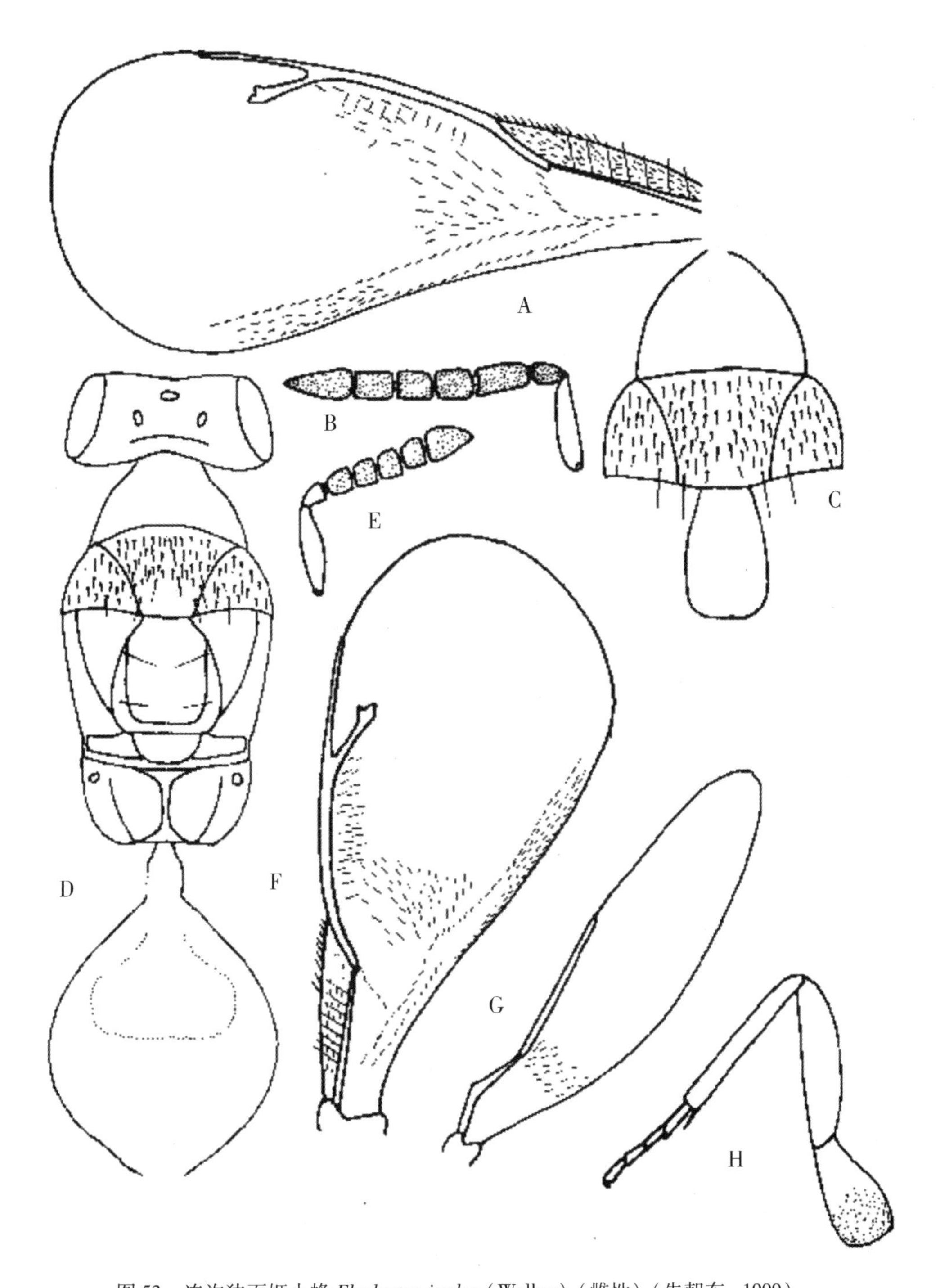

图53　连沟狭面姬小蜂 *Elachertus isadas*（Walker）（雌性）（朱朝东，1999）

A. 前翅；B. 触角；C. 胸部部分背面观

黄腿狭面姬小蜂 *Elachertus lateralis*（Spinola，1808）（雌性）（朱朝东，1999）

D. 体前面观；E. 触角；F. 前翅；G. 后翅；H. 后足

(713) 黄腿狭面姬小蜂 *Elachertus lateralis* (Spinola, 1808) (图 53: D－H)

Diplolepis lateralis Spinola, 1808: 230.
Elachertus lateralis: Spinola, 1811: 151.
Elachestus carinatus Ratzeburg, 1848: 172.
Elachistus aeneiscapus Thomson, 1878: 193.
Elachistus petiolatus Thomson, 1878: 191.
Elachertus clavatus Erdös, 1966: 401.

鉴别特征: 体金属绿色。足黄色, 但有时后足基节褐色或具金属色光泽; 触角鞭节黄色。索节 4 节, 棒节 3 节。腹柄长至多为宽的 1.50 倍, 后端稍具横纹。前胸、中胸和小盾片全部具网纹。小盾片上的网纹对称或稍呈纵状。小盾片两近侧沟后端连接。中胸中叶不向后突出, 其上刚毛全部散生。后胸小盾片具网纹。并胸腹节中间光滑, 两侧及气门下部及外部具网纹; 具中脊, 中脊不具侧支, 后部增大形成三角形板。腹柄长小于 1.50 倍宽, 后端具横纹。腹部长于胸部, 但相对较窄; 末端钝。产卵鞘外露, 可见。

采集记录: 1♀, 周至厚畛子, 1350～1450m, 1999. Ⅵ. 24, 朱朝东采; 1♀, 佛坪, 890m, 1999. Ⅵ. 28, 朱朝东采。

分布: 陕西(周至、佛坪)、黑龙江、吉林、辽宁、内蒙古、北京、河北、山东、宁夏、甘肃、新疆、安徽、湖北、湖南、福建、广东、四川、贵州; 古北区, 澳大利亚。

寄主: 鳞翅目。

115. 格姬小蜂属 *Pnigalio* Schrank, 1802

Pnigalio Schrank, 1802: 315. **Type species**: *Ichneumon pectinicornis* Linnaeus, 1758.
Tineophaga Rondani, 1868: 22. **Type species**: *Tineophaga tischeriae* Rondani, 1868.
Notanisomorphomyia Girault, 1913c: 289. **Type species**: *Notanisomorphomyia albicoxa* Girault, 1913.
Ratzeburgiola Erdös, 1958: 206. **Type species**: *Entedon cristatus* Ratzeburg.

属征: 雌虫索节通常 4 节, 少数情况下 3 节或 5 节; 雄虫触角前 3 节索节具侧枝。盾纵沟不完整, 止于三角片前半部。中胸中叶通常具有散生刚毛, 尤其前半部分, 均匀但排列不整齐。小盾片通常情况下不具盾侧沟, 极少情况下具极短、不完整的盾侧沟。并胸腹节具中脊, 具有明显的侧褶和横脊。

分布: 世界广布。全世界记录有 66 种, 中国已知 14 种, 秦岭地区发现 1 种。

(714) 芦苇格姬小蜂 *Pnigalio phragmitis* (Erdös, 1954)

Eulophus phragmitis Erdös, 1954: 328.

Pnigalio phragmitis: Bouček & Askew, 1968: 58.

鉴别特征: 体金属绿色。柄节腹面观黄色，背面观黑色。除前足基节、后足基节基部同体色外，足黄色，但前足第4跗节黄褐色，中足和后足第4跗节褐色。触角索节4节，棒节2节；各鞭节几乎等宽，第1棒节长于第1索节，长于其他索节。触角窝位于复眼连线下缘之上。头顶具凸起的网纹。前胸背板无横脊。中胸中叶和小盾片具凸起的网纹，除1对长刚毛之外，密布散生的短刚毛。后胸小盾片具明显的凹纹。中胸刚毛两侧区域具凹纹。并胸腹节中脊基部不凸起。雌性前翅缘脉至少3倍于亚缘脉长。前翅基室下表面至少有2列刚毛。

采集记录: 1♀，周至，1951. X.09，周尧采。

分布: 陕西(周至)、吉林、内蒙古、北京、河北、山东、河南、宁夏、浙江、湖北、江西、湖南、福建、四川、贵州、云南；古北区。

寄主: 主要为双翅目的潜蝇类。

116. 羽角姬小蜂属 *Sympiesis* Förster, 1856

Sympiesis Förster, 1856: 74. **Type species**: *Eulophus sericeicornis* Nees, 1834.

Sympiezus Thomson, 1878 : 217. Unjustified emendation.

Asympiesiella Girault, 1913b: 78. **Type species**: *Sympiesis nelsonensis* Girault, 1914.

Opheliminus Girault, 1913b: 458. **Type species**: *Opheliminus grotii* Girault, 1913.

Pseudopheliminus Girault, 1913c: 286. **Type species**: *Pseudopheliminus longiventris* Girault, 1913.

Diaulomella Girault, 1913c: 289. **Type species**: *Diaulomella australiensis* Girault, 1913.

Necremnomyia Girault, 1913c: 292. **Type species**: *Necremnomyia saintpierrei* Girault, 1913.

Sympiesonecremnus Girault, 1913c: 292. **Type species**: *Sympiesonecremnus boasi* Girault, 1913.

Diaulomorphella Girault, 1915: 294. **Type species**: *Diaulomorphella cyaneipurpurea* Girault, 1915.

Pardiaulomyia Girault *et* Dodd, in Girault, 1915: 294. **Type species**: *Pardiaulomyia spadiceipes* Girault, 1915.

Pardiaulomella Girault, 1915: 295. **Type species**: *Pardiaulomella consonus* Girault, 1915.

Pronecremnus Girault *et* Dodd, in Girault, 1915: 298. **Type species**: *Pronecremnus speciosus* Girault *et* Dodd, 1915.

Moroceras Erdös, 1954: 323. **Type species**: *Moroceras biróι* Erdös, 1954.

Eulophus (*Cladosympiesis*) Graham, 1959: 182. **Type species**: *Eulophus gordius* Walker, 1839.

Sympiesis (*Cladosympiesis*): Boucček, 1959: 121. New status for *Cladosympiesis* Graham, 1959.

Sympiesis (*Moroceras*): Boucček, 1959: 121. New status for *Moroceras* Erdös, 1954.

Sympiesis (*Teleogmus*): Boucček, 1959: 121. New status for *Teleogmus* Förster, 1856.

属征: 雌雄触角多为索节4节，棒节2节，少数情况下索节5节；雄性触角前3索节具分支。盾纵沟不完整，止于三角片前半部。中胸中叶上的刚毛通常排列整齐；

如果散生，那么并胸腹节不具中脊或侧褶。并胸腹节具中脊，无横脊，通常不具侧褶。小盾片不具近侧沟，极少情况下只见近侧沟的痕迹。中足第1跗节较第2跗节为长。前翅后缘脉长为痣脉的2倍。

分布：世界广布。世界已知119种，中国已记录29种，秦岭地区发现3种。

分种检索表

1. 后胸小盾片具突壁网纹，网纹大小同中胸小盾片的突壁网纹 ………………………………… 2
   后胸小盾片具凹隔网纹，但弱于中胸小盾片上的网纹 ………… **全须羽角姬小蜂 *S. hyblaeae***
2. 并胸腹节具突壁网纹；并胸腹节中脊向上突起，不呈沟状 ……… **皱羽角姬小蜂 *S. corrugata***
   并胸腹节具凹隔网纹；并胸腹节中脊呈沟状 ………………… **丝带羽角姬小蜂 *S. sericeicornis***

（715）皱羽角姬小蜂 *Sympiesis corrugata* Szelényi，1977

Sympiesis corrugata Szelényi，1977：243.

鉴别特征：前翅具短的肘脉。触角暗褐色，但触角柄节黄色，但背面观暗色，不具金属光泽。足基节具金属光泽；腿节黄色，至多背面观暗色。腹部基部绿色，其余部分铜色。盾纵沟可见，但不完整，几乎伸达三角片。中胸中叶具3对刚毛，无散生刚毛。后胸小盾片具刻纹，两侧光滑。并胸腹节具对称的刻纹。

分布：陕西(秦岭)、甘肃；古北区。

寄主：鳞翅目卷蛾科。

（716）全须夜蛾羽角姬小蜂 *Sympiesis hyblaeae* Sureka，1996

Sympiesis hyblaeae Sureka *et al.*，1996：74.

鉴别特征：体较长。体绿色，具金属光泽。触角柄节黄色，梗节褐色，其余深褐色。足黄色。腹部金属绿色，但中后部黄色。后头脊缺。盾纵沟弯曲，完整，伸达三角片的内角。中胸中叶具3～5对刚毛，无散生刚毛。后胸小盾片具网纹。并胸腹节具凹纹，后胸小盾片具网纹，并胸腹节中脊完整且明显。腹部至多是头胸之和的1.20倍，第7腹节长至多是宽的1.50倍。

采集记录：1♀，汉中。

分布：陕西(汉中)、黑龙江、吉林、青海、江苏、上海、江西、湖南、福建、云南；东洋区。

寄主：棉铃虫 *Heliothis armigera*（Hübner）（Lepidoptera：Noctuidae）。

(717) 丝带羽角姬小蜂 *Sympiesis sericeicornis* (Nees, 1834)

Eulophus sericeicornis Nees, 1834: 168.
Eulophus upupaenellae Bouchè, 1834: 172.
Eulophus docilis Walker, 1839: 159.
Eulophus eneugamus Walker, 1839: 160.
Eulophus sithon Walker, 1839: 181.
Entedon laticornis Ratzeburg, 1848: 162.
Sympiesis sericeicornis: Förster, 1856: 168.
Metacolus conicus Provancher, 1887: 200.

鉴别特征: 前足基节、转节及后足基节金属蓝绿色; 前后足腿节, 中后足转节蓝褐色, 前足胫节褐色具蓝色光泽, 但基部和端部黄色。中胸中叶具4对刚毛, 无散生刚毛。

采集记录: 1♀, 武功, 1979. Ⅵ, 孙益知采; 1♀, 武功, 1963. Ⅳ, 周尧采; 5♀, 延安, 1973. Ⅷ. 28, 廖定熹采。

分布: 陕西(武功、孟县、延安)、吉林、内蒙古、北京、山西、甘肃、湖南、台湾、四川、云南、西藏; 全北区。

寄主: 双翅目、膜翅目、鞘翅目、鳞翅目昆虫。

117. 柄腹姬小蜂属 *Pediobius* Walker, 1846

Microterus Spinola, 1811: 151. **Type species**: *Diplolepis petiolata* Spinola, 1808.
Pediobius Walker, 1846: 184. **Type species**: *Entedon* (*Pediobius*) *imbreus* Walker, 1846.
Pleurotropis Förster, 1856: 78, 82. **Type species**: *Pleurotropis isomerus* Förster, 1856.

属征: 体蓝绿色, 常具金属光泽; 后头脊锐, 前凹。额缝明显, 呈宽"V"形, 通常完整, 两臂伸达复眼内缘; 前胸短, 前缘锋锐; 具领, 通常较明显; 中叶有2对刚毛; 盾纵沟不完整, 后端消失; 小盾片无中沟或侧沟; 并胸腹节有1对明显的且完整的亚中脊, 后端平行或分向两侧成后缘脊, 并再向前延伸迂回与侧褶脊相连构成环绕左右两中室的缘脊, 侧褶脊发达; 并胸腹节中后部拉长形成所谓的颈背, 但通常较短; 第1腹节通常较其他腹节长。

分布: 世界广布。全世界已知222种, 中国记录34种, 秦岭地区发现6种。

分种检索表

1. 中胸中叶后缘向前凹入并稍微向上翘起, 与中胸小盾片以1个较窄的半圆形空隔开; 三角片内缘下陷 ··· 2

中胸中叶后缘平直，与中胸小盾片间无半圆形孔；三角片内缘不下陷 ………………………… 3

2. 并胸腹节具中脊 ……………………………………………………… **白蛾柄腹姬小蜂 *P. pupariae***

并胸腹节无中脊 ……………………………………………………… **龟甲柄腹姬小蜂 *P. elasmi***

3. 后足胫节距较长，超出后足第 1 跗节，且向内弯曲 ……………………………………………

…………………………………… **梨皮潜蛾柄腹姬小蜂 *P. pyrgo* 或凹眼柄腹姬小蜂 *P. susinellae***

后足胫节距短而直，短于后足第 1 跗节 ……………………………………………………… 4

4. 腹柄长大于宽；第 1 节腹板等于或长于腹长的 1/3 …………… **潜蝇柄腹姬小蜂 *P. metallicus***

腹柄横形；第 1 节腹板短于腹长的 1/3 …………………………… **线角柄腹姬小蜂 *P. eubius***

(718) 龟甲柄腹姬小蜂 *Pediobius elasmi* (Ashmead, 1904) (图版 87)

Asecodes elasmi Ashmead, 1904b: 138.

Pleurotropis lividiscutum Gahan, 1922: 49.

Pediobius elasmi: Baltazar, 1966: 116.

鉴别特征： 后头脊明显。中胸中叶和中胸侧叶具有较强的放射状纵纹；中胸中叶后缘与中胸小盾片之间形成 1 个较窄的半圆形孔，且中胸中叶后缘向前凹入并稍微翘起；盾纵沟明显，形成凹陷。

采集记录： 1♀，留坝，1999. Ⅷ. 02，朱朝东采。

分布： 陕西(留坝)、江苏、湖北、江西、湖南、福建、广东、海南、广西、贵州、云南、西藏。

寄主： 膜翅目、鞘翅目昆虫。

(719) 线角柄腹姬小蜂 *Pediobius eubius* (Walker, 1839) (图版 88)

Enedon eubius Walker, 1839: 109.

Elachestus angularis Förster, 1841: 40.

Pleurotropis nitifrons Thomson, 1878: 252.

Pleurotropis utahensis Crawford, 1913: 316.

Pleurotropis longus Girault, 1916: 34.

Amestocharis perdubius Girault, 1917a: 8.

Pediobius eubius: Graham, 1959: 190.

鉴别特征： 体较细长。体蓝绿色，具金属光泽。触角线状。后头脊锐。前胸具横脊。头顶及胸部具网纹。盾纵沟不明显，后端形成凹陷，但较浅。并胸腹节具 1 对亚中脊，无中脊。腹柄宽于长。腹部长卵圆形，第 1 腹节长于其他腹节，但不超过腹部总长的 1/5。

采集记录： 1♀，佛坪笼草坪西沟，1973. Ⅷ. 07，廖定熹采。

分布： 陕西(佛坪)、黑龙江、吉林、辽宁、北京、河北、山东、河南、甘肃、青海、新疆、浙江、江西、广西、四川、云南；世界广泛分布。

寄主：双翅目潜蝇类。

(720) 潜蝇柄腹姬小蜂 *Pediobius metallicus* (Nees, 1834)（图版89）

Eulophus metallicus Nees, 1834: 176.
Entedon acantha Walker, 1839: 107.
Entedon amyntas Walker, 1839: 111.
Entedon caenus Walker, 1839: 113.
Heptomerus caeruleonitens Rondani, 1874: 133.
Pleurotropis brevicornis Thomson, 1878: 253.
Pleurotropis rugosithorax Crawford, 1912: 179.
Pleurotropis kansensis Girault, 1918: 128.
Pediobius metallicus: Ferrière, 1953: 400.
Pediobius hellanthemellae Erdös, 1961: 486.
Pediobius dorycniella Erdös, 1961: 487.

鉴别特征：头面部、中胸及小盾片全具圆形刻纹。腹柄细长，至少矩形。腹部第1节背板约为腹长1/3，少见1/2者。

采集记录：1♀，周至厚畛子，1999.Ⅵ.24，朱朝东采；2♀2♂，武功，1990，齐国俊采；1♀，留坝，1999.Ⅵ，朱朝东采。

分布：陕西(周至、武功、留坝)、吉林、北京、河北、山西、河南、宁夏、甘肃、青海、新疆、浙江、湖北、福建、海南、广西、四川、贵州、云南、西藏。

寄主：膜翅目、双翅目昆虫。

(721) 白蛾柄腹姬小蜂 *Pediobius pupariae* Yang, 2015

Pediobius pupariae Yang, in Yang *et al.*, 2015: 119.

鉴别特征：该种与 *Pediobius elasmi* 近似。除并胸腹节具有中脊之外，同 *P. elasmi*。

分布：陕西(关中地区)、辽宁、天津、河北、山东。

寄主：双翅目、膜翅目、鳞翅目昆虫。

(722) 梨皮潜蛾柄腹姬小蜂 *Pediobius pyrgo* (Walker, 1839)（图版90）

Entedon pyrgo Walker, 1839: 118.
Eulophus pyralidum Audouin, 1842: 187.
Elachestus complaniusculus Ratzeburg, 1852: 218.
Pleurotropis (*Rhopalotus*) *substrigosa* Thomson, 1878: 256.

Derostenus nawai Ashmead, 1904b: 160.

Rhopalotus chalcidiphagus Szelényi, 1957: 308.

Pediobius pyrgo: Graham, 1959: 189.

鉴别特征: 体小, 1.50mm 左右。体蓝绿色, 触角具蓝绿色金属光泽。足除跗节外, 同体色, 前足跗节变暗, 中足和后足跗节除末节褐色外浅黄褐色。触角短粗, 念珠状, 第 1 索节长宽几乎相等, 第 2 索节长短于宽, 第 3 索节强横形。小盾片上的网纹呈纵条纹状, 中间部分不甚清晰, 有时似光滑带。并胸腹节较短, 具有 1 对亚中脊, 连同 1 对侧脊形成亚中室。腹柄明显, 具有强网纹。柄后腹第 1 节伸达腹部的中部, 后部具弱网纹, 后缘光滑。

采集记录: 3♀, 凤县, 1973. Ⅷ. 22, 孙益知采; 2♀3♂, 眉县, 1973. Ⅷ. 20, 廖定熹采。

分布: 陕西(宝鸡、凤县、眉县、咸阳)、山东、河南; 世界广泛分布。

寄主: 梨潜皮细蛾 *Acrocercops astaurota* Meyrick (Lepidoptera: Gracilariidae), 旋纹潜蛾 *Leucoptera scitella* L. (Lepidoptera: Lyonetidae)。

(723) 凹眼柄腹姬小蜂 *Pediobius susinellae* Yang *et* Cao, 2015(图版 86:2)

Pediobius susinellae Yang *et* Cao, in Yang *et al*., 2015: 122.

鉴别特征: 该种与 *Pediobius pyrgo* 近似。体蓝黑色, 并胸腹节和胸部具金属绿光泽, 中后足跗节 1 ~3 节褐黄色。后头脊明显。并胸腹节亚中脊后缘逐渐向后分开, 有时中脊存在。触角短粗, 念珠状, 同 *P. pyrgo*。后胸小盾片后缘齿状突出。中胸小盾片具纵状条纹, 但中央光滑。侧胼胝具有 6 根鬃毛。后足胫节距长尾基跗节的 1.30倍, 弯曲。

采集记录: 2♀, 杨凌, 1997. Ⅷ. 10, 李梦楼、郭新荣采。

分布: 陕西(杨凌)。

寄主: 鳞翅目幼虫。

118. 三脉姬小蜂属 *Euderus* Haliday, 1843

Euderus Haliday, 1843: 298. **Type species**: *Entedon amphis* Walker, 1839.

Secodes Girault, 1913c: 160. **Type species**: *Secodes capensis* Girault, 1913.

Secodella Girault, 1913d: 48. **Type species**: *Secodella lineata* Girault, 1913.

Omphalomorpha Girault, 1913d: 103. **Type species**: *Omphalomorpha viridis* Girault, 1913.

Allomphale Silvestri, 1914: 217. **Type species**: *Allomphale cavasolae* Silvestri, 1914.

Secodelloidea Girault, 1917b: 2. **Type species**: *Secodella rugosus* Crawford, 1915.

Secodoidea Gahan *et* Fagan, 1923: 131. Replacement name for *Secodes* Girault, 1913.

Pareuderus Ferrière, 1931: 287. **Type species**: *Pareuderus torymoides* Ferrière, 1931.

Euderus (*Euderoides*) Yoshimoto, 1971: 544, 550. **Type species**: *Euderus purpureus* Yoshimoto, 1971.

Euderus (*Leipocrossus*) Yoshimoto, 1971: 544. **Type species**: *Entedon herillus* Walker, 1847.

Euderus (*Neoeuderus*) Yoshimoto, 1971: 544, 552. **Type species**: *Euderus VIridilineatus* Yoshimoto, 1971.

Euderus (*Secodelloidea*): Yoshimoto, 1971: 546. New status for *Secodelloidea* Girault, 1917.

属征: 触角索节 4 节，棒节 3 节。前胸无脊。中胸网状刻纹细密；盾纵沟深而完整。三角片沿盾纵沟向前突出。并胸腹节具中脊，但无侧脊和后颈。从痣脉端部发出 3 条清晰的毛列。前翅基部较光秃，大部分区域无刚毛；后缘脉明显，长于痣脉。

分布: 世界广布。全世界共记录 79 种。中国发现 4 种，秦岭地区分布有 1 种。

(724) 长尾三脉姬小蜂 *Euderus torymoides* (Ferrière, 1931)

Pareuderus torymoides Ferrière, 1931: 287.

Euderus torymoides: Singh, 2005: 325.

鉴别特征: 单眼呈钝角三角形排列，几乎成 1 条线。头正面观，额沟呈 1 条直线连接 2 个复眼。口器具 3 枚齿。触角柄节窄，伸达前单眼。胸部密布点状刻纹。中胸小盾片盖住后胸小盾片。并胸腹节短，具点状刻纹，具 1 条中脊。后缘脉长于痣脉，约为缘脉长的 1/4。产卵翘较长，约为腹部长的 2/3。

分布: 陕西(秦岭)、甘肃、四川；东洋区。

寄主: 鞘翅目、膜翅目昆虫。

119. 潜蝇姬小蜂属 *Diglyphus* Walker, 1844

Diglyphus Walker, 1844: 409. **Type species**: *Cirrospilus chabrias* Walker, 1838.

Diaulus Ashmead, 1904a: 356. **Type species**: *Diaulus begini* Ashmead, 1904.

Cycloscapus Erdös *et* Novicky, in Erdös, 1951: 180. **Type species**: *Cycloscapus pusztensis* Erdös *et* Novicky, 1951.

属征: 体通常具有金属光泽。触角索节 2 节。盾纵沟通常完整。中胸小盾片具 1 对几乎平行的亚中沟；中胸小盾片的第 2 对刚毛通常比中胸中叶的第 2 对刚毛更接近中胸小盾片的第 1 对刚毛。并胸腹节无中脊。

分布: 世界广布。全世界已知 40 种，中国记录有 13 种，秦岭地区发现录有 3 种。

分种检索表

1. 前翅肘脉基部向前翅上边缘弯曲；胫节基部和端部淡黄色，中间部分具金属光泽 ……………………………………………………………………………… **同形潜蝇姬小蜂 *D. isaea***
   前翅肘脉基部平直；胫节全部或仅端部淡黄色 …………………………………………… 2
2. 胫节基部 3/4 具金属光泽，端部淡黄色；无毛区窄，几乎缺失 ……………………………………………………………………………… **小斑潜蝇姬小蜂 *D. minoeus***
   胫节黄色，不具金属光泽；无毛区宽阔 ……………………………… **贝氏潜蝇姬小蜂 *D. begini***

（725）贝氏潜蝇姬小蜂 *Diglyphus begini*（Ashmead，1904）（图 54）

Diaulus begini Ashmead，1904：356.
Diglyphus begini：Peck，1963：102.

鉴别特征： 触角深褐色，柄节具金属光泽。足基节、转节金属绿色，腿节金属绿色但端缘淡黄色，胫节黄色，1～3 跗节黄色，第 4 跗节褐色。盾纵沟不完整，后缘平行。肘脉基本平直；无毛区宽阔，下方闭合。

采集记录： 1♀，黄陵，1400m，1999. Ⅵ. 24，毛金龙采。

分布： 陕西(秦岭、黄陵)、甘肃、青海、云南、西藏；全北区，新热带区，澳洲区。

寄主： 双翅目、鳞翅目昆虫。

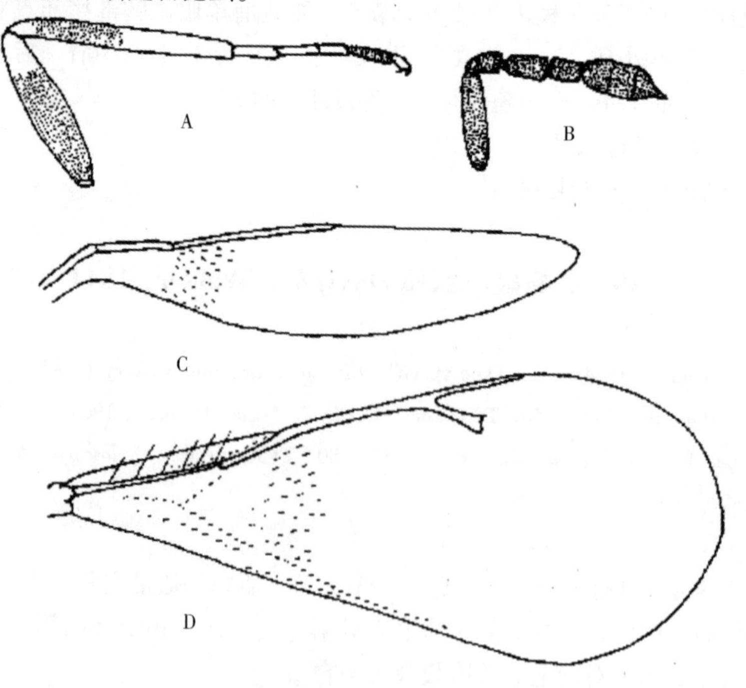

图 54 贝氏潜蝇姬小蜂 *Diglyphus begini*（Ashmead）（雌性）
A. 后足；B. 触角；C. 后翅；D. 前翅

(726) 同形潜蝇姬小蜂 *Diglyphus isaea* (Walker, 1838)（图 55）

Cirrospilus isaea Walker, 1838: 385.
Cirrospilus medidas Walker, 1838: 386.
Cirrospilus lycophron Walker, 1838: 449.
Entedon gracilis Goureau, 1851: 159.
Diglyphus bisannulatus Förster, 1861: 38.
Diglyphus ornatus Förster, 1861: 38.
Diglyphus clavicornis Walker, 1872: 126.
Elachistus phytomyzae Rondani, 1877: 173.
Solenotus viridis Thomson, 1878: 237.
Asecodes bisannulatus: Dalla, 1894: 46.
Asecodes ornatus: Dalla, 1894: 46.
Asecodes isaea: Dalla, 1894: 46.
Solenotus isaea: Ferrière, 1952: 176.
Diglyphus isaea: Graham, 1959: 178.

鉴别特征：中胸小盾片具有紫色光泽，触角柄节具金属光泽，鞭节褐色。足基节、转节、腿节基部 3/4 及胫节中间部分具金属光泽；胫节基部或端部 1/5 ~ 1/6 褐黄色；跗节 1 ~ 3 淡黄色，第 4 节黑褐色。中胸中叶具 2 对刚毛；盾纵沟完整。前翅肘脉基部明显弯曲；无毛区较窄，几乎缺失。

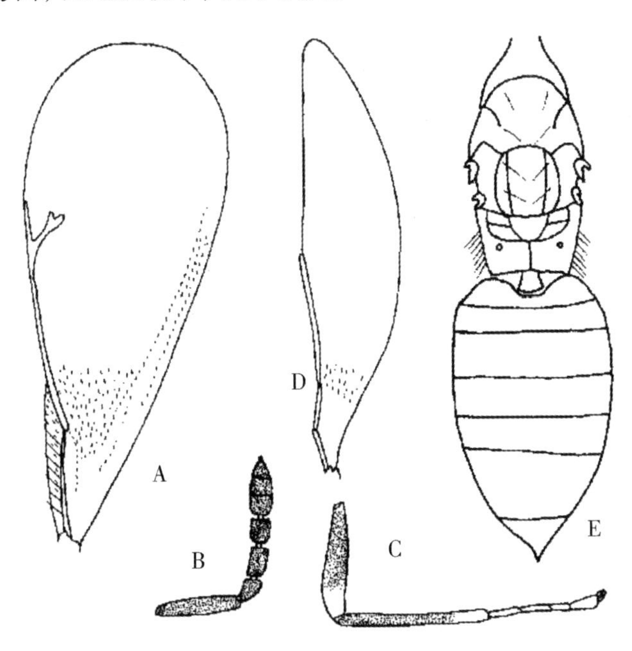

图 55　同形潜蝇姬小蜂 *Diglyphus isaea*（Walker）（雌性）
A. 前翅；B. 触角；C. 后足；D. 后翅；E. 体（除头部）背面观

采集记录：1♀，黄陵，1400m，1967.Ⅵ.04，毛金龙采。

分布：陕西（秦岭、黄陵）、吉林、辽宁、内蒙古、北京、河北、山西、河南、山东、河南、宁夏、甘肃、青海、湖南、福建、广东、重庆、四川、云南、西藏；世界广布。

寄主：双翅目潜蝇科昆虫。

（727）小斑潜蝇姬小蜂 *Diglyphus minoeus*（Walker，1838）（图 56）

Cirrospilus minoeus Walker，1838：385.

Cirrospilus abron Walker，1838：385.

Eulophus amelon Walker，1839：179.

Cirrospilus myron Walker，1839：179.

Cirrospilus deldon Walker，1839：294.

Cirrospilus smilis Walker，1839：317.

Elachertus minoeus：Walker，1846：68.

Tetrastichus myron：Walker，1848：147.

Tetrastichus deldon：Walker，1848：148.

Tetrastichus smilis：Walker，1848：150.

Asecodes deldon：Morley，1910：57.

Asecodes minoeus：Morley，1910：57.

Asecodes myron：Morley，1910：57.

Asecodes smilis：Morley，1910：57.

Diglyphus minoeus：Graham，1959：178.

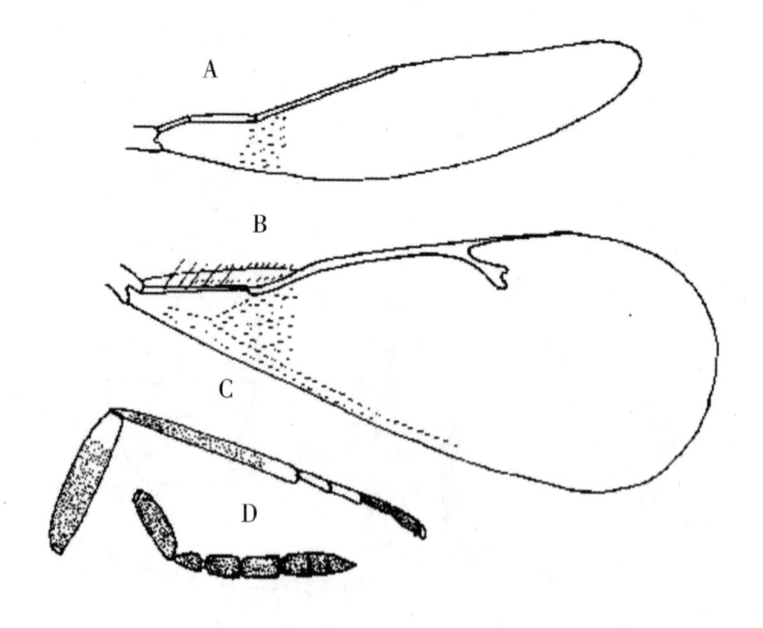

图 56 小斑潜蝇姬小蜂 *Diglyphus minoeus*（Walker）（雌性）（朱朝东，1996）

A. 后翅；B. 前翅；C. 后足；D. 触角

鉴别特征：触角深褐色，足基节、转节、腿节基部2/3及胫节基部3/4具有金属蓝色光泽，其余部分淡黄色。中胸小盾片具有紫色光泽。盾纵沟不完整，后缘几乎平行。前翅无毛区极窄，几乎缺失。

采集记录：1♀，临潼，600m，1973. Ⅸ.04，廖定熹采。

分布：陕西(临潼)、北京、甘肃、青海、湖北、湖南、重庆、四川、云南；古北区，东洋区，新热带区。

寄主：双翅目、鳞翅目昆虫。

120. 长柄姬小蜂属 *Hemiptarsenus* Westwood, 1833

Hemiptarsenus Westwood, 1833: 122. **Type species:** *Hemiptarsenus fulvicollis* Westwood, 1833.

Notanisomorpha Ashmead, 1904a: 356. **Type species:** *Notanisomorpha collaris* Ashmead, 1904.

Eriglyptoideus Girault, 1913c: 154. **Type species:** *Eriglyptoideus varicornis* Girault, 1913.

Hemiptarsenoideus Girault, 1916: 220. **Type species:** *Hemiptarsenoideus semialbiclava* Girault, 1916.

Neodimmockia Dodd, 1917: 361. **Type species:** *Neodimmockia agromyzae* Dodd, 1917.

Cleolophus Mercet, 1924. **Type species:** *Cleolophus autonomus* Mercet, 1924.

Parpholema Szelényi, 1981: 276. **Type species:** *Parpholema collaris* Szelényi, 1981.

属征：盾纵沟明显但不完整，触角索节4节，雄性触角前3索节各具有1个分支。近似羽角姬小蜂属，但其触角着生于颜面上半部分，所以触角柄节通常超过头顶。此外，胸部细长，三角片不向中胸突出。并胸腹节不具中脊。腹柄短但明显。

分布：古北区，新北区，东洋区。全世界已知33种，中国记录有6种，秦岭地区分布有1种。

(728) 中突长柄姬小蜂 *Hemiptarsenus unguicellus* (Zetterstedt, 1838)(图57)

Entedon unguicellus Zetterstedt, 1838: 427.

Eulophus nycteus Walker, 1839: 128.

Eulophus gonippus Walker, 1839: 13

Eulophus ianthea Walker, 1839: 135.

Eulophus myodes Walker, 1839: 136.

Eulophus nonus Walker, 1839: 142.

Eulophus hegemon Walker, 1839: 149.

Eulophus laogonus Walker, 1839: 151.

Eulophus villius Walker, 1839: 154.

Eulophus piscus Walker, 1839: 155.

Eulophus drusilla Walker, 1839: 156.

Eulophus alce Walker, 1840: 234.

? *Elachertus spellucens* Förster, 1841: 43.

Eulophus antilope Förster, 1841: 43.

Eulophus harmocerus Förster, 1841: 44.

Eulophus opicornis Förster, 1841: 44.

? *Eulophus sexradiatus* Förster, 1841: 44.

Eulophus cinctipes Stephens, 1846: 9.

Eulophus divisus Walker, 1872: 125.

Hemiptarsenus unguicellus: Thomson, 1878: 210.

Hemiptarsenus laeviscutellum Mercet, 1947: 466.

Hemiptarsenus palustris Erdös, 1954: 334.

鉴别特征: 并胸腹节中部突起，约与中胸小盾片等长；并胸腹节侧脊和中脊明显。

分布: 陕西(佛坪)、辽宁、北京、河北、河南、宁夏、甘肃、江苏、湖北、湖南、福建、台湾、海南、广西、四川、云南、西藏；古北区。

寄主: 半翅目、鳞翅目、鞘翅目、双翅目昆虫。

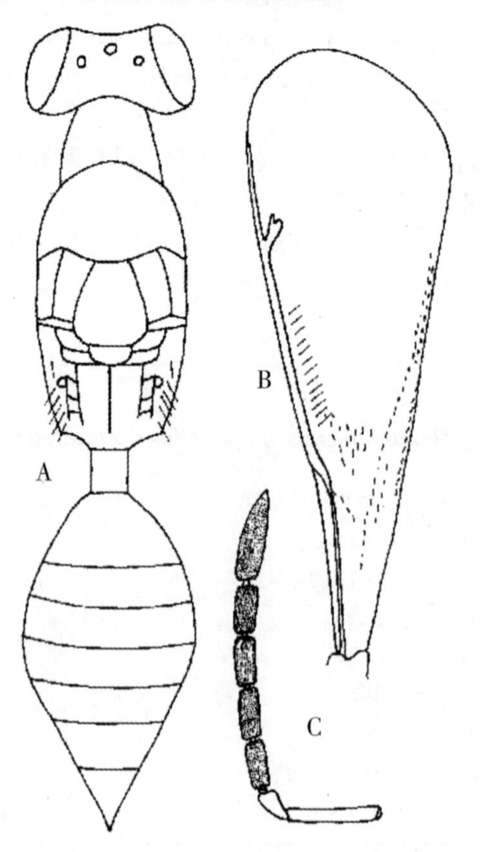

图 57 中突长柄姬小蜂 *Hemiptarsenus unguicellus* (Zetterstedt) (雌性)

A. 体背面观; B. 前翅; C. 触角

121. 方啮小蜂属 *Quadrastichus* Girault, 1913

Quadrastichus Girault, 1913c: 232, 251. **Type species**: *Quadrastichus nigrinotatus* Girault, 1913.

Cecidotetrastichus Kostjukov, 1977: 189 (as subgenus of *Tetrastichus*). **Type species**: *Cirrospilus vacuna* Walker, 1839.

属征: 前翅亚缘脉只具1根背生刚毛。并胸腹节无近气门脊。触角索节均长于宽，至少第3索节具有长且弯的、等长于该索节的刚毛。中胸通常具1根近盾侧沟刚毛(极少2根或3根)。腹部通常明显长于头与前体长之和，端部尖锐。

分布: 世界广布。全世界记录有89种，中国已知5种，秦岭地区分布有3种。

分种检索表

1. 颚眼沟稍弯曲。中胸中叶两侧各具2根近盾纵沟刚毛。触角索节长宽几乎相等；鞭节刚毛不明显 ……………………………………………………………… **蕨菜方啮小蜂 *Q. pteridis***
   颚眼沟明显弯曲。中胸中叶两侧各具1根或3根近盾侧沟刚毛，并位于后半部分。触角至少第1索节明显长于宽；鞭节刚毛明显 ……………………………………………………………… 2
2. 颚眼沟靠近复眼部分呈1个明显的近三角形凹陷。前胸具4处明显的淡黄色区域，其余部分通常暗色且具更细密的突壁网纹 …………………………………………… **瘿螨方啮小蜂 *Q. sajoi***
   颚眼沟不具凹陷。前胸颜色和突壁网纹均一 ……………………… **瘿蚊方啮小蜂 *Q. anysis***

(729) 瘿蚊方啮小蜂 *Quadrastichus anysis* (Walker, 1839)

Cirrospilus anysis Walker, 1839: 203.

Quadrastichus anysis: Graham & LaSalle, 1991: 94.

鉴别特征: 头部至少颜面淡黄色；腹部至少基部淡黄色。额无纵向中脊。颚眼沟明显弯曲。头部部分呈黄色。触角柄节不伸达头顶；触角第1索节略长于宽，明显短于第2索节。口器前缘平截，无齿。中胸中叶两侧各有1根位于后半部分的近盾纵沟刚毛。中胸小盾片的第1对刚毛明显长于第2对。腹部等长或稍长于前体与头部长之和。第7腹板长宽比变化大，从稍宽于长到明显宽于长。

分布: 陕西(周至、留坝、佛坪)、北京、甘肃、浙江、广西；古北区。

寄主: 双翅目瘿蚊科昆虫。

(730) 蕨菜方啮小蜂 *Quadrastichus pteridis* Graham, 1991

Quadrastichus pteridis Graham, 1991: 60.

鉴别特征：头胸略具弱的蓝色光泽，中胸颜色较钝。胫节黄色或略呈砖红色。颚眼沟稍弯曲。中胸中叶两侧各具 2 根近盾纵沟刚毛。第 7 腹节较短，长宽比1.00～1.50。

分布：陕西（秦岭）、甘肃；古北区。

寄主：双翅目瘿蚊科昆虫。

（731）瘿螨方啮小蜂 *Quadrastichus sajoi*（Szelényi, 1941）

Myiomisa sajói Szelényi, 1941: 92, 96.

Aprostocetus sajoi: Graham, 1961: 41.

Aprostocetus scabricollis Graham, 1961: 18.

Tetrastichus（*Myiomisa*）*sajói*: Bouček, 1961: 23.

Tetrastichus sajoi: Vereshchagina, 1961: 31.

Tetrastichus scabricollis: Domenichini, 1966: 101.

Myiomisa sajoi Szelényi, 1941: Graham, 1991: 71. Justified emendation of *Myiomisa sajói* Szelényi, 1941.

Quadrastichus sajoi: Graham, 1991: 71.

Cecidotetrastichus sajoi: Kostjukov, 1997: 800.

鉴别特征：体黑色，具黄色区域。额无纵向中脊。颚眼沟明显弯曲，复眼下部分具 1 个较大的近三角形凹陷。前胸具有 4 处具有突壁网纹的淡黄色部分，其余部分的网纹更加细密，颜色通常暗色。中胸中叶两侧各具 3 根近盾侧沟刚毛。

分布：陕西（留坝、佛坪）、甘肃、广西；古北区。

寄主：瘿螨。

122. 啮小蜂属 *Tetrastichus* Haliday, 1844

Tetrastichus Haliday, 1844: 297. **Type species**: *Cirrospilus attalus* Walker, 1839.

Ennetoma Dahlbom, 1857: 292. **Type species**: *Eulophus hylotomarum* Bouche, 1834.

Solenoderus Motschulsky, 1863: 71. **Type species**: *Solenoderus cyaniventris* Motschulsky, 1863.

Lygellus Giard, 1896: 839. **Type species**: *Lygellus epilachnae* Giard, 1896.

Neotetrastichus Perkins, 1912: 14. **Type species**: *Neotetrastichus mimus* Perkins, 1912.

Ceratoneuromyia Girault, 1913c: 252. **Type species**: *Ceratoneuromyia arnoldi* Girault, 1913.

Pseudomphaloides Girault, 1915: 258. **Type species**: *Pseudomphaloides aenellus* Girault, 1915.

Redinia Girault, 1936: 4. **Type species**: *Redinia hispidivertex* Girault, 1936.

Neparaprostocetus Mani, 1939: 90. **Type species**: *Neparaprostocetus asphondyliae* Mani, 1839.

属征：体色通常暗色到黑色，或者具有明亮的金属光泽。亚缘脉具 1 根背生刚毛。并胸腹节两侧具1条倒“Y”形侧脊；中间部分具突壁网纹。后足基节外可见表面具强烈的突壁网纹。

分布：世界广布。全世界记录491种，中国已知34种，秦岭地区分布有3种。

分种检索表

1. 第7腹节长为宽的1.90～2.50倍；腹部末端锐，长为宽的3.20～5.00倍，明显窄于胸部。触角柄节不伸达头顶。第1棒节和第2棒节之间分节不明显 ……………… **泰勒啮小蜂 *T. telon***
   第7腹节长至多为宽的1.70倍；腹部末端稍尖锐至稍钝，长为宽的1.20～1.60倍，等宽或稍宽于胸部。触角柄节在未变形的标本中可达或稍超过头顶。第1棒节和第2棒节之间分节明显 ……………………………………………………………………………………… 2
2. 复眼之间的距离为1个复眼长度的1.60～1.75倍长 ………………… **小伊啮小蜂 *T. ilithyia***
   复眼之间的距离约为复眼长度的1.40倍长 …………………………… **龟甲啮小蜂 *T. clito***

（732）小伊啮小蜂 *Tetrastichus ilithyia*（Walker，1839）

Cirrospilus ilithyia Walker，1839：355.
Tetrastichus ilithyia：Walker，1846：74.
Aprostocetus ilithyia：Graham，1961：38.

鉴别特征：体暗蓝色或暗绿色。口器仅有1.10～1.15倍颊长。触角第1索节和第2索节之间明显收缩，端针为第3索节的1/2长。腹部逐渐尖锐；尾须位于第7腹板侧面，最长的尾须几乎2倍长于次长尾须，并倾向于波状弯曲。中足和后足基节深褐色至黑色，至多基部和端部略呈红色。

分布：陕西（秦岭）、甘肃；古北区。

（733）龟甲啮小蜂 *Tetrastichus clito*（Walker，1840）

Cirrospilus clito Walker，1840：30.
Eulophus cassidae Dufour，1846：20.
Tetrastichus clito：Walker，1848：147.
Entedon cassidarum Ratzeburg，1852：248.
Aprostocetu clito：Graham，1961：39.
Aprostocetus cassidarum：Graham，1961：40.

鉴别特征：体黑色，通常具有较弱的蓝色或者蓝绿色金属光泽。触角黑色或者褐色，柄节腹面观有时呈黄色，或者全黄。干燥后，头易塌陷。触角3索节几乎等长，长为宽的1.50～1.70倍，第3索节稍短于前2节；第1索节至多与梗节等长。前翅前缘室等长或稍短于缘脉，长为宽的10.00～11.50倍。腹部等长或稍长于胸。

分布：陕西(留坝)、广西；全北区。

寄主：鞘翅目叶甲科龟甲属。

(734) 泰勒啮小蜂 *Tetrastichus telon* (Graham, 1961)

Aprostocetus telon Graham, 1961: 8.

Tetrastichus telon: Domenichini, 1966: 94.

鉴别特征：体黑绿色。触角柄节黄褐色，梗节棕褐色，鞭节黑褐色。足基节、转节和腿节同体色，余黄褐色，跗末节与末端暗色。前胸后缘具1排完整的柔毛。小盾片长宽相等，亚中沟向后叉开。

分布：陕西(秦岭)、广西；古北区。

寄主：鞘翅目吉丁、象甲。

参考文献

杨忠岐. 1996. 中国小蠹虫寄生蜂. 北京：科学出版社，1-363.

杨忠岐. 姚艳霞，曹亮明. 2015. 寄生林木食叶害虫的小蜂. 北京：科学出版社. 1-296.

姚艳霞. 2005. 寄生于林木食叶害虫的小蜂分类研究. 中国林业科学研究院. 博士论文，1-246.

朱朝东. 1999. 中国姬小蜂亚科系统学研究. 中国科学院动物研究所. 博士学位论文，1-622.

Ashmead, W. H. 1904a. Classification of the Chalcid Flies: Or the Superfamily Chalcidoidea, with Descriptions of New Species in the Carnegie Museum, Collected in South America by Herbert H. Smith. *Memoirs of the Carnegie Museum* 1(4): i-xi, 255-551.

Ashmead, W. H. 1904b. Descriptions of new Hymenoptera from Japan. Ⅱ. *Journal of the New York Entomological Society*, 12: 146-165.

Audouin, J. V. 1842. *Histoire des insectes nuisibles à la vigne et* particulièrement de la Pyrale. Béthune *et* Plon, 187 pp.

Baltazar, C. R. 1966. A Catalogue of Philippine Hymenoptera: (with a Bibliography, 1758-1963). *Pacific Insects Monograph*, 8: 1-488.

Bouček, Z. 1961. Notes on the chalcid fauna (Chalcidoidea) of Moldavian SSR. *Trudy Moldavskogo Nauchno-Issledovatel'skogo Instituta Sadovodstva, vinogradarstva i vinodeliya*, 7: 5-30.

Bouček, Z. 1965. Studies of European Eulophidae, Ⅳ: Pediobius WALK. and two allied genera (Hymenoptera). *Acta Entomologica Musei Nationalis Pragae*, 36: 5-90.

Cao H. X., LaSalle J., Zhu C. D. 2017. Chinese species of Pediobius Walker (Hymenoptera: Eulophidae). *Zootaxa*, 4240(1): 1-71.

Crawford, J. C. 1913. Descriptions of new Hymenoptera. No 7. *Proceedings of the United States National Museum* 45: 309-317.

Cresson, E. T. 1887. Synopsis of the families and genera of the Hymenoptera of America, north of Mexico, together with a catalogue of the described species, and bibliography. *Transactions of the American Entomological Society and Proceedings of the Entomological Section of the Academy of Natural Sciences*: 1-350.

Dalla Torre, K. W. von 1898. *Catalogus Hymenopterorum hucusque descriptorum systematicus et synonymicus. V. Chalcididae et Proctotrupidae*. Lepzig, 598 pp.

Dodd, A. P. 1917. Records and descriptions of Australian Chalcidoidea. *Transactions of the Royal Society of South Australia*, 41: 344-368.

Domenichini, G. 1966. I Tetrastichinae (Hymenoptera Eulophidae) palearctici ed i loro ospiti. *Bollettino di Zoologia agraria e di Bachicoltura* (Ⅱ), 6: 61-205.

Erdös, J. 1951. Eulophidae novae. *Acta Biologica Academiae Scientiarum Hungaricae*, 2: 169-237.

Erdös, J. 1954. Eulophidae hungaricae indescriptae. *Annales historico-naturales Musei Nationalis hungarici*, 5: 323-366.

Erdös, J. 1958. Eulophidae in Hungaria recenter detectae. *Acta Zoologica Academiae Scientiarum Hungaricae*, 3: 211.

Erdös, J. 1961. Fauna Eulophidarum Hungariae generibus speciebusque novis aucta (Hymenoptera). *Annales historico-naturales Musei nationalis hungarici*, 53: 471-489.

Erdös, J. 1966. Nonnulae Eulophidae novae Hungaricae (Hymenoptera, Chalcidoidea). *Annales historico-naturales Musei nationalis hungarici*, 58: 395-420.

Ferrière, C. 1931. New chalcidoid egg-parasites from South Asia. *Bulletin of entomological research*, 22: 279-295.

Ferrière, C. 1952. Les chalcidiens des Lagunes de Venise. *Bolletino della Società Veneziana di Storia Naturale*, 6: 159-178.

Ferrière, C. 1953. Les parasites de Lithocolletis platani en Italie. *Bollettino dell'Istituto di Entomologia, Bologna*, 19: 395-404.

Förster, A. 1841. *Beiträge zur Monographie der Pteromalinen Nees*. Mayer, 46 pp.

Förster, A. 1856. Hymenopterologische Studien. 2. *Chalcidiae und Proctotrupii*: 1-152.

Föerster, A. 1861. Ein Tag in den hoch-Alpen, eine entomologische Glizze. *Programm der Realschule zu Aachen für*, 1860-1861: 1-44.

Gahan, A. B. 1922. Report on a small collection of parasitic Hymenoptera from Java and Sumatra. *Treubia*: 47-52.

Gahan, A. 1927. Four new chalcidoid parasites of the pine tip moth, Rhyacionia frustrana (Comstock). *J. Agr. Eng. Res*, 34: 545-548.

Gahan, A. B. and Fagan, M. M. 1923. The type species of the genera of Chalcidoidea or chalcid-flies. *Bulletin of the United States National Museum*, 124: 1-173.

Girault, A. A. 1913a. New genera and species of chalcidoid Hymenoptera from North Queensland. *Archiv für Naturgeschichte*, 79: 46-51.

Girault, A. A. 1913b. New genera and species of chalcidoid Hymenoptera in the South Australian Museum. *Transactions of the Royal Society of South Australia*, 37: 67-115.

Girault, A. A. 1913c. Australian Hymenoptera Chalcidoidea - Ⅳ. *Memoirs of the Queensland Museum*, 2: 140-296.

Girault, A. A. 1915. Australian Hymenoptera Chalcidoidea Ⅳ. Supplement. *Memoirs of the Queensland Museum*, 3: 180-299.

Girault, A. A. 1917a. *Descriptiones stellarum novarum.* Private publication, 22 pp.

Girault, A. A. 1917b. *Descriptions Hymenopterorum chalcidoidicarum variorum cum ob servationib us* Ⅲ. Private publication, Glenndale, Maryland, 10 pp.

Girault, A. A. 1918. New and old West Indian and North American chalcid-flies (Hym.). *Ent. News*, 29: 125-131.

Graham, M. d. V. 1959. Keys to the British genera and species of Elachertinae, Eulophinae, Entedontinae, and Euderinae (Hym., Chalcidoidea). *Transactions of the Society for British Entomology*, 13: 169-204.

Graham, M. d. V. 1961. The genus Aprostocetus Westwood, sensu lato (Hym., Eulophidae); notes on the synonymy of European species. *Entomologist's Monthly Magazine*, 97: 34-64.

Graham, M. d. V. 1991. A reclassification of the European Tetrastichinae (Hymenoptera: Eulophidae): revision of the remaining genera. *Memoirs of the American Entomological Institute (USA), Entomology series*, 55: 1-392.

Haliday, A. 1844. Contributions towards the classification of the Chalcididae. *Transactions of the Entomological Society of London*, 3: 295-301.

Howard, L. O. 1885. *Descriptions of North American Chalcididae from the Collections of the US Department of Agriculture and of Dr. CV Riley: With Biological Notes. First Paper. Together with a List of the Described North American Species of the Family.* US Government Printing Office, 47 pp.

Howard, L. O. 1897. On the Chalcididae of the Island of Grenada, BWI. *Journal of the Linnean Society of London, Zoology*, 26: 129-178.

Khan, M. and Sushil, S. N. 1998. A new genus Guptaiella gen. n. of Eulophidae (Hymenoptera: Chalcidoidea) from Northern India. *Shashpa* 5(1): 1-2.

Kostiukov, V. V. 1977. comparative morphology of chalcids of the subfamily Tetrastichinae and the system of the genus Tetrastichus Haliday, 1884 (Hymenoptera, Eulophidae). *Entomologicheskoe Obozrenie*, 56: 189.

Kostyukov, V. V. 1997. Species of the genus *Cecidotetrastichus* (Hymenoptera, Eulophidae) from Khabarovsk and Primorye territories of Russia. *Zoologicheskiy Zhurnal*, 76: 797-805.

Mani, M. S. 1939. Descriptions of New and Records of some known Chalcidoid and other Hymenopterous Parasites from India. *Indian Journal of Entomology*, 1: 69-99.

Motschoulsky, V. d. 1863. Essai d'un catalogue des insectes de l'Île Ceylan (suite). *Bulletin de la Société Impériale des Naturalistes de Moscou*, 36: 1-153.

Narendran, T. C. 2011. *Fauna of India, Eulophinae (Hymenoptera: Eulophidae)*. iii +442pp.

Nees ab Esenbeck, C. G. 1834. *Hymenopterorum Ichneumonibus affinium monographiae, genera Europaea et* species illustrantes 2. Stuttgartiae *et* Tubingae, 448 pp.

Noyes, J. 2015. Universal Chalcidoidea Database [online]. Worldwide Web electronic publication. http://www.nhm.ac.uk/chalcidoids [accessed 12 November 2015].

Peck, O. 1963. A catalogue of the nearctic Chalcidoidea (Insecta: Hymenoptera). *Memoirs of the Entomological Society of Canada*, 95: 5-1092.

Perkins, R. C. L. 1912. Parasites of insects attacking sugar cane. *Bulletin of the Hawaiian Sugar Planters' Association Experiment Station (Entomology Series)*: 1-27.

Provancher, L. 1887. *Faune entomologique de Canada*, 2. *Additions et corrections à la faune Hymémenoptèrologique de la province de Québec*. 207 pp.

Ratzeburg, J. T. C. 1848. *Die Ichneumonen der Forstinsekten in entomologischer und forstlicher Beziehung*. Berlin, Ⅰ-Ⅵ + 238 + Clavis analytica No. 1-3 + Taf. Ⅰ-Ⅲ pp.

Ratzeburg, J. T. C. 1852. *Die Ichneumonen der Forstinsekten in entomologischer und forstlicher Beziehung*. Berlin, Ⅰ-XⅧ + 272 + Clavis analytica No. 1-3 pp.

Rondani, C. 1868. Larva e parassito della Tischeria complanella. *Annuario della Società dei Naturalisti e Matematici*, Modena 3: 20-23.

Rondani, C. 1874. Nuove osservazioni sugli insetti fitofagi e sui loro parassiti fatte nel 1873. *Bullettino della Società Entomologica Italiana*, 6: 130-136.

Rondani, C. 1877. Vesparia parassita non vel minus cognita observata *et* descripta. *Bullettino della Società Entomologica Italiana*, 9: 166-213.

Schrank, F. 1802. Fauna Boica. *Nürnberg*, 2: 1-412.

Singh, S. 2005. Description of a new species of Euderus (Hymenoptera: Chalcidoidea: Eulophidae), anegg parasitoid of Alcidodes ludificator (Coleoptera: Curculionidae) a pest of Gmelina arborea. *Entomon*, 30: 321-326.

Spinola, M. 1808. *Insectorum Liguriae species novae aut rariores, quas in agro ligustico nuper detexit, descripsit, et iconibus illustratavit*. Genoa, 85-238 pp.

Spinola, M. 1811. Essai d'une nouvelle classification des Diplolepaires. *Annnales Du Museum*, 138-152.

Surekha, K., LaSalle, J., Sudheendrakumar, V., Murphy, S. 1996. A new species of Sympiesis (Hymenoptera: Eulophidae) parasitic on the teak defoliator Hyblaea puera (Lepidoptera: Hyblaeidae) in India. *Bulletin of entomological research*, 86: 73-76.

Szelenyi, G. v. 1941. Notes on the Tetrastichine Genus Myiomisa Rond. (Hym. Chalcid.) with Redescription of the Genotype and with Description of a new Species parasitising in the Galls of Eriophyes phloeocoptes. *Nal. Növényegészségügyi Évkönyv*, *Budapest*, 1: 93-97.

Szelényi, G. v. 1957. The hymenopterous parasites of *Hyphantria cunea*. *Növenytermelés Kutato Intézet Évkónyve*, *Budapest*, 7: 308.

Szelényi, G. v. 1977. New Palearctic chalcid flies (Hymenoptera, Eulophidae). *Annales historico-naturales Musei nationalis hungarici*, 69: 241-248.

Thomson, C. 1878. Hymenoptera Scandinavicae v. Pteromalus (Svederus) continuatio, 307 pp.

Walker, F. 1839. *Monographia Chalciditum*. London, 333 pp.

Walker, F. 1840. Descriptions of British Chalcidites. *Journal of Natural History*, 4: 232-236.

Walker, F. 1846. Characters of some undescribed species of Chalcidites. (Continued). *Annals and Mag-*

azine of Natural History, 17: 177-185.

Walker, F. 1848. *List of the specimens of Hymenopterous insects in the collection of the British Museum*, part 2. iv + 237pp.

Walker, F. 1840. Descriptions of British Chalcidites. *Journal of Natural History*, 4: 232-236.

Westwood, J. 1833. On the probable number of species of insects in the creation; together with descriptions of several minute Hymenoptera. *The Magazine of Natural History & Journal of Zoology, Botany, Mineralogy, Geology, and Meteorology*, 6: 116-123.

Yoshimoto, C. M. 1971. Revision of the genus *Euderus* of America north of Mexico (Hymenoptera: Eulophidae). *The Canadian Entomologist*, 103: 541-578.

Zetterstedt, J. W. 1838. Hymenoptera. *Insecta Lapponica*, 1: 427.

Zhang, Y. Z., Ding, L., Huang, H. R., Zhu, C. D. 2007. Eulophidae fauna (Hymenoptera, Chalcidoidea) from South Gansu and Qinling Mountains areas, China. *Acta Zootaxonomica Sinica*, 32: 6-16.

Zhu, C. D., Huang, D. W. 2002. A taxonomic study on Eulophidae from Guangxi, China (Hymenoptera: Eulophidae). *Acta Zootaxonomica Sinica*, 27: 583-607.

Zhu, C. D., Huang, D. W. 2001. A study of Chinese *Elachertus* Spinola (Hymenoptera: Eulophidae). *Zoological Studies*, 40 (4): 317-354.

针尾部 Aculeata

针尾部由细腰亚目的1个全系类群所组成。全世界约有21个科，其中15个科在我国有分布。针尾部的鉴别特征(共近裔性状)是产卵器的产卵功能消失，而发育成螫针，为刺螫时注射毒液的一种构造。卵从螫针基部产出，不需经过螫针。

关于针尾部总科的分类存在着广泛的不同意见。许多作者(Richard, 1956; Krombein *et al.*, 1979)将针尾部分为7个总科：青蜂总科 Chrysidoidae(肿腿蜂总科 Bethyloidea)、钩土蜂总科 Tiphioidea(土蜂总科 Scoloidea)、蚁总科 Formicoidea、蛛蜂总科 Pompiloidea、胡蜂总科 Vespoidea、泥蜂总科 Sphecoidea 及蜜蜂总科 Apoidea。但这个传统分类系统愈来愈显得有问题，Brothers(1975)仅分为3个总科：青蜂总科、胡蜂总科和蜜蜂总科。青蜂总科的范围没有变，胡蜂总科扩大到包括蚁总科、蛛蜂总科、土蜂总科及原来的胡蜂总科。由于蜜蜂科 Apidae 和泥蜂科 Sphecidae 都具有许多可把它们与其他针尾部类群分开的衍生性状(Brothers, 1975)，因而有充分的理由把它们包括在1个总科中，即蜜蜂总科，但仍有一些专家认为，泥蜂总科和蜜蜂总科由于食性及习性的明显不同仍予以分开。

Ⅷ. 青蜂总科 Chrysidoidea

青蜂总科过去只包括青蜂科 Chrysididae 和尖胸青蜂科 Cleptidae。据近年来的研究，发现青蜂科的祖征与肿腿蜂科 Bethylidae 的特征非常接近，如触角13节，前胸与中后胸分离，后翅有臀叶，跗爪简单，腹部腹面凸出，腹末背板平整不特化，腹板可见6 ~7节，雌蜂有1根螫针等。这些都表明青蜂科与肿腿蜂科是从一个类似的共同祖先演化而来的，故将青蜂科归于肿腿蜂总科 Bethyloidea (Borer, 1976 等)，之后又根据“优先律”，现已用青(金)蜂总科 Chrysidoidea 替代肿腿蜂总科为总科名。

青蜂总科包括7科，除菱板蜂科 Scolebythidae(非洲、澳大利亚、南美洲)和毛角蜂科 Plumariidae(非洲、南美洲)在我国未见外，我国已知5科，陕西秦岭地区目前发现2科。

分科检索表

1. 触角15节或更多；头部背面观亚三角形；雌性无翅；前足腿节十分肿大(广布全世界热带和亚热带地区) …………………………………………………… **短节蜂科 Sclerogibbidae**

   触角13节或更少；头部形状不如上述；雌性有翅或无翅；前足腿节不肿大(广布全世界) ……… 2

2. 触角10节 ………………………………………………………………………………… 3

   触角12或13节 …………………………………………………………………………… 4

3. 头梨形，触角生在它的隆起上；如果有前翅，具6个封闭翅室(包含前缘室)；前足跗节正常 ………………………………………………………………………… **梨头蜂科 Embolemidae**

头非梨形，触角不生在1个隆起上；如果有前翅，至多具5个封闭翅室(前缘室有时开放)；雌性前足跗节通常特化形成1个螯状的捕捉器官 ……………………………… **螯蜂科 Dryinidae**

4. 唇基基方具中纵脊；头部前口式；眼不占据头部侧面的大部分；腹部有7节或8节可见的背板；雌性有螯针 ……………………………………………………………… **肿腿蜂科 Bethylidae**

唇基无中纵脊；头部下口式；眼大，占据头部侧面的大部分；腹部可见的背板至多6节，通常更少；雌性具产卵管 ……………………………………………………… **青蜂科 Chrysididae**

二十八、青蜂科 Chrysididae

魏纳森[1] 何俊华[2] 许再福[1]
(1. 华南农业大学，广州 510642；2. 浙江大学昆虫研究所，杭州 310058)

鉴别特征：体长2~18mm。体壁高度骨化，多数种类具蓝、绿、紫、橙、红等金属光泽。触角12~13节。头约与前胸等宽。前胸背板一般不伸达翅基片。并胸腹节侧缘常具锋锐隆脊或尖刺。前翅翅脉稍退化；后翅小，有臀叶。爪无齿，或具2~7枚齿。腹部无柄，可见背板2~5节。腹板常平坦或凹陷。腹部末节背板后缘完整、缺切或具齿。雌虫产卵器管状，可伸缩。该类昆虫体常具青绿色的金属光泽，故名青蜂或金蜂。

分类：全世界已知5亚科87属2509种或亚种，我国已记录5亚科23属188种或亚种，陕西秦岭地区记述1属3种。

1. 尖胸青蜂属 *Cleptes* Latreille, 1802

Cleptes Latreille, 1802: 316. **Type species**: *Sphex semiaurata* Linnaeus, 1761.

属征：上颚具3或4枚齿。颜面拱起，无触角槽。颚眼距大于中单眼直径。前胸背板前端和后缘常各具1排小凹窝，中间有或无中纵沟。中胸侧板常具“V”形沟。腹部腹板拱出。雄虫腹部可见腹板5节，雌虫4节。

分布：古北区，新北区，东洋区，新热区。全世界已知90种，我国已记录17种，秦岭地区分布3种。

寄主：叶蜂科 Tenthredinidae 及松叶蜂科 Diprionidae 昆虫。

分种检索表

1. 雄性腹部5节；头部、前胸背板、中胸盾片和小盾片有蓝色的金属光泽，其余部分黑色，无金

属光泽 ………………………………………………………… **中华尖胸青蜂 *C. sinensis***

雌性腹部4节；体几乎黑色，无金属光泽，或体具蓝绿色金属光泽 ………………………… 2

2. 体具明亮的蓝绿色金属光泽；前胸背板具稀疏小刻点，后缘有长圆形的小凹窝；中胸侧板具“V”形沟 ……………………………………………………… **亮身尖胸青蜂 *C. metallicorpus***

体几乎黑色，无金属光泽；前胸背板密布皱状刻点，后缘无小凹窝；中胸侧板无“V”形沟 …………………………………………………………… **暗黑尖胸青蜂 *C. niger***

（735）亮身尖胸青蜂 *Cleptes metallicorpus* Ha, Lee *et* Kim, 2011（图版91：1）

Cleptes metallicorpus Ha, Lee *et* Kim, 2011: 489.

鉴别特征：雌虫体长6.10～9.70mm。体具蓝绿色金属光泽。上颚具皱状刻点。唇基两侧稍内凹，具尖锐侧齿。头部颜面具完整中纵沟。前胸背板前缘具1排小凹窝，后缘具长圆形小凹窝。后胸背板前缘具1个小凹窝，后缘具2个凹窝。中胸侧板具明显“V”形沟。并胸腹节背板具不规则网皱。并胸腹节角短且钝。雄性未知。

采集记录：1♀, Shaanxi, Qinling Shan Mts., 1998. Ⅵ. 21-23, Jindra lgt.。

分布：陕西（秦岭）、浙江、广东；韩国。

（736）暗黑尖胸青蜂 *Cleptes niger* Wei, Rosa *et* Xu, 2013

Cleptes niger Wei, Rosa *et* Xu, 2013: 74.

鉴别特征：雌虫体长7.10～7.30mm。体黑色，仅腹部有黄色斑点，无金属光泽。上颚光滑，具3枚齿。唇基下缘中间稍突出，无侧齿。头部颜面具完整中纵沟。前胸背板密布皱状刻点，前缘具1排明显小凹窝，后缘无小凹窝。后胸背板前缘无凹窝，后缘具1个大凹窝。中胸侧板具皱状刻点及横刻线，无“V”形沟。并胸腹节背面具6条强纵脊及一些横皱。并胸腹节角长且钝。雄性未知。

采集记录：1♀（正模），太白山，1100m, 2012. Ⅶ. 12-13，魏纳森采；1♀（副模），太白山，1100m, 2012. Ⅶ. 12-13，魏纳森采。

分布：陕西（太白山）。

（737）中华尖胸青蜂 *Cleptes sinensis* Wei, Rosa *et* Xu, 2013

Cleptes sinensis Wei, Rosa *et* Xu, 2013: 80.

鉴别特征：雄虫体长4.30～6.60mm。头部、前胸背板、中胸盾片和小盾片有蓝色的金属光泽，其余部分黑色，无金属光泽。头部颜面具完整中纵沟。上颚光滑，具3枚齿。唇基下缘稍突出，无侧齿。前胸背板前缘具1排小凹窝，后缘无小凹窝。后胸背板前缘无凹窝，后缘具1个大凹窝。中胸侧板光滑，具稀疏刻点。并胸腹节背板具6条强纵脊及一些弱横皱。并胸腹节角长且钝。雌虫未知。

采集记录：1♂(副模)，太白，2012. Ⅶ. 12-13，魏纳森采；1♂(副模)，留坝紫柏山，1632m，2004. Ⅷ. 04，陈学新采。

分布：陕西(太白、留坝)、浙江、湖北、海南、四川。

参考文献

Ha, H. H., Lee, J. W. & Kim, J. K. 2011. Taxonomic review of Korean Cleptes Latreille (Hymenoptera: Chrysididae: Cleptinae), with description of one new species. *Journal of Asia-Pacific Entomology*, 14: 489-495.

He, J. H. *et al.* 2004. *Hymenopteran Insect Fauna of Zhejiang. Science Press, Beijing.* 1-1373 + plates Ⅰ-XLⅢ. [何俊华等编著. 浙江蜂类志. 北京：科学出版社，2004. 1-1373 + 图版Ⅰ-XLⅢ.]

Kimsey, L. S. & Bohart, R. M. 1991. *The Chrysidid Wasp of the World.* Oxford University Press, New York, 652pp.

Móczár, L. 2000a. Revision of the Cleptes asianus and townesi groups of the World (Hymenoptera, Chrysididae, Cleptinae). *Acta Zoologica Academiae Scientiarum Hungaricae*, 46: 319-331.

Móczár, L. 2000b. World revision of the Cleptes satoi group (Hymenoptera: Chrysididae, Cleptinae). *Annales Historico-Naturales Musei Nationalis Hungarici*, 92: 297-324.

Móczár, L. 2001. World revision of the Cleptes semiauratus group (Hymenoptera, Chrysididae, Cleptinae). *Linzer Biologische Beitraege*, 33: 905-931.

Rosa, P., Wei, N. S & Xu, Z. F. 2014. An annotated checklist of the chrysidid wasps (Hymenoptera, Chrysididae) from China. *ZooKeys*, 455: 1-128.

Wei, N. S, Rosa, P. & Xu, Z. F. 2013. Revision of the Chinese Cleptes (Hymenoptera, Chrysididae) with description of new species. *ZooKeys*, 362: 55-96.

二十九、螯蜂科 Dryinidae

许再福[1] 何俊华[2]

(1. 华南农业大学，广州 510642；2. 浙江大学昆虫研究所，杭州 310058)

鉴别特征：触角10节。多数雌虫第5跗节和1个爪特化成螯，故名螯蜂。雌虫无翅或有翅。雄虫有翅。有翅种类的前翅有前缘室，或前缘室和中室，或前缘室、中室和亚中室。后翅无翅室，有臀叶。

分类：全世界已知15亚科50属1827种，陕西秦岭地区分布7属31种。

分亚科检索表

（雌虫）

1. 前足正常，不特化成螯 ………………………………………………… 常足螯蜂亚科 **Aphelopinae**
   前足特化成螯状 ……………………………………………………………………………………… 2
2. 螯无基爪 ……………………………………………………………… 单爪螯蜂亚科 **Anteoninae**
   螯有 1 个基爪 ……………………………………………………………………………………… 3
3. 中足有 1 距；常长翅，前翅有前缘室和中室 ……………………… 裸爪螯蜂亚科 **Conganteoninae**
   中足无距；常无翅，偶长翅，长翅种类的前翅有前缘室、中室和亚中室 ………………………
   ………………………………………………………………………… 双距螯蜂亚科 **Gonatopodinae**

（雄虫）

1. 前翅仅有前缘室 ……………………………………………………… 常足螯蜂亚科 **Aphelopinae**
   前翅有前缘室和中室，有的还有亚中室 ………………………………………………………… 2
2. 前翅有前缘室和中室 ……………………………………………… 裸爪螯蜂亚科 **Conganteoninae**
   前翅有前缘室、中室和亚中室 ……………………………………………………………………… 3
3. 上颚 4 齿；后头脊完整 ……………………………………………… 单爪螯蜂亚科 **Anteoninae**
   上颚 3 齿；无后头脊 ……………………………………………… 双距螯蜂亚科 **Gonatopodinae**

（一）常足螯蜂亚科 Aphelopinae

鉴别特征： 雌雄两性长翅。后头脊完整。颚唇须节比 5/2、5/3、6/2 或 6/3。前翅只有前缘室。前足正常，不特化成螯。胫节距式 1-1-2。

分类： 世界已知 91 种，中国记录 29 种，陕西秦岭地区记述 1 属 3 种。

2. 常足螯蜂属 *Aphelopus* Dalman, 1823

Aphelopus Dalman, 1823: 8. **Type species**: *Dryinus atratus* Dalman, 1823.

属征： 雌雄两性长翅。口上沟远离围角片。后头脊完整。颚唇须节比 5/2。前翅只有前缘室。前翅径脉弯曲。前足正常，不特化成螯。胫节距式 1-1-2。

分布： 世界广布。秦岭地区发现 3 种。

分种检索表

（雌虫）

1. 头黑色，仅上颚褐黄色；OOL 明显比 OL 长 ……………………… 尼泊尔常足螯蜂 ***A. nepalensis***
   前翅有前缘室和中室，有的还有亚中室 ………………………………………………………… 2

2. 头黑色，但至少上颚和唇基褐黄色；OOL 不比 OL 长 …………… **白唇常足螯蜂 *A. albiclypeus***
头部上颚、唇基、颊、脸前半和头部腹面褐黄色；盾纵沟伸达中胸盾片长度的 0.60 ~ 0.75 ……………………………………………… **夸常足螯蜂 *A. querceus***

（雄虫）

1. 头黑色，仅上颚褐黄色 ……………………………………… **尼泊尔常足螯蜂 *A. nepalensis***
头黑色，但至少上颚和唇基褐黄色 ……………………………………… 2
2. 并胸腹节后表面有 2 条纵脊 ……………………………… **白唇常足螯蜂 *A. albiclypeus***
并胸腹节后表面无纵脊 ……………………………………… **夸常足螯蜂 *A. querceus***

（738）白唇常足螯蜂 *Aphelopus albiclypeus* Xu, He *et* Olmi, 1999（图版 91：2）

Aphelopus albiclypeus Xu, He *et* Olmi, 1999: 90.

鉴别特征：雌雄两性头和胸黑色。上颚和唇基黄色。腹部黑褐色。足褐黄色。头无光泽，有颗粒状刻点。额线完整。后头脊完整。中胸盾片无光泽，有颗粒状刻点。盾纵沟不完整，伸达盾片长度的 0.50。中胸盾片、小盾片和后胸背板有颗粒状刻点。并胸腹节后表面有 2 条纵脊。

采集记录：1♂，周至，1998. Ⅵ. 02-03，马云采。

分布：陕西（周至）、宁夏、湖北、台湾、海南、四川、贵州、云南；越南，泰国，马来西亚。

（739）尼泊尔常足螯蜂 *Aphelopus nepalensis* Olmi, 1984

Aphelopus nepalensis Olmi, 1984: 57.

鉴别特征：雌雄两性头黑色。上颚褐黄色。胸部和腹部黑色。足褐黄色。头无光泽，有颗粒状刻点。额线不完整。后头脊完整。中胸盾片无光泽，有颗粒状刻点。盾纵沟不完整，伸达盾片长度的 0.50 ~ 0.60。小盾片和后胸背板无光泽，有颗粒状刻点。并胸腹节具网皱，后表面有 2 条完整的纵脊，中区光滑。

采集记录：1♂，留坝，1632m，2004. Ⅷ. 04，陈学新采。

分布：陕西（留坝）、宁夏、甘肃、浙江、福建、广东、海南、贵州、云南；日本，尼泊尔。

（740）夸常足螯蜂 *Aphelopus querceus* Olmi, 1984

Aphelopus querceus Olmi, 1984: 59.

鉴别特征： 雌雄两性头黑色。上颚、唇基和下脸褐黄色。胸部和腹部黑色。足褐黄色。头无光泽，有颗粒状刻点。额线完整。后头脊完整。中胸盾片无光泽，有颗粒状刻点。盾纵沟不完整，伸达盾片长度的0.60～0.75。并胸腹节无光泽，有网皱。

采集记录： 1♂，周至，1998. Ⅵ. 02-03，马云采。

分布： 陕西(周至)、宁夏；日本，尼泊尔，英国，芬兰等。

（二）裸爪螯蜂亚科 Conganteoninae

鉴别特征： 雌雄两性长翅。上颚4个齿，其中3个大齿和1个小基齿。后头脊完整。颚唇须节比5/3或6/3。前翅有前缘室和中室。前翅径脉端段比基段长。胫节距式1-1-2。雌虫前足1个爪和第5跗节特化成螯。螯有小基爪。变大的爪光裸，无叶状突和鬃毛。第5跗节内缘和端部有叶状突。

分类： 世界已知15种，中国记录5种，陕西秦岭地区发现2属3种。

分属检索表

（雌虫与雄虫）

前翅径脉端段明显比基段长 …………………………………………… **裸爪螯蜂属 *Conganteon***

前翅径脉端段比基段短或与基段等长 …………………………………… **菲螯蜂属 *Fiorianteon***

3. 裸爪螯蜂属 *Conganteon* Benoit, 1951

Conganteon Benoit, 1951: 11. **Type species**: *Conganteon vulcanicum* Benoit, 1951.

属征： 雌雄两性长翅。上颚4个齿，其中3个大齿和1个小基齿。后头脊完整。颚唇须节比5/3或6/3。前翅有前缘室和中室。前翅径脉端段比基段长。胫节距式1-1-2。雌虫变大的爪无叶状突和鬃毛。第5跗节内缘和端部有叶状突。

分布： 古北区，东洋区，非洲区。秦岭地区发现1种。

（741）台湾裸爪螯蜂 *Conganteon taiwanense* Olmi, 1991

Conganteon taiwanense Olmi, 1991: 126.

鉴别特征： 雌雄两性体黑色。足褐黄色。头部分具网皱。额线完整。后头脊完整。中胸盾片具刻点。盾纵沟不完整，伸达盾片长度的0.50～0.60。小盾片具刻点。

雌虫前足第5跗节内缘有1排50个小叶状突，端部有10个叶状突。

采集记录：1♀，宁陕火地塘，1998.Ⅵ.05，杜予州采。

分布：陕西(宁陕)、台湾、广东、云南。

4. 菲螯蜂属 *Fiorianteon* Olmi, 1984

Fiorianteon Olmi, 1984: 108. **Type species**: *Fiorianteon junonium* Olmi, 1984.

属征：雌雄两性长翅。上颚4个齿，其中3个大齿和1个小基齿。后头脊完整。颚唇须节比6/3。前翅有前缘室和中室。前翅径脉端段与基段等长或稍短。胫节距式1/1/2。雌虫变大的爪无叶状突和鬃毛。第5跗节内缘和端部有叶状突。

分布：古北区，东洋区。秦岭地区发现2种。

分种检索表

（雌虫和雄虫）

盾纵沟完整 …………………………………………………………………… **周氏菲螯蜂 *F. choui***

盾纵沟不完整，仅伸达盾片长度的0.50～0.70 …………………… **本州菲螯蜂 *F. junonium***

(742) 周氏菲螯蜂 *Fiorianteon choui* Olmi, 1995

Fiorianteon choui Olmi, 1995: 20.

鉴别特征：雌雄两性头和胸部黑色。腹部褐色。足褐黄色。额线完整。后头脊完整。前胸背板具网皱。中胸盾片前半具网皱，后半光滑。盾纵沟完整。后胸背板具网皱。雌虫前足第5跗节有1排约50个叶状突，端部有5个叶状突。

采集记录：5♀6♂，宁陕，2011.Ⅴ.06，黄盘诱、陈华燕采。

分布：陕西(宁陕)、台湾、广东、贵州、云南。

(743) 本州菲螯蜂 *Fiorianteon junonium* Olmi, 1984

Fiorianteon junonium Olmi, 1984: 109.

鉴别特征：雌雄两性头和胸部黑色。腹部褐色。足褐黄色。头光滑。额线完整。后头脊完整。中胸盾片和小盾片光滑。盾纵沟不完整，伸达盾片长度的0.50～0.70。后胸背板有网皱。雌虫前足第5跗节内缘有1排约37个叶状突，端部有13个叶状突。

采集记录： 15♀6♂，宁陕，2011. Ⅴ. 06，黄盘诱、陈华燕、金程远采；1♀1♂，宁陕，2011. Ⅴ. 07-08，黄盘诱、陈华燕采。

分布： 陕西（宁陕）；日本。

（三）单爪螯蜂亚科 Anteoninae

鉴别特征： 雌雄两性长翅。上颚4个齿，由小到大排列。后头脊完整。颚唇须节比6/3。前翅有前缘室、中室和亚中室。胫节距式1-1-2。雌虫前足第5跗节和1个爪特化成螯。螯无小基爪。变大的爪无亚端齿或叶状突。雄虫前翅痣后脉比翅痣短。

分类： 世界已知600种，中国记录108种，陕西秦岭地区记录2属22种。

分属检索表

（雌虫和雄虫）

前翅径脉端段明显比基段短；并胸腹节的背表面与后表面间有1条横脊 …… 单爪螯蜂属 *Anteon*

前翅径脉端段与基段等长，或比基段长；并胸腹节的背表面与后表面间无横脊 ……………… …………………………………………………………………… 矛螯蜂属 *Lonchodryinus*

5. 单爪螯蜂属 *Anteon* Jurine, 1807

Anteon Jurine, 1807: 302. **Type species**: *Anteon jurineanum* Latreille 1809.

Chelogylus Haliday, 1838: 518. **Type species**: *Dryinus infectus* Haliday, in Walker, 1837.

属征： 雌雄两性长翅。前翅径脉端段明显比基段短。并胸腹节背表面与后表面之间有1条横脊，后表面常有2条纵脊。

分布： 古北区。秦岭地区发现19种。

分种检索表

（雌虫）

1. 前足第4跗节明显比第1跗节短，至多等于第1跗节长度的1/2 …… 雾社单爪螯蜂 *A. wushense*
   前足第4跗节比第1跗节稍短，或等长，或长于第1跗节 …………………………………… 2
2. 头光滑，无网皱，有刻点 …………………………………………………………………… 3
   头不光滑，有网皱 …………………………………………………………………………… 4
3. 头部至少上颚唇、颊和脸的前半褐黄色；盾纵沟伸达盾片长度的0.65～0.80 ……………… …………………………………………………………………… 希单爪螯蜂 *A. hilare*

头黑色，仅上颚褐黄色；盾纵沟伸达盾片长度的 0.40～0.60 ………… 忠单爪螯蜂 *A. fidum*

4. 前足第 5 跗节基段约与端段等长 ………… 赫单爪螯蜂 *A. heveli*

前足第 5 跗节基段明显比端段长或明显比端段短 ………… 5

5. 前胸背板前表面约与后表面等长 ………… 半皱单爪螯蜂 *A. semirugosum*

前胸背板前表面明显比后表面短 ………… 竹野单爪螯蜂 *A. takenoi*

（雄虫）

1. 并胸腹节后表面的中区与侧区具网皱 ………… 2

并胸腹节后表面的中区光滑 ………… 9

2. 头具刻点，无网皱或颗粒状刻点 ………… 3

头至少部分具网皱 ………… 6

3. 阳基侧铗无端内突 ………… 希单爪螯蜂 *A. hilare*

阳基侧铗有端内突 ………… 4

4. 阳基侧铗端内突钝圆 ………… 拟旧单爪螯蜂 *A. parapriscum*

阳基侧铗端内突较尖 ………… 5

5. 阳基侧铗端内突的端缘稍凹入 ………… 忠单爪螯蜂 *A. fidum*

阳基侧铗端内突的端缘不凹入 ………… 旧单爪螯蜂 *A. priscum*

6. 头部分具网皱 ………… 竹野单爪螯蜂 *A. takenoi*

头全部具网皱或颗粒状刻点 ………… 7

7. 中胸盾片具网皱或颗粒状刻点 ………… 彭亨单爪螯蜂 *A. pahanganum*

中胸盾片具小刻点 ………… 8

8. 头部 OOL 至少是 OPL 的 3 倍 ………… 高氏单爪螯蜂 *A. gauldi*

头部 OOL 小于 OPL 的 2 倍 ………… 皱头单爪螯蜂 *A. reticulatum*

9. 阳基侧铗有端内突 ………… 10

阳基侧铗无端内突 ………… 12

10. 阳基侧铗端内突钝圆 ………… 梅峰单爪螯蜂 *A. meifenganum*

阳基侧铗端内突较尖 ………… 11

11. 头部具小刻点 ………… 林氏单爪螯蜂 *A. lini*

头部至少脸的前半具颗粒状刻点 ………… 秦岭单爪螯蜂 *A. qinlingense*

12. 前翅径脉端段与基段等长或稍短 ………… 宁陕单爪螯蜂 *A. ningshanense*

前翅径脉端段明显比基段短 ………… 13

13. 盾纵沟伸达盾片长度的 0.40～0.55 ………… 乳突单爪螯蜂 *A. papillum*

盾纵沟伸达盾片长度的 0.60 ………… 14

14. 头部全部具网皱 ………… 乳突单爪螯蜂 *A. papillum*

头部至多部分具网皱 ………… 15

15. 盾纵沟伸达盾片长度的 0.70～0.80 ………… 松阳单爪螯蜂 *A. songyangense*

盾纵沟伸达盾片长度的 0.60 ………… 16

16. 阳基侧铗内侧有刻纹 ………… 纹铗单爪螯蜂 *A. striolaforceps*

阳基侧铗内侧无刻纹 ………… 袁氏单爪螯蜂 *A. yuani*

(744) 忠单爪螯蜂 *Anteon fidum* Olmi, 1991(图版 91：3)

Anteon fidum Olmi, 1991：171.

鉴别特征：雌虫体黑色。上颚和足褐黄色。额线完整。头部光滑。后头脊完整。前胸背板前表面有网皱，后表面光滑。中胸盾片光滑。盾纵沟不完整，伸达盾片长度的 0.40～0.60。前足第 5 跗节内缘有 9～22 个叶状突，端部有 2～8 个叶状突。雄虫体黑色。上颚和足褐黄色。头光滑。后头脊完整。中胸盾片光滑。盾纵沟不完整，伸达盾片长度的 0.50。

采集记录：1♀，留坝，1632m，2004. Ⅷ. 04，吴琼采。

分布：陕西(留坝)、宁夏、浙江、福建、台湾、广东、海南、贵州、云南、西藏；泰国，缅甸，尼泊尔。

(745) 高氏单爪螯蜂 *Anteon gauldi* Olmi, 1987

Anteon gauldi Olmi, 1987：36.

鉴别特征：雄虫体黑色。足褐黄色。头部具颗粒状刻点和网皱。额线完整。后头脊完整。盾片光滑。盾纵沟不完整，伸达盾片长度的 0.30～0.40。

雌虫未知。

采集记录：1♂，留坝，1632m，2004. Ⅷ. 04，吴琼采。

分布：陕西(留坝)、福建、台湾、广东、海南、贵州、云南；越南，泰国，缅甸，印度，斯里兰卡，菲律宾，印度尼西亚。

(746) 赫单爪螯蜂 *Anteon heveli* Olmi, 1998

Anteon heveli Olmi, 1998：54.

鉴别特征：雌虫体黑色。足黄色。头光滑。额线完整。后头脊完整。前胸背板前表面具网皱，后表面光滑。中胸盾片、小盾片和后胸背板光滑。盾纵沟不完整，伸达盾片长度的 0.70。前足第 5 跗节内缘有 2 排 20 个叶状突，端部有 5 个叶状突。

采集记录：1♀，宁陕，2011. Ⅴ. 06，黄盘诱、陈华燕采。

分布：陕西(宁陕)、浙江、广东；马来西亚。

(747) 希单爪螯蜂 *Anteon hilare* Olmi, 1984

Anteon hilare Olmi, 1984：342.

鉴别特征：雌虫体色变异大，从褐黄色到黑色。头部光滑。额线完整或不完整。后头脊完整。前胸背板具网皱。中胸盾片光滑。盾纵沟不完整，伸达盾片长度的0.65~0.90。前足第5跗节内缘有17~32个叶状突，端部有3~5个叶状突。

雄虫体黑色。足褐黄色。头部光滑。额线完整。中胸盾片光滑。盾纵沟不完整，伸达盾片长度的0.60~0.80。

采集记录：4♀，留坝，1632m，2004. Ⅷ. 04，陈学新采；1♀，留坝，1632m，2004. Ⅷ. 04，时敏采。

分布：陕西（留坝）、辽宁、宁夏、甘肃、浙江、福建、台湾、广东、海南、广西、贵州、云南；泰国，老挝，缅甸，印度，尼泊尔，菲律宾，印度尼西亚，马来西亚，文莱。

（748）林氏单爪螯蜂 *Anteon lini* Olmi, 1996

Anteon lini Olmi, 1996: 176.

鉴别特征：雄虫头部和胸部黑色。腹部褐色。足黄色。光部光滑。后头脊完整。中胸盾片、小盾片和后胸背板光滑。盾纵沟不完整，伸达盾片长度的0.30~0.50。

采集记录：1♂，秦岭，1998. Ⅵ. 08，杜予州采。

分布：陕西（宝鸡）、宁夏、浙江、台湾、广东、贵州。

（749）梅峰单爪螯蜂 *Anteon meifenganum* Olmi, 1991

Anteon meifenganum Olmi, 1991: 173.

鉴别特征：雄虫体黑色。足褐黄色。头部有网皱。额线完整。后头脊完整。中胸盾片、小盾片和后胸背板光滑。盾纵沟不完整，伸达盾片长度的0.40~0.50。

采集记录：1♂，留坝，1632m，2004. Ⅷ. 04，张红英采。

分布：陕西（留坝）、浙江、湖南、台湾、贵州；泰国，缅甸。

（750）宁陕单爪螯蜂 *Anteon ningshanense* Xu, Olmi, Guglielmino *et* Chen, 2012

Anteon ningshanense Xu, Olmi, Guglielmino *et* Chen, 2012: 6.

鉴别特征：雌虫头和胸部黑色。腹部褐色。足褐黄色。头具网皱。额线不完整。后头脊完整。中胸盾片光滑。盾纵沟不完整，伸达盾片长度的0.50。小盾片具刻点。

采集记录：1♂，宁陕，2011. Ⅴ. 07-08，黄盘诱、陈华燕采。

分布：陕西（宁陕）。

(751) 彭亨单爪螯蜂 *Anteon pahanganum* Olmi, 1991

Anteon pahanganum Olmi, 1991: 162.

鉴别特征: 雄虫体黑色。足褐黄色。头具网皱。额线完整。后头脊完整。中胸盾片前区和侧区具网皱，中区和后区光滑。盾纵沟不完整，伸达盾片长度的 0.40 ~ 0.60。

采集记录: 1♂，宁陕，2011. Ⅴ. 07-08，黄盘诱、陈华燕采。

分布: 陕西(宁陕)、香港；印度尼西亚，马来西亚。

(752) 乳突单爪螯蜂 *Anteon papillum* Xu, He *et* Olmi, 2002

Anteon papillum Xu, He *et* Olmi in He & Xu, 2002: 196.

鉴别特征: 雄虫体黑色。足褐黄色。额线完整。后头脊完整。中胸盾片、小盾片和后胸背板光滑。盾纵沟不完整，伸达盾片长度的 0.55 ~ 0.65。

采集记录: 1♂，留坝，1632m，2004. Ⅷ. 04，陈学新采。

分布: 陕西(留坝)、浙江、海南。

(753) 拟旧单爪螯蜂 *Anteon parapriscum* Olmi, 1991

Anteon parapriscum Olmi, 1991: 177.

鉴别特征: 雄虫头黑色。胸部黑色或褐色。腹部褐色。足褐黄色。无额线。后头脊完整。中胸盾片、小盾片和后胸背板光滑。盾纵沟不完整，伸达盾片长度的 0.60 ~ 0.80。

采集记录: 1♂，秦岭，1998. Ⅵ. 08，马云采。

分布: 陕西(秦岭)、浙江、台湾、广东、海南；泰国，菲律宾，印度尼西亚，马来西亚，文莱。

(754) 旧单爪螯蜂 *Anteon priscum* Olmi, 1991

Anteon priscum Olmi, 1991: 164.

鉴别特征: 雄虫体黑色。足褐黄色。无额线。后头脊完整。中胸盾片和小盾片光滑。盾纵沟不完整，伸达盾片长度的 0.50 ~ 0.90。外生殖器有基膜突。

采集记录: 1♂，凤县天台山，1800m，1998. Ⅵ. 08，马云采；1♂，凤县天台山，

1998. Ⅵ. 10，马云采；1♂，留坝，1998. Ⅵ. 07，马云、杜予州采；1♂，留坝，1632m，2004. Ⅷ. 04，陈学新采。

分布：陕西(凤县、留坝)、河南、宁夏、甘肃、浙江、福建、台湾、广东、海南、贵州、云南、西藏；印度，印度尼西亚。

(755) 秦岭单爪螯蜂 *Anteon qinlingense* He *et* Xu, 2002

Anteon qinlingense He *et* Xu, 2002: 208.

鉴别特征：雄虫体黑色。足褐黄色。后头脊完整。额线完整。盾纵沟不完整，伸达盾片长度的 0.50。外生殖器有基膜突。

采集记录：1♂（正模），陕西秦岭，1998. Ⅵ. 08，杜予州采。

分布：陕西(宝鸡)。

(756) 皱头单爪螯蜂 *Anteon reticulatum* Kieffer, 1905

Anteon reticulatus Kieffer in Kieffer & Marshall, 1905: 140.

鉴别特征：雌虫体黑色。足褐黄色。头具网皱。后头脊完整。盾纵沟不完整，伸达盾片长度的 0.30 体长。前足第 5 跗节内缘有 4 根鬃，端部有 6 个叶状突。雄虫体黑色。足褐色。额线完整。后头脊完整。盾纵沟不完整，伸达盾片长度的 0.30。

采集记录：1♂，秦岭，1998. Ⅵ. 21-23。

分布：陕西(秦岭)、吉林；尼泊尔，法国。

(757) 半皱单爪螯蜂 *Anteon semirugosum* Xu, Olmi, Guglielmino *et* Chen, 2012

Anteon semirugosum Xu, Olmi, Guglielmino *et* Chen, 2012: 9.

鉴别特征：雌虫头和胸部黑色。腹部褐色。足黄色。额线不完整。后头脊完整。前胸背板前表面有网皱，后表面光滑。中胸盾片光滑。盾纵沟不完整，伸达盾片长度的 0.60。前足第 5 跗节内缘有 2 排 10 + 14 个叶状突。

采集记录：1♀（正模），宁陕，2011. Ⅴ. 07-08，陈华燕采。

分布：陕西(宁陕)。

(758) 松阳单爪螯蜂 *Anteon songyangense* Xu, He *et* Olmi, 1998

Anteon songyangense Xu, He *et* Olmi, 1998: 31.

鉴别特征：雄虫体黑色。足褐黄色。后头脊完整。盾纵沟不完整，伸达盾片长度的0.70～0.80。

采集记录：1♂，留坝，1632m，2004.Ⅷ.04，张红英采。

分布：陕西（留坝）、宁夏、浙江、福建、广东、海南；马来西亚。

（759）纹铗单爪螯蜂 *Anteon striolaforceps* Xu *et* He, 1997

Anteon striolaforceps Xu *et* He, 1997: 6.

鉴别特征：雄虫头黑色。胸部黑色。腹部黑褐色。足褐黄色。额线不完整。后头脊完整。盾纵沟不完整，伸达盾片长度的0.60。

采集记录：1♂，留坝，1632m，2004.Ⅷ.04，吴琼采。

分布：陕西（留坝）、甘肃、浙江、贵州；老挝。

（760）竹野单爪螯蜂 *Anteon takenoi* Olmi, 1995

Anteon takenoi Olmi, 1995: 13.

鉴别特征：雌虫头黑色。胸部黑色。腹部褐色。足褐黄色。额线不完整。后头脊完整。POL = 5; OL = 3; OOL = 6; OPL = 6; TL = 6.5。盾纵沟不完整，伸达盾片长度的0.40。前足第5跗节内缘有2排23～28个叶状突。雄虫头和胸部黑色。腹部黑色或褐色。足褐黄色。后头脊完整。盾纵沟不完整，伸达盾片长度的0.25～0.35。

采集记录：8♂，宁陕，2011.Ⅴ.06，黄盘诱、陈华燕采。

分布：陕西（宁陕）、辽宁、四川；俄罗斯，日本。

（761）雾社单爪螯蜂 *Anteon wushense* Olmi, 1991

Anteon wushense Olmi, 1991: 170.

鉴别特征：雌虫体黑色。足褐黄色。额线完整。后头脊完整。前胸背板有网皱。盾纵沟不完整，伸达盾片长度的0.30。前翅径脉端段明显比基段短。前足第5跗节有5～10个叶状突。

采集记录：1♀，宁陕，2011.Ⅴ.07-08，黄盘诱、陈华燕采。

分布：陕西（宁陕）、河南、甘肃、福建、台湾、云南；马来西亚。

(762) 袁氏单爪螯蜂 *Anteon yuani* Xu, He *et* Olmi, 1998

Anteon yuani Xu, He *et* Olmi, 1998: 31.

鉴别特征: 雄虫头和胸部黑色。腹部黑褐色。足褐黄色。额线不完整。后头脊完整。前翅径脉端段明显比基段短。

采集记录: 1♂, 留坝, 1632m, 2004.Ⅷ.04, 陈学新采。

分布: 陕西(留坝)、河南、宁夏、浙江、广东、海南、贵州。

6. 矛螯蜂属 *Lonchodryinus* Kieffer, 1905

Lonchodryinus Kieffer, 1905: 95. **Type species**: *Lonchodryinus tricolor* Kieffer, 1905.

Prenanteon Kieffer, 1913: 301. **Type species**: *Prenanteon melanocerum* (Kieffer, 1905).

Psilanteon Kieffer, 1913: 301. **Type species**: *Psilanteon aequalis* (Kieffer, 1905).

属征: 雌雄两性一般长翅。颚唇须节比 6/3。后头脊完整。前翅径脉端段与基段等长或长于基段。并胸腹节的背表面与后表面之间无横脊。雌虫变大的爪的基突上有 1 根长鬃。雄虫前翅翅痣长宽比小于 4。

分布: 世界广布。秦岭地区发现 3 种。

分种检索表

(雌虫)

1. 前足第 5 跗节端部有斜的横凹 ………………………………………… **双斑矛螯蜂 *L. bimaculatus***
   前足第 5 跗节端部无横凹 ………………… **中华矛螯蜂 *L. sinensis* 或红角矛螯蜂 *L. ruficornis***

(雄虫)

1. 外生殖器的基膜突有乳头状突起 ………………………………… **双斑矛螯蜂 *L. bimaculatus***
   外生殖器的基膜突无乳头状突起 ……………………………………………………………… 2
2. 阳基侧铗内缘凹入……………………………………………………… **中华矛螯蜂 *L. sinensis***
   阳基侧铗内缘不凹入 ……………………………………………………… **红角矛螯蜂 *L. ruficornis***

(763) 双斑矛螯蜂 *Lonchodryinus bimaculatus* Xu *et* He, 1994

Lonchodryinus bimaculatus Xu *et* He, 1994: 128.

鉴别特征: 雌虫头黑色。前胸背板褐黄色。中胸、后胸、并胸腹节和腹部黑色。足黄色。额线不完整。后头脊完整。前胸背板有横凹痕。盾纵沟不完整, 伸达盾片长度的0.50。前足第5跗节内缘有2排29个叶状突。雄虫体黑色。额线不完整。后头脊完整。盾纵沟不完整，伸达盾片长度的0.50。

采集记录：1♀，宁陕火地塘，1998.Ⅴ.05，马云采。

分布：陕西(宁陕)、河南、宁夏、甘肃、台湾、广东、四川、贵州、云南。

(764) 红角矛螯蜂 *Lonchodryinus ruficornis* (Dalman, 1818)（图版91：4）

Gonatopus ruficornis Dalman, 1818: 83.

Lonchodryinus ruficornis: Olmi 1984: 258.

鉴别特征：雌虫常长翅。头黑色。触角褐黄色或褐色。胸部黑色或红褐色。腹部黑色或褐黄色。足褐黄色。无额线。后头脊完整。盾纵沟不完整，伸达盾片长度的0.30～0.75。前足第5跗节基段短于端段，有15～20个叶状突。雄虫长翅。体常黑色，少有褐黄色。后头脊完整。盾纵沟不完整，伸达盾片长度的0.50。

采集记录：2♂，佛坪，1996.Ⅵ.03。

分布：陕西(佛坪)、内蒙古、宁夏、青海、湖北、四川、西藏；世界广布。

(765) 中华矛螯蜂 *Lonchodryinus sinensis* Olmi, 1984

Lonchodryinus sinensis Olmi, 1984: 273.

鉴别特征：雌虫头和胸部黑色。腹部褐色或黑色。无额线。后头脊完整。前胸背板有横凹痕。盾纵沟不完整，伸达盾片长度的0.50～0.70。前足第5跗节基段短于端段。雄虫体黑色，足褐黄色。无额线。后头脊完整。盾纵沟不完整，伸达盾片长度的0.40～0.50。

采集记录：1♀，留坝，1632m，2004.Ⅷ.04，吴琼采。

分布：陕西(留坝)、宁夏、甘肃、浙江、台湾、四川、云南、西藏；缅甸，尼泊尔。

(四) 双距螯蜂亚科 Gonatopodinae

鉴别特征：雌虫常无翅，少有长翅。后头脊常无或不完整。上颚4个齿，各小齿由小到大排列。颚唇须节比2/1、2/2、3/2、4/2、4/3、5/2、5/3、6/2或6/3。前足第5跗节和1个爪特化成螯。螯有小基爪。胫节距式1-0-1，偶见1-0-2。雄虫长翅。后头脊常无或不完整。上颚3个齿，各小齿由小到大排列。颚唇须节比2/1、2/2、3/2、4/2、4/3、5/2、5/3、6/2或6/3。胫节距式1-1-2。

分类: 世界已知556种，中国记录25种，陕西秦岭地区分布2属3种。

分属检索表

（雌虫）

1. 长翅；颚唇须节比3/2、4/2、5/2、5/3或6/3 …………………… **食虱螯蜂属 *Echthrodelphax***
   无翅；颚唇须节比2/1 ……………………………………………… **单节螯蜂属 *Haplogonatopus***

（雄虫）

1. 后头脊完整；颚唇须节比3/2、4/2、5/2、5/3或6/3 …………… **食虱螯蜂属 *Echthrodelphax***
   无后头脊；颚唇须节比2/1 ………………………………………… **单节螯蜂属 *Haplogonatopus***

7. 食虱螯蜂属 *Echthrodelphax* R. Perkins, 1903

Echthrodelphax R. Perkins, 1903: 36. **Type species**: *Echthrodelphax fairchildii* Perkins, 1903.

属征: 雌雄两性长翅。颚唇须节比3/2、4/2、5/2、5/3或6/3。盾纵沟完整。雌虫变大的爪有1个亚端齿和1排叶状突。前足第5跗节有不多于15个叶状突。胫节距式1-0-1。雄虫后头脊完整。上颊明显。胫节距式1-1-2。

分布: 全北区，东洋区，非洲区。秦岭地区发现1种。

（766）两色食虱螯蜂 *Echthrodelphax fairchildii* R. Perkins, 1903

Echthrodelphax fairchildii R. Perkins, 1903: 37.

鉴别特征: 头、前胸和腹部褐黄色，中胸、后胸和并胸腹节黑色。足褐黄色。额线完整。后头脊不完整。颚唇须节比3/2或4/2。前胸背板有前凹痕。盾纵沟完整。变大的爪有1个亚端齿和1排4~5个叶状突。雄虫头胸部黑色，腹部褐色，足黄色。后头脊完整。颚唇须节比4/2。盾纵沟完整。

采集记录: 1♀，宁陕，2011. Ⅴ. 07-08，陈华燕采。

分布: 陕西（宁陕）、辽宁、浙江、湖北、江西、福建、台湾、广东；日本，越南，泰国，印度，孟加拉国，菲律宾，马来西亚，印度尼西亚，美国。

8. 单节螯蜂属 *Haplogonatopus* R. Perkins, 1905

Haplogonatopus R. Perkins, 1905: 39. **Type species**: *Haplogonatopus apicalis* R. Perkins, 1905.

属征： 雌虫无翅。颚唇须节比 2/1。前胸背板无横凹痕或弱。变大的爪有 1 个亚端齿和 1 排叶状突。胫节距式 1-0-1。雄虫有翅。常无后头脊。颚唇须节比 2/1。胫节距式 1-1-2。

分布： 古北区，东洋区。秦岭地区发现 2 种。

分种检索表

（雌虫）

1. 柄后腹褐黄色或红褐色 ……………………………………………… **稻虱红单节螯蜂 *H. apicalis***
   柄后腹黑色 ……………………………………………………………… **黑腹单节螯蜂 *H. oratorius***

（雄虫）

1. 阳基侧铗的背突端部宽大 ……………………………………………… **稻虱红单节螯蜂 *H. apicalis***
   阳基侧铗的背突端部不膨大 …………………………………………… **黑腹单节螯蜂 *H. oratorius***

（767）稻虱红单节螯蜂 *Haplogonatopus apicalis* R. Perkins, 1905

Haplogonatopus apicalis R. Perkins, 1905: 39.

鉴别特征： 雌虫无翅。胸部黄色或褐黄色。足黄色或褐黄色。腹柄黑色。柄后腹红褐色或褐黄色。额线完整。无后头脊。前胸背板无横凹痕。变大的爪有 1 个亚端齿和 1 排 3～6 个叶状突。雄虫有翅。体黑色或黑褐色。阳基侧铗的背突端部明显膨大。

采集记录： 1♀，秦岭，1980. Ⅷ，魏建华采。

分布： 陕西（秦岭）、黑龙江、辽宁、河南、浙江、江西、湖南、福建、台湾、广东、广西、贵州、云南；日本，泰国，印度，斯里兰卡，菲律宾，马来西亚，澳大利亚。

（768）黑腹单节螯蜂 *Haplogonatopus oratorius* （Westwood, 1833）

Gonatopus oratorius Westwood, 1833: 496.

Haplogonatopus oratorius: Olmi & Currado 1979: 39.

鉴别特征： 雌虫无翅。胸部红褐色或褐黄色。足黄色或褐黄色。腹柄和柄后腹黑色。额线完整。无后头脊。前胸背板无横凹痕。变大的爪有 1 个亚端齿和 1 排4～5 个叶状突。雄虫有翅。体黑色。阳基侧铗的背突端部不膨大。

采集记录： 1♀1♂，宁陕，2011. Ⅴ. 06，金程远采。

分布： 陕西（宁陕）、辽宁、内蒙古、山东、浙江、福建、广东、贵州；俄罗斯，韩国，日本，西班牙等。

参考文献

He, J. H. & Xu, Z. F. 2002. *Fauna Sinica Insecta Vol. 29 Hymenoptera Dryinidae*. Science Press, Beijing. 1-464. [何俊华, 许再福. 2002. 中国动物志 昆虫纲 第二十九卷 膜翅目 螯蜂科. 北京: 科学出版社. 1-464.]

Olmi, M. 1984. *A reviion of the Dryinidae (Hymenoptera)*. Memoirs of the American Entomological Institute, 37, Ⅰ-Ⅻ + 1-1913.

Olmi, M. 1989. Supplement to the revision of the world Dryinidae (Hymenoptera Chrysidoidea). *Frustula entomologica*, *N. S.*, 12 (25), 109-395.

Olmi, M. and Xu, Z-F. 2015. *Dryinidae of the Eastern Palaearctic region (Hymenoptera: Chrysidoidea)*. Zootaxa, 3996(1): 1-251.

Xu, Z. F., Olmi, M., Guglielmino, A. and Chen, H. Y. 2012. Checklist of Dryinidae (Hymenoptera: Chrysidoidea) from Shaanxi Province, China, with descriptions of two new species. *Zootaxa*, 3164, 1-16.

Xu, Z. F., Olmi, M. and He J. H. 2013. *Dryinidae of the Oriental region (Hymenoptera: Chrysidoidea)*. Zootaxa, 3614(1): 001-460.

Ⅸ. 胡蜂总科 Vespoidea

胡蜂总科包括了传统划分的胡蜂总科 Vespoidea、土蜂总科 Scoloidea、蚁总科 Formicoidea 和蛛蜂总科 Pompiloidea。目前胡蜂总科包含 12 个科，其中 8 个科在我国有分布，它们是：钩土蜂科 Tiphiidae、蚁蜂科 Mutillidae、寡毛土蜂科 Sapygidae、土蜂科 Scohiidae、蚁科 Formicidae、蛛蜂科 Pompilidae、蜾蠃科 Eumenidae 和胡蜂科 Vespidae。瘤角蜂科 Sierolomorphidae、笨蜂科 Bradynobaenidae、蚰蜂科 Rhopalosomatidae 和棒角蜂科 Masaridae 在我国尚未发现。

分科检索表

1. 触角膝状；并胸腹节与柄后腹之间具 1 或 2 个结状节或鳞片状节；有或无翅 ………………………………………………………………………………… **蚁科 Formicidae**

   触角不为膝状；并胸腹节与柄后腹之间无结状节或鳞片状节；有或无翅 ……………………… 2
2. 翅发达，前翅通常具 1 完整的缘室(径室)，至少还有 1 个完整的亚缘室；后翅有 2～3 个完整的翅室 ……………………………………………………………………………… 3

   无翅 ……………………………………………………………………………………… 9
3. 前翅的第 1 盘室很长，长于亚基室；停息时前翅从基部到端部整个纵褶；中唇舌和侧唇舌的末端呈骨化的小瓣状 ……………………………………………………………………… 4

   前翅的第 1 盘室短，短于亚基室；前翅不纵褶；中唇舌和侧唇舌端部无骨化瓣 …………… 5
4. 中足胫节端部仅有 1 距；爪二叉状；上颚长，完全闭合时相互交叉 …… **蜾蠃蜂科 Eumenidae**

   中足胫节端部有 2 距；爪不分叉；上颚短，完全闭合时呈横形，不相互交叉 ……………………………………………………………………………………… **胡蜂科 Vespidae**
5. 中胸侧板上具 1 条斜沟，此沟直，穿过中胸侧板窝 ………………………… **蛛蜂科 Pompilidae**

   中胸侧板上无上述的斜沟 …………………………………………………………………… 6
6. 翅端部 1/4 或 1/4 以上的翅面上具细密的纵皱隆线 ……………………… **土蜂科 Scoliidae**

   翅端部 1/4 或 1/4 以上的翅面上平滑，无纵皱隆线 ……………………………………… 7
7. 后翅具显著的扇叶缺刻，从而划分出扇叶；后翅的轭叶也甚大，长度至少为扇叶的 1/2；雄性下生殖板端部具 1 根向上的弯刺；雌性中足基节相互离开甚远；爪二叉状 ……………………………………………………………………………… **钩土蜂科 Tiphiidae**

   后翅没有扇叶和轭叶，或没有扇叶缺刻，若如此则轭叶较小，其长度小于扇叶的 1/2；雄性下生殖板端部不具弯刺；雌性中足基节相互接近；爪简单或具齿 ………………………………… 8
8. 触角的端部节比基部节粗，因而看起来呈棒状；复眼内缘明显凹入；腹部具黄色斑，体上毛弱；爪呈齿状 …………………………………………………………… **寡毛土蜂科 Sapygidae**

   触角的端部节比基部节细，不呈棒状；复眼内缘不是明显凹入；腹部无黄色斑，体上具密毛；爪不呈齿状或分为 2 叉 ……………………………………………… **蚁蜂科 Mutillidae(雄)**
9. 胸部背面看起来呈匣状，上无沟，或最多在前胸背板与中胸背板之间具 1 条缝；身体上具显著的刻纹和刻窝，并生有密毛；爪简单 …………………………………… **蚁蜂科 Mutillidae(雌)**

胸部背面延长，不呈匣状，上具3条沟，深凹，呈较宽的凹痕状；身体光滑，无刻纹和刻窝，也没有密毛；爪深裂成二叉状 ………………………………… **钩土蜂科 Tiphiidae(部分)**

三十、蚁蜂科 Mutillidae

陈学新　涂彬彬　毛娟

（浙江大学昆虫研究所，杭州 310058）

鉴别特征：身体小型至大型。色鲜艳，有短或长而密的毛，毛白、黄、金黄、橙黄或红色，常混有黑毛，极少无毛。性二型，雄蜂常有翅，偶无翅；雌蜂完全无翅，形似蚁。雌蜂触角12节，雄蜂触角13节。复眼圆形、肾形或卵圆形。上颚简单或有齿。雌蜂胸部环节紧密愈合，纺锤形或方匣形，胸部背面无沟或胸部背面无沟或仅前胸背板与后面体节不愈合或具结合缝；雄蜂前胸背板后上角伸至翅基片。足粗，中后足基节甚接近或相接触，中后足胫节均具2距。雄蜂前翅有1～3个亚基室，有翅痣，后翅有闭室，扇叶弱。腹部短，大部分种类第2背板两侧各有1条由体内分泌的纵毡线。雄蜂腹末端有1个或多个刺，雄蜂外生殖器是该科分类的重要特征。

生物学：大部分种类外寄生于膜翅目 Hymenoptera 独栖性的蜜蜂科、隧蜂科、泥蜂科、胡蜂科等的幼虫和蛹，少数寄生鞘翅目 Coleoptera、双翅目 Diptera、鳞翅目 Lepidoptera、蜚蠊目 Blattodea、等翅目 Isoptera、半翅目 Hemiptera 和膜翅目 Hymenoptera 群居性类群。

分类：世界广布。全世界已知10亚科210属4302种，中国已知8亚科32属157种，陕西秦岭地区分布5属5种。

分属检索表

1. 雄性触角13节；翅通常发达；腹部可见背板7节 ………………………………… 2
   雌性触角12节；无翅；腹部可见背板6节 ………………………………… 5
2. 复眼圆形或卵圆形，完整，内缘不凹入 ………………………………… 3
   复眼肾形，内缘凹入，若有时内缘凹入不明显，则翅基片短 ………………………………… 4
3. 复眼强烈突出，半球形；生殖刺突向上弯曲(侧面观) …………………… **何蚁蜂属 *Hemutilla***
   复眼突出弱，卵圆形；生殖刺突直或端部稍向上弯曲 …………………… **毛唇蚁蜂属 *Dasylabris***
4. 小盾片后侧角突出，以致多少呈齿状或腹部第1节呈圆柱形；并胸腹节后侧缘角突出呈齿状 ………………………………… **齿蚁蜂属 *Odontomutilla***
   小盾片后侧角圆，不突出且无齿；腹部第1节宽或呈扇形；并胸腹节后侧缘钝圆 ………………………………… **扎蚁蜂属 *Zavatilla***
5. 中胸背板内凹，胸部在中胸背板处不是最宽 ………………………………… **蚁蜂属 *Mutilla***
   中胸侧板外凸，胸部在中胸背板处最宽 ………………………………… 6
6. 腹部第1节具柄或结节；触角鞭节通常不缩短，第2鞭节长度是梗节的1.50～2.00倍 ………………………………… **毛唇蚁蜂属 *Dasylabris***

腹部第 1 节无结节，横宽或呈圆柱形；触角鞭节短，第 2 鞭节与梗节约等长 …… 齿蚁蜂属 ***Odontomutilla***

9. 何蚁蜂属 *Hemutilla* Lelej, Tu *et* Chen, 2014

Hemutilla Lelej, Tu *et* Chen, 2014: 76. **Type species**: *Hemutilla granulata* Tu, Lelej *et* Chen, 2014.

属征：雄虫唇基深凹，前缘中间具方形突出物或弱，基部具中脊。中胸腹板中间至前缘具 1 对薄膜；中足和后足腿节刚毛长度是腿节最宽处的 2 倍。腹部第 1 背板长度是宽度的 1.60 ~ 2.00 倍；阳茎基腹铗长度是生殖刺突长度的 0.65 倍或更长。

雌虫唇基后方具"V"形强脊或横脊，前缘无瘤突；小盾片鳞无；中胸侧板、后胸侧板和并胸腹节侧方具密刻点；后胸腹板后方中间结构二分叉。腹部第 1 腹板纵脊二分叉。

分布：古北区，东洋区。世界已知 6 种，我国记录 6 种，秦岭地区发现 1 种。

(769) 瘤突何蚁蜂 *Hemutilla tuberculata* Tu, Lelej *et* Chen, 2014（图版 92）

Hemutilla tuberculata, Tu *et al.*, 2014: 82.

鉴别特征：雄虫体长 11.20 ~ 11.80mm。头部和胸部的宽度比为 34∶40。上颚粗壮，端部具 2 枚齿，基部腹面钝圆。唇基中央凹陷，前方中间具宽的方形突出物，具密刻点，不规则皱，基部中间区域光滑有光泽。前颏具 2 条强纵脊，薄片状。触角柄节腹面无脊。额上中间具明显沟。中胸腹板中间至前缘中央具 1 对顶端尖锐的薄片。后足中间具尖锐瘤突。前翅缘室长度是第 1 亚缘室长度的 1.50 倍。第 2 亚缘室五边形，端部钝。第 1 背板长度是宽度的 1.60 倍。第 1 腹板具明显中纵脊，后方弱二分叉。尖突长度是生殖刺突长度的 2/3，尖突中间具粗壮而长的深棕色毛。头部黑色，上颚棕色。胸部红锈色，翅基片深棕色。足黑色，转节深红锈色距黑色。腹部黑色，第 1 节基部红锈色。翅半透明，端半部棕色，缘室颜色稍深。第 2 背板后方和第 3 节被浓密白色毛。

雌虫未知。

采集记录：1♂（副模），宁陕火地塘，1580m，1998. Ⅶ. 27，姚建采，IOZ(E)1911223(IZCAS)。

分布：陕西（宁陕）、河南。

10. 毛唇蚁蜂属 *Dasylabris* Radoszkowski, 1885

Dasylabris Radoszkowski, 1885: 28. **Type species**: *Mutilla arenaria* Fabricius, 1787.

Allomutilla Ashmead, 1899: 57. **Type species**: *Mutilla melicerta* Smith, 1855.

属征：雄虫复眼椭圆形，稍突出。小盾片长度长于宽度。翅基片小，通常不伸过中胸盾片后方。前翅颜色极深，极少透明。腹部第1节具柄，后缘收窄；纵毡线只在腹部第2背板；生殖刺突(侧面观)直或稍向上弯曲。全身通常被浓密毛。

雌虫复眼椭圆形，平坦。触角鞭节通常不缩短，各鞭节长度长于其宽度最宽处。中胸侧板突出，致胸部在中胸背板处最宽。腹部第1节具柄，后缘收窄；纵毡线只在腹部第2背板。

生物学：寄生于膜翅目胡蜂科 Vespidae 蜾蠃蜂亚科 Eumeninae、泥蜂科 Sphecidae (Lelej, 1985)。

分布：古北区，东洋区，非洲区。世界已知151种，中国记录14种，秦岭地区发现1种。

(770) 媒介毛唇蚁蜂 *Dasylabris intermedia* Skorikov, 1935(图版93, 94)

Dasylabris siberica var. *intermedia* Skorikov, 1935: 295.

Dasylabris intermedia: Lelej, 1976: 268.

Dasylabris rubrosignata ypsilon Chen, 1957: 219.

鉴别特征：雄虫体长12.50～14.50mm。头部和胸部(包括翅基片)宽度之比约为42:56。宽度稍长于长度或等长。上颚端部具3枚齿，基部腹面不切刻，钝圆。唇基前缘具2个明显小齿，中区平坦，具皱刻点。触角柄节基部具2条脊，脊间具刻点；第2鞭节长度是第1鞭节长度的2.30～2.70倍，稍短于第3鞭节的长度；触角窝上方无脊。并胸腹节宽于前胸背板。前翅具2个亚缘室和1个盘室。第1腹板前方2/3具明显中纵脊。第2腹板中纵脊约占第2腹板长度的1/2。体黑色，被黑毛，腹部第2节红锈色，翅烟褐色。头顶后方、腹部第2背板中央侧方和第2腹板被浅色毛。前胸背板、中胸盾片后方和小盾片被密而近贴伏的浅色毛。腹部第2背板后方具黑色宽毛带；第3背板具浅色毛带；第3腹板后缘具浅色缘缨。

雌虫体长9.20～14.00mm。胸部的长宽比为94:76。上颚细长，端部具3个齿。唇基近前缘具1条横脊。触角第1鞭节长度是梗节的1.50～1.60倍，稍长于第2鞭节长度；触角窝上方无脊。六边形，前方明显宽于后方，长度是最宽处宽度的1.20～1.30倍。第1腹板具中纵脊，前方强。腹板具细而稀疏，分散的刻点。臀板区具指纹状纵刻条或半同心圆形夹点刻条。头部和腹部黑色，胸部和足大部分红锈色。前胸背板前方、前胸侧板和足腿节端部黑色。触角、上颚(除端部)、腹部第1节和腹板多少红棕色。体被黑色毛，腹部腹板被浅色毛。头顶被1个浅黄色圆形毛斑。腹部第1背板后方具浅黄色宽毛带；第2背板基部中央具1个浅黄色毛斑，后缘具2个横形浅黄色毛斑，毛斑后缘内侧稍向前方凹，2个毛斑端部相接；第3～5背板中央具浅黄色毛斑，且逐渐增大；第2～3腹板后缘具浅色密缘缨。

采集记录： 1♂，孟塬，1972. Ⅷ. 08，450m，王书永采，No. IOZ(E)1911216(IZ-CAS)。

分布： 陕西(孟塬)、内蒙古、北京、河北、山西、山东、江苏、浙江、福建；蒙古，俄罗斯，韩国，阿富汗。

11. 齿蚁蜂属 *Odontomutilla* Ashmead, 1899

Odontomutilla Ashmead, 1899: 55, 58. **Type species:** *Mutilla saussurei* Sichel *et* Radoszkowski, 1870.

属征： 雄虫复眼肾形，内缘凹，不被毛。上颚基部腹面不切刻，无齿。小盾片大而平坦，近方形横宽，后侧缘角突出呈齿状。并胸腹节后侧缘角突出。翅基片大，后缘伸达中胸盾片后方。前翅具2个亚缘室。腹部第1节后方宽，有时呈圆柱形，后侧缘稍收窄。纵毡线在腹部第2背板两侧。

雌虫复眼卵圆形，稍突出，不被毛。上颚简单，内缘无齿。触角鞭节短，第2鞭节与梗节约等长；触角窝上方具脊。中胸侧板外凸，致胸部在中胸处最宽。腹部第1节后方宽或呈圆柱形，具明显的前面和背面。腹部第2背板前侧缘具深凹，深凹周围被绒毛。

分布： 古北区，东洋区，非洲区，澳洲区。世界已知77种，中国记录3种，秦岭地区发现1种。

(771) 中华齿蚁蜂 *Odontomutilla sinensis* (Smith, 1855)（图版95，96）

Mutilla sinensis Smith, 1855: 39.

Odontomutilla sinensis: André, 1903: 30.

鉴别特征： 雄虫体长12.00～15.60mm。头部和胸部(包括翅基片)宽度之比约为50∶65。上颚中等粗壮，端部具3枚齿，基部腹面不切刻。唇基中区近三角形拱隆。触角窝上方具强脊；触角瘤以1条横截的脊相连；触角第1鞭节长度是梗节长度的1.50～1.60倍，是第2鞭节长度的7/10。小盾片后侧角突出呈齿状，端缘弧形。并胸腹节后侧缘呈各呈1枚突出钝齿。第1背板前面部分长，背面部分极短，以1条横脊相连。第1腹板具中纵脊，后方强。第2腹板基部具中纵脊，约占第2腹板长度的1/3。第7腹板无瘤突和脊。头部和腹部黑色，胸部大部分红锈色，中胸侧板下方部分、后胸侧板大部分、并胸腹节和胸部腹面黑色。翅烟褐色近透明，基部颜色浅，近外缘翅室颜色深，腹部第3背板具金黄色毛带，第4背板中央具横截的金黄色毛斑。

雌虫体长11.70~15.00mm。头部和胸部(肩角、前气门、中胸背板最宽处、后气门和并胸腹节最宽处)宽度之比为50∶46∶50∶59∶48∶45。胸部的长宽比为70∶59。上颚细长，端部无齿，腹面不切刻。唇基前缘凹陷，中央三角形拱隆。触角第1鞭节是第2鞭节长度的1.35倍；触角窝上方具强脊，脊延伸在中线处连接。胸部背面侧缘在前气门后各具1枚强钝齿，钝齿前后方稍凹陷。小盾片鳞消失。第1背板前面部分和后面部分以1条横截的弱锯齿状的脊分开。第2背板前侧缘各具1个深凹，周围被绒毛，深凹长度是宽度的3倍，占第2背板长度的1/4。第6背板无明显的臀板区，具密刻点和细皱纹。第1腹板具弱中纵脊，中央稍凹陷。头部和腹部黑色，胸部红锈色，触角鞭节腹面和上颚基部着暗红色。腹部第2背板基部中央具1个角形金黄色毛斑；第3背板具金黄色毛带；各腹板被金黄色毛；第2~5腹板后缘具金黄色缘缨带。

采集记录：5♂，留坝江口镇龙王沟，2013.Ⅷ.18，涂彬彬采，Nos. 201400003，201400004，201400005，201400006，2014000007(ZJUH)；1♀，山阳，2014.Ⅷ.07，毛娟采(ZJHU)。

分布：陕西(留坝、山阳)、江苏、安徽、浙江、湖北、江西、福建、广西、云南；越南。

12. 蚁蜂属 *Mutilla* Linnaeus, 1758

Mutilla Linnaeus, 1758: 582. **Type species**: *Mutilla europaea* Linnaeus, 1758.

属征：雄虫复眼肾形，内缘凹，不被毛。上颚基部腹面不切刻，无齿。触角第1鞭节稍长于第2鞭节或等长。翅基片大，后缘伸达中胸盾片后方。腹部第1节横截而宽。生殖刺突腹面基部具密刚毛。

雌虫头部大。胸部背面后方无横向列刺或瘤突。腹部第1背板很宽，稍窄于第2背板。腹部第2背板基部无毛带或毛斑。

分布：古北区，东洋区，非洲区。世界已知157种，中国记录2种，秦岭地区发现1种。

(772) 日本蚁蜂 *Mutilla mikado* Cameron, 1900(图版97)

Mutilla mikado Cameron, 1900: 75.

Mutilla europaea mikado: Mickel, 1935: 199.

Mutilla rugiceps maesta Chen, 1957: 151.

鉴别特征：雌虫体长 12～14mm。头黑色，个别头顶多少带赤褐色。触角、脸、下颚及口器的大部分褐色或带黑褐色。胸部通常红褐色，少数黑色，其前缘、两侧及腹面黑色。腹部黑色。足黑色，胫节以后色渐浅，呈黑褐色。全体密生长毛，头部和腹部毛黑色，胸部毛褐色，足上毛褐色至灰褐色，腹部第 1 节后缘、第 2～3 各节后缘两侧、第 6 节及腹面长毛带浅褐色，腹部背面的毛密而呈现斑纹。全体被微细刻点，但头部刻点粗大。全体有光泽，腹部特强。第 2 腹板前方无横三角形沟。

采集记录：1♀，留坝红崖沟，1500～1650m，1998. Ⅶ. 22，张学忠采，No. IOZ(E)1911139(IZAS)；1♀，柞水营盘镇牛背梁自然保护区，2013. Ⅶ. 15，谭江丽采(ZJUH)。

分布：陕西(留坝、柞水)、黑龙江、吉林、内蒙古、北京、山西、甘肃、江苏、浙江、湖北；俄罗斯，韩国，日本。

寄主：据记载寄生熊蜂属 *Bombus*。

13. 扎蚁蜂属 *Zavatilla* Tsuneki, 1993

Zavatilla Tsuneki, 1993: 42 (as subgenus of *Smicromyrme* Thomson, 1870). **Type species**: *Mutilla gutrunae* Zavattari, 1913.

属征：雄虫上颚端部具 2 枚齿，基部腹面切刻，具基齿；触角第 1 鞭节长度与第 2 鞭节长度约等长；触角柄节腹面具 1 条强脊。小盾片均匀拱隆，不呈驼峰状，前方具中脊。腹部第 2 腹板侧缘具纵毡线；露腹节通常具 1 对钝而光滑、稍倾斜的弱中纵脊，基部稍横凹，端部缓慢倾斜；阳茎基腹铗具侧尖突。

雌虫与彼蚁蜂属 *Petersenidia* 雌蜂相似，但是小盾片鳞更宽，是并胸腹节宽度的 1/3～1/4；臀板区具细皱纹。

分布：东洋区。世界已知 3 种，中国记录 3 种 2 亚种，秦岭地区发现 1 种 1 亚种。

(773) 古特拉扎蚁蜂黄片亚种 *Zavatilla gutrunae flavotegulata* (Chen, 1957)（图版 98）

Smicromyrme gutrunae flavotegulata Chen, 1957: 184.

Zavatilla gutrunae flavotegula: Lelej, 1996: 9.

鉴别特征：雄虫体长 12.50～18.60mm。头部和胸部(包括翅基片)的宽度比为47∶60。上颚中等粗壮，端部具 2 齿，腹方明显切刻并具有 1 枚齿。唇基光滑，前缘弧形。触角柄节腹方具 1 条强脊，第 1 鞭节与第 2 鞭节等长，触角窝上方圆形拱隆。第 1 腹板具脊，中央凹陷。第 8 腹板(露腹节)简单，无脊或瘤突。体完全黑色。翅基片黄褐色。翅褐色。距黄白色。头被稀疏、直立、黄色毛，额上毛较浓密。前胸背板后缘和中胸侧板具浓密金黄色毛。第 2 ~7 背板毛黑褐色，第 2 节后缘宽带和整个第 3 节密布贴于体壁、浅金色的毛；第 2 ~4 腹板后方具黄色缘缨。

雌虫未知。

采集记录： 1♂，山阳苍龙山，718m，2013. Ⅶ. 22，谭江丽采，No. 201400024（ZJUH）。

分布： 陕西（山阳）、江苏、浙江、江西、福建。

注： Tsuneki（1972）古特拉小蚁蜂指名亚种的采集记录中翅基片具相当大的棕色斑纹，有时浅棕色，他认为如果不是非必要的，古特拉小蚁蜂黄片亚种是非常弱的地理类群。

参考文献

André, E. 1903. Fam. Mutillidae. *In* Wytsman P. (ed.). *Genera Insectorum*. Imprimeurs-Éditeurs, Bruxelles. 1-77.

Ashmead, W. H. 1899. Superfamilies in the Hymenoptera and generic synopses of the families Thynnidae, Myrmosidae, and Mutillidae. *Journal of the New York Entomological Society*, 7: 45-60.

Cameron, P. 1900. Hymenoptera Orientalia, or Contributions to the knowledge of the Hymenoptera of the Oriental Zoological Region. Part Ⅸ. The Hymenoptera of the Khasia Hills. Part II. Section I. *Memoirs and Proceedings of the Manchester Literary and Philosophical Society*, 44(15): 1-77.

Chen, C. W. 1957. A revision of the velvety (!) ants or Mutillidae of China. *Quarterly Journal of the Taiwan Museum*, 10 (3-4): 135-224.

Lelej, A. S. 1976. Addition to the fauna of velvet ants (Hymenoptera, Mutillidae) of Mongolia. *Insects of Mongolia*, 4: 268-281.

Lelej, A. S. 1996. To the knowledge of the East Asian species of tribe Trogaspidiini Bischoff, 1920 (Hymenoptera, Mutillidae) with description of eight new genera and two new species. *Far Eastern entomologist*, 30: 1-24.

Lelej, A. S. 2002. *Catalogue of the Mutillidae (Hymenoptera) of the Palaearctic region*. Dalnauka, Vladivostok, 172 pp.

Lelej, A. S. 2005. *Catalogue of the Mutillidae (Hymenoptera) of the Oriental region*. Dalnauka, Vladivostok, 252 pp.

Linnaeus, C. 1758. *Systema naturae per regna tria naturae secundum classes, ordines, genera, species, cum characteribus, differentiis, synonymis, locis*. Tomus. I. Editio X. Laurnetii Salvii, Holmiae, 582-583.

Mickel, C. E. 1935. The mutillid wasps of the islands of the Pacific Ocean (Hymenoptera: Mutillidae). *Transactions of the Royal Entomological Society of London*, 83 (2): 177-312.

Radoszkowski, O. 1885. Revision des armures copulatrices des mâles de la famille de Mutillides. *Horae Societatis Entomologicae Rossicae*, 19(1-2): 3-49.

Skorikov, A. S. 1935. Zur Mutilliden-Fauna Zentralasiens. *Trudy tadzhikskoi basy Akademii Nauk SSSR*, 5: 257-349. [In Russianwith German summary].

Smith, F. 1855. *Catalogue of Hymenopterous Insects in the Collection of the British Museum. Part* Ⅲ. *Mutillidae and Pompilidae*. Taylor and Francis, London, 206 pp. [Mutillidae-pp. 1-66].

Tu, B. B., Lelej, A. S. and Chen, X. X. 2014a. Review of the genus Cystomutilla André, 1896 (Hymenoptera: Mutillidae: Sphaeropthalminae: Sphaeropthalmini), with description of the new genus Hemutilla gen. nov. and four new species from China. *Zootaxa*, 3889 (1): 71-91.

三十一、胡蜂科 Vespidae

谭江丽
(西北大学生命科学学院，西安 710069)

鉴别特征：体表较蜜蜂光洁，刚毛不分叉；触角(antenna)膝状，雌性(包括女王蜂和职蜂)12 节，雄蜂 13 节；复眼大，内缘中部凹入；上颚发达；中唇舌和侧唇舌端部具小骨化瓣；前胸背板向后延伸与翅基片相接，翅停息时纵褶，前翅第 1 盘室狭长(马萨胡蜂亚科 Masarinae 除外)，后翅有闭室；足近圆柱形，中足基节相互接触，跗节无排刷状毛簇。腹部第 1 背板和腹板部分愈合，背板搭叠于腹板上。

生物学：胡蜂科昆虫是一类最常见的昆虫，喜在人居附近筑巢活动，包括蜾蠃、马蜂、胡蜂、黄蜂、草蜂等，多数以其雌性腹部末端带毒的螯针而广为人知。“青竹蛇儿口，黄蜂尾后针”，被胡蜂蜇刺后，蜂毒能引起过敏，致人伤残竟至死亡。大部分胡蜂成虫捕猎多种昆虫及其他小动物或啮噬动物尸体，嚼成肉糜以饲喂严格肉食性的幼虫，其中不仅包括蛾类、甲虫、蝉等等许多农林害虫，也包括蜜蜂、柞蚕、桑蚕等益虫。胡蜂成虫嗜食成熟的水果、树汁、花蜜以及昆虫的排泄物等糖类物质补充营养和水分，啃咬树皮以建巢，一年中活动周期长，对树木、果园能造成一定危害，对植物有一定的传粉作用。胡蜂科的不同代表性种类社会性进化程度不同，显示了从独栖性经亚社会性到发达的社会性生活转变的各个进化阶段，是研究昆虫社会性进化理想的代表性类群，在理解昆虫社会行为进化中起着重要作用，昆虫社会生物学的四大基本发现，即等级分化由营养条件控制、行为特征可用于分类和系统发生方面的研究、交哺现象和优势行为等，都来源于对胡蜂的研究或主要是依据对胡蜂的研究(Wilson, 1971; Pickett & Carpenter, 2010)。近年来，社会性比较高的胡蜂蜇人致伤、致死的恶性事件在全国多个省份屡有发生，其中陕西的灾害程度位居全国之首。特别是 2013 年，陕西安康、汉中及关中等地发生了 1685 人被蜇伤，42 人死亡的惨剧，这是继 2005 年胡蜂肆虐后在国内外再次引起强烈反响的恶性事件。一定程度上，袭人胡蜂也是分布区内影响农林生产和人居环境安全的恶性公害。

分类：全世界已知 6 亚科 262 属 5000 余种 ，中国记录 4 亚科 61 属 354 种，陕西秦岭地区发现 3 亚科 19 属 65 种。

分属检索表

1. 蜂巢纸质，社会性或亚社会性；侧面观颊上下宽度无明显差异；中足胫节端距 2 个，前跗节爪不分叉 ………………………………………………………………………………………… 2
   蜂巢泥质，独栖性(极少数种类亚社会性)；侧面观腹面极度变窄，与复眼几乎相接且唇基前缘中央凹刻呈 2 枚齿；中足胫节端距 1 个(个别有 2 个)，前跗节爪双叉式（**蜾蠃亚科 Eumeninae**）………………………………………………………………………………………… 6
2. 多数种类蜂巢无外壳，巢脾单层；体较细长，体表无长毛，后头沟背上部分通常明显存在；唇基前缘两侧向中央逐渐变窄成 1 个钝齿或尖齿；后翅基部通常有臀叶，后胸盾片后缘中央几乎不或者微微向并胸腹节突出；腹部第 1 节纺锤形或柄状（**马蜂亚科 Polistinae**） ………… 3
   巢有外壳，巢脾多层；体较粗壮，体表有长毛，后头沟背上部分通常缺失；唇基前缘中央凹刻呈 2～3(通常为 2)个钝齿或尖齿，雄性凹刻不明显，略平截；后胸盾片后缘中央向并胸腹节极度延伸，后翅基部无臀叶；腹部第 1 节前部平截，与后半部分形成垂直截面(**胡蜂亚科 Vespinae**) ………………………………………………………………………………………… 4
3. 腹部第 1 节亚柄状，向后缘逐渐变宽，背板后缘大于第 2 节背板后缘宽度之半 ………………………………………………………………………………………… **马蜂属** ***Polistes***
   腹部第 1 节柄状，通常端部有个强烈隆起，背板后缘远小于第 2 节背板后缘宽度之半 ……………………………………………………………………………… **侧异胡蜂属** ***Parapolybia***
4. 后单眼之间的距离远比其到后头沟之间的距离短 ……………………………… **胡蜂属** ***Vespa***
   后单眼之间的距离与其到后头沟之间的距离大致相等 ………………………………………… 5
5. 颚眼距长，上颚基部远离复眼下缘；前胸背板两侧有纵脊；巢均裸露在地上，如树枝、电线上等 ……………………………………………………………… **长黄胡蜂属** ***Dolichovespula***
   颚眼距短，上颚基部与复眼下缘几乎相接；前胸背板两侧无纵脊；巢多数隐蔽在地下或接近地面、阁楼内、墙内、草垛中、树干中 ……………………………………………… **黄胡蜂属** ***Vespula***
6. 中足胫节 2 个端距 ……………………………………………………………… **元蜾蠃属** ***Discoelius***
   中足胫节 1 个端距 ………………………………………………………………………………… 7
7. 前翅亚缘室前端窄，其下缘边 1-M 脉与 2-M 脉几乎直角；额长明显大于唇基长；并胸腹节背部向后有 1 个水平区 ……………………………………………… **细盾蜾蠃属** ***Leptomicrodynerus***
   前翅亚缘室前端阔，其下缘边 1-M 脉与 2-M 脉明显呈钝角；额长短于唇基长；并胸腹节水平区有或无 ………………………………………………………………………………………… 8
8. 腹部第 1 节不呈柄状 ……………………………………………………………………………… 9
   腹部第 1 节基部细长，呈柄状 …………………………………………………………………… 16
9. 前胸背板前垂直面有 1 对凹窝，有时在小坑上横皱。体相对较细，前胸背板脊通常背上部中央被扰断，翅基片阔，后缘不超过副翅基片，腹部第 1 节明显比第 2 节窄 ……………………………………………………………………………………… **直盾蜾蠃属** ***Stenodynerus***
   前胸背板前垂直面除刻点外，无凹窝和横皱 ……………………………………………………… 10
10. 腹部第 1 节背板中央有 1 条横脊(但 *Pararrhynchium* 无明显横脊)，将其分为明显的前垂直截面和后端水平区 ……………………………………………………………………………… 11
    腹部第 1 节背板中央无横脊，从而无明显前截面和水平区之分 ……………………………… 13
11. 腹部第 1 背板水平部分有纵沟；腹部第 1 节相对较窄，长略大于宽；中胸背板盾纵沟通常发达；有胸腹侧脊；腹部 2～6 节背板通常无刻点，有光泽 …………… **同蜾蠃属** ***Symmorphus***

腹部第1背板水平部分无纵沟；有或无胸腹侧脊；腹部第2~6节背板有刻点 …………… 12

12. 并胸腹节侧面强烈条皱，并胸腹节基部与后小盾片相连处无平行区，横脊上突相距远，端部钝，雌性唇基宽大于高，前缘窄平截或凹，胸腹侧脊缺失 …………… **沟蜾蠃属 *Ancistrocerus***

并胸腹节侧面强烈网格皱，并胸腹节基部与后小盾片相连处形成1个平行区，横脊背部中央内切呈狭缝状，雌性唇基一般高大于宽，前缘凹，胸腹侧脊发达 ……… **旁喙蜾蠃属 *Pararrhynchium***

13. 后胸背板有2个齿状突起，前胸背板前垂直面被刻点或中央有一系列短横条纹 ………… 14

后胸背板无齿状突起，前胸背板前垂直面通常光滑 …………………………………… 15

14. 唇基高大于宽；后胸背板突起相对较钝，前胸背板前垂直面光滑，中央有一系列短横条纹，腹部第1节背板明显窄于第2背板；雄性触角末节相对非常细小 … **短角蜾蠃属 *Apodynerus***

唇基宽大于高；后胸背板突起相对较尖，前胸背板前垂直面刻点，中央有1条短横脊余痕，腹部第1节背板略窄于第2背板；雄性触角末节相对较长 …………… **啄蜾蠃属 *Antepipona***

15. 前翅副痣长于翅痣之半，甚至与翅痣等长；翅基片后缘不超过副翅基片 ………………… 16

前翅副痣小于等于翅痣之半 …………………………………………………………… 17

16. 小盾片和中胸盾片后部细稀刻点，多少有些光泽，后胸背板中部下压向两侧突出；雄性中足腿节基部凹陷 …………………………………………………… **喙蜾蠃属 *Rhynchium***

小盾片和中胸盾片后部刻点大而密集，无光泽，后胸背板不向两侧突出；雄性中足腿节圆柱形，无凹陷……………………………………………………… **缘蜾蠃属 *Anterhynchium***

17. 腹部第1背板后端无薄缘边；唇基宽远大于高；前胸背板前垂直面侧面无刻点 ……………
……………………………………………………………………… **全盾蜾蠃属 *Allodynerus***

腹部第1背板后端有1个薄缘边；唇基高大于宽，极少情况下高宽相等或宽略微大于高；前胸背板前垂直面侧面具刻点，并胸腹节常有1对朝上的突起 ……… **佳盾蜾蠃属 *Euodynerus***

18. 翅基前沟缺失，前翅副痣小于等于翅痣之半，雌性唇基端缘凹，并胸腹节侧面边缘圆，与后面界限不明显，雄性触角末节回弯成钩状 …………………………………… **蜾蠃属 *Eumenes***

翅基前沟存在，前翅副痣长于翅痣之半，甚至与翅痣等长；雌性唇基端缘平截，并胸腹节侧面边缘明显，与后面有明显的界线分开，雄性触角末节很小，不向回弯折 …………………
……………………………………………………………………… **奥蜾蠃属 *Oreumenes***

14. 长黄胡蜂属 *Dolichovespula* Rohwer, 1916

Dolichovespula Rohwer, 1916: 642 (as subgenus of *Vespula* Thomson). **Type species**: *Vespa maculata* Linnaeus, 1763.

Pseudovespula Bischoff, 1931 (1930): 346. **Type species**: "*Pseudovespula adulterina* Bischoff, 1931" [= *Vespa norwegica* var. *adulterina* du Buysson, 1905].

Boreovespula Blüthgen, 1943: 149. **Type species**: "*Dolichovespula norwegica* (F.)" [= *Vespa norwegica* Fabricius, 1781].

Metavespula Blüthgen, 1943: 149. **Type species**: "*Dolichovespula silvestris* (Scopoli, 1763)" [!] = *Vespa sylvestris* Scopoli, 1763].

属征：体表被长毛；后单眼之间的距离与其到后头沟之间的距离大致相等；后头沟背上部分通常缺失；颚眼距长，上颚基部远离复眼下缘；唇基前缘中央凹刻呈2枚钝齿或尖齿；雄性凹刻不明显，略平截；前胸背板两侧有纵脊；后胸盾片后缘中央向并胸腹节极度延伸，后翅基部无臀叶；腹部第1节前部平截，与后半部分形成垂直截面。巢裸露在地上。

分布：全北区广泛分布。世界已知20种，中国记录11种，秦岭地区发现5种。

分种检索表

1. 复眼凹黄色；前胸背板侧面褶皱，背上部条皱起自前缘，侧面上方与侧方条皱呈90°；雄性第7腹板端缘内凹；阳茎宽阔 ………………………………………………… **花长黄胡蜂 *D. flora***
   复眼凹大部分黑色，仅下缘有1条窄条黄色横带；前胸背板侧面无褶皱；雄性第7腹板端缘无凹；阳茎相对细窄，宽度约为上述之半 ……………………………………………………… 2
2. 雌性唇基端缘侧角明显尖且明显向外突出形成2枚尖齿；雄性阳茎端部侧扁 …………………………………………………………………………………… **尖齿长黄胡蜂 *D. adulterina***
   雌性唇基端缘侧角钝，如果尖，则绝不向外突出；雄性若已知，端部上下扁平 ……………… 3
3. 唇基端缘近乎平截，两侧角明显三角形；前胸背板、中胸小盾片及腹部1~3节全黑色 ……………………………………………………………………………… **熊猫长黄胡蜂 *D. panda***
   唇基端缘明显内凹，两侧角圆弧形；前胸背板背面侧上缘黄色条带、中胸小盾片两侧各有明显黄色斑块，及腹部各节端缘各有1条黄色横带 ……………………………………………… 4
4. 头侧面观复眼后黄带连续、中间或被棕色而不是黑色斑扰断；雄性生殖器阳基侧突基基背面内缘端部稍向内突出 ………………………………………………………… **点长黄胡蜂 *D. stigma***
   头侧面观复眼后黄带在中央被黑斑扰断；雄性阳基侧突基背端缘强烈向内突出 ……………………………………………………………………………… **石长黄胡蜂 *D. saxonica***

(774) 尖齿长黄胡蜂 *Dolichovespula adulterina* (du Buysson, 1905)（图版101：A）

Vespa norwegica var. *adulterina* du Buysson, 1905 (1904): 600.

Vespa norvegica saxonica natio *colchica* Birula, 1930: 314.

Dolichovespula adulterina montivaga Yamane, 1982: 109.

鉴别特征：该种从唇基端缘侧角明显尖且明显向外突出形成2枚尖齿这个特征极易判别；复眼凹大部分黑色，仅下缘有1条窄条黄色横带，前胸背板侧面无褶皱，腹部各节基部黑色，端缘黄色宽横带，其余各节雄性阳茎端部侧扁。

采集记录：1♀，佛坪凉风垭，2004. Ⅶ. 01。

分布：陕西(佛坪)、台湾、四川；蒙古，俄罗斯，朝鲜半岛，日本，中亚地区，欧洲。

注：包括Archer(2012)在内的不少文献里记载我国台湾有分布，但Starr(1992)与Dvořák和Castro(2007)没有记录。

(775) 花长黄胡蜂 *Dolichovespula flora* Archer, 1987（图版101：B）

Dolichovespula flora Archer, 1987: 27.

Dolichovespula kuami Kim *et* Yoon, 1996: 199.

鉴别特征: 该种从复眼凹黄色和前胸背板侧面褶皱，背上部条皱起自前缘这两个特征极易判定。

采集记录: 1巢，太白黄柏塬，2015. Ⅶ. 27，谭江丽、谭青青采；4♀q + 18♀w + 6♂，华县少华山九龙关，675.50m，2013. Ⅶ. 19，谭江丽、王师君采；2♀w，宁陕秦岭火地沟，2001. Ⅷ. 31，沈小军、杨进良采；1♀q + 50♀w +2巢，宁陕旬阳坝，2014. Ⅶ. 01，谭江丽采。

分布: 陕西(太白、华县、宁陕)、辽宁、四川、云南；朝鲜半岛，缅甸。

(776) 石长黄胡蜂 *Dolichovespula saxonica* (Fabricius, 1793) (图版101: D)

Vespa saxonica Fabricius, 1793: 256.

Vespa bavarica von Schrank, 1802: 350.

Vespa tridens Schenck, 1853: 38.

Vespula norvegica saxonica morpha *monticola* Birula, 1930: 313.

Dolichovespula saxonica nipponica Yamane, 1975: 349.

Dolichovespula saxonica kamtschatkensis Eck, 1983: 171.

Dolichovespula saxonica nigrescens Eck, 1983: 172.

鉴别特征: 唇基端缘内凹，两侧角呈圆弧形；头侧面观复眼后黄带不连续，被黑色斑扰断，腹部末端背板黄色过半，其余各节背板基部黑色，黄色端横带阔，约为第1背板长度的1/2；雄性生殖器阳基侧突基背缘强烈突出。该种与挪威长黄胡蜂 *D. norwegica* (Fabricius, 1781)极其相似，但该种头背面观较长，POL/PBHL(后单眼距/后单眼到后头沟间距) ≤ 1；腹部第2节背板两侧无红棕色圆斑；雄性生殖器阳基侧突基背缘端部强烈向中央突出。

采集记录: 1♂，太白大殿，1981. Ⅷ. 14；2♂，留坝，1983. Ⅴ. 26，路进生采。

分布: 陕西(太白、留坝)、黑龙江、吉林、辽宁、河北、山西、宁夏、甘肃、青海、新疆、四川；蒙古，俄罗斯，朝鲜半岛，日本，中亚地区，欧洲。

(777) 熊猫长黄胡蜂 *Dolichovespula panda* Archer, 1981 陕西新纪录 (图版101: C)

Dolichovesupula [!] *panda* Archer, 1981: 341.

鉴别特征: 复眼凹大部分黑色，仅下缘有1条窄黄横带，头侧面观复眼后黄带宽，不被黑斑扰断；颚眼距长，唇基端缘几乎平截，两侧角半圆形；唇基全黄色；前胸背板侧面无褶皱，胸部及腹部1~3节全黑色，腹部4~6节背板及腹板末节黄色。

采集记录: 2♀，宁陕旬阳坝平河梁，2016. Ⅸ. 08，谭青青采。

分布：陕西(宁陕)、宁夏、四川、西藏。

(778) 点长黄胡蜂 *Dolichovespula stigma* Lee, 1986(图版 101：E)

Dolichovespula stigma Lee, 1986：195.
Dolichovespula sinensis Archer, 1987：29.

鉴别特征：唇基端缘内凹，两侧角呈圆弧形；头侧面观复眼后黄带连续、中间或被棕色而不是黑色斑扰断，腹部末节背板全黑色，其余各节基部黑色，黄色端横带很窄，至多约为第 1 背板长度的 1/5；雄性生殖器阳基侧突基背缘突出的轮廓线较平缓。

采集记录：1♂，留坝，1983. Ⅴ.26，路进生采；14♀w + 30♂，1 巢(雄蜂占多数，女王蜂未见)，柞水营盘黄花岭，2013. Ⅶ.14，谭江丽采。

分布：陕西(留坝、柞水)、宁夏、新疆、四川。

注：该种雄蜂系首次发现，从生殖器特征看，该种应属于挪威长黄胡蜂群 *norwegica*-group，雄性生殖器阳基侧突基背缘突出的轮廓线较平缓，比挪威长黄胡蜂向内突出略强烈，但比石长黄胡蜂突出程度明显要弱，多少介于二者之间。女王蜂迄今未知。陕西标本与中华长黄胡蜂 *Dolichovespula sinensis* Archer 的副模一致，却与 Archer(2012)的彩图(腹部第 6 背板黄色)不完全相符。标本与李铁生(1986)所描述的点长黄胡蜂 *D. stigma* Lee 色块也不同，Lee 描述的 *D. stigma* 腹部第 1、2 节有“T”形黄斑，第 6 节背板外露部分为黄色。尽管 Archer(1994)将 *D. sinensis* 作为 *D. stigma* 的次异名，但从各自的描述看，这样的安排仍有疑点。

15. 黄胡蜂属 *Vespula* Thomson, 1896

Vespula Thomson, 1869：79(as subgenus of *Vespa*). **Type species**：*Vespa austriaca* Panzer, 1799.
Pseudovespa Schmiedeknecht, 1881：314. **Type species**：*Vespa austriaca* Panzer, 1799.
Paravespula Blüthgen, 1938：271. **Type species**：*Vespa vulgaris* Linnaeus, 1758.
Allovespula Blüthgen, 1943：149. **Type species**：*Vespa rufa* Linnaeus, 1758.
Rugovespula Archer, 1982：261, 264. **Type species**：*Vespa koreensis* Radoszkowski, 1887.

属征：后单眼之间的距离与其到后头沟之间的距离大致相等；颚眼距短，上颚基部与复眼下缘几乎相接；前胸背板两侧无纵脊；巢多数隐蔽在地下或接近地面、阁楼内、墙内、草垛中、树干中。

分布：全北区广布。全世界已知 26 种，中国记录 12 种，秦岭地区分布 6 种。

分种检索表

1. 复眼凹黄带窄，腹部第 1 背板刚毛为黑色，雌性末节腹板侧缘向末端逐渐变窄，坡度平缓，雄

性末节背板两侧向末端逐渐变窄 ……………………………………………… **红环黄胡蜂 *V. rufa***

眼凹黄带阔，几乎全部黄色；腹部第1背板刚毛为黄色，雌性末节腹板侧缘在近末端突然变窄，形成几乎90°陡坡，雄性末节背板两侧在近末端处突然垂直收窄，背面观呈四边形 …… 2

2. 上颚外侧缘大致平直；并胸腹节具横皱；前翅2m-cu脉明显位于第2亚缘室下缘中点之前；雄性第7腹节背板后缘深凹，阳茎宽且末端矛状 ……………………… **朝鲜黄胡蜂 *V. koreensis***

上颚外侧缘强烈弯曲；并胸腹节光滑有稀疏细小刻点；前翅2m-cu脉位于第2亚缘室下缘中点或中点之后。雄性第7腹节背板无凹或微凹，阳茎窄且末端匙状 ………………………… 3

3. 雌性(包括女王蜂和职蜂)后头沟未延伸至上颚基部；职蜂斑纹象牙白色或黄色；雄性阳茎勺形端基部侧叶尖长倒刺形，尖指向前方 ……………………………… **细黄胡蜂 *V. flaviceps***

女王蜂后头沟延伸至上颚基部；职蜂斑纹亮黄色或红棕色；雄性阳茎勺形端基部侧叶若尖长倒刺形，则尖指向两侧 ……………………………………………………………………… 4

4. 雌性上颚第3齿内缘强烈弯曲，唇基黄色，通常有3个黑点斑(10b)；雄性阳茎勺形端基部侧叶半圆形 ………………………………………………………… **德国黄胡蜂 *V. germanica***

雌性上颚第3齿内缘几乎平直，唇基无黑斑或有1个中央大锚形黑斑；雄性阳茎勺形端基部侧叶非半圆形 ……………………………………………………………………………… 5

5. 雌性唇基黄色或棕色，无黑斑，复眼凹黄斑与额区的盾形黄斑相接，侧面观黄带完整，职蜂腹部第1背板中央无斑；雄性颚眼距稍长，HW/OMS<18，雄性阳茎勺形端基部侧叶短小，近似直角三角形………………………………………………………… **锈色黄胡蜂 *V. structor***

雌性唇基黄色，中央通常有1个锚形黑斑，复眼凹黄斑内缘凹进，与额区的盾形黄斑间距宽，侧面观黄带通常被黑斑扰断，职蜂腹部第1背板中央具箭头形黑斑(11dd)；雄性颚眼距稍短，HW/OMS>19，雄性阳茎勺形端基部侧叶尖长，倒刺形尖指向两侧 …… **普通黄胡蜂 *V. vulgaris***

(779) 细黄胡蜂 *Vespula flaviceps* (Smith, 1870)(图版101：F)

Vespa flaviceps Smith, 1870: 191.

Vespa japonica de Saussure, 1858: 261(nec Radoszkowski, 1857).

Vespa saussurei Schulz, 1906: 231(new name for *Vespa japonica* de Saussure, 1858).

Vespa karenkona Sonan, 1929: 148.

Vespa 4-maculata Sonan, 1929: 148.

Vespa vulgaris var. *flavior* Stolfa, 1934: 148.

Vespa lewisii Cameron, 1903: 280.

Vespa vulgaris var. *flavior* Stolfa, 1934: 49.

Vespula japonica pionganensis Giordani Soika, 1976: 290.

Vespa gafcilia Lee, 1986: 201.

鉴别特征：复眼几乎全部黄色，雌性(包括女王蜂和职蜂)后头沟未延伸至上颚基部；腹部第1背板刚毛为黄色，职蜂斑纹象牙白色或黄色；雌性末节腹板侧缘在近末端突然变窄，形成几乎90°陡坡，雄性末节背板两侧在近末端处突然垂直收窄，背面观呈四边形，阳茎勺形端基部侧叶尖长倒刺形，尖端指向前方。

采集记录：5♀w，西安秦岭抱龙峪，2015.Ⅷ.28，谭江丽采；1♀w，周至秦岭植物园, 2013. Ⅶ.25; 23♀w, 太白鹦鸽镇药王谷, 2015. Ⅸ.06, 谭江丽、谭青青、范旭蕾采; 1♀q, 杨凌西北农大, 2011. Ⅲ.09, 马娜采; 5♀w, 华县少华山, 2013. Ⅶ.19; 2♀w, 佛坪岳坝, 2013. Ⅶ.27; 1♀w, 佛坪龙草坪, 2013. Ⅶ.31; 1♀w, 宁陕旬阳坝七里沟, 2011. Ⅵ.25, 谭江丽采; 5巢, 千阳寇家河董坊村, 2014. Ⅹ.31, 谭江丽、倪浩亮采; 1♀w, 商洛金丝峡, 2013. Ⅷ.24; 5♀w, 宜川壶口瀑布, 2014. Ⅹ.26, 谭江丽采。

分布: 陕西(西安、周至、太白、华县、佛坪、宁陕、千阳、商洛、宜川)、黑龙江、吉林、辽宁、内蒙古、北京、河北、山西、河南、江苏、浙江、湖北、江西、福建、台湾、四川、贵州、云南、西藏; 俄罗斯, 朝鲜半岛, 日本, 泰国, 缅甸, 印度, 尼泊尔, 巴基斯坦。

(780) 德国黄胡蜂 *Vespula germanica* (Fabricius, 1793) (图版 101: G)

Vespa germanica Fabricius, 1793: 256.

? *Vespa maculata* Scopoli, 1763: 312.

? *Vespa macularis* Olivier, 1792: 695(unjustified emendation).

鉴别特征: 该种从唇基内缘明显弯曲, 常见唇基3个小斑点等特征较易识别。

采集记录: 2♀q, 西安西北大学南校区, 2011. Ⅴ.06, 谭江丽采; 1♀w, 榆林绥德, 2012. Ⅶ.06, 周峰采。

分布: 陕西(西安、榆林)、黑龙江、辽宁、内蒙古、北京、河北、山西、宁夏、甘肃、青海、新疆、台湾、云南; 蒙古, 俄罗斯, 朝鲜半岛, 印度, 尼泊尔, 巴基斯坦, 中亚地区, 欧洲, 美洲。

(781) 朝鲜黄胡蜂 *Vespula koreensis* (Radoszkowski, 1887) (图版 101: H)

Vespa koreensis Radoszkowski, 1887: 432.

Vespa germanica var. *stizoides* du Buysson, 1905: 615.

Pseudovespa birulai Gussakovskij, 1933: 52.

Vespula koreensis salebrosa Archer, 1982: 267.

Vespula hainanensis Lee, 1986: 202.

鉴别特征: 复眼凹几乎全部黄色, 腹部第1背板刚毛为黄色, 雌性末节腹板侧缘在近末端突然变窄, 形成陡坡, 雄性末节背板两侧在近末端处突然垂直收窄, 背面观呈四边形; 上颚外侧缘大致平直, 并胸腹节具横皱; 前翅2m-cu脉明显位于第2亚缘室下缘中点之前; 雄性第7腹节背板后缘深凹, 阳茎宽且末端矛状。

采集记录: 2♀3♂, 太白鹦鸽镇药王谷, 2015. Ⅸ.06, 谭江丽采; 1♀w, 佛坪岳坝麻家沟, 2013. Ⅶ.18, 谭江丽采; 2♀w, 柞水牛背梁, 2013. Ⅶ.16, 谭江丽采。

分布：陕西（太白、佛坪、柞水）、黑龙江、辽宁、北京、河北、河南、安徽、浙江、湖北、江西、湖南、福建、台湾、海南、四川、云南；俄罗斯，朝鲜半岛，越南，老挝，泰国，印度。

（782）红环黄胡蜂 *Vespula rufa*（Linnaeus, 1758）（图版 102：A）

Vespa rufa Linnaeus, 1758: 572.

Vespa schrenckii Radoszkowski, 1861: 84.

Vespa sibirica André, 1884: 599.

Vespa schrenki Dalla Torre, 1904: 66.

Vespula rufa grahami Archer, 1981: 62.

Vespa yichunensis Lee, 1986: 202.

Vespa obscura Lee, 1986: 201.

Vespula yulongensis Dong *et* Wang, 2002: 396.

鉴别特征：该种与金氏黄胡蜂 *V. kingdonwardi* 和那氏黄胡蜂 *V. nursei* 十分相似，但从女王蜂中胸背板的刻点密集程度上可以区分。

采集记录：2♀w，西安秦岭抱龙峪，2015. Ⅷ. 28，谭江丽采；13♀w，陕西柞水牛背梁，2013. Ⅶ. 15，谭江丽采。

分布：陕西（西安、柞水）、黑龙江、辽宁、北京、新疆、台湾、四川、云南、西藏；蒙古，俄罗斯，朝鲜半岛，日本，尼泊尔，阿富汗，中亚，欧洲，加拿大。

（783）锈色黄胡蜂 *Vespula structor*（Smith, 1870）（图版 102：B）

Vespa structor Smith, 1870: 191.

Vespa structrix Schulz, 1906: 231.

Vespula gongshanensis Dong, 2005: 65.

鉴别特征：该种职蜂腹部 1～5 节背板背上可见部分几乎全为红褐色，而颅顶、中胸主盾片，后胸，并胸腹节，腹部第 1 节背板前表面、第 6 节背板黑色，颜色特征明显，容易区分。该种女王蜂有的颜色与 *Vespula orbata* 的女王蜂十分相似，然而，从前翅翅脉及并胸腹节等特征可以区分。

采集记录：4♀w，太白鹦鸽镇药王谷，2015. Ⅸ. 06，谭江丽采；3♀w，太白蒿坪寺，1981. Ⅷ. 14-15；1♀w，留坝，1983. Ⅴ. 26，路进生采；4♀w，宁陕旬阳坝，2014. Ⅵ. 24，2014. Ⅶ. 01，谭江丽采。

分布：陕西（太白、留坝、宁陕）、河南、宁夏、甘肃、四川、云南、西藏；老挝，缅甸，印度，尼泊尔。

(784)普通黄胡蜂 *Vespula vulgaris*(Linnaeus, 1758)(图版102：C)

Vespa vulgaris Linnaeus, 1758: 572.

Vespa sexcincta Panzer, 1799: 1.

Vespa vulgaris var. *pseudogermanica* Stolfa, 1932: 26.

Vespa yunlongensis Dong *et* Wang, 2003: 212.

鉴定特征：腹部背板2~6节显露部分基部黑色，端部黄窄，至多为背板长度的1/3，第1腹节黄色，中央有1个箭头形状黑斑。

采集记录：1♀w，杨凌西北农业大学，1985.Ⅸ.02；1♀w，留坝光华山检查站，2013.Ⅷ.20，1912m，涂彬彬采；2♀w，留坝紫柏山森林公园，2015.Ⅸ.05，谭江丽采；1♀q，宁陕旬阳坝蝎子沟，2001.Ⅶ.04，郭崇庆采；1♀w，宁陕火地塘，1985.Ⅷ.30；3♀w，榆林镇北台红石峡，2012.Ⅶ.07，周峰采。

分布：陕西(杨凌、留坝、宁陕、榆林)、黑龙江、辽宁、内蒙古、北京、河北、宁夏、甘肃、新疆、四川、云南；蒙古，俄罗斯，朝鲜半岛，日本，印度，中亚地区，欧洲，澳洲。

16. 胡蜂属 *Vespa* Linnaeus, 1758

Vespa Linnaeus, 1758: 343, 572. **Type species**: ? "*Vespa crabro* Fabricius" (= *Vespa crabro* Linnaeus, 1758).

Macrovespa Dalla Torre, 1904: 64. **Type species**: *Vespa crabro* Linnaeus, 1758.

Nyctovespa van der Vecht, 1959: 210. **Type species**: *Vespa binghami* du Buysson, 1905.

属征：体多粗壮。被有长毛，后头沟背上部分通常缺失；唇基前缘中央凹刻呈2~3枚(通常为2)钝齿或尖齿，雄性凹刻不明显，略平截；后胸盾片后缘中央向并胸腹节极度延伸，后翅基部无臀叶；腹部第1节前部平截，与后半部分形成垂直截面，后单眼之间的距离远比其到后头沟之间的距离短。巢有外壳，里面巢脾多层。

分布：亚洲，欧洲。全世界已知22种，中国记录17种，秦岭地区发现12种。

分种检索表

1. 单眼大，后单眼与复眼间距小于后单眼间距；体全呈棕色 ………………… **褐胡蜂 *V. binghami***
   单眼普通大小，后单眼与复眼间距远大于后单眼间距；体色2种以上 ………………………… 2
2. 唇基端缘在两侧突之间具1枚中齿，共3枚齿 ………………………………… **三齿胡蜂 *V. analis***
   唇基端缘在两侧突之间无中齿 ……………………………………………………………………… 3
3. 头在复眼后强烈延伸膨大：颊宽与复眼宽之比大于1.80，后单眼间距与后单眼至后头沟间距之比POL/PBHL小于0.16 …………………………………………… **金环胡蜂 *V. mandarinia***

头在复眼后不强烈延伸，一般不膨大：颊宽与复眼宽之比小于 1.80，后单眼间距与后单眼至后头沟间距之比 POL/PBHL 大于 0.16 …… 4

4. 翅基片前脊完整，前胸背板横脊侧面被凹陷稍微或明显扰断；唇基中央密被粗糙大刻点，刻点间距小于刻点直径 …… 5

翅基片前脊不完整，前胸背板脊被凹陷明显扰断(除 *V. basalis* 外)；唇基中央被小刻点，刻点间距大于或近似于刻点直径 …… 9

5. 唇基端缘两钝齿呈三角形，比半圆形大 …… **黑尾胡蜂 *V. ducalis***

唇基端缘两齿不突出呈三角形，但形状近似半圆形 …… 6

6. 腹部第 1 节背板长，中长等于或大于端宽之半 …… **茅胡蜂 *V. mocsaryana***

腹部第 1 节背板短，中长小于端宽之半 …… 7

7. 唇基在基部 2/3 强烈内凹，侧面观急剧向端部弯曲，从而凸出强烈 …… **变胡蜂 *V. fumida***

唇基在基部 2/3 不强烈内凹，侧面观平缓向端部弯曲，从而微微凸出 …… 8

8. 前胸背板横脊侧面常被凹陷明显扰断；腹部一些或所有的 2、3、4、5 背板通常有 1 条宽或窄的黄色端横带 …… **黄边胡蜂 *V. crabro***

前胸背板横脊侧面不被凹陷明显扰断；腹部第 2～5 背板深褐色或黑色，至多 1 条极窄端横带 …… **笛胡蜂 *V. dybowskii***

9. 唇基刻点极细小，从而光滑且有光泽；前胸背板横脊侧面不被凹陷明显扰断；腹部第 1 背板背面观基部圆弧形向前突出；腹部全黑色，至多在第 1 背板端缘有 1 条极窄的黄色或者黄褐色横带 …… **基胡蜂 *V. basalis***

唇基刻点一般，不如上述光滑有光泽；前胸背板横脊侧面被凹陷明显扰断；腹部第 1 背板背面观基部平直；腹部除第 1 背板外，不完全黑色 …… 10

10. 颅顶黑色且中胸小盾片和后胸背板完全黄色 …… **双色胡蜂 *V. bicolor***

中胸小盾片和后胸背板通常不完全黄色或以黄色为主，也没有黄色斑点，如果以黄色为主，则颅顶不完全黑色，后部有 1 条黄色横带 …… 11

11. 前胸背板侧面具横皱(有些小职蜂不大明显)，后足胫节长刚毛稀少，颅顶黑色或黄褐色，腹部第 4 背板端部常有 1 条宽黄带 …… **黄脚胡蜂 *V. velutina***

前胸背板侧面无横皱，后足胫节长刚毛相对较密，颅顶红褐色或黄色，但不为全黑色，腹部第 2、4、5 背板黑色或以黑色为主，至多端部有极窄的黄带，第 1、3、6 背板各有 1 条宽阔的黄带，背上观外露部分几乎完全黄色 …… **寿胡蜂 *V. vivax***

(785) 三齿胡蜂 *Vespa analis* Fabricius, 1775(图版 102：D)

Vespa analis Fabricius, 1775: 363.

Vespa crabro sphinx Christ, 1791: 217.

Vespa tyrannica Smith, 1857: 119.

Vespa japonica Smith, 1868: 279(nec Radoszkowski, 1857; nec de Saussure, 1858).

Vespa parallela André, 1884: lxi.

Vespa insularis Dalla Torre, 1894: 147(new name for *V. japonica* Smith, 1868).

Vespa tridentata Cameron, 1903: 278.

Vespa nigrans du Buysson, 1903: 175.

Vespa parallela var. *biroi* du Buysson, 1905: 487.

Vespa analis var. *tenebrosa* du Buysson, 1905: 516.
Vespa analis var. (or subsp.) *barbouri* Bequaert, 1939: 38.
Vespa analis var. (or subsp.) *kuangsiana* Bequaert, 1939: 65.
Vespa analis eisa Yamane, 1987: 631.
Vespa analis nagatomii Yamane, 1987: 632.
Vespa hekouensis Dong *et* Wang, 2003: 407.
Vespa maguanensis Dong, 2001: 82.

鉴别特征: 本种最明显的鉴别特征即唇基端缘具3枚齿。唇基被大刻点，刻点直径大于刻点间距，唇基端缘两侧突出呈圆齿状，中央1个小齿突；前胸背板横脊侧面被凹陷稍微隔断，翅基片前脊完整。

采集记录: 2♀，西安秦岭子午峪，2014. Ⅷ. 17，谭江丽采；1♀，延安黄龙瓦子街，1991. Ⅵ，弓飞锐采。

分布: 陕西(西安、黄龙)、黑龙江、辽宁、北京、河南、浙江、湖北、江西、福建、台湾、广东、海南、广西、四川、贵州、云南、西藏；俄罗斯，朝鲜半岛，日本，越南，老挝，泰国，缅甸，印度，尼泊尔，马来西亚，菲律宾，新加坡，印度尼西亚。

(786) 基胡蜂 *Vespa basalis* Smith, 1852(图版 102: E)

Vespa basalis Smith, 1852: 46.
Vespa obliterata Smith, 1852: 47.
Vespa basilis [!], Dover, 1929: 48.

鉴别特征: 该种与茅胡蜂 *Vespa mocsaryana* 极相似，尤其是个体较小的职蜂，但从唇基光滑有光泽，刻点稀且极细小，以及翅基片前脊不完整等特征可以区别。

采集记录: 1♀，西安，1985. Ⅸ. 01，张卫红采；1巢，宝鸡千阳，2014. Ⅹ. 03，谭江丽、倪浩亮采；3♀，太白鹦鸽镇药王谷，2015. Ⅸ. 06，谭江丽采；1♀，秦岭太白黄柏塬，2014. Ⅷ. 20-24，灯诱，刘凯丽采；1♀，兴平，1999. Ⅵ. 04，李婕采；25♀，华县少华山，2013. Ⅷ. 18，谭江丽、张宇军、蔡云龙采；2♀，宁陕，1985. Ⅷ. 28-30；2巢，安康红霞村，2013. Ⅹ. 06-07，消防队采；1♀，镇安，2003. Ⅶ. 10，张高峰采；2巢，商洛商州，2011. Ⅹ，消防队采；3♀，商洛仙娥湖，2014. Ⅸ. 21，谭江丽采；1巢，商南，2011. Ⅸ，殷坤、陈伟民、谭江丽等采。

分布: 陕西(西安、宝鸡、太白、华县、宁陕、安康、镇安、商洛、商南)、河南、浙江、湖北、江西、福建、台湾、四川、云南、西藏；朝鲜半岛，越南，老挝，泰国，缅甸，印度，尼泊尔，巴基斯坦，印度尼西亚。

(787) 双色胡蜂 *Vespa bicolor* Fabricius, 1787 (图版 102: F)

Vespa bicolor Fabricius, 1787: 288.

Vespa lutea Coquebert, 1804: 94.

Vespa auraria var. *citriventris* du Buysson, 1905: 552.

鉴别特征: 又名黑盾胡蜂，从颜色上较易区分。唇基刻点细小，刻点小于刻点间距；唇基端缘两侧突起圆弧形，中央浅凹；前胸背板横脊被凹陷明显干扰，侧腹部光滑无横皱，翅基片前脊不完整；腹部第1背板前端略圆，中长小于端宽之半；颅顶黑色，中胸小盾片和后胸背板完全或大部分黄色。

采集记录: 1♀，西安抱龙峪，2015. Ⅷ. 28，谭江丽采；3♀w，西安秦岭黎元坪，2011. Ⅶ. 31，谭江丽采；1♀，周至秦岭植物园栗子坪，2013. Ⅶ. 25，谭江丽采；1♀，周至太平峪森林公园，2015. Ⅴ. 31，谭江丽采；1巢（初期废弃），宝鸡千阳，2014. Ⅹ. 31，倪浩亮采；1♀，太白县蒿坪寺，1983. Ⅷ. 15；3♀，太白鹦鸽镇药王谷，2015. Ⅸ. 06，谭江丽采；1♀，眉县红河谷，2002. Ⅸ. 01，龚福明采；5♀，华县少华山，2013. Ⅶ. 18，谭江丽、张宇军、蔡云龙采；6♀，佛坪熊猫谷，2015. Ⅸ. 20，谭江丽采；4♀w，佛坪龙草坪，2013. Ⅶ. 30，谭江丽采；2♀，宁陕火地塘，2003. Ⅶ. 06，王玉采，2001. Ⅷ. 26，贾存红采；1♀，宁陕旬阳坝，1983. Ⅵ. 13，房双庄采；1巢（初期地巢），同前，2014. Ⅶ，谭江丽采；2♀q + 2♀w，同前，2001. Ⅶ. 25，2011. Ⅵ. 24，1996. Ⅵ. 26，马云采；2♀，黄龙石堡镇，2012. Ⅷ. 01，周鑫、游菊采；2♀，黄龙石堡镇，2012. Ⅷ. 02，周鑫、杨成采。

分布: 陕西（西安、周至、宝鸡、眉县、太白、华县、佛坪、宁陕、黄龙）、辽宁、北京、河北、山西、河南、上海、浙江、江西、福建、台湾（传入）、广东、海南、香港、广西、四川、云南、西藏；越南，老挝，泰国，缅甸，印度，尼泊尔，不丹，柬埔寨。

（788）褐胡蜂 *Vespa binghami* du Buysson, 1905（图版 102: G）

Vespa binghami du Buysson, 1905: 488.

Vespa suprunenkoi Birula, 1925: 92.

鉴别特征: 该种单眼大与夜出性的原胡蜂属 *Provespa* 种类相似，但该种后单眼与后头脊间距大于后单眼间距，极易识别。

采集记录: 2♀，太白黄柏塬，2014. Ⅷ. 20-24，灯诱，刘凯丽采；1♀，宁陕广货街，2013. Ⅵ. 27，谭江丽采；1♀q，宁陕旬阳坝，2014. Ⅵ. 26，吴帅帅采。

分布: 陕西（太白、宁陕）、辽宁、江苏、上海、湖北、江西、福建、四川、云南、西藏；俄罗斯，朝鲜半岛，越南，老挝，泰国，缅甸，印度，不丹。

（789）黄边胡蜂 *Vespa crabro* Linnaeus, 1758（图版 102: H）

Vespa crabro Linnaeus, 1758: 572.

Vespa vexator Harris, 1776: 128.

Vespa pratensis Geoffroy, 1785: 437.

V. crabro major Retzius, 1783: 63.

Vespa crabro germana Christ, 1791: 215.

Vespa crabroniformis Smith, 1852: 40.

Vespa crabro var. *borealis* Radoszkowski, 1863: 128 (nec Kirby, 1837; nec Zetterstedt, 1840; nec Smith, 1843).

Vespa crabro var. *anglica* Gribodo, 1892: 242.

Vespa oberthuri du Buysson, 1902: 140.

Vespa flavo-fasciata Cameron, 1903: 280.

Vespa crabro var. *tartarea* du Buysson, 1905: 492.

Vespa crabro var. *altaica* Pérez, 1910: 5.

Vespa crabro var. *caspica* Pérez, 1910: 6.

Vespa crabro vulgata Birula, 1925: 55.

Vespa crabro meridionalis Birula, 1925: 55.

Vespa crabro chinensis Birula, 1925: 55.

Vespa crabro var. *birulai* Bequaert, 1931: 105.

Vespa crabro var. *gribodoi* Bequaert, 1931: 105.

鉴别特征：背观头部在复眼后未强烈延长，侧面观颊宽和复眼宽之比小于1.80，后单眼间距小于单复眼间距，后单眼间距和后单眼与后头脊间距之比大于0.16，翅基片前脊完整；唇基前缘无中齿，两侧角半圆形，唇基侧面观仅微微凸起；腹部第1背板中长小于后缘宽度之半；第2背板侧面观刻点间距大于刻点直径；一些或所有的第2、3、4、5背板常有1条黄色的端带，如果带窄，则颅顶为黄色或橙黄色。

采集记录：1♀w，西安秦岭黎元坪，2011. Ⅶ. 31，谭江丽采；10♀，周至秦岭植物园栗子坪，2013. Ⅶ. 25，谭江丽、蔡云龙采；1♀，周至楼观台，1973. Ⅸ. 27，1973. Ⅸ. 29，周尧、殷海生、王素梅采；10♀w，秦岭太白黄柏塬，2014. Ⅷ. 20-24，灯诱，刘凯丽采；1♀w，太白蒿坪寺，2005. Ⅶ. 13，许升全采；1♀，佛坪岳坝保护站，2013. Ⅶ. 27，谭江丽采；1♀，佛坪岳坝麻家沟，2013. Ⅶ. 28，谭江丽采；1♀，佛坪熊猫谷，2015. Ⅸ. 20，谭江丽采；1♀w，宁陕旬阳坝，2001. Ⅵ. 25，杨小东采；1♀q+1♀w，同前，2014. Ⅵ. 26，2014. Ⅵ. 29，李志强、程思航采；1♀+1♂，商洛金丝峡，2013. Ⅶ. 23，谭江丽采。

分布：陕西（西安、周至、太白、佛坪、宁陕、商洛）、黑龙江、吉林、辽宁、北京、河北、山西、山东、河南、甘肃、江苏、浙江、湖北、江西、福建、台湾、广西、四川、云南、西藏；蒙古，俄罗斯，朝鲜半岛，日本，土耳其，伊朗，中亚地区，欧洲，传入加拿大，美国，危地马拉。

(790) 黑尾胡蜂 *Vespa ducalis* Smith, 1852（图版 103：A）

Vespa ducalis Smith, 1852: 39.

Vespa ducalis var. *pulchra* du Buysson, 1905: 519.

Vespa matsumurai Sonan, 1935: 370.

Vespa esakii Sonan, 1935: 371.

Vespa tropica loochooensis Bequaert, 1936: 343.

Vespa tropica pseudosoror van der Vecht, 1959: 224.

鉴别特征：与黄纹大胡蜂 *V. soror* 相似，但黑尾胡蜂唇基前缘两侧齿较黄纹大胡蜂小而尖，头背上面后缘较平直，未呈强烈弧形；前胸背板侧腹部横条皱；翅基片前脊完整，前胸背板横脊侧面被凹陷稍微扰断；常见腹部第 3 节背、腹板均有 1 条窄黄色端带。

采集记录：1♂，周至楼观台，2011. Ⅷ. 28，王贵虎采；10♀10♂，宝鸡千阳寇家河，2014. Ⅹ. 20，倪浩亮、谭江丽采；1♀，勉县定军山，1986. Ⅸ. 27，武碧林采；1♀，宁陕广货街，2013. Ⅵ. 25，谭江丽采。

分布：陕西（周至、宝鸡、勉县、宁陕）、吉林、辽宁、甘肃、江苏、上海、湖北、江西、湖南、福建、台湾、广东、海南、香港、四川、贵州、云南；俄罗斯，朝鲜半岛，日本，越南，老挝，泰国，缅甸，印度，尼泊尔。

（791）笛胡蜂 *Vespa dybowskii* André, 1884（图版 103：B）

Vespa dybowskii André, 1884: 582.

Vespa dubowskii Dalla Torre, 1904: 65.

Vespa walkeri sensu du Buysson, 1905: 539.

Vespa dybowskii mutata Ma, 1937: 30.

鉴别特征：与黄边胡蜂 *Vespa crabro* 相似，但腹部第 2、3、4、5 背板深褐色或黑色，最多有 1 条很窄的黄色端带，颅顶红褐色或黑褐色；与茅胡蜂 *V. mocsaryana* 相似，但腹部第 1 节背面基部平截，中长小于端宽之半；与基胡蜂 *V. basalis* 相似，但唇基尤其是端部粗糙大刻点，刻点间距小于刻点直径，翅基片前脊完整，腹部第 1 节背面基部平截。

采集记录：2♀w，太白鹦鸽镇药王谷，2015. Ⅸ. 06，谭江丽、范旭蕾采；2♀w，眉县红河谷，2002. Ⅸ. 1-2，吴雪、祁会采；2♀1♂，勉县定军山，1986. Ⅸ. 27，董树旺、武碧林组采；12♀ +1 巢，佛坪近郊翠竹园农家乐房顶，2013. Ⅶ. 31，谭江丽采；1♀q，宁陕旬阳坝蝎子沟，生技一采。

分布：陕西（太白、眉县、勉县、佛坪、宁陕）、吉林、辽宁、浙江、西藏；俄罗斯，韩国，日本，泰国，缅甸。

（792）变胡蜂 *Vespa fumida* van der Vecht, 1959（图版 103：C）

Vespa variabilis du Buysson, 1905: 522（nec Fabricius, 1781）.

Vespa variabilis fumida van der Vecht, 1959: 228.

鉴别特征：唇基黄色，基部2/3处明显凸出，前缘无中齿，两侧角半圆形；雄性生殖器阳茎末端骨片分叉程度深，极易辨认。

采集记录：1♀，眉县红河谷，2002. Ⅸ. 01，王宝清采；1♂，太白山下白云，1987. Ⅹ. 10；1♀，留坝紫柏山森林公园，2015. Ⅸ. 05，谭江丽采；1♀，宁陕火地塘，2001. Ⅷ. 26，边芳采；4巢，南郑黎坪国家森林公园，2011. Ⅹ. 15，2013. Ⅹ，谭江丽、毕勇采。

分布：陕西（眉县、太白、留坝、宁陕、南郑）、湖北、福建、四川、云南；越南，缅甸，印度，不丹，尼泊尔。

（793）金环胡蜂 *Vespa mandarinia* Smith, 1852（图版103：D）

Vespa mandarinia Smith, 1852: 38.

Vespa magnifica Smith, 1852: 45.

Vespa japonica Radoszkowski, 1857: 410.

Vespa bellona Smith, 1871: 248.

Vespa mandarina Dalla Torre, 1894: 149.

Vespa magnifica var. *latilineata* Cameron, 1903: 278.

Vespa magnifica var. *nobilis* Sonan, 1929: 140.

Vespa magnifica sonani Matsumura, 1930: 1.

鉴别特征：背观头部在复眼后强烈延长，略膨大，侧面观颊宽和复眼宽之比大于1.80；前翅基片脊完整；唇基前缘无中齿，两侧突起三角形，比半圆形大，腹部第1背板中长小于后缘宽度之半；第2背板侧面观刻点间距大于刻点直径；第3～5背板各有1条或窄或宽的黄色端带，第6背板大部分黄色。

采集记录：1♀，西安南五台，1957. Ⅷ，殷庆通、齐旭祥采；1♀，西安抱龙峪，2015. Ⅵ. 10，谭江丽采；1♀，周至楼观台，2015. Ⅷ. 08，谭江丽采；1♀，太白鹦鸽镇药王谷，2015. Ⅸ. 06，谭江丽采；1♀，1986. Ⅸ. 27，勉县定军山，董树旺采；1♀，宁陕火地塘，Ⅶ. 10，钟占强采；1♀，宁陕旬阳坝，2014. Ⅵ. 22，谭江丽采；10♂ + 10♀ +1巢，安康汉滨红霞村，2013. Ⅹ. 06-07，消防队采；1♀，秦岭五台沟，1951. Ⅶ. 29；3♀，黄龙石堡镇，2012. Ⅷ. 02，周鑫、杨成采。

分布：陕西（西安、周至、太白、勉县、宁陕、安康、黄龙）、辽宁、河南、江苏、上海、浙江、湖北、江西、福建、台湾、广东、香港、广西、四川、贵州、云南、西藏；俄罗斯，朝鲜半岛，日本，越南，老挝，泰国，缅甸，印度，尼泊尔，不丹，斯里兰卡，马来西亚。

（794）茅胡蜂 *Vespa mocsaryana* du Buysson, 1905（图版103：E）

Vespa mocsaryana du Buysson, 1905: 537.

鉴别特征：腹部第1背板基部圆形，中长大于其端宽之半，该种与 *Vespa basalis*

极相似，但唇基无光泽，刻点大，刻点间距等于或小于刻点直径；中胸背板主盾片铁锈红色的“W”形斑纹常明显且完整。

采集记录：1巢(盛期)，宝鸡千阳寇家河，2014. Ⅹ.31，谭江丽、倪浩亮采；1成熟巢，安康汉滨区，2013. Ⅹ.02，汉滨消防采；1♀q +7♀ +1巢(初期)，商洛金丝大峡谷，2013. Ⅶ，谭江丽采。

分布：陕西(宝鸡、安康、商洛)、河南、安徽、浙江、江西、福建、香港、四川、云南、西藏；越南，老挝，泰国，缅甸，印度，马来西亚，印度尼西亚。

(795) 黄脚胡蜂 *Vespa velutina* Lepeletier, 1836(图版103：F)

Vespa velutina Lepeletier, 1836: 507.

Vespa crabro var. *immaculata* Morawitz, 1889: 161(nec Gmelin, 1790).

Vespa fruhstorferi Stadelmann, 1894: 89.

Vespa mongolica var. *divergens* Pérez, 1910: 16.

Vespa auraria var. *nigrithorax* du Buysson, 1905: 553.

Vespa velutina var. *ardens* du Buysson, 1905: 550.

Vespa velutina var. *celebensis* Pérez, 1910: 12.

Vespa velutina var. *megei* Pérez, 1910: 13.

Vespa flavitarsus Sonan, 1929: 142.

Vespa auraria flavitarsis [!], Ma, 1937: 31.

Vespa velutina sumbana van der Vecht, 1957: 40.

Vespa velutina variana van der Vecht, 1957: 37.

Vespa velutina karnyi van der Vecht, 1957: 38.

Vespa velutina timorensis van der Vecht, 1957: 40.

Vespa velutina floresiana van der Vecht, 1957: 40.

鉴别特征：与 *Vespa bicolor* 相似，但颅顶黑色或黄褐色，腹部第1～4背板及2～3腹板各有1条端带，其中第3、4背板和2、3腹板两侧黄带阔，中央窄或消失；前胸背板侧腹面具横条皱；腹部第1背板侧面观前斜面与背面夹角较尖锐。

采集记录：1♂，西安南五台，1973. Ⅸ.12，邱琼华采；2♀，西北大学北校区，2011. Ⅶ，发现2巢，谭江丽采；1♀，周至楼观台，1992. Ⅶ.01，华君采；10♀，杨凌西北农林科技大学北校区，2011. Ⅶ，高琼华采；1♀，同前，2015. Ⅷ.08，谭江丽采；1♀，宁陕秦岭旬阳坝蝎子沟，1983. Ⅵ.12，刘春芳采；10♀ +5♂，安康红霞村，2013. Ⅹ.06-07，2巢，谭江丽采；1♀，平利，2003. Ⅶ.17，张高峰采；10♀ +5♂，2巢，商洛商州，2011. Ⅹ，消防队采；1♀，商洛仙娥湖，2014. Ⅸ.21，谭江丽采；8♀，黄龙石堡镇，2012. Ⅷ.02，周鑫、杨成采。

分布：陕西(西安、周至、杨凌、宁陕、安康、平利、商洛、黄龙)、河南、江苏、浙江、湖北、江西、福建、台湾、广东、香港、广西、重庆、四川、贵州、云南、西藏；

朝鲜半岛(传入)，越南，老挝，泰国，缅甸，印度，不丹，尼泊尔，阿富汗，巴基斯坦，新加坡，马来西亚，印度尼西亚，欧洲，也门。

注：因其足跗节亮黄色，故又称黄脚胡蜂。中国4个颜色型，陕西仅为墨胸胡蜂 *Vespa velutina* var. *nigrithorax*。墨胸胡蜂是我国分布最广的胡蜂种类，蜂巢大，攻击性强，也是袭人胡蜂的最常见的危险种类之一。墨胸胡蜂可能于2005年随紫砂壶贸易由我国宁波传至法国，仅3年就遍布法国2/3的地区，给当地的养蜂业带来严重威胁(Villemant *et al.*, 2006; Perrard *et al.*, 2009)。

(796) 寿胡蜂 *Vespa vivax* Smith, 1870(图版103：G)

Vespa vivax Smith, 1870: 190.
Vespa velutina var. *mediozonalis* Pérez, 1910: 14.
Vespa wilemani Meade-Waldo, 1911: 104.

鉴别特征：与 *Vespa velutina* 相似，但前胸背板侧面无横皱，第2、4、5背板黑色或以黑色为主，颅顶黄色或红褐色，但不为黑色，胸部和并胸腹节颜色一致(黑色、暗褐色或红褐色)。

采集记录：1♀，眉县红河谷，2002.Ⅸ.01，刘瑞琴采；1♀，眉县红河谷凤凰山庄，2002.Ⅷ.29，张媛采；1♀，杨陵西农，1985.Ⅸ.02；1♀，留坝紫柏山森林公园，2015.Ⅸ.05，谭江丽采；1♂，佛坪熊猫谷，2015.Ⅸ.20，谭江丽采；1♀，宁陕火地沟，2001.Ⅷ.31，袁宏斌采；2♀+2♂，1巢，南郑黎坪国家森林公园，2011.Ⅹ.10，2015.Ⅵ.22，谭江丽采。

分布：陕西(眉县、杨凌、留坝、佛坪、宁陕、南郑)、河南、宁夏、台湾、四川、云南、西藏；泰国，缅甸，印度，尼泊尔。

17. 马蜂属 *Polistes* Latreille, 1802

Polistes Latreille, 1802: 363. **Type species**: *Vespa gallica* Linnaeus, 1767.

属征：体表无长毛，后头沟背上部分通常明显存在；唇基前缘两侧向中央逐渐变窄成1枚钝齿；后翅基部通常有臀叶，后胸盾片后缘中央几乎不或者微微向并胸腹节突出；腹部第1节纺锤形，向后缘逐渐变宽，背板后缘大于第2节背板后缘宽度之半；蜂巢无外壳，巢脾单层。

分布：世界广布。全世界已知960余种，中国记录32种和亚种，秦岭地区分布11种。

分种检索表

1. 唇基上缘远在前幕骨陷之上，中胸侧板(即中胸前侧片)上没有胸腹侧片背上沟和胸腹侧脊

(*Subgenus Polistella*) ………………………………………………………… 3

唇基上缘未超出前幕骨陷连线水平，中胸侧板上胸腹侧片背上沟和(或)胸腹侧脊存在 …… 2

2. 前胸背板脊凸起侧面延伸过侧凹，前翅副痣超过翅痣下缘长度之半(Subgenus *Gyrostoma*) ……… 8

前胸背板脊凸起部分短或平，侧面未延伸过侧凹，前翅副痣小于或至多等于翅痣下缘长度之半(Subgenus *Polistes*) ………………………………… **角马蜂 *P. chinensis antennalis***

3. 体中型，体长(头前缘至第2节腹部背板后缘长度)约15mm，前翅翅长约16mm，腹部第2腹板逐渐弯曲，侧面观腹缘近乎圆弧形 ……………………………… **日本马蜂 *P. japonicus***

体型较小，体长(头前缘至第2节腹部背板后缘长度)至多12mm，前翅翅长约13mm，腹部第2腹板前部强烈弯曲，向后则与背板几乎平行 ………………………………………… 4

4. 腹部第2腹板基部弯折形成1个截面，侧面观腹缘近乎直角 ……………… **焰马蜂 *P. adustus***

腹部第2腹板基部弧状弯曲，侧面观腹缘不呈尖角 ……………………………………… 5

5. 中胸小盾片扁平，与中胸主盾片在同一水平面……………………………… **麦氏马蜂 *P. megei***

中胸小盾片凸起，明显高出中胸主盾片 ……………………………………………………… 6

6. 雌性唇基高略大于宽，基半部强烈凸起，侧面观明显高于触角间的水平；腹部第2节腹板弯曲面延至该节长度的1/3或1/2处 ……………………………………… **斯马蜂 *P. snelleni***

雌性唇基高略小于宽，基半部正常凸起，侧面观明显不超过触角间的水平；腹部第2节腹板弯曲面仅延至该节长度的1/5或1/4处，至多至1/3处 ………………………………………… 7

7. 雌性唇基绒毛覆盖至基部1/3～1/2处；并胸腹节后叶背缘直接向下弯曲；腹部1～5节端带有明显黄色斑块，腹部末节腹板被刚毛较稀疏，其两侧各有1个条形黄斑；雄性唇基高短于宽 ………………………………………………………………………… **柑马蜂 *P. mandarinus***

雌性唇基绒毛至多覆盖至基部1/3处；并胸腹节后叶背缘向后平伸之后再向下弯曲；腹部1～5节端带无明显黄色斑块，腹部末节腹板被刚毛相对较稠密，其两侧无条形黄斑；雄性唇基高大于宽 ………………………………………………………………… **倭马蜂 *P. nipponensis***

8. 体全红褐色或深褐色，中胸侧板刻点相对密集，胸腹侧脊缺失；雄性末节腹板无骨化突起 … ………………………………………………………………………… **褐马蜂 *P. tenebricosus***

体通常黑色并具许多黄色斑块或带，中胸侧板刻点相对较稀，胸腹侧脊存在；雄性末节腹板有1对骨化突起(微刻马蜂 *P. tenuispunctia* 除外) ………………………………………… 9

9. 雌性头后脊侧下方退化或消失，第1节背板端黄带侧面中央加宽；雄性触角端部3～4节扁平，并卷曲；末节腹板无骨化突起 ………………………………… **微刻马蜂 *P. tenuispunctia***

雌性头后脊侧下方完整或退化，第1节背板端黄带侧面中央未加宽；雄性触角端部3～4节圆柱状不卷曲，最末1节扁平铲状或圆锥状略弯曲；末节腹板有骨化突起 ……………………… 10

10. 雌性头后脊侧下方完整；雄性触角端节圆锥状略弯曲；末节腹板两侧略突出，骨状突短小，末端平截 ………………………………………………………………… **约马蜂 *P. jokahamae***

雌性头后脊侧下方退化；雄性触角端节扁平铲状不弯曲；末节腹板两侧明显突出，骨状突窄长，末端尖细 ………………………………………………………………… **陆马蜂 *P. rothneyi***

(797) 焰马蜂 *Polistes adustus* Bingham, 1897(图版103：H)

Polistes adustus Bingham, 1897: 397.

Polistes sordidus Dover, 1925: 303 nomen nudum.

Polistes adstus [!]: Yoshikawa, 1962: 20.

鉴别特征：该种从腹部第2腹板基部弯折形成1个截面，侧面观腹缘近乎直角特征较易辨认。体型较小，体长(头前缘至第2节腹部背板后缘长度)至多12mm，前翅翅长约13mm，体黑色夹红褐色斑纹或带；唇基上缘远在前幕骨陷之上，中胸侧板(即中胸前侧片)上没有胸腹侧片背上沟和胸腹侧脊。

采集记录：1♀1♂，太白鹦鸽镇柴胡村药王谷，2015. Ⅸ.06，谭江丽、谭青青采；1♀，太白蒿坪寺，1982. Ⅶ.07，杨华采；1♀，太白点兵场，1982. Ⅶ.07，韩丽娟采。

分布：陕西(太白)、云南、西藏；印度，尼泊尔。

(798) 角马蜂 *Polistes chinensis antennalis* Pérez, 1905 (图版104：A)

Polistes biglumis var. *antennalis* Pérez, 1905: 81.

Polistes insepultus Giordani Soika, 1976: 288.

鉴别特征：雌虫体长16.50~17.00mm。体黑色；触角除第1与第2节背面黑色，余均棕色；唇基中间黑色，余黄色；上颚(除端部的齿)、复眼窝下方1个斑(延伸到唇基基部上方)、额区"V"形斑、复眼后缘上1个横斑、前胸背板前缘与后缘、小盾片两侧1个斑、几乎整个后胸背板、并胸腹节后区1对条形斑、腹部第1~6背板与第2~4腹板端部横带及第1~2背板中央两侧的斑均为黄色；各足胫节末端及跗节黄棕色，余为黑色。唇基疏生小刻点及黄色短毛，端部中间具1枚钝齿呈三角形；颊区疏生小刻点及黄色短毛。小盾片凸起呈矩形；后胸呈横带状，前缘略呈弧形；并胸腹节密布横皱褶，后区中央凹陷呈1条弧沟。整个腹部密布小刻点及黄色短毛，腹部第1背板由基部向端部逐渐扩大，长宽之比为0.61。

采集记录：1♀2♂，西安南五台，1957. Ⅷ，1980. Ⅹ.13，玉兰、马宁采；50♀50♂，西安郭杜，2011. Ⅶ.07，冉瑞碧采；1♀，户县朱雀森林公园，2012. Ⅶ.13，李廷景采；1♀，眉县青化镇金家庄村，2015. Ⅷ.15，彭艳采；2♀，咸阳武功，1960. Ⅷ.23，1984. Ⅹ.19，1985. Ⅸ.07，1988. Ⅵ，郭青、黄桔等采；1♀，宁陕，1985. Ⅷ.28；1♀，黄龙石堡镇，2012. Ⅷ.02，周鑫、游菊采。

分布：陕西(西安、户县、凤县、眉县、武功、宁陕、商州、三原、黄龙)、吉林、内蒙古、河北、山西、山东、甘肃、新疆、江苏、安徽、浙江、湖南、福建；蒙古，朝鲜半岛，日本。

(799) 日本马蜂 *Polistes japonicus* de Saussure, 1858(图版104：B)

Polistes japonicus de Saussure, 1858: 260.

Polistes erythrocerus Cameron, 1900: 418.

Polistes japoniaus [!]: Kuo and Yeh, 1987: 81.

Polistes hengchunensis Kuo, 1987: 81.

Polistes hengchun [!]: Kuo & Yeh, 1987: 82.

Polistes shekouensis Kuo, 1987: 82.

鉴别特征: 体中型，体长(头前缘至第2节腹部背板后缘长度)约15mm，前翅长约16mm。体黑色、棕红、橙黄和黄色相杂。头宽略窄于胸，唇基上缘远在前幕骨陷之上。前胸背板前缘沿边缘有领状隆起，近橙色；中胸盾片黑色，中央有2条长而宽的橙黄色纵带，两侧近翅基片处各有1条短的橙黄色纵条，密布较粗大的刻点，小盾片外侧及后小盾片外侧橙黄色；中胸侧板和后胸侧板黑色，上方及前、后方均有大黄斑。并胸腹节中央略向下凹，密布横皱，两侧面与背面几乎呈直角；中央两侧及两侧方各有1个橙黄色纵斑，较长而宽，余均黑色。腹部背板 T_1 基部细，基半黑色，近两侧有1对黄斑，端部边缘黄色，黄色内缘呈棕色；第1腹板 S_1 三角形，黑色，端部及两侧角黄色，密布细横皱；S_2 向后逐渐弯曲，弧形坡度缓，侧面观腹缘近乎圆弧形。雄蜂体上黄色斑较小，黑色区较大，额唇基沟上缘明显，触角末节长约为宽的3.50倍。

采集记录: 1♀，西安子午峪，2014.Ⅷ.17，谭江丽采；1♀，周至楼观台，1995.Ⅵ.23；1♀2♂，商洛仙娥湖，2014.Ⅸ.21，谭江丽采。

分布: 陕西(西安、周至、商洛)、安徽、浙江、湖北、江西、湖南、福建、台湾、广东；朝鲜半岛，日本。

(800) 约马蜂 *Polistes jokahamae* Radoszkowski, 1887 (图版104: C)

Polistes jokahamae Radoszkowski, 1887: 435.

Polistes jadwigae Dalla Torre, 1904: 70 (new name for *Polistes japonicus* Cameron, 1900).

Polistes perkinsii Kohl, 1908: 313.

Polistes jokahamae Radoszkowski, 1887: 435.

Polistes jadwigae Dalla Torre, 1904: 70 (new name for *Polistes japonicus* Cameron, 1900).

Polistes perkinsii Kohl, 1908: 313.

鉴别特征: 体大型，长约16~21mm。和陆马蜂 *P. rothneyi* Cameron 相似，但约马蜂 *P. jokahamae* 的体黑色被黄斑，黄斑外缘多有红褐色晕染；雌性后头脊不完整，不达上颚基部，雄性唇基与复眼间距窄，但明显隔开，触角末节微弯，圆柱状，末节腹板很少突出，两侧的骨突短桩状，端部平截；腹部第1背板侧面观端黄带前后两缘近乎平行。

采集记录: 10♀10♂，长安斗门，2015.Ⅵ.10；1♀，杨凌，1983.Ⅴ.05；1♂，大荔，1980.Ⅶ.01；1♀，榆林，1976.Ⅷ.24。

分布: 陕西(西安、杨凌、大荔、榆林)、吉林、河北、河南、江苏、上海、安徽、浙江、江西、福建、台湾、广东、香港、广西、四川、贵州；蒙古，朝鲜半岛，日本，越南，印度，马来西亚，传入美国夏威夷。

(801) 柑马蜂 *Polistes mandarinus* de Saussure, 1853(图版 104: D)

Polistes mandarinus de Saussure, 1853: 58.

Polistes mandariniensis [!]; Zimmermann, 1931: 230.

Polistes mandarinius [!]; Ma, 1936: 65.

鉴别特征: 该种与倭马蜂 *P. nipponensis* Pérez 相似, 但柑马蜂唇基所被密短毛分布范围从延伸上部 1/3 至 1/2 甚至更多, 并胸腹节除了腹后方的瓣片外, 全黑色或具 2 个黄色细竖条斑, 瓣片不向后略作水平延伸, 而是直接下弯; 腹部背板 1 ~5 通常在红褐色端带之上有黄斑。雌性末节腹板两侧有黄色条斑, 侧缘观被毛相对略稀; 雄性唇基宽略大于高。

采集记录: 1♀1♂, 西安秦岭黎元坪, 2011. Ⅷ. 28, 谭江丽采; 8♀11♂, 太白鹦鸽镇药王谷, 2015. Ⅸ. 06, 谭江丽、谭青青采; 2♀, 佛坪岳坝保护站, 2013. Ⅶ. 27, 谭江丽采; 1♀, 佛坪岳坝麻家沟, 2013. Ⅶ. 28, 谭江丽采; 1♀, 宁陕旬阳坝, 2010. Ⅵ. 29, 谭江丽采; 1♀, 柞水营盘牛背梁保护区, 2013. Ⅶ. 15, 谭江丽采; 3♀, 商洛金丝峡落花谷, 2013. Ⅶ. 24, 谭江丽采。

分布: 陕西(西安、太白、佛坪、宁陕、柞水、商洛)、北京、河南、浙江、湖北、江西、福建、广东、海南、广西、贵州、西藏; 朝鲜半岛, 越南。

(802) 麦氏马蜂 *Polistes megei* Pérez, 1905 (图版 104: E)

Polistes megei Pérez, 1905: 83.

鉴别特征: 该种与斯马蜂 *P. snelleni* 相似, 但从麦氏马蜂体型略瘦小, 中胸小盾片平直, 与主盾片后缘在同一水平这一特征容易区分; 雌性中胸小盾片红褐色无黄斑, 唇基基部不强烈凸出, 宽略大于长; 触角窝间有 1 个心形红褐色斑, 并胸腹节两侧各有黄橙色大斑; 腹部黑色, 刻点不明显, 腹部第 1 到第 6 背板端部横带均阔, 横带前缘多少有些橙黄色晕染, 腹部第 4 背板横带中央有 1 个小凹陷。

采集记录: 1♀, 西安南五台, 1980. Ⅹ. 13; 4♀1♂, 周至秦岭植物园栗子坪, 2013. Ⅶ. 25, 谭江丽采; 1♀, 太白山, 1981. Ⅷ; 2♀1♂, 宝鸡凤县留凤关, 2015. Ⅶ. 20, 谭江丽采; 1♀, 华县少华山, 2013. Ⅶ. 19, 谭江丽采; 2♀, 佛坪岳坝保护站, 2013. Ⅶ. 27, 谭江丽采; 1♀, 洋县, 1980. Ⅸ. 28; 1♀, 宁陕, 1985. Ⅷ. 28; 1♀, 石泉, 1981. Ⅷ. 07, J. -H. Wei; 1♀, 南郑黎坪国家森林公园, 2011. Ⅹ. 16, 谭江丽采; 1♀, 柞水营盘牛背梁保护区, 2013. Ⅶ. 16, 谭江丽采; 1♀, 山阳苍龙山, 2013. Ⅶ. 22, 谭江丽采; 2♀, 西乡, 1980. Ⅹ; 1♀, 商洛, 1979. Ⅶ; 32♀8♂, 商洛金丝峡, 2013. Ⅶ. 23, 谭江丽采; 商洛金丝峡, 2013. Ⅶ. 22, 谭江丽采。

分布: 陕西(西安、周至、太白、凤县、宝鸡、华县、佛坪、洋县、宁陕、石泉、南郑、柞水、山阳、西乡、商洛、千阳)、河南、甘肃、江苏、安徽、浙江、湖北、江西、福建、广东、广西、四川、贵州、云南。

注：该种模式标本未找到，一直被作为柑马蜂 *Poliste mandarinus* 的同物异名。

(803) 倭马蜂 *Polistes nipponensis* Pérez, 1905 (图版 104：F)

Polistes nipponensis Pérez, 1905: 82.
Polistes yamanakai Sonan, 1937: 169.

鉴别特征：该种与柑马蜂 *P. mandarinus* de Saussure 相似，但倭马蜂唇基黄色，所被密短毛仅在基部分布，并胸腹节瓣片向后略作水平延伸之后再下弯；腹部 1 ~ 5 背板红褐色端带之上无黄斑。雌性末节腹板两侧无黄条斑，侧缘观被毛相对较密；雄性唇基高略大于宽。

采集记录：1♀3♂，太白鹦鸽镇药王谷，2015. Ⅸ. 06，谭江丽、谭青青采。

分布：陕西(太白)、河南、江苏、浙江、福建、贵州；日本。

(804) 陆马蜂 *Polistes rothneyi* Cameron, 1900 (图版 104：G)

Polistes rothneyi Cameron, 1900: 410.
Polistes rufolineatus Cameron, 1900: 411.
Polistes rothneyi grahami van der Vecht, 1968: 104.
Polistes rothneyi hainanensis van der Vecht, 1968: 106.
Polistes rothneyi iwatai van der Vecht, 1968: 104.
Polistes rothneyi gressitti van der Vecht, 1968: 106.
Polistes rothneyi tibetanus van der Vecht, 1968: 102.
Polistes rothneyi yayeyamae Matsumura, 1908: 6.
Polistes yayeyamae Matsumura, 1911: 106.
Polistes rothneyi koreanus van der Vecht, 1968: 104.

鉴别特征：体大型，长 16 ~ 17mm。体色多变，陕西种类大体为黑色杂黄色斑带。中胸侧板中央密刻点，和约马蜂相似，腹部第 1 背板侧面观端黄带前后两缘近乎平行。但陆马蜂雌性后头脊完整，伸达上颚基部，雄性唇基侧缘线与复眼相切，触角末节宽扁饼状，末节腹板两侧的骨突尖长。

采集记录：1♀1♂，西安西北大学桃园校区，2010. Ⅸ. 04，周通采；1♀，长安太乙宫，2011. Ⅳ. 25，GH Wang；1♀，长安沣峪口；5♀1♂，周至黎元坪，2011. Ⅷ. 18，谭江丽采；1♀，眉县青化镇金家庄村，2015. Ⅷ. 15，马振霞采；1♀，眉县金渠镇，2015. Ⅷ. 14，彭艳、周文凯采；1♀，眉县槐芽镇，2015. Ⅷ. 16，彭艳、周文凯采；1♀，华阴华山，1984. Ⅴ，韩国强采；14♀，佛坪，2013. Ⅶ. 31，谭江丽采；2♀，宁陕广货街，2013. Ⅶ.02，谭江丽采；1♂，南郑黎坪国家森林公园，2011. Ⅹ.15，谭江丽采；17♀5♂，商洛金丝峡，2013. Ⅶ.24，谭江丽采；1♀，宜川，1980. Ⅶ.09，张益平采；1♂，延安枣园，2010. Ⅹ.17，谭江丽采。

分布：陕西（长安、周至、眉县、华阴、佛坪、宁陕、南郑、商洛、宜川、延安）、黑龙江、吉林、辽宁、北京、天津、河北、山东、江苏、安徽、浙江、江西、湖南、福建、台湾、广东、海南、重庆、四川、贵州、云南、西藏；朝鲜半岛，日本，印度。

（805）斯马蜂 *Polistes snelleni* de Saussure, 1862（图版 104：H）

Polistes snelleni de Saussure, 1862: 140.

Polistes puncticollis Morawitz, 1892: 150.

Polistes snelleni form *nigrihumerus* Uchida, 1936: 69.

鉴别特征：雌虫体长 8.52mm。触角第 1～3 节及其余各节腹面棕色，余黑色；上颚内缘黑色，余锈色；唇基、触角间 1 个斑、复眼窝 1 个斑向下延伸到唇基基部和复眼后缘上 1 个横斑为黄棕色；前胸背板前缘领状凸起黄色，除 2 个下角黑色外，余锈色；小盾片锈色；后胸锈色带有黄斑；翅基片棕色；并胸腹节后区 1 对长斑黄色；腹部第 1 背板基部中间黑色，余棕色或黄色；第 3～4 背板端部横带黄色，其余各节背板和所有腹板端部横带均为黄棕色；各足腿节基部黑色，余均棕色。上颚内缘具 3 枚齿；唇基中央凸起，疏生刻点及黄色短毛，端部中间具 1 枚钝齿呈三角形，额区及头顶具较大刻点及黄色短毛。小盾片矩形凸起；后胸向后下方倾斜，横带状，两侧向腹面弯曲，密生刻点及短毛；并胸腹节中央具 1 条浅纵沟和横皱褶，覆黄色短毛。整个腹部布有浅刻点及黄色短毛，腹部第 1 节由基部向端部逐渐扩大，长宽之比为 0.52。

采集记录：2♀，西安秦岭子午峪，2015. Ⅷ.28，谭江丽、谭青青采；3♀1♂，西安郭杜镇，2011. Ⅶ.15，谭江丽采；8♀，眉县金渠镇，2015. Ⅷ.14，马振霞、彭艳等采；6♀，眉县青化镇金家庄村，2015. Ⅷ.15，马振霞、彭艳等采；2♀，眉县槐芽镇，2015. Ⅷ.16，马振霞、曾令权采；1♀，太白桃川镇，2015. Ⅷ.12，马振霞采；1♀，太白周边，2015. Ⅷ.13，彭艳采；1♀，太白鹦鸽镇药王谷，2015. Ⅸ.06，谭江丽、谭青青采；38♀3♂，华县少华山，2013. Ⅶ.19，谭江丽采；1♀，山阳苍龙山，2013. Ⅶ.22，谭江丽采；1♀，黄龙石堡镇，2012. Ⅷ.02，周鑫、游菊采；1♀，榆林，1980. Ⅵ.30。

分布：陕西（西安、眉县、太白、华县、山阳、黄龙、榆林）、吉林、辽宁、内蒙古、河北、山西、山东、甘肃、江苏、浙江、江西、湖南、福建、四川、贵州、云南；俄罗斯，朝鲜半岛，日本。

(806) 褐马蜂 *Polistes tenebricosus* Lepeletier, 1836(图版 105: A)

Polistes tenebricosa Lepeletier, 1836: 529.

Polistes sulcatus Smith, 1852: 38.

Polistes hoplitus de Saussure, 1853: 55.

Polistes hoplites de Saussure, 1854: 255.

鉴别特征: 体大型, 长 16~18mm。该种颜色与棕马蜂 *P. gigas* (Kirby)相近, 均为棕褐色, 但褐马蜂 *P. tenebricosus* Lepeletier 的颚眼距较 1 个触角窝内侧到另 1 个触角窝外侧的距离短; 前翅副痣短于翅痣下缘, 上侧片沟存在但胸腹侧脊缺失; 雄性上颚和触角末节均正常, 无明显特化。

采集记录: 8♂4♀, 商洛金丝峡大峡谷, 2013. Ⅶ. 24, 谭江丽采。

分布: 陕西(商洛)、安徽、浙江、湖北、福建、台湾、海南、贵州; 越南, 缅甸, 印度, 尼泊尔, 印度尼西亚, 菲律宾。

(807) 微刻马蜂 *Polistes tenuispunctia* Kim, 2001 (图版 105: B)

Polistes tenuispunctia Kim, 2001: 59.

鉴别特征: 体大型, 长 16~17mm。与陆马蜂极相似, 但雄性触角区别明显, 该种雄性触角末端 3~4 节略扁, 卷曲; 腹部末端腹板无骨突; 雌性后头沟侧下方部分缺失或退化, 腹部背板端黄带侧面观前缘不规则前凸, 与后缘不平行。微刻马蜂在隐蔽的墙洞内筑巢。

采集记录: 3♀, 太白黄柏塬, 2015. Ⅶ. 26, 谭江丽采; 1♀, 留坝留侯镇, 2015. Ⅶ. 28, 谭江丽、谭青青采; 2♀6♂, 留坝桑园自然保护区, 2013. Ⅷ. 17, 涂彬彬采; 11♀1♂, 佛坪岳坝保护, 2013. Ⅵ. 27, 谭江丽采; 8♀, 佛坪岳坝, 2015. Ⅶ. 01, 谭青青采。

分布: 陕西(太白、留坝、佛坪)、四川; 朝鲜半岛。

18. 侧异胡蜂属 *Parapolybia* de Saussure, 1854

Parapolybia de Saussure, 1854: 207. **Type species:** *Polybia indica* de Saussure, 1854.

属征: 雌虫触角 12 节, 雄性 13 节; 前胸背板脊不完整, 有翅基片前脊, 腹部第 1 背板远长于第 2 背板的宽度, 后部在背部和侧部多少有些膨大。

分布: 中东, 印度—巴布亚新几内亚地区, 东亚。全世界已知 13 种和亚种, 中国记录 4 种，秦岭地区分布 2 种。

（808）黄侧异胡蜂 *Parapolybia crocea* Saito-Morooka, Nguyen *et* Kojima, 2015（图版 105：C－D）

Parapolybia indica indica: van der Vecht 1966: 27.

Parapolybia crocea Saito-Morooka, Nguyen *et* Kojima, 2015: 227.

鉴别特征：该种与印度侧异胡蜂 *Parapolybia indica* 相似，体型较大，雌性后头脊侧面向下延伸到上颚基部，雄性触角细长，触角第 3 节、第 4 节和末节长分别为各自宽的 6 倍、4 倍、5 倍以上，以上特征可以明显与变侧异胡蜂 *Parapolybia varia* 区别开来。但与印度侧异胡蜂不同点在于：黄侧异胡蜂中胸背板上的纵条斑以及第 2 腹节背板上的 2 个大黄斑明显，雄性生殖器的阳茎基腹铗端部圆。

采集记录：1♀2♂，西安秦岭抱龙峪和子午峪，2015. Ⅷ. 28，谭江丽采；2♀，太白鹦鸽镇药王谷，2015. Ⅸ. 06，谭江丽采；11♀，洋县华阳长青保护区，马氏网，2015. Ⅴ. 25-Ⅵ. 17，赵霖鹏采；1♀，柞水县凤凰镇龙潭村，2014. Ⅵ. 26，付文博采；1♀，岚皋花里镇，2015. Ⅷ. 07，马振霞、曾令权采。

分布：陕西（西安、太白、洋县、柞水、岚皋）、福建、台湾、广东、香港；朝鲜半岛，日本，越南，老挝，泰国。

（809）变侧异胡蜂 *Parapolybia varia varia*（Fabricius, 1787）（图版 105：E－F）

Vespa varia Fabricius, 1787: 293.

Polistes varia: Fabricius, 1804: 279.

Polybia orientalis de Saussure, 1854: 208.

Parapolybia varia: Liu 1936: 205.

Parapolybia varia varia: Giordani Soika, 1976: 287.

鉴别特征：体型较小。雌性后头脊不完整，侧面向下半部缺失，雄性触角相对较短，触角第 3 节、第 4 节和末节长至多分别为各自宽的 4 倍、2.50 倍、3 倍。

采集记录：12♂，西安秦岭黎元坪，2010. Ⅷ. 28，谭江丽采；1♀15♂，西安秦岭子午峪，2015. Ⅷ. 28，谭江丽采；20♀，佛坪岳坝保护站，2013. Ⅶ. 27，谭江丽采；4♀4♂，商洛金丝峡，2013. Ⅶ. 23，谭江丽采；1♀，商洛金丝峡落花谷，2013. Ⅶ. 24，谭江丽采。

分布：陕西（西安、佛坪、商洛）、江苏、浙江、湖北、福建、台湾、广东、云南；朝鲜半岛，日本，泰国，缅甸，印度，尼泊尔，马来西亚，菲律宾。

19. 全盾蜾蠃属 *Allodynerus* Blüthgen, 1938

Allodynerus Blüthgen, 1938: 280 (as subgenus of *Euodynerus* Blüthgen). **Type species**: *Odynerus floricola* Saussure, 1853.

Delphinaloides Móczár, 1937: 15. Unavailable.

Delphinaloides Bohart, 1951: 888. **Type species**: *Odynerus delphinalis* Giraud, 1866.

属征: 体长8~12mm，中等。头胸被金黄毛，唇基宽大于高，头凹1个，大，肾形，雄性触角钩发达，延伸至第10节，胸部相对较短，中胸盾片和小盾片刻点，翅基片窄长，后叶发达，超过副基片后缘。后足后面有1条棱脊，并胸腹节在后小盾片之后无平行区，基横脊不发达，几乎消失，第1腹节比第2腹节窄，腹部第1背板无横脊，宽大于长。

分布: 古北区。世界已知12种，中国记录1种，秦岭地区发现1种。

(810) 东北全盾蜾蠃 *Allodynerus mandschuricus* Blüthgen, 1953(图版105: G)

Allodynerus mandschuricus Blüthgen, 1953: 57.

鉴别特征: 头黑色，但唇基中央大黑斑，周缘黄色；仅触角窝间有1个黄斑，上颊眶上方有1个窄而短的黄斑，上颚黑色中央有1个黄斑，近端部黑褐色；胸黑色，但前胸背板前缘有1个不规则黄色横带状斑、翅基片中央黑褐色，周缘黄褐色，中胸小盾片全黑色，至多有2个小黄斑，后胸背板黄色；中胸侧板在翅基片下缘有1个小黄色斑，并胸腹节侧缘2个窄条斑，腿节端部、胫节外侧、跗节、前跗节黄褐色；腹部黑色，但1~5节背板及第2节腹板各具黄色窄端带。

采集记录: 2♀，太白鹦鸽镇药王谷，2015. Ⅸ.06，谭江丽采。

分布: 陕西(太白)、黑龙江；蒙古，俄罗斯，朝鲜半岛，日本。

20. 沟蜾蠃属 *Ancistrocerus* Wesmael, 1836

Ancistrocerus Wesmael, 1836: 45 (as subgenus of *Odynerus* Latreille). **Type species**: *Vespa parietum* Linnaeus, 1758.

属征: 颅顶通常扁平，头凹坑不明显，唇基有些强烈凸出，通常宽大于长，雌性端缘微凹，上唇端半内聚，前胸背板脊两侧发达而中部弱，垂直面的两侧有1个由于多个凹坑汇成1个横凹坑，翅基片后端略尖，端部稍过后翅基片，胸腹侧脊缺失，但皱沟存在，上侧沟和侧沟宽，有些深，并胸腹节基区短，几乎没有，倾斜，后面腔室平，甚至凹，中脊发达，腹部非柄状，第1腹节基横脊存在，背板宽大于长，与第2

腹节宽度相差小，第 2 腹板基横沟，纵棱，前翅副痣很短，约为翅痣的 1/3 长；雄性触角末节回弯如沟，端部尖细。头胸部刻纹发达，但腹部刻点较细，稀疏。体长被毛，头胸部和腹部 1 ~2 节背长毛，但 *A. leleji* 除外。

分布：古北区。全世界已知 114 种 42 亚种，中国已记录 28 种 2 亚种，秦岭地区分布 1 种。

（811）石沟蜾蠃 *Ancistrocerus trifasciatus shibuyai*（Yasumatsu, 1938）（图版 105：H）

Odynerus（*Ancistrocerus*）*shibuyai* Yasumatsu, 1938：83.

Ancistrocerus trifasciatus shibuyai：Giordani Soika, 1986：147.

鉴别特征：体长约 12mm。颅顶凹坑不明显，坑后微横皱，唇基刻点夹微条皱，端缘凹，前胸背板前缘平直，肩角背面观不明显，中胸侧板网格皱，后胸侧板密条皱，并胸腹节背上部网格皱，侧面密条皱，基横脊发达，后面近乎垂直，斜条皱，中纵脊发达；腹部第 1 节略长，宽约为长的 1.80 倍，基横脊发达，但侧面逐渐退化。雄性触角端节回弯至第 11 节基部，末端微钝。唇基全黑或基部两侧有窄黄条斑，除腹部第 3 节背板全黑色，无窄黄色端横带的特征与 Kim and Yamane（2009）的描述不一致外，其他特征均符合。

采集记录：1♀，华县少华山，2013. Ⅶ. 19，谭江丽采；1♂，留坝紫柏山风景区，2015. Ⅸ. 05，谭江丽采；1♀，柞水营盘牛背梁，2013. Ⅶ. 16，谭江丽采。

分布：陕西（华县、留坝、柞水）、内蒙古；俄罗斯（远东），朝鲜半岛，日本。

21. 啄蜾蠃属 *Antepipona* de Saussure, 1855

Antepipona de Saussure, 1855：244. **Type species**：*Odynerus silaos* de Saussure, 1853.

Antepipone Dalla Torre, 1894：50.

属征：唇基表面密生短毛，端部边缘具长毛；触角第 3 节较短，仅比第 4 节略长；翅基片长大于宽，前后尖；中胸侧脊发达；后胸背板具 1 对尖齿突；并胸腹节端部薄片发达，形成三角形突起；腹部无腹柄，第 1 节略窄于第 2 节，刻点粗糙。

分布：古北区，东洋区，非洲区。世界已知 164 种，中国记录 17 种和亚种，秦岭地区发现 1 种。

（812）棕足啄蜾蠃 *Antepipona asiamontana* Gusenleitner, 2004（图版 106：A－B）

Antepipona asiamontana Gusenleitner, 2004：1083, 1085.

鉴别特征：雌虫体长 8.50～9.50mm；前翅长 8～9mm。体黑色；上颚上"V"形斑、唇基基部两侧 1 个中斑及端部 1 个大斑、触角间突起、触角鞭节腹面、前胸背板前缘(中间间断)、中胸侧板上 1 个斑、翅基片、旁翅基片、小盾片上 1 对斑、并胸腹节侧区 1 个斑及腹部背板第 1～3 节和腹板第 2 节端部横带为黄色；各足腿节、胫节和跗节棕色。唇基长约等于宽，具长条纹和短毛。额区着生棕色毛，且长于单眼直径；头顶，后颊毛只有额区毛的 1/2 长。胸部毛与后颊区相似；前胸背板具粗糙刻点，肩角明显；中胸侧板刻点较前胸背板小；小盾片具小刻点；后胸背板密生粗糙刻点；并胸腹节密生网状的刻点。腹部具极短绒毛；第 1～2 背板刻点与中胸背板的相似；第 3～4 背板密生大刻点；第 2 腹板刻点较背板大。雄虫体型略小；唇基全黄色，长大于宽，端缘凹深；触角末端向后折回形成钩状，伸达第 11 节中部；第 4～6 背板端部具黄色横带；其他特征同雌性。

采集记录：6♀1♂，华阴华山，2012.Ⅷ.05，周鑫等采。

分布：陕西(华阴)、北京、山西。

22. 缘蜾蠃属 *Anterhynchium* de Saussure, 1863

Anterhynchium de Saussure, 1863: 205. **Type species**: *Rygchium synagroides* de Saussure, 1852.

属征：颅顶有 2 个浅凹，前胸背板脊完整，前表面光滑无中央凹窝、浅凹陷，翅基片不超过后基片的端部，前翅翅痣较短，第 2 回脉不靠近第 3 回脉。小盾片和中胸盾片后部刻点大而密集，无光泽，后胸背板不向两侧突出，并胸腹节在叶片端部无端刺，横脊发达，向上形成 2 个突起，腹部 3～6 节基部刻点很大。

分布：古北区，东洋区。世界已知 44 种，中国记录 7 种，秦岭地区发现 1 种。

(813) 黄缘蜾蠃 *Anterhynchium flavomaginatum flavomaginatum* (Smith, 1852)
(图版 106：C)

Rhynchium flavomaginatum Smith, 1852: 36.

Odynerus flavomarginatum: Liu, 1935: 107.

Anterhynchium (*Dirhynchium*) *flavomaginatum flavomaginatum*: Lee, 1982: 221.

鉴别特征：体黑色，头宽窄于胸，额及头顶黑色，触角窝间有近矩形黄斑；唇基上缘黄斑，端缘浅小缺刻；前胸背板前缘两侧窄带状黄斑，并胸腹节黑色，有时两侧各有 1 个小黄斑，端部截状，两侧 4 个小齿突；腹部第 2 背板长为第 2 背板的 1.50 倍，端缘各有黄色宽带，3～5 背板有时有极窄的黄色端带；其余背板、腹板全黑色。雌性唇基长明显大于宽，颅顶有 1 个大型下陷，内有头凹；雄性唇基黄色，复眼后缘常有点状黄斑，各足胫节有淡色斑，触角端部钩状，第 12 节变小，第 13 节向回至第

10 节基部 1/3 处，阳茎端部强烈加宽，末端浅凹相对较小。

采集记录：4♀1♂，周至栗子坪，2013. Ⅶ. 25，谭江丽采。

分布：陕西(周至)、上海、浙江、湖南、江西、福建、广西、四川、云南，华北。

23. 短角蜾蠃属 *Apodynerus* Giordani Soika, 1993

Apodynerus Giordani Soika, 1993: 155. **Type species**: *Odynerus troglodytes* de Saussure, 1855.

Philippodynerus Gusenleitner, 1996: 39. **Type species**: *Philippodynerus omicroniformis* Gusenleitner, 1996.

鉴别特征：唇基长约等于宽(雌雄均是)，端缘略凹陷；雄性触角末端钩细小，向后折回伸达第 11 节前缘或中部；前胸背板前面具一些横脊或刻点，肩角明显；后胸背板倾斜，较窄，无结节或略有结节状；翅基片圆形，副翅基片后缘刚好伸达翅基片后缘，或略短；中胸侧脊缺失；并胸腹节后区下部具 1 对向外延伸的薄片；腹部无腹柄，第 1 节背板基部无横脊，端部比基部宽，明显窄于第 2 节；腹部第 2 节背板宽是第 1 节的 1.50 ~ 2.00 倍，无纵沟，腹板突起，或下沉，基部具中纵沟。

分布：东洋区，古北区。世界已知 16 种和亚种，中国记录 8 种和 1 亚种，秦岭地区发现 1 种。

(814) 台湾短角蜾蠃大陆亚种 *Apodynerus formosensis continentalis* Giordani Soika, 1994(图版 106: D - E)

Apodynerus formosensis continentalis Giordani Soika, 1994: 208, 217.

鉴别特征：雌虫体长 7.10mm。体黑色；上颚基部黄色，端部红褐色；触角柄节腹面黄色，其余各节腹面棕色；唇基基部两侧 1 个中斑及端部 1 个“V”形斑、复眼内缘 1 个对线斑、触角间 1 个斑、复眼后缘上端 1 个小斑、前胸背板前缘、旁翅基片、腹部第 1 ~ 2 节背板与第 2 节腹板端部的横带及前足腿节端部与胫节背面为黄色。唇基密生中刻点，端缘凹陷；整个头部密生网状刻点。整个胸部密生粗糙刻点，较头部的略大；后胸背板上的刻点较胸部其余部分的略小；并胸腹节后区具完整中纵脊。腹部第 1 节背板密生大刻点；第 2 节背板具中刻点，端部横带上的刻点较基部略小且浅，端缘具极窄半透明薄片；第 2 节腹板的刻点较背板的稀疏，基部具中纵沟。雄虫唇基全黄色；前足与中足腿节端部及各足胫节背面为黄色，各足跗节黄棕色，余均黑色；触角末端很小，向后折回伸达第 11 节端缘；其他特征同雌性。

采集记录：1♀，周至县楼观台，2006. Ⅶ. 06，蒋晓宇采。

分布：陕西(周至)、江西、湖南、福建、重庆、四川；越南，老挝。

24. 元蜾蠃属 *Discoelius* Latreille, 1809

Discoelius Latreille, 1809: 140. **Type species**: *Vespa zonalis* Panzer, 1801.

属征：下唇相对长，大，下唇须4节，第1节端部微宽，下颚须6节，其中1~3节长，其他节较短，外颚叶相当短，上颚端部微钝，端部宽于基部，短，不明显交叉，只在端部略有搭叠；唇基宽大于高，端缘多少有些平截；触角棒状，着生在头部中央，复眼凹深，胸部长，中胸主盾片盾纵沟完整，中足胫节有2个端距；并胸腹节无横脊，腹部第1节柄状，中部强烈加高，至中部之后弧状收窄如卵形，第2节钟状，长大于宽；前足腿节长且弯，胫节相当短。

分布：古北区，东洋区。全世界已知9种，中国记录8种和亚种，秦岭地区发现1种。

(815) 长腹元蜾蠃 *Discoelius zonalis* (Panzer, 1801)(图版106：F)

Vespa zonalis Panzer, 1801: 140.
Discoelius zonalis: Radoszkowski, 1890: 231.
Discoelius naryschkini Morawitz, 1894: 163.
Discoelius japonicus Pérez, 1905: 25.

鉴别特征：体小型，体长约15mm，前翅长约11mm。雌性头部前面观，头和唇基凸起，额、唇基、中胸背板主盾片和小盾片均密被刻点；雄性触角第10节下方和第9节端部有小点状瘤突，触角末节细，长明显大于宽，末端圆形；腹部2~3节背板端部有薄沿。

采集记录：2♀，周至栗子坪秦岭植物园，2015. Ⅶ. 25，谭江丽采；1♀，户县朱雀国家公园，2012. Ⅶ. 12，李廷景采。

分布：陕西(周至、户县)、辽宁、北京、浙江、江西、福建、广东、广西、重庆、四川；俄罗斯，朝鲜半岛，日本，欧洲。

25. 蜾蠃属 *Eumenes* Latreille, 1802

Eumenes Latreille, 1802: 360. **Type species**: *Vespa coarctata* Linnaeus, 1758.
Alpha Saussure, 1855: 137. **Type species**: *Vespa coarctata* Linnaeus, 1758.
Eumenis Kriechbaumer, 1879: 57 (Unjustified emendation).
Eumenidion Schulthess, 1913: 2. **Type species**: *Vespa coarctata* Linnaeus, 1758.

属征：颊顶无头凹坑，唇基在基部和端部均凹；翅基片前脊和胸腹侧脊均缺失，翅基片小，不超过后翅基片后缘；前足基节外侧有1条发达的脊；腹部第1节细长、柄状，端部膨大，第2节末端有发达的边沿；雄性触角端节钩状，末端尖，雄性生殖器阳基侧突刺在中部有束长毛。

分布：世界广布。全世界记载105种69亚种，中国已知20种7亚种，秦岭地区分布10种。

分种检索表

1. 腹部背板 T_1 细长，长大于宽的4倍，向端部逐渐加宽，背面观约为三角形；T_2 端缘薄片向上卷折90°，成衣领状 ………………………… **方蜾蠃指名亚种 *E. quadratus. quadratus***
   腹部背板 T_1 长为宽的3倍以下，基部细，中部突然加宽；T_2 端缘薄片未向上卷折 ………… 2
2. 腹部背板 T_2 明显凸起成圆驼形，且亚端缘明显缢压成横向凹痕；唇基、小盾片和后胸背板全黑色 ………………………… **黑盾蜾蠃 *E. nigriscutatus***
   腹部背板 T_2 不明显凸起成驼形，亚端缘通常无横向凹痕；唇基、小盾片和后胸背板不全黑色 ………………………… 3
3. 腹部背板 T_1 粗短，长为宽的2倍，雌性唇基大刻点小且稀，小刻点则明显密 ………… 4
   T_1 较细长，通常长为宽的2.50倍，雌性唇基大刻点大而密，刻点间距小于基部刻点直径，小刻点则模糊稀疏 ………………………… 5
4. 腹板 S_1 两侧近平行；雄性触角端钩内缘光滑无毛 …… **基蜾蠃 *E. pedunculatus. pedunculatus***
   腹部 S_1 两侧向端部变窄；雄性触角端钩内缘被短毛 …… **北方蜾蠃 *E. coarctatus. coarctatus***
5. 体大型，体长14mm（头长+中躯长+腹部1、2节长）以上；T_2末端褐色薄沿强烈弯曲；黄色亚端带宽，约为腹板长度的1/3，中央有1个小黑斑 ………………………… 6
   体中或小型，体长未达14mm（头长+中躯长+腹部1、2节长）；T_2 末端褐色薄沿平直或略弯曲；黄色亚端带窄，未达腹板长度的1/3，中央无小黑斑 ………………………… 7
6. 腹部1、2节各有1个黄色侧板，后部与端带相接 …………… **中华唇蜾蠃 *E. labiatus sinicus***
   腹部1、2节全黑色，无黄色侧斑 ………………………… **黄黑唇蜾蠃 *E. labiatus flavoniger***
7. 前胸侧板均匀的短刚毛，贴伏表面 ………………………… **点蜾蠃 *E. pomiformis***
   前胸侧板毛长且直立 ………………………… 8
8. 腹部第2节腹板 S_2 仅被整齐的短刚毛 ………………………… **显蜾蠃 *E. rubronotatus***
   腹板 S_2 除了短刚毛外，还被长且直立的刚毛 ………………………… 9
9. 雌性唇基全黑色；唇基上夹在大刻点间的小刻点清晰较密；足跗节通常全黑色；腹部第2背板（T_2）两侧有1对小黄斑 ………………………… **孔蜾蠃 *E. punctatus***
   雌性唇基黑黄2色；唇基上夹在大刻点间的小刻点模糊稀疏；足跗节通常至少部分黄褐色或红褐色，T_2 常有侧黄斑 ………………………… **冠蜾蠃指名亚种 *E. coronatus. coronatus***

（816）北方蜾蠃 *Eumenes coarctatus coarctatus*（Linnaeus, 1758）（图版106：G－H）

Vespa coarctata Linnaeus, 1758: 573.

Eumenes lunulata Fabricius, 1804: 290.

Eumenes coarctatus coarctatus: Gusenleitner, 1972: 75.

Eumenes coarctatus corsicus Gusenleitner, 1972: 77.

Eumenes lunulatus lunulatus: Gusenleitner, 1972: 78.

Eumenes lunulatus var. *tenebricosus* Gusenleitner, 1972: 79.

Eumenes lunulatus var. *balcanicus* Gusenleitner, 1972: 79.

Eumenes coarctatus lunulatus: Gusenleitner, 1998: 155.

鉴别特征： 雌虫体长11～12mm；前翅长9～10mm。体黑色；唇基基部、触角间"T"状斑、前胸背板前缘、中胸侧板上1个斑、后胸背板、并胸腹节基部1对斑（通常消失）、翅基片（中间褐色）、腹部第1～4节背板和第2节腹板端缘的横斑、前足及中足腿节端部前缘为黄色；前足和中足胫节棕色，跗节深棕色；后足跗节及胫节均为深棕色。上颚内缘3枚齿，较小；唇基长大于宽，较光滑，具稀疏浅小刻点，上下端缘凹陷较深；触角柄节和梗节光泽。整个胸部具浅褐色长毛及粗糙密集小刻点；并胸腹节无光泽；中胸侧板刻点较背板小。腹部第1节端部宽约为基部宽的3倍，长约为端部宽的2.50倍，在基部1/3处突然变宽，背板疏生大刻点及白色长毛，刻点间距大于刻点直径；侧面观，腹面不突起，端部扁平；第2节基角为锐角，背板刻点极稀疏光滑，刻点极浅且小，端部薄片较宽，腹板光滑，刻点和背板刻点相似。雄虫体型稍小；唇基全黄色，窄长，上下端缘凹陷较明显；触角间黄色条斑较小；触角柄节基部前缘黄色，触角端部向后折回形成钩状，伸达第10节基部；腹部第3～4节背板端缘的黄斑较小，第6节腹板端缘具黄斑；其他特征同雌性。

采集记录： 5♀4♂，黄龙石堡镇，2012.Ⅷ.02，周鑫等采。

分布： 陕西（秦岭、黄龙）、黑龙江、吉林、辽宁、内蒙古、河北、江苏、四川；蒙古，俄罗斯，土耳其，塔吉克斯坦，哈萨克斯坦，欧洲。

（817）冠蜾蠃指名亚种 *Eumenes coronatus coronatus* (Panzer, 1799)（图版107：A－B）

Vespa coronata Panzer, 1799: 12.

Eumenes atricornis Fabricius, 1804: 289.

Eumenes coarctatus var. *opulenta* Blüthgen, 1938: 482.

Eumenes coronatus coronatus: Gusenleitner, 1972: 71.

鉴别特征： 雌虫体长14～15mm；前翅长11～12mm。体黑色；唇基基部1对近似"八"字形斑、触角间1个斑、复眼后缘上端1个横斑、前胸背板近基部约2/3区域、中胸侧板上1个大斑、后胸背板1个横斑、腹部第1～5节背板和第2节腹板端部横带、第1节背板上1对圆斑、第2节背板上1对大斑、前足腿节背面及胫节与跗节均为黄色；翅基片黄褐色，中间具1个浅黄斑点。上颚内缘4枚齿，较尖锐；唇基长约等于宽，密生较大刻点，具白色短毛；触角柄节较光滑。前胸背板密生粗糙网状刻点；侧面观，中胸背板略突起，具极短浅褐色毛；并胸腹节毛较长。腹部第1节端部宽约为基部宽的3倍，长约为端部宽的4倍，约于1/3处逐渐变宽，刻点较大且密集，具浅褐色长毛；第2节基角为钝角，刻点和第1节背板刻点相似，毛极短，金黄色，贴覆于表面，端缘薄片很窄，腹板较光滑，刻点较浅且稀疏。雄虫体型较雌性稍小；唇基全黄色且狭长；触角端部向后折回形成钩状，伸达第5节中部；前足和中足腿节端部及胫节均为黄色；腹部第3~4背板端部中央具1个黄斑；其他特征同雌性。

采集记录：4♂，华县金堆镇，2012.Ⅷ.07，周鑫等采；3♀8♂，留坝江口镇，2012.Ⅷ.18，周鑫等采；2♀2♂，洛南馒头山，2012.Ⅷ.08，周鑫等采；1♀，黄龙石堡镇，2012.Ⅷ.02，周鑫等采。

分布：陕西(华县、留坝、洛南、黄龙)、河北、河南、江苏、安徽、湖北、江西、湖南、重庆、四川、贵州、云南；蒙古，土耳其，欧洲。

(818) 中华唇蜾蠃 *Eumenes labiatus sinicus* (Giordani Soika, 1941) (图版107：C)

Eumenes labiatus var. sinicus Giordani Soika, 1941: 141.

Eumenes labiatus sinicus: Wang, 1984: 699.

鉴别特征：体大型，雌虫体长14mm以上，前翅长12mm以上。触角间黄斑向下延伸与唇基相连；前足基节前面的刚毛直接朝下着生；腹部第1背板2个小黄斑与端带相连，第2背板两侧各有1个小黄斑，背面观长大于宽，端部多少有些收窄，基部背面强烈膨大，近后缘中央下陷较明显。雄虫触角端节很短，未达触角第11节基部。

采集记录：1♀，佛坪岳坝麻家沟，2013.Ⅶ.28，谭江丽采；2♀1♂，黄龙石堡镇，2012.Ⅷ.02，周鑫等采。

分布：陕西(西安、佛坪、黄龙)、北京、河南、江苏、安徽、浙江、湖北、江西、湖南、福建、广西、重庆、四川。

(819) 黄黑唇蜾蠃 *Eumenes labiatus flavoniger* Giordani Soika, 1986 (图版107：D)

Eumenes labiatus flavoniger Giordani Soika, 1986a: 159.

鉴别特征：雌虫体长17~18mm；前翅长12~13mm。体黑色；唇基基部约2/3区域黄色，端缘凹陷处棕色；触角间1个条状斑、触角柄节基部前侧、鞭节端部内侧2~3节、复眼后缘上端1个横斑、前胸背板前缘约2/3区域、后胸背板上1对横斑、腹部背板第1~2节和腹板第2节端部的横带为黄色。上颚内缘3枚齿；唇基长约等于宽，具浅刻点，疏生褐色短毛。整个胸部刻点均较粗糙、密集近网状；腹部第1节基部宽约为端部宽的2倍，长约是端部宽的3倍，约于1/3处突然变宽，背板具稀疏大刻点(刻点间距离为刻点直径的1~3倍)及金黄色短毛；第2节基角为锐角，背板生有刻点(刻点间的距离约为刻点直径)及金黄色短毛，端缘具较宽薄片，腹板刻点非常稀疏及浅。雄虫体型明显较雌性小，唇基长明显大于宽，全黄色；基部上缘，触角黄斑两边还具1个黄色斑点；触角端部向后折回呈钩状，伸达第11节中部；第3～6节腹板端缘为黄色。

采集记录：1♂，黄龙石鼓镇，2012.Ⅷ.02，周鑫等采。

分布：陕西(秦岭、黄龙)、河南、江苏、广东、重庆、四川、云南；韩国。

(820) 黑盾蜾蠃 *Eumenes nigriscutatus* Zhou, Chen *et* Li, 2012(图版107：E)

Eumenes nigriscutatus Zhou, Chen *et* Li, 2012: 471.

鉴别特征：雌性体长16～17mm；前翅长12～13mm。体黑色；上颚端部棕色；触角间的斑、复眼后缘上端的横斑、前胸背板前缘、腹部背板第1～2节和腹板第2节端部的斑为黄色；前足及中足胫节外侧深棕色，余均黑色。上颚内缘具4枚较大的齿，端齿极大；唇基长略大于宽，端部凹陷较浅，整个唇基具白色短毛及刻点，基部刻点较密集，端部刻点略稀疏。整个胸部均密生粗糙较大刻点及浅褐色短毛，刻点间近网状；侧面观，中胸背板突起，并胸腹节中沟向端部逐渐加深。腹部第1节端部宽约为基部宽的3倍，长约为端部宽的3倍，于距离基部约1/3处逐渐变宽，约2/3处达到最宽，其后，两边略平行；整个背板密生粗糙较大的刻点及白色短毛，毛长及刻点状态与胸部相当，端部黄斑具2个突起，腹板光滑，较狭窄，向端部逐渐变宽；第2节背板背部刻点与第1节背板刻点相当，两侧刻点较稀疏，毛甚短，基角为钝角，前端部有1个明显较深凹陷，以至形成端部翘起状结构；腹板刻点较小，浅平且稀疏，较光滑。雄性唇基狭长，黑色，中央具1个纵向的黄斑，刻点浅平且稀疏；触角端部沟状，黄褐色；前胸背板前缘及后缘均具黄斑；翅基片基部2/3区域黑色，端部黄色(偶有标本全黑色)；后胸背板上偶有1对黄斑；前足、中足胫节外侧为棕褐色；其他特征同雌性。

采集记录：1♀2♂，留坝江口镇，2012.Ⅷ.16，周鑫等采；1♀1♂，黄龙石堡镇，2012.Ⅷ.01，周鑫等采。

分布：陕西(留坝、黄龙)、河南、湖南、重庆、四川。

(821) 基蜾蠃 *Eumenes pedunculatus pedunculatus* (Panzer, 1799)(图版107：F)

Vespa pedunculata Panzer, 1799: 8.

Eumenes pedunculatus pedunculatus: Blüthgen, 1938: 475.

Eumenes pedunculata var. *lapponica* Hellén, 1944: 11.

鉴别特征：雌虫体长12～13mm；前翅长8.50～9.00mm。雌性唇基大刻点小且稀，小刻点则明显密；腹部第1节背板粗短，长为宽的2倍，黄色端带窄，线状，背板延伸到腹面的两侧轮廓几乎平行；第2节背板刻点略浅，并胸腹节有黄斑。雄虫触角端钩细，端部变尖，内缘光滑无毛。

分布：陕西(安康)、黑龙江、江苏、浙江、四川；俄罗斯，朝鲜半岛，日本，欧洲。

(822) 点蜾蠃 *Eumenes pomiformis* (Fabricius, 1781) (图版107：G)

Vespa pomiformis Fabricius, 1781：467.

Eumenes fastidiosissimus Giordani Soika, 1943：29.

Eumenes pomiformis turcicus Giordani Soika, 1952：367.

鉴别特征：雌虫体长11~12mm；前翅长8~9mm。体黑色；唇基端部淡黄色；触角柄节基部前缘黄色，鞭节端部及第2~3节腹面棕色，余均黑色；触角间1个斑、前胸背板约2/3区域、中胸侧板上1个小斑、小盾片的1对大斑、后胸背板大部分、并胸腹节侧区1个大斑、腹部背板第1~4节和腹板第2节端部的横带、前足腿节端部至跗节末端以及中足胫节为黄色；后足胫节棕色，跗节黑色。唇基长约等于宽，端缘凹陷，表面较光滑，具白色短毛。前胸和中胸背板刻点密集；前胸背板，具浅褐色短毛；小盾片及后胸背板上具褐色长毛，并胸腹节上具白色长毛。腹部第1节基部宽约为端部宽的1/3，长约为端部宽的3倍，于中部处突然变宽，背板刻点较大且密集，具白色短毛；腹部第2节基角为锐角，具极短毛贴覆表面，背板刻点较第1背板的小，端部薄片透明状。雄虫体型明显较雌性小；唇基窄长，全黄色；触角柄节前缘全黄色，鞭节端部向后折回呈钩状，伸达第10节端部，黄色；其他特征同雌性。

采集记录：3♂，华县金堆镇，2012.Ⅷ.07，周鑫等采；7♀8♂，留坝江口镇，2012.Ⅷ.18，杨成等采；3♀2♂，洛南馒头山，2012.Ⅷ.08，杨成等采；30♀14♂，黄龙石堡镇，2012.Ⅷ.02，周鑫等采；6♀2♂，黄龙石堡镇，2012.Ⅷ.01，周鑫等采。

分布：陕西(华县、留坝、洛南、黄龙)、吉林、辽宁、内蒙古、北京、河北、山西、山东、河南、新疆、江苏、重庆、四川；欧洲，非洲。

(823) 孔蜾蠃 *Eumenes punctatus* de Saussure, 1852(图版107：H)

Eumenes punctatus de Saussure, 1852：37.

Eumenes nigrior Giordani Soika, 1982：41.

Eumenes asioboreus Kim *et* Yamane, 2001：139.

鉴别特征：体小型，前翅长7~10mm。中胸小盾片和侧板小而浅的刻点密，混夹条皱，并胸腹节沟浅或消失，几乎只有后表面的1/2，至少部分胫节黄色或铁锈色，腹部第2背板侧面中部通常有1对小黄斑点，雌性唇基上的小刻点中等大小且密集；第2腹板统一短刚毛；雄性唇基前面游离部位较长，约为唇基总长的1/3。

采集记录：1♀，西安秦岭大峪，2011.Ⅵ.10，杨美霞采；1♀2♂，西安郭杜镇，2013.Ⅴ.31，谭江丽采；2♂，华县少华山，2013.Ⅶ.19，谭江丽采；1♂，商洛金丝峡，2013.Ⅶ.23，谭江丽采。

分布：陕西(西安、华县、商洛)、河北、江苏、四川；俄罗斯远东，朝鲜半岛，日本。

(824) 方蜾蠃指名亚种 *Eumenes quadratus quadratus* Smith, 1852(图版 107：I)

Eumenes quadratus Smith, 1852: 37.

Eumenes reflexus Sickmann, 1894: 230.

Eumenes quadratus quadratus: Gusenleitner, 2011: 1363.

鉴别特征：雌虫体长 16～17mm；前翅长 12～13mm。体黑色；上颚黑褐色，端部棕色；触角间 1 个斑、唇基基部斑纹(时有缺失)、复眼内缘 1 个对线斑、复眼后缘上端 1 个横斑、前胸背板前缘、后胸上 1 对斑点及腹部背板第 1～2 节和腹板第 2 节端部的横带为黄色，触角鞭节外侧黄棕色；翅基片端部褐色；各足腿节端部有棕褐色斑纹。上颚内缘 3 枚齿；唇基长略大于宽，密生粗糙刻点，具短毛，上端缘及下端缘均明显凹陷。前胸背板、中胸背板、小盾片、后胸背板及并胸腹节均具浅褐色直立短毛及粗糙刻点；中胸侧板上端具短毛，下端具极短毛，刻点较大。腹部第 1 节背板长大于端部宽的 4 倍，具浅褐色长毛及较稀疏的大刻点；腹部第 2 节基角小于或等于 90°，背部刻点较密集且粗糙，两端刻点较稀疏，毛相对第 1 节背板短，深褐色，前端部及端部边缘凹陷较浅，端部边缘黑褐色薄片翻起，形成 1 个明显直角状。雄虫体型较小，唇基全黄色，长明显大于宽，刻点较小；触角间斑点间断不明显；触角端部向后折回形成钩状，伸达第 11 节基部；翅基片近黑色；其他特征同雌性。

采集记录：1♂，留坝城关镇，2012.Ⅷ.17，周鑫等采；4♀，黄龙石堡镇，2012.Ⅷ.02，周鑫等采；1♀，黄龙石堡镇，2012.Ⅷ.01，游菊采。

分布：陕西(留坝、黄龙)、北京、天津、河北、山东、江苏、上海、浙江、江西、湖南、广东、重庆、四川；韩国，日本，越南，老挝。

(825) 显蜾蠃 *Eumenes rubronotatus* Pérez, 1905(图版 107：J)

Eumenes rubronotatus Pérez, 1905: 85.

Eumenes dimidiaticlypeus Giordani Soika, 1973: 127.

鉴别特征：与孔蜾蠃极其相似，但从第 2 腹板刻点的大小和密集程度，腹部的黄斑点有无，腹板的刚毛以及轮廓等可以区分。颊明显刻点，中胸小盾片和侧板密被大而深的刻点，刻点圆，相互之间不接触，间距约有刻点直径的 1～2 倍；并胸腹节沟明显，从基部到端部贯穿后表面，后足胫节通常黑色，腹部第 2 背板侧面中部通常无黄斑点，雌性唇基上的小刻点模糊，尤其在端半很稀；第 2 腹板有直立的刚毛和短刚毛混合；雄性唇基前面游离部位相对较短，约为唇基总长的1/4。雄性触角端节尖，回弯如钩状，不达第10节基部；腹部第1背板背腹面均略凸；第2背板侧面观基部明显膨大，背腹切线形成的夹角明显为钝角，后缘略下压，从而弯曲的轮廓如弓；近端缘压陷明显，端缘微凹；第2背板的刻点大而深，刻点相互几乎接触，形成网格，侧面刻点渐稀渐细。

采集记录：2♀，西安黎元坪，2011.Ⅷ.28，谭江丽采；1♀，周至栗子坪，2013.Ⅶ.25，谭江丽采；7♀1♂，太白鹦鸽镇药王谷，2015.Ⅸ.06，谭江丽采；1♂，华县少华山，2013.Ⅶ.19，谭江丽采；1♂，佛坪岳坝麻家沟，2013.Ⅶ.28，谭江丽采。

分布：陕西（西安、周至、太白、华县、佛坪、商洛）、江苏、浙江、广东；俄罗斯远东，朝鲜半岛，日本。

26. 细盾蜾蠃属 *Leptomicrodynerus* Giordani Soika, 1985

Leptomicrodynerus Giordani Soika, 1985: 37. **Type species**: *Leptomicrodynerus tieshengi* Soika, 1985.

属征：头部额明显长于唇基，雌性颅顶无凹窝；前胸背板前垂直面两侧明显刻点；中胸背板明显长大于宽，副翅基片短，几乎消失，翅基片后缘明显超过副基片；后胸背板中央无齿突，并胸腹节亚缘脊突出，腹瓣长四边形，二者呈双叶状；中足胫节1个端距；前翅亚缘室前端窄，其下缘边框1-M脉和2-M脉几乎呈直角；腹部第1背板（腹柄）基部无横脊，端缘宽于第2节背板宽度之半，无明显膨大。

分布：中国，朝鲜半岛。世界仅报道1种，秦岭地区有分布。

（826）铁生细盾蜾蠃 *Leptomicrodynerus tieshengi* Giordani Soika, 1985（图版108：A）

Leptomicrodynerus tieshengi Giordani Soika, 1985: 37.

鉴别特征：体黑色，但唇基黄褐色中央有1个大圆形黑斑，翅基片端部黄斑；腹部1、2节背板（T_1，T_2）亚端部窄黄带，端部有透明的边沿，腹部第1背板透明边沿约为黄带宽度之半，腹部第2背板则约与黄带同宽。腹部第2背板大网状刻点，腹部第2背板开始向后刻点细密；并胸腹节侧面刻点横皱。

采集记录：1♀，周至栗子坪，2013.Ⅶ.25，谭江丽采。

分布：陕西（周至）、江苏；朝鲜半岛。

27. 佳盾蜾蠃属 *Euodynerus* Dalla Torre, 1904

Euodynerus Dalla Torre, 1904: 38. **Type species**: *Vespa dantici* Rossi, 1790.

属征： 腹部无柄，第1节明显宽大于长、几乎与第2节同宽；头部凹窝中到大型、浅，横长，后缘有1个弱脊(有时脊缺失)，通常在后单眼连线后有1对小坑，翅基前脊(pretegula carina)和沟发达，胸腹侧脊通常发达，Pleural 侧沟和 epipleural sutures 深且阔，在底部有尖密的骨化棱。后胸背板水平面后缘脊起并有齿；后胸背板后面部分近乎垂直(precipitous)，并胸腹节与后小盾片后方无平行延伸，亚中横脊紧挨后胸背板后缘两侧，通常高度发达成尖锐凸起，而并胸腹节背上中部无脊，腹部第1节背板基部没有横脊，端缘薄片与背板在同一水平面上，第2节腹板在基沟后多少平截；前翅副痣短，小于翅痣长的1/3；雄性触角末节向后弯，翅基片都长于后翅基片。

分布： 世界广布。古北区和东洋区已知80余种，中国记录12种，秦岭地区发现2种。

(827) 单佳盾蜾蠃 *Euodynerus* (*Euodynerus*) *dantici dantici* (Rossi, 1790)

(图版 108：B－C)

Vespa dantici Rossi, 1790: 89.

Odynerus dantici: de Saussure, 1852: 192.

Euodynerus dantici: Blüthgen, 1938 (1937): 278.

Euodynerus dantici dantici: Castro, 1992: 26.

鉴别特征： 雌虫体长11.90mm。体黑色，覆有大量黄色斑纹；上颚黄褐色，齿黑褐色；唇基基部倒"凹"字形斑、触角间1个"T"形斑、触角柄节腹面、复眼内缘1个斑并向下延伸抵达唇基基部、复眼后缘上端1个大条形斑、前胸背板大部分、翅基片(除中央和边缘透明的部分)、中胸侧板上1个大斑、小盾片上1对大斑、并胸腹节背面、腹部第1~2节背板端部及两侧、第2节腹板端部两侧的大斑、第3~6节背板端部及第3~4腹板端部两侧的小斑均为黄色；前足基节、各足转节及中足和后足腿节端部背面为黑色，余均黄色。唇基长大于宽，基部和两侧疏生小刻点，余具纵向褶皱；额区和头顶密生网状刻点，颊区刻点较额区和头顶稀疏，小；后单眼后方具1个浅窝穴，长约等于后单眼间距。整个胸部密生大网状刻点；中胸侧脊完整；后胸背板后缘具大小不一的齿；并胸腹节背区具粗糙刻点，背区两内侧具1对齿，并向后延伸至后胸背板两侧，后区和两侧具横向细条纹。腹部各节背板疏生浅小刻点，腹板的刻点较背板略深；第2节腹板基部具中纵沟。雄虫体型略小；整个唇基黄色；复眼后缘上端和前胸背板的黄色斑纹较雌性窄小；触角末端向后折回形成钩状，伸达第10节前缘，其他特征同雌性。

采集记录： 1♀1♂，黄龙石堡镇，2012.Ⅷ.02，周鑫、杨成采。

分布： 陕西(秦岭、黄龙)、河北、甘肃、浙江、江西；俄罗斯，土耳其，乌兹别克斯坦，哈萨克斯坦，阿拉伯半岛南部，欧洲。

(828) 日本佳盾蜾蠃 *Euodynerus nipanicus nipanicus* (von Schulthess, 1908) (图版 108：D)

Lionotus tomentosus var. *nipanicus* von Schulthess, 1908: 287.
Euodynerus niponicus: Giordani Soika, 1982: 41.
Euodynerus(*Pareuodynerus*)*nipanicus*: Lee, 1985: 149.
Euodynerus nipanicus nipanicus: Kim, 2012: 164.

鉴别特征：体黑色，但雌性触角窝间，复眼后端，前胸背板背前缘、后小盾片、翅基片、各足胫节和跗节、腹部1～4节端部以及雄性唇基、触角柄节等部位黄色或据黄色斑点或条带，唇基长与宽等长，雌性唇基密被刻点，端缘凹，后胸背板被茂密的直立刚毛，后表面粗糙斜横皱，无光泽，背后缘有1排规则的小齿，头凹坑粗糙，边缘大刻点夹小刻点，后胸第2背板有1个短但明显的端沿，背板刻点大且深。

采集记录：3♀2♂，眉县金渠镇，2015. Ⅷ. 15，马振霞、彭艳等采；3♀2♂，眉县槐芽镇，2015. Ⅷ. 16，马振霞、彭艳等采；1♂，佛坪岳坝，2013. Ⅶ. 27，谭江丽采。

分布：陕西(眉县、佛坪)、黑龙江、吉林、辽宁、河北、山东、江苏、浙江、广东、广西、四川、云南；俄罗斯(远东)，日本。

28. 奥蜾蠃属 *Oreumenes* Bequaert, 1926

Oreumenes Bequaert, 1926: 488 (as subgenus of *Eumenes* Latreille). **Type species**: *Eumenes harrnandi* Perez, 1905 (= *Eumenes decoratus* Smith, 1852).

属征：前翅副痣长于翅痣之半，甚至与翅痣等长；雌性唇基端缘平截，并胸腹节侧面边缘明显，与后面有明显的界线分开，雄性触角末节很小，不向回弯折。

分布：古北区，东洋区。世界已知2种，中国记录1种，秦岭地区有分布。

(829) 镶黄蜾蠃 *Oreumenes decoratus* (Smith, 1852) (图版 108：E)

Eumenes decoratus Smith, 1852: 36.
Eumenes sinensis Smith, 1873: 462.
Eumenes harmandi Pérez, 1905: 25, 84.
Oreumenes decoratus: Giordani Soika, 1976: 293.
Eumenes (*Oreumenes*) *decoratus*: Lee, 1982: 92.

鉴别特征：雌虫体长18.50～22.50mm；前翅长17～20mm。体黑色；唇基、整个触角间隆起、几乎整个前胸背板(仅后端很小的区域为黑色)、后胸背板上1个横斑、触角柄节与整个触角及腹部第1～2节端部的横带为黄棕色；复眼内缘1个条形斑和复眼后缘上端1个细长条形斑为黄色；各足腿节端部到胫节端部为锈色，胫节深锈色。唇基略凸起，疏生极小刻点，端部平截，边缘具极窄薄片；额区与头顶密生网状刻点，颊区刻点较额区与头顶稀小；整个胸部密生网状刻点，刻点较头顶的大；前胸领脊发达完整；小盾片凸起，中央更明显；并胸腹节后区凹陷形成1条大沟，下部具中纵脊。柄节细长，疏生小刻点，不均匀，从基部1/3处向端部突然变宽，端部宽是基部的2.85倍；腹部第2节几乎光滑，基部向端部突然变宽，端部具较窄透明薄片。雄虫并胸腹节具黄棕色斑，各足股节背面及胫节与跗节均为锈色；触角端部逗点状；其他特征同雌性。

采集记录： 1♀2♂，佛坪龙草坪，2013.Ⅶ.21，谭江丽采；1♂，商洛金丝峡，2013.Ⅶ.23，谭江丽采；3♀6♂，黄龙石宝镇，2012.Ⅷ.02，周鑫、游菊采。

分布： 陕西(西安、佛坪、商洛、黄龙)、吉林、辽宁、河北、山西、山东、江苏、浙江、湖南、广西、四川；朝鲜半岛，日本。

29. 旁喙蜾蠃属 *Pararrhynchium* de Saussure, 1855

Pararrhynchium de Saussure, 1855: 173 (as division of *Rhynchium* Spinola). **Type species:** *Rhynchium ornatum* Smith, 1852.

属征： 腹部无柄，腹部第1节有1条不明显的横脊，至少第1、2节背板端缘有薄沿；并胸腹节与后小盾片之间有1个水平区，横脊发达，端部中央有个深的内切，盾纵沟出现在中胸背板端部1/3～1/2处，前翅副痣短，约为翅痣长度的1/4。

分布： 亚洲东部。全世界已知11种6亚种，中国记录5种，秦岭地区分布1种。

(830) 丽旁喙蜾蠃 *Pararrhynchium ornatum* (Smith, 1852) (图版108: F)

Rhynchium ornatum Smith, 1852: 3.

Odynerus meijereanus Cameron, 1906: 226.

Odynerus shinto von Schulthess, 1908: 286.

Odynerus ornatus: von Schulthess, 1913: 8.

Ancistrocerus ornatus: Liu, 1936: 104 (cat.).

Pararrhynchium ornatum ornatum: van der Vecht, 1963: 95.

Pararrhynchium ornatum: Ishikawa, 1965: 297.

鉴别特征： 雌虫唇基大，小盾片和后胸背板有1条纵凹，胸腹侧脊存在，并胸腹节向后有个明显的水平延伸，约为后胸背板长度之半，后表面凹进，侧面上方粗糙密刻点。腹部第1节背板亚基部有明显的横脊；第2～3节背板端缘均有透明边沿，略微上翘，第2～3节背板1～2端带橙黄色。

采集记录： 1♀，周至楼观台，2015.Ⅷ.08，谭江丽采；1♀，周至栗子坪，2015.

Ⅶ.25，谭江丽采；1♀，宁陕旬阳坝，2011. Ⅵ.25，谭江丽采。

分布：陕西(周至、宁陕)、四川；日本。

30. 喙蜾蠃属 *Rhynchium* Spinola, 1806

Rygchium Spinola, 1806: 84. **Type species**: *Rygchium* (!) *europaeum* Spinola, 1806 (= *Vespa oculata* Fabricius, 1781).

Rhynchium Spinola, 1806: 84. emendation of *Rygchium* Spinola, 1806; validated by ICZN, Opinion 747, 1965: 186.

属征：前胸背板横脊完整，前垂直表面光滑无凹坑和刻纹；前翅副痣长于翅痣之半，甚至与翅痣等长，翅基片后缘不超过后翅基片；小盾片和中胸盾片后部刻点稀小，有光泽，后胸背板中部下压向两侧突出，并胸腹节在侧瓣之上无突起。

分布：古北区，非洲区。世界已知21种36亚种，中国记录3种，秦岭地区发现1种。

(831) 黑背喙蜾蠃 *Rhynchium quinquecinctum tahitense* de Saussure, 1867
(图版108：G－H)

Rhynchium tahitense de Saussure, 1867: 7.

Rhynchium haemorrhoidale tahitense: Giordani Soika, 1958 (1957): 206.

Rhynchium quinquecinctum tahitense: Gusenleitner & Madl, 2011: 133, 137.

鉴别特征：雌虫体长12.50～13.50mm；前翅长11.50～12.50mm。体黑色；唇基基部两侧黄色，余红褐色；上颚边缘黑褐色，余锈色；几乎整个头部(嵌有少许黑斑)、整个触角与前胸背板、中胸背板中央两侧2条纹、中胸侧板上1个大斑、翅基片、小盾片端部、后胸背板及并胸腹节上的斑纹均为黄棕色；腹部除第1与2节基部和第2节腹板外，余均黄棕色；前足基节前缘棕色，后缘黑色，腿节基部黑色，余棕色；中足腿节端部内侧棕色，其余黑褐色或黑色；后足黑褐色或黑色(爪除外)；足爪均深棕色。唇基长大于宽，具小刻点，侧角明显，端缘平截状；额区与头顶密生小刻点，颊区刻点较额区与头顶的小；两后单眼内侧略突起，后方具1个浅窝穴，长约等于后单眼距。前胸背板和中胸背板密生中刻点；前胸领脊发达完整；小盾片基部光滑，端部疏生小刻点；整个并胸腹节具细条纹。腹部第1节与第2节背板疏生浅小刻点，第2节腹板刻点较背板的略密集，深，大。雄虫全身斑纹颜色略浅；唇基黄色；中胸背板上斑纹较大，几乎整个小盾片，各足大部分(中足和后足基节与腿节基部黑色)及并胸腹节大部分为棕色；触角末端向后弯曲形成钩状，伸达第11节前缘；其他特征同雌性。

采集记录： 3♂，眉县槐芽镇，2015. Ⅷ. 16，马振霞、曾令权采；7♂，眉县金渠镇，2015. Ⅷ. 14，马振霞、彭艳等采；1♂，太白桃川镇，2015. Ⅷ. 12，彭艳采；4♀6♂，留坝江口镇，2012. Ⅷ. 18，周鑫、杨成采；9♀28♂，黄龙石宝镇，2012. Ⅷ. 02，周鑫、游菊等采。

分布： 陕西(眉县、太白、留坝、黄龙)、河北、山西、江西、湖南；澳洲区。

31. 直盾蜾蠃属 *Stenodynerus* de Saussure, 1863

Stenodynerus de Saussure, 1863: 228. **Type species**: *Odynerus chinensis* Saussure, 1863.

Nannodynerus Blüthgen, 1938 (1937): 281. **Type species**: *Lionotus teutonicus* Blüthgen, 1937.

Parhypodynerus Giordani Soika, 1973: 110. **Type species**: *Odynerus pavidus* Kohl, 1905.

属征： 体小型，全长不超过 10 mm。前胸背板前垂直面中央有 2 个小凹坑，前胸背板脊发达，但背上方中部被打断；中胸侧板有明显的胸腹侧脊，翅基片钟状，中央明显阔，长略大于宽，侧后方阔圆弧状，到达后翅基片后缘水平处略尖；腹部非柄状，第 1 节无基部横脊(但有些型基部倾斜面与后端水平面纹饰区别明显，且几乎垂直，与 *Pararrhynchium* 类似)，宽度略窄于第 2 节背板；前翅副痣很短，短于翅痣长度的 1/4；雄性触角末节回弯如钩状，端部常搭在 11 节。

分布： 全北区，东洋区，新热带区。世界已知 66 种 26 亚种，中国记录 20 种，秦岭地区发现 4 种。

分种检索表

1. 腹部第 1 节背板前表面垂直，上半部有少数刻点和 1 道中纵脊 …… **帕氏直盾蜾蠃 *S. pappi. pappi***
   腹部第 1 节背板前表面不垂直，多少有些圆，在上半部刻点多，无中纵脊 …………………… 2
2. 腹部第 2 节背板端部边沿上卷几乎竖直，边缘不规则齿状；恰在边沿之前通常强烈下压成凹槽 …………………………………………………………………… **背直盾蜾蠃 *S. tergitus***
   腹部第 2 节背板端部边沿不上卷，至多稍有弯曲；在边沿之前不下压成凹槽 ……………… 3
3. 前胸背板前表面中部的凹窝浅，多少呈“U”字形；后头沟在唇基基部水平处略成角度；前胸背板脊全程明显，形成透明脊起 ……………………………………… **福直盾蜾蠃 *S. frauenfeldi***
   前胸背板前表面中部的凹窝明显，多少呈“V”字形；后头沟平滑，不成角度；前胸背板脊弱，背上部几乎消失 …………………………………… **中华直盾蜾蠃 *S. chinensis. chinensis***

(832) 中华直盾蜾蠃 *Stenodynerus chinensis chinensis* (Saussure, 1863)

Odynerus chinensis Saussure, 1863: 230.

Stenodynerus chinensis: Vecht & Fischer, 1972: 65.

Stenodynerus chinensis Giordani Soika, 1972: 105.

Stenodynerus chinensis chinensis：Giordani Soika，1986a：124.

鉴别特征：雌虫体长6.50～7.50mm；前翅长5～6mm。体黑色；唇基基部近1/2区域、上颚基部、触角柄节腹面、触角间1个斑、复眼后缘上端1个横斑、前胸背板前缘、中胸侧板1个小斑、翅基片（除中间透明的部分）、旁翅基片、小盾片上1对小斑、后胸大部分、腹部第1～2节背板和第2节腹板端部的横带及前足与中足胫节背面均为黄色；翅褐色。唇基宽大于长，疏生较大刻点和短毛；后单眼后方具1个小窝穴，长小于后单眼间距。前胸背板前面倾斜，具1个"V"形凹陷，凹陷两侧疏生刻点，前胸领脊发达，中间间断，肩角明显；并胸腹节围界脊退化，后区凹陷，具不规则皱纹和刻点，下部具短纵中脊。腹部第2背板端部具无规则深刻点；第2腹板基部具中纵沟，基角为钝角。雄虫整个唇基，所有足腿节端部到跗节末端，中足和后足的基节，翅基片基部和腹部背板第3节与腹板第3节端部的带（有时消失）为黄色，上颚端部棕色，内缘黑褐色；唇基长约等于宽，刻点较雌性的小且浅，端部凹陷较深呈"U"形；触角末端向后折回形成钩状，伸达第11节基部1/8处；其他特征同雌性。

采集记录：3♀1♂，眉县槐芽镇，2015.Ⅷ.16，马振霞、彭艳采；7♀1♂，眉县金渠镇，2015.Ⅷ.14，马振霞、曾令权采；14♀7♂，眉县青化镇金家庄村，2015.Ⅷ.15，马振霞、彭艳等采；4♀2♂，华县金堆村，2012.Ⅷ.07，周鑫、杨成采。

分布：陕西（眉县、华县）、河北、河南、台湾、重庆、四川、贵州、云南；韩国，日本，瑞士。

（833）福直盾蜾蠃 *Stenodynerus frauenfeldi*（de Saussure，1867）（图版109：A－B）

Odynerus frauenfeldi de Saussure，1867：15.

Stenodynerus frauenfeldi：Giordani Soika，1972：105.

鉴别特征：雌虫体长7～8mm；前翅长5.50～6.60mm。体黑色；唇基基部、触角柄节腹面、触角间1个斑、复眼后缘上端1个横斑、前胸背板前缘的横带（中间间断）、中胸侧板上1个大斑、翅基片、旁翅基片、小盾片上1对斑（有时连接在一起，有些个体消失）、后胸大部分、并胸腹节侧区1个大斑、腹部第1～2背板和第2腹板端部的横带及所有足腿节端部和胫节背面均为黄色；所有足跗节铁锈色；上颚基部黄色，端部黑褐色，余红褐色；翅褐色。唇基宽略大于长，散生小刻点和短毛；后单眼后方凹陷退化。前胸背板前面垂直，具1个浅"U"形窝穴，窝穴两侧散生小刻点，上部具横向细纹，前胸领脊极其发达，中间间断，肩角明显；并胸腹节围界脊退化，后区凹陷、具浅网状刻纹，下部具短纵中脊。腹部第2背板端部无薄片，第2腹板中纵沟退化，基角为钝角。雄虫整个唇基黄色，上颚端部及外缘黑褐色，余黄色；唇基中央凸起，长约等于宽，散生极小刻点；端部凹陷较深，"U"形；触角末端向后折回形成钩状，伸达11节前缘；其他特征同雌性。

采集记录： 42♀11♂，眉县金渠镇，2015. Ⅷ. 14，马振霞等采；14♀11♂，眉县青化镇金家庄村，2015. Ⅷ. 15，彭艳等采；34♀3♂，眉县槐芽镇，2015. Ⅷ. 16，马振霞、曾令权采；3♀20♂，华阴华山，2012. Ⅷ. 06，周鑫等采；28♂，华阴华山，2012. Ⅷ. 05，周鑫等采；3♂，留坝江口镇，2012. Ⅷ. 18，周鑫、杨成采。

分布： 陕西（眉县、华阴、留坝）、江西、重庆、四川、贵州；俄罗斯，韩国，日本。

（834）帕氏直盾蜾蠃 *Stenodynerus pappi pappi* Giordani Soika, 1976（图版 109：C）

Stenodynerus pappi Giordani Soika, 1976: 290.

鉴别特征： 雌虫体长7.50～8.50mm；前翅长7～8mm。体黑色；触角柄节腹面、触角间1个斑、复眼后缘上端1个小斑、前胸背板上1对小斑、旁翅基片、后胸背板端部、腹部第1～2背板和第2腹板端部的横带均为黄色；翅褐色。唇基长宽相当，中央凸起，具粗糙中刻点，散生短毛；后单眼后方凹陷退化。前胸背板前面倾斜，具1对圆形凹陷，两凹陷间的距离小于凹陷直径，凹陷两侧散生刻点，明显，前胸领脊不发达，肩角不明显；并胸腹节围界脊发达，后区凹陷，具横向细皱纹和中纵脊。腹背板第1节基部前面垂直，几乎光滑，上部具中纵脊；背板2端部刻点深，形成横沟，端缘具薄片，较宽，且向上圈起；腹板2基部具短中纵沟，基角略大于90°。

采集记录： 2♀，太白桃川镇，2015. Ⅷ. 12，马振霞、彭艳采；1♀，华县金堆镇，2012. Ⅷ. 07，游菊、白媛采；1♀，黄龙石堡镇，2012. Ⅷ. 02，周鑫采。

分布： 陕西（太白、华县、黄龙）、浙江、江西、台湾、重庆；韩国。

（835）背直盾蜾蠃 *Stenodynerus tergitus* Kim, 1999（图版 109：D－E）

Stenodynerus tergitus Kim, 1999: 349, 352.

鉴别特征： 雌虫体长6.50～7.50mm；前翅长5.50～6.50mm。体黑色；唇基基部1对小斑点、上颚端部、触角柄节腹面、触角间1个斑、复眼后缘上端1个圆斑、前胸背板上1对大斑、后胸背板端部、腹部第1～2背板和第2腹板端部的横带均为黄色；翅褐色。唇基凸起，宽略大于长，端缘凹陷，具粗糙中刻点，散生短毛；后单眼后方具1个浅小凹陷，长小于2个后单眼间的距离。前胸背板前面倾斜，具1个"V"形穴窝，穴窝两侧散生小刻点，前胸领脊发达，完整；并胸腹节围界脊退化，后区凹陷，具粗糙刻点，下部具短中纵脊。腹部第2背板端部具较深刻点，并形成横沟，端缘具薄片，较宽，且向上圈起；第2腹板基部具短中纵沟，基角为钝角。雄虫整个唇基、所有足腿节端部、胫节背面及腹面大部分和第1跗节为黄色；唇基散生极小刻点，端部凹陷，"U"形；触角端部向后折回形成钩状，伸达11节基部，其他特征同雌性。

采集记录：1♀3♂，洛南馒头山，2012. Ⅷ. 08，周鑫、杨成采。

分布：陕西（洛南）；韩国。

32. 同蜾蠃属 *Symmorphus* Wesmael, 1836

Symmorphus Wesmael, 1836: 45 (subgenus of *Odynerus* Latreille). **Type species**: *Odynerus elegans* Wesmael, 1833.

Protodynerus de Saussure, 1855: 186. **Type species**: *Odynerus elegans* Wesmael, 1833.

Koptodynerus Blüthgen, 1943: 152. **Type species**: *Symmorphus declivis* Harttig, 1932.

属征：雌虫颅顶在后单眼后有1对头凹坑，唇基宽大于长，密被小刻点；翅基片长且阔，后缘与后翅基片关键，前后均尖，前翅副痣很短，小于翅痣长度的1/3；胸腹侧脊通常发达，但有些种类缺失，中胸背板盾纵沟通常完整、发达；腹部第1背板水平部分有中纵沟；腹部非柄状，第1节相对较窄，长略大于宽；腹部2～6节背板通常无刻点，有光泽。雄虫触角末节简单，不回弯成钩，不少种类端部多节有小瘤点。

分布：全世界已知47种和2亚种，中国已记录19种，秦岭地区发现3种。

分种检索表

1. 后头沟中央内切，在中央形成1个齿突；第2腹板基部在沟后急剧抬升，形成1个截面，侧面观腹缘近乎直角 ………………………………………… **双孔同蜾蠃 *S. ambotretus***

   后头沟中央正常无齿突；第2腹板基部在沟后弧状弯曲，腹缘光滑 ………………… 2
2. 并胸腹节无光泽，侧面粗糙密横皱；腹部第1背板水平部分粗糙网格皱，中央背纵沟浅，不明显 ………………………………………… **尖饰同蜾蠃 *S. apiciornatus***

   并胸腹节侧面有光泽，基部下方光滑，向上向后横条皱，而后网格皱；腹部第1背板刻点非常细小，中央背纵沟明显 ………………………………………… **光同蜾蠃 *S. lucens***

（836）尖饰同蜾蠃 *Symmorphus apiciornatus* (Cameron, 1911)（图版109：G）

Ancistrocerus apiciornatus Cameron, 1911: 288.

Odynerus (*Ancistrocerus*) *apiciornatus*: von Schulthessi, 1934: 74.

Symmorphus apiciornatus: van der Vecht &d Fischer, 1972: 119.

Symmorphus seoulensis Tsuneki, 1986: 22.

鉴别特征：本种与光同蜾蠃颜色相似，但个体稍大，并胸腹节无光泽，侧面粗糙密横皱；腹部第1背板水平部分粗糙网格皱，中央背纵沟浅，不明显。雌虫体长6.50～7.50mm；前翅长6.00～6.50mm。体黑色；触角间1个小斑、复眼后缘上端1个极小斑点、前胸背板前缘1对大斑、中胸侧板上1个中斑及腹部第1～2节背板和第2节腹板端部的横带均为黄色；翅基片中央棕色。唇基凸起，疏生极小刻点，端缘微微凹陷；额区与头顶密生小网状刻点，颊区刻点较额区与头顶稀小；后头脊发达，中间无小齿。前胸背板刻点与头顶的相似，但浅，前胸领脊完整；中胸背板上的刻点较前胸背板的小，具完整盾纵沟；小盾片上刻点与中胸背板的相似，具1条长纵沟，仅比其长略小；后胸背板较宽；并胸腹节围界脊发达，背区和侧区密生大网状刻点，后区微微凹陷，具1条完整中纵脊和横向细皱纹。腹部第1节细长，背板密生网状刻点，基部具横脊，两端退化，中央具中纵沟；第2节背板基部到端部逐渐变大，疏生极小刻点；腹板刻点由基部向端部变小，基角为钝角；腹板和背板端部均具较窄薄片。雄虫上颚内侧淡黄色，端部红褐色；唇基，触角柄节腹面及背板4～5节端部的横带为黄色；其他特征同雌性。

采集记录：1♂，凤县嘉陵江，2007.Ⅴ.26，蒋晓宇采；1♀，宁陕广货街，2013.Ⅵ.29，谭江丽采。

分布：陕西(凤县、宁陕)、北京、江苏、福建、广东、四川；俄罗斯，朝鲜半岛，日本。

(837) 双孔同蜾蠃 *Symmorphus ambotretus* Cumming, 1989(图版109：F)

Symmorphus ambotretus Cumming, 1989: 21.

鉴别特征：该种从后头沟中央内切，在中央形成1个齿突；第2腹板基部在沟后急剧抬升，形成1个截面，侧面观腹缘近乎直角，这两个特征极易判定。

采集记录：3♀，陕西眉县金渠镇，2015.Ⅷ.14，马振霞、彭艳采；1♀，商洛金丝峡，2013.Ⅶ.23，谭江丽采。

分布：陕西(眉县、商洛)、重庆、四川、云南；朝鲜半岛，尼泊尔。

(838) 光同蜾蠃 *Symmorphus lucens* (Kostylev, 1938)(图版109：H)

Odynerus lucens Kostylev, 1938: 23.

Symmorphus lucens: Li & Chen, 2014: 20.

Symmorphus ishikawai Giordani Soika, 1975: 151.

鉴别特征：前翅长约6.50mm。头凹坑大小如后单眼，中胸侧板几乎无刻点，有光泽，并胸腹节基横脊不发达，侧面有光泽，基部下方光滑，向上向后横条皱，而后网格皱，腹部第1背板刻点非常细小，基横脊发达，在背中部常有弯曲，中央背纵沟明显。

采集记录：2♀，留坝留侯镇，2015.Ⅶ.28，谭江丽、谭青青采。

分布：陕西(留坝)、内蒙古；俄罗斯，朝鲜半岛，日本。

参考文献

André, E. 1884. *Species des Heménopterès d'Europe et d'Algerie*. 2, Beaune, 1-810pp.

Archer, M E. 1981. A simulation model for the colonial development of *Paravespula vulgaris* (Linnaeus) and *Dolichovespula sylveslris* (Scopoli) (Hymenoptera: Vespidae). *Melanderia*, 36: 1-59.

Archer, M E. 1982. A Revision of the Subgenus *Rugovespula* nov. of the Genus *Vespula* (Hymenoptera, Vespidae). *Kontyû*, 50 (2): 261-269.

Archer, M. E. 1987. Three new species of *Dolichovespula* (Hym., Vespidae) from China. *Entomologist's Monthly Magazine*, 143: 27-31.

Archer, M. E. 1994. Identification of Lee' s (1986) new species of *Vespula* and *Dolichovespula* (Vespidae, Vespinae). *Sphecos*, 27: 13.

Archer, M. E. 2012. *Vespine wasp of the world, behavior, ecology, taxonomy of the Vespinae*. Monograph Series 4, Manchester: Siri Scientific Press. 352pp.

Ashmead, W. H. 1902. Classification of the fossorial predaceous and parasitic wasps, or the super family Vespoidae. *The Canadian Entomologist*, 34: 203-210.

Bequaert, J. 1918. A revision of the Vespidae of the Belgian Congo based on the collection of the American Museum Congo Expedition, with a list of Ethiopian diplopterous wasps. *Bulletin of the American Museum of Natural History*, 39: 1-384.

Bequaert, J. 1931. The color form of the common hornet *Vespa crabro* Linnaeus. *Konowia*, 10: 101-109.

Bequaert, J. 1939. The Oriental Vespa analis and its color forms with a note of *Vespa esakii* Sonan and *Vespa formosana* Sonan. *Transactions of American Entomological Society*, 65: 37-42.

Bingham, C. T. 1897. *The Fauna of British India, including Ceylon and Burma, Hymenoptera. Vol.* Ⅰ. Wasps and Bees. Taylor and Francis, London, xxix + 579 pp.

Birula, A. 1925. Uber die russischen Wespen und ihre geographische Verbreitung. *Archiv für Naturgeschichte*, 90A (12): 88-102.

Birula, A. 1930. Uber die russischen Wespen und ihre geographische Verbreitung. *Annuaire du Musée Zoologique de l'Académie de Sciences de l'URSS*, 31(2): 291-340.

Bischoff, H. 1931 (1930). Zur Kenntnis der Gattung Pseudovespa. *Sitzungsberichte der Gesellschaft naturforschender Freunde*, 1930: 329-346.

Blüthgen, P. 1938a. Systematisches Verzeichnis der Faltenwespen Mitteleuropas, SkandinaviIens und Englands. *Konovia*, 16: 270-295.

Blüthgen, P. 1938b. Beitrage zur Kenntnis der palaarktischen Eumeniden (Hym. Vespidae). *Deutsche Entomologische Zeitschrift*, 1938(2): 434-496.

Blüthgen, P. 1943. Taxonomische und biologische Notizen über paläarktische Faltenwespen(Hym. Vespidae). *Stettiner Entomologisehe Zeitung*, 104: 149-158.

Blüthgen, P. 1953. Die Eumeniden-Gattung *Allodynerus* Blüthg. 1938 (Hym., Vespidae). *Zoologische Anzeiger*, 150(3/4): 50-59.

Bohart R. M. 1950 New species of solitary Vespidae from North America (Hymenoptera: Vespidae). *Proceedings Biological Society Washington*, 63: 77-81.

Bohart, R. M. 1939. Taxonomy of the typical subgenus *Odynerus* in North America (Hymenoptera: Vespidae). *Pan-Pacific Entomologist*, 15: 76-84.

Cameron, P. 1903. Descriptions of four new species of Vespa from Japan. *Entomologist*, 36: 278-281.

Carpenter, J. M. 1986. A synonymic generic checklist of the Eumeninae (Hymenoptera: Vespidae). *Psyche*, 93: 61-90.

Carpenter, J. M. 1996. Distributional Checklist of Species of the Genus *Polistes* (Hymenoptera: Vespidae; Polistinae, Polistini). *American Museum Novitates*, 3188: 1-39.

Carpenter, J. M. and Kojima, J. 1997. Checklist of the species in the subfamily Vespinae (Insecta: Hymenoptera: Vespidae). *National History Bulletin of Ibaraki University*, 1: 51-92. [updated 2005 Dec 29]. Available from: http://iunh2.sci.ibaraki.ac.jp/wasp/list.html

Castro, L. 1997. Catalogus. 16. Insecta: Hymenoptera, Familia 3a, Familia Vespidae: Subfamilia Eumeninae. *Catalogus de la Entomofauna Aragonesa Pena*, 16: 3-8.

Cumming, J. M. 1989. Classification and evolution of the eumenine wasp genus Symmorphus Wesmael (Hymenoptera: Vespidae). *Memoirs of the Entomological Society of Canada*, 148: 1-168.

Dalla Torre, K. W. 1904. Hymenoptera, Fam. Vespidae. *Genera Insectorum*, 19: 1-108.

Dalla Torre, K. W. 1894. *Catalogus Hymenopterorum*, *Vespidae* (Diploptera), 9: 1-81. Leipzig.

de Saussure, H. F. 1852. *Études sur la famille des vespides* Ⅰ, Monographie des Guépes solitaires, ou de la tribu des Euméniens. *Cherbuliez*, *Genève*, *Masson*, *Paris*, 268 pp. http://dx.doi.org/10.5962/bhl.title.39973

de Saussure, H. F. 1853-58. *Études sur la famille des Vespides* Ⅱ, Ⅲ, Monographie des Guépes sociales. *Genève and Paris*. *Genève*, 17: 171-255.

de Saussure, H. F. 1867. *Reise der Österreichischen Fregatte Novara um die Erde in den jahren* 1857, 1858, 1859. Zool. Teil, 2 Band 1. Abteil A. 2. Hymenoptera. Wein, 142 pp.

Dong, D. Z. 2001. A New Species of *Vespa* (Hymenoptera: Vespidae) from Yunnan China. *Journal of Southwest Agricultural University*, 34(1): 82-83. [董大志. 2001. 云南胡蜂属一新种(膜翅目: 胡蜂科). 西南农业大学学报, 34(1): 82-83.].

Dong, D. Z., He Y. H., Wang Y. Z. and Wang, R. W. 2003. A New Species of *Vespula* (Hymenoptera: Vespidae) from Yunnan China. Journal of Southwest Agricultural University, 25(3): 212-213. [董大志, 何远辉, 王云珍, 王瑞武. 2003. 黄胡蜂属一新种(膜翅目: 胡蜂科). 西南农业大学学报, 25(3): 212-213.]

Dong, D. Z., Wang, Y. Z., He, Y. H. and Wang, R. W. 2002. A New Species of *Vespula* (Hymenoptera: Vespidae) from Yunnan China. *Journal of Southwest Agricultural University*, 24(5): 396-397. [董大志, 王云珍, 何远辉, 王瑞武. 2002. 云南黄胡蜂属一新种(膜翅目: 胡蜂科). 西南农业大学学报, 24(5): 396-397.]

Dong, D. Z., Liang, X. C., Wang, Y. Z. and He, Y. H., 2005. A New Species of *Vespula* (Hymenoptera: Vespidae) from Gongshan Yunnan China. *Entomotaxonomia*, 27(1): 65-68. [董大志, 梁醒财, 王云珍, 何远辉. 2005. 云南贡山黄胡蜂属一新种(膜翅目: 胡蜂科). 昆虫分类学报, 27(1): 65-68.]

Dong, D. Z. and Wang, Y. Z. 2003. Phylogeny of *Vespa* Linnaeus (Hymenoptera: Vespidae). *Journal of Southwest Agricultural University*, 25(5): 405-408. [董大志, 王云珍. 2003. 胡蜂属 *Vespa* Linnaeus 的系统发育研究(膜翅目: 胡蜂科). 西南农业大学学报, 25(5): 405-408.]

Dover, C. 1925. Further notes on the Indian Diplopterous wasps. *Journal of the Asiatic Society of Bengal*, new series, 22, 289-305.

Dover, C. 1929. Wasps and bees in the Raffles Museum, Singapore. *Bulletin of the Raffles Museum*, 2: 43-70.

Dover, C. 1931. The Vespidae in the F. M. S. Museums. *Journal of the Federated Malay States Museums*, 16: 251-260.

du Buysson, R. 1905 (1904). Monographie des guêpes ou Vespa. *Annales De La Societe Entomologique de France*, 73(3): 485-556, 565-634.

du Buysson, R., 1903. Note pour server ὰ l'histoire des Strepsiptères. *Bulletin de la Société entomologique de France*, 1903: 174-175.

Eck, R. 1983. Zur Verbreitung und Variabilität von *Dolichovespula saxonica* (Hymenoptera, Vespidae). *Entomologische Abhandlungen, Staatliches Museum für Tierkunde in Dresden*, 46(8): 151-176.

Fabricius, J. C. 1781. *Species Insectorum, vol.* 1, 8 +552pp. Hamburg und Kilon: Bohn.

Fabricius, J. C. 1787. *Mantissa insectorum, sistens eorum species nuper detectas adiectis characteribus generícis, differentiis specificis, emendationibus, observationbus.* Ioh. Christ. Fabricii. Impensis C. G. Proft, Hafniae, pp. 1-348.

Fabricius, J. C. 1793. *Entomologia systematica emendata et aucta. Secundum classes, ordines, genera, species adjectis synonimis, locis, observationibus, descriptionibus.* Tome 2. Christ. Gottl. Proft, Hafniae, ⅷ + 519 pp.

Fabricius, J. C. 1804. *Systema Piezatorum, secundum: Ordines, Genera, Species adiectis Synonymis, locis, observationibus, descriptionibus.* Christ. Gottl. Proft, Hafniae, 439 pp.

Fabricius, J. C. F. 1775. *Systema Entomolgiae, etc.* XXⅧ + 832 pp. Kortii, Flensburgi *et* Lipsiae.

Giordani Soika, A. 1994. Ricerche sistematiche sualcuni generi di Eumenidi della Regione Orientale e della Papuasia (Hymenoptera: Vespoidea). *Annali del Museo Civico di Storia Naturale "Giacomo Doria"*, 90: 1-348.

Giordani Soika, A. 1941. Studi sui Vespidi Solitari. *Bollettino della Societa Veneziana Storia Naturale*, 2 (3): 130-279.

Giordani Soika, A. 1952. Risultati della Spedizione Scientifica Zoologica in Turchiadel Museo Nazionale Dipraha 9 Hymenoptera Ⅱ Vespidae: Eumeninae. *Acta Entomologica Musei Nationalis Pragae*, 1951 XXⅦ 394: 376-386.

Giordani Soika, A. 1973. Descrizione di nuovi Eumenidi. *Bollettino del Museo Civico di Storia Naturale di Venezia*, 24: 97-131.

Giordani Soika, A. 1975. Ergebnisse der Bhutan—Expedition des Naturhistorisches Museums in Basel, Hymenoptera, Fam. Eumenidae. *Entomologica Basiliensis*, 1: 387-393, 5 figs.

Giordani Soika, A. 1982. Vespidi ed eumenidi raccolti in Corea (Hymenoptera) 2. *Folia Entomologica Hungarica*, 43: 39-41.

Giordani Soika, A. 1985. Notulae Vespidologicae-XLⅣ Descrizionedi un nuovo genre e di due nuove specie di Eumenidi Asiatici (Hym.). *Bollettino della Societa Veneziana Storia Naturale*, 10: 37-41.

Giordani Soika, A. 1986. Eumenidi palearctici nuovi o poco noti. *Bollettino del Museo Civico di Storia Naturale di Venezia*, 35, 91-162.

Giordani Soika, A. 1976. Vespidi ed Eumenidi raccolti in Corea (Hymenoptera). *Annales Storico-Naturales Musei Nationalis Hungarici*, 68: 287-293.

Gusenleitner J. 1998. Vespoidea und Sapygidae gesammelt auf der Insel Samos (Hymenoptera: Eumenidae, Masaridae, Sapygidae). *Linzer Biologische Beiträge*, 30 (1): 151-161.

Gusenleitner, J. 2011. Eine Aufsammlung von Faltenwespen aus Laos im Biologiezentrum Linz (Hymenoptera: Vespidae: Vespinae, Stenogastrinae, Polistinae, Eumeninae). *Linzer Biologische Beiträge*, 43 (2), 1351-1368.

Gusenleitner, J. 1972. Übersicht Über Die Derzeit Bekannten Westpaläarktischen Arten Der Gattung *Eumenes* Latr. 1802 (Hym, Vespoidea), *Bollettino del Museo Civico di Storia Naturale di Venezia*, XXⅡ-Ⅱ: 67-117.

Gussakovskij, V. 1932. Verzeichnis der von Herrn Dr. Malaise im Ussuri und Kamtshatka gesammelten aculeaten Hymenoptera. *Arkiv för Zoologi*, 24 A(10): 1-66.

Kim, J, K. 2001. A new species of genus *Polistes* Latreille (Polistinae, Vespidae, Hymenoptera) from Korea. *Korean Journal of Entomology*, 31 (1): 59-62.

Kim, J. K. 1999. Taxonomic review of Genus *Stenodynerus* Saussure (Eumeninae, Vespidae, Hymenoptera) with description of a new species in Korea. *Korean Journal of boilogical Sciences*, 3: 347-354.

Kim, J. K. 2005. Taxonomic review on the far eastern species of the genus *Discoelius* Latreille (Hymenoptera: Vespidae: Eumeninae). *Entomological Research* (Seoul), 35: 111-116.

Kim, J. K. 2012. Taxonomic Review of the Genus *Euodynerus* (Hymenoptera: Vespidae: Eumeninae) in the Korean Peninsula. *Animal Systematics, Evolution and Diversity*, 28(3): 161-167.

Kim, J. K. and Yamane, S. 1998. A little known Monotypic Genus, Leptomicrodynerus Giordany Soika (Eumeninae, Vespidae, Hymenoptera), found from Korea. *Korean Journal of Entomology*, 28(2): 133-136.

Kim, J. K. and Yamane, S. 2001. A revision of *Eumenes* Latreille (Hymenoptera: Vespidae) from the Far East Asia, with descriptions of one new species and one new subspecies. *Entomological Science*, 4 (2): 139-155.

Kim, J. K. and Yamane, S. 2007. Description of a New Species of *Pararrhynchium* Saussure (Hymenoptera, Vespidae, Eumeninae) from Taiwan with a Catalogue of the *Pararrhynchium* Species. *Zootaxa*, 1556: 61-68.

Kim, J. K. and Yamane, S. 2009. Taxonomic review of the genus *Ancistrocerus* Wesmael (Hymenoptera: Vespidae: Eumeninae) from the Far East, with a description of a new species from Korea. *Animal Cells and Systems*, 13(1): 31-47.

Kim, J. K. and Yoon, B. 1996. Synonymic list and distribution of Eumenidae(Hymenoptera) in Korean Peninsula. In Korean Entomological Institute(ed.): *Synonymic list and distribution of Hymenoptera in Korea*, 197-208.

Kimsey, L. S. and Carpenter, J. M. 2012. The Vespinae of North America (Vespidae, Hymenoptera). *Journal of Hymenoptera Research*, 28: 37-65.

Kohl, F. F. 1908. 7. Hymenopteren. *In*: Rechinger, K. (Ed.), Botanische und zoologische Ergebnisse einer wissenschaftlichen Forschungsreise nach den Samoa-Inseln, den Neuguinea-Archipel und Solomon-Inseln. *Denkschrift der Kaiserlichen Akademie der Wissenschaften*, 81, 306-317.

Kojima, J. and Carpenter, J. M. 1997. Catalog of species in the polistine tribe Ropalidiini (Hymenoptera: Vespidae). *American Museum Novitates*, 3199: 1-96.

http://iunh2.sci.ibaraki.ac.jp/wasp/list.html

Kojima, J., Saito, F. and Nguyen, L. T. P. 2011. On the species-group taxa of Taiwanese social wasps

(Hymenoptera: Vespidae) described and/or treated by J. Sonan. *Zootaxa*, 2920: 42-64.

Kriechbaumer, J. 1879. eumeniden-Studien; 4. eine neue art. *Entomologische Nachrichten*, 5 (7): 85-89.

Kumar, P. G. 2013. A taxonomic study of the genus *Anterhynchium* de Saussure (Hymenoptra: Vespidae: Eumeninae) from India subcontinent. *Record Zoolological Survey of India*, 113(4): 139-158.

Kumar, P. G. 2016. A taxonomic review of the genus *Antepipona* de Saussure, 1855 (Hymenoptera: Vespidae: Eumeninae) from India. *Zootaxa*, 4150 (5): 501-536.

Kumar, P. G. And Sharma, G. 2013. A taxonomic study on the genus *Rhynchium* Spinola (Hymenoptera: Vespidae: Eumeninae) from the Indian Subcontinent. *Record Zoolological Survey of India*, 113 (2): 105-122.

Kuo, M. C. and Yeh, W. H. 1987. Ecological studies on *Vespa*, *Polistes*, *Parapolybia* and *Ropalidia* (Study on Vespidae in Taiwan Ⅲ). *Journal of National Chiayi Institute of Agriculture*, 16, 77-104. [郭木传，叶文和. 1987. 台湾产胡蜂类研究之Ⅲ，虎头蜂属、长脚蜂属、细长脚蜂属、钟胡蜂属等蜂类生态之研究. 嘉义农专学报，16，77-104]

Kurzenko, N. V. 1981. *Survey of some wasp genera of the family Eumenidae (Hymenoptera: Vespoidea) of the USSR fauna*. Akademiya Nauk SSSR, Vladivostok: 81-112.

LatreilIe, P. A. 1802. Described from Japan, with notes on the scientific names of Japanese *Polistes* (Insecta: Hymenoptera; Vespidae, Polistinae). *Natural History Bulletin of Ibaraki University*, 2: 247-262.

Latreille, P. A. 1809. Genera Crustaceorum *et* Insectorum Secundum Ordinem naturalem in Familias disposita, iconibus exemplisque plurimis explicata, 4: 137, 140.

Lee, T. S. 1986a. Notes on the genus *Dolichovespula* from China (Hymenoptera: Vespidae). *Sinozoologia*, 4(4): 195-200. [李铁生. 1986. 中国长黄胡蜂属纪要(膜翅目: 胡蜂科). 动物学集刊，4(4): 195-200].

Lee, T. S. 1986b. Notes on the genus *Dolichovespula* from China (Hymenoptera: Vespidae). *Sinozoologia*, 4(4): 201-206. [李铁生. 1986. 中国黄胡蜂属记述(膜翅目: 胡蜂科). 动物学集刊，4(4): 201-206].

Lee, T. S. 1982. Hornets from Agricultural reigions of China (Hymenoptera: Vespoidea). Beijing: Agriculture Publishing House, 255pp. [李铁生. 1985. 中国农区胡蜂. 北京: 农业出版社，255.]

Lee, T. S. 1985. Economic Insect Fauna of China, 30. Hymenoptera: Vespoidea. Beijing: Science Press, 153pp + 12pl. [李铁生. 1985. 中国经济昆虫志. 30. 膜翅目: 胡蜂科. 北京: 科学出版社，153. +12 图版]

Lepeletier, de St. and Fargeau, A. L. M. 1836. *Histoire Naturelle Des Insectes. Hyménoptères. Vol.* 1. Roret's Suites à Buffon, Paris, 547 pp.

Li, T. J. and Chen, B. 2014a. The taxonomic accounts of the genus *Symmorphus* Wesmael (Hymenoptera, Vespidae, Eumeninae) from China, with descriptions of three new species. *ZooKeys*, 389: 9-26.

Li, T. J. and Chen, B. 2014b. Description of two new Chinese *Subancistrocerus* de Saussure (Hymenoptera, Vespidae, Eumeninae), with a key to the Chinese species *Journal of Hymenoptera Research*, 49: 111-127.

Li, T. J. and Chen, B. 2015. Two new species of the newly recorded subgenus *Tropidodynerus* Blüthgen (Hymenoptera, Vespidae, Eumeninae) from China, with a key to the known species. *Journal of Hy-*

menoptera Research, 43: 9-18.

Li, T. J. and Chen, B. 2016a. Two newly recorded genera *Stenodyneriellus* and *Lissodynerus* with three new species from China (Hymenoptera, Vespidae, Eumeninae). *Journal of Hymenoptera Research*, 49: 111-127.

Li, T. J. and Chen, B. 2016b. The taxonomic study on the genus *Apodynerus* Giordani Soika (Hymenoptera: Vespidae: Eumeninae) from China, with descriptions of two new species. *Entomotaxonomia*. 2016 (2): 143-155.

Linnaeus, C. 1758. *Systema naturae* (10th Edition). 1: 824 + iiipp. Stockholm.

Linnaeus, C. 1763. Centuria insectorum rariorum. *Amoenitates Academicae* 6, *Holmiae*, 384-415.

Linnaeus, C. 1767. *Systema naturae sive regna tria naturae*, *secundum classes*, *ordines*, *genera*, *species*, *cum characteribus*, *differentiis*, *synonymis*, *locis*. Laurentii Salvii, Holmiae. 12th ed. 1253 pp.

Liu, C. L. 1936-37. A bibliographic and synonymic catalogue of the Vespidae of China, with a cross-referring index for the genera and species. *Peking Natural History Bulletin*, 2(3): 205-232.

Ma, T. C. 1936. Note on two subterranean *Vespa* of Hangchow. *Entomology and Phytopathology*, 4: 6-11.

Ma, T. C. 1937. On some *Vespa* and *Vespula* species of China (Hym. Vespinae). *Entomology and Phytopathology*, 5(2): 29-33.

Ma, Z. X., Chen, B. and Li, T. J. 2016. A taxonomic account of the genus *Stenodynerus* from China, with descriptions of five new species (Hymenoptera, Vespidae, Eumeninae). *ZooKeys*, 595: 17-48.

Matsumura, S. 1908. *Nihon Ekichû Mokuroku* [List of Japanese Beneficial Insects]. Rokumeikan, Tokyo, 174 pp. [in Japanese]

Meade-Waldo, G. 1911. New species of Diploptera in the collection of the British Museum. *Annals and Magazine of Natural History*, 8(7): 98-113.

Móczár, L. 1937. Rendszertani tanulmány a hazai kürtösdarazsakról (Odynerus) Latr. *Folia Entomologica Hungarica*, 3: 1-63.

Morawitz, F. 1889. Insecta a Cl. G. N. Potanin in China *et* in Mongolia Novissime Lecta. Ⅳ. Hymenoptera Aculeata. *Horae Societatis Entomologicae Rossicae*, 23: 112-168.

Morawitz, F. 1892. Hymenoptera Aculeata Rossica nova. *Horae Societatis Entomologicae Rossicae*, 26: 132-181.

Morawitz, F. 1895. Materialien zu einer Vespidenfauna des Russischen Reiches. *Horae Societatis Entomologicae Rossicae*, 29: 407-493.

Nguyen, L. T. P. 2015a. Taxonomic notes on the species of the genus *Anterhynchium* de Saussure, 1863 (Hymenoptera: Vespidae: Eumeninae) from Vietnam, with description of a new species. *Zootaxa*, 3915 (1): 132-138.

Nguyen, L. T. P. 2015b. Potter wasps of the genus *Eumenes* Latreille, 1802 (Hymenoptera: Vespidae: Eumeninae) from Vietnam, with description of a new species and key to species. *Zootaxa*, 3974(4): 564-72.

Nguyen, L. T. P. 2015c. Two new species of the genus *Pararrhynchium* de Saussure (Hymenoptera: Vespidae: Eumeninae) from northern Vietnam. *Zootaxa*, 3974(2): 170-176.

Nguyen, L. T. P. and Xu, Z. F. 2014. Two new species of the genus *Okinawepipona* Yamane (Hymenoptera: Vespidae: Eumeninae) from Vietnam and China. *Zootaxa*, 3795(1): 38-44.

Nguyen, L. T. P. and Xu, Z. F. 2015. Taxonomic notes on the genus *Gribodia* Zavattari, 1912 (Hymenoptera: Vespidae: Eumeninae) from Vietnam and China, with description of a new species, *Zootaxa*, 4040(4): 458-464.

Nugroho, H., Ubaidillah, R. and Kojima, J. 2010. Potter wasps of the genus *Eumenes* latreille (Hymenoptera: Vespidae: Eumeninae) in the western part of the Papuan Region, with description of two new species and taxonomic notes on *E. inconspicuus* Smith. *Raffles Bulletin of Zoology*, 58(2): 179-187.

Pérez, J. 1905. Hyménoptères recueillis dans le Japon central par M. Harmand, Ministre Plénipotentiaire de France à Tokio. *Bulletin du Muséum National d'Histoire Naturelle*, : 23-41.

Pérez, J. 1910. Notes sur les vespides. *Actes de La Societe Linneenne de Bordeaux*, 64: 1-20.

Pham, P. H. and Kumar, P. G. 2015. Taxonomic notes on the genus *Rhynchium* from Vietnam. *Ecologica Montene*, 6, 130-137.

Pham, P. H. and Li, T. J. 2015. A first list of vespid wasps from Vietnam (Hymenoptera: Vespidae). *Russian Entomological Journal*, 24(2): 133-144.

Pickett, K. M. And Carpenter, J. M. 2010. Simultaneous analysis and the origin of eusociality in the Vespidae (Insecta: Hymenoptera). *Arthropod Systematics and Phylogeny*, 68(1): 3-33.

Radoszkowski, O. 1887. Hyménoptères de Korée. *Horae Societatis Entomologicae Rossicae*, 21 (3-4): 428-436.

Radoszkowski, O. 1890. Hymenoptera de Koreé. *Horae Societatis Entomologicae Rossicae*, 24: 229-232.

Rohwer, S. A. 1916. Vespidae. *In*: Guide to the Insects of Connecticut, Part Ⅲ. The Hymenoptera, or Wasp-like Insects of Connecticut. *State of Connecticut. State Geological and Natural History Survey. Bulletin. Hartford*, 22: 640-644.

Saito-Morooka, F., Nguyen, L. T. P. and Kojima, J. 2015. Review of the paper wasps of the *Parapolybia indica* species-group (Hymenoptera: Vespidae, Polistinae) in eastern parts of Asia. *Zootaxa*, 3947 (2): 215-235.

Schmiedeknecht, O. 1881. Über einige deutsche *Vespa*-Arten. *Entomologische Nachrichten*, 7: 313-318.

Schulz, W. A. 1906. Strandgut. *In*: Schulz W. A., *Spolia Hymenopterologica*. Paderborn (Junfernmannsche Buchhandlung Albert Pape): 76-269.

Scopoli, J. 1763. *Entomologia carniolica exhibens Insecta Carnioliae indigena et distributa in ordines, genera, species, varietates*. Methodo Linnaeana. Vindobonae. 420 pp.

Smith, F. 1852a. Descriptions of some Hymenopterous Insects from Northern India. *Transactions of the Zoological Society of London*, 2: 45-48.

Smith, F. 1852b. Descriptions of some new and apparently undescribed Species of Hymenopterous Insects from North China, collected by Robert Fortune, Esq. *Transactions of the Zoological Society of London*, 2: 33-45.

Smith, F. 1857. *Catalogue of Hymenoptera of the British Museum*. Part Ⅴ. Vespidae. London, 147 pp.

Smith, F. 1870. Notes on the habits of some Hymenpterous insects from the North-west provinces of India. *Transactions of the Zoological Society of London*, 7(3): 161-196.

Sonan, J. 1929. Some Wasps and bee of Hôkotô (Pescadores, Islands). *Transactions of the Natural History Society of Formosa*, 105: 533-540.

Sonan, J. 1935. On some wasps. *Transactions of the Natural History Society of Formosa*, 25: 277-285. (in Japanese)

Sonan, J. 1937. Two new species and one new genus of the Hymenoptera. *Transactions of the Natural His-*

tory Society of Formosa, 27: 169-174.

Spinola, M. 1806-1808. *Insectorum Ligunae species novae aut rariores quas in agro Ligustico nuper delexit, descripsit et iconibus illustrava Maximilianus Spinola, adjeclo catalogo specierum auctoribusjam enumeratarum, quae in eadem regione passim occurrunt. Genuae*, 1(1806), 159 pp., 2 pl.; 2(1808), 262 pp., 5 pl.

Stolfa, D. E. 1934. Due Nuovi Vespidi Indiani. *Bollettino della Societa' Veneziana di Storia Naturale*, 1(4): 47.

Tan, J. L., Chen, X. X. and van Achterberg C. 2014a. Description of the male *Dolichovespula flora* Archer (Hymenoptera: Vespidae). *Entomotaxonomia*, 36(1): 75-80.

Tan, J. L., Duan, M. J., Yin, L. F., Hao, H. W. and Chen, X. X. 2013. The pre-overwintering nests and the immature stages of the hornet *Vespa fumida* (Hymenoptera: Vespidae). *Journal of Natural History*, 47(19-20): 1325-1337.

Tan, J. L., van Achterberg C., Duan M. J. and Chen, X. X. 2014c. An illustrated key to the species of subgenus *Gyrostoma* Kirby, 1828 (Hymenoptera, Vespidae, Polistinae) from China, with discovery of *Polistes* (*Gyrostoma*) *tenuispunctia* Kim, 2001. *Zootaxa*, 3785(3): 377-399.

Tan, J. L., van Achterberg, C. and Chen, X. X. 2014b. Pictorial key to species of the genus *Ropalidia* Guérin-Méneville, 1831(Hymenoptera: Vespidae)from China, with description of one new species. *Zookeys*, 391: 1-35.

Tan, J. L., van Achterberg, C. and Chen, X. X. 2015. Potentially Lethal Soial Wasps, Fauna of the Chinese Vespinae(Hymen. Vespidae). Beijing: Science Press, 198pp. [谭江丽, Achterberg, C. Van, 陈学新. 2015. 致命的胡蜂——中国胡蜂亚科. 北京: 科学出版社, 198.]

Tan, J. L., Zhou, T., Tan, Q. Q., van Achterberg C. and Carpenter, J. M. 2017. Nest structure and all stages of the long-cheeked yellow jacket *Dolichovespula stigma* Lee (Hymenoptera: Vespidae), with a new synonym, *Journal of Natural History*, 51: 13-14, 793-806.

Tsuneki, K. 1986. New species and subspecies of the aculeate Hymenoptera from East Asia, with some synonyms, specific remarks and distribution data. *Special Publication of the Japan Hymenopterists Association*, 32: 1-60.

van der Vecht, J. 1957. The Vespinae of the Indo-Malayan and Papuan areas (Hymenoptera, Vespidae). *Zoologische Verhandelingen*, 34: 1-83.

van der Vecht, J. 1959. Notes on Oriental Vespinae, including some species from China and Japan (Hymenoptera, Vespidae). *Zoologische Mededelingen*, 36: 205-232.

van der Vecht, J. 1963. Studies on Indo-Australian and East-Asiatic Eumenidae (Hymenoptera, Vespoidea). *Zoologische Verhandelingen*, 60: 3-113.

van der Vecht, J. 1966. The East-Asiatic and Indo-Australian species of *Polybioides* Buysson and *Parapolybia Saussure* (Hym. Vespidae). *Zoologische Verhandelingen*, 82: 1-42.

van der Vecht, J. 1968. The geographic variation of *Polistes* (*Megapolistes* subg. n.) *rothneyi* Cameron. *Bijdragen Tot de Dierkunde*, 38, 97-109.

van der Vecht, J. and Carpenter, J. M. 1990. A catalogue of the genera of the Vespidae(Hymenoptera). *Zoologische Verhandelingen*, 260: 1-62.

van der Vecht, J. and Fischer, F. C. J. 1972. Palearctic Eumenidae. *Hymenopterorum Catalogus*. Nov. Edition, 8, 1-199.

von Schulthess, A. 1908. Neue Eumeniden aus Japan (Hymenoptera). *Mittwilungen der Schweizerischen Entomologischen Gesellschaft*, 11: 284-288.

von Schulthess, A. 1913. Vespiden aus den Stockholmer Museum. *Arkiv för Zoolologi*, Stockholm, 8 (17): 1-23.

von Schulthess, A. 1934. Zur kenntnis der *Odynerus* arten (Hymenoptera: Vespidae) der Japanischen subregion (China, Japan, Formosa, Philippinen). *Arbeiten über morphologische und taxonomische Entomologie aus Berlin-Dahlem*, 1: 66-103.

Wang, J. R. 1984. Common species and nest-building behavior of paper wasps from Shaanxi Province. Journal of Shaanxi Normal University 1: 61-71. [王家儒. 1984. 陕西常见胡蜂的种类和筑巢习性. 陕西师范大学学报. 1: 61-71.]

Yamane, S. 1982. A new subspecies of *Dolichovespula adulterina* Buysson from Japan, with a brief note on its host (Hymenoptera: Vespidae). *Transactions of the Shikoku Entomological Society*, 16(1-2): 109-115.

Yamane, S. 1987. The Vespinae of the Ryukyu Islands, Japan (Hymenoptera: Vespidae). *Kontyû*, 55: 628-638.

Yamane, S. 1975. Taxonomic Notes on the Subgenus *Boreovespula* Blüthgen (Hymenoptera, Vespidae) of Japan, with Notes on Specimens from Sakhalin. *Kontyû*, 43(3): 343-355.

Yamane, Sk., Yamane, So. And Wang, H. Y. 1995. The identity of Parapolybia takasagona Sonan (Hymenoptera, Vespidae). *Proceedings of the Japanese Society of Systematic Zoology*, 54, 75-78.

Yasumatsu, K. 1934. On the genus *Discoelius* of eastern Asia, with a list of the species of the genus of the world (Hymenoptera: Eumenoidae). *Mushi*, 7: 3-19.

Yasumatsu, K. 1938. Family Vespidae. *In*: Esaki, T. *et al.* (Ed.), *Insectorum Japonicum Illustratio Iconographia Corolibus ad Naturam Depicta*. Sanseido, Tokyo, pp. 359-360.

Yoon, T. J. And Kim, J. K. 2014. Taxonomy of *Eumenes punctatus*-complex (Hymenoptera: Vespidae: Eumeninae) from Korea with DNA barcoding and key to Far Eastern species of the genus *Eumenes* Latreille, 1802. *Zootaxa*, 3893(2): 232-242.

You, J., Chen, B. and Li, T. J. 2013. Two new species of the genus *Ancistrocerus* Wesmael (Hymenoptera, Vespidae, Eumeninae) from China, with a key to the Oriental species. *ZooKeys*, 303: 77-86.

Zhou, X., Chen, B. and Li, T. J. 2011. The taxonomic research progress of Eumeninae (Hymenoptera: Vespidae). Journal of Chongqing Normal University (Natural Science), 28(6): 22-29. [周鑫, 陈斌, 李廷景. 2011. 中国蜾蠃亚科(膜翅目: 胡蜂科)分类研究进展. 重庆师范大学学报(自然科学版), 28(6): 22-29]

Zhou, X., Chen, B. and Li, T. J. 2012. Two new species and a key to species of the genus *Eumenes* Latreille (Hymenoptera: Vespidae: Eumeninae) from southwestern China. *Entomotaxonomia*, 34(2): 467-474.

Zhou, X., Chen, B. and Li, T. J. 2013. Two new species of the genus *Discoelius* Latreille (Hymenoptera, Vespidae, Eumeninae) from China, with a key to the Chinese species. *Journal of Hymenopteran Research*, 32: 45-54.

Zimmermann, K. 1931. Studien über individuelle und geographische Variabilität paläarktischer *Polistes* und verwandert Vespiden. *Zeitschrift für Morphologie und Ökologie der Tiere*, 22(1): 1-99.

三十二、蛛蜂科 Pompilidae

陆海霞 江鑫 马丽 李强
（云南农业大学植物保护学院昆虫学系，云南昆明 650201）

鉴别特征：体小型至大型。雄性触角 13 节，雌性触角 12 节；前胸背板领片后缘拱形，后上方伸达翅基片；中胸侧板被 1 条斜而直的缝分隔成上、下两部分；足长，多刺；后足胫节内表面沿外方具 1 条细毛带；腿节常超过腹端；翅甚发达，透明，翅脉不达外缘，前翅通常 3 个亚缘室（少数 2 个亚缘室），后翅臀叶发达，翅常带有昙纹或赤褐色；腹部较短，雌性 6 节，雄性 7 节，腹柄不明显；雌性第 6 腹板向上包住产卵器，向后稍突出；雄性第 7 腹板变小缩入。

生物学：蛛蜂以寄生、捕食蜘蛛或者盗寄生其他蛛蜂的巢穴为生，又称为蜘蛛蜂。成虫性喜阳光，经常在地面、花丛和树叶间搜索猎物，翅膀不断的振动，触角不断运动，同时，进行短距离的飞行，在一个合适的栖息地，进行随机的搜索，捕猎到合适的蜘蛛作为寄主。捕获蜘蛛时，先设法逮住猎物，用上颚咬住其身体一侧几个足的基部。随后把腹末弯向前方刺蛰并麻痹猎物，旋即在猎物腹基部背面产卵。也有些蛛蜂先把麻痹的猎物搬回巢穴后产卵。一些蛛蜂为了移动寄主方便，将其全部或部分足除去。有些蛛蜂营盗寄生生活，如盗蛛蜂属 *Ceropales* 是在其他蛛蜂把猎物拖进洞的同时产卵在蜘蛛的书肺中；伊娃蛛蜂 *Evagetes* 寻找到其他蛛蜂洞后，吃掉原来产在蜘蛛腹部的卵，而以自己的卵代替，再封好巢室。成虫常在地下、石块缝隙或朽木中筑巢，也有利用其他动物废弃的巢穴，或昆虫的蛀道和有隧道植物的茎干，将猎物放入巢中，供幼虫取食。蛛蜂筑巢方式变化很大，在一个地方有的只建 1 个巢室，也有的建许多巢室，也可能是一些雌蜂在一起共建多个巢室，每室只放 1 头蜘蛛。有些蛛蜂在狩猎前就将巢穴挖好，有些是根据捕捉来的猎物的体型大小再挖巢穴。单寄生，幼虫期约 10 天，幼虫一般在 2～3 天内孵出，并开始吸食蜘蛛的血淋巴，最后将蜘蛛整个身体食尽。

分类：目前蛛蜂科划分为 4 个亚科：蛛蜂亚科 Pompilinae、沟蛛蜂亚科 Pepsinae、盗蛛蜂亚科 Ceropalinae、梳蛛蜂亚科 Ctenocerinae，其中梳蛛蜂亚科中国无分布。本文记述陕西秦岭地区蛛蜂科 2 亚科 6 属 6 种，其中包括 2 中国新纪录种：双带双角沟蛛蜂 *Dipogon bifasciatus*（Geoggroy，1785）和横带指沟蛛蜂 *Caliadurgus fasciatellus*（Spinola，1808）。

分种检索表

1. 后足胫节端部具长度不等且明显分开的刺；前翅 Cu_1 脉基部常明显向下弯曲，使第2盘室基部下方围合成口袋状；雌性腹部腹板2无明显的横沟（**蛛蜂亚科 Pompilinae**） ………………… 2
   后足胫节端部具等长且平行的短刺；前翅 Cu_1 脉简单，基部不向下弯曲，第2盘室基部下方不围合成口袋状；雌性腹部腹板2常具明显的横沟（**沟蛛蜂亚科 Pepsinae**） …………………… 3
2. 体具大量黄色或红色斑，无灰色或蓝灰色的毛布满全身；后背板中央窄，自中央向两边弧形突出；前胸背板一部分、后胸背板、并胸腹节和腹部背板1具鳞片状毛（**棒带蛛蜂属 *Batozonellus***） ……………………………………………………… **环棒带蛛蜂 *Batozonellus annulatus***
   体黑色，全身布满灰色的或蓝灰色的毛；后背板上下缘平行；体无鳞片状毛（**蛛蜂属 *Pompilus***） ……………………………………………………… **普通蛛蜂 *Pompilus cinereus***
3. 腹部背板第1节具折缘隆线，且通常无柄；雌性，后足胫节背侧具锯齿状脊或具1排鳞片状凸起或短刺（**沟蛛蜂族 Pepsini**） ……………………………………………………… 4
   腹部背板第1节通常无折缘隆线，具柄；雌性，后足胫节背侧常光滑，至多具少数杂乱弱刺（**无锯沟蛛蜂族 Ageniellini**） ……………………………………………………… 5
4. 上颚具2个齿，部分雄性具单齿；后足胫节光滑仅背侧具稀疏短刺；雄性亚生殖板狭窄，呈刺针状或纵向折叠呈叶片状或具脊（**双角沟蛛蜂属 *Dipogon***） ……………………………………………………… **双带双角沟蛛蜂 *Dipogon bifasciatus***
   上颚具单齿；后足胫节背侧具1列鳞片状的凸起；雄性亚生殖板平坦最多横向凸起，不呈刺针状（**指沟蛛蜂属 *Caliadurgus***） ………………………… **横带指沟蛛蜂 *Caliadurgus fasciatellus***
5. 并胸腹节粗糙，具强烈刻点和网状皱纹；触角短，中部增粗；腹部背板第6节不具臀板；唇基前缘横截，最多微凹或微凸（**短角沟蛛蜂属 *Poecilagenia***） ……… **长短角沟蛛蜂 *Poecilagenia procera***
   并胸腹节革质，密生小刻点或细小横向皱纹；触角细长，中部不增粗；腹部背板第6节具臀板；唇基前缘凸出呈三角形（**奥沟蛛蜂属 *Auplopus***） …… **巧构奥沟蛛蜂 *Auplopus constructor***

33. 棒带蛛蜂属 *Batozonellus* Arnold, 1937

Heteronyx Saussure, 1887: 3. **Type species**: *Cyphononyx* (*Heteronyx*) *madecassus* Saussure, 1887.
Batozonellus Arnold, 1937: 1. **Type species**: *Batozonellus fuliginosus* (Klug, 1834).

属征：体大型。具大量的斑点或斑纹，斑点和斑纹黄色至橘色，有时红色；后背板中央窄，自中央向两边各自弧形突出；前胸背板一部分、后胸背板、并胸腹节和腹部背板1具鳞片状毛；雌性，中足和后足跗节爪具齿的；雄性，触角锯齿状的，后足基节背面无鳞片状毛。

生物学：捕食多种蜘蛛，无明显的专项选择；该属蛛蜂常常在蜘蛛的网上捕捉蜘蛛，并携带回巢穴；成虫取食花蜜。

分布：古北区，东洋区，非洲区，澳洲区。世界已知10种，中国记录2种，秦岭地区发现1种。

(839) 环棒带蛛蜂 *Batozonellus annulatus* (Fabricius, 1793)

Ichneumon annulatus Fabricius, 1793: 179.

Pompilus unifasciatus Smith, 1855: 145.

Batozonus annulatus: Yasumatsu, 1937: 59.

鉴别特征: 体长20.50~22.00mm。头部黄色至橘黄色,上颚除端部齿外橙黄色;前胸背板除前缘中部具1个黑斑块;中胸背板中央斑、小盾片中央斑、后胸背板中间斑点,并胸腹节后侧角橘黄色。背板1基部具1对不明显的红褐色斑,背板2具橘黄色斑带;足腿节基部、胫节、跗节1~4(后足跗节1~5)橘黄色。唇基、额区、头顶、前胸背板密集的黄色短毛;颊区密集的黄色长毛;中胸背板下侧缘密集黄色毛;后胸背板、后背板、并胸腹节具十分密集的黄色毛;背板6和腹部6被稀疏强壮的黑色长毛。上颚端部具3枚齿;唇基前缘平截;上唇微微露出;无明显的颚眼距;额区具额线。前胸背板后缘角状;中胸背板具明显的盾纵沟。前足具明显跗节耙。前翅具3个亚缘室,第1回脉被第2亚缘室接收于端部,第2回脉被第3亚缘室接收于中部之后。腹部无腹柄;背板6端部具1块光滑区域。

采集记录: 2♀,洋县,2015.Ⅷ.05,江鑫、杜世杰采。

分布: 陕西(洋县)、河南、江苏、浙江、福建、台湾、广东、海南、广西、四川、贵州、云南;朝鲜,日本,缅甸,印度。

34. 蛛蜂属 *Pompilus* Fabricius, 1798

Pompilus Fabricius, 1798: 212. **Type species**: *Pompilus pulcher* Fabricius, 1798.

Psammochares Sustera, 1913: 210. **Type species**: *Pompilus virginiensis* Cresson, 1867.

Aporoideus Ashmead, 1902: 86. **Type species**: *Pompilus sericeus* van der Linden, 1827.

属征: 体小型至大型,4~20mm。体黑色,腹部和腿有时具红色斑点;全身被灰色或蓝灰色的毛;上颚细长,镰刀状,雄性上颚单齿,雌性单齿或2个齿;颚眼距短或无;触角细长;前胸背板短于中胸背板,后缘弧形或角状;后背板横带状,上下缘平行;并胸腹节后方或多或少倾斜的;爪具齿的;前翅具3个亚缘室,偶尔2个;雌性腹部相当粗壮,雄性较为细长。

生物学: 捕猎范围相当广,通常不专性选择蜘蛛的种类,但捕猎最多的是狼蛛;除少部分类群(如*Anoplochares*)以外,巢穴建造在沙子或软土里。

分布: 古北区,东洋区,新北区,新热带区,非洲区,澳洲区。世界已知127种21亚种,中国已记录18种,秦岭地区发现1种。

（840）普通蛛蜂 *Pompilus cinereus*（Fabricius，1775）

Sphex cinerea Fabricius，1775：350.

Pompilus cinereus：Lelej，1992：105.

Pompilus（*Pompilus*）*ami* Tsuneki 1989：105.

Pompilus（*Pompilus*）*bunun* Tsuneki 1989：105.

Pompilus（*Pompilus*）*tsou* Tsuneki 1989：105.

鉴别特征：雌虫体长 6～13mm。体黑色，被黑褐色、蓝灰色或银灰色毛。颊区、前胸背板及前足基节被浓密白软毛；中后胸背板被黑色直毛。头部额区相对较窄；头顶不明显隆起或呈拱形；单眼区呈独立平面；唇基窄，复眼内缘略凹陷。单眼呈正三角形排列。唇基窄，长宽比大于2.50；上唇几乎不外露，中间微呈齿状。前胸背板后缘呈角度。盾侧沟不平行。小盾片中凸。后背板窄，无侧缘突起。并胸腹节略中凸，后斜面短，不明显与前半部成角度。第 2 径中横脉明显倾斜；第 2 亚缘室宽于第 3 亚缘室 1.50 倍以上。端跗节端刺短于第 2 跗节的 1/2；前中足爪对称。

雄虫体长 3.50～6.00mm。体黑色，体被黑褐色、蓝灰色或银灰色毛。颊区、前胸背板及前足基节被浓密白软毛；中后胸背板被黑色直毛。额区相对较宽；唇基窄，复眼内缘不明显凹陷。复眼内缘下部宽，上部收窄。前胸背板后缘呈角度。盾侧沟不平行。小盾片中凸。后背板窄，无侧缘突起。并胸腹节拱圆，具明显或不明显的中纵沟。足端跗节端刺超过第 2 跗节的 1/2；足爪具齿或二叉状，内爪不弯曲。前中后足爪对称。腹部腹板从第 2 节开始至末端腹板被显著浓密黑色长毛，毛几乎垂直于腹板表面，有时雄性外生殖器外露。

采集记录：32♀，杨凌，2015. Ⅷ. 11，王春红、洪瑜婷、陆海霞、杜世杰、江鑫采。

分布：陕西（杨凌）、内蒙古、台湾、云南；世界广布。

35. 奥沟蛛蜂属 *Auplopus* Spinola，1841

Auplopus Spinola，1841：108. **Type species**：*Pompilus femoratus* Fabricius，1805.

Pseudagenia Kohl，1884：38. **Type species**：*Sphex carbonarius* Scopoli，1763.

Tumagenia Banks，1934：39. **Type species**：*Tumagenia iris* Banks，1934.

属征：体长 4～20mm。体黑色或棕黄色，有时具蓝绿色金属光泽；腹部有时部分红色；上颚 2 枚齿，简单；唇基多变；复眼中部、上部经常微微收敛；颚眼距短但明显；雌性触角经常卷曲，雄性触角多变；前胸背板短于中胸背板；中胸背板常具盾侧沟，延伸至基部 1/3 处；后背板两侧具横纹；后背板常上下平行，具横纹；雌性腹部基部具短柄，有些种类具侧缘隆线，侧缘隆线短，雄性腹部常具柄，两侧平行；雌性腹部末端常具臀板，臀板光滑具光泽，有时具刻点；第5跗节腹面有时具弱刺，刺排列不整齐。

分布：古北区，东洋区。世界已知123种，中国已记录18种，秦岭地区发现1种。

（841）巧构奥沟蛛蜂 *Auplopus constructor*（Smith，1873）

Agenia constructor Smith，1873：190.

Auplopus appendiculatus Gussakvskij，1933：39.

Auplopus constructor：Tsuneki，1989：75.

鉴别特征：雌虫体长8～11mm。体黑色，翅具2处黑斑；上颚和唇基前缘具稀疏褐色长毛；头、胸、足覆盖密集黄色短毛；腹部背板第6节侧缘、腹部腹板具稀疏的直立的长毛。唇基明显隆起，端部弧形，中部向前突出呈鼻状；触角窝具瘤突；额区无额线；单眼呈锐角排列，前单眼显著大于后单眼；复眼内缘接近平行。前胸背板肩角隆起，后缘弧形内凹；中胸背板具明显盾侧沟；并胸腹节弧形隆起，中沟较浅，密布横向皱纹。前足胫节腹面具2排极弱的刺；中、后足胫节具排列整齐的弱刺。前翅具3个亚缘室，第2亚缘室和第3亚缘室均上部短于下部；第3亚缘室稍大于第2亚缘室；第2亚缘室接收第1回脉于中部之后；第3亚缘室接收第2回脉明显于中部之前。腹部纺锤形，具短柄；背板1无侧缘隆线；腹板2具明显的沟；腹部端部具臀板。

采集记录：1♀，太白桃川镇沙沟峡，2015.Ⅷ.10，杜世杰采；1♀，太白太白山，2015.Ⅷ.09，黄盘采；2♀，留坝紫柏山，2015.Ⅷ.07，杜世杰采。

分布：陕西（太白、留坝）、辽宁、山东、宁夏、浙江、湖北、福建、台湾、广东、四川、云南；俄罗斯，日本。

36. 短角沟蛛蜂属 *Poecilagenia* Haupt，1927

Poecilagenia Haupt，1927：130. **Type species**：*Calicurgus rubricans* Lepeletier，1845.

Meragenia Banks，1934：75. **Type species**：*Pseudagenia imitator* Ashmead，1905.

Poecilageniella Ishikawa，1965：131. **Type species**：*Poecilageniella hirashimai* Ishikawa，1965.

Taiwagenia Tsuneki，1989：77. **Type species**：*Taiwagenia taiwana* Tsuneki，1989.

属征：体长6～8mm。体黑色，极少种类胸部和后足腿节呈红色；多数种类密布长毛，并胸腹节尤为明显；多数种类具明显刻点；上颚简单，具2枚齿；颚眼距短但明显，触角中部明显增粗，雌性触角第3节长短于端部宽的3倍，雄性触角第3节长接近端部宽的2倍；前胸背板短于中胸背板；中胸背板经常具盾侧沟，延伸至基部的1/3处；后背板两侧具横纹；后胸背板常平行，具横纹；并胸腹节多变，具密集横向纹路，少数种类呈网格状纹路；腹部末端不具臀板。

分布：古北区，东洋区，非洲区。世界已知28种，中国已记录4种，秦岭地区发现1种。

（842）长短角沟蛛蜂 *Poecilagenia procera*（Haupt, 1959）

Meragenia procera Haupt, 1959：45.

Poecilagenia procera：Lelej & Loktionov, 2008：11.

鉴别特征：雌虫体长6～8mm。体黑色；头和胸具密集的平铺的毛，后胸背板和并胸腹节具较密集直立长毛；各足腿节具直立长毛；腹部密被短毛。唇基平坦，前缘横截，上唇稍微露出；上颚具2枚齿；触角窝不具瘤突；额区无额线；前胸背板后缘弧形内凹；后背板具密集横条纹，上下缘近平行，中央凹入；并胸腹节密布网格状皱纹，无中沟。各足胫节均无刺；前足无跗节梳；爪具单齿。前翅具3个亚缘室，第2亚缘室和第3亚缘室均上部短于下部；第3亚缘室显著大于第2亚缘室；第2亚缘室接收第1回脉于中部；第3亚缘室接收第2回脉于中部之前。腹部纺锤形，具短柄；背板1无侧缘隆线；腹板2具明显的沟；腹部端部无臀板。

采集记录：6♀，周至观楼镇，2015.Ⅷ.12，王春红、杜世杰、江鑫采。

分布：陕西(周至)、台湾、云南；俄罗斯。

37. 指沟蛛蜂属 *Caliadurgus* Pate, 1946

Calicurgus Lepeletier, 1845：397(nec Brullé, 1833). **Type species**：*Pompilus fasciatellus* Spinola, 1808.

Caliadurgus Pate, 1946：68. **Type species**：*Caliadurgus hyalinatus*（Fabricius, 1793）.

属征：下颚须第4节最长，最后3节较第3节更细长；跗节爪单齿；上颚端部单齿；后足胫节内侧沿着上缘毛刷具1道纵向的清晰的沟；雌性前胸背板具非常短的背面和前面，2个面明显分开呈垂直状，垂直面光滑，前足胫节背面端部具1根粗壮且弯曲的刺，后足胫节背侧具1排鳞片状的齿；雄性，前胸背板非常短，中足和后足胫节距白色，后足胫节背侧光滑，后足跗节爪基部具1枚不明显的钝的齿，腹部2具微弱的沟。

生物学：该属寄主大多数是园蛛科的蜘蛛，常在蜘蛛网上捕捉蜘蛛，通常在相当坚实的土壤上筑巢，挖1个直上直下的短洞，以洞底为室，猎物被竖着贮放在室中。

分布：古北区，东洋区，新北区，新热带区，非洲区。世界已知45种5亚种，中国已记录3种，秦岭地区分布1种。

（843）横带指沟蛛蜂 *Caliadurgus fasciatellus*（Spinola，1808）中国新纪录种

Pompilus fasciatellus Spinola, 1808: 37.

Calicurgus mimeticus Gussakovskii, 1933: 37.

Caliadurgus fasciatellus: Pate, 1946: 68.

Calicurgus hyalinatus Tobias, 1978: 79;

鉴别特征：雌虫体长8～10mm。体黑色，上颚端部红褐色；翅脉、翅痣褐色；腹部1～2节除第1节基部及第2节端部外红色。身体被白色细毛，背板6和腹板6具浓密的黄色长毛。唇基隆起，前缘近于直，端部光滑具皱褶，后部具密集刻点；上颚具2枚齿；上唇微露出，端缘凹陷；额区具额线，额线不完整，至额区的1/2；触角窝后缘具明显隆起，额区具密集刻点；复眼内缘下缘明显分开，中间凹，上缘会聚，复眼内缘上缘的距离小于复眼内缘下缘的距离；单眼呈钝角三角形，单眼区隆起；头顶在复眼之间明显隆起，头顶密布小刻点。前胸背板形成2个明显的面，前平面光滑且与背面相互垂直，背面具密集刻点，前胸背板短于中胸背板，后缘略成角形；中胸背板中部微隆起，具盾侧沟，自后缘起至中胸背板近基部1/5处，具密集刻点；小盾片隆起，具密集刻点；后胸背板略低于小盾片，中间具密集刻点，两侧具条纹；后背板短于后胸背板，上下缘平行，内具横条纹；并胸腹节隆起，端部中央具宽阔的粗脊，脊表面平坦，并胸腹节具密集横条纹，条纹间具刻点。前足胫节端部具1根明显的粗壮指状刺；后足胫节具1列鳞片状的突起，且每片鳞片上均具1根刺，沿着毛刷具1道锋利的沟槽；前足跗节无跗节梳，前、中足跗节5腹面光滑，无刺，后足跗节5腹面中部具几根刺；跗节爪内缘具1尖锐的齿。翅透明，前翅有2条浅褐色条斑，一条近外缘自缘室至第2回脉宽条，另一条在基脉上的狭条；第1回脉被第2亚缘室接收于中部稍偏后，第2回脉被第3亚缘室接收于中部，第2亚缘室短于第3亚缘室，中脉到达翅缘；后翅M+CuA脉在cu-a与M+CuA交点之后分叉。腹部无腹柄；背板1基部外凸不平行，中间具1道浅沟，两侧具折缘隆线；腹板2具1条明显横向沟。

采集记录：1♀，太白县，2015.Ⅷ.10，洪瑜婷采。

分布：陕西（太白）、内蒙古；俄罗斯（远东），欧洲，美国。

38. 双角沟蛛蜂属 *Dipogon* Fox, 1897

Dipogon Fox, 1897: 241. **Type species**: *Dipogon populator* Fox, 1897.

属征：唇基宽且短；上颚具3枚齿，雄性有时2枚齿；前胸背板长且平坦，后缘弧形；后足胫节光滑，跗节爪具小且直立的齿；雌性下颚轴节具1簇左右分开且弯曲的长毛，到达上颚基部；雄性触角常常锯齿状，若不锯齿状，则亚生殖板非常窄，刺

状、或叶片状且纵向折叠、或脊状。

生物学：该属蛛蜂利用树木中的孔洞、中空的茎干、墙壁上的洞等等连续做几个巢穴，放入寄主后用压实的土或其他东西遮盖住巢穴，雌性的下颚轴节上的分叉鬃毛刷，就是用于搬运封闭巢室的物质。

分布：古北区，东洋区，新北区，新热带区。世界已知91种9亚种，中国已记录5种，秦岭地区发现1种。

（844）双带双角沟蛛蜂 *Dipogon bifasciatus*（Geoffroy，1785）中国新纪录种

Ichneumon bifasciatus Geoffroy，1785：405.

Pompilus hircanus Fabricius 1798：8.

Dipogon bifasciatus：Day，M. C.，1979：8.

鉴别特征：雌虫体长7～10mm。体黑色，上颚端半部红褐色。身体被白色细毛，上颚、唇基上具稀疏的红褐色长毛；背板6和腹板6具浓密的黑色长毛。唇基较平坦，宽且短，前缘近平截，散生大刻点，密布刻点；上颚具3枚齿；上唇隐藏在唇基下方；下颚轴节具1簇左右分开且弯曲的鬃毛刷，到达上颚基部；额区具额线，延伸至前单眼，密布刻点；触角窝后方具不明显的凸起；复眼内缘下缘近平行，上缘微聚拢，复眼内缘上缘的距离小于复眼内缘下缘的距离；单眼区域不隆起，呈锐角三角形排列；头顶密布小刻点。前胸背板长且平坦，其长度略短于中胸背板，密布刻点，后缘成弧形；中胸背板具盾侧沟，自后缘起至中胸背板基部，密布刻点；中胸侧板密布刻点，后部具条纹；小盾片较平坦，密布刻点；后胸背板平坦，中央密布刻点，两侧具条纹；后背板非常狭窄，明显短于后胸背板，上下缘平行，内具横条纹；并胸腹节隆起，密布刻点。后足腿节端部具三角状凸起；后足胫节背侧光滑无刺；足跗节5腹面光滑无刺；足跗节爪具单齿，齿较小且直立。翅透明，前翅具2条浅棕色斑带，1条宽斑带近外缘自缘室至第2回脉，1条狭斑带在基脉处；第1回脉被第2亚缘室接收于中部偏后，第2回脉被第3亚缘室接收于近基部1/3处，第3亚缘室长度短于第2亚缘室，中脉和肘脉到达翅缘；后翅M+CuA脉在cu-a与M+CuA交点之后分叉。腹部无腹柄；背板1基部狭窄，近平行，两侧具折缘隆线；腹板2具1道明显横向沟。

采集记录：3♀，乾县，2015.Ⅷ.14，洪瑜婷、杜世杰采。

分布：陕西（乾县）、吉林、内蒙古、河北、山西、宁夏；俄罗斯，日本，伊朗，欧洲。

参考文献

马方舟，李强. 2011. 中国蛛蜂科十新记录种. 昆虫分类学报，33(1)：74-76.

Arnold，G. 1937. The Psammocharidae of the Ethiopian region. Part Ⅶ. Subfamily Psammocharinae continued. *Annals of the Transvaal Museum*, 19(1), 1-98.

Banks, N. 1934. The Psammocharidae of the Philippines. Proceedings of the American Academy of Arts and Sciences, 69, 1-117.

Fabricius, J. C. 1793. Entomologia Systematica Emendata *et* Aucta. Secundum classes, ordines, genera, species. Adjectis synonimis, locis, observationibus, descriptionibus. Tome Ⅱ. C. G. Proft, Hafniae [= Copenhagen], ⅷ + 519 pp. [In Latin]

Fabricius, J. C. 1798. Supplementum entomologiae systematicae. Proft *et* Storch, Hafniae [= Copenhagen], 572 pp. [In Latin]

Fox, W. J. 1897. Contributions to a knowledge of the Hymenoptera of Brazil. No. 2. Pompilidae. *Proceedings of the Academy of Natural Sciences of Philadelphia*, 229-283.

Gussakovskii, V. 1933. Verzeichnis der von Herrn Dr. R. Malaise im Ussuri und Kamtschatka gesammelten aculeaten Hymenopteren. Iheringia. Série Zoologia., Stockholm, 24A: 66 pp.

Haupt, H. 1927. Monographie der Psammocharidae (Pompilidae) Mittel-Nord und Osteuropas (conclusion). Deutsche Entomologische Zeitschrift, 1927, 1-367. [In German]

Haupt, H. 1959. Elemente einer systematischen Aufteilung der Macromerinae m. (Hymenoptera, Sphecoidea) fam. Pompilidae, subfam. Macromerinae. *Nova Acta Leopoldina*, (2)21(141), 1-74. [In German]

Ishikawa, R. 1965. A preliminary revision of the Japanese species of the genus Dipogon Fox (Hymenoptera, Pompilidae). *Mushi*, *Fukuoka*, 38: 87-100.

Kohl, F. F. 1884. Die Gattungen der Pompiliden. *Verhandlungen der Zoologisch-Botanischen Gesellschaft in Wien*, 34, 33-58. [In German]

Lelej, A. S. 1986. Spider wasps of genera Dipogon Fox and Poecilageniella Ishikawa (Hymenoptera, Pompilidae) of the Far East. *Entomologicheskoe Obozrenie*, 65 (4): 799-809.

Lelej, A. S. and Loktionov, V. M. 2008. A Review of the genus Poecilagenia Haupt, 1927 (Hymenoptera, Pompilidae) of the Russia with the world Catalogue of the species. *Far Eastern Entomologist*, 190: 1-16.

Lepeletier de St. Fargeau, A. 1845. *Histoire Naturelles des Insectes*; *Hyménoptères. Vol.* 3. Roret, Paris, 646 pp. [In French]

Pate, V. S. L. 1946. The generic names of the spider wasps (Psammocharidae olim Pompilidae) and their type species. *Transactions of the American Entomological Society*, *Philadelphia*, 72: 65-130.

Saussure, H. L. F. de 1867. Hymenoptera. Familien der Vespiden, Sphegiden, Pompiliden, Crabroniden und Heterogynen. Reise der Österreichischen Fregatte Novara um die Erde. 1857-1859. *Zoologischer Theil. Zweiter Band. Wien*, 138 pp., 4 pl. [In German]

Saussure, H. L. F. de 1887. Sur quelques Hymenopteres de Madagascar. *Societas Entomologica. Stuttgart*, 2, 2-3, 9, 17-18, 25-26.

Smith, F. 1855. *Catalogue of hymenopterous insects in the collection of the British Museum. Mutillidae and Pompilidae. Vol.* 3. British Museum of Natural History, London, 206 pp.

Smith, F. 1873. Descriptions of Aculeate Hymenoptera of Japan, collected by Mr George Lewis at Nagasaki and Hiogo. *Transactions of the Entomological Society of London*, 1873(2), 181-206.

Spinola, M. 1808. *Insectorum Liguriae species novae aut rariores quas in agro Ligustico nuper detexit, descripsit et iconibus illustravit Maximilianus Spinola, adjecto catalogo specierum auctoribus jam enumeratarum, quae in eadem regione passim occurrunt.* Yves Gravier, Genuae, Tom. Ⅱ. ii + 262 pp., 5 pl.

三十三、蚁科 Formicidae①

马丽滨 许升全
(陕西师范大学生命科学学院，西安 710119)

鉴别特征：胸腹部之间有缢缩为细腰，形态学上的腹部第1节并入胸部成为并胸腹节，第2节或第2~3节在细腰处形成1或2个独立的腹柄，其余腹节组成后腹部。

生物学：社会性昆虫，不同个体有形态分化和劳动分工。蚁后个体较大具翅，交配后翅脱落，腹部膨大，专司生殖；雄蚁体较瘦长，具翅，与蚁后一起负责生殖；工蚁是性腺不发育的雌体，在巢内数量最多，体小无翅，负责筑巢、觅食、打扫卫生等；有些种类从工蚁中分化出个体显著较大的兵蚁，负责作战。因为蚁巢中工蚁最常见，数量最多，所以蚂蚁的形态分类主要依据工蚁的特征，如果巢内个体已经分化出兵蚁则同时依据兵蚁的特征。

分类：全世界已知23亚科66族287属13938种(Bolton, 2006)。本研究发现陕西秦岭地区蚁科昆虫4亚科26属37种。

分亚科检索表(工蚁)

1. 结节仅1节 ······ 2
   结节2节 ······ **切叶蚁亚科 Myrmicinae**
2. 螫针发达，后腹部第1、2节之间具明显缢缩 ······ **猛蚁亚科 Ponerinae**
   螫针退化，后腹部无明显缢缩 ······ 3
3. 触角窝远离唇基后缘；后腹末端具半圆至圆形的酸孔 ······ **蚁亚科 Formicinae**
   触角窝紧靠唇基后缘；后腹末端具缝状臭腺 ······ **臭蚁亚科 Dolichoderinae**

(一)臭蚁亚科 Dolichoderinae

鉴别特征：臭蚁体壁常薄而柔软。唇基向后延伸至额脊之间。触角12节。后胸背板清晰可见，其上气孔在背侧凸起。泄殖孔缝状开口，螫针消失，并具有臭腺，可

①周善义教授审阅文稿，特此致谢！

分泌气味。

分布：分布于热带地区，是一类高度进化的蚂蚁类群。全世界记载2族32属，陕西秦岭地区分布2属2种。

分属检索表（工蚁）

结节呈鳞片状，有时虽低而前倾，但为明显的结；后腹部第1节不特别大，一般不悬覆于结节之上，或稍悬覆但结节明显可见 …………………………………………… **凹臭蚁属 *Ochetellus***

结节低而前倾，仅为简单膨大的结；后腹部第1节大，悬覆于结节之上，当并腹胸与后腹部处于同一平面时不见结节 …………………………………………… **狡臭蚁属 *Technomyrmex***

39. 凹臭蚁属 *Ochetellus* Shattuck, 1992

Ochetellus Shattuck, 1992: 16. **Type species**: *Hypoclinea glabra*, Mayr, 1862.

属征：小型蚂蚁。触角12节；下颚须6节，下唇须4节；具单眼；唇基前缘中央宽凹；上颚具6~8枚齿，端齿较邻齿稍大。前胸背板稍凸，明显窄于头部。中胸背板平，窄于前胸。中并胸腹节缝深凹。并胸腹节。直立。后腹部椭圆。

生物学：多活动于树上，并筑巢于朽木中。

分布：中国；日本，缅甸，菲律宾，澳大利亚。全世界记载9种，中国已知1种，秦岭地区分布1种。

（845）无毛凹臭蚁 *Ochetellus glaber*（Mayr, 1862）（图版110：A－C）

Hypoclinea glabra Mayr, 1862: 705.

Ochetellus itoi Forel, 1900: 269.

Ochetellus glaber: Shattuck, 1992: 17.

鉴别特征（工蚁）：体红褐色至黑褐色。毛被极稀疏，体较光亮。头近三角形，后头缘微凹。触角柄节只达到后头缘。唇基前缘中部略凹陷。上颚具4枚齿及6枚细齿，端2枚齿大。前中胸背板缝窄且深凹。后胸沟宽凹。并胸腹节斜面内凹，基面与斜面连接处明显呈锐角形。结节直立，薄，鳞片状，与并胸腹节等宽。后腹部呈长卵形。

采集记录：10工蚁，佛坪，2006. Ⅶ-Ⅷ，马丽滨采。

分布：陕西（佛坪）、山东、河南、江苏、上海、安徽、浙江、湖北、江西、湖南、福建、台湾、广东、海南、澳门、广西、四川、云南；日本，缅甸，印度，澳大利亚。

40. 狡臭蚁属 *Technomyrmex* Mayr, 1872

Technomyrmex Mayr, 1872: 147. **Type species**: *Technomyrmex strenuus*, Mayr, 1872.

属征: 头略呈心形，后头缘凹。唇基宽，中部凸，后缘角状延伸至 2 条额脊之间。复眼较大。并腹胸宽。前中胸背板缝明显，但不凹陷。中并胸腹节缝深凹。并胸腹节基面稍向前倾斜，斜面远长于基面，并向后倾斜。结节仅中部变粗，而不形成结。后腹部前端凸出，悬于结节之上；其末端较尖。

分布: 东洋区，澳洲区。全世界记载 94 种，中国已知 8 种，秦岭地区分布 1 种。

(846) 白跗节狡臭蚁 *Technomyrmex albipes* (F. Smith, 1861)（图版 110：D－F）

Formica albipes F. Smith, 1861: 38.

Technomyrmex nigrum Mayr, 1862: 703.

Technomyrmex albitarse Motschoulsky, 1863: 14.

Tapinoma albipes: Mayr, 1863: 455.

Technomyrmex albipes: Emery, 1888: 392.

Technomyrmex vitiensis Mann, 1921: 273.

Technomyrmex rufescens Santschi, 1928a: 70.

鉴别特征(工蚁): 体黑褐色，足跗节黄色至褐色。全身被密集绒毛，立毛稀少。中胸及并胸腹节刻点粗糙。后头缘宽凹。上颚多细齿，端侧 4 枚齿较大。唇基前缘几乎平直，具小缺刻。触角柄节略超过后头缘。中并胸腹节缝凹陷。并腹胸基面短，基面与斜面交接处几乎成直角。结节低而前倾。后腹部前部凸出，覆于结节之上。

采集记录: 10 工蚁，佛坪，2006. Ⅶ-Ⅷ，马丽滨采。

分布: 陕西(佛坪)、山东、河南、湖北、湖南、福建、台湾、广东、海南、香港、澳门、广西、贵州、云南；日本，东南亚，澳大利亚。

(二) 蚁亚科 Formicinae

鉴别特征: 触角 8～12 节，鞭节丝状。结节 1 节，鳞片状。无螯针，具毒腺，多分泌蚁酸。

生物学: 该亚科进化程度较高，其生活及社会行为常常高度特化。

分布: 全世界广布。全世界记载 31 属，陕西秦岭地区记录 7 属 12 种。

分属检索表（工蚁）

1. 触角 11 节 ………………………………………… 斜结蚁属 *Plagiolepis*
   触角 12 节 ………………………………………… 2
2. 触角窝靠近唇基后缘；并胸腹节具明显的后胸腺孔 ………………………… 3
   触角窝远离唇基后缘；并胸腹节无明显的后胸腺孔 ………………………… 6
3. 并胸腹节气孔长卵形或缝状，位于并胸腹节侧面与斜面交界之前 ……… 蚁属 *Formica*
   并胸腹节气孔近圆形，位于并胸腹节侧面与斜面交界处 ……………………… 4
4. 复眼位于头中线之前；头和并腹胸立毛粗硬，成对排列 ………… 尼氏蚁属 *Nylanderia*
   复眼位于头中线之后；头及并腹胸立毛不成对排列，或不粗硬 ……………… 5
5. 上颚具 6 枚齿，很少具 7 枚齿；中胸明显缢缩 …………………… 前结蚁属 *Prenolepis*
   上颚多于 7 枚齿；中胸不缢缩 ……………………………………… 毛蚁属 *Lasius*
6. 后腹部第 1 节腹背板长度超过后腹长的 1/2，并远长于第 2 节；前胸背板、并胸腹节及结节全部或其中二者具刺 …………………………………… 多刺蚁属 *Polyrhachis*
   后腹部第 1 节腹背板长度明显小于后腹长的 1/2，仅略长于第 2 节；前胸背板、并胸腹节及结节通常缺刺，仅极少数在其中之一具刺 ……………………… 弓背蚁属 *Camponotus*

41. 弓背蚁属 *Camponotus* Mayr, 1861

Camponotus Mayr, 1861: 35. **Type species**: *Formica ligniperda*, Latreille, 1802.

属征：体型中至大型。多型显著。上颚强壮；下颚须 6 节，下唇须 4 节；唇基梯形或近长方形，常具纵脊，端缘可向前延伸出中叶；额区小，三角形或菱形；复眼大，不凸；缺单眼（大型工蚁有时具单眼）；触角 12 节，触角柄节基部远离唇基。并腹胸一般呈连续弓形，前侧宽，后部侧扁；但有些种类中并胸腹节缝极深，中胸背板呈马鞍状。结节鳞片状。后腹部大，宽卵形。

分布：世界广布。全世界记载 1584 种，中国已知 82 种，秦岭地区分布 2 种。

分种检索表（工蚁）

体近双色，体前侧黑褐色，后腹部黄褐色；唇基端缘中央凹入 ………… 黄腹弓背蚁 *C. helvus*
体黑褐色，至多附肢颜色稍浅；唇基端缘中央平直 ………………… 日本弓背蚁 *C. japonicus*

(847) 黄腹弓背蚁 *Camponotus helvus* Xiao *et* Wang, 1989（图版 110：G－L）

Camponotus helvus Xiao *et* Wang, 1989: 322.

鉴别特征（工蚁）：体黑褐色，后腹部黄褐色。毛被稀疏，体较光亮。大型工蚁后头缘凹入；唇基不具中脊，中叶凸出，端缘中部深凹。上颚具 5 枚齿。并腹胸弓形。结节前凸后平。后腹部宽卵形。

采集记录：5 工蚁，佛坪，2006. Ⅶ-Ⅷ，马丽滨采。

分布：陕西(佛坪)、河南、湖北、湖南。

(848) 日本弓背蚁 *Camponotus japonicus* Mayr, 1866(图版 110：M－O)

Camponotus japonicus Mayr, 1866: 885.
Camponotus aterrimus Emery, 1895: 478.
Camponotus wui Wheeler, 1929: 9.
Camponotus manczshuricus Emery, 1925: 73.
Camponotus mitotus Wheeler, 1929: 9.
Camponotus sanguinea Karavaiev, 1929: 212.

鉴别特征(工蚁)：体黑褐色，颊侧、上颚及足部有时红褐色。毛被稀疏，结节具 8～10 枚立毛；但后腹部具丰富到伏毛。工蚁可分大中小三型。大型工蚁头近三角形，后头缘平直。上颚粗壮，具 5 枚钝齿。唇基中叶凸出，无明显中脊，端缘平直。并腹胸呈连续弓形，前中胸背板平，并胸腹节侧扁，基面与斜面约等长。结节薄，前凸后平。后腹部宽卵形。中小型工蚁与大型工蚁近似，但头窄，两侧缘几乎平行，后头缘凸。唇基上半部具中脊。

采集记录：10 大型工蚁，佛坪，2006. Ⅶ-Ⅷ，马丽滨采。

分布：陕西(佛坪)、全国各地；俄罗斯，朝鲜，日本，东南亚。

42. 蚁属 *Formica* Linnaeus, 1758

Formica Linnaeus, 1758: 579. **Type species**: *Formica rufa*, Linnaeus, 1758.

属征：上颚三角形，常具 8 枚齿或更多；端部第 4 齿大于第 3 齿。唇基宽而高。额区近三角形。下颚须 6 节，偶为 5 节；下唇须 4 节。触角 12 节，位于唇基后缘。具单眼。并腹胸背板缝清晰。气孔椭圆，与并胸腹节端缘有一定距离。足较长。后腹部较短，近球形。

分布：亚洲，欧洲，北美洲，非洲。全世界记载 343 种，中国已知 48 种，秦岭地区分布 4 种。

分种检索表(工蚁)

1. 体色较纯，多黑褐色，无明显杂色 …………………………………………………… 2
   体双色，头或并腹胸常红褐色至褐色 …………………………………… **掘穴蚁 *F. cunicularia***
2. 后腹部柔毛稀疏，具强烈光泽……………………………………………… **亮腹黑褐蚁 *F. gagatoides***

后腹部柔毛密集，至多具微弱光泽 …………………………………………………………… 3

3. 体细长，暗无光泽；触角柄节长……………………………………… **日本黑褐蚁 *F. japonica***

体粗壮，头两侧具光泽；触角柄节较短 ……………………………………………… **丝光蚁 *F. fusca***

(849) 亮腹黑褐蚁 *Formica gagatoides* Ruzsky, 1904(图版110：P－R)

Formica gagatoides Ruzsky, 1904：289.

鉴别特征(工蚁)： 体黑褐色，上颚、触角及足褐色。毛被稀疏，具立毛(头后部5根，前、中胸背板分别为4根和3根)。头后部宽于前部，两侧缘较直，后头缘微凸，后头角圆。触角柄节约1/3部分超出后头缘。上颚具8枚齿。唇基菱形，中央具纵脊。额三角区暗。前中胸背板缝及后胸沟明显。并胸腹基面较平，约与斜面等长，基面与斜面交接处圆。背面观，前胸与并胸腹节等宽，中胸缢缩。

采集记录： 10工蚁，佛坪，2006. Ⅶ-Ⅷ，马丽滨采。

分布： 陕西(佛坪)、宁夏、甘肃、新疆、湖北、四川；俄罗斯，日本。

(850) 掘穴蚁 *Formica cunicularia* Latreille, 1798 (图版111：A－C)

Formica cunicularia Latreille, 1798：40.

Formica glebaria Nylander, 1846：917.

Formica fuscorufibarbis Forel, 1874：54.

Formica glauca Ruzsky, 1896：70.

Formica rubescens Forel, 1904：423.

Formica caucasica Wheeler, 1913：517.

Formica volgensis Ruzsky, 1914：323.

Formica katuniensis Ruzsky, 1915：13.

Formica montana Kuznetsov-Ugamsky, 1923：245.

Formica glabridorsis Santschi, 1925a：95.

Formica montivaga Santschi, 1928b：45.

Formica montaniforis Kuznetsov-Ugamsky, 1929：39.

鉴别特征(工蚁)： 体大部深褐色，触角、足及前中胸侧板红褐色。立毛稀疏，柔毛丰富。头两侧缘及后头缘平直。上颚具8枚齿，端侧第4齿大于第3齿。唇基中脊明显，端缘圆形。结节上缘完整，圆形。后腹部短，近球形。

采集记录： 10工蚁，佛坪，2006. Ⅶ-Ⅷ，马丽滨采。

分布： 陕西(佛坪)、北京、河北、山西、河南、宁夏、甘肃、青海、新疆、安徽、湖北、湖南、四川、云南；欧洲，北部非洲。

(851) 丝光蚁 *Formica fusca* Linnaeus, 1758 (图版 111: D－F)

Formica fusca Linnaeus, 1758: 580.
Formica libera Scopoli, 1763: 313.
Formica flavipes Geoffroy, 1785: 452.
Formica barbata Razoumowsky, 1789: 225.
Formica tristis Christ, 1791: 513.
Formica marcida Wheeler, 1913: 398.
Formica pallipes Kuznetsov-Ugamsky, 1926: 97.
Formica rufipes Sitz, 1930: 238.

鉴别特征(工蚁): 体黑褐色，上颚、触角及足褐色。柔毛密集，泛银白色丝光。头部两侧缘平直，后头缘平直或微凸。上颚具 5～6 枚齿。唇基具中脊，端缘中央平直或微凸。中胸背板略高于前胸背板，并向后倾斜。并胸腹节基面与斜面几乎等长，连接处略成角状。结节鳞片状，背缘中央具缺刻。后腹部圆形或卵圆形。

采集记录: 10 工蚁，佛坪，2006. Ⅶ-Ⅷ，马丽滨采。

分布: 陕西(佛坪)、黑龙江、吉林、辽宁、北京、河北、山东、宁夏、甘肃、新疆、上海、浙江、湖北、湖南、福建、台湾、香港、重庆、四川、贵州、云南、西藏；欧洲。

(852) 日本黑褐蚁 *Formica japonica* Motschoulsky, 1866 (图版 111: G－I)

Formica japonica Motschoulsky, 1866: 183.
Formica nipponensis Forel, 1900: 270.

鉴别特征(工蚁): 体深褐色至黑褐色，足褐色。立毛稀疏，柔毛密集。头部两侧缘平直，后头缘微凸。上颚具 8 枚齿。唇基具中脊，端缘圆。触角柄节超过后头缘。中胸背板略高于前胸。并胸腹节基面与斜面约等长，其连接处圆。结节鳞片状，背缘圆。后腹部球形。

采集记录: 10 工蚁，佛坪，2006. Ⅶ-Ⅷ，马丽滨采。

分布: 陕西(佛坪)、黑龙江、吉林、辽宁、北京、山西、山东、甘肃、安徽、湖北、江西、湖南、福建、台湾、广东、广西、四川、云南；朝鲜，韩国，日本。

43. 毛蚁属 *Lasius* Fabricius, 1804

Lasius Fabricius, 1804: 164. **Type species**: *Formica nigra*, Linnaeus, 1758.

属征: 小型至中型。触角 12 节，触角窝紧贴唇基后缘。须式 6: 4。头似心形，后头缘凹。具单眼。唇基端缘宽圆。额脊短，近平行。额区不明显。并胸腹节气孔圆形或宽卵形，贴近并胸腹节斜面侧缘。中并胸腹节缝显著凹陷。并胸腹节基面仅为斜面长的1/2。结节鳞片状。后腹部大，前侧悬于结节之上。

分布：世界广布。全世界记载141种，中国已知17种，秦岭地区分布2种。

分种检索表（工蚁）

复眼较大；体深褐色 ………………………………………… **玉米毛蚁 *L. alienus***

复眼较小；体黄褐色 ………………………………………… **黄毛蚁 *L. flavus***

（853）玉米毛蚁 *Lasius alienus*（Foerster, 1850）（图版111：J－L）

Formica aliena Foerster, 1850: 36.

Lasius alienus: Mayr, 1861: 49.

Lasius americanus Emery, 1893b: 639.

鉴别特征（工蚁）：体褐色至黑褐色，足跗节黄褐色。毛被稀疏，但后腹部较丰富；前中胸背板立毛分别为8根和6根。头部两侧缘向前部略收缩。上颚具8枚齿。唇基具中脊，端缘圆凸。触角柄节约1/3部分超出后头缘。前中胸背板隆起，圆。前中胸背板缝可见，后胸沟宽、深凹。并胸腹节低，基面极短，斜面约为基面长的2.50倍。结节鳞片状，横形，直立。后腹部前部圆形隆起。

采集记录：10工蚁，佛坪大古坪，2006. Ⅶ-Ⅷ，马丽滨采。

分布：陕西（佛坪）、黑龙江、吉林、辽宁、内蒙古、北京、河北、山西、河南、宁夏、甘肃、新疆、浙江、湖北、湖南、广西、四川、云南；亚洲，欧洲，非洲，北美洲。

（854）黄毛蚁 *Lasius flavus*（Fabricius, 1781）（图版111：M－O）

Formica flava Fabricius, 1782: 491.

Lasius flavus: Mayr, 1861: 50.

Lasius brevicornis Emery, 1893b: 639.

Lasius fuscoides Ruzsky, 1902: 16.

Lasius odoratus Ruzsky, 1905: 282.

Lasius claripennis Wheeler, 1917: 527.

Lasius microps Wheeler, 1917: 526.

Lasius morbosa Bondroit, 1918: 28.

Lasius apennina Menozzi, 1925: 34.

Lasius ibericus Santschi, 1925b: 349.

Lasius olivacea Karavaiev, 1926: 194.

Lasiu shelvus Cook, 1953: 326.

鉴别特征(工蚁): 体黄色。毛被丰富。后头缘几乎平直。上颚具7~9枚齿,第4~5齿常愈合。唇基具中脊,端缘宽且圆凸。触角柄节超过后头缘。前中胸背板均凸起,前中胸背板缝深凹。并胸腹基面短平,斜面斜截,约为基面长的2倍。结节薄,鳞片状,背缘平或中部略凹。后腹部宽卵形,悬于结节之上,其前端具凹陷。

采集记录: 10工蚁,佛坪大古坪,2006.Ⅶ-Ⅷ,马丽滨采。

分布: 陕西(佛坪)、黑龙江、吉林、辽宁、内蒙古、北京、山西、河南、宁夏、甘肃、新疆、湖北、江西、海南、广西、贵州、云南;东亚,北美洲。

44. 尼氏蚁属 *Nylanderia* Emery, 1906

Nylanderia Emery, 1906: 133. **Type species**: *Formica vividula*, Nylander, 1846.

属征: 个体小。触角12节,触角窝靠近唇基后缘,但不与唇基后缘汇合;触角柄节超过后头缘;复眼发达;单眼缺或不明显,常仅见中单眼;唇基端缘凹或平直。前胸背板凸。中胸背板几乎平直,略高过前胸背板。后胸背板仅呈1条窄带,明显低于中胸背板。并胸腹节基面短而低,斜面较长。结节楔状,顶端尖圆。后腹部卵圆形,末端尖,前侧扁平,悬于结节之上。

生物学: 取食蔬菜、水果和其他节肢动物尸体。

分布: 世界广布。全世界记载158种,中国已知15种,秦岭地区分布1种。

(855) 黄足尼氏蚁 *Nylanderia flavipes* (F. Smith, 1874) (图版111: P-R)

Tapinoma flavipes F. Smith, 1874: 404.

Prenolepis flavipes: Mayr, 1886: 362.

Paratrechina flavipes: Emery, 1925: 220.

Nylanderia flavipes: LaPolla *et al*., 2010: 127.

鉴别特征(工蚁): 体黄色至黄褐色,较光亮。头及后腹部立毛丰富,前中胸各具2对立毛。头部两侧缘微凸,后头缘中央略凹。上颚具6枚齿,第1、2端齿约大小相等,第3齿最小。唇基中部凸,端缘平或略呈弧形凹陷。触角柄节超过后头缘。后胸低。并胸腹节圆凸,斜面长约为基面2倍。结节三角形,前倾,背侧圆凸。后腹部宽短。

采集记录: 10工蚁,佛坪,2006.Ⅶ-Ⅷ,马丽滨采。

分布: 陕西(佛坪)、吉林、辽宁、北京、河北、山东、河南、江苏、上海、安徽、浙江、湖北、江西、湖南、福建、台湾、广东、广西、重庆、四川、贵州、云南、西藏；东亚，北美洲。

45. 斜结蚁属 *Plagiolepis* Mayr, 1861

Plagiolepis Mayr, 1861: 42. **Type species**: *Formica pygmaea*, Latreille, 1798.

属征：体多型，或大或小，但无明显形态区别。上颚窄，具5枚齿；唇基凸，端缘将上颚部分遮盖；额脊短，相距远，彼此平行；触角11节。中胸与并胸腹节连接处缢缩。后胸与中胸分离，成单独骨片。结节前倾。后腹部大。

分布：世界广布。全世界记载86种，中国已知8种，秦岭地区分布1种。

(856) 满斜结蚁 *Plagiolepis taurica* Santschi, 1920

Plagiolepis manczshurica Ruzsky, 1905: 467.
Plagiolepis taurica Santschi, 1920: 171.
Plagiolepis satunini Karavaiev, 1931: 314.
Plagiolepis vindobonensis Lomnicki, 1925: 77.

鉴别特征(工蚁)：体褐色至黑褐色，较光亮。立毛较少，柔毛丰富。头近方形，后头缘略凹陷。上颚具5枚齿。唇基具弱的中脊，端缘圆凸。后胸背板高。并胸腹节低，基面长于斜面。结节低，基部厚，前倾。后腹部宽卵形。

采集记录：10工蚁，佛坪，2006. Ⅶ-Ⅷ，马丽滨采。

分布：陕西(佛坪)、内蒙古、北京、河北、山西、山东、河南、新疆、安徽；朝鲜。

46. 多刺蚁属 *Polyrhachis* F. Smith, 1857

Polyrhachis F. Smith, 1857: 172. **Type species**: *Formica bihamata*, Drury, 1773.

属征：单型。头近圆形。须式6: 4。触角窝远离唇基后缘。并腹胸、结节具刺或齿突。后腹部短。

生物学：多筑巢于树洞或树叶之间。

分布：东洋区，非洲区，澳洲区。全世界记载603种，中国已知47种，秦岭地区分布1种。

(857) 叶型多刺蚁 *Polyrhachis lamellidens* F. Smith, 1874 (图版112: A－C)

Polyrhachis lamellidens F. Smith, 1874: 403.

鉴别特征(工蚁)：体黑褐色，并腹胸及结节暗红。头及后腹部较光亮，并腹胸及结节较粗糙。头卵圆形。上颚具4枚齿。唇基具弱的中脊，端缘宽圆凸。触角柄节超过后头缘。并胸腹侧缘具棱边，背侧较平，侧面竖直。前胸背板肩角长刺状，端侧向下弯曲；中胸背板刺钩状，指向体后；并胸腹节刺扁钝；结节背刺发达，长钩状。后腹部球状。

采集记录：5工蚁，佛坪，2006. Ⅶ-Ⅷ，马丽滨采。

分布：陕西(佛坪)、吉林、甘肃、江苏、上海、安徽、浙江、湖北、湖南、台湾、广东、香港、广西、四川、贵州；朝鲜，日本。

47. 前结蚁属 *Prenolepis* Mayr, 1861

Prenolepis Mayr, 1861: 52. **Type species**: *Tapinoma nitens*, Mayr, 1853.

属征：前结蚁单型，缺少立毛。后头缘圆形，无单眼。触角窝与唇基后缘分开。下颚须5节。中胸明显缢缩。结节前倾。后腹部第1节高，悬于结节之上。

分布：亚洲，欧洲，北美洲。全世界记载25种，中国已知10种，秦岭地区分布1种。

(858) 内氏前结蚁 *Prenolepis naoroji* Forel, 1902 (图版112: D–F)

Prenolepis naoroji Forel, 1902: 290.

鉴别特征(工蚁)：体黄褐色至褐色，较光亮。立毛较丰富，黄色、细长；柔毛被稀疏。头部宽卵形。上颚具6枚齿。唇基具弱的中脊。触角柄节约1/2部分超过后头缘。并腹胸较长，中胸部分明显缢缩；并胸腹节较圆凸。结节厚，前倾。后腹部长卵形，前侧具凹陷。

采集记录：10工蚁，佛坪，2006. Ⅶ-Ⅷ，马丽滨采。

分布：陕西(佛坪)、河南、浙江、湖北、江西、湖南、福建、广东、广西、四川、贵州、云南；缅甸，印度。

(三) 切叶蚁亚科 Myrmicinae

鉴别特征：唇基后缘常向后延伸至额脊之间。触角窝分离，并为额叶覆盖。前中胸背板成一整体，有背板缝分开，但缝隙常细弱。并胸腹节常具1对发达的并胸腹节刺。中后足胫节距呈梳状、刺状或缺；爪节简单。结节2节。螯针发达或退化。

分布：全世界。世界记述45属，陕西秦岭地区分布11属17种。

分属检索表（工蚁）

1. 第 2 结节连于后腹部背侧，似心形；第 1 结节扁平 …………………… **举腹蚁属 *Crematogaster***
   第 2 结节连于后腹部前侧，结状；第 1 结亦呈结状 ……………………………………… 2
2. 触角 9 或 10 节………………………………………………………………………… 3
   触角 11 或 12 节 ………………………………………………………………………… 4
3. 触角 9 节；上颚镰状 ……………………………………………………… **奇蚁属 *Perissomyrmex***
   触角 10 节；上颚三角形……………………………………………………… **火蚁属 *Solenopsis***
4. 唇基前缘在触角窝前形成脊状；螯针端部具片状附属物 ……………… **铺道蚁属 *Tetramorium***
   唇基不在触角窝前呈脊状；螯针简单 ……………………………………………………… 5
5. 触角 11 节 ………………………………………………………… **棱胸切叶蚁属 *Pristomyrmex***
   触角 12 节 ……………………………………………………………………………… 6
6. 须式 6: 4；后足胫节距栉状 ……………………………………………… **红蚁属 *Myrmica***
   须式少于 6: 4；后足胫节距简单或缺，极少呈栉状 ……………………………………… 7
7. 唇基中部具 2 条脊，端缘具 1 枚齿突 ………………………………… **毛切叶蚁属 *Lordomyrma***
   唇基中部不具双脊，端缘亦不具齿突 ………………………………………………………… 8
8. 头腹面侧缘具纵脊，由上颚基部延伸至后头；第 1 结节前缺结前柄 …… **切叶蚁属 *Myrmecina***
   非上所述 ………………………………………………………………………………… 9
9. 须式 2: 2 或 3: 2；上颚端齿与基齿（即大齿）之间具不规则钝齿（兵蚁） … **大头蚁属 *Pheidole***
   须式 4: 3 或 5: 3；上颚第 3、4 齿（即大齿）之间无细齿 ……………………………… 10
10. 体粗壮，并胸腹节基面短，稍长于斜面 ……………………………………… **收获蚁属 *Messor***
    体细长，并胸腹节基面极长，明显长于斜面 ………………………………… **盘腹蚁属 *Aphaenogaster***

48. 盘腹蚁属 *Aphaenogaster* Mayr, 1853

Aphaenogaster Mayr, 1853: 107. **Type species**: *Aphaenogaster sardoa*, Mayr, 1853.

属征：头后侧长缢缩成颈状；唇基较平，其端缘横形或中央具缺刻；触角窝及唇基窝大，彼此会和；触角细长，12 节；缺单眼。并腹胸背板缝较明显，中并胸腹节缝深凹；并胸腹节刺常较短。结前柄细长；第 1 结节近圆锥形；第 2 结节卵圆形。后腹部长卵形。足细长，中后足胫节距简单，爪节简单。

生物学：肉食性，筑巢于土或朽木中。

分布：世界广布。全世界记载 227 种，中国已知 26 种，秦岭地区发现 2 种。

分种检索表（工蚁）

头部刻纹刻点细且稀疏；前胸背板光亮，仅具少许刻点 …………… **史氏盘腹蚁 *A. smythiesii***
头部刻纹刻点粗且密集；前胸背板除中部，均具细密刻点…………… **日本盘腹蚁 *A. japonica***

(859) 史氏盘腹蚁 *Aphaenogaster smythiesii* (Forel, 1902) (图版 112: J–L)

Stenamma smythiesii Forel, 1902: 222.
Aphaenogaster smythiesii: Bingham, 1903: 276.

鉴别特征(工蚁): 体褐色至黑褐色。立毛稀疏。头前部具稀疏细纹和刻点，后部光亮。前胸背板背侧光亮，两侧具细弱刻纹；中胸背板后半部及并胸腹节具皱纹及刻点；结节基部刻点密集，上部光亮；后腹部亦光亮。头两侧缘平直，后头缘几乎平直。唇基凸圆，具中脊，端缘中央具缺刻。触角柄节约 1/5 部分超出后头缘。并腹胸窄。前胸背板凸；中胸背板前端横脊明显。并胸腹节基面长于斜面，其前部凸，后部平直；并胸腹节刺短而尖。后腹部呈卵圆形。

采集记录: 10 工蚁，佛坪，2006. Ⅶ-Ⅷ，马丽滨采。

分布: 陕西(佛坪)、安徽、浙江、湖北、江西、湖南、福建、广西、四川、贵州、云南；印度，阿富汗。

(860) 日本盘腹蚁 *Aphaenogaster japonica* Forel, 1911 (图版 112: G–I)

Aphaenogaster japonica Forel, 1911: 267.
Aphaenogaster sinensis Wheeler, 1928a: 9.
Aphaenogaster verecunda Wheeler, 1928b: 105.

鉴别特征(工蚁): 与史氏盘腹蚁极相似，可从以下特征区分。头部且粗糙网状刻纹；前胸背板侧缘具粗皱纹；中胸背板前端横脊不明显；后腹部某具细密纵刻纹。

采集记录: 10 工蚁，佛坪，2006. Ⅶ-Ⅷ，马丽滨采。

分布: 陕西(佛坪)、北京、山东、安徽、湖北、广西；日本。

49. 举腹蚁属 *Crematogaster* Lund, 1831

Crematogaster Lund, 1831: 132. **Type species**: *Formica scutellaris*, Olivier, 1792.

属征: 头部长宽几乎相等；上颚狭窄，常具 4 枚齿；触角 10～11 节；第 1 结节上下夹扁，不形成隆起的结节；第 2 结节似球状。后腹部心形或三角形。第 2 结节连接于后腹部背面，因此活体后腹部常上翘。

分布: 世界广布。全世界记载 780 种，中国已知 35 种，秦岭地区分布 3 种。

分种检索表(工蚁)

1. 头部粗糙，具明显刻点和纵长刻纹 ………………………………… **黑褐举腹蚁 *C. rogenhoferi***

头部光亮，至多复眼下侧具纵细刻纹 …………………………………………………… 2

2. 触角最后 2 节明显膨大，形成棒状 ………………………… **大阪举腹蚁 *C. osakensis***

触角最后 3 节明显膨大，形成棒状 ………………………… **上海举腹蚁 *C. zoceensis***

（861）大阪举腹蚁 *Crematogaster osakensis* Forel，1900（图版 112：M－O）

Crematogaster osakensis Forel，1900：269.

Crematogaster japonica Forel，1912：339.

鉴别特征（工蚁）： 体黄色至黄褐色，较光亮。立毛较密集。头近方形，后头缘直。唇基凸，端缘几乎平直，中央略凹。并腹胸短。前中胸背板凸、矩形，背板缝不明显。中并胸腹节缝深凹。并胸腹节基面短，斜面较平直；并胸腹节刺较长，斜指向背上方。第 1 结节近方形，背面平坦；第 2 结节圆凸，背侧中央不具纵沟。

采集记录： 10 工蚁，佛坪，2006. Ⅶ-Ⅷ，马丽滨采。

分布： 陕西（佛坪）、山西、上海、安徽、浙江、湖北、江西、湖南、广西、四川、云南；日本。

（862）黑褐举腹蚁 *Crematogaster rogenhoferi* Mayr，1879（图版 112：P－R）

Crematogaster rogenhoferi Mayr，1879：683.

鉴别特征（工蚁）： 体黄褐色至褐色，后腹部端侧黑褐色。立毛稀疏，黄白色，绒毛稀少。头宽稍大于头长，两侧缘凸，后头缘微凹。唇基凸，端缘平直。前胸背板平坦，其中部两侧缘突出成钝的边缘；中胸背板窄，向后倾斜。前中胸背板缝明显，中并胸腹节缝深凹。并胸腹节基面平，稍后倾；并胸腹节刺粗壮，长而尖，端部稍向下弯曲。第 1 结节背侧平，两侧钝圆；第 2 结节具明显中央纵沟。后腹部心脏形。

采集记录： 10 工蚁，佛坪，2006. Ⅶ-Ⅷ，马丽滨采。

分布： 陕西（佛坪）、江苏、安徽、浙江、江西、湖南、福建、广东、海南、广西、云南、西藏；东南亚。

（863）上海举腹蚁 *Crematogaster zoceensis* Santschi，1925（图版 113：A－C）

Crematogaster zoceensis Santschi，1925a：85.

鉴别特征（工蚁）： 体褐色，后腹部端侧黑褐色，较光亮。毛被乳白色，分布均匀。立毛稀疏，柔毛被在头部较密集。头近方形，两侧缘及后头缘平直，后头角圆。唇基凸圆，端缘几乎平直，中央略凹入。前中胸背板宽平，至中胸背板端侧倾斜。前中胸背板缝不明显，中并胸腹节缝深凹。并胸腹节基面极短；并胸腹节刺约与基面等长。第 1 结节四边形，两侧突出；第 2 结节椭圆形，中央纵沟深。后腹部较长。

采集记录：10 工蚁，佛坪，2006. Ⅶ-Ⅷ，马丽滨采。

分布：陕西(佛坪)、河北、山东、河南、上海、安徽、浙江、江西、湖南、福建、四川。

50. 毛切叶蚁属 *Lordomyrma* Emery, 1897

Lordomyrma Emery, 1897: 591. **Type species**: *Lordomyrma furcifera* Emery, 1897.

Prodicroaspis Emery, 1914: 414. **Type species**: *Prodicroaspis sarasini* Emery, 1914.

Promeranoplus Emery, 1914: 412. **Type species**: *Promeranoplus rouxi* Emery, 1914.

属征：体小。体黄褐色至褐色，具粗糙刻纹，毛被较丰富。头较圆，侧缘及后头缘常微凸。有时额脊发达，具触角沟。唇基端缘中央常具 1 枚齿突。2 结节粗钝。后腹部短，末端较尖，第 1 节腹背板约占后腹长 2/3。

分布：东洋区，澳洲区。全世界已知 34 种，中国记录 1 种，秦岭地区分布 1 种。

(864) 中华毛切叶蚁 *Lordomyrma sinensis* (Ma, Xu, Makio *et* DuBois, 2007) (图版 113: D－F)

Stenamma sinensis Ma, Xu, Makio *et* DuBois, 2007: 372.

Lordomyrma sinensis: Branstetter, 2009: 49.

鉴别特征(工蚁)：体褐色，被亚倒伏毛。前胸背板大部具纵长、波浪状刻纹(刻纹间隙大)，但基部(颈部)具纵长刻纹；并胸腹节背侧具横形刻纹，两侧具皱纹；后腹部光亮。唇基端缘中央具 1 个齿状突。前中胸背板缝消失，并胸腹节刺短钝。后腹部卵圆形，背腹夹扁。

采集记录：10 工蚁，佛坪，2006. Ⅶ-Ⅷ，马丽滨采。

分布：陕西(佛坪)。

51. 收获蚁属 *Messor* Forel, 1890

Messor Forel, 1890: 67. **Type species**: *Formica barbara*, Linnaeus, 1767.

属征：收获蚁工蚁常多型，少数种类单型。其唇基中央略凸，端缘有时具缺刻。触角 12 节，无明显便接棒。缺单眼。并腹胸背板缝清晰。并胸腹节刺不发达。第 1 结节圆锥形，结前柄长；第 2 结节长宽相等。后腹部扁平，宽卵形。

分布：古北区，东洋区，非洲热带区。全世界记载 164 种，中国已知 14 种，秦岭地区分布 1 种。

(865) 针毛收获蚁 *Messor aciculatus* (F. Smith, 1874) (图版 113: G－I)

Aphaenogaster aciculata F. Smith, 1874: 405.

Stenamma aciculata: Forel, 1901: 60.

Messor brunneicorne Forel, 1901: 60.

Messor lobulifera Emery, 1901: 159.

Messor aciculatus: Forel, 1922: 93.

鉴别特征(工蚁): 体黑褐色，上颚、触角、足及后腹部褐色。足及后腹部较光亮，余具刻纹。被毛丰富，但并腹胸侧面少毛。头长宽几乎相等，后头缘平直。上颚咀嚼缘端齿不明显，或亚端齿明显。唇基向后延伸至触角之间。前中胸背板圆凸；中胸背板端部倾斜，与并胸腹节连接处深凹；并胸腹节基面平直，斜面平截，基面长于斜面，基面末端不具刺或齿。第 1 结节圆锥状，背侧钝圆，结前柄长；第 2 结节较宽。后腹部扁平，宽卵形。

采集记录: 5 工蚁，佛坪，2006. Ⅶ-Ⅷ，马丽滨采。

分布: 陕西(佛坪)、内蒙古、北京、河北、山西、山东、河南、江苏、上海、安徽、浙江、湖北、湖南、福建；日本。

52. 切叶蚁属 *Myrmecina* Curtis, 1829

Myrmecina Curtis, 1829: 265. **Type species**: *Myrmecina latreillii* Curtis, 1829 (= *Myrmecina graminicola*, Latreille, 1802).

属征: 头长略大于宽，后头缘宽凹；上颚具 1～2 枚明显端齿及 7～8 枚弱的齿突；须式4: 3；唇基中部凸，端缘两侧常具齿状突；触角 12 节；复眼小至中等。并腹胸短粗。前胸背板肩角明显，背板缝不明显；并胸腹节刺较弱。足短粗，缺中后足胫节距。第 1 结节近方形，不具结前柄；第 2 结节圆形。后互不卵圆形。螯针小。

分布: 古北区，新北区，东洋区。全世界记载 37 种，中国已知 10 种，秦岭地区分布 1 种。

(866) 钩胸切叶蚁 *Myrmecina bamula* Zhou, Huang *et* Ma, 2008

Myrmecina bamula Zhou, Huang *et* Ma, 2008: 288.

鉴别特征(工蚁): 体黑褐色。毛被稀疏。上颚、唇基及后腹部光亮，余具刻纹。头矩形，两侧缘平行，后头缘凹。上颚具 2 枚尖锐端齿和一系列小钝齿。唇基具明显中齿。并腹胸凸，背侧平。前胸背板具棱边，前胸侧叶腹侧角钝。并胸腹节刺长，端部具小钩。第 1 结节圆柱形，长大于宽，基侧平截；第 2 结节似矩形。后腹部宽卵形。

采集记录: 1 工蚁, 佛坪三官庙, 2006. Ⅷ. 06, 马丽滨采。

分布: 陕西(佛坪)、广西。

53. 红蚁属 *Myrmica* Latreille, 1804

Myrmica Latreille, 1804: 179. **Type species**: *Formica rubra* Linnaeus, 1758.

属征: 该属种类较多, 多为捕食性。红蚁头部椭圆形; 触角 12 节; 下颚须 6 节, 下唇须 4 节; 上颚具 7 ~ 10 枚齿; 唇基圆; 额叶发达。前胸背板前侧角圆; 前中胸背板缝缺; 中并胸腹节缝弱或深凹; 并胸腹节刺发达。腹柄下突齿状。

分布: 寒温带, 温带, 亚热带, 热带地区。全世界记载 190 种, 中国已知 49 种, 秦岭地区分布 3 种。

分种检索表(工蚁)

1. 体黑褐色, 附肢黄褐色; 皱纹极粗糙 ······ **龙红蚁 *M. draco***
   体褐色至黄褐色; 皱纹较细 ······ 2
2. 头及后腹部深褐色, 并腹胸褐色 ······ **皱红蚁 *M. ruginodis***
   体黄褐色, 后腹部颜色稍深 ······ **郑氏红蚁 *M. zhengi***

(867) 龙红蚁 *Myrmica draco* Radchenko, Zhou *et* Elmes, 2001 (图版 113: J – L)

Myrmica draco Radchenko, Zhou *et* Elmes, 2001: 214.

鉴别特征(工蚁): 体黑褐色, 附肢黄褐色。体壁粗糙, 皱纹丰富; 被毛亦丰富。头长略大于宽, 两侧缘微凸, 后头缘平直。唇基端缘窄, 中央具齿。额脊略宽。触角柄节基部弱弯曲。上颚具 9 ~ 11 枚齿。并腹胸长。前中胸背板较平坦。前中胸背板缝弱, 后胸沟深。并腹胸节后侧叶呈尖锐的长齿状; 并胸腹节刺直, 长而尖锐。第 1 结节长, 低而窄; 第 2 结节基球状。

采集记录: 10 工蚁, 佛坪, 2006. Ⅶ-Ⅷ, 马丽滨采。

分布: 陕西(佛坪)、广西。

(868) 皱红蚁 *Myrmica ruginodis* Nylander, 1846 (图版 113: M – O)

Myrmica dimidiata Say, 1836: 293.

Myrmica ruginodis Nylander, 1846: 929.

Myrmica diluta Nylander, 1849: 41.

Myrmica ruginodolaevinodis Forel, 1874: 78.

Myrmica macrogyna Brian, 1949: 397.

Myrmica microgyna Brian, 1949: 397.

Myrmica mutata Sadil, 1952: 242.

鉴别特征(工蚁)：体褐色至深褐色。立毛中等长度，较密集。额区及后腹部光亮，余粗糙，密布刻纹。头近矩形，复眼之后略缢缩。上颚咀嚼缘端侧约1/4位置具2枚大齿，余大部具1列细齿，约19枚。唇基圆凸，中央具棱边。触角柄节基部弱弯曲。额叶长，较窄。并胸腹节刺较长，基部粗大。第1结节背侧较平坦，近方形；端缘与背侧连接处近直角。

采集记录：10工蚁，佛坪，2006. Ⅶ-Ⅷ，马丽滨采。

分布：陕西(佛坪)、黑龙江、吉林；朝鲜，日本，北欧地区。

(869) 郑氏红蚁 *Myrmica zhengi* Ma *et* Xu, 2011 (图版113: P－R)

Myrmica zhengi Ma *et* Xu, 2011: 795.

鉴别特征(工蚁)：体黄色，被亚直立毛。头矩形且极方正，两侧缘及后头缘平直。上颚具2～3枚端齿及7～9枚连续或不连续的细齿。唇基圆凸，端缘具棱边，中央略宽凹。额叶窄，触角窝暴露，触角基部完全可见。并腹胸短。前胸背板较粗圆，向后逐渐收缩。并胸腹节缝宽凹。并胸腹节刺粗壮，明显长于基面。第1结节三角形，具腹柄下突；第2结节球状。后腹部卵圆形。

采集记录：10工蚁，佛坪，2006. Ⅶ.26，马丽滨采。

分布：陕西(佛坪)。

54. 奇蚁属 *Perissomyrmex* Smith, M. R., 1947

Perissomymex Smith, M. R., 1947: 281. **Type species**: *Perissomyrmex snyderi* Smith, 1947.

属征：头较大，头型圆；复眼小，位于头侧；上颚镰状，齿稀少；唇基端缘常具显著齿突；触角9节。并腹胸短。两结节均凸起。后腹部卵圆形，第1腹背板约占后腹长的3/5。

分布：中国；印度，尼泊尔，不丹，中美洲。全世界已知6种，中国记录4种，秦岭地区分布1种。

(870) 双齿奇蚁 *Perissomyrmex bidentatus* Zhou *et* Huang, 2006 (图版114: A－C)

Perissomyrmex bidentatus Zhou *et* Huang, 2006: 189.

Perissomyrmex emarginatus Ogata *et* Okido, 2007: 359.

鉴别特征(工蚁)：体褐色，粗糙，背侧直立或亚直立毛丰富。头长宽几乎相等，后头缘微凹。复眼小，前凸。唇基端缘具4个齿(中间1对齿略大于两侧)，中部平直。前胸略凸，前中胸背板缝不明显。并胸腹节低。第1结节长为宽的2倍，无腹柄下突。第2结节腹侧前角略成直角。

采集记录：1工蚁，秦岭，2004.Ⅶ.09，铁茹采。

分布：陕西(秦岭)、河南。

55. 大头蚁属 *Pheidole* Westwood, 1839

Pheidole Westwood, 1839: 219. **Type species**: *Atta providens* Sykes, 1835.

属征：包含工蚁和兵蚁两型，兵蚁特征显著，个体较大，而工蚁个体小，种间差异不大。兵蚁头极大，后头缘深凹，后头角凸出显著。触角12节，柄节短。缺单眼。前中胸背板明显隆起；前胸背板两侧具瘤状突；中胸背板具横沟，横沟后常隆起1条横脊。中并胸腹节缝明显。

生物学：全营地下巢，杂食性。

分布：世界广布。全世界记载1121种，中国已知50种，秦岭地区分布1种。

(871) 淡黄大头蚁 *Pheidole flaveria* Zhou *et* Zheng, 1999 (图版114: D-F)

Pheidole flaveria Zhou *et* Zheng, 1999: 86.

鉴别特征(兵蚁)：体淡黄色；触角柄节、第2结节及后腹部黄褐色。立毛较多，淡黄色。头基部略宽于端部，后头缘角状深凹。唇基中部微凹，无中脊；端缘中央具圆形缺刻。额脊长，向后延伸至头基侧约1/3处。触角沟不明显。触角柄节与额脊几乎等长。前胸背板窄，侧面瘤突圆。中胸背板倾斜，横脊明显。并胸腹节基面与斜面等长，基面中央略凹陷；并胸腹节刺直立且尖锐，约为基面长的1/3。第1结节简单，背侧钝圆，腹侧无下突；第2结节横宽，侧面中部圆锥形凸出。足股节及胫节中部膨大。后腹部宽卵形，远小于头部。

采集记录：10兵蚁，佛坪，2006.Ⅶ-Ⅷ，马丽滨采。

分布：陕西(佛坪)、河南、广西。

56. 棱胸切叶蚁属 *Pristomyrmex* Mayr, 1866

Pristomyrmex Mayr, 1866: 903. **Type species**: *Pristomyrmex pungens* Mayr, 1866 (= *Myrmica punctate* Smith, F., 1860).

属征：上颚端域突然变宽，常具4枚齿。须式1∶3或2∶3。唇基端缘常具齿状突。触角基部常暴露，触角11节，柄节细长。并腹胸宽阔，缺背缝。前胸背板肩角常具齿或刺。并胸腹节具1对刺或齿突。后腹部常光亮。螯针细长。

生物学：常筑巢于朽木或粗壮树枝中，有时也在落叶中生活。

分布：印度至澳大利亚地区及非洲地区。全世界记载54种，中国已知4种，秦岭地区分布1种。

（872）双针棱胸切叶蚁 *Pristomyrmex punctatus*（F. Smith，1860）（图版114：G-I）

Myrmica punctata F. Smith，1860：108.
Pristomyrmex punctaus，Mayr，1886：361.
Pristomyrme xjaponicas Forel，1900：904.
Pristomyrmex pungens Mayr，1866：268.

鉴别特征（工蚁）：体黄褐色至褐色，附肢颜色较浅，后腹部黑褐色。头胸及结节毛被丰富。后腹部光亮，余较粗糙。头矩形，宽大于长。上颚端2枚齿发达，基部3个翅弱。唇基具中脊，端缘凹陷。并腹胸背侧平坦，具棱边。并胸腹节刺长。第1结节背侧圆凸，腹面凹；第2结节较高，其腹侧具小的瘤状突。后腹部近球形。

采集记录：10工蚁，佛坪，2006. Ⅶ-Ⅷ，马丽滨采。

分布：陕西（佛坪）、辽宁、山东、上海、江苏、安徽、浙江、湖北、江西、湖南、广东、海南、广西、四川、云南、西藏；日本，菲律宾，马来西亚。

57. 火蚁属 *Solenopsis* Westwood，1840

Solenopsis Westwood，1840：86. **Type species**：*Solenopsis mandibularis* Westwood，1840 = *Atta geminata* Fabricius，1804）.

属征：小型种类常单型，大型种类常多型。该属昆虫触角10节，须式2∶2或1∶2；上颚3~4枚齿，端齿强大。唇基具双脊，弱或显著，双脊常延伸，并超出唇基端缘形成齿状突；唇基端缘常具中刚毛。前中胸背板缝弱，中并胸腹节缝深凹。并胸腹节缺刺状突。

生物学：许多种类游猎型，取食谷物、昆虫等。

分布：广泛分布于全世界。全世界记载285种，中国已知8种，秦岭地区分布1种。

（873）知本火蚁 *Solenopsis tipuna* Forel，1912（图版114：J-L）

Solenopsis tipuna Forel，1912：56.

鉴别特征(工蚁): 体小。体黄褐色，但头及后腹部颜色较深。立毛丰富，缺绒毛。体光亮，具稀疏刻点。头矩形，长略大于宽，两侧缘微凸，后头缘微凹。上颚狭长，咀嚼缘具4枚大齿，基部具1枚小齿。唇基中央凹陷，具双脊，向前端分开，并在唇基端缘形成齿状突。前中胸背板微凸，缺背板缝。中并胸腹节缝明显凹陷。并胸腹节基面两侧不具脊，斜面垂直。第1结节窄而高；第2结节横卵形。

采集记录: 3工蚁，佛坪袁家坝，2006. Ⅶ-Ⅷ，马丽滨采。

分布: 陕西(佛坪)、湖北、湖南、台湾、广西。

58. 铺道蚁属 *Tetramorium* Mayr, 1855

Tetramorium Mayr, 1855: 423. **Type species**: *Formica caespitum* Linnaeus, 1758.

属征: 该属种类繁多，铺道蚁多为腐食或捕食，营地下巢穴。该属蚂蚁头多呈矩形；上颚宽，具6~7枚齿；触角11或12节，常具触角沟；复眼圆。并腹胸较短。中并胸腹节缝显著。并胸腹节后侧叶发达，形态各异。螯针端部具薄片状附属物。

分布: 非洲区，东洋区，澳洲区，古北区，新北区。全世界记载459种，中国已知52种，秦岭地区分布2种。

分种检索表(工蚁)

体黑褐色，触角12节 ………………………………………… **铺道蚁 *T. caespitum***
体黄褐色，触角11节 ………………………………………… **陕西铺道蚁 *T. shensiense***

(874) 铺道蚁 *Tetramorium caespitum* (Linnaeus, 1758) (图版114: M-O)

Formica caespitum Linnaeus, 1758: 581.
Tetramorium fusca Leach, 1825: 290.
Tetramorium fuscula Nylander, 1846: 935.
Tetramorium modesta Foerster, 1850: 49.
Tetramorium caespitum: Mayr, 1855: 426.
Tetramorium himalayanum Viehmeyer, 1914: 38.
Tetramorium hammi Donisthorpe, 1915: 178.
Tetramorium immigrans Santschi, 1927: 54.
Tetramorium indocile Santschi, 1927: 53.
Tetramorium transbaicalense Ruzsky, 1936: 93.
Tetramorium transversinodis Enzmann, 1946: 47.
Tetramorium fusciclavum Consani *et* Zangheri, 1952: 42.
Tetramorium jiangxiense Wang *et* Xiao, 1988: 269.

鉴别特征(工蚁)：体黑褐色。毛被较丰富。后腹部较光亮，余具刻纹或刻点。头矩形，后头缘平直或略凹。唇基端缘直。额脊短，达到复眼中部。触角12节，触角沟浅宽。并胸腹节刺短；后侧叶短小，似三角形。第1结节背侧平坦，前后缘缓坡状；第2结节较低，背侧圆。

采集记录：10工蚁，佛坪，2006.Ⅶ-Ⅷ，马丽滨采。

分布：陕西(佛坪)、黑龙江、吉林、辽宁、内蒙古、北京、河北、山东、甘肃、江苏、上海、安徽、浙江、湖北、江西、湖南、福建、广西、四川、西藏；朝鲜，韩国，日本，欧洲，北美洲。

(875) 陕西铺道蚁 *Tetramorium shensiense* Bolton, 1977 (图版114：P－R)

Tetramorium shensiense Bolton, 1977: 83.

鉴别特征(工蚁)：体黄褐色，被毛较丰富，密布粗糙刻纹，但后腹部光亮。头心形，后头缘凹陷。唇基中部凸，具3条发达纵脊，端缘中央缺刻。额脊明显，向后延伸至头顶。触角11节，触角沟长而宽。前胸背板肩角圆；并胸腹节刺粗长，端部尖直。第1结节长方形，第2结节低，圆形。后腹部卵圆形。

采集记录：10工蚁，佛坪，2006.Ⅶ-Ⅷ，马丽滨采。

分布：陕西(佛坪)。

(四)猛蚁亚科 Ponerinae

鉴别特征：表皮坚硬；上颚发达；结节仅1节，且不具明显节前柄；后腹部基部两节间常具明显缢缩；螯针发达，且外露。

生物学：猛蚁是蚁科中最为原始的类群，其工蚁单型，且与雌蚁体长接近(吴坚，王常禄，1995)。猛蚁种群常较小，蚁巢中对多仅几百个个体。

分类：世界性分布，但以热带及亚热带潮湿环境最为丰富。全世界记述10属，陕西秦岭地区分布6属6种。

分属检索表(工蚁)

1. 结节与后腹部宽连，无明显的后缘 ………………………… **钝猛蚁属 *Amblyopone***
   结节与后腹部连接处窄，具明显的后缘 ………………………………… 2
2. 上颚镰状，细长；后头脊在后头会合成"V"形；结节圆锥形，顶端尖 ……………… ………………………………………………… **大齿猛蚁属 *Odontomachus***
   上颚镰状或三角形；后头脊，结节不如上述 ……………………………… 3
3. 额叶宽，互相远离；后足基节常具齿状突………………… **曲颊猛蚁属 *Gnamptogenys***

额叶窄，相距近，甚至部分毗连；后足基节无齿状突 …………………………………… 4
4. 后足胫节末端具单个大型栉状距，其前方缺小型距 ………………… **厚结猛蚁属 *Pachycondyla***
后足胫节末端具 2 距，即在大型栉状距前方还有 1 枚小型简单距 ……………………………… 5
5. 腹柄下突后部形成尖角，如同腹柄节腹面后方着生 1 个齿 …………………… **猛蚁属 *Ponera***
腹柄下突后部圆形或钝圆，不形成尖角 ……………………………………… **姬猛蚁属 *Hypoponera***

59. 钝猛蚁属 *Amblyopone* Erichson, 1842

Amblyopone Erichson, 1842: 260. **Type species**: *Amblyopone australis* Erichson, 1842.

属征：体中等大小。头矩形；上颚尖细；唇基前缘常具齿状突；复眼微小；触角 11 或 12 节。结节后面与后腹部宽连接。

生物学：营地下生活，巢穴小；行动缓慢，会假死，取食小型节肢动物。

分布：广泛分布于全世界温带和热带地区。全世界记载 69 种，中国已知 5 种，秦岭地区分布 1 种。

(876) 西福氏钝猛蚁 *Amblyopone silvestrii* (Wheeler, 1928)

Stigmatomma silvestrii Wheeler, 1928b: 97.
Amblyopone silvestrii: Brown, 1960: 169.

鉴别特征(工蚁)：体小。体褐色，刻点较多，后腹部较光亮，且前胸背板具 1 条无刻点的光亮纵带。短绒毛丰富，后腹部末端长直立毛丰富。头端侧角具尖的颊侧齿；后头缘较直，中央微凹。复眼小(含 3 ~ 8 只小眼)。上颚端齿尖长，第 2 齿最小，基齿较大。额脊短，额叶完全遮盖触角窝。并腹胸短，中胸缢缩。前中胸背板缝显著，中并胸腹节缝仅见痕迹。后腹部粗长。螯针短。

采集记录：2 工蚁，佛坪，2006. Ⅶ-Ⅷ，马丽滨采。

分布：陕西(佛坪)、河南、浙江、湖北、湖南、台湾、云南；朝鲜，日本。

60. 曲颊猛蚁属 *Gnamptogenys* Roger, 1863

Gnamptogenys Roger, 1863: 174. **Type species**: *Ponera tornata* Rogen, 1861 (= *Ponera sulcata* Smith, F., 1858).

属征：小型至中型。上颚三角形，具齿或无明显齿。唇基三角形，中央具纵槽。额叶间远离。触角 12 节。头卵圆形，后头角凸出，后头缘深凹。并腹胸宽短，前侧钝圆，后侧稍侧扁。背板缝消失或细弱。结节 1 节，腹柄下突形状变化较多。后腹部卵圆形。足较短，后足基节具1个刺或齿状突。

分布： 世界大多数区域均有分布。全世界分布139种，中国已知6种，秦岭地区分布1种。

(877) 四川曲颊猛蚁 *Gnamptogenys panda* (Brown, 1948) (图版115：A－F)

Stictoponera panda Brown, 1948: 263.

Gnamptogenys panda: Brown, 1958: 228.

鉴别特征(工蚁)： 体色分两型，即黄褐色型和黑褐色型。毛被丰富，密布粗大刻点及皱纹。后头缘凹入；后头角尖，向后延伸为1对耳状突。上颚仅具端齿。唇基端缘圆。并腹胸背面呈弓形。前胸背板前缘棱边弱。并胸腹节背板倾斜，不具横脊且无齿状突。结节高，后面近垂直；腹柄下突约三角形。后腹部长卵形，螫针发达。

采集记录： 10工蚁，佛坪，2006. Ⅶ-Ⅷ，马丽滨采。

分布： 陕西(佛坪)、浙江、湖北、湖南、广西、四川、贵州。

61. 姬猛蚁属 *Hypoponera* Santchi, 1938

Hypoponera Santschi, 1938: 79. **Type species:** *Ponera abeillei* André, 1881.

属征： 体极小。体黄色或黑褐色；上颚三角形，唇基端缘通常无中齿，复眼缺或极小；中胸前侧片完整；中后足胫节具栉状距，中足跗节缺硬直立毛；腹柄下突圆形或钝圆形。

分布： 世界广布。全世界记载171种，中国已知10种，秦岭地区分布1种。

(878) 邵氏姬猛蚁 *Hypoponera sauteri* Onoyama, 1989 (图版115：G－I)

Hypoponera sauteri Onoyama, 1989: 7.

鉴别特征(工蚁)： 体黄褐色至褐色。全身被丰富短绒毛，具细刻点。头两侧缘微凸，后头缘微凹。复眼极小(仅含1只小眼)。上颚仅端部具2～3枚小齿，其后无齿或仅具不明显细齿。唇基横形，中部脊状隆起。前中胸背板缝及中并胸腹节缝弱凹陷。并胸腹节略侧扁，基面与斜面均长，且等长。结节略向后倾斜，后面垂直；腹柄下突弱三角形。后腹部粗短，基2节较长，2节间缢缩明显。螫针发达。

采集记录： 10工蚁，佛坪，2006. Ⅶ-Ⅷ，马丽滨采。

分布： 陕西(佛坪)、河南、安徽、湖北、湖南、台湾、广东、贵州、云南；朝鲜，日本。

62. 大齿猛蚁属 *Odontomachus* Latreille, 1804

Odontomachus Latreille, 1804: 179. **Type species**: *Formica haematoda* Linnaeus, 1758.

属征: 大型蚂蚁。头矩形，后头角凸出，后头缘深凹；上颚极长，镰状，端部向内弯曲，常具3枚粗大端齿；触角窝大，触角12节；复眼较小，凸出；并腹胸细长，中并胸腹节端缘凹，结节圆锥形，顶端尖细，呈刺状。

生物学: 其个体受惊扰时可弹跳逃逸，或用上颚用力拍打，发出大的声响。

分布: 分布于温带、亚热带和热带地区相对潮湿的环境。全世界记载65种，中国已知9种，秦岭地区分布1种。

(879) 大齿猛蚁 *Odontomachus haematodus* (Linnaeus, 1758) (图版115: J–L)

Formica haematoda Linnaeus, 1758: 582.

Odontomachus maxillosa de Geer, 1773: 601.

Odontomachus haematodus: Latreille, 1804: 179.

Odontomachus hirsutiusculus F. Smith, 1858: 78.

Odonotomachus pallipes Crawley, 1916: 368 .

鉴别特征(工蚁): 体黑褐色，附肢褐色。毛被稀疏，但并腹胸绒毛较密。刻纹细弱，后腹部较光亮。头两侧缘中部及后头缘中部凹。上颚端部具3枚大的端齿和10枚细弱小齿；近基部有1枚齿短宽，点段平截；细齿不发达。唇基短，两侧收缩，端缘中央弱凸出。前胸背板弯曲，中胸背板高于前胸，并胸腹节较平坦(基面长约为斜面的2倍)。前中胸背板缝及中并胸腹节缝均深凹。结节圆锥形，顶端极尖锐，刺状，略向后弯。后腹部圆锥形。螫针发达。

采集记录: 5工蚁，佛坪，2006. Ⅶ-Ⅷ，马丽滨采。

分布: 陕西(佛坪)、北京、浙江、湖北、湖南、福建、广东、海南、香港、广西、四川、贵州；印度，斯里兰卡，美国，巴西。

63. 厚结猛蚁属 *Pachycondyla* Smith, 1858

Pachycondyla Smith, 1858: 105. **Type species**: *Formica crassinoda* Latreille, 1802.

属征: 体中型至大型。具粗糙刻纹及刻点。唇基端缘平直或圆，无附属凸起。上颚三角形。触角12节。前胸背板宽，前侧角圆，无突出的刺或齿。前中胸背板缝明显，中并胸腹节缝消失或不明显。中后足胫节具2距，梳状距较大，刺状距较小。后腹部粗大，其基部2节明显缢缩。螫针粗壮。

生物学：主要营地下巢。

分布：主要分布于热带及亚热带地区。全世界记载289种，中国已知22种，秦岭地区分布1种。

（880）敏捷厚结蚁 *Pachycondyla astuta* Smith，1858（图版115：M－O）

Pachycondyla astuta Smith，1858：107.

鉴别特征（工蚁）：体黑褐色，附肢褐色。刻纹及刻点细密。立毛黄褐色，稀疏。头略呈心形，两侧缘微凸，后头缘深凹，后头角钝角状。上颚具6～8枚齿。唇基窄，中部凸，端缘完整。前中胸背板缝清晰，中并胸腹节缝仅见凹痕。并胸腹节基面端域斜面。结节前面垂直，后面向前倾斜；腹柄下突三角形。后腹部粗大，基部2节间缢缩明显。螫针发达。

采集记录：10工蚁，佛坪，2006. Ⅶ-Ⅷ，马丽滨采。

分布：陕西（佛坪）、北京、山东、江苏、上海、安徽、浙江、湖北、江西、福建、台湾、广东、海南、香港、澳门、广西、四川、贵州、云南；亚洲，大洋洲。

64. 猛蚁属 *Ponera* Latreille，1804

Ponera Latreille，1804：179. **Type species**：*Formica coarctata* Latreille，1802.

属征：头宽卵形。唇基窄，向后延伸至两额脊之间，端缘平直。触角12节。复眼小，缺单眼。并腹胸窄于头部，背板缝清晰而不凹陷。结节1节，厚，顶端圆。后腹部粗大，约与并腹胸等长。

分布：全北区，东洋区，澳洲区。全世界记载55种，中国已知17种，秦岭地区分布1种。

（881）南贡山猛蚁 *Ponera nangongshana* Xu，2001（图版115：P－R）

Ponera nangongshana Xu，2001：55.

鉴别特征（工蚁）：体深褐色，附肢黄褐色。被毛较多，刻纹及刻点细弱。头近矩形，后头缘微凹，后头角钝。上颚具3枚大的端齿及1列细齿。唇基端缘凸。复眼极小（仅具1个单眼）。并腹胸弓形，前中胸背板缝及中并胸腹节缝可见。结节近方形，前后缘平直。后腹部基部2节缢缩明显。

采集记录：10工蚁，5雌蚁，佛坪，2006. Ⅶ-Ⅷ，马丽滨采。

分布：陕西（佛坪）、云南。

参考文献

王维，沈作奎，赵玉宏. 2009. 湖北省蚁科昆虫分类研究（昆虫纲：膜翅目：蚁科）. 武汉：中国地质大学出版社. 1-210.

吴坚，王常禄. 1995. 中国蚂蚁. 北京：中国林业出版社. 1-214.

徐正会. 2002. 西双版纳自然保护区蚁科昆虫生物多样性研究. 昆明：云南科技出版社. 1-181.

周善义. 2001. 广西蚂蚁. 桂林：广西师范大学出版社. 1-255.

Bingham, C. T. 1903. *The fauna of British India, including Ceylon and Burma*. Hymenoptera, *Vol.* Ⅱ. Ants and Cuckoo-wasps. London: Taylor and Francis, 506 pp.

Bolton, B. 1977. The ant tribe Tetramoriini (Hymenoptera: Formicidae). The genus *Tetramorium* Mayr in the Oriental and Indo-Australian regions, and in Australia. *Bulletin of the British Museum (Natural History): Entomology*, 36: 67-151.

Bolton, B. 1979. The ant tribe Tetramoriini (Hymenoptera: Formicidae). The genus Tetramorium Mayr in the Malagasy region and in the New World. *Bulletin of the British Museum (Natural History): Entomology*, 38: 129-181.

Bolton, B. 1995. *A new general catalogue of the ants of the world*. Cambridge, Mass.: Harvard University Press, 504 pp.

Bolton, B., Alpert, G., Ward, P. S. and Naskrecki, P. 2006. *Bolton's Catalogue of Ants of the World*: 1758-2005. [CD-ROM]. Harvard University Press, Cambridge (M A).

Bondroit, J. 1918. Les fourmis de France *et* de Belgique. *Annales De La Societe Entomologique De France*, 87: 1-174.

Branstetter, M. G. 2009. The ant genus *Stenamma* Westwood (Hymenoptera: Formicidae) redefined, with a description of a new genus Propodilobus. *Zootaxa*, 2221, 41-57.

Brian, M. V. and Brian, A. D. 1949. Observations on the taxonomy of the ants *Myrmica rubra* L. and *M. laevinodis* Nylander. (Hymenoptera: Formicidae.). *Transactions of the Royal Entomological Society of London*, 100: 393-409.

Brown, W. L., Jr. 1948. A new *Stictoponera*, with notes on the genus (Hymenoptera: Formicidae). *Psyche* (Camb.), 54: 263-264.

Brown, W. L., Jr. 1949. Synonymic and other notes on Formicidae (Hymenoptera). *Psyche* (Camb.), 56: 41-49.

Brown, W. L., Jr. 1958. Contributions toward a reclassification of the Formicidae. Ⅱ. Tribe Ectatommini (Hymenoptera). *Bulletin of the Museum of Comparative Zoology at Harvard College*, 118: 173-362.

Brown, W. L., Jr. 1960. Contributions toward a reclassification of the Formicidae. Ⅲ. Tribe Amblyoponini (Hymenoptera). *Bulletin of the Museum of Comparative Zoology at Harvard College*, 122: 143-230.

Brown, W. L., Jr. 1976. Contributions toward a reclassification of the Formicidae. Part Ⅵ. Ponerinae, tribe Ponerini, subtribe Odontomachiti. Section A. Introduction, subtribal characters. Genus *Odontomachus. Journal of Entomology and Zoology Studies*, 19: 67-171.

Christ, J. L. 1791. *Naturgeschichte, Klassification und Nomenclatur der Insekten vom Bienen, Wespen und Ameisengeschlecht.* Frankfurt: Hermann, 535 pp.

Consani, M. and Zangheri, P. 1952. Fauna di Romagna. Imenotteri-Formicidi. *Memorie della Societa Entomologica Italiana*, 31: 38-48.

Cook, T. W. 1953. *The ants of California.* Palo Alto, California: Pacific Books: 462 pp.

Crawley, W. C. 1916. Ants from British Guiana. *The Annals and magazine of natural history; zoology, botany, and geology being a continuation of the Annals combined with Loudon and Charlesworth's Magazine of Natural History*, 8(17): 366-378.

Creighton, W. S. 1950. The ants of North America. *Bulletin of the Museum of Comparative Zoology at Harvard College*, 104: 1-585.

Curtis, J. 1829. *Myrmecina Latreillii. Plate* 265 [*plus* 2 *unnumbered pages of text*] *in: Curtis, J. British entomology; being illustrations and descriptions of the genera of insects found in Great Britain and Ireland.* Volume 6. London: published by the author, plates 242-289.

Dalla Torre, K. W. von. 1893. *Catalogus Hymenopterorum hucusque descriptorum systematicus et synonymicus. Vol.* 7. *Formicidae (Heterogyna).* Leipzig: W. Engelmann, 289 pp.

de Geer, C. 1773. *Mémoires pour servir à l'histoire des insectes.* Tome troisième. Stockholm: Pierre Hesselberg, 696 pp.

Donisthorpe, H. 1915. *British ants, their life-history and classification.* Plymouth: Brendon & Son Ltd., xv + 379 pp.

Emery, C. 1888. Über den sogenannten Kaumagen einiger Ameisen. *Zeitschrift für wissenschaftliche Zoologie*, 46: 378-412.

Emery, C. 1893a. Voyage de M. E. Simon à l'île de Ceylan (janvier-février 1892). Formicides. *Annales de la societe entomologique de france*, 62: 239-258.

Emery, C. 1893b. Beiträge zur Kenntniss der nordamerikanischen Ameisenfauna. *Zoologische Jahrbücher. Abteilung für Systematik, Geographie und Biologie der Tiere*, 7: 633-682.

Emery, C. 1895. Viaggio di Leonardo Fea in Birmania e regioni vicine. LXIII. Formiche di Birmania del Tenasserim e dei Monti Carin raccolte da L. Fea. Parte II. *Annali del Museo civico di storia naturale Giacomo Doria*, 34 [= (2(14)]: 450-483.

Emery, C. 1897. Viaggio di Lamberto Loria nella Papuasia orientale. XVIII. Formiche raccolte nella Nuova Guinea dal Dott. Lamberto Loria. [concl.]. *Annali del Museo civico di storia naturale Giacomo Doria*, 38 [= (2(18)]: 577-594.

Emery, C. 1901. [*Untitled. Descriptions of new taxa: Messor barbarus Linn. var. lobulifera Emery n. var.; Formica nasuta Nyl. subspec. mongolica Emery n. subspec.*]. P. 159, in: Mocsáry, S. and Szépligeti, G. Hymenopterák (Hymenopteren). Pp. 121-169 in: Horváth, G. Zichy Jenő Gróf harmadik ázsiai utazásának állattani eredményei. *Vol.* 2. Budapest: V. Hornyánsky, xii + 470 pp.

Emery, C. 1925. Hymenoptera. Fam. Formicidae. Subfam. Formicinae. *Genera Insectorum*, 183: 1-302.

Emery, C. and Forel, A. 1879. Catalogue des Formicides d'Europe. *Mitteilungen der Schweizerischen Entomologischen Gesellschaft*, 5: 441-481.

Enzmann, J. 1946. A new house-invading ant from Massachusetts. *Journal of the New York Entomological*

Society, 54: 47-49.

Erichson, W. F. 1842. Beitrag zur Insecten-Fauna von Vandiemensland, mit besonderer Berücksichtigung der geographischen Verbreitung der Insecten. *Archiv für Naturgeschichte*, 8(11): 83-287.

Fabricius, J. C. 1782 [1781]. *Species insectorum exhibentes eorum differentias specificas, synonyma, auctorum loca natalia, metamorphosin adiectis observationibus, descriptionibus. TomeI.* Hamburgi *et* Kilonii [= Hamburg and Kiel]: C. E. Bohn, 552 pp.

Fabricius, J. C. 1804. *Systema Piezatorum secundum ordines, genera, species, adjectis synonymis, locis, observationibus, descriptionibus.* Brunswick: C. Reichard, xii + 15-439 + 30 pp.

Foerster, A. 1850. *Hymenopterologische Studien.* 1. Formicariae. Aachen: Ernst Ter Meer, 74 pp.

Forel, A. 1874. Les fourmis de la Suisse. Systématique, notices anatomiques *et* physiologiques, architecture, distribution géographique, nouvelles expériences *et* observations de moeurs. Neue Denkschr. *Neue Denkschriften der Allgemeinen Schweizerischen Gesellschaft für die Gesammten Naturwissenschaften*, 26: 1-452.

Forel, A. 1890. Fourmis de Tunisie *et* de l'Algérie orientale. *Bulletin et Annales de la Societe Royale Belge d'Entomologie*, 34: 61-76.

Forel, A. 1900. Fourmis du Japon. Nids en toile. Strongylognathus Huberi *et* voisins. Fourmilière triple. Cyphomymrex Wheeleri. Fourmis importées. *Mitteilungen der Schweizerischen Entomologischen Gesellschaft*, 10: 267-287.

Forel, A. 1901. Formiciden des Naturhistorischen Museums zu Hamburg. Neue Calyptomyrmex-, Dacryon-, Podomyrma-und Echinopla-Arten. *Mitteilungen aus dem Naturhistorischen Museum in Hamburg*, 18: 43-82.

Forel, A. 1902. Myrmicinae nouveaux de l'Inde *et* de Ceylan. *Revue suisse de zoologie*, 10: 165-249.

Forel, A. 1904. Dimorphisme du mâle chez les fourmis *et* quelques autres notices myrmécologiques. *Bulletin et Annales de la Societe Royale Belge d'Entomologie*, 48: 421-425.

Forel, A. 1911. Die Ameisen des K. Zoologischen Museums in München. *Sitzungsber. Abhandlungen der Mathematisch-Physikalische Klasse der Königlich Bayerischen Akademie der Wissenschaften*, 11: 249-303.

Forel, A. 1912. H. Sauter's Formosa-Ausbeute. Formicidae (Hymenoptera). *Entomologische Mitteilungen*, 1: 45-61.

Forel, A. 1912. Quelques fourmis de Tokio. *Bulletin et Annales de la Societe Royale Belge d'Entomologie*, 56: 339-342.

Forel, A. 1922. Glanures myrmécologiques en 1922. *Revue Suisse De Zoologie*; *Annales De La Societe Zoologique Suisse Et Du Museum D'Histoire Naturelle De Geneve*, 30: 87-102.

Francoeur, A. 1973. Révision taxonomique des espèces néarctiques du groupe fusca, genre *Formica* (Formicidae, Hymenoptera). *Mémoires de La Société Entomologique du Québec*, 3: 1-316.

Geoffroy, E. L. 1785. [*Untitled. Descriptions of new taxa, attributable to Geoffroy.*]. *In*: Fourcroy, A. F. de. Entomologia parisiensis, sive catalogus insectorum quae in agro parisiensi reperiuntur. Pars secunda. Paris: via *et* Aedibus Serpentineis, [1] + pp. 233-544.

Guénard, B., Dunn, R. R. 2012. A checklist of the ants of China. *Zootaxa*, 3358: 1-77.

Karavaiev, V. 1926. Beiträge zur Ameisenfauna des Kaukasus, nebst einigen Bemerkungen über andere palaearktische Formen. (Schluss). *Konowia*, 5: 187-199.

Karavaiev, V. 1929. Myrmekologische Fragmente. Ⅱ. *Zbirnyk Prats' Zoolohichnoho Muzeyu*, 7: 205-220 [= *Trudy. Ukrains' ka Akademiya Nauk. Fizichno-Matematichnoho Viddilu*, 13: 203-218].

Karavaiev, V. 1931. Myrmekologische Fragmente, Ⅲ. *Zoologischer Anzeiger*, 92: 309-317.

Kuznetsov-Ugamsky, N. N. 1923. The ant fauna of Tashkent district. *Trudy Turkestanskogo Nauchnogo obshchestva*, 1: 239-558.

Kuznetsov-Ugamsky, N. N. 1926. Contributions to the knowledge of the myrmecology of Turkestan. I. *Russkoe entomologicheskoe obozrenie*, 20: 93-100.

Kuznetsov-Ugamsky, N. N. 1929. Die Ameisen fauna Daghestans. *Zoologischer Anzeiger*, 83: 34-45.

LaPolla, J. S., Brady, S. G. and Shattuck, S. O. 2010. Phylogeny and taxonomy of the *Prenolepis* genus-group of ants. *Systematic Entomology*, 35: 118-131.

Latreille, P. A. 1798. *Essai sur l'histoire des fourmis de la France*. Brive: F. Bourdeaux, 50 pp.

Latreille, P. A. 1804. *Tableau méthodique des insectes*. Pp. 129-200 in: Société de Naturalistes *et* d'Agriculteurs. Nouveau dictionnaire d'histoire naturelle. Tome 24. Paris: Déterville, 84 + 85 + 238 + 18 + 34 pp.

Leach, W. E. 1825. Descriptions of thirteen species of *Formica* and three species of *Culex* found in the environs of Nice. *Zoological Journal*, 2: 289-293.

Lepeletier de Saint-Fargeau, A. 1835 [1836]. *Histoire naturelle des insectes*. Hyménoptères. TomeI. Paris: Roret, 547 pp.

Linnaeus, C. 1758. *Systema naturae per regna tria naturae, secundum classes, ordines, genera, species, cum characteribus, differentiis, synonymis, locis*. Tomus I. Editio decima, reformata. Holmiae [= Stockholm]: L. Salvii, 824 pp.

Lomnicki, J. 1925. *Plagiolepis vindobonensis* n. sp. (Hymenoptera Formicidae). *Polskie pismo entomologiczne*, 4: 77-79.

Lund, A. W. 1831. Lettre sur les habitudes de quelques fourmis du Brésil, adressée à M. Audouin. *Annales des sciences naturelles*, 23: 113-138.

Ma L. B. and Xu S. Q. 2011. A New Species of the Genus *Myrmica* from China (Hymenoptera, Formicidae). *Acta Zootaxonomica Sinica*, 36(3), 795-798.

Ma, L. B., Xu, S. Q., Makio, T. and DuBois, M. 2007. A new Species of the Genus *Stenamma* (Hymenoptera, Formicidae) from China. *Sociobiology*, 50(2), 371-377.

Mayr, G. 1853. Beiträge zur Kenntniss der Ameisen. *Verhandlungen der Zoologisch-Botanischen Gesellschaft in Wien*, 3: 101-114.

Mayr, G. 1855. Formicina austriaca. Beschreibung der bisher im österreichischen Kaiserstaate aufgefundenen Ameisen, nebst Hinzufügung jener in Deutschland, in der Schweiz und in Italien vorkommenden Arten. *Verhandlungen der Zoologisch-Botanischen Gesellschaft in Wien*, 5: 273-478.

Mayr, G. 1861. *Die europäischen Formiciden*. Nach der analytischen Methode bearbeitet. Wien: C. Gerolds Sohn, 80 pp.

Mayr, G. 1862. Myrmecologische Studien. *Verhandlungen der Kaiserlich-Königlichen Zoologisch-Botanischen Gesellschaft in Wien*, 12: 649-776.

Mayr, G. 1863. Formicidarum index synonymicus. *Verhandlungen der Kaiserlich-Königlichen Zoologisch-Botanischen Gesellschaft in Wien*, 13: 385-460.

Mayr, G. 1866. Diagnosen neuer und wenig gekannter Formiciden. *Verhandlungen der Kaiserlich-Königlichen Zoologisch-Botanischen Gesellschaft in Wien*, 16: 885-908.

Mayr, G. 1872. Formicidae Borneenses collectae a J. Doria *et* O. Beccari in territorio Sarawak annis 1865-1867. *Annali del Museo civico di storia naturale Giacomo Doria*, 2: 133-155.

Mayr, G. 1879. Beiträge zur Ameisen-Fauna Asiens. *Verhandlungen der Kaiserlich-Königlichen Zoologisch-Botanischen Gesellschaft in Wien*, 28: 645-686.

Mayr, G. 1886. Notizen über die Formiciden-Sammlung des British Museum in London. *Verhandlungen der Kaiserlich-Königlichen Zoologisch-Botanischen Gesellschaft in Wien*, 36: 353-368.

Menozzi, C. 1925. Res mutinenses. Formicidae (Hymenoptera). *Atti della Società dei naturalisti e matematici di Modena*, (6)3: 22-47.

Motschoulsky, V. de. 1863. Essai d'un catalogue des insectes de l'Île Ceylan (suite). *Bulletin de la Sociéteê impériale des naturalistes de Moscou*, 36(3): 1-153.

Motschoulsky, V. de. 1866. Catalogue des insectes recus du Japon. *Bulletin de la Société impériale des naturalistes de Moscou*, 39: 163-200.

Nylander, W. 1846. Adnotationes in monographiam formicarum borealium Europae. *Acta Societatis Scientiarum Fennicae*, 2: 875-944.

Nylander, W. 1849. Additamentum alterum adnotationum in monographiam formicarum borealium. *Acta Societatis Scientiarum Fennicae*, 3: 25-48.

Onoyama, K. 1989. Notes on the ants of the genus *Hypoponera* in Japan (Hymenoptera: Formicidae). *Edaphologia*, 41: 1-10.

Radchenko, A. G. 1992. Ants of the genus *Tetramorium* (Hymenoptera, Formicidae) of the USSR fauna. Report 2. *Zoologicheskii zhurnal*, 71(8): 50-58.

Radchenko, A. G., Zhou, S. and Elmes, G. W. 2001. New and rare *Myrmica* species (Hymenoptera: Formicidae) from southern China. *Annales Zoologici (Warszawa)*, 51: 211-219.

Razoumowsky, G. de. 1789. *Histoire naturelle du Jorat et de ses environs; et celle des trois lacs de Neufchatel, Morat et Bienne.* Tome premier. Lausanne: J. Mourer, xii + 322 pp.

Roger, J. 1863. Die neu aufgeführten Gattungen und Arten meines Formiciden-Verzeichnisses nebst Ergänzung einiger früher gegebenen Beschreibungen. *Berliner entomologische Zeitschrift*, 7: 131-214.

Roger, J. 1863. Verzeichniss der Formiciden-Gattungen und Arten. *Berliner entomologische Zeitschrift*, 7 (B Beilage): 1-65.

Ruzsky, M. 1896. Verzeichniss der Ameisen des Östlichen Russlands und des Uralgebirges. *Berliner entomologische Zeitschrift*, 41: 67-74.

Ruzsky, M. 1904. On ants from Archangel province. *Zapiski po Obshchei Geografii Imperatorskago Russkago Geograficheskago Obshchestva*, 41: 287-294.

Ruzsky, M. 1905. The ants of Russia. (Formicariae, Imperii, Rossici). Systematics, geography and data on the biology of Russian ants. Part Ⅰ. *Trudy Obshchestva Estestvoispytatelei pri Imperatorskom Kazanskom Universitete*, 38(4-6) 6: 1-800.

Ruzsky, M. 1914. Eine neue Ameisenform aus dem europäischen Russland. *Russkoe entomologicheskoe obozrenie*, 14: 323.

Ruzsky, M. 1915. Material on Siberian myrmecology. 1. On the myrmecological fauna of Tomsk province and certain other Siberian localities (from research in 1914-1915). *Izvestiya Imperatorskago Tomskogo Universiteta*, 64(5): 1-14.

Ruzsky, M. 1915. On the ants of Tibet and the southern Gobi. On material collected on the expedition of Colonel P. K. Kozlov. *Ezhegodnik Zoologicheskogo muzeia*, 20: 418-444.

Ruzsky, M. 1936. Ants of the Transbaikal region. *Trudy Biologicheskofo Nauchno-Issledovatel'skogo Instituta*, 2: 89-97.

Sadil, J. V. 1952. A revision of the Czechoslovak forms of the genus *Myrmica* Latr. (Hymenoptera). *Sbornik Entomologickeho Oddeleni Narodniho Musea v Praze*, 27: 233-278.

Sanetra, M., Güsten, R. and Schulz, A. 1999. On the taxonomy and distribution of Italian *Tetramorium* species and their social parasites (Hymenoptera Formicidae). *Memorie della Societa Entomologica Italiana*, 77: 317-357.

Santschi, F. 1920. Cinq nouvelles notes sur les fourmis. *Bulletin de la Société vaudoise des sciences naturelles*, 53: 163-186.

Santschi, F. 1925a. Contribution à la faune myrmécologique de la Chine. *Bulletin de la Sociétéé vaudoise des sciences naturelles*, 56: 81-96.

Santschi, F. 1925b. Fourmis d'Espagne et autres espèces paléarctiques (Hymenopt.). *EOS-Revista Espanola de Entomologia*, 1: 339-360.

Santschi, F. 1927. A propos du *Tetramorium caespitum* L. *Folia Myrmecologica et Termitologica*, 1: 52-58.

Santschi, F. 1928a. Fourmis de îles Fidji. *Revue Suisse De Zoologie*; *Annales De La Societe Zoologique Suisse Et Du Museum D'Histoire Naturelle De Geneve*, 35: 67-74.

Santschi, F. 1928b. Nouvelles fourmis de Chine *et* du Turkestan Russe. *Bulletin et Annales de la Societe Royale Belge d'Entomologie*, 68: 31-46.

Santschi, F. 1938. Notes sur quelques *Ponera* Latr. *Bulletin de la Société entomologique de France*, 43: 78-80.

Say, T. 1836. Descriptions of new species of North American Hymenoptera, and observations on some already described. *Boston journal of natural history*, 1: 209-305.

Scopoli, J. A. 1763. *Entomologia carniolica exhibens insecta Carnioliae indigena et distributa in ordines, genera, species, varietates*. Methodo Linnaeana. vindobonae [= vienna]: J. Trattner, xxxvi + 420 pp.

Shattuck, S. O. 1992. Review of the dolichoderine ant genus *Iridomyrmex* Mayr with descriptions of three new genera (Hymenoptera: Formicidae). *Journal of the Australian Entomological Society*, 31: 13-18.

Smith, F. 1857. Catalogue of the hymenopterous insects collected at Sarawak, Borneo; Mount Ophir, Malacca; and at Singapore, by A. R. Wallace [part]. *Proceedings of the Zoological Society of London*, 2: 42-88.

Smith, F. 1858. *Catalogue of hymenopterous insects in the collection of the British Museum*. Part Ⅵ. Formicidae. London: British Museum, 216 pp.

Smith, F. 1860. Catalogue of hymenopterous insects collected by Mr. A. R. Wallace in the islands of Bachian, Kaisaa, Amboyna, Gilolo, and at Dory in New Guinea. *Proceedings of the Zoological Society of London*, 5(17b) 44: 93-143.

Smith, F. 1861. Catalogue of hymenopterous insects collected by Mr. A. R. Wallace in the islands of Ceram, Celebes, Ternate, and Gilolo. [part]. *Proceedings of the Zoological Society of London*, 6: 36-48.

Smith, F. 1874. Descriptions of new species of Tenthredinidae, Ichneumonidae, Chrysididae, Formicidae, etc. of Japan. *Transactions of the Entomological Society of London*, 1874: 373-409.

Smith, M. R. 1947. A new genus and species of ant from Guatemala (Hymenoptera, Formicidae). *Jour-*

nal of the New York Entomological Society, 55: 281-284.

Stitz, H. 1930. Entomologische Ergebnisse der Deutsch-Russischen Alai-Pamir Expedition 1928 (1). 5. Hymenoptera Ⅲ. Formicidae. *Mitteilungen aus dem Zoologischen Museum in Berlin*, 16: 238-240.

Wang, C., Xiao, G. and Wu, J. 1989. Taxonomic studies on the genus *Camponotus* Mayr in China (Hymenoptera, Formicidae). *Forest Research*, 2: 321-328.

Wang, M. 2003. A Monographic Revision of the Ant Genus *Pristomyrmex* (Hymenoptera: Formicidae). *Bulletin of the Museum of Comparative Zoology at Harvard College*, 157(6): 383-542.

Wang, M., Xiao, G. and Wu, J. 1988. *Taxonomic studies on the genus* |*Tetramorium*| *Mayr in China* (*Hymenoptera*, *Formicidae*). *Forest Research*, 1: 264-274.

Westwood, J. O. 1839. *An introduction to the modern classification of insects; founded on the natural habits and corresponding organisation of the different families.* Volume 2. Part Ⅺ. London: Longman, Orme, Brown, Green and Longmans, pp. 193-224.

Westwood, J. O. 1840. Observations on the genus *Typhlopone*, with descriptions of several exotic species of ants. *The Annals and magazine of natural history; zoology, botany, and geology being a continuation of the Annals combined with Loudon and Charlesworth's Magazine of Natural History*, 6: 81-89.

Wheeler, W. M. 1911. A list of the type species of the genera and subgenera of Formicidae. *Annals of the New York Academy of Sciences*, 21: 157-175.

Wheeler, W. M. 1913. A revision of the ants of the genus *Formica* (Linné) Mayr. *Bulletin of the Museum of Comparative Zoology at Harvard College*, 53: 379-565.

Wheeler, W. M. 1927. Chinese ants collected by Professor S. F. Light and Professor N. *Gist Gee. American Museum novitates*, 255: 1-12.

Wheeler, W. M. 1928a. Ants collected by Professor F. Silvestri in China. *Bollettino del Laboratorio di zoologia generale e agraria della R. Scuola superiore d'agricoltura in Portici*, 22: 3-38.

Wheeler, W. M. 1928b. Ants collected by Professor F. Silvestri in Japan and Korea. *Bollettino del Laboratorio di zoologia generale e agraria della R. Scuola superiore d'agricoltura in Portici*, 22: 96-125.

Wheeler, W. M. 1929. Some ants from China and Manchuria. *American Museum Novitates*, 361: 1-11.

Wu, J. 1990. Taxonomic studies on the genus *Formica* L. of China (Hymenoptera: Formicidae). *Forest Research*, 3: 1-8.

Wu, J. And Wang, C. 1995. *The ants of China*. Beijing: China Forestry Publishing House, x + 214 pp.

Xu, Z. H. 2001. A systematic study on the ant genus *Ponera* Latreille (Hymenoptera: Formicidae) of China. *Entomotaxonomia*, 23: 51-60.

Xu, Z. H. and Zhang, C. L. 2012. Review of the myrmicine ant genus *Perissomyrmex* Smith, M. R., 1947 (Hymenoptera: Formicidae) with description of a new species from Tibet, China. *Myrmecological News*, 17: 147-154.

Zhou S. Y., Huang J. H. and Ma L. B. 2008. Two New Species of the Ant Genus *Myrmecina* (Hymenoptera: Formicidae) with a Key to Chinese Species. *Sociobiology*, 52(2), 283-291.

Zhou, S. Y. and Huang, J. H. 2006. Two new species of the ant genus *Perissomyrmex* Smith from China. *Entomological News*, 117: 189-196.

Zhou, S. Y. and Zheng, Z. M. 1999. Taxonomic study of the ant genus *Pheidole* Westwood from Guangxi, with descriptions of three new species. *Acta Zootaxonomica Sinica*, 24: 83-88.

X. 泥蜂总科 Sphecoidea

马丽　李强　王春红　江鑫　陆海霞
（云南农业大学植物保护学院昆虫学系，昆明 650201）

鉴别特征：泥蜂体小型(2mm 左右)至大型(50mm 以上)。体多为黑色，许多种类具有黄色、红色或褐色斑，部分种类具强烈的金属蓝色、绿色或紫色的闪光；头部和胸部刚毛不分叉，前胸背板不伸达肩板，中胸发达，背面具纵沟；前翅通常具 3 个亚缘室，少数具1 ~2个亚缘室；中足胫节具 1 ~2 个端距，后足基跗节不扁平；腹部具柄或无柄，腹部末端腹板不纵裂，产卵器呈针状。

生物学：泥蜂成虫主要取食花蜜、植物蜜腺和蜜露，部分种类可吸食猎物体液。大多数泥蜂为捕猎性独居蜂，在筑巢、捕猎、饲育幼虫等活动中，多数情况下均是雌蜂单独完成的。雌蜂将猎物蜇刺麻痹后携回巢穴供幼虫食用；部分种类为盗食性，其幼虫在其他种类泥蜂巢穴中的猎物上寄生；少数泥蜂类似寄生性，成虫将猎物暂时麻痹并产卵其上，寄主复苏后仍活动，泥蜂卵孵化后，幼虫取食活动的猎物，最后将猎物致死。

分类：泥蜂类群包括 4 个科，分别为蠊泥蜂科 Ampulicidae、异雌泥蜂科 Heterogynaidae、泥蜂科 Sphecidae 和方头泥蜂科 Crabronidae，除异雌泥蜂科(目前世界仅知 1 属 8 种，分布于地中海和非洲)外，其余各科中国均有分布。

陕西秦岭地区泥蜂总科分布 2 科 4 亚科 16 属 32 种 4 亚种，包括 2 新种 5 中国新纪录种，其中方头泥蜂科 Crabronidae 包括 2 亚科 14 属 29 种 2 亚种，泥蜂科 Sphecidae 包括 2 亚科 2 属 3 种 2 亚种。

三十四、方头泥蜂科 Crabronidae

鉴别特征：头方形，常向下会聚，触角窝接近唇基，上颚窝开式或闭式；无盾纵沟或盾纵沟很短；前足跗节有或无耙状构造，中足胫节无端距或有 1 个端距，爪内缘常无齿；腹柄无腹板或由背板和腹板共同围合成的腹柄，若腹柄仅由腹板 1 围合而成，则后翅轭叶很小。

分类：目前世界已知 8 亚科 245 属 8774 种，陕西秦岭地区分布 2 亚科 14 属 29 种 2 亚种，包括 2 新种 5 中国新纪录种。

（一）方头泥蜂亚科 Crabroninae

鉴别特征：雌性触角鞭节为10节，雄性触角鞭节为10～11节；唇基横宽；前胸领片短；具前侧沟；中足胫节常具1个端距，有时雄性无端距，偶见雌性无端距；后足腿节端部有时加厚，有时末端平截；足无跗垫叶；并胸腹节背区边界有或无；腹部有或无腹柄，腹柄由背板1和腹板1共同围合而成；雄性具7节背板；雌性具臀板，雄性多数无臀板。

分类：世界已知105属4659种，陕西秦岭地区记录5属11种2亚种。

分属检索表

1. 后单眼呈不完整的椭圆形或卵圆形或具尾突 ………………………………………… 2
   后单眼正常 ……………………………………………………………………………… 3
2. 额下方具1个横隆起，而且沿复眼内眶形成M隆脊；中单眼周围凹陷宽；单眼痕很小、窄、椭圆形，其长轴在复眼间的直线上 ……………………………… **脊小唇泥蜂属** ***Liris***
   额具变化，但无上述隆起；中单眼周围不凹；单眼痕较大、卵圆形、逗号形或棒状，其长轴倾斜 ……………………………………………………… **捷小唇泥蜂属** ***Tachytes***
3. 复眼内缘具凹陷 ……………………………………………… **短翅泥蜂属** ***Trypoxylon***
   复眼内缘无凹陷 ……………………………………………………………………… 4
4. 前翅亚缘室与第1盘室合并；后胸背板常被鳞片；并胸腹节常具突起 …… **刺胸泥蜂属** ***Oxybelus***
   前翅亚缘室与第1盘室分离；后胸背板及并胸腹节无鳞片或突起 … **缨角泥蜂属** ***Crossocerus***

65. 缨角泥蜂属 *Crossocerus* Lepeletier *et* Brulle, 1834

Crossocerus Lepeletier *et* Brulle, 1834: 763. **Type species**: *Crabro scutatus* Fabricius, 1787 [= *Sphex palmipes* Linnaeus, 1767].

Stepocrabro Ashmead, 1899: 216. **Type species**: *Crabro planipes* Fox, 1895.

Synorhopalum Ashmead, 1899: 218. **Type species**: *Crabro decorus* Fox, 1895.

属征：体多为黑色或褐色，有或无黄色或白色斑。复眼光裸，眼内眶下部向中央聚合；额区柄节窝上部无脊；常具额中沟；后头脊下部常逐渐消失；雄性具11节，通常下侧具梳状毛；上颚端部尖或呈2～3个齿状突，外腹侧完整；前胸领片背面圆形至具高突的脊；具胸腹侧脊和前侧沟，无前侧—中胸侧板穴沟、上腹沟、中侧沟、基前垂脊和侧腹横脊；并胸腹节背区常具明显的边界，常具中沟，后区常具侧脊。缘室长，顶端平截；回脉被亚缘室近中部接收。腹部无柄至具腹柄，腹柄端部常膨大呈结状；雌性具臀板；雄性常无臀板。

分布： 世界广布。世界已知249种30亚种，中国记录45种4亚种，秦岭地区发现1种。

(882) 中齿缨角泥蜂 *Crossocerus* (*Apocrabro*) *medidentatus* Li *et* Wu, 2003 (图版116：A)

Crossocerus medidentatus Li *et* Wu, 2003: 525.

鉴别特征： 雌虫体长8~9mm。体黑色；上颚大部、足跗节大部和腹部臀板端部为黄褐色；唇基大部分和足胫节大部为暗红褐色。唇基中叶前缘具1个大齿突，两侧具1对低矮钝齿；上颚端部具3枚齿；具额中沟；额区横向隆起。中胸背板中央及侧板前部密生中刻点；并胸腹节背区无或后部具浅的围界沟，基部具短纵皱纹，中沟窄深；后区中上部具宽深中沟，下部具短纵中脊和较长侧脊。腹柄较长，端部略呈结状；臀板窄，具脊状边缘，基部密生粗大刻点。前足腿节略呈扁；后足胫节端部极其膨大，中足和后足胫节端部外侧具刺。雄虫唇基中叶前缘突出；上颚端部具2枚齿；触角鞭节末节扁平，后足胫节近中部膨大，外侧具刺；无臀板，腹背板7节近三角形；其他同雌性上述特征。

采集记录： 1♀，宁陕火地塘板桥沟，1600m，1998. Ⅵ.05，马云采。

分布： 陕西(宁陕)、四川、贵州。

66. 脊小唇泥蜂属 *Liris* Fabricius, 1804

Liris Fabricius, 1804: 227. **Type species**: *Sphex auratus* Fabricius, 1787.

Notogonia Costa, 1867: 82 (nec Perty, 1850). **Type species**: *Tachytes niger* Vander Linden, 1829 [= *Larra nigra* Latreille, 1805 = *Pompilus niger* Panzer, 1799 = *Sphex niger* Fabricius, 1775].

Motes Kohl, 1897: 351. **Type species**: "*Notogonia odontophora* Kohl, 1892" [= *Larra odontophora* Kohl, 1894].

Dociliris Tsuneki, 1967: 26. As subgenus of *Liris*. **Type species**: *Larrada subtessellata* Smith, 1856.

Colloliris Tsuneki, 1974: 612. As subgenus of *Liris*. **Type species**: *Notogonidea negrosensis* Williams, 1928.

属征： 体小型至大型，5~30mm。体一般黑色，少数种类足部分为红色；额下方具1个横隆起，而且沿复眼内眶形成M隆脊；中单眼周围凹陷宽；单眼痕很小、窄、椭圆形，上颚内缘基部具1或2枚或无内齿，外腹缘基部常具切口；雌性触角鞭节上具明显触角腺；唇基基部至端部常具纵中脊；雄性后足腿节内侧明显凹平；雌性末跗节端部两侧平行，弓形；腹面具密毛垫；爪有时具内齿；并胸腹节一般暗或闪光，无刻点，有时具脊；前胸领片楔形；无腹柄；雌性臀板通常密被毛；部分雄性具臀板，雄性第 8 腹片端缘圆钝，中央常具切口。

分布：世界广布。世界已知 314 种 31 亚种，中国记录 22 种 5 亚种，秦岭地区分布 1 种。

(883) 滑臀脊小唇泥蜂 *Liris fuscinervus* (Cameron, 1905)（图 58）

Notogonia fuscinerva Cameron, 1905: 224.
Cratolarra pitamawa Rohwer, 1919: 7.
Notogonidea pitamawa: Williams, 1928: 80.
Cratolarra fuscinerva: Tsuneki, 1963: 9.
Liris pitamawa: Tsuneki, 1967: 41.
Liris fuscinerva: Bohart & Menke, 1976: 245.

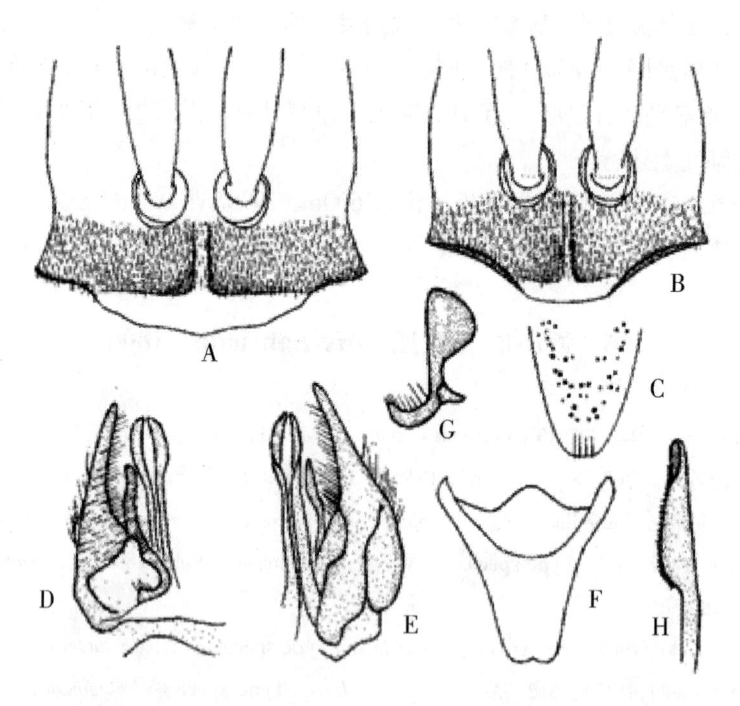

图 58 滑臀脊小唇泥蜂 *Liris fuscinervus*（A, C. 雌性；B, D－H. 雄性）
A, B. 唇基；C. 臀板；D. 外生殖器腹面观；E. 外生殖器背面观；F. 第 8 腹片；G. 抱器侧面观；H. 阳茎侧面观

鉴别特征：雌虫体长 7.50～9.00mm。体黑色；上颚端部红色，足上刺、跗爪为铁锈色；体被银白色短毛。唇基端缘圆；上颚内缘具 2 枚齿，外腹缘基部具凹口；后单眼中后方具 1 个凹陷，向两边延伸出 1 条沟，呈"V"形。前胸领片与中胸背板等

高，前胸领片、中胸背板、小盾片、后胸背板、中胸侧板及后胸侧板密生细小刻点；并胸腹节背区中央纵脊明显，侧区具斜皱，后区具凹沟。腹部1~3节背板端部分别具1条银白色毛带；臀板狭长，光滑无毛，其上具较稀大刻点，端缘圆形。雄虫头部正面观；并胸腹节背区中央纵脊不明显；第8腹板端缘微凹；体被白色短毛；其他同雌性上述特征。

采集记录：1♀，太白山，1981.Ⅸ.01，黄寿山采。

分布：陕西（太白山）、福建、台湾、广东、云南；泰国，印度，菲律宾。

67. 刺胸泥蜂属 *Oxybelus* Latreille, 1796

Oxybelus Latreille, 1796: 129. **Type species**: *Crabro uniglumis* of Fabricius, 1775 [= *Vespa uniglumis* Linnaeus, 1758].

Notoglossa Dahlbom, 1845: 514. **Type species**: *Notoglossa sagittata* Dahlbom, 1845 [= *Oxybelus lamellatus* Olivier, 1811].

属征：唇基一般具1个突出的中齿或纵脊；上颚外腹缘弯；前胸背板领片具脊；小盾片具中脊，至少端部具1个薄片；后胸背板具1条中纵脊和2个叶片状或圆裂片状的鳞叶；具后气孔脊、胸腹侧脊和腹前脊；上腹沟有或无，腹板侧沟有或不完整，前足基节脊明显；并胸腹节具突起和侧脊；第5跗节膨大，雌性前足跗节耙短，雄性的不发达；后足腿节末端具脊；腹部背板1~2节具侧脊，腹面凸；雄性臀板梯形，侧缘明显。

分布：世界广布。世界已知264种29亚种，中国记录15种4亚种，秦岭地区分布1种。

（884）盗刺胸泥蜂 *Oxybelus latro* Olivier, 1812（图版116：B）

Oxybelus latro Olivier, 1812: 594.

鉴别特征：雌虫体长8mm。体黑色，被银白色毡毛。触角鞭节大部分、足胫节及跗节红褐色；前胸背板领片、前胸侧叶、小盾片基部两侧、后胸背板侧鳞叶、前中足腿节腹面淡黄色；腹部背板1~3节端部两侧各具1个淡黄色长斑，4~5节具淡黄色横带。唇基前缘具3枚齿；额区连生刻点和纵向皱纹，头顶密生刻点横向皱纹。中胸盾片疏生大刻点，小盾片、后胸背板具完整的中纵脊；后胸背板两侧各具1片鳞叶，端部分叉明显；并胸腹节具1个片状突起；中胸侧板具无规则的网状皱纹。腹部背板粗糙，腹板光滑，臀板三角形。前足耙发达，前足基跗节具5根刺。雄虫腹部腹板5~6具刷状毡毛；前足耙不发达；臀板四边形，背面疏生中刻点；其他同雌性上述特征。

采集记录：10♀2♂，太白蒿坪保护站，2012. Ⅶ. 12，魏纳森采。

分布：陕西(太白)、内蒙古；俄罗斯，欧洲。

68. 捷小唇泥蜂属 *Tachytes* Panzer, 1806

Tachytes Panzer, 1806: 129. **Type species**: *Pompilus tricolor* Fabricius, 1798 [= *Sphex tricolor* Fabricius, 1793 = *Tachytes obsoletus tricoloratus* (Turton, 1801)].

Tachyptera Dahlbom, 1843: 133. **Type species**: *Apis obsoleta* Rossi, 1792.

Tachyoides Banks, 1942: 397. **Type species**: *Tachytes mergus* Fox, 1892.

Tachyplena Banks, 1942: 397. Substitute name for *Tachyptera* Dahlbom, 1843.

Tachynana Banks, 1942: 398. **Type species**: *Tachytes obscurus* Cresson, 1872.

属征：该属大部分种类体型像蜜蜂，体常黑色；体长4~24mm。唇基、额区、胸部常密被长毛；复眼内眶上聚，后单眼痕呈高尔夫球棍状，长轴间的夹角约为70°，额区稍具隆起，唇基隆起，有时被不明显的线分成三部分，上颚具1个或2个齿，雌性和雄性臀板密被硬刚毛，雄性腹板常具密毛；雌性前足跗节具完整耙状结构，雄性前足不具耙状结构；缘室端部窄而圆或截形；并胸腹节无侧脊；腹部无腹柄，雌雄腹部末端均具臀板；第8腹片端部具凹陷或截形。

分布：世界广布。世界已知296种21亚种，中国记录15种3亚种，秦岭地区分布1种。

(885) 窄顶捷小唇泥蜂 *Tachytes angustiverticis* Wu *et* Li, 2006(图版116: C)

Tachytes angustiverticis Wu *et* Li, 2006: 145.

鉴别特征：雄虫体长15~17mm。体为黑色；翅透明、淡黄色；足刺和距为锈红色，爪深褐色；头顶、颊、前足基节及转节的腹面，腹板1、2被长而密的白黄色毛；唇基及触角第1节被金黄色毡毛；腹部背板具3或4条银色横生毛带，臀板密被白色刚毛。唇基前缘两侧分别具3枚齿；上颚内缘具2枚齿，外缘基部具切口；后单眼中后方具1个凹陷，并向后延伸出1条沟。前胸背板具前横沟，盾片、小盾片、中胸侧板密生刻点，并胸腹节后端中部具1个近似三角形刻痕；腹部第1节较窄而长。足胫节和跗节具少量小刺。雌性未知。

采集记录：1♂，太白山，1981. Ⅸ. 13，郑淑玲等采。

分布：陕西(太白山)、浙江、广东。

69. 短翅泥蜂属 *Trypoxylon* Latreille, 1796

Trypoxylon Latreille, 1796: 121. **Type species**: *Sphex figulus* Linnaeus, 1758.

Tripoxilon Spinola, 1806: 65. Lapsus or emendation of *Trypoxylon* Latreille, 1796.

Apius Panzer, 1806: 106. **Type species**: *Sphex figulus* Panzer, 1801.

Apius Jurine, 1807: 140 (nec Panzer, 1806). **Type species**: *Sphex figulus* Fabricius, 1775 [= *Sphex figulus* Linnaeus, 1758].

Trypoxilon Jurine, 1807: 141 and tableau comparatif, p. 2. Lapsus or emendation of *Trypoxylon* Latreille, 1796.

Trypoxylum Schulz, 1906: 212, junior homonym of *Trypoxylum* Agassiz, 1846.

Trypargilum Richards, 1934: 191. **Type species**: *Trypoxylon nitidum* Smith, 1856.

Asaconoton Arnold, 1959: 322. **Type species**: *Trypoxylon egregium* Arnold, 1959.

属征：体黑色，部分种类腹部部分或全部为红色；复眼内缘中央凹陷明显；额区中下部中央具明显粗壮纵向突起(supreattennal tubercle，即SAT)；触角窝与唇基不相接触；上颚简单；前胸领片正常，其前端基部具1条宽横沟；前翅具1个盘室1个亚缘室，后翅轭叶小；腹柄长；雌雄均无臀板。

分布：世界广布。世界已知634种83亚种，中国记录35种5亚种，秦岭地区分布9种(亚种)。

分种检索表

1. 额区具盾形脊状突起 …………………………………… **中华短翅泥蜂 *T.*（*T.*）*schmiedeknechtii***
   额区无盾形脊状突起 …………………………………………………………………………………… 2
2. 腹柄为棍棒状，其长小于端部宽的3.70倍、通常小于或等于腹部第2～3节之和 ………… 3
   腹柄为长颈瓶状，其长大于端部宽的3.70倍、一般长于腹部第2～3节之和 ……………… 8
3. SAT明显窄而高，其基部具1条窄而深凹沟；唇基前缘中部具2个齿突；前足胫节及跗节黄红色 …………………………………………… **棒角短翅泥蜂绥芬亚种 *T.*（*T.*）*clavicerum suifuense***
   SAT及唇基与以上特征都有区别 ……………………………………………………………………… 4
4. 腹部为纯黑色 …………………………………………………………………………………………… 5
   腹部至少部分为红色或褐色或黄色 ………………………………………………………………… 7
5. 前面观，头为方形；转节为黄色 ………………………………… **短脊短翅泥蜂 *T.*（*T.*）*bishopi***
   前面观头为圆形 ………………………………………………………………………………………… 6
6. SAT窄而高，中央具长纵脊，纵脊两侧具短横脊；额中上部中央纵沟宽；唇基前缘中部明显突出，突出前缘中央略凹陷 …………… **角额短翅泥蜂日本亚种 *T.*（*T.*）*fronticorne japonense***
   SAT中等高且宽，中央具1条明显细长纵脊，前端两侧分别呈片状；额区中上部中央纵沟窄；唇基前缘中部明显横形突出，突出前缘中央无凹陷 ………… **横唇短翅泥蜂 *T.*（*T.*）*figulus***

7. 从正面观，头为方形；唇基前缘中部略突出；并胸腹节后区中上部具宽中沟，侧区中上部密生不明显细长横皱 ………………………………………………… **方头短翅泥蜂 *T.*（*T.*）*quadriceps***
从正面观，头为圆形；唇基前缘中部明显突出；并胸腹节后区具窄中沟，侧区光滑 …………………………………………………………………………… **苏氏短翅泥蜂 *T*.（*T.*）*sauteri***
8. 腹部部分为红褐色；并胸腹节无侧脊或侧脊不明显 ………… **柄短翅泥蜂 *T.*（*T.*）*petiolatum***
腹部至多腹板为褐色；并胸腹节具侧脊 ………… **微凹短翅泥蜂 *T.*（*T.*）*simpliceincrassatum***

（886）棒角短翅泥蜂绥芬亚种 *Trypoxylon*（*Trypoxylon*）*clavicerum suifuense* Tsuneki, 1981

Trypoxylon（*Trypoxylon*）*clavicerum suifuense* Tsuneki, 1981c: 70.

鉴别特征： 雌虫体长6.00～7.50mm。体黑色；上颚、前足胫节及跗节黄红色；足除前足胫节及跗节外、前胸侧叶、腹部为褐色；体被稀疏银白色短毛；复眼内眶凹陷窄而深；额区中上部略突起，额中上部中沟浅，额区密生刻点；SAT短粗，基部具窄中沟，前端具横脊，触角端部比鞭节基部粗；唇基前缘中部具2个齿突。中胸盾片密生刻点；并胸腹节背区具明显“U”形围界沟，基部散生斜脊，具宽中沟，中沟内横跨横皱；并胸腹节后区具深中沟，并胸腹节侧区上侧具斜皱，下侧光滑；腹柄棍棒状，其长为端部宽2倍，明显小于第2～3节之和。雄虫复眼内眶凹陷比雌性宽；触角端部明显比基部粗，第13节略弯；其他同雌性上述特征。

采集记录： 2♀，留坝紫柏山，2004.Ⅷ.03，时敏采。

分布： 陕西（留坝）、黑龙江、吉林、辽宁、河北、山西。

（887）短脊短翅泥蜂 *Trypoxylon*（*Trypoxylon*）*bishopi* Tsuneki, 1979

Trypoxylon（*Trypoxylon*）*bishopi* Tsuneki, 1979b: 7, 55.

鉴别特征： 雌虫体长6.50mm。体黑色；上颚红褐色；前足胫节内侧及跗节为黄褐色；体被白色短毛。正面观，头方形。复眼内眶凹陷宽而浅。额区中上部略突起，密生中刻点，中央纵沟较宽且浅；SAT宽且中等高，中央具1条细短纵脊，前端呈盘状；唇基前缘中部具突出，突出前缘呈2个齿突；中胸盾片密生中刻点；并胸腹节背区具不明显“U”形围界沟，基部向两侧密生斜脊，具宽而浅中沟；后区具1条宽而深中沟；并胸腹节具明显侧脊。腹柄棍棒状，其长略小于端部宽1.70倍，明显小于第2～3节之和。雄虫未知。

采集记录： 1♀，凤县天台山，1998，Ⅵ.10，马云采。

分布： 陕西（凤县）；老挝。

（888）横唇短翅泥蜂 *Trypoxylon*（*Trypoxylon*）*figulus*（Linnaeus，1758）

Sphex figulus Linnaeus，1758：570.

Trypoxylon（*Trypoxylon*）*apicale* Fox，1891：142.

Trypoxylon（*Trypoxylon*）*figulus*：Pulawski，1945：126.

Trypoxylon（*Trypoxylon*）*figulus yezo* Tsuneki，1956：5.

鉴别特征：雌虫体长9.50～10.50mm。体黑色；上颚端部为褐色；体被淡铜黄色短毛。正面观，头圆形；复眼内眶凹陷宽而浅。额区中上部无突起，额区中上部中央纵沟窄而浅；SAT中等高且宽，鼻状，中央具1条明显细长纵脊，前端两侧分别呈片状；唇基前缘中部明显横形突出，突出前缘中央无凹陷。中胸盾片密生中刻点；并胸腹节背区无“U”形围界沟，背区具窄而浅的中沟；后区具1条窄而深的中沟，两侧极密生细长横脊。腹柄棍棒状，其长为端部宽2.70倍，明显小于第2～3节之和。雄虫触角第5～10节内侧具短脊状突起，A13端部弯曲；唇基前缘中部明显突出，突出前缘中央略凹陷；腹柄长约为端部宽2.50倍；其他同雌性上述特征。

采集记录：2♂，周至厚畛子，1998.Ⅵ.02-03，马云采；1♂，太白山斗母宫，1981.Ⅵ.28，考察组；1♀，凤县天台山，1998.Ⅵ.08，马云采；1♀，秦岭，1981.Ⅷ.20，魏建华采；1♀，黄龙，1980.Ⅵ.14，向龙成采。

分布：陕西（周至、太白、凤县、黄龙）、黑龙江、吉林、甘肃、新疆、四川；欧洲，日本，非洲北部，加拿大。

（889）角额短翅泥蜂日本亚种 *Trypoxylon*（*Trypoxylon*）*fronticorne japonense* Tsuneki，1956

Trypoxylon（*Trypoxylon*）*pennsylvanicum japonense* Tsuneki，1956：67.

Trypoxylon（*Trypoxylon*）*fronticorne japonense*：Tsuneki，1979b：58.

鉴别特征：雌虫体长7～9mm。体黑色；上颚端部为深红色；体被白色短毛。前面观，头圆形；复眼内眶凹陷宽而深。额无突起，其中上部中央纵沟宽而浅；SAT窄而高，鼻状，中央具长纵脊，纵脊两侧具短横脊；唇基前缘中部明显突出，突出前缘中央略凹陷。中胸盾片微革质，散生中刻点；并胸腹节背区无“U”形围界沟，具宽而浅中沟，沟内密生细短横纹；并胸腹节具明显侧脊；后区具宽而深纵沟。腹柄棍棒状，其长约为端部宽3.50倍，小于第2～3节之和。雄虫并胸腹节背区中沟内具较长横皱；腹柄长约为端部宽3.50倍，略小于第2～3节之和；其他同雌性上述特征。

采集记录：1♂，宁陕火地塘火地沟，1998.Ⅵ.05，马云采。

分布：陕西（宁陕）、黑龙江、吉林、辽宁、内蒙古、北京；俄罗斯，日本。

(890）柄短翅泥蜂 *Trypoxylon*（*Trypoxylon*）*petiolatum* Smith, 1857

Trypoxylon（*Trypoxylon*）*petiolatum* Smith, 1857: 105.

Trypoxylon（*Trypoxylon*）*accumulator* Smith, 1875: 38.

Trypoxylon（*Trypoxylon*）*tricolor* Sickmann, 1894: 209.

Trypoxylon（*Trypoxylon*）*cognatum* Cameron, 1897: 26.

Trypoxylon responsum Nurse, 1903: 518.

Trypoxylon obsonator tropicale Tsuneki, 1961: 383.

鉴别特征：雌虫体长12～14mm。体黑色；触角第4～12节内侧为黄褐色；上颚、前足胫节基部及内侧、中足胫节基部为红褐色；前足第1～4跗节、中足第1～3跗节及后足胫节基部为黄白色；腹部第1节端部、第2～3节、第4节腹板基部为红色；体被白色短毛。正面观，头宽略大于头长；复眼内眶凹陷极窄而深；额突起，中上部中央纵沟窄而深；SAT宽而中等高，鼻状，中央具1条明显细长纵脊，前端无横脊；唇基前缘略呈弧形，中部横形，横形中央略突出。中胸盾片、小盾片及中胸侧板光滑，具光泽；并胸腹节背区具“U”形围界浅沟，具宽而浅中沟，后区具宽而深中沟，中沟两侧无横纹；并胸腹节无侧脊。腹柄长颈瓶状，其长约为端部宽6倍，等于第2～6节之和。雄虫并胸腹节背区基部散生粗短纵脊，背区基部至端部具窄而深中沟；腹柄长颈瓶状，其长约等于端部宽5倍；其他同雌性上述特征。

采集记录：1♀，太白山大殿，1981.Ⅷ.13，李新龙采。

分布：陕西(太白)、北京、山东、浙江、福建、台湾、广东、广西、云南；越南，泰国，老挝，尼泊尔，新加坡，马来西亚，马尔代夫。

(891）方头短翅泥蜂 *Trypoxylon*（*Trypoxylon*）*quadriceps* Tsuneki, 1971

Trypoxylon（*Trypoxylon*）*quadriceps* Tsuneki, 1971b: 12.

Trypoxylon（*Trypoxylon*）*chihpense* Tsuneki, 1971b: 135.

Trypoxylon（*Trypoxylon*）*venustum* Tsuneki, 1977b: 8.

Trypoxylon koshunicon: Tsuneki, 1966: 16, corrected to *Trypoxylon quadriceps* by Tsuneki, 1981a: 20.

鉴别特征：雌虫体长8mm。体黑色；触角第1～2节内侧、上颚基部、下颚须、下唇须、前胸侧叶、前足除基节、腿节外侧小部分及胫节端距外、中足基节端部、转节、胫节内侧、第1及第4～5跗节、后足基节端部、转节及胫节基部为黄白色；腹柄端部、腹部第2～4节腹板及侧板、腹部各节背板相连接处为黄红色；体被白色短毛。正面观，头方形；复眼内眶凹陷窄而深；额突起，中上部中央纵沟极浅；SAT窄而高，呈鼻状，其基部中央具1条短窄中沟，中央具纵脊，前端具横脊；唇基前缘中部略突出，突出中央略凹陷。中胸盾片密生中刻点；并胸腹节背区具明显“U”形围界沟，具宽而深中沟，沟内密生细短横皱纹；后区具宽而深中沟，两侧光滑；并胸腹节具侧脊，其内缘散生粗短横脊，侧区中上部密生不明显细长横皱，中下部光滑。腹柄棍棒状，其长为端部宽的3倍，约等于第2～3节之和。雄虫未知。

采集记录：1♀，留坝紫柏山，2004. Ⅷ. 03，吴琼采。

分布：陕西（留坝）、河南、台湾。

（892）苏氏短翅泥蜂 *Trypoxylon*（*Trypoxylon*）*sauteri* Tsuneki，1981

Trypoxylon（*Trypoxylon*）*sauteri* Tsuneki，1981b：4，6，25.

Trypoxylon（*Trypoxylon*）*fenchihuense*：Tsuneki，1977c：272，corrected to *Trypoxylon*（*Trypoxylon*）*sauteri* by Tsuneki，1981b：25.

鉴别特征：雌虫体长8～11mm。体黑色；触角第1～2节、中足腿节及胫节黄褐色，上颚、下颚须、下唇须、前足、中后足转节及跗节第1节、前胸背板后缘、翅基片为淡黄色；腹部第1节端部至第4节基部为锈红色；体被白色短毛，唇基及胸部侧板被毛略密。正面观，头圆形；复眼内眶凹陷窄而深；额中沟退化，额区革质，密生中刻点；SAT窄而高，呈鼻状，基部具窄凹沟，中央具粗纵脊，前端具横脊；唇基前缘中部明显突出，突出前缘中央略凹陷。中胸盾片及小盾片密生中刻点；并胸腹节背区具"U"形围界沟，具明显的宽中沟，中沟内具细波浪状褶皱；后区具窄而深的中沟，中沟两侧无皱；并胸腹节具侧脊，侧区光滑。腹柄棍棒状，其长为端部宽2.70倍，约等于第2～3节之和。雄虫未知。

采集记录：1♀，宁陕旬阳镇，1998. Ⅵ. 06，马云采。

分布：陕西（宁陕）、河南、浙江、福建、台湾、四川。

（893）中华短翅泥蜂 *Trypoxylon*（*Trypoxylon*）*schmiedeknechtii* Kohl，1906（图版116：D）

Trypoxylon（*Trypoxylon*）*schmiedeknechtii* Kohl，1906：202.

Trypoxylon（*Trypoxylon*）*pileatum* var. *subpileatum* Strand，1922：163.

Trypoxylon（*Trypoxylon*）*chinense* Gussakovskij，1936：648.

Trypoxylon（*Trypoxylon*）*subpileatum*，Tsuneki，1966b：2.

鉴别特征：雌虫体长10～11mm。体黑色；上颚红褐色；下颚须、下唇须及各足胫节端距为黄色；翅痣和翅脉为红褐色；体被白色短毛。复眼内眶凹陷窄而深。前单眼至触角窝间的额区具由粗壮的脊围成的盾状结构，呈鼻状；唇基前缘中部无突出，唇基前缘宽，呈弧形。中胸盾片、小盾片及中胸侧板光滑；并胸腹节背区具明显的"U"形围界沟，具宽而浅中沟，后区中上部具1条短而深中沟，中沟两侧凹陷；侧区密生细长横皱。腹柄呈长颈瓶状，其长为端部宽的 6 倍，略大于第 2 ~ 3 节之和。雄虫触角第 13 节略弯曲；并胸腹节背区中沟不明显，中沟内及两侧密生长而粗横条皱；腹柄长略小于端部宽的 7 倍；其他同雌性上述特征。

采集记录：1♀，太白山蒿坪寺，1982，袁峰采；1♂，略阳象山，1985. Ⅶ.27，李法圣采。

分布：陕西(太白、略阳)、天津、浙江、福建、台湾、广西、云南；日本，泰国，缅甸，印度，斯里兰卡，菲律宾，印度尼西亚(爪哇)。

(894) 微凹短翅泥蜂 *Trypoxylon* (*Trypoxylon*) *simpliceincrassatum* Li *et* Li, 2007

Trypoxylon (*Trypoxylon*) *simpliceincrassatum* Li *et* Li, 2007: 7.

鉴别特征：雄虫体长 7.50mm。体黑色；上颚、下颚须、下唇须、足及领片为黑褐色；翅痣及翅脉褐色，体被银白色毛。复眼内眶凹陷宽而浅，额区明显突起，表面较平，中沟退化；SAT 呈瘤状，基部上方具短浅凹沟，触角窝后缘与 SAT 前端两侧相接触；唇基前缘中部略突出，突出中央具切口。前胸领片、盾片、小盾片及后胸背板革质状；并胸腹节具明显"U"形围界浅沟，具不明显中沟，后区具深中沟，中沟两侧被银白色毛，侧区具密而细纵皱。腹柄革质，第 1 ~ 3 节背板端部中央无凹陷。雌虫未知。

采集记录：♂(正模)，凤县天台山，1998. Ⅵ.08，杜予州采；♂(副模)，凤县天台山，1998. Ⅵ.08，马云采。

分布：陕西(凤县)、甘肃。

(二)短柄泥蜂亚科 Pemphredoninae

鉴别特征：眼内眶基本平行；触角鞭节雌性具 10 节，雄性具 11 节；中足胫节端部具 1 个端距；后足腿节端部简单；爪有或无跗垫叶；并胸腹节背区常为三角形；前翅具 1 ~ 3 个亚缘室，具 1 ~ 2 条回脉，缘室端部常尖锐，少数种类平直或开放；后翅中脉在 cu-a 脉点上或之前或之后分叉；腹部常具腹柄，腹柄仅由背板 1 围合而成，部分种类无腹柄或腹柄由背板 1 和腹板 1 共同围合而成；腹部可见腹节雌性为 6 节，雄性为 7 节；有或无臀板。

分类：世界已知短柄泥蜂亚科 37 属 1071 种，陕西秦岭地区发现 9 属 18 种，包括 2 新种和 5 中国新纪录种。

分属检索表

1. 前翅具 3 个亚缘室；触角窝不与额唇基沟接触(**三室短柄泥蜂族 Psenini**) …………………… 2

前翅不超过 2 个亚缘室；触角窝与额唇基沟接触（**短柄泥蜂族 Pemphredonini**）……………… 3

2. 后翅中脉 M 在 cu-a 脉间隙及之后分叉；额中脊隆起，在触角窝处形成十字形脊 ……………………………………………………………………………… **脊短柄泥蜂属 *Psenulus***

后翅中脉 M 在 cu-a 脉之前分叉；额中脊正常 ……………………… **米木短柄泥蜂属 *Mimumesa***

3. 前翅具 3 个盘室和 2 条回脉；翅痣小至中等大，一般小于缘室（**Pemphredonina 亚族**）…… 4

前翅具 2 个或 2 个以下盘室和 1 条回脉；翅痣大 ……………………………………………… 6

4. 前侧沟发达，从翅下窝伸至上腹沟或此之外；上腹沟横生；上唇前缘完整，常具圆形突起；上颚具 2～3 枚齿；雌性无臀板；后足胫节后缘无刺列 …………… **阔额短柄泥蜂属 *Passaloecus***

前侧沟不完整，在翅下窝和上腹沟之间消失；上腹沟向后上侧斜生；上唇前缘凹陷或完整；上颚具 2～6 枚齿；雌性具臀板；后足胫节后缘常具成列的刺 …………………………………… 5

5. 背面观腹部腹柄长大于宽；上唇前缘完整，部分种类略凹陷 ……… **短柄泥蜂属 *Pemphredon***

背面观腹部腹柄长小于宽；上唇前缘凹陷 ……………………………… **隐短柄泥蜂属 *Diodontus***

6. 背面观，腹部腹柄短于或略大于宽；无后头脊（**Spilomenina 亚族**）……………………………………………………………………………… **宏痣短柄泥蜂属 *Spilomena***

背面观，腹部腹柄长显著大于宽；后头脊完整或缺（**Stigmina 亚族**）……………………… 7

7. 后翅亚中室退化，中脉 m 在 cu-a 脉基部分叉 …………………… **隆痣短柄泥蜂属 *Carinostigmus***

后翅亚中室正常，中脉 m 在 cu-a 脉之前或之后分叉 ……………………………………………… 8

8. 触角间额突退化；有腹前脊；后翅中脉在 cu-a 脉之前分叉 …………… **痣短柄泥蜂属 *Stigmus***

触角间额突明显；无腹前脊；后翅 m 脉在 cu-a 脉之后分叉 …… **始痣短柄泥蜂属 *Tzustigmus***

70. 隆痣短柄泥蜂属 *Carinostigmus* Tsuneki, 1954

Carinostigmus Tsuneki, 1954: 3. **Type species**: *Stigmus congruus* Walker, 1860.

属征：上颚端部雌性具 3 枚齿，雄性具 2 枚齿；上唇近三角形；额区下部具中纵脊；眼内眶远分离，复眼具宽沟形成的边眶；具完整的后头脊。常具发达的盾纵沟；具胸腹侧脊，前侧沟中上部常消失，无亚胸腹侧脊和胸腹前脊；常具中胸侧板穴沟，具上腹沟。雌性前足无耙状构造，后足胫节后部无成排的刺。前翅具2 个亚缘室；后翅中脉在cu-a脉之后分叉。腹部具腹柄，腹柄长度远大于其直径；雌性具臀板。

分布：多数种类分布于东洋区和非洲区，少数分布于古北区。世界已知 35 种 1 亚种，中国记录 9 种，秦岭地区发现 3 种。

分种检索表

1. 中胸侧板沟宽，明显圆齿状；雌性唇基前缘中部平截，端部略上翘；并胸腹节后区中部散生大刻点或具 1 块小光滑区 ……………………………………………… **岩太隆痣短柄泥蜂 *C. iwatai***

中胸侧板沟退化；雌性唇基前缘中部具 3 枚明显齿，侧区具 2 枚齿；并胸腹节后区中沟两侧无光滑区 ……………………………………………………………………………………………… 2

2. 额下区额突简单短小；前胸领片散生粗壮纵脊，两前侧角强壮；中胸盾片散生大刻点；盾侧沟明显；臀板呈卵圆形凹陷，有光泽，革状 ………………………… **田野隆痣短柄泥蜂 *C. tanoi***
额下区额突窄而长；前胸领片两侧着生数条不明显纵脊，两前侧角锐；中胸盾片散生小刻点；盾侧沟弱凹陷；臀板“U”形，光滑有光泽，顶端平截 ……… **开化隆痣短柄泥蜂 *C. kaihuanus***

（895）岩太隆痣短柄泥蜂 *Carinostigmus iwatai*（Tsuneki，1954）（图版116：E）

Stigmus iwatai Tsuneki，1954：15.

Stigmus thailandinus Tsuneki，1963：17.

Carinostigmus iwatai：Bohart & Menke，1976：191.

鉴别特征：雌虫体长5.20～5.70mm。体黑色；上颚中部红褐色；上唇、触角、足大部分淡黄色至黄褐色；前胸侧叶乳白色。上颚端分3枚齿；上唇五边形；唇基前缘中部平截；额中沟宽而深，额中脊粗壮；头部背面观，头顶向后略会聚。前胸领片前横脊及两前侧角强壮；中胸盾片散生大刻点，后区着生数条短纵脊；中胸侧板后区密生粗壮长纵脊，中胸侧板沟、胸腹侧脊、下腹侧沟宽而明显，圆齿状，中胸侧板沟短，不完整；并胸腹节背区三角形，后区具宽而浅的中沟，侧区前部密生粗壮斜纵脊，后部不规则网状脊。腹柄近圆柱形，基部着生细弱不规则纵纹。臀板呈卵圆形凹陷，有光泽，革状。雄虫上颚端分2枚齿；上唇近方形；头部背面观，头顶向后渐会聚；其他同雌性上述特征。

采集记录：♀，留坝紫柏山，1632m，2004.Ⅷ.03，NO. 200707844，时敏采。

分布：陕西（留坝）、浙江、福建、台湾、广东、海南、广西、贵州、云南。

（896）开化隆痣短柄泥蜂 *Carinostigmus kaihuanus* Li *et* Yang，1995

Carinostigmus kaihuanus Li *et* Yang，1995：272.

鉴别特征：雌虫体长4.50～5.50mm。体黑色；上颚、上唇、柄节乳白色至淡黄色至黄褐色；梗节、鞭节、翅基片黄褐色；前胸侧叶乳白色；足淡黄色至黄褐色至深褐色。上颚端分3枚齿；上唇加宽的方形；唇基前缘中叶具3枚明显齿，侧区各具1枚明显齿；额区额中沟宽而深，额中脊粗壮，额突高；头部背面观，头顶向后渐会聚。前胸领片前横脊强壮，两前侧角锐；中胸盾片前部密生细弱横纹，后区密生粗壮短纵脊；中胸侧板上区及后区密生细弱长纵脊，胸腹侧脊、下腹侧沟宽而明显，圆齿状，中胸侧板沟退化；并胸腹节背区三角形，无凹陷，后区具宽而浅的中沟，侧区前部密生或散生粗壮斜纵脊，后部不规则网状脊。腹柄近圆柱形，背区具光泽，侧区光滑；臀板“U”形，光滑有光泽，顶端平截。雄虫首次描述：唇基前缘中部具3枚小齿；头部背面观，头顶向后明显会聚；后头沟相当窄，内具明显纵脊；鞭节无角下瘤；其他同雌性上述特征。

采集记录：1♂，宁陕火地塘，2004. Ⅶ. 19，NO. 200707501，张红英采。

分布：陕西（宁陕、石泉）、河南、浙江、湖南、福建、广东、海南、广西、四川、贵州、云南。

（897）田野隆痣短柄泥蜂 *Carinostigmus tanoi* Tsuneki, 1977

Carinostigmus tanoi Tsuneki, 1977a: 15.

鉴别特征：雌虫首次描述。体长 5.00 ~ 6.50mm。体黑色；上颚、上唇、柄节下侧、前胸侧叶乳白色至淡黄色；梗节、鞭节 1 ~ 2、翅基片黄褐色；足大部分淡黄色至黄褐色至深褐色。上颚端分 3 枚齿；上唇加宽的方形；唇基前缘中叶具 3 枚强壮齿，侧区各具 1 枚明显齿；额区额中沟宽而深，额中脊粗壮；头部背面观，头顶向后略会聚；后头沟明显而完整，无纵脊。前胸领片前横脊强壮，两前侧角强壮；中胸盾片前部密生细弱横纹，后区密生粗壮长纵脊；盾中沟明显，伸达背板 1/2 处；盾纵沟深，圆齿状，伸达背板 1/2 处；盾侧沟明显；中胸侧板上区及下区连生相当细弱长纵脊，胸腹侧脊、下腹侧沟宽而明显，圆齿状，中胸侧板沟退化；并胸腹节背区三角形，浅凹陷，后区具宽而浅的中沟，侧区前部散生粗壮或细弱斜纵脊。腹柄近圆柱形，背区略隆起，侧区光滑；臀板呈卵圆形凹陷，有光泽，革状。雄性上颚端分 2 枚齿，上唇心形，端部具 2 枚三角形齿；唇基前缘中部平截；头部背面观，头顶向后明显会聚；后头沟相当窄，内具明显纵脊；鞭节无角下瘤；其他同雌性上述特征。

采集记录：2♀，凤县天台山，1998. Ⅵ. 10，NO. 983769，983503，杜予州、马云采。

分布：陕西（凤县、南郑）、浙江、福建、台湾、广东、四川、贵州、云南。

71. 隐短柄泥蜂属 *Diodontus* Curtis, 1834

Diodontus Curtis, 1834: text for plate 496. **Type species**: *Pemphredon tristis* Vander Linden, 1829.

属征：上颚端分 2 枚齿；上唇端部具凹缘；额区无明显的触角窝；复眼下部有时略会聚；后头脊完整或近仅于口后脊处消失；前胸背板具横脊或常圆形；胸腹侧脊有时明显并与后气孔脊相连；前侧沟宽；上腹沟向后上侧斜生；雌性前足跗节具耙状结构；后足胫节后缘着生数列刺；2 个亚缘室各接收 1 条回脉；无或近无腹柄；雌性臀板发达。

分布：多数种类分布于古北区和新北区，少数分布于东洋区和非洲区。世界已知 75 种 3 亚种，中国记录 1 种，秦岭地区发现 1 种。

(898) 领隐短柄泥蜂 *Diodontus collaris* Tsuneki, 1972 中国新纪录种(图版 116: F)

Diodontus collaris Tsuneki, 1972: 198, 208.

鉴别特征: 雌虫体长 5.70～7.00mm。体黑色; 上颚端部略红褐色; 翅基片、翅脉黄褐色至深褐色; 前后足胫节、跗节深褐色。唇基着生数根银白色长毛。上颚端分 2 枚齿; 唇基前缘具 3 枚强壮三角形齿; 额区中下部密生粗壮纵脊及连续大刻点; 额上区、头顶密生大刻点; 后头脊完整脊状。中胸盾片着生大刻点, 后部长而粗壮纵脊; 盾中沟、盾纵沟、盾侧沟明显; 中胸侧板后区密生长皱, 其余网状脊; 中胸腹板密生长横皱; 并胸腹节背区"U"形围界脊, 内具网状脊, 后区着生网纹, 侧区散生斜纵脊。腹柄相当短。臀板加长的三角形, 粗糙革状, 基部密生大刻点。后足胫节外侧着生 2 列深褐色粗壮长刺。雄虫与雌虫不同之处: 前胸侧叶淡黄色; 腹部末节红褐色; 唇基密生银白色长毛。上唇端部略具凹缘; 唇基前缘宽大突出, 中部具 2 枚小齿及 1 个"U"形深凹缘; 后头脊完整而窄, 明显的圆齿状; 复眼内侧沟消失。鞭节 6～10 下侧具卵圆形角下瘤。雄性背板 6 后缘中部刺状瘤消失; 臀板"U"形, 密生大刻点; 其他同雌性上述特征。

采集记录: 1♀, 秦岭, 2006. Ⅶ. 20, 魏建华采。

分布: 陕西(秦岭)、内蒙古、新疆、浙江、四川; 蒙古, 俄罗斯, 哈萨克斯坦。

72. 米木短柄泥蜂属 *Mimumesa* Malloch, 1933

Mimumesa Malloch, 1933: 16. **Type species**: *Psen niger* Packard, 1867.

属征: 唇基端缘 2 枚齿到 4 枚齿, 边缘极薄, 上颚端部具 2 枚齿; 额中脊完整; 后头脊连接口后脊, 将到达头部腹中线; 无颊突; 前胸领片具完整脊; 胸腹侧脊连接腹前脊, 常在腹中部形成角; 中胸侧板沟深, 下后侧区隆起, 光滑或具小刻点; 雌性前足跗节具耙; 具爪垫叶; 前翅回脉由第 2 亚缘室接收; 后翅中脉 M 在 cu-a 脉之前分叉; 并胸腹节后区粗糙, 具粗糙网状脊; 腹柄背区中部具 2 条脊, 并在端部汇合; 少数东洋区种类后部具沟; 侧区及腹面毛明显; 雄性腹板无缘毛; 雌性臀板常宽大或狭窄的三角形, 其上密生刺毛或光滑或仅两侧着生 1 列刺毛。

分布: 多数种类分布于古北区和新北区, 少数分布于东洋区和新热带区。世界已知 31 种 3 亚种, 中国记录 7 种 1 亚种, 秦岭地区发现 1 种。

(899) 达氏米木短柄泥蜂 *Mimumesa dahlbomi* (Wesmael, 1852)

Mimesa dahlbomi Wesmael, 1852: 271.

Mimumesa dahlbomi: Lomholdt, 1975: 160.

鉴别特征：雌虫体长7.30~9.00mm。体黑色。上颚端部红褐色；跗节、后足胫节端部深褐色。唇基、额区略具银白色稀疏长毛。唇基强烈隆起，中部边缘具1个三角形缺刻，两侧浅弧形角突；触角窝间额突扁平瘤；额中脊完整粗壮；后单眼之后具深横沟；头顶密生刻点和横脊。中胸背板密生刻点及纵脊；中胸侧板端部密生斜纵脊；并胸腹节背区具三角形围界脊，后区网状脊无规则；侧区中下部密生斜纵脊；胸腹侧片前部约1/3处形成大而深的凹陷，凹陷具钝而粗壮的围界脊，其端部与胸腹侧脊、腹前脊汇合，腹前脊端部在腹中线处形成钝角。前翅第2回脉由第2亚缘室接收。腹柄横截面近方形，背区中部及侧区各具2条粗壮纵脊，腹区中间1个龙骨状突起；臀板狭小的三角形。后足胫节外侧1~2列稀疏短刺。雄虫唇基被毛较雌性密，前缘弧形极浅。触角3~8节下侧线状脊，9~12节下侧长椭圆形瘤状。胸腹侧片形成的凹陷较雌性小而浅。后足胫节外侧无短刺；其他同雌性上述特征。

采集记录：1♂，宁陕火地塘火地沟，1900m，1998. Ⅵ.05，马云采。

分布：陕西（宁陕）、吉林、新疆、湖北、西藏；俄罗斯，日本，中亚，欧洲。

73. 阔额短柄泥蜂属 *Passaloecus* Shuckard, 1837

Passaloecus Shuckard, 1837: 188. **Type species**: *Pemphredon insignis* Vander Linden, 1829.

属征：上颚端部具2~3枚弱齿，雌性上颚特化；上唇近三角形，顶端圆；触角窝浅；雄性触角常具角下瘤；复眼相互远离，有时下区略会聚；头部于复眼后适度隆起；后头脊完整；前胸背板具前横脊；胸腹侧脊极少存在；前侧沟发达；中胸侧板沟有或无；中胸侧板上区有时发达；雌性基跗节无耙；后足胫节后缘无刺；每个亚缘室接收1条回脉；腹柄短，长不大于宽；雌性臀板退化。

分布：多数种类分布于古北区和新北区，少数分布于东洋区。世界已知40种5亚种，中国记录7种1亚种，秦岭地区发现4种。

分种检索表

1. 中胸盾片前部正常；前胸领片无前侧角；盾中沟弱凹陷 ……… **单阔额短柄泥蜂 *P. singularis***
   中胸盾片前部斜面近直角，远高于前胸背板；前胸领片具前侧角；盾中沟明显或浅 ……… 2
2. 额突大而长，圆锥形；上腹沟和前侧沟正常；盾中沟明显；雌性唇基中部具3枚齿；前侧角略突出 …………………………………………………………… **锥阔额短柄泥蜂 *P. corniger***
   额突窄而短；上腹沟和前侧沟明显宽；盾中沟浅或弱凹陷；雌性唇基前缘中部近平截或具2枚齿；前胸领片两前侧角显著突出 …………………………………………………… 3

3. 盾侧沟弱凹陷；盾纵沟弱凹陷；后头沟窄，明显圆齿状；后胸盾片散生微刻点 ………………………………………………………………………………… **朝鲜阔额短柄泥蜂 *P. koreanus***

盾侧沟明显；盾纵沟浅，圆齿状；后头沟单脊状；后胸盾片密生小刻点 ………………………………………………………………………………… **显阔额短柄泥蜂 *P. insignis***

（900）锥阔额短柄泥蜂 *Passaloecus corniger* Shuckard，1837 中国新纪录种

Passaloecus corniger Shuckard，1837：191.

鉴别特征：雌虫体长5.50mm。体黑色；上颚端部红褐色；柄节下侧、前胸侧叶乳白色至淡黄色；足黄褐色至深褐色。唇基中部散生银白色长毛，两侧密生银白色短毛。上颚端分2枚齿；上唇亚端部无缢缩；唇基前缘具3枚齿；额突大而长，圆锥形，无额中脊；额区、单眼三角区、头顶粗糙革状，密生刻点；后头沟单脊状。前胸领片前缘具粗壮前横脊，前侧角略突出；中胸盾片前部斜面近直角，远高于前胸背板；中胸侧板沟弱凹陷，上腹沟和前侧沟明显圆齿状；无胸腹侧脊；并胸腹节背区无围界脊，后区密生粗壮不规则皱，侧区前部密生粗壮斜纵脊，后部散生强壮斜纵脊。腹柄极短，长小于宽；腹板1具细弱中纵脊，不完整；腹板2基部深凹陷；腹部1和2之间略缢缩；臀板退化。雄虫上唇、下颚须、上颚、柄节下侧、前胸侧叶黄色；唇基前缘中部具3枚小圆齿；鞭节6~10下侧各节末端向前突出；足大部分红褐色；其他同雌性上述特征。

采集记录：1♀，凤县天台山，1998.Ⅵ.08-10，NO.983653，马云采。

分布：陕西（凤县）；日本，欧洲。

（901）显阔额短柄泥蜂 *Passaloecus insignis*（Vander Linden，1829）（图版116：G）

Pemphredon insignis Vander Linden，1829：81.

Passaloecus shuckardi Yasumatsu，1934：36.

Passaloecus insignis：Shuckard，1837：189.

鉴别特征：雌虫体长5~6mm。体黑色；上颚基部、上唇、下颚须、柄节下侧、前胸侧叶乳白色至淡黄色；触角梗节、鞭节、翅基片、翅脉黄褐色至深褐色；足大部分红褐色。唇基散生银白色短毛。上颚端分2枚齿；上唇亚端部明显缢缩；唇基前缘中部宽大突出，顶端近平截；额突窄而短，额中脊极弱凹陷；额区、头顶明显革状，密生刻点；单眼三角区近平，略革状；后头沟单脊状。前胸领片前缘具强壮前横脊，两侧角显著突出；中胸盾片前部斜面近直角，远高于前胸背板；中胸侧板沟弱凹陷，上腹沟和前侧沟明显宽，圆齿状；无胸腹侧脊；并胸腹节背区无围界脊，后区不规则皱，侧区着生斜纵脊。腹柄极短，长小于宽；腹板1具粗壮中纵脊，不完整；腹板2基部深凹陷；腹部1和2之间略缢缩；臀板退化。雄虫与雌虫不同之处：鞭节2~8

下侧具角下瘤，窄而长；腹板 1 具中纵脊，细弱而完整；雄性背板 6 后缘中部刺状瘤明显；其他同雌性上述特征。

采集记录： 1♀，留坝紫柏山，1632m，2004. Ⅷ. 03，NO. 200707920，吴琼采。

分布： 陕西（留坝）、吉林、内蒙古、北京、河北、山东、上海、浙江、云南；韩国，日本，欧洲。

（902）朝鲜阔额短柄泥蜂 *Passaloecus koreanus* Tsuneki，1974

Passaloecus annulatus koreanus Tsuneki，1974：368.

Passaloecus iwatai Merisuo，1976：22.

Passaloecus koreanus：Tsuneki，1982：15.

鉴别特征： 雄虫体长 4.50～5.10mm。体黑色；上颚内侧、上唇、下颚须、前胸侧叶乳白色至淡黄色；触角、翅基片、翅脉黄褐色至深褐色；足大部分淡黄色至黄褐色。唇基密生银白色长毛。上颚端分 2 枚齿；上唇亚端部无缢缩；唇基前缘中部略突出，顶端近平截。额突相当短，无额中脊；额区、头顶明显革状，密生刻点；后头沟相当窄，下区明显圆齿状。前胸领片前缘具强壮前横脊，两侧角显著突出；中胸盾片粗糙革状，密生中刻点，后部散生不规则短纵皱，前部斜面近直角，远高于前胸背板；上腹沟和前侧沟明显宽，圆齿状，中胸侧板沟退化，仅弱凹陷；无胸腹侧脊；并胸腹节背区无围界脊，后区着生不规则皱；侧区具斜纵脊。腹柄极短，长小于宽；腹板 1 具细弱中纵脊，不完整；腹板 2 基部深凹陷；腹部 1 和 2 之间明显缢缩；雄性背板 6 后缘中部刺状瘤消失。雌虫未知。

采集记录： 1♂，留坝紫柏山，1632m，2004. Ⅷ. 03，NO. 200707892，吴琼采。

分布： 陕西（留坝）、吉林、北京；韩国，日本。

（903）单阔额短柄泥蜂 *Passaloecus singularis* Dahlbom，1844 中国新纪录种

Passaloecus singularis Dahlbom，1844：243.

鉴别特征： 雌虫体长 5mm。体黑色；上颚内侧淡黄色；上唇、翅基片、翅脉深褐色；前胸侧叶后部乳白色；足部分黄褐色至棕色，后足胫节基部 1/3 乳白色。上颚端分 2 枚齿；上唇亚端部明显缢缩；唇基前缘中部近平截，或具 3 枚齿，齿微弱而不明显；额突相当短，无额中脊；额中上区强烈革状，密生大刻点；头顶密生中刻点及细弱横纹；后头沟相当窄，下区明显圆齿状。前胸领片前缘脊强壮，无前侧角；中胸盾片粗糙革状，密生刻点；中胸侧板沟退化，仅极弱凹陷，上腹沟和前侧沟明显圆齿状；并胸腹节背区无围界脊，后区着生不规则皱；侧区前部光滑有光泽，后部散生长的斜纵脊。腹柄极短，长小于宽；腹部 1 和 2 之间明显缢缩；臀板退化。雄虫鞭节 2～9下侧具棕色角下瘤，2 与 9 小而短，3～8 宽而长；其他同雌性上述特征。

采集记录： 1♂，凤县天台山，1998. Ⅵ. 08，NO. 983155，马云采。

分布：陕西(凤县)、甘肃；日本，欧洲，美国。

74. 短柄泥蜂属 *Pemphredon* Latreille, 1796

Pemphredon Latreille, 1796: 128. **Type species**: *Pemphredon lugubris* (Fabricius, 1804) [= *Crabro lugubris* Fabricius, 1793].

属征：上颚具2～6个钝齿，上唇端部圆形；额区无触角柄节窝；复眼远离，眼内眶常近平行，有时下部向中央略聚合；后头脊在头下部中央两侧与口后背接触或后头脊于头下部处消失。前胸背板横宽，常无脊；具胸腹侧脊；前侧沟宽，不明显从翅下窝伸出，有时下部弱或消失；上腹沟斜向后上方延伸。雌性前足偶见具短的耙状构造；后足胫节后侧有或无成排的刺。2条回脉分别被第1和第2亚缘室接收，或均被第1亚缘室接收。腹部具较长的腹柄，腹柄长于后足基节；雌性臀板常狭窄。

分布：古北区，新北区和东洋区。世界已知45种，中国记录16种，秦岭地区发现3种。

分种检索表

1. 前翅回脉由第2亚缘室接收；并胸腹节间区窄，着生细弱斜纵纹；唇基前缘中部具1个深凹缘；雄性鞭节3～8下侧具线状脊 ………………………………… **皱胸短柄泥蜂 *P. lugubris***
   前翅回脉由第1和第2亚缘室间隙或第1亚缘室接收；并胸腹节间区窄或宽；唇基前缘中部具1个浅凹缘；雄性鞭节3～9或4～7下侧具线状脊 ………………………………………… 2
2. 并胸腹节间区窄，着生少许刻点及不规则细弱纹；中胸侧板下区具网状脊；鞭节3～9下侧具线状脊；腹柄腹区具1个细弱龙骨状突起及数条细弱纵脊 ……… **点皱短柄泥蜂 *P. maurusia***
   并胸腹节间区宽，光滑有光泽；中胸侧板下区密生大刻点；鞭节4～7下侧具线状脊；腹柄腹区有光泽，散生大刻点，具1个锐龙骨状突起……………………… **普通短柄泥蜂 *P. inornata***

(904) 普通短柄泥蜂 *Pemphredon inornata* Say, 1824(图版116：J)

Pemphredon inornata Say, 1824: 339.
Cemonus shuckardi Morawitz, 1864: 460.

鉴别特征：雌虫体长6.80～7.40mm。体黑色；上颚端部红褐色；前翅黄褐色至黑色。唇基和额区下部着生极稀疏银白色短毛；头顶被浓密银白色长毛；中胸侧板和并胸腹节被银白色长毛。上颚端部四齿状；唇基前缘中部略呈三齿状，中齿角状；额上区连生刻点，其间密生粗壮纵皱。中胸盾片、小盾片、后胸盾片散生刻点；中胸侧板下区密生大刻点；并胸腹节背区浅凹陷，间区宽，光滑有光泽，后区网状脊；后足胫节外侧着生1列深褐色粗壮刺；前翅第2回脉由第1和第2亚缘室间隙或第1亚缘室接收；第2亚缘室高大于宽。腹柄粗短；背区连生大刻点及无规则皱，腹区具1

个锐龙骨状突起；臀板宽，着生少许小刻点，顶端圆，边缘脊明显。雄虫上颚端部三齿状；唇基前缘中部具1个宽而浅的凹缘；鞭节4~7下侧具细弱而短的线状脊，红褐色；后足胫节外侧着生数根黄色弱刺；其他同雌性上述特征。

采集记录：1♀，太白山嵩坪寺，1200m，1982.Ⅱ.17，易水平采。

分布：陕西(太白)、黑龙江、内蒙古、甘肃、新疆、浙江、云南；欧洲，非洲，北美洲。

(905) 皱胸短柄泥蜂 *Pemphredon lugubris* (Fabricius, 1793)

Crabro lugubris Fabricius, 1793: 302.

Pemphredon lugubris: Fabricius, 1804: 315.

Pemphredon pacifica Gussakovskij, 1932: 8.

鉴别特征：雌虫体长9.00~11.20mm。体黑色；上颚端部略红褐色；前翅黄褐色；足大部分深褐色。唇基和额区下部着生稀疏银白色长毛；头顶被稀疏银白色短毛。上颚端部四齿状；唇基前缘中部平截，略具凹缘；额上区连生中刻点，其间密生粗壮纵皱；头顶密生中刻点。中胸盾片密生不规则横皱；小盾片粗糙点皱状；中胸侧板下区密生细弱纵脊；并胸腹节背区具网状脊，间区窄，着生细弱斜纵纹，后区具网状脊；后足胫节外侧着生1列深褐色粗壮刺；前翅第2回脉由第2亚缘室接收；第2亚缘室宽大于高。腹柄长；腹柄背区具不规则皱，连生大刻点及中纵沟，腹区密生粗壮横脊，具1个锐龙骨状突起；臀板窄，着生少许小刻点，顶端圆，凹陷，边缘脊锐利。雄虫上颚端部三齿状；唇基前缘中部具1个宽而深的凹缘；鞭节3~8下侧具线状脊；后足胫节外侧无刺；其他同雌性上述特征。

采集记录：1♀，佛坪，1973.Ⅷ.09，张学忠采。

分布：陕西(佛坪)、新疆；韩国，日本，中亚，欧洲，北美洲。

(906) 点皱短柄泥蜂 *Pemphredon maurusia* Valkeila, 1972 中国新纪录种

Pemphredon maurusia Valkeila *in* Merisuo and Valkeila, 1972: 21.

鉴别特征：雌虫体长7.50~8.00mm。体黑色；上颚端部大部分红褐色；足大部分深褐色。唇基和额区下部被稀疏金黄色长毛；头顶被稀疏棕色短毛；中胸侧板和并胸腹节被银白色长毛。上颚端部四齿状；唇基前缘中部突出，略呈三齿状，齿上翘；额上区密生大刻点和细弱纵皱。中胸盾片散生刻点；中胸侧板下区密生大刻点，后部着生不规则粗壮纵脊；并胸腹节背区浅凹陷，间区宽，光滑有光泽，后区网状脊，密生大刻点；后足胫节外侧着生1列深褐色粗壮刺；前翅第2回脉由第1和第2亚缘室间隙或第1亚缘室接收；第2亚缘室高大于宽。腹柄略长；腹柄背区连生巨刻点，腹区具1个锐龙骨状突起；臀板宽，散生粗糙刻点及毛，顶端圆，边缘脊明显。雄虫上颚端部三齿状；唇基前缘中部具1个宽而浅的凹缘；鞭节3~9下侧具线状脊；

其他同雌性上述特征。

采集记录：1♀，太白山嵩坪寺，1981. Ⅹ.25，路进生采。

分布：陕西(太白)、湖南、四川。

75. 脊短柄泥蜂属 *Psenulus* Kohl, 1897

Psenulus Kohl, 1897: 293. **Type species**: "*Mimesa fuscipennis* Dahlbom" [= *Psen fuscipennis* Dahlbom, 1843].

属征：唇基前缘简单到四齿状；上颚端分2~3枚齿，常具1枚基内齿；额脊完整，于触角间强烈隆起，触角窝下缘常具横脊；后头脊完整，到达后脊；无颊突；前胸领片前横脊完整；盾侧沟明显凹陷，有时完整，伸达盾片后缘；胸腹侧脊向前弯曲；有时具腹前脊，未连接胸腹侧脊；中胸侧板沟弱或无，中胸侧板上区略凸起，无粗糙刻纹；雌性前足跗节无发达耙；前翅回脉常由第2亚缘室接收；后翅中脉在cu-a脉之后分叉；腹柄背区中部常光滑，有时具中纵沟或略纵向隆起；侧区毛常稀疏或不明显；雌性臀板加长的三角形或近线形，常退化，有时无。

分布：世界广布。世界已知160种51亚种，中国记录10种5亚种，秦岭地区发现1种。

(907) 等齿脊短柄泥蜂，新种 *Psenulus dentideus* Ma *et* Li, sp. nov. (图59)

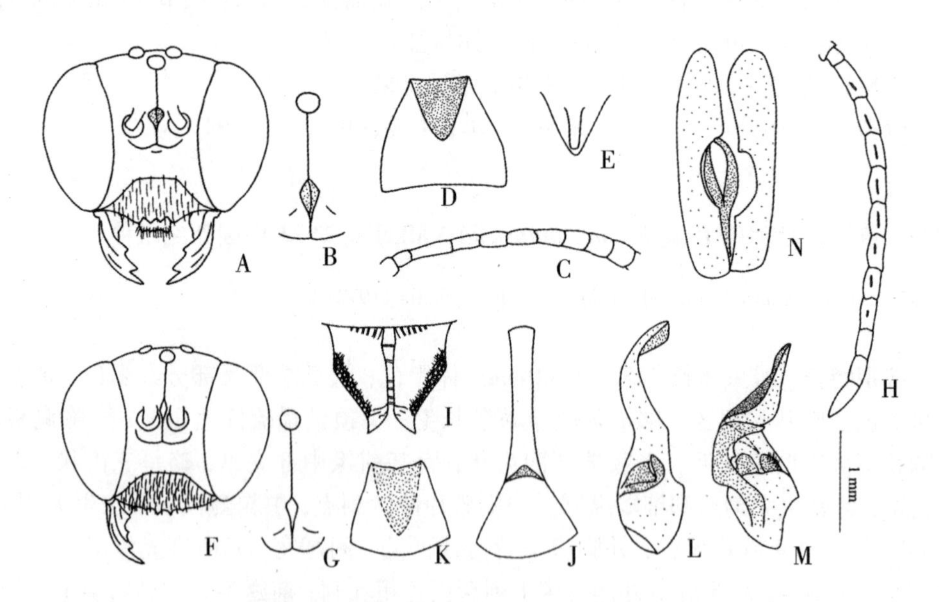

图59 等齿脊短柄泥蜂，新种 *Psenulus dentideus* Ma *et* Li, sp. nov. (A-E. 雌性；F-M. 雄性)
A, F. 头部正面观；B, G. 触角间额突背面观；C, H. 触角2~10或13节腹面观；D, K. 腹板2腹面观；E. 臀板背面观；I. 并胸腹节背面观；J. 腹板1背面观；L, M. 雄性外生殖器侧面观。[比例尺：C-D, H-K. 1mm；A, F. 1.18mm；B, E, G, L, M. 1.62mm]

鉴别特征：雌虫体长10mm。体黑色；上颚基半部黄色，亚端部红褐色；下颚须、前胸侧叶、翅基片淡黄色；上唇棕色；柄节下侧淡黄色，上侧深褐色；鞭节下侧、前翅翅脉棕色；前中足除腿节下侧深褐色外黄色；后足基节端部、转节、胫节基部1/3黄色，腿节外侧内侧各具1条黄色条带，其余深褐色；胸部黑色；腹柄除端部黑色外淡黄色；腹部红褐色。唇基和额下区密生银白色长毛；上颚散生金黄色毛；头顶毛长而稀疏，银白色；中胸侧板和并胸腹节毛长，银白色；腹部腹板4~5后缘无毛。上颚端分2枚齿，中部着生1枚相当强壮的内齿；上唇近方形，端部具2枚明显圆齿；唇基略隆起，前缘中部具4枚小齿，齿等大，着生于同一水平线上；触角窝下缘横脊明显，短而钝；触角间额脊隆起，背面观，顶端区域宽，具凹陷，其内散生小刻点及1条长中纵脊；触角略呈棒状；唇基和额下区密生小刻点；额上区散生微刻点；单眼三角区中度隆起，散生小刻点；头顶散生小刻点，后缘具宽而深的凹缘；颊区散生微刻点；后头脊完整；HW: HLD: HLF = 81: 31: 64; AOD: WAS: IAD = 4: 8: 9；POD: OOD: OCD: IODc: IODv: IODmin = 9: 14: 15: 40: 50: 33；梗节长、鞭节1长、鞭节1宽、鞭节2长、鞭节2宽之比为7: 18: 6: 13: 6。前胸领片正常；中胸背板前部及两侧密生小刻点，中部散生小到中刻点，后部密生中刻点；盾纵沟凹陷，伸达盾片中部；中胸小盾片散生大刻点；后胸盾片密生小刻点；中胸侧板散生小刻点；中胸腹板散生小到中刻点；并胸腹节背区三角形，无围界脊，深凹陷，着生数条细弱短纵脊；并胸腹节间区有光泽，无刻点；并胸腹节后区有光泽，中纵沟宽而深，散生小刻点，两侧具网状脊；并胸腹节侧区后部着生数条细弱斜横纹。前翅第1回脉由第1亚缘室接收；前翅第2回脉由第3亚缘室接收；第2亚缘室四边形。腹柄长；腹柄有光泽，圆柱形，端部较基部略宽，背区无沟，略隆起；腹柄长PL、腹柄宽PW、腹板1长LTI、腹板1宽WTI、后足腿节长HFL、后足胫节长HTL之比为75: 9: 38: 38: 57: 75；腹部着生小刻点；腹部腹板2基部具"V"形凹陷，边界明显，伸达腹板中部；臀板小而窄，无刻点，边缘脊明显，近平行。中足胫节外侧后部着生数个深褐色粗壮短刺；后足胫节外侧无刺。

雄虫体长7.50~9.00mm。上颚中部着生1枚小内齿；唇基前缘中部具4枚齿，中间2枚齿小，侧齿不明显；触角窝下缘横脊明显，长；触角间额脊隆起，背面观，顶端区域窄，具凹陷，其内光滑有光泽；触角正常；单眼三角区略隆起；HW: HLD: HLF = 72: 27: 57；AOD: WAS: IAD = 4: 8: 6；POD: OOD: OCD: IODc: IODv: IODmin = 9: 11: 13: 33: 43: 29；梗节长、鞭节1长、鞭节1宽、鞭节2长、鞭节2宽之比为6: 16: 7: 15: 7；鞭节1~8下侧具短的线状脊，黑色；PL: PW: LTI: WTI: HFL: HTL = 57: 8: 36: 35: 46: 56；腹部腹板2基部具不明显"V"形凹陷，边界不明显，伸达腹板中部；外生殖器；其他同雌性上述特征。

该种与*P. quadridentatus* van Lith, 1962相似，区别在于：头顶散生小刻点，后缘具宽而深的凹缘；中胸背板前部及两侧密生小刻点，中部散生小到中刻点，后部密生中刻点；中胸小盾片散生大刻点；后胸盾片密生小刻点；前翅第1回脉由第1亚缘室接收；腹柄长，略隆起，背区无沟；雌性唇基略隆起，前缘中部具4枚小齿，齿等大，着生于同一水平线上；雌性触角窝下缘横脊明显，短而钝；雌性腹部腹板2基部具"V"形凹陷，边界明显，伸达腹板中部；雌性臀板小而窄，无刻点，边缘脊明显，近平行；雄性唇基前缘中部具4枚齿，中间2枚齿小，侧齿不明显；雄性触角正常；雄性鞭节1~8下侧具短的线状脊，黑色；腹部红褐色等体色。

采集记录：♀(正模)，陕西留坝紫柏山，1632m，2004.Ⅷ.03，NO. 200707895，张红英采；9♂(副模)，陕西留坝紫柏山，1632m，2004.Ⅷ.03-04，NO. 200707319，200707855，200707914，200707315，200707864，200707858，200707916，200707943，200707895，陈学新、时敏、吴琼采。

辞源：种本名学名 *dentideus*：*dent*(齿，拉丁词源) + *ideus*(类似，拉丁词尾)，意指该种唇基前缘中部具4枚小齿，齿等大，着生于同一水平线上，现用中名和学名据此新拟。

分布：陕西(留坝)。

76. 宏痣短柄泥蜂属 *Spilomena* Shuckard, 1838

Celia Shuckard, 1837: 182. **Type species**: *Celia troglodytes* (Vander Linden, 1829) [= *Stigmus troglodytes* Vander Linden].

Spilomena Shuckard, 1838: 79. Substitute name for *Celia* Shuckard, 1837.

Taialia Tsuneki, 1971c: 10. **Type species**: *Taialia formosana* Tsuneki, 1971.

属征：上颚端部具2枚齿；颚眼距短至中等长度；上唇端部平直；额区下部具短中脊；唇基无银白色毡毛；2个复眼远离，眼内眶近平行或上部略向中央聚合，有时复眼边眶具简单的沟；无后头脊。前胸背板具横脊；中胸盾片盾纵沟浅；前侧沟从前胸侧叶顶端所在位置处之下伸出；无明显胸腹侧脊；无腹前脊或中胸侧板穴沟，有时具横形的上腹沟。雌性前足无耙状构造；后足胫节后侧无刺。前翅翅痣大，约为缘室的1/2，R_1 脉伸至缘室的端部，具2个亚缘室；后翅中脉在cu-a脉处分叉，不与肘脉分离。腹部无腹柄或背面观具长度小于宽度的短腹柄；雌性无臀板或臀板狭窄。

分布：世界广布。世界已知86种，中国记录5种，秦岭地区发现2种。

分种检索表

并胸腹节背区围界脊退化，后区后部散生细弱长横脊及1条粗壮短中纵脊；背板1基部宽而浅凹陷，中间具1条窄而深的中沟 ……………………… **唇皱宏痣短柄泥蜂 *S. clyperugata* sp. nov.**

并胸腹节背区围界脊细弱，后区后部不规则网状脊；背板1基部密生粗壮短横皱，两侧各具1条粗壮短纵脊 ……………………………………………………… **浙江宏痣短柄泥蜂 *S. zhejiangana***

(908) 唇皱宏痣短柄泥蜂，新种 *Spilomena clyperugata* Ma *et* Li, sp. nov. (图60)

鉴别特征：雌虫体长3mm。体黑色；唇基、额下区黑色；上颚红褐色至深褐色；上唇、下颚须梗节前胸侧叶深褐色；柄节下侧黄褐色，上侧深褐色；翅基片、翅脉黄褐色；前中足转节、胫节、跗节黄褐色至红褐色，其余深褐色；后足转节、胫节基半部、跗节黄褐色，其余深褐色；腹部深褐色至黑色。唇基端部着生数根淡黄色长毛；上颚着生数根淡黄色长毛。上颚端分2枚齿，外齿大而锐，内齿小而钝；上唇端部4

个指状突起；唇基中部中度暗淡，中度隆起，基部和中部密生细弱纵脊；唇基前缘略突出，中部具略深而宽的凹缘，两侧密生细弱横纹；额中下区中部有光泽，两侧弱革状，中度暗淡，额下区密生细弱纵纹，额中脊粗壮，伸达唇基中部；额上区中度暗淡，弱革状，散生中刻点；单眼三角区平，中度暗淡，弱革状，着生数个中刻点；头顶中度暗淡，散生小刻点，弱革状；颊区暗淡，弱革状，散生小刻点；头部背面观，头向后渐会聚；后头脊退化。头宽 HW∶头背面观长 HLD∶头前面观长 HLF = 45∶21∶40；背面观，HWmax∶HWmin = 45∶30；侧面观，HW∶复眼宽 EW∶复眼长 EL = 45∶12∶29；触角窝与眼内框间距 AOD∶触角窝宽度 WAS∶触角窝内框间距 IAD = 8∶3∶7；两后单眼间距 POD∶后单眼与复眼间距 OOD∶后单眼与后头脊间距 OCD∶唇基处两眼内眶间最短距离 IODc∶头顶处两眼内眶间距 IODv∶两眼内眶最短间距 IODmin = 5∶11∶7∶30∶30∶30；柄节长、梗节长、鞭节1长、鞭节1宽、鞭节2长、鞭节2宽之比为18∶5∶2.5∶2.5∶2∶3。中胸盾片暗淡，粗糙革状，密生中刻点，后部散生或密生细弱短纵脊；中胸小盾片暗淡，粗糙革状，密生中刻点；中胸盾片与小盾片间沟圆齿状；后胸盾片暗淡，弱革状，密生中刻点；中胸侧板有光泽，弱革状，散生小刻点；后胸侧板中度暗淡，弱革状；并胸腹节背区宽大“U”形，围界脊不明显，其内着生2条粗壮纵脊及不规则细弱横脊；并胸腹节后区前部及两侧散生粗壮斜纵脊，中部不规则皱，后部散生细弱长横脊及1条粗壮短中纵脊；并胸腹节侧区下区着生数条粗壮短纵脊，后部不规则网状脊，其余光滑，具少许浅而小的刻点。腹柄不明显；腹柄腹面着生2~3个强壮龙骨状突起；腹部1~2有光泽，无刻点，3~6中度暗淡，弱革状，散生小刻点；背板1条基部宽而浅凹陷，中间具1条窄而深的中沟；腹板2基部1/3处具1相当窄而深的横沟，分界明显；臀板暗淡，相当窄而略长的沟，密生大刻点，侧脊明显，中侧区着生3列银白色长毛，相对长而密。中足胫节距正常，长；后足胫节外侧无刺。雄性未知。

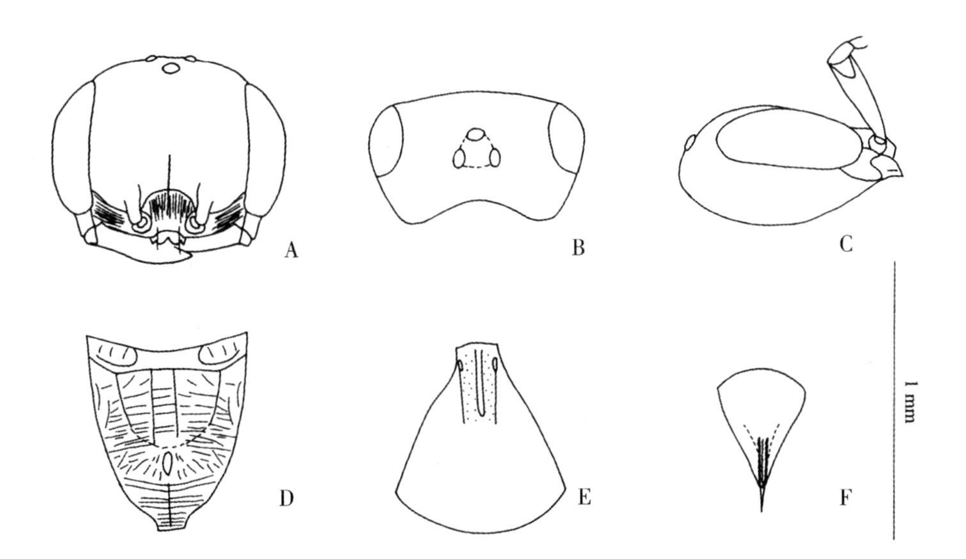

图60 唇皱宏痣短柄泥蜂，新种 *Spilomena clyperugata* Ma *et* Li, sp. nov.（雌性）

A. 头部正面观；B. 头部背面观；C. 头部侧面观；D. 并胸腹节背面观；E. 腹部1背面观；F. 臀板背面观。［比例尺：A－F. 1mm］

该种与 *S. curruca* (Dahlbom, 1844)相似，区别在于：唇基中部中度隆起，基部和中部密生细弱纵脊；唇基前缘略突出，中部具略深而宽的凹缘，两侧密生细弱横纹；中胸侧板有光泽，弱革状，散生小刻点；臀板暗淡，相当窄而略长的沟，密生大刻点，侧脊明显，中侧区着生 3 列银白色长毛，相对长而密；体色。

采集记录：♀(正模)，陕西周至厚畛子，1998. Ⅵ. 02-03，NO. 981767，马云采。

辞源：种本名学名 *clyperugata*：*clype*(唇，拉丁词源) + *rugata*(多皱纹的，拉丁词源)，意指该种唇基基半部密生细弱纵脊及 1 条中纵脊，现用中名和学名据此新拟。

分布：陕西(周至)。

(909) 浙江宏痣短柄泥蜂 *Spilomena zhejiangana* Li *et* He, 1998

Spilomena zhejiangana Li *et* He, 1998: 398.

鉴别特征：雌虫首次描述。体长 2.80 ~ 3.30mm。体黑色；唇基基半部、上唇、鞭节、腹部背板 6、腹板 4 ~ 6 深褐色；上颚除端部红褐色外、柄节、梗节、前胸侧叶后部、翅基片、翅脉、足淡黄色至黄褐色；下颚须乳白色。上颚端分 2 枚钝齿；上唇端部 2 个指状突起；唇基前缘中部具 2 枚小齿，齿间宽而略深的凹缘，两侧密生细弱横纹；额下区密生细弱纵纹，额中脊粗壮；头顶密生刻点及粗糙横革纹；后头脊退化。中胸盾片粗糙革状，密生刻点，后部具短纵脊；中胸侧板有光泽，散生小刻点；并胸腹节背区宽大"U"形不完整围界脊，后区前部密生不规则皱，其余网状脊，侧区前部着生数条纵纹，其余网状脊。后足胫节外侧无刺。腹部背板 1 基部密生短横皱，两侧各具 1 条短纵脊；腹板 2 基部 1/3 处具 1 条窄深横沟；臀板窄长沟状，粗糙，密生小刻点，侧脊明显，中侧区着生 3 列银白色毛。雄虫鞭节无角下瘤；其他同雌性上述特征。

采集记录：3♀，留坝紫柏山，1632m，2004. Ⅷ. 03，NO. 200707911，200707936，吴琼采，200707860，时敏采。

分布：陕西(留坝)、河南、甘肃、浙江、广东。

77. 痣短柄泥蜂属 *Stigmus* Panzer, 1804

Stigmus Panzer, 1804: 86, pl. 7. **Type species**: *Stigmus pendulus* Panzer, 1804.

属征：上颚端分 2 ~ 3 枚齿；上唇亚三角形，端部相当宽而圆；柄节窝浅，有或无额中脊；唇基着生浓密银白色毛；复眼远分离，有时下区会聚；复眼侧沟无或窄；头顶中度隆起；后头脊完整或不完整；前胸具横脊；盾纵沟不明显或发达；胸腹侧脊和亚胸腹侧脊发达，与腹前脊相连；中胸侧板沟不发达，常与胸腹侧脊、上腹沟会合形成三角形或四边形；雌性前足跗节无或有耙；后足胫节后缘无刺；翅痣大，长为宽的

2倍；具2个亚缘室；后翅中脉在cu-a脉之前分叉；腹柄长至少为宽的2倍，雌性具臀板，有时退化成沟状。

分布：多数种类分布于古北区、新北区和东洋区，少数分布于新热带区。世界已知24种4亚种，中国记录2种2亚种，秦岭地区发现1种。

(910) 日本痣短柄泥蜂 *Stigmus japonicus* Tsuneki, 1954 中国新纪录种(图版116：K)

Stigmus japonicus Tsuneki, 1954: 29.

鉴别特征：雌虫体长4.00～4.80mm。体黑色；唇基亚端部具红褐色窄条带；上颚除端部红褐色外、前胸侧叶乳白色；上唇黄褐色；下颚须、柄节下侧淡黄色；触角、翅基片黄褐色至深褐色；足大部分黄褐色；腹部末节红褐色。上颚端分3枚齿；上唇端部具2枚齿；唇基前缘中部具2枚齿；额突退化成小瘤状；额中沟弱凹陷；单眼三角区近复眼处密生短脊，面积大于后单眼；头部背面观近正方形；后头脊不完整；复眼内侧沟、外侧沟退化。前胸领片无侧脊，无前侧角；中胸盾片散生微小刻点；中胸侧板上区连生纵脊；中胸侧板沟、胸腹侧脊和上腹沟宽，明显圆齿状，中胸侧板沟完整；并胸腹节背区中部"U"形，后区着生不规则脊，中沟不明显，侧区前中部密生斜纵脊，后部网状脊。腹柄近方形，背区具不规则皱及2条中纵脊；侧区、腹区均着生少许纵脊；臀板宽大"U"形，顶端圆，中部着生2列大刻点及毛。后足胫节外侧着生3根细弱长刺。雄虫上颚端分2枚齿；唇基前缘中部近平截，略上翘；头部背面观，头顶向后渐会聚；后头脊完整；鞭节无角下瘤；其他同雌性上述特征。

采集记录：4♀，凤县天台山，1998.Ⅵ.08-10，NO.983649，983651，983845，983652，马云采；2♀24♂，留坝紫柏山，2004.Ⅷ.3-4，1632m，2♀，NO.200707854，200707900，24♂，NO.200707308，200707322，200707942，200707893，200707841，200707304，200707296，200707300，200707316，200707948，200707292，200707320，200707321，200707907，200707928，200707738，200707908，200707909，200707306，200707946，200707847，200707313，200707849，200707924，时敏、陈学新、吴琼、张红英采。

分布：陕西(凤县、留坝)、河北、甘肃、四川；俄罗斯，日本。

78. 始痣短柄泥蜂属 *Tzustigmus* Finnamore, 1995

Tzustigmus Finnamore, 1995: 211; **Type species**: *Tzustigmus syam* Finnamore, 1995.

属征：上唇端部4枚指状突起；上颚无内基齿，端部：雄性端分2枚齿，雌性端分3枚齿；唇基：雄性端部无变形，无斜面，雌性具3枚齿；额突发达；无额中脊；头部正面观，复眼下区会聚；具复眼沟；后头脊完整，雌性简单，雄性圆齿状；盾沟正常；无腹前脊；胸腹侧脊向前弯曲；中胸侧板沟无或弱；中胸侧板上区无粗糙纹；后足胫节后缘具2~3根刺；中足基跗节长或等于跗节2~4节之和；后翅m脉在cu-a脉之后分叉；腹柄光滑，有时具细弱脊；雌性具臀板，窄。

分布：古北区，东洋区。世界已知8种，中国记录6种，秦岭地区发现2种。

分种检索表

上颚中部强烈弯曲；唇基中部强烈隆起，前缘中部具3枚强壮齿，齿强烈上翘，中齿与唇基垂直 …………………………………………………………………… **翘齿始痣短柄泥蜂 *T. denserectus***

上颚正常；唇基中部略隆起，前缘中部3枚齿正常 …… **头点始痣短柄泥蜂 *T. caputipunctatus***

（911）翘齿始痣短柄泥蜂 *Tzustigmus denserectus* Ma *et* Chen, 2011（图61）

Tzustigmus denserectus Ma *et* Chen, 2011: 306.

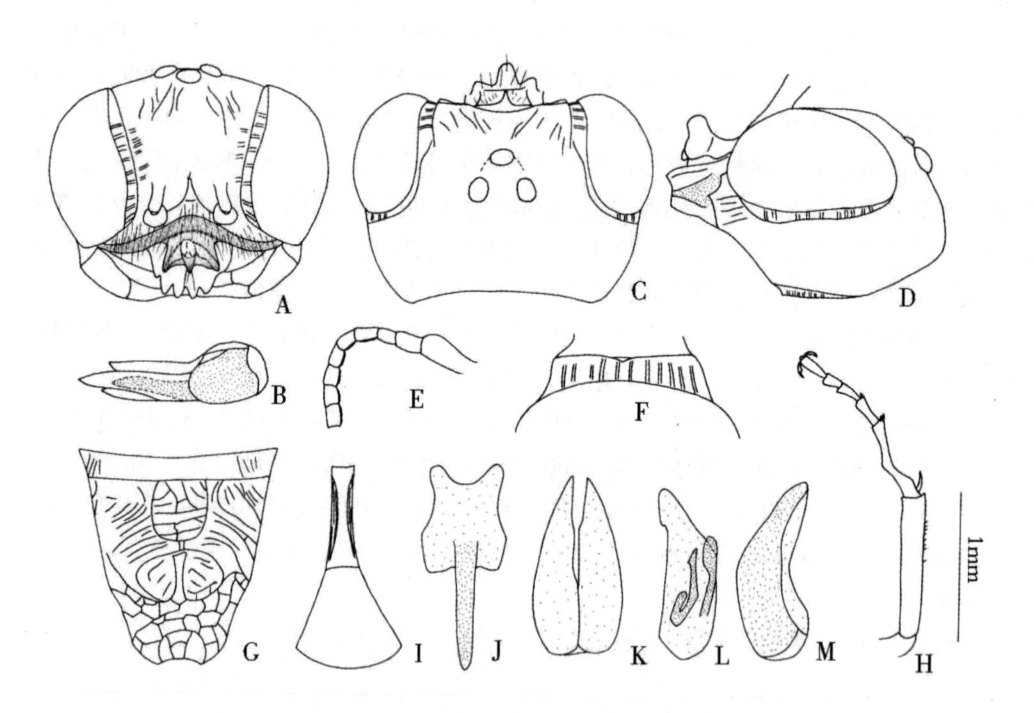

图61 翘齿始痣短柄泥蜂 *Tzustigmus denserectus*（雄性）

A. 头部正面观；B. 上颚腹面观；C. 头部背面观；D. 头部侧面观；E. 触角1~9节侧面观；F. 前胸领片背面观；G. 并胸腹节背面观；H. 前足胫节和跗节侧面观；I. 腹柄及背板1背面观；J. 腹板8腹面观；K. 雄性外生殖器背面观；L, M. 雄性外生殖器侧面观。[比例尺：I. 1mm；A, C-E, G-H. 1.31mm；B, F, J-M. 1.63mm]

鉴别特征：雄虫体长5.50mm。体黑色；上颚端半部红褐色；下颚须淡黄色；柄节、梗节、翅基片黄褐色；鞭节、腹部深褐色；前胸侧叶白色；足黄褐色至深褐色。

唇基着生略稀疏银白色长毛；上颚着生稀疏银白色短毛。上颚中部强烈弯曲，端分3枚齿；唇基中部强烈隆起，唇基前缘强烈上翘，中部具3枚齿，中齿与唇基垂直；后头脊完整，复眼内侧及外侧沟略宽，边界脊明显；鞭节2～7下侧具长线状脊。前胸领片无前侧角；中胸盾片前半部中间密生粗壮纵纹，两侧密生细弱横纹，后部散生短纵脊；胸腹侧脊及上腹沟宽，明显圆齿状，中胸侧板沟退化；并胸腹节背区中部小三角形，着生横脊；后区具浅中沟，前中部散生斜横脊，后部网状脊；并胸腹节侧区散生纵脊。腹柄近方形，两侧着生数条纵脊；侧区、腹区光滑有光泽。前足基跗节中部角状突起，弧形；后足胫节外侧无刺。雌虫未知。

采集记录：♂(正模)，留坝紫柏山，1632m，2004.Ⅷ.04，NO. 200707310，陈学新采。

分布：陕西(留坝)。

(912) 头点始痣短柄泥蜂 *Tzustigmus caputipunctatus* Ma et Li, 2011

Tzustigmus caputipunctatus Ma *et* Li, 2011: 308.

鉴别特征：雌虫体长5.70～6.00mm。体黑色；上颚基部、上唇、下颚须、翅基片黄褐色；柄节、梗节、鞭节1红褐色；前胸侧叶淡黄色；足多为黄褐色至红褐色。上颚端分3枚齿；上唇端部4个指状突起；唇基前缘中部具3枚齿；额中沟浅；后头脊完整；复眼内侧沟略宽，边界脊明显；复眼外侧沟窄，边界脊细弱。前胸领片无前侧角；中胸盾片前部中间密生纵刻纹，两侧密生横纹，后部散生强壮短纵脊；中胸侧板上区密生刻点及纵脊，后部着生数条短纵脊；胸腹侧脊及上腹沟宽，明显圆齿状，中胸侧板沟退化；并胸腹节背区宽大三角形，略凹陷，后区具短而浅的中沟，侧区具斜纵脊。腹柄近方形，背区两侧着生数条纵脊，侧区及腹区光滑有光泽；臀板"U"形凹陷，光滑有光泽。后足胫节外侧着生3根细弱长刺。雄虫未知。

采集记录：♀(正模)，凤县天台山，2000m，1998.Ⅵ.08，NO. 982956，马云采。

分布：陕西(凤县)、河南。

三十五、泥蜂科 Sphecidae

鉴别特征：眼内眶完整、平行或向中央收拢或向两侧分离；雌性触角鞭节10节，雄性触角鞭节11节；前胸侧叶与翅基片远分离；中足胫节常具2个端距；后足腿节端部常简单；前足有或无耙状构造；并胸腹节背区无或具"U"形边界，具并胸腹节腹板；前翅常具3个亚缘室，后翅中脉常在cu-a脉处或之后分叉；腹部腹柄仅由腹板1围合而成，部分种类背板1也延长似柄状；雄性腹部具6～7可见腹节；无臀板。

分类：世界已知 5 亚科 19 属 724 种，陕西秦岭地区发现 2 亚科 2 属 3 种 2 亚种。

（一）沙泥蜂亚科 Ammophilinae

鉴别特征：触角窝常与额唇基沟远离而位于额的近中部；唇基大，长和宽比例多变；领片短至长；并胸腹节背区常具边界；前侧沟一般长；前翅常有 3 个亚缘室，少数1～2个亚缘室；两条回脉常被第 2 个亚缘室接收；雌性前足具耙状构造；2 个中足基节相互接触或接近；后足跗节 5 腹面端部的 2 根刚毛毛状到中等宽度的叶状；足常无跗垫叶。部分种类的背板 1 伸长呈柄状；背板 8 无尾须。

分类：世界已知 6 属 302 种，陕西秦岭地区分布 1 属 4 种。

79. 沙泥蜂属 *Ammophila* Kirby, 1798

Ammophila W. Kirby, 1798: 199. **Type species**: *Sphex sabulosus* Linnaeus, 1758.

Miscus Jurine, 1807: 130. **Type species**: *Miscus campestris* (Latreille, 1809) [= *Ammophila campestris* Latreille, 1809].

Coloptera Latreille, 1845: 387. **Type species**: *Coloptera barbara* Lepeletier de Saint Fargeau, 1845.

属征：前侧沟不通过中胸侧板穴；腹柄端部不伸达腹板 2 基部；背板 1 气门位于腹板 1 端部所在位置之后。

分布：世界广布。世界已知 234 种 15 亚种，中国记录 33 种 4 亚种，秦岭地区发现 4 种。

分种检索表

1. 第 1 和第 2 径中横脉上部合并，因此第 3 亚缘室具柄 ………………… **甘泉沙泥蜂 *A. ganquang***
   第 3 亚缘室不具柄 ………………………………………………………………………… 2
2. 领片背面无横条纹；足黑色；背板 3 基部多为红黄色 …… **多沙泥蜂骚扰亚种 *A. sabulosa infesta***
   领片背面有横条纹；足黑色或部分红色；背板 3 黑色或红黄色 ……………………………… 3
3. 领片背面的横条纹粗壮，无前侧沟，无爪垫，足大部分区域红色，背板 2 和 3 以及腹板 2 和 3 黑色 ………………………………………………… **红足沙泥蜂红足亚种 *A. atripes atripes***
   领片背面横条纹细而密，有前侧沟，有爪垫，足黑色，背板 2 和 3 以及腹板 2 和 3 为红黄色… ………………………………………………………………… **红异沙泥蜂 *A. rubigegen***

（913）红足沙泥蜂红足亚种 *Ammophila atripes atripes* Smith, 1852

Ammophila atripes F. Smith, 1852: 46.

Ammophila dimidiata F. Smith, 1856: 216.

Ammophila pulchella F. Smith, 1856: 218.

Ammophila simillima F. Smith, 1856: 217.

Ammophila spinosa F. Smith, 1873b: 259.

Ammophila buddha Cameron, 1889: 94.

Ammophila atripes atripes: Bohart & Menke, 1976: 151.

鉴别特征：雌虫体长24~30mm。体黑色，触角柄节常红黄色；上颚中端部暗红色；腹柄和背板1、足腿节、胫节、跗节大部分红褐色；腹部具金属蓝绿光泽；翅黄褐色，翅脉褐色。体长毛淡黄色至黑色。唇基刻点大而少，中部平坦，前缘中央略凹陷，呈弓形；无触角窝上突。领片背面和侧面、中胸盾片具粗壮横条纹；小盾片和后胸背板具纵条纹；并胸腹节背区中部纵脊不明显，两侧斜条纹粗壮；前侧沟不完整；中胸、后胸和并胸腹节侧面生有皱纹及刻点。前翅第3亚缘室不具柄，足具爪垫。雄虫体长21~26mm，触角柄节、腹柄和足是黑色，仅背板1下侧为红黄色；头和胸部长毛白色，额中下部和两侧以及唇基生有毡毛，前胸背板侧叶后半部和并胸腹节端部两侧常有毡毛；其他同雌性上述特征。

采集记录：1♂，凤县秦岭丰站，1994. Ⅶ. 21，采集者不详。

分布：陕西（凤县）、北京、河北、山东、浙江、福建、广东、海南、广西、云南。

（914）甘泉沙泥蜂 *Ammophila ganquana* Yang *et* Li, 1989

Ammophila ganquana Yang *et* Li, 1989: 105.

鉴别特征：雌虫体长12.50mm。体黑色，腹柄端部下侧、背板1大部分、背板2、腹板2以及背板3基部2/3为红黄色，腹部黑色部分无金属蓝绿光泽，翅基片、翅脉浅黄褐色。头和胸部长毛少，白色；中胸侧板后部和并胸腹节端部两侧具毡毛，腹柄下部仅基部具稀而短的软毛。唇基前缘中部两侧各具1个角突。领片前面具横条纹，背面无条纹，具中沟；盾片具横条纹及大刻点，前部中央具纵脊，小盾片纵条纹粗壮；并胸腹节背区具中脊，两侧斜条纹；具前侧沟；中胸侧板和腹板具横皱条纹。前翅第3亚缘室具柄。前足跗节1不对称；足有爪垫，爪无齿。雄虫体长12mm。背板3和腹板3红黄色区较雌性小，且背板1和2背中央常具黑色纵带；头和胸长白毛多；额下部、唇基、前胸背板侧叶、中胸侧板后部及并胸腹节端部两侧具毡毛；唇基平坦，前缘突出，中部凹缺；其他同雌性上述特征。

采集记录：1♂，户县涝峪，1951. Ⅶ. 07，采集者不详；2♂，凤县，1988. Ⅶ. 17，崔俊峰采。

分布：陕西（户县、凤县）、黑龙江、河北、山东。

(915) 多沙泥蜂骚扰亚种 *Ammophila sabulosa infesta* Smith, 1873

Ammophila infesta F. Smith, 1873a: 190.

Ammophila sabulosa infesta: Tsuneki, 1962: 25.

鉴别特征：雌虫体长19～24mm。体黑色，背板1大部分和背板2为红黄色，背板3基部和腹板2为红黄色或黑色；腹部具金属蓝绿光泽。并胸腹节端部有银白色毡毛带，中胸侧板后部有或无毡毛带。唇基前缘中部略突出，两侧各具1个齿突。领片背面无明显横条纹，有或无浅纵沟，前面中部及两侧具横皱纹；中胸盾片侧缘具横皱纹，小盾片具纵皱纹；并胸腹节背区具中纵脊，两侧斜皱条纹；前侧沟发达；中胸、后胸和并胸腹节侧面生有皱纹及刻点。前侧第3亚缘室不具柄，足具爪垫。雄虫体长16～21mm；体色同雌性，但背板1和2背中央常具黑色纵带；额中下部和两侧及唇基有银白色毡毛，胸部毡毛同雌性；中胸盾片有或无弱横皱纹；其他同雌性上述特征。

采集记录：1♂，太白山厚畛子，2001.Ⅶ，闫海玲采。

分布：陕西(周至)、辽宁、内蒙古、河北、山东、宁夏、新疆、云南。

(916) 红异沙泥蜂 *Ammophila rubigegen* Li *et* Yang, 1990(图版116：H)

Ammophila rubigegen Li *et* Yang, 1990: 260.

鉴别特征：雌虫体长16mm。体黑色，腹柄端半部、背板1～3和腹板2与3为红黄色，腹部黑色部分具金属蓝绿光泽；唇基颊区和前胸腹板长毛多，白色至褐色，头和胸其他部位长毛稀少，白色；额中下部和唇基中上部密被短软毛，前胸背板侧叶、中胸侧板后部和并胸腹节端部两侧毡毛发达，领片、中胸盾片和胸部侧面及腹面具1层短软毛。唇基前缘中部具浅凹缺，两侧各有1个角突。前胸背板具横条纹，中沟浅；盾片具横条纹，小盾片具纵条纹；并胸腹节背区两侧具斜条纹及中纵脊；前侧沟发达；中胸侧板与腹板具横皱条。前翅第3亚缘室无柄。前足跗节不对称，具爪垫，爪无齿。雄虫体长16mm；腹柄仅端部红黄色；除唇基前部具少量褐色长毛外，头和胸部长毛白色；额中下部和唇基具毡毛；头顶刻点少，唇基前缘突出，中部凹缺；中胸盾片前方中央纵脊不明显，并胸腹节斜皱纹粗，中胸侧板和腹板横条纹不明显；其他同雌性上述特征。

采集记录：1♂，太白山厚畛子，2001.Ⅶ.18，亚库甫采；1♂，太白山蒿坪保护站，2012.Ⅶ.12，魏纳森采。

分布：陕西(周至、太白)、辽宁、内蒙古、四川、云南。

（二）壁泥蜂亚科 Sceliphrinae

鉴别特征：触角窝与额唇基沟接触或分离；唇基常宽大于长；领片短至长；并胸腹节背区有时有边界；前侧沟短或长；缘室端部形状多变化，有 3 个亚缘室；2 条回脉常被第 2 亚缘室接收；雌性前足有或无耙状构造；2 个中足基节多数情况下相互靠近；后足跗节 5 腹面端部的 2 根刚毛毛状至中度加宽的叶状；爪内缘中部有 1 个齿，罕见爪无齿；足有或无跗垫叶。背板 1 不伸长呈柄状；背板 8 有或无尾须。

分类：世界已知 6 属 145 种，陕西秦岭地区分布 1 属 1 种。

80. 蓝泥蜂属 *Chalybion* Dahlbom, 1843

Chalybion Dahlbom, 1843: 21. **Type species**: *Sphex caeruleus* Linnaeus, 1763 [= *Sphex cyaneus* Fabricius, 1775, = *Pelopeus californicus* Saussure, 1867].

属征：眼内眶下部常平等，上部向中央聚合，部分雄性下部向中央聚合；额区于触角窝上部突起；雄性触角鞭节常具板状感觉器；唇基前缘具齿或具中叶或凹陷；上颚简单，部分种类内缘亚端部具齿；后头脊常围合成完整或近于完整的一圈，与口后脊接触或窄分离。前胸领片长为宽的 1/2。前侧沟常伸至中胸侧板的腹前缘，常具中胸侧板穴沟；后胸侧板上穴小，中胸侧板缝常弱或无；并胸腹节长，背区无边界，后区坡度常较小，侧区无气门沟。前翅第 2 亚缘室上部常窄，少数种类具柄，2 条回脉均被第 2 亚缘室接收；中足基节相近；雌性前足无耙状构造；足跗节无跗垫叶；后足跗节 5 腹面端部的刚毛窄，后足爪常简单。雌性腹板 4 有时具毛束，雄性腹板 4 ~ 5 具细密的毡毛带。

分布：除新北区外分布于其他各区，其中多数种类分布于古北区、东洋区和非洲区。世界已知 47 种 7 亚种，中国记录 7 种，秦岭地区发现 1 种。

（917）日本蓝泥蜂 *Chalybion japonicum*（Gribodo, 1883）（图版 116：I）

Pelopolus japonicus Gribodo, 1883: 264.

Chalybion japonicum punctatum: Bohart & Menke, 1976: 103.

Chalybion japonicum: Bohart & Menke, 1976: 102.

鉴别特征：雌虫体长 14 ~ 20mm。体蓝色，具金属蓝或蓝绿或蓝紫光泽；翅浅褐色，翅脉褐至黑色；足胫节和跗节常具金属紫光泽。体长毛灰白色，额和唇基的两侧具稀疏银白色毡毛。额在触角基部处隆起，密布刻点，具中脊；复眼内缘弯曲；唇基常具中脊，前缘中部具3个大齿突，有时两侧还各具1个小齿突。领片常散生刻点，中沟深，无条纹；中胸盾片和侧板刻点常较密，无明显条纹；并胸腹节较长，背区和后区具横皱条纹，纹间散生刻点，侧区密生大刻点，常无明显条纹。腹柄向上变曲，约等于后足跗节1的长度；前和中足爪内缘中部具1枚齿，前足跗节对称。腹部背板光滑，常无刻点。雄虫体长11～15mm；触角鞭节8和9各具1个长圆形浅凹；上颚内缘无齿；其他同雌性上述特征。

采集记录：1♀5♂，太白山蒿坪保护站，2012. Ⅶ. 12，魏纳森采。

分布：陕西(太白)、黑龙江、辽宁、内蒙古、北京、河北、山西、山东、江苏、浙江、江西、湖南、福建、台湾、广东、海南、广西、四川、贵州；朝鲜，日本，泰国，印度。

寄主：蜘蛛。

HYMENOPTERA: CRABRONIDAE, SPHECIDAE

Ma Li, Li Qiang, Wang Chunhong, Jiang Xin, Lu Haixia

(*Department of Entomology, College of Plant Protection, Yunnan Agricultural University, Kunming, Yunnan, 650201, P. R. China*)

Abstract: The families Crabronidae and Sphecidae (Hymenoptera: Apoidea), including 16 genera, 32 species and 4 subspecies, from the Qinling Mountains of Shaanxi Province in China were reported and keys to the genera and species were provided. Among them, there are two subfamilies, 14 genera, 29 species and 2 subspecies belong to family Crabronidae, and two subfamilies, 2 genera, 3 species and 2 subspecies belong to family Sphecidae. Two new species, *Spilomena clyperugata* Ma *et* Li, sp. nov. from Zhouzhi, Shaanxi and *Psenulus dentideus* Ma *et* Li, sp. nov. from Liuba, Shaanxi are described and illustrated. Five species are reported from China for the first time: *Diodontus collaris* Tsuneki, 1972, *Passaloecus corniger* Shuckard, 1837, *Passaloecus singularis* Dahlbom, 1844, *Pemphredon maurusia* Valkeila, 1972, and *Stigmus japonicus* Tsuneki, 1954. In addition, the unknown females of *Carinostigmus tanoi* Tsuneki, 1977 and *Spilomena zhejiangana* Li *et* He, 1998, and unknown male of *Carinostigmus kaihuanus* Li *et* Yang, 1995 are described.

1. *Psenulus dentideus* Ma *et* Li, sp. nov. (Figure 30)

Diagnosis: This species can be distinguished from the similar *P. quadridentatus* van Lith (1962) and other species of the genus by the following combination of characters: scutellum with large, sparse punctures; first recurrent vein of forewing ending in first submarginal cells; dorsal surface of petiole shiny and cylindrical, without groove; in female, free margin of clypeus quadridentate, small, in same size and lavel, slightly convex; in female, transverse carina below antennae distinct, short, blunt; in female, gaster sternum Ⅱ well defined with a V-shaped excavation basally, extending to half of segment; in female, pygidial area small and narrow, impunctate, lateral carinae almost parallel and conspicuous; in male, free margin of clypeus with four teeth, median teeth small, lateral ones inconspicuous; in male, flagellomeres Ⅰ-Ⅷ with short linear tyloids; gaster reddish brown; and body coloration.

Specimen examined: Holotype: ♀, China: Shaanxi: Liuba: Ziboshan 1632m, 2004. Ⅷ. 03, NO. 200707895, coll. Hongying Zhang; Paratypes: 9♂, China: Shaanxi: Liuba: Ziboshan 1632m, 2004. Ⅷ. 03-04, NO. 200707319, 200707855, 200707914, 200707315, 200707864, 200707858, 200707916, 200707943, 200707895, coll. Xuexin Chen, Min Shi, Qiong Wu. All specimens are deposited in the Parasitic Hymenoptera Collection of Zhejiang University, Hangzhou, Zhejiang Province, P. R. China.

Distribution: China: Shaanxi.

Etymology: The name *dentideus* is derived from the Latin: *dent-* (= tooth) and *ideus* (= similar), referring to free margin of clypeus quadridentate in same size and lavel, one of the main recognition characters of this species.

2. ***Spilomena clyperugata* Ma *et* Li, sp. nov.** (**Figure 31**)

Diagnosis: This species can be distinguished from the similar *S. curruca* (Dahlbom, 1844) and other species of the genus by the following combination of characters: clypeus moderately convex medially, with dense, slender, longitudinal rugae basally and medially, free margin of clypeus slightly produced, with broad, somewhat deep emargination medially, lateral area with dense, slender, transverse striations; mesopleuron shiny, slenderly coriaceous, with very sparse, fine punctures; pygidial area mat, much narrowed, somewhat forming a long groove, with dense, large punctures, lateral carinae conspicuous, lateral and median areas with three lines silvery setae, relatively long and dense; and body coloration.

Specimen examined: Holotype: ♀, China: Shaanxi: Zhouzhi: Houzhenzi, 1998. Ⅵ. 02-03, NO. 981767, coll. Yun Ma. The specimen is deposited in the Parasitic Hymenoptera Collection of Zhejiang University, Hangzhou, Zhejiang Province, P. R. China.

Distribution: China: Shaanxi.

Etymology: The name *clyperugata* is derived from the Latin: *clype-* (= clypeus) and *rugata* (= rugose), referring to clypeus with dense, slender, longitudinal rugae basally and medially, one of the main recognition characters of this species.

参考文献

Arnold, G. 1959. New species of African Hyme noptera No. 14. *Occasional Papers of the National Museum of Southern Rhodesia*. No. 23B: 316-339.

Ashmead, W. H. 1899. Classification of the entomophilous wasps, or the superfamily Sphegoidea. *The Canadian Entomologist*. 31: 145-155, 161-174, 212-225, 238-251, 291-300, 322-330, 345-357.

Banks, N. 1942. Notes on the United States species of *Tachytes* (Hymenoptera: Larridae). *Bulletin of the Museum of Comparative Zoology*. 89: 395-436, pls. 1-2.

Bohart, R. M. and Menke, A. S. 1976. *Sphecid wasps of the world, a genetic revision*. Univ. of California Press, Berkley, Los Angeles, London, pp. 1-695pp.

Cameron, P. 1897. Hymenoptera Orientalia, or contributions to a knowledge of the Hymenoptera of the Oriental Zoological Region. Part Ⅵ. *Memoirs and Proceedings of the Manchester Literary & Philosophical Society*, 41(4): 1-28, pl. 16.

Cameron, P. 1905. Descriptions of new species of Sphegi dae and Ceropalidae from the Khasia Hills, Assam. *The Annals and Magazine of Natural History* (*Series* 7), 15: 218-229, 415-424, 467-477.

Costa, A. 1867. Prospetto sistematico degli Imenotteri Italiani da servire di Prodromo della Imenotterologia

Italiana. *Annuario del Museo Zoologico della R. Università di Napoli*. 4: 59-100.

Dahlbom, A. G. 1843 – 1845. *Hymenoptera Europaea praecipue borealia; formis typicis nonnullis Specierum Generumve Exoticorum aut Extraneorum propter nexum systematicus associatis; per Familias, Genera, Species et Varietates disposita atque descripta. Tomus: Sphex in sensu Linneano*. Officina Lundbergiana, Lund (in certain copies: Prostat in Libraria Friderici Nicolai, Berolini [= Berlin]). XLIV + 528 pp.

Fabricius, J. Ch. 1793. *Entomologia systematica emendata et aucta. Se cundum classes, ordines, genera, species adjectis syn-onymis, locis, observationibus, descriptionibus. Vol. 2*. Christ. Gottl. Proft, Hafniae [= Copenhagen]. VIII + 519 pp.

Fabricius, J. Ch. 1804. *Systema Piezatorum secundum ordines, genera, species adiectis synonymis, locis, observationibus, descriptionibus*. Carolum Reichard, Brunsvigae [= Braunschweig]. I-XIV, 15-440, 1-30 pp.

Finnamore, A. T. 1995. Revision of the world genera of the subtribe Stigmina (Hymenoptera: Apoidea: Sphecidae: Pemphredoninae), Part 1. *Journal of Hymenoptera Research*, 4: 204-284.

Gribodo, G. 1883. Alcune nuove specie e nuovo genere di Imenotteri Aculeati. *Annali del Museo Civico di Storia Naturale di Genova*, 18: 261-268.

Gussakovskij, V. V. 1932. Verzeidinis der von Herrn D: r K. Malaise in vssuri und Kamtschatka gesammdtedn aculeaten Hymenoptera. *Arkiv för Zoologi*, 24 A: 1-66.

Gussakovskij, V. V. 1936. Palearkticheskiye vidy roda Trypoxylon Latr. Hymenoptera, Sphecidae-Les espèces paléarctiques du genre Trypoxylon Latr. (Hymenoptera, Sphecidae). *Trudy Zoologicheskogo Instituta Akademii Nauk SSSR* (= Travaux de l'Institut Zoologique de l'Académie des Sciences de l'URSS). 3: 639-667.

Hua, Lizhong. 2006. Superfamily Apoidea (Sphecoidea), pp. 274-299 *in* L. Hua. *List of Chinese insects. Vol. IV*. Sun-Yat-sen University Press, Guangzhou. 539 pp.

Jurine, L. 1807. *Nouvelle méthode de classer les Hyménoptères et les Diptères. Hyménoptères*. Tome premier. J. J. Paschoud, Genève. (1)-(4), 1-319 + 1 unnumbered pp., 1-14 pls.

Kohl, F. F. 1897. (1896). (before 11 Mar.). Die Gattungen der Sphegiden. *Annalen des k. k. Naturhistorischen Hofmuseums*. 11: 233-516, pls. V-XI.

Latreille, P. A. 1796. *Précis des caractères génériques des Insectes, disposés dans un ordre naturel*. F. Bourdeaux, Paris *et* Brive. I-XIV + 1-201pp. + 7.

Li, Q. and He, J. 1998. Hymenoptera: Sphecidae, pp. 398-399 *in* H. Wu (editor). *Insects of Longwanshan Nature Reserve*. China Forestry Publishing House, Beijing. I-IX + 404 pp. [李强，何俊华. 1998. 膜翅目：泥蜂科：398 – 399. 见：吴鸿主编. 龙王山昆虫. 北京：中国林业出版社，404.]

Li, Q. and He, J. 2004. Superfamily Sphecoidea, pp. 1071 – 1210, pl. XXXIII *in* J. He (editor). *Hymenopteran insect fauna of Zhejiang*. Science Press, Beijing. 1373 pp., XLIII pls. [李强，何俊华. 2004. 泥蜂总科：1071-1210. 见：何俊华主编. 浙江蜂类志. 北京：科学出版社，1373.]

Li, T. J. and Li, Q. 2007. Four new species and nine new species records of the subgenus *Trypoxylon* (*Trypoxylon*) Latreille (Hymenoptera: Crabronidae) from China. *The Pan-Pacific Entomologist*. 83: 1-12.

Li, Q. and Wu, Y. R. 2003. The subgenus *Apocrabro* Pate from China with descriptions of two new species (Hymenop-tera: Crabronidae). *Journal of the Kansas Entomological Society*. 76: 523-528.

Li, Q. and Yang, Ch. 1990. Four new species of *Ammophila* (Hymenoptera: Sphecidae) from Nei Mongol. *Entomotaxonomia*. 12(3-4): 259-266. [李强，杨集昆. 1990. 内蒙古沙泥蜂属四新种(膜翅目：泥蜂科). 昆虫分类学报，12(3-4): 259-266.]

Li, Q. and Yang, Ch. 1995. Hymenoptera: Sphecoidea, pp. 270-273 *in* Zhu Tingan (editor). *Insects and macrofungi of Gutianshan, Zhejiang*. Science Technique Press of Zhejiang, Zhejiang. 327 pp. [李强，杨集昆. 1995. 膜翅目：泥蜂总科：270-273. 见：朱延安主编. 浙江古田山昆虫和大型真菌. 浙江科学技术出版社，327.]

Ma, L., Chen, X. and Li, Q. 2011. Review of the genus *Tzustigmus*, with descriptions of three new species from China (Hymenoptera: Crabronidae). *Journal of the Kansas Entomological Society*, 84: 304-314.

Malloch, J. R. 1933. Review of the wasps of the subfamily Pseninae of North America (Hymenoptera: Aculeata). *Proceedings of the United States National Museum*, 82 (26): 1-60, 2 pl.

Merisuo, A. K. 1976. Passaloecus iwatai sp. n. (Hym., Sphecoidea). *Annales Entomologici Fennici*, 42: 21-26.

Merisuo, A. K. and Valkeila, E. 1972. Beiträge zur Kenntnis der paläarktischen Arten der Gattung Pemphredon Latreille (Hym., Sphecoidea). *Annales Entomologici Fennici*, 38: 7-24.

Morawitz, A. 1864. Verzeichniss der um St.-Petersburg aufgefundenen Crabroninen. *Bulletin de l' Académie Impériale des Sciences de St.-Pétersbourg*, 7: 451-465.

Nurse, C. G. 1903. New species of Indian Aculeate Hymenoptera. *The Annals and Magazine of Natural History* (Series 7). 11: 511-526.

Richards, O. W. 1934. The American species of the genus *Trypoxylon*. *The Transactions of the Royal Entomological Society of London*, 82: 173-360.

Schulz, W. A. 1906. *Spolia Hymenopterologica*. Albert Pape, Paderborn. 356 pp., 1 pl.

Shuckard, W. E. 1838(1837). Descriptions of new exotic aculeate Hymenoptera. *The Transactions of the Entomological Society of London*, 2: 68-82, pl. Ⅷ. Dating after Wheeler, 1912.

Sickmann, F. 1894. Beiträge zur Kenntniss der Hymenopteren-Fauna des nördlichen China. *Zoologische Jahrbücher, Abtheilung für Systematik, Geographie und Biologie der Thiere*, 8: 195-236.

Smith, F. 1852. Descriptions of some hymenopterous insects captured in India, with notes on their oeconomy, by Ezra. T. Downes, Esq., who presented them to the Hon ourable the East India Company. *The Annals and Magazine of Natural History* (Series 2), 9: 44-50.

Smith, F. 1856. *Catalogus of hymenopterous insects in the collection of British Museum, Part* Ⅳ. *Sphegidae, Larridae, and Crabronidae*. London, pp. 207-497.

Smith, F. 1873a. Descriptions of aculeate Hymenoptera of Japan, collected by Mr. George Lewis at Nagasaki and Hiogo. *The Transactions of the Entomological Society of London*, 181-206.

Smith, F. 1873b. Descriptions of new species of fossorial Hymenoptera in the collection of the British Museum, and of a species of the rare genus Iswara, belonging to the Family Dorylidae. *The Annals and Magazine of Natural History* (Series 4), 12: 253-260 (Sept.), 291-300 (Oct.), 402-415 (Oct.).

Smith, F. 1875. Descriptions of new species of Indian aculeate Hymenoptera, collected by Mr. G. R. James Rothney, member of the Entomological Society. *The Transactions of the Entomological Society of London*, 1875: 33-51, pl. I.

Spinola, M. 1806-1808. *Insectorum Liguriae species novae aut rariores quas in agro Ligustico nuper detexit, descripsit et iconibus illustravit Maximilianus Spinola, adjecto catalogo specierum auctoribus jam enumeratarum, quae in eadem regione passim occurrunt.* Yves Gravier, Genuae. Tom 1us. xvii + 160 pp., 2 pls. (21 Oct. 1806). Tom. II. ii + 262 pp., 5 pls. ; pp. ii-82: 31 December 1807; pp. 83-206: 17 Feb. 1808, pp. 207-262: 17 March 1808). Publication date after Passerin d'Entrèves, 1983.

Tsuneki, K. 1954. The genus *Stigmus* Panzer of Europe and Asia with descriptions of eight new species. *Memoirs of the Faculty of Liberal Arts, Fukui University* (Series II, Natural Science), (3): 1-38.

Tsuneki, K. 1956. Die *Trypoxylonen* der nordostlichen Gebiete Asiens (Hymenoptera, Sphecidae Trypoxyloninae). *Memoirs of the Faculty of Liberal Arts, Fukui University* (Series II, Natural Science), 6: 1-42.

Tsuneki, K. 1961. Some fossorial Hymenoptera collected by the Osaka City University biological expedition to Southeast Asia 1957-1958. *Nature Life SE Asia*, 1: 383-393.

Tsuneki, K. 1962. A guide to the study of Hymenoptera (15) (5). The genus *Ammophila* Kirby (s. latr.) of Japan and Korea. *The Life Study* (Fukui), 6: 24-28.

Tsuneki, K. 1963. Chrysididae and Sphecidae from Thailand. *Etizenia*, 4: 1-50.

Tsuneki, K. 1966a. Contribution to the knowledge of the *Larrinae* fauna of Formosa and Kyukyus. (Hymenoptera, Sphecidae). Etizenia, 17: 1-15.

Tsuneki, K. 1966b. Taxonomic notes on *Trypoxylon* of Formosa and Ryukyus with descriptions of new species and subspecies. *Etizenia*, 13: 1-19.

Tsuneki, K. 1971a. Speciden aus der innern Mongolei und dem nordlichen China (Hymenoptera). *Etizenia*, (58): 1-38.

Tsuneki, K. 1971b. Studies on the Formosan Sphecidae (X). Revision of and supplement to the subfamily Trypoxyloninae. Etizenia, (54): 1-19.

Tsuneki, K. 1971c. Studies on the Formosan Sphecidae. (13). A supplement to the subfamily Pemphredoninae (Hymenoptera) with a key to the Formosan species. *Etizenia*, (57): 1-21, 35figs.

Tsuneki, K. 1972. Ergebnisse der zoologischen forschungen von Dr. Z. Kaszab in der Mongolei, 280. Sphecidae (Hymenoptera). IV-V. *Acta Zoologica Academiae Scientiarum Hungaricae*, 18 (1-2): 147-232, 145figs.

Tsuneki, K. 1974. Sphecidae (Hymenoptera) from Korea. *Annales Historico-Naturales Musei Nationalis Hungarici, Tomus*. 66: 359-387.

Tsuneki, K. 1977a. Descriptions of a new species and a new subspecies of Pemphredoninae found in Japan (Hymenoptera, Sphecidae). *Special Publications of the Japan Hymenopterists Association*, 5: 10-14.

Tsuneki, K. 1977b. Further notes and descriptions on some Formosan Sphecidae (Hymenoptera). *Special Publications of the Japan Hymenopterists Association*, 2: 1-32.

Tsuneki, K. 1977c. H. Sauter's Sphecidae from Formosa in the Hungarian Natural History Museum (Hymenoptera). *Annales Historico-Naturales Musei Nationalis Hungarici*, 69: 261-296.

Tsuneki, K. 1979a. Studies on the genus *Trypoxylon* Latreille of the Oriental and Australian regions (Hymenoptera, Sphecidae). 3 Species from the Indian subcontinent including southeast Asia. *Special Publications of the Japan Hymenopterists Association*, 9: 1-178.

Tsuneki, K. 1979b. Studies on the genus *Trypoxylon* Latreille of the Oriental and Australian regions (Hymenoptera, Sphecidae). 5. Species from Sumatra, Java and the Lesser Sunda Islands. *Special Publications of the Japan Hymenopterists Association*, 11: 1-68.

Tsuneki, K. 1981a. Studies on the genus *Trypoxylon* Latreille of the oriental and Australian regions (Hymenoptera Sphecidae). 9. Species from Australia. *Special Publications of the Japan Hymenopterists Association*, 14: 99-105.

Tsuneki, K. 1981b. Studies on the genus *Trypoxylon* Latreille of the Oriental and Australian regions (Hymenoptera Sphecidae). 10. Revision of the Formosan species. *Special Publications of the Japan Hymenopterists Association*, 15: 1-56.

Tsuneki, K. 1981c. Studies on the genus *Trypoxylon* Latreille of the Oriental and Australian region (Hymenoptera, Sphecidae). 11 Additional specimens from various parts of the regions, with an appendix on some species from other regions. *Special Publications of the Japan Hymenopterists Association*, 16: 1-90.

Tsuneki, K. 1982. Sphecidae from North Korea (Ⅱ) with the list of the species of the family known from the Korean Peninsula (Hymenoptera). *Special Publications of the Japan Hymenopterists Association*, 20: 1-22.

Williams, F. X. 1928. Studies in tropical wasps-their hosts and associates (with descriptions of new species). *-Bulletin of the Hawaiian Sugar Planters Association*, *Entomological Series*, 19: 61-111.

Wu, K. and Li, Q. 2006. A new species of genus *Tachytes* (Hymenoptera: Crabronidae) from China. *Entomotaxonomia*. 28: 145-148. [吴凯, 李强. 2006. 捷小唇泥蜂属一新种记述(膜翅目: 方头泥蜂科: 小唇泥蜂族). 昆虫分类学报. 28(2): 145-148]

Yang, Ch. and Li, Q. 1989. Four new species of the genus *Ammophila* Kirby from Shaanxi Province. *Entomotaxonomia*. 11: 105-110. [杨集昆, 李强. 1989. 陕西沙泥蜂属四新种(膜翅目: 泥蜂科). 昆虫分类学报. 11(1-2): 105-110]

Yasumatsu, K. 1934. Notes on the genus *Passaloecus* Shuckard (Hymenoptera, Pemphredonidae). Mushi, 7: 109-114.

XI. 蜜蜂总科 Apoidea

牛泽清 朱朝东
(中国科学院动物研究所，北京 100101)

鉴别特征：蜜蜂类成虫体小型至大型，体长2～39mm。头式下口式，具嚼吸式口器；大多数种类雌性触角12节，雄性触角13节；前胸不发达，前胸背板短，在背后侧方具前胸叶突，向后延伸但不达翅基片；中胸具2对膜质的翅，前后翅均具有多个闭室，前翅上有1个径褶，亚缘室2～3个(个别类群不具亚缘室)，后翅具扇叶，通常臀叶也存在；腹部第1节与后胸合并，形成并胸腹节；腹部一般可见背板节数为6节(雌)或7节(雄)(隧蜂科雌性腹部外露背板5节)；除少数种类体光滑裸露或具金属光泽外，大多体被羽状绒毛或毛带；采粉器官发达，着生于后足各节或腹部腹板上。蜜蜂类在亲缘关系上与泥蜂类最为接近，二者共同构成蜜蜂总科的观点现已被多数学者所接受。二者的主要区别在于：蜜蜂类体具分叉或羽状的毛，后足基跗节宽于跗节其他各节；泥蜂类体毛简单且不分叉，后足基跗节与跗节其他各节几乎等宽。

分类：全世界包括7科21亚科，已记述的种类达20900余种，中国已发现蜜蜂科、切叶蜂科、分舌蜂科、地蜂科、隧蜂科及准蜂科，共6科14亚科71属，种类估计约2000～3000种，已记述的种类达1370余种。陕西秦岭地区发现蜜蜂科、准蜂科、隧蜂科及切叶蜂科共计4科14属71种(家养的西方蜜蜂和东方蜜蜂除外)。

分科检索表(成虫)

1. 下唇须前2节扁而长，呈刀片状，其余2节小、短，常指向侧端，或第3节亦长而扁，但不指向侧端；阳茎基腹铗缺失或高度简化，不明显♀ …… 2
   下唇须前2节非长刀片状，与第3、4节形态相似，或有时第1节延长，略呈刀片状；阳茎基腹铗发育良好且明显 …… 3
2. 上唇长大于宽，与唇基相连处宽；前翅具2个几乎等长的亚缘室；花粉刷如存在，则位于腹部腹板 …… **切叶蜂科 Megachilidae**
   上唇宽大于长，如长大于宽，则与唇基相连处缩窄；前翅通常具3个亚缘室，或具2个亚缘室，则第1亚缘室长于第2亚缘室，或翅脉弱，具1个亚缘室 …… **蜜蜂科 Apidae**
3. 中唇舌端部圆而钝，呈双叶状或分叉 …… **分舌蜂科 Colletidae**
   中唇舌端部尖 …… 4
4. 下颚内颚叶向上延伸到下唇下颚管前表面，呈指状，端部具毛 …… **隧蜂科 Halictidae**
   下颚内颚叶为1个靠近盔节基部的小片状突起 …… 5
5. 触角窝至额唇基缝间具2条亚触角缝；雌性和部分雄性常具颜窝或雌性和雄性无颜窝 …… **地蜂科 Andrenidae**
   触角窝至额唇基缝间仅具1条亚触角缝；雌性和雄性均无颜窝 …… **准蜂科 Melittidae**

三十六、蜜蜂科 Apidae

鉴别特征：下唇须前 2 节扁而长，呈刀片状；中唇舌细长，一般具唇瓣；上唇宽大于长，如长大于宽，则与唇基相连处缩窄；前翅通常具 3 个亚缘室，或具 2 个亚缘室，则第 1 亚缘室长于第 2 亚缘室，或翅脉弱，具 1 个亚缘室；雌性一般后足胫节及基跗节有毛刷或粉筐，盗寄生者无毛刷；雄性生殖节缺失或高度简化、不明显。

分类：世界已知 3 亚科 169 属 5848 种，中国记录 3 亚科 28 属 421 种，陕西秦岭地区发现 2 亚科 7 属 41 种。

分亚科检索表（成虫）

前翅所有翅脉均强而明显，缘室被强的翅封闭；前足基节明显宽大于长；后足基跗节无端突和毛撮 ………… **木蜂亚科 Xylocopinae**

前翅所有翅脉均强而明显，缘室被强的翅脉封闭，或前翅部分翅脉弱或消失，缘室开放或被弱的翅脉封闭；前足基节稍宽大于长；后足基跗节具端突和毛撮 ………… **蜜蜂亚科 Apinae**

（一）蜜蜂亚科 Apinae

鉴别特征：体密被毛；雌性后足具采粉毛或粉筐；前翅缘室顶端宽圆或尖，非截断状；前翅所有翅脉均强而明显，缘室被强的翅脉封闭，或前翅部分翅脉弱或消失，缘室开放或被弱的翅脉封闭；前足基节稍宽大于长；后足基跗节具端突和毛撮。

分类：全世界共分 19 族 124 属 3612 种，我国发现 7 族 19 属 318 种，陕西秦岭地区分布 3 族 5 属 38 种。

分族检索表（成虫）

1. 雌性花粉刷如存在，则形成后足胫节的花粉筐；复眼具毛或后翅轭叶缺失，复眼裸露 ………… **熊蜂族 Bombini**

   雌性花粉刷不存在，如存在亦不形成后足胫节的花粉筐；复眼无毛且后翅轭叶存在 ………… 2

2. 下唇须前两节扁平，但不延长，亦不呈刀片状；雌性后足内距基部宽大，内缘具长而细密的栉齿；雌性 S_2（或 S_3）至 S_5 具密长而弯的毛伞 ………… **栉距蜂族 Ctenoplectrini**

   下唇须前两节扁平，延长，呈刀片状；雌性后足内距基部不宽大，内缘无长而细密的栉齿；雌性腹板无密长而弯的毛伞 ………… **条蜂族 Anthophorini**

Ⅰ. 条蜂族 Anthophorini

鉴别特征： 体小型至大型，多数为中型。侧唇舌短于下唇须第1节的长度；唇基常隆起，表面向后下方弯；前翅3个亚缘室，第1回脉与第2亚缘室下缘中部或与第2中横脉相交；后翅轭叶长短于扇叶长的1/2；爪具足垫或无足垫；雌性后足由松散的毛组成携粉器官；雄性颜面一般具浅色斑纹；雄性触角正常，鞭节第1分节短于触角柄节。

分布： 全世界共7属，中国分布有5属，秦岭地区发现3属。

分属检索表（成虫）

1. 前翅第1回脉与第2亚缘室下缘中部相交；第3亚缘室上缘与下缘几乎等长；雄性生殖刺突非浆状或叶状 ……………………………………………………………………………………… 2
   前翅第1回脉与第2中横脉正交；第3亚缘室上缘短于下缘；雄性生殖刺突2个，浆状或叶状 ……………………………………………………………………………… **回条蜂属 *Habropoda***
2. 足具爪垫；雌性体毛一般浅色；腹部如具毛带，毛带则不具金属光泽；雄性颜面具浅色斑纹，雌性颜面一般黑色；雄性生殖刺突窄长或退化 ……………………………… **条蜂属 *Anthophora***
   足不具爪垫；雌性腹部毛带一般具金属光泽；雌性、雄性颜面均具浅色斑纹；雄性生殖刺突一般退化为疤状或无 ……………………………………………………………… **无垫蜂属 *Amegilla***

81. 无垫蜂属 *Amegilla* Friese, 1897

Podalirius (*Amegilla*) Friese, 1897: 18, 24. **Type species**: *Apis quadrifasciata* Villers, 1789.

Amegilla (*Aframegilla*) Popov, 1950: 260. **Type species**: *Anthophora nubica* Lepeletier, 1841.

Amegilla (*Zonamegilla*) Popov, 1950: 260. **Type species**: *Apis zonata* Linnaeus, 1758.

Amegilla (*Zebramegilla*) Brooks, 1988: 502. **Type species**: *Anthophora albigena* Lepeletier, 1841.

Amegilla (*Dizonamegilla*) Brooks, 1988: 505. **Type species**: *Megilla sesquicincta* Erichson *et* Klug, 1842.

Amegilla (*Megamegilla*) Brooks, 1988: 505. **Type species**: *Apis acraensis* Fabricius, 1793.

Amegilla (*Ackmonopsis*) Brooks, 1988: 508. **Type species**: *Anthophora mimadvena* Cockerell, 1916.

Amegilla (*Micramegilla*) Brooks, 1988: 508. **Type species**: *Anthophora niveata* Friese, 1905.

Amegilla (*Notomegilla*) Brooks, 1988: 511. **Type species**: *Anthophora aeruginosa* Smith, 1854.

Amegilla (*Glossamegilla*) Brooks, 1988: 512. **Type species**: *Anthophora mesopyrrha* Cockerell, 1930.

属征：体小型至中型。足不具爪垫；雌性腹部毛带一般具金属光泽；雌性、雄性颜面均具浅色斑纹，很少全部黑色；雄性无臀板，雌性臀板无中纵脊；雄性生殖刺突一般退化为疤状或无。

分布：古北区，东洋区，非洲区。世界已知247种，中国记录28种，秦岭地区分布2亚属2种。

81-1. 无垫蜂亚属 *Amegilla* Friese, 1897

Podalirius (*Amegilla*) Friese, 1897: 18, 24. **Type species**: *Apis quadrifasciata* Villers, 1789.

Alfkenella Börner, 1919: 168. **Type species**: *Apis quadrifasciata* Villers, 1789.

Asaropoda Cockerell, 1926a: 216. **Type species**: *Saropoda bombiformis* Smith, 1854.

(918) 杂无垫蜂 *Amegilla* (*Amegilla*) *confusa* (Smith, 1854)

Anthophora confusa Smith, 1854: 337.

Amegilla (*Amegilla*) *confusa*: Wu, 2005: 887.

鉴别特征：雌虫体长13～15mm。头及胸部密被灰白色毛，并杂有黑色毛；无眼侧斑；触角第1鞭节长于鞭节2～4之和；唇基黑斑几乎达唇基端缘或与上唇的较大黑斑靠近；后足胫节及基跗节基半部均被浅黄色长毛；腹部第1～4节背板端缘白毛带较窄。雄虫体长11～12mm；胸部被灰白色毛；后足基跗节被白毛；唇基两侧具条状黑斑。

采集记录：1♀，宁陕火地塘，1580m，1998.Ⅷ.22。

分布：陕西(宁陕)、北京、河北、山西、山东、安徽、浙江、四川、云南、西藏；朝鲜，越南，缅甸，印度，尼泊尔，伊朗，斯里兰卡。

81-2. 舌无垫蜂亚属 *Glossamegilla* Brooks, 1988

Amegilla (*Glossamegilla*) Brooks, 1988: 512. **Type species**: *Anthophora mesopyrrha* Cockerell, 1930.

(919) 花无垫蜂 *Amegilla* (*Glossamegilla*) *florea* (Smith, 1879)

Anthophora florea Smith, 1879: 123.

Anthophora tsushimensis Cockerell, 1926b: 83.

鉴别特征：雌虫体长15～17mm。触角第1鞭节稍短于鞭节2～4之和；腹部第1节、第2～3节背板后缘具浅黄色毛带，第4节背板前半部及第5节背板具黑色毛。雄虫体长13～14mm；眼侧区及触角柄节前侧有黄斑；腹部第7背板两侧具齿状突起；腹部第1～5节背板后缘有浅黄色至白色毛带；第5腹板端缘中央浅凹。

采集记录：1♀，宁陕火地塘，1580m，1998. Ⅷ. 22。

分布：陕西(宁陕)、河北、山东、江苏、安徽、浙江、江西、福建、台湾、广东；俄罗斯，日本，尼泊尔。

82. 条蜂属 *Anthophora* Latreille, 1803

Anthophora Latreille, 1803: 167 (new name for *Podalirius* Latreille, 1802). **Type species**: *Apis pilipes* Fabricius, 1775 = *Apis plumipes* Pallas, 1772.

Heliophila Klug, 1807, in Illiger, 1807: 197. **Type species**: *Apis bimaculata* Panzer, 1798.

Clisodon Patton, 1879: 479. **Type species**: *Anthophora terminalis* Cresson, 1869.

Podalirius (*Paramegilla*) Friese, 1897: 18, 24. **Type species**: *Apis ireos* Pallas, 1773.

Anthophoroides Cockerell *et* Cockerell, 1901: 48. **Type species**: *Podalirius vallorum* Cockerell, 1896.

Anthomegilla Marikovskaya, 1976: 688. **Type species**: *Anthophora arctica* Morawitz, 1883.

Anthophora (*Caranthophora*) Brooks, 1988: 470. **Type species**: *Anthophora dufourii* Lepeletier, 1841.

Anthophora (*Dasymegilla*) Brooks, 1988: 486. **Type species**: *Apis quadrimaculata* Panzer, 1798.

Anthophora (*Lophanthophora*) Brooks, 1988: 464. **Type species**: *Anthophora porterae* Cockerell, 1900.

Anthophora (*Mystacanthophora*) Brooks, 1988: 466. **Type species**: *Anthophora montana* Cresson, 1869.

Anthophora (*Petalosternon*) Brooks, 1988: 484. **Type species**: *Anthophora rivolleti* Pérez, 1895.

Anthophora (*Pyganthophora*) Brooks, 1988: 460. **Type species**: *Apis retusa* Linnaeus, 1758.

Anthophora (*Rhinomegilla*) Brooks, 1988: 482. **Type species**: *Anthophora megarrhina* Cockerell, 1910.

属征：体小至中型。爪具足垫；前翅第 1 回脉与第 2 亚缘室中部相交；第 3 亚缘室上缘与下缘几乎等长；雌性体毛一般浅色，腹部如具毛带，则毛带不具金属光泽；雄性颜面常具浅色斑纹，雌性颜面一般黑色；雄性生殖刺突窄长或退化，绝非扁平或叶状。

分布：古北区，新北区。世界已知410 种，中国记录83 种，秦岭地区分布2 亚属 2 种。

(920) 华山条蜂 *Anthophora* (*Mystacanthophora*) *huashanensis* Wu, 2000

Anthophora (*Mystacanthophora*) *huashanense* [sic!] Wu, 2000: 216.

鉴别特征：雄虫体长 11 ~ 12mm。唇基(除前幕骨陷至基部小黑斑)、上唇(除基部两侧黑褐色斑)、上颚基部的圆斑、眼侧(触角窝以下)、额唇基横斑、触角柄节前表面均为黄色；触角各鞭接黑褐色；胸部被褐色长毛；腹部第 2 ~ 6 节被稀的白毛，端缘毛较密；第 7 背板端缘凹。雌虫未知。

采集记录： 1♂，蓝田终南山，1956. Ⅵ.06；2♂，华阴华山，1200 ~ 1300m，1963. Ⅵ. 04。

分布： 陕西（长安、蓝田、华阴）。

（921）黄胸条蜂 *Anthophora*（*Paramegilla*）*dubia* Eversmann, 1852

Anthophora dubia Eversmann, 1852: 114.

Anthophora saussurei Fedtschenko, 1875: 30.

Anthophora semperi Fedtschenko, 1875: 41.

Anthophora albomaculata Radoszkowski, 1874: 190.

Anthophora carbonaria Morawitz, 1875: 154.

Anthophora faddei Radoszkowski, 1882: 75.

Anthophora semperi var. *cerberus* Friese, 1919: 280.

鉴别特征： 雄虫体长 11 ~ 12mm。上颚基部、上唇（除圆斑暗色）、唇基（除 1 个小黑斑）、额唇基横斑、眼侧（触角窝以下）、触角柄节前表面均为白色；胸部密被黄褐色毛；腹部第 1 节被黄褐色长毛，第 2 ~ 4 节被板端缘密被黄色毛带；第 7 背板两侧各具 1 枚齿，其间凸起。雌虫体长 14 ~ 15mm；胸部密被黄毛；腹部黑毛，第 1 ~ 5 节背板端缘均具黄毛带；足被黄毛，后足胫节及基跗节内表面具锈色毛。

采集记录： 1♂，秦岭，1985. Ⅶ.01。

分布 ：陕西（秦岭）、黑龙江、内蒙古、甘肃、青海；蒙古，吉尔吉斯斯坦，土库曼斯坦，哈萨克斯坦，阿塞拜疆，土耳其，希腊。

83. 回条蜂属 *Habropoda* Smith, 1854

Habrophora Smith, 1854: 318 (nec Erichson, 1846). **Type species**: *Habrophora ezonata* Smith, 1854 = *Tetralonia tarsata* Spinola, 1838.

Habropoda Smith, 1854: 320 (new name for *Habrophora* Smith, 1854).

Emphoropsis Ashmead, 1899: 60. **Type species**: *Anthophora floridana* Smith, 1854 = *Bombus laboriosus* Fabricius, 1804.

Meliturgopsis Ashmead, 1899: 62. **Type species**: *Emphoropsis murihirta murina* Cockerell, 1909.

Psithyrus (*Laboriopsithyrus*) Frison, 1927: 69. **Type species**: *Bombus laboriosus* Fabricius, 1804.

属征： 体中型。爪具足垫；前翅第 1 回脉与第 2 中横脉正交；第 3 亚缘室上缘短于下缘；前翅第 2 及第 3 中横脉弯曲，但绝不平行；缘室短，其长度为缘室顶角至翅顶角的 2 倍以内；唇基短，明显短于唇基基部至颅顶边缘的距离；雄性生殖刺突二叶，一般内叶宽大，外叶细长呈浆状或棒状。

分布：全北区，东洋区。世界已知55种，中国记录18种，秦岭地区分布2亚属2种。

（922）中华回条蜂 *Habropoda sinensis* Alfken，1937

Habropoda sinensis Alfken，1937：404.

Habropoda sinensis taiwana Dubitzky，2007：54.

鉴别特征：雌虫体长13～15mm。中胸背板被黄色及深褐色混杂的毛；上颚基部、唇基前缘及中央、额唇基1个小斑均为黄色。雄虫体长11～13mm；唇基（除靠眼侧区的褐色小斑外）黄色；额唇基区有三角形黄斑；腹部第8腹板前端深凹；生殖刺突棒状，端半部膨大。

采集记录：1♀，宁陕十八丈，1180m，1988.Ⅷ.17；1♀，宁陕火地塘，1580m，1988.Ⅶ.27。

分布：陕西（宁陕）、北京、安徽、浙江、湖北、江西、湖南、福建、广西、四川、贵州、云南。

（923）花回条蜂 *Habropoda mimetica* Cockerell，1927

Habropoda mimetica Cockerell，1927：15.

鉴别特征：雌虫体长14～16mm。胸部毛黄褐色，翅基片间有黑毛带；腹部第2节背板被黑毛，3～6节被橘黄色或黄色毛；唇基黑色，端缘有半圆形深凹；额唇基区有1个小三角形黄斑。雄虫体长13～15mm；唇基及额唇基区三角形黄色；后足跗节细长；中胸翅基片间的黑毛带较窄；腹部第2节背板被黑毛，但杂有一些黄毛；腹部第8腹板前端平；生殖刺突细棒状，端半部不膨大。

采集记录：1♂，宁陕十八丈，1180m，1988.Ⅷ.17。

分布：陕西（宁陕）、江西、福建、广西、四川、贵州、云南。

Ⅱ. 熊蜂族 Bombini

鉴别特征：体中型至大型。喙向后弯不达后躯基部；爪具足垫，但足垫较小；后翅无轭叶；非盗寄生的种类雌性后足胫节具粉筐；雄性胫节后表面无窝。

生物学：除盗寄生的种类外，其他熊蜂均营初级真社会性的生活方式。

分布: 熊蜂族只包含单一的熊蜂属。全世界已知263种,中国记录117种,秦岭地区分布1属31种。

84. 熊蜂属 *Bombus* Latreille, 1802

Bombus Latreille, 1802a: 437. **Type species**: *Apis terrestris* Linnaeus, 1758.

Psithyrus Lepeletier, 1833: 373. **Type species**: *Apis rupestris* Fabricius, 1793.

Bombus (*Kallobombus*) Dalla Torre, 1880: 40. **Type species**: *Apis soroeensis* Fabricius, 1776.

Bombus (*Megabombus*) Dalla Torre, 1880: 40. **Type species**: *Bombus ligusticus* Spinola, 1805 = *Apis argillacea* Scopoli, 1763.

Bombus (*Melanobombus*) Dalla Torre, 1880: 40. **Type species**: *Apis lapidaria* Linnaeus, 1758.

Bombus (*Pyrobombus*) Dalla Torre, 1880: 40. **Type species**: *Apis hypnorum* Linnaeus, 1758.

Bombus (*Rhodobombus*) Dalla Torre, 1880: 40. **Type species**: *Bremus pomorum* Panzer, 1804.

Bombus (*Thoracobombus*) Dalla Torre, 1880: 40. **Type species**: *Apis sylvarum* Linnaeus, 1761.

Bombias Robertson, 1903: 176. **Type species**: *Bombias auricomus* Robertson, 1903.

Bombus (*Cullumanobombus*) Vogt, 1911: 57. **Type species**: *Apis cullumana* Kirby, 1802.

Bombus (*Sibiricobombus*) Vogt, 1911: 60. **Type species**: *Apis sibirica* Fabricius, 1781.

Bombus (*Subterraneobombus*) Vogt, 1911: 62. **Type species**: *Apis subterranea* Linnaeus, 1758.

Alpigenobombus Skorikov, 1914: 128. **Type species**: *Alpigenobombus pulcherrimus* Skorikov, 1914 = *Bombus kashmirensis* Friese, 1909.

Bombus (*Alpinobombus*) Skorikov, 1914: 122. **Type species**: *Apis alpinus* Linnaeus, 1758.

Bombus (*Confusibombus*) Ball, 1914: 78. **Type species**: *Bombus confusus* Schenck, 1859.

Bombus (*Mendacibombus*) Skorikov, 1914: 125. **Type species**: *Bombus mendax* Gerstcker, 1869.

Bombus (*Diversobombus*) Skorikov, 1915: 406. **Type species**: *Bombus diversus* Smith, 1869.

Agrobombus (*Laesobombus*) Krüger, 1920: 350. **Type species**: *Bombus laesus* Morawitz, 1875.

Mucidobombus Krgüer, 1920: 350. **Type species**: *Bombus mucidus* Gerstaecher, 1869.

Alpigenobombus (*Coccineobombus*) Skorikov, 1922: 157. **Type species**: *Bombus coccineus* Friese, 1903.

Mucidobombus (*Exilobombus*) Skorikov, 1922: 150. **Type species**: *Mucidobombus exil* [*misprinted exiln*] Skorikov, 1922.

Fervidobombus Skorikov, 1922: 123, 153. **Type species**: *Apis fervida* Fabricius, 1798.

Agrobombus (*Tricornibombus*) Skorikov, 1922: 151. **Type species**: *Bombus tricornis* Radoszkowski, 1888.

Fervidobombus (*Rubicundobombus*) Skorikov, 1922: 154. **Type species**: *Bombus rubicundus* Smith, 1854.

Alpigenobombus (*Fraternobombus*) Skorikov, 1922: 156. **Type species**: *Apathus fraternus* Smith, 1854.

Alpigenobombus (*Funebribombus*) Skorikov, 1922: 157. **Type species**: *Bombus funebris* Smith, 1854.

Alpigenobombus (*Robustobombus*) Skorikov, 1922: 157. **Type species**: *Bombus robustus* Smith,

1854.

Rufipedibombus Skorikov, 1922: 156. **Type species**: *Bombus rufipes* Lepeletier, 1836.

Bremus (*Separatobombus*) Frison, 1927: 64. **Type species**: *Bombus separatus* Cresson, 1863 = *Apis griseocollis* de Geer, 1773.

Bombus (*Orientalibombus*) Richards, 1929b: 378. **Type species**: *Bombus orientalis* Smith, 1854 = *B. haemorrhoidalis* Smith, 1852.

Bremus (*Senexibombus*) Frison, 1930: 3. **Type species**: *Bombus senex* Vollenhoven, 1873.

Bremus (*Pressibombus*) Frison, 1935: 342. **Type species**: *Bremus pressus* Frison, 1935.

Bombus (*Crotchiibombus*) Franklin, 1954: 51. **Type species**: *Bombus crotchii* Cresson, 1878.

Pyrobombus (*Festivobombus*) Tkalc, 1972: 27. **Type species**: *Bombus festivus* Smith, 1861.

Bombus (*Brachycephalibombus*) Williams, 1985: 247. **Type species**: *Bombus brachycephalus* Handlirsch, 1888.

Bombus (*Dasybombus*) Labougle *et* Ayala, 1985: 49. **Type species**: *Bombus macgregori* Labougle *et* Ayala, 1985.

属征：体中至大型。体毛发达；喙向后弯不达后躯基部；后足胫距存在；爪具足垫，但足垫较小；翅脉发育完整；前翅具 3 个亚缘室；后翅无轭叶；翅痔小；前翅缘室长大于缘室顶端至翅缘的距离；非盗寄生的种类雌性后足胫节具粉筐；雄性胫节后表面无窝。

分布：多分布于全北区，尤其广布于欧亚大陆。世界已知 263 种，中国记录 117 种，秦岭地区分布 7 亚属 31 种。

分亚属检索表

1. 触角鞭节 10 节，雌性 ………………………………………………………… 2
   触角鞭节 11 节，雄性 ………………………………………………………… 8
2. 后足胫节外表面强凸，均一地被中等至长的粗壮的毛，缘毛分化弱，不形成花粉筐，后足胫节端部内缘无粗壮刺梳；第 6 腹板具腹侧脊 ……………………… **拟熊蜂亚属 *Psithyrus***
   后足胫节外表面宽且几乎平，多数外表面端半部无中等至长的毛，边缘具粗壮的毛，形成花粉筐，后足胫节端部内缘具粗壮刺梳；第 6 腹板无腹侧脊 ……………………… 3
3. 上颚端部非宽圆，具 6 个平等间距分布的三角状大齿；后足基跗节靠近外表面前缘处具长而直立的毛，毛与后足基跗节最窄处的宽度一样长或长于后足基跗节最窄处的宽度……………
   …………………………………………………………… **高山熊蜂亚属 *Alpigenobombus***
   上颚端部宽圆，具 2 个前端齿，通常亦具 1 个后端齿；后足基跗节靠近外表面前缘处具长而直立的毛，毛与后足基跗节最窄处的宽度一样长或短于后足基跗节最窄处的宽度 ……………… 4
4. 中足基跗节后端角延长成 45°或小于 45°的尖角，常呈窄齿或刺 ……………………… 5
   中足基跗节后端角宽或窄圆，成大于 45°的角，非窄齿或刺……………………………… 6
5. 后躯第 2 腹板在前后缘间略为膨胀，呈 1 条弱圆的横向脊；后足胫节花粉筐表面中等程度凸起，前缘常肿胀，后缘端半部无凹；唇基端部均一凸起，背正中部无纵向的沟 ………………

………………………………………………………………………… **胸熊蜂亚属 *Thoracobombus***

后躯第 2 腹板在前后缘间平，无横向脊；后足胫节花粉筐表面平或前缘非常弱凸起，后缘端半部具凹；唇基背部 1/3 正中具纵向的深沟 ………………………… **大熊蜂亚属 *Megabombus***

6. 上颚近端后角处具 1 个切口，切口深宽相等，从而上颚端后角处分出 1 枚强的后齿；后足基跗节后缘宽且强弯……………………………………………………… **熊蜂亚属 *Bombus* s. str.**

上颚近端后角处具 1 个切口，切口深常小于宽的 1/2，从而上颚端后角处常无或分出 1 枚弱的后齿；后足基跗节后缘弱弯或端半部近乎平直 ……………………………………………… 7

7. 唇基中央广布大小刻点，刻点无规则且暗；后足基跗节端半部具短的略为羽状的毛，毛散，毛间闪光的表面清晰可见 ……………………………………………… **燃红熊蜂亚属 *Pyrobombus***

唇基中央广布小刻点，刻点光滑闪光；后足基跗节端半部具短的略为羽状的毛，毛密，毛间闪光的表面模糊不可见 ……………………………………………… **方颊熊蜂亚属 *Melanobombus***

8. 生殖刺突内侧近端突具许多中等长度的分叉的毛；生殖刺突骨化弱，颜色淡黄色；阳茎瓣头几乎常平直 ……………………………………………………………… **拟熊蜂亚属 *Psithyrus***

生殖刺突内侧近端突无中等长度的分叉的毛；生殖刺突骨化强，颜色暗棕；阳茎瓣头平直或向内、向外弯 ………………………………………………………………………………… 9

9. 阳茎瓣背腹向变宽，一半呈宽管状，末端向外张呈宽的半漏斗状；触角中等长度，不超过翅基片后缘……………………………………………………………… **熊蜂亚属 *Bombus* s. str.**

阳茎瓣背腹向变窄，至少端部 1/3 向腹侧略弯；触角长，超过翅基片后缘 ………………… 10

10. 阳茎瓣头背面观时端部几乎平直或略转向外侧，至少具 1 个小的向内弯的窄尖 ………… 11

阳茎瓣背面观时端部向内弯呈宽钩状，或背腹向平呈镰刀状或向内弯的匙状 …………… 12

11. 生殖刺突内侧近端突骨化弱；后足胫节外表面内侧后边缘凸 … **胸熊蜂亚属 *Thoracobombus***

生殖刺突内侧近端突骨化强；后足胫节外表面内侧后边缘凹 …… **大熊蜂亚属 *Megabombus***

12. 生殖刺突常为简单的三角形，常无内侧近端突，内侧端缘略增厚，交叉部具近端纵沟 ……
………………………………………………………………… **燃红熊蜂亚属 *Pyrobombus***

生殖刺突形状多样，具内侧近端突，内侧端平，叶片状，交叉部无近端纵沟 ……………… 13

13. 阳茎瓣轴腹侧角明显呈角状；上颚端部具 2 个前端齿 ………… **高山熊蜂亚属 *Alpigenobombus***

阳茎瓣轴腹侧角退化，非角状；上颚端部具 1 个前端齿 ……… **方颊熊蜂亚属 *Melanobombus***

84-1. 高山熊蜂亚属 *Alpigenobombus* Skorikov, 1914

Alpigenobombus Skorikov, 1914: 128. **Type species**: *Alpigenobombus pulcherrimus* Skorikov, 1914 = *Bombus kashmirensis* Friese, 1909.

Bombus (*Mastrucatobombus*) Krüger, 1917: 66. **Type species**: *Bombus mastrucatus* Gerstcker, 1869 = *Bombus wurflenii* Radoszkowski, 1859.

Nobilibombus Skorikov, 1933: 62. Invalid because no type species was designated.

Alpigenibombus Skorikov, 1938a: 145, unjustified emendation of *Alpigenobombus* Skorikov, 1914.

Nobilibombus Richards, 1968: 216, 222. **Type species**: *Bombus nobilis* Friese, 1904.

(924) 灰熊蜂 *Bombus* (*Alpigenobombus*) *grahami* (Frison, 1933)

Bremus grahami Frison, 1933: 334.

鉴别特征：蜂王体长22mm，工蜂体长12～14mm。雌虫中足基跗节后端角尖；后足基跗节后缘直，前缘外表面直立的毛与后足基跗节最宽处等长；上颚端部具6枚齿；头及胸部背面密被灰色毛，夹杂黑色毛；后躯第1背板及第2背板的前1/4～3/4毛暗灰色至白色，2背板的后部和第3背板毛黑色，第4～5背板毛橘红色。雄虫体长13mm；头、胸部及后躯第1～2背板毛灰黄色，夹有一些黑色毛，第3背板毛黑色，第4～7背板毛橘红色；雄性生殖器阳茎瓣端部具镰刀状内弯的头，弯头部与近端部的宽度等长，生殖刺突三角状，内侧近边缘处无纵沟。

分布：陕西（周至、太白、柞水）、甘肃、湖北、湖南、海南、四川、云南、西藏；印度。

（925）克什米尔熊蜂 *Bombus*（*Alpigenobombus*）*kashmirensis* Friese，1909

Bombus mastrucatus kashmirensis Friese，1909b：673.

Bombus mastrucatus stramineus Friese，1909b：673.

Bombus tetrachromus Cockerell，1909：397.

Alpigenobombus pulcherrimus Sikov，1914：128.

Bombus（*Mastrocatobombus*）*mastrucatus meinertzhageni* Richards，1928：335.

Alpigenobombus beresovskii Skorikov，1933b：248.

Bombus（*Alpigenobombus*）*kashmirensis*：Yao & Wang，2005：893.

鉴别特征：蜂王体长17mm，工蜂体长10～15mm。雌虫中足基跗节后端角尖；后足基跗节后缘直，前缘外表面直立的毛与后足基跗节最宽处等长；上颚端部具6枚齿；头部毛黑色，胸部背面前、后具灰白色毛带；后躯第1背板毛灰白色，第2背板毛灰色或黄色，第3背板前端毛黑色，后端毛橘红色，第4～5背板毛橘红色。雄虫体长15～16mm；体毛颜色似雌虫；雄性生殖器阳茎瓣端部具镰刀状内弯的头，弯头部长于近端部的宽度，生殖刺突圆，内侧近边缘处无纵沟。

采集记录：1♀，宁陕火地塘，1580m，1998.Ⅶ.27。

分布：陕西（宁陕）、甘肃、青海、广西、四川、云南、西藏；巴基斯坦，尼泊尔，印度，克什米尔地区。

（926）颂杰熊蜂 *Bombus*（*Alpigenobombus*）*nobilis* Friese，1905

Bombus nobilis Friese，1905a：513.

Bombus sikkimi Friese，1918：82.

Nobilibombus morawitziides Skorikov，1933a：62.

Bombus xizangensis Wang，1979：188.

Bombus chayaensis Wang，1979：189.

Bombus（*Alpigenobombus*）*nobilis*：Yao & Wang，2005：893.

鉴别特征：蜂王体长 22mm，工蜂体长 11～18mm。雌虫中足基跗节后端角尖；后足基跗节后缘直，前缘外表面直立的毛与后足基跗节最宽处等长；上颚端部具6枚齿；头部毛黑色，胸部毛黑色或黄色，或前、后具灰白色毛带，第2背板前半部毛黄色，其中部常被黑色毛中断，后半部毛黑色或红色，第3～5背板毛红色。雄虫体长16～17mm；体毛颜色似雌虫，但头部具黄毛；雄性生殖器阳茎瓣端部具镰刀状内弯的头，弯头部与近端部的宽度等长，生殖刺突圆，内侧近边缘处无纵沟。

采集记录：2♀，留坝韦驮沟，1600m，1998.Ⅶ.21。

分布：陕西（留坝）、甘肃、青海、四川、云南、西藏；缅甸，印度，尼泊尔，美国。

84-2. 熊蜂亚属 *Bombus* Laterille, 1802

Bremus Jurine, 1801: 164. **Type species**: *Apis terrestris* Linnaeus, 1758.

Bombus Latreille, 1802a: 437. **Type species**: *Apis terrestris* Linnaeus, 1758.

Bombus (*Leucobombus*) Dalla Torre, 1880: 40. **Type species**: *Apis terrestris* Linnaeus, 1758.

Bombus (*Terrestribombus*) Vogt, 1911: 55. **Type species**: *Apis terrestris* Linnaeus, 1758.

（927）小峰熊蜂 *Bombus* (*Bombus*) *hypocrita* Pérez, 1905

Bombus ignitus var. *hypocrita* Pérez, 1905: 30.

Bombus hypocrita sapporoensis Cockerell, 1911a: 641.

Bombus (s. str.) *hypocrita*: Yao & Wang, 2005: 894.

鉴别特征：蜂王体长 18～22mm，工蜂体长 12～17mm。雌虫中足基跗节后端角尖；后足基跗节后缘直，前缘外表面直立的毛与后足基跗节最宽处等长；上颚端部具6枚齿；体毛颜色似短舌熊蜂（*B. terrestris*），但后躯第4～6节毛淡红黄色而非白色。雄虫体长 17～19mm；体毛颜色似雌虫。

采集记录：秦岭（Yao *et* Wang, 2005）。

分布：陕西（秦岭）、黑龙江、吉林、辽宁、北京、河北、山西、甘肃、青海、新疆、四川、云南、西藏；俄罗斯，朝鲜，韩国，日本，缅甸，印度，尼泊尔，美国。

（928）红光熊蜂 *Bombus* (*Bombus*) *ignitus* Smith, 1869

Bombus ignitus Smith, 1869: 207.

鉴别特征：蜂王体长 19mm，工蜂体长 15～17mm。雌虫中足基跗节后端角圆直角状；后足基跗节后缘强弓；胸部毛黑色，后躯第1～3背板毛黑色，第4～5背板毛橘红色。雄虫体长 17mm；胸部前、后具金黄色毛带，后躯第1～2节背板毛金黄色，第3背板毛黑色，第4～5背板毛橘红色；雄性生殖器阳茎瓣变宽，向外倾而呈半漏斗状，背末端伸展超过腹突且呈细指状，长大于宽。

采集记录： 1♀，留坝大红渠，2500m，1998.Ⅶ.20；6♀2♂，留坝庙台子，1350m，1998.Ⅶ.21；1♂1♀，留坝韦驮沟，1600m，1998.Ⅶ.21；1♀，留坝红崖沟，1500～1600m，1998.Ⅶ.22；1♀，佛坪窑沟，870～1000m，1998.Ⅶ.25；1♀，宁陕旬阳坝，1350m，1998.Ⅶ.29。

分布： 陕西（留坝、佛坪、宁陕）、黑龙江、吉林、辽宁、北京、天津、河北、山西、山东、河南、甘肃、江苏、安徽、浙江、江西、广东、四川、贵州、云南；俄罗斯，朝鲜，韩国，日本，德国。

（929）长翼熊蜂 *Bombus*（*Bombus*）*longipennis* Friese，1918

Bombus pratorum var. *longipennis* Friese，1918：83.

Bombus（*Bombus*）*terrestris minshanicola* Bischoff，1936：2.

Bombus reinigi Tkalc，1974a：322.

鉴别特征： 雌虫中足基跗节后端角圆直角状；雌虫胸部背面前缘具亮柠檬黄色毛带，胸部侧面下半部毛黑色或夹有许多黑毛，后躯第4～5节背板毛白色，头顶、胸部被面后缘及后躯第1背板侧缘具丰富的长羽状毛；雄性胸部背面毛通常黑色。

分布： 陕西（秦岭）、宁夏、甘肃、青海、四川、云南、西藏；尼泊尔。

（930）明亮熊蜂 *Bombus*（*Bombus*）*lucorum*（Linnaeus，1761）

Apis lucorum Linnaeus，1761：425.

Bombus viduus Erichson，1851：65.

Bombus terrestris var. *schmiedenkechti* Verhoeff，1892：205.

Bombus monozonus Friese，1909b：674.

Bombus terrestris var. *lycocryptarum* Ball，1914：82.

Bombus（*Terrestribombus*）*lucorum* var. *alaiensis* Reinig，1930：107.

Bombus magnus mongolicus Krüger，1954：276.

Bombus（s. str.）*lucorum*：Yao & Wang，2005：895.

鉴别特征： 蜂王体长18mm，工蜂体长13～15mm。雌虫中足基跗节后端角圆直角状；后足基跗节后缘强弓；头部毛黑色，但蜂王上唇周缘具长毛，胸部前端具黄色毛带，后躯第1毛黑色，第2背板前半部或前2/3毛柠檬黄色，余毛黑色，第3背板毛黑色，第4背板前缘毛黑色，后缘毛白色，第5背板毛白色。雄虫体长12～15mm，胸部前缘具柠檬黄色毛带，后缘具暗灰黄色毛，后躯第1背板常具黑毛，第2背板前缘毛柠檬黄色，后缘毛黑色，第3背板毛黑色，第4背板前缘毛黑色，后缘毛白色，第5～7背板毛大多白色；雄性生殖器阳茎瓣变宽，向外倾而呈半漏斗状，背末端伸展超过腹突且呈短突状，长宽相等。

采集记录：2♂1♀，留坝大红渠，2500m，1998. Ⅶ. 20；1♂，留坝庙台子，1350m，1998. Ⅶ. 21；1♂，留坝庙台子，1350m，1998. Ⅶ. 21；1♂3♀，留坝红崖沟，1500～1600m，1998. Ⅶ. 22；9♀，佛坪凉风垭，1900～2100m，1998. Ⅶ. 04；2♂3♀，宁陕火地塘，1580m，1998. Ⅷ. 18-23。

分布：陕西（留坝、佛坪、宁陕）、辽宁、内蒙古、北京、河北、山西、甘肃、新疆、四川、云南、西藏；蒙古，俄罗斯，日本，尼泊尔，巴基斯坦，阿富汗，克什米尔地区，土耳其，德国，意大利，阿尔巴尼亚。

（931）密林熊蜂 *Bombus*（*Bombus*）*patagiatus* Nylander, 1848

Bombus patagiatus Nylander, 1848: 234.

Bombus ganjsuensis Skorikov, 1913: 172.

Bombus patagiatus brevipilosus Bischoff, 1936: 4.

Bombus（*Bombus*）*patagiatus minshanensis* Bischoff, 1936: 3.

鉴别特征：蜂王体长 18mm，工蜂体长 10～15mm。雌虫中足基跗节后端角圆直角状；后足基跗节后缘强弓；胸部前、后缘具灰白色毛带，后躯第 1 毛白色，第 2 背板毛黄色，第 3 背板毛黑色，第 4～5 背板毛大多白色。雄虫体长 14～15mm，胸部前缘、后缘具柠檬黄色毛带，后躯第 1～2 背板毛柠檬黄色，第 3 背板毛黑色或具黄白色缘毛，第 4 背板前缘毛黑色，后缘毛白色，第 5～7 背板毛白色；雄性生殖器阳茎瓣变宽，向外倾而呈半漏斗状，背末端伸展超过腹突且呈短突状，长宽相等。

采集记录：1♀，秦岭，1550m，1979. Ⅶ. 26。

分布：陕西（秦岭）、黑龙江、吉林、辽宁、内蒙古、北京、河北、山西、宁夏、甘肃、青海、新疆、浙江、湖北、湖南、福建、广西、四川、贵州、西藏；蒙古，俄罗斯，韩国，德国。

84-3. 大熊蜂亚属 *Megabombus* Dalla Torre, 1880

Bombus（*Megabombus*）Dalla Torre, 1880: 40. **Type species**: *Bombus ligusticus* Spinola, 1805 = *Apis argillacea* Scopoli, 1763.

Bombus（*Megalobombus*）Schulz, 1906: 267, unjustified emendation of *Megabombus* Dalla Torre, 1880.

Bombus（*Hortobombus*）Vogt, 1911: 56. **Type species**: *Apis hortorum* Linnaeus, 1761.

Bombus（*Odontobombus*）Krüger, 1917: 61. **Type species**: *Apis argillacea* Scopoli, 1763.

Hortibombus Skorikov, 1938a: 146, unjustified emendation of *Hortobombus* Vogt, 1911.

(932)朝鲜熊蜂 *Bombus*(*Megabombus*)*koreanus*(Skorikov, 1933)

Hortobombus koreanus Skorikov, 1933: 59, ♀, worker.

Hortobombus pekingensis Bischoff, 1936: 21.

Bombus(*Megabombus*)*koreanus*: An, *et al*., 2014: 33.

鉴别特征: 蜂王体长 20~23mm, 工蜂体长 10~18mm。雌性中足基跗节后端角呈长而尖的刺; 触角第 2 鞭节长宽相等或长大于宽; 胸部背面毛橘棕色, 翅基片间无明显的黑毛带, 胸侧毛黑色; 后躯第 4~5 节背板毛橘色或黄色。雄虫体长 17~20mm; 雄性胸部背面毛黄棕色或橘棕色, 胸侧上半部暗黄棕色或橘棕色; 触角第 2 鞭节长大于宽。

采集记录: 佛坪自然保护区(An, *et al*., 2014)。

分布: 陕西(佛坪)、黑龙江、辽宁、北京、河北、山西、甘肃; 朝鲜。

(933)长足熊蜂 *Bombus*(*Megabombus*)*longipes* Friese, 1905

Bombus longipes Friese, 1905: 511.

Bombus(*Diversobombus*)*hummeli* Bischoff, 1936: 18.

Bombus(*Diversobombus*)*longipes*: Yao & Wang, 2005: 890.

Bombus(*Megabombus*)*longipes*: Williams, *et al*., 2009: 139.

鉴别特征: 蜂王体长 21mm, 工蜂体长 11~12mm。雌虫中足基跗节后端角呈长而尖的刺; 胸部毛橘棕色; 后躯第 1 背板毛黄棕色(蜂王有时为黑色), 蜂王第 2 背板毛黑色, 工蜂第 2 背板毛黄棕色, 第 3~5 背板毛黑色或有时具淡灰色缘毛。雄虫体长 15mm; 体毛颜色似雌虫; 雄性生殖器阳茎瓣端部具 1 个牙状头, 生殖刺突短宽, 近四方形, 内侧近端具 1 个长而外翻的刺状突。

采集记录: 3♀, 留坝闸口石, 1800~1900m, 1998. Ⅶ. 20; 1♀, 留坝大洪渠, 2500m, 1998. Ⅶ. 20; 6♀, 留坝庙台子, 1350m, 1998. Ⅶ. 21; 11♀, 留坝韦驮沟, 1600m, 1998. Ⅶ. 21; 2♀, 留坝红崖沟, 1500~1650m, 1998. Ⅶ. 22; 2♀, 佛坪城关, 870~1000m, 1998. Ⅶ. 25; 2♀, 佛坪凉风垭, 1900~2100m, 1998. Ⅶ. 24; 2♀, 宁陕旬阳坝, 1350m, 1998. Ⅶ. 29; 2♀, 宁陕火地塘, 1580m, 1998. Ⅷ. 15。

分布: 陕西(留坝、佛坪、宁陕)、辽宁、北京、河北、山西、山东、甘肃、安徽、四川、云南。

(934)圣熊蜂 *Bombus*(*Megabombus*)*religiosus*(Frison, 1935)

Bremus(*Hortobombus*)*religiosus* Frison, 1935: 344.

Bombus (*Megabombus*) *religiosus*: Wang, 1993: 1429 .

鉴别特征: 蜂王体长 21mm, 工蜂体长 13 ~ 16mm。雌虫中足基跗节后端角呈长而尖的刺; 胸部前缘、后缘具柠檬黄毛带; 后躯第 1 背板毛柠檬黄色, 第 2 ~ 3 背板毛黑色, 第 4 ~ 5 背板侧缘具白毛。雄虫体长 15 ~ 17mm; 体毛颜色似雌虫; 雄性生殖器阳茎瓣端部具 1 具多齿且不外倾的头, 近端部具 3 ~ 4 枚大齿, 生殖刺突长而宽, 内侧近端突具 1 根长的刺。

采集记录: 2♀, 佛坪凉风垭, 1900 ~ 2100m, 1998. Ⅶ. 24; 2♀, 宁陕火地塘, 1580m, 1998. Ⅶ. 27。

分布: 陕西(佛坪、宁陕)、河北、甘肃、四川、云南。

(935) 三条熊蜂 *Bombus* (*Megabombus*) *trifasciatus* Smith, 1852

Bombus trifasciatus Smith, 1852: 43.

Bombus montivagus Smith, 1878: 168.

Bombus ningpoensis (*as ningponsis*) Friese, 1909: 676, worker.

Bombus wilemani Cockerell, 1911j: 100, ♀, worker.

Bombus haemorrhoidalis var. *albopleuralis* Friese, 1916: ♀, worker.

Bombus mimeticus Richards, 1931: 529.

Bombus (*Hortobombus*) *mimeticus turneri* Richards, 1931: 530.

Diversibombus malaisei Skorikov, 1938b: 2(HN).

Megabombus (*Diversobombus*) *albopleuralis atropygus* Tkalc, 1989: 58.

Bombus (*Megabombus*) *trifasciatus*: Williams, *et al.*, 2009: 140.

鉴别特征: 蜂王体长 18 ~ 20mm, 工蜂体长 12 ~ 17mm。雌虫中足基跗节后端角呈长而尖的刺; 体毛颜色多变, 通常头与后足胫节毛黑色; 后躯第 1 背板毛黄色, 第 3 背板毛黑色, 第 5 背板毛橘红色。雄虫体长 15 ~ 18mm; 体毛颜色似雌虫; 雄性生殖器阳茎瓣端部具 1 具短且略外倾的头, 近端部具 3 ~ 4 枚大齿, 生殖刺突短而宽, 近四方形, 具 2 个向后弯的长刺状的内侧近端突。

采集记录: 6♀, 留坝韦驮沟, 1600m, 1998. Ⅶ. 21; 1♀, 佛坪, 870 ~ 1000m, 1998. Ⅶ. 25; 13♀, 宁陕火地塘, 1580m, 1998. Ⅶ. 27-29, 1998. Ⅷ. 18 。

分布: 陕西(留坝、佛坪、宁陕)、河北、浙江、湖北、江西、湖南、福建、台湾、广东、广西、四川、贵州、云南、西藏; 越南, 泰国, 缅甸, 印度, 不丹, 尼泊尔, 巴基斯坦, 克什米尔地区。

84-4. 方颊熊蜂亚属 *Melanobombus* Dalla Torre, 1880

Bombus (*Melanobombus*) Dalla Torre, 1880: 40. **Type species**: *Apis lapidaria* Linnaeus, 1758.

Bombus (*Lapidariobombus*) Vogt, 1911: 58. **Type species**: *Apis lapidaria* Linnaeus, 1758.

Kozlovibombus Skorikov, 1922: 152. **Type species**: *Bombus kozlovi* Skorikov, 1909 = *Bombus keriensis* Morawitz, 1886.

Bombus (*Kozlowibombus*) Bischoff, 1936: 10, unjustified emendation of *Kozlovibombus* Skorikov, 1922.

Lapidariibombus Skorikov, 1938a: 145, unjustified emendation of *Lapidariobombus* Vogt, 1911.

Bombus (*Tanguticobombus*) Pittioni, 1939: 201. **Type species**: *Bombus tanguticus* Morawitz, 1886.

(936) 红体熊蜂 *Bombus* (*Melanobombus*) *pyrosoma* Morawitz, 1890

Bombus pyrosoma Morawitz, 1890: 349.

Bombus pyrrhosoma Dalla Torre, 1896: 544 (Unjustified emendation).

Pyrobombus wutaishanensis Tkalc, 1968b: 39.

Bombus (*Melanobombus*) *pyrosoma*: Yao & Wang, 2005: 895.

鉴别特征：蜂王体长 20 ~ 23mm，工蜂体长 12 ~ 15mm。雌虫中足基跗节后端角近乎直角但并不尖，后足基跗节后缘近平直，外表面近前缘直立的毛短于基跗节最宽处的宽度；上颚端部宽圆，具 3 枚齿；头部毛黑色；蜂王胸部毛黑色，但胸部背面前缘及后缘夹有一些灰白色毛，后躯第 1 背板毛黑色，有时具白毛，第 3 ~ 5 背板毛橘红色；工蜂头部及胸部毛主要为黑色，有时面部夹有一些短白毛，胸部前缘及后缘通常具窄的灰白色毛带，后躯第 1 背板白色，第 2 背板前缘毛橘棕色，后缘黑色且具红色缘毛，第3 ~ 5背板毛红色。雄虫体长 13 ~ 15mm；体毛大多黄色，翅基片间具黑色的毛带，后躯第 3 ~ 7 节背板毛橘红色；雄性生殖器阳茎瓣端部具 1 个向内弯的镰刀状头，且该头外翻的钩长于其近端的宽度；生殖刺突形状多变，但端部缩为 2 个叉状突，近端部内突宽而尖。

采集记录：1♀，留坝庙台子，1350m，1998. Ⅶ. 22；13♀，留坝闸口石，1800 ~ 1900m，1998. Ⅶ. 20；1♂25♀，留坝大洪渠，2500m，1998. Ⅶ. 20；2♀，留坝韦驮沟，1600m，1998. Ⅶ. 21；4♂24♀，佛坪凉风垭，1900 ~ 2100m，1998. Ⅶ. 24；17♀，宁陕火地塘，1580m，1998. Ⅶ. 26-27；1♂7♀，宁陕雅雀沟，1600 ~ 1700m，1998. Ⅶ. 28；1♂12♀，宁陕平河梁，2020m，1998. Ⅶ. 29。

分布：陕西（留坝、佛坪、宁陕）、黑龙江、吉林、辽宁、内蒙古、北京、天津、河北、山西、山东、河南、宁夏、甘肃、青海、湖北、台湾、四川、贵州、西藏；蒙古，俄罗斯，朝鲜，日本，印度，尼泊尔，克什米尔地区，法国。

84-5. 拟熊蜂亚属 *Psithyrus* Lepeletier, 1833

Psithyrus Lepeletier, 1833: 373. **Type species**: *Apis rupestris* Fabricius, 1793.

Apathus Newman, 1834: 404. unjustified replacement for *Psithyrus* Lepeletier, 1833.

Bremus Kirby, 1837: 272(nec Panzer, 1804). **Type species**: *Apis rupestris* Fabricius, 1793.

Psithyrus (*Ashtonipsithyrus*) Frison, 1927: 69. **Type species**: *Apathus ashtoni* Cresson, 1864.

Psithyrus (*Fernaldaepsithyrus*) Frison, 1927: 70. **Type species**: *Psithyrus fernaldae* Franklin, 1911.

Psithyrus (*Allopsithyrus*) Popov, 1931: 136. **Type species**: *Apis barbutella* Kirby, 1802.

Psithyrus (*Eopsithyrus*) Popov, 1931: 134. **Type species**: *Apathus tibetanus* Morawitz, 1886.

Psithyrus (*Metapsithyrus*) Popov, 1931: 135. **Type species**: *Apis campestris* Panzer, 1801.

Psithyrus (*Ceratopsithyrus*) Pittioni, 1949: 270. **Type species**: *Psithyrus klapperichi* Pittioni, 1949 = *Psithyrus cornutus* Frison, 1933.

Citrinopsithyrus Thorp, 1983, in Thorp, Horning & Dunning, 1983: 50. **Type species**: *Apathus citrinus* Smith, 1854[Substitute for *Laboriopsithyrus* Frison, 1927, the type species of which turns out to be an anthophorine bee of the genus *Habropoda*].

(937) 贝拉拟熊蜂 *Bombus* (*Psithyrus*) *bellardii* (Gribodo, 1892)

Psithyrus bellardii Gribodo, 1892: 108.

Psithyrus (*Metapsithyrus*) *pieli* Maa, 1948: 29.

Psithyrus (*Metapsithyrus*) *tajushanensis* Pittioni, 1949: 277.

Bombus (*Psithyrus*) *bellardii*: Williams, *et al.*, 2009: 155.

鉴别特征：雌虫体长 14 ~ 16mm。后足胫节外表面凸，密被中等长度的毛；上唇褶尖，在上唇端部上突出不明显，其基部侧瘤尖而隆起，上唇槽宽，几乎为上唇宽的 1/2；后躯第 6 腹板侧脊宽且肿胀，侧面观时为弱的"S"样，背面观时不可见；胸部背面和胸部上侧面毛黄色；后躯第 1 ~ 2 节背板毛黑色，第 3 节背板具黄色后缘毛，第4 ~ 5 节背板毛黄色。雄虫体长 15mm；体毛颜色似雌虫，但有时后躯第 1 节背板毛黄色；雄性生殖器的生殖刺突弱骨化，生殖刺突密被毛，阳茎瓣腹侧角强突且宽，端部圆。

采集记录：佛坪自然保护区，长青自然保护区，天华山自然保护区(An, *et al.*, 2014)。

分布：陕西(周至、佛坪、洋县)、辽宁、内蒙古、山西、安徽、浙江、湖北、江西、福建、广西、四川、云南；缅甸。

(938) 中国拟熊蜂 *Bombus* (*Psithyrus*) *chinensis* (Morawitz, 1890)

Apathus rupestris var. *chinensis* Morawitz, 1890: 352。

Psithyrus morawitzi Friese, 1905a: 516.

Psithyrus (*Psithyrus*) *chinensis hnei* Bischoff, 1936: 26.

Psithyrus chinensis: Yao & Wang, 2005: 890.

Bombus (*Psithyrus*) *chinensis*: Williams, *et al.*, 2009: 153.

鉴别特征：雌虫体长 17～18mm。后足胫节外表面凸，密被中等长度的毛；上唇褶宽圆，在上唇端部上突出不明显，其基部侧瘤强隆起为锥状突起，上唇槽宽约为上唇宽的 1/3；后躯第 6 腹板侧脊强肿胀，侧面观时每个侧脊为"V"样，背面观时可见；胸部毛黄色且前后缘具苍白色毛带，或胸部毛有时白色夹有黑毛；后躯第 1 节背板毛黄色，胸部如具白色毛带时后躯第 1 节背板毛黑色，第 2 节背板毛多为黑色，第 3～5 节背板毛多为橘红色。雄虫体长 13～15mm；胸部前后缘具黄色或白色毛带，后躯第 1 节背板毛黄色或白色，第 2 节背板毛黄色或黑色，第 3 节背板毛黑色或橘红色或二者毛色兼有，第 4～7 节背板毛橘红色；雄性生殖器的生殖刺突弱骨化，生殖刺突密被毛，阳茎瓣腹侧角强突，端部变窄。

采集记录：1♂，秦岭，2350m，1979. Ⅷ. 20。

分布：陕西（秦岭）、宁夏、甘肃、青海、四川、云南、西藏。

（939）科尔拟熊蜂 *Bombus*（*Psithyrus*）*coreanus*（Yasumatus, 1934）

Psithyrus（*Ashtonipsithyrus*）*coreanus* Yasumatsu, 1934: 399.

Psithyru coreanus: Yao & Wang, 2005: 890.

Bombus（*Psithyrus*）*coreanus*: An, *et al.*, 2014: 50.

鉴别特征：雌虫体长 23～25mm。雌性后足胫节外表面凸，密被中等长度的毛。雄虫体长 16～18mm；体毛大多黑色，无黄色或白色毛带；后躯末端红色或橘色。

采集记录：1♀，秦岭山梁及北坡，2050m，1998. Ⅶ. 30。

分布：陕西（秦岭）、北京、河北、山西、甘肃、湖北、四川；朝鲜。

（940）角拟熊蜂 *Bombus*（*Psithyrus*）*cornutus*（Frison, 1933）

Psithyrus（*Psithyrus*）*cornutus* Frison, 1933: 338.

Psithyrus（*Psithyrus*）*pyramideus* Maa, 1948: 19.

Psithyrus（*Psithyrus*）*acutisquameus* Maa, 1948: 21.

Psithyrus（*Ceratopsithyrus*）*klapperichi* Pittioni, 1949: 27（nec Pittioni, 1949）.

Psithyrus（*Eopsithyrus*）*cornutus canus* Tkalc, 1989: 42（nec Schmiedeknecht, 1883）.

Bombus（*Psithyrus*）*cornutus*: Williams, *et al.*, 2009: 150.

鉴别特征：雌虫体长 14～19mm。后足胫节外表面凸，密被中等长度的毛；上唇褶强突起，在上唇端部上突出呈宽三角状，其基部侧瘤强隆起为尖锥状突起，上唇槽宽约为上唇宽的 1/3；后躯第 6 腹板侧脊强肿胀，侧面观时每个侧脊为"V"样，两侧脊后缘间具"V"样的角，该"V"样角背面观时不可见；胸部毛黄色或前后缘具苍白色毛带；后躯第 1～2 节背板毛黄色或灰白色，若第 2 节背板毛灰白色，则 2 节背板侧缘具黑毛，第 3 背板至少部分毛黑色，第 4～5 节背板毛亮橘红色。雄虫体长 13～

14mm；毛色似雌虫，第3节背板毛黄色或橘色，第4背板毛黑色，常有橘色的后缘毛；雄性生殖器的生殖刺突中等程度骨化，不变厚，生殖刺突密被毛且从内突向外缘逐渐变窄，阳茎瓣腹侧角强突、宽，端部几乎呈直角状。

采集记录： 5♂1♀，宁陕火地塘，1580m，1988.Ⅷ.15-18。

分布： 陕西（宁陕）、山西、宁夏、甘肃、安徽、浙江、湖北、湖南、福建、四川、贵州、云南；印度。

84-6. 燃红熊蜂亚属 *Pyrobombus* Dalla Torre，1880

Bombus（*Pyrobombus*）Dalla Torre，1880：40. **Type species**：*Apis hypnorum* Linnaeus，1758，*monobasic*. *Bombus*（*Pyrrhobombus*）Dalla Torre，1882：28，unjustified emendation of *Pyrobombus* Dalla Torre，1880.

Bombus（*Poecilobombus*）Dalla Torre，1882：23. **Type species**：*Bombus sitkensis* Nylander，1848.

Bombus（*Pratobombus*）Vogt，1911：49. **Type species**：*Apis pratorum* Linnaeus，1761.

Bombus（*Anodontobombus*）Krüger，1917：61. **Type species**：*Apis hypnorum* Linnaeus，1758.

Bombus（*Uncobombus*）Krüger，1917：65. **Type species**：*Apis hypnorum* Linnaeus，1758.

Bombus（*Hypnorobombus*）Quilis，1927：97. **Type species**：*Apis hypnorum* Linnaeus，1758.

Bombus（*Lapponicobombus*）Quilis 1927：19. **Type species**：*Apis lapponica* Fabricius，1793.

Pratibombus Skorikov，1937：59，unjustified emendation of *Pratobombus* Vogt，1911.

（941）眠熊蜂 *Bombus*（*Pyrobombus*）*hypnorum*（Linnaeus，1758）

Apis hypnorum Linnaeus，1758：579.

Apis aprica Fabricius，1798：273.

Apis ericetorum Panzer，1801：75.

Apis meridiana Panzer，1801：80.

Bombus calidus Erichson，1851：65.

Bombus hypnorum var. *bryorum* Richards，1930：650.

Bombus fletcheri Richards，1934：90.

Bombus insularis Sakagami *et* Ishikawa，1969：180（nec Smith，1861）.

Bombus koropokkrus Sakagami *et* Ishikawa，1972：610（new name for *Bombus insularis* Sakagami *et* Ishikawa，1969）.

Bombus（*Pyrobombus*）*hypnorum*：Williams，*et al.*，2009：157.

鉴别特征： 蜂王体长17～18mm，工蜂体长11～13mm。雌虫子中足基跗节后端角尖圆；后足胫节后端角近乎直角，后足基跗节后缘近乎平直；头背部、胸部背部、胸部侧上半部及腹部第1～2背板毛橘棕色，第3～4背板毛黑色，第5背板毛白色；或头背部、胸部背部除中部黑斑外毛黄色，翅基片两侧常具有黑毛，腹部第1背板毛黄色，第2～3背板毛黑色，第4背板毛黑色，具白色后缘毛，第5背板毛白色。雄虫体长12～13mm；棕色型雄蜂体毛颜色似雌虫，但第5～7节毛黑色，具白色末端；黄色型雄蜂头、胸及腹部第 1 ~ 2 节背板毛黄色，第 3 ~ 4 节背板黄色或其前缘均夹有黑毛，第 5 ~ 7 节毛白色或黄白色；雄性生殖器的阳茎瓣端部具内弯的镰刀状头，腹侧角更靠近阳茎瓣的近端部；生殖刺突三角状，无内近端突，但靠近内缘具 1 条纵沟。

采集记录：华山(An, *et al.*, 2014)。

分布：陕西(华阴)、黑龙江、吉林、辽宁、山西、甘肃、青海、新疆、湖北、台湾、四川、贵州、云南、西藏；蒙古，俄罗斯，朝鲜，日本，缅甸，印度，尼泊尔，欧洲。

(942) 稀熊蜂 *Bombus* (*Pyrobombus*) *infrequens* (Tkalc, 1989)

Pyrobombus (*Pyrobombus*) *infrequens* Tkalc, 1989: 56.

Bombus (*Pyrobombus*) *infrequens*: Williams, *et al.*, 2009: 164.

鉴别特征：蜂王体长 15 ~ 18mm，工蜂体长 9 ~ 13mm。雌虫中足基跗节后端角尖而宽圆；后足胫节后端角近乎直角，后足基跗节后缘近乎平直，通常暗棕色或有时橘棕色；体毛灰色并夹有黑毛，但胸部侧面和后躯第 1 背板淡白色或黄灰色，无黑毛；第 2 背板毛灰色，夹有黑毛；第 3 ~ 4 背板前缘具更多的黑毛；第 5 ~ 6 背板中部常具淡橘色毛，侧面具黑毛。雄虫体长 12 ~ 14mm；体毛颜色似雌虫，但头部、胸部及后躯第 1 ~ 2 背板毛色为柠檬黄而非灰色并夹有一些黑毛；复眼相比雌性并不扩大；雄性生殖器的阳茎瓣端部具内弯的镰刀状头，外翻的刀头钩状物短窄，其长大于宽，腹侧角更靠近阳茎瓣的近端部；生殖刺突三角状，长约为宽的 1/2，无内近端突，但靠近内缘具 1 条纵沟。

分布：陕西(秦岭)、甘肃、湖北、湖南、四川、贵州、云南、西藏；缅甸。

(943) 饰带熊蜂 *Bombus* (*Pyrobombus*) *lemniscatus* Skorikov, 1912

Bombus lemniscatus Skorikov 1912: 607.

Bombus (*Pyrobombus*) *lemniscatus*: An, *et al.*, 2014: 54.

鉴别特征：雌虫体长 19 ~ 23mm，工蜂体长 9 ~ 17mm。雌性中足基跗节后端角尖而宽圆；后足基跗节后缘近乎平直；头部毛黑色；胸部毛白色，翅基片间具黑毛带。雄虫体长 12 ~ 18mm；雄性胸部背面翅基片间具黑毛带，胸部前缘和后躯第 1 背板毛白色。

采集记录：太白山自然保护区(An, *et al.*, 2014)。

分布：陕西(周至、眉县、太白)、内蒙古、甘肃、青海、湖北、四川、云南、西藏；克什米尔地区。

(944) 小雅熊蜂 *Bombus* (*Pyrobombus*) *lepidus* Skorikov, 1912

Bombus lepidus Skorikov, 1912: 606.

Bombus genitalis Friese, 1913: 85.

Bombus nursei tetrachromus Friese, 1918: 85 (nec Cockerell, 1909).

Bombus (*Pratobombus*) *yuennanicola* Bischoff, 1936: 7.

Pyrobombus (*Pyrobombus*) *lepidus* hilaris Tkalc, 1989: 48.

Bombus (*Pyrobombus*) *lepidus*: Williams, *et al.*, 2009: 161.

鉴别特征： 蜂王体长 13 ~ 15mm，工蜂体长 8 ~ 11mm。雌虫中足基跗节后端角尖而宽圆；后足基跗节后缘近乎平直；面部和头背部毛通常灰白色夹有黑毛；胸部毛灰白色或前后缘具黄毛带，胸侧毛灰白色，翅基片下具黑毛；后躯第 1 背板毛白色或黄色，第 2 背板毛黄色，侧面具白毛，后缘具黑毛；第 3 背板毛黑色，但前后缘缘毛橘红色；第 4 ~ 5 背板毛橘红色。雄虫体长 9 ~ 12mm；体毛颜色似雌虫，但翅基片间具黑毛带；雄性生殖器的阳茎瓣端部具内弯的镰刀状头，外翻的刀头钩状物长大于宽，端部变宽，腹侧角更靠近刀头钩状物而今非阳茎瓣的近端部；生殖刺突三角状，长约为宽的 1/2，无内近端突，但靠近内缘近端部具 1 条纵沟。

分布： 陕西(秦岭)、内蒙古、宁夏、甘肃、青海、湖北、四川、云南、西藏；缅甸，印度，尼泊尔，巴基斯坦，菲律宾，马来西亚，印度尼西亚。

(945) 谦熊蜂 *Bombus* (*Pyrobombus*) *modestus* Eversmann, 1852

Bombus modestus Eversmann, 1852: 134.

Bombus baikalensis Radoszkowski, 1877: 203.

Bombus nymphae Skorikov, 1910a: 409.

Bombus eversmanni Skorikov, 1910b: 581.

Bombus (*Pyrobombus*) *modestus*: An, *et al.*, 2014: 59.

鉴别特征： 蜂王体长 15 ~ 17mm，工蜂体长 8 ~ 12mm。雌虫中足基跗节后端角尖而宽圆；后足基跗节后缘近乎平直；胸部背面毛淡黄色，翅基片间具分散的黑毛或弱的黑毛带；后躯第 5 背板毛黑色具白色后缘毛或第 5 背板毛完全白色。雄虫体长 9 ~ 16mm；雄蜂胸部背面前缘毛黄色，翅基片间无黑毛，后躯第 3 背板后缘具淡色的缘毛，后躯第 5 ~ 6 背板无淡橘色毛。

采集记录： 太白山自然保护区(An, *et al.*, 2014)

分布： 陕西(周至、眉县、太白)、吉林、辽宁、内蒙古、北京、河北、山西、甘肃、四川；蒙古，俄罗斯，朝鲜，哈萨克斯坦。

(946) 贞洁熊蜂 *Bombus* (*Pyrobombus*) *parthenius* Richards, 1934

Bombus (*Pyrobombus*) *parthenius* Richards, 1934: 89.

鉴别特征: 蜂王体长15mm, 工蜂体长11mm。雌虫中足基跗节后端角尖而宽圆;后足基跗节后缘近乎平直;头顶、颜面、胸部背板和后躯背板被灰百色毛,夹有稀疏的黑色长毛,有时后躯第1~2节背板和第3节背板端缘被浅黄色毛,第2节背板混有黑色毛,第3~4节基部2/3处被黑色毛,第4节端部及第5~6节被橘黄色毛。雄蜂体长11mm;雄性生殖器的阳茎瓣端部具内弯的镰刀状头,外翻的刀头钩状物长大于宽,端部略变宽;生殖刺突宽三角状。

采集记录: 2♀, 留坝韦驮沟, 1600m, 1998. Ⅶ. 21。

分布: 陕西(留坝)、北京、湖北、台湾、广西、四川、贵州、云南、西藏;缅甸,印度,尼泊尔。

(947) 重黄熊蜂 *Bombus* (*Pyrobombus*) *picipes* Richards, 1934

Bombus (*Pratobombus*) *parthenius* var. *picipes* Richards, 1934: 90.

Bombus pratorum flavus Friese, 1905: 517.

Bombus (*Pratobombus*) *klapperichi* Pittioni, 1949: 266.

Bombus (*Pyrobombus*) *picipes*: Yao & Wang, 2005: 893.

鉴别特征: 蜂王体长15~17mm, 工蜂体长9~12mm。雌虫中足基跗节后端角尖而宽圆;后足基跗节后缘近乎平直;蜂王背部毛黄色,夹有黑毛,常在翅基片间呈窄的黑毛带或黑斑;后躯第1~2背板毛黄色,第2背板后缘和侧缘具一些黑毛,第3背板毛黑色,第4背板毛黑色,具橘色的后缘毛,第5背板毛橘色;体较大的工蜂胸部毛黄色,夹有黑毛,翅基片间呈略密的窄的黑毛带,第3背板具宽的黄色后缘毛;体较小的工蜂体毛一般亮柠檬黄或灰黄色,头、胸和第3背板常夹有一些黑毛。雄虫体长9~12mm;体毛亮柠檬黄色,胸部背面夹有黑毛,有时后躯第3~7背板毛亮柠檬黄夹有黑毛或第5~7背板夹有橘色毛;雄性生殖器的阳茎瓣端部具强向外然后内弯的镰刀状头,外翻的刀头钩状物长大于宽且窄而弯,腹侧角更靠近刀头钩状物而今非阳茎瓣的近端部;生殖刺突三角状,无内近端突,但靠近内缘近端部具1条纵沟。

采集记录: 1♂, 留坝庙台子, 1350m, 1998. Ⅶ. 21; 2♂, 留坝韦驮沟, 1600m, 1998. Ⅶ. 21; 7♂, 留坝红崖沟, 1500~1650m, 1998. Ⅶ. 22; 7♂, 宁陕火地塘, 1580m, 1998. Ⅶ. 27; 2♂, 宁陕雅雀沟, 1600~1700m, 1998. Ⅶ. 28。

分布: 陕西(留坝、宁陕)、北京、天津、河北、山西、河南、宁夏、甘肃、青海、安徽、浙江、湖北、江西、湖南、福建、四川、云南。

(948) 王氏拟熊蜂 *Bombus* (*Pyrobombus*) *wangae* Williams, *et al.*, 2009

Bombus (*Pyrobombus*) *wangae* Williams, *et al.*, 2009: 159.

鉴别特征: 蜂王体长12～14mm，工蜂体长8～12mm。雌虫中足基跗节后端角尖而宽圆；后足基跗节后缘近乎平直；蜂王头部具奶油黄色短毛；胸部前缘具宽的柠檬黄毛带，后缘具窄的柠檬黄毛带，翅基片间具黑毛带，胸侧毛黄色；后躯第1～2背板毛柠檬黄色，有时第2背板近后缘和侧面夹有分散的黑毛；第3背板毛黑色，侧缘缘毛白色；第4背板前缘毛黑色或第4～6背板毛橘红色，侧缘常具窄的白色缘毛；工蜂体毛颜色似蜂王，但翅基片间黑毛带较宽，后鰯第3背板毛橘色，有时第3～5背板毛黑色，橘色毛多在第4背板后缘和第5背板上分布。雄虫体长9～12mm；体毛以黄色为主，但复眼周围和翅基片间夹有一些黑毛；雄性生殖器的阳茎瓣端部具内弯的镰刀状头，外翻的刀头钩状物在端部略为变宽，腹侧角更靠近刀头钩状物而今非阳茎瓣的近端部；生殖刺突三角状，长约为宽的1/2，无内近端突，但靠近内缘近端部具1条纵沟，内缘在该纵沟上呈“S”样。

采集记录: 太白山自然保护区(An, *et al.*, 2014)。

分布: 陕西(周至、眉县、太白)、甘肃、青海、四川。

84-7. 胸熊蜂亚属 *Thoracobombus* Dalla Torre, 1880

Bombus (*Thoracobombus*) Dalla Torre, 1880: 40. **Type species**: *Apis sylvarum* Linnaeus, 1761.

Bombus (*Chromobombus*) Dalla Torre, 1880: 40. **Type species**: *Apis muscorum* Linnaeus, 1758.

Bombus (*Agrobombus*) Vogt, 1911: 52(nec Schrank, 1781). **Type species**: *Apis agrorum* Fabricius, 1787 = *Apis pascuorum* (Scopoli, 1763).

Bombus (*Rudderariobombus*) Krüger, 1920: 350. **Type species**: *Apis ruderaria* Müller, 1776.

Agrobombus (*Adventoribombus*) Skorikov, 1922: 25. **Type species**: *Apis sylvarum* Linnaeus, 1761.

Agribombus Skorikov, 1938a: 145, unjustified emendation of *Agrobombus* Vogt, 1911.

(949) 黑足熊蜂 *Bombus* (*Thoracobombus*) *atripes* Smith, 1852

Bombus atripes Smith, 1852: 44.

Bombus (*Tricornibombus*) *atripes*: Yao & Wang: 2005: 892.

鉴别特征: 蜂王体长22～23mm，工蜂体长16～18mm。雌虫中足基跗节后端角尖刺状；胸部背面和后躯第1～5背板毛橘红色，胸部侧面和后躯第6背板毛黑色。雄虫体长19mm；体毛颜色似雌虫，但后躯第1～7背板毛橘红色；雄性生殖器的阳茎瓣端部具弱钟形的头，生殖刺突缩小呈小方形，内端突分成2个长而直且彼此呈直角分布的刺状突。

分布：陕西（洋县、西乡）、江苏、安徽、浙江、湖北、江西、湖南、福建、海南、广西、四川、贵州、云南。

（950）仿熊蜂 *Bombus*（*Thoracobombus*）*imitator* Pittioni，1949

Bombus（*Tricornibombus*）*imitator* Pittioni，1949：251；Yao *et* Wang，2005：892.
Bombus imitator var. *flavescens* Pittioni，1949：254.
Bombus（*Thoracobombus*）*imitator*：Williams，*et al.*，2009：145.

鉴别特征：蜂王体长19mm，工蜂体长12～17mm。雌虫中足基跗节后端角尖刺状；大型雌蜂胸部前后缘具黄色毛带，胸侧面毛黄色；后躯第1～2背板毛黄色，第3背板毛黑色，第4～5背板毛橘红色；小型工蜂胸部翅基片间无黑色毛带，胸部和后躯背板毛黄色。雄虫体长16～18mm；体毛颜色似雌虫；雄性生殖器的阳茎瓣端部具强钟形的头，生殖刺突缩小呈横条状，内端为单一的长刺状突。

采集记录：1♀，留坝闸口石，1800～1900m，1998.Ⅶ.20；3♀，宁陕火地塘，1580m，1998.Ⅶ.27；2♀，宁陕鸦雀沟，1600～1700m，1998.Ⅶ.28。

分布：陕西（留坝、宁陕）、甘肃、浙江、湖北、湖南、福建、广西、四川、贵州；德国。

（951）藓状熊蜂 *Bombus*（*Thoracobombus*）*muscorum*（Linnaeus，1758）

Apis muscorum Linnaeus，1758：579.
Bombus pallidus Evans，1901：47.
Bombus laevis Vogt，1909：63.
Bombus nigripes Pérez，1909：158.
Bombus（*Thoracobombus*）*muscorum*：Yao & Wang，2005：892.

鉴别特征：蜂王体长18～24mm，工蜂体长8～16mm。雌虫中足基跗节后端角尖刺状；胸部背面毛橘棕色，后躯第2～3背板侧缘无黑毛；后躯第3～5背板正中后缘无毛区小，具刻纹，色暗。雄虫体长8～15mm；雄性胸部背面前后缘具窄的黄色毛；后躯第1～6背板毛黄色，无黑毛。

采集记录：1♂4♀，留坝闸口石，1800～1900m，1998.Ⅶ.20；1♀，佛坪凉风垭，1900～2100m，1998.Ⅶ.24。

分布：陕西（留坝、佛坪）、黑龙江、吉林、内蒙古、河北、山西、新疆、四川；俄罗斯，土耳其，阿塞拜疆，伊朗，哈萨克斯坦，乌兹别克斯坦，吉尔吉斯斯坦，欧洲。

（952）富丽熊蜂 *Bombus*（*Thoracobombus*）*opulentus* Smith，1861

Bombus opulentus Smith，1861：153.

Bombus (*Thoracobombus*) *opulentus*: Yao & Wang, 2005: 891.

鉴别特征: 蜂王体长 22 ~ 25mm，工蜂体长 12 ~ 18mm。雌虫中足基跗节后端角尖刺状；雌性面部毛黄色；胸部背面毛橘棕色，无黑毛；后躯第 1 ~ 2 节背板毛橘棕色，后躯第 3 ~ 6 节背板毛完全黑色。雄虫体长 13 ~ 18mm；雄性后躯第 4 ~ 5 节背板毛完全黑色。

采集记录: 1♂，宁陕火地塘，1580m，1998. Ⅷ. 22。

分布: 陕西(佛坪、宁陕)、辽宁、北京、天津、河北、山西、山东、江苏、安徽、浙江；朝鲜，德国。

(953) 疏熊蜂 *Bombus* (*Thoracobombus*) *remotus* (Tkalc, 1968)

Megabombus (*Agrobombus*) *remotus* Tkalc, 1968a: 45.

Bombus (*Thoracobombus*) *remotus*: Yao & Wang, 2005: 892.

鉴别特征: 蜂王体长 14 ~ 17mm，工蜂体长 9 ~ 14mm。雌虫中足基跗节后端角尖刺状；大型雌性胸部背面毛黄色，翅基片间具黑毛带，后躯第 1 ~ 2 背板毛黄色，第 3 背板毛黑色，具黄色后缘毛，第 4 背板前缘毛黑色，具橘色的后缘毛，第 5 背板毛橘色；小型工蜂胸部毛灰色，夹有黄色和黑色毛。雄虫体长 10 ~ 12mm；体毛颜色似小型工蜂，后躯第 5 ~ 7 背板毛橘色；雄性生殖器的阳茎瓣端部具小的钟形的头，生殖刺突端缘近乎平直，端部内侧角尖，内侧近端角三角状，顶端尖。

采集记录: 9♂1♀，佛坪凉风垭，1900 ~ 2100m，1998. Ⅶ. 24；2♂1♀，宁陕火地塘，1580m，1998. Ⅶ. 26-27；2♀，宁陕平河梁，2020m，1998. Ⅶ. 29。

分布: 陕西(佛坪、宁陕)、山西、宁夏、甘肃、浙江、湖北、四川、云南。

(954) 斯氏熊蜂 *Bombus* (*Thoracobombus*) *schrencki* Morawitz, 1881

Bombus schrencki Morawitz, 1881: 250.

Bombus schrencki f. *mironowianus* Vogt, 1911: 54.

Agrobombus schrencki albidopleuralis Skorikov, 1915: 406.

Bombus schrencki konakovi Panfilov, 1956: 1330.

Bombus schrencki kuwayamai Sakagami *et* Ishikawa, 1969: 165.

Bombus (*Thoracobombus*) *schrencki*: Yao & Wang, 2005: 891.

鉴别特征: 蜂王体长 16 ~ 19mm，工蜂体长 9 ~ 15mm。雌虫中足基跗节后端角尖刺状；胸部背面毛橘棕色，很少具分散的黑毛，胸部侧面毛淡黄色；后躯第 2 背板侧缘具少许黑毛，第 3 ~ 5 背板前缘具黑毛带。雄虫体长 12 ~ 16mm；体毛颜色似雌虫，但胸部背面具少许的黑毛，后躯第 2 ~ 6 背板前缘毛黑色，后缘毛灰色。

采集记录: 1♀, 宁陕火地塘, 1580m, 1998. Ⅶ. 27。

分布: 陕西(宁陕)、黑龙江、吉林、辽宁、北京、河北、山西、山东; 蒙古, 俄罗斯, 朝鲜, 日本, 德国, 波兰, 爱沙尼亚。

Ⅲ. 栉距蜂族 Ctenoplectrini

鉴别特征: 下唇须前2节扁平, 但不延长, 亦不呈刀片状; 头小, 明显窄于胸宽; 前翅2个亚缘室, 第1亚缘室小于第2亚缘室, 缘室顶端远离翅缘; 雌性后足内距基部宽大, 内缘具长而细密的栉齿; 雌性 S_2(或 S_3)至 S_5 具密长而弯的毛伞。

分布: 栉距蜂族是蜜蜂总科中短舌类和长舌类间的过渡类型。全世界已知共2属, 中国仅分布栉距蜂属1个属。

85. 栉距蜂属 *Ctenoplectra* Kirby, 1826

Ctenoplectra Kirby, 1826: 681. **Type species**: *Ctenoplectra chalybea* Smith, 1857.

(955) 角栉距蜂 *Ctenoplectra cornuta* Gribodo, 1892

Ctenoplectra cornuta Gribodo, 1892: 102.

Scrapter tuberculiceps Strand, 1913: 28.

Ctenoplectra cockerelli Popov, 1936: 281.

鉴别特征: 雌虫体长8~9mm。体黑色; 眼侧小区靠唇基处各具1个角状突起; 触角第1鞭节长为第2节的1.50倍, 短于第2与第3节; 上唇刻点稀。雄虫体长7~8mm; 后足胫节及基跗节不密被长毛; 第4节背板被金黄色毛; 第2~4腹板端缘被黄毛。

采集记录: 1♀, 留坝韦驮沟, 1600m, 1998. Ⅶ. 02。

分布: 陕西(留坝、佛坪)、浙江、湖北、台湾、四川、云南; 缅甸。

(二) 木蜂亚科 Xylocopinae

鉴别特征: 木蜂亚科包括大型、中型及小型种类。前翅所有翅脉均强而明显, 缘室被强的翅封闭; 前足基节明显宽大于长; 后足基跗节无端突和毛撮。

分类: 全世界分4个族, 我国分布有木蜂族、小芦蜂族及芦蜂族3个族, 陕西秦岭地区分布2族2属3种。

分族检索表（成虫）

前翅无翅痣；翅端乳突状；触角鞭节第 1 节等于或长于第 2 与第 3 节之和；无足垫；体宽大，体长一般超过 13mm …………………………………………………………… **木蜂族 Xylocopini**

前翅翅痣大或至少可见；翅端具纤毛，非乳突状；触角鞭节第 1 节短于第 2 与第 3 节之和；具足垫；体细长，体长一般不超过 12mm ……………………………………………… **芦蜂族 Ceratinini**

Ⅰ. 木蜂族 Xylocopini

鉴别特征： 一般为大型，体长 13～30mm。前翅无翅痣；翅端乳突状；缘室细长；触角鞭节第 1 节等于或长于第 2 与第 3 节之和；无足垫。木蜂族雄性唇基、上唇、上颚、触角及颊上常有白色或黄色斑；雌性头部大多黑色；雌雄两性常异色。

分类： 有学者认为本族分突眼木蜂属和木蜂属，但目前多数学者认为应为木蜂属 1 个属。

86. 木蜂属 *Xylocopa* Latreille, 1802

Xylocopa Latreille, 1802b: 379. **Type species**: *Apis violacea* Linnaeus, 1758.

Lestis Lepeletier *et* Serville, 1828: 799. **Type species**: *Apis bombylans* Fabricius, 1775 (misidentified as *Apis muscaria* Fabricius, 1775.

Mesotrichia Westwood, 1838: 112. **Type species**: *Mesotrichia torrida* Westwood, 1838.

Xylocopa (*Schonnherria*) Lepeletier, 1841: 207. **Type species**: *Xylocopa micans* Lepeletier, 1841.

Koptortosoma Gribodo, 1894: 271. **Type species**: *Koptortosoma gabonica* Gribodo, 1894.

Xylocopa (*Nyctomelitta*) Cockerell, 1929: 303. **Type species**: *Bombus tranquebaricus* Fabricius, 1804.

Xylocopa (*Biluna*) Maa, 1938: 276. **Type species**: *Xylocopa nasalis* Westwood, 1842.

Xylocopa (*Nodula*) Maa, 1938: 290. **Type species**: *Apis amethystina* Fabricius, 1793.

Xylocopa (*Proxylocopa*) Hedicke, 1938: 192. **Type species**: *Xylocopa olivieri* Lepeletier, 1841.

Xylocopa (*Zonohirsuta*) Maa, 1938: 300. **Type species**: *Xylocopa collaris* Lepeletier, 1841 (not *Apis collaris* Olivier, 1789) = *Xylocopa dejeanii* Lepeletier, 1841.

Xylocopa (*Bomboixylocopa*) Maa, 1939: 155. **Type species**: *Xylocopa bomboides* Smith, 1879.

Xylocopa (*Ctenoxylocopa*) Michener, 1942: 282 (new name for *Ctenopoda* Maa, 1938).

Xylocopa (*Copoxyla*) Maa, 1954: 211. **Type species**: *Apis bombiris* Christ, 1791, = *Xylocopa cyanescens* Brullé, 1832.

Xylocopa (*Xylocopoides*) Michener, 1954: 155. **Type species**: *Apis virginica* Linnaeus, 1771.

Xylocopa (*Neoxylocopa*) Michener, 1954: 157. **Type species**: *Apis brasilianorum* Linnaeus, 1767.

Xylocopa (*Notoxylocopa*) Hurd, 1956: 2. **Type species**: *Xylocopa tabaniformis* Smith, 1854.

Xylocopa (*Stenoxylocopa*) Hurd *et* Moure, 1960: 809. **Type species**: *Xylocopa artifex* Smith, 1874.

Xylocopa (*Cirroxylocopa*) Hurd *et* Moure, 1963: 102. **Type species**: *Xylocopa vestita* Hurd *et* Moure, 1963.

Xylocopa (*Alloxylocopa*) Hurd *et* Moure, 1963: 239. **Type species**: *Xylocopa appendiculata* Smith, 1852.

Xylocopa (*Dasyxylocopa*) Hurd *et* Moure, 1963: 113. **Type species**: *Xylocopa bimaculata* Friese, 1903.

Xylocopa (*Diaxylocopa*) Hurd *et* Moure, 1963: 129. **Type species**: *Xylocopa truxali* Hurd *et* Moure, 1963.

Xylocopa (*Gnathoxylocopa*) Hurd *et* Moure, 1963: 182. **Type species**: *Xylocopa sicheli* Vachal, 1898.

Xylocopa (*Monoxylocopa*) Hurd *et* Moure, 1963: 127. **Type species**: *Xylocopa abbreviata* Hurd *et* Moure, 1963.

Xylocopa (*Nanoxylocopa*) Hurd *et* Moure, 1963: 99. **Type species**: *Xylocopa ciliata* Burmeister, 1876.

Xylocopa (*Prosopoxylocopa*) Hurd *et* Moure, 1963: 215. **Type species**: *Xylocopa mirabilis* Hurd *et* Moure, 1963.

Xylocopa (*Rhysoxylocopa*) Hurd *et* Moure, 1963: 178. **Type species**: *Xylocopa cantabrita* Lepeletier, 1841.

Xylocopa (*Xenoxylocopa*) Hurd *et* Moure, 1963: 243. **Type species**: *Mesotrichia chiyakensis* Cockerell, 1908.

Xylocopa (*Xylocopoda*) Hurd *et* Moure, 1963: 105. **Type species**: *Xylocopa elegans* Hurd *et* Moure, 1963.

Xylocopa (*Xylocopsis*) Hurd *et* Moure, 1963: 124. **Type species**: *Xylocopa funesta* Maidl, 1912.

Xylocopa (*Xylomelissa*) Hurd *et* Moure, 1963: 219. **Type species**: *Xylocopa carinata* Smith, 1874 = *Xylocopa hottentotta* Smith, 1854.

Xylocopa (*Maaiana*) Minckley, 1998: 32. **Type species**: *Xylocopa bentoni* Cockerell, 1919.

属征：体小型至大型。前翅无翅痣；前翅痣和缘室长；翅端乳突状；缘室细长；触角鞭节第 1 节等于或长于第 2 与第 3 节之和；无足垫。

分布：世界广布。世界已知 372 种，中国记录 36 种，秦岭地区分布 2 亚属 2 种。

分亚属检索表（成虫）

1. 触角鞭节 10 节，雌性 …… 2
   触角鞭节 11 节，雄性 …… 3
2. 中单眼两侧无弯月形无刻点的隆起 …… **异木蜂亚属 *Alloxylocopa***
   中单眼两侧具弯月形无刻点的隆起 …… **双月木蜂亚属 *Biluna***
3. 后足胫节无胫基板 …… **双月木蜂亚属 *Biluna***
   后足胫节具胫基板 …… **异木蜂亚属 *Alloxylocopa***

86-1. 异木蜂亚属 *Alloxylocopa* Hurd *et* Moure, 1963

Xylocopa (*Alloxylocopa*) Maa, 1939: 155. Nomen nudum because no characters given, although a type species was designated; see ICZN, 3rd ed., art. 13(a)(i).

Xylocopa (*Alloxylocopa*) Hurd *et* Moure, 1963: 239. **Type species**: *Xylocopa appendiculata* Smith, 1852.

(956) 黄胸木蜂 *Xylocopa* (*Alloxylocopa*) *appendiculata* Smith, 1852

Xylocopa appendiculata Smith, 1852: 41.

Xylocopa circumvolans Smith, 1873: 205.

鉴别特征: 雌虫体长24~25mm。体黑色; 胸部及腹部第1节背板被黄毛; 唇基前缘及中央光滑; 小盾片后缘及腹部第1节背板前缘垂直向下, 无脊状隆起; 后足胫基板顶端中央稍凹入, 位于胫节1/2处; 前足胫节外侧毛黄色, 足的其他各节被红黑色毛。雄虫体长24~26mm; 似雌虫, 但后足胫节末端内侧具半圆形凹陷; 唇基、额、上颚基部及触角前侧鲜黄色。

采集记录: 1♀, 佛坪凉风垭, 1900~2100m, 1998. Ⅶ. 24; 2♀, 佛坪窑沟, 870~1000m, 1998. Ⅶ. 25; 1♀, 佛坪县城, 950m, 1998. Ⅶ. 25。

分布: 陕西(留坝、佛坪)、辽宁、北京、河北、山西、山东、河南、甘肃、江苏、安徽、浙江、湖北、江西、湖南、福建、广东、海南、广西、四川、贵州、云南、西藏; 俄罗斯, 韩国, 日本。

86-2. 双月木蜂亚属 *Biluna* Maa, 1938

Xylocopa (*Biluna*) Maa, 1938: 276. **Type species**: *Xylocopa nasalis* Westwood, 1842.

(957) 长木蜂 *Xylocopa* (*Biluna*) *tranquebarorum* (Swederus, 1787)

Apis tranquebarorum Swederus, 1787: 282.

Xylocopa pictifrons Smith, 1852: 42.

Xylocopa attenuata Pérez, 1901: 46.

Xylocopa pictifrons var. *kelloggi* Cockerell, 1931b: 40.

Xylocopa tranquabarorum: Yu, 1954: 5.

Xylocopa (*Biluna*) *tranquabarorum*: Wu, 2000: 130.

鉴别特征: 雌虫体长18~26mm。体黑色; 前单眼两侧具光滑的弯月形隆起; 臀上板亚顶端两侧各具1个刺状突起; 前翅紫褐色, 基部透明, 端部较深, 具弱的铜色光泽; 后足胫基板端部尖, 位于胫3/7处。雄虫体长19~27mm; 似雌虫, 后足腿节粗大; 唇基(除前缘外)、颜面及额均黄色; 中单眼被2个新月形黄斑包围。

采集记录：2♀，佛坪窑沟，870～1000m，1998.Ⅷ.25。

分布：陕西（佛坪）、新疆、江苏、安徽、浙江、湖北、江西、湖南、福建、广东、海南、广西、四川、云南；越南，印度，印度尼西亚。

Ⅱ．芦蜂族 Ceratinini

鉴别特征：中型或小型。体黑色具黄斑，或蓝色，或绿色；体毛少，光滑或具刻点；前翅3个亚缘室，第1室大于其他2室，第3室上部明显窄于下部；无臀板；雄性第8腹板简单，无顶突；生殖刺突与生殖突基节合并。

分类：芦蜂族仅含芦蜂属1属，过去的绿芦蜂属（Pithitis）及大芦蜂属（Megaceratina）均作为亚属。

87．芦蜂属 *Ceratina* Latreille，1802

Ceratina Latreille, 1802b: 380. **Type species**: *Hylaeus albilabris* Fabricius, 1793 = *Apis cucurbitina* Rossi, 1792.

Pithitus Klug, in Illiger, 1807: 198. **Type species**: *Apis smaragdula* Fabricius, 1787.

Ceratina (*Ceratinidia*) Cockerell *et* Porter, 1899: 406. **Type species**: *Ceratina hieroglyphica* Smith, 1854.

Zadontomerus Ashmead, 1899: 69. **Type species**: *Ceratina tejonensis* Cresson, 1864.

Ceratina (*Crewella*) Cockerell, 1903: 202. **Type species**: *Ceratina titusi* Cockerell, 1903.

Neoceratina Perkins, 1912: 117. **Type species**: *Neoceratina australensis* Perkins, 1912.

Ceratina (*Chloroceratina*) Cockerell, 1918: 143. **Type species**: *Ceratina cyanura* Cockerell, 1918.

Ceratina (*Calloceratina*) Cockerell, 1924c: 77. **Type species**: *Ceratina amabilis* Cockerell, 1897 = *C. exima* Smith, 1862.

Ceratinula Moure, 1941: 78. **Type species**: *Ceratina lucidula* Smith, 1854.

Ceratina (*Catoceratina*) Vecht, 1952: 30. **Type species**: *Ceratina perforatrix* Smith, 1879.

Ceratina (*Lioceratina*) Vecht, 1952: 32. **Type species**: *Ceratina flavopicta* Smith, 1858.

Ceratina (*Xanthoceratina*) Vecht, 1952: 39. **Type species**: *Ceratina cladura* Cockerell, 1919.

Pithitis (*Protopithitis*) Hirashima, 1969: 651. **Type species**: *Ceratina aereola* Vachal, 1903.

Megaceratina Hirashima, 1971b: 251. **Type species**: *Ceratina bouyssoui* Vachal, 1903 = *Ceratina sculpturata* Smith, 1854.

Ceratina (*Euceratina*) Hirashima, Moure *et* Daly, 1971, in Hirashima, 1971a: 369. **Type species**: *Apis callosa* Fabricius, 1794.

Ctenoceratina (*Simioceratina*) Daly *et* Moure, 1988, in Daly, 1988: 42. **Type species**: *Ceratina moerenhouti* Vachal, 1903.

Ctenoceratina Daly *et* Moure, 1988, in Daly, 1988: 12. **Type species**: *Ceratina armata* Smith, 1854.

Ceratina (*Rhysoceratina*) Michener, 2000: 599. **Type species**: *Ceratina montana* Holmberg, 1886.

Ceratina (*Copoceratina*) Terzo *et* Pauly, in Pauly, *et al.*, 2001: 292. **Type species**: *Ceratina madecassa* Friese, 1900.

Ctenoceratina (*Hirashima*) Terzo *et* Pauly, in Pauly, *et al.*, 2001: 298. **Type species**: *Ceratina nyassensis* Strand, 1911.

Ceratina (*Malgatina*) Terzo *et* Pauly, in Pauly, *et al.*, 2001: 288. **Type species**: *Ceratina azurea* Benoist, 1955.

Ceratina (*Dalyatina*) Terzo, Iserbyt *et* Rasmont, 2007: 462. **Type species**: *Ceratina parvula* Smith, 1854.

属征： 见族征。

分布： 世界广布。世界已知366种，中国记录28种，秦岭地区分布1种。

(958) 棒突芦蜂 *Ceratina* (*Ceratina*) *satoi* Yasumatsu, 1936

Ceratina (*Zaodontomerus*) *satoi* Yasumatsu, 1936: 552.

Ceratina (*Ceratina*) *satoi*: Hirashima, 1971a: 361.

鉴别特征： 雌虫体长4.00～4.50mm。体黑色，无金属光泽；唇基中部具椭圆形浅黄色斑；前、中及后足腿节均肿大。雄虫体长3.50～4.00mm；上唇中部浅黄色；唇基具倒"T"形浅黄色斑；后足腿节中部膨大，其上具棒状突起；第7背板端缘平直。

采集记录： 1♀，宁陕火地塘，1580m，1978. Ⅶ. 27。

分布： 陕西（宁陕）、北京、山东；俄罗斯，韩国，日本。

三十七、准蜂科 Melittidae

鉴别特征： 中唇舌短而尖，无舌瓣；下唇须各节圆柱状；颏向基部渐尖；亚颏"Y"形；亚触角缝1条，无亚触角区；无颜窝；雄性具阳茎基腹铗。我国分布有毛足蜂亚科和准蜂亚科种类。

分类： 世界已知3亚科14属201种，中国记录2亚科3属26种，陕西秦岭地区分布1亚科1属1种。

88. 宽痣蜂属 *Macropis* Panzer, 1809

Macropis Panzer, 1809, no. 16. **Type species**: *Megilla labiata* Fabricius, 1805 = *Megilla fulvipes* Fabricius, 1805.

Paramacropis Popov *et* Guiglia, 1936: 287. **Type species**: *Ctenoplectra ussuriana* Popov, 1936.

Macropis (*Sinomacropis*) Michener, 1981: 51. **Type species**: *Macropis hedini* Alfken, 1936.

属征：前翅具2个亚缘室；雄性唇基、眼侧下区、额唇基区黄色或部分黄色，上唇宽为长的5～6倍；雌性上唇宽约为长的4倍。翅痔较宽大；基脉(M)2倍长于Rs脉或更多；后翅臀叶为轭叶长的1/2或1/2以上。雄性后足胫节及基跗节宽，基跗节长为宽的2倍多；后足胫节及基跗节毛刷发达；雄性后足基跗节一般加厚，外缘具稀的梳状毛；雌性前足及中足跗节加厚。雄性臀板很发达，表面明显弯曲，第7腹板小，每侧的顶叶大，呈折叠状且被刚毛，第8腹板具顶突；雄性生殖刺突基部窄而长，端部双叶状或双叉状，明显与生殖基节相关联。

分布：全北区。世界已知16种，中国记录7种，秦岭地区分布1种。

(959) 斑宽痣蜂 *Macropis* (*Sinomacropis*) *hedini* Alfken, 1936

Macropis hedini Alfken, 1936: 16.

Macropis (*Sinomacropis*) *hedini*: Wu & Michener, 1986: 44.

鉴别特征：雌虫体长8～10mm。体黑色；额唇基区具1个黄斑；腹部第1～2节或第3节基部及两侧背板红色；第4～5节背板端缘红色。雄虫体长8～9mm，似雌虫，但唇基、上颚基部、眼侧下区、额唇基区及触角前表面黄色；前足及中足腿节及胫节均膨大，端部均具黄斑；后跗节基部内侧具齿突，内缘中部凹。

采集记录：1♂，佛坪凉风垭，1900m，1998. Ⅶ. 24；1♂1♀，宁陕大水沟，1500～1760m，1999. Ⅵ. 30；5♂1♀，宁陕火地塘，1580～1650m，1999. Ⅵ. 27；1♂，宁陕平河梁，2020m，1998. Ⅶ. 29。

分布：陕西(佛坪、宁陕)、江苏、上海、浙江、湖北、广西、四川、云南。

三十八、隧蜂科 Halictidae

鉴别特征：中唇舌短或长，端部尖，无舌瓣；内颚叶向上延伸到下唇下颚管前表面，常为指状突起，远超出下颚其余部分，末端具刚毛。喙槽壁与幕骨结合，向前几乎达唇基，轴节关节突在唇基后靠拢；上唇宽大于长，若长大于宽，则端部中央存在具鬃毛的突起；下唇的颏及亚颏结构简化，颏短、膜质或颏及亚颏融合，前颏延长；中唇舌端部尖，无唇瓣；下唇须各节相似，且呈圆柱状；下颚外颚叶须前部从基部向顶端逐渐变窄，须前部一般与须后部等长；基脉一般明显弯曲；前侧缝一般完整，向腹面延伸达窝缝；但彩带蜂亚科(Nomiinae)前侧缝常不存在或略退化。

分类： 世界已知 4 亚科 75 属 4427 种，中国记录 4 亚科 6 属 328 种，陕西秦岭地区分布 2 亚科 2 属 23 种。

分亚科检索表(成虫)

中胸侧板窝缝下前侧缝缺失或略退化，有时强指向前；若有 3 个亚缘室，则第 3 亚缘室等长于第 1 亚缘室；若短于第 1 亚缘室，则常 2 倍长于第 2 亚缘室(缘室顶端明显呈圆形)(雌性臀前缘毛中间不分离)………………………………………………………… **彩带蜂亚科 Nomiinae**

前侧缝明显，且向下强指向窝缝下；若有 3 个亚缘室，则第 3 亚缘室常短于第 1 亚缘室，且不长于第 2 亚缘室的 2 倍 ………………………………………………… **隧蜂亚科 Halictinae**

(一)隧蜂亚科 Halictinae

鉴别特征： 缘室顶端尖或略呈平截状；雌性臀前缘毛被纵向的中央条带、或被具细、密毛或刻点有时近乎裸露的三角形区域分开，臀前缘毛和中央条带在一些盗寄生种类中缺失；雄性 S_7 由小盘状域、背侧长表皮突及中端部的角或突起构成，S_8 宽大于长，形状多样。

分类： 一般分为 2 个族，即隧蜂族(Halictini)和缘隧蜂族(Augochlorini)。世界已知 48 属 3548 种，中国记录 6 属 247 种，陕西秦岭地区发现 1 属 21 种。

89. 淡脉隧蜂属 *Lasioglossum* Curtis, 1833

Lasioglossum Curtis, 1833: pl. 448. **Type species**: *Lasioglossum tricingulum* Curtis, 1833 = *Melitta xanthopus* Kirby, 1802.

Parasphecodes Smith, 1853: 39. **Type species**: *Parasphecodes hilactus* Smith, 1853.

Hemihalictus Cockerell, 1897: 288. **Type species**: *Panurgus lustrans* Cockerell, 1897.

Sudila Cameron, 1898: 52. **Type species**: *Sudila bidentata* Cameron, 1898.

Sphecodogastra Ashmead, 1899: 92. **Type species**: *Sphecodes texana* Cresson, 1872.

Dialictus Robertson, 1902a (Feb. 1): 48. **Type species**: *Halictus anomalus* Robertson, 1892.

Evylaeus Robertson, 1902b: 247. **Type species**: *Halictus arcuatus* Robertson, 1893.

Ctenonomia Cameron, 1903: 178. **Type species**: *Ctenonomia carinata* Cameron, 1903, monobasic.

Acanthalictus Cockerell, 1924a: 184. **Type species**: *Halictus dybowskii* Radoszkowski, 1877.

Lasioglossum (*Australictus*) Michener, 1965: 165. **Type species**: *Halictus peraustralis* Cockerell, 1904.

Lasioglossum (*Austrevylaeus*) Michener, 1965: 170. **Type species**: *Halictus sordidus* Smith, 1853.

Lasioglossum (*Callalictus*) Michener, 1965: 170. **Type species**: *Parasphecodes tooloomensis* Cockerell, 1929.

Lasioglossum (*Glossalictus*) Michener, 1965: 173. **Type species**: *Halictus etheridgei* Cockerell,

1916.

Lasioglossum (*Pseudochilalictus*) Michener, 1965: 170. **Type species**: *Lasioglossum imitator* Michener, 1965.

Lasioglossum (*Sellalictus*) Pauly, 1980: 120. **Type species**: *Halictus latesellatus* Cockerell, 1937.

Paradialictus Pauly, 1984b: 691. **Type species**: *Paradialictus synavei* Pauly, 1984.

Eickwortia McGinley, 1999: 112. **Type species**: *Halictus nycteris* Vachal, 1904.

属征：体长3.50～13.00mm。体黑色，或具浅蓝绿色金属光泽，腹部有时部分或全部红色；雄性上唇、唇基及足常具黄斑，翅基片有时黄色；喙短，中唇舌长度不超过下唇须或下颚须；上颚简单；上唇宽至少为长的2倍；唇基扁平或隆起，雄性唇基隆起常强于雌性，刻点圆或斜刺状，刻点间常光滑，具光泽；复眼下端连线常穿过唇基，位于唇基中部或稍偏上；颚眼区条状，部分雄性宽为长的2倍；口上缝在前幕骨陷及其两侧钝圆；雌性触角柄节常伸达或超过后单眼，雄性触角长，至少伸达中胸盾片末端；前胸背板两侧角常钝，角状或叶状，但绝不形成脊状；中胸盾片前缘中央凸出，部分种类呈二叶状，且微翘起，有时具横向皱；并胸腹节背区具皱或光滑，侧区及后区常被较长羽状毛；前翅基脉强隆起，缘室顶端尖或微平截状，至少雌性第2径中横脉及第2回脉较临近的脉弱；后足胫节具2个胫节距，内侧胫节距具齿，梳状或锯齿状；雌性大部分种类具胫基板，端缘圆或尖，常具脊，雄性胫基板缺失或退化，无脊；腹部背板背腹向间圆，基部具毛带或毛斑或无毛，端部无毛或具少量纤毛或具由少量羽状毛形成的毛带；雌性腹部腹板具羽状毛；雄性外生殖器阳茎瓣内突下侧较大，平截状或斜截状。

分布：世界广布。世界已知1813种，中国记录168种，秦岭地区分布7亚属21种。

分亚属检索表(成虫)

1. 第2亚缘横脉与第1亚缘横脉一样强 …… 2
   第2亚缘横脉弱于第1亚缘横脉 …… 4
2. 雌性后足胫节内距栉状，齿大，齿数少于5个或1个大齿后接波形的边缘 …… **梳淡脉隧蜂亚属 *Ctenonomia***
   雌性后足胫节内距锯齿形，齿小，齿数多于5个 …… 3
3. 并胸腹节后截面两侧缘上半部或上1/3处无脊 …… **淡脉隧蜂亚属 *Lasioglossum* s. str.**
   并胸腹节后截面两侧缘上半部或上1/3处具脊 …… **白淡脉隧蜂亚属 *Leuchalictus***
4. 足部花粉刷发育完整，后足腿节背面有由羽状毛形成的花粉刷 …… 5
   足部花粉刷退化、简单，后足转节及腿节基部仅具1列简单中长毛 …… **棕腹淡脉隧蜂亚属 *Sphecogogastra***
5. 体黑色，头部及胸部具淡绿色或淡蓝色金属光泽；并胸腹节无围界脊将其与侧区及后区分开 …… 6
   体黑色，头部及胸部无淡绿色或淡蓝色金属光泽；并胸腹节具围界脊将其与侧区及后区分开 …… **胫淡脉隧蜂亚属 *Evylaeus***

6. 后足胫节内距栉状，具2~3个大齿 ………………………………… 带淡脉隧蜂亚属 ***Dialictus***
后足胫节内距锯齿状 ……………………………………… 半淡脉隧蜂亚属 ***Hemihalictus***

89-1. 梳淡脉隧蜂亚属 *Ctenonomia* Cameron, 1903

Ctenonomia Cameron, 1903: 178. **Type species**: *Ctenonomia carinata* Cameron, 1903.

Halictus (*Nesohalictus*) Crawford, 1910: 120. **Type species**: *Halictus robbii* Crawford, 1910 = *Nomia halictoides* Smith, 1858.

Halictus (*Oxyhalictus*) Cockerell *et* Ireland, 1935, in Cockerell, 1935: 91. **Type species**: *Halictus acuiferus* Cockerell *et* Ireland, 1935.

Lasioglossum (*Labrohalictus*) Pauly, 1981: 719. **Type species**: *Lasioglossum saegeri* Pauly, 1981.

Lasioglossum (*Rubrihalictus*) Pauly, 1999: 158. **Type species**: *Halictus rubricaudis* Cameron, 1905.

Lasioglossum (*Ipomalictus*) Pauly, 1999: 158. **Type species**: *Halictus nudatus* Benoist, 1962.

(960) 中华淡脉隧蜂 *Lasioglossum* (*Ctenonomia*) *sinicum* (Blüthgen, 1934)

Halictus sinicus Blüthgen, 1934: 17.

Lasioglossum sinicum: Hirashima, 1957: 20.

鉴别特征：雌虫体长5~6mm。体黑色，具浅绿色金属光泽；腹部2~4节背板具窄的白色毛带，常消失；腹部第5节背板末端毛浅黄色；头长略短于宽；唇基微隆起，端缘平直，端部刻点斜刺状，中部及基部刻点圆，刻点间距为刻点直径的2倍，刻点间略具革状纹，具光泽；中胸盾片刻点间距为刻点直径的1~3倍，刻点间略具革状纹，具光泽；小盾片刻点间距为刻点直径的0.50~1.00倍，刻点间略具革状纹，具光泽；并胸腹节背区中央呈新月形，具不完整围界脊，具不伸达端缘的纵皱，皱间略具革状纹，略具光泽腹部背板端部具横压；背板基部及端部几乎无刻点，中部具少量刻点及细横纹，光滑，略具光泽。雄虫体长5mm；头密被白色毡状毛；唇基突出，刻点圆，端部具黄色横条状斑；触角念珠状，伸达后胸盾片末端；腹部第1节背板中部及端部刻点稍稀，刻点间光滑。

采集记录：1♀，宁陕火地塘，1700m，1979.Ⅶ.27。

分布：陕西（宁陕）、甘肃、福建、云南。

89-2. 带淡脉隧蜂亚属 *Dialictus* Robertson, 1902

Dialictus Robertson, 1902a (Feb. 1): 48. **Type species**: *Halictus anomalus* Robertson, 1892.

Paralictus Robertson, 1901: 229 (nec Morawitz, 1873). **Type species**: *Halictus cephalicus* Robertson, 1892 = *Halictus cephalotes* Dalla Torre, 1896.

Chloralictus Robertson, 1902b (Sept. 10): 245, 248. **Type species**: *Halictus cressoni* Robertson, 1890.

Halictus (*Gastrohalictus*) Ducke, 1902: 102. **Type species**: *Halictus osmioides* Ducke, 1902.

Halictomorpha Schrottky, 1911: 81. **Type species**: *Halictomorpha phaedra* Schrottky, 1911.

Prosopalictus Strand, 1913: 26. **Type species**: *Prosopalictus micans* Strand, 1913 (nec *Halictus micans* Strand, 1909) = *Lasioglossum micante* Michener, 1993.

Rhynchalictus Moure, 1947: 5. **Type species**: *Rhynchalictus rostratus* Moure, 1947.

Halictus (*Microhalictus*) Warncke, 1975: 85. **Type species**: *Melitta minutissima* Kirby, 1802.

Halictus (*Puncthalictus*) Warncke, 1975: 87. **Type species**: *Hylaeus punctatissimus* Schenck, 1853.

Halictus (*Rostrohalictus*) Warncke, 1975: 88. **Type species**: *Halictus longirostris* Morawitz, 1876.

Halictus (*Smeathhalictus*) Warncke, 1975: 88. **Type species**: *Melitta smeathmanella* Kirby, 1802.

Halictus (*Marghalictus*) Warncke, 1975: 95. **Type species**: *Hylaeus marginellus* Schenck, 1853.

Halictus (*Pyghalictus*) Warncke, 1975: 103. **Type species**: *Andrena pygmaea* Fabricius, 1804.

Halictus (*Pauphalictus*) Warncke, 1982: 87. **Type species**: *Halictus pauperatus* Brullé, 1832.

Habralictellus Moure *et* Hurd, 1982: 46. **Type species**: *Halictus auratus* Ashmead, 1900.

Lasioglossum (*Afrodialictus*) Pauly, 1984a: 142. **Type species**: *Halictus bellulus* Vachal, 1910.

Lasioglossum (*Mediocralictus*) Pauly, 1984a: 143. **Type species**: *Halictus mediocris* Benoist, 1962.

(961) 触淡脉隧蜂 *Lasioglossum* (*Dialictus*) *mystaphium* Ebmer, 2002

Lasioglossum (*Evylaeus*) *mystaphium* Ebmer, 2002: 867.

Lasioglossum (*Dialictus*) *mystaphium*: Zhang, 2012: 76.

鉴别特征：雌虫体长4~5mm。体黑色，头部、胸部具黄绿色金属光泽；腹部背板黑褐色；腹部背板第2~3节端部被少量纤毛；头长略长于宽；唇基微隆起，端缘平截，端部刻点斜刺状，连成纵沟，基部刻点圆，刻点间距为刻点直径的1~2倍，刻点间光滑，具光泽；中胸盾片盾中沟明显，前缘中央呈二叶状，中央刻点间距为刻点直径的1.50~4.00倍，四周稍密，刻点间距为刻点直径的0.25~1.00倍，刻点间光滑，具光泽；中胸侧片具纵皱；并胸腹节背区中央呈新月形，具不伸达端缘的整齐纵皱，皱间具革状纹，略具光泽，端部光滑，具光泽；腹部各节背板端部具横压；腹部第1节背板基部、端部无刻点，中部刻点间距为刻点直径的1~3倍，刻点间光滑，具光泽；第2节背板基部、中部刻点间距为刻点直径的1~2倍，刻点间略具革状纹，具光泽，端部无刻点具细密横纹，光滑，具光泽；第3~4节背板刻点间距为刻点直径的1~2倍，刻点间略具革状纹，略具光泽。雄虫未知。

采集记录：1♀，太白山，1998.Ⅶ.11。

分布：陕西（太白山），云南。

(962) 弯踝淡脉隧蜂 *Lasioglossum* (*Dialictus*) *pronotale* Ebmer, 2002

Lasioglossum (*Evylaeus*) *pronotale* Ebmer, 2002: 862.

Lasioglossum (*Dialictus*) *pronotale*: Zhang, 2012: 81.

鉴别特征：雌虫体长5.00～5.50mm。体黑色，头部、胸部具蓝绿色金属光泽；腹部各节背板端部浅褐色，微透明；腹部背板第2～4节端部被少量纤毛；头长短于宽；头明显宽于胸；唇基端缘平截，端部刻点斜刺状，刻点连成纵沟，中部、基部刻点圆，刻点间距为刻点直径的1～2倍，刻点间光滑，具光泽；前胸背板两侧具角状突起；中胸盾片中央刻点间距为刻点直径的0.50～1.00倍，四周稍密，刻点间距为刻点直径的0.25～0.50倍，刻点间光滑，具光泽；中胸侧片具纵皱；小盾片刻点间距为刻点直径的1.00～1.50倍，刻点间光滑，具光泽；并胸腹节背区中央端缘平截，中央具不伸达端缘的整齐纵皱，两侧具伸达端缘的整齐纵皱，皱间光滑，具光泽；腹部第1节背板基部、中部具少量刻点，端部无刻点，光滑，具光泽；第2节背板基部、中部刻点间距为刻点直径的1.50～4.00倍，端部无刻点，光滑，具光泽；第3～4节背板基部无刻点，端部、中部具少量刻点。雄虫似雌虫，体长5.50mm；唇基突出，刻点圆，端部具浅黄色横条状斑；触角念珠状，伸达后胸盾片末端；中胸盾片刻点较深；并胸腹节背区具伸达端缘的整齐纵皱。

采集记录：1♂，太白山，1998.Ⅶ.11；2♀，宁陕旬阳坝，1998.Ⅴ.03-Ⅵ.13。

分布：陕西（太白、宁陕）。

（963）萨淡脉隧蜂 *Lasioglossum*（*Dialictus*）*sauterum* Fan *et* Ebmer，1992

Lasioglossum（*Evylaeus*）*sauterum* Fan *et* Ebmer，1992a：238.

Lasioglossum（*Dialictus*）*sauterum*：Zhang，2012：85.

鉴别特征：雌虫体长5.50～6.50mm。体黑色，具蓝绿色金属光泽；头长略长于宽；头与胸几乎等宽；唇基端缘平截，微隆起，端部刻点微斜刺状，刻点间距为刻点直径的2～3倍，刻点间光滑，具光泽，中部、基部刻点圆，刻点间距为刻点直径的2～4倍，刻点间具革状纹，具光泽；中胸盾片中央刻点间距为刻点直径的4～5倍，四周稍密，刻点间具革状纹，具光泽；并胸腹节背区中央新月形，具伸达基部1/2处的纵皱，基部皱间光滑，具光泽，中部、端部具革状纹，略具光泽；腹部各节背板无刻点，具横纹，端部横纹较明显，略具革状纹，具光泽。雄虫未知。

采集记录：1♀，宁陕华山，1700～1900m，1963.Ⅴ.27。

分布：陕西（宁陕）、四川、云南。

（964）四川淡脉隧蜂 *Lasioglossum*（*Dialictus*）*sichuanense* Fan *et* Ebmer，1992

Lasioglossum（*Evylaeus*）*sichuanense* Fan *et* Ebmer，1992a：235.

Lasioglossum（*Dialictus*）*sichuanense*：Zhang，2012：86.

鉴别特征：雌虫体长5～6mm。体黑色，头部、胸部具蓝绿色金属光泽；头长略短于宽；头略宽于胸；唇基端缘平截，微隆起，端部刻点微斜刺状，中部、基部刻点圆，刻点间距为刻点直径的2~3倍，刻点间光滑，具光泽；中胸盾片中央刻点间距为刻点直径的2倍，四周稍密，刻点间光滑，具光泽；并胸腹节背区中央端缘平截，具不伸达端缘的纵皱，皱间光滑，具光泽；腹部第1节背板无刻点，光滑，具光泽；第2节背板基部具少量刻点，刻点间距为刻点直径的5~6倍，中部、端部无刻点，端部具细密横纹，光滑，具光泽；第3~4节背板基部、中部刻点间距为刻点直径的2~3倍，端部无刻点，具细密横纹，光滑，具光泽。雄虫似雌虫，体长5.00~5.50mm；腹部第3腹板具长的毛簇；生殖刺突端部圆、膨大，生殖突基节膜质后叶长条状。

采集记录：1♂，太白山，1200m，1998.Ⅶ.11。

分布：陕西(太白山)、四川、云南。

(965) 变色淡脉隧蜂 *Lasioglossum* (*Dialictus*) *versicolum* Fan *et* Ebmer, 1992

Lasioglossum (*Evylaeus*) *versicolum* Fan et Ebmer, 1992a: 237.

Lasioglossum (*Dialictus*) *versicolum*: Zhang, 2012: 93.

鉴别特征：雌虫体长6mm。体黑色，头部、胸部具蓝绿色金属光泽；头长明显短于宽；头略宽于胸；唇基端缘平截，端部、中部刻点斜刺状，几乎连成纵沟，基部刻点圆，刻点间距等于刻点直径，刻点间略具革状纹，具光泽；中胸盾片中央刻点间距为刻点直径的4~6倍，四周稍密，刻点间距为刻点直径的2.00~3.50倍，刻点间光滑，具光泽；中胸侧板具刻点；小盾片刻点间距为刻点直径的2~3倍，中轴线附近、四周稍密，刻点间光滑，具光泽；并胸腹节背区中央新月形，具伸达背区1/2处的纵皱，皱间略具革状纹，具光泽，中部、端部具革状纹，具光泽；腹部各节背板无刻点；第1节背板光滑，具光泽；第2~4节背板基部略具革状纹，具光泽，端部具细密横纹，光滑，具光泽。雄虫未知。

采集记录：1♀，太白山，1200m，1998.Ⅶ.11。

分布：陕西(太白山)、湖北。

89-3. 胫淡脉隧蜂亚属 *Evylaeus* Robertson, 1902

Evylaeus Robertson, 1902b: 247. **Type species**: *Halictus arcuatus* Robertson, 1893.

Halictus (*Calchalictus*) Warncke, 1975: 99. **Type species**: *Apis calceata* Scopoli, 1763.

Halictus (*Inhalictus*) Warncke, 1975: 96. **Type species**: *Hylaeus interruptus* Panzer, 1798.

(966) 盔淡脉隧蜂 *Lasioglossum* (*Evylaeus*) *cassioides* Ebmer, 2002

Lasioglossum (*Evylaeus*) *cassioides* Ebmer, 2002: 846.

鉴别特征：雌虫体长6.50mm。体黑色，无金属光泽；头长略大于宽；唇基微隆起，刻点斜刺状，几乎连成纵沟，刻点间光滑，具光泽；中胸盾片刻点间距为刻点直径的1～4倍，四周稍密，刻点间光滑，具光泽；中胸侧板具纵皱；小盾片刻点间距为刻点直径的2～3倍，略具革状纹；并胸腹节背区中央呈新月形，具明显围界脊，具伸达端缘的纵皱，皱间光滑，具光泽；腹部第1节背板刻点分布均匀，刻点间距为刻点直径的2～4倍，刻点间光滑，具光泽；第2～4节背板刻点间距为刻点直径的1.00～2.50倍，第5节背板刻点稍密，端部具细横纹，刻点间光滑，具光泽。雄虫未知。

采集记录：1♀，宁陕旬阳坝，1998.Ⅴ.23-Ⅵ.13。

分布：陕西（宁陕）。

（967）白边淡脉隧蜂 *Lasioglossum*（*Evylaeus*）*luctuosum* Ebmer，2002

Lasioglossum（*Evylaeus*）*luctuosum* Ebmer，2002：884.

鉴别特征：雌虫体长6mm。体黑色，具铜绿色金属光泽；头长明显短于宽；头略宽于胸；唇基微隆起，刻点大，微斜刺状，刻点间距为刻点直径的0.50～1.50倍，刻点间光滑，具光泽；中胸盾片刻点间距为刻点直径的1.00～2.50倍，刻点间光滑，具光泽；中胸侧板具纵皱；小盾片中轴线上及四周密生刻点，中轴线两侧区域无刻点，光滑，具光泽；并胸腹节背区中央呈新月形，具弱围界脊，具不伸达端缘的不规则纵皱，皱间光滑，具光泽；腹部第1节背板仅中部具少量刻点，刻点间光滑，具光泽；第2节背板刻点间距为刻点直径的2～3倍，端部无刻点具横纹；第3～4节背板具少量刻点，端部无刻点，刻点间光滑，具光泽。雄虫未知。

采集记录：1♀，佛坪袁家庄，1998.Ⅵ.20-21；1♀，宁陕旬阳坝，1998.Ⅴ.23-Ⅵ.13。

分布：陕西（佛坪、宁陕）。

（968）收获淡脉隧蜂 *Lasioglossum*（*Evylaeus*）*messoropse* Ebmer，2002

Lasioglossum（*Evylaeus*）*messoropse* Ebmer，2002：849.

鉴别特征：雌虫体长7.50～8.80mm。体黑色；无金属光泽；腹部2～3节背板两侧具毛斑，常消失；头长明显短于宽；头明显窄于胸；唇基刻点斜刺状，连成纵沟，基部刻点圆，刻点间距为刻点直径的0.50～1.00倍，刻点间光滑，具光泽中胸盾片刻点间距为刻点直径的1～4倍，刻点间光滑，具光泽；中胸侧板具明显纵皱；小盾片中轴线上及四周刻点间距约为刻点直径的0.50倍，中央两侧几乎无刻点，刻点间光滑，具光泽；并胸腹节背区中央端缘平截，具明显围界脊，具伸达端缘的不规则纵皱，皱间光滑，具光泽；腹部第1节背板仅基部具少数刻点，光滑，具光泽；第2～3节背板基部具少数刻点，端部具明显细横纹，光滑，具光泽；第4节背板刻点间距为刻点直径的1.00～1.50倍，端部具明显细横纹，光滑，具光泽。雄虫体长8.50mm；似雌性，体黑色，具弱蓝灰色金属光泽；体毛稀疏，腹部背板无毛斑；唇基突出，刻点圆，刻点间距为刻点直径的0.25～1.00倍；触角念珠状，伸达并胸腹节背区；中胸盾片盾中沟明显，前缘中央二叶状突出，刻点间距为刻点直径的0.50～1.50倍；并胸腹节背区中央端缘圆；腹部背板刻点较密，刻点间距为刻点直径的1.00～1.50倍。

采集记录：1♀1♂，柞水，1993.Ⅸ.23。

分布：陕西（西安、柞水）。

89-4. 半淡脉隧蜂亚属 *Hemihalictus* Cockerell, 1897

Hemihalictus Cockerell, 1897: 288 [also proposed as new by Cockerell, 1898b: 216]. **Type species**: *Panurgus lustrans* Cockerell, 1897.

(969) 种系淡脉隧蜂 *Lasioglossum* (*Hemihalictus*) *eriphyle* Ebmer, 1996

Lasioglossum (*Evylaeus*) *eriphyle* Ebmer, 1996: 288.
Evylaeus (*Microhalictus*) *eriphyle*: Pesenko, 2007: 107.

鉴别特征：雌虫体长5.30～5.50mm。头长宽相等或长略大于宽；唇基上1/3刻点稀疏，刻点间距为刻点直径的0.50～2.50倍；中胸盾片刻点间距为刻点直径的0.40～1.50倍，刻点间革状或暗、具丝状闪光；并胸腹节短，其背面略长于后胸盾片；并胸腹节背区半月形，仅基部1/2的部分具稀疏的刻纹。雄虫体长4～5mm；并胸腹节背区仅基部1/3～2/3的部分具稀疏的刻纹；生殖突基节膜质后叶小而细长，长为宽的4倍，长度为生殖突基节长的1/2；生殖刺突圆四方形。

采集记录：2♀，宁陕旬阳坝，1000～1300m，1998.Ⅴ.23-Ⅵ.13。

分布：陕西（宁陕）；俄罗斯。

(970) 黄河淡脉隧蜂 *Lasioglossum* (*Hemihalictus*) *huanghe* Ebmer, 2002

Lasioglossum (*Evylaeus*) *huanghe* Ebmer, 2002: 880.

鉴别特征：雌虫体长5.00～5.50mm。体黑色；无金属光泽；腹部第2节背板基部两侧具白色毛斑；腹部第5节背板末端毛黄褐色；头长短于宽；头略宽于胸；唇基刻点圆，中端部刻点间距为刻点直径的0.50～1.00倍，刻点间光滑，具光泽，基部刻点间距为刻点直径的0.25倍，刻点间具革状纹；中胸盾片端缘微翘，刻点间距为刻点直径的1～3倍；中胸侧板具刻点；并胸腹节背区中央呈新月形，具伸达端缘的整齐纵皱，光滑，具光泽；腹部第1节背板几乎无刻点，仅端部具少量刻点，刻点间距为刻点直径的4～6倍，刻点间光滑，具光泽；第2节背板基部及中部刻点间距为刻点直径的3～5倍，端部无刻点，刻点间光滑，具光泽；第3～4节背板基部无刻点，中部及端部刻点间距为刻点直径的2～4倍，刻点间光滑，具光泽。雄虫体长5.50mm；似雌虫，头密被白色毡状毛；触角柄节褐色，鞭节基部黑褐色，端部红褐色，念珠状，伸达中胸小盾片；并胸腹节背区纵皱不规则，皱间间隙较大。

采集记录： 1♀，佛坪袁家庄，1998. Ⅵ. 20-21。

分布： 陕西(宁陕)。

(971) 忧郁淡脉隧蜂 *Lasioglossum* (*Hemihalictus*) *melancholicum* Ebmer, 2002

Lasioglossum (*Evylaeus*) *melancholicum* Ebmer, 2002: 881.

鉴别特征： 雌虫体长 5.50 ~ 6.00mm。体黑色；无金属光泽；腹部各节背板端缘褐色微透明；体毛白色，稀疏；并胸腹节侧区被中长羽状毛；腹部第 2 ~ 3 节背板末端被少量纤毛；头长等于宽；头略宽于胸；唇基端缘平截，端部刻点斜刺状，几乎连成纵沟，中部、基部刻点圆，刻点间距为刻点直径的 0.25 ~ 0.50 倍，刻点间光滑，具光泽；中胸盾片中央刻点间距为刻点直径的 2.00 ~ 3.50 倍，四周稍密，刻点间距为刻点直径的 1.00 ~ 1.50 倍，刻点间略具革状纹，略具光泽；中胸侧片具纵皱；并胸腹节背区中央呈新月形，中央具伸达基部 1/2 处的纵皱，两侧具伸达端缘的纵皱，皱间光滑，具光泽；腹部第 1 节背板几乎无刻点，光滑，具光泽；第 2 ~ 3 节背板基部、中部刻点间距为刻点直径的 2 ~ 5 倍，端部无刻点，刻点间光滑，具光泽；第 4 节背板基部、中部刻点间距为刻点直径的 2 ~ 3 倍，端部无刻点具细密横纹，光滑，具光泽。雄虫未知。

采集记录： 1♀，宁陕旬阳坝，1998. Ⅴ. 23-Ⅵ. 13。

分布： 陕西(宁陕)。

89-5. 淡脉隧蜂亚属 *Lasioglossum* Curtis, 1833

Lasioglossum Curtis, 1833: pl. 448. **Type species**: *Lasioglossum tricingulum* Curtis, 1833 = *Melitta xanthopus* Kirby, 1802.

Halictus (*Lucasius*) Dours, 1872: 350 (nec Kinahan, 1859). **Type species**: *Halictus clavipes* Dours, 1872.

Halictus (*Lucasiellus*) Cockerell, 1905: 272 (new name for *Lucasius* Dours, 1872).

Halictus (*Lucasellus*) Schulz, 1911: 202 (new name for *Lucasius* Dours, 1872).

Curtisapis Robertson, 1918: 91. **Type species**: *Halictus coriaceus* Smith, 1853.

Halictus (*Pallhalictus*) Warncke, 1975: 92. **Type species**: *Halictus pallens* Brullé, 1832.

Halictus (*Fahrhalictus*) Warncke, 1975: 95. **Type species**: *Halictus fahringeri* Friese, 1921.

Lasioglossum (*Lophalictus*) Pesenko, 1986: 125. **Type species**: *Lasioglossum acuticrista* Pesenko, 1986.

Lasioglossum (*Bluethgenia*) Pesenko, 1986: 136. **Type species**: *Halictus dynastes* Bingham, 1898.

Lasioglossum (*Ebmeria*) Pesenko, 1986: 136. **Type species**: *Halictus costulatus* Kriechbaumer, 1873.

Lasioglossum (*Sericohalictus*) Pesenko, 1986: 137. **Type species**: *Halictus subopacus* Smith, 1853.

(972) 群淡脉隧蜂 *Lasioglossum* (*Lasioglossum*) *agelastum* Fan *et* Ebmer, 1992

Lasioglossum (*Lasioglossum*) *agelastum* Fan *et* Ebmer, 1992b: 346.

Lasioglossum (*Lasioglossum*) *nipponicola* Sakagami *et* Tadauchi, 1995b: 177.

鉴别特征：雌虫体长 11 ~ 12mm。体黑色，无金属光泽；胸部侧区，后胸盾片及并胸腹节后区被长褐色毛；腹部 2 ~4 节背板具窄的白色毛带；腹部第 5 节背板末端毛黑褐色；头长约等于宽；唇基隆起，刻点斜刺状，端部刻点间连成纵沟，刻点间光滑，具光泽；中胸盾片刻点间距为刻点直径的 2 ~3 倍，刻点间略具革状纹，具光泽；并胸腹节背区中央呈三角形，具明显围界脊，具伸达端缘的纵皱，皱间光滑，具光泽；腹部背板端部微横压；腹部第 1 节背板基部及中部刻点稀，刻点间距为刻点直径的3 ~5 倍，端部刻点间距为刻点直径的 2 倍，刻点间光滑，具光泽；第 2 节背板刻点密，几乎连成网状，刻点间光滑，具光泽；其余背板刻点似第 2 节背板刻点，刻点间具革状纹，略具光泽。雄虫体长 10 ~ 11mm；似雌虫，触角长，伸达中胸小盾片；腹部背板端部具明显横压；腹部 2 ~4 节背板刻点稍大，稍稀，刻点间光滑，具光泽。

采集记录：2♀，宁陕旬阳坝，1000 ~ 1300m，1998. Ⅴ. 23-Ⅵ. 13。

分布：陕西(宁陕)、黑龙江、江苏、浙江、江西、湖南、四川；俄罗斯，韩国，日本。

(973) 圆淡脉隧蜂 *Lasioglossum* (*Lasioglossum*) *circularum* Fan *et* Ebmer, 1992

Lasioglossum (*Lasioglossum*) *circularum* Fan *et* Ebmer, 1992b: 346.

鉴别特征：雌虫体长 9.50 ~ 11.00mm。体黑色，无金属光泽；唇基强隆起，刻点斜刺状，不规则，刻点间具革状纹，无光泽；腹部 2 ~4 节背板具窄的白色毛带，常中断，第 4 节背板毛带常消失；腹部第 5 节背板末端毛黄色；并胸腹节背区中央呈三角形，具明显围界脊，具伸达端缘的纵皱，皱间光滑，具光泽。雄虫体长 8.50 ~ 9.50mm；唇基暗黄色，下半部中央具不明显的斑点；触角短，仅达中胸盾片的后缘；前胸盾片具下侧脊；中胸盾片刻点浅且密，刻点间革状。

采集记录：4♀，宁陕旬阳坝，1000 ~ 1300m，1998. Ⅴ. 23-Ⅵ. 13。

分布：陕西(宁陕)、北京、江苏、安徽、浙江、江西、湖南、福建、四川、贵州。

(974) 克劳迪娅淡脉隧蜂 *Lasioglossum* (*Lasioglossum*) *claudia* Ebmer, 2002

Lasioglossum (*Lasioglossum*) *claudia* Ebmer, 2002: 829.

鉴别特征：雌虫体长 7.50 ~ 8.00mm。体黑色；腹部 2 ~3 节背板两侧具毛斑；腹部第 4 节背板具毛带；头长略长于宽；头略宽于胸；唇基隆起，刻点斜刺状，端部及中部刻点间连成纵沟，基部刻点间距为刻点直径的 1.00 ~ 1.50 倍，刻点间略具革状纹，具光泽；中胸盾片中央刻点间距为刻点直径的1～2倍，四周稍密，刻点间略具革状纹，略具光泽；小盾片刻点间距最大为刻点直径的6倍；并胸腹节背区中央呈新月形，具明显围界脊，具伸达端缘的纵皱，皱间光滑，具光泽；腹部背板端部具横压；腹部第1节背板基部几乎无刻点，中端部刻点间距等于刻点直径，端部稍稀，刻点间光滑，具光泽；第2～4节背板刻点间距为刻点直径的0.50～1.50倍，刻点间具细横纹，具革状纹。雄虫未知。

采集记录：1♀，宁陕旬阳坝，1998.Ⅴ.23-Ⅵ.13。

分布：陕西（宁陕）、甘肃。

（975）粗唇淡脉隧蜂 *Lasioglossum*（*Lasioglossum*）*upinense*（Morawitz，1890）

Halictus upinensis Morawitz，1890：363.

Halictus carbonarius Blüthgen，1923：323（nec Smith，1853）.

Halictus（*Curtisapis*）*tacitus* Cockerell，1924b：584.

Halictus carbonatus Blüthgen，1925：92（new name for *Halictus carbonarius* Blüthgen，1923）.

Halictus wittenbourgi Cockerell，1925：5.

Lasioglossum（*Lasioglossum*）*upinense*：Ebmer，1978：194.

鉴别特征：雌虫体长11～13mm。体黑色；后胸盾片被长黄褐色毛；腹部2～3节背板具两侧宽中间窄的浅黄色毛带；腹部第4节背板具宽的浅黄色毛带；腹部第5节背板末端毛黄褐色；头长略长于宽；头略窄于胸；唇基微隆起，刻点斜刺状，端部及中部刻点间连成纵沟，基部刻点间距为刻点直径的1～2倍，刻点间具革状纹；中胸盾片及小盾片刻点密，几乎连成网状，刻点间具革状纹；并胸腹节背区中央呈三角形，具明显围界脊，具伸达端缘的较浅网状皱，皱间具革状纹；腹部背板端部具横压；腹部第1节背板刻点间距为刻点直径的1.00～1.50倍，刻点间具革状纹；第2～4节背板刻点间距为刻点直径的0.50～1.00倍，刻点间具细横纹，具革状纹。雄虫体长11～12mm；似雌虫，头密被黄色长毛；唇基突出，刻点圆，端部具淡黄色横条状斑；触角念珠状，伸达中胸小盾片；并胸腹节三角区纵皱粗，皱间光滑，具光泽；腹部2～4节背板基部被窄毛带。

采集记录：1♀，留坝庙闸口石，1800～1900m，1998.Ⅶ.20；1♂，宁陕火地塘，1700m，1979.Ⅶ.27。

分布：陕西（留坝、宁陕）、黑龙江、吉林、辽宁、内蒙古、北京、河北、甘肃、江苏、湖北、四川、贵州；蒙古，俄罗斯，朝鲜，德国。

（976）堆淡脉隧蜂 *Lasioglossum*（*Lasioglossum*）*zeyanense* Pesenko，1986

Lasioglossum（*Lasioglossum*）*zeyanense* Pesenko，1986：130.

Lasioglossum（*Lasioglossum*）*acervolum* Fan *et* Ebmer，1992b：346.

鉴别特征：雌虫体长9.50～10.00mm。体黑色；头顶及中躯背部体毛亮黄色；胸部侧区及后腹部第2节背板具白色毛带；腹部第3节背板两侧具白色毛斑；腹部第5节背板末端毛褐色；头宽大于长；中胸盾片刻点间距为刻点直径的0.25倍，刻点间具革状纹，略具光泽；并胸腹节背区中央呈新月形，具明显围界脊，具伸达端缘的纵皱，皱间光滑，具光泽；腹部第1节背板基部无刻点，中端部刻点间距为刻点直径的3～5倍，刻点间光滑，具光泽；第2～4节背板刻点间距等于刻点直径，刻点间具革状纹，具光泽。雄虫体长7.50～8.00mm；腹部第1节背板具细小无规则分布的刻点；生殖突基节向后的膜质突端部窄圆，并胸腹节背区刻纹粗糙，皱间光滑、闪光。

采集记录：1♂，宁陕，1979.Ⅷ.06。

分布：陕西（宁陕）、北京、河北、甘肃、青海、云南、西藏；俄罗斯。

89-6. 白淡脉隧蜂亚属 *Leuchalictus* Warncke, 1975

Halictus (*Leuchalictus*) Warncke, 1975: 98. **Type species**: *Apis leucozonia* Schrank, 1781.

(977) 甘肃淡脉隧蜂 *Lasioglossum* (*Leuchalictus*) *kansuense* (Blüthgen, 1934)

Halictus zonulus kansuensis Blüthgen, 1934: 7.

Lasioglossum (*Lasioglossum*) *esoense* Hirashima *et* Sakagami in Sakagami, *et al.*, 1966: 673.

Lasioglossum (*Leuchalictus*) *kansuense*: Pesenko, 1986: 141.

鉴别特征：雌虫体长11～12mm。体黑色；无金属光泽；腹部背板端缘褐色，微透明；体毛白色；前胸侧叶突、后胸盾片被浓密毛；腹部2～4节背板具两侧宽中央窄的白色毛带，第4背板毛带常中断；腹部第5节背板末端毛褐色；头长略长于宽；头略宽于胸；唇基微隆起，端部及中部刻点微斜刺状，基部刻点圆且稍密，刻点间距为刻点直径的0.50倍，刻点间光滑，具光泽；前胸背板两侧具尖角状突起；中胸盾片前缘中央微突呈二叶状，基部刻点间距为刻点直径的0.50倍，刻点间具革状纹，中端部刻点间距为刻点直径的1.00～1.50倍，刻点间光滑，具光泽；并胸腹节背区中央呈新月形，具明显围界脊，具伸达端缘的纵皱，皱间光滑，具光泽；腹部背板端部具横压；腹部第1节背板基部及端部刻点间距等于刻点直径，刻点间具革状纹，中部刻点间距为刻点直径的0.50～1.00倍，刻点间光滑，具光泽；第2～4节背板刻点间距等于刻点直径，刻点间具革状纹，略具光泽。雄虫体长8～9mm；似雌虫，头被白色毡状毛；唇基突出，刻点圆；触角念珠状，伸达中胸小盾片；腹部刻点间光滑，具光泽。

采集记录：1♀，宁陕火地塘，1580m，1998.Ⅶ.27。

分布：陕西（宁陕）、黑龙江、吉林、北京、河北、山东、河南、甘肃、新疆、江苏、上海、湖北、江西、福建、四川、贵州、云南、西藏；俄罗斯，朝鲜，日本。

89-7. 棕腹淡脉隧蜂亚属 *Sphecogogastra* Ashmead, 1899

Sphecogogastra Ashmead, 1899: 92. **Type species**: *Sphecodes texana* Cresson, 1872.

(978) 炭淡脉隧蜂 *Lasioglossum* (*Sphecogogastra*) *anthrax* Ebmer, 1995

Lasioglossum (*Evylaeus*) *anthrax* Ebmer, 1995: 613.

鉴别特征: 雌虫体长7mm。体黑色; 腹部2~3节背板两侧具毛斑, 常消失; 头部长略小于宽; 头略宽于胸; 唇基微突, 刻点大, 微斜刺状, 刻点间距为刻点直径的0.50~1.00倍, 刻点间光滑, 具光泽; 中胸盾片具明显盾中沟, 前缘中央二叶状明显, 中央刻点间距为刻点直径的1~2倍, 四周稍密, 刻点间光滑, 具光泽; 中胸侧板具纵皱; 并胸腹节背区中央呈三角形, 具明显围界脊, 具伸达端缘的不规则皱, 皱间光滑, 具光泽; 腹部第1节背板基部几乎无刻点, 中部及端部刻点间距为刻点直径的3~5倍, 刻点间光滑, 具光泽; 第2~4节背板基部及中部刻点间距为刻点直径的1~2倍, 端部具横纹, 刻点间光滑, 具光泽。雄虫未知。

采集记录: 1♀, 太白山, 1200m, 1998. Ⅶ. 11。

分布: 陕西(太白山)、台湾、云南。

(979) 石灰淡脉隧蜂 *Lasioglossum* (*Sphecogogastra*) *calcarium* Ebmer, 2002

Lasioglossum (*Evylaeus*) *calcarium* Ebmer, 2002: 846.

鉴别特征: 雌虫体长6.50mm。体黑色; 腹部各节背板端部黑褐色; 腹部第2~3节背板两侧具毛斑; 头长略长于宽; 头略窄于胸; 唇基微隆起, 刻点微斜刺状, 刻点间距为刻点直径的0.50~1.00倍, 刻点间光滑, 具光泽; 中胸盾片刻点间距为刻点直径的2~5倍, 四周稍密, 刻点间光滑, 具光泽; 中胸侧板具纵皱; 并胸腹节背区中央呈新月形, 具较弱围界脊, 具不伸达端缘的纵皱, 皱间光滑, 具光泽; 腹部第1节背板基部及中部无刻点, 端部散生少数刻点, 刻点间光滑, 具光泽; 第2~3节背板基部及中部刻点间距为刻点直径的2~3倍, 端部稍密且具细横纹, 刻点间光滑, 具光泽; 第4节背板刻点间距约为刻点直径的2倍, 端部具细横纹。雄虫未知。

采集记录: 1♀, 宁陕旬阳坝, 1998. Ⅴ. 23-Ⅵ. 13。

分布: 陕西(宁陕)。

(980) 延氏淡脉隧蜂 *Lasioglossum* (*Sphecogogastra*) *tyndarus* Ebmer, 2002

Lasioglossum (*Evylaeus*) *tyndarus* Ebmer, 2002: 846.

鉴别特征：雌虫体长6.50~7.00mm。体黑色；腹部各节背板端部黑褐色；腹部第2~3节背板两侧具毛斑；头长略长于宽；头略窄于胸；唇基微隆起，刻点斜刺状，连成纵沟，刻点间光滑，具光泽；中胸盾片刻点间距为刻点直径的1~3倍，四周稍密，刻点间光滑，具光泽；中胸侧板具纵皱；并胸腹节背区中央端缘平截，具明显围界脊，具伸达端缘的不规则纵皱，皱间光滑，具光泽；腹部第1节背板基部无刻点，中部及端部刻点间距为刻点直径的3~4倍，刻点间光滑，具光泽；第2~4节背板基部及中部刻点间距为刻点直径的2~3倍，端部具细横纹，刻点间光滑，具光泽。雄虫未知。

采集记录：1♀，佛坪袁家庄，1998.Ⅵ.20-21；1♀，宁陕旬阳坝，1998.Ⅴ.23-Ⅵ.13。

分布：陕西(佛坪、宁陕)、甘肃。

(二)彩带蜂亚科 Nomiinae

鉴别特征：体中型至大型，体长6~15mm。体黑色、黑褐色或褐色，不具金属光泽，腹部背板末端多具白色、黄色毛带，或具白色、黄色、绿色、橘黄色、蓝绿色及蓝色彩带，部分种类毛带中部中断；体刻点常均匀且密，有时刻点稀，刻点间表面光滑；头宽扁，宽多大于长；唇基平直，雌性部分种类唇基前端具突起，雄性部分种类上唇端部凹陷深，唇基刻点间表面常光滑，中部多具1条纵脊；复眼内侧面近顶部凹陷，颊最宽处常小于复眼宽；颚眼区长条形，宽远大于长；前胸盾片背侧角(前胸侧角)通常钝，有时两侧成片状突起或在中部凹陷；中胸盾片常成倒梯形(背面观)，有时表面具毡状毛；中胸侧板窝缝下前侧缝缺失或略退化，有时强指向前；小盾片表面有时毛较长且直，两侧常隆起或具突起；后盾片毛短且紧密，有时中部具2个基部不相连的突起；并胸腹节基部具纵脊，三角区多光滑闪光，两侧刻点密，有时成脊状，具长毛；翅基片膨大或极膨大；前翅缘室顶端圆，基脉弯曲平缓；前翅若有3个亚缘室，则第3亚缘室等长于第1亚缘室；若短于第1亚缘室，则常2倍长于第2亚缘室(缘室顶端明显呈圆形)；T_1 多具长毛；雄性腹部多细长，两侧平行或呈倒葫芦形；雌性腹部宽扁，呈倒锥形；雌性臀前缘毛中间不分离；雄性后足特化，腿节多不同程度膨大，内表面凹陷外表面隆起，常具突起，胫节多宽扁或成倒三角形，端部具突起；后足具2个胫距，大部分种类胫基板明显，周围成脊状。

分类：世界已知9属618种，中国记录4属42种，陕西秦岭地区发现1属2种。

90. 彩带蜂属 *Nomia* Latreille, 1804

Nomia Latreille, 1804: 182. **Type species**: *Andrena curvipes* Fabricius, 1781.

Crocisaspidia Ashmead, 1899: 68. **Type species**: *Crocisaspidia chandleri* Ashmead, 1899.

Hoplonomia Ashmead, 1904: 4. **Type species**: *Hoplonomia quadrifasciata* Ashmead, 1904.

Nomia (*Acunomia*) Cockerell, 1930, in Cockerell & Blair, 1930: 11. **Type species**: *Nomia nortoni* Cresson, 1868.

Nomia (*Leuconomia*) Pauly, 1980: 124. **Type species**: *Nomia candida* Smith, 1875.

Nomia (*Maculonomia*) Wu, 1982c: 275. **Type species**: *Nomia terminata* Smith, 1875.

Nomia (*Paulynomia*) Michener, 2000: 326. **Type species**: *Nomia aurantifer* Cockerell, 1910.

Gnathonomia Pauly, 2005, in Karunaratne, *et al*., 2005: 28. **Type species**: *Nomia nasicana* Cockerell, 1911.

属征：体中型至大型。腹部背板末端具彩带(白色、黄色、蓝色、绿色)的种类均归入该属中；腹部背板基部常具刻点及毛；具彩带的腹部背板末端彩带区常宽，且不具刻点及毛；前胸盾片不为领片状；如腹部背板末端不具彩带，腹部背板末端缩小并无刻点；后胸盾片有时具宽的薄片状突起；雄性生殖刺突端缘为平的宽板状，边缘具锯齿。

分布：世界广布。世界已知132种，中国记录21种，秦岭地区分布2种。

(981) 埃彩带蜂 *Nomia* (*Hoplonomia*) *elliotii* Smith, 1875

Nomia elliotii Smith, 1875: 44.

Nomia simplicipes Friese, 1897: 73.

Nomia (*Hoplonomia*) *elliotii*: Huang, 2008: 71.

鉴别特征：雌虫体中型，体长10～12mm。体黑色，光滑闪光；后盾片中部具2个基部连接的齿状突起；腹部第1～4节背板端缘具蓝绿色彩带。雄虫体中型，体长10～12mm；体黑色；头、前胸盾片、胸侧、后盾片、并胸腹节两侧、腹部第1节背板、各足外表面被白色毛；中胸盾片被稀的黑褐色毛；腹部第2～6节背板被稀的黑色毛；各足跗节内表面毛金黄色。

采集记录：1♂，留坝韦驮沟，1600m，1998.Ⅶ.11。

分布：陕西(留坝)、北京、浙江、湖南、台湾、香港、四川、云南、西藏；泰国，缅甸，印度，巴布亚新几内亚。

(982) 疑彩带蜂 *Nomia* (*Hoplonomia*) *incerta* Gribodo, 1894

Nomia incerta Gribodo, 1894: 129.

Nomia punctata Westwood, 1875: 213(HN).

Nomia punctulata Dalla Torre, 1896: 169(new name for *Nomia punctata* Westwood, 1875).

Nomia pilosella Cameron, 1904: 211.

Nomia (*Hoplonomia*) *punctulata*: Ebmer, 1978: 213.

鉴别特征：雌虫体长约10mm。体黑色，腹部第2~4节背板端缘蓝绿色横带；上唇前缘及两侧具脊，正中具脊状隆起；并胸腹节侧面及后足腿节具白毛；后胸盾片具1对向后伸出的突起。雄虫体长约10mm；体黑色，腹部第2~5节背板端缘蓝绿色横带；后足腿节膨大。

采集记录：1♀，留坝韦驮沟，1600m，1998.Ⅶ.11。

分布：陕西(留坝、佛坪、宁陕)、辽宁、北京、河北、山东、江苏、江西、台湾、福建、广西、四川、云南；韩国，日本，印度，新加坡，马来西亚，印度尼西亚。

三十九、切叶蜂科 Megachilidae

鉴别特征：中唇舌长，具唇瓣；下唇须前2节长而扁平，呈刀片状，其余2节小、短，常指向侧端，或第3节亦长而扁；颏长而骨化，向基部渐变尖；亚颏"Y"或"V"形；亚触角缝1条；上唇长大于宽，与唇基相连处不缢缩；前翅具2个几乎等长的亚缘室；臀板通常缺失。

分类：世界已知72属4111种，中国记录19属317种，陕西秦岭地区发现4属6种。

分族检索表（成虫）

翅痣长不到宽的2倍，翅痣内缘基部至r脉一般稍长；前翅痣一般短，宽小于长的2倍；雌性爪分叉或具内齿(除 *Trachusoides*)；后足胫节外表面一般具丰富的毛簇(*Aspidosmia* 具长毛)；体一般具黄或白(有时红色)斑 ………………………………………… **黄斑蜂族 Anthidiini**

翅痣长超过宽的2倍，翅痣内缘基部至r脉长大于宽；前翅痣长大于宽的2倍多；雌性爪简单；后足胫节外表面被毛，常为羽状毛，但非簇状；体常不具黄或白斑 ……………………
…………………………………………………………………………… **切叶蜂族 Megachilini**

Ⅰ. 切叶蜂族 Megachilini

鉴别特征：体不具金属色，无浅色斑。上颚一般宽大，3枚齿或4至5枚齿，少数2枚齿；唇基一般宽大于长，部分特化；上唇一般长方形；翅痣及前翅痣长，翅痣长超过宽的2倍，翅痣内缘基部至r脉长大于宽，前翅痣长大于宽的2倍多；前翅2条回脉被第2亚缘室接纳；无爪垫或至少后足无爪垫。

分布：全世界各大陆均有分布。本族包括3个属：切叶蜂属(*Megachile*)、尖腹蜂属(*Coelioxys*)及罗氏蜂属(*Radoszkowskiana*)，我国仅记录切叶蜂属及尖腹蜂属，秦岭地区均有分布。

分属检索表（成虫）

第 6 背板多齿 ………………………………………………………… **尖腹蜂属 *Coelioxys***
第 6 背板具大的亚端脊 ……………………………………………… **切叶蜂属 *Megachile***

91. 尖腹蜂属 *Coelioxys* Latreille, 1809

Coelioxys Latreille, 1809: 166. **Type species**: *Apis conica* Linnaeus, 1758 = *Apis quadridentata* Linnaeus, 1758.

Coelioxys (*Liothyrapis*) Cockerell, 1911: 246. **Type species**: *Coelioxys apicata* Smith, 1854 = *Coelioxys decipiens* Spinola, 1838.

Coelioxys (*Boreocoelioxys*) Mitchell, 1973: 37. **Type species**: *Coelioxys rufitarsus* Smith, 1854.

Coelioxys (*Xerocoelioxys*) Mitchell, 1973: 44. **Type species**: *Coelioxys edita* Cresson, 1872.

Coelioxys (*Synocoelioxys*) Mitchell, 1973: 57. **Type species**: *Coelioxys texana* Cresson, 1872.

Coelioxys (*Neocoelioxys*) Mitchell, 1973: 64. **Type species**: *Coelioxys assumptionis* Schrottky, 1911.

Coelioxys (*Acrocoelioxys*) Mitchell, 1973: 71. **Type species**: *Coelioxys otomita* Cresson, 1878.

Coelioxys (*Haplocoelioxys*) Mitchell, 1973: 85. **Type species**: *Coelioxys mexicana* Cresson, 1878.

Coelioxys (*Glyptocoelioxys*) Mitchell, 1973: 92. **Type species**: *Coelioxys vidua* Smith 1854.

Coelioxys (*Cyrtocoelioxys*) Mitchell, 1973: 106. **Type species**: *Coelioxys costaricensis* Cockerell, 1914.

Coelioxys (*Rhinocoelioxys*) Mitchell, 1973: 113. **Type species**: *Coelioxys zapoteca* Cresson, 1878.

Coelioxys (*Platycoelioxys*) Mitchell, 1973: 120. **Type species**: *Coelioxys spatuliventer* Cockerell, 1927.

Allocoelioxys Tkalců, 1974b: 340. **Type species**: *Coelioxys afra* Lepeletier, 1841.

Liothyrapis (*Torridapis*) Pasteels, 1977: 195. **Type species**: *Coelioxys torrida* Smith, 1854.

Coelioxys (*Mesocoelioxys*) Ruszkowski, in Ruszkowski, Bilinński *et* Gosek, 1986: 117. **Type species**: *Coelioxys argentea* Lepeletier, 1841.

属征：体小型至大型，5 ~ 22mm。无采粉刷；唇基一般宽大于长；上颚 2 枚或 3 枚齿；下颚须 3 节；腋片具齿状突；后胸及并胸腹节后表面均垂直；前翅具 2 个几乎等大的亚缘室；第 2 亚缘室接纳 2 根回脉；足无足垫；雌性腹部一般圆锥状，第 1 及 2 节背板等宽，第3 ~ 5节渐变窄，第 6 节延长，顶端钝；第 2 及第 3 节背板一般具完整或中断的横沟；雄性腹部第 2 背板有或无侧窝；腹部端部具齿；雄性生殖基节与生殖刺突合并。

分布：世界各大动物区均有分布。世界已知 474 种，中国记录 47 种，秦岭地区分布 1 种。

(983) 长板尖腹蜂 *Coelioxys* (*Torridapis*) *fenestrata* Smith, 1873

Coelioxys fenestrata Smith, 1873: 203.

鉴别特征: 雌虫体长15~17mm。复眼黑褐色;唇基被浅黄色毛;颜面被浅黄色或白色毛;腹部第1~5节背板端缘具白毛带。雄虫体长12~14mm;腹部末节具6枚齿,基部两侧各1枚齿,中央4枚齿;触角长达中胸端缘;第4腹板端缘中央具三角形凹,边缘密被白色毛;第4腹板端缘中央稍凹,密被浅黄色至黄褐色毛。

采集记录: 2♀,太白山,1200m,1998.Ⅶ.11。

分布: 陕西(太白山)、黑龙江、内蒙古、北京、山东、江苏、上海、安徽、浙江、江西、湖南、福建、台湾、广西、四川、云南、西藏;朝鲜,日本。

92. 切叶蜂属 *Megachile* Latreille, 1802

Megachile Latreille, 1802a: 434. **Type species**: *Apis centuncularis* Linnaeus, 1758.

Chalicodoma Lepeletier, 1841: 309. **Type species**: *Apis muraria* Olivier, 1789 (as *Xylocopa muraria* Fabricius, 1804) = *Apis parietina* Geoffroy, 1785.

Thaumatosoma Smith, 1865: 394. **Type species**: *Thaumatosoma duboulaii* Smith, 1865, monobasic.

Megachile (*Eutricharaea*) Thomson, 1872: 228. **Type species**: *Apis argentata* Fabricius, 1793.

Megachile (*Pseudomegachile*) Friese, 1898: 198. **Type species**: *Megachile ericetorum* Lepeletier, 1841.

Eumegachile Friese, 1898: 198. **Type species**: *Megachile bombycina* Radoszkowski, 1874.

Chelostomoides Robertson, 1901: 231. **Type species**: *Megachile rufimanus* Robertson, 1891 = *Chelostoma rugifrons* Smith, 1854.

Xanthosarus Robertson, 1903: 168, 169, 172. **Type species**: *Megachile latimanus* Say, 1823.

Sayapis Titus, 1906: 154 (new name for *Gnathocera* Provancher, 1882 and *Ceratias* Robertson, 1903). **Type species**: *Megachile pugnata* Say, 1837.

Gronoceras Cockerell, 1907: 65. **Type species**: *Gronoceras wellmani* Cockerell, 1907 = *Megachile bombiformis* Gerstaecker, 1857.

Megachile (*Creightonella*) Cockerell, 1908: 146. **Type pecies**: *Megachile mitimia* Cockerell, 1908 = *Megachile cognata* Smith, 1853.

Megachile (*Amegachile*) Friese, 1909: 326. **Type species**: *Megachile sjoestedti* Friese, 1901 = *Megachile bituberculata* Ritsema, 1880.

Neochelynia Schrottky, 1920: 187. **Type species**: *Neochelynia paulista* Schrottky, 1920, monobasic.

Megachile (*Hackeriapis*) Cockerell, 1922: 267. **Type species**: *Megachile rhodura* Cockerell, 1906.

Megachiloides Mitchell, 1924: 154. **Type species**: *Megachiloides oenotherae* Mitchell, 1924.

Heriadopsis Cockerell, 1931a: 338. **Type species**: *Heriadopsis striatulus* Cockerell, 1931.

Megachile (*Leptorachis*) Mitchell, 1934: 301, 308. **Type species**: *Megachile petulans* Cresson, 1878.

Megachile (*Litomegachile*) Mitchell, 1934: 301, 308. **Type species**: *Megachile brevis* Say, 1837.

Pseudocentron Mitchell, 1934: 303, 307. **Type species**: *Megachile pruina* Smith, 1853.

Megachile (*Melanosarus*) Mitchell, 1934: 303, 307. **Type species**: *Megachile xylocopoides* Smith, 1853.

Megachile (*Cressoniella*) Mitchell, 1934: 307. **Type species**: *Megachile* "*zapoteka* Cresson" = *M. zapoteca* Cresson, 1878.

Megachile (*Acentron*) Mitchell, 1934: 307. **Type species**: *Megachile albitarsis* Cresson, 1872.

Megachile (*Argyropile*) Mitchell, 1934: 308. **Type species**: *Megachile parallela* Smith, 1853.

Megachile (*Chrysosarus*) Mitchell, 1943: 664. **Type species**: *Megachile guaranitica* Schrottky, 1908.

Megachile (*Austromegachile*) Mitchell, 1943: 666. **Type species**: *Megachile montezuma* Cresson, 1878.

Megachile (*Ptilosarus*) Mitchell, 1943: 667. **Type species**: *Megachile bertonii* Schrottky, 1908.

Megachile (*Dasymegachile*) Mitchell, 1943: 669. **Type species**: *Megachile saulcyi* Guerin, 1845.

Megachile (*Tylomegachile*) Moure, 1953: 120. **Type species**: *Megachile orba* Schrottky, 1913.

Stelodides Moure, 1953: 123. **Type species**: *Megachile euzona* Perez, 1899.

Megachile (*Maximegachile*) Guiglia *et* Pasteels, 1961: 27. **Type species**: *Megachile maxillosa* Guerin, 1845.

Chalicodoma (*Chalicodomoides*) Michener, 1962: 24. **Type species**: *Megachile aethiops* Smith, 1853.

Chalicodoma (*Chelostomoda*) Michener, 1962: 24. **Type species**: *Megachile spissula parvula* Strand, 1913 = *M. spissula* Cockerell, 1911.

Chalicodoma (*Callomegachile*) Michener, 1962: 21. **Type species**: *Chalicodoma mystaceana* Michener, 1962.

Megachile (*Megella*) Pasteels, 1965: 167. **Type species**: *Megachile malimbana* Strand, 1911.

Megachile (*Platysta*) Pasteels, 1965: 171. **Type species**: *Megachile platystoma* Pasteels, 1965.

Chalicodoma (*Schizomegachile*) Michener, 1965: 199. **Type species**: *Megachile monstrosa* Smith, 1868.

Chalicodoma (*Rhodomegachile*) Michener, 1965: 201. **Type species**: *Megachile abdominalis* Smith, 1853.

Chalicodoma (*Austrochile*) Michener, 1965: 202. **Type species**: *Megachile resinifera* Meade-Waldo, 1915.

Megachile (*Mitchellapis*) Michener, 1965: 211. **Type species**: *Megachile fabricator* Smith, 1868.

Chalicodoma (*Stenomegachile*) Pasteels, 1965: 507. **Type species**: *Megachile chelostomoides* Gribodo, 1894.

Chalicodoma (*Largella*) Pasteels, 1965: 534. **Type species**: *Chalicodoma semivestita* Smith, 1853.

Chalicodoma (*Cuspidella*) Pasteels, 1965: 544. **Type species**: *Chalicodoma quadraticauda* Pasteels, 1965.

Chalicodoma (*Cestella*) Pasteels, 1965: 547. **Type species**: *Megachile cestifera* Benoist, 1954.

Chalicodoma (*Parachalicodoma*) Pasteels, 1966: 13 (nec Tkalců, 1969). **Type species**: *Megachile incana* Friese, 1898.

Eumegachile (*Schrottkyapis*) Mitchell, 1980: 46. **Type species**: *Megachile assumptionis* Schrottky, 1908.

Eumegachile (*Grosapis*) Mitchell, 1980: 46. **Type species**: *Megachile cockerelli* Rohwer, 1923.

Pseudocentron (*Moureana*) Mitchell, 1980: 56 (nec *Moureana* Zajciw, 1967). **Type species**: *Megachile anthidioides* Radoszkowski, 1874.

Cressoniella (*Ptilosaroides*) Mitchell, 1980: 63. **Type species**: *Megachile neoxanthoptera* Cockerell, 1933.

Cressoniella (*Trichurochile*) Mitchell, 1980: 63. **Type species**: *Megachile thygaterella* Schrottky, 1913.

Cressoniella (*Rhyssomegachile*) Mitchell, 1980: 63. **Type species**: *Megachile simillima* Smith, 1853.

Chrysosarus (*Zonomegachile*) Mitchell, 1980: 72. **Type species**: *Megachile mariannae* Dalla Torre, 1896.

Cressoniella (*Neocressoniella*) Gupta, 1993: 172. **Type species**: *Megachile carbonaria* Smith, 1853 = *Anthophora barbata* Fabricius, 1804.

Megachile (*Paracella*) Michener, 1997: 44. **Type species**: *Megachile semivenusta* Cockerell, 1931.

Megachile (*Matangapis*) Baker *et* Engel, 2006: 2. **Type species**: *Megachile alticola* Cameron, 1902.

属征: 体黑色或红色, 无金属光泽; 腹部第 1 节前表面凹, 但前缘无脊; 并胸腹节后表面及后胸盾片几乎垂直, 无背面小区; 小盾片宽, 端缘几乎直, 具相当大但非角状的腋片; 中胸侧片无脊; 前翅 2 条回脉均被第 2 亚缘室接纳; 下颚须 3 节; 上颚 3 ~5 枚齿; 雄性前足基节一般具刺, 前足跗节一些种类常特化; 雄性第 6 背板分为背面及近于垂直向下弯的表面, 第 6 及第 7 背板位于腹面。

分布: 世界各大动物地理区均有分布。世界已知 1503 种, 中国记录 112 种, 秦岭地区分布 2 种。

分亚属检索表(成虫)

1. 触角鞭节 10 节, 雌 …… 2
 触角鞭节 11 节, 雄 …… 3
2. 上颚 3 ~7 枚齿, 齿间无切脊; 体石蜂形 …… **丽切叶蜂亚属 *Callomegachile***
 上颚 4 ~5 枚齿, 第 3 齿间隙具切脊; 体切叶蜂形 …… **切叶蜂亚属 *Megachile* s. str.**
3. 第 8 腹板侧缘具毛; 后躯长为宽的 2 倍或 2 倍多 …… **丽切叶蜂亚属 *Callomegachile***
4. 第 8 腹板侧缘无毛; 后躯长小于宽的 2 倍 …… **切叶蜂亚属 *Megachile* s. str.**

92-1. 丽切叶蜂亚属 *Callomegachile* Michener, 1962

Chalicodoma (*Callomegachile*) Michener, 1962: 21. **Type species**: *Chalicodoma mystaceana* Michener, 1962.

Chalicodoma (*Eumegachilana*) Michener, 1965: 191. **Type species**: *Megachile clotho* Smith, 1861.

Chalicodoma (*Carinella*) Pasteels, 1965: 447 (nec Johnston, 1833). **Type species**: *Megachile torrida* Smith, 1853.

Chalicodoma (*Morphella*) Pasteels, 1965: 537. **Type species**: *Megachile biseta* Vachal, 1903.

Cressoniella (*Orientocressoniella*) Gupta, 1993: 165. **Type species**: *Megachile relata* Smith, 1879.

Megachile (*Carinula*) Michener, McGinley *et* Danforth, 1994: 174 (new name for *Carinella* Pasteels, 1965). **Type species**: *Megachile torrida* Smith, 1853.

(984) 粗切叶蜂 *Megachile* (*Callomegachile*) *sculpturalis* Smith, 1853

Megachile sculpturalis Smith, 1853: 181.

Megachile koreensis Radoszkowski, 1890: 230.

Megachile doederleinii Friese, 1898: 199.

鉴别特征: 雌虫体长 22 ~ 23mm。唇基端半部光滑倾斜, 与基半部交界处呈脊状, 基半部中央具纵脊; 腹毛刷第 2 ~ 3 节黄色, 第 4 ~ 6 节黑色。雄虫体长 16 ~ 17mm; 唇基端缘具整齐的黄毛; 腹部第 6 节背板端缘圆, 薄并想上翘, 端部表面具 1 个深凹。

采集记录: 2♀, 留坝韦驮沟, 1600m, 1998. Ⅶ. 21; 1♀, 留坝庙台子, 1350m, 1998. Ⅶ. 21。

分布: 陕西(太白、留坝、佛坪)、北京、河北、山东、河南、甘肃、江苏、上海、安徽、浙江、江西、福建、台湾、广西、四川、贵州、云南; 朝鲜, 日本, 美国(引入)。

92-2. 切叶蜂亚属 *Megachile* Latreille, 1802

Megachile Latreille, 1802a: 434. **Type species**: *Apis centuncularis* Linnaeus, 1758.

Megalochila Schulz, 1906: 263 (new name for *Megachile* Latreille, 1802).

Anthemois Robertson, 1903: 168, 172. **Type species**: *Megachile infragilis* Cresson, 1878 = *Apis centuncularis* Linnaeus, 1758.

Cyphopyga Robertson, 1903: 169, 172. **Type species**: *Megachile montivaga* Cresson, 1878.

(985) 低切叶蜂 *Megachile* (*Megachile*) *humilis* Smith, 1879

Megachile humilis Smith, 1879: 69.

Megachile remota var. *kagoshimae* Strand, 1913: 57.

鉴别特征: 雌虫体长 13 ~ 15mm。腹毛刷的第 1 ~ 4 节黄褐色, 两侧有黑毛, 第5 ~ 6 节黑色; 胸部被黄毛; 腹部第 1 ~ 5 节背板端缘具浅黄色毛带。雄虫体长 10 ~ 12mm; 前足基节突长, 端部尖; 颜面密被黄毛; 第 6 背板端缘圆, 中央稍凹, 双叶状。

采集记录: 1♀, 佛坪, 900m, 1973. Ⅷ. 13。

分布: 陕西(佛坪)、北京、河北、山东、上海、浙江、江西、湖南、福建、四川; 朝鲜, 日本。

Ⅱ. 黄斑蜂族 Anthidiini

鉴别特征: 体一般具黄色、白色或有时红色斑纹; 雌性上颚端部明显宽, 具3枚齿或多齿(少数2枚齿), 有时端缘平滑, 齿不易分辨; 前胸盾片背侧角不明显或无; 后胸盾片无中瘤; 前腋片垂直, 几乎不被毛; 翅痣长不到宽的2倍, 翅痣内缘基部至r脉一般稍长; 前翅痣一般短, 宽小于长的2倍; 雌性爪分叉或具内齿; 后足胫节外表面一般具丰富的毛簇或具长毛; 爪垫有或无; 雄性螯针发达。

分布: 世界广布。世界已知37属887种, 我国分布10属66种, 秦岭地区发现2属3种。

分属检索表(成虫)

颜面具3条纵脊; 体无黄斑 …… **赤腹蜂属 *Euaspis***

颜面无纵脊; 体具黄斑 …… **伟黄斑蜂属 *Bathanthidium***

93. 伟黄斑蜂属 *Bathanthidium* Mavromoustakis, 1953

Dianthidium (*Bathanthidium*) Mavromoustakis, 1953: 837. **Type species**: *Dianthidium bifoveolatum* Alfken, 1937.

Manthidium Pasteels, 1969: 43. **Type species**: *Anthidium binghami* Friese, 1901 (nec *Anthidium fraternum* Bingham, 1897).

Bathanthidium (*Stenanthidiellum*) Pasteels, 1968; 1059. **Type species**: *Anthidium sibiricum* Eversmann, 1852.

属征: 体小至中型。体黑色或具黄色斑纹, 腹部背板的前几节光带中断; 口上缝一般直; 前后头脊非脊状; 无胸腹侧脊或胸腹侧脊向下只延伸到中胸侧板的中部; 前胸背叶弱脊状或无脊; 小盾片端缘圆或中央凹, 不突于后盾片上; 并胸腹节气孔后具窝; 第2回脉稍超过第2亚缘室; 足具足垫; 雄性第4及第5腹板具梳状毛; 第7背板简单至3叶, 中叶最长; 雄性前足基节正常, 无刺。

分布: 古北区东部, 东洋区。世界已知13种, 中国记录11种, 秦岭地区分布2种。

93-1. 伟黄斑蜂亚属 *Bathanthidium* Mavromoustakis, 1953

Dianthidium (*Bathanthidium*) Mavromoustakis, 1953: 837. **Type species**: *Dianthidium bifoveolatum* Alfken, 1937.

(986) 双斑伟黄斑蜂 *Bathanthidium* (*Bathanthidium*) *bifoveolatum* (Alfken, 1937)

Anthidium bifoveolatum Alfken, 1937: 405.

Dianthidium (*Bathanthidium*) *bifoveolatum*: Mavromoustakis, 1953: 838.

Bathanthidium (*Bathanthidium*) *bifoveolatum*: Wu, 2006: 128.

鉴别特征: 雌虫体长7～9mm。并胸腹节气孔后窝圆形; 上颚4枚齿; 唇基两侧具黄斑; 眼侧区黄斑长达复眼顶端; 中胸盾片基部两侧具黄斑; 颅顶黑色, 无黄斑; 腹部第1～2节背板两侧具黄斑, 第3节具中断的黄带。雄虫体长8～10mm; 与雌虫相似, 但上颚3枚齿, 唇基黄色, 额唇基基部具近三角形黄斑, 颅顶两侧角各具1个黄斑。

采集记录: 1♀, 宁陕鸦雀沟, 1580～1600m, 1998. Ⅷ. 23; 2♀, 宁陕火地塘, 1580m, 1998. Ⅶ. 26-27。

分布: 陕西(宁陕)、安徽、浙江、湖北、湖南、福建、台湾、广西、云南。

93-2. 栉伟黄斑蜂亚属 *Stenanthidiellum* Pasteels, 1968

Bathanthidium (*Stenanthidiellum*) Pasteels, 1968: 1059. **Type species**: *Anthidium sibiricum* Eversmann, 1852.

(987) 橘色伟黄斑蜂 *Bathanthidium* (*Stenanthidiellum*) *rubopunctatum* (Wu, 1993)

Anthidium rubopunctatum Wu, 1993: 1397.

Trachusa (*Paraanthidium*) *rubopunctata*: Wu, 2006: 173.

Bathanthidium (*Stenanthidiellum*) *rubopunctatum*: Niu, *et al.*, 2017, unpublished data.

鉴别特征: 雄虫体长8～9mm。上颚3枚齿; 体黑色; 唇基及颜侧(触角窝以下)橘黄色; 腹部第2～5背板各具1对橘红色侧斑。雌虫体长10～12mm; 上颚4枚齿; 头部全黑色, 不具黄斑; 腹部第2～5背板各具1对橘红色侧斑; 腹毛刷大部分浅褐色, 端部2节褐色。

采集记录: 1♀, 佛坪, 1973. Ⅷ. 09。

分布: 陕西(佛坪)、四川、云南、西藏。

94. 赤腹蜂属 *Euaspis* Gerstaecker, 1857

Euaspis Gerstaecker, 1857: 460. **Type species**: *Thynnus abdominalis* Fabricius, 1793.

Dilobopeltis Fairmaire, 1858: 266. **Type species**: *Dilobopeltis fuscipennis* Fairmaire, 1858 = *Thynnus abdominalis* Fabricius, 1793.

Parevaspis Ritsema, 1874: lxxi. **Type species**: *Parevaspis basalis* Ritsema, 1874.

属征：体中型至大型。体黑色无黄斑，有时具蓝色光泽，腹部部分或全部红色；前后头脊位于颊后的两侧明显；额唇基一般具脊，额上为叉状脊；上颚一般3枚齿；下颚须2节；前胸盾叶及胸腹侧脊均脊状；小盾片端缘突出遮于并胸腹节上；前翅第1亚缘室明显小于第2亚缘室；雄性腹部第7背板具3个齿突，稍超过第6背板；雄性生殖刺突基部窄长，其上膨大而扁，阳茎腹铗大。

分布：非洲、亚洲南部及东部。世界已知12种，中国记录4种，秦岭地区分布1种。

（988）基赤腹蜂 *Euaspis basalis*（Ritsema，1874）

Parevaspis basalis Ritsema，1874：lxxii.

Stelis japonica Cameron，1889：19.

Euaspis（*Parevaspis*）*basalis* var. *ruficornis* Popov，1933：377.

鉴别特征：雌虫体长14～15mm。腹部第1节黑色，第2～6节红色；第6腹板端缘宽圆，基部中央的隆起近三角形。雄虫体长11～12mm；与雌虫相似。

采集记录：1♀，太白，1980. Ⅶ. 10；1♂，佛坪，1973. Ⅷ. 17。

分布：陕西(太白、佛坪)、北京、山东、甘肃、江苏、安徽、浙江、江西、福建、台湾、四川、云南、西藏；朝鲜，日本。

参考文献

Alfken，J. D. 1936. Schwedisch-chinesische wissenschaftliche Expedition nach den nordwestlichen Provinzen Chinas. Insekten，Hymenoptera，Apoidea. *Arkiv för Zoologi*，27A：1-24.

Alfken，J. D. 1937 About two new Apidao from China. *Entomology and Phytopathology*，Hangchow，20：404-406.

An，J. D.，Huang，J. X.，SHAO，Y. Q. *et al.* 2014. The bumblebees of North China（Apidae，Bombus Latreille）. *Zootaxa*，3830(1)：1-89.

An，J. D.，Williams，P. H.，Zhou，B. F.，Miao，Z. Y. & Qi，W. Z. 2011. The bumblebees of Gansu，Northwest China（Hymenoptera，Apidae）. *Zootaxa*，2865：1-36.

Ashmead，W. H. 1899. Classification of the bees，or the superfamily Apoidea. *Transactions of the American Entomological Society*，26：49-100.

Ashmead，W. H. 1904. A list of the Hymenoptera of the Philippine Islands，with descriptions of new species. *Journal of the New York Entomological Society*，12：1-22.

Baker，D. B. and Engel，M. S. 2006. A new subgenus of *Megachile* from Borneo with arolia. *American Museum Novitates*，no. 3505：1-12.

Bischoff，H. 1936. Schwedisch-chinesische wissenschaftliche Expedition nach den nordwestlichen Provinzen Chinas，unter Leitung von Dr. Sven Hedin und Prof. Sü Ping-chang. Insekten gesammelt vom schwedischen Arzt der Expedition Dr. David Hummel 1927-1930. 56. Hymenoptera. 10. Bombinae. *Arkiv förZoologi*，27A：1-27.

Blüthgen，P. 1923. Beiträge zur Kenntnis der Bienengattung Halictus Latr. *Archiv für Naturgeschichte.*

Abteilung A, 89(5): 232-332.

Blüthgen, P. 1925. Beiträge zur Kenntnis der Bienengattung Halictus Latr. Ⅱ. *Archiv für Naturgeschichte. Abteilung* A, (1924), 90(10): 86-136.

Blüthgen, P. 1934. Schwedisch-chinesische wissenschaftliche Expedition nach den nordwestlichen Provinzen Chinas unter Leitung von Dr. Sven Hedin und Prof. Sü Ping-chang: Insekten, gesammelt vom schwedischen Arzt der Expedition. Dr. David Hummel 1927-1930. 27. Hymenoptera. 5. Halictus- und Sphecodes-Arten (Hym.; Apidae; Halictini). *Arkiv för Zoologi*, 27A(13): 1-23.

Börner, C. 1919. Stammesgeschichte der Hautflügler. *Biologisches Zentralblatt*, 39: 145-185.

Brooks, R. W. 1988. Systematics and phylogeny of the anthophorine bees (Hymenoptera: Anthophoridae: Anthophorini). *University of Kansas Science Bulletin*, 53: 436-575.

Cameron, P. 1889. A decade of new Hymenoptera. *Memoirs and Proceedings of the Manchester Literary and Philosophical Society*, (4)2: 11-19.

Cameron, P. 1898. Hymenoptera Orientalia, or contributions to a knowledge of the Hymenoptera of the Oriental zoological region, Part Ⅶ. *Memoirs, Manchester Literary and Philosophical Society*, 42(11): 1-84, pl. 4.

Cameron, P. 1903. Descriptions of new genera and species of Hymenoptera taken by Mr. Robert Shelford at Sarawak, Borneo. *Journal of the Straits Branch of the Royal Asiatic Society*, 39: 89-181.

Cockerell, T. D. A. 1897. On the generic position os some bees hitherto referred to Panurgus and Calliopsis. *Canadian Entomologist*, 29: 287-290.

Cockerell, T. D. A. 1907. Descriptions and records of bees—XV. *Annals and Magazine of Natural History*, 7(20): 59-68.

Cockerell, T. D. A. 1908. A new subgenus of African bees. *Entomologist*, 41: 146-147.

Cockerell, T. D. A. 1911. Bees in the collection of the United States National Museum, 2. *Proceedings of the United States National Museum*, 40: 241-264.

Cockerell, T. D. A. 1918. The megachilid bees of the Philippine Islands. *Philippine Journal of Science*, (D)13: 127-144.

Cockerell, T. D. A. 1922. Descriptions and records of bees—XCV. *Annals and Magazine of Natural History*, (9)10: 265-269.

Cockerell, T. D. A. 1924a. Descriptions and records of Bees—CI. *Annals and Megazine of Natural History*, (9)14: 179-185.

Cockerell, T. D. A. 1924b. Descriptions and records of Bees—CIII. *Annals and Megazine of Natural History*, (9)14: 577-585.

Cockerell, T. D. A. 1924c. Notes on the structure of bees. *Proceedings of the Entomological Society of Washington*, 26: 77-85.

Cockerell, T. D. A. 1925. Some halictine bees from the maritime province of Siberia. *Proceeding of the United States National Museum*, 68(2): 1-12.

Cockerell, T. D. A. 1926a. Descriptions and records of Bees—CXII. *Annals and Magazine of Natural History*, (9)18: 216-227.

Cockerell, T. D. A. 1926b. Some bees in the collection of the California Academy of Sciences. *Pan-Pacific Entomologist*, 3: 80-90.

Cockerell, T. D. A. 1927. Some bees, principally from Formosa and China. *American Museum Novitates*, 274: 1-16.

Cockerell, T. D. A. 1929. Descriptions and records of Bees—CXIX. *Annals and Magazine of Natural History*, (10)4: 296-304.

Cockerell, T. D. A. 1931a. Heriadine and related bees from Liberia and the Belgian Congo. *Revue de Zoologie et de Botanique Africaines*, 20: 331-341.

Cockerell, T. D. A. 1931b. Descriptions and records of Hymenoptera. *Annals and Magazine of Natural History*, (10)7: 37-41.

Cockerell, T. D. A. and Blair, B. H. 1930. Rocky Mountain bees, I. *American Museum Novitates*, no. 433: 1-19.

Curtis, J. 1833. *British Entomology*, *Vol.* 10, pls. 434-481.

Dalla Torre, C. G. de. 1896. *Catalogus Hymenoprerorum*, *Vol.* 10, Apidae (Anthophila). Ⅷ + 643pp. Leipzig: Engelmann.

Dalla Torre, K. W. von. 1880. Unsere Hummel-(Bombus) *Arten. Die Naturhistoriker*, 2: 30, 40-41.

Dalla Torre, K. W. von. 1882. Bemerkungen zur Gattung Bombus Latr., Ⅱ. *Bericht des Naturwissenschaftlich-Medezinischen Vereins in Innsbruck*, 12: 14-31.

Daly, H. V. 1988. Bees of the new genus Ctenoceratina in Africa south of the Sahara. *University of California Publications in Entomology*, 108: i-ix + 1-69.

Dubitzky A. 2007. Revision of the Habropoda and Tetralonioidella species of Taiwan with comments on their host-parasitoid relationships (Hymenoptera: Apoidea: Apidae). *Zootaxa*, 1483: 41-68.

Ducke, A. 1902. Ein neues subgenus von *Halictus* Latr. *Zeitschrift für Systematische Hymenopterologie und Dipterologie*, 2: 102-103.

Ebmer, A. W. 1978. Die halictidae der Mandschurei. *Bonner Zoologische Beitraege*, 29(1-3): 183-221.

Ebmer, A. W. 1995. Asiatische Halictidae, 3. Die Artengruppe der *Lasioglossum carinate*-Evylaeus (Insecta: Hymenoptera: Apoidea: Halictinae). *Linzer biologische Beiträge*, 27(2): 525-652.

Ebmer, A. W. 1996. Asiatische Halictidae, 5. Daten zur Aculeaten-Fauna der Ussuri-Region unter Berücksichtigung der angrenzenden Gebiete (Insecta: Hymenoptera: Apoidea: Halictidae: Halictinae). *Linzer biologische Beiträge*, 28(1): 261-304.

Ebmer, A. W. 1998. Asiatische Halictidae-7. Neue Lasioglossum-Arten mit einer bersicht der *Lasioglossum* s. str.-Arten der nepalischen und yunnanischen Subregion, sowie des nördlichen Zentral-China (Insecta: Hymenoptera: Apoidea: Halictidae: Halictinae). *Linzer biologische Beiträge*, 30(1): 365-430.

Ebmer, A. W. 2002. Asiatische Halictidae-10. Neue halictidae aus China sowie diagnostische Neubeschreibungen der von Fan & Ebmer 1992 beschriebenen Lasioglossum-Arten (Insecta: Hymenoptera: Apoidea: Halictidae: Halictinae). *Linzer biologische Beiträge*, 34(2): 819-934.

Engel, M. S. 2005. Family-Group Name fro Bees (Hymenoptera: Apoidea). *American Museum Novitates*, 3476: 1-33.

Erichson, W. F. 1851. Hymenoptera, pp. 60-65. *In*: Middendorff, A. T. V. (Ed.), *Reise in den Äussersten Norden und Osten Sibiriens, während der Jahre 1843 und 1844 mit allerhöchster Genehmigung auf Veranstaltung der kaiserlichen Akademie der Wissenschaften zu St. Petersburg ausgeführt und in Verbindung mit Vielen Gelehrten herausgegeben.* Band Ⅱ. Zoologie. Theil 1, St Petersburg.

Eversmann, E. F. 1852. Fauna hymenopterologica Volgo-Uralensis (Continuatio). *Bulletin de la Société Imperiale des naturalistes de Moscou*, 25, Pt. 2, no. 3: 1-137.

Fabricius, J. C. 1798. *Supplementum entomologiae systematicae.* [2] +572 pp. Hafniae.

Fairmaire, L. 1858. Ordre Hyménoptères, in J. Thomson, Voyage au Gabon, Histoire Naturelle des Insectes *et* des Arachnides. *Archives Entomologiques*, 2: 263-267, figs. on pl. 10.

Fan, J. G. and Ebmer, A. W. 1992a. Nine new species of *Lasioglossum* (*Evylaeus*) from China (Hymenoptera: Apoidea: Halictidae). Acta Entomologica Sinaca, 35(2): 234-240. [范建国, Ebmer. 1992a. 中国胫淡脉隧蜂亚属九新种(膜翅目: 蜜蜂总科: 隧蜂科). 昆虫学报, 35(2): 234-240.]

Fan, J. G. and Ebmer, A. W. 1992b. Three new species of Lasioglossum (Lasioglossum) from China (Hymenoptera: Apoidea: Halictidae). Acta Entomologica Sinaca, 35(3): 346-349. [范建国, Ebmer. 1992a. 中国淡脉隧蜂属指名亚属三新种(膜翅目: 蜜蜂总科: 隧蜂科). 昆虫学报, 35(3): 346-349.]

Fedtschenko, A. P. 1875. V Kokanskom Khanstve [In the Chanat Kokan]. - *In*: Puteshestvie v Turkestan. . . . A. P. Fedtshenko [Travel to Turkestan by . . . A. P. Fedtshenko] Bd. 1, Taf. 2. — Izv. Imp. Obshch. Ljubit. Estest. Anthrop. Etnog. 11 (7), 160pp, 3 Karten, Moscow.

Franklin, H. J. 1954. The evolution and distribution of American bumble-bee kinds. *Transactions of the American Entomological Society*, 80: 43-51.

Friese, H. 1897. *Die Bienen Europa's (Apidae europaeae) nach ihren Gattungen, Arten und Varietäten auf vergleichend morphologisch-biologischer Grundlage. Theil* Ⅲ: *Solitäre Apiden: Genus Podalirius. Vol.* 3, Berlin: Friedländer. Theil Ⅲ. Ⅵ + 1-316 pp.

Friese, H. 1898. Species aliquot novae vel minus cognitae generis Megachile Latr. (*et* Chalicodoma Lep.). *Termeszetrajzt Fuzetek*, 21: 198-202.

Friese, H. 1905. Neue oder wenig bekannte Hummeln des russischen Reiches (Hymenoptera). *Ezhegodnik Zoologicheskago muzeya*, 9: 507-523.

Friese, H. 1909. Neue Varietäten von Bombus (Hym.). *Deustche entomologische Zeitschrift*, 1909: 673- 676.

Friese, H. 1913. Über einige neue Apiden (Hym.). *Archiv für Naturgeschichte*. Abteilung A, 78(12): 85-89.

Friese, H. 1916. Über einige neue Hummelformen (*Bombus*), besonders aus Asien (Hym.). *Deutsche entomologische Zeitschrift*, 1916: 107-110.

Friese, H. 1918. Über Hummelformen aus dem Himalaja. *Deutsche Entomologische Zeitschrift*, 1918: 81-86.

Frison, T. H. 1927. A contribution to our knowledge of the relationships of the Bremidae of America north of Mexico (Hymenoptera). *Transactions of the American Entomological Society*, 53: 51-78, pls. ⅩⅥ, ⅩⅦ.

Frison, T. H. 1930. The bumblebees of Java, Sumatra and Borneo. *Treubia*, 12: 1-22.

Frison, T. H. 1933. Records and descriptions of Bremus and Psithyrus from India (Bremidae: Hymenoptera). *Record of the Indian Museum*, 35: 331-342.

Frison, T. H. 1935. Records and descriptions of Bremus from Asia. *Records of the Indian Museum*, 37: 339-363.

Gerstaecker, A. 1858. [*Bees and wasps collected in Mozambique.*] Monatsberichte, Akademie der Wissenschaften, Berlin, 29 October 1857, pp. 460- 464.

Gribodo, G. 1892. Contribuzioni imenotterologiche. Sopra alcune specie nuove o poco conosciute di imenotteri antofili (generi Ctenoplectra, Xylocopa, Centris, Psithyrus, Trigona, e Bombus). *Bolletino della Società Entomologica Italiana*, 23: 102-119.

Gribodo, G. 1894. Note Imenotterologiche, Nota Ⅱ. Nuovi generi e nuove specie di Imenotteri antofili ed osservazioni sobra alcune specie gia conosciute. *Bollettino della Società Entomologica Italiana* [*Firenze*], 26 (1894): 76-135, 262-314.

Guiglia, D. and Pasteels, J. J. 1961. Aggiunte ed osservazioni all'elenco delle specie di imenotteri descritte da Guerin-Meneville che si trovano nelle collezioni del museo di Genova. *Annali del Museo Civico di Storia Naturale di Genova*, 72: 17-30.

Gupta, R. K. 1993. *Taxonomic Studies on the Megachilidae of North-Western India*. New Delhi: Indian Council of Agricultural Research. Also published 1998, Jodhpur: Scientific Publishers (India). [4] + 288 pp.

Hedicke, H. 1938. Über einige Apiden vom Hindukusch. *Deutsche Entomologische Zeitschrift*, 1938: 186-196.

Hirashima, Y. 1957. A tentative catalogue of the genus Halictus Latreille of Jaoan, and her adjacent territories (Hymenoptera, Halictidae). *Journal of Faculty of Agriculture, Kyushu University*, 16(1): 1-30.

Hirashima, Y. 1969. Synopsis of the genus Pithitis Klug of the world (Hymenoptera: Anthophoridae). Pacific Insects, 11: 649- 669.

Hirashima, Y. 1971a. Subgenetic classification of the genus Ceratina Latreille of Asia and West Pacific, with comments on the remaining subgenera of the world (Hymenoptera, Apoidea). *Journal of the Faculty of Agriculture, Kyushu University*, 16: 349-375.

Hirashima, Y. 1971b. Megaceratina, a new genus of bees of Africa (Hymenoptera, Anthophoridae). *Journal of Natural History*, 5: 251-256.

Hurd, P. D., Jr. and Moure, J. S. 1960. A new-world subgenus of bamboo-nesting carpenter bees belonging to the genus *Xylocopa* Latreille. *Annals of the Entomological Society of America*, 53: 809-821.

Hurd, P. D., Jr. and Moure, J. S. 1963. A classification of the large carpenter bees (Xylocopini). *University of California Publications in Entomology*, 29: ⅰ-ⅵ + 1-365.

Illiger, K. 1807. Vergleichung der Gattungen der Hautflügler, Piezata Fabr. Hymenoptera Linn. *Jur. Magazin für Insektenkunde*, 6: 189-199.

Jurine, L. 1801. In [G. W. F. Panzer], Nachricht von einem neuen entomologischen Werke, des Hrn. Prof. Jurine in Geneve. *Intelligenzblatt der Litteratur-Zeitung* [Erlangen] 1: 160-165. [This work was suppressed for nomenclatural purposes by ICZN Opinion 135 (Direction 4) (1939).]

Kirby, W. 1837. Part Ⅳ, Insects. In J. Richardson(ed.), *Fauna Boreali-Americana; or the Zoology of the Northern Parts of British America*. London: Longman. xxxix + 325 pp., pls. Ⅰ-Ⅷ.

Kirby, W. and Spence, W. 1826. *An Introduction to Entomology, Vol.* 3. London: Longman. 732 pp.

Klug, F. 1807. Kritische Revision der Bienengattungen in Fabricius neuem Piezatensysteme, mit Berüksichtigung der Kirbyschen Bienenfamilien und Illiger's Monographie im fünften Bande des Magazins. *Magazin für Insektenkunde*, 6: 200-228.

Krüger, E. 1917. Zur Systematik der mitteleuropaischen Hummeln. *Entomologische Mitteilungen*, 6: 55-66.

Krüger, E. 1920. Beitrage zur Systematik und Morphologie der mittel-europaischen Hummeln. Zoologische Jahrbucher, *Abteilung für Systematik, Geographie und Biologie der Tiere*, 42: 289-464.

Latreille, P. A. 1802a. *Histoire naturelle des fourmis*. Paris. Pp. 1- 445, pis. Ⅰ-Ⅻ.

Latreille, P. A. 1802b. *Histoire naturelle, générate et particulière des crustacés et des insectes*. 3. Paris. xii + 467 pp.

Latreille, P. A. 1803. [Various sections]. In *Nouveau Dictionnaire d'Histoire Naturelle, appliquée aux arts, principalement à l'agriculture et à l'economie rurale et domestique*, tome 18 [*vol.* 18]. Paris: Déterville.

Latrellie, P. A. 1804. Tableau méthodique des insectes. In *Nouveau Dictionnaire d'Histoire Naturelle, appliquée aux arts, principalement à l'agriculture et à l'economie rurale et* domestique, tome 24 [*vol.* 24], charactères *et* tables: 129-200. Paris: Déterville, 84 + 85 + 238 + 18 + 34 pp.

Latrellie, P. A. 1809. Genera crustaceorum *et* insectorum secundum ordinem naturalem in familias disposita, iconibus exemplisque plurimis explicata. Tomus quartus *et* ultimus. A. Koenig, Strasbourg. [2] + 399 pp.

Lepeletier de Saint-Fargeau, A. L. M. 1833. Observations sur l'ouvrage intitulé: Bombi Scandinaviae monographice tractati, etc., a Gustav Dahlbom. Londini Gothorum 1832; auxquellus on a joint les caractères des genres Bombus *et* Psithyrus, *et* la description des espèces qui appartiennent au dernier. *Annales de la Société Entomologique de France*, (1832): 366-382.

Lepeletier de Saint-Fargeau, A. L. M. 1841. Histoire Naturelle des Insectes-Hyménoptères. *Vol.* 2. Paris: Roret. 1-680.

Linnaeus, C. 1758. *Systema Naturae*, *Vol.* 1(ed. 10). Holmiae: Salvii. 824 pp.

Maa, T. c. 1938. The Indian species of the genus *Xylocopa* Latr. (Hymenoptera). *Records of the Indian Museum*, 40: 265-329.

Maa, T. c. 1939. *Xylocopa* orientalia critica (Hymen.), I. Subgenus Bomboixylocopa novum. *Lingnan Science Journal*, 18: 155-160.

Maa, T. c. 1948. On some eastern Asiatic species of the genus *Psithyrus* Lepel. *Notes d'Entomologie Chinoise, Musee Heude*, 12(3): 19-37.

Maa, T. c. 1954. The xylocopine bees (Insecta) of Afghanistan. *Videnskabelige Meddelelser fra Dansk Naturhistorisk Forening i Kjøbenhavn*, 116: 189-231.

Mavromoustakis, G. A. 1953. New and little-known bees of the subfamily Anthidiinae (Apoidea)-Part Ⅵ. *Annals and Magazine of Natural History*, (12)6: 834-840.

McGinley, R. J. 1999. Eickwortia (Apoidea: Halictidae), a new genus of bees from Mesoamerica. *University of Kansas Natural History Museum Special Publication*, 24: 111-120.

Michener, C. D. 1942. Taxonomic Observations on Bees with Descriptions of New Genera and Species (Hymenoptera; Apoidea). *Journal of the New York Entomological Society*, 50(3): 273-282.

Michener, C. D. 1954. Bees of Panamá. *Bulletin of the American Museum of Natural History*, 104: 1-176.

Michener, C. D. 1962. Observations on the classification of the bees commonly placed in the genus Megachile. *Journal of the New York Entomological Society*, 70: 17-29.

Michener, C. D. 1965. A classification of the bees of the Australian and south pacific regions. *Bulletin of the American Museum of Natural History*, 130: 1-362, pls. 1-15.

Michener, C. D. 1981. Classification of the bee family Melittidae with a review of species of Meganomiinae. *Contributions of the American Entomological Institute*, 18(3): ⅰ-ⅲ + 1-135.

Michener, C. D. 1986. Family-group names among bees. *Journal of the Kansas Entomological Society*, 59: 219-234.

Michener, C. D. 1990. Classification of the Apidae. *University of Kansan Science Bulletin*, 54: 75-153.

Michener, C. D. 1997. Genus-group names of bees and supplemental family group names. *Scientific Pa-*

pers, *Natural History Museum*, *University of Kansas*, no. 1: 1-81.

Michener, C. D. 2000. *The Bees of the World*. 1nd Edition. The Johns Hopkins University Press, Baltimore, 913 pp.

Michener, C. D. 2007. *The Bees of the World*. 2nd Edition. The Johns Hopkins University Press, Baltimore, 992 pp.

Minckley, R. L. 1998. A cladistic analysis and classification of the subgenera and genera of large carpenter bees, Tribe Xylocopini. *Scientific Papers*, *Natural History Museum*, *University of Kansas*, no. 9: 1-47.

Mitchell, T. B. 1924. New megachilid bees. *Journal of the Elisha Mitchell Scientific Society*, 40: 154-165.

Mitchell, T. B. 1934. A revision of the genus Megachile in the nearctic region. - Part Ⅰ. *Transactions of the American Entomological Society*, 59: 295-361, pls. XX-XXI.

Mitchell, T. B. 1943. On the classification of neotropical Megachile. *Annals of the Entomological Society of America*, 36: 656-671.

Mitchell, T. B. 1973. A Subgeneric Revision of the Bees of the Genus Coelioxys of the Western Hemisphere. Raleigh: Department of Entomology, North Carolina State University. iii + 129 pp.

Mitchell, T. B. 1980. *A Generic Revision of the Megachiline Bees of the Western Hemisphere*. Raleigh: Department of Entomology, North Carolina State University. [ii] + 95 pp.

Morawitz, F. 1875. Bees (Mellifera). *In*: Fedtschenko, A. P. (Ed.) *Reise in Turkestan*, Ⅱ Zoologischer Teil, *vol.* Ⅱ, Moscow, pp. ii + 160.

Morawitz, F. 1890. Insecta a cl. G. N. Potanin in China *et* in Mongolia novissime lecta. XIV. Hymenoptera, Aculeata Ⅱ. Ⅲ. Apidae. *Horae Societatis Entomologicae Rossicae*, 24: 349-385.

Moure, J. S. 1941. Apoidea neotropica, Ⅲ. *Arquivos do Museu Paranaense*, 1: 41-99, 1 pl.

Moure, J. S. 1953. Notas sobre Megachilidae de Bolivia, Perú y Chile. *Dusenia*, 4: 113-124.

Newman, E. 1834. Attempted division of British insects into natural orders. *Entomological Magazine*, 2: 379-431.

Niu, Z. Q., Oremerk, P. and Zhu, C. D. 2013. First record of the bee genus *Homalictus* Cockerell for China with description of a new species (Hymenoptera: Halictidae: Halictini). *Zootaxa*, 3746(2): 393-400.

Nylander, W. 1848. Adnotationes in expositionem monograohicam apum borealium. *Notiser ur Sällskapets pro Fauna et Flora Fennica förhandlingar*, 1: 165-282.

Panzer, G. W. F. 1801. *Faunae insectorum Germanicae initia oder Deutschlands Insecten gesammelt und herausgegeben*. Heft 73-84. Nürnberg: Felssecker.

Panzer, G. W. F. 1809. *Faunae Insectorum Germanicae*, heft 107. Nurnberg: Felssecker.

Pasteels, J. J. 1965. Révision des Megachilidae (Hymenoptera Apoidea) de l'Afrique Noire, 1. Les Genres Creightoniella [sic!], Chalicodoma *et* Megachile (s. str.). *Annales Musee Royal de l'Afrique Central* [*Tervuren*], *Sciences Zoologiques*, (IN-8%)137: ix +579 pp.

Pasteels, J. J. 1966. Megachilidae (genres: Creightoniella [sic!], Megachile *et* Chalicodoma) peu connues ou nouvelles des regions palearctique *et* africaine. *Bulletin et Annales de la Societe Royale d'Entomologie de Belgique*, 102: 1-19.

Pasteels, J. J. 1968. Statut, affinités et origines des Anthidiinae parasites. *Naturaliste Canadien*, 95: 1055-1063.

Pasteels, J. J. 1969. La systématique générique *et* subgénérique des Anthidiinae (Hymenoptera, Apoidea, Megachilidae) de l'ancien monde. *Mémoires de la Société Royale d'Entomologie de Belgique*, 31: 1-148.

Pasteels, J. J. 1977. Les Megachilini parasites (Coelioxys s. l.) d'Afrique noire. *Revue de Zoologie Africaine*, 91: 161-197.

Patton, W. H. 1879. Generic arrangement of the bees allied to Melissodes and Anthophora. *Bulletin of the United States Geological and Geographical Survey of the Territories*, 5: 471-479.

Pauly, A. 1980. Descriptions preliminaires de quelque sousgenres afrotropicaux nouveaux dans la famille des Halictidae. *Revue de Zoologie Africaine*, 94: 119-125.

Pauly, A. 1981. Lasioglossum (Labrohalictus) saegeri, nouveau sous-genre *et* nouvelle espece de Halictidae du Parc National de la Garamba (Zaire). *Revue de Zoologie Africaine*, 95: 717-720.

Pauly, A. 1984a. Classification des Halictidae de Madagascar *et* des iles voisines, I. Halictinae. Verhandlungen der Naturforschenden Gesellschaft in Basel, 94: 121-156.

Pauly, A. 1984b. Paradialictus, un nouveau genre cleptoparasite recolte au Parc National des VIrungas (Zaire). *Revue de Zoologie Africaine*, 98: 689-692.

Pauly, A. 1999. Classification des Halictini de la region Afrotropicale. *Bulletin de l'Institute Royal des Sciences Naturelles de Belgique*, *Entomologie*, 69: 137-196.

Pauly, A. 2009. Classification des Nomiinae de la Région Orientale, de Nouvelle-Guinée *et* des îles de l'Océan Pacifique (Hymenoptera: Apoidea: Halictidae). *Bulletin de l'Institut Royal des Sciences naturelles de Belgique*, *Entomologie*, 79: 151-229.

Pauly, A., Brooks R. W., Nilsson, L. A., Pesenko, Y. A. *et al.* 2001. Hymenoptera Apoidea de Madagascar *et* los iles voisines. *Annales Sciences Zoologiques*, *Musée Royal d l'Afrique Centrale* [Tervuren], 286: 1-390, pls. 1-16.

Pérez, J. 1901. Contribution à l'étude des xylocopes. *Actes de la Société Linnéenne de Bordeaux*, (6)6 (= *Vol.* 56): 1-128.

Perkins, R. C. L. 1912. Notes, with descriptions of new species, on aculeate Hymenoptera of the Australian Region. *Annals and Magazine of Natural History*, (8)9: 96-121.

Pesenko, Yu. A. 1986. An annotated key to females of the palaeartic species of the genus Lasioglossum sensu stricto (Hymenoptera, Halictidae), with descriptions of new subgenera and species. Pp. 113-151. *In*: Y. A. Pesenko (ed.), Systematics of Hymenopterous Insects. Trudy Zoologicheskova Instituta, Akademii Nauk SSSR, 159pp.

Pittioni, B. 1939. Tanguticobombus subg. nov. (Hymenopt., Apidae). *Zoologischer Anzeiger*, 126: 201-205.

Pittioni, B. 1949. Beiträge zur Kenntnis der Bienenfauna So-Chinas. Die Hummeln und Schmarotzerhummeln der Ausbeute J. Klapperich (1937/38) (Hym., Apoidea, Bombini). *Eos*, 25: 241-284.

Proshchalykin, M. Yu. 2004. A check list of the bees (Hymenoptera, Apoidea) of the southern part of the Russian Far East. *Far Eastern Entomologist*, 143: 1-17.

Popov, V. B. 1931. Zur Kenntnis der palaarktischen Schmarotzerhummeln (Psithyrus Lep.). *Eos*, 7: 131-209.

Popov, V. B. 1933. On the palaearctic forms of the tribe Stelidini Roberts. (Hymenoptera, Megachilidae). *Trudy Instituta Zoologii*, *Akademii Nauk SSSR*, 1: 375-414.

Popov, V. B. 1936. A new bee of the genus Ctenoplectra Sm. (Hymenoptera, Apoidea). *Proceeding of the Royal entomological Society of London*, (B) 5: 78-80.

Popov, V. B. 1950. Concerning the genus Amegilla Friese. *Entomologicheskoe Obozrenie*, 31: 257-261.

Popov, V. B. and Guiglia, D. 1936. Note sopra i gen. Ctenoplectra Sm. e Macropis Panz. Annali del Museo Civico di Storia Naturale di Genova, 59: 257-288.

Quilis P., M. 1927. Los ápidos de Espana. Genero *Bombus* Latr. *Trabajos del Laboratorio de Historia Natural de Valencia*, 16: 1-119, 10 pls.

Radoszkowski, O. 1874. Matériaux pour servir à une faune hyménoptérologique de la Russie. *Horae Societatis Entomologicae Rossicae*, 11(1873-1874): 190-195.

Radoszkowski, O. 1877. Essai d'une nouvelle méthode pour faciliter la détermination des espèces appartenant au genre *Bombus*. *Byulleten' Moskovskogo obshchestva ispytatelei prirody*, 52: 169-219.

Radoszkowski, O. 1882. Wiadomosciznauk Przyrodzonch zeszyt Ⅱ. P. 72-81, Warsa.

Radoszkowski, O. 1890. Hymenoptères de Korée. *Horae Societatis Entomologicae Rossicae*, xxiv: 229-232.

Richards, O. W. 1929. A revilsion of the humble-bees allied to *Bombus orientalis* Smith, with the description of a new subgenus. *Annals and Magazine of Natural History*, (10)3: 378-386.

Richards, O. W. 1930. The humble-bees captured on the expeditions to Mt. Everest (Hymenoptera, Bombidae). *Annals and Magazine of Natural History*, (10) 5: 633-658.

Richards, O. W. 1931. A newspecies of Indian humble-bee in the collection of the British Museum (Hymenoptera, Bombidae). *Annals and Magazine of Natural History*, (10) 8: 529-533.

Richards, O. W. 1934. Some new species and varieties of oriental bumble-bees (Hym., Bombidae). *Stylops*, 3: 87-90.

Richards, O. W. 1968. The subgeneric division of the genus *Bombus* Latreille (Hymenoptera: Apidae). *Bulletin of the British Museum (Natural History)*, *Entomology*, 22 (5): 211-276.

Ritsema, C. 1874. Aanteekeningen betreffende eene kleine collectie Hymenoptera van Neder-Guinea, en beschrijving van de nieuwe soorten. *Tijdschrift voor Entomologie*, 17: lxviii-lxxv.

Roberstson, C. 1901. Some new or little-known bees. *Canadian Entomologist*, 33: 229-231.

Roberstson, C. 1902a. Some new or little-known bees-Ⅱ. *Canadian Entomologist*, 34: 48- 49.

Roberstson, C. 1902b. Synopsis of Halictinae. *Canadian Entomologist*, 34: 243-250.

Robertson, C. 1903. Synopsis of Megachilidae and Bombinae. *Transactions of the American Entomological Society*, 29: 163- 178.

Ruszkowski, A., Bilinński, M. and Gosek, J. 1986. Rośliny pokarmowe i gospodarze pasozytniczych pszczól miesiarkowatych (Coelioxys Latr., Stelis Pz., Dioxys Lep. *et* Serv., Dioxoides Pop. oraz Paradioxys Mocs.). *Pszczelnicze Zeszyty Naukowe*, 30: 111-131.

Sakagami, S. F., Hirashima, Y. and Ohé, Y. 1966. Bionomics of two new Japanese halictine bees (Hymenoptera, Apoidea). *Journal of the Faculty of Agriculture*, *Kyushu University*, 13(4): 673-703.

Sakagami, S. F. and Ishikawa, R. 1969. Note préliminaire sur la répartition géographique des bourdons japonais, avec descriptions et remarques sur quelques formes nouvelles ou peu connues. *Journal of the Faculty of Science Hokkaido University Serives* Ⅵ. Zoology, 17(1): 152-196.

Sakagami, S. F. and Ishikawa, R. 1972. Note supplementaire sur la taxonomie *et* repartition geographique de quelques bourdons Japonais, avec la description d'une nouvelle sous-espece. *Bulletin of the National Science Museum* (Tokyo), 15(4): 607-616.

Sakagami, S. F. and Tadauchi, O. 1995b. Three New Halictine Bees from Japan (Hymenoptera,

Apoidea). *Esakia*, 35: 177-200.

Sandhouse, G. A. 1943. The type species of the genera and subgenera of bees. *Proceedings of the United States National Museum*, 92: 519-619.

Schulz, W. A. 1906. *Spolia Hymenopterologica*. Paderborn: Pape. 356 pp.

Skorikov, A. S. 1910a. [Nouvelles formes des bourdons (Hymenoptera, Bombidae). (Diagnoses préliminaires).] Ⅲ. *Russkoe éntomologicheskoe Obozrênie*, 9(1909): 409-413.

Skorikov, A. S. 1910b. Revision der in der Sammlung des weil. Prof. E. A. Eversmann befindlichen Hummeln. *Trudy Russkago éntomologicheskago obshchestva*, 39: 570-584.

Skorikov, A. S. 1912. Neue Hummelformen (Hymenoptera, Bombidae). Ⅳ. *Russkoe éntomologicheskoe Obozrênie*, 12: 606-610.

Skorikov, A. S. 1913. Neue Hummelformen (Hymenoptera, Bombidae). Ⅴ. *Russkoe éntomologicheskoe Obozrênie*, 13: 171-175.

Skorikov, A. S. 1914. Les formes nouvelles des bourdons. *Russkoe éntomologicheskoe Obozrênie*, 14: 119-129.

Skorikov, A. S. 1915. Contribution à la faune des bourdons de la partie méridionale da la province Maritime. *Revue Russe d'Entomologie*, 14(1914): 398-407.

Skorikov, A. S. 1922. Les bourdons de la faune palearctique, Partie 1, Biologie generale. *Izvestiya Severnoi Oblastnoi Stantsii Zashchity Rastnii ot Vreditelei [Bulletin de la Station Regionale Protectrice des Plantes a Petrograd]*, 4: 1-160, 15 maps.

Skorikov, A. S. 1923. Palaearctic bumblebees. Part Ⅰ. General biology (including zoogeography). *Izvestiya Severnoi oblastnoi stantsii zashchity rastenii ot vreditelei*, 4(1): 1-160.

Skorikov, A. S. 1933. Zur Hummelfauna Japans und seiner Nachbarlandes. *Mushi*, 6: 53-65, 2 figs.

Skorikov, A. S. 1937. Die gronlandischen Hummeln im Aspekte der Zirkumpolarfauna. *Entomologiske Meddelelser*, 20: 37-64.

Skorikov, A. S. 1938a. Zoogeographic uniformity of the bumblebee fauna of the Causasus, Iran and Anatolia. *Entomologicheskoe Obozrenie*, 27: 145-151.

Skorikov, A. S. 1938b. Vorläufige Mitteilung über die Hummelfauna Burmas. *Arkiv för zoologi*, 30B: 1-3.

Smith, F. 1852. Descriptions of some new and apparently undescribed species of hymenopterous insects from north China, collected by Robert Fortune, Esq. *Transactions of the Entomological Society of London*, 2: 33-45.

Smith, F. 1853. *Catalogue of Hymenopterous Insects in the collections of the British Museum*. Part Ⅰ. Andrenidae and Apidae. London, Trustees of the British Museum. Pp. [ⅰ-ⅲ], [1]-197, pl. Ⅰ-Ⅵ.

Smith, F. 1854. Catalogue of Hymenopterous Insects in the Collection of the British Museum, Part 2. London: British Museum. Pp. 199-465, pls. ⅶ-ⅻ.

Smith, F. 1857. Catalogue of the hymenopterous insects collected at Sarawak, Borneo; Mount Ophir, Malacca; and at Singapore by A. R. Wallace. *Journal of the Proceedings of the Linnean Society of London, Zoology*, 2: 42-88.

Smith, F. 1861. Descriptions of new genera and species of exotic Hymenoptera. *Journal of Entomology*, 1: 146-155.

Smith, F. 1865. Descriptions of some new species of hymenopterous insects belonging to the families Thynnidae, Masaridae and Apidae. *Transactions of the Entomological Society of London*, (3)2: 389-399, pl. 21.

Smith, F. 1869. Descriptions of Hymenoptera from Japan. *Entomologist*, 4: 205-208.

Smith, F. 1873. Descriptions of Aculeate Hymenoptera of Japan, collected by Mr. Geoge Lewis at Nagasaki and Hiogo. *Transactions of the Entomological Society of London*, 1873(2): 181-206.

Smith, F. 1875. Descriptions of new species of Indian Aculeate Hymenoptera, collected by Mr. G. R. James Rothney, Member of the Entomological Society. *Transactions of the entomological Society of London*, 1875: 33-51.

Smith, F. 1879. Description of New Species of Hymenoptera in the Collection of the British Museum. London: British Museum. xxi + 240pp.

Strand, E. 1913. H. Sauter's Formosa-Ausbeute. Apidae I. *Supplementa Entomologica Berlin*, 2: 23-67.

Swederus, N. S. 1787. Fortsåttning af beskrifningen på 50 nya species af insecter. *Kungliga Svenska vetenskapsakademiens handlingar*, 8: 276-290.

Terzo, M., Iserbyt, S. and Rasmont, P. 2007. Révision des Xylocopinae (Hymenoptera: Apidae) de France et de Belgique. *Annales de la Société Entomologique de France*, (n. s.) 43(4): 445-491.

Thorp, R. W., Horning, Jr. D. S. and Dunning, L. L. 1983. Bumble bees and cuckoo bumble bees of California. *Bulletin of the California Insect Survey*, 23: Ⅷ + 79 pp.

Thomson, C. G. 1872. *Skandinaviens Hymenoptera*, *Vol.* 2. Lund: Berling. pp. 1-286.

Titus, E. S. G. 1906. Some notes on the Provancher Megachilidae. *Proceedings of the Entomological Society of Washington*, 7: 149-165.

Tkalců, B. 1968a. Neue Arten der Unterfamilie Bombinae der paläarktischen Region (Hymenoptera, Apoidea). *Sborník Entomologického oddeleni Národního musea v Praze*, 65: 21-51.

Tkalců, B. 1968b. Revision der vier sympatrischen, homochrome geographische Rassen bildenden Hiimmelarten S. O-Asiens. (Hymenoptera, Apoidea, Bombinae). *Annotationes Zoologicae et Botanicae Bratislava*, 52: 1-31.

Tkalců, B. 1972. Arguments contre l'interpretation traditionnelle de la phylogenie des abeilles. *Bulletin de la Societe Entomologique de Mulhouse*, 1972: 17-28.

Tkalců, B. 1974a. Eine Hummel-Ausbeute aus dem Nepal-Himalaya (Insecta, Hymenoptera, Apoidea, Bombinae). *Senckenbergiana biologica*, 55: 311-349.

Tkalců, B. 1974b. Ergebnisse der Albanien-Expedition 1961 des "Deutschen Entomologischen Institutes," Hymenoptera: Apoidea V (Megachilidae). *Beitrage zur Entomologie*, [Berlin] 24: 323-348.

Tkalců, B. 1989. Neue Taxa asiatischer Hummeln (Hymenoptera, Apoidea). *Acta Entomologica Bohemoslovaca*, 86: 39-60.

Vecht, J. Van der. 1952. A preliminary revision of the oriental species of the genus Ceratina (Hymenoptera, Apidae). *Zoologische Verhandelingen*, no. 16: ii + 1-85.

Vogt, O. 1911. Studien uber das Art-problem. Mitt. 2: Ueber das Variieren der Hummeln. Tl 2. (Schluss.) *Sitzungsberichte der Gesellschaft Naturforschender Freunde zu Berlin*, 1911: 31-74.

Wang, S. F. 1982. Hymenoptera: Apoidea: Bombus, pp. 427-447. *In*: Huang, F. S. (Ed.), Insects of Xizang *Vol.* Ⅱ. Beijing: Science Press. 508pp. [王淑芳. 1982b. 膜翅目：蜜蜂总科：熊蜂属. 379-426. 见：黄复生主编. 西藏昆虫，第二册. 北京：科学出版社，508.]

Wang, S. F. 1993. Hymenoptera: Apoidea (Ⅱ), Bombus, pp. 1422-1430. *In*: Cheng, S. X. (Ed.), Insects of the Hengduan Mountains Region *Vol.* Ⅱ. Beijing: Science Press. 1546pp. [王淑芳. 1992. 膜翅目：蜜蜂总科（Ⅱ）熊蜂属，1422-1430. 见：陈世骧主编. 横断山区昆虫，第二册. 北京：

科学出版社, 1546.]

Warncke, K. 1975. Beitrag zur Systematik und Verbreitung der Furchenbienen in der Türkei (Hymenoptera, Apoidea, Halictus). *Polskie Pismo Entomologiczne*, Tom 45: 81-128.

Westwood, J. O. 1838. Description of a new genus of exotic bees. *Transactions of the Entomological Society of London*, 2: 112-113, pl. XI, fig. 7.

Westwood, J. O. 1875. Descriptions of some new species of short-tongued bees belonging to the genus Nomia of Latreille. *Transactions of the Entomological Society of London*, 207-222, pls. 4-5.

Williams, P. H. 1985. A preliminary cladistic investigation of relationships among the bumble bees. *Systematic Entomology*, 10: 239-255.

Williams, P. H., Tang, Y., Yao, J. and Cameron, S. A. 2009. The bumblebees of Sichuan (Hymenoptera: Apidae, Bombini). Systematics and Biodiversity, 7(2): 101-189.

Wu, Y. R. 1982a. A study on Chinese Xylocopa with description of a new species. *Zoological Research*, 3(2): 193-200. [吴燕如. 1982a. 中国木蜂属研究及新种记述 (膜翅目: 蜜蜂总科). 动物学研究, 3(2): 193-200.]

Wu, Y. R. 1982b. Hymenoptera: Apoidea, pp. 379-426. *In*: Huang, F. S. (Ed.), *Insects of Xizang Vol.* II. Beijing: Science Press. 508pp. [吴燕如. 1982b. 膜翅目: 蜜蜂总科, 379- 426. 见: 黄复生主编. 西藏昆虫, 第二册. 北京: 科学出版社, 508.]

Wu, Y. R. 1982c. Description of a new subgenus of Nomia (Apoidea, Halictidea). *Zoological Research*, 3(3): 275-279. [吴燕如. 1982. 彩带蜂属一新亚属记述(蜜蜂总科, 隧蜂科). 动物学研究, 3(3): 275-279.]

Wu, Y. R. 1993. Hymenoptera: Apoidea (I), pp. 1378-1421. *In*: Cheng, S. X. (Ed.), *Insects of the Hengduan Mountains Region Vol.* II. Beijing: Science Press. 1546pp. [吴燕如. 1992. 膜翅目: 蜜蜂总科 (I), 1378-1421. 见: 陈世骧主编. 横断山区昆虫, 第二册. 北京: 科学出版社, 1546.]

Wu, Y. R. 1997. Hymenoptera: Apoidea: Andrenidae, Halictidae, Melittidae, Megachilidae, Anthophoridae and Apidaqe. 1669-1685. *In*: Yang, X. K. (Ed.), Insects of the Three Gorge Reservoir Area of Yangtze River, Part 2. Chongqing: Chongqing Publishing House. 1055pp. [吴燕如. 1997. 膜翅目: 蜜蜂总科: 地蜂科, 隧蜂科, 准蜂科, 切叶蜂科, 条蜂科, 蜜蜂科. 1669-1685. 见: 杨星科主编. 长江三峡库区昆虫. 重庆: 重庆出版社, 1055.]

Wu, Y. R. 2000. *Melittidae-Apidae in Fauna Sinica*, Insecta, *vol.* 20. Beijing: Science Press. iv + 442pp., ix pls. [吴燕如. 2000. 中国动物志, 昆虫纲, 第二十卷, 膜翅目: 蜜蜂科、准蜂科. 北京: 科学出版社. 442. 彩色图版 1-9.]

Wu, Y. R. and Michener, C. D. 1986. Observations on Chinese Macropis (Hymenoptera, Apiodea, Melittidae). *Journal of the Kansas Entomological Society*, 59(1): 43- 48.

Yasumatsu, K. 1936. On the occurrence of the subgenus Zaodontomerus Ashmead in Japan and Corea (Hymenoptera, Ceratinidae, Ceratina). *Annotationes zoologicae japonensis*, 15(4): 550-553.

Yu, F. L. 1954. The carpenter or xylocopine bees of Formosa. *Memoirs of the College of Agriculture, National Taiwan University*, 3(3): 1-12. [余风麟. 1954. 台湾之椽蜂. 台湾大学农学院研究报告, 3(3): 1-12.]

Zhang, R. 2012. *Taxonomy and phylogeny of lasioglossum (Hymenoptera: Apoidea: Halictidae) from China.* Yunnan Agricultural University Ph. D. Dissertation, i - x + 289pp. [张睿. 2012. 中国淡脉隧蜂属分类及系统发育研究. 云南农业大学博士学位论文. 289.]

中名索引

（按首字音序排列，右边的号码为该条目在正文的页码）

A

B

C

D

E

F

G

H

J

K

L

M

N

P

Q

R

S

T

W

X

Y

Z

学名索引

（按首字母顺序排列，右边的号码为该条目在正文的页码）

A

B

D

E

F

I

J

K

L

M

N

O

P

S

T

U

V

W

X

Y

Z

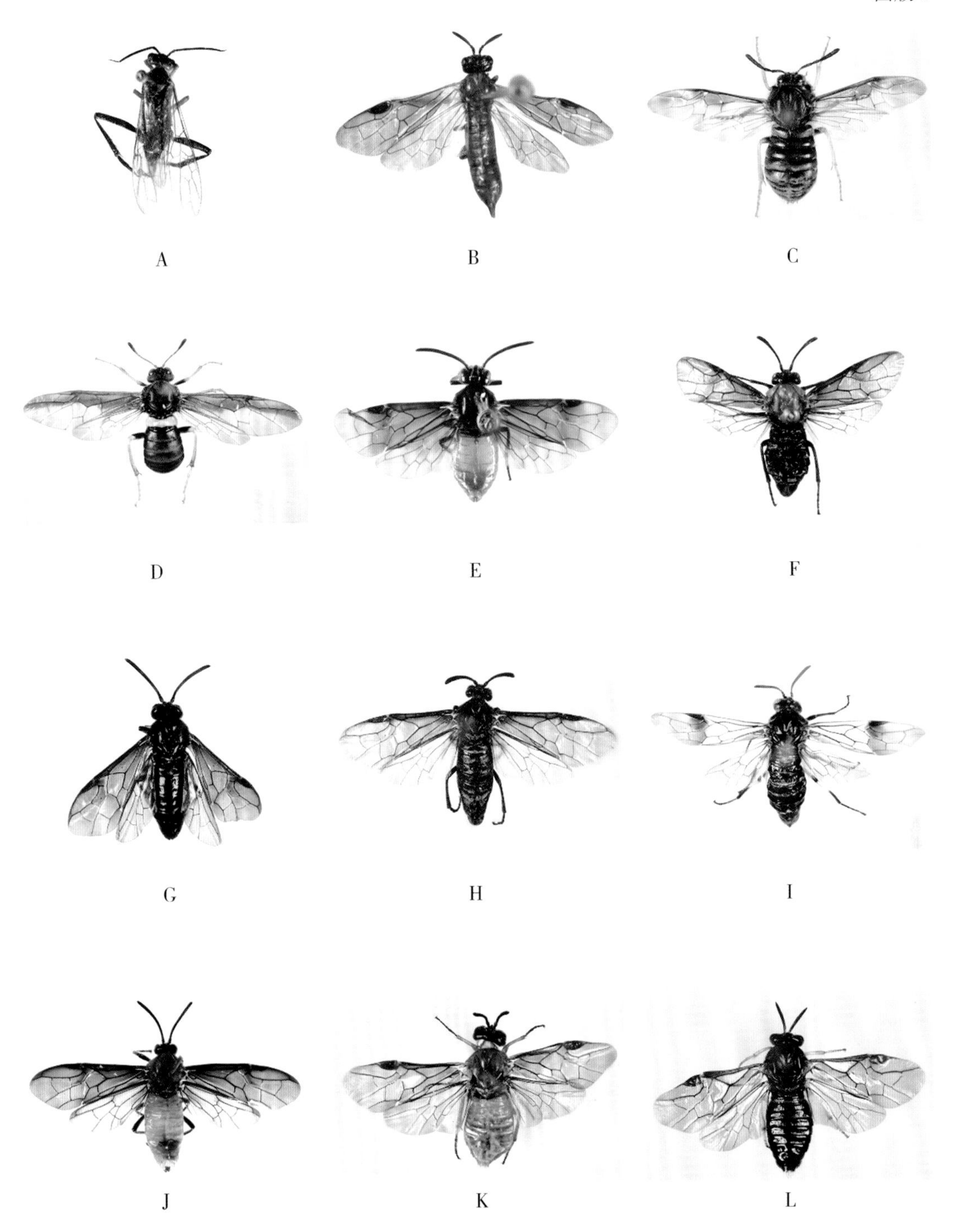

A. 黑背巨棒蜂 *Megaxyela pulchra* Blank, Shinohara & Sundukov; B. 黄褐茸蜂 *Blasticotoma* sp.; C. 牛氏丽锤角叶蜂 *Abia niui* Wei *et* Deng; D. 断突细锤角叶蜂 *Leptocimbex tuberculatus* Malaise; E. 震旦黄腹三节叶蜂 *Arge* sp.; F. 榆红胸三节叶蜂 *Arge captiva* (Smith); G. 杜鹃黑毛三节叶蜂 *Arge similis* (Snellen van Vollenhoven); H. 圆环钳三节叶蜂 *Arge simillima* (Smith); I. 红角刺腹三节叶蜂 *Spinarge fulvicornis* (Mocsáry); J. 黄褐小头三节叶蜂 *Pampsilota* sp.; K. 李氏脊颜三节叶蜂 *Sterictiphora lii* Wei; L. 淡足近脉三节叶蜂 *Aproceros leucopoda* Takeuchi

图版 2

A. 云杉新松叶蜂 *Neodiprion wilsonae* Li *et* Guo；B. 秦岭七节叶蜂 *Heptamelus* sp.；C. 日本侧齿叶蜂 *Neostromboceros nipponicus* Takeuchi；D. 中华浅沟叶蜂 *Kulia sinensis* (Forsius)；E. 白足异颚叶蜂 *Paraneugmenus frontalis* (Wei)；F. 黄腹敛柄叶蜂 *Astrombocerina* sp.；G. 长鞘窗胸叶蜂 *Thrinax* sp.；H. 斑角长背叶蜂 *Strongylogaster xanthocera* (Stephens)；I. 大顶短唇叶蜂 *Birmindia* sp.；J. 黑鞭华波叶蜂 *Sinopoppia nigroflagella* Wei；K. 红胸宽齿叶蜂 *Arla rufithorax* Togashi；L. 中国梨实蜂 *Hoplocampa* sp.

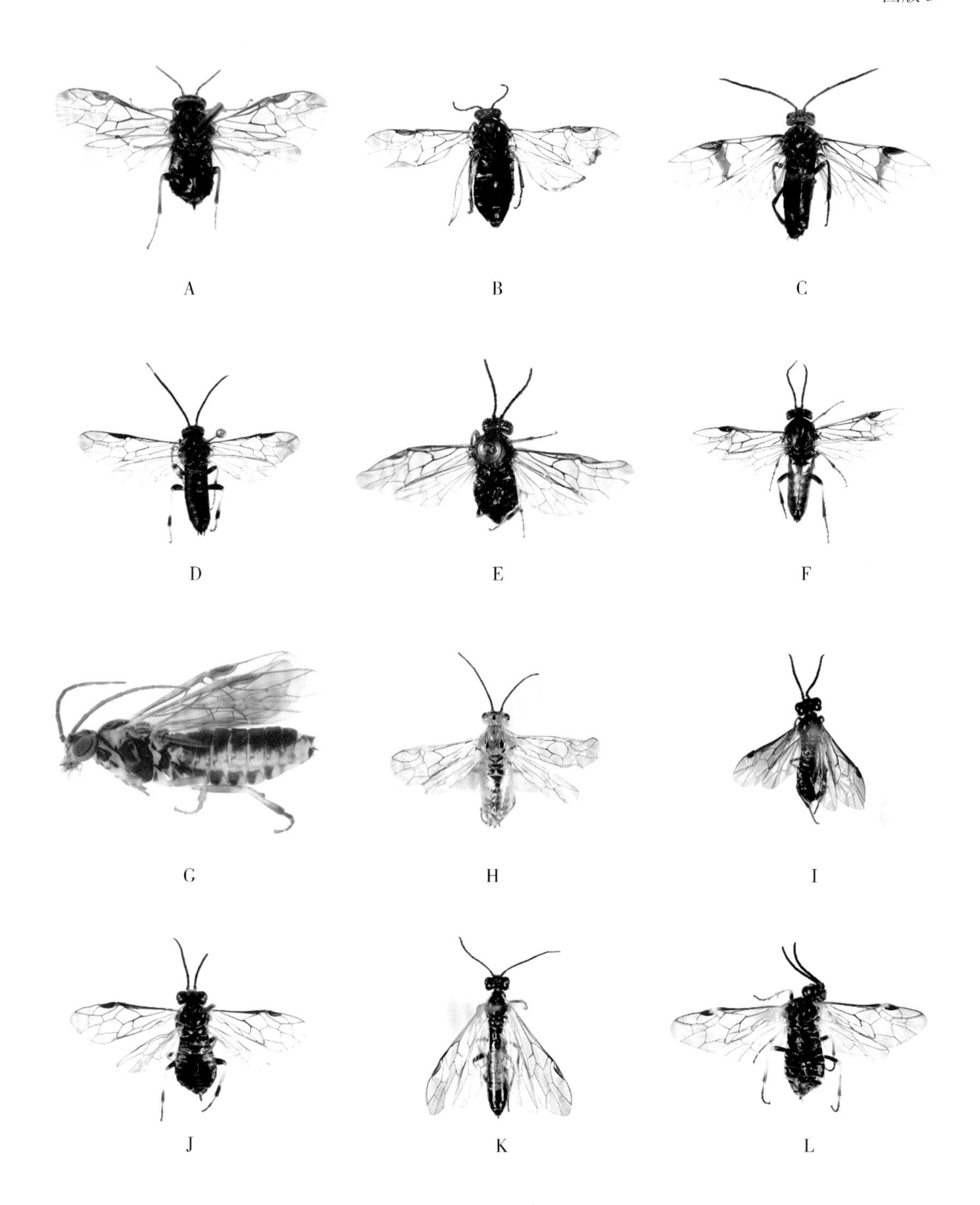

A. 李实蜂（李单室叶蜂）*Monocellicampa pruni* Wei； B. 丹凤臀实叶蜂 *Analcellicampa danfengensis* (Xiao)； C. 斑角异实叶蜂 *Anhoplocampa bicoloricornis* Wei *et* Niu； D. 白跗狭脉叶蜂 *Megadineura leucotarsis* Wei； E. 钝鞘中脉叶蜂 *Mesoneura truncatatheca* Wei； F. 红环槌缘叶蜂 *Pristiphora erichsonii* (Hartig)； G. 西北槌缘叶蜂 *Pristiphora xibei* Wei *et* Xia； H. 绿柳突瓣叶蜂 *Nematus ruyanus* Wei； I. 短柄直脉叶蜂 *Hemocla brevinervis* Wei； J. 张氏斑腹叶蜂 *Empria zhangi* Wei *et* Yan； K. 白唇细曲叶蜂 *Stenempria* sp.； L. 黄尾尖唇叶蜂 *Dinax caudatus* (Nie *et* Wei)

图版 4

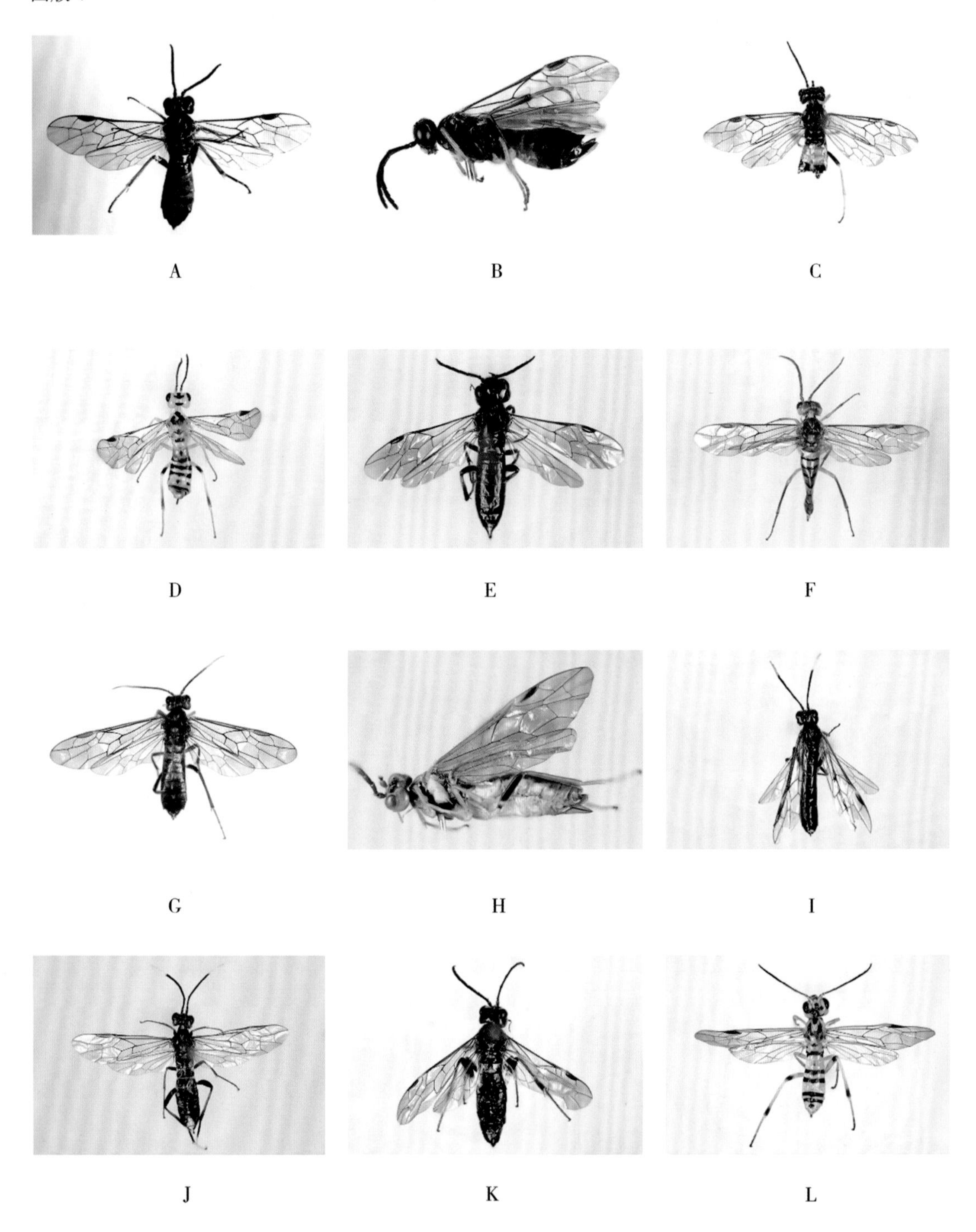

A. 黑尾小唇叶蜂 *Clypea shanica* Malaise； B. 美丽长鞘叶蜂 *Thecatiphyta bella* (Wei)； C. 红环申氏叶蜂 *Shenia rufocincta* Wei *et* Nie； D. 闵雅叶蜂 *Stenemphytus minminae* Wei *et* Nie； E. 黑唇十脉叶蜂 *Allantoides luctifer* (F. Smith)； F. 平唇秋叶蜂 *Apethymus flatoclypea* Zhu *et* Wei； G. 黄角金叶蜂 *Jinia flavicornis* Wei *et* Li； H. 大眼美叶蜂 *Yushengliua* sp.； I. 细跗细爪叶蜂 *Filixungulia cylindrica* Wei； J. 斑唇后室叶蜂 *Asiemphytus maculoclypeatus* Wei； K. 粗角大曲叶蜂 *Macremphytus crassicornis* Wei； L. 短颊俏叶蜂 *Hemathlophorus brevigenatus* Wei

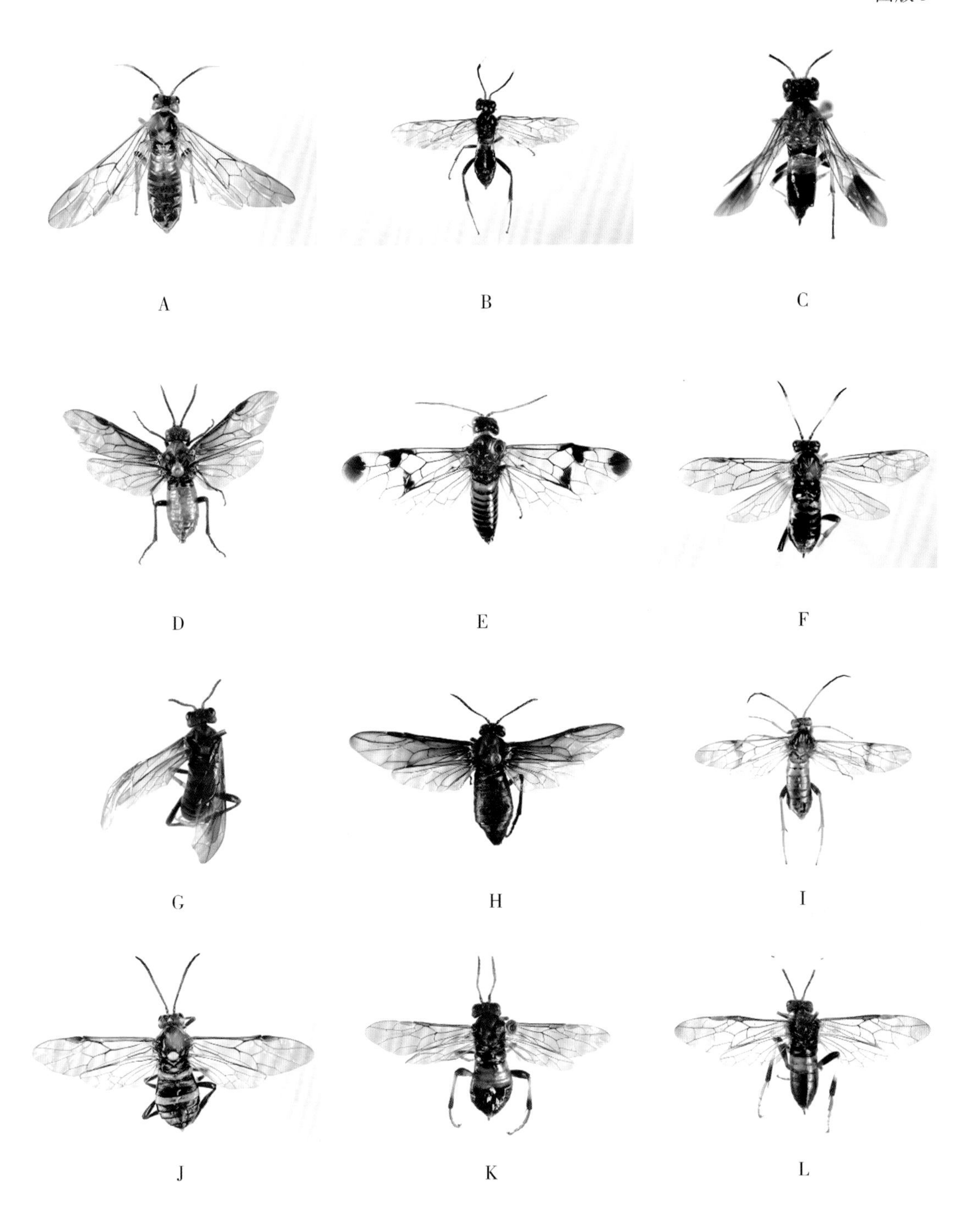

A. 短跗富槛叶蜂 *Togashia brevitarsus* Wei；B. 秦岭元叶蜂 *Taxonus qinlinginus* Wei；C. 斑胸纵脊叶蜂 *Xenapatidea procincta* (Konow)；D. 卡氏麦叶蜂 *Dolerus cameroni* Kirby；E. 秦岭异颚叶蜂 *Conaspidia qinlingia* Wei；F. 白檀盔叶蜂 *Corymbas (Neocorymbas) sinica* (Wei *et* Ouyang)；G. 棕褐镰瓣叶蜂 *Neocolochelyna (Curvatapenis) testaceoa* (Wei)；H. 橘背小臀叶蜂 *Colochela zhongi* Wei *et* Niu；I. 秦岭钝颊叶蜂 *Aglaostigma qinlingia* Wei；J. 双环钝颊叶蜂 *Aglaostigma pieli* (Takeuchi)；K. 中原侧跗叶蜂 *Siobla centralia* Niu *et* Wei；L. 弯毛侧跗叶蜂 *Siobla curvata* Niu *et* Wei

图版 6

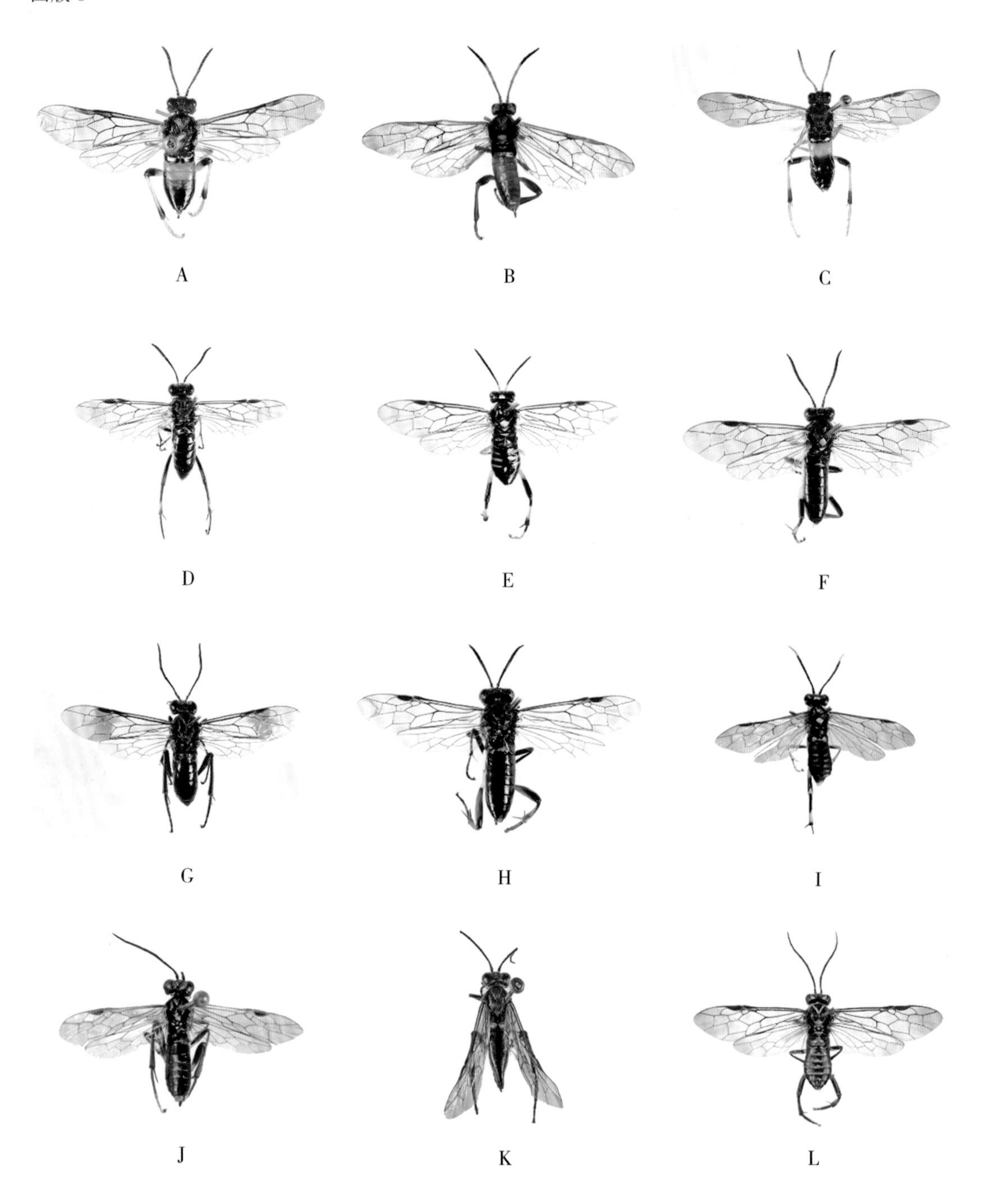

A. 李氏侧跗叶蜂 *Siobla listoni* Niu *et* Wei； B. 侧带侧跗叶蜂 *Siobla nigrolateralis* Niu *et* Wei； C. 小斑侧跗叶蜂 *Siobla pseudoplesia* Niu *et* Wei； D. 白环钩瓣叶蜂 *Macrophya albannulata* Wei *et* Nie； E. 黄斑钩瓣叶蜂 *Macrophya flavomaculata* Cameron； F. 申氏钩瓣叶蜂 *Macrophya sheni* Wei； G. 糙板钩瓣叶蜂 *Macrophya vittata* Mallach； H. 杨氏钩瓣叶蜂 *Macrophya yangi* Wei *et* Zhu； I. 佛坪方颜叶蜂 *Pachyprotasis fopingensis* Zhong *et* Wei； J. 斑背方颜叶蜂 *Pachyprotasis maculotergitis* Zhu *et* Wei； K. 黑体方颜叶蜂 *Pachyprotasis melanosome* Zhong *et* Wei； L. 沟盾方颜叶蜂 *Pachyprotasis sulciscutellis* Wei *et* Zhong

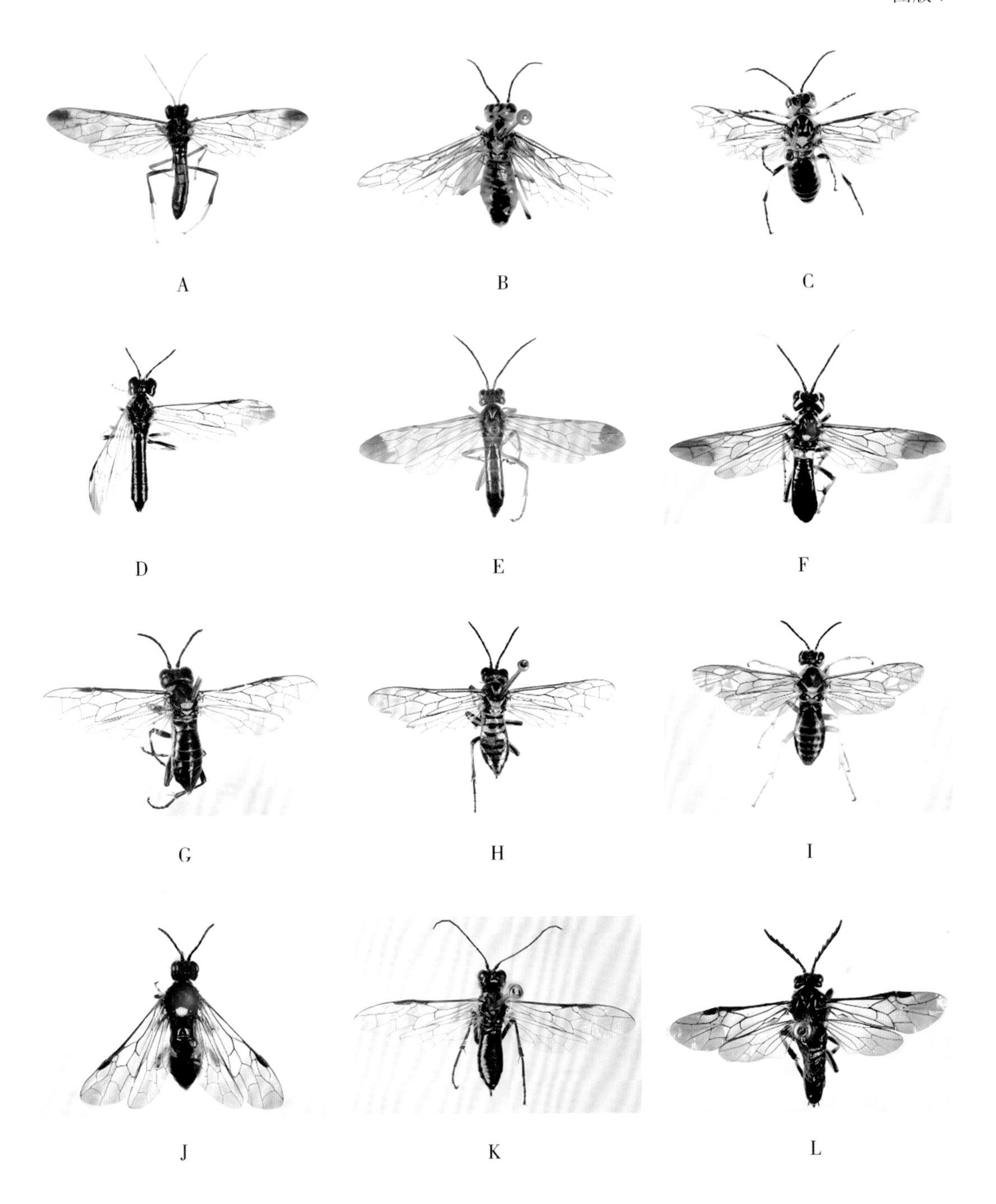

A. 黄角狭并叶蜂 *Propodea xanthocera* Wei *et* Niu； B. 秦岭任氏叶蜂 *Renothredo* sp.； C. 脊盾齿唇叶蜂 *Rhogogaster robusta* Jakovlev； D. 黄突细蓝叶蜂 *Tenthredo regia* Malaise； E. 中华平斑叶蜂 *Tenthredo sinensis* Mallach； F. 双峰白端叶蜂 *Tenthredo bicuspis* Wei *et* Qi； G. 粗纹窄突叶蜂 *Tenthredo paraobsoleta* Wei *et* Liu； H. 短角长突叶蜂 *Tenthredo pseudobullifera* Wei *et* Liu； I. 黄带刺胸叶蜂 *Tenthredo szechuanica* Malaise； J. 斑眶刺胸叶蜂 *Tenthredo felderi* (Radoszkowsky)； K. 黑股平胸叶蜂 *Tenthredo* sp.； L. 端斑张华叶蜂 *Zhanghuaus apicimacula* Niu *et* Wei

图版 8

A. 宽斑大基叶蜂 *Beleses latimaculata* Wei *et* Niu；B. 红胫异基叶蜂 *Abeleses rufotibialis* Wei；C. 短斑残青叶蜂 *Athalia ruficornis* Jakovlev；D. 假亮真片叶蜂 *Eutomostethus pseudometallicus* Wei *et* Niu；E. 粗角巨片叶蜂 *Megatomostethus crassicornis* (Rohwer)；F. 黑足半片叶蜂 *Nipponostethus* sp.；G. 中华脊栉叶蜂 *Neoclia sinensis* Malaise；H. 白唇角瓣叶蜂 *Senoclidea decora* (Konow)；I. 大刻阿扁蜂 *Acantholyda punctacephala* Wei；J. 黑胫腮扁蜂 *Cephalcia nigrotibialis* Wei *et* Niu；K. 盛氏扁蜂 *Pamphilius shengi* Wei

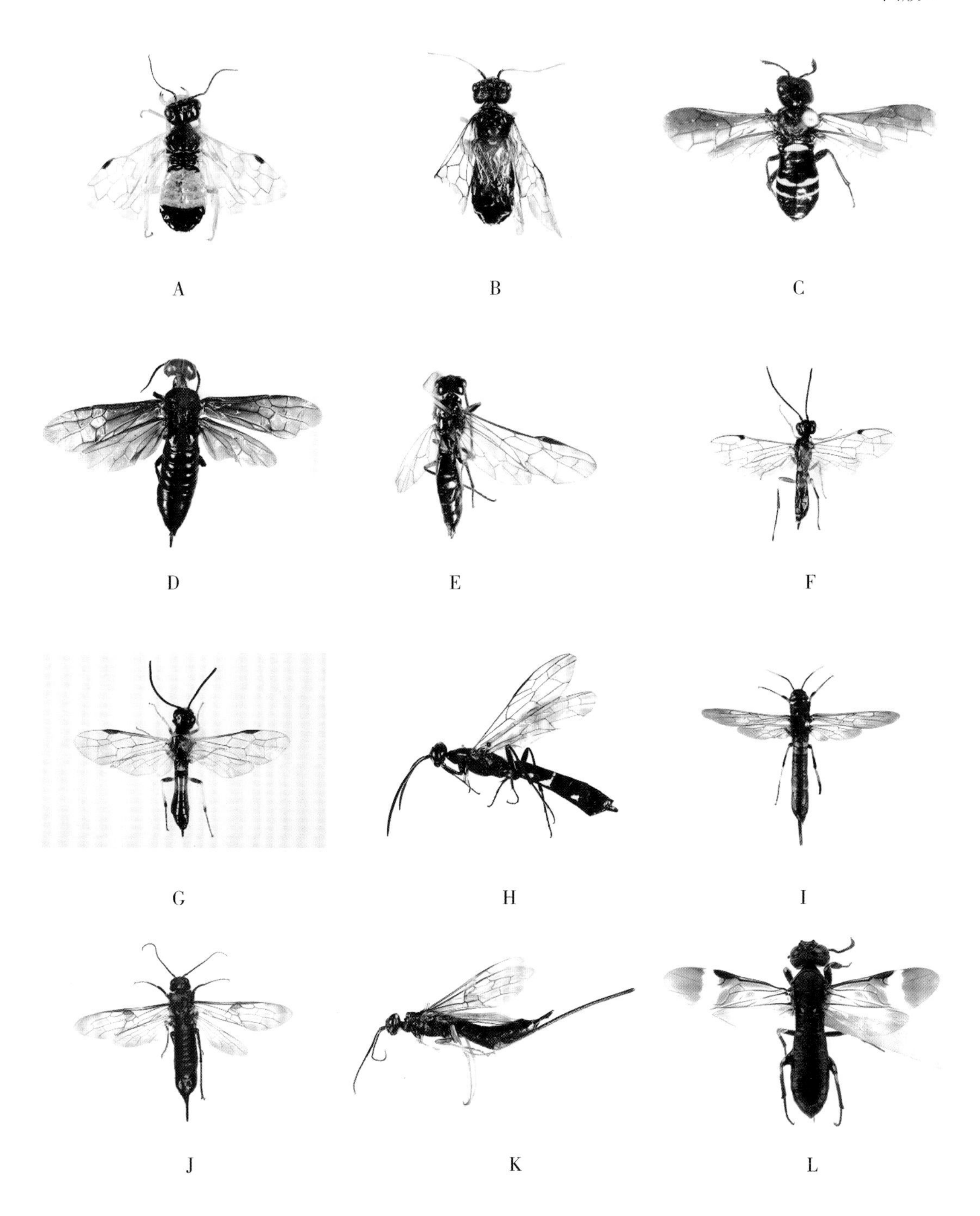

A. 黄转齿扁蜂 *Onycholyda odaesana* Shinohara *et* Byun； B. 黄角反脉扁蜂 *Neurotoma* sp.； C. 黑股广蜂 *Megalodontes spiraeae siberiensis* (Rohwer)； D. 红头真项蜂 *Euxiphydria potanini* (Jakovlev)； E. 双齿张茎蜂 *Jungicephus bidentus* Nie *et al.*； F. 杏短痣茎蜂 *Stigmatijanus armeniacae* Wu； G. 古氏简脉茎蜂 *Janus gussakovskii* Maa； H. 黑胫等节茎蜂 *Phylloecus nigrotibialis* (Wei *et* Nie)； I. 黑顶扁角树蜂 *Tremex apicalis* Matsumura； J. 斑翅树蜂 *Sirex nitobei* Matsumura； K. 黄肩长尾树蜂 *Xeris spectrum spectrum* (Linné)； L. 黑腹尾蜂 *Orussus melanosoma* Lee *et* Wei

1. 冠蜂科昆虫

2. 弯角褶翅蜂 *Gasteruption angulatum* Zhao, Achterberg *et* Xu（雄性）

3. 条带钩腹蜂 *Taeniogonalos fasciata* (Strand)（雌性）

4. 兜帽尖缘腹细蜂 *Oxyscelio doumao* Burks（雌性）

1. 杜氏前沟细蜂 *Nothoserphus dui* He *et* Xu

A. 触角； B. 翅； C. 前足； D. 中足； E. 后足； F. 中胸背板。［A–F. 1.0× 标尺］

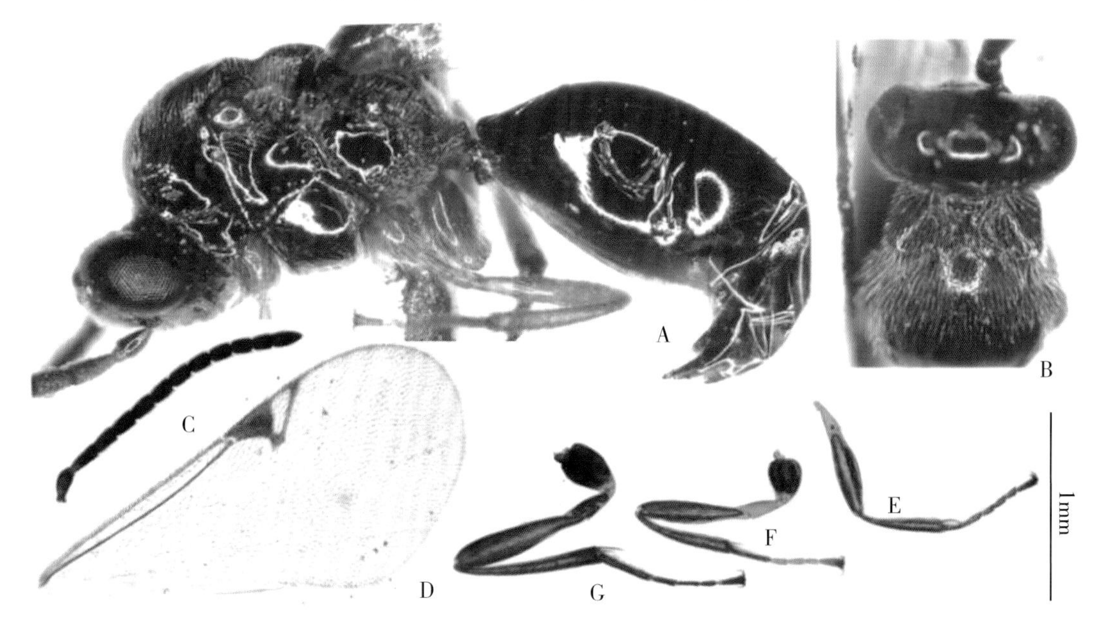

2. 沟花马氏细蜂 *Maaserphus sulculus* He *et* Xu

A. 整体侧面观；B. 头部和前胸背板背面观；C. 触角；D. 前翅；E. 前足；F. 中足；G. 后足 。［A–B. 1.5× 标尺；C–H. 1.0× 标尺］

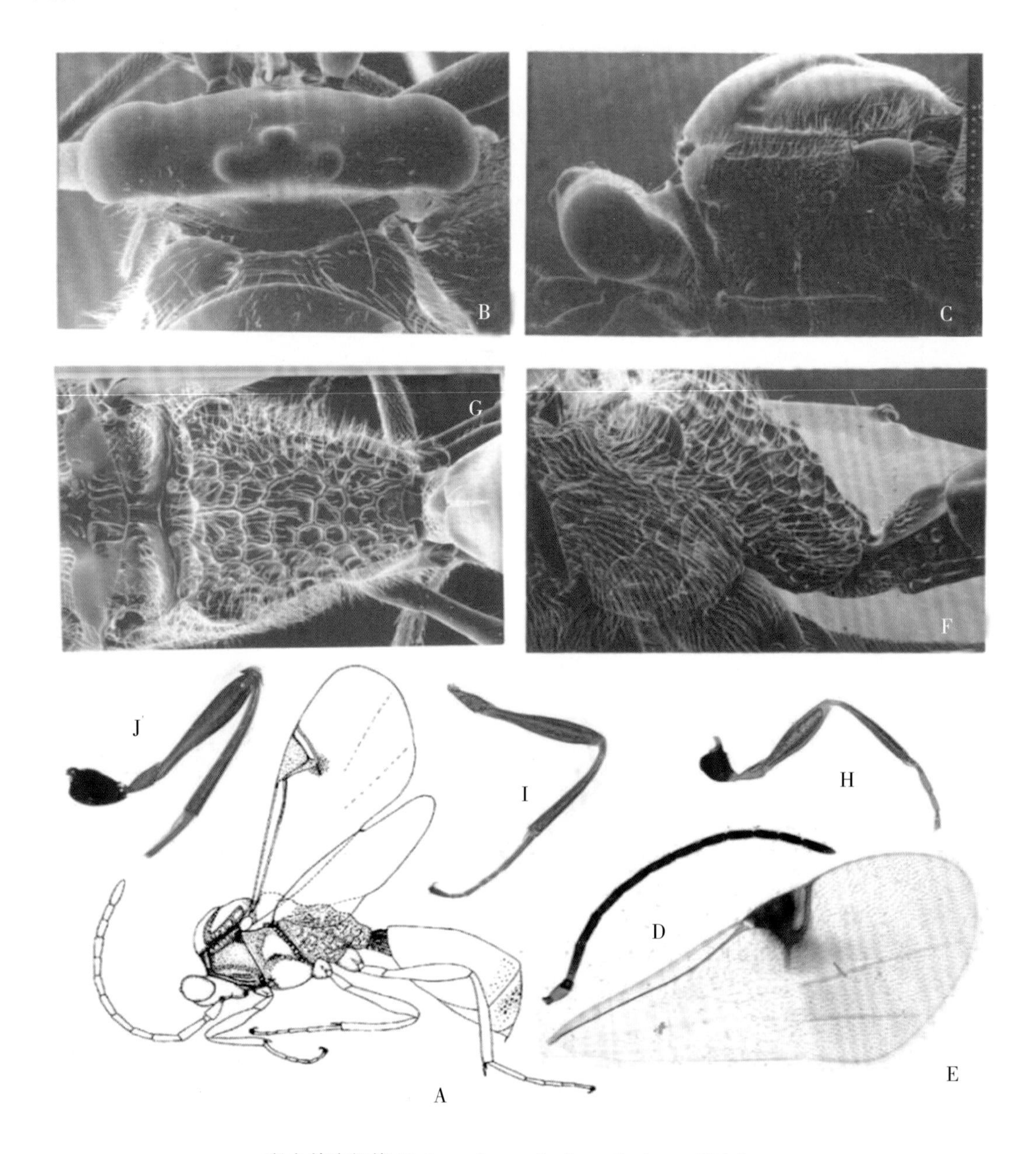

瓢虫前沟细蜂 *Nothoserphus epilachnae* Pschorn - Walcher
（A. 仿何俊华等， 1991； B，C，F，G. 仿 Lin， 1987）

A. 整体侧面观； B. 头部背面观； C. 头部、前胸和中胸侧面观； D. 触角； E. 翅； F. 后胸侧板、并胸腹节和腹柄侧面观； G. 并胸腹节、腹柄和合背板基部背面观； H. 前足； I. 中足； J. 后足

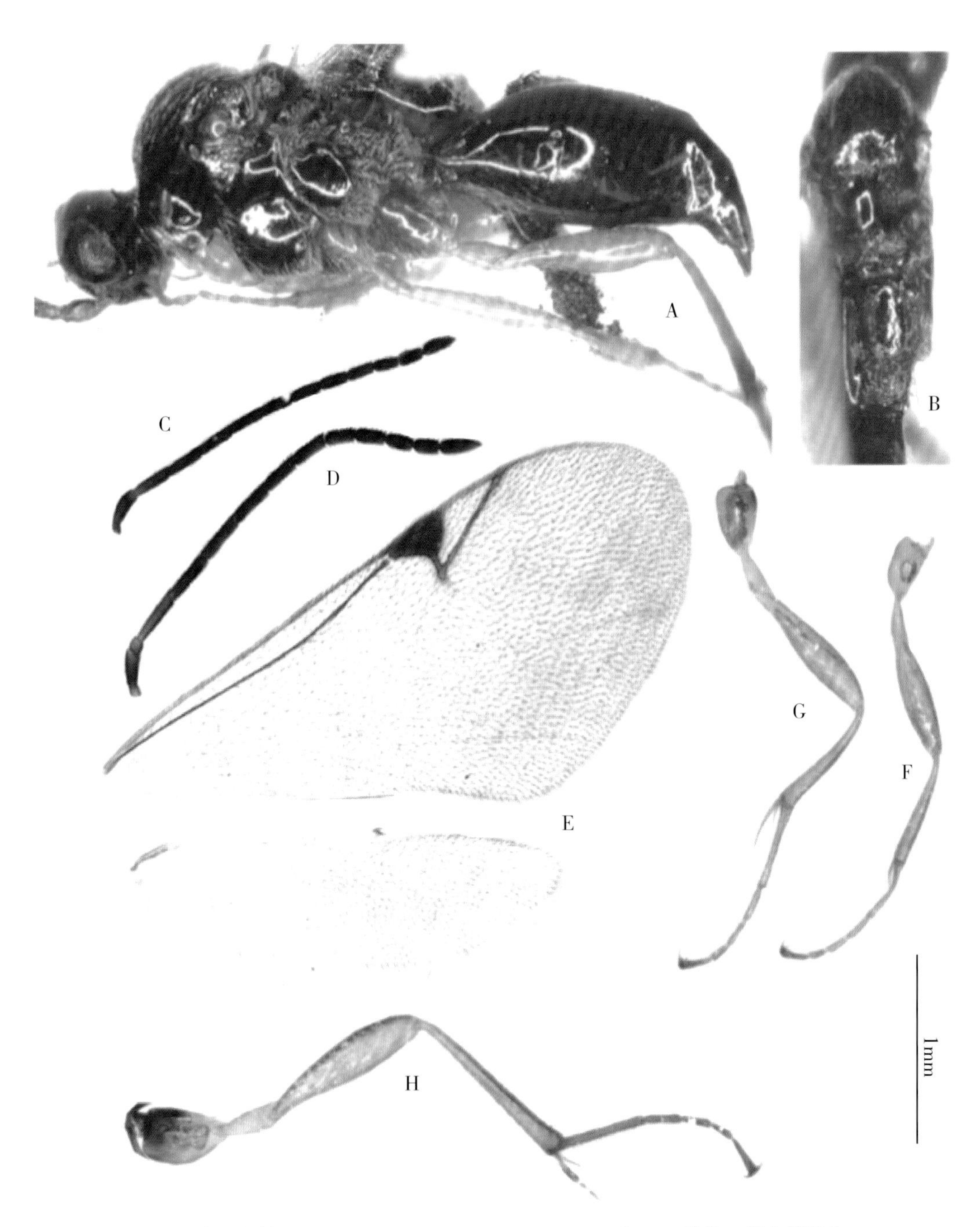

黑痣隐颚细蜂 *Cryptoserhus nigristigmatus* He *et* Xu（A–C. 雄性；其余雌性）

A. 整体侧面观； B. 胸部背面观； C， D. 触角； E. 翅； F. 前足； G. 中足； H. 后足。［A，B. 1.5× 标尺； C–G. 1.0× 标尺］

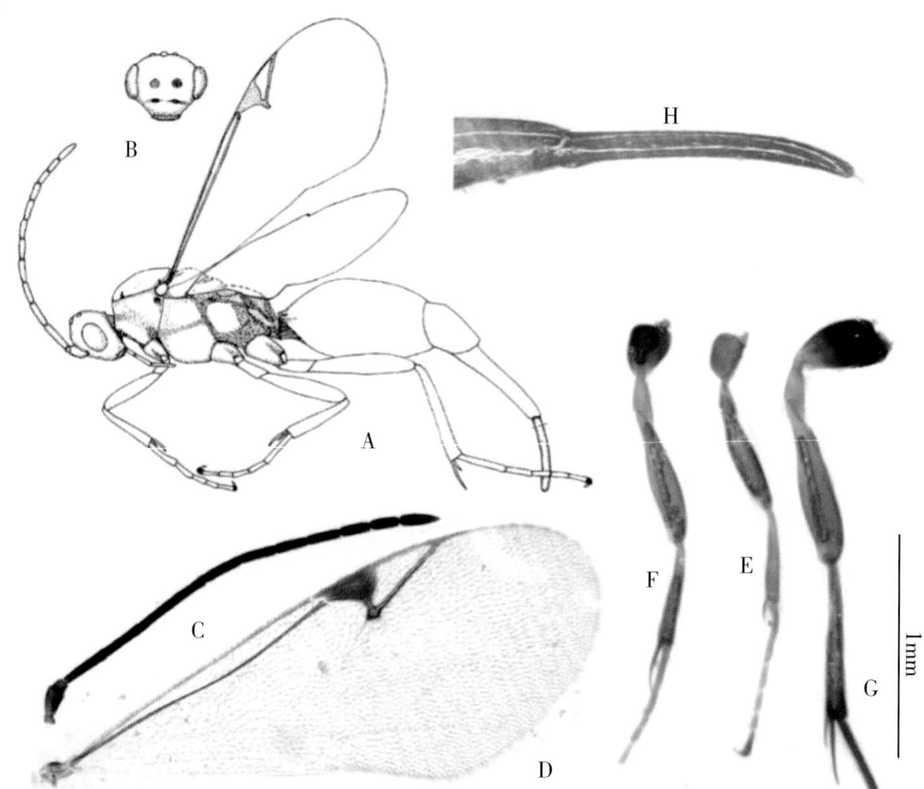

1. 针尾隐颚细蜂 *Cryptoserphus aculeator* (Haliday)（A. 仿何俊华等，1991）

A. 整体侧面观；B. 头部前面观；C. 触角；D. 翅；E. 前足；F. 中足；G. 后足；H. 产卵管鞘。

［A，B. 0.6× 标尺；C–G. 1.0× 标尺；H. 2.5 × 标尺］

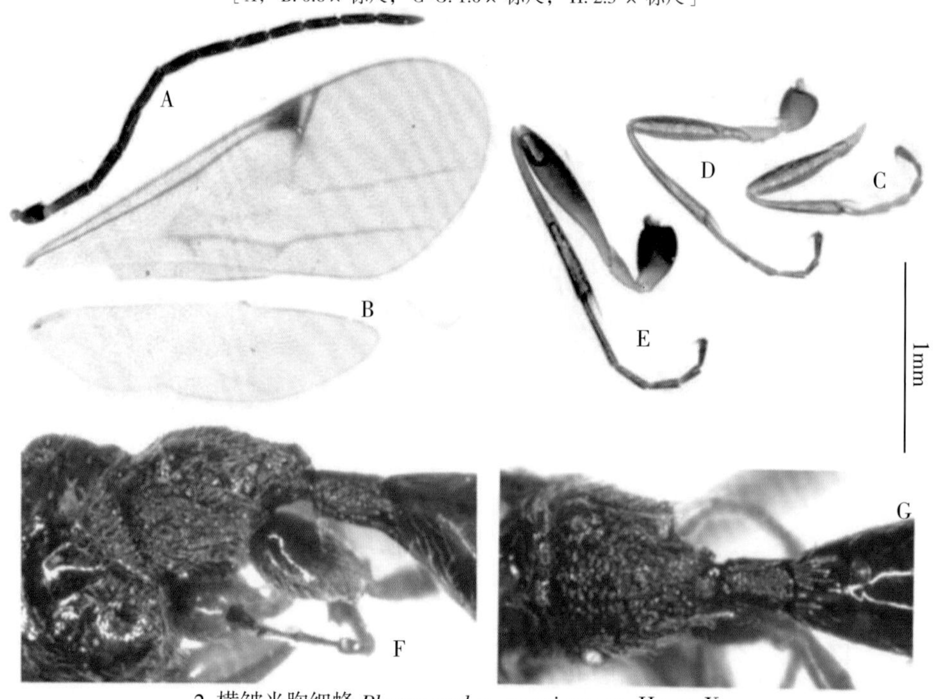

2. 横皱光胸细蜂 *Phaenoserphus transirugosus* He *et* Xu

A. 触角；B. 翅；C. 前足；D. 中足；E. 后足；F. 后胸侧板、并胸腹节和腹部侧面观；G. 并胸腹节、腹柄和合背板基部背面观。

［A–E. 1.0× 标尺；F–G. 2.0× 标尺］

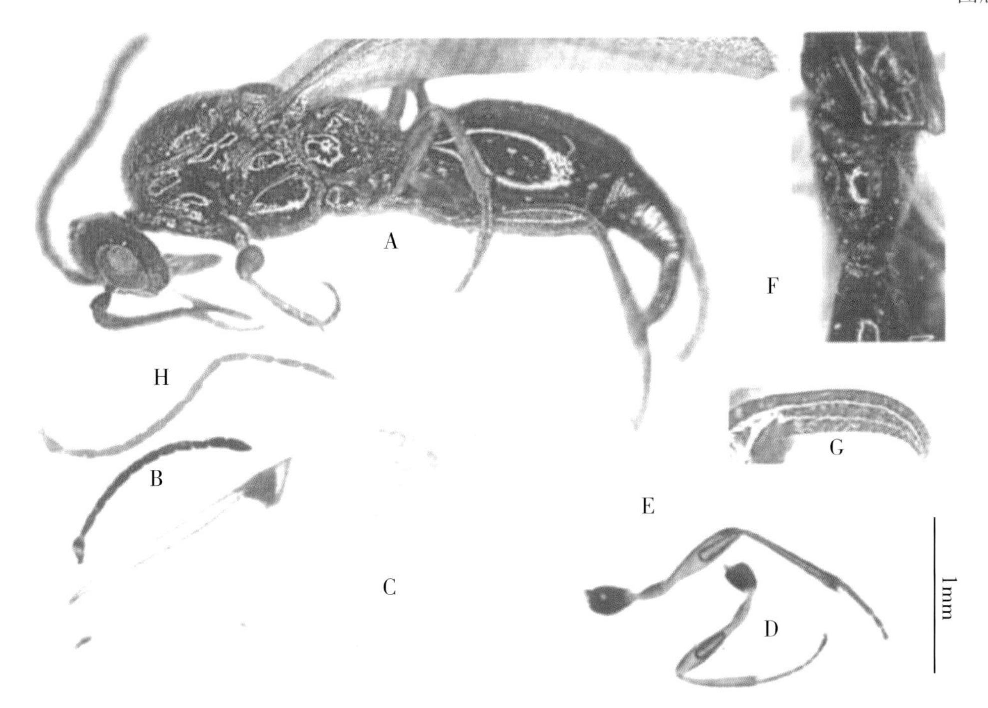

1. 周氏短细蜂 *Brachyserphus choui* He *et* Xu（A–G. 雌性；H. 雄性）（仿 He & Xu，2011）

A. 整体侧面观；B，H. 触角；C. 翅；D. 中足；E. 后足；F. 并胸腹节、腹柄和合背板基部背面观；G. 产卵管鞘。

［A，F，H. 1.5 × 标尺；G. 3.0 × 标尺；其余 1.0 × 标尺］

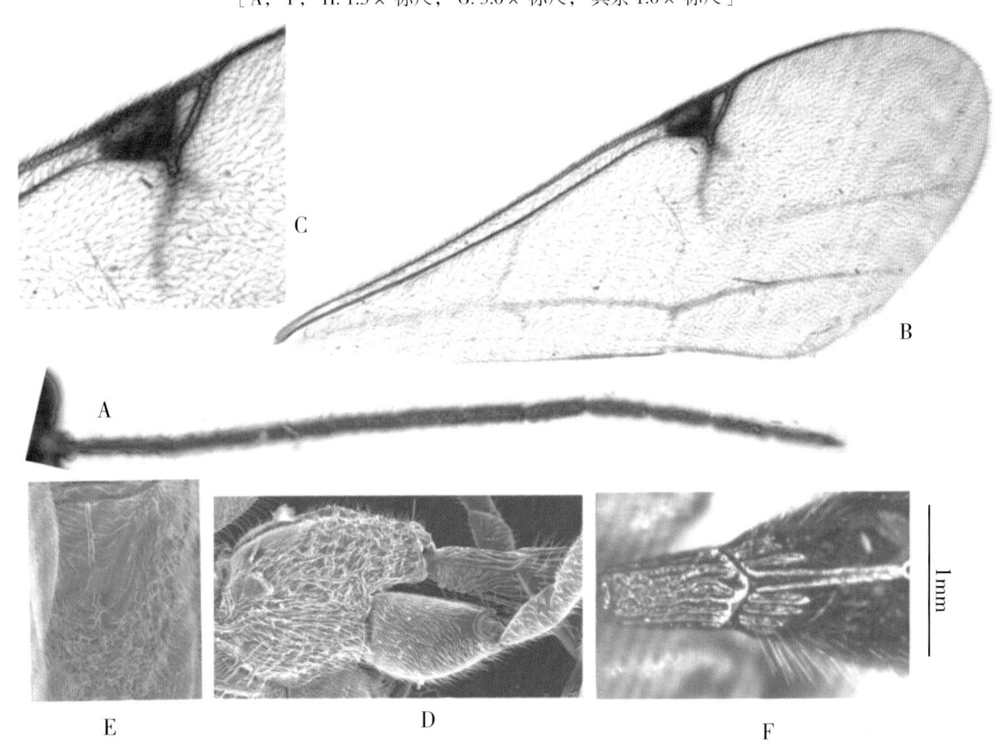

2. 马氏肿额细蜂 *Codrus maae* He *et* Xu

A. 触角；B. 前翅；C. 翅痣；D. 后胸侧板、并胸腹节和腹柄侧面观；E. 并胸腹节背面观；F. 腹柄和合背板基部背面观。

［A. 0.6 × 标尺；B. 1.0 × 标尺；C–F. 2.0 × 标尺］

图版 16

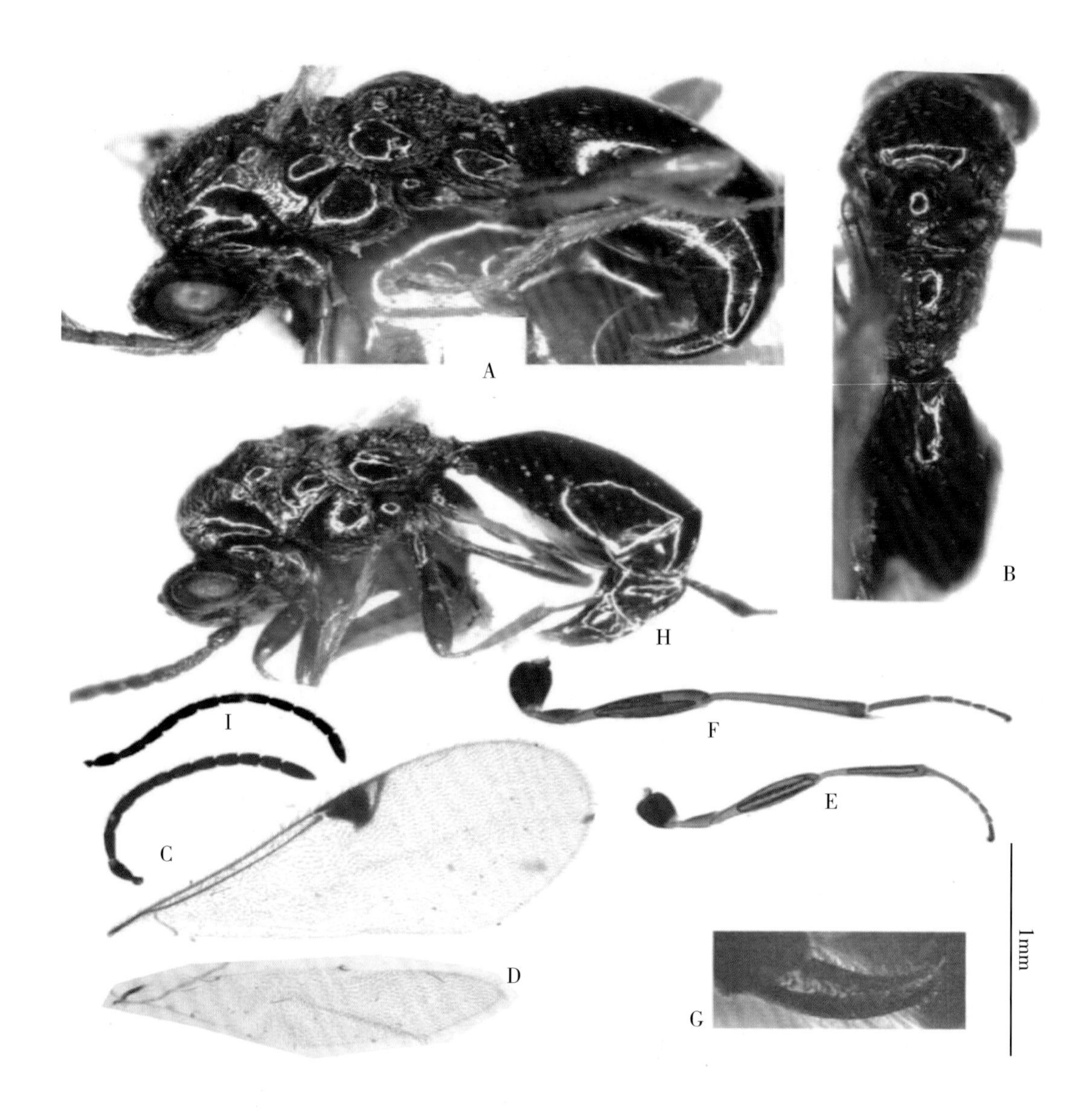

短管短细蜂 *Brachyserphus breviterebrans* He *et* Xu（A–G. 雌性； H–I. 雄性）

A，H. 整体侧面观；B. 整体背面观；C，I. 触角；D. 翅；E. 中足；F. 后足；G. 产卵管鞘。［A，B，H. 1.5 × 标尺；C–F，I. 1.0 × 标尺；G. 3.0 × 标尺］

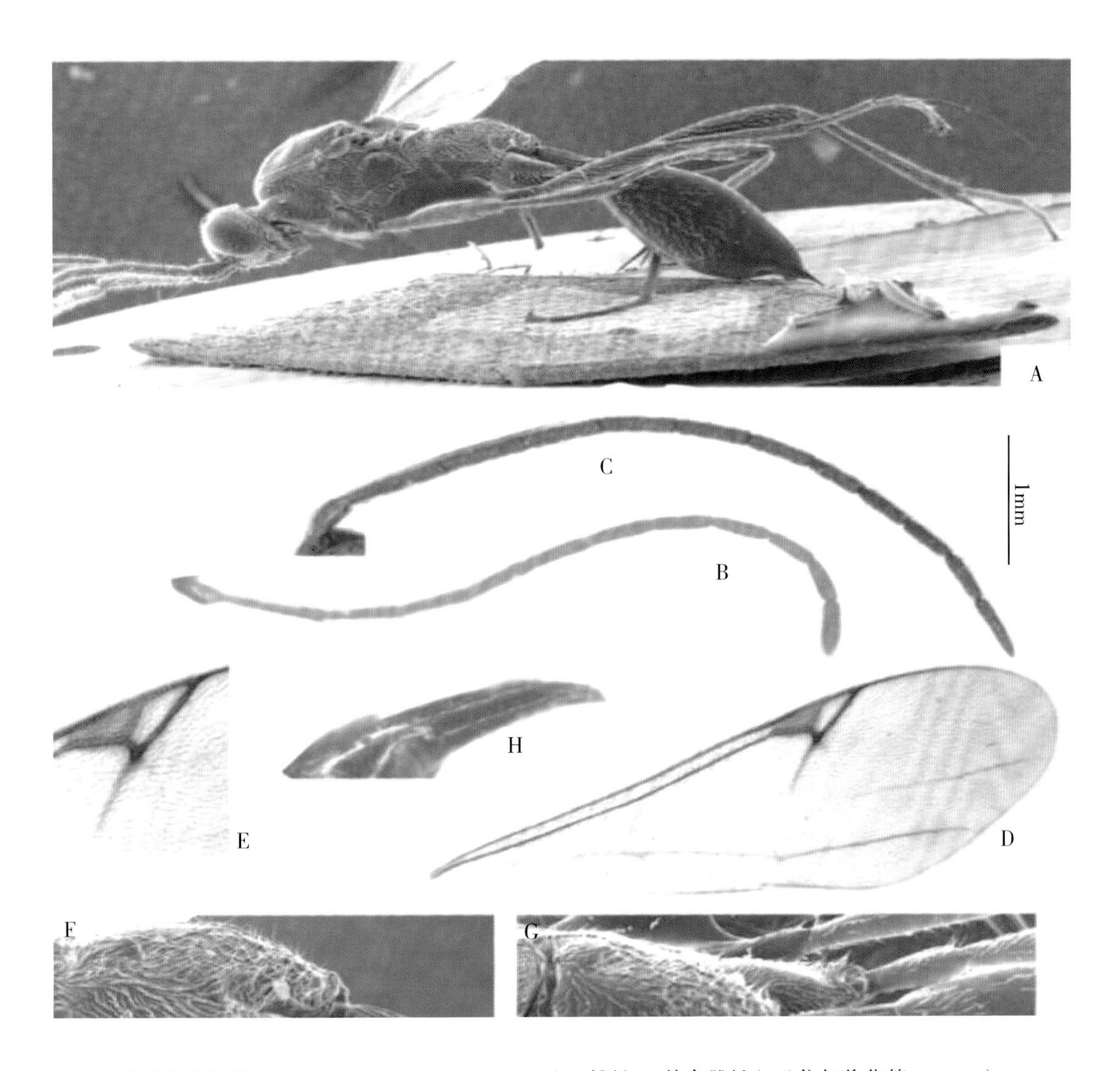

秦岭肿额细蜂 *Codrus qinlingensis* He *et* Xu（C. 雄性；其余雌性）（仿何俊华等，2010）
A. 整体侧面观；B，C. 触角；D. 前翅；E. 翅痣；F. 后胸侧板、并胸腹节和腹柄侧面观；G. 并胸腹节、腹柄和合背板基部背面观；H. 产卵管鞘。［A，D. 1.0× 标尺；B，C. 2.0× 标尺；E. 1.5× 标尺；F，G. 2.5× 标尺；H. 3.6× 标尺］

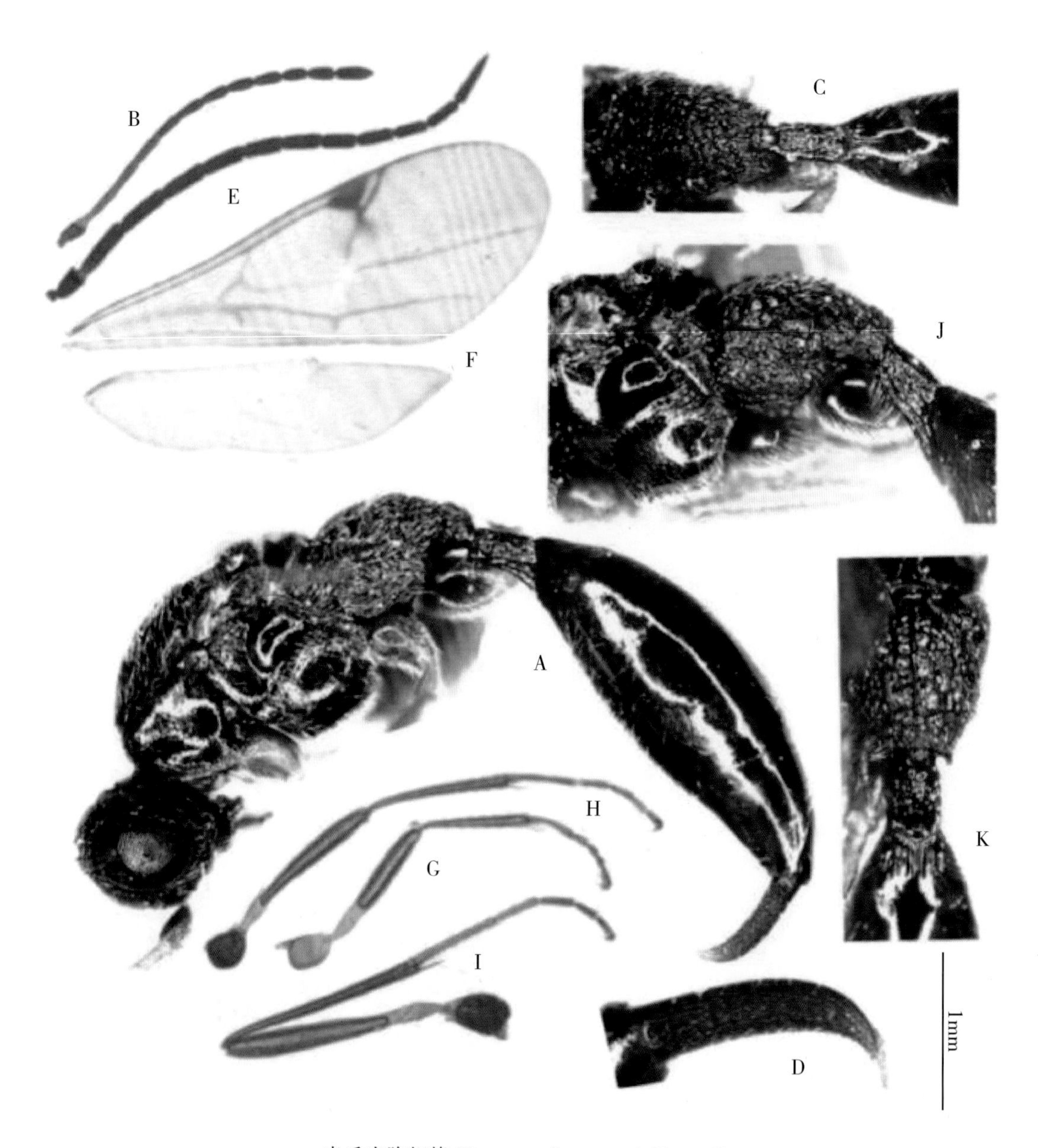

袁氏光胸细蜂 *Phaenoserphus yuani* He *et* Xu

A. 整体侧面观；B，E. 触角；C，K. 并胸腹节、腹柄和合背板基部背面观；D. 产卵管鞘；F. 翅；G. 前足；H. 中足；I. 后足；J. 中胸侧板、并胸腹节和腹柄侧面观。［A，C，J，K. 2.0× 标尺；B，E–I. 1.0× 标尺；D. 4.0× 标尺］

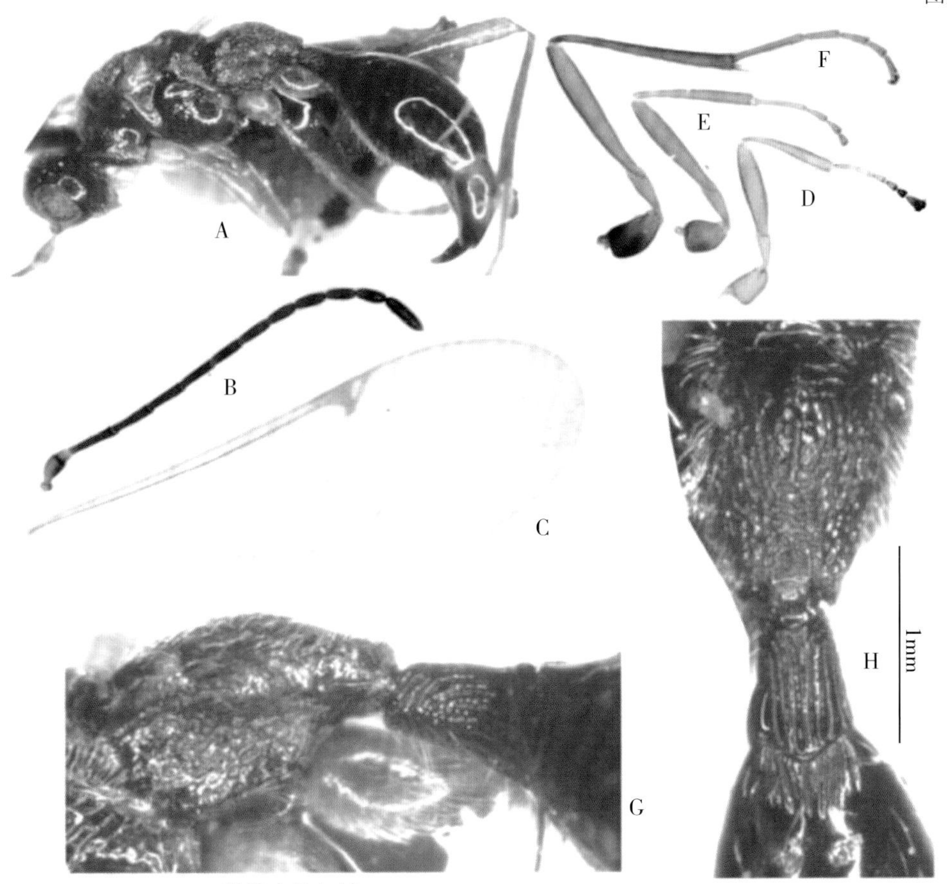

1. 鼓鞭光胸细蜂 *Phaenoserphus tumidflagellum* He *et* Xu

A. 整体侧面观；B. 触角；C. 前翅；D. 前足；E. 中足；F. 后足；G. 后胸侧板、并胸腹节和腹部侧面观；H. 并胸腹节、腹柄和合背板基部背面观。［A–F. 1.0× 标尺；G，H. 2.0× 标尺］

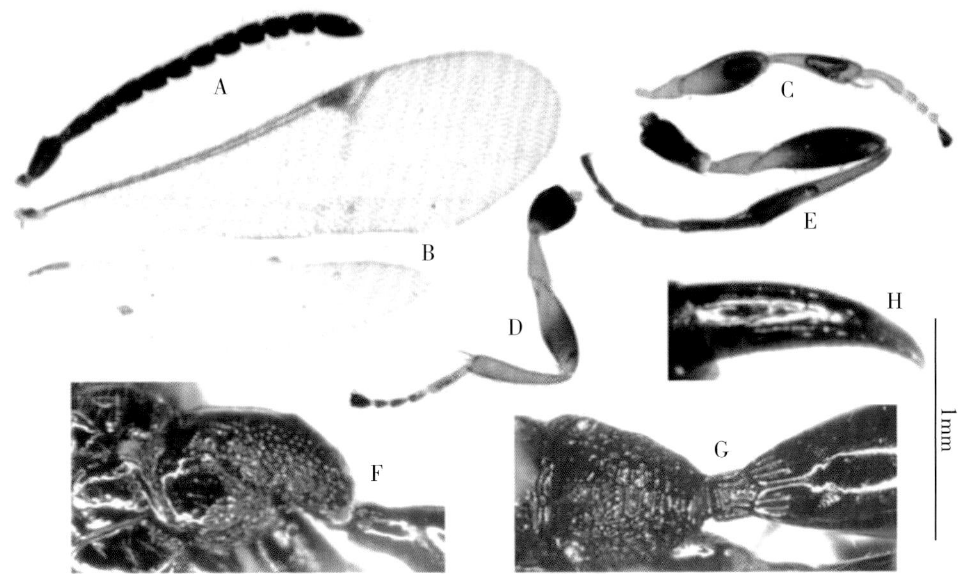

2. 杨氏叉齿细蜂 *Exallonyx yangae* He *et* Xu

A. 触角；B. 翅；C. 前足；D. 中足；E. 后足；F. 后胸侧板、并胸腹节和腹柄侧面观；G. 并胸腹节、腹柄和合背板基部背面观；H. 产卵管鞘。［A–E. 1.0× 标尺；F–G. 2.0× 标尺；H. 3.0× 标尺］

图版 20

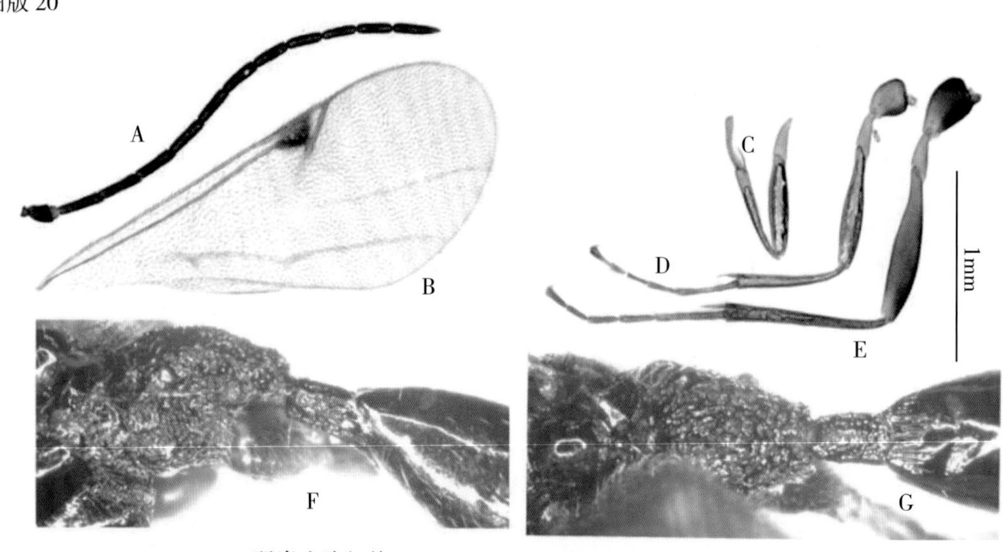

1. 弱脊光胸细蜂 *Phaenoserphus obscuricarinatus* He *et* Xu

A. 触角；B. 前翅；C. 前足；D. 中足；E. 后足；F. 后胸侧板、并胸腹节和腹部侧面观；G. 并胸腹节、腹柄和合背板基部背面观。［A–E. 1.0× 标尺；F，G. 2.0× 标尺］

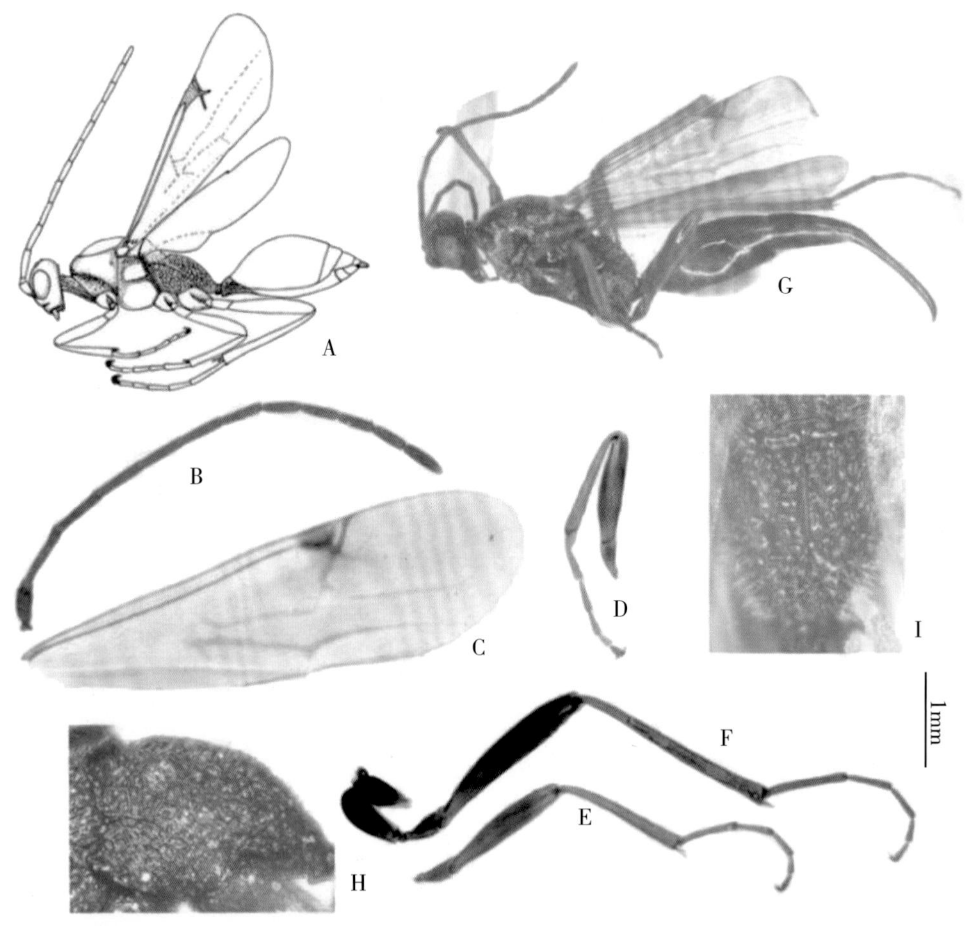

2. 中华细蜂 *Proctotrupus sinensis* He *et* Fan（A–F. 雄性；G–I. 雌性；A. 仿何俊华等，2004）

A. 整体侧面观；B. 触角；C. 前翅；D. 前足；E. 中足；F. 后足；G. 整体侧面观；H. 后胸侧板和并胸腹节侧面观；I. 并胸腹节背面观。［A，G. 0.7× 标尺；B，C. 1.0× 标尺；D–F. 0.8× 标尺；H，I. 2.0× 标尺］

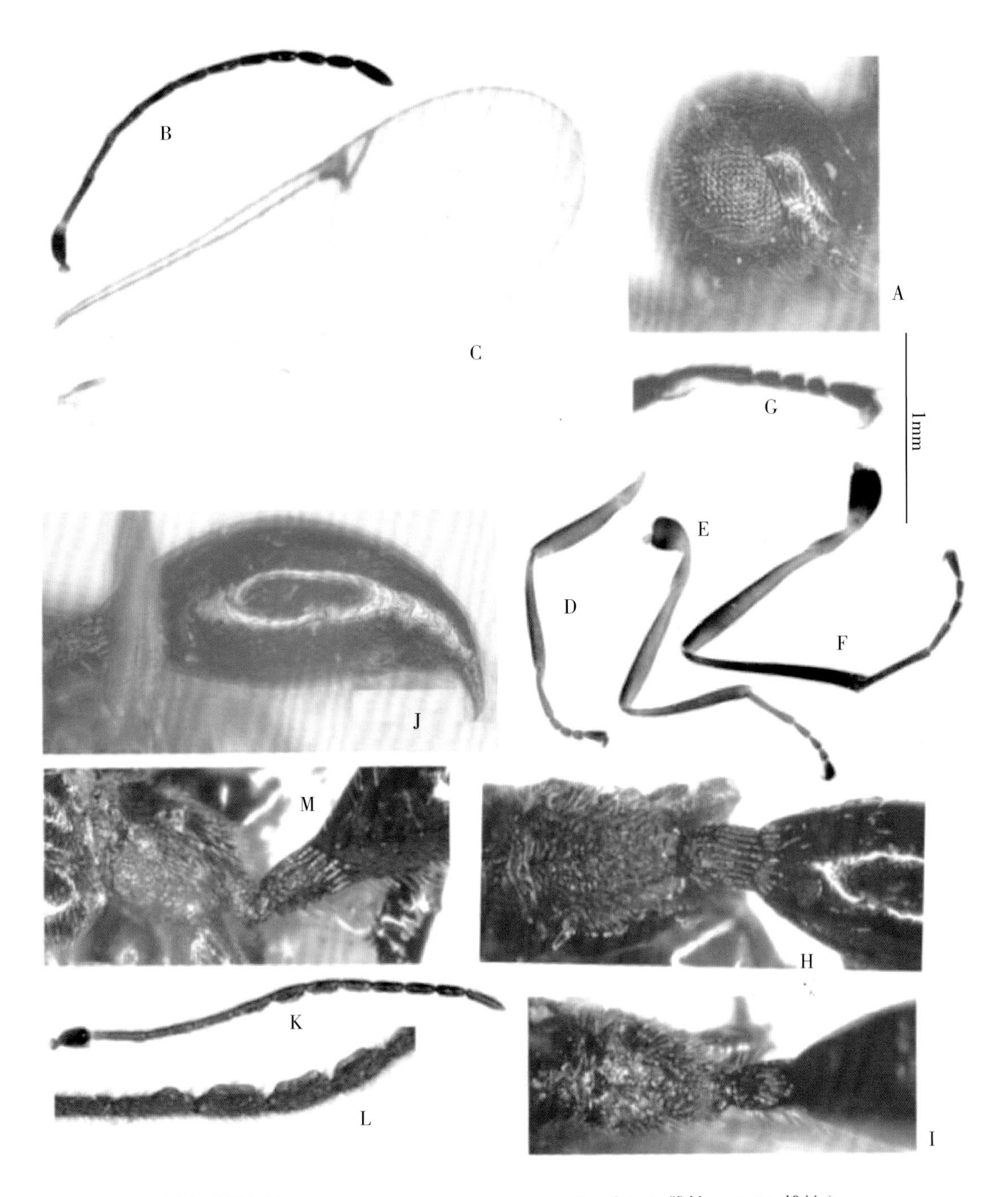

脊角毛眼细蜂 *Trichoserphus carinicornis* He *et* Xu（A–J. 雌性； K–M. 雄性）

A. 头部侧面观； B， K. 触角； C. 翅； D. 前足； E. 中足； F. 后足； G. 前足跗节； H. 中胸侧板、后胸侧板、并胸腹节和腹柄侧面观； I， M. 并胸腹节、腹柄和合背板基部背面观； J. 腹部侧面观； L. 第 3~7 鞭节。

［A. 3.0× 标尺； B–F， K. 1.0× 标尺； G–J， L， M. 2.0× 标尺］

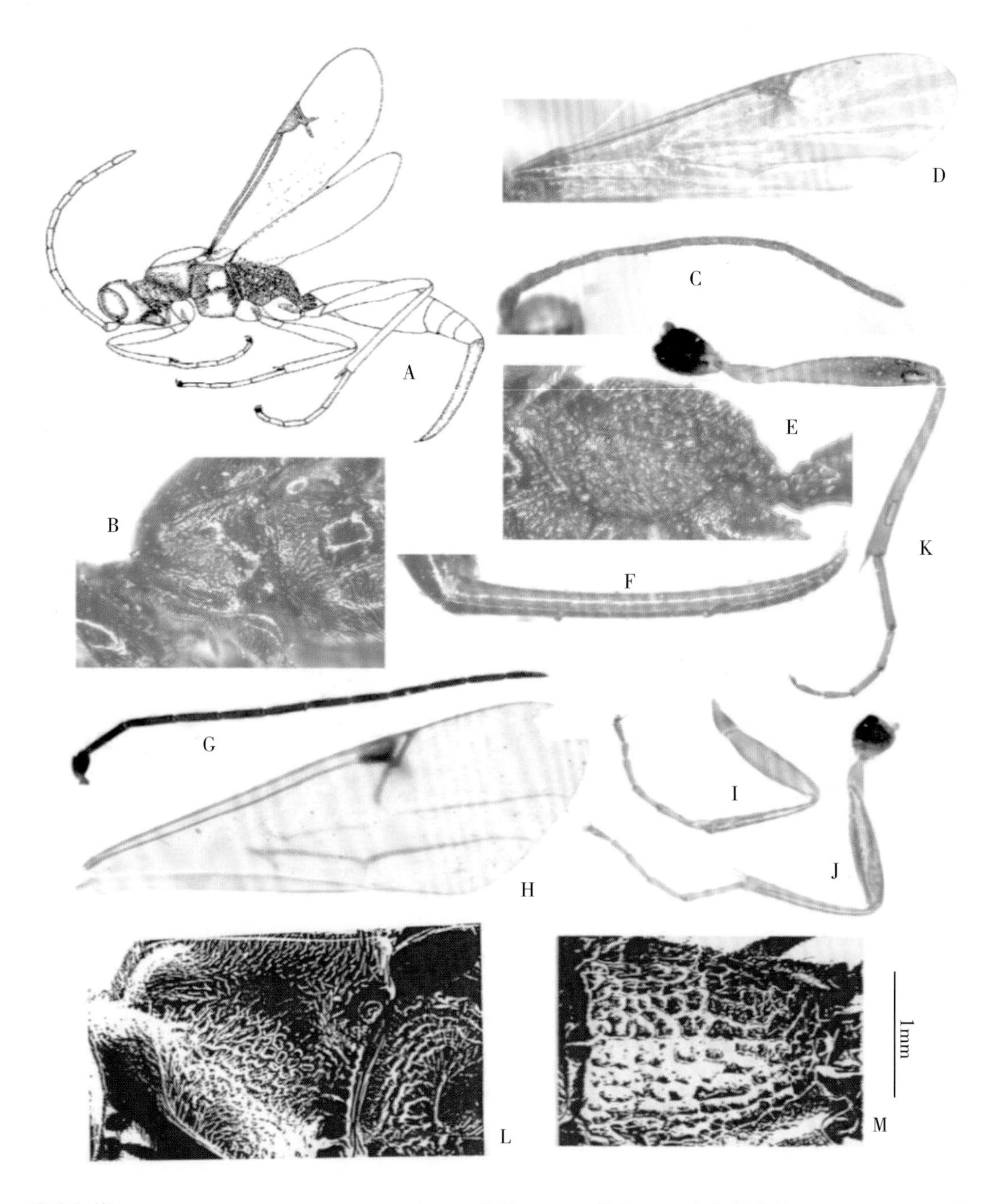

膨腹细蜂 *Proctotrupes gravidator* (Linnaeus)（A–F. 雌性； G–M. 雄性； A. 仿何俊华等， 2004； L， M. 仿 Townes *et al.*， 1981）

A. 整体侧面观； B， L. 前胸背板侧面观； C， G. 触角； D， H. 前翅； E. 后胸侧板、并胸腹节和腹柄侧面观； F. 产卵管鞘； I. 前足； J. 中足； K. 后足； M. 并胸腹节背面观。［A. 0.6 × 标尺； B， E， F， L， M. 2.0 × 标尺； C， D. 1.0 × 标尺； G–K. 0.8 × 标尺］

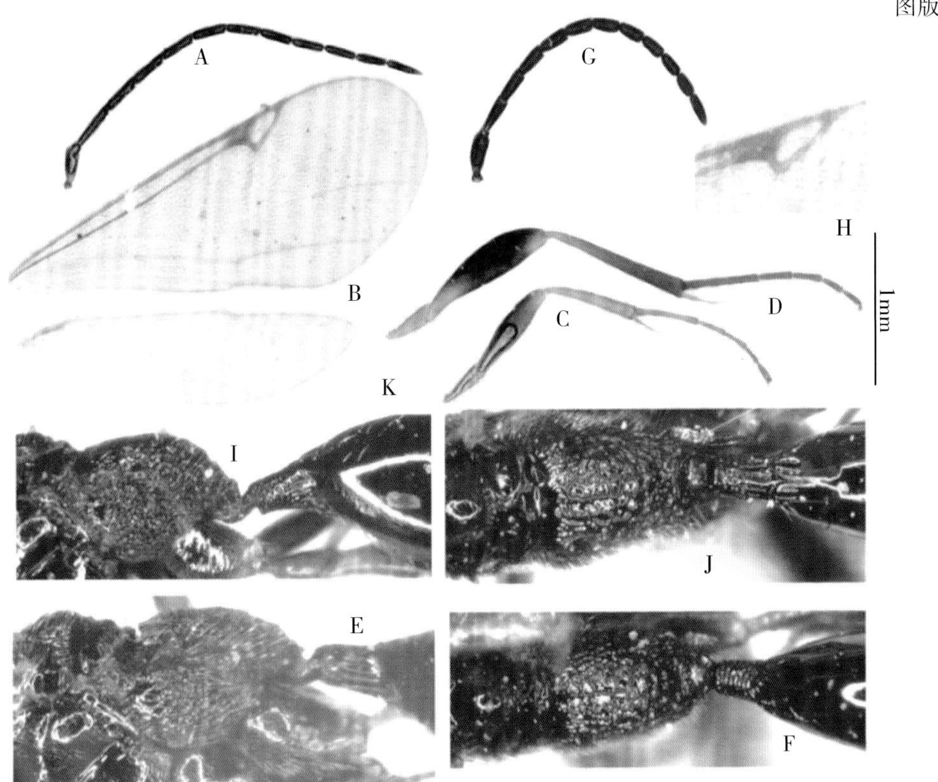

1. 田氏脊额细蜂 *Phaneroserphus tiani* He *et* Xu（A–F. 雄性；G–J. 雌性）

A，G. 触角；B. 翅；C. 中足；D. 后足；E，I. 后胸侧板、并胸腹节和腹部侧面观；F，J. 并胸腹节和腹部背面观；H. 翅痣。
［A–D，G，H. 1.0× 标尺；E，F，G，I. 2.0× 标尺］

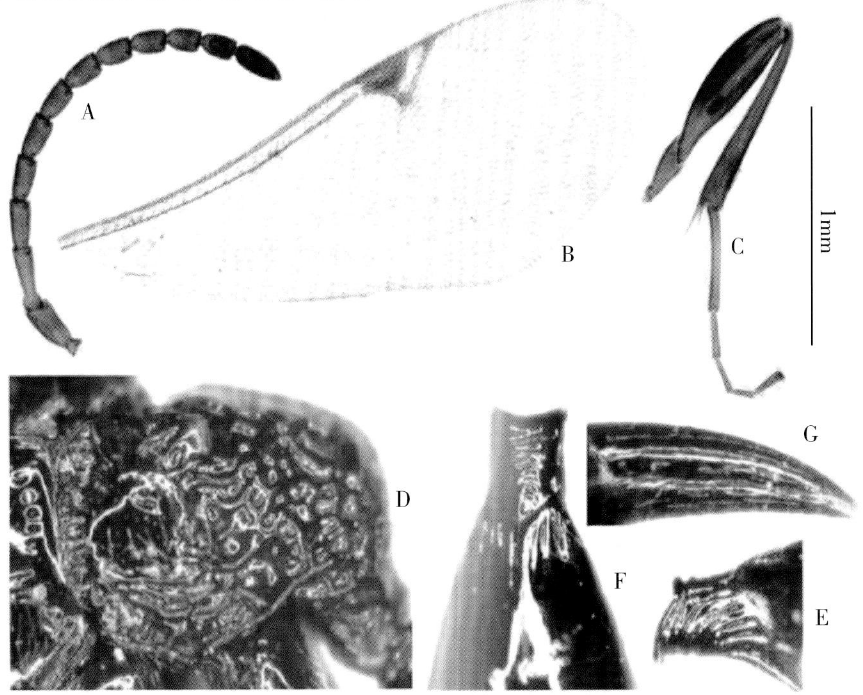

2. 长柄叉齿细蜂 *Exallonyx longistipes* He *et* Liu

A. 触角；B. 前翅；C. 后足；D. 后胸侧板和并胸腹节侧面观；E. 腹柄侧面观；F. 腹柄和合背板基部背面观；G. 产卵管鞘。
［A–C. 1.0× 标尺；D–F. 2.0× 标尺；G. 3.0× 标尺］

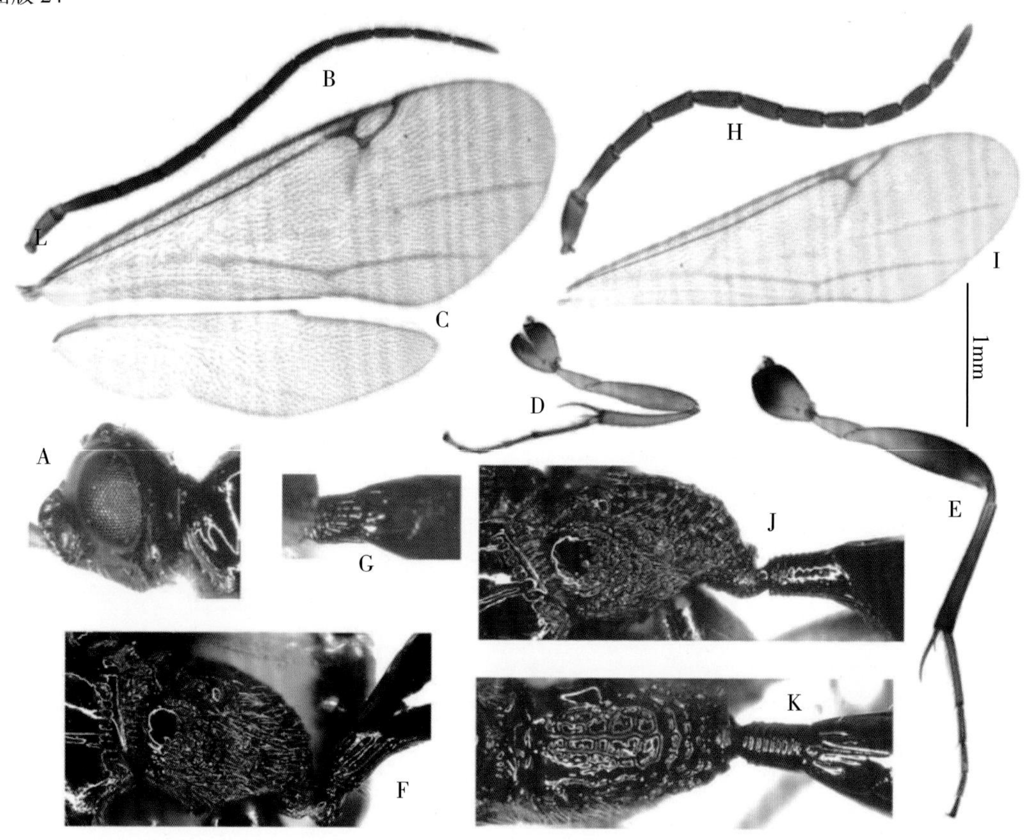

1. 光柄脊额细蜂 *Phaneroserphus glabripetiolatus* He *et* Xu（A–G. 雄性； H–K. 雌性）

A. 头部侧面观； B， H. 触角； C， I. 翅； D. 中足； E. 后足； F， J. 后胸侧板、并胸腹节和腹柄侧面观； G. 腹柄侧面观； K. 并胸腹节、腹柄和合背板基部背面观。［A， F， G， J， K. 2.0× 标尺； B–E， H， I. 1.0× 标尺］

2. 密皱叉齿细蜂 *Exallonyx densirugolosus* Liu， He *et* Xu（仿 Liu *et al*.， 2006）

A. 整体侧面观； B. 触角； C. 前翅； D. 后足； E. 后胸侧板和并胸腹节侧面观； F. 并胸腹节背面观； G. 腹柄和合背板基部背面观； H. 腹柄侧面观。［A. 0.7× 标尺； B–D. 1.0× 标尺； E–H. 2.0× 标尺］

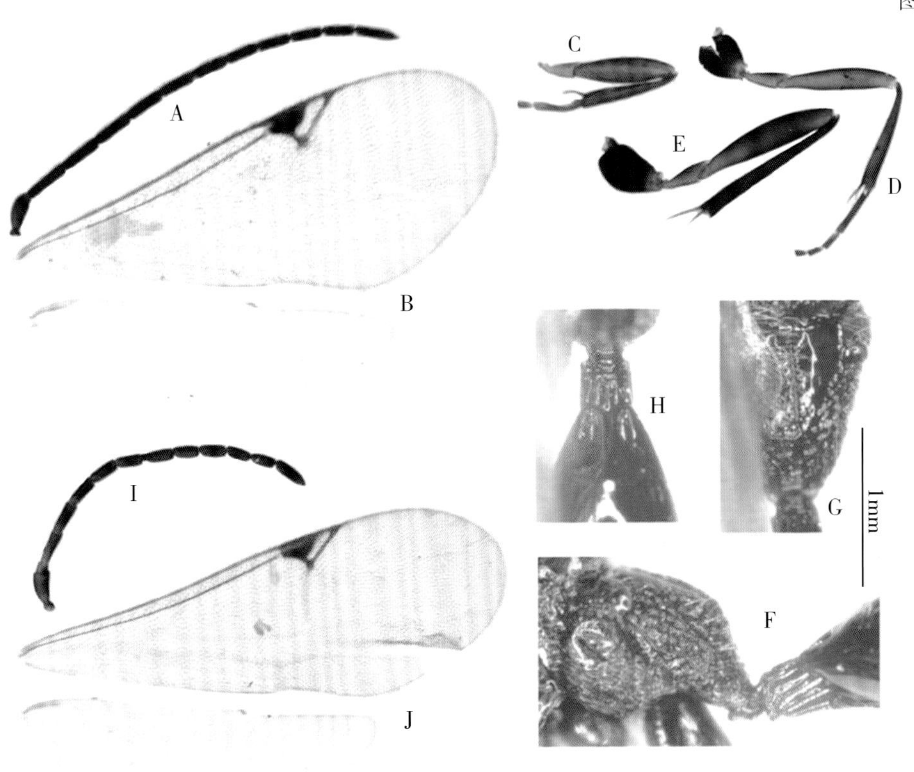

1. 黑胫叉齿细蜂 *Exallonyx nigritibilis* He *et* Xu（A–H. 雄性；I–J. 雌性）

A，I. 触角；B，J. 翅；C，前足；D. 中足；E. 后足；F. 后胸侧板、并胸腹节和腹部侧面观；G. 并胸腹节背面观；H. 腹柄和合背板基部背面观。［A–E，I，J. 1.0× 标尺；F–H. 2.0× 标尺］

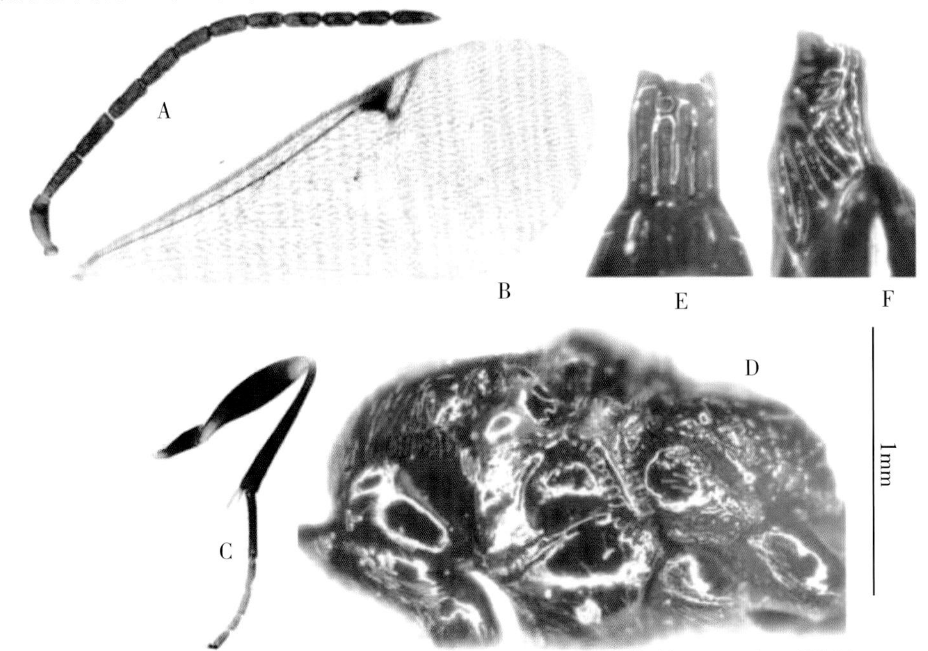

2. 束柄叉齿细蜂 *Exallonyx strictus* Liu，He *et* Xu（仿 Liu，*et al.*，2006）

A. 触角；B. 前翅；C. 后足；D. 胸部侧面观；E. 腹柄背面观；F. 腹柄侧面观。［A–C. 1.0× 标尺；D. 2.0× 标尺；E，F. 4.0× 标尺］

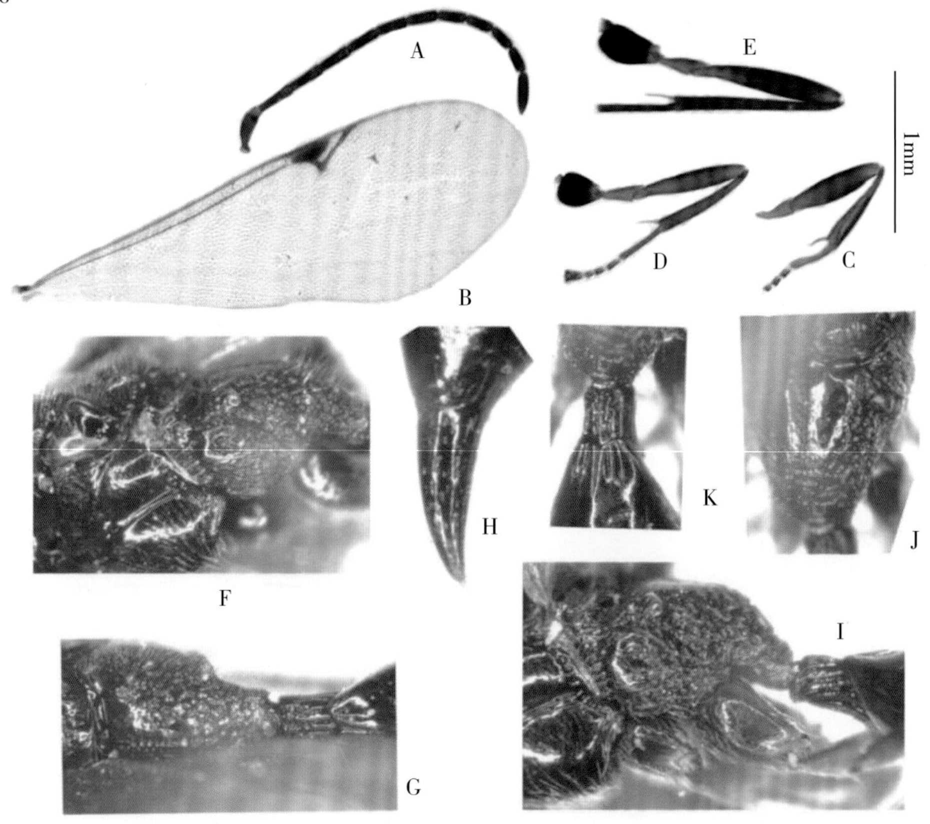

1. 周氏叉齿细蜂 *Exallonyx zhoui* He *et* Xu（A–H. 雌性；I–K. 雄性）

A. 触角；B. 前翅；C. 前足；D. 中足；E. 后足；F，I. 后胸侧板、并胸腹节和腹部侧面观；G，K. 并胸腹节、腹柄和合背板基部背面观；H. 产卵管鞘；J. 并胸腹节背面观。［A–E. 1.0× 标尺；F，G，I–K. 2.0× 标尺；H. 4.0× 标尺］

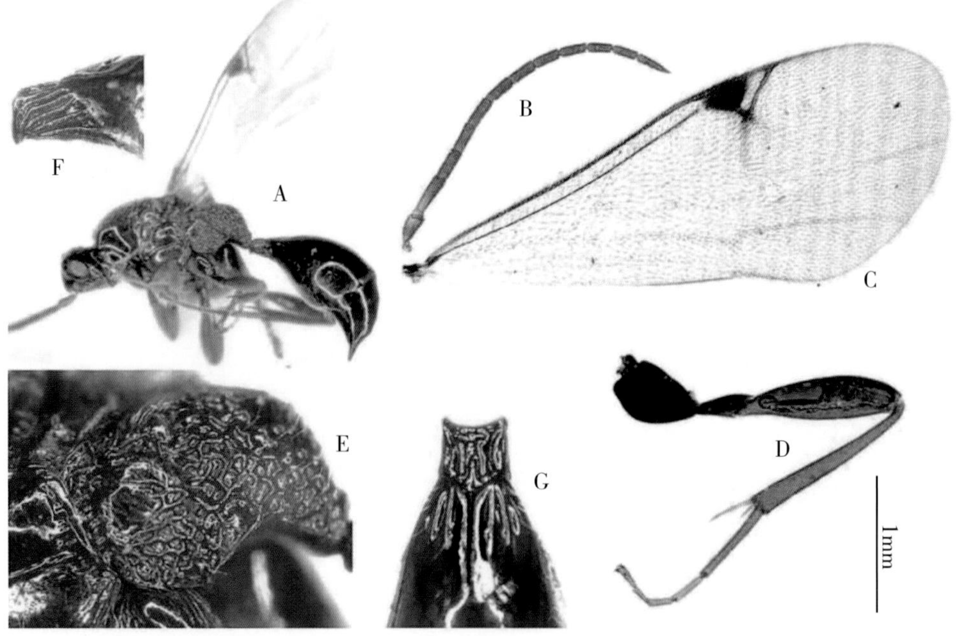

2. 黑唇叉齿细蜂 *Exallonyx nigrolabius* Liu，He *et* Xu（仿 Liu *et al.*，2006）

A. 整体侧面观；B. 触角；C. 前翅；D. 后足；E. 后胸侧板和并胸腹节侧面观；F. 腹柄侧面观；G. 腹柄和合背板基部背面观。［A. 0.5× 标尺；B，C. 1.0× 标尺；D–G. 2.0× 标尺］

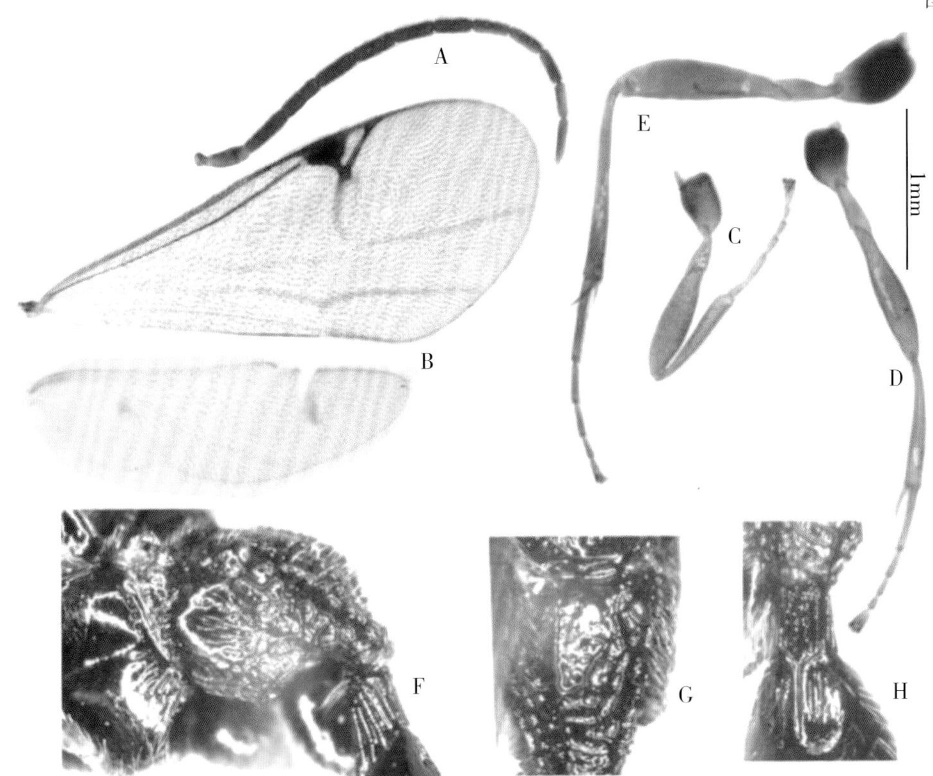

1. 雅林叉齿细蜂 *Exallonyx yalini* He *et* Xu

A. 触角；B. 翅；C. 前足；D. 中足；E. 后足；F. 后胸侧板、并胸腹节和腹部侧面观；G. 并胸腹节背面观；H. 腹柄和合背板基部背面观。［A–E. 1.0× 标尺；F–H. 2.0× 标尺］

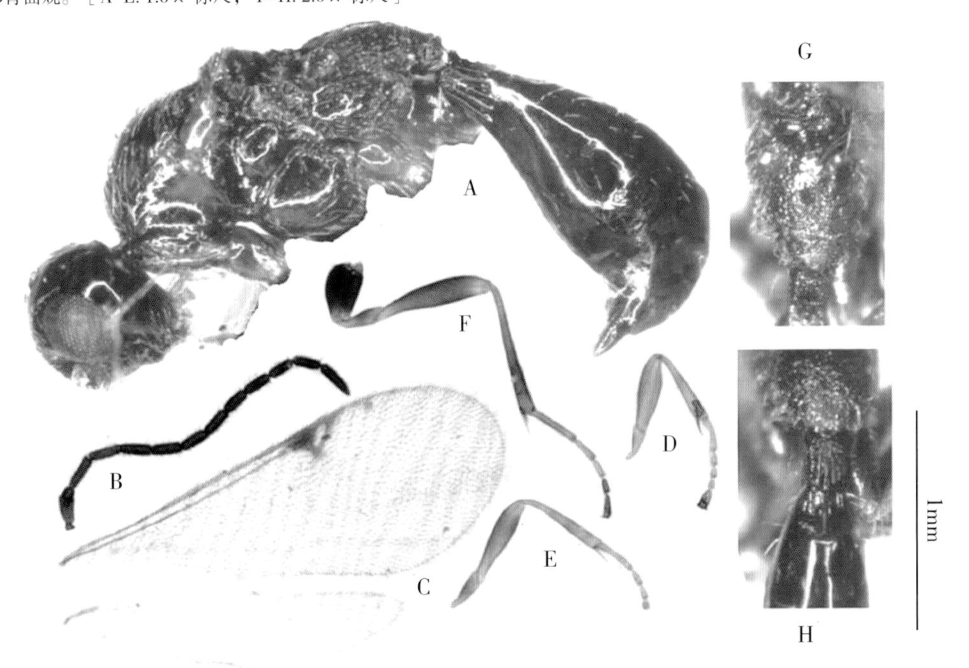

2. 虞氏叉齿细蜂 *Exallonyx yuae* He *et* Xu

A. 整体侧面观；B. 触角；C. 翅；D. 前足；E. 中足；F. 后足；G. 并胸腹节背面观；H. 腹柄和合背板基部背面观。［B–F. 1.0× 标尺；A，G，H. 2.0× 标尺］

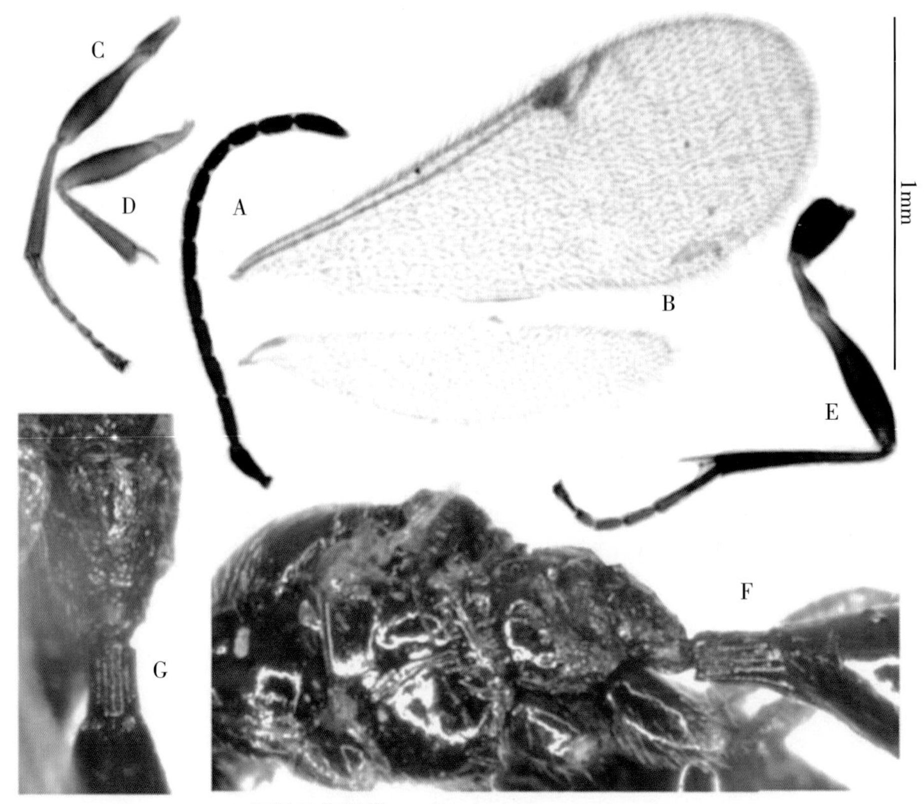

1. 烟足叉齿细蜂 *Exallonyx fumipes* He *et* Xu

A. 触角；B. 翅；C. 前足；D. 中足；E. 后足；F. 后胸侧板和并胸腹节侧面观；G. 并胸腹节、腹柄和合背板基部背面观。
［A–E. 1.0× 标尺；F，G. 2.0× 标尺］

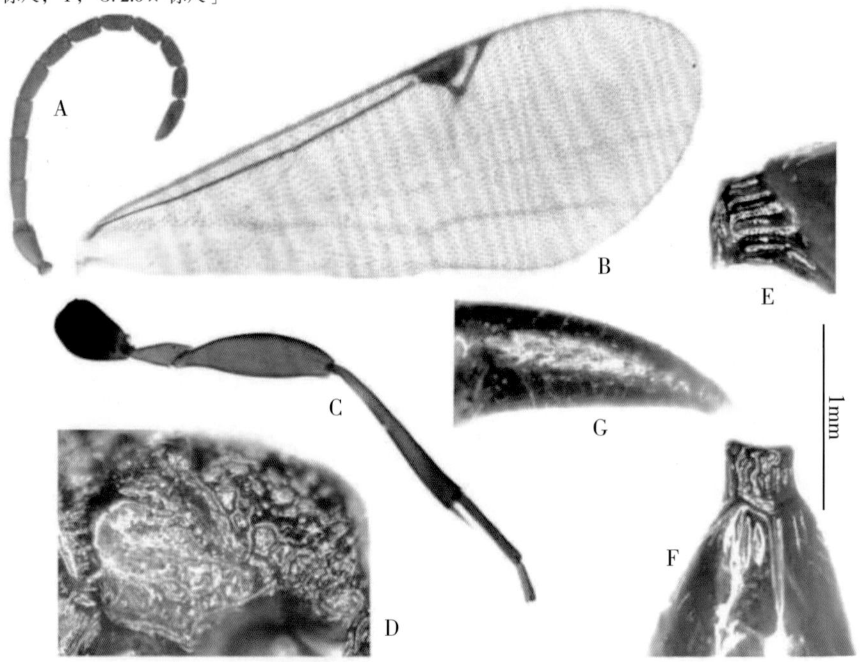

2. 宽唇叉齿细蜂 *Exallonyx eurycheilus* He *et* Liu

A. 触角；B. 前翅；C. 后足；D. 后胸侧板和并胸腹节侧面观；E. 腹柄侧面观；F. 腹柄和合背板基部背面观；G. 产卵管鞘。
［A–C. 1.0× 标尺；D–F. 2.0× 标尺；G. 3.0× 标尺］

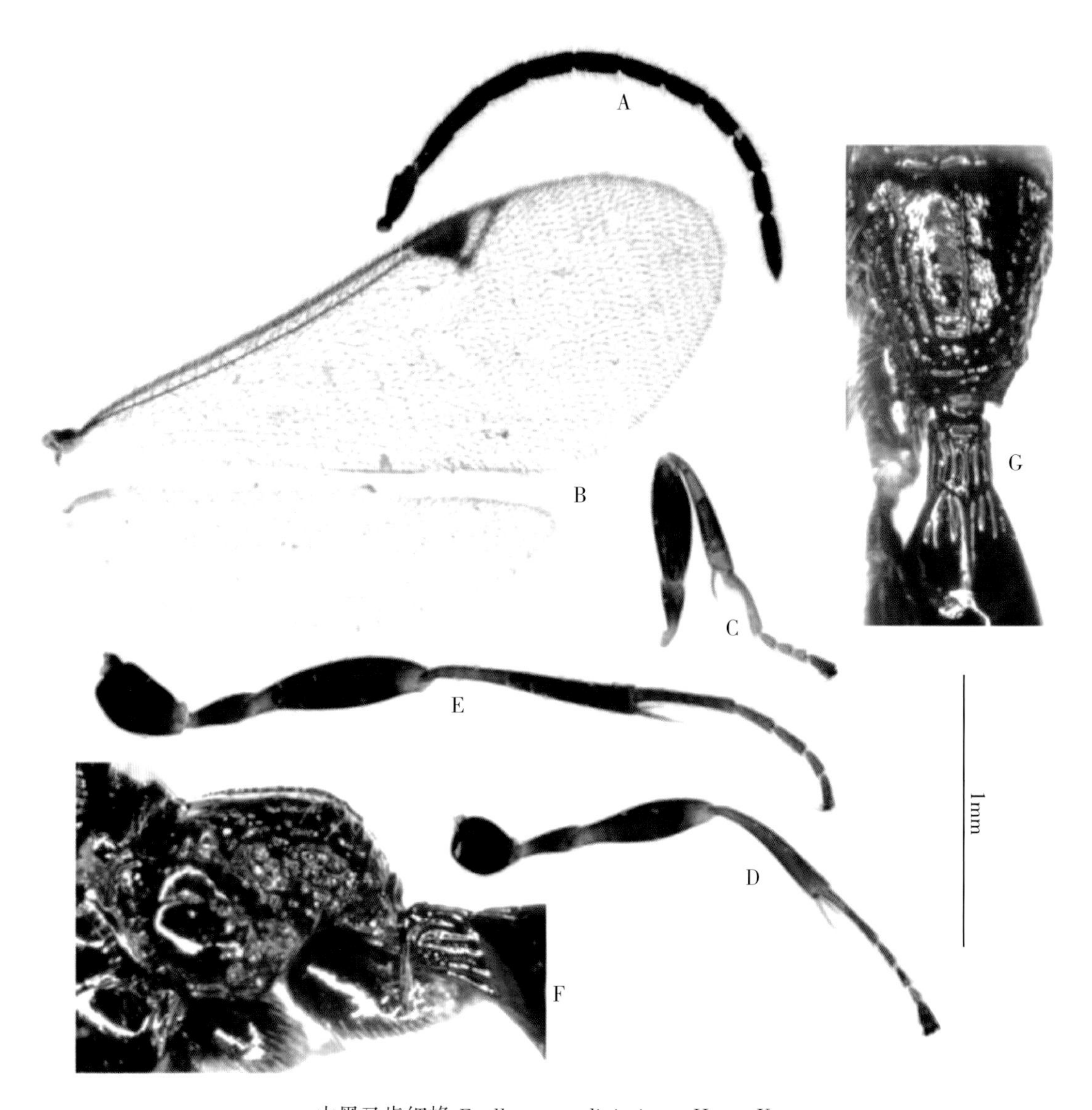

中黑叉齿细蜂 *Exallonyx medinigricans* He *et* Xu

A. 触角； B. 翅； C. 前足； D. 中足； E. 后足； F. 后胸侧板、并胸腹节和腹柄侧面观； G. 并胸腹节、腹柄和合背板基部背面观。［A–E. 1.0× 标尺； F， G. 2.0× 标尺］

图版 30

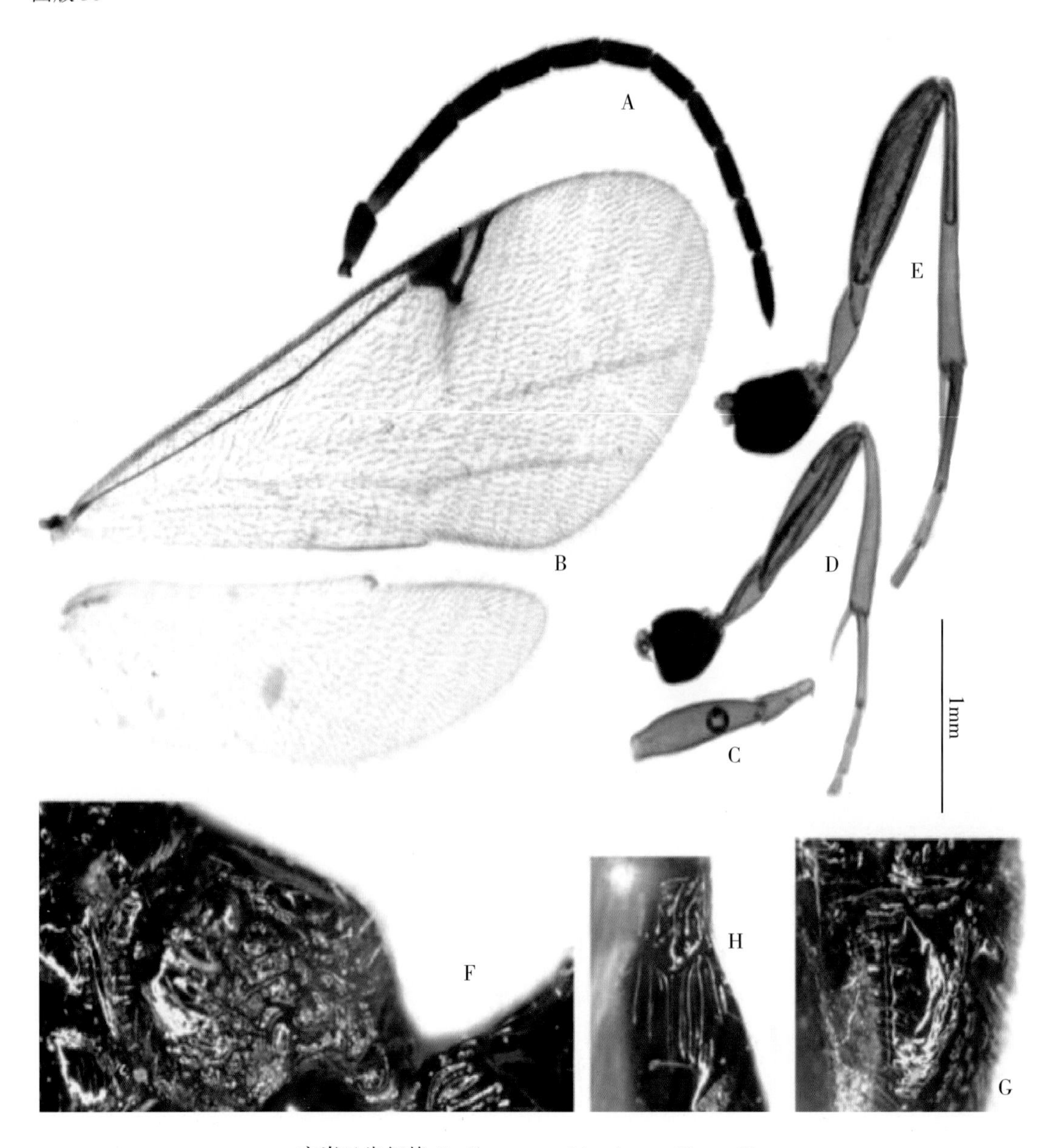

高脊叉齿细蜂 *Exallonyx excelsicarinatus* He *et* Xu

A. 触角；B. 翅；C. 前足；D. 中足；E. 后足；F. 后胸侧板、并胸腹节和腹柄侧面观；G. 并胸腹节背面观；H. 腹柄和合背板基部背面观。［A–E. 1.0× 标尺；F–H. 2.0× 标尺］

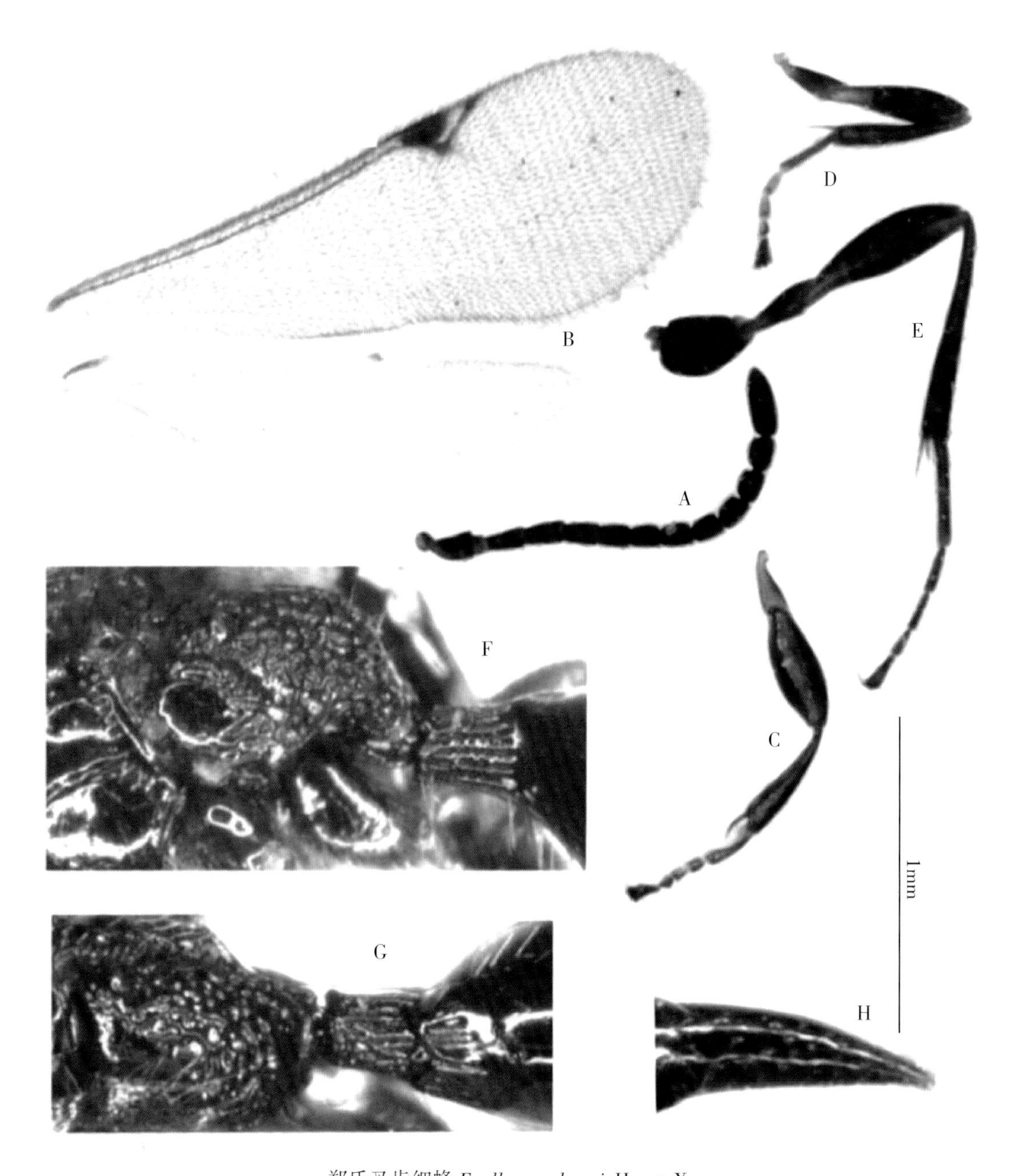

郑氏叉齿细蜂 *Exallonyx zhengi* He *et* Xu

A. 触角；B. 翅；C. 前足；D. 中足；E. 后足；F. 后胸侧板、并胸腹节和腹柄侧面观；G. 并胸腹节、腹柄和合背板基部背面观；H. 产卵管鞘。[A–E. 1.0× 标尺；F，G. 2.0× 标尺；H. 3.0× 标尺]

图版 32

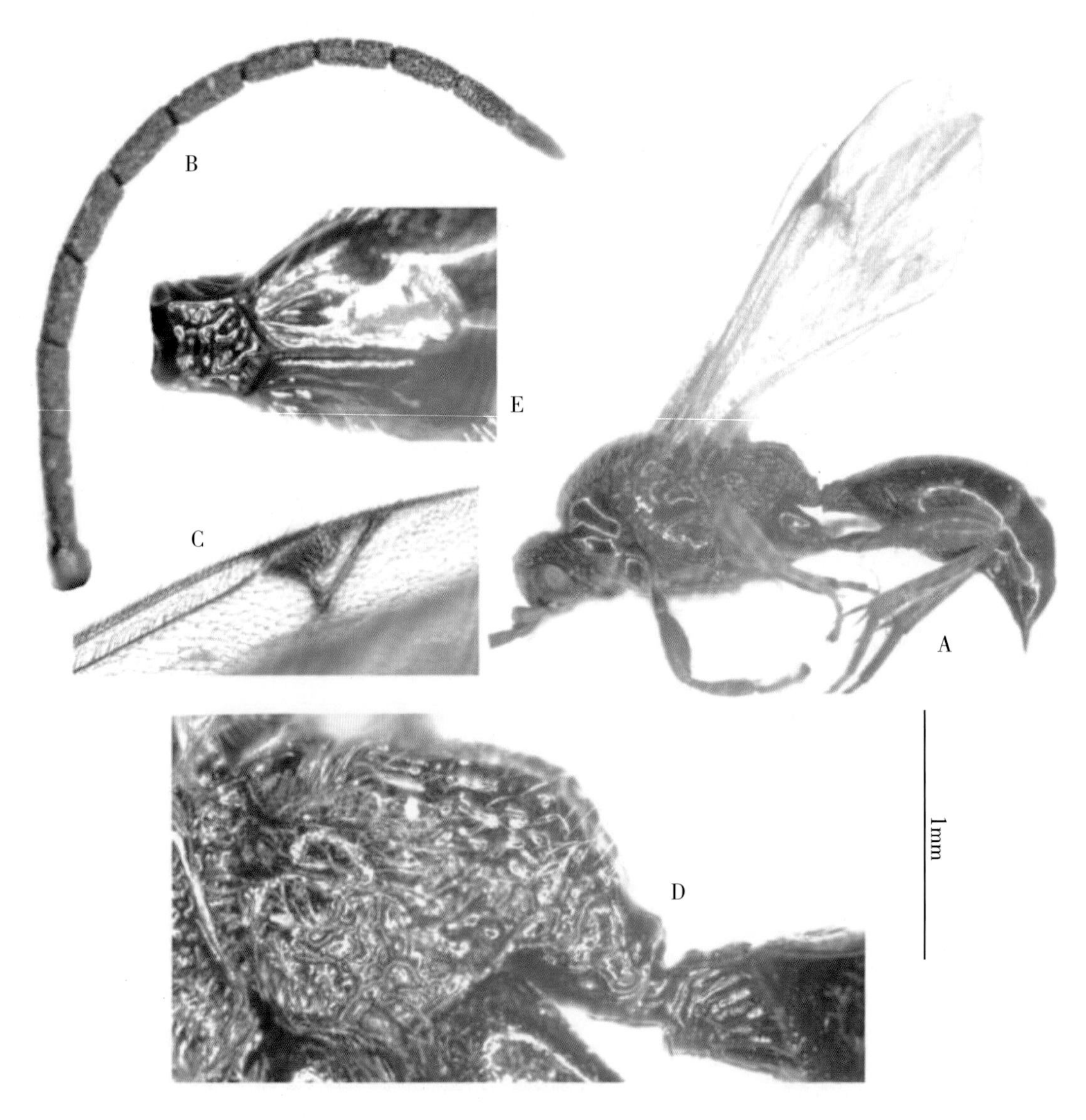

长距叉齿细蜂 *Exallonyx longicalcaratus* He *et* Xu

A. 整体侧面观； B. 触角； C. 翅痣； D. 后胸侧板、并胸腹节和腹柄侧面观； E. 腹柄和合背板基部背面观。

［A. 0.5× 标尺； B. 1.0× 标尺； C–E. 2.0× 标尺］

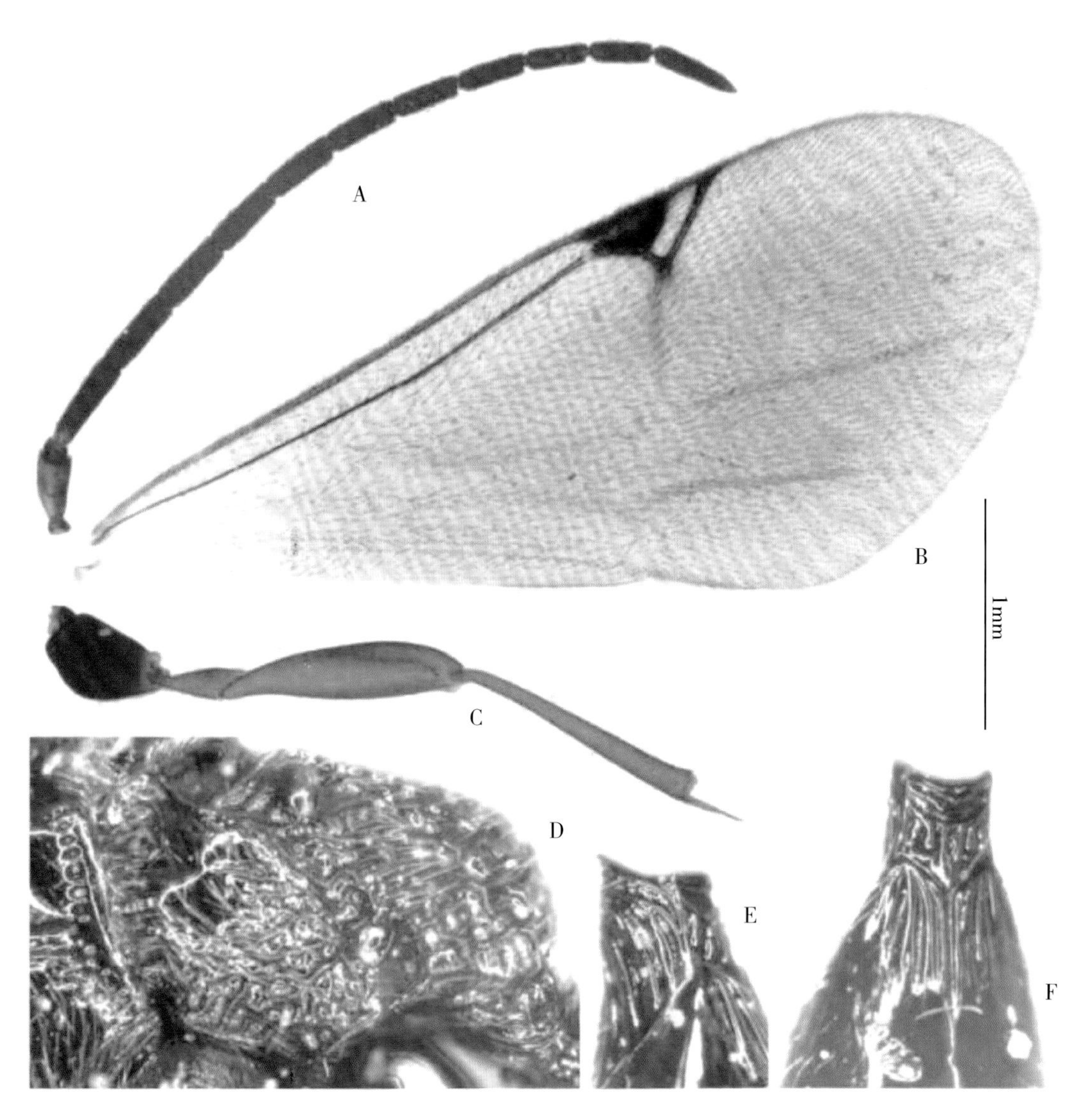

毛脊叉齿细蜂 *Exallonyx epitrichus* He *et* Xu

A. 触角；B. 前翅；C. 后足；D. 后胸侧板和并胸腹节侧面观；E. 腹柄侧面观；F. 腹柄和合背板基部背面观。
［A–C. 1.0× 标尺；D–F. 2.0× 标尺］

图版 34

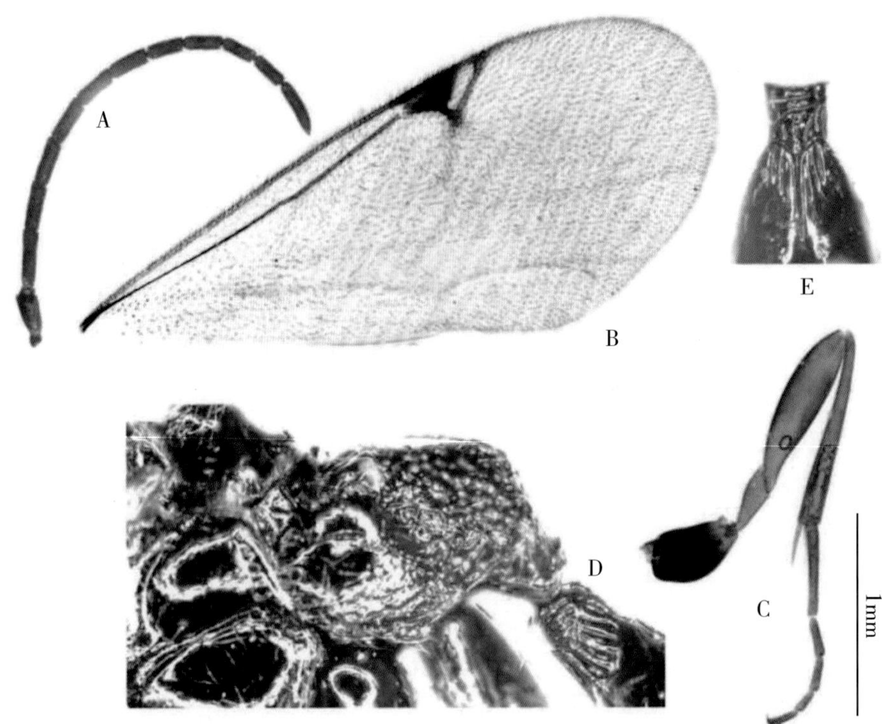

1. 无凹叉齿细蜂 *Exallonyx exfoveatus* He，Liu *et* Xu（仿 He *et al.*，2006）

A. 触角；B. 前翅；C. 后足；D. 中胸侧板、后胸侧板和并胸腹节侧面观；E. 腹柄和合背板基部背面观。［A–C. 1.0× 标尺；D，E. 2.0× 标尺］

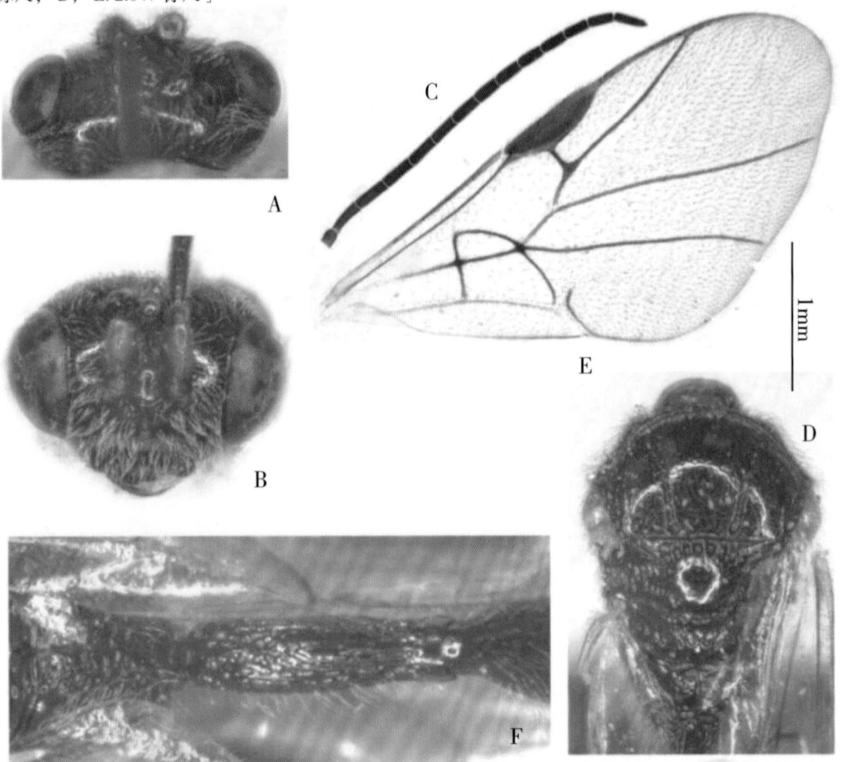

2. 蔡氏柄腹细蜂 *Helorus caii* He *et* Xu

A. 头部背面观；B. 头部前面观；C. 触角；D. 胸部背面观；E. 翅；F. 腹柄背面观。［A，B，D. 1.6× 标尺；C，E. 1.0× 标尺；F. 2.3× 标尺］

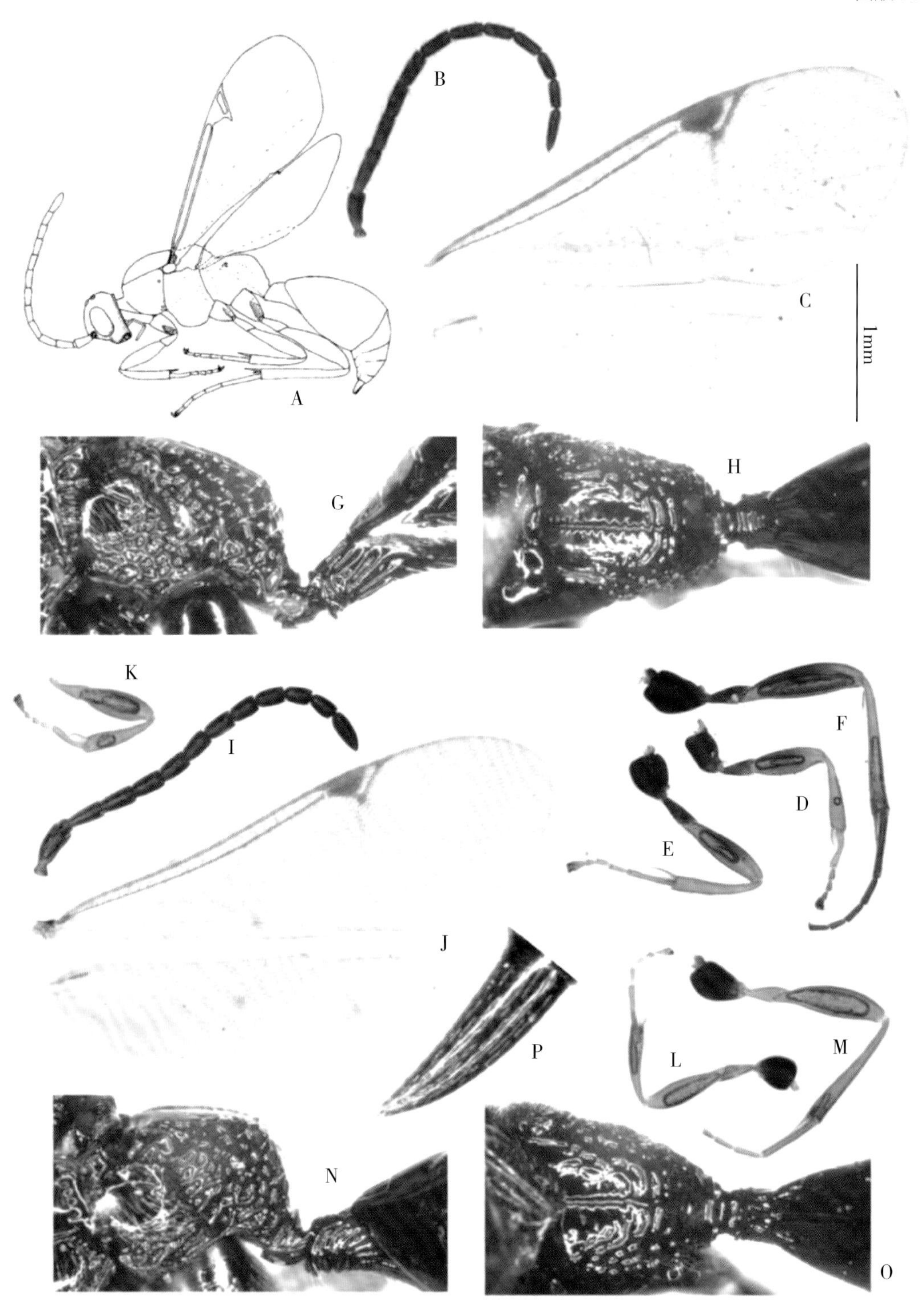

浙江叉齿细蜂 *Exallonyx zhejiangensis* He *et* Fan（A–H. 雄性；I–O. 雌性；A 仿何俊华等，2004）
A. 整体侧面观；B，I. 触角；C，J. 翅；D，K. 前足；E，L. 中足；F，M. 后足；G，N. 后胸侧板、并胸腹节和腹柄侧面观；H，O. 并胸腹节、腹柄和合背板基部背面观；P. 产卵管鞘。[A. 0.5× 标尺；B，C，I，J. 1.0× 标尺；D–F，K–M. 0.8× 标尺；G，H，N，O. 2.0× 标尺；P. 2.5× 标尺]

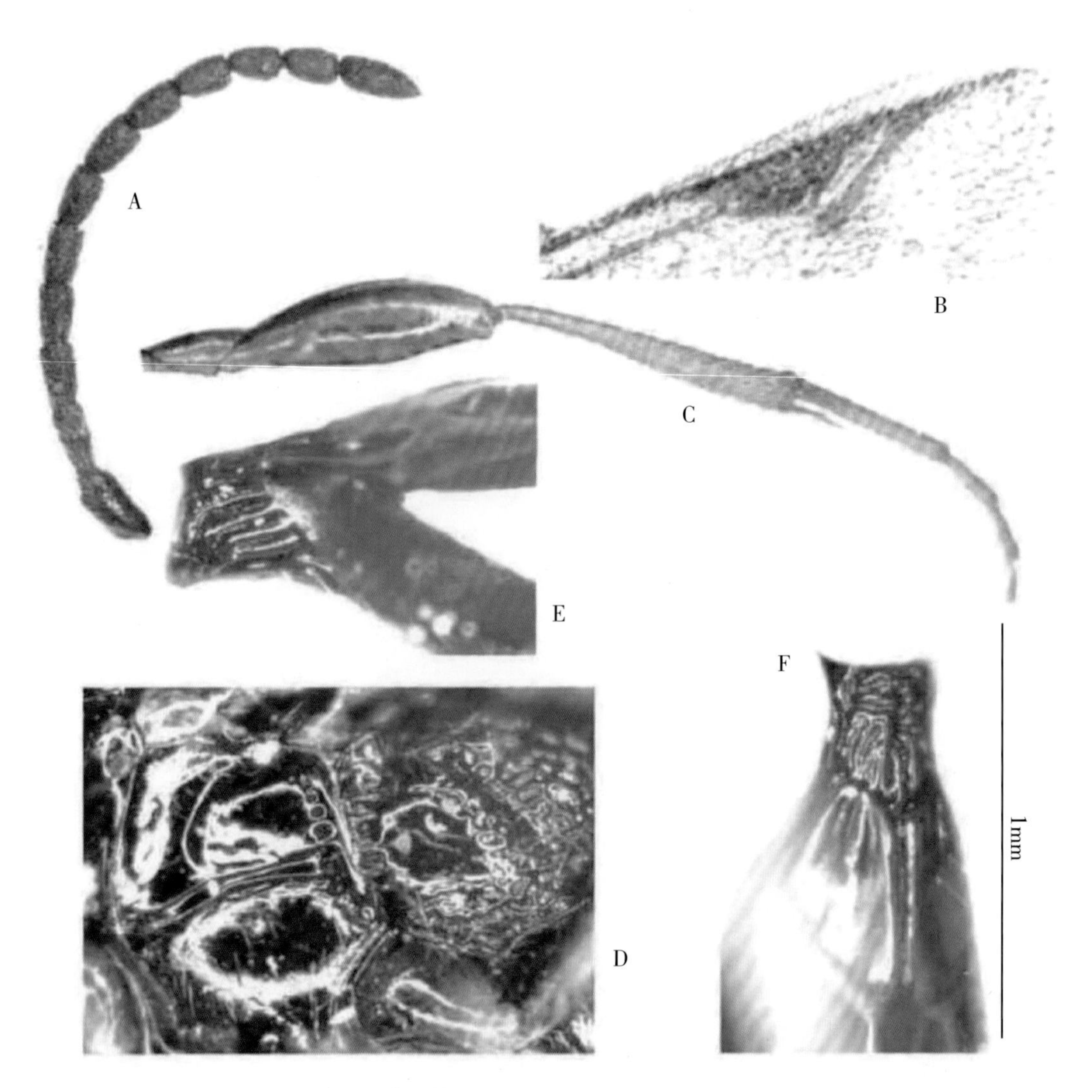

窄痣叉齿细蜂 *Exallonyx stenostigmus* He *et* Liu

A. 触角；B. 翅痣；C. 后足；D. 后胸侧板和并胸腹节侧面观；E. 腹柄侧面观；F. 腹柄和合背板基部背面观。

［A，C. 1.0× 标尺；B，D–F. 2.0× 标尺］

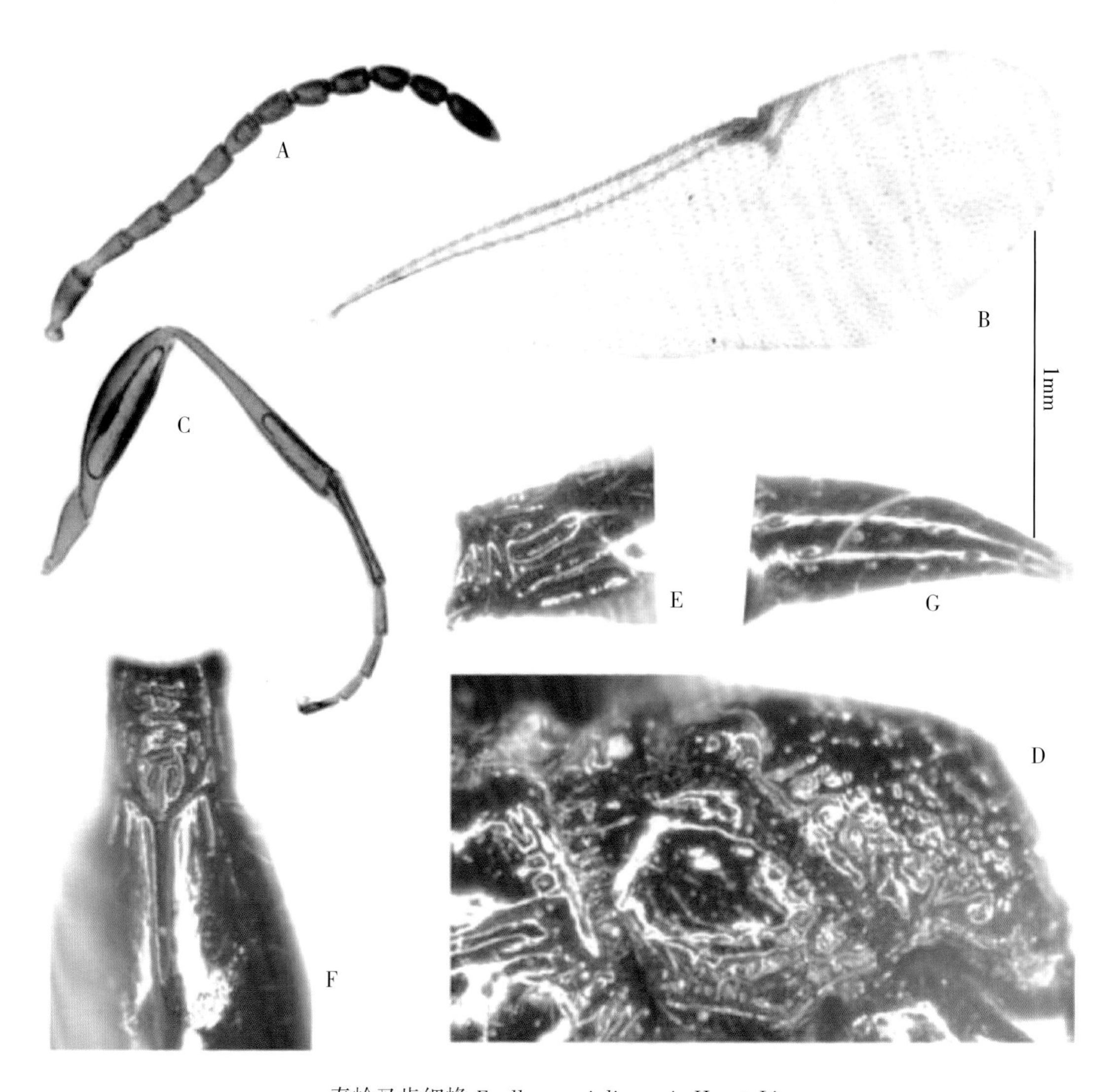

秦岭叉齿细蜂 *Exallonyx qinlingensis* He *et* Liu

A. 触角；B. 前翅；C. 后足；D. 后胸侧板和并胸腹节侧面观；E. 腹柄侧面观；F. 腹柄和合背板基部背面观；G. 产卵管鞘。
[A–C. 1.0× 标尺；D–F. 3.0× 标尺；G. 4.0× 标尺]

图版 38

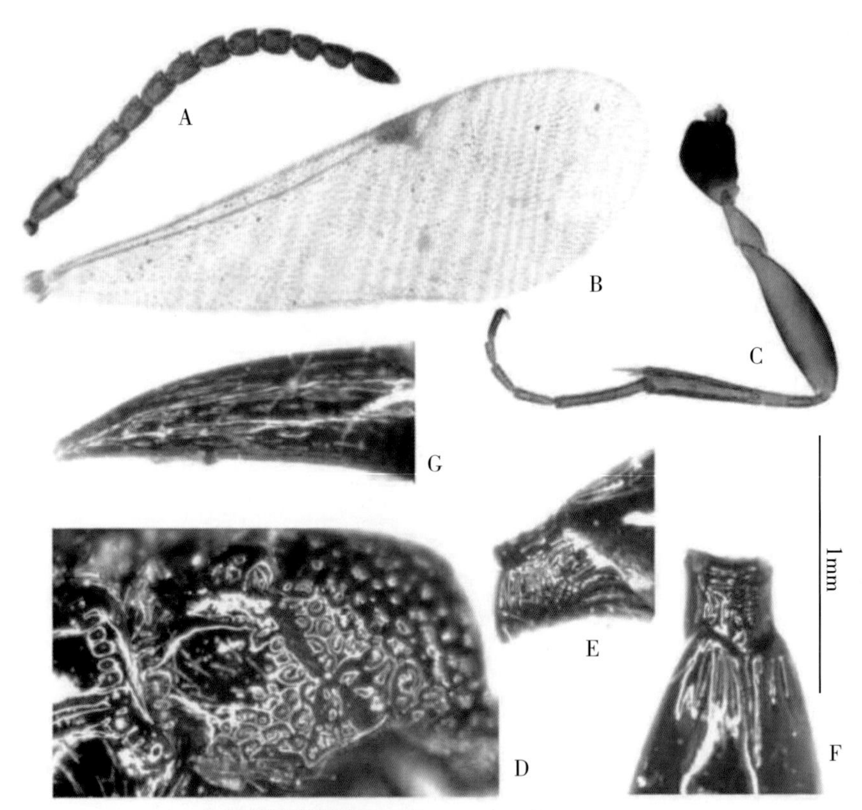

1. 突额叉齿细蜂 *Exallonyx exsertifrons* He *et* Xu

A. 触角；B. 前翅；C. 后足；D. 后胸侧板和并胸腹节侧面观；E. 腹柄侧面观；F. 腹柄和合背板基部背面观；G. 产卵管鞘。［A–C. 1.0× 标尺；D–F. 2.0× 标尺；G. 3.0× 标尺］

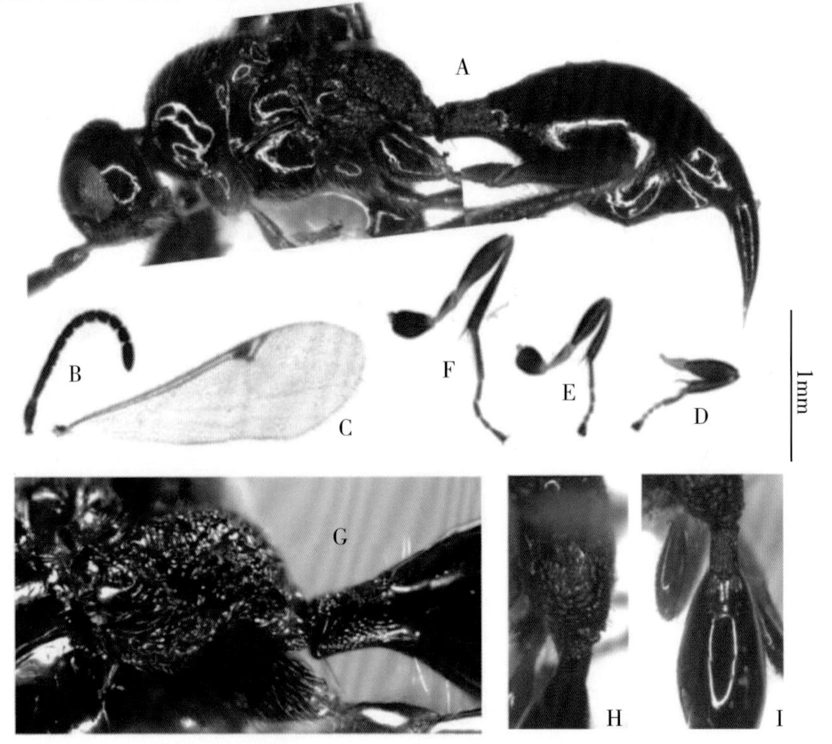

2. 点尾叉齿细蜂 *Exallonyx puncticaudatus* He *et* Xu

A. 整体侧面观；B. 触角；C. 前翅；D. 前足；E. 中足；F. 后足；G. 后胸侧板、并胸腹节和腹柄侧面观；H. 并胸腹节背面观；I. 腹柄和合背板基部背面观。［A，G–I. 2.0× 标尺；B–F. 1.0× 标尺］

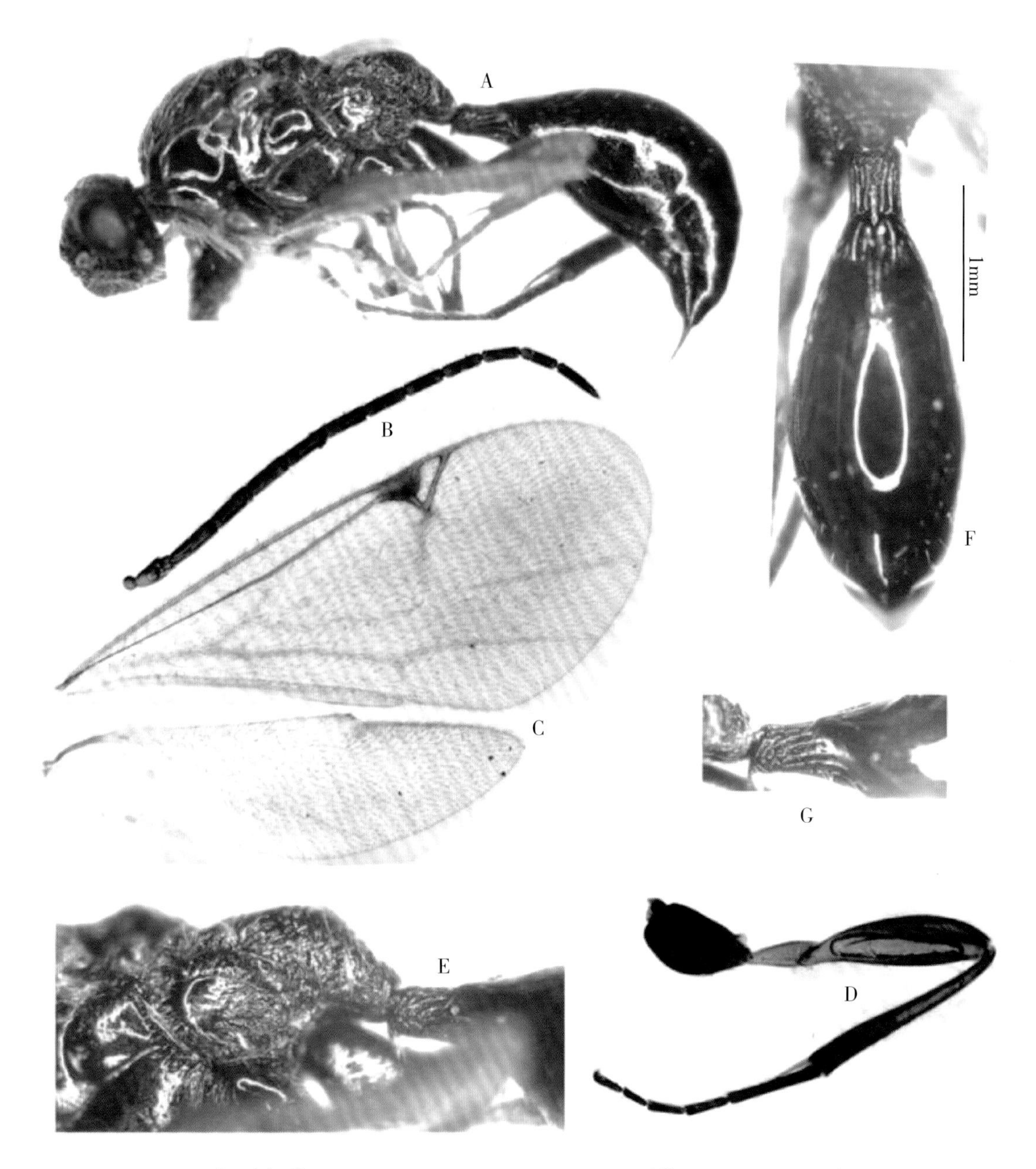

凹唇叉齿细蜂 *Exallonyx concavus* Xu，He *et* Liu（仿 Xu *et al.*，2007）

A. 整体侧面观；B. 触角；C. 前翅；D. 后足；E. 后胸侧板、并胸腹节和腹柄侧面观；F. 腹柄和合背板基部背面观；G. 腹柄侧面观。［A. 0.8× 标尺；B–D. 1.0× 标尺；C，F. 1.6× 标尺；G.1.8× 标尺］

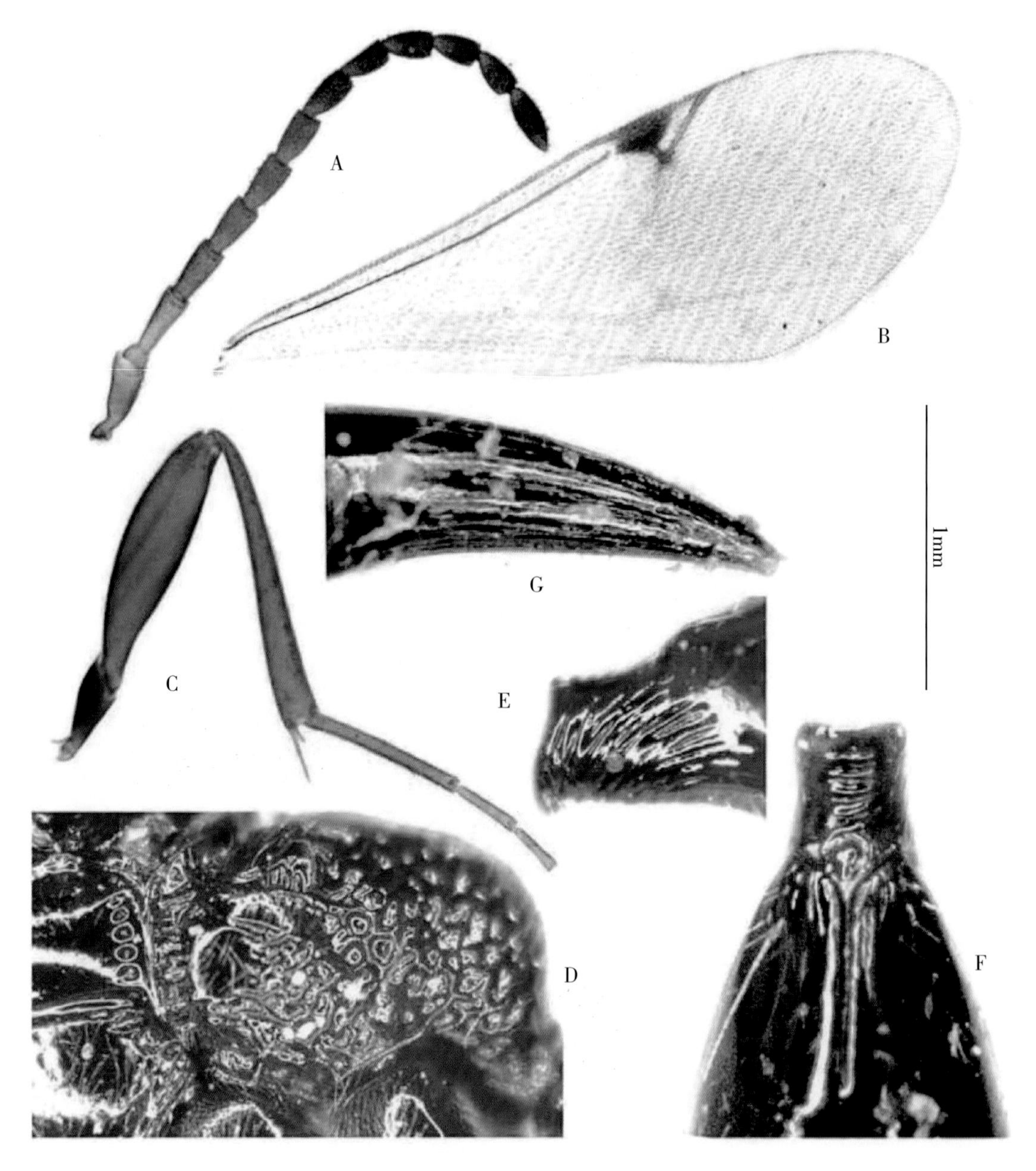

多皱叉齿细蜂 *Exallonyx polyptychus* He *et* Liu

A. 触角； B. 前翅； C. 后足； D. 后胸侧板和并胸腹节侧面观； E. 腹柄侧面观； F. 腹柄和合背板基部背面观； G. 产卵管鞘。
［A， C. 1.0× 标尺； B. 0.8× 标尺； D. 2.0× 标尺； E， F. 2.5× 标尺； G. 3.0× 标尺］

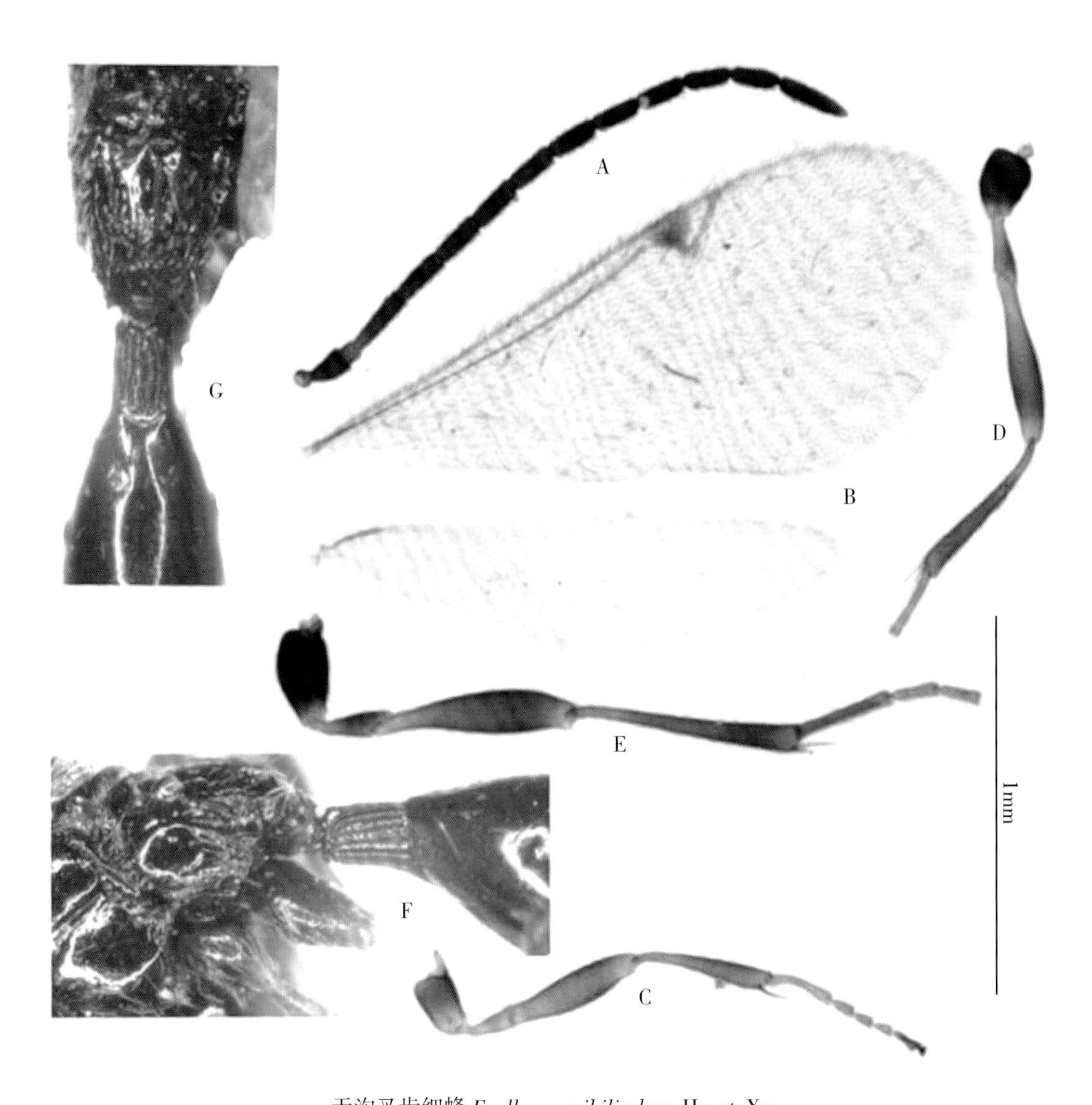

无沟叉齿细蜂 *Exallonyx nihilisulcus* He *et* Xu

A. 触角；B. 翅；C. 前足；D. 中足；E. 后足；F. 后胸侧板、并胸腹节和腹柄侧面观；G. 并胸腹节、腹柄和合背板基部背面观。［A–E. 1.0× 标尺；F，G. 2.0× 标尺］

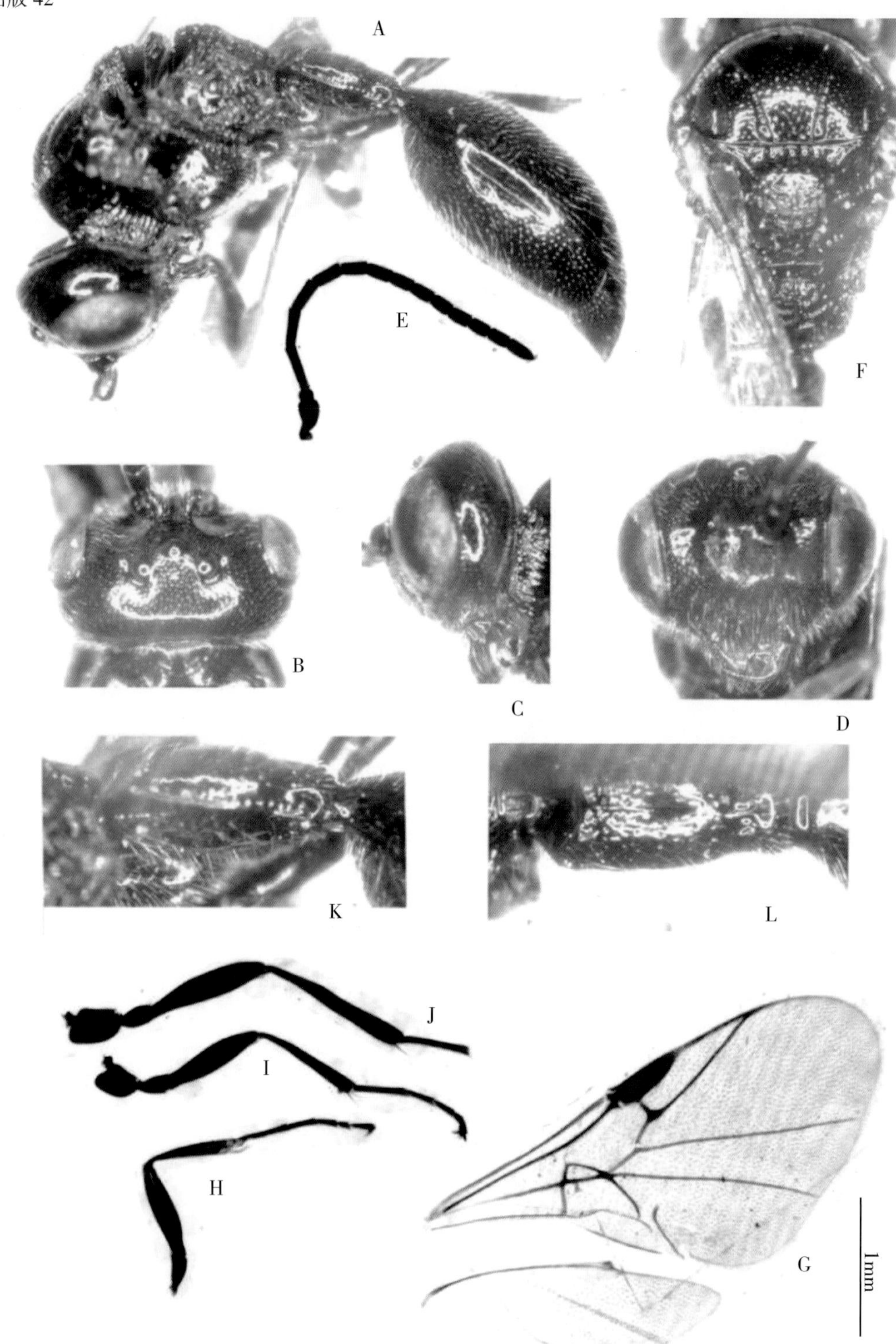

畸足柄腹细蜂 *Helorus anomalipes* (Panzer)

A. 整体侧面观；B. 头部背面观；C. 头部侧面观；D. 头部前面观；E. 触角；F. 胸部背面观；G. 翅；H. 前足；I. 中足；J. 后足；K. 腹柄侧面观；L. 腹柄背面观。［A. 1.25× 标尺；B–D，F. 1.5× 标尺；E，G–J. 1.0× 标尺，K–L. 2.5× 标尺］

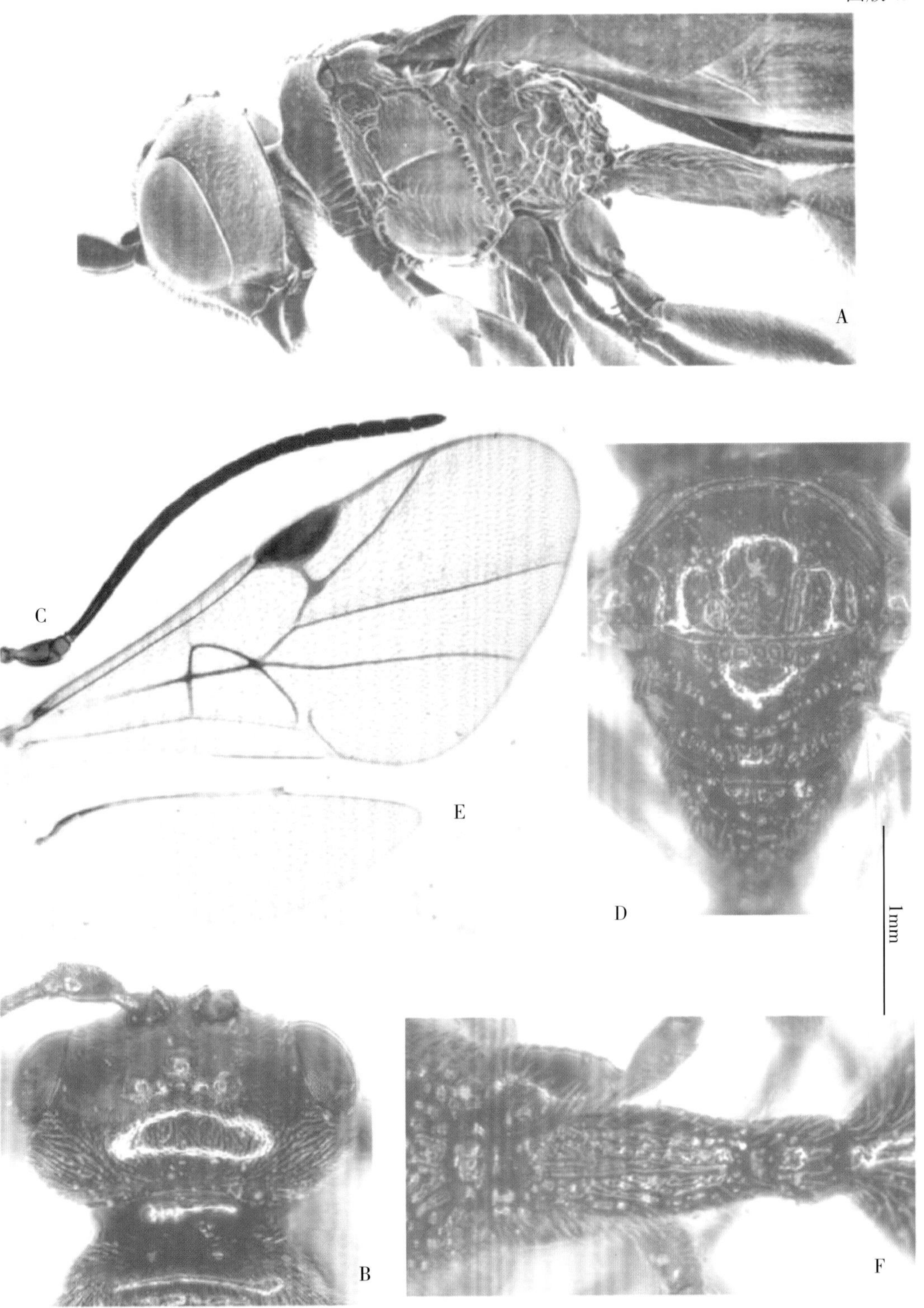

红角柄腹细蜂 *Helorus ruficornis* Foerster（A. 仿 Townes，1977）

A. 头部、胸部和腹柄侧面观；B. 头部背面观；C. 触角；D. 胸部背面观；E. 翅；F. 腹柄背面观。

［A. 1.25× 标尺；B，D. 1.5× 标尺；C，E. 1.0× 标尺；F. 2.3× 标尺］

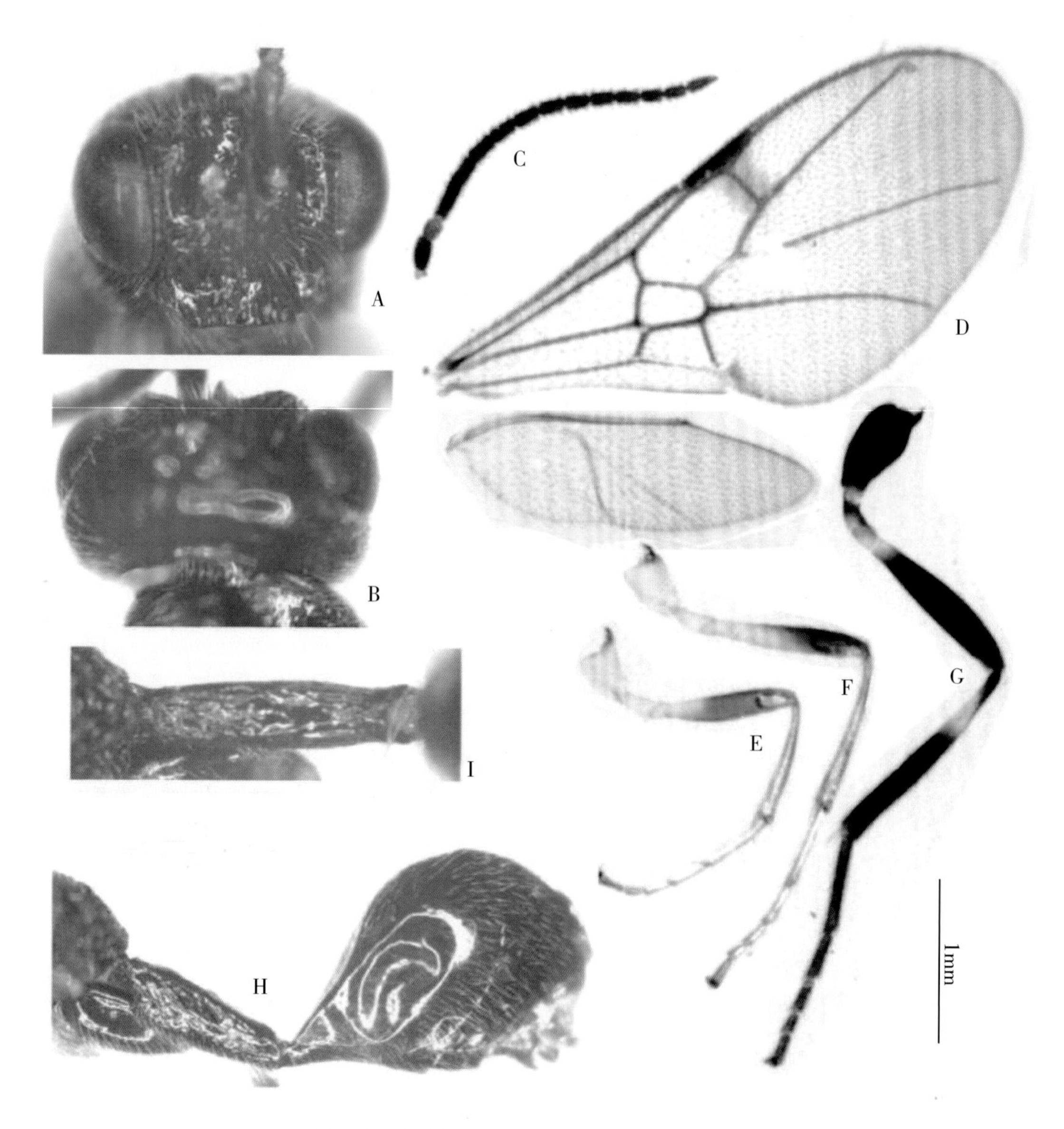

皱带窄腹细蜂 *Ropronia rugifascita* He *et* Xu

A. 头部前面观；B. 头部背面观；C. 触角；D. 翅；E. 前足；F. 中足；G. 后足；H. 腹部侧面观；I. 腹柄背面观。
［A–B，I. 2.5× 标尺；C–G. 1.0× 标尺；H. 1.4× 标尺］

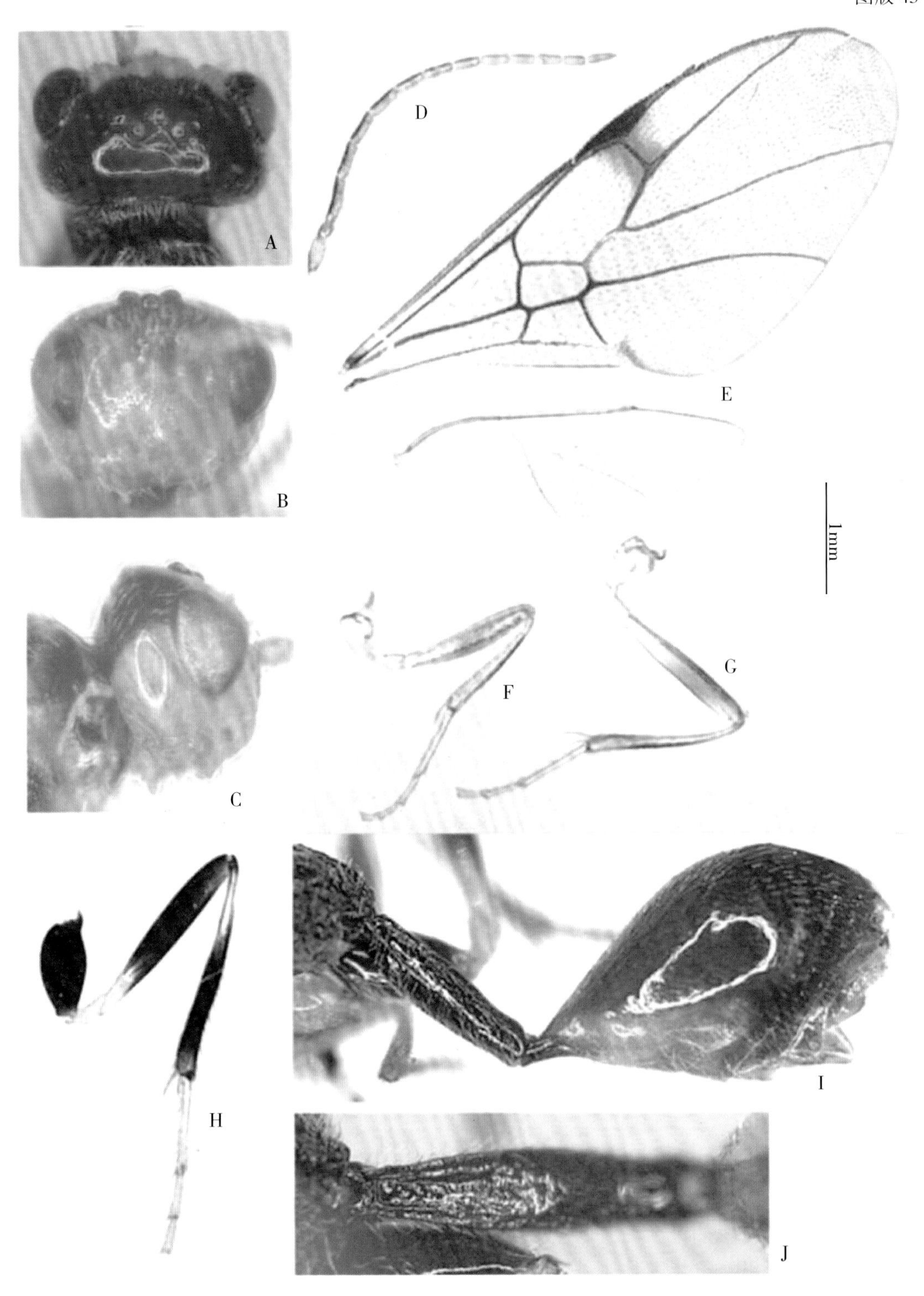

鼻形窄腹细蜂 *Ropronia nasata* He *et* Xu

A. 头部背面观；B. 头部前面观；C. 头部侧面观；D. 触角；E. 翅；F. 前足；G. 中足；H. 后足；I. 腹部侧面观；J. 腹柄背面观。［A–C，I. 1.5× 标尺；D–H. 1.0× 标尺；J. 3.0× 标尺］

图版 46

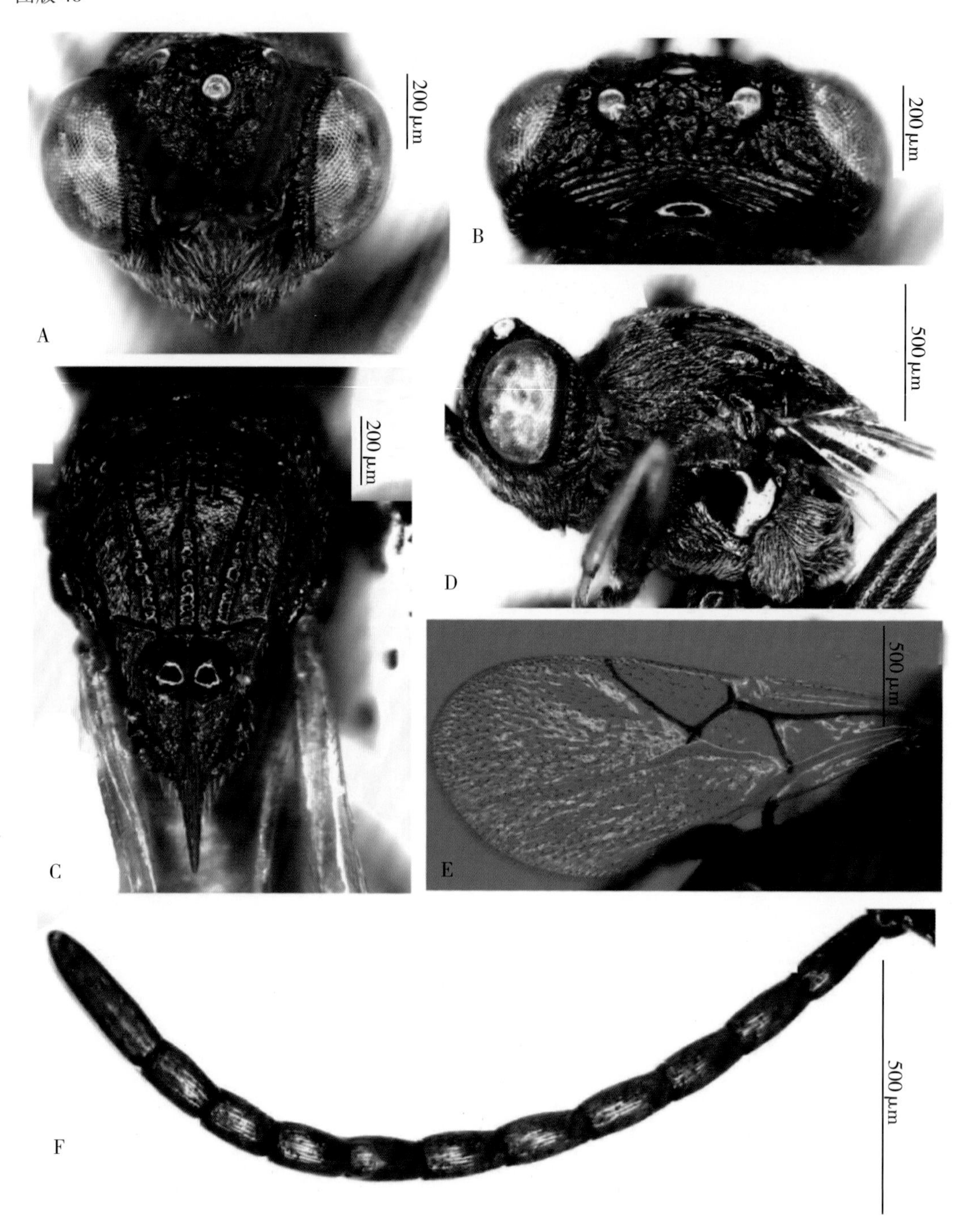

西伯利亚狭背瘿蜂 *Aspicera sibirica* Kieffer（中国新纪录种）

A. 头前面观；B. 头背面观；C. 胸背面观；D. 胸侧面观；E. 前翅；F. 触角

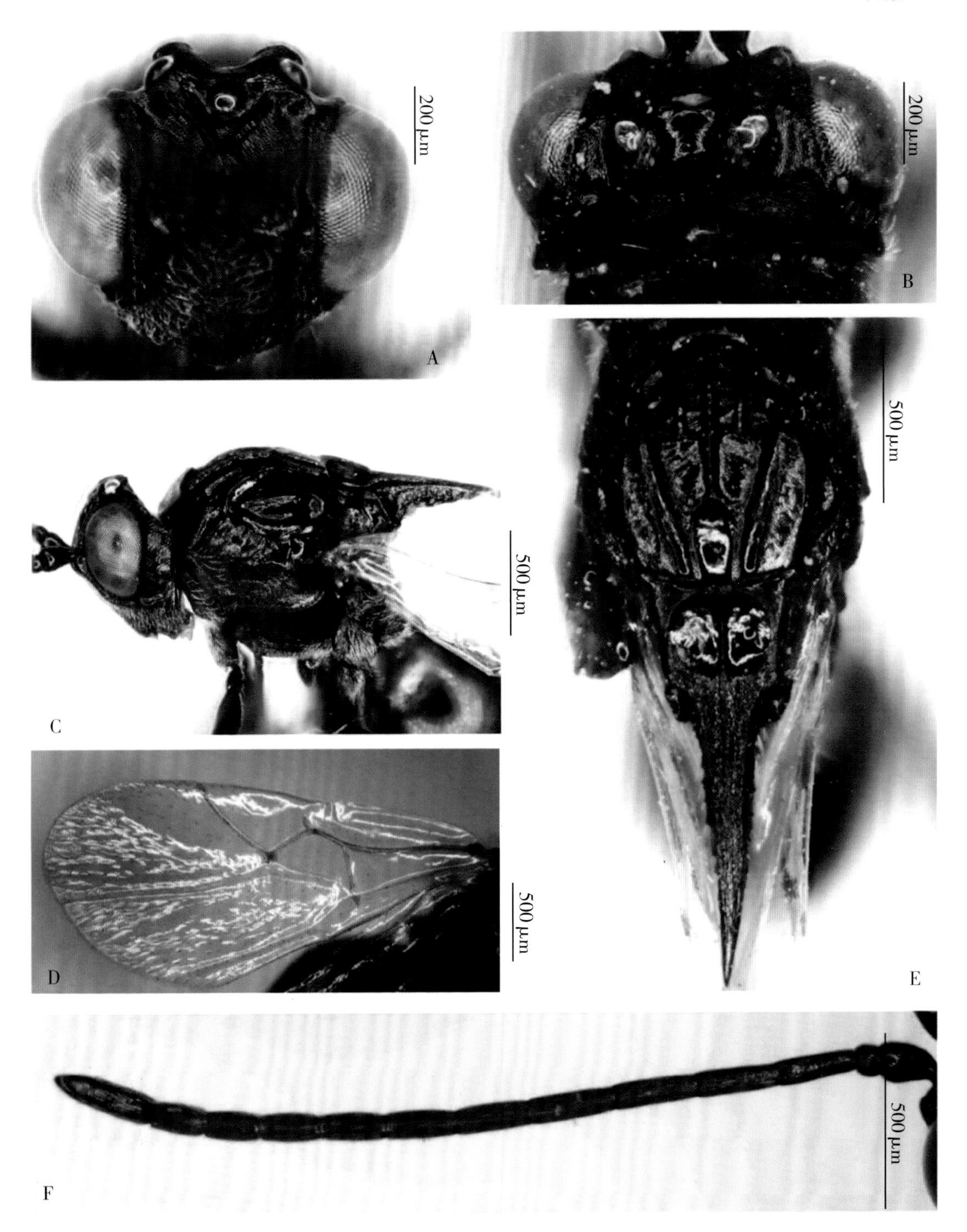

脊剑盾狭背瘿蜂 *Prosaspicera validispina* Kiffer

A. 头前面观； B. 头背面观； C. 中胸侧面观； D. 前翅； E. 中胸背面观； F. 触角

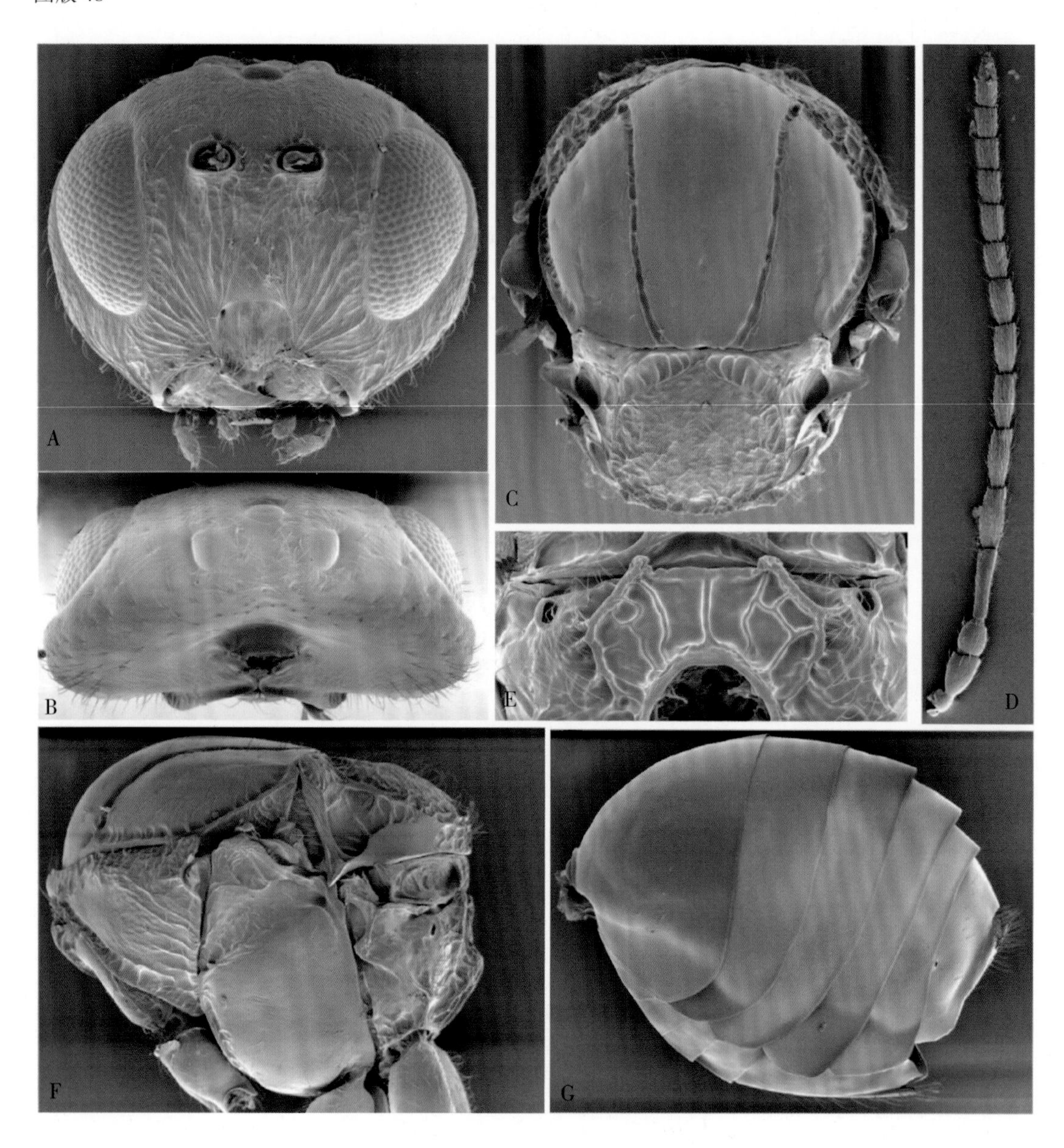

栗瘿蜂 *Dryocosmus kuriphilus* Yasumatsu

A. 头前面观； B. 头背面观； C. 胸背面观； D. 触角； E. 并胸腹节后面观； F. 胸侧面观； G. 腹侧面观

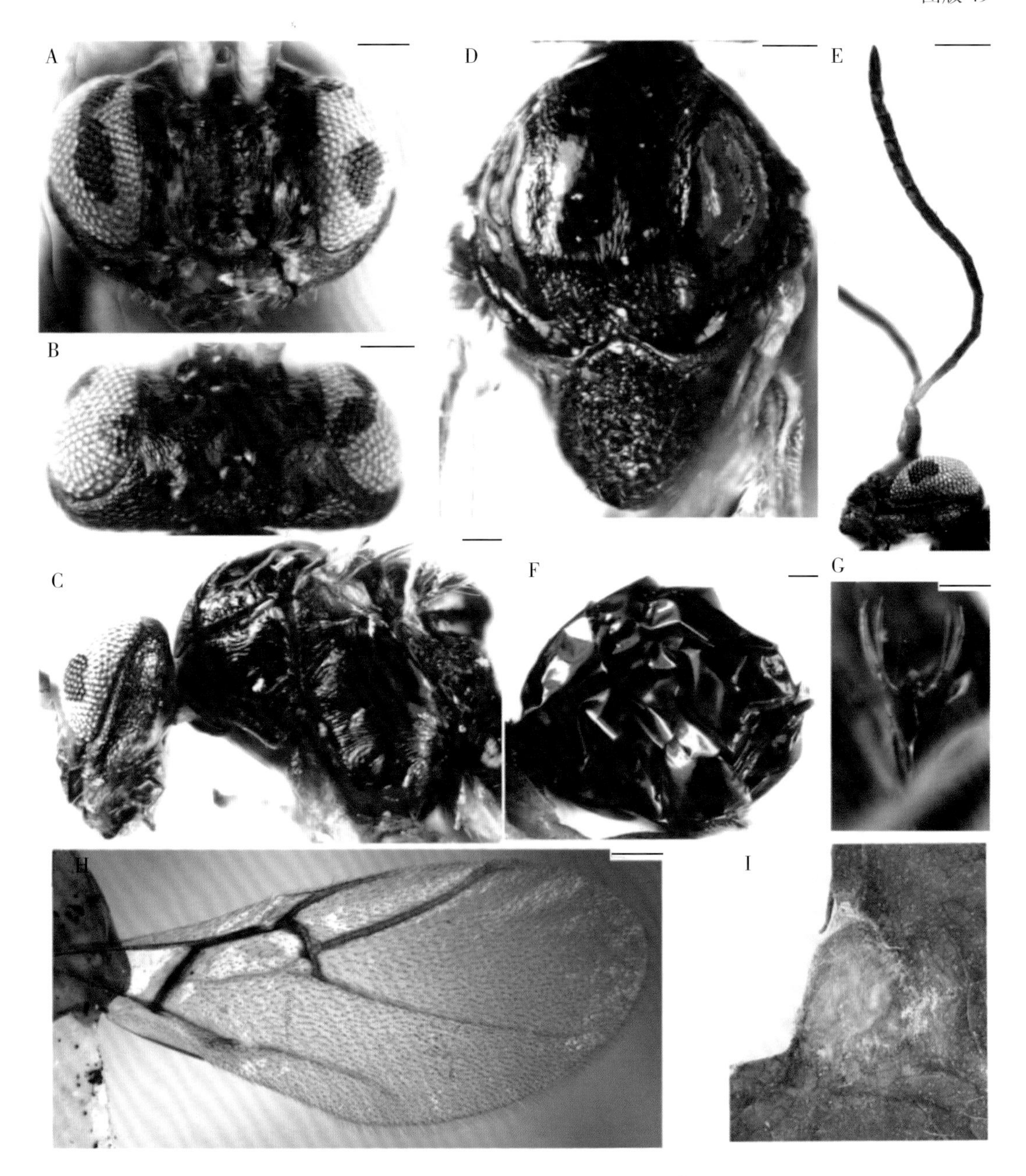

陕西二叉瘿蜂 *Latuspina shanxinensis* Wang, Pujiade Villar *et* Guo, 2016

A. 头前面观；B. 头背面观；C. 胸侧面观；D. 胸背面观；E. 触角；F. 腹侧面观；G. 产卵鞘侧面观；H. 翅；I. 虫瘿。
［比例尺：A–D, F, G=0.1mm, E, H=0.2mm］

图版 50

台湾毛瘿蜂 *Trichagalma formosana* Melika *et* Tang

A. 头前面观；B. 头背面观；C. 胸背面观；D. 胸侧面观；E. 触角；F. 腹侧面观；G. 翅；H，I. 虫瘿。

［比例尺：A=0.1mm，B–F=0.2mm，G=0.3mm］

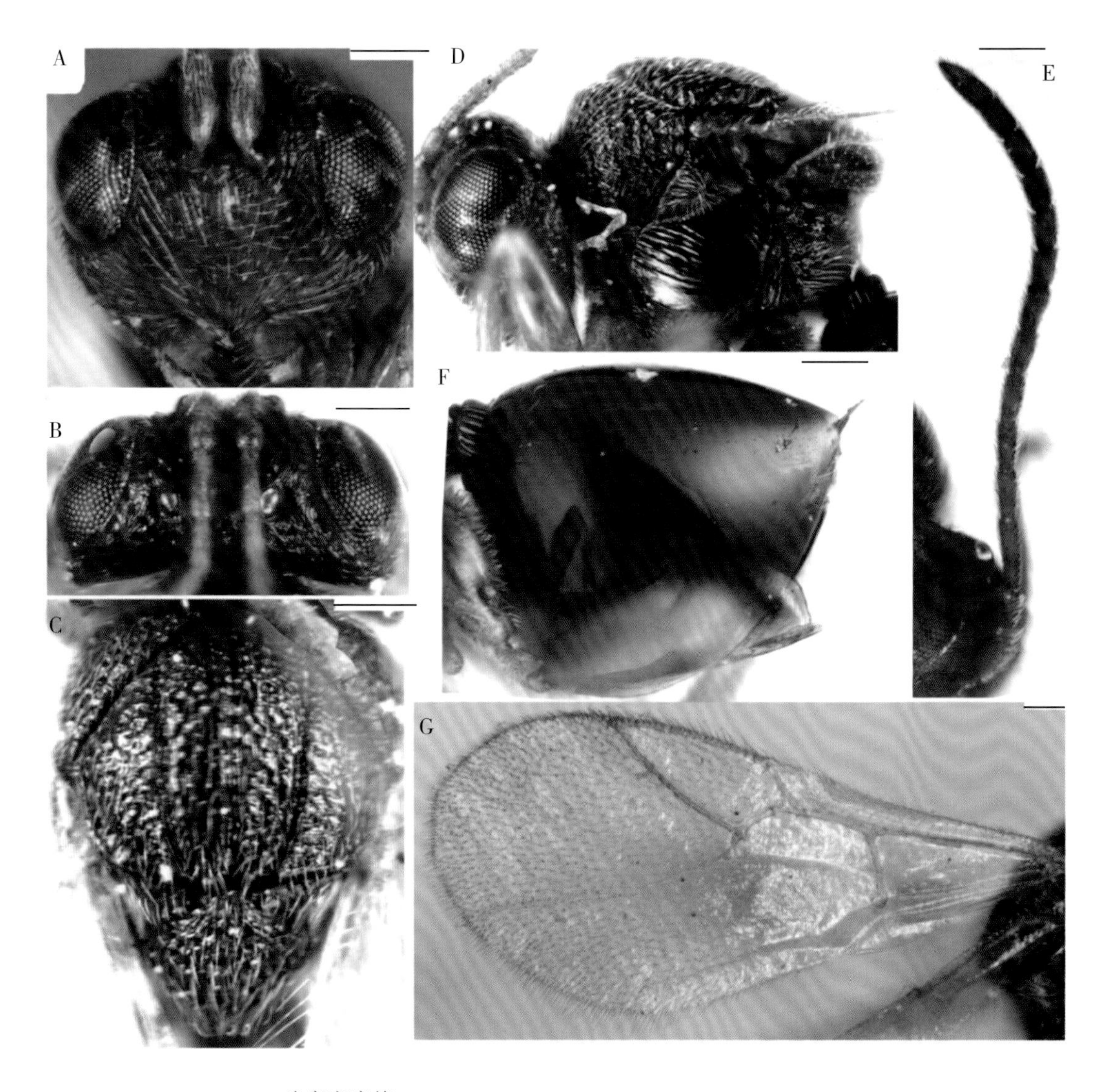

球瘿客瘿蜂 *Synergus gallaepomiformis* (Boyer Fonscolombe)

A. 头前面观；B. 头背面观；C. 胸背面观；D. 胸侧面观；E. 触角；F. 腹侧面观；G. 翅。［比例尺：A–G=0.1mm］

图版 52

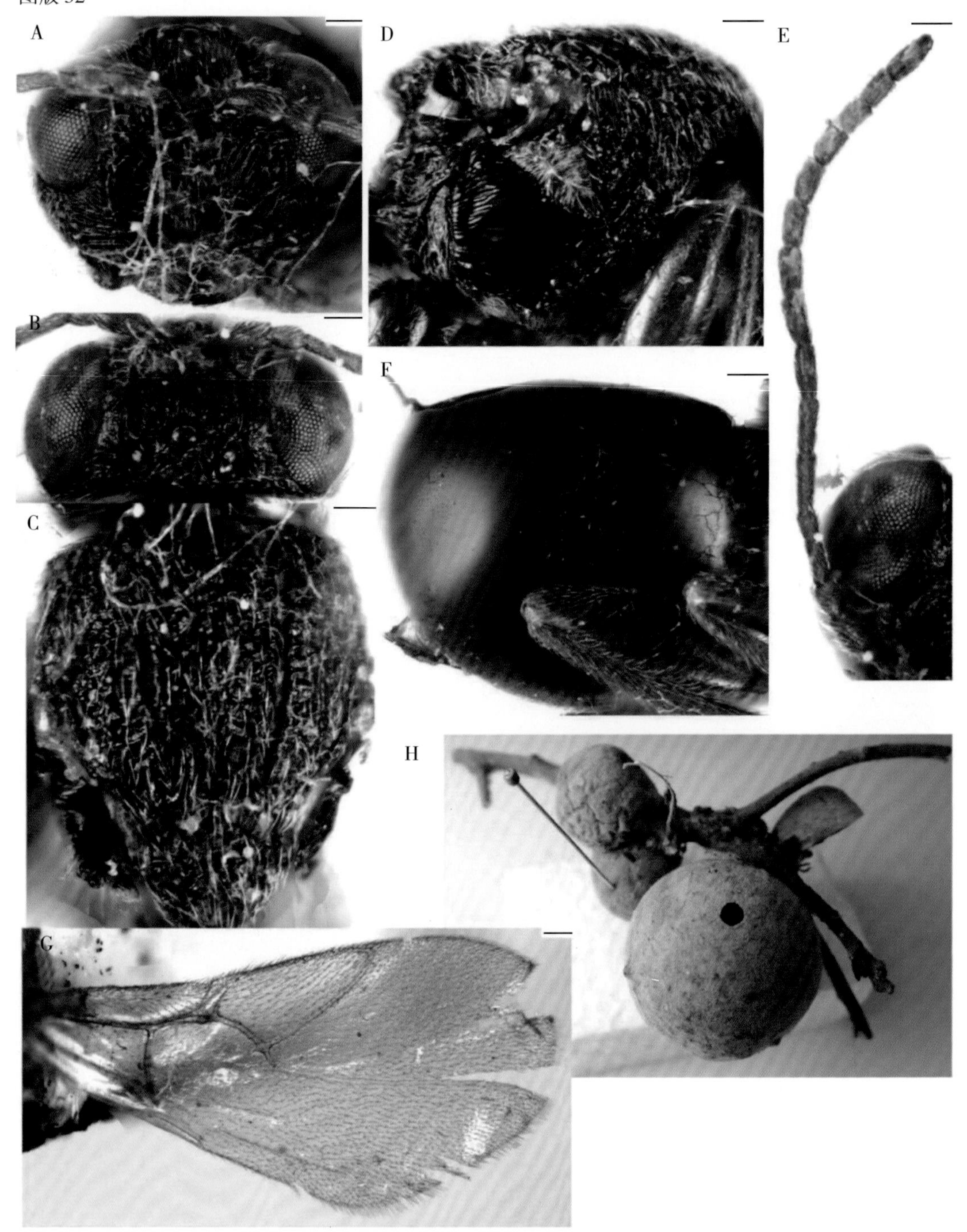

白足客瘿蜂 *Synergus pallipes* Harting

A. 头前面观；B. 头背面观；C. 胸背面观；D. 胸侧面观；E. 触角；F. 腹侧面观；G. 翅；H. 虫瘿。［比例尺：A–G=0.1mm］

阿里山革腹茧蜂 *Ascogaster arisanica* Sonan

A. 整体侧面观； B. 头背面观； C. 头正面观； D. 中躯侧面观； E. 胸腹背面观。［标尺＝0.25mm］

图版 54

四齿革腹茧蜂 *Ascogaster quadridentata* Wesmael

A. 整体侧面观；B. 头背面观；C. 头正面观；D. 小盾片侧叶，示末端钩状；E. 背甲背面观。［标尺＝0.25 mm］

网皱革腹茧蜂 *Ascogaster reticulata* Watanabe

A. 整体侧面观；B. 中躯侧面观；C. 胸腹背面观；D. 前翅；E. 头背面观；F. 头正面观。［标尺＝0.25 mm］

图版 56

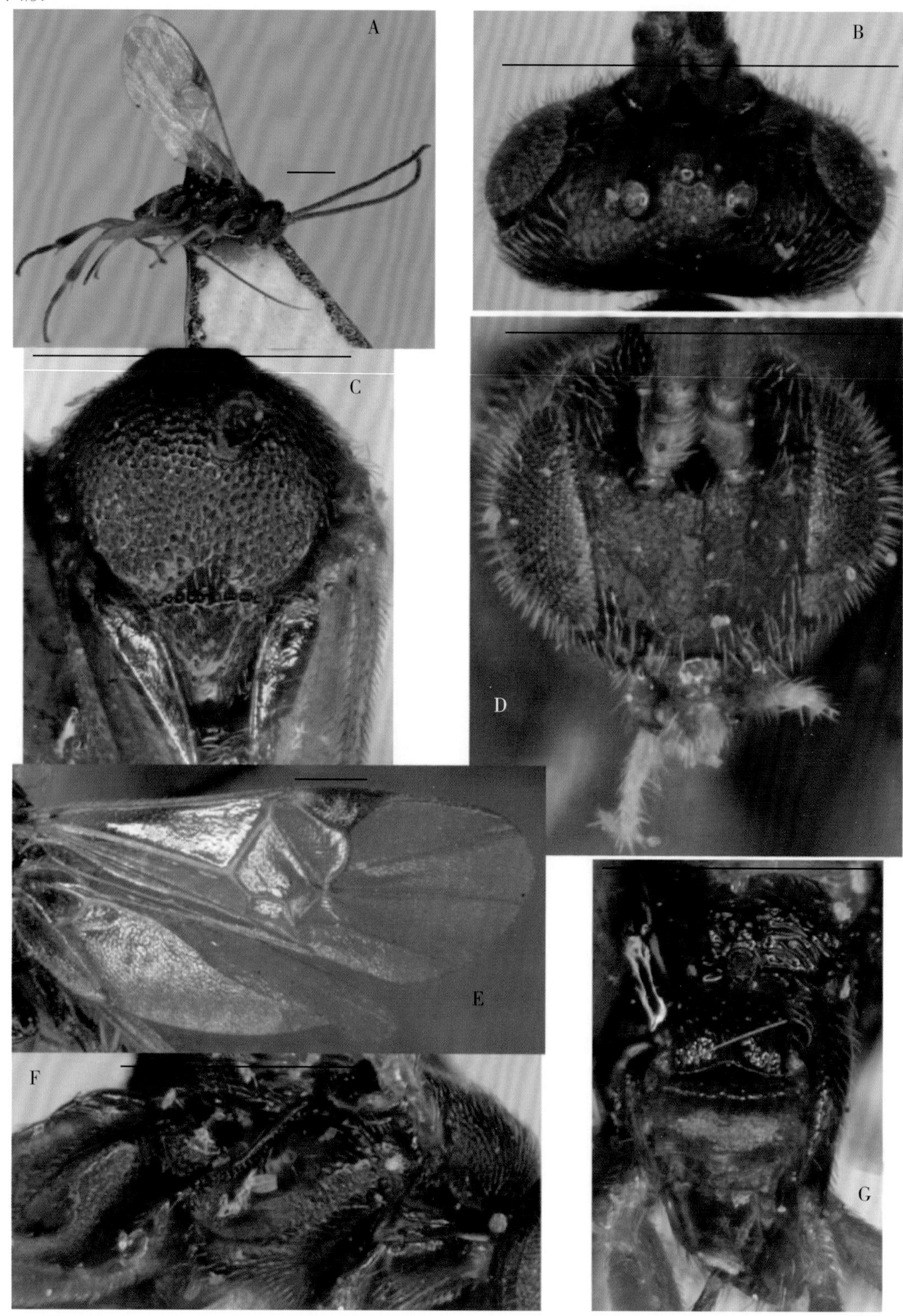

杨透翅蛾绒茧蜂 *Dolichogenidea paranthreneus* You *et* Dang

A. 整体侧面观； B. 头背面观； C. 中胸背板； D. 头正面观； E. 前后翅； F. 中胸侧板； G. 并胸腹节和腹部背面观。
[标尺 = 0.5mm]

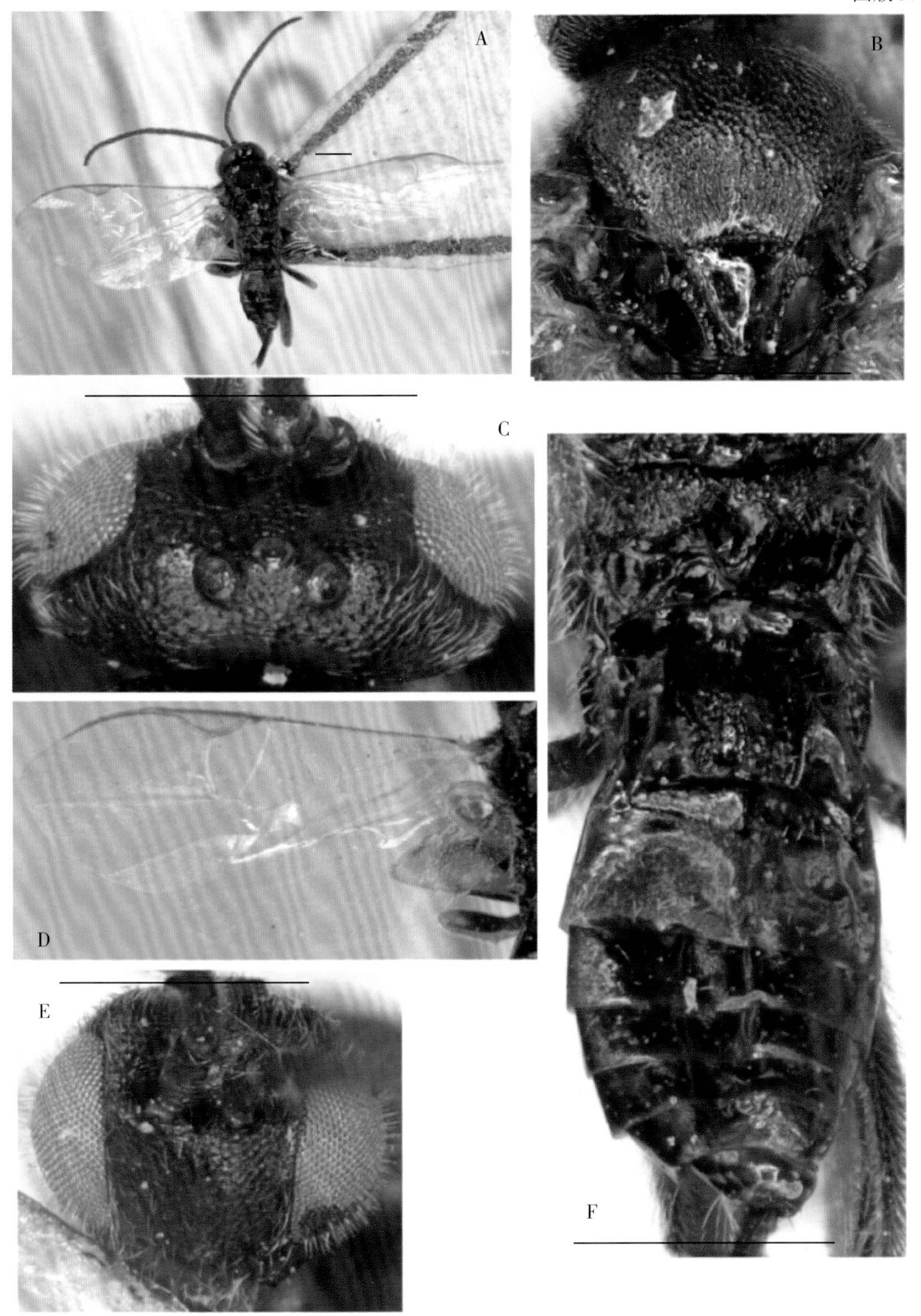

瓜野螟绒茧蜂 *Apanteles taragamae* Viereck

A. 整体背面观；B. 中胸背板；C. 头部背面观；D. 前后翅；E. 头部正面观；F. 并胸腹节和腹部背面观。［标尺＝0.5mm］

图版 58

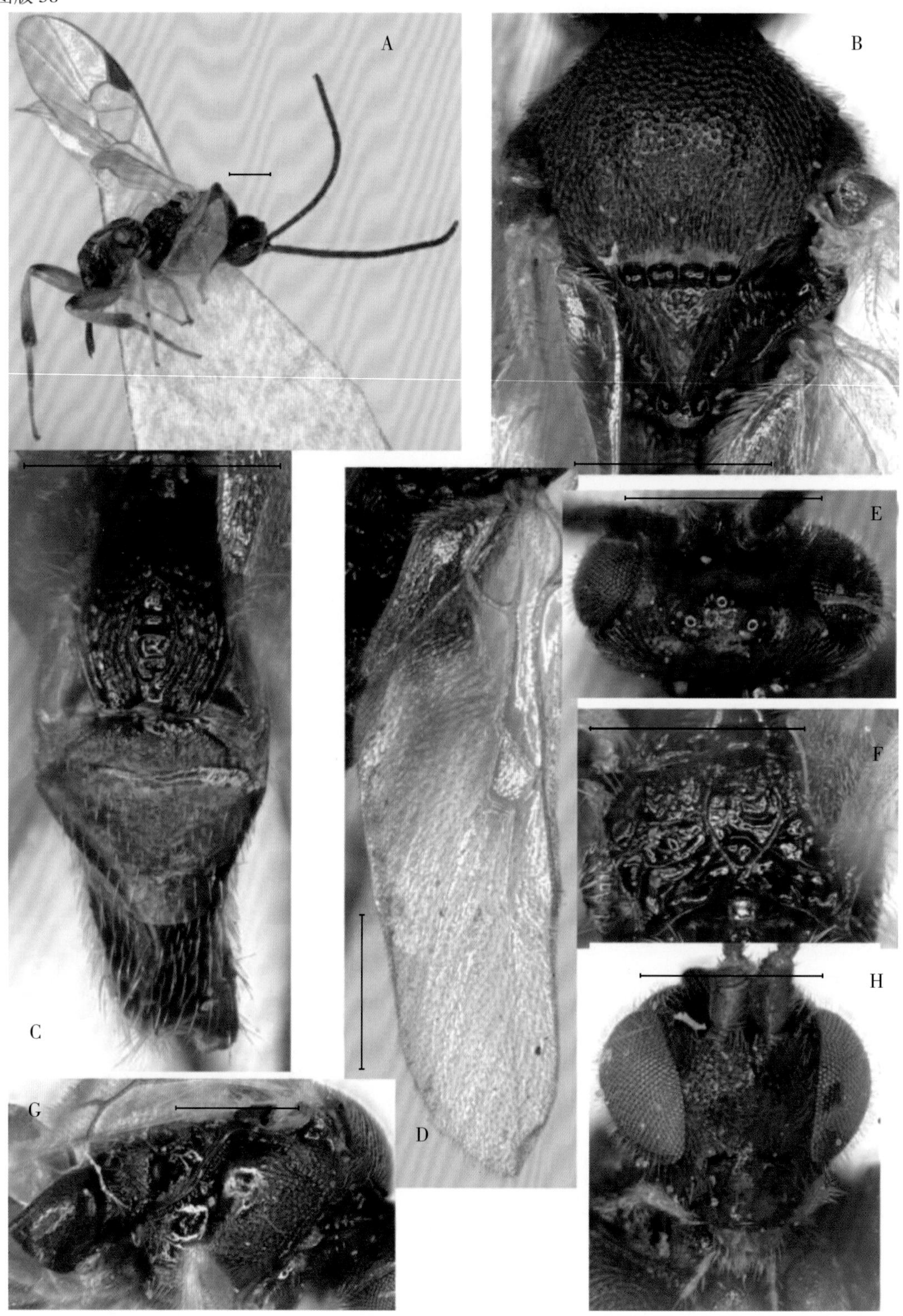

棉大卷叶螟绒茧蜂 *Apanteles opacus* (Ashmead)

A. 整体侧面观； B. 中胸背板； C. 腹部背面观； D. 后翅； E. 头部背面观； F. 并胸腹节； G. 中胸侧板； H. 头部正面观。
［标尺＝0.5mm］

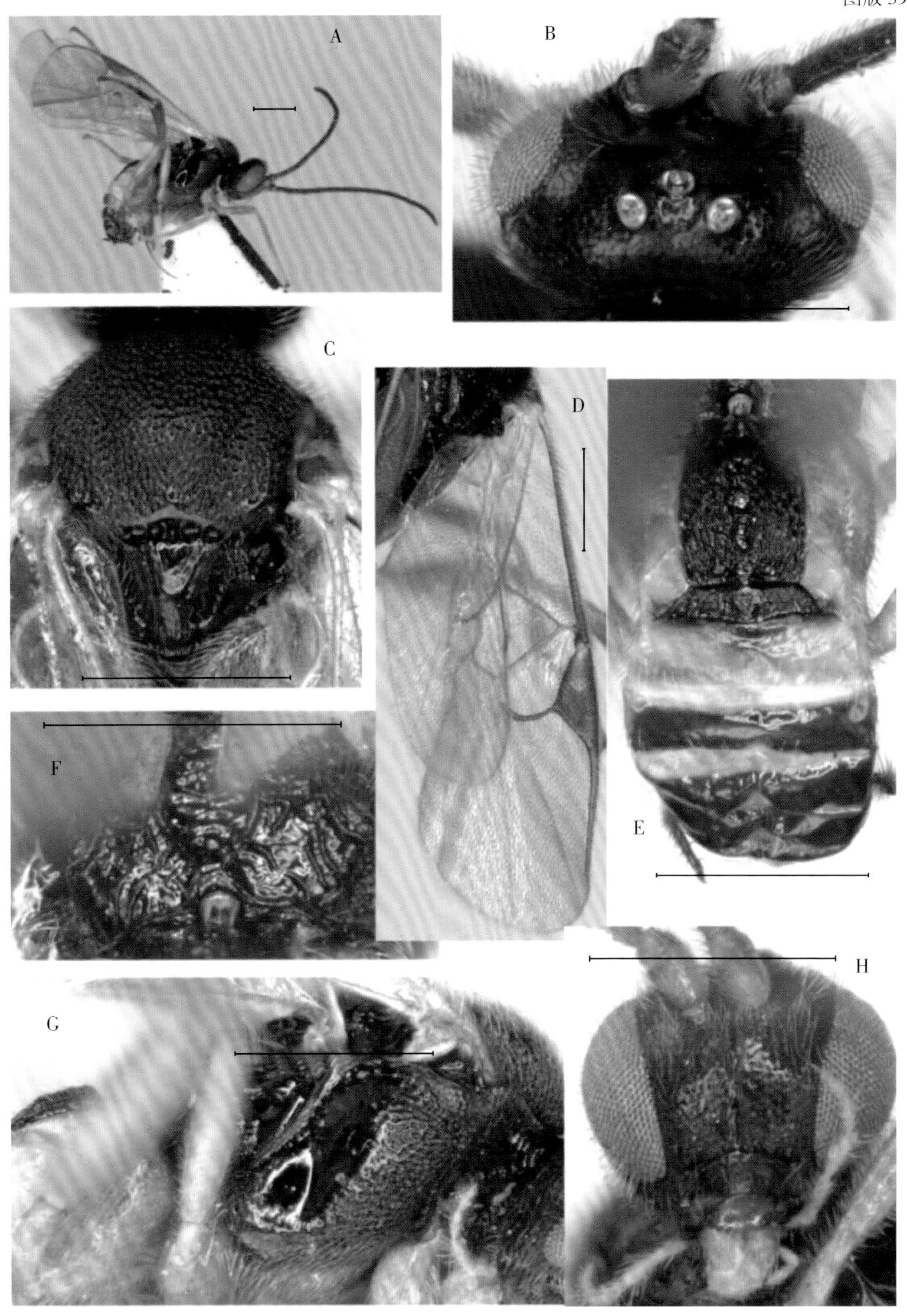

新月绒茧蜂 *Apanteles lunata* Song et Chen

A. 整体侧面观；B. 头部背面观；C. 中胸背板；D. 前翅；E. 腹部背面观；F. 并胸腹节背面观；G. 中胸侧板；H. 头部正面观。
［标尺＝0.5mm］

图版 60

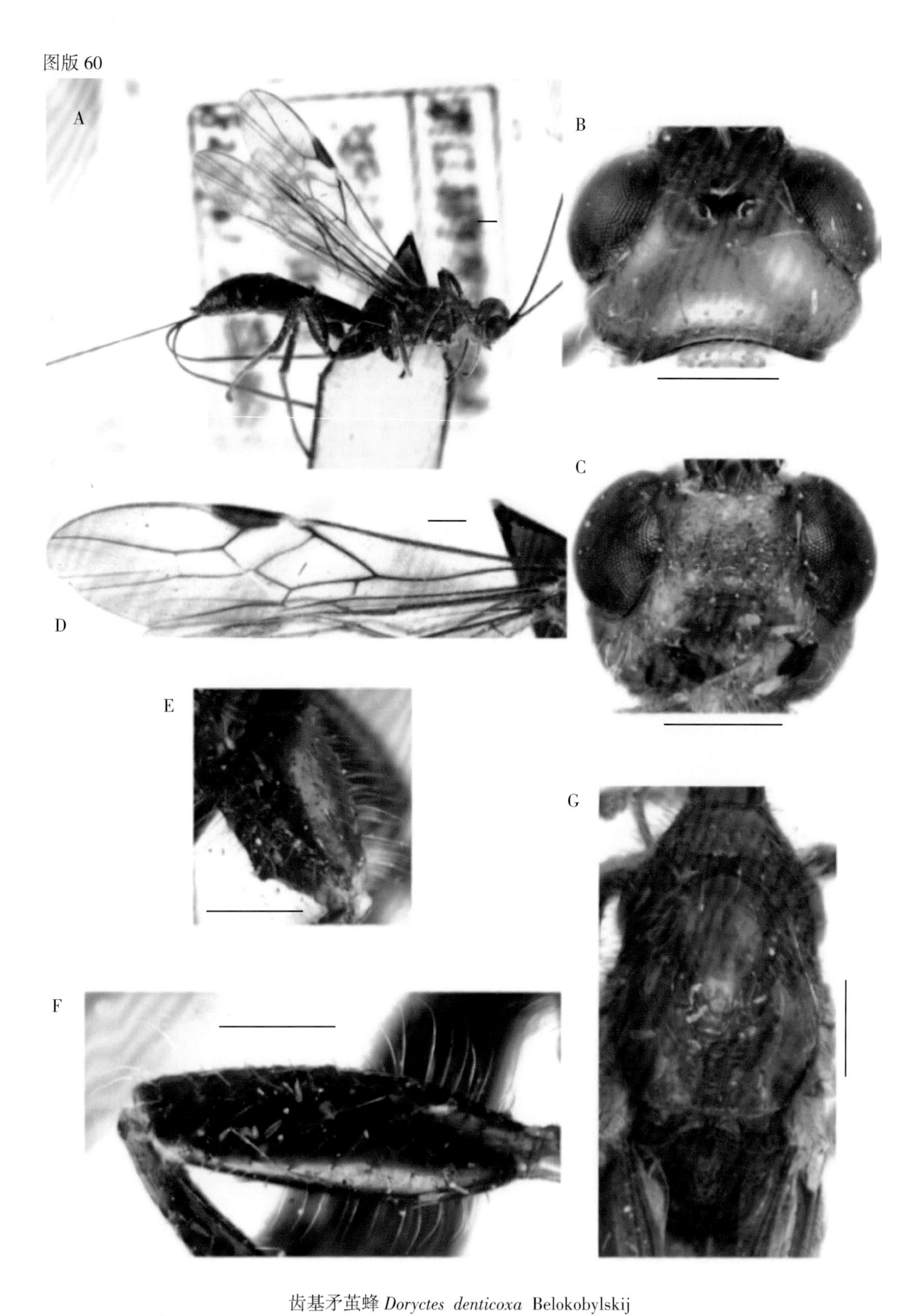

齿基矛茧蜂 *Doryctes denticoxa* Belokobylskij

A. 整体侧面观； B. 头背面观； C. 头前面观； D. 前翅； E. 后足腿节侧面观； F. 后足腿节侧面观； G. 胸部背面观。
［标尺 =0.5mm］

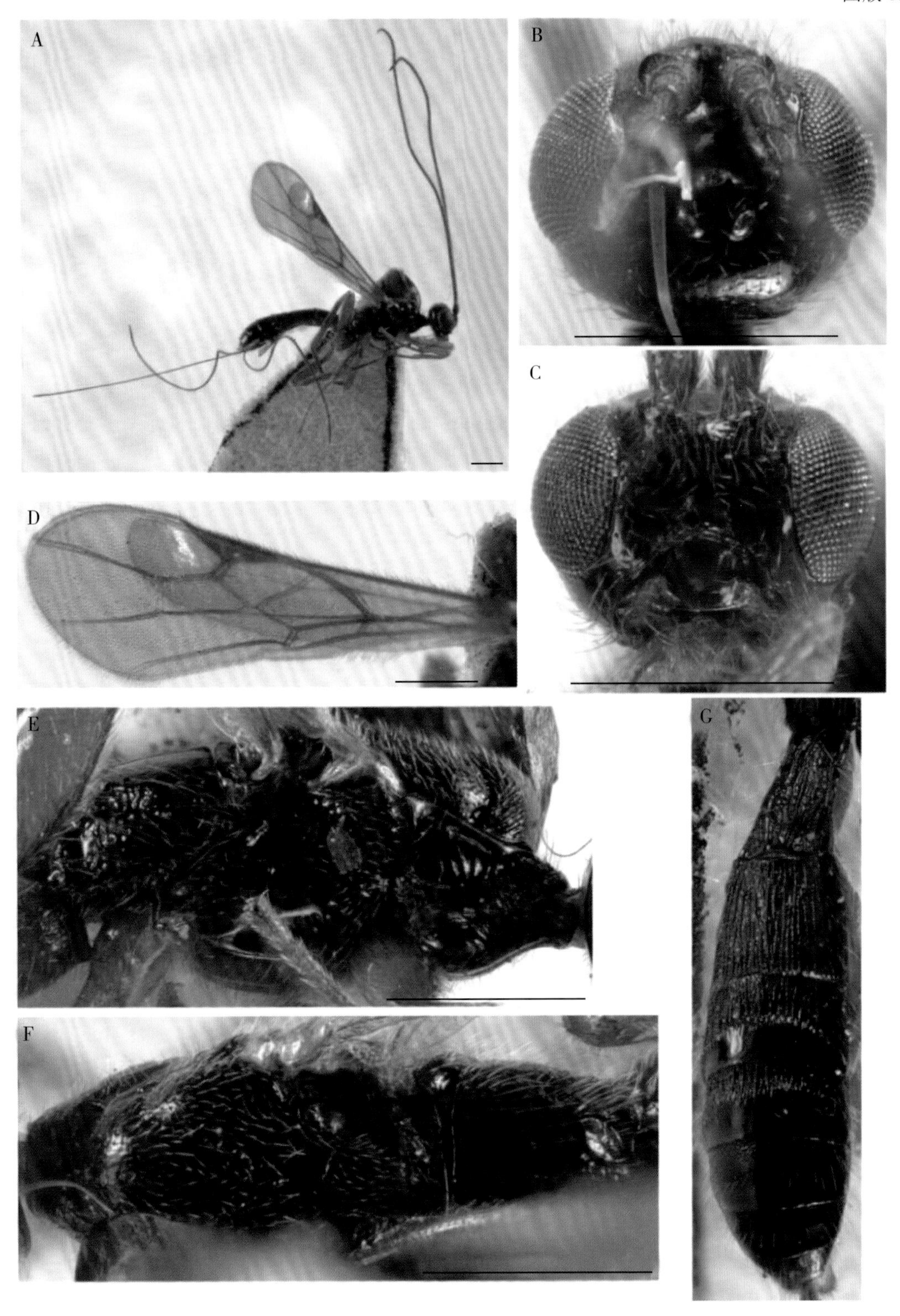

风雅合沟茧蜂 *Hypodoryctes fuga* Belokobylskij et Chen

A. 整体侧面观；B. 头背面观；C. 头前面观；D. 前翅；E. 胸部侧面观；F. 胸部背面观；G. 腹部背面观。［标尺 =0.5mm］

图版 62

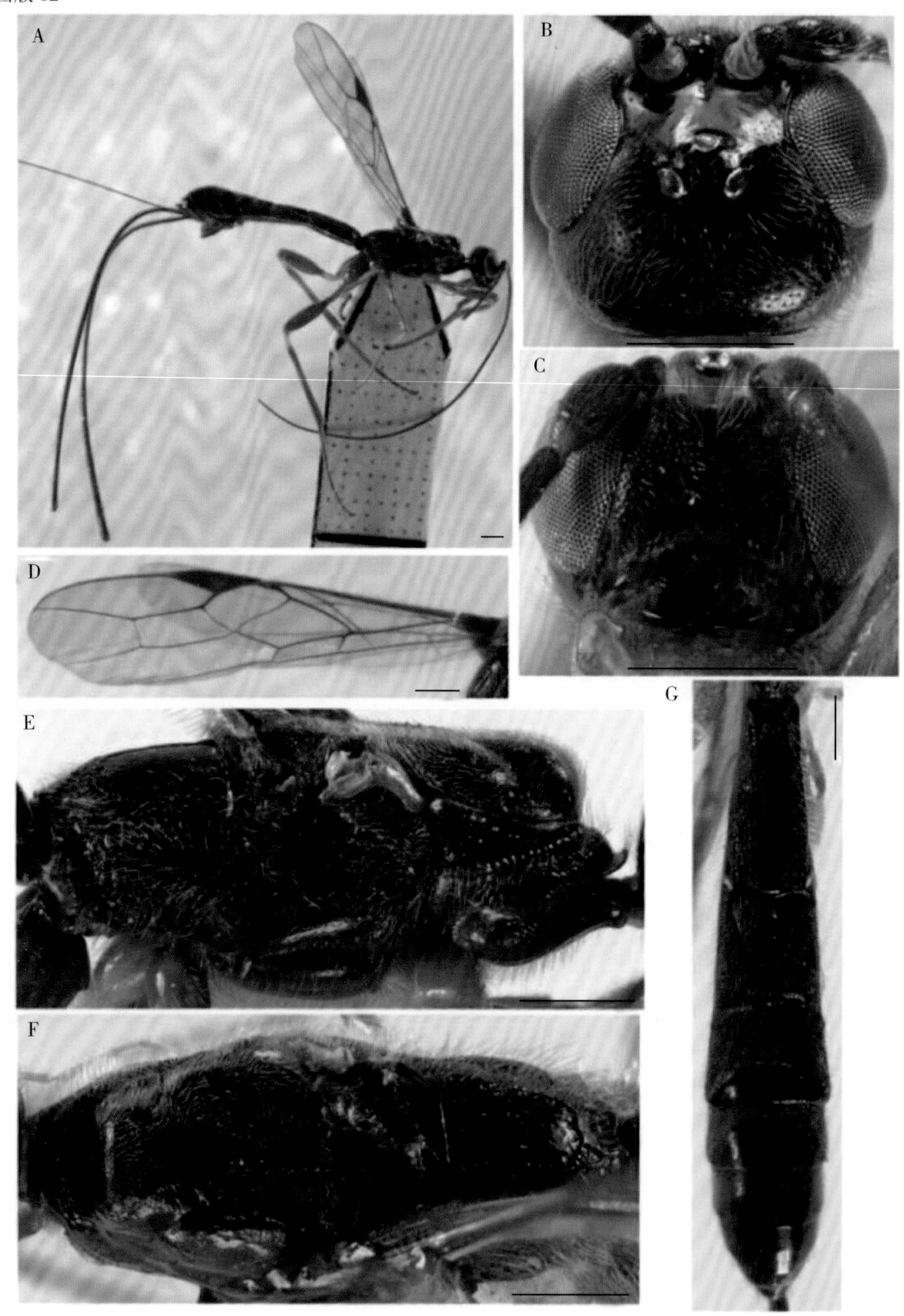

干合沟茧蜂 *Hypodoryctes torridus* Papp

A. 整体侧面观；B. 头背面观；C. 头前面观；D. 前翅；E. 胸部侧面观；F. 胸部背面观；G. 腹部背面观。［标尺 =0.5mm］

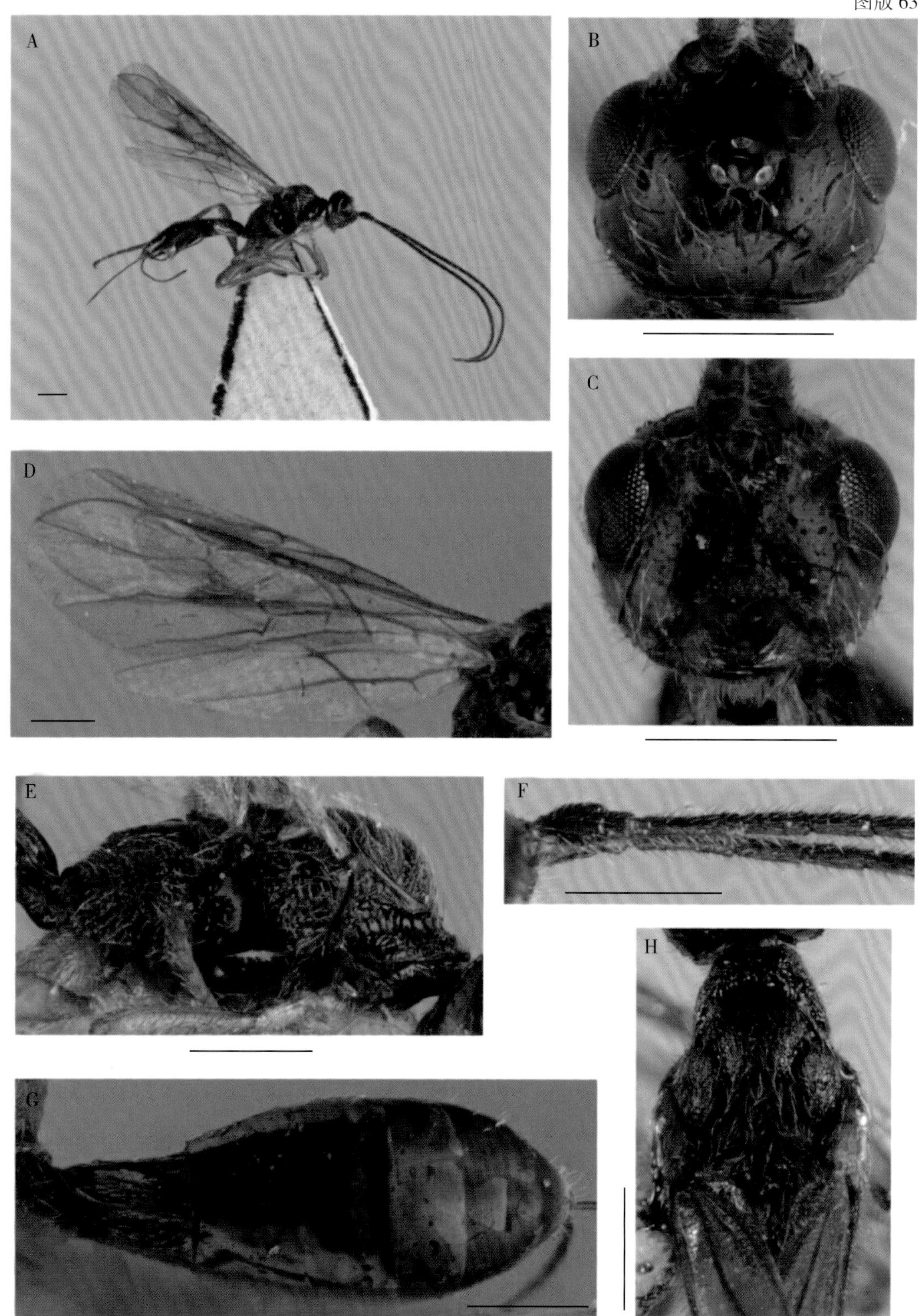

拟陡盾厚脉茧蜂 *Neurocrassus ontsiroides* Belokobylskij，Tang *et* Chen

A. 整体侧面观；B. 头背面观；C. 头前面观；D. 翅；E. 胸部侧面观；F. 触角侧面观；G. 腹部背面观；H. 胸部背面观。［标尺 =0.50mm］

图版 64

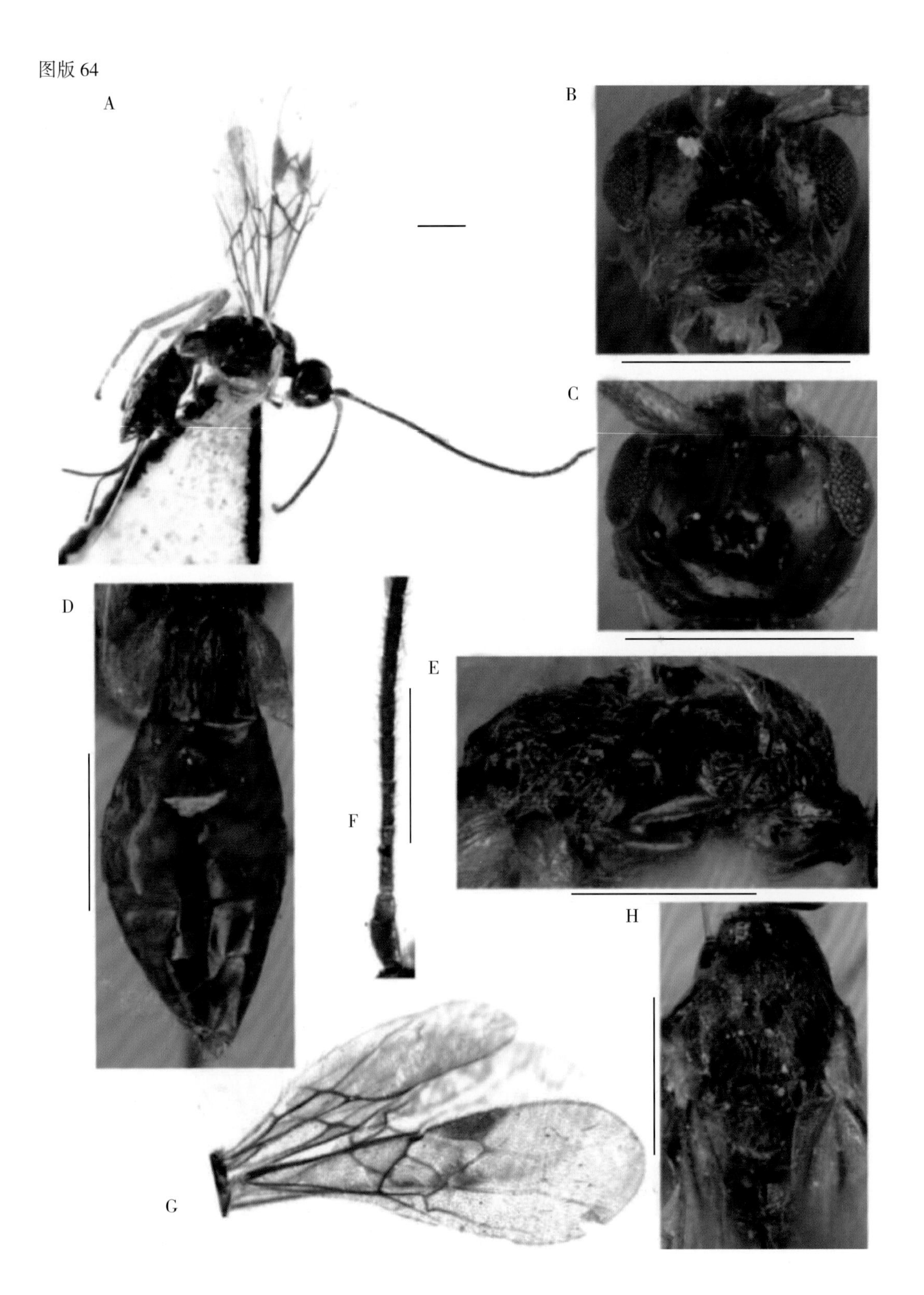

小室陡盾茧蜂 *Ontsira abbreviata* Belokobylskij, Tang *et* Chen

A. 整体侧面观；B. 头前面观；C. 头背面观；D. 腹部背面观；E. 胸部侧面观；F. 触角侧面观；G. 翅；H. 胸部背面观。
［标尺 =0.5mm］

火陡盾茧蜂 *Ontsira ignea* (Ratzeburg)

A. 整体侧面观；B. 头背面观；C. 头前面观；D. 前翅；E. 胸部背面观；F. 胸部侧面观；G. 腹部背面观。［标尺 =0.5mm］

图版 66

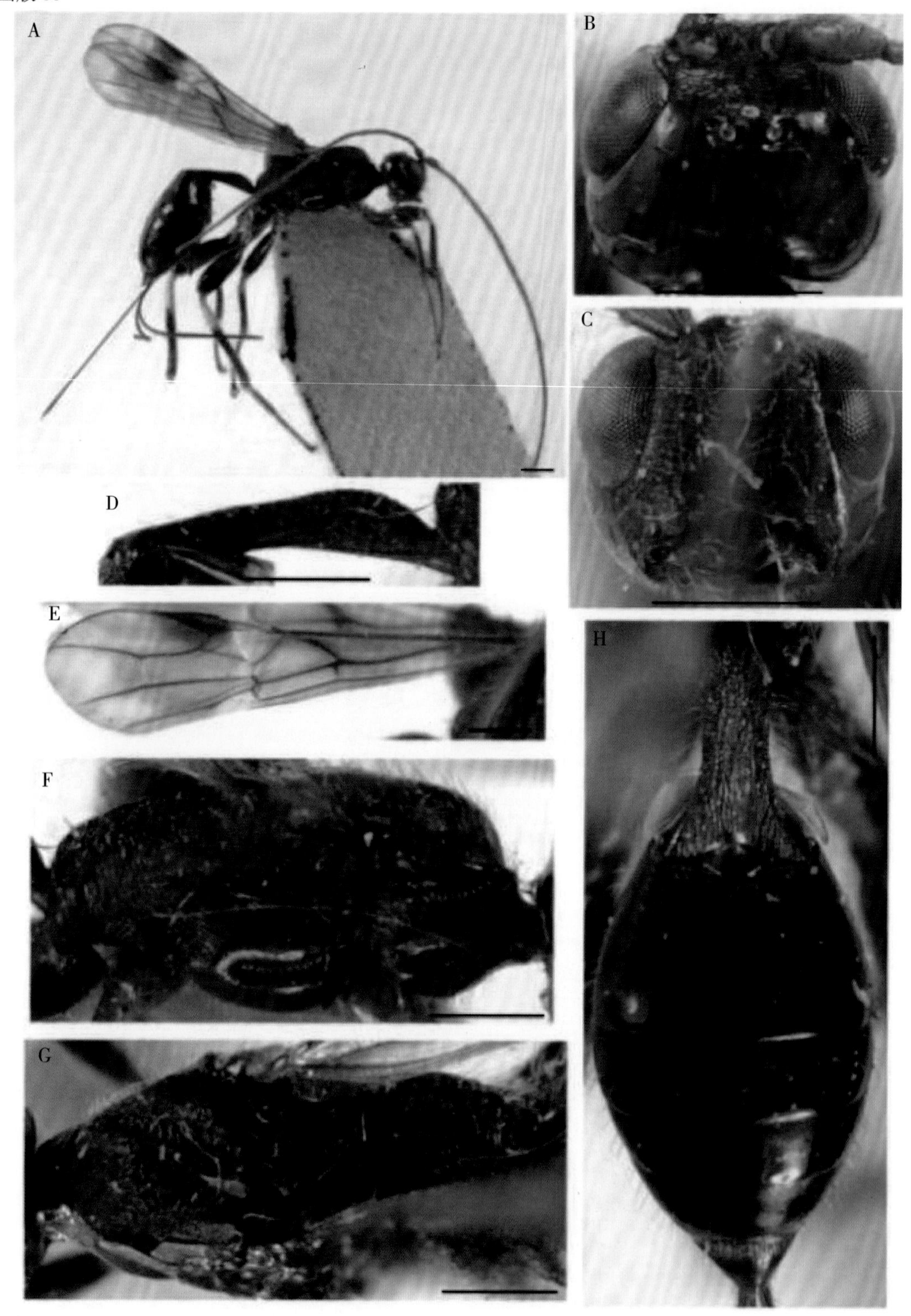

腔柄腹茧蜂 *Spathius cavus* Belokobylskij

A. 整体侧面观；B. 头背面观；C. 头前面观；D. 腹柄侧面观；E. 前翅；F. 胸部侧面观；G. 胸部背面观；H. 腹部背面观。
［标尺 =0.5mm］

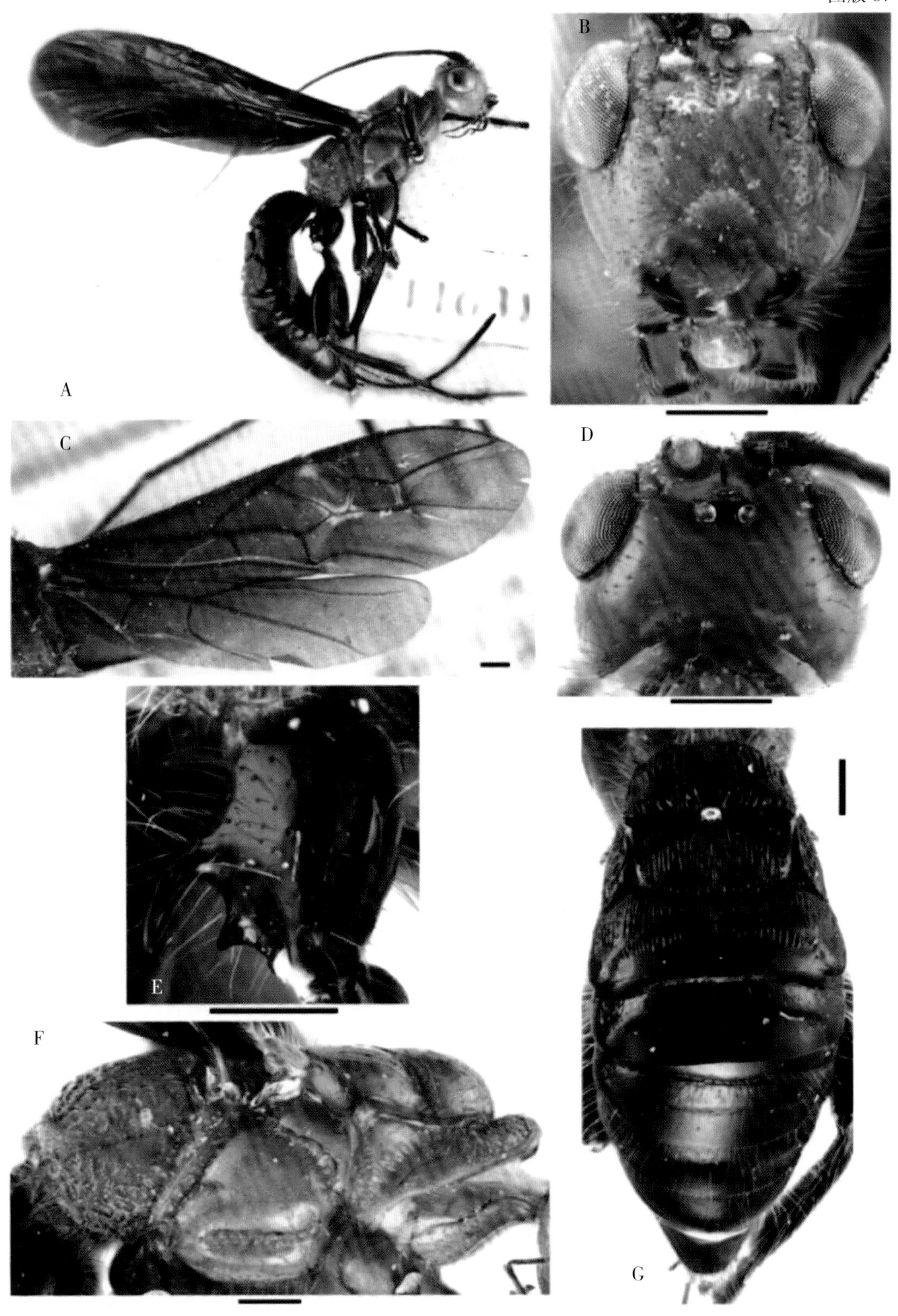

双色刺足茧蜂 *Zombrus bicolor* (Enderlein)

A. 整体侧面观；B. 头前面观；C. 翅；D. 头背面观；E. 后足腿节侧面观；F. 胸部侧面观；G. 腹部背面观。［标尺 =0.5mm］

图版 68

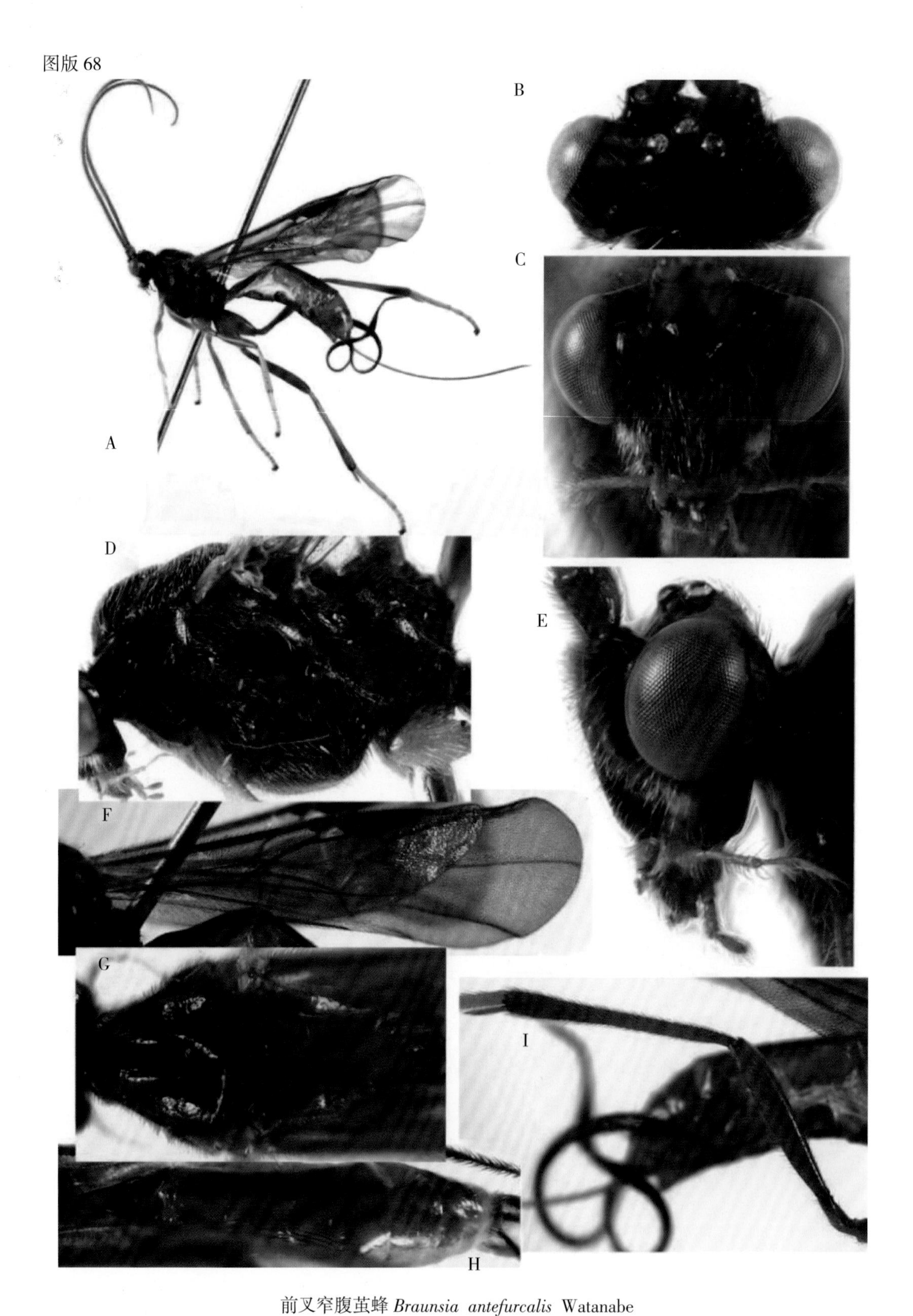

前叉窄腹茧蜂 *Braunsia antefurcalis* Watanabe

A. 整体侧面观； B. 头背面观； C. 头前面观； D. 胸侧面观； E. 头侧面观； F. 翅； G. 胸背面观； H. 腹背面观； I. 后足腿节和胫节

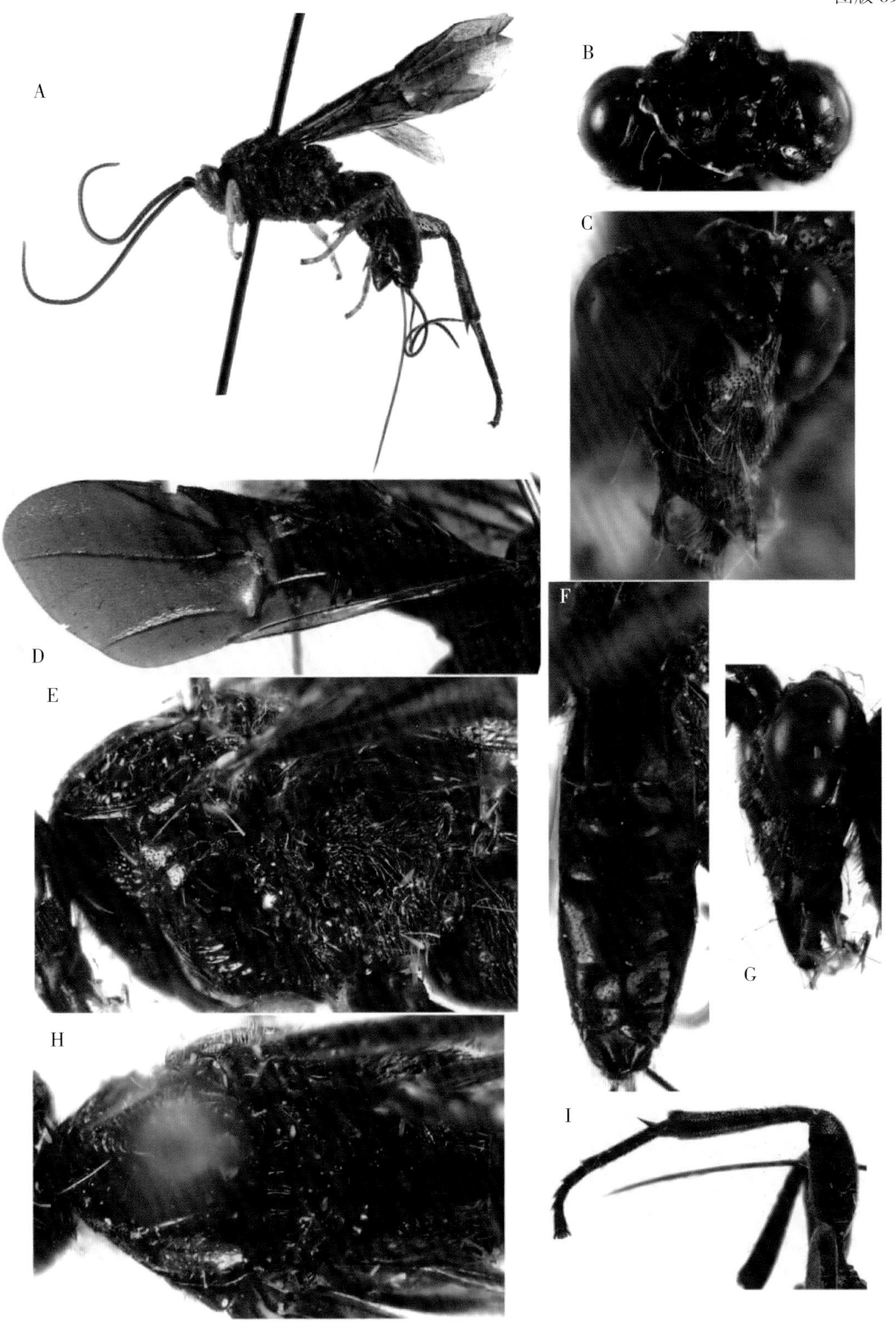

派氏拟喙虽蜂 *Cremnoptoides pappi* (Sharkey)

A. 整体侧面观；B. 头背面观；C. 头前面观；D. 前翅；E. 胸侧面观；F. 腹背面观；G. 头侧面观；H. 胸背面观；I. 后足（除基节外）

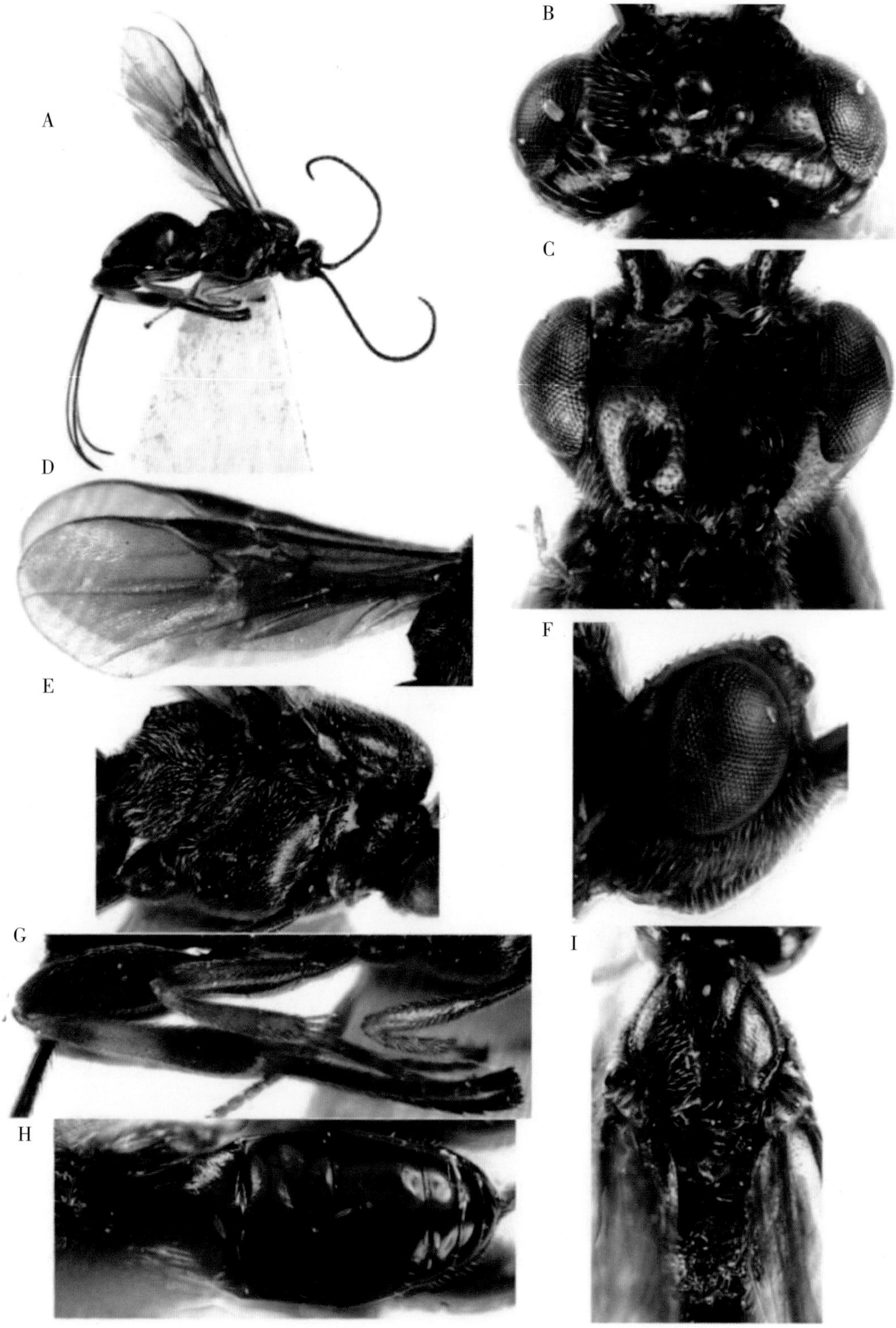

曲径下腔茧蜂 *Therophilus cingulipes* (Nees)

A. 整体侧面观；B. 头背面观；C. 头前面观；D. 翅；E. 胸侧面观；F. 头侧面观；G. 足；H. 腹背面观；I. 胸背面观

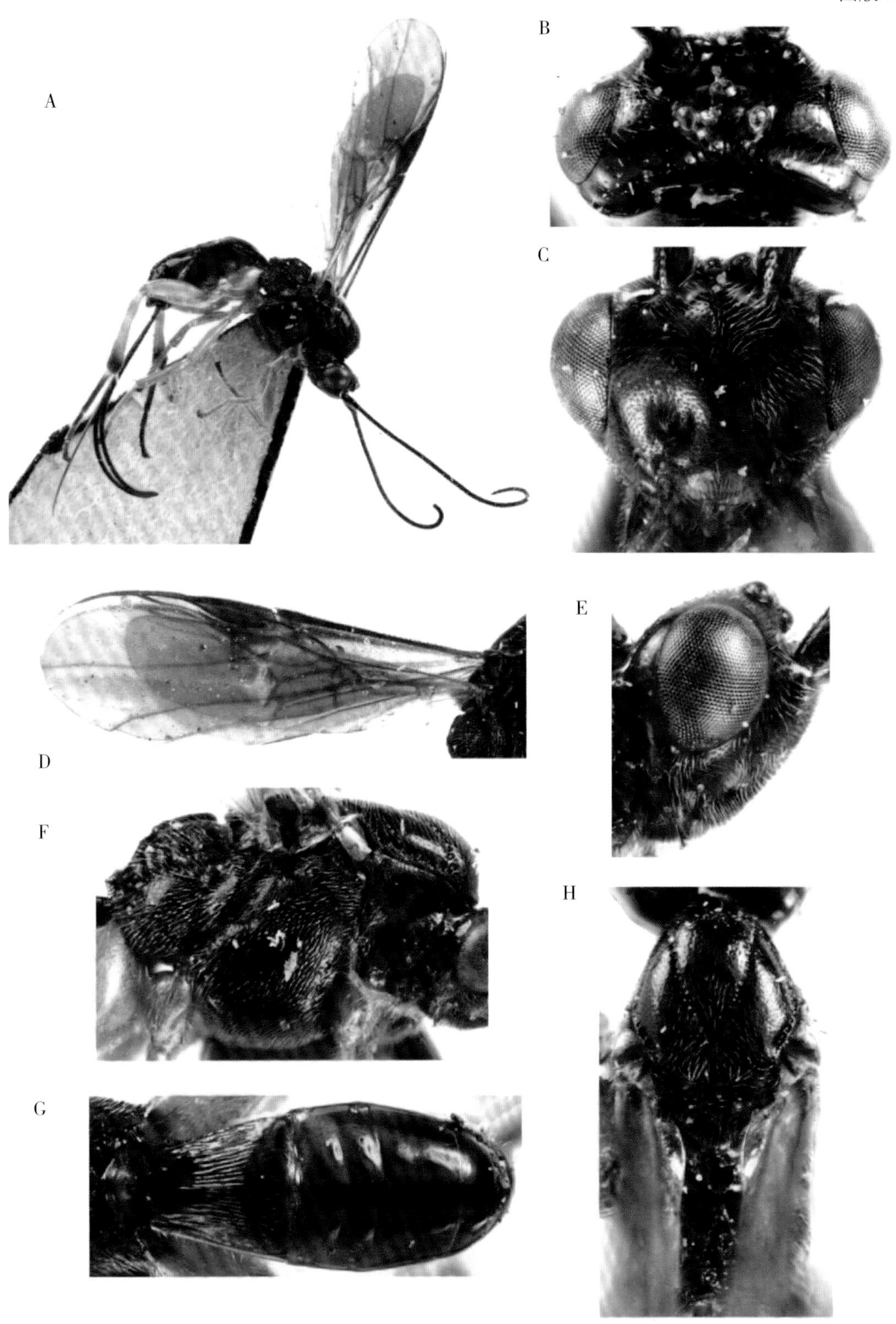

显下腔茧蜂 *Therophilus conspicuus* (Wesmael)

A. 整体侧面观； B. 头背面观； C. 头前面观； D. 翅； E. 头侧面观； F. 胸侧面观； G. 腹背面观； H. 胸背面观

图版 72

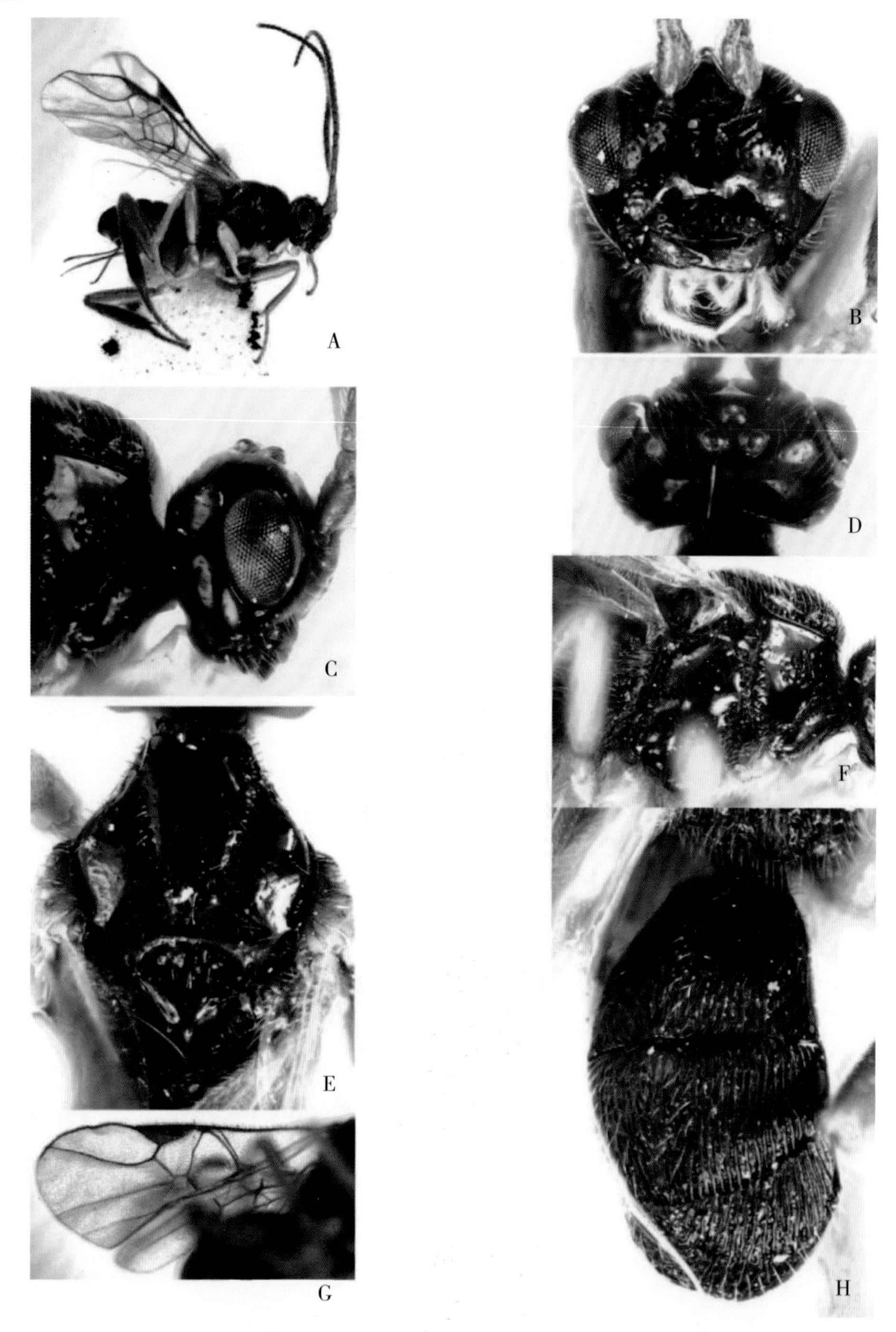

规则开茧蜂 *Eubazus* (*Aliolus*) *regularis* van Achterberg (雌性)

A. 整体侧面观； B. 头前面观； C. 头侧面观； D. 头背面观； E. 中胸背板背面观； F. 胸部侧面观； G. 前翅； H. 腹部第 1~3 节背板背面观

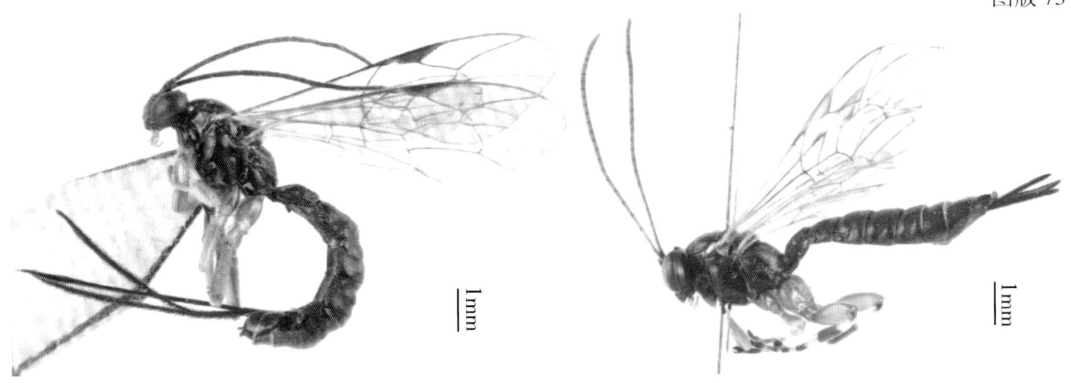

1. 螟虫顶姬蜂 *Acropimpla persimilis* (Ashmead) 雌性整体侧面观

2. 松毛虫埃姬蜂 *Itoplectis alternans epinotiae* Uchida 雌性整体侧面观

3. 螟蛉埃姬蜂 *Itoplectis naranyae* (Ashmead) 雌性 整体侧面观

4. 暗黑瘤姬蜂 *Pimpla pluto* Ashmead 雄性整体侧面观

5. 广黑点瘤姬蜂 *Xanthopimpla punctata* (Fabricius)（雌性）
A. 整体侧面观；B. 整体背面观。［A. 1.0×；B. 1.25× 标尺］

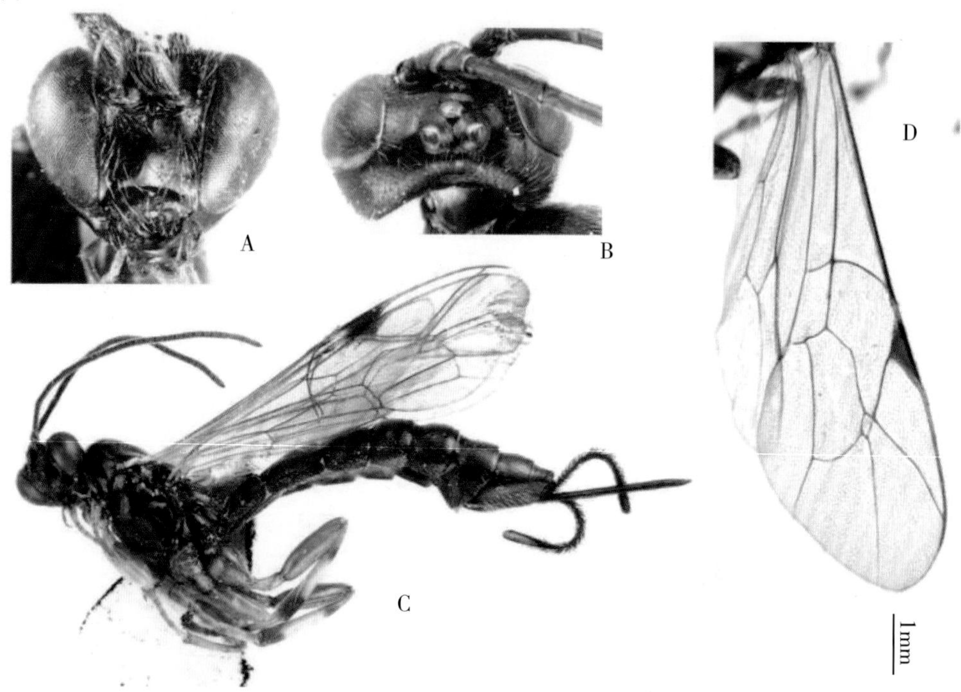

1. 损粗爪姬蜂 *Endromopoda detrita* (Holmgren)（雌性）

A. 头前面观；B. 头背面观；C. 整体侧面观；D. 翅。［A、B. 3.2×；C. 1.0×；D. 1.6× 标尺］

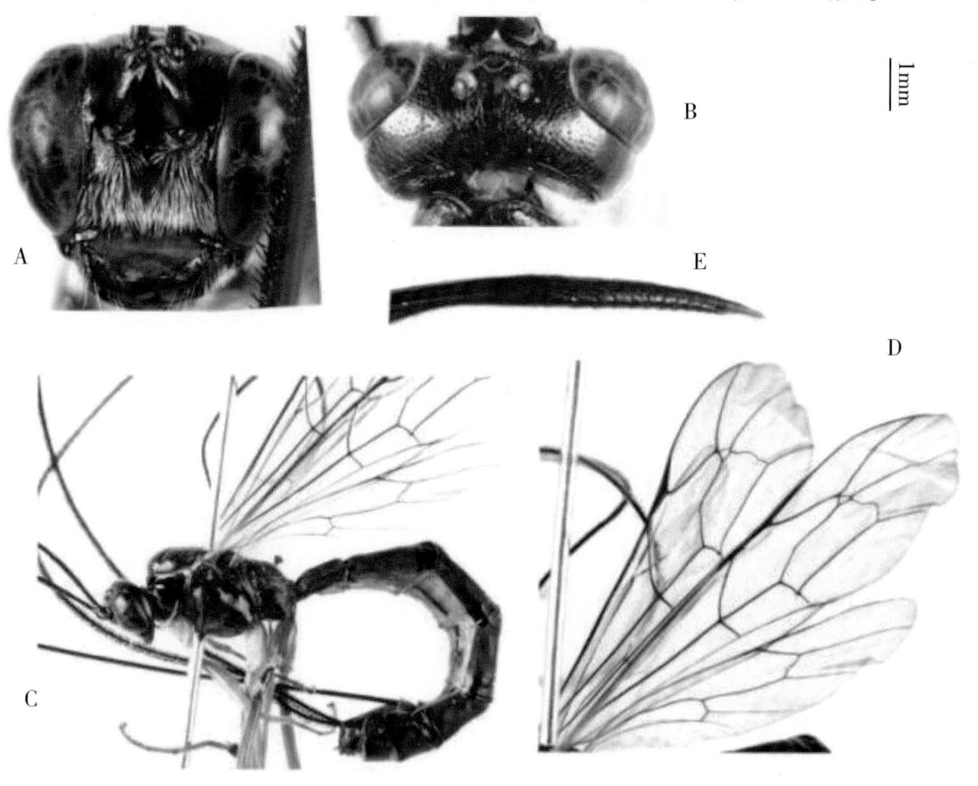

2. 显长尾姬蜂 *Ephialtes manifestator* (Linnaeus)（雌性）

A. 头前面观；B. 头、胸背面观；C. 整体侧面观；D. 前翅、后翅；E. 产卵管端部侧面观。

［A，B. 2.5×；C.0.8×；D. 1.0×；E. 5.0× 标尺］

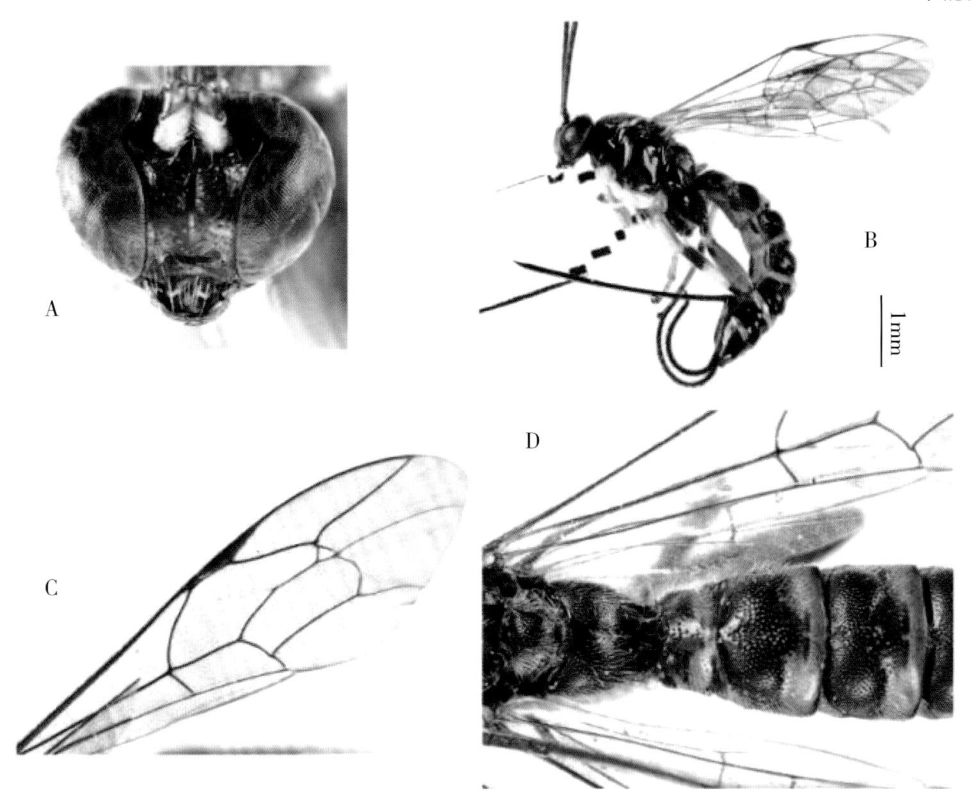

1. 蓑瘤姬蜂索氏亚种 *Sericopimpla sagrae sauteri* (Cushman)（雌性）
A. 头前面观；B. 整体侧面观；C. 前翅；D. 小盾片、后胸背板、并胸腹节、腹部第 1~3 节背板背面观。
［A. 2.0×；B. 0.5×；C. 0.78×；D. 1.0× 标尺］

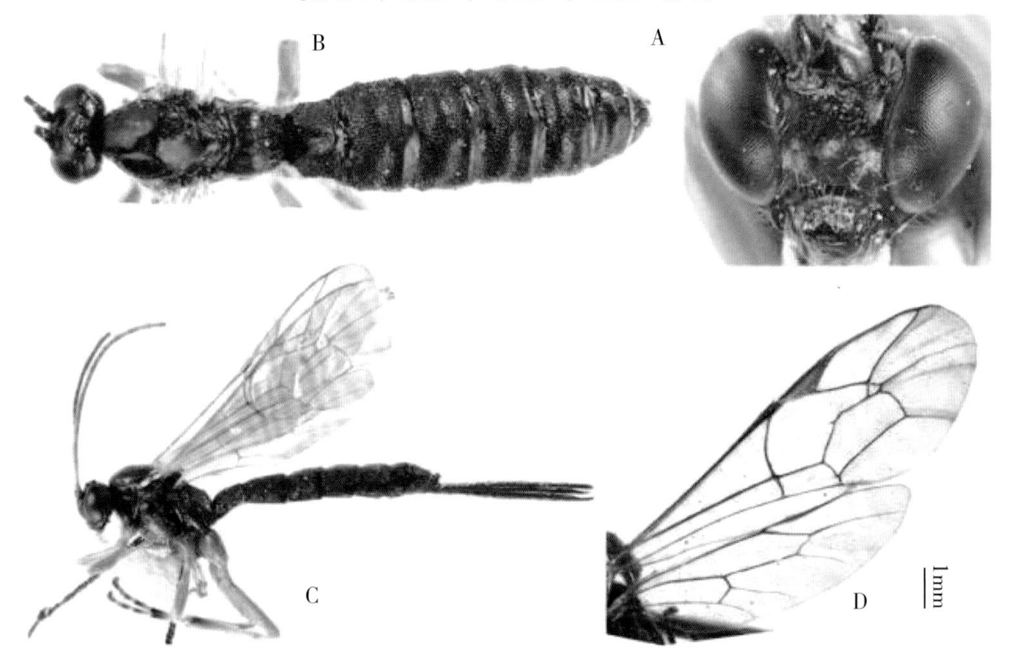

2. 桑蟥聚瘤姬蜂 *Gregopimpla kuwanae* (Viereck)（雌性）
A. 头前面观；B. 整体背面观；C. 整体侧面观；D. 翅。［A. 4.0×；B、D. 1.6×；C. 1.0× 标尺］

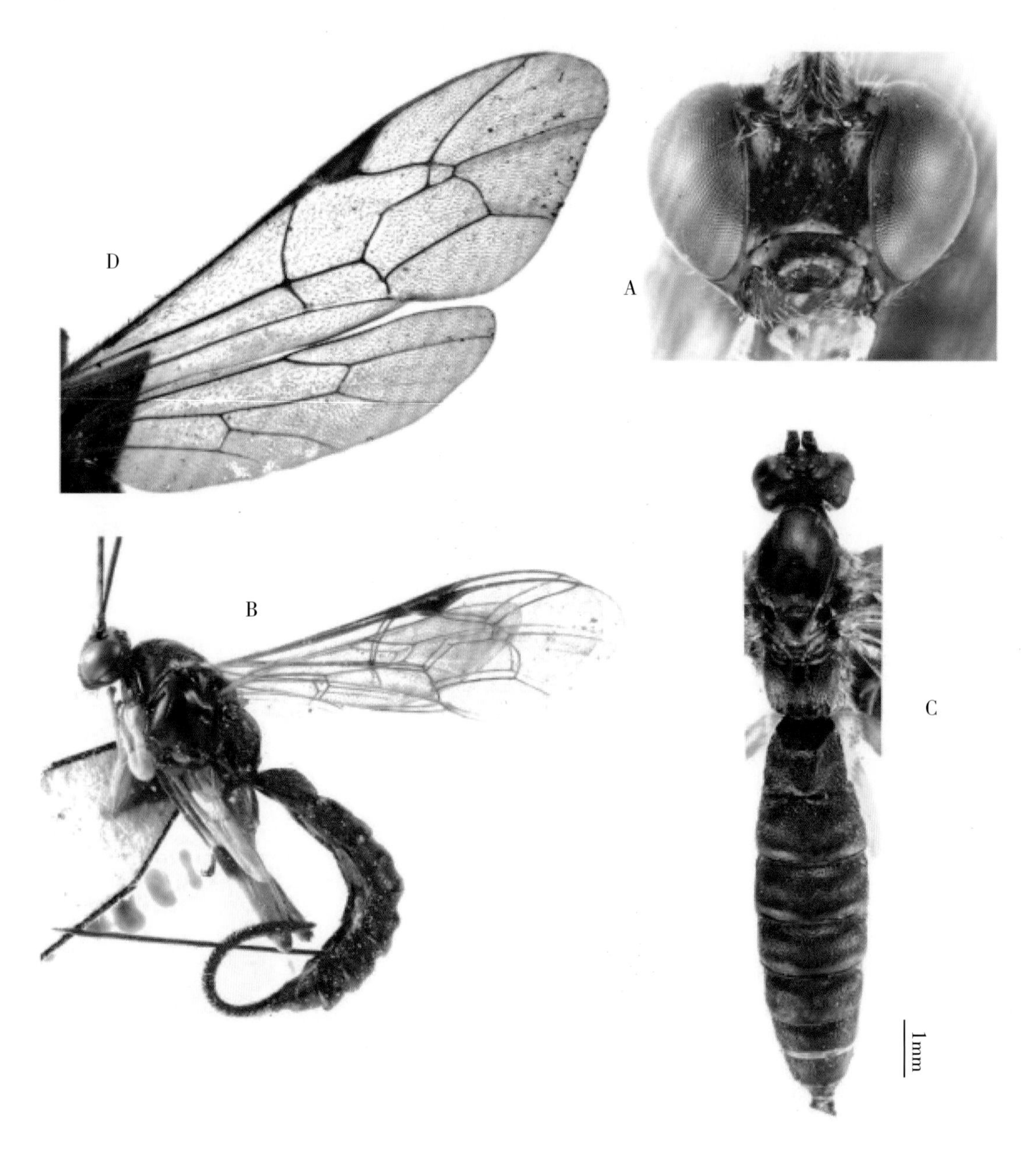

喜马拉雅聚瘤姬蜂 *Gregopimpla himalayensis* (Cameron) (雌性)

A. 头前面观； B. 整体侧面观； C. 整体背面观； D. 翅。［ A. 3.2 × ； B. 0.8 × ； C. 1.0 × ； D. 1.25 × 标尺 ］

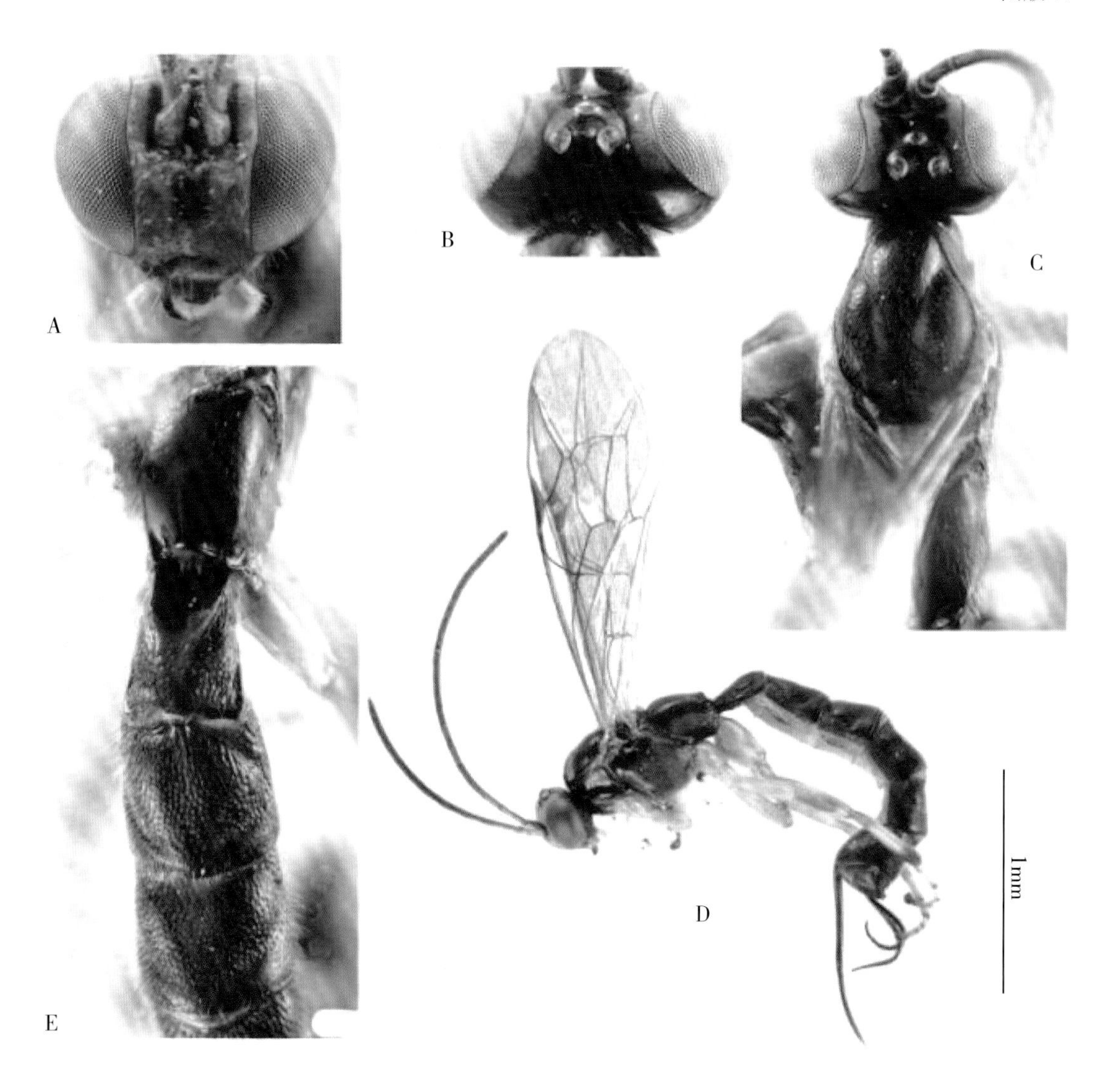

激闭臀姬蜂 *Clistopyga incitator* (Fabricius)（雌性）

A. 头前面观；B. 头背面观；C. 头、胸背面观；D. 整体侧面观；E. 并胸腹节、腹部第 1~3 节背面观。

［A，B. 1.25×；C，E. 1.0×；D. 0.4× 标尺］

图版 78

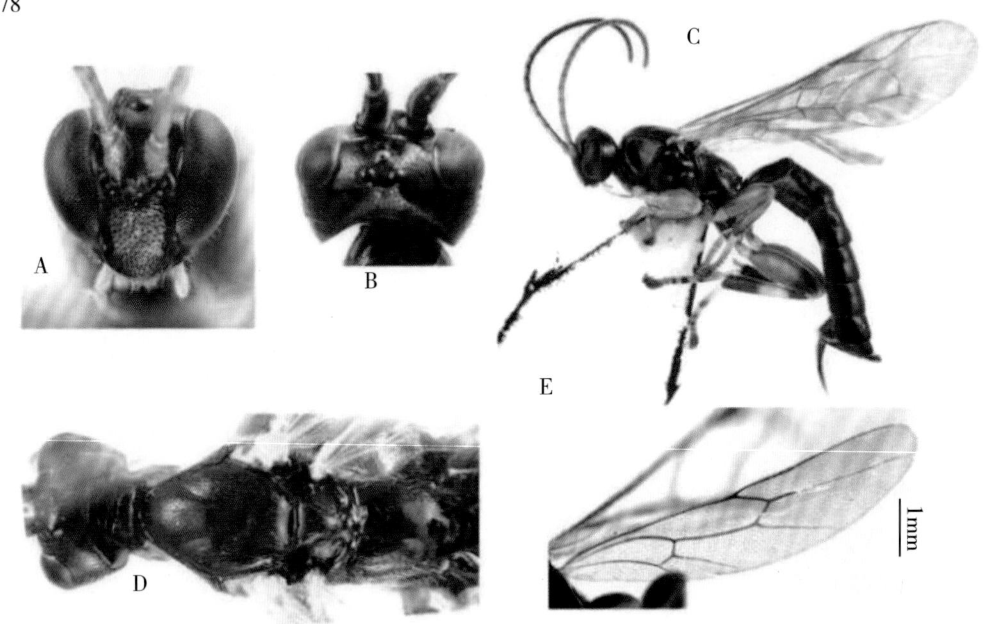

1. 寒地裂臀姬蜂 *Schizopyga frigida* Cresson（雌性）

A. 头前面观；B. 头背面观；C. 整体侧面观；D. 头、胸背面观；E. 后翅。［A，B. 3.2×；C. 1.0×；D. 2.6×；E. 1.6× 标尺］

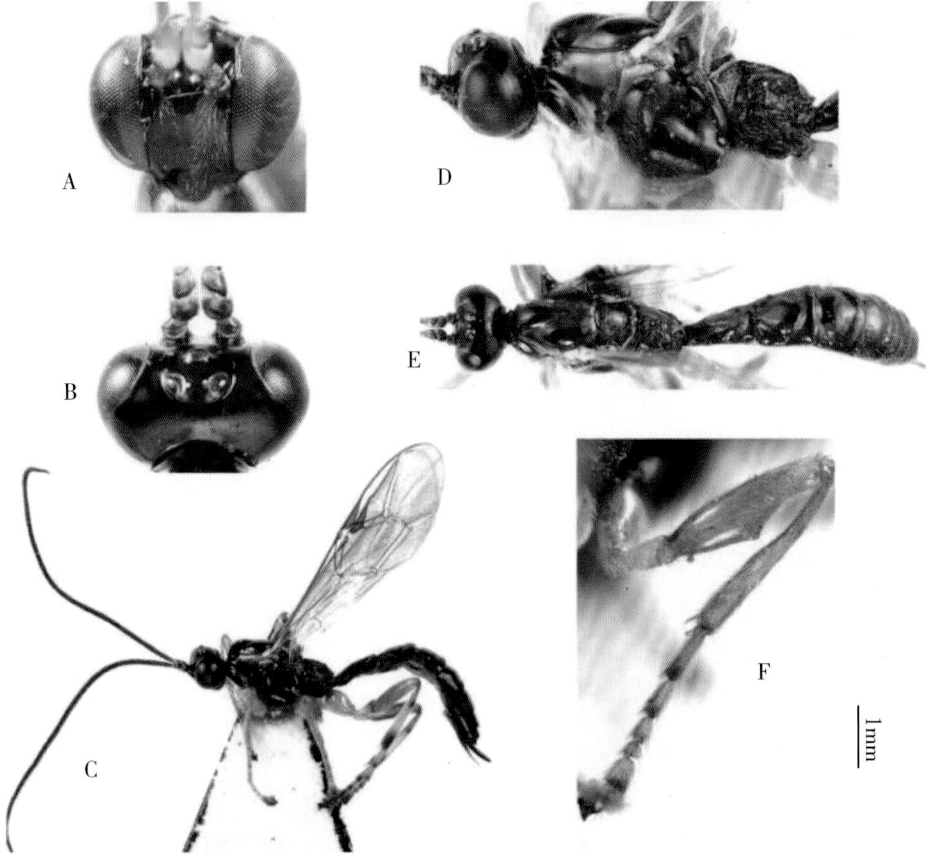

2. 四雕锤跗姬蜂 *Acrodactyla quadrisculpta* (Gravenhorst) (雌性)

A. 头前面观；B. 头背面观；C. 整体侧面观；D. 头、胸侧面观；E. 整体背面观；F. 前足侧面观。

［A，B. 4.0×；C. 1.0×；D. 2.6×；E. 1.6×；F. 3.2× 标尺］

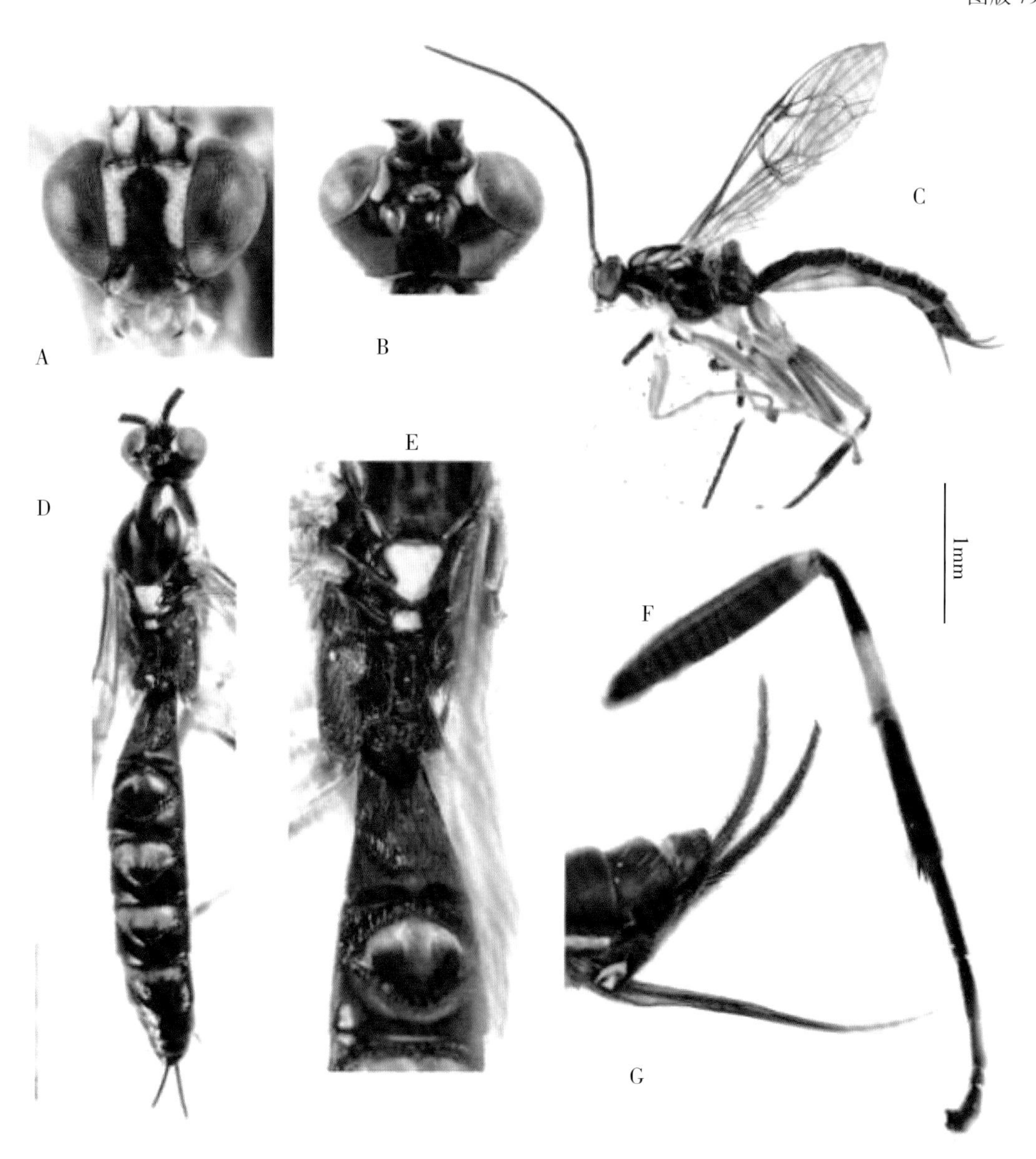

白基多印姬蜂 *Zatypota albicoxa* (Walker)（雌性）

A. 头前面观；B. 头背面观；C. 整体侧面观；D. 整体背面观；E. 小盾片、后胸背板、并胸腹节、腹部第 1~2 节背面观；F. 后足侧面观；G. 腹部端部侧面观。［A，B. 1.28 ×；C. 0.32 ×；D. 0.5 ×；E. 1.0 ×；F. 0.8 ×；G. 1.6 × 标尺］

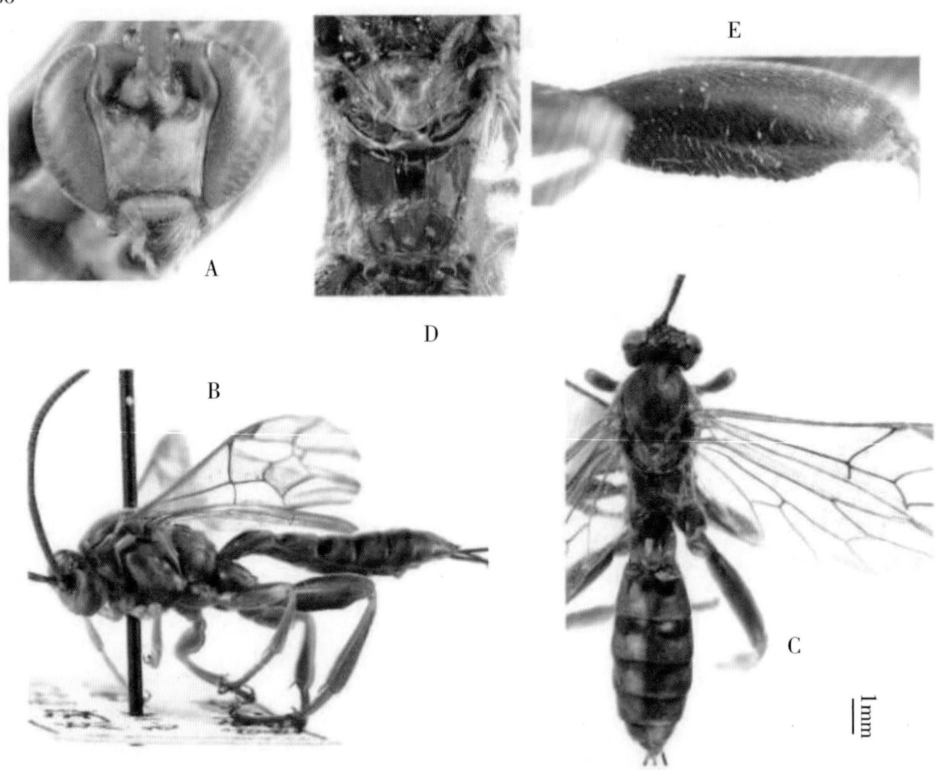

1. 脊腿囊爪姬蜂腹斑亚种 *Theronia atalantae gestator* (Thunberg)（雌性）

A. 头前面观；B. 整体侧面观；C. 整体背面观；D. 后胸背面观；E. 后足腿节侧面观。［A，E. 3.1×；B，C. 1.0×；D. 2.5× 标尺］

2. 野蚕黑瘤姬蜂 *Pimpla luctuosa* Smith（雌性）

A. 头前面观；B. 整体侧面观；C. 并胸腹节、腹部第 1~2 节背面观；D. 腹部背面观。

［A. 3.1×；B. 1.0×；C. 2.5×；D. 2.0× 标尺］

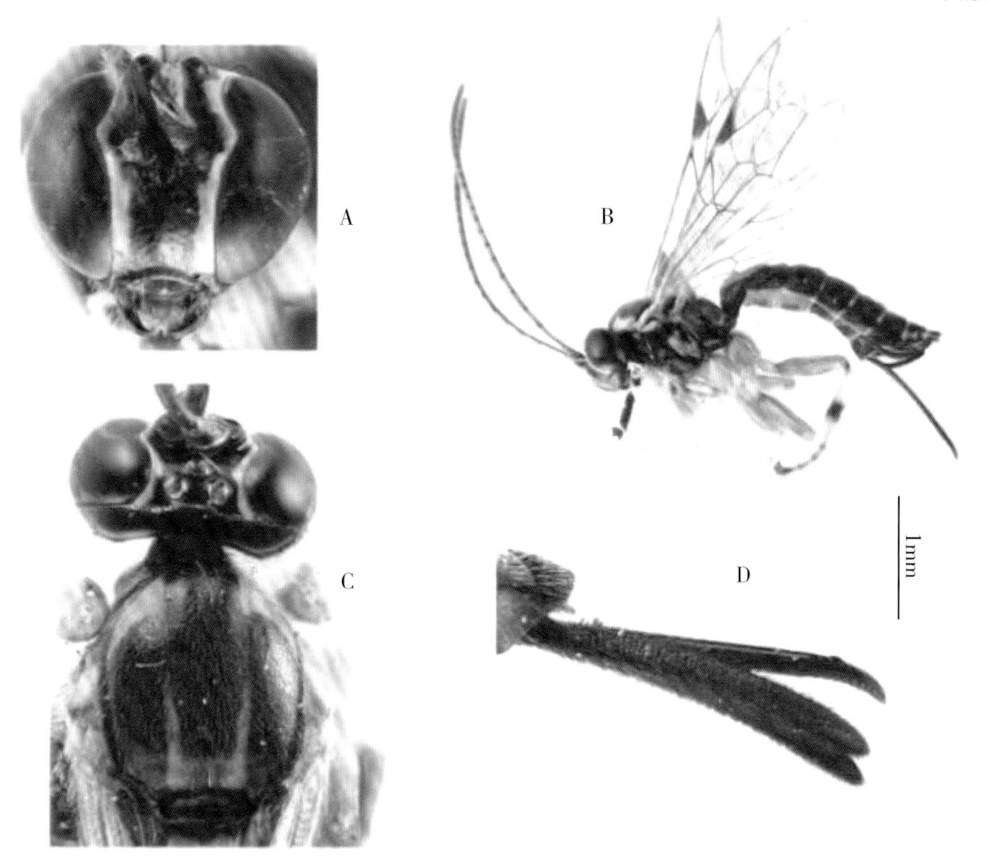

1. 黄条钩尾姬蜂 *Apechthis rufata* (Gmelin)（雌性）

A. 头前面观；B. 整体侧面观；C. 头、胸背面观；D. 产卵管、产卵管鞘侧面观。［A. 1.6×；B. 0.4×；C. 1.0×；D. 1.25× 标尺］

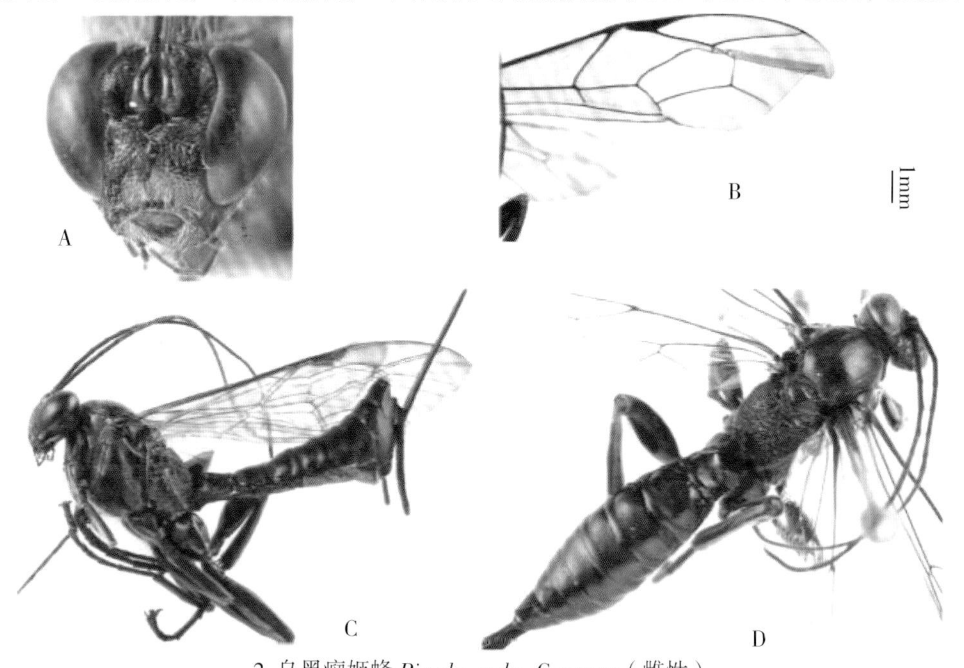

2. 乌黑瘤姬蜂 *Pimpla ereba* Cameron（雌性）

A. 头前面观；B. 翅；C. 整体侧面观；D. 整体背面观。［A. 3.1×；B、C、D. 1.0× 标尺］

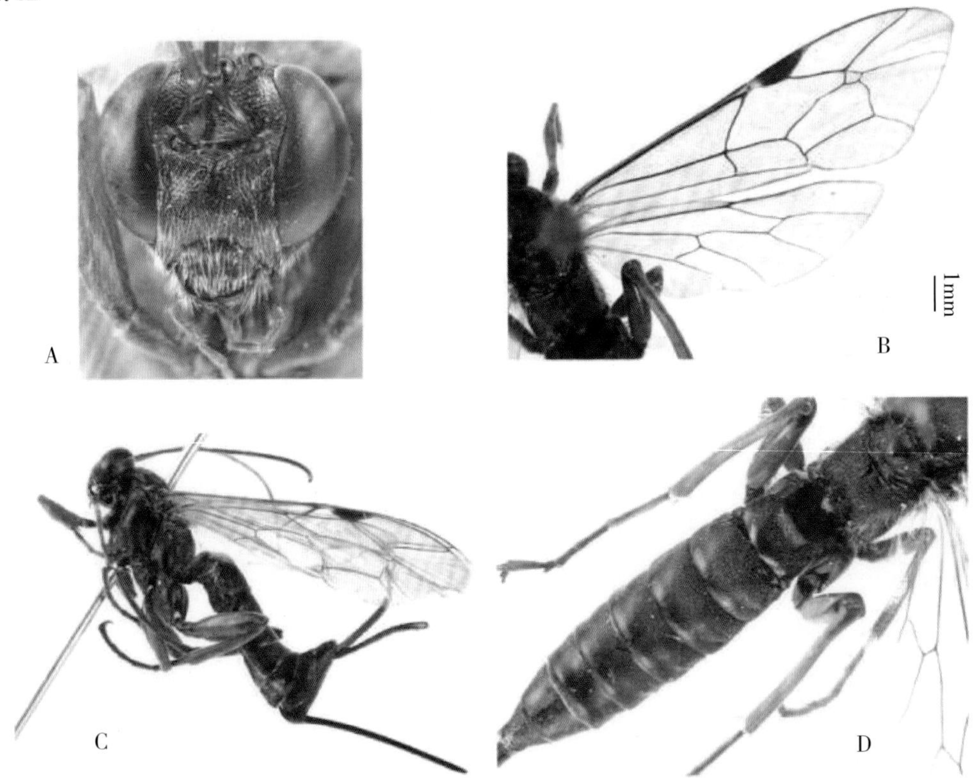

1. 舞毒蛾黑瘤姬蜂 *Pimpla disparis* Viereck（雌性）

A. 头前面观；B. 翅；C. 整体侧面观；D. 并胸腹节、腹部背面观。［A. 3.1×；B，C. 1.0×；D. 1.25× 标尺］

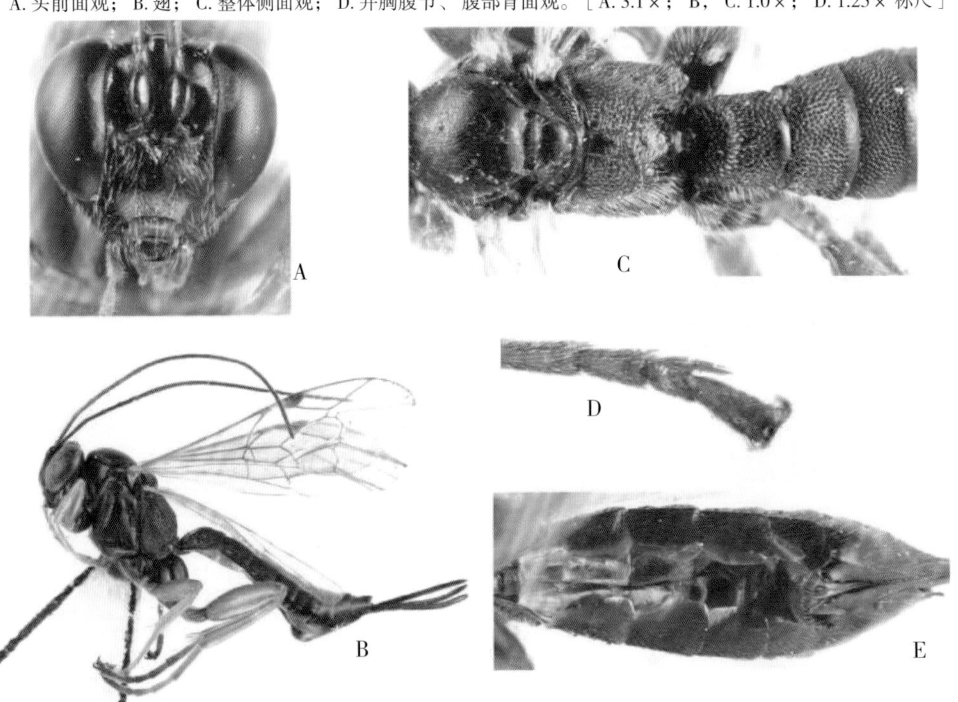

2. 日本黑瘤姬蜂 *Pimpla nipponica* Uchida（雌性）

A. 头前面观；B. 整体侧面观；C. 胸部、腹部第 1~3 节背面观；D. 前足跗节第 2~5 节背面观；E. 腹部腹面观。［A. 3.2×；B. 1.0×；C. 2.5×；D. 5.0×；E. 2.0× 标尺］

A. 中国蟒卵金小蜂 *Acroclisoides sinscus* (Huang *et* Liao)； B. 钝缘脊柄金小蜂 *Asaphes suspensus* (Nees)； C. 尖角金小蜂 *Callitula* sp.， D. 克里长环金小蜂 *Coelopisthia caledonica* Askew； E. 网颈长环金小蜂 *Coelopisthia areolata* Askew； F. 圆形赘须金小蜂 *Halticoptera circula* Walker； G. 日本类金小蜂 *Homoporus japonicus* Ashmead； H. 隐迈金小蜂 *Mesopolobus agropyricola* Rosen

图版 84

A. 派迈金小蜂 *Mesopolobus prasinus* (Walker)； B. 光胫迈金小蜂 *Mesopolobus tibialis* (Westwood)； C. 规则瓢虫金小蜂 *Metastenus concinnus* Walker； D. 绒茧金小蜂 *Mokrzeckia pini* (Hartig)； E. 丽楔缘金小蜂 *Pachyneuron formosum* Walker； F. 松毛虫楔缘金小蜂 *Pachyneuron solitarium* (Hartig)； G. 飞虱卵金小蜂 *Panstenon oxylus* (Walker)

A. 丽纤金小蜂 *Stenomalina liparae* (Giraud)； B. 无脊矩胸金小蜂 *Syntomopus incisus* Thomson； C. 拟跳毛链金小蜂 *Systasis encyrtoides* Walker； D. 微毛链金小蜂 *Systasis parvula* Thomson； E. 棉铃虫克氏金小蜂 *Trichomalopsis genalis* (Graham)

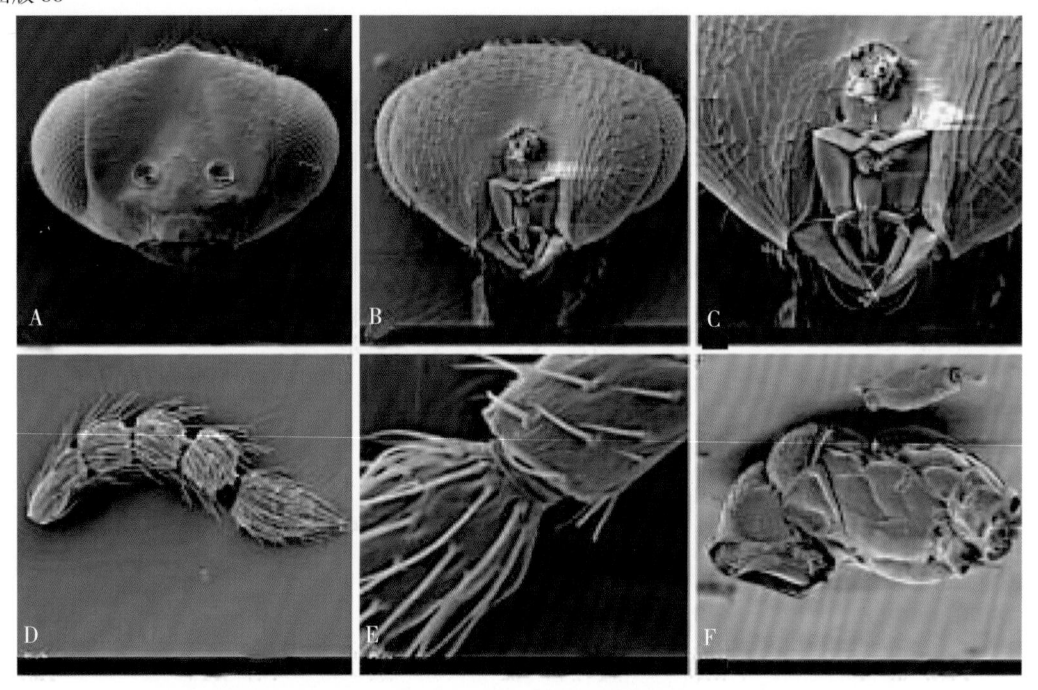

1. 大斑狭面姬小蜂 *Elachertus fenestratus* Nees（雌性）(Zhu & Huang，2001)
A. 头部正面观；B. 头部后面观；C. 口器后面观；D. 触角；E. 触角环节；F. 胸部侧面观

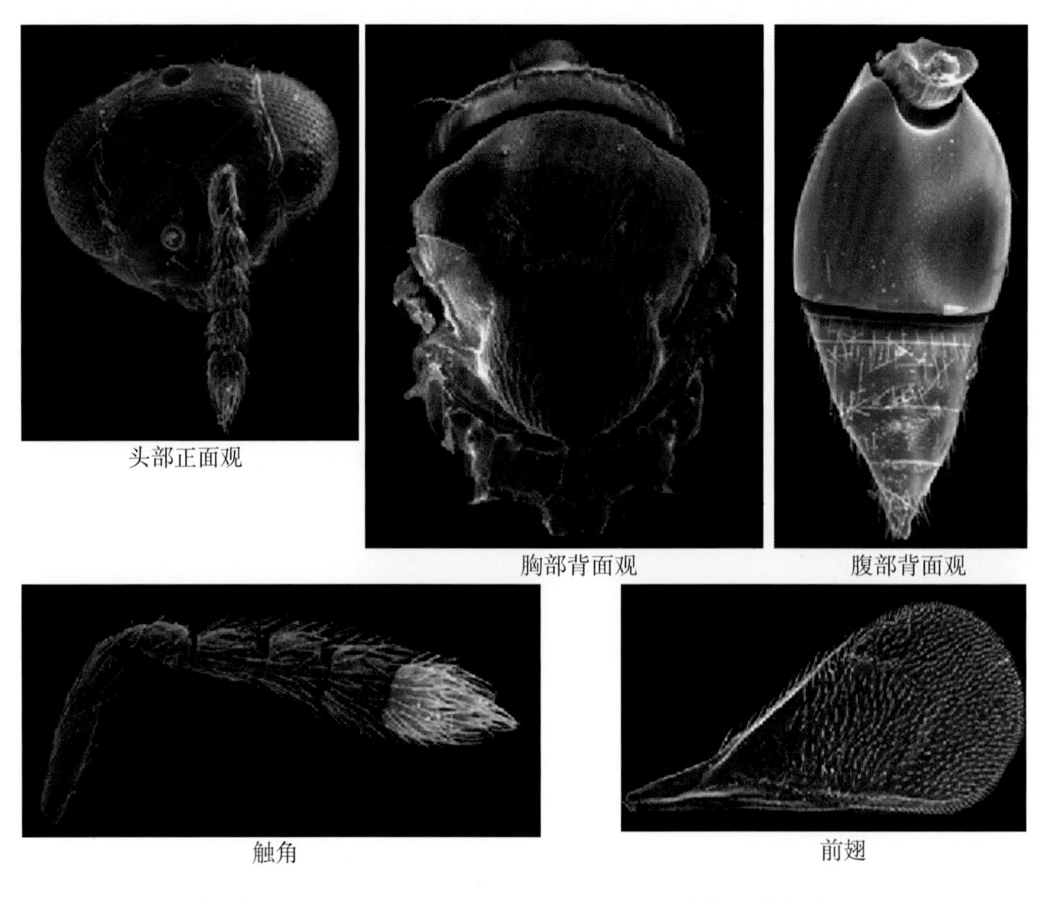

2. 凹眼柄腹姬小蜂 *Pediobius susinellae* Yang *et* Cao（雌性）(姚艳霞，2005)

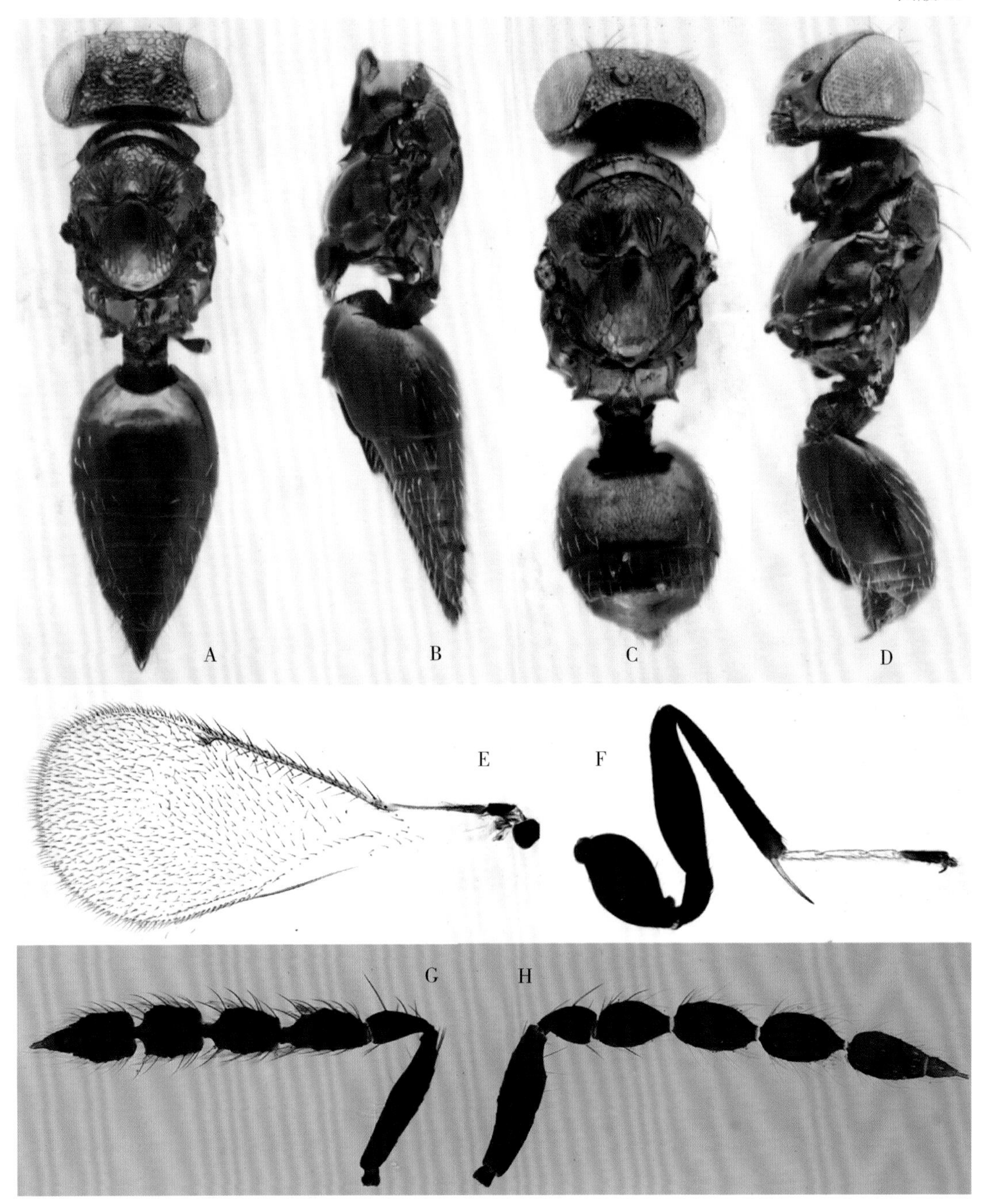

龟甲柄腹姬小蜂 *Pediobius elasmi* (Ashmead) (A, B, E–G. 雌性； C, D, H. 雄性) (Cao *et al.*, 2017)

A. 体背面观； B. 体 (除头部) 侧面观； C. 体背面观； D. 体侧面观； E. 前翅； F. 后足； G. 触角； H. 触角

线角柄腹姬小蜂 *Pediobius eubius* (Walker) (A, B, E, F. 雌性； C, D, G. 雄性) (Cao *et al.*， 2017)
A. 体背面观； B. 体侧面观； C. 体背面观； D. 体侧面观； E. 前翅； F. 触角； G. 触角； H–J. 中足、前足、后足

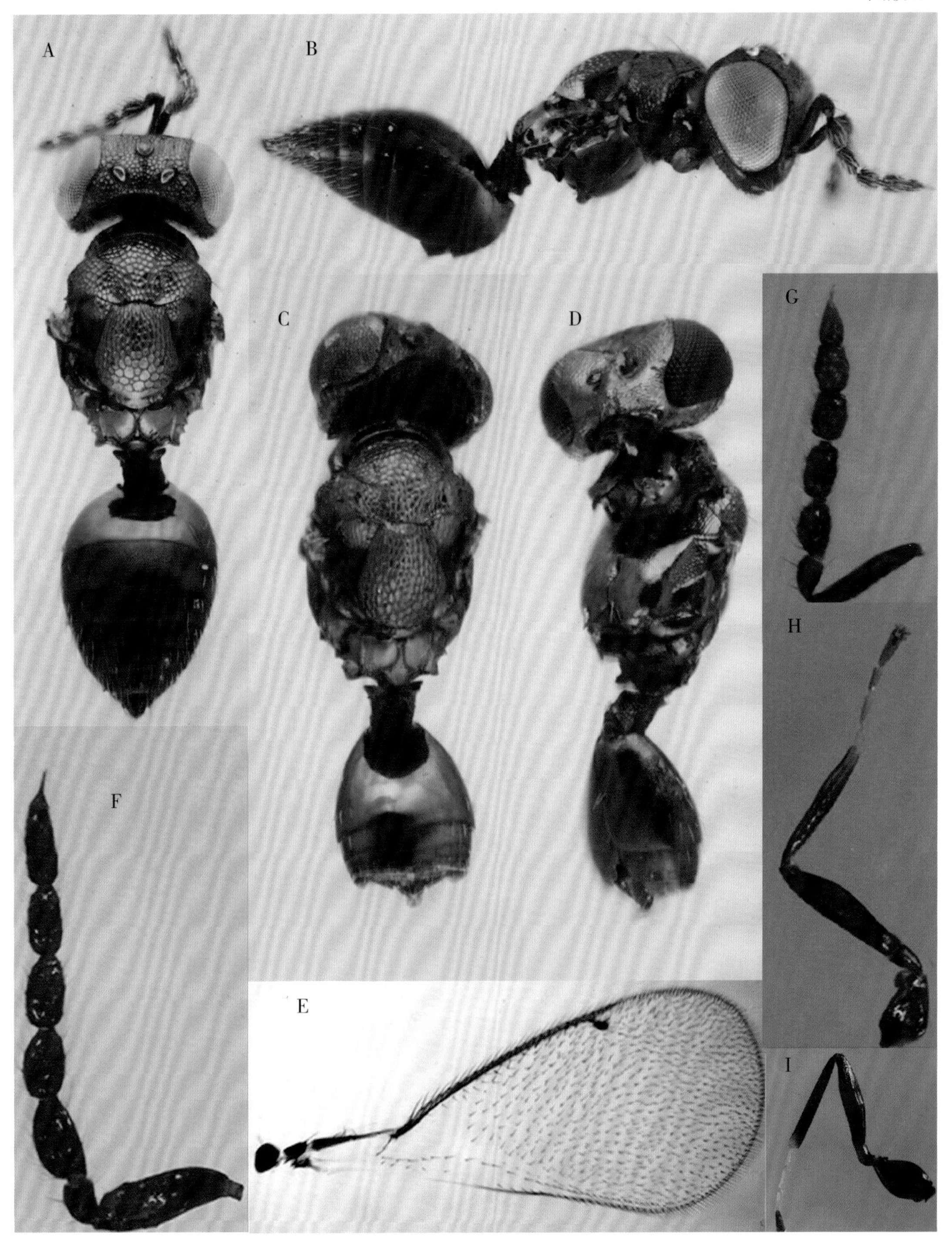

潜蝇柄腹姬小蜂 *Pediobius metallicus* (Nees) (A, B, E, G–I. 雌性； C, D, F. 雄性) (Cao *et al.*， 2017)
A. 体背面观； B. 体侧面观； C. 体背面观； D. 体侧面观； E. 前翅； F. 触角； G. 触角； H–I， 前足、后足

图版 90

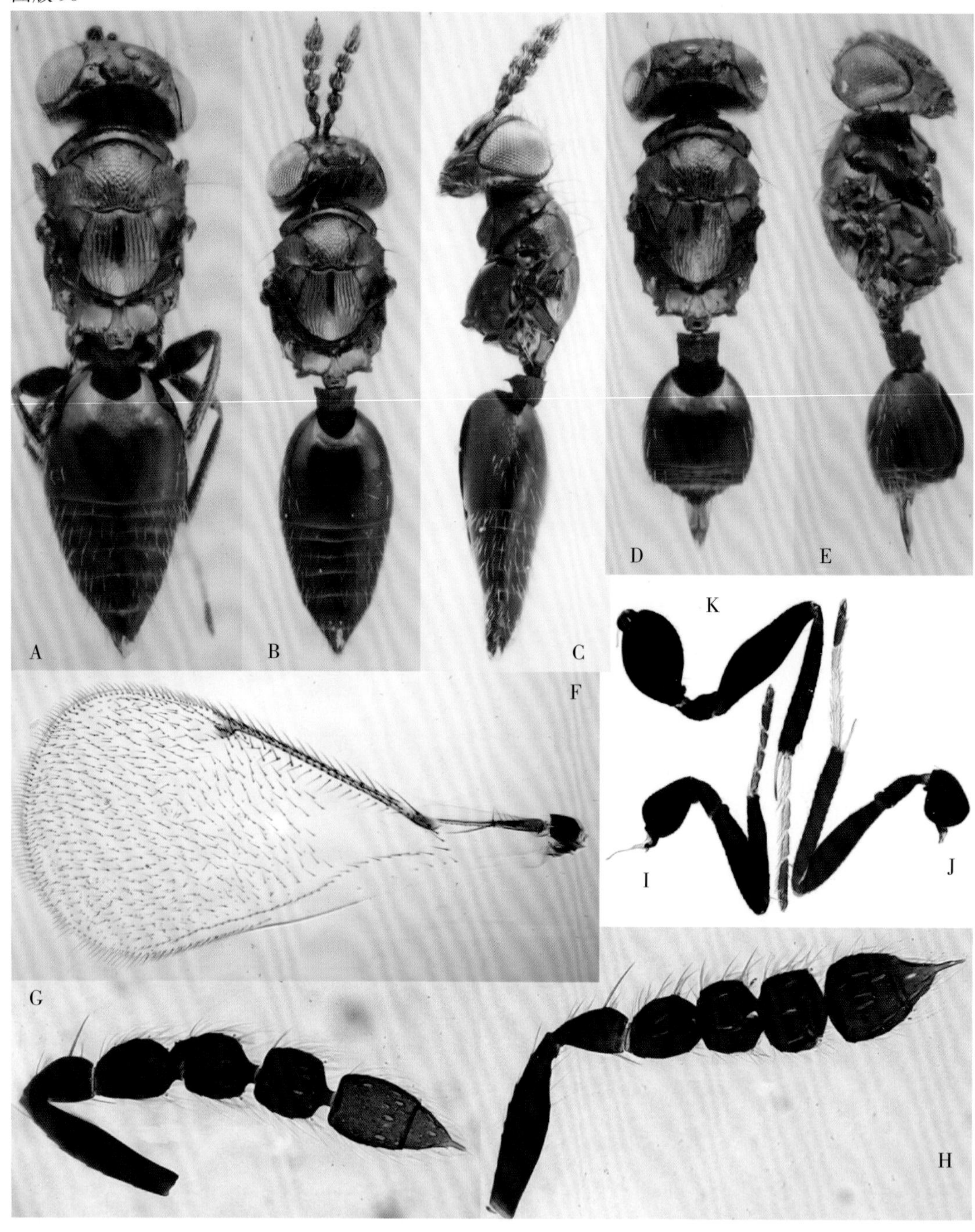

梨皮潜蛾柄腹姬小蜂 *Pediobius pyrgo* (Walker) (A–C, F, H–K. 雌性； D, E, G. 雄性) (Cao *et al.*， 2017)
A. 体背面观；B. 体背面观；C. 体侧面观；D. 体背面观；E. 体侧面观；F. 前翅；G. 触角；H. 触角；I–K. 前足、中足、后足

1. 亮身尖胸青蜂 *Cleptes metallicorpus* Ha, Lee *et* Kim（雌性）

2. 白唇常足螯蜂 *Aphelopus albiclypeus* Xu, He *et* Olmi（雄性）

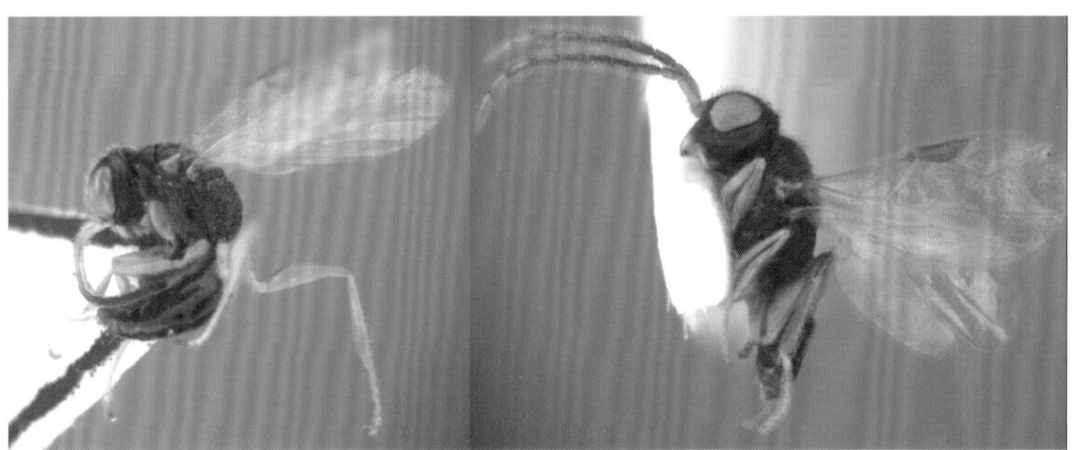

3. 忠单爪螯蜂 *Anteon fidum* Olmi（雌性和雄性）

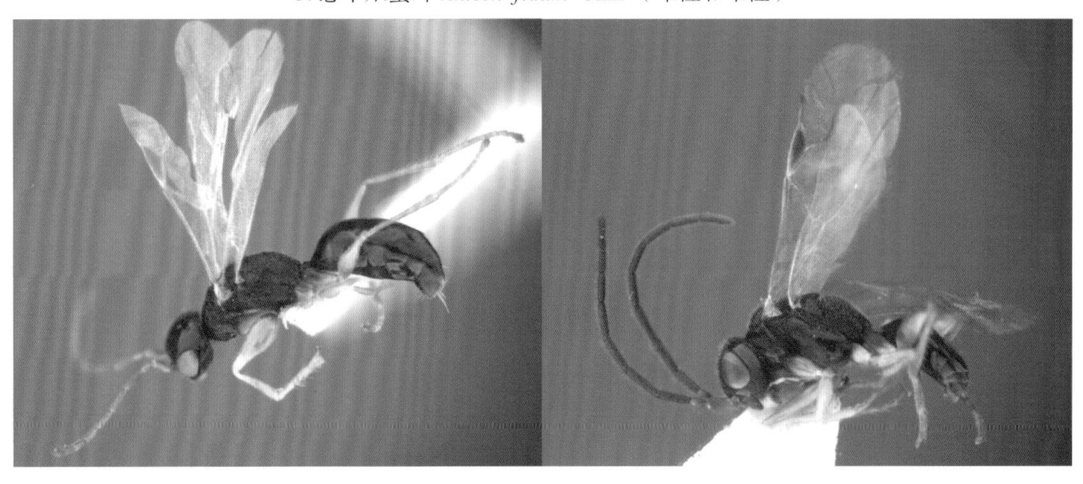

4. 红角矛螯蜂 *Lonchodryinus ruficornis* (Dalman)（雌性和雄性）

图版 92

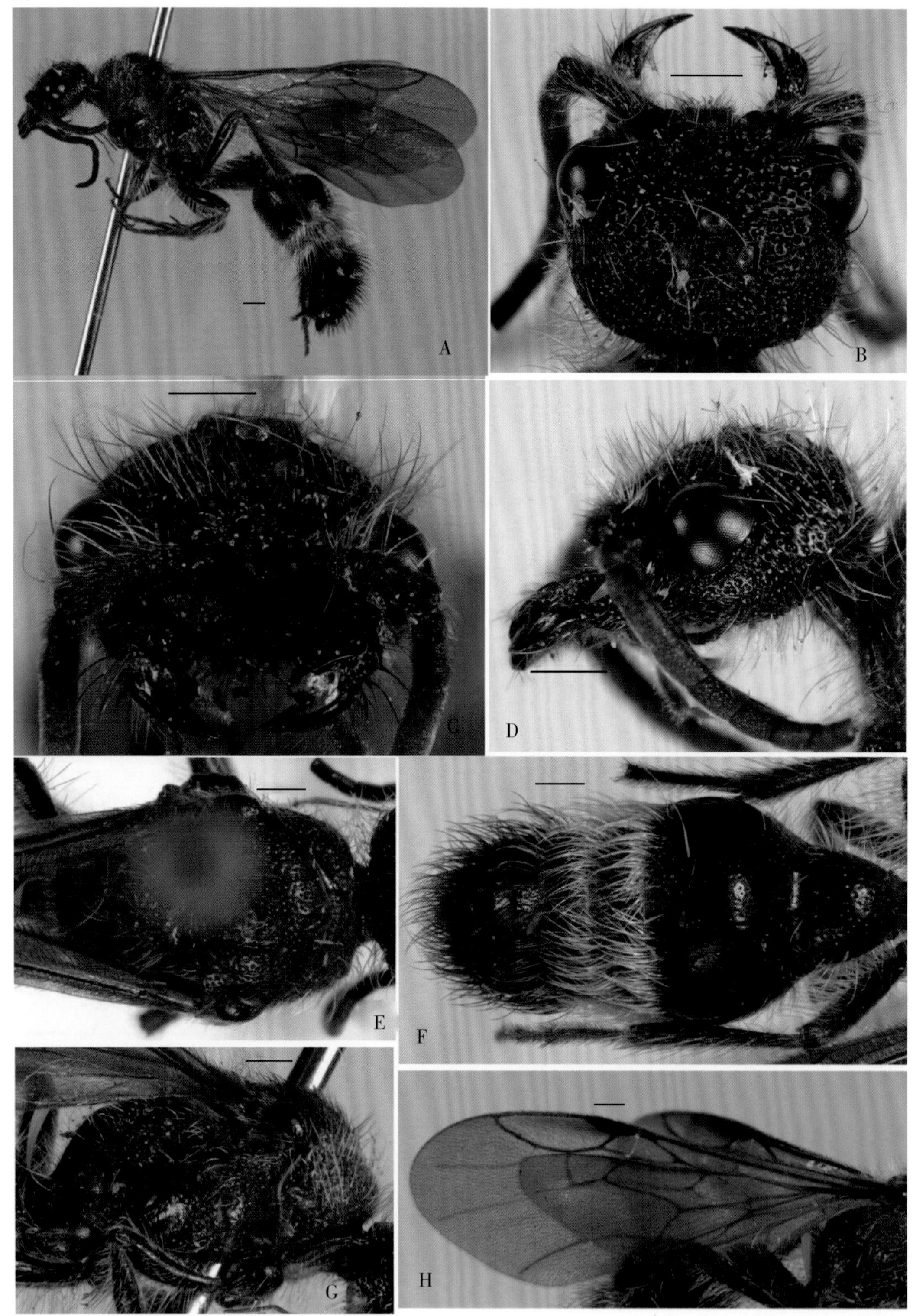

瘤突何蚁蜂 *Hemutilla tuberculata* Tu，Lelej *et* Chen（雄性）（仿 Tu *et al.*，2014a）

A. 整体侧面观；B. 头部背面观；C. 头部前面观；D. 头部侧面观；E. 胸部背面观；F. 腹部背面观；G. 胸部侧面观；H. 翅。

［标尺 = 0.5mm］

媒介毛唇蚁蜂 *Dasylabris intermedia* Skorikov（雄性）

A. 整体侧面观；B. 胸部背面观；C. 胸部侧面观；D. 翅；E. 腹部背面观；F. 头部前面观；G. 头部背面观；H. 上颚；I. 腹部侧面观。［标尺 = 0.5mm］

媒介毛唇蚁蜂 *Dasylabris intermedia* Skorikov（雌性）

A. 整体侧面观；B. 胸部背面观；C. 腹部背面观；D. 头部前面观；E. 头部背面观；F. 头部侧面观；G. 腹部第 6 背板背面观。
［标尺 = 0.5mm］

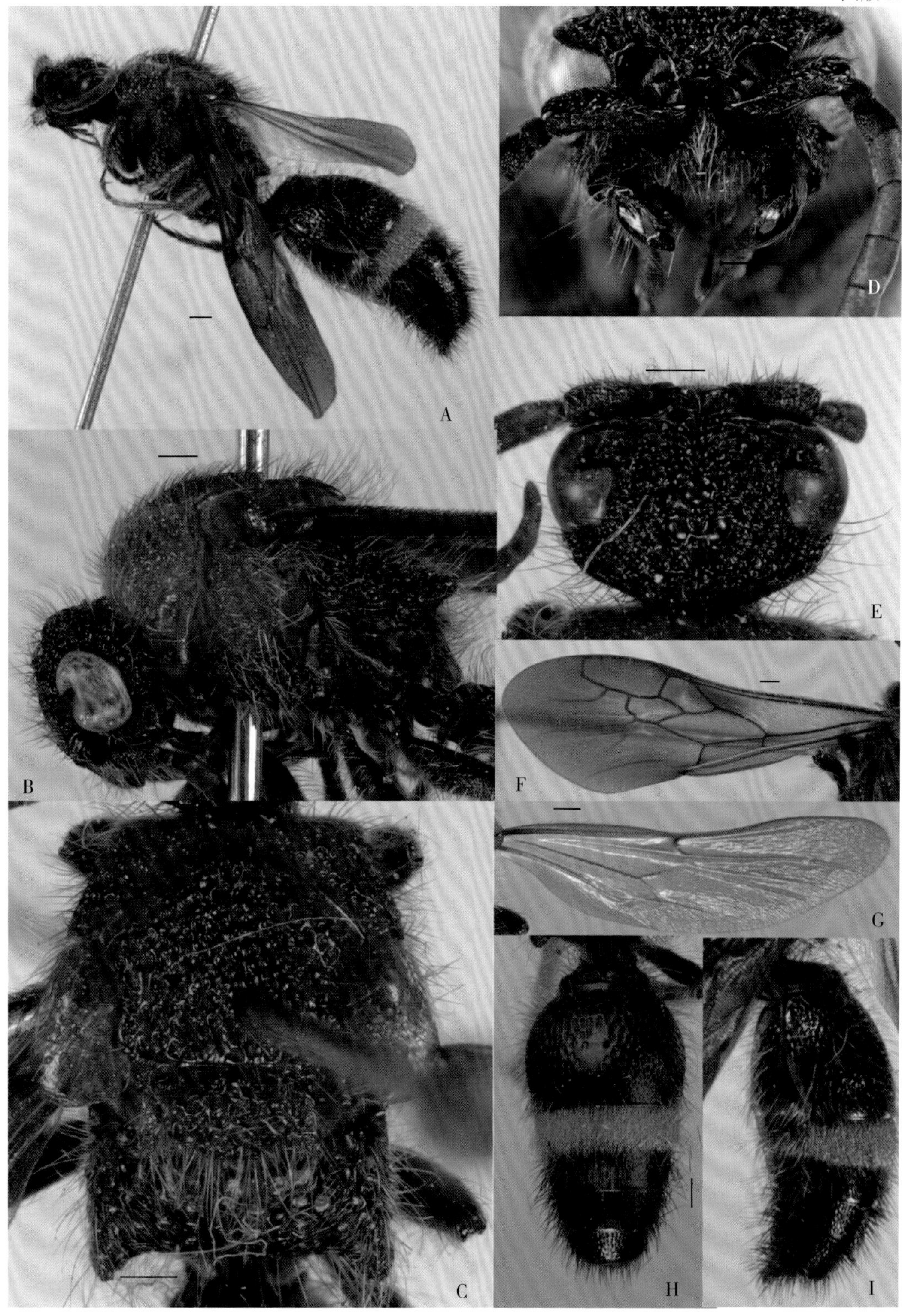

中华齿蚁蜂 *Odontomutilla sinensis* Smith（雄性）

A. 整体侧面观；B. 头部和胸部侧面观；C. 胸部背面观；D. 头部前面观；E. 头部背面观；F. 前翅；G. 后翅；H. 腹部背面观；I. 腹部侧面观。［标尺 = 0.5mm］

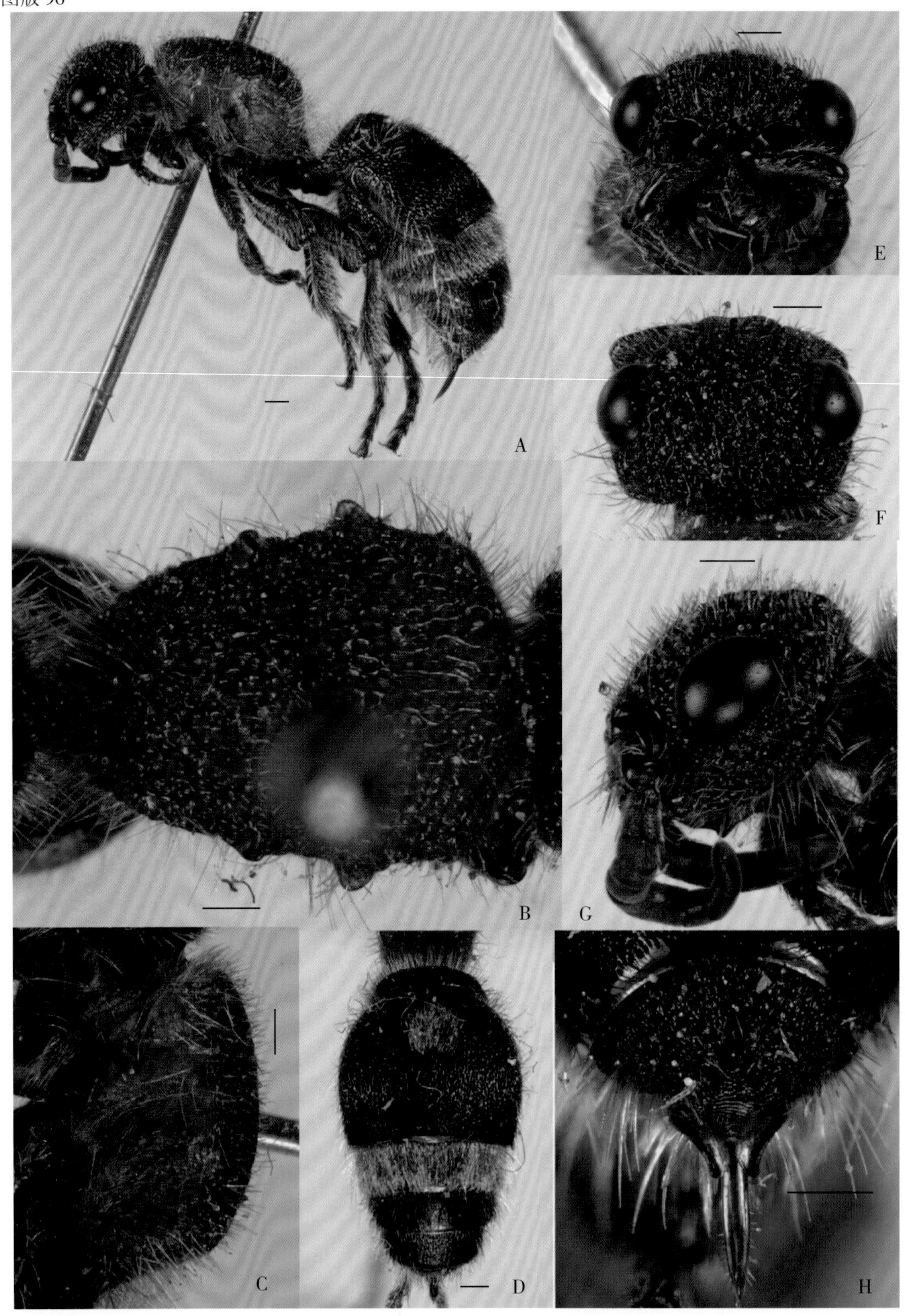

中华齿蚁蜂 *Odontomutilla sinensis* Smith（雌性）

A. 整体侧面观；B. 胸部背面观；C. 胸部侧面观；D. 腹部背面观；E. 头部前面观；F. 头部背面观；G. 头部侧面观；H. 腹部第 6 背板背面观。［标尺 = 0.5mm］

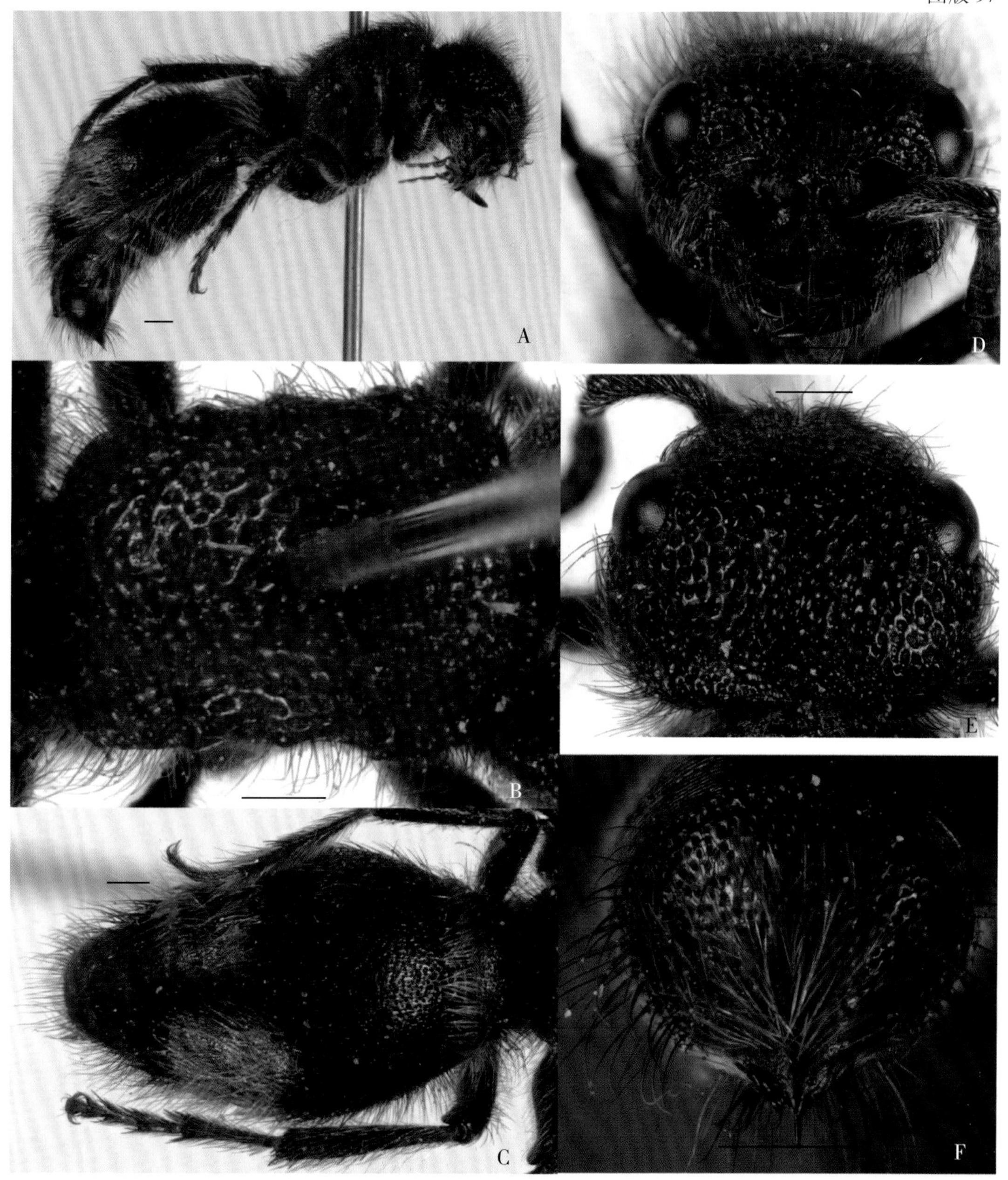

日本蚁蜂 *Mutilla mikado* Cameron（雌性）

A. 整体侧面观；B. 胸部背面观；C. 腹部背面观；D. 头部前面观；E. 头部背面观；F. 腹部第 6 背板背面观。［标尺 = 0.5mm］

图版 98

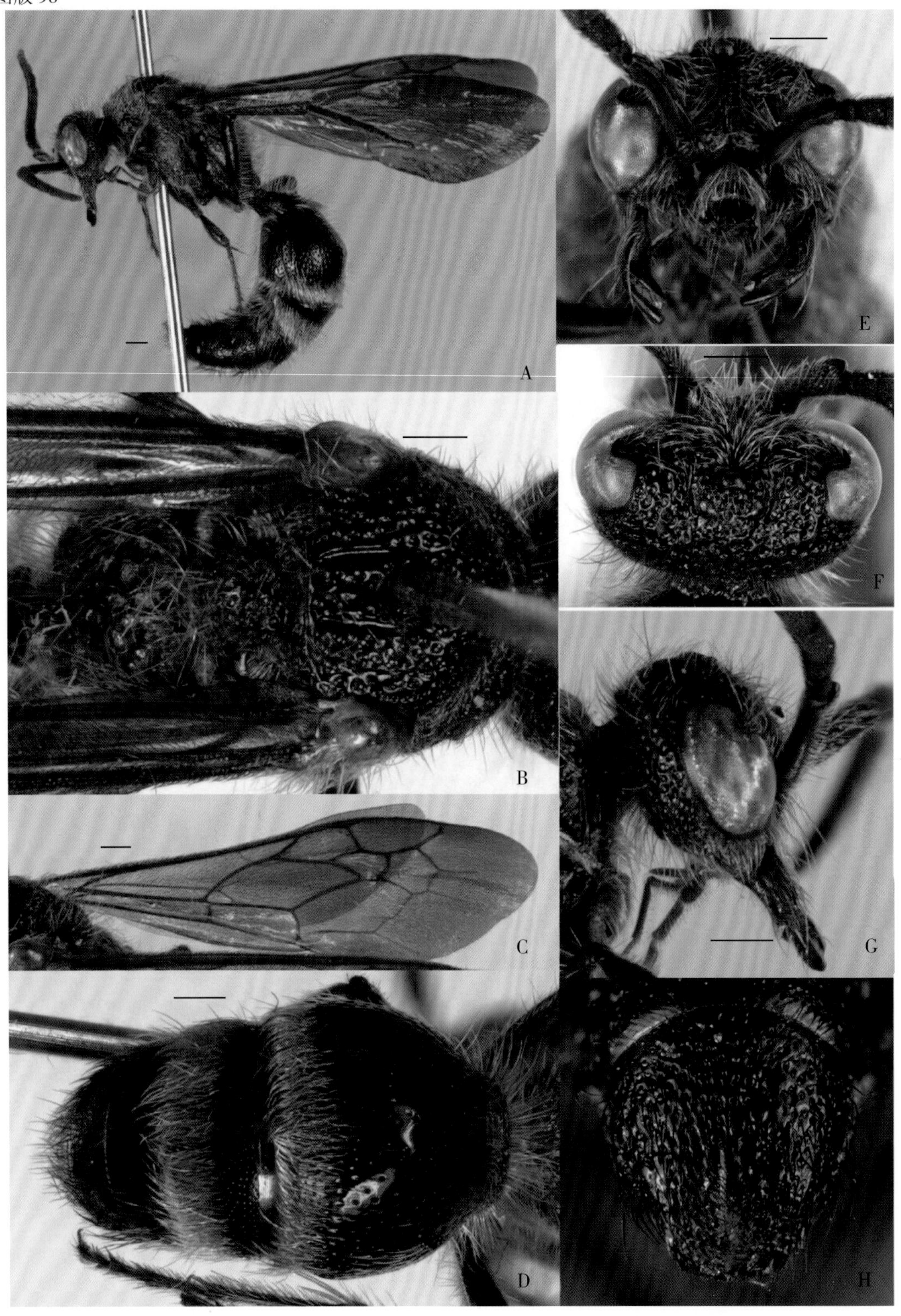

古特拉扎蚁蜂黄片亚种 *Zavatilla gutrunae flavotegulata* (Chen)（雄性）

A. 整体侧面观； B. 胸部背面观； C. 翅； D. 腹部背面观； E. 头部前面观； F. 头部背面观；G. 头部侧面观； H. 腹部第 7 背板背面观。［标尺 = 0.5mm］

秦岭胡蜂生态照

A. 基胡蜂 *Vespa basalis* Smith 营巢； B. 双色胡蜂 *Vespa bicolor* Fabricius 营巢

秦岭胡蜂生态照

A. 陆马蜂 *Polistes rothneyi* Cameron 营巢；B. 镶黄蜾蠃 *Oreumenes decoratus* (Smith) 营巢

秦岭长黄胡蜂属和黄胡蜂属种类

A. 尖齿长黄胡蜂 *Dolichovespula adulterina* (du Buysson) ♀；B. 花长黄胡蜂 *D. flora* Archer ♀ w; C. 熊猫长黄胡蜂 *D. panda*, ♀ w; D. 石长黄胡蜂 *D. saxonica* (Fabricius) ♀ w；E. 点长黄胡蜂 *D. stigma* Lee ♀ w；F. 细黄胡蜂 *Vespula flaviceps* (Smith) ♀ w；G. 德国黄胡蜂 *V. germanica* (Fabricius) ♀ q；H. 朝鲜黄胡蜂 *V. koreensis* (Radoszkowski) ♀ w

图版 102

秦岭黄胡蜂属和胡蜂属种类

A. 红环黄胡蜂 *Vespula rufa* (Linnaeus) ♀ w；B. 锈色黄胡蜂 *V. structor* (Smith) ♀ w；C. 普通黄胡蜂 *V. vulgaris* (Linnaeus) ♀ w；D. 三齿胡蜂 *Vespa analis* Fabricius ♀ w；E. 基胡蜂 *Vespa basalis* Smith ♀ w；F. 双色胡蜂 *Vespa bicolor* Fabricius ♀ w；G. 褐胡蜂 *Vespa binghami* du Buysson ♀ w；H. 黄边胡蜂 *Vespa crabro* Linnaeus ♀ w

秦岭胡蜂属和马蜂属种类

A. 黑尾胡蜂 *Vespa ducalis* Smith ♀ q; B. 笛胡蜂 *V. dybowskii* André ♀ w; C. 变胡蜂 *V. fumida* van der Vecht ♀ w; D. 金环胡蜂 *V. mandarinia* Smith ♀; E. 茅胡蜂 *V. mocsaryana* du Buysson ♀ w; F. 墨胸胡蜂 *V. velutina* Lepeletier ♀; G. 寿胡蜂 *V. vivax* Smith ♀; H. 焰马蜂 *Polistes adustus* Bingham ♂

秦岭马蜂属种类

A. 角马蜂 *P. chinensis antennalis* Pérez ♀；B. 日本马蜂 *Polistes japonicus* de Saussure ♀；C. 约马蜂 *P. jokahamae* Radoszkowski ♀；D. 柑马蜂 *Polistes mandarinus* de Saussure ♀；E. 麦氏马蜂 *P. megei* Pérez ♀；F. 倭马蜂 *P. nipponensis* Pérez ♀；G. 陆马蜂 *P. rothneyi* Cameron ♀；H. 斯马蜂 *P. snelleni* de Saussure ♀

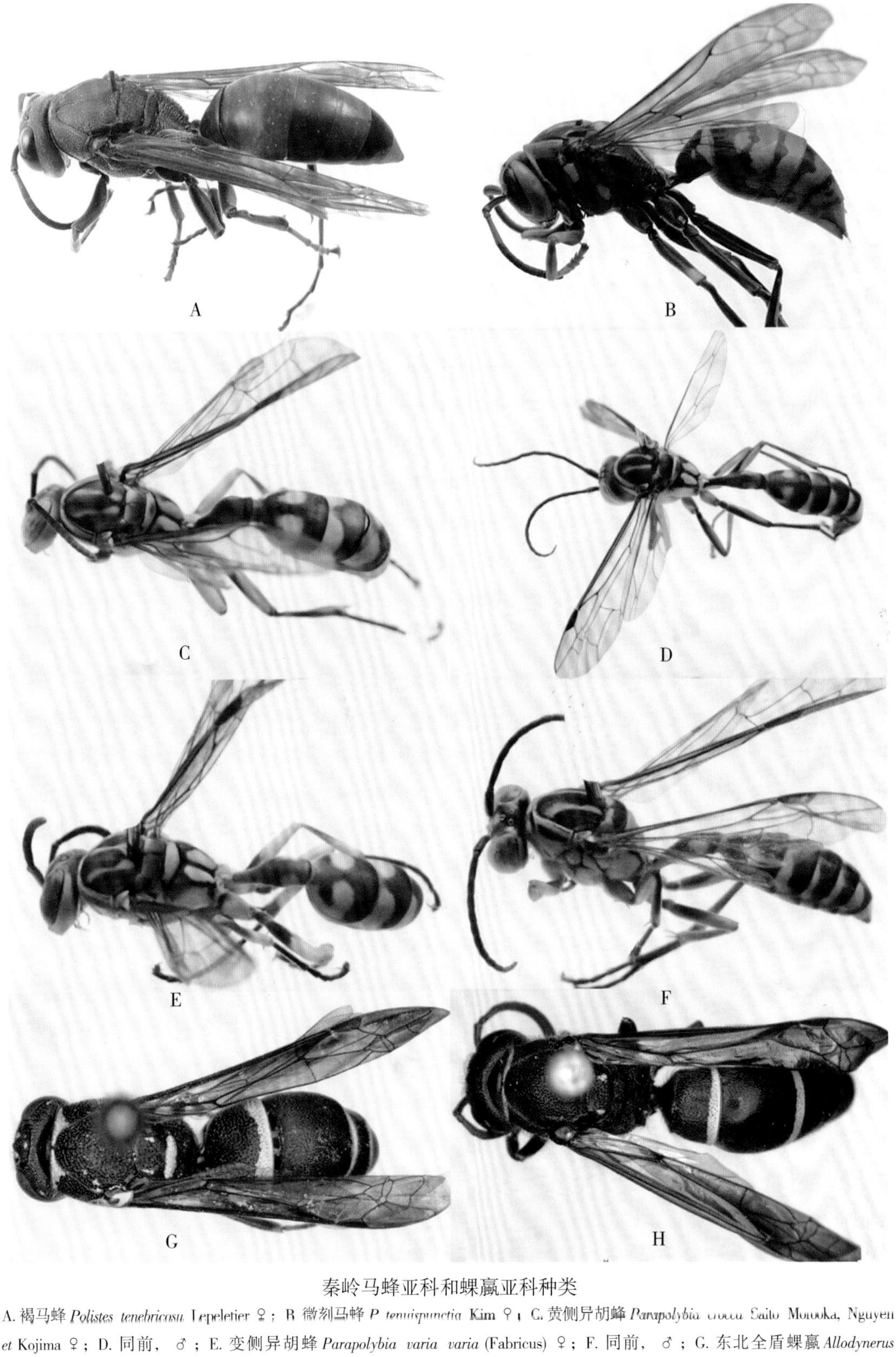

A

B

C

D

E

F

G

H

秦岭马蜂亚科和蜾蠃亚科种类

A. 褐马蜂 *Polistes tenebricosu* Lepeletier ♀；B. 微刻马蜂 *P. tenuispunctia* Kim ♀；C. 黄侧异胡蜂 *Parapolybia crocea* Saito Morooka, Nguyen *et* Kojima ♀；D. 同前， ♂；E. 变侧异胡蜂 *Parapolybia varia varia* (Fabricus) ♀；F. 同前， ♂；G. 东北全盾蜾蠃 *Allodynerus mandschuricus* Blüthgen ♀；H. 石沟蜾蠃 *Ancistrocerus trifasciatus shibuyai* (Yasumatsu) ♀

图版 106

秦岭蜾蠃亚科种类

A. 棕足啄蜾蠃 *Antepipona asiamontana* Gusenleitner ♀；B. 同前，♂；C. 黄缘蜾蠃 *Anterhynchium flavomaginatum flavomaginatum* (Smith) ♀；D. 台湾短角蜾蠃大陆亚种 *Apodynerus formosensis continentalis* Giordani Soika ♀；E. 同前，♂；F. 长腹元蜾蠃 *Discoelius zonalis* (Panzer) ♀；G. 北方蜾蠃 *Eumenes coarctatus coarctatus* (Linnaeus) ♀；H. 同前，♂

秦岭蜾蠃亚科蜾蠃属种类

A. 冠蜾蠃指名亚种 *Eumenes coronatus coronatus* (Panzer) ♀；B. 同前， ♂ ；C. 中华唇蜾蠃 *E. labiatus sinicus* (Giordani Soika) ♀；D. 黄黑唇蜾蠃 *E. labiatus flavoniger* Giordani Soika ♀；E. 黑盾蜾蠃 *E. nigriscutatus* Zhou, Chen *et* Li ♀；F. 基蜾蠃 *E. pedunculatus pedunculatus* (Panzer) ♂ ；G. 点蜾蠃 *E. pomiformis* (Fabricius) ♂ ；H. 孔蜾蠃 *E. punctatus* de Saussure ♀；I. 方蜾蠃指名亚种 *E. quadratus quadratus* Smith ♀；J. 显蜾蠃 *Eumenes rubronotatus* Pérze ♀

秦岭蜾蠃亚科种类

A. 铁生细盾蜾蠃 *Leptomicrodynerus tieshengi* Giordani Soika ♀；B. 单佳盾蜾蠃 *Euodynerus dantici dantici* ♀；C. 同前，♂；D. 日本佳盾蜾蠃 *Euodynerus nipanicus nipanicus* (von Schulthess) ♂；E. 镶黄蜾蠃 *Oreumenes decoratus* (Smith) ♀；F. 丽旁喙蜾蠃 *Pararrhynchium ornatum* (Smith) ♀；G. 黑背喙蜾蠃 *Rhynchium quinquecinctum tahitense* de Saussure ♂；H. 同前，♀

秦岭蜾蠃亚科种类

A. 福直盾蜾蠃 *Stenodynerus frauenfeldi* de Saussure ♀; B. 同前，♂；C. 帕氏直盾蜾蠃 *Stenodynerus pappi pappi* Giordani Soika ♀; D. 背直盾蜾蠃 *Stenodynerus tergitus* Kim ♀；E. 同前， ♂；F. 双孔同蜾蠃 *Symmorphus ambotretus* Cumming ♀；G. 尖饰同蜾蠃 *Symmorphus apiciornatus* (Cameron) ♀；H. 光同蜾蠃 *Symmorphus lucens* Kostylev ♀

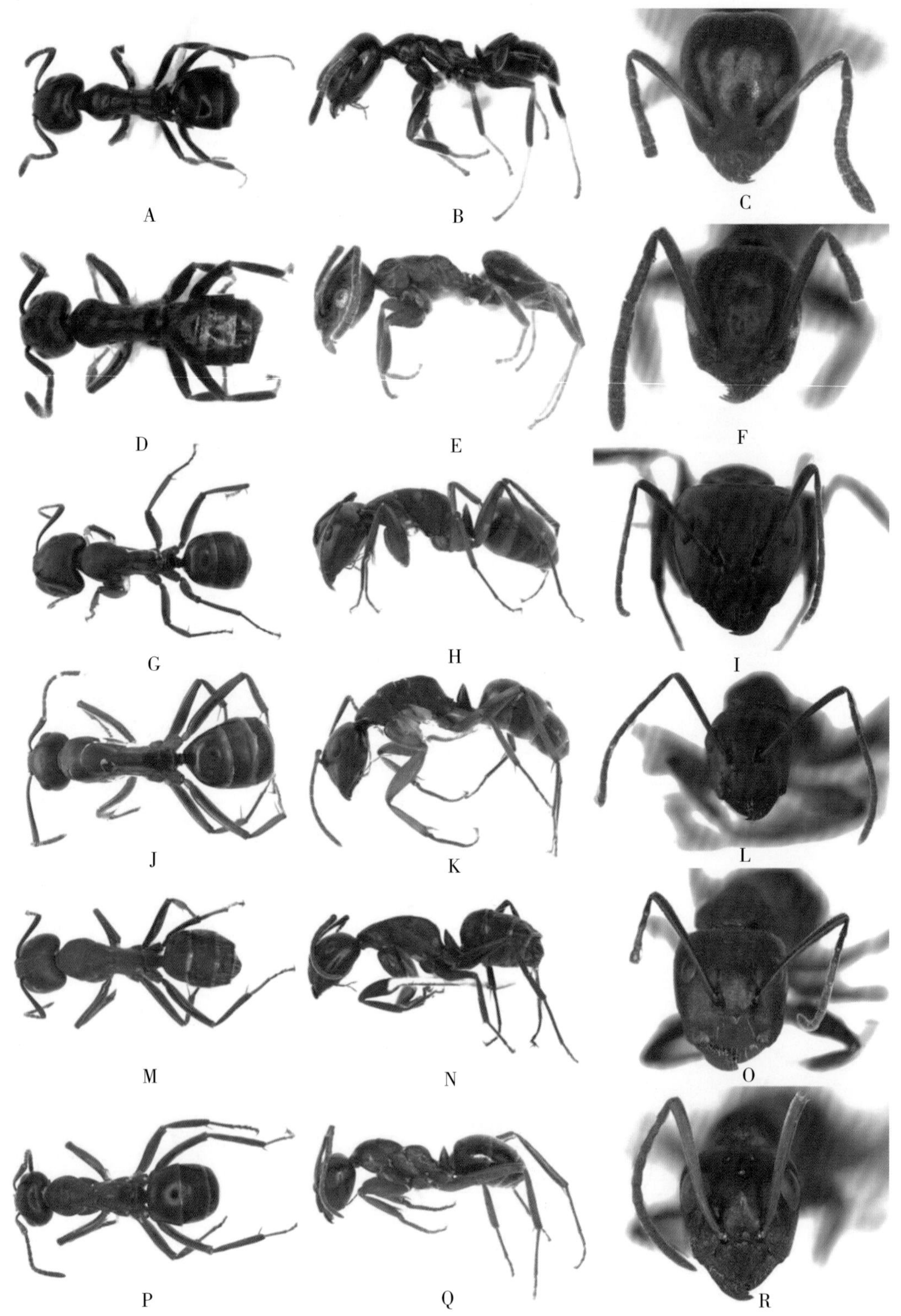

A–C. 无毛凹臭蚁 *Ochetellus glaber* (Mayr)； D–F. 白跗节狡臭蚁 *Technomyrmex albipes* (F.Smith)； G–L. 黄腹弓背蚁 *Camponotus helvus* Xiao *et* Wang; M–O. 日本弓背蚁 *Camponotus japonicus* Mayr； P–R. 亮腹黑褐蚁 *Formica gagatoides* Ruzsky. A， D， G， J， M， P. 身体背面观； B， E， H， K， N， Q. 身体侧面观； C， F， I， L， O， R， 头部正面观

A–C. 掘穴蚁 *Formica cunicularia* Latreille；D–F. 丝光蚁 *Formica fusca* Linnaeus，G–I. 日本黑褐蚁 *Formica japonica* Motschoulsky；J–L. 玉米毛蚁 *Lasius alienus* (Foerster)；M–O. 黄毛蚁 *Lasius flavus* (Fabricius)；P–R. 黄足尼氏蚁 *Nylanderia flavipes* (F.Smith).A，D，G，J，M，P. 身体背面观；B，E，H，K，N，Q. 身体侧面观；C，F，I，L，O，R. 头部正面观

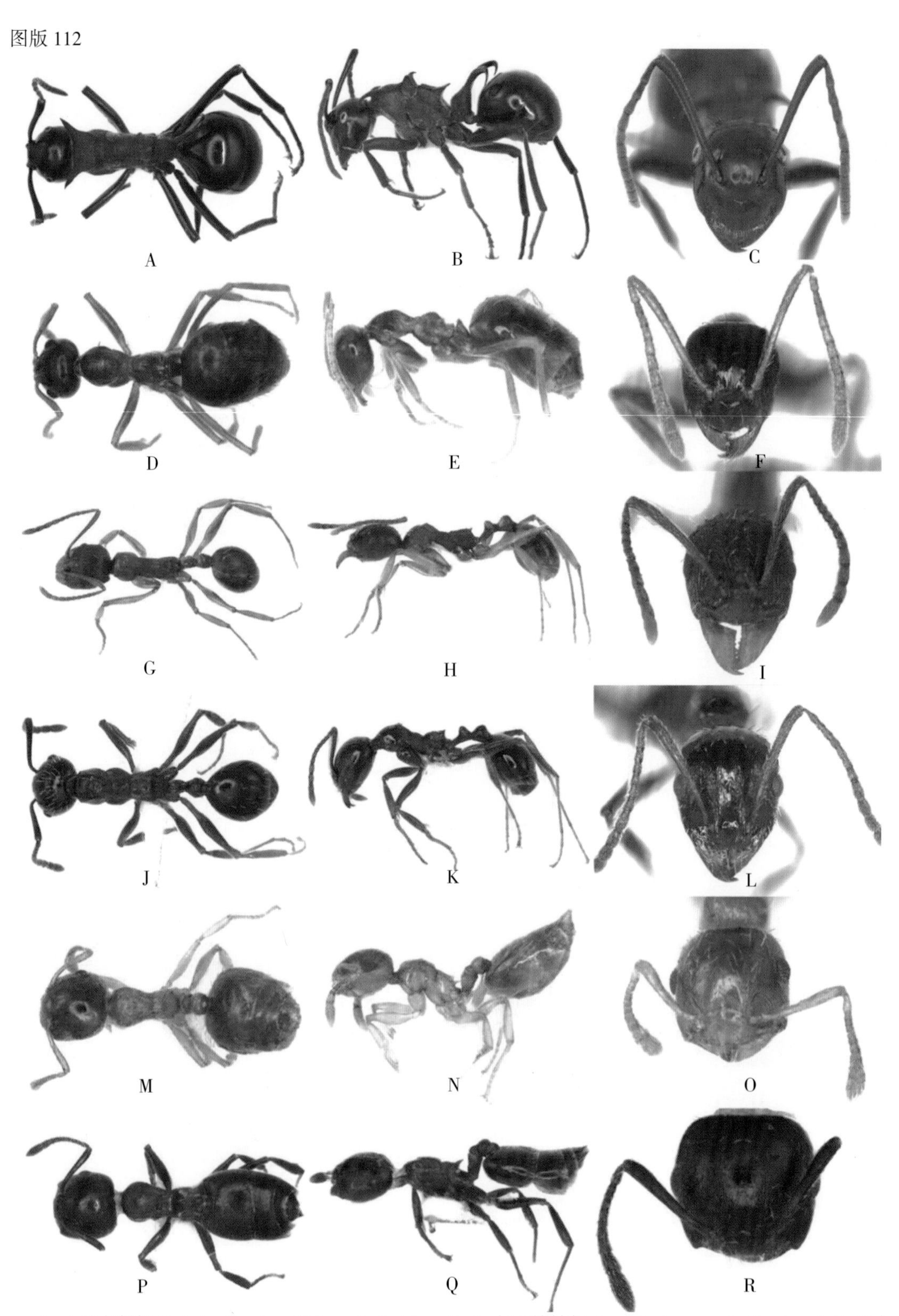

A–C. 叶型多刺蚁 *Polyrhachis lamellidens* F. Smith； D–F. 内氏前结蚁 *Prenolepis naoroji* Forel； G–I. 日本盘腹蚁 *Aphaenogaster japonica* Forel; J–L. 史氏盘腹蚁 *Aphaenogaster smythiesii* (Forel)； M–O. 大阪举腹蚁 *Crematogaster osakensis* Forel； P–R. 黑褐举腹蚁 *Crematogaster rogenhoferi* Mayr. A， D， G， J， M， P. 身体背面观； B， E， H， K， N， Q. 身体侧面观； C， F， I， L， O， R. 头部正面观

A B C

D E F

G H I

J K L

M N O

P Q R

A–C. 上海举腹蚁 *Crematogaster zoceensis* Santschi； D–F. 中华毛切叶蚁 *Lordomyrma sinensis* (Ma，Xu，Makio *et* DuBois)； G–I. 针毛收获蚁 *Messor aciculatus* (F. Smith)； J–L. 龙红蚁 *Myrmica draco* Radchenko，Zhou *et* Elmes； M–O. 皱红蚁 *Myrmica ruginodis* Nylander； P–R. 郑氏红蚁 *Myrmica zhengi* Ma *et* Xu. A，D，G，J，M，P. 身体背面观； B，E，H，K，N，Q. 身体侧面观； C，F，I，L，O，R. 头部正面观

图版 114

A–C. 双齿奇蚁 *Perissomyrmex bidentatus* Zhou *et* Huang；D–F. 淡黄大头蚁 *Pheidole flaveria* Zhou *et* Zheng；G–I. 双针棱胸切叶蚁 *Pristomyrmex punctatus* (F. Smith)；J–L. 知本火蚁 *Solenopsis tipuna* Forel；M–O. 铺道蚁 *Tetramorium caespitum* (Linnaeus)；P–R. 陕西铺道蚁 *Tetramorium shensiense* Bolton. A，D，G，J，M，P. 身体背面观；B，E，H，K，N，Q. 身体侧面观；C，F，I，L，O，R. 头部正面观

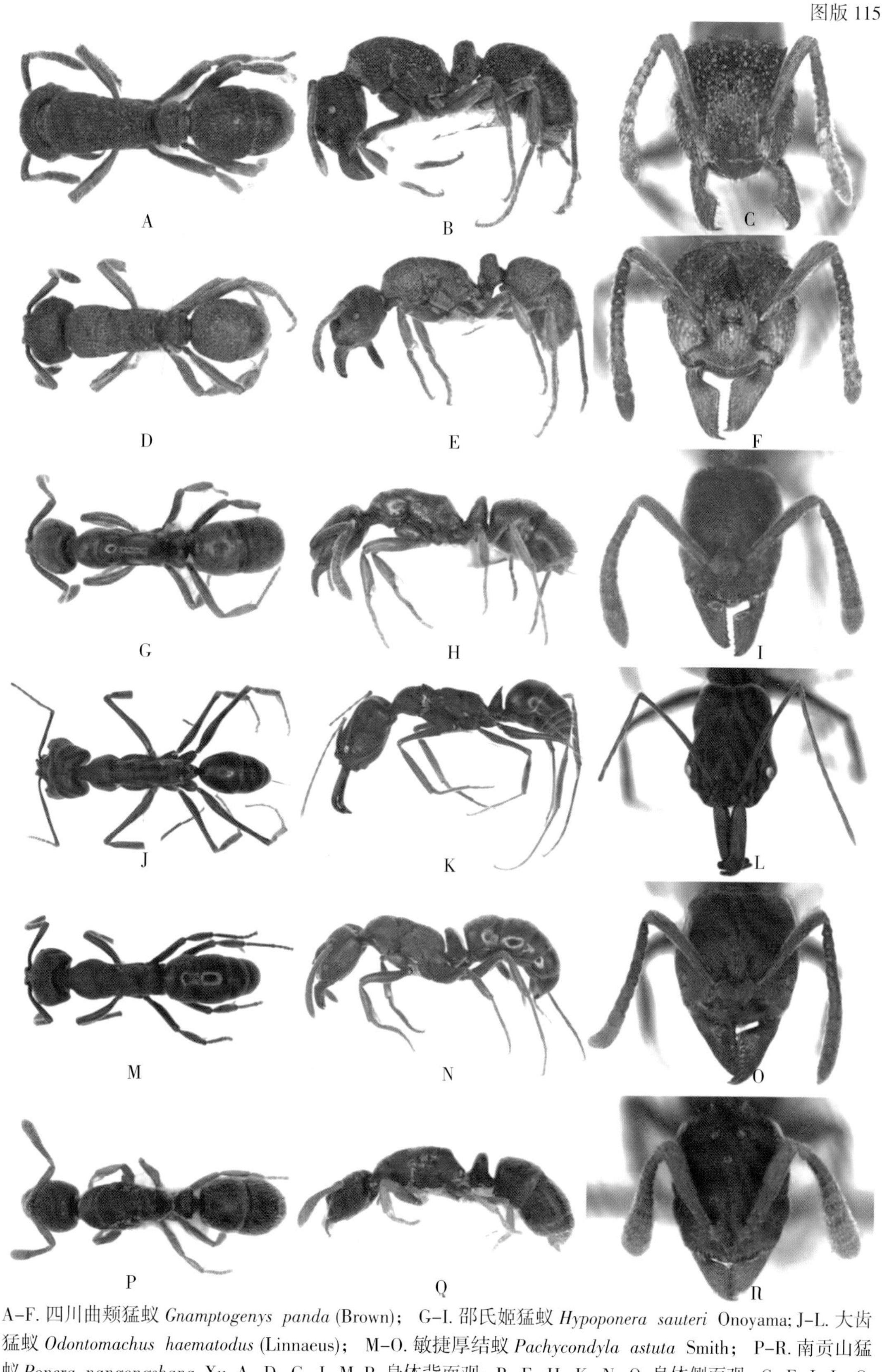

A

B

C

D

E

F

G

H

I

J

K

L

M

N

O

P

Q

R

A–F. 四川曲颊猛蚁 *Gnamptogenys panda* (Brown)； G–I. 邵氏姬猛蚁 *Hypoponera sauteri* Onoyama; J–L. 大齿猛蚁 *Odontomachus haematodus* (Linnaeus)； M–O. 敏捷厚结蚁 *Pachycondyla astuta* Smith； P–R. 南贡山猛蚁 *Ponera nangongshana* Xu. A, D, G, J, M, P. 身体背面观；B, E, H, K, N, Q. 身体侧面观；C, F, I, L, O, R. 头部正面观

图版 116

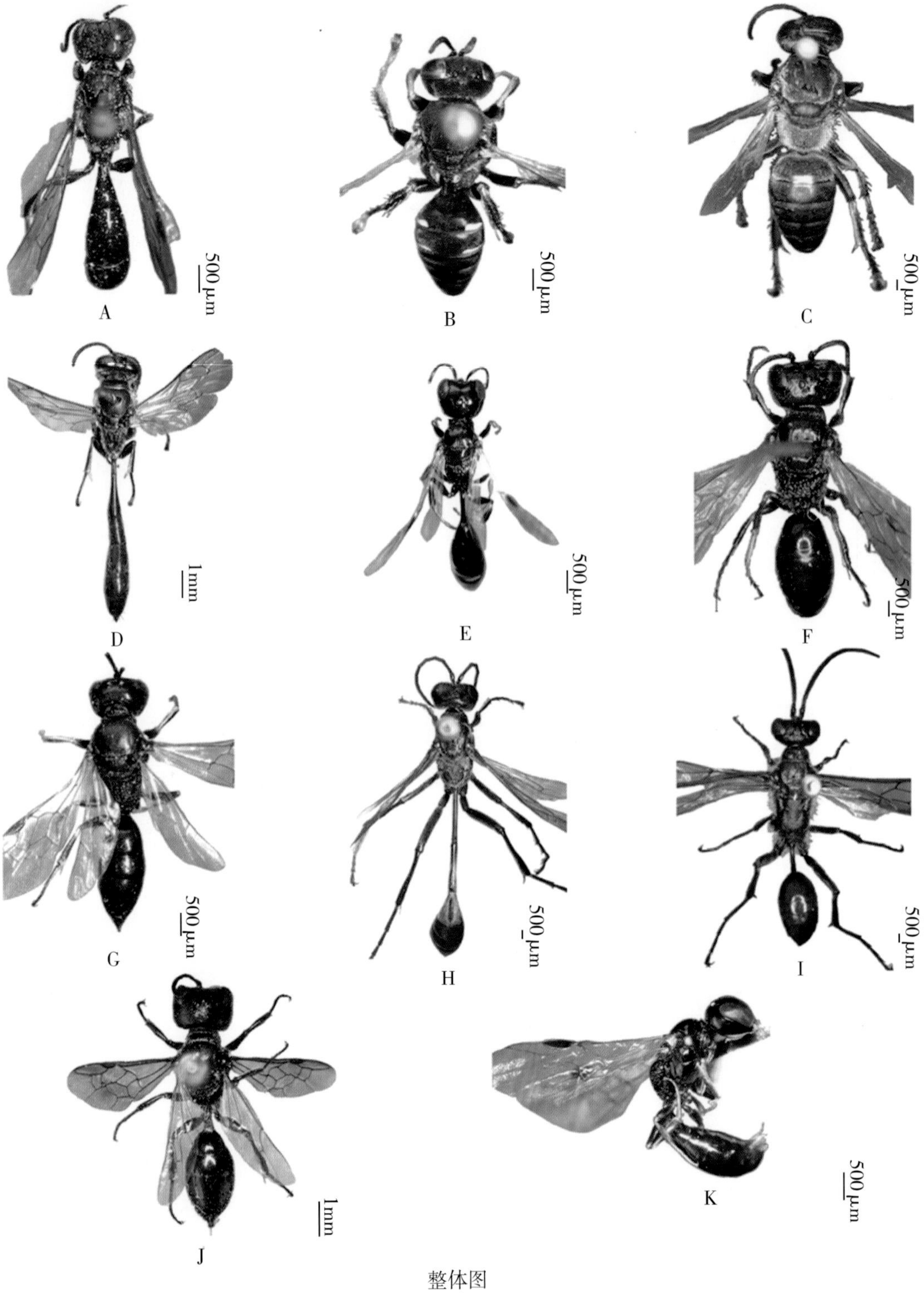

整体图

A. 中齿缨角泥蜂 *Crossocerus (Apocrabro) medidentatus* Li *et* Wu； B. 盗刺胸泥蜂 *Oxybelus latro* Olivier； C. 窄顶捷小唇泥蜂 *Tachytes angustiverticis* Wu *et* Li； D. 中华短翅泥蜂 *Trypoxylon (Trypoxylon) schmiedeknechtii* Kohl； E. 岩太隆痣短柄泥蜂 *Carinostigmus iwatai* (Tsuneki)； F. 领隐短柄泥蜂 *Diodontus collaris* Tsuneki； G. 显阔额短柄泥蜂 *Passaloecus insignis* (Vander Linden)； H. 红异沙泥蜂 *Ammophila rubigegen* Li *et* Yang； I. 日本蓝泥蜂 *Chalybion japonicum* (Gribodo)； J. 普通短柄泥蜂 *Pemphredon inornata* Say； K. 日本痣短柄泥蜂 *Stigmus japonicus* Tsuneki